KU-002-275

Langenscheidt

SŁOWNIK
polsko-angielski
angielsko-polski

3 w 1
Słownik uniwersalny
Gramatyka
Słownik tematyczny

Langenscheidt

Berlin · Monachium · Warszawa · Wiedeń · Zurych · Nowy Jork

Słownik polsko-angielski, angielsko-polski: *prof. Tadeusz Piotrowski; współpraca: Adam Sumera*
Gramatyka: *Katarzyna Malesa*
Słownik tematyczny angielsko-polski: *Ewa Spirydowicz*
Projekt okładki: *Grażyna Ficenes*
Redakcja: *Anna Kędziorek*
Korekta: *Julia Dzikowska, Anna Kędziorek*
Produkcja: *Marzena Baranowska*
Koordynacja projektu: *Małgorzata Kapuścińska, Marzena Baranowska*

Wyłączna dystrybucja „Składnica Księgarska" Sp. z o.o.
w Warszawie, ul. Kolejowa 19/21, www.sk.com.pl

Langenscheidt Polska Sp. z o.o.
ul. Grażyny 13
02-548 Warszawa

Druk: Zakład Poligraficzno-Wydawniczy Pozkal
ISBN: 83-89718-55-3

Spis treści

Przedmowa

Oddajemy do rąk Czytelnika książkę składającą się z trzech części: słownika uniwersalnego polsko-angielskiego, angielsko-polskiego, gramatyki języka angielskiego oraz słownika tematycznego angielsko-polskiego.

Słownik uniwersalny zawiera około 60 000 haseł i wyrażeń. Przy wyborze haseł kierowano się przede wszystkim częstotliwością ich występowania we współczesnym języku polskim i angielskim. Poza słownictwem ogólnym uwzględniono w nim także terminy fachowe z różnych dziedzin wiedzy oraz słownictwo potoczne.

W gramatyce umieszczono wszystkie najważniejsze zasady gramatyczne – od morfologii do składni. Ważne informacje – wyodrębnione w tabelach i zestawieniach – podkreślono rozmaitymi elementami graficznymi. Każde zagadnienie gramatyczne zilustrowano licznymi przykładowymi zdaniami z polskimi tłumaczeniami. Dodatkowo załączono wykaz czasowników nieregularnych.

W słowniku tematycznym angielsko-polskim słowa ułożono według zakresów tematycznych i dziedzin specjalistycznych. Do każdego wyrazu hasłowego podano transkrypcję fonetyczną (także w wypadku haseł wieloczłonowych) oraz co najmniej jeden przykład z tłumaczeniem na język polski.

Książka – trzy w jednym – przeznaczona jest dla wszystkich zainteresowanych aktywną nauką języka angielskiego, na wszystkich poziomach nauczania. Można ją wykorzystać do sprawdzania i wyszukiwania nowego słownictwa, do nauki zasad gramatyki lub ich odświeżania, a także poszerzania słownictwa z zakresu różnych pól tematycznych.

WYDAWCA

Przedmowa

SŁOWNIK UNIWERSALNY
polsko-angielski
angielsko-polski

Wskazówki dla użytkownika
Guide to Using the Dictionary

Porządek alfabetyczny i dobór haseł
Wszystkie wyrazy hasłowe podane są w porządku alfabetycznym. Do ich opisu stosowane są odpowiednie kwalifikatory dziedzinowe – przedstawiające ich przynależność do poszczególnych dziedzin oraz kwalifikatory stylistyczne – wskazujące na różne style danego wyrazu.

akuszer *m* (*-a*; *-rzy*) *med.* obstetrician; **~ka** *f* (*-i*; *G -rek*) midwife

Użycie tyldy (~) i dywizu
Tylda zastępuje cały wyraz hasłowy lub jego część, znajdującą się po lewej stronie kreski pionowej.

cierpliw|ość *f* (*-ści*; *0*) patience; ***uzbroić się w ~ość*** exercise one's patience; **~ie** patiently

bawić ⟨***po- za-***⟩ (*-ę*) v/i. stay; be on a visit (***u*** *G* to); *v/t.* entertain; amuse; **~ się** (*dobrze itp.*) have a good time; enjoy o.s.; **~się** play (***z dziećmi*** with children, ***lalką*** with a doll); *fig.* ***nie ~ się w*** (*A*) not waste too much time on

W formach gramatycznych, podawanych w nawiasach okrągłych lub w nawiasach trójkątnych wyrazy hasłowe lub ekwiwalenty wyrazów hasłowych zastąpiono dywizem.

cierpliw|ość *f* (*-ści*; *0*) patience

Hasła mające kilka odpowiedników
Odpowiedniki bliskoznaczne wyrazu hasłowego podano obok siebie oddzielając je przecinkami.

administrować (*-uję*) (*I*) administer, manage

Jeżeli wyraz hasłowy ma kilka odpowiedników dalekoznacznych, w takim przypadku na pierwszym miejscu podano znaczenie bliższe lub pierwotne, a potem kolejno znaczenia dalsze lub pochodne, oddzielone średnikiem.
Różnice znaczeniowe objaśniane są za pomocą:
- kwalifikatorów działowych,
- poprzedzających synonimów, podawanych w nawiasach okrągłych,

Alphabetical order and the choice of entries
The entries are given in a strictly alphabetical order. Special labels are used to help to describe them. There are also labels for words that are restricted to specific fields of usage.

akuszer *m* (*-a*; *-rzy*) *med.* obstetrician; **~ka** *f* (*-i*; *G -rek*) midwife

The use of the swung dash (~) and the hyphen The swung dash replaces the headword or the part of it that appears to the left of the vertical bar.

cierpliw|ość *f* (*-ści*; *0*) patience; ***uzbroić się w ~ość*** exercise one's patience; **~ie** patiently

bawić ⟨***po- za-***⟩ (*-ę*) v/i. stay; be on a visit (***u*** *G* to); *v/t.* entertain; amuse; **~ się** (*dobrze itp.*) have a good time; enjoy o.s.; **~się** play (***z dziećmi*** with children, ***lalką*** with a doll); *fig.* ***nie ~ się w*** (*A*) not waste too much time on

In grammatical forms given in round or angle brackets the entries or their equivalents are replaced with a hyphen.

cierpliw|ość *f* (*-ści*; *0*) patience

Entries with more than one meaning
Translations of the headword that are used synonymously are given next to each other and are separated by commas.

administrować *(-uję) (I)* administer, manage

If the Polish headword has more than one English equivalent, it is the basic or original meaning that is presented first. Further or derivative meanings come later and are separated by a semicolons.
Differences in meaning are explained by the use of:
- labels,
- preceding synonyms, given in round brackets,

– poprzedzających lub następujących po odpowiedniku dopełnień, podmiotów lub innych wskazówek objaśniających.

ciąć ⟨**ś-**⟩ *v/t.* cut; *impf. drzewa* fell; (*piłą*) saw; *v/i. deszcz wiatr*: lash

Jeżeli wyraz hasłowy należy do różnych kategorii gramatycznych, oddzielono je cyfrą arabską oraz oznaczono odpowiednim kwalifikatorem gramatycznym.

bez|ustanny 1. *adj.* incessant, unstopping; **2.** *adv.* **~ustannie** incessantly; **~usterkowy** (*-wo*) trouble-free; **~użyteczny** useless

Homonimy podano w osobnych hasłach oznaczonych kolejnymi cyframi arabskimi, podanymi w indeksie.

ciepło[1] *n* (*-a*; *0*) warmth, heat
ciepło[2] *adv.* warm

Hasła rzeczownikowe

Hasła rzeczownikowe opatrzone są zawsze skrótem rodzaju gramatycznego *m, f, n.*
W nawiasach okrągłych podano końcówki drugiego przypadka l. poj., pierwszego przypadka l. mn. oraz sporadycznie drugiego przypadka l. mn.

cierń *m* (*-nia*; *-nie -ni*) thorn, spine

Hasła przymiotnikowe

Jako hasła główne występują przymiotniki w mianowniku liczby poj. w rodzaju męskim w stopniu równym. Przymiotniki występujące tylko w rodzaju żeńskim podane są jako oddzielne hasła. Formy stopnia wyższego i najwyższego przymiotników stopniowanych nieregularnie podawane są w nawiasach okrągłych. Dodatkowo formy te zostały ujęte w liście haseł.

ładny *adj. (comp. -niejszy)* pretty, nice

Hasła czasownikowe

Jako wyrazy hasłowe występują z reguły czasowniki niedokonane. Przy czasownikach niedokonanych, posiadających aspekt dokonany podano w nawiasach trójkątnych przedrostek lub przyrostek, za pomocą których tworzony jest ich aspekt dokonany. Czasowniki niedokonane, nieposiadające odpowiednika dokonanego pozostają nieoznaczone. Cza-

– objects, subjects or other explanatory notes preceding or following the translation.

ciąć ⟨**ś-**⟩ *v/t.* cut; *impf. drzewa* fell; (*piłą*) saw; *v/i. deszcz wiatr*: lash

If the Polish headword is used as more than one part of speech, it is separated by Arabic numerals and marked with a suitable grammatical label.

bez|ustanny 1. *adj.* incessant, unstopping; **2.** *adv.* **~ustannie** incessantly; **~usterkowy** (*-wo*) trouble-free; **~użyteczny** useless

Homonyms are presented under separate entries marked with exponent numerals.

ciepło[1] *n* (*-a*; *0*) warmth, heat
ciepło[2] *adv.* warm

Nouns

Noun entries are always assigned an abbreviation of grammatical gender: *m, f* or *n.*
The endings of the second case singular, the first case plural and sometimes the second case plural are given in round brackets.

cierń *m* (*-nia*; *-nie -ni*) thorn, spine

Adjectives

Adjectives are given in the singular, masculine nominative of the simple form. Adjectives that are only feminine are given as separate entries. When the comparative and superlative forms of an adjective are irregular, these have been given in round brackets. Aditionally, these forms have been included in the list of entries.

ładny *adj. (comp. -niejszy)* pretty, nice

Verbs

As a rule imperfect verbs appear as entries. Imperfect verbs that have the perfect aspect are followed by angle brackets in which a prefix or a suffix that is used to form the perfect aspect of the verb is given. Imperfect verbs that do not have their perfect aspect are unmarked. Verbs that have only the perfect aspect are marked *pf.* Verbs that

sowniki, posiadające tylko aspekt dokonany opatrzone zostały kwalifikatorem *pf.* Czasowniki dwuaspektowe natomiast oznaczone kwalifikatorem *(im)pf.*

jechać (*-dę*) ⟨**po-**⟩ go (***koleją*** by train); ride (***rowerem*** (on) a bike, ***konno*** (on) a horse)
minąć *pf.* (*-nę -ń*) go by
kazać *(im)pf* (*każę każ!*) order, command

W nawiasach okrągłych z dywizem podano końcówki pierwszej osoby l. poj.

lamentować (*-uję*) lament (***nad*** *I* over)

can be used in both aspects are marked *(im)pf.*

jechać (*-dę*) ⟨**po-**⟩ go (***koleją*** by train); ride (***rowerem*** (on) a bike, ***konno*** (on) a horse)
minąć *pf.* (*-nę -ń*) go by
kazać *(im)pf* (*każę każ!*) order, command

The endings of the first person singular are given in round brackets with a hyphen.

lamentować (*-uję*) lament (***nad*** *I* over)

Skróty
Abbreviations

A *accusative* biernik
adj. *adjective* przymiotnik
adv. *adverb* przysłówek
agr. *agriculture* rolnictwo
Am. *American English* amerykański angielski
anat. *anatomy* anatomia
arch. *architecture* architektura
astr. *astronomy* astronomia
attr. *attributive* przydawka
aviat. *aviation* lotnictwo

bezok. *infinitive* bezokolicznik
biol. *biology* biologia
bot. *botany* botanika
Brt. *British English* brytyjski angielski
bud. *building* budownictwo

chem. *chemistry* chemia
cj. *conjunction* spójnik
comp. *comparative* stopień wyższy
cont. *contemptuously* pogardliwy

D *dative* celownik
dial. *dialect* dialekt

econ. *economics* ekonomia
electr. *electrical engineering* elektronika

f *feminine* rodzaj żeński

F *familiar, colloquial* potoczny, pospolity
fig. *figuratively* przenośnie

G *genitive* dopełniacz
gastr. *gastronomy* gastronomia
ger. *gerund* gerundium
gr. *grammar* gramatyka

hist. *history* historia
hum. *humorous* humorystyczny
hunt. *hunting* łowiectwo

I *instrumental* narzędnik
idkl *indeclinable* nieodmienny
(im)pf *imperfective and perfective* aspekt niedokonany i dokonany
int. *interjection* wykrzyknik
itp. *et cetera* i tym podobnie
jur. *legal* prawniczy

k-ś *somebody's* kogoś

L *locative* miejscownik
ling. *lingustics* językoznawstwo
lit. *literature, literary use* literatura, literacki

m *masculine* rodzaj męski
m/f *masculine or feminine* rodzaj męski lub rodzaj żeński

math. *mathematics* matematyka
med. *medicine* medycyna
meteor. *meteorology* meteorologia
mil. *military term* wojskowość
min. *among other things* między innymi
mot. *motoring* motoryzacja
mus. *music* muzyka

n *neuter* rodzaj nijaki
naut. *nautical* żeglarstwo
N *nominative* mianownik
ogóln. *generally* ogólnie
opt. *optics* optyka

parl. *parliamentary term* parlamentarny
part. *particle* partykuła
p.p. *past participle* imiesłów czasu przeszłego
ped. *pedagogy* pedagogika
pej. *pejorative* pejoratywny
pharm. *pharmacy* farmacja
phot. *photography* fotografika
phys. *physics* fizyka
physiol. *physiology* fizjologia
pl. *plural* liczba mnoga
poet. *poetic* poetycki
pol. *politics* polityka
pret. *preterit(e)* czas przeszły
print. *printing* drukarstwo
pron. *pronoun* zaimek
prp. *preposition* przyimek
przest. *obsolete* przestarzały
psych. *psychology* psychologia
rail. *railroad, railway* kolejnictwo

rel. *religion* religia
see *refer to* patrz
sg. *singular* liczba pojedyncza
sl. *slang* slang
sport. *sports* sportowy
sup. *superlative* stopień najwyższy
Szkoc. *Scottish* szkocki angielski

tech. *technology* technika
teleph. *telephony* telekomunikacja
TM *trademark* zastrzeżony znak towarowy
theat. *theatre* teatr
t-ko *only* tylko

univ. *university* uniwersytecki

V *vulgar* wulgarny
v/aux. *auxiliary verb* czasownik posiłkowy
v/i. *intransitive verb* czasownik nieprzechodni
v/s. *instantaneous verb* czasownik momentalny
v/t. *transitive verb* czasownik przechodni
vet. *veterinary medicine* weterynaria
w złoż. *compound* w złożeniach

zbior. *collective noun* wyraz zbiorowy
zo. *zoology* zoologia
zw. *usually* zwykle
zwł. *especially* zwłaszcza
→ *see, refer to* patrz

Notes on Polish Pronunciation
Wskazówki dotyczące polskiej wymowy

Polish vowels

letter	sound	pronunciation	example
a	a	similar to English *a* in luck	mama
ą	ɔ̃	similar to English *ow*, in know	mąż
e	ɛ	between English *a* in man and *e* in men	chleb
ę	ɛ̃	similar to English *en* in ten	męski
i	i	as English *i* in he	mina
	ĭ	as English *y* in year	talia
o	ɔ	as English *o* in boy	okno
ó	u	as English *oo* in moon, but shorter	ósmy
u	u	as English *u* in put	suma
y	i	between English *i* in sit and *e* in set	syn

Pronunciation of nasalised vowels

1. When used at the end of a word the vowels **ą, ę** lose their nasality
ę → /e/, ą → /o/, e.g.:
daję → /*daje*/, *gazetę* → /*gazete*/, *są* → /*so*/, *dają* → /*dajo*/
2. Pronunciation of nasalised vowels **ą, ę** before consonants
before **p, b – ą, ę → /om/, /em/**, e.g.:
skąpy → /*skompy*/, *kąpie* → /*kompie*/, *trąba* → /*tromba*/
następny → /*nastempny*/, *tępy* → /*tempy*/, *zęby* → /*zemby*/
before **t, d, c, dz, cz – ą, ę → /on/, /en/**, e.g.:
piąty → /*pionty*/, *kąty* → /*konty*/, *gorąco* → /*goronco*/
piętro → /*pientro*/, *chętnie* → /*chentnie*/, *więc* → /*wienc*/
before **ć, dź – ą, ę → /oń/, /eń/**, e.g.:
płynąć → /*płynońć*/, *bądź* → /*bońć*/, *mąci* → /*mońci*/
pięć → /*pieńć*/, *zdjęcie* → /*zdjeńcie*/, *wszędzie* → /*fszeńdzie*/
before **k, g – ą, ę → /oŋ/, /eŋ/**, e.g.:
rąk → /*roŋk*/, *strąk* → /*stroŋk*/, *drągiem* → /*droŋgiem*/
ręka → /*ręŋka*/, *węgiel* → /*weŋgiel*/, *tęgi* → /*teŋgi*/
before **l, l, ł – ą, ę → /o/, /e/**, e.g.:
zaczął → /*zaczoł*/, *zaczęli* → /*zaczeli*/
before **w, w, f, f, s, ś, z, ź, ż (rz), ch (h), ch, h – ą, ę** do not lose their nasality, e.g.:
wąs → /vąs/, kęs → /kęs/.

Polish consonants

letter	sound	pronunciation	example
c	ts	as English *ts* in its	cały
ch	x	as English *h* in hand	chyba
cz	tʃ	as English *tch* in itch	czas

ć (ci)	tç	as softly *tch*	bić, ciocia
dz	dz	as in English red zone	chodzę, dzwon
dź (dzi)	ðž	as softly *dz*	dźwig, działo
dż, drz	dʒ	as English *j* in just	dżem, drzwi
h	x	as English *h* in hand	herbata
ł	w	as English *w* in wet	stół, miło
ń (ni)	ɳ	as English *ni* in onion	koń, koniec
r	r	as English *r* in red	rak
rz	ʃ	as English *s* in ship	krzak
	ʒ	as English *s* in pleasure	rzeka
s	s	as English *s* in yes	sala
sz	ʃ	as English *sh* in show	szal
ś (si)	ç	as softly *s*	świt, siwy
w	v	as English *v* in voice	woda
z	z	as English *z* in zebra	zadanie
ź (zi)	ž	as softly *z*	późno, zimno
ż	ʒ	as English *s* in pleasure	żaba

Pronunciation of consonants
Most voiced consonants have voiceless equivalents, e.g. **b – p**, **w – f**, **d – t**, **z – s**, **dz – c**, **ż – sz**, **dż – cz**, **ź – ś**, **dź – ć**, **g – k**.
Voiced consonants become voiceless in the following contexts:
– at the end of a word, e.g.: *klub* → */klup/*, *bagaż* → */bagasz/*
– before voiceless consonants, e.g.: *babka* → */bapka/*, *brzydki* → */brzytki/*, *wszyscy* → */fszyscy/*
The consonant **ł** is not pronounced when situated between 2 consonants, e.g. *jabłko* → */japko/*.
on, **om**, **en**, **em** are pronounced **ą**, **ę**, before the following consonants: **f**, **w**, **s**, **z**, **t**, **d**, **dz**, **n**, **ł**, *e.g.*: *sens* → */sęs/*, *konsul* → */kąsul/*, *komfort* → */kąfort/*.

Stress in Polish

Stress in Polish is regular and usually falls on the penultimate syllable, e.g.: *gotowanie*, *przemówienie, robotnik, klasówka*. Stressed syllables are pronounced longer than unstressed syllables.
Exceptions:
a) The third syllable from the end is stressed in the first and second person plural, e.g: *czytaliśmy, zwiedzaliście*, as well as in all singular forms and third person plural of the conditional, e.g.: *zrobiłabym, widzieliby.*
b) The third syllable from the end is stressed in nouns ending in *-yka*, *-ika*, e.g.: *matematyka*, *turystyka*, *polemika.*
c) The fourth syllable from the end is stressed in the first and second person plural of the conditional, e.g.: *zrobilibyśmy, widzielibyście.*

Zestawienie symboli fonetycznych w języku angielskim

Samogłoski i dwugłoski

znak fonetyczny	zbliżony polski odpowiednik	przykłady
iː	*i*	see, read
ɪ	*y*	in, chips
e	*e*	bed, head
ɜː	*e (długie)*	first, nurse
ə	*a (zanikowe)*	about, butter
æ	*a*	bad, cat
ʌ	*a (krótkie)*	much, love
ɑː	*a (długie)*	father, start
uː	*u (długie)*	too, two
ʊ	*u (krótkie)*	good, put
ɔː	*o (długie)*	door, law
ɒ	*o (krótkie)*	shop, lot
aɪ	*ay (łączne)*	ride, try
eɪ	*ey (łączne)*	day, face
ɔɪ	*oy (łączne)*	boy, choice
ɪə	*ya (łączne)*	here, beer
eə	*ea (łączne)*	hair, pear
ʊə	*ua (łączne)*	poor tour
aʊ	*au (łączne)*	now, mouth
əʊ	*ou (łączne)*	home, no

Spółgłoski

znak fonetyczny	zbliżony polski odpowiednik	przykłady
p	*p*	pen, happen
b	*b (rozdźwięcznione)*	body, job
t	*t*	toy, better
d	*d (rozdźwięcznione)*	odd, day
k	*k*	key, school
g	*g (rozdźwięcznione)*	ghost, go
f	*f*	coffee, physics

v	*w*	heavy, very
θ	*f (wymawiane międzyzębowo)*	think, path
ð	*z (wymawiane międzyzębowo)*	this, other
s	*s lub z (po dźwięcznej spółgłosce)*	sister, glass, dogs
z	*z (rozdźwięcznione)*	zero
ʃ	*sz*	shop, fish
ʒ	*ż (rozdźwięcznione)*	pleasure, television
tʃ	*cz*	church, much
dʒ	*dż (rozdźwięcznione)*	age, just
h	*h (wymawiane wydechowo)*	hot, whole
m	*m*	more, hammer
n	*n*	nice, sun
ŋ	*n (jak np. w bank)*	thing, long
l	*l*	light, feel
r	*r (bryt. ang. wymawiane tylko przed samogłoskami)*	right, hurry
j	*j*	yes, use
w	*ł*	one, when

Alfabet angielski

	wymowa		wymowa
a	[eɪ]	**n**	[en]
b	[biː]	**o**	[əʊ]
c	[siː]	**p**	[piː]
d	[diː]	**q**	[kjuː]
e	[iː]	**r**	[ɑː]
f	[ef]	**s**	[es]
g	[dʒiː]	**t**	[tiː]
h	[eɪtʃ]	**u**	[juː]
i	[ai]	**v**	[viː]
j	[dʒeɪ]	**w**	['dʌbljuː]
k	[keɪ]	**x**	[eks]
l	[el]	**y**	[waɪ]
m	[em]	**z**	[zed]

The Polish Alphabet
Alfabet polski

	Pronunciation
a	[a]
ą	[ɔ̃]
b	[bɛ]
c	[tsɛ]
ć	[tɕɛ]
d	[dɛ]
e	[ɛ]
ę	[ɛ̃]
f	[ɛf]
g	[gɛ]
h	[xa]
i	[i]
j	[jɔt]
k	[ka]
l	[ɛl]
ł	[ɛw]
m	[ɛm]
n	[ɛn]
ń	[ɛɲ]
o	[ɔ]
ó	[ɔ krɛskovanɛ]

	Pronunciation
p	[pɛ]
r	[ɛr]
s	[ɛs]
ś	[ɛɕ]
t	[tɛ]
u	[u]
w	[vu]
x	[iks]
y	[i grɛk]
z	[zɛt]
ź	[ʑɛt]
ż	[ʒet]

Compound letters

ch	[xa]
cz	[tʃɛ]
dz	[dzɛ]
dź	[dʑɛ]
dż	[dʒɛ]
rz	[ɛrzɛt]
sz	[ɛʃ]

Słownik polsko-angielski

A

a *cj., part* and; **~!** *int.* oh!, ah!; ***nic ~ nic*** nothing at all
a. *skrót pisany*: ***albo*** or
abażur *m* (*-u/-a*; *-y*) lampshade
abdykacja *f* (*-i*; *-e*) abdication
abecadło *n* (*-a*; *G -deł*) alphabet; (*podstawy*) the ABC
abonament *m* (*-u*; *-y*) (*teatralny itp.*) season ticket; *tel.* rental charge; *RTV*: *Brt.* licence (*Am.* license) fee
abonent *m* (*-a*; *-ci*), **~ka** *f* (*-i*; *G -tek*) *tel. itp.* subscriber
abonować (*-uję*) subscribe to
aborcja *f* (*-i*; *-e*) abortion
abp *skrót pisany*: ***arcybiskup*** Abp, Arch. (*Archbishop*)
absencja *f* (*-i*; *-e*) absence; (*chorobowa*) absenteeism
absolutny absolute; *cisza* complete
absolwent *m* (*-a*; *-ci*), **~ka** *f* (*-i*; *G -tek*) graduate, school-leaver
absorbować ⟨***za-***⟩ (*-uję*) absorb (*też fig.*)
abstrahować (*-uję*): **~ *od*** (*G*) ignore, take no notice of
absurd *m* (*-u*; *-y*) absurdity
absurdalny absurd
aby *cj.* (in order) to, in order that; ***~ tylko*** let's (just) hope (that)
acetylen *m* (*-u*; *0*) acetylene
ach *int.* oh
aczkolwiek although
adamaszek *m* (*-szku*; *-szki*) damask
adaptacja *f* (*-i*; *-e*) adaptation; *bud.* conversion (***na biuro*** into offices)
adapt|er *m* (*-a/-u*; *-y*) F record-player; **~ować** (*im*)*pf* (*-uję*) *dzieło* adapt; *bud.* convert (***na*** *A* into); ***~ować się*** adapt (o.s.) (***do*** to)
adekwatny (***do*** *G*) commensurate (with *lub* to), adequate (to)
adidasy F *m/pl.* (*-ów*) sports shoes *pl.*, *Brt.* trainers *pl.*
adiunkt *m* (*-a*; *-nci*) (senior) lecturer
adiutant *m* (*-a*; *-nci*) aide-de-camp
administra|cja *f* (*-i*; *-e*) administration; **~cyjny** administrative; ***kara ~cyjna*** penalty for contempt of court; **~tor** *m* (*-a*; *-rzy*), **~torka** *f* (*-i*; *G -rek*) administrator
administrować (*-uję*) (*I*) administer, manage
admirał *m* (*-a*; *-owie*) admiral
adnotacja *f* (*-i*; *-e*) note
adoptować ⟨***za-***⟩ (*-uję*) adopt
adorator *m* (*-a*; *-rzy/-owie*), **~ka** *f* (*-i*; *G -rek*) admirer
adres *m* (*-u*; *-y*) address; ***pod jej ~em*** to her address; *fig.* to her; **~at** *m* (*-a*; *-ci*), **~atka** *f* (*-i*) addressee; *fig.* receiver; ***~at nieznany*** address unknown
adresować ⟨***za-***⟩ (*-uję*) address; (***do*** *G*) address (to); *fig.* direct (at)
Adriatyk *m* (*-u*; *0*) Adriatic Sea
adwent *m* (*-u*; *-y*) Advent; **~owy**: ***okres ~owy*** time of Advent
adwoka|cki lawyer's; ***zespół ~cki*** lawyer's office; **~t** *m* (*-a*; *-ci*), **~tka** *f* (*-i*; *G -tek*) lawyer; *Brt.* solicitor, *Am.* attorney; (*przed sądem*) *Brt.* barrister, *Am.* attorney(-at-law); **~tura** *f* (*-y*; *0*) legal profession
aero|- aero-, air-; **~bik** *m* (*-u*; *-i*) aerobics *sg.*; **~dynamiczny** aerodynamic; **~zol** *m* (*-u*; *-e*) aerosol, spray
afektowany affected
afera *f* (*-y*) scandal
aferzyst|a *m* (*-y*; *-ści*, *-ów*), **~ka** *f* (*-i*; *G -tek*) confidence trickster; F con-man
afgański Afghan
afisz *m* (*-a*; *-e*) poster; ***zejść z ~a*** *theat.* not to be performed any longer; **~ować się** (*-uję*) (*I*, ***z*** *I*) make a show (of), parade (s.th.)
Afryka *f* (*-i*) Africa
Afrykan|in *m* (*-a*; *-anie*; *-ów*), **~ka** *f* (*-i*; *G -nek*) African
afrykański African
agat *m* (*-u*; *-y*) agate
agen|cja *f* (*-i*; *-e*) agency; ***~cja towarzyska*** escort agency; **~cyjny** agency; **~da** *f* (*-y*) branch; (*terminarz*) agenda; **~t** *m* (*-a*; *-ci*), **~tka** *f* (*-i*; *G -tek*) agent; **~tura** *f* (*-y*) → ***agencja***; *coll.* agents *m/pl.*
agitac|ja *f* (*-i*; *zw. 0*) agitation; *pol.* can-

vassing; **~ja wyborcza** election propaganda; **~yjny** propaganda
aglomeracja *f* (*-i*; *-e*) conurbation
agonia *f* (*GDL -ii*; *0*) agony
agrafka *f* (*-i*; *G -fek*) safety pin
agrarny agrarian, agricultural
agresja *f* (*-i*; *-e*) aggression
agresor *m* (*-a*; *-rzy/-owie*) aggressor
agrest *m* (*-u*; *zw. 0*) *bot.* gooseberry
agresywny aggressive
agro|nom *m* (*-a*; *-owie/-i*) agronomist; **~technika** *f* agricultural technology
AIDS *m* (*idkl.*) AIDS; ***chory na ~*** person suffering from AIDS
airbus *m* (*-a*; *-y*) *aviat.* airbus
akacja *f* (*-i*; *-e*) *bot.* acacia; F robinia
akademia *f* (*GDL -ii*; *-e*) academy; (*zebranie*) ceremony
akademick|i academic; student; ***dom ~i*** student hostel; students' (hall of) residence; ***młodzież ~a*** students *pl.*; student body; ***rok ~i*** academic year
akademik *m* **1.** (*-a*; *-i*) F student hostel; students' (hall of) residence; **2.** (*-a*; *-cy*) (*członek akademii*) academic
akcent *m* (*-u*; *-y*) accent; stress; **~ować** ⟨***za-***⟩ (*-uję*) accent, stress; *fig.* emphasize
akcept *m* (*-u*; *-y*) *econ.* acceptance
akceptować ⟨***za-***⟩ (*-uję*) accept
akces *m* (*-u*; *zw. 0*) accession; ***zgłaszać ~ do*** (*G*) affirm one's wish to become
akcesoria *n/pl.* accessories *pl.*
akcj|a *f* (*-i*; *-e*) action; *econ.* campaign; ***~a powieści*** plot of the novel; ***~a wyborcza*** canvassing; ***~a policyjna*** police operation; ***wprowadzić do ~i*** put into action; ***miejsce ~i*** scene; **~e** *pl.* shares *pl.*
akcjonariusz *m* (*-a*; *-e*), **~ka** *f* (*-i*; *G -szek*) shareholder
akcyjn|y unsystematic; *econ.* share; ***spółka ~a*** *econ.* joint-stock company; ***kapitał ~y*** *econ.* share capital
aklamacj|a *f* (*-i*; *0*): ***przez ~ę*** by acclamation
akompani|ament *m* (*-u*; *zw. 0*) (*fortepianowy*) (piano) accompaniment; **~ować** accompany
akord *m* (*-u*; *-y*) *econ.* piece-work; *mus.* chord; ***pracować na ~*** be on piece-work
akordeon *m* (*-u*; *-y*) accordion
akordow|o *adv*: ***pracować ~o*** be on piece-work; **~y** piece-work; ***robotnik ~y*** pieceworker
akredytować (*-uję*) accredit
akredytywa *f* (*-y*) *econ.* letter of credit
akrobat|a *m* (*-y*; *-ci*), **~ka** *f* (*-i*; *G -tek*) acrobat; ***~(k)a na trapezie*** trapeze artist
akrylow|y acrylic; ***żywica ~a*** acrylic resin
aksamit *m* (*-u*; *-y*) velvet; **~ka** *f* (*-i*; *G -tek*) velvet ribbon; *bot.* marigold; **~ny** velvet; *głos itp.* velvety
akt *m* **1.** (*-u*; *-y*) act (*też jur.*); (*uroczystość*) ceremony; (*dokument*) act, deed; (*malarstwo*) nude; **2.** (*pl. -a*) file; ***~ kupna*** bill of sale; (*domu*) title deed; ***~ oskarżenia*** indictment; ***~ otwarcia*** opening ceremony; ***~ zgonu*** death certificate; ***~a*** *pl.* ***osobowe*** personal file *lub* dossier; ***odkładać do ~*** file away; *fig.* lay to rest
aktor *m* (*-a*; *-rzy*), **~ka** *f* (*-i*; *G -rek*) actor; **~ski** acting; **~sko** like an actor; **~stwo** *n* (*-a*; *0*) acting; (*sztuka*) dramatic art
aktówka *f* (*-i*; *G -wek*) briefcase, attaché case
aktual|izować (*-uję*) update; **~nie** *adv.* at present, currently; **~ność** *f* (*-ści*) relevance (to the present); (*wiadomości itp.*) topicality; **~ny** current; *problemy* topical
aktywizować (*-uję*) activate; *ludzi* mobilize
aktywn|ość *f* (*-ści*) activity; **~y** active
akumu|lacja *f* (*-i*; *0*) accumulation; **~lator** *m* (*-a*; *-y*) *Brt.* accumulator, *Am.* storage battery; **~lować** ⟨***z-***⟩ (*-uję*) accumulate
akupunktura *f* (*-y*; *0*) acupuncture
akurat *adv.* (*teraz*) at this very moment; (*dokładnie*) exactly; ***~!*** no way!
akustyczny acoustic(al)
akuszer *m* (*-a*; *-rzy*) *med.* obstetrician; **~ka** *f* (*-i*; *G -rek*) midwife
akwa|planacja *f* (*-i*; *-e*) aquaplaning; **~rela** *f* (*-i*; *-e*) water-colo(u)r; **~rium** *n* (*idkl.*; *-ia*, *-ów*) aquarium
al. *skrót pisany*: ***aleja*** Ave. (*Avenue*)
alarm *m* (*-u*; *-y*) alarm; (*stan*) alert; ***bić na ~*** sound the alarm; **~ować** ⟨***za-***⟩ (*-uję*) alarm; *policję itp.* call out; **~owy** alarm
Alaska *f* (*-i*; *0*) Alaska

Alban|ia *f* (*-ii*; *0*) Albania; **~ka** *f* (*-i*; *G -nek*) Albanian
Albań|czyk *m* (*-a*; *-cy*) Albanian; **&ski** Albanian; ***mówić po &sku*** speak Albanian
albatros *m* (*-a*; *-y*) albatross
albinos *m* (*-a*; *-y/m-os -i*) albino
albo *cj.* or; **~ ..., ~ ...** either ... or ...; **~-~** alternative; **~ *też*** or else; **~wiem** *cj.* because, for
album *m* (*-u*; *-y*) album
ale *cj.* but; however; **~ *jesteś duży!*** aren't you tall!; **~ *gdzie tam!*** of course not!; ***bez żadnego* ~** no ifs and buts
alegoria *f* (*-ii*; *-e*) allegory
alegoryczny allegoric
aleja *f* (*-ei*; *-e*, *-ei/-ej*) alley; (*droga*) avenue
alergi|a *f* (*GDL -ii*; *zw. 0*) allergy; **~czny** allergic (***na*** *A* to)
ależ *part.* but; **~ *tak!*** why, yes!
alfabet *m* (*-u*; *-y*) alphabet; **~ *Braille'a*** Braille
alfabetyczny alphabetic(al)
alfons F *m* (*-a*; *-i/-y*) pimp
algebra *f* (*-y*; *0*) algebra
Algier|ia *f* (*-ii*; *0*) Algeria; **~czyk** *m* (*-a*; *-cy*), **~ka** *f* (*-i*; *G -rek*) Algerian; **&ski** Algerian
alian|cki allied; **~t** *m* (*-a*; *-ci*) ally
alibi *n* (*idkl.*) alibi
alienacja *f* (*-i*; *0*) alienation
aligator *m* (*-a*; *-y*) *zo.* alligator
alimenty *pl.* (*-ów*) (*po rozwodzie*) maintenance payment *sg.*; (*w separacji*) alimony *sg.*
alkaliczny alkaline
alkohol *m* (*-u*; *-e*) alcohol; (*napój*) (alcoholic) drink; **~ik** *m* (*-a*; *-cy*), **~iczka** *f* (*-i*; *G -czek*) alcoholic; **~owy** alcoholic
alleluja *n* (*idkl.*) hallelujah; ***Wesołego &!*** Happy Easter!
alpejski Alpine
alpinist|a *m* (*-y*; *-ści*, *-ów*), **~ka** *f* (*-i*; *G -tek*) mountaineer, climber
Alpy *pl.* (*G -*) the Alps
alt *m* (*-u*; *-y*) alto
altan|a *f* (*-y*), **~ka** *f* (*-i*; *G -tek*) arbo(u)r; summerhouse
alternat|or *m* (*-a*; *-y*) *mot.* alternator; **~ywa** (*-y*) alternative; **~ywny** alternative
altowiolist|a *m* (*-y*; *-ści*), **~ka** *f* (*-i*; *-ki*) viola player
altówka *f* (*-i*; *G -wek*) *mus.* viola
alumini|owy *Brt.* aluminium, *Am.* aluminum; **~um** *n* (*idkl.*) *Brt.* aluminium, *Am.* aluminum
aluzj|a *f* (*-i*; *e*) allusion, hint; ***czynić* ~e** (***do*** *G*) hint (at)
aluzyjnie *adv.* in the form of a hint
alzacki Alsatian
ałun *m* (*-u*; *-y*) alum
AM *skrót pisany*: ***Akademia Medyczna*** Medical Academy
amalgamat *m* (*-u*; *-y*) amalgam (*też fig.*)
amant *m* (*-a*; *-ci*), **~ka** *f* (*-i*; *G -tek*) *theat.* lover
amarantowy amaranthine
amator *m* (*-a*; *-rzy*), **~ka** *f* (*-i*; *G -rek*) amateur (*też sport.*); lover; (*reflektujący*) potential buyer (***na*** *A* of); **~ski** amateurish; ***teatr* ~ski** amateur *Brt.* theatre (*Am.* theater) group; **~sko** *adv.* in an amateurish way
ambasa|da *f* (*-y*) *pol.* embassy; **~dor** *m* (*-a*; *-rzy*) ambassador
ambicja *f* (*-i*; *-e*) *też pej.* ambition; (*poczucie godności*) sense of hono(u)r
ambitny ambitious
ambona *f* (*-y*) *rel.* pulpit
ambulans *m* (*-u*; *-e*) ambulance; **~ *pocztowy*** mail coach
ambula'to|rium *n* (*idkl.*; *-ia*, *-ów*) *med.* out-patient(s') department; **~ryjny** *med.* out-patient
amen *n* (*idkl.*) amen; ***pewne jak* ~ *w pacierzu*** you can bet your bottom dollar on it; ***na* ~** totally, utterly
Ameryka *f* (*-i*; *G -*) America; **~nin** *m* (*-a*; *-anie*, *-ów*), **~nka** *f* (*-i*; *G -nek*) American; ***&nka*** sofa, bed; **&ński** American; ***po &ńsku*** like an American
ametyst *m* (*-u*; *-y*) amethyst
amfibia *f* (*GDL -ii*; *-e*) *tech.* amphibious vehicle; *zo.* amphibian
aminokwas *m* (*-u*; *-y*) amino acid
amne|stia *f* (*GDL -ii*; *-e*) amnesty; **~zja** *f* (*-i*; *0*) amnesia
amoniak *m* (*-u*; *0*) ammonia
amoralny amoral
amorty|zacja *f* (*-i*; *0*) *econ.* (*maszyn*) depreciation; (*aktywów*) amortization; *tech.* shock absorption; **~zator** *m* (*-a*; *-y*) shock absorber; **~zować** (*-uję*) *wstrząsy* cushion, absorb; *econ.* amortize, depreciate (*też* ***się***)

ampero|godzina *f* ampere-hour; **~mierz** *m* (*-a*; *-e*) ammeter
ampułka *f* (*-i*; *G -łek*) ampoule
amputować (*im*)*pf* (*-uję*) amputate
amunicja *f* (*-i*; *0*) ammunition, F ammo
anabolicz|ny: **~ne** anabolic drugs *pl.*
anachroniczny anachronic
analfabet|a *m* (*-y*; *-ci*), **~ka** *f* (*-i*; *G -tek*) illiterate (person); **~yzm** *m* illiteracy
analiz|a *f* (*-y*) analysis; *med.* test; → ***badanie***; **~ować** ⟨***prze-***⟩ (*-uję*) analyze
analogiczny analogical
analogowy analog(ue)
ananas *m* (*-a*; *-y*) pineapple; *fig.* good-for-nothing; **~owy** pineapple
anarchia *f* (*-i*; *0*) anarchy
anarchi|czny anarchic; **~sta** *m* (*-y*; *-ści*, *-ów*), **~stka** *f* (*-i*; *G -tek*) anarchist; **~styczny** anarchistic
anatomi|a *f* (*GDL -ii*; *0*) anatomy; **~czny** anatomic(al)
androny *pl.* (*-ów*) rubbish, nonsense; ***pleść ~*** F drivel
andrut *m* (*-a*; *-y*) waffle
anegdota *f* (*-y*) anecdote
anek|s *m* (*-u*; *-y*) supplement, *Brt.* annexe, *Am.* annex; *bud.* extension; **~tować** ⟨***za-***⟩ (*-uję*) annex
anemiczny an(a)emic
aneste|tyk *m* (*-u*; *-i*) anesthetic, *Brt.* anaesthetic; **~zja** *f* (*-i*; *-e*) anesthesia, *Brt.* anaesthesia; **~zjolog** *m* (*-a*; *-dzy/-owie*) *Brt.* anaesthetist, *Am.* anesthesiologist
ang. *skrót pisany*: ***angielski*** Eng. (*English*)
angażować ⟨***za-***⟩ (*-uję*) take on, employ; *theat.* engage; → ***wplątywać***; ~ ⟨***za-***⟩ ***się*** become involved (***w*** *A/I* in)
Angiel|ka *f* (*-i*; *G -lek*) Englishwoman, English girl; **⁓ski** English; ***mówić po ⁓sku*** speak English; ***ziele ⁓skie*** *bot.* allspice; **⁓szczyzna** F *f* (*-y*; *0*) English
angina *f* (*-y*; *0*) throat infection; ***~ pectoris*** angina (pectoris)
Anglia *f* (*-ii*; *0*) England
Anglik *m* (*-a*; *-cy*) Englishman, English boy
anglikański Anglican
anglistyka *f* (*-i*; *0*) (*studia*) English studies *pl.*; (*instytut*) English department
anglo|języczny English-speaking; **~saski** Anglo-Saxon
angorski *zo.*, *włók.* angora
ani 1. *cj.*: ***~ … ~, nie … ~ nie*** neither … nor …; **2.** *part.* not a; ***~ chybi*** without fail; ***~ razu*** not once; ***~ rusz*** not at all; ***~ kropli*** not a (single) drop; ***~ odrobiny*** not a bit; ***~ śladu*** (*G*) not a trace (of)
aniels|ki angelic; **~ko** angelically
animowany: ***film ~*** (animated) cartoon
anioł *m* (*-a*; *aniele!*; *-y/-owie/anieli*) angel; ***~ stróż*** guardian angel
aniżeli *cj.* than
ankiet|a *f* (*-y*) questionnaire; (*akcja*) survey; **~owany** *m* (*-ego*; *-i*), **~owana** *f* (*-ej*; *-e*) person questioned
ano *part.* well
anonim *m* **1.** (*-a*; *-owie*) anonymous person; **2.** (*-u*; *-y*) anonymous letter; **~owo** anonymously; **~owy** anonymous
anons *m* (*-u*; *-e*) advertisement, F ad; (*ogłoszenie*) announcement; **~ować** ⟨***za-***⟩ (*-uję*) advertise; announce
ans|a: ***mieć ~ę do kogoś*** bear s.o. ill will
antagonistyczny antagonistic
antałek *m* (*-łka*; *-łki*) small barrell
Antarkty|da *f* (*-y*; *0*) Antarctica; **⁓czny** Antarctic
antena *f* (*-y*) aerial, antenna
antenat *m* (*-a*; *-ci*), **~ka** *f* (*-i*; *G -tek*) forefather, ancestor
antenowy aerial; ***czas ~*** broadcasting time
antologia *f* (*-ii*; *-e*) anthology
antrakt *m* (*-u*; *-y*) (*przerwa*) intermission
antresola *f* (*-i*; *-e*) mezzanine
antropologiczny anthropological
antrykot *m* (*-u*; *-y*) *gastr.* entrecôte
anty- *w złoż.* anti-
antyaborcyjn|y: ***ustawa ~a*** anti-abortion law
anty|biotyk *m* (*-u*; *-i*) antibiotic; **~cyklon** *m* anticyclon, F high
antyczny antique
anty|datować (*-uję*) antedate; **~demokratyczny** anti-democratic; **~dopingowy**: ***kontrola ~dopingowa*** doping control
antyk *m* (*-u*; *-i*) (*okres*) classical antiquity; (*rzecz*) antique
antykoncepcyjny: ***środek ~*** *med.* contraceptive
antykwa|riat *m* (*-u*; *-y*) (*z książkami*) second-hand bookshop; (*z antykami*) antique shop; **~riusz** *m* (*-a*; *-e*) sec-

ond-hand bookseller; **~rski, ~ryczny** second-hand; (*cenny*) antiquarian
antylopa *f* (*-y*) antelope
anty|narkotykowy: ***wydział służb ~narkotykowych*** narcotics squad; **~naukowy** unscientific; **~niemiecki** anti-German; **~patia** *f* (*-i*; *-e*) antipathy; **~patyczny** antipathetic(al); **~polski** anti-Polish; **~semicki** anti-Semitic; **~septyczny** antiseptic; **~wojenny** anti-war, antimilitaristic
anulowa|ć (*-uję*) annul; *dokument* cancel; **~nie** *n* (*-a*) annulment
anyż *m* (*-u*; *-e*) aniseed; **~owy** aniseed
Apacz *m* (*-a*; *-e*) Apache
aparat *m* (*-u*; *-y*) (*techniczny*, *państwowy*) apparatus; (*w domu*) appliance; (*radiowy*) radio; (*telewizyjny*) TV set; (*telefoniczny*) phone; **~ura** *f* (*-y*) apparatus (*też fig.*); (*sprzęt*) equipment
apartament *m* (*-u*; *-y*) apartment; (*hotelowy*) suite
apaszka *f* (*-i*; *G -szek*) scarf
apatyczny apathetic
apel *m* (*-u*; *-e*, *-i/-ów*) roll call; (*odezwa*) appeal (***o*** *A* for)
apelacj|a *f* (*-i*; *-e*) *jur.* appeal; ***wnosić ~ę*** appeal, lodge an appeal
apel|acyjny *jur.* of appeal; **~ować** ⟨***za-***⟩ (*-uję*) appeal (***do*** *G* to)
apety|czny appetizing; **~t** *m* (*-u*; *-y*) appetite (*też fig.* ***na*** *A* for); ***pobudzać ~t*** stimulate the appetite
aplauz *m* (*-u*; *-e*) applause, cheer
aplika|cja *f* (*-i*; *-e*) *jur.* (practical) training for the bar; **~nt** *m* (*-a*; *-ci*), **~ntka** *f* (*-i*; *G -tek*) *jur.* trainee lawyer, *Brt.* articled clerk; **~ntura** *f* (*-y*) → ***aplikacja***
aplikować ⟨***za-***⟩ (*-uję*) administer
apoplektyczny apoplectic; ***atak ~*** stroke
aposto|lski apostolic; **~ł** *m* (*-a*; *-owie*) apostle (*też fig.*), disciple
apostrof *m* (*-u*; *-y*) apostrophe
Appalachy *pl.* (*G -ów*) Appalachian Mountains *pl.*
aprob|ata *f* (*-y*; *0/-y*) approval; **~ować** ⟨***za-***⟩ (*-uję*) approve of
aprowizac|ja *f* (*-i*; *0*) food supply; **~yjny** food
aptecz|ka *f* (*-i*; *G -czek*) (*w domu*) medicine cabinet; first-aid kit (*pierwszej pomocy*); **~ny** pharmaceutical
apteka *f* (*-i*) *Brt.* chemist's (shop), *Am.* drugstore; (*szpitalna*) dispensary; **~rka** *f* (*-i*; *G -rek*), **~rz** *m* (*-a*; *e*, *G -y*) *Brt.* (dispensing) chemist, *Am.* druggist
Arab *m* (*-a*; *-owie*) Arab; **♀** (*pl. -y*) (*koń*) Arab; **~ia** *f* (*-ii*; *0*) Arabia; **~ka** *f* (*-i*; *G -bek*) Arab; **♀*ka*** (*koń*) Arab; **♀ski 1.** (*narody itp.*) Arab; (*półwysep itp.*) Arabian; (*język*, *cyfra itp.*) Arabic; ***mówić po ♀sku*** speak Arabic; **2.** *m* (*-ego*; *0*) Arabic
aranż|er *m* (*-a*; *-owie/-rzy*) organizer; *mus.* arranger; **~ować** ⟨***za-***⟩ (*-uję*) arrange (***na*** *A* for)
arbitraż *m* (*-u*; *-e*, *y/-ów*) arbitration
arbitrażow|y: ***sąd ~y*** arbitration tribunal; ***wyrok sądu ~ego*** verdict of the arbitration tribunal
arbuz *m* (*-a*; *-y*) watermelon
archanioł *m* (*-a*; *-y*) archangel
archeologi|a *f* (*GDL -i*; *0/-ie*) arch(a)eology; **~czny** arch(a)eological
archipelag *m* (*-u*; *-i*) archipelago
architekt *m* (*-a*; *-ci*), **~ka** *f* (*-i*; *G -tek*) architect; **~oniczny** architectural; **~ura** *f* architecture
archiwum *n* (*idkl.*; *-wa*; *G -wów*) archives *pl.*
arcy|biskup *m* archbishop; **~ciekawy** fascinating; **~dzieło** *n* masterpiece; **~nudny** extremely boring, F deadly; **~zabawny** hilarious
areał *m* (*-u*; *-y*) area
arena *f* (*-y*) (*sportowa*) arena; (*w cyrku*) ring
areszt *m* (*-u*; *-y*) arrest; (*budynek*) prison; ***~ śledczy*** (*stan*) detention while awaiting trial; (*budynek*) prison (for people awaiting trial); → *jur.* ***zajęcie***
aresztowa|ć ⟨***za-***⟩ (*-uję*) arrest; **~nie** *n* (*-a*) arrest; **~ny 1.** arrested, in custody; **2.** *m* (*-ego*; *-i*), **~na** *f* (*-ej*; *-e*) person under arrest, detainee
Argent|yna *f* (*-y*) Argentina; **~ynka** *f* (*-i*; *G -nek*), **~yńczyk** *m* (*-a*; *-cy*) Argentinian; **♀yński** Argentinian, Argentine
argumentować (*-uję*) argue; → ***uzasadniać***
aria *f* (*GDL -ii*; *-e*) aria
ark. *skrót pisany*: ***arkusz*** sht (*sheet*)
arka *f* (*-i*; *G ark*) ark; ***~ przymierza*** *rel.* Ark of the Covenant
arkada *f* (*-y*) arcade
arktyczny Arctic
arkusz *m* (*-a*; *-e*, *-y*) sheet

armat|a *f* (*-y*) gun, *hist.* cannon; **~ni** gun, cannon
armator *m* (*-ra*, *-rzy*) shipowner
armatura *f* (*-y*) fittings *pl.*
armeńs|ki Armenian; ***mówić po ~ku*** speak Armenian
armia *f* (*GDL -ii*; *-e*) army; ***♀ Zbawienia*** Salvation Army
aroganc|ki arrogant; **~ko** arrogantly
aromat *m* (*-u*; *-y*) aroma, scent; (*przyprawa*) flavo(u)ring
aromatyczny aromatic
arras *m* (*-u*; *-y*) tapestry
arsenał *m* (*-u*; *-y*) arsenal
arszenik *m* (*-u*; *0*) arsenic
arteri|a *f* (*GDL -ii*; *-e*) artery (*med.*, *mot.*); *fig.* vein; **~o-** arterio-
artretyzm *m* (*-u*; *-y/0*) arthritis
artykuł *m* (*-u*; *-y*) article; (*w gazecie też*) piece; ***~ wstępny*** editorial; ***~y*** *pl.* ***spożywcze*** food (stuffs *pl.*), (*w sklepie*) groceries *pl.*
artyle|ria *f* (*GDL -ii*; *0*) artillery; **~ryjski** artillery
artyst|a *m* (*-y*; *-ści*, *-ów*), **~ka** *f* (*-i*; *G -tek*) artist; ***~a malarz*** painter
artystyczn|y artistic; (*harmonijny*) exquisite; ***rzemiosło ~e*** arts and crafts *pl.*
artyzm *m* (*-u*; *-y*) artistic skill, artistry
arystokrat|a *m* (*-y*; *-ci*), **~ka** *f* (*-i*) aristocrat
arystokratyczny aristocratic
arytmety|czny arithmetic(al); ***działanie ~czne*** arithmetical operation; **~ka** *f* (*-i*; *0*) arithmetic
as *m* (*-a*; *-y*) ace (*też fig.*)
ascetyczny ascetic
asekurac|ja *f* (*-i*; *-e*) (*zabezpieczenie*) safeguard (***przeciw***(***ko***) against); (*ubezpieczenie*) insurance; **~yjny** security; insurance
asekurować się ⟨***za- się***⟩ (*-uję*) protect o.s.; *fig.* cover o.s. (two ways)
asesor *m* (*-a*; *-rzy*, *-ów*) assistant judge
asfaltowy asphalt
askorbinowy: ***kwas ~*** ascorbic acid
asocjacja *f* (*-i*; *-e*) association
asortyment *m* (*-u*; *-y*) range
ASP *skrót*: ***Akademia Sztuk Pięknych*** Academy of Fine Arts
aspekt *m* (*-u*; *-y*) aspect
aspiracje *f/pl* (*-ji*) aspirations *pl*; → ***ambicja***
aspołeczny antisocial, asocial

astma *f* (*-y*; *0*) asthma; **~tyczny** asthmatic
astro|logia *f* (*GDL -ii*; *0*) astrology; **~nauta** *m* (*-y*; *-ci*), **~nautka** *f* (*-i*; *G -tek*) astronaut; **~nautyka** *f* (*-i*; *0*) astronautics; **~nomia** *f* (*GDL -ii*; *0*) astronomy; **~nomiczny** astronomical
asygnować ⟨***wy-***⟩ (*-uję*) *sumę* allocate; *środki* award (***na*** *A* for)
asyst|a *f* (*-y*) company; **~ent** *m* (*-a*; *-ci*), **~entka** *f* (*-i*; *G -tek*) assistant; **~ować** (*-uję*) (*pomagać*) assist (***przy*** *L* with); (*towarzyszyć*) accompany
atak *m* (*-u*; *-i*) attack (*też fig.*); *mil.* assault; (*w sporcie*) forward line; *med.* attack, fit
atakować ⟨***za-***⟩ (*-uję*) attack; *mil.* assault
ateistyczny atheistic
atelier *n* (*idkl.*) studio; ***~ filmowe*** film studio
Ateny *pl.* (*G -*) Athens *sg.*
atest *m* (*-u*; *-y*) certificate
atlantycki Atlantic
Atlantyk *m* (*-u*; *0*) (the) Atlantic
atlas *m* (*-u*; *-y*) atlas
atlet|a *m* (*-y*; *-ci*), **~ka** *f* (*-i*; *G -tek*) athlete; (*w cyrku*) strongman; **~yczny** athletic; **~yka** *f* (*-i*; *0*) athletics; ***lekka ~ yka*** track-and-field events
atłas *m* (*-u*; *-y*) satin; ***jak ~*** velvety; **~owy** of satin; *fig.* velvety
atmosfer|a *f* (*-y*) atmosphere (*też fig.*); **~yczny** atmospheric
atol *m* (*-u*; *-e*) atoll
atom *m* (*-u*; *-y*) atom; **~owy** atomic; *okręt itp.* nuclear; ***energia ~owa*** nuclear energy
atrakc|ja *f* (*-e*; *-i*) attraction; **~yjny** attractive
atrament *m* (*-u*; *-y*) ink; ***~ do stempli*** stamp-pad ink; **~owy** ink
atut *m* (*-u*; *-y*) trump (card) (*też fig.*)
audiowizualny audio-visual
audycj|a *f* (*-i*; *-e*) *RTV*: programme; broadcast; ***cykl ~i*** series (of programmes)
audytorium *n* (*idkl.*; *-ria*, *-ów*) (*pomieszczenie*) auditorium; (*słuchacze*) audience
aukcja *f* (*-i*; *-je*) auction
aura *f* (*-y*; *0*) weather; *fig.* aura
auspicj|e *pl*: ***pod ~ami*** (*G*) under the auspices (of)

Australia *f* (*-ii*; *0*) Australia
Australij|czyk *m* (*-a*; *-cy*), **~ka** *f* (*-i*; *G -jek*) Australian; **$\mathfrak{L}$ski** Australian
Austria *f* (*G -ii*; *0*)Austria; **$\mathfrak{L}$cki** Austrian; **~czka** *f* (*-i*; *-czek*), **~k** *m* (*-a*; *-cy*) Austrian
aut *m* (*-u*; *-y*) (*w sporcie*) out
autentyczny authentic
auto *n* (*-a*; *G aut*) *Brt.* car, *Am.* automobile; ***autem*** by car; **~alarm** *m mot.* alarm (device)
autobiograficzny autobiographic(al)
autobus *m* (*-a*; *-y*) bus; coach; ***~em*** by bus, (*między miastami*) by coach
autocasco (*idkl.*) → ***casco***
autochton *m* (*-a*; *-ni*), **~ka** *f* (*-ki*; *G -nek*) native
auto|geniczny: ***trening ~geniczny*** autogenic training; autogenics; **~graf** *m* (*-u*; *-y*) autograph; **~kar** coach; **~mat** *m* (*-u*; *-y*) automatic (*też mil.*); (*sprzedający*) vending machine; ***~mat telefoniczny*** *Brt.* pay phone, *Am.* pay station; **~matyczny** automatic
automatyz|acja *f* (*-i*; *0*) automatization; **~ować** ⟨***z-***⟩ (*-uję*) automatize, automate
autonomi|a *f* (*-ii*; *0*) autonomy; **~czny** autonomous
autoportret *m* self-portrait
autopsj|a *f* (*-i*; *-e*) *med.* autopsy; post-mortem (examination); ***z ~i*** from experience
autor *m* (*-a*; *-rzy*), **~ka** *f* (*-i*; *G - rek*) author; (*pisarz*) writer; (*sprawca*) originator; **~ski** authorial; author's; **~stwo** *n* (*-a*; *0*) authorship
autory|tatywny authoritative; **~tet** *m* (*-u*; *-y*) authority; prestige; **~zowany** authorized
auto|sanie *pl.* motorized sledge; **~serwis** *m* service station
autostop *m*: ***jechać ~em*** hitch-hike
autostopowicz F *m*, **~ka** *f* (*-i*; *G -czek*) hitch-hiker
autostrada *f* (*-y*) *Brt.* motorway; *Am.* expressway; (*płatna*) *Am.* turnpike
autowy: ***sędzia ~*** linesman
awangarda *f* (*-y*) avant-garde
awans *m* (*-u*; *-e/-y*) promotion; ***~ społeczny*** social advancement; ***otrzymać ~em*** get in advance; **~ować** (*im*)*pf* (*-uję*) *v/t.* promote; *v/i.* be promoted (***na*** *A* to), (*też w sporcie*) move up
awantur|a *f* (*-y*) row, fracas; **~niczo** adventurously; **~niczy** adventure; adventurous; (*kłótliwy*) quarrelsome; **~nica** *f* (*-y*; *-e*) quarrelsome woman; **~nik** *m* (*-a*; *-cy*) rowdy, troublemaker; **~ować się** (*-uję*) make a row; cause trouble (***z*** *I* with)
awar|ia *f* (*GDL -ii*; *-e*) (*zwł. mot.*) breakdown; **~yjny** emergency; ***wyjście ~yjne*** emergency exit
awers *m* (*-u*; *-y*) obverse; **~ja** *f* (*-i*; *0*) aversion
AWF *skrót*: ***Akademia Wychowania Fizycznego*** Academy of Physical Education
awizować ⟨***za-***⟩ (*-uję*) send notification (*A* of)
azalia *f* (*GDL -ii*; *-e*) azalea
azbest *m* (*-u*; *0*) asbestos; **~owy** asbestos
Azja *f* (*-i*; *0*) Asia; **~ta** *m* (*-y*; *-ci*), **~tka** *f* (*-i*; *G -tek*) Asian; **$\mathfrak{L}$tycki** Asian
azot *m* (*-u*; *0*) nitrogen; **~owy** nitrogen, nitrogenous, nitric; ***kwas ~owy*** nitric acid
azyl *m* (*-u*; *-e*) asylum; ***prawo ~u*** right of asylum; ***udzielić ~u*** grant asylum
azylant *m* (*-a*; *-ci*), **~ka** *f* (*-i*; *G -tek*) (*mający azyl*) person granted asylum; (*szukający azylu*) person seeking asylum
aż *cj.*, *part.* till, until; ***~ do*** (*G*) till, up to; ***~ do wczoraj*** until yesterday; ***~ po kolana*** up to the knees; ***~ pięć*** as many as five; ***~ miło słuchać*** it is nice to hear of it; ***~ nadto*** more than enough; ***~ strach pomyśleć*** one shudders to think of it
ażeby → ***aby***
ażurowy open-work

B

B

b. *skrót pisany*: ***były*** former; ***bardzo*** very

bab|a *f* (*-y*; *G -*) (old, peasant *itp.*) woman; **~cia** *f* (*-i*; *-e*) grandmother, F granny; **~i**: ***~ie lato*** (*pora*) Indian summer; **~ka** → ***babcia***; *gastr.* (ring) cake; F chick

babrać się (*-rzę*; *-am*) slosh about, *fig.* dirty one's hands

bab|ski female; **~unia** *f*, **~usia** *f* (*-i*; *-iu!/-e*) → ***babcia***

bachor *m* (*-a*; *-y*) brat

baczki *m/pl.* (*-ków*) whiskers *pl.*

baczn|ość *f* (*-ści*; *0*): ***stać na ~ość*** stand at attention; ***mieć się na ~ości*** stand at one's guard, look out; **~y** vigilant, attentive

bacz|yć: ***nie ~ąc na*** (*A*) regardless of

bać się be afraid, be worried (**o** *A* about)

bada|cz *m* (*-a*; *-e*), **~czka** *f* (*-ki*; *G -czek*) researcher, student; **~ć** ⟨**z-**⟩ (*-am*) (*przestudiować*) research, study; *chorych* examine; *świadka* interrogate; *puls* feel; **~nie** *n* (*-a*) study, examination; interrogation; (***opinii publicznej*** public) opinion poll; **~wczo** inquisitively; **~wczy** searching; ***pracownik ~wczy*** researcher

bagatela *f* (*-i*; *-e*) trifle

bagaż *m* (*-u*; *-e*) *Brt.* luggage, *Am.* baggage; **~nik** *m* (*-a*; *-i*) *mot. Brt.* boot, *Am.* trunk; (*dachowy*) (roof) rack; **~owy 1.** luggage, baggage; **2.** *m* (*-ego*; *-i*) porter

bagnet *m* (*-u*; *-y*) bayonet

bagnisty swampy, marshy

bagno *n* (*-a*; *G -gien*) swamp, marshes *pl.*

bajeczny fairy-story, magical

bajka *f* (*-i*; *G -jek*) fairy tale

bajoro *n* (*-a*) muddy pool

bak *m* (*-u*; *-i*) tank

bakalie *pl.* (*-ii*) nuts and raisins *pl.*

bakier: ***na ~*** at a slant

bakłażan *m* (*-u*; *-y*) *bot. Brt.* aubergine, *Am.* eggplant

bakterio|bójczy (***-czo***) germicidal; **~logiczny** bacteriological

bal¹ *m* (*-a*; *-e*, *-i*) balk

bal² *m* (*-u*; *-e*, *-ów*) (***maskowy*** masked) ball

balast *m* (*-u*; *-y*) ballast

baleron *m* (*-u*; *-y*) rolled smoked ham

balet *m* (*-u*; *-y*) ballet; **~nica** *f* (*-y*; *-e*), **~nik** *m* (*-a*; *-cy*) ballet-dancer; **~owy** ballet

balkon *m* (*-u*; *-y*) balcony; *theat.* gallery

balon *m* (*-u*; *-y*), **~ik** *m* (*-a*; *-i*) balloon

balowy ball

balustrada *f* (*-y*) balustrade

bała|gan F *m* (*-u*; *-y*) muddle; mess; ***narobić ~ganu*** (**w** *L*) mess up (in); **~mucić** ⟨**z-**⟩ (*-cę*) *v/t.* chat up

Bałka|ny *pl.* (*G -ów*) the Balkans *pl.*; **⁓ński** Balkan

Bałty|k *m* (*-u*; *0*) (the) Baltic Sea; **⁓cki** Baltic

bałwan *m* (*-a*; *-y*) F dimwit; (*bożek*) idol; (*śniegowy*) snowman; **~y** *pl.* *też* breakers *pl.*, whitecaps *pl.*

bambosz *m* (*-a*; *-y/-ów*) slipper

bambus *m* (*-a*; *-y*) bamboo; **~owy** bamboo

banalny banal; (*trywialny*) trivial

banał *m* (*-u*; *-y*) banality; commonplace

banan *m* (*-a/-u*; *-y*) banana

banda *f* (*-y*) gang

bandaż *m* (*-a*; *-e*) *med.* bandage; **~ować** ⟨**o-**⟩ (*-uję*) bandage

bandera *f* (*-y*) *naut.* flag

bandy|cki vicious; **~ta** *m* (*-y*; *-ci*, *-ów*) bandit, robber; **~tyzm** *m* (*-u*; *0*) crime

bank *m* (*-u*; *-i*) bank

bankiet *m* (*-u*; *-y*) banquet

bank|not *m* (*-u*; *-y*) *zwł. Brt.* banknote, *Am.* bill; **~omat** cash dispenser; **~ructwo** *n* (*-a*) bankruptcy; **~rutować** ⟨**z-**⟩ (*-uję*) go bankrupt

bańka *f* (*-i*; *G -niek*) (***mydlana*** soap) bubble; (*naczynie*) can; *med.* cuppping glass

bar¹ *m* (*-u*; *-y*) bar; ***~ samoobsługowy*** snack bar

bar² *m* (*-u*; *0*) *chem.* barium

barak *m* (*-u*; *-i*) shack; (*na budowie itp.*) hut

baran *m* (*-a*; *-y*) ram; F ***nosić kogoś na ~a*** carry s.o. piggyback; ⁓ *znak Zodia-*

ku: Aries; ***on(a) jest spod znaku Barana*** he/she is (an) Aries; **~ek** *m* (*-nka; -nki*) lamb (*też rel.*); **~i** mutton; **~ina** *f* (*-y; 0*) mutton
barbarzyńca *m* (*-y; G -ów*) barbarian
barczysty broad-shouldered
bardz|iej more; ***coraz ~iej*** more and more; ***tym ~iej że*** the more so that; ***tym ~iej nie*** all the more not; **~o** *adv.* very; ***nie ~o*** not much
bariera *f* (*-y*) barrier; ***~ dźwiękowa*** sound barrier; ***~ ochronna*** (*przy drodze*) crash barrier
bark *m* (*-u; -i*) *anat.* shoulder
barka *f* (*-i; G -rek*) barge
barłóg *m* (*-ogu; -ogi*) (*dla zwierzęcia*) litter; (*dla człowieka*) pallet
barman *m* (*-a; -i*) *Brt.* barman, bartender, *Am.* barkeeper; **~ka** *f* (*-i; G -nek*) barmaid
barokowy Baroque
barometr *m* (*-u; -y*) barometer
barowy bar; *chem.* barium, baric
barszcz *m* (*-u; -e*) *Brt.* beetroot soup, *Am.* beet soup, bortsch (borsch)
barw|a *f* (*-y*) colo(u)r; ***~ głosu*** timbre; **~ić** ⟨***u-, za-***⟩ colo(u)r (***na czerwono*** red); *też* ***się*** dye; **~inek** *m* (*-nka; -nki*) periwinkle; **~nik** *m* (*-a; -i*) dye; pigment; **~ny** (*oddający kolory*) colo(u)r; (*barwny*) colourful
barykad|a *f* (*-y*) barricade; **~ować** ⟨***za-***⟩ barricade
baryłka *f* (*-i; G -łek*) (*piwa itp.*) keg; (*ropy*) barrel
baryton *m* (*-u/os. -a; -y*) baritone
bas *m* (*-u/os. -a; -y*) bass
basen *m* (*-u; -y*) (***pływacki*** swimming) pool; (*dla chorych*) bedpan
baskij|ka *f* (*-i; G -jek*) beret; **~ski** Basque; ***mówić po ~sku*** speak Basque
baszta *f* (*-y*) tower
baśniowy fairy-tale, fable
baśń *f* (*-ni; -nie*) fable
bat *m* (*-a; D -owi; -y*) whip; ***dostać ~y*** get a hiding
bateria *f* (*GDL -ii; -e*) *electr.* battery
bateryjka *f* (*-i; G -jek*) *electr.* battery
batut|a *f* (*-y*) baton; ***pod ~ą*** (*G*) *mus.* conducted by
batyst *m* (*-u; -y*) batiste
Bawar|czyk *m* (*-a; -cy*), **~ka** *f* (*-i; G -rek*) Bavarian; **♀ski** Bavarian; ***po ♀sku*** like a Bavarian
baweł|na *f* cotton; **~niany** cotton
bawić ⟨***po-, za-***⟩ (*-ę*) *v/i.* stay; be on a visit (***u*** *G* to); *v/t.* entertain; amuse; **~** ⟨***po-, za-***⟩ ***się*** (*dobrze itp.*) have a good time; enjoy o.s.; ***~ się z dziećmi*** play with children; ***~ się lalką*** play with a doll; *fig.* ***nie ~ się w*** (*A*) not waste too much time on
baw|oli buffalo; **~ół** *m* (*-ołu; -oły*) buffalo
baza *f* (*-y*) base; (*podstawa*) basis; (*transportowa itp.*) depot; ***~ danych*** database; ***~ pływająca*** mother ship
bazar *m* (*-u; -y*) bazaar; (*targ*) market-place
bazgrać (*-rzę; -rz/-raj!*) ⟨***na-***⟩ scribble, scrawl; ⟨***po-***⟩ scribble on
bazgranina *f* (*-y*) scribble, scrawl
bazia *f* (*-i; - e, -i*) willow catkin
bazować (*-uję*) base (***na*** *L* on)
Bazylea *f* (*-i; -0*) Basle, Basel
bazylia *f* (*GDL -ii; -e*) *bot.* (sweet) basil
bazylika *f* (*-i*) *arch.* basilica
bażant *m* (*-a; -y*) pheasant
bąbe|l *m* (*-bla; -ble*) (*na pięcie itp.*) blister; (*na wodzie*) bubble; **~lek** *m* (*-lka; -lki*) (small) blister; (small) bubble
bądź *cj.* or; ***~ … ~ …*** either … or …; ***~ co ~*** after all; ***co ~*** anything; ***kto ~*** anybody; → ***być***
bąk *m* (*-a; -i*) *zo.* (*owad bydlęcy*) horse-fly, (*trzmiel*) bumble-bee, (*ptak*) bittern; (*zabawka*) top; F (*dziecko*) toddler, tot; ***zbijać ~i*** hang around the streets; **~ać** (*-am*) mumble, mutter; (*czytać*) read in a halting way; (*napomykać*) hint
beatyfikacja *f* (*-i; -e*) beatification
beczeć ⟨***za-***⟩ (*-ę*) *owca, koza*: bleat; F (*płakać*) whinge, whimper
beczk|a *f* (*-i; G -czek*) barrel; (*drewniana, na wino*) cask; *aviat.* roll; **~owy** barrell, cask; ***piwo ~owe*** draught beer
beczułka *f* (*-i; G -łek*) (small) barrel, (small) cask
bednarz *m* (*-a; -e*) cooper
befsztyk *m* (*-a; -i*) beefsteak; ***~ po tatarsku*** steak tartar(e)
bejc|a *f* (*-y; -e, -y*) wood-stain; **~ować** (*-uję*) stain
bek *m* (*-u; -i*) bleat; blubber, whimper; → ***beczeć***
bekas *m* (*-a; -y*) *zo.* snipe
bekhend *m* (*-u; -y*) (*w sporcie*) back-hand

B

beknąć *v/s.* (*-nę*) → ***beczeć***
bekon *m* (*-u*; *-y*) (*wędzonka*) bacon
beksa F *f/m* (*-y*; *G -/-ów*) cry-baby
bela *f* (*-i*; *-e*) (*drewniana*) beam; (*materiału*) bale; ***pijany jak ~*** blind drunk
belfer F *m* (*-fra*; *-frowie/-frzy*), **~ka** *f* (*-rek*; *-rki*) teacher
Belg *m* (*-a*; *-owie*, *-ów*) Belgian; **~ia** *f* (*-ii*; *0*) Belgium; **~ijka** *f* (*-i*; *G -jek*) Belgian; **⁀ijski** Belgian
belka *f* (*-i*; *G -lek*) beam; F *mil.* stripe; **~ *nośna*** supporting beam
bełkot *m* (*-u*; *-y*) gibberish, babble; **~ać** ⟨***wy-***⟩ gibber, babble
bełtać ⟨***z-***⟩ (*-am*) stir up
beniaminek *m* (*-nka*; *-nki/-nkowie*) darling, pet
benzoesowy: ***kwas ~*** benzoic acid
benzyn|a *f* (*-y*) *Brt.* petrol, *Am.* gasoline, *Am.* F gas; **~owy** *Brt.* petrol, *Am.* gas; ***stacja ~owa*** filling station
berbeć F *m* (*-cia*; *-cie*, *-ci/-ciów*) tot
beret *m* (*-u*; *-y*) beret
Berl|in *m* (*-a*; *0*) Berlin; **⁀iński** Berlin
berło *n* (*-ła*; *G -reł*) *Brt.* sceptre, *Am.* scepter
bernardyn *m* (*-a*; *-y*) (*pies*) St. Bernard (dog)
Berno *n* (*-a*; *0*) Bern(e)
bessa *f* (*-y*) *econ.* fall (*na giełdzie*) bear
besti|a *f* (*GDL -ii*; *-e*) beast; **~alski** bestial, savage; **~alsko** bestially, savagely
besztać ⟨***z-***⟩ (*-am*) tell off, scold
Betlejem *n* (*idkl.*) Bethlehem
beton *m* (*-u*; *-y*) concrete; **~ować** ⟨***za-***⟩ (*-uję*) concrete; *drogę* surface with concrete; **~owy** concrete
bez[1] *m* (*bzu*; *bzy*) lilac; ***czarny ~*** elder
bez[2] *prp.* without; ***~ potrzeby*** unnecessarily; ***~ ustanku*** incessantly; ***~ wad*** faultless
beza *f* (*-y*) meringue
bez|alkoholowy non-alcoholic, alcohol-free; *napój* soft; **~awaryjny** trouble-free; **~barwny** colo(u)rless; **~błędny** perfect, faultless; **~bolesny** painless; **~bronny** defenceless; **~brzeżny** boundless (*też fig.*); **~celowość** pointlessness; **~celowy** pointless
bezcen: ***za ~*** dirt cheap; **~ny** invaluable, priceless
bez|ceremonialny unceremonious; **~chmurny** cloudless; **~czelność** impudence; **~czelny** impudent; **~czynność** inactivity; idleness; **~czynny** inactive; idle; **~darny**, **~denny** bottomless; *fig.* incredible; **~domny 1.** homeless; **2.** (*m-os -ni*) vagrant; ***bezdomni*** the homeless; **~droże** *n* (*-a*; *G -y*): *zwł. pl.* ***~droża*** wilderness
bez|drzewny treeless; *papier* woodfree; **~duszny** heartless; soulless; **~dzietność** *f* (*-i*; *0*) childlessness; **~dzietny** childless; **~dźwięczny** soundless; *jęz.* voiceless
beze → ***bez***; **~cny** *lit.* heinous
bez|gorączkowy free from fever; **~gotówkowo** without cash; **~gotówkowy** cashless; **~graniczny** boundless; **~imienny** nameless; **~interesowny** unselfish, selfless; **~karny** unpunished; with impunity; **~kofeinowy** decaffeinated; **~kompromisowy** uncompromising; **~konkurencyjny** unrivalled; **~kresny** limitless; **~krwawo** bloodlessly; **~krwawy** bloodless; **~krwisty** bloodless; **~krytyczny** uncritical; **~kształtny** shapeless; **~leśny** unwooded
bez liku *adv.* countless, innumerable
bez|litosny merciless; **~litośnie** mercilessly; **~ludny** desolate; *wyspa* uninhabited, desert; **~ład** disorder, F mess; **~ładny** disorderly
bez mała almost, nearly
bez|miar *m* (*-u*; *-y*) huge expanse; **~mierny** immeasurable, immense; **~mięsny** *gastr.* without meat; **~miłosierny** → ***bezlitosny***; **~myślny** thoughtless; **~nadziejny** hopeless; **~namiętny** dispassionate, detached; **~nogi** (*bez jednej*) one-legged; (*bez obu*) legless; **~objawowy** (***-wo***) *med.* without symptoms, asymptomatic(ally); **~oki** eyeless
bezokolicznik *m* (*-a*; *-i*) *jęz.* infinitive
bez|ołowiowy unleaded, lead-free; **~osobowo** impersonally; **~osobowy** impersonal; **~owocny** fruitless; **~pański** abandoned; *pies* stray; **~partyjny** independent; **~pestkowy** *bot.* seedless
bezpieczeństw|o *n* (*-a*; *0*) security, safety; ***~o i higiena pracy*** protection of health and safety standards at work; ***~o ruchu*** road safety; ***pas ~a*** safety belt, seat belt; ***Rada ⁀a*** Security Council
bezpiecz|nik *m* (*-a*; *-i*) *electr.* fuse; (*ka-*

rabinu) safety-catch; **~ny** safe; ***~ny w użyciu*** (operationally) safe

bez|planowo aimlessly, unsystematically; **~planowy** aimless, unsystematic; **~płatny** free (of charge); **~płciowy** sexless; (*roślina itp.*) asexual; **~płodność** bareness, sterility; **~płodny** bare, sterile; *fig.* → ***bezowocny***

bez|podstawny baseless; **~pośredni** direct, immediate; just (**po** *L* after); **~pośrednio** directly, immediately; **~powrotny** irretrievable

bezpraw|ie *n* (*-a*; *0*) lawlessness; illegality; **~ny** lawless; illegal

bez|precedensowy unprecedented; **~problemowy** unproblematic; **~procentowy** (*kredyt itp.*) interest-free; **~przedmiotowo** baselessly; **~przedmiotowy** unfounded, baseless; **~przewodowy** cordless; **~przykładny** unparalleled, outrageous; **~radny** helpless

bezręki (*bez jednej*) one-armed; (*bez obu*) armless

bezrobo|cie *n* (*-a*) unemployment; **~tny 1.** unemployed; **2.** *m* (*-ego*; *-ni*), **~tna** *f* (*-ej*; *-e*) unemployed person; ***bezrobotni*** *pl.* the unemployed *pl.*; ***zasiłek dla ~tnych*** unemployment benefit, F dole

bezrolny landless

bezruch *m* (*0*): ***w ~u*** immobility, stillness

bez|senność *f* sleeplessness; **~senny** sleepless; **~sens** *m* senselessness; **~sensowny** senseless; **~silny** powerless (**wobec** *G* in the face of)

bezskutecz|nie *adv.* vainly; **~ny** vain, futile

bez|słoneczny sunless; **~sporny** doubtless; **~sprzeczny** unquestionable; **~stronny** impartial; **~szelestnie** *adv.* noiselessly; **~śnieżny** snowless; **~terminowy** (**-*wo***) for an unlimited period; **~treściowy** empty

beztros|ka *f* (*-i*; *0*) carelessness, carefreeness; **~ki** careless, carefree; **~ko** carelessly

bez|ustanny 1. *adj.* incessant, unstopping; **2.** *adv.*: ***~ustannie*** incessantly; **~usterkowy** (**-*wo***) trouble-free; **~użyteczny** useless

bez|wartościowy valueless; **~warunkowo** unconditionally; **~warunkowy** unconditional; **~wiedny** unconscious; (*niezamierzony*) unintentional; **~wizowy** without a visa

bezwład *m* (*-u*; *0*) inertia; (*kończyny itp.*) paralysis; **~ność** *f* (*-ci*; *0*) inertia, inactivity; ***siła ~ności*** *phys.* inertia; **~ny** inert, inactive

bez|włosy hairless; **~wodny** waterless; **~wolny** passive, without will; **~wonny** odo(u)rless

bezwstyd *m* (*-u*; *0*) shamelessness, impudence; **~ny** shameless, impudent

bez|wyznaniowy non-denominational, not belonging to any denomination; **~względność** *f* ruthlessness; **~względny** ruthless; absolute; **~zakłóceniowy** trouble-free; **~załogowy** unmanned; **~zasadny** groundless; unfounded; **~zębny** toothless; **~zwłoczny** immediate; **~zwrotny** non-returnable; **~żenny** celibate

beż *m* (*idkl.*), **~owy** (**-*wo***) beige

bęb|en *m* (*-bna*; *-bny*) drum; ***grać na ~nie*** play the drum; **~enek** *m* (*-nka*; *-nki*) drum; *anat.* ear-drum; **~nić** (*-ę*; *-nij!*) drum

bęcwał *m* (*-a*; *-y*) → ***próżniak***

będę, będzie → ***być***

bękart *m* (*-a*; *-y*) bastard (*też fig.*)

BHP *skrót pisany*: ***bezpieczeństwo i higiena pracy*** protection of health and safety standards at work

biad|a! woe betide you/him *itp.*; **~ać** (*-am*), **~olić** (*-lę*) lament (***nad czymś*** s.th.)

biała|czka *f* (*-i*; *0*) *Brt.* leukaemia, *Am.* leukemia; **~wy** (**-*wo***) whitish

białko *n* (*-a*; *G -łek*) (*jajka, oka itp.*) white; *biol.*, *chem.* protein

biało *adv.* white; ***ubrany na ~*** dressed in white; **~-czerwony** white-red; **Ⓢrusin** *m* (*-a*; *-i*), **Ⓢrusinka** *f* (*-i*; *G - nek*) B(y)elorussian; **~ruski** B(y)elorussian; ***mówić po ~rusku*** speak B(y)elorussian; **Ⓢruś** *f* (*-si*; *0*) B(y)elarus; **~ść** *f* (*-i*; *0*) whiteness

biał|y white; ***~a kawa*** *Brt.* white coffee, coffee with milk; ***w ~y dzień*** in broad daylight; ***czarno na ~ym*** in black and white

bibka F *f* (*-i*) party, F bash

biblia *f* (*GDL -ii*; *-e*) (the) Bible

biblijny Biblical

bibliotecz|ka *f* (*-i*; *G -czek*) (*zwł. podręczna*) reference library; (*mebel*) bookcase; **~ny** library

biblioteka *f* library; **~rka** *f* (*-ki*; *G -rek*), **~rz** *m* (*-a*; *-e*, *-y*) librarian; **~rski** library

bibuł|a *f* (*-y*) blotting paper; ***~a filtracyjna*** filter paper; **~ka** *f* (*-i*; *G -łek*) tissue paper; cigarette-paper

bicie *n* (*-a*) striking (***zegara*** of the clock); ringing (***w dzwony*** of the bells); (*pobicie*) beating; ***z ~m serca*** with a pounding heart

bicz *m* (*-a*; *-e*) whip; *fig.* scourge; ***jak z ~a trzasł*** in no time

bić (*-ję*; *bij!*) *v/t.* hit (***po twarzy, w twarz*** in the face), beat; *rywala*, *rekord itp.* beat; *drób* slaughter; *kartę* take; *medal* strike; ***~ brawo*** applaud; *v/i.* *zegar*: strike; *serce*: beat; *źródło*: gush; *działo*: shoot; ***~ w dzwony*** ring the bells; ***to bije w oczy*** it is as clear as daylight; ***~ się*** fight, beat; ***~ się z myślami*** be in two minds; → ***uderzać***

biec ⟨***po-***⟩ (→***biegnąć***) run; *fig.* (*życie itp.*) pass

bied|a *f* (*-y*) poverty; *fig.* trouble; (*nieszczęście*) bad luck; ***~a z nędzą*** abject poverty; ***klepać ~ę*** suffer poverty; ***z ~ą, od ~y*** with difficulty; ***pół ~y*** it's not as bad as all that; ***mieć ~ę*** have great difficulty (***z*** *I* in); **~actwo** *n* (*-a*) poor thing; **~aczka** *f* (*-i*; *G -czek*) poor woman; **~aczysko** *m/n* (*-a*) poor devil; **~ak** *m* (*-a*; *-cy*) poor (wo)man; ***biedacy*** *pl.* the poor *pl.*; **~nieć** ⟨***z-***⟩ (*-eję*) become poor; **~ny 1.** poor (*też fig.*); (*nędzny*) poor, shabby; **2.** → ***biedak***; **~ota** *f* (*-y*) *zbior.* the poor *pl.*; **~ować** (*-uję*) suffer poverty

biedronka *f* (*-i*; *G -nek*) *zo. Brt.* ladybird, *Am.* ladybug

biedzić się ⟨***na- się***⟩ (*-dzę*) slave away (***z, nad*** *I* at)

bieg *m* (*-u*; *i*) run (*też fig.*, *hunt.*); (*pociągu itp.*) motion; *mot.* gear; (*w sporcie*) race; ***~ krótkodystansowy*** short-distance race; ***~ zjazdowy*** downhill racing; ***~ przełajowy*** cross-country; ***w pełnym ~u*** at full speed; ***dolny/górny ~*** lower/upper reaches *pl.*; ***z ~iem rzeki*** downstream; ***z ~iem czasu/lat*** in the course of time; ***zmiana ~ów*** gear change; **~acz** *m* (*-a*; *-e*), **~aczka** *f* (*-i*; *G -czek*) runner

biega|ć (*-am*) run; ***~ć po sklepach*** do the rounds of all the shops; ***~ć za*** (*D*) run *lub* chase after; **~nina** *f* (*-y*) running around

bieg|le *adv.* *mówić*: fluently; **~ły 1.** *adj.* (*comp. -lejszy*) skilful (***w*** *L* at); **2.** *m* (*-ego*; *-li*) expert; **~nąć** ⟨***po-***⟩ (*-nę*, *-ł*) run; → ***biec***; **~owy** (*narty*) cross-country; **~un** *m* (*-a*; *-y*) *phys.*, *geogr.* pole; ***koń na ~unach*** rocking horse

biegunka *f* (*-i*; *G -nek*) *Brt.* diarrhoea, *Am.* diarrhea

biegunow|o diametrally; **~y** Polar; ***koło ~e*** polar circle

biel *f* (*-i*; *-e*) (***cynkowa*** Chinese) white; ***w ~i*** in white; **~eć** (*-eję*) ⟨***po-, z-***⟩ whiten, go white; **~ej** *comp. od adv.* → ***biało***; **~ić** ⟨***po-, wy-***⟩ *ściany* whitewash; *materiał* bleach; ⟨***za-***⟩ make white; *zupę* add cream to

bielizna *f* (*-y*) (***pościelowa, stołowa*** bed-, table-) linen; ***~ osobista*** underwear

bieliźnia|ny linen; **~rka** *f* (*-i*; *G -rek*) chest of drawers

biel|mo *n* (*-a*) *med.* leukoma; film (*też fig.*); **~ony** whitewashed; **~szy** *adj. comp. od* → ***biały***

bielutki F quite white, white all over

bier|nik *m* (*-a*; *-i*) *gr.* accusative; **~ność** *f* (*-ści*; *0*) passivity; **~ny** passive (*też chem.*); ***strona ~na*** the passive (voice)

bierzmowanie *n* (*-a*) *rel.* confirmation

bies *m* (*-a*; *-y*) devil

biesiada *m* (*-y*) banquet

bież. *skrót pisany*: ***bieżący*** ct (*current*)

bież|ąco: ***prowadzić na ~ąco*** (***A***) keep up-to-date; **~ący** running; actual, current; ***rachunek ~ący*** current account; **~nia** *f* (*-i*; *-e*) (*w sporcie*) track; **~nik** *m* (*-a*; *-i*) (*na stół*) runner; *mot.* tread

bigamista *m* (*-y*; *-ci*) bigamist

bigos *m* (*-u*; *y*) bigos (*stew made with meat and cabbage*); F *fig.* ***narobić ~u*** make a mess

bijak *m* (*-a*; *-i*) (*w sporcie*) batter

bijatyka *f* (*-i*) brawl

bila *f* (*-i*; *-e*, *-/-i*) *sport*: billiard-ball

bilans *m* (*-u*; *-e*) balance (*też fig.*); **~ować** ⟨***z-***⟩ (*-uję*) balance

bilard *m* (*-u*; *-e*) billiards

bile|t *m* (*-u*; *-y*) (***powrotny, lotniczy*** return, plane) ticket; ***~t miesięczny*** monthly season-ticket; ***~t wstępu*** entrance ticket; ***~t do teatru*** *Brt.* theatre (*Am.* theater) ticket; **~ter** *m* (*-a*; *-rzy*)

usher; **-rka** *f* (*-i*; *G -rek*) usherette; **~towy**: ***kasa ~towa*** ticket window; (*w teatrze, kinie*) box office
bilon *m* (*-u*; *0*) coins *pl.*; small change
bimber *m* (*-bru*; *0*) *Brt.* poteen, *zwł. Am.* moonshine
biochemia *f* biochemistry
biodro *n* (*-a*) hip; **~wy** hip
bio|'grafia *f* (*GDL -ii*; *-e*) biography; **~'logia** *f* (*GDL -ii*; *e*) biology; **~logiczny** biological; **~technologia** *f* biotechnology
biorą(c) → ***brać***
biorca *m* (*-y*; *G -ów*) recipient
biorę → ***brać***
biret *m* (*-u*; *-y*) (*duchownego itp.*) biretta; (*profesora, prawnika*) cap
bis *m* (*-u*; *-y*) *theat.* encore
biskup *m* (*-a*; *-i*) bishop; **~i** bishop's, episcopal; **~stwo** *n* (*-a*) bishopric
biskwit *m* (*-u*; *-y*) *gastr.* biscuit
biszkopt *m* (*-u*; *-y*) *gastr.* sponge biscuit; **~owy** sponge-biscuit; ***tort ~owy*** sponge-biscuit gateau
bit *m* (*-u*; *-y*) *komp.* bit
bitka *f* (*-i*) brawl, fight; *zwł. pl.* ***bitki*** chops *pl.*
bit|ny brave, courageous; **~wa** *f* (*-y*) battle; **~y** (*szlak itp.*) beaten; (*drób*) slaughtered; ***~a godzina*** a whole hour; ***~a śmietana*** whipped cream
biuletyn *m* (*-u*; *-y*) bulletin
biurko *n* (*-a*) desk
biuro *n* (*-a*) office; (*podróży itp.*) agency; (*matrymonialne itp.*) bureau; ***~ meldunkowe*** local government office for registration of residents; F ***po biurze*** after office hours; **~kracja** *f* (*-i*; *-e*) bureaucracy; **~kratyczny** bureaucratic; **~wiec** *m* (*-wca*; *-wce*) office building; **~wość** *f* (*-ści*; *0*) office work; **~wy** office
biust *m* (*-u*; *-y*) bust, bosom; → ***popiersie***; **~onosz** *m* (*-a*; *-e*) bra, brassière
biwak *m* (*-u*; *-i*) bivouac, camp; **~ować** (*-uję*) bivouac, camp
bizmut *m* (*-u*; *0*) *chem.* bismuth
biznes *m* (*-u*; *y*) business; **~men** *m* (*-a*; *-i*) businessman; **~menka** *f* (*-i*) businesswoman
bizon *m* (*-a*; *-y*) buffalo; bison
biżuteria *f* (*GDL -ii*; *0*) (***sztuczna*** costume) jewellery
blacha *f* (*-y*) sheet metal; (*do ciasta*) baking tray; (*kuchenna, węglowa*) top, (*elektryczna*) hotplate; **~rka** *f* (*-ki*) metalwork; **~rski** tin; **~rz** *m* (*-a*; *-e*) tinsmith
blad|ł(a, -o) → ***blednąć***; **~o** *adv.* pale(ly); *w złoż.* pale-; **~ość** *f* (*-i*; *0*) paleness, pallor
blady (***jak trup*** deathly) pale; white
blag|a F *f* (*-i*) tall story, hoax; **~ier** *m* (*-a*; *-rzy*), **-rka** *f* (*-i*; *G -rek*) hoaxer; **~ować** F (*-uję*) talk rubbish, humbug
blaknąć ⟨***wy-***⟩ (*-nę*; *-kł/-nął*) fade, pale (*też fig.*)
blamować się ⟨***z- się***⟩ (*-uję*) make a fool of o.s.
blankiet *m* (*-u*; *-y*) form
blanszować (*-uję*) *gastr.* blanch
blask *m* (*-u*; *-i*) (*rażący*) glare; (*nie rażący*) shine, (*klejnotów*) sparkle
blaszan|ka *f* (*-i*; *G -nek*) can, *Brt.* tin; **~y** tin, metal
blaszka *f* (*-i*; *G-szek*) a piece of metal
blat *m* (*-u*; *-y*) (table-)top
blednąć ⟨***z-***⟩ (*-nę*; *-nął/bladł*) go *lub* turn pale; *fig.* pale, fade
blef *m* (*-u*; *0*) bluff; **~ować** (*-uję*) bluff
blenda *f* (*-y*) *arch.* blind window; *chem.* blende
blezer *m* (*-a/-u*; *-y*) blazer
blichtr *m* (*-u*; *0*) gaudiness, tawdriness
blisk|i 1. near; close (*też fig.*); → ***pobliski, bliższy***; ***~a przyjaźń*** close friendship; **2.** (*m-os -scy*) relative, member of one's family; **~o** *adv.* near, close (*G*, ***od*** *G* to) (*też w czasie*); (*prawie*) almost; ***z ~a*** at close quarters; from a short distance; → ***bliżej***
bliskość *f* (*-ści*; *0*) closeness (*też fig.*); proximity
blisko|wschodni Middle-Eastern; **~znaczny** synonymous
blizna *f* (*-y*) scar
bliź|ni *m* (*-ego*; *i*) fellow human being; *rel.* neighbo(u)r; **~niaczka** *f* (*-i*; *G -czek*) twin sister; **~niaczo**: ***być ~niaczo podobnym do*** (*G*) be the spitting image of; **~niaczy** twin; **~niak** *m* (*-a*; *-i*) twin brother; **~nięta** *n/pl.* (*-niąt*) twins *pl.*; *znak Zodiaku:* ***♊nięta*** Gemini; ***on(a) jest spod znaku ♊niąt*** he/she is (a) Gemini
bliż|ej *adv.* (*comp. od* → ***blisko***) nearer; ***~ej nieznany*** little known; **~szy** *adj.* (*comp. od* → ***najbliższy***) nearer,

closer; **~sze dane** more precise information
bloczek *m* (*-czka*; *-czki*) notepad
blok *m* (*-u*; *-i*) block; *tech.* **~ rysunkowy** sketch-pad; **~ mieszkalny** block (of flats); **~ cylindrów** cylinder block; **~ada** *f* (*-y*) blockade; (*w sporcie*) blocking; **~ować** ⟨**za-**⟩ (*-uję*) block; *państwo itp.* blockade; *ruch* stop; **~owisko** *n* (*-a*) prefab housing estate
blond *idkl.* blond(e); **włosy ~** (**mężczyzny**) blond, (*kobiety*) blonde; **~yn** *m* (*-a*; *-i*) fair-haired *lub* blond man; **~ynka** *f* (*-i*; *G -nek*) blonde
bluszcz *m* (*-u*; *-e*) *bot.* ivy
bluz|a *f* (*-y*) (*żołnierza itp.*) tunic; (*sportowca itp.*) sweatshirt; **~ka** (*-i*) blouse
bluz|gać (*-am*) ⟨**~nąć**⟩ (*-nę*) *błoto*, *itp.*: spout, splash; F (*przekleństwami itp.*) hurl
bluźnierstwo *n* (*-a*) blasphemy
błaga|ć (*-am*) plead, implore; **~lny** imploring; **~nie** *n* (*-a*) plea, entreaty
błah|ostka *f* (*-i*; *G -tek*) trifle; **~y** trivial; unimportant
bławatek *m* (*-tka*; *-tki*) *bot.* cornflower, bluebottle
błaz|en *m* (*-na*; *-zny/-źni*) clown; *fig.* fool; **~eński** foolish; **~eńsko** foolishly; **~eństwo** *n* (*-a*) folly; stupidity; **~nować** (*-uję*) F fool (around)
błaźnić się ⟨**z- się**⟩ (*-nę*, *-nij!*) make a fool of o.s.
błą|d *m* (*błędu*; *błędy*) mistake, error; **~d maszynowy** typing error, F typo; **~d w rachunku** arithmetical error; **być w błędzie** be wrong *lub* mistaken; **wprowadzić w ~d** mislead, deceive; **~dzić** (*-dzę*) wander (**po** *L*, **wśród** *G* around); ⟨**po-, z-**⟩ go wrong (**w** *L* with); *tylko pf* lose one's way; **~kać się** (*-am*) wander about *lub* around
błęd|nie *adv.* mistakenly; **~ny** mistaken; *wzrok itp.* vague; **~ne koło** vicious circle; **~y** *pl.* → **błąd**
błękit *m* (*-u*; *-y*) blue; **~nooki** blue-eyed; **~ny** blue
błocić ⟨**na-, za-**⟩ (*-cę*) get dirty (with mud)
bło|gi blissful, delightful; **~go** blissfully, delightfully
błogosła|wić ⟨**po-**⟩ (*-ę*) bless; **~wieństwo** *n* (*-a*) blessing (*też iron.*); **~wiony** blessed
błon|a *f* (*-y*) membrane; *phot.* film; **~a śluzowa** mucous membrane; **~a dziewicza** hymen; **~ica** *f* (*-y*; *-0*) diphtheria
błonka *f* (*-i*; *G -nek*) membrane
błot|nik *m* (*-a*; *-i*) *Am.* fender, *Brt. mot.* wing, (*rowerowy*) mudguard; **~nisty** muddy; **~ny** muddy, marshy; (*roślina itp.*) marsh; **~o** *n* (*-a*) mud, dirt; *fig.* dirt, filth, F muck; **~a** *pl.* swamp; **zmieszać z ~em** *fig.* drag through the mud
błysk *m* (*-u*; *-i*) flash; **~ać** (*-am*) flash, sparkle; **błysnęło** there was a flash of lightning; **~a się** there are flashes of lightning
błyskawi|ca *f* (*-y*; *-e*) lightning; **jak ~ca** as fast as lightning; **~czny** (*szybki*) lightning; (*zupa*) instant; → **zamek**
błyskot|ka *f* (*-i*; *G -tek*) trinket; **~ki** *pl.* tinsel; **~liwie** glitteringly; *fig.* brilliantly; **~liwy** glittering; *fig.* brilliant
błys|kowy flash; **~nąć** *v/s.* (*-nę*) → **błyskać**
błyszcz|ący shining, shiny; *papier itp.* glossy; **wypolerować coś na ~ąco** polish s.th. until it shines; **~eć** (*-ę*) shine (*też fig.*); glitter, sparkle; **~ka** *f* (*-i*; *G -czek*) (*na ryby*) spoon(-bait)
błyśnięcie *n* (*-a*) → **błysk**
bm. *skrót pisany*: **bieżącego miesiąca** inst. (*instant*: *this month*)
bo *cj.* because, or (else)
boazeria *f* (*GDL -ii*; *-e*) wainscoting, wood panelling
bobas F *m* (*-a*; *-y*) baby
bobkowy: **listek ~** bay leaf
bobslej *m* (*-a*; *-e*) bobsleigh; **~owy**: **tor ~owy** bobsleigh run
bochen *m* (*-chna*; *-chny*), **~ek** *m* (*-nka*; *-nki*) loaf (of bread)
bocian *m* (*-a*; *-y*) *zo.* stork; **~i** stork
bocz|ek *m* (*-czku*; *-czki*) *gastr.* bacon; **~nica** *f* (*-y*; *-e*) *rail.* siding; (*ulica*) side-street; **~ny** side
boczyć się (*-ę*) (**na** *A*) be cross with
boćwina *f* (*-y*; *0*) → **botwina**
bodaj, ~że *part.* at least; perhaps; → **chyba, pewnie**
bodziec *m* (*-dźca*; *-dźce*) stimulus; (*też materialny*) incentive
boga|cić ⟨**wz-**⟩ (*-cę*) enrich; **~cić** ⟨**wz-**⟩ **się** get rich; **~ctwo** *n* (*-a*) wealth, riches *pl.*
bogacz *m* (*-a*; *-e*) rich man; **~ka** *f* (*-i*; *G -czek*) rich woman

Bogarodzica *f* (*-y*; *0*) Mother of God
bogat|o richly, *fig.* abundantly; **~y** rich, *fig.* abundant (**w** *A* in)
bogini *f* (*GDL -ni*; *-e*, *-iń*) goddess
boginka *f* (*-ki*; *G -nek*) goddess, nymph
bogobojny god-fearing
bohater *m* (*-a*; *-erzy/-owie*) hero; **~ka** *f* (*-i*; *G -rek*) heroine; **~ski** heroic; **~sko** heroically; **~stwo** *n* (*-a*; *0*) heroism
bohomaz *m* (*-u/-a*; *-y*) *fig.* F daub; (*na papierze*) doodle
boi się → ***bać się***
boisko *n* (*-a*) sports field; **~ *do piłki nożnej*** football ground *lub* field
boja *f* (*GDL boi*; *-e*) *naut.* buoy
bojaź|liwie timidly; **~liwy** timid, fearful, fainthearted; **~ń** *f* (*-ni*; *0*) fear; ***z ~ni*** (*G*) for fear of
boj|ą, ~ę się → ***bać się***
bojkot *m* (*-u*; *-y*) boycott
bojkotować ⟨***z-***⟩ (*-uję*) boycott
bojler *m* (*-a*; *-y*) boiler; (*w domu*) (electric) water heater
bojow|niczka *f* (*-i*; *G- czek*), **~nik** *m* (*-a*; *-cy*) fighter; (***o prawa człowieka*** for human rights); **~o** (*zaczepnie*) belligerently; **~y** fighting, (*patrol itp.*) battle; (*buty itp.*) combat; (*zaczepny*) belligerent; ***organizacja ~a*** military organization
bojówka *f* (*-ki*; *G -wek*) raiding part; (*partyjna itp.*) hit-squad
bok *m* (*-u*; *-i*) side; ***na ~*** to one side; ***na ~u*** at the side; (*w odległości*) away; ***przy/u ~u*** (*G*) at the side (of); ***w ~*** in the side; away; ***z ~u*** at the side; ***pod ~iem*** near (at hand); ***robić ~ami*** *fig.* (*z wysiłku*) slave away; ***zarabiać na ~u*** earn on the side; ***zrywać ~i ze śmiechu*** split one's sides; **~ami, ~iem** *adv.* sidewise; ***~iem*** (*G*) sideways; **~obrody** *pl.* (*-ów*) (side) whiskers *pl.*; *Brt.* sideboards *pl.*, *Am.* sideburns *pl.*
boks[1] *m* (*-u*; *-y*) (*dla koni*) loosebox; (*w garażu*) (partitioned off) (parking-)space
boks[2] *m* (*-u*; *0*) boxing; ***uprawiać ~*** practise boxing; **~er** *m* (*-a*; *-rzy*) boxer; **~erski** boxing; **~ować** (*-uję*) fight (**się** *v/i.*)
bolą|cy → ***bolesny***; **~czka** *f* (*-i*; *G -czek*) *fig.* difficulty, problem
bolec *m* (*-lca*; *-lce*) pin, bolt
bole|ć[1] *też fig.* hurt, ache; ***boli mnie ząb*** I have a toothache; my tooth hurts me; ***nie mogę na to patrzeć*** *fig.* I am not able to stand the sight of it any more
bole|ć[2] (*-eję*) (***nad*** *I*) lament; **~sny** (**-śnie**) painful (*też fig.*), aching; F sore; **~ści** *f/pl.* (*G -ści*) pain (*zwł.* abdominal)
Boliw|ia *f* (*GDL -ii*) Bolivia; **ⓢijski** Bolivian
bom|ba *f* (*-y*) bomb; *fig.* sensation, bombshell; **~bardować** (*-uję*) bomb; (*silnie*) blitz; **~bastyczny** bombastic; **~bka** *f* (*-i*; *G -bek*) glass ball
bombow|iec *m* (*-wca*; *-wce*) *aviat.* bomber; **~y** bomb; F (*kapitalny*) super
bon *m* (*-u*; *-y*) coupon
bonifikata *f* (*-y*) price reduction, discount; *sport*: handicap
boraks *m* (*-u*; *0*) borax
bordo[1] *n*, *też* ***Bordeaux*** (*idkl.*) *wino*: Bordeaux
bordo[2] *adj.* (*idkl.*), **~wy** (***-wo***) wine-red
borny: ***kwas ~*** boric acid
borowik *m* (*-a*; *-i*) cep
borowin|a *f* (*-y*; *G -in*) mud; **~owy**: ***kąpiel ~owa*** mud bath
borowy → ***borny***
borówka *f* (*-i*; *G -wek*): ***~ brusznica*** cowberry; ***~ czernica*** bilberry, blueberry, whortleberry
borsu|czy badger; **~k** *m* (*-a*; *-i*) badger
borykać się (*-am*) contend (**z** *I* with)
bosak[1]: ***na ~a*** barefoot
bosak[2] *m* (*-a*; *-i*) boat-hook
bosk|i God's, divine; ***na litość ~ą*** for God's sake; ***rany ~ie!*** for heaven's sake
bosko *adv.* *fig.* heavenly
bosman *m* (*-a*; *-i*) *naut.* boatswain
boso *adv.* barefoot; **~nogi, bosy** barefoot
Bośnia *f* (*-i*; *0*) Bosnia; **ⓢcki** Bosnian
bot *m* (*-a*; *-y*) → ***boty***
botani|czny botanic(al); **~ka** *f* (*-i*; *0*) botany
botwin|a *f* (*-y*), **~ka** *f* (*-i*; *G -nek*) beetroot leaves *pl.*; (*soup from beetroot leaves*)
boty *m/pl.* (*-ów*) snow-boots *pl.*
bowiem *cj.* as, since; → ***bo***
boy *m* (*-a*; *-e. -ów*) (*w hotelu*) *Brt.* page, *Am.* bellboy
Bozia *f* F (*-i*; *0*) sweet God
Boż|e → ***bóg***; **ⓢek** *m* (*-ka*; *-ki*) god, idol; **ⓢonarodzeniowy** Christmas; **ⓢy**

B

God's; ***Boże Narodzenie*** Christmas; ***Boże Ciało*** Corpus Christi
bożyszcze *n* (*-a*) idol
bób *m* (*bobu*; *boby*) *bot.* broad bean
bóbr *m* (*bobra*; *bobry*) *zo.* beaver
bóg *m* (*boga, bogu, boże!*; *bogowie/bogi*, *rel.* **Bóg**) god, *rel.* God; ~ ***wojny*** god of war; ***jak Boga kocham!*** I swear on God!; ***broń Boże, Boże uchowaj*** Heaven forbid; ***jak ♀ da*** God willing; ***Bogu ducha winien/winna*** innocent; ***szczęść Boże!*** God bless you!
bójka *f* (*-i*; *G -jek*) skirmish, fight
ból *m* (*-u, -e*; *-ów*) (***głowy, zęba*** head-, tooth-) ache; ~ ***gardła*** sore throat; ***~e porodowe*** *pl.* labo(u)r pains *pl.*; ***z ~em serca*** with a heavy heart
bór *m* (*boru*; *bory*) forest
bóstwo *n* (*-a*; *G -*) deity; *fig.* good-looker
bóść *v/i.* gore
bóżnica *f* (*-y*; *-e*) *rel.* (*żydowska*) synagogue
bp *skrót pisany*: ***biskup*** Bp (*Bishop*)
br. *skrót pisany*: ***bieżącego roku*** ha (*of/in this year*)
brac|ia → ***brat***; (*firma*) brothers *pl.* (*skrót*: **Bros**); **~iszek** *m* (*-szka*; *-szkowie*) little brother; (*zakonny*) brother; **~two** *n* (*-a*) brotherhood
brać *v/t.* take; ~ ***kogoś do wojska*** call s.o. up; ~ ***na serio*** take seriously; ~ ***na siebie*** take on; ~ ***ze sobą*** take with o.s.; → ***rachuba, uwaga, zły*** *itp.*; ~ ***się*** (***do*** (***robienia***) ***czegoś***) set about ((doing) s.th.); *v/i. ryba*: bite
brak[1] *m* (*-u*; *-i*) lack; (*niedostatek, wada*) shortcoming; (*produkt*) reject; ***z ~u czasu*** owing to lack of time; ***~i w wykształceniu*** gaps *pl.* in education; ***~i w kasie*** cash deficit; ***cierpieć na*** ~ (*G*) suffer for lack of; ***odczuwać*** ~ (*G*) (*czegoś*) lack, (*zwł. kogoś*) miss
brak[2] *pred. s.o./s.th.* lacks *s.o./s.th.*; ~ ***mi ciebie*** I miss you; ~ ***mi słów*** I am lost for words; ***nie ~ mu odwagi*** he does not lack courage; **~nąć** (*-nę*) → ***brakować***[1]; **~oróbstwo** *n* (*-a*; *0*) slipshod work, sloppiness
brakow|ać[1] (*-uję*) (*G*) lack; *komuś* ***brakuje ...*** *s.o.* lacks...; ***tego tylko ~ało*** that was all we needed; → ***brak***[2]
brakować[2] (*-uję*) → ***wybrakowywać***
bram|a *f* (*-y*) gate, (*do garażu itp.*) door; (*przejazdowa, też fig.*) gateway; **~ka** *f* (*-i*; *G -mek*) little gate/door; (*w sporcie*) goal; ***strzał w ~kę*** shot (at goal); **~karz** *m* (*-a*; *-e*) (*w sporcie*) goalkeeper; (*przy drzwiach*) F bouncer, chucker-out; **~kowy** (*w sporcie*) goal
bramofon *m* (*-u*; *-y*) intercom, *Brt.* entryphone
Brandenbur|gia *f* (*-ii*; *0*) Brandenburg; **♀ski** Brandenburg
bransoletka *f* (*-i*; *G - tek*) bracelet
branż|a *f* (*-y*; *-e*) (*przemysłowa*) (branch of) industry; (*biznesu*) line (of business); **~owy** trade; ***sklep ~owy*** specialist shop
brat *m* (*-a*; *D -tu*, *L -cie*; *-cia*, *-ci*, *I -ćmi*) brother (*też rel.*); ***być za pan*** ~ be close friends (***z*** *I* with); → ***cioteczny***
bratan|ek *m* (*-nka*; *-nki/-nkowie*) nephew; **~ica** *f* (*-y*; *-e*), **~ka** *f* (*-i*; *G -nek*) niece
bratek *m* (*-tka*; *-tki*) *bot.* pansy
braters|ki brotherly, fraternal; ***po ~ku*** like brothers; **~two** *n* (*-a*; *0*) (*broni*) brotherhood (-in-arms)
bratni brotherly, fraternal
bratobój|czy: ***wojna ~cza*** fratricidal war; **~stwo** *n* (*-a*) fratricide
bratowa *f* (*-wej*, *-wo!*; *-e*) sister-in-law
Bratysława *f* (*-y*; *0*) Bratislava
brawo *n* (*-a*) cheer(ing); **~!** bravo!; → ***bić***
brawurow|o daringly, courageously; **~y** daring, courageous
Brazyli|a *f* (*-ii*) Brazil; **~jczyk** *m* (*-a*; *-ycy*), **~jka** *f* (*-i*) Brazilian; **♀jski** Brazilian
brąz *m* (*-u*; *-y*) brown; (*metal*) bronze; ***opalić się na*** ~ be sun-tanned; **~owy** (**-wo**) brown; (*z metalu*) bronze
bre|dnie *f/pl.* (*-i*) nonsense, F balderdash; **~dzić** (*-dzę*) (*w gorączce*) rave; babble
breja *f* (*brei*; *0*) mush
brew *f* (*brwi*; *brwi*) (eye-)brow
brewerie *f/pl.* (*-ii*) row, fuss; ***wyprawiać*** ~ scrap
brewiarz *m* (*-a*; *-e*) breviary
brezent *m* (*-u*; *-y*) canvas
brnąć (*-nę*) tramp, plod (***przez błoto*** through mud; ***w śniegu*** through the snow)
broczyć (*-czę*): ~ ***krwią*** bleed
broda *f* (*-y*; *G bród*) chin; (*zarost*)

beard; ***zapuścić brodę*** grow a beard; **~ty** bearded; **~wka** *f* (*-i*; *G -wek*) *med.*, *bot.* wart

brodz|ić (*-dzę*) wade; **~ik** *m* (*-a*; *-i*) (*basen dla dzieci*) paddling-pool; (*w łazience*) shower base

broić ⟨***na-, z-***⟩ (*-ję*; *-isz*, *bròj!*) act up, frolic

brona *f* (*-y*) harrow

bronchit *m* (*-u*; *-y*) bronchitis

bronić (*-ę*) ⟨***o-***⟩ (*G*) defend (*A*; ***się*** o.s.); protect, guard (***przed*** *I* against); ***~ się*** *też* defend o.s. (***przed*** *I* against); ⟨***za-***⟩ (*G*) prevent, prohibit

bronować ⟨***za-***⟩ (*-uję*) harrow

broń[1] → ***bronić, bóg***

broń[2] *f* (*-ni*; *-ie*) weapon, arms *pl.*; ***~ krótka*** small arms *pl.*; ***~ masowego rażenia*** weapon(s *pl.*) of mass destruction; ***~ biała*** cutting weapon(s *pl.*); ***powołać pod ~*** call to arms; ***złożyć ~*** lay down one's arms

broszka *f* (*-i*; *G -szek*) brooch

broszura *f* (*-y*) brochure, leaflet

browar *m* (*-u*; *-y*) brewery

bród *m* (*-odu*; *-ody*) ford; ***przejść w ~*** ford, wade; *fig.* ***w ~*** in abundance

bródka *f* (*-i*; *G -dek*) (*zarost*) (little) beard

brud *m* (*-u*; *-y*) dirt; → ***brudy***; ***... od ~u ...*** with dirt; **~as** *m* (*-a*; *-y*) F (dirty) pig; (*dziecko*) dirty brat; **~no** *adv.* → ***brudny***; ***pisać na ~no*** make a rough copy; **~nopis** *m* (*-u*; *-y*) rough copy; **~ny** dirty (*też fig.*); **~y** *m/pl.* (*-ów*) (dirty) laundry; *fig.* dirty linen; → ***brud***

brudzić ⟨***po-, za-***⟩ (*-dzę*) make dirty, dirty; ***~*** ⟨***po-, za-***⟩ ***się*** get dirty

bruk *m* (*-u*; *-i*) paving; ***wyrzucić kogoś na ~*** (*z pracy*) give s.o. the sack; (*z mieszkania*) turn s.o. out on to the street

brukać (*-am*) *lit.* defile

brukiew *f* (*-kwi*; *-kwie*) swede

brukow|ać ⟨***wy-***⟩ (*-uję*) surface; **~iec** *m* (*nieregularny*) cobble(stone); (*czworokątny*) set(t); **~y** paving; ***prasa ~a*** gutter press

Bruksel|a *f* (*-i*; *0*) Brussels; **&ka** *f* (*-i*) Brussels sprout(s *pl.*); **&ski** Brussels

brulion *m* (*-u*; *-y*) notebook

brunatny (***-no***) dark brown

brunet *m* (*-a*; *-ci*) dark-haired man; **~ka** *f* (*-i*; *G -tek*) brunette

brusznica *f* (*-y*; *-e*) *bot.* cowberry

brutal *m* (*-a*; *-e*, *-i/-ów*) brute, brutal person; **~ność** *f* (*-ści*; *0*) brutality; **~ny** brutal

brutto (*idkl.*) gross

bruzda *f* (*-y*) (*zwł. w ziemi*) furrow; groove

bruździć (*-żdżę*; *-isz*) furrow; *fig.* make difficulties (***w*** *I* in), put obstacles in *s.o.'s* way

brwi → ***brew***; **~owy** brow

bryczesy *pl.* (*-ów*) (riding) breeches *pl.*

brydż *m* (*-a*; *0*) bridge

brygada *f* (*-y*) *mil.* brigade; (***pracowników*** work) team

brygadzist|a *m* (*-y*; *-ści*) foreman; **~ka** *f* (*-i*; *G -tek*) forewoman

bryk F *m* (*-a*; *-i*) crib

brykać (*-am*) romp about

brykiet *m* (*-u*; *-y*) briquette

bryknąć *pf* (*-nę*) F (*zwiać*) scram; scarper

brylant *m* (*-u*; *-y*) diamond

brył|a *f* (*-y*) (*ziemi itp.*) lump, clod; **~ka** *f* (*-i*) (*złota itp.*) nugget

brył(k)owaty lumpy

bryndza *f* (*-y*; *-e*) sheep's cheese

brytan *m* (*-a*; *-y*) mastiff

Brytania *f* (*-ii*; *0*) Britain; ***Wielka ~*** Great Britain

brytfanna *f* (*-y*) baking pan

Brytyj|czyk *m* (*-a*; *-ycy*) Briton; ***~czycy*** *pl.* the British *pl.*; **~ka** *f* (*-i*; *G -jek*) Briton; **&ski** British

bryza *f* (*-y*) breeze

bryz|g *m* (*-u*; *-i*) splash; **~gać** (*-am*) ⟨***~nąć***⟩ (*-nę*) splash, splatter

bryzol *m* (*-u*; *-e*, *-i/-ów*) *gastr.* (fried) piece of loin

brzask *m* (*-u*; *-i*) dawn; ***o ~u, z ~iem*** at dawn

brzdąc *m* (*-a*; *-e*) *Brt.* nipper, kid

brzd|ąkać, ~ękać (*-am*) *v/t. melodię* plunk out; *v/i.* strum (***na gitarze*** (on) the guitar); **~ąkanie, ~ękanie** *n* (*-a*) plunking

brzeg *m* (*-u*; *-i*) edge; (*naczynia itp.*) rim; (*rzeki itp.*) bank; (*morza*) coast; ***na ~u*** *fig.* on the verge; ***po ~i*** (*naczynie*) brimfull; (*sala itp.*) chock-full; ***nad ~iem morza*** by the sea; ***wystąpić z ~ów*** overflow

brzemienny pregnant; ***~ w skutki*** fateful

brzemię *n* (*-enia*; *-iona*) burden (*też fig.*)

B

brzezina *f* (*-y*) (*drewno*) birch(wood); (*zagajnik*) birch grove
brzeżek *m* (*-żka*; *-żki*) edge, rim
brzę|czeć ⟨*za-*⟩ (*-ę*, *-y*) *mucha, dzwonek*: buzz; *szkło, szyba*: ring; *naczynia*: clink; **~czyk** *m* (*-a*; *-i*) buzzer; **~k** *m* (*-u*; *-i*) buzz; ringing; clinking
brzmie|ć (*-ę*; *-mij!*) sound; *słowa itp.*: read; **~nie** *n* (*-a*) sound
brzoskwinia *f* (*-i*; *-e*) *bot.* peach
brzoz|a *f* (*-y*) *bot.* birch; **~owy** birch
brzuch *m* (*-a*; *-y*) stomach, F belly; ***na ~u*** on one's stomach; ***taniec ~a*** belly dance; **~acz** F *m* (*-a*; *-e*) potbelly, F fatso; **~aty** potbellied; (*dzbanek*) bulbous
brzuchomów|ca *m* (*-y;-y*), **~czyni** *f* (*-yni*; *-ynie*) ventriloquist
brzuszny belly; *ból itp.* abdominal; ***dur ~*** typhus
brzyd|actwo *n* (*-a*) fright, frump; **~al** *m* (*-a*; *-e*) ugly man; **~ki** (*m-os -dsi*) ugly; **~ko** in an ugly way; **~nąć** ⟨*z-*⟩ (*-nę*, *-ł/ -nął*) become ugly; **~ota** *f* (*-y*) ugliness; **~ula** *f* (*-i*; *-e*) ugly woman
brzydzić się (*-dzę*) (*I*) find *s.th.* repulsive
brzydziej *adv. comp. od* → ***brzydki***
brzytwa *f* (*-y*; *G -tew*) razor
bubek *m* (*-bka*; *-bki*) *pej.* (*modniś*) dandy; (*głupek*) *Am.* jerk, *Brt.* twit
buble F *m/pl.* (*-i*) trash *sg.*, inferior merchandise *sg.*
buchać (*-am*) *v/i. płomienie, dym*: belch (out); *krew, woda*: gush; *v/t. smrodem, zapachem*: give off; ***~ żarem*** → ***buchnąć***
buchalteria *f* (*GDL -ii*; *-e*) accountancy
buchnąć *v/s.* (*-nę*) *v/i.* → ***buchać***; *v/t.* F pilfer, snitch
buci|k *m* (*-a*; *-i*) shoe; **~or** *m* (*-a*; *-y*) heavy shoe *lub* boot
bucze|ć (*-ę*) *syrena*: sound; *dziecko*: blubber; **~k** *m* (*-czka*; *-czki*) siren; buzzer
buczyna *f* (*-y*; *0*) (*drewno*) beech(wood), (*drzewa*) beech wood
buda *f* (*-y*) shed; (*na targu*) booth, stall; *mot.* canvas cover; F (*szkoła*) school; ***psia ~*** kennel
Budapeszt *m* (*-u*; *0*) Budapest
buddyjski Buddhist
budka *f* (*-i*; *G -dek*) kiosk; small shed; (*schronienie*) shelter; *tel.* (tele)phone booth, *Brt.* (tele)phone box
budow|a *f* (*-y*) building; (*czynność*) construction; ***plac/teren ~y*** construction/building site; **~ać** ⟨***po-, wy-, z-***⟩ (*-uję*) build; *fig.* construct, create; ***~ać*** ⟨***po-***⟩ ***się*** be under construction; (*dla siebie*) be building a house for o.s.; **~la** *f* (*-i*; *-e*) building, structure; **~lany** **1.** building, construction; **2.** *m/zbior.*: ***~lani*** *pl.* construction workers; *pl.*; **~nictwo** *n* (*-a*; *0*) building and construction industry; ***~nictwo mieszkaniowe*** housing construction; **~niczy** *m* (*-ego*; *-czowie*) builder
budu|jący edifying; **~lec** *m* (*-lca*; *0*) building material(s *pl.*)
budynek *m* (*-nku*; *-nki*) building, house; ***~ mieszkalny*** dwelling house
budyń *m* (*-nia*; *-nie*, *-ni/-niów*) pudding
budzi|ć ⟨***o-, z-***⟩ (*-dzę*) wake; *fig.* ⟨***o-, roz-***⟩ arouse; ***~ć*** ⟨***o-, roz-***⟩ ***się*** wake up; **~k** *m* (*-a*; *-i*) alarm clock
budżet *m* (*-u*; *-y*) budget; **~owy** budget, budgetary
bufet *m* (*-u*; *-y*) buffet; (*na dworcu itp.*) (station) bar; ***zimny ~*** cold buffet
bufiasty (*rękaw itp.*) puff
bufonada *f* (*-y*) bragging
bufor *m* (*-u/-a*; *-y*) buffer; **~owy** buffer
buhaj *m* (*-a*; *-e*, *-ów*) breeding bull
buja|ć (*-am*) *v/i.* fly, hover (*też fig.*); (*wędrować*) romp about (***po*** *L* in); ⟨***z-***⟩ (*kłamać*) fib, tell fibs; *v/t.* ⟨***po-***⟩ rock (***się*** *v/t.*); **~k** *m* (*-a*; *-i*) rocking-chair
bujda *f* (*-y*) (*kłamstwo*) fib; (*oszustwo*) humbug
bujn|y *roślinność* luxuriant; *włosy* thick; *życie* eventful; ***~a fantazja*** lively imagination
buk *m* (*-a/-u*; *-i*) *bot.* beech
bukiet *m* (*-u*; *-y*) (*kwiaty*) bunch, (*oficjalny*) bouquet; (*aromat*) bouquet
bukiew *f* (*-kwi*; *0*) beech-nut(s)
bukinista *m* (*-y*; *-ści*, *-stów*) second-hand bookseller
bukmacher *m* (*-a*; *-rzy*) bookmaker, F bookie
bukowy beech
buksować (*-uję*) *v/i. koło*: spin
bukszpan *m* (*-u*; *-y*) box(-tree)
bulaj *m* (*-a/-u*; *-e*) *naut.* (circular) porthole
buldog *m* (*-a*; *-i*) bulldog

buldożer *m* (*-a*; *-y*) bulldozer
bulgotać (*-czę/-ocę*) *strumień itp.*: gurgle; (*w czajniku*) bubble
bulić F ⟨**wy-**⟩ (*-lę*) cough up
bulion *m* (*-u*; *-y*) stock; (*zupa*) broth; **~ *w kostkach*** stock cube(s *pl.*)
bulwa *m* (*-y*) tuber
bulwar *m* (*-u*; *-y*) boulevard; **~owy** boulevard; *prasa itp.* gutter
bulwersować ⟨**z-**⟩ (*-uję*) shock
bulwiasty bulbous
buława *f* (*-y*): **~ *marszałkowska*** marshal's baton (*też fig.*)
bułeczka *f* (*-i*; *G -czek*) → ***bułka***
Bułgar *m* (*-a*; *-rzy*) Bulgarian; **~ia** *f* (*-ii*; *0*) Bulgaria; **~ka** *f* (*-i*; *G- rek*) Bulgarian; **ℒski** Bulgarian; ***mówić po ℒsku*** speak Bulgarian
bułka *f* (*-i*; *G -łek*) (bread) roll
bumel|anctwo *n* (*-a*; *0*) dawdling; **~ować** (*-uję*) dawdle
bumerang *m* (*-u*; *-i*) boomerang
bunkier *m* (*-kra*; *-kry*) *mil.* bunker; (*dla cywilów*) shelter; **~*przeciwlotniczy*** air-raid shelter
bunt *m* (*-u*; *-y*) revolt, rebellion (*też fig.*); (*na statku*) mutiny
buntow|ać ⟨**pod-, z-**⟩ (*-uję*) incite to rebel; **~*ać*** ⟨**z-**⟩ ***się*** rebel *lub* revolt; **~niczo** rebelliously; **~niczy** rebellious; **~nik** *m* (*-a*; *-cy*) rebel
buńczuczny cheeky, impertinent
bura *f* (*-y*) bawling-out
bura|czany beet(root); **~czki** *m/pl.* (*-ów*) boiled beetroots; **~k** *m* (*-a*; *-i*) beet; (*ćwikłowy*) beetroot
burczeć (*-czę*) mumble, mutter; *żołądek*: rumble
burda *f* (*-y*) row
burdel *m* (*-u*; *-e*, *G -i*) F brothel; *fig.* (*bałagan*) mess
burgund *m* (*-a*; *-y*) burgundy
burkliwy sullen, sulky
burmistrz *m* (*-a*; *-e*) mayor
buro *adv.* → ***bury***
bursztyn *m* (*-u*; *-y*) amber; **~owy** amber
burt|a *f naut.*: ***lewa ~a*** port; ***prawa ~a*** starboard; ***wyrzucić za ~ę*** throw overboard
bury (**-*ro***) mousy
burz|a *f* (*-y*; *-e*) storm (*też fig.*); (*z piorunami*) thunderstorm; **~liwie** *fig.* tempestuously; **~liwy** stormy; *fig.* tempestuous; **~yć** (*-ę*) ⟨**z-**⟩ destroy; *dom, mur, też* pull down; ⟨**wz-**⟩ *wodę* churn up; **~*yć*** ⟨**z-**⟩ ***się*** seethe, churn
burżuaz|ja *f* (*-i*; *0*) bourgeoisie; **~yjny** bourgeois
burżuj *m* (*-a*; *-e*) bourgeois
busola *f* (*-i*; *-e*) compass
buszować (*-uję*) rummage (**po** *L* through, around)
but *m* (*-a*; *-y*) shoe; (*z cholewką*) boot; ***takie ~y*** that's the way things stand; ***głupi jak ~*** as thick as two short planks
butan *m* (*-u*; *0*) → ***propan***
butelk|a *f* (*-i*) bottle; ***~a od wina, po winie*** wine bottle; ***~a wina*** bottle of wine; **~owy** bottle; ***piwo ~owe*** bottled beer
butik *m* (*-u*; *-i*) boutique
butla *f* (*-i*; *-e*) large bottle; (*na wino*) flask; **~ *tlenowa*** oxygen cylinder
butny overbearing; imperious
butonierka *f* (*-i*; *G -rek*) buttonhole
butwieć ⟨**z-**⟩ (*-eję*) rot, decay
buzia F *f* (*-i*; *-e*, *-ź/-i*) face; (*usta*) mouth; **~k** *m* (*-a*; *-i*) (*całus*) little kiss, F peck
by 1. *cj.* (in order) to, in order that; **2.** *part.*: (*trybu warunkowego*) ***napisałbym to*** I would write it
by|cie *n* (*-a*; *0*): ***sposób ~cia*** manner
bycz|ek *m* (*-czka*; *-czki*) bull-calf; **~y** bull's; F (*fajny*) great, terrific; ***~y chłop*** F hell of a guy
być be; (*istnieć też*) exist; **~ *może*** perhaps, maybe; ***nie może ~!*** this cannot be!; ***bądź zdrów!*** farewell!; ***będę pamiętać*** I will remember; ***był naprawiony ...*** it has been repaired; ***było już późno*** it was already late; ***niech i tak będzie*** let it be so; F if you like; ***co z nim będzie?*** what will happen with him?; ***jest mu zimno*** he is cold; → ***jest, są***
bydlę *n* (*-ęcia*; *-ęta*) cow, bull, calf; **~ta** *pl.* cattle *pl.*; (*człowiek*) beast, animal; **~cy** cattle; *fig.* animal, savage
bydło *n* (*-a*; *0*) *zbior.* cattle *pl.*
byk *m* (*-a*; *-i*) bull; ℒ *znak Zodiaku:* Taurus; ***on(a) jest spod znaku ℒa*** he/she is (a) Taurus; F (*gafa*) goof; ***strzelić ~a*** *Brt. sl.* boob; *Am. sl.* make a boo-boo
byle *adv.* any-; **~ *co*** anything; **~ *gdzie***

anywhere; **~** ***jak*** anyhow; **~** ***jaki*** any; (*lichy*) shoddy; **~** ***kto*** anybody, anyone; **~by** *cj.* in order to, in order that
byli → ***być, były***
bylina *f* (*-y*) *bot.* herbaceous perennial
były (*m-os byli*) former; ex-; ***mój*** **~** my ex; → ***być***
bynajmniej (**nie**) not at all, not in the least; **~!** not in the slightest!
bystr|ość *f* (*-ści*; *0*) rapidity; speed; ***~ość umysłu*** astuteness; **~y** *adj.* (*comp. -rzejszy*), **~o** *adv.* (*comp. -rzej*) *adv.* fast; *nurt itp.* swift; *człowiek, uczeń* bright, sharp
byt *m* (*-u*; *-y*) (*istnienie*) existence; (*istota*) being; **~ność** *f* (*-ści*; *0*) presence; (*odwiedziny*) stay; **~owy** social; ***warunki ~owe*** living conditions, conditions of life
bywa|ć (*-am*) visit (***u kogoś*** s.o., ***w czymś*** s.th.); ***bywa***(**, *że***) it happens (that); **~lczyni** *f* (*-ni*; *-nie*, *G -ń*), **~lec** *m* (*-lca*; *-lcy*) regular visitor, (*w sklepie itp.*) regular customer; **~ły** experienced
b.z. *skrót pisany*: ***bez zmian*** no changes; *med.* NAD (*no abnormality detected*; *no appreciable difference*)
bzdet F *m* (*-u*; *-y*) rubbish
bzdur|a *f* (*-y*) nonsense; **~ny** nonsensical, absurd
bzik F *m* (*-a*; *0*) fad; ***mieć ~a*** be mad about *s.th.*
bzów, bzu, bzy → ***bez***[2]
bzykać (*-am*) hum, buzz

C

cack|ać się F (*-am*) fuss (***z*** *I* over); **~o** *n* (*-a*; *G -cek*) *fig.* trinket, knick-knack
cal *m* (*-a*; *-e*, *-i*) inch; ***w każdym ~u*** every inch
calówka *f* (*-i*; *G -wek*) folding rule
cał|ka *f* (*-i*; *G -łek*) *math.* integral; **~kiem** *adv.* quite, wholly, completely
całkow|icie entirely, completely; wholly; **~ity** complete; (*suma też*) total; whole; (*liczba*) integral; **~y**: ***rachunek ~y*** *math.* integral calculus
cało *adv.* (*niezraniony*) undamaged, unhurt
cało|dobowy round the clock, twenty-four-hour; **~dzienny** all-day; (*praca itp.*) full-time; **~kształt** *m* the whole; general picture; **~nocny** all-night; **~roczny** yearlong, all the year round; (*dochód*) full year's
całoś|ciowo completely, in an integrated way; **~ciowy** complete, integrated; **~ć** *f* (*-ści*) whole; completeness; ***w ~ci*** as a whole; entirely, in its entirety
całotygodniowy all-week, for the whole week
całować ⟨**po-**⟩ (*-uję*) kiss (**się** *też* each other)
całus *m* (*-a*; *-y*) kiss
cał|y *adj.* whole; (*kompletny*) complete; (*zdrowy*) unhurt; → ***cało***; ***z ~ej siły*** with full force; with all one's might; ***~ymi godzinami*** for hours
camping → ***kemping***
Cambridge (*idkl.*) Cambridge
cap *m* (*-a*; *-y*) *zo.* (billy)goat
capnąć *pf.* (*-nę*) F grab; (*aresztować*) nab
capstrzyk *m* (*-a*; *-i*) tattoo
car *m* (*-a*; *-owie*) tsar; **~owa** → ***caryca***; **~ski** tsar; **~yca** *f* (*-y*; *-e*) tsarina
casco *n* (*idkl.*) vehicle insurance, *naut.* hull insurance
cążki *pl.* (*-ów*) clippers *pl.*, F clips *pl.*
CBOS *skrót pisany*: ***Centrum Badania Opinii Społecznej*** Public Opinion Research Centre
cdn., c.d.n. *skrót*: ***ciąg dalszy nastąpi*** to be continued
ceb|er *m* (*-bra*; *-bry*) tub; ***leje jak z ~ra*** it's raining cats and dogs
cebul|a *f* (*-i*; *-e*) *bot.* onion; **~ka** *f* (*-i*; *G -lek*) *bot.* onion; (*tulipana itp.*) bulb; **~(k)owaty** bulbous, bulb-shaped; **~owy** onion; ***wzór ~owy*** onion pattern
cech *m* (*-u*; *-y*) guild, fraternity
cecha *f* (*-y*) feature; characteristic; (*znak*) mark; (*probiercza*) hallmark; **~** ***charakteru*** characteristic
cechować (*-uję*) mark; label; *obrączkę itp.* hallmark; *przyrząd* standardize; **~** ***się*** be marked (*I* by)
cedować ⟨**s-**⟩ (*-uję*) *jur.* cede

cedr *m* (*-u*; *-y*) cedar
ceduła *f* (*-y*) *fin.*: **~ *giełdowa*** exchange list
cedz|ak *m* (*-a*; *-i*) colander, strainer; **~ić** (*-dzę*) ⟨***prze-***⟩ strain; ⟨***wy-***⟩ *napój* sip; *słowa* drawl, mince
ceg|ielnia *f* (*-i*; *-e*) brickworks *sg.*; **~iełka** *f* (*-i*) (small) brick; *fig.* contribution; **~lasty** (***-to***) brick-red; **~ła** *f* (*-y*; *G -gieł*) brick
cekaem *m* (*-u*; *-y*) machine gun
cel *m* (*-u*; *-e*, *-ów*) aim, goal; (*tarcza, obiekt, też fig.*) target; (*podróży*) destination; ***bez ~u*** aimlessly; ***do ~u*** to the target/aim; ***u ~u*** at the end; ***na ten ~, w tym ~u*** for this purpose; ***w ~u*** for the purpose of; ***wziąć na ~*** take aim; ***mieć na ~u/za ~*** aim at, aim to achieve; → ***celem***
cela *f* (*-i*; *-e*) (***klasztorna, więzienna*** monastery, prison) cell
celibat *m* (*-u*; *-0*) celibacy
celni|czka *f* (*-i*; *G -czek*), **~k** *m* (*-a*; *-cy*) customs officer
celn|ość *f* (*-ści*; *0*) (*strzału*) accuracy; (*uwagi itp.*) relevance, aptitude; **~y**[1] *strzał, strzelec* accurate; *uwaga* relevant, apt
celn|y[2] customs; ***opłata ~a*** (customs) duty; ***urząd ~y*** customs office
celny[3] *proza* eminent, distinguished
celow|ać[1] ⟨***wy-***⟩ (*-uję*) aim (***do*** *G* to, ***w*** *A* at)
celow|ać[2] (*-uję*) distinguish o.s. (***w*** *L* in); **~nik** *m* (*-a*; *-i*) backsight; *phot.* viewfinder; *gr.* dative; ***~nik lunetowy*** telescopic sight; **~ość** *f* (*-ości*; *0*) appropriateness; **~o** appropriately, relevantly; **~y** appropriate, relevant
celując|o excellent; **~y** eminent, distinguished; (*ocena*) excellent
celuloza *f* (*-y*; *0*) cellulose
cement *m* (*-u*; *-y*) cement; **~ownia** *f* (*-i*; *-e*) cement plant; **~owy** cement
cen|a *f* (*-y*) price; ***po tej ~ie*** at this price; ***za wszelką ~ę*** at any price; **~ić** (*-ę*) *fig.* value; **~nik** *m* (*-a*; *-i*) price list; **~ny** valuable; **~owy** price
centnar → ***cetnar***
central|a *f* (*-i*; *-e*) head/central office; (*policji, partii*) headquarters *sg./pl.*; (*sterowania*) control room; *tel.* ***~a międzymiastowa*** telephone exchange; (*w biurze itp.*) switchboard; **~izacja** *f* (*-i*; *-e*) centralization; **~ny** central
centrum *n* (*idkl.*; *-ra. -ów*) *Brt.* centre, *Am.* center; **~ *handlowe*** shopping centre/center; **~ *obliczeniowe*** computer centre/center
centymetr *m Brt.* centimetre, *Am.* centimeter; (*taśma*) (centimetre) measuring-tape
cenzur|a *f* (*-y*) censorship; **~ować** (*-uję*) censor; object to
cep *m* (*-u/-a*; *-y*) flail
cera[1] *f* (*-y*; *0*) complexion
cera[2] *f* (*-y*) (*w tkaninie*) darn
cerami|czny ceramic; **~ka** *f* (*-i*) ceramics *pl.*; pottery; ***~ka szlachetna*** ceramic whiteware
cerata *f* (*-y*) oilcloth
ceregiel|e F *pl.* (*-i*) fuss; ***bez ~i*** without ceremony
cere'monia *f* (*GDL -ii*; *-e*) ceremony; F *pl.* fuss
cerkiew *f* (*-kwi*; *-kwie*, *-kwi*) (*wyznanie*) the Orthodox Church; (*budynek*) orthodox church; **~ny** orthodox
cerować ⟨***za-***⟩ (*-uję*) darn
certować się (*-uję*) make a fuss (***z*** *I* about)
certyfikat *m* (*-u*; *-y*) certificate; **~ *pochodzenia*** certificate of birth
cesa|rski imperial; **~rstwo** *n* (*-a*; *G -*) empire; **~rz** *m* (*-a*; *-e/-owie*) emperor; **~rzowa** *f* (*-wej*, *-wo!*; *-we*) empress
cesja *f* (*-i*; *-e*) *jur.* cession
cetnar *m* (*-a*; *-y*) centner; metric hundredweight
cewka *f* (*-i*; *G -wek*) *tech.* coil; *anat.* **~ *moczowa*** urethra; *electr.* **~ *zapłonowa*** spark coil
cez *m* (*-u*; *0*) *chem.* caesium
cęgi *pl.* (*-ów*) pliers *pl.*, pincers *pl.*
cętk|a *f* (*-i*; *G -tek*) dot, (*większa*) spot; **~owany** mottled; speckled
chaber *m* (*-bra*; *-bry*) *bot.* cornflower
chadec|ja *f* (*-i*; *-e*) Christian Democratic Party, Christian Democratics; **~ki** Christian Democratic
chała *f* (*-y*) *fig.* trash
chałka *f* (*-i*; *G -łek*) F (*bułka*) plait
chałupa *f* (*-y*) hut; (*biedna*) shack; (*z drewna*) (log) cabin
chałupni|ctwo *n* (*-a*; *0*) outwork, home work; **~czka** *f* (*-i*; *G -czek*), **~k** *m* (*-a*; *-cy*) outworker, home worker
cham *m* (*-a*; *-y*) lout, boor; **~ka** *f* (*-i*)

C

C

loutish woman; **~ski** loutish
chao|s *m* (*-u*; *0*) chaos; **~tyczny** chaotic
charakte|r *m* (*-u*; *y*): ***~r pisma*** handwriting; ***bez ~ru*** unprincipled; (*miasto itp.*) characterless; ***w ~rze gościa*** as a guest; **~rystyczny** characteristic (***dla*** *G* of); **~'rystyka** *f* (*-i*) characterization; **~ryzacja** *f* (*-i*) *theat.* make-up; **~ryzator** *m* (*-a*; *-rzy*), **-rka** *f* (*-i*) make-up artist
charakteryzować (*-uję*) ⟨**s-**⟩ characterize; **~** ⟨**s-**⟩ ***się*** be characterized by (*I*); ⟨**u-**⟩ make up; **~** ***się*** put make-up
char|czeć (*-czę*, *-y*) rasp; **~kać** (*-am*) ⟨***~knąć***⟩ spew
charkot *m* (*-u*; *-y*) rattle; *med.* stertor
chart *m* (*-a*; *-y*) *zo.* greyhound; **~** ***afgański*** Afghan hound
charter *m* (*-u*; *-y*) charter; **~owy** charter(ed)
charytatywny charitable
chaszcze *pl.* (*-y*/*-ów*) thicket, (*w lesie*) dense undergrowth
chata *f* (*-y*) → ***chałupa***
chcieć ⟨**ze-**⟩ want; (**nie**) ***chce mi się czegoś zrobić*** I (don't) feel like doing s.th.; ***nie chce mi się*** *też* I can't be bothered; ***chciał(a)bym*** I would like
chciw|ie *adv.* → ***chciwy***; **~iec** *m* (*-wca*; *-wcy*) miser, niggard; **~ość** *f* (*-ści*; *0*) greed, avarice; **~y** greedy, avaricious; ***~y wiedzy*** eager for knowledge; *dziecko* eager to learn
chełbia *f* (*-i*; *-e*) aurelia
chełp|ić się (*-ę*) boast, brag (*I* about); **~liwość** *f* (*-ści*; *0*) boastfulness; **~liwie** boastfully; **~liwy** boastful
chemi|a *f* (*GDL -ii*; *0*) chemistry; **~czka** *f* (*-i*) chemist; **~czny** chemical; ***ołówek ~czny*** indelible pencil; **~k** *m* (*-a*; *-cy*) chemist
cherlawy frail, sickly
cherubinek *m* (*-a*; *-i*) putto; (*dziecko*) cherub
chę|ć *f* (*-i*) desire; (*zamiar*) intention; ***mieć ~ć*** feel like (***do zrobienia*** doing, ***na coś*** s.th.); ***dobre ~ci*** goodwill; ***z miłą ~cią*** with pleasure
chęt|ka *f* (*-i*; *G -tek*) desire; ***mieć ~kę*** F be really keen (***na*** *A* on); **~nie** *adv.* willingly; **~ny** willing; ***on jest ~ny do nauki*** he is an eager student
chichot *m* (*-u*; *-y*) giggle; **~ać** (*-czę*/*-ocę*) giggle

Chil|e *n* (*idkl.*) Chile; **~ijczyk** *m* (*-a*; *-ycy*), **~ijka** *f* (*-i*) Chilean; **²ijski** Chilean
chimer|a *f* (*-y*) *fig.* chimera, illusion; **~y** *pl.* moods *pl.*
chinina *f* (*-y*; *0*) quinine
Chin|ka *f* (*-i*; *G -nek*) Chinese; **~y** *pl.* (*G -*) China
Chiń|czyk *m* (*-a*; *-cy*) Chinese; **²ski 1.** Chinese; ***mówić po ²sku*** speak Chinese; **2.** *m* (*-ego*) Chinese (language); **²szczyzna** *f* (*-y*; *0*) Chinese; *fig.* double Dutch
chiromancja *f* (*-i*; *0*) palmistry
chirurg *m* (*-a*; *-dzy*/*-owie*) surgeon; **~ia** (*GDL -ii*; *0*) surgery; **~iczny** surgical
chlać (*-am*/*-eję*) F booze
chlap|a *f* (*-y*) slush; (*pogoda*) slushy weather; **~ać** (*-ię*) *v/i.* splash (**po** *L* about); *v/t.* ⟨*też* **~nąć**⟩ (*-nę*) splay; *głupstwo itp.* babble
chlas|tać (*-am*/*-szczę*) *v/i.* *deszcz*: beat; *v/t.* ⟨*też* **~nąć**⟩ whip
chleb *m* (*-a*, *-y*) bread (*też fig.*); ***~ z masłem*** bread and butter; ***zarabiać na ~*** earn one's daily bread; **~odawca** *m* (*-y*) employer; **~owy** bread
chlew *m* (*-a*/*-u*; *-y*) pigsty; **~ny**: ***trzoda ~na*** *zbior* pigs *pl.*, swine *pl.*
chlipać (*-pię*) sob, whimper
chlor *m* (*-u*; *0*) chlorine; **~ek** *m* (*-rku*; *-rki*): **~ek** (**bielący**) bleaching powder; *tech.* chloride of lime; **~owodór** *m* hydrogen chloride; **~owy** chloric
chlub|a *f* (*-y*; *0*) fame, esteem; (*pl. -y*) pride; **~ić się** pride o.s. (*I* on); **~ny** glorious; (*świadectwo*) outstanding, excellent
chlup|ać (*-ię*) *v/i.* splash; *rzeka itp.*: bubble, gurgle; ***~ać się*** splash about; ***~nąć do*** *v/s.* (*-nę*) splash into
chlus|tać (*-am*) ⟨**~nąć**⟩ gush, spurt; → ***chlastać, chlupnąć***
chłam F *m* (*-u*; *0*) trash, rubbish
chłeptać (*-czę*/*-cę*) *kot*: lap
chłod|ek *m* (*-dku*; *-dki*) cool, coolness; **~nia** *f* (*-i*; *-e*) refrigerator, cool store; ***wagon ~nia*** refrigerator car *lub Brt.* wagon; **~nica** *f* (*-y*; *-e*) *mot.* radiator; **~niczy** refrigeration; **~nieć** ⟨**po-**⟩ (*-eję*) get colder; **~nik** *m* (*-a*; *-i*) (*cold beetroot soup*); **~no** coldly; ***jest ~no*** it is cold; **~ny** cold (*też fig.*)
chłodz|iarka refrigerator, F fridge; **~ić**

⟨o-⟩ (*-dzę*) cool (down); **~ić ⟨o-⟩ się** cool; **~ony wodą** water-cooled

chłon|ąć ⟨w-⟩ (*-nę*) absorb; **~ka** *f* (*-i*) → **limfa**; **~ny** absorptive, absorbent; *fig.* receptive, responsive; **węzeł ~ny** *anat.* lymphatic node

chłop *m* (*-a*, *-u*; *-i*) peasant; F (*pl.* *-y*) guy, chap; **~ak** *m* (*-a*; *-cy/-i*) boy; **~czyk** *m* (*-a*; *-i*) (young) boy

chłopiec *m* (*-pca*, *-pcy*) → **chłopak**; (*adorator*) boyfriend; **~ do wszystkiego, ~ na posyłki** errand boy

chłop|ięco boyishly; **~ięcy** boyish; *odzież itp.* boy('s); **~ka** *f* (*-i*; *G -pek*) peasant woman; **~ski** peasant; **po ~sku** in a peasant way; **~stwo** *n* (*-a*; *0*) *zbior.* peasantry

chłost|a *f* (*-y*) whipping, lashing; **kara ~y** corporal punishment; **~ać** (*-szczę*) whip, lash; *fig.* castigate

chłód *m* (*-odu*; *-ody*) cold; chill

chmara *f* (*-y*) (*owadów*) swarm; (*ludzi*) crowd

chmiel *m* (*-u*; *0*) *bot.* hop; (*kwiatostan*) hops *pl.*

chmur|a *f* (*-y*), **~ka** *f* (*-i*; *G -rek*) cloud; **~nie** with clouds; *fig.* sullenly, gloomily; **~ny** cloudy; *fig.* sullen, gloomy

chmurzyć (*-ę*) ⟨**na-**⟩ *czoło* frown; *brwi* knit; **~ się** cloud over; *fig.* darken

chochla *f* (*-i*; *-e*, *-i/-chel*) soup-ladle

chochlik *m* (*-a*; *-i*) brownie, sprite

cho|ciaż, ~ć *cj.* although; though; → **~ćby 1.** *cj.* even if; **2.** *part.* at least

chod|ak *m* (*-a*; *-i*) clog; **~nik** *m* (*-a*; *-i*) *Brt.* pavement, *Am.* sidewalk; (*dywan*) (long narrow) carpet; (*w kopalni*) gallery, gangway; **~y** *pl* → **chód**

chodzić (*-dzę*) walk, go; *pociąg*: run; *maszyna*: work, run; look after (**koło czegoś** s.th.); **~ do szkoły** go to school; **~ o lasce** walk with a stick; **~ o kulach** go about on crutches; **~ w sukni** wear a dress; **chodzi o …** it is about …; **nie chodzi o …** the point is not that …; **o co chodzi?** what is the matter?; **o ile o mnie chodzi** as far as I am concerned; **~ z** (*narzeczonym itp.*) go out with, go steady

choink|a *f* (*-i*; *-nek*) Christmas tree; (*zabawa*) Christmas party; **dostać pod ~ę** to get as a Christmas present; **~owy**: **zabawki** *f/pl.* **~owe** Christmas-tree ornaments

cholera *f* (*-y*; *0*) *med.* cholera; F **~!** damn!

cholerny F damned

cholesterol *m* (*-u*; *-e*) cholesterol

cholewa *f* (*-y*) boot-leg; **buty** *m/pl.* **z ~mi** high boots

chomąto *n* (*-a*) (horse-)collar

chomik *m* (*-a*; *-i*) *zo.* hamster

chorą|giew *f* (*-gwi*; *-gwie*) flag, banner; *hist.* cavalry company; (*harcerzy*) troop; **~giewka** *f* (*-i*; *-wek*) (little) flag; **~giewka na dachu** (weather-)vane; **~ży** *m* (*-ego*; *-owie*) standard-bearer, ensign

choro|ba *f* (*-y*) disease, illness; **~ba morska** seasickness; **~ba zawodowa** occupational disease; **~ba Heinego-Medina** poliomyelitis, polio; **~ba!** damn!, shit!; **~bliwie** morbidly (*też fig.*); **~bliwy** morbid (*też fig.*); **~botwórczy** pathogenic; **~bowy 1.** *adj.* disease; **2.** **~bowe** *n* F (*-ego*; *-owe*) sickness benefit; **~wać** (*-uję*) be ill, *Am.* be sick; (**na** *A*) suffer (from); **~wać na serce** have a heart condition

chorowity sickly

Chorwa|cja *f* (*-i*; *0*) Croatia; **2cki** Croatian; **mówić po 2cku** speak Croatian; **~t** *m* (*-a*; *-ci*), **~tka** *f* (*-i*) Croatian

chor|y 1. ill, sick; *organ itp.* bad, diseased; *fig.* sick, ailing; **~y na wątrobę** suffering from a liver complaint; **~y umysłowo** mentally ill; **2.** *m* (*-ego*, *-rzy*), **~a** *f* (*-ej*; *-e*) patient; sick person

chować (*-am*) ⟨**s-**⟩ (*ukrywać*) hide (*też* **się**); conceal; → **wkładać**; ⟨**po-**⟩ bury; ⟨**wy-**⟩ bring up; *impf* (*hodować*) raise; **zdrowo się ~** flourish, prosper

chowan|y *m* (*-ego*; *0*) *podwozie itp.* retractable; **bawić się w ~ego** play hide and seek

chód *m* (*-odu*; *-ody*) walk, gait; (*chód sportowy*) walking; F **mieć chody** have connections

chór *m* (*-u*; *-y*) choir, (*w operze itp.*) chorus; **~em** *adv.* in chorus

chórzyst|a *m* (*-y*; *-ści*, *-stów*), **~ka** *f* (*-i*; *G -tek*) member of the choir/chorus

chów *m* (*-owu*; *0*) breeding, raising

chrabąszcz *m* (*-a*; *-e*) *zo.* cockchafer; **~ majowy** May beetle, May bug

chrapać (*-pię*) snore; → **charczeć**

chrapliwy hoarse

chrapy *f/pl.* (*-[ów]*) nostrils

chrobotać (*-czę/-cę*) *v/i.* grate, scratch

chrobry brave, heroic

chrom *m* (*-u*; *0*) *chem.* chromium; **~owy** chromium
chroniczny chronic
chronić (*-ę*) ⟨**u-**⟩ protect (***się*** o.s., ***od*** *G* from, ***przed*** *I* against); **~** ⟨**s-**⟩ ***się*** take shelter (***przed*** *I* against)
chroniony protected
chronometraż *m* timekeeping
chrop|awo roughly; *głos* hoarsely; **~awy** rough; *głos* hoarse; **~owato** roughly; *głos* hoarsely; **~owaty** rough; *głos* hoarse
chrup|ać ⟨**s-**⟩ (*-ię*) crunch; **~ki** crunchy; ***~ki chleb*** crispbread
chrust *m* (*-u*; *0*) brushwood
chryja F *f* (*-yi*; *-e*) trouble
chryp|a *f* (*-a*; *-y*), **~ka** *f* (*-i*; *G -pek*) hoarseness; huskiness; **~liwie** hoarsely, huskily; **~liwy** hoarse, husky; **~nąć** ⟨**o-**⟩ get *lub* become hoarse
Chrystus *m* (*-a*, *-sie/Chryste!*; *0*) Christ; ***przed ~em, przed narodzeniem ~a*** before Christ (*skrót*: BC)
chrzan *m* (*-u*; *0*) horse-radish
chrząk|ać (*-am*) ⟨***~nąć***⟩ clear one's throat; *zwł. zwierzęta*: grunt; **~anie** *n* (*-a*), **~nięcie** *n* (*-a*) grunting
chrząstka *f* (*-i*; *G -tek*) *anat.* cartilage; (*w jedzeniu*) gristle
chrząszcz *m* (*-a*; *-e*) *zo.* beetle
chrzcić ⟨**o-**⟩ (*-czę*) *rel.* christen, baptize
chrzcielnica *f* (*-y*; *-e*) *rel.* font
chrzciny *pl.* (*chrzcin*) *rel.* christening, baptism
chrzest *m* (*chrztu*; *chrzty*) baptism; **~ny** **1.** baptismal; **2.** *m* (*-ego*, *-i*) godparent; (*mężczyzna*) godfather; **~na** *f* (*-ej*; *-e*) godmother; ***rodzice*** *m/pl.* ***~ni*** godparents *pl.*; ***~ny syn*** *f* godson; ***~na córka*** *f* goddaughter
chrześcijan|in *m* (*-a*; *-anie*, *-*), **~ka** *f* (*-i*; *G -nek*) Christian
chrześcijańs|ki Christian; ***po ~ku*** in a Christian way, like a Christian; **~two** *n* (*-a*; *0*) Christianity
chrześnia|czka *f* (*-i*; *G -czek*), **~k** *m* (*-a*; *-cy*) godchild
chrzę|st *m* (*-u*; *-y*) crunching; scraping, grating; **~ścić** (*-szczę*) rustle; crunch; scrape, grate
chuch|ać (*-am*) ⟨***~nąć***⟩ (*-nę*) breathe, blow; ***~ać na*** (*A*) breathe on
chu|derlawy slight; **~dnąć** ⟨**s-**⟩ (*-nę*, *-dł*) become thin, lose weight; (*celowo*) slim; **~dość** *f* (*-ści*; *0*) thinness; **~dy** thin; *fig. Brt.* meagre, *Am.* meager; *mięso itp.* lean; **~dzielec** F *m* (*-lca*; *-lcy*; *-lce*) bag of bones
chuligan *m* (*-a*; *-i*) hooligan
chuligaństwo *n* (*-a*) hooliganism
chust|a *f* (*-y*) shawl; **~eczka** *f* (*-i*; *G -czek*) handkerchief, F hanky; ***~eczka higieniczna*** tissue, Kleenex *TM*; → **~ka** *f* (*-i*; *G -tek*): ***~ka do nosa*** handkerchief; ***~ka na głowę*** headscarf
chwa|lebny praiseworthy; laudable; **~lić** ⟨***po-***⟩ (*-lę*) praise; laud; ***~lić*** ⟨***po-***⟩ ***się*** (*I*) boast (about), brag (about); **~ła** *f* (*-y*; *0*) glory; ***~ła Bogu*** thank goodness
chwast *m* (*-u*; *-y*) (*zielsko*) weed
chwiać (*-eję*) rock; sway; **~** ***się*** sway; (*jak pijany*) totter; *ząb*: be loose
chwiejn|ość *f* (*-ści*; *0*) instability; *fig.* inconstancy, fickleness; **~y** instable; *fig.* inconstant, fickle
chwil|a *f* (*-i*; *-e*) moment, instant; while; **~e** *pl. też* time; ***~a wytchnienia*** breathing space; ***~ami*** from time to time, occasionally; ***co ~a*** all the time; ***lada ~a*** any moment; ***na ~ę*** for a moment; ***od tej ~i*** from this moment, from now on; ***po ~i*** after a while; ***przed ~ą*** a minute ago; ***przez ~ę*** for a moment or so; ***w danej ~i*** in this very moment; ***w tej ~i*** instantly; immediately; at once; ***za ~ę*** in a minute; in a short while; ***z ~ą*** the moment
chwilow|o momentarily; temporarily; **~y** momentary; temporary; short-lived
chwy|cić *pf* (*-cę*) → ***chwytać***; **~t** *m* (*-u*; *-y*) hold; grip, grasp; → ***uchwyt***; **~tać** (*-am*) *v/t.* grasp, grip (***za*** *A*); take hold (***za*** *A* of); *piłkę itp.* catch; *żal*, *gniew* seize; ***~tać powietrze*** gasp for breath *lub* air; ***~tać za pióro*** take up one's pen; ***mróz ~ta*** it is freezing; ***~tać się*** catch; ***~tać*** *się* ***za głowę*** throw up one's hands in despair
chyba **1.** *part.* maybe, probably; **2.** *cj.*: **~** ***że*** unless; **~** ***nie*** hardly
chybi|ać (*-am*) ⟨***~ć***⟩ (*-ę*) miss (***celu*** the target); ***na ~ł trafił*** at random; **~ony** missed; *fig.* ineffective
chylić ⟨***po-, s-***⟩ (*-lę*) (***się***) lean, bend
chyłkiem *adv.* furtively; surreptitiously
chytro *adv.* → ***chytry***; **~ść** *f* (*-ści*) shrewdness, cunning

chytry clever, shrewd, cunning; → ***chciwy***
chytrzej(szy) *adv.* (*adj.*), *comp. od* → ***chytro, chytry***
ci *m-os* → ***ten***
ciałko *n* (*-a*; *G -łek*) *biol.* corpuscle; ***czerwone ~ krwi*** erythrocyte; ***białe ~ krwi*** leucocyte
ciał|o *n* (*-a*) body (*też fig.*); (*tkanka*) flesh; (*zwłoki*) corpse; ***~o pedagogiczne*** teachers, teaching staff; ***spaść z ~a*** F waste away; → ***boży***
ciarki *f/pl.* (*-rek*) creeps; ***przeszły mnie ~*** cold shivers ran down my spine
ciasn|ota *f* (*-y*; *0*) lack of space; *fig.* narrow-mindedness; **~o** tightly; narrowly; **~y** *ubranie* tight, close-fitting; *pomieszczenie* cramped, restricted; narrow (*też fig.*)
ciast|ko *n* (*-a*; *G -tek*) cake; (*suche*) *Brt.* biscuit, *Am.* cookie; (*nadziewane*) tartlet; **~o** *n* (*-a*, *L cieście*; *-a*) cake; (*do nadziewania*) pastry; ***~o francuskie*** puff pastry
ciaśniej(szy) *adv.* (*adj.*) *comp. od* → ***ciasno, ciasny***
ciąć ⟨**ś-**⟩ *v/t.* cut; *impf. drzewa* fell; (*piłą*) saw; *v/i. deszcz, wiatr*: lash; ⟨**po-**⟩ *komary*: sting
ciąg *m* (*-u*; *-i*) pull, *tech.* traction; ***~ powietrza*** draught; ***~ uliczny*** street; (*czasu*) course; ***~ dalszy*** continuation; (*odcinek*) instalment; ***w ~u*** (*G*) (*za*) within, in; (*w trakcie*) in the course (*of*); ***w dalszym ~u*** still; **~le** *adv.* constantly, permanently; continuously; **~łość** *f* (*-ści*; *0*) continuity; **~ły** continuous, constant; → ***stały, ustawiczny***; **~nąć** (*-nę*) pull (*też* ***za*** *A* at, ***do*** *G* to); (*wlec*) drag; *samochód itp.* tow; → ***pociągać***; *v/t.* pull; ***~nąć dalej*** continue, go on; ***tu ~nie*** there is a draught here; ***~nąć się*** drag, (*w czasie*) go on and on; **~nienie** *n* (*-a*) (*loterii*) draw; *tech.* drawing; **~nik** *m* (*-a*; *-i*) tractor
ciąż|a *f* (*-y*) pregnancy; ***być w ~y*** be pregnant; ***zajść w ~ę*** become pregnant; **~enie** *n* (*-a*; *0*) gravity; **~yć** (*-ę*) be a burden; weigh heavily (***na*** *L* on); tend (***ku*** *D* towards)
cichaczem *adv.* secretly, in secret
cich|nąć ⟨**u-**⟩ (*-nę*; *też -ł*) fall silent; (*stopniowo*) die away; *wiatr*: die down; **~o** (***po -chu, z -cha***) silently, quietly; ***bądź ~o!*** be quiet!; **~y** silent, quiet; *partner itp.* sleeping
ciebie (*GA* → ***ty***) you; ***u ~*** with you, at your place
ciec → ***cieknąć***
ciecz *f* (*-y*; *-e*) fluid
ciekaw|ić (*-ę*) interest; **~ie** *adv.* → ***ciekawy***; **~ostka** *f* (*-i*; *G -tek*) (*przedmiot*) curio; (*fakt*) interesting fact; **~ość** *f* (*-ści*; *0*) curiosity; ***przez ~ość, z ~ości*** out of curiosity; **~ie** curiously; interestingly, excitingly; **~y** curious (*G* of); interesting, exciting; **~(a) *jestem, czy …*** I am keen to know whether…
ciek|ły fluid; **~nąć** (*-nę*; *też -ł*) flow; *rura itp.* leak; → ***przeciekać***
cielesny (***-śnie***) bodily
cielę *n* (*-ęcia*; *-ęta*) calf; **~cina** *f* (*-y*; *0*) veal; **~cy** *skóra itp.* calf; *mięso itp.* veal
cieliczka *f* (*-i*; *G -czek*) (young) heifer
cielić się ⟨**o- się**⟩ (*-lę*) calf
cielisty flesh-colo(u)red
ciem *G/pl.* → ***ćma***
ciemię *n* (*-enia*; *-iona*) *anat.* top of one's head
ciemku: ***po ~*** in the dark
ciemni|a *f* (*-i*; *-e*) darkroom; **~eć** ⟨**po-**⟩ (*-eję*) get dark; darken
ciemno → ***ciemny***; ***robi się ~*** it is getting dark; **~blond** light brown; **~czerwony** dark red; **~granatowy** dark blue; **~skóry** dark-skinned
ciemność *f* (*-ści*) darkness
ciemn|o dark; **~y** dark; *pokój, zarys itp.* dim; (*zacofany*) outdated; antiquated
cieniej *adv. comp. od* → ***cienko***
cienist|o *adv.* shadily; **~y** shady
cien|iutki *materiał itp.* gossamer-thin; *plasterek* paper-thin; **~ki** thin; *książka itp.* slim; *herbata itp.* weak; **~ko** thinly; **~kość** *f* (*-ści*; *0*) thinness
cień *m* (*-niu*; *-nie*) shadow; (*miejsce zacienione*) shade
cieńszy → ***cienki***
ciepl|arnia *f* (*-i*; *-e*, *-i/-ń*) greenhouse; **~eć** ⟨**po-**⟩ (*-eję*) get warm; **~ej(szy)** *adv.* (*adj.*) *comp. od* → ***ciepło, ciepły***; **~ica** *f* (*-y*; *-e*) thermal spring; **~ny** heat
ciep|ławo tepidly; **~ławy** lukewarm, tepid
ciepło[1] *n* (*-a*; *0*) warmth, heat
ciep|ło[2] *adv.* warm; ***robi się ~ło*** it is getting warm; **~łownia** *f* (*-i*; *-e*) heat-generating plant; **~ły** *adj.* warm (*też fig.*)

cierni|owy, ~sty thorny

cierń *m* (*-nia*; *-nie*, *-ni*) thorn, spine

cierpiący suffering (***na*** *A* from)

cierpie|ć (*-ę*, *-i*) suffer; (***głód*** hunger; ***z powodu*** *G* because of; ***na*** *A* from); (*znosić*) tolerate; put up with; ***nie ~ć*** (*G*) hate; **~nie** *n* (*-a*) suffering

cierpk|i sour → ***kwaśny***; **~o** sourly → ***kwaśny***

cierpliw|ość *f* (*-ści*; *0*) patience; ***uzbroić się w ~ość*** exercise one's patience; **~ie** patiently; **~y** patient

cierpn|ąć 〈***ś-***〉 (*-nę*; *też -ł*) (*drętwieć*) become numb, go to sleep; ***aż skóra ~ie*** so that a cold shiver runs down one's spine

ciesielski carpenter

cieszyć 〈***u-***〉 (*-ę*) please; ~ 〈***u-***〉 ***się*** be pleased (***z*** *G*, ***na*** *A* with), take pleasure in, enjoy; ***~ zdrowiem*** enjoy the best of health

cieśla *m* (*-li*; *-le*) carpenter

cieśnina *f* (*-y*) straits *pl.*; ***≈ Kaletańska*** Strait of Dover

cietrzew *m* (*-wia*; *-wie*) black grouse

cię (*A* → ***ty***) you; *por.* ***ciebie***

cię|cie *n* (*-a*) cut, (*też czynność*) cutting; *med.* incision; (*cios*) blow; **~ciwa** *f* (*-y*) (*łuku*) bow; *math.* chord

cięgi *pl.* (*-ów*) beating, hiding

cięty cut; *fig.* incisive; *uwaga* biting, cutting

ciężar *m* (*-u*; *-y*) weight; (*też fig.*) burden; ***być ~em*** be a burden (***dla*** *G* on); ***podnoszenie ~ów*** weight-lifting; **~ek** *m* (*-rka*; *-rki*) weight; **~na 1.** *adj.* pregnant; **2.** *f* (*-nej*; *-ne*) pregnant woman, expectant mother; **~owy** (*transport*) *zwł. Brt.* goods, freight; (*w sporcie*) weightlifting

ciężarówka *f* (*-i*; *G -wek*) *mot. Brt.* lorry, *Am.* truck

cięż|ej *adv. comp. od* → ***ciężko***; **~ki** *adj.* heavy (*też fig.*); (*trudny*) difficult, hard; *szok, sztorm itp.* severe; *choroba itp.* serious

ciężko *adv.* heavily; (*trudno*) hard; ***~chory*** seriously ill; ***~ ranny*** badly wounded

ciężkoś|ć *f* (*-ści*; *0*) weight; *phys.* gravity; ***punkt/środek ~ci*** *Brt.* centre (*Am.* center) of gravity; *fig.* main focus

ciocia *f* (*-i*; *-e*) aunt, F auntie

cios *m* (*-u*; *-y*) blow (*też fig.*); (*pięścią*) punch

ciosać 〈***o-***〉 (*-am*) hew

ciota *f* (*-y*) F queen, queer

cioteczn|y: ***brat ~y, siostra ~a*** cousin

ciotka *f* (*-i*; *G -tek*) aunt

cis *m* (*-u/a*; *-y*) yew(-tree)

ciskać (*-am*) fling, hurl; ***~ obelgi na*** *A* hurl insults at

cisnąć[1] *pf* (*-nę*) → ***ciskać***

cisną|ć[2] (*-nę*) press; *ubranie* pinch; ***~ć się*** press, push (forward)

cisz|a *f* (*-y*; *0*) silence; calm (*też naut.*); *fig.* quiet, calm; ***proszę o ~ę!*** silence, please!; **~ej** *adv. comp. od* → ***cicho***; **~kiem** → ***cichaczem***

ciśnienie *n* (*-a*) (***powietrza*** air, ***krwi*** blood) pressure

ciuchy F *m/pl.* (*-ów*) togs *pl.*, clobber

ciuciubabk|a *f*: ***bawić się w ~ę*** play blind man's buff

ciułać 〈***u-***〉 (*-am*) save up, salt away

ciupaga *f* (*-i*) alpenstock

ciurkiem: ***płynąć ~*** dribble, trickle

ciż *m-os* → ***tenże***

ciżba *f* (*-y*) crowd, throng

ckliw|ie maudlinly; **~y** maudlin, F tear-jerking; ***robi mi się ~ie*** I am getting sick → ***mdły***

clić 〈***o-***〉 (*-lę*; *clij!*) pay duty on; clear (*s.th.* through) customs

cło *n* (*cła*; *G ceł*) duty; ***wolny od cła*** duty-free; ***podlegający cłu*** dutiable

cmenta|rny cemetery, graveyard; **~rz** *m* (*-a*; *-e*) cemetery, (*przy kościele*) graveyard

cmentarzysko *n* (*-a*) (large) cemetery; ***~ starych samochodów*** car dump

cmok|ać (*-am*) 〈***~nąć***〉 smack one's lips; (*całować*) smack; *fajkę, palec* suck

cnot|a *f* (*-y*) virtue; **~liwie** virtuously; righteously; **~liwy** virtuous; (*pełen cnót też*) righteous

c.o. *skrót pisany*: ***centralne ogrzewanie*** c.h. (*central heating*)

co *pron.* (*G czego, D czemu, I czym*; *0*) what; (*który*) that; ***~ za ...*** what (a)...; ***~ innego*** something else; ***~ do*** as to; ***~ do mnie*** as for me; ***~ mu jest?*** what is the matter with him?; ***~ to jest?*** what is this?; ***czego chcesz?*** what do you want?; ***w razie czego*** if need be, if necessary; ***czym mogę służyć?*** what can I do for you?; ***~ gorsza*** what is worse; ***o czym*** about what; ***po czym*** after which; (*idkl.*) ***~*** (***drugi***) ***tydzień***

every (second) week; **~ krok** every step; → ***czas, bądź***
codzien|nie *adv.* everyday; **~ny** *adj.* everyday; *gazeta* daily; (*nie świąteczny*) everyday, workaday
cof|ać (*-am*) ⟨**~nąć**⟩ (*-nę*) *rękę, wojska itp.* pull back; *samochód* move back; reverse; back; *zegar* put back; *słowo, obietnicę* take back; *zlecenie, zamówienie* cancel, withdraw; ***~ać*** ⟨***~nąć***⟩ ***się*** retreat, move back (***przed*** *I* against)
co|godzinny hourly; **~kolwiek** (*G czego-, D czemu-, I czymkolwiek; 0*) anything; (*nieco*) some, a little
cokół *m* (*-ołu; -oły*) plinth, pedestal
comber *m* (*-bra; -bry*) *gastr.* saddle
conocny nightly, every night
coraz more and more; ***~ cieplej*** warmer and warmer; ***~ więcej*** more and more; ***~ to*** again and again
coroczny yearly, annual
coś *pron.* (*G czegoś, D czemuś, I czymś; 0*) something, anything; ***~ takiego!*** would you believe it!; **~kolwiek** → ***cokolwiek***
cotygodniowy weekly
córka *f* (*-i; G -rek*) daughter
cóż *pron.* (*G czegoż, D czemuż, I czymże; 0*) → **co**; well; ***no i ~?*** so what? ***~ dopiero*** let alone
cuchnąć (*-nę*) stink
cucić ⟨**o-**⟩ (*-cę*) revive, bring round
cud *m* (*-u; -a/-y, -ów*) wonder; *rel.* miracle; ***~em*** by a miracle; **~aczny** → ***dziwaczny***; **~ny** pleasing; beautiful
cudo *n* (*-a*) marvel; **~twórca** *m*, **~twórczyni** *f* wonder-worker; **~wnie** *adv.* → ***cudem***; *też* ***~wny*** wonderful; (*piękny*) exquisite, marvellous
cudzo|łóstwo *n* (*-a; 0*) adultery; **~ziemiec** *m* (*-mca; -mcy*), **~ziemka** *f* (*-i; G -mek*) foreigner; **~ziemski** foreign; ***po ~ziemsku, z ~ziemska*** in a foreign way/manner
cudzy foreign; (*nie mój*) other people's; of others; (*nieznany*) strange; **~słów** *m* (*-owu; -owy, -owów*) quotation marks *pl.*, inverted commas *pl.*
cugle *pl.* (*-i*) reins *pl.*
cukier *m* (*-kru; -kry*) sugar; **~ek** *m* (*-rka; -rki*) sweet, *Am.* candy; **~nia** *f* (*-i; -e, -i*) cake-shop; (*lokal*) café; **~nica** *f* (*-y; -e*) sugar bowl; **~nik** *m* (*-a; -cy*) confectioner, pastry cook
cu'kinia *f* (*GDL -ii; -e*) *Brt.* courgette; *Am.* zucchini
cukrownia *f* (*-i; -e*) sugar factory
cukrzyca *f* (*-y; 0*) diabetes
cukrzyć ⟨**o-, po-**⟩ (*-ę*) sugar
cumować (*-uję*) *naut.* moor
cwał *m* (*-u; 0*) gallop; ***~em, w ~*** at a gallop; **~ować** ⟨**po-**⟩ gallop
cwan|iaczka F *f* (*-i; G -czek*), **~iak** F *m* (*-a; -cy/-i*) sly *lub* cunning person; **~y** cunning, sly
cycek *m* (*-cka, -cki*) teat; ***cycki*** *pl. pej.* tits *pl.*
cyfr|a *f* (*-y*) digit, figure; **~owy** digital
Cygan *m* (*-a; -anie*), **~ka** *f* (*-i; G -nek*) Gypsy; **&ić** F (*-ę*) cheat, fib
cygańs|ki: ***po ~ku*** Gypsy; (*język*) Romany
cygar|niczka *f* (*-i; G -czek*) cigarette-holder; **~o** *n* (*-a*) cigar
cyjanek *m* (*-nka; -nki*) cyanide
cykać (*-am*) tick; *świerszcz*: chirp
cykata *f* (*-y; 0*) candied lemon-peel
cykl *m* (*-u; -e*) cycle
cyklamen *m* (*-u; -y*) cyclamen
cykliczny cyclic, periodic
cyklistówka *f* (*-i; G -wek*) baseball cap
cyklon *m* (*-u; -y*) cyclone, hurricane
cykuta *f* (*-y*) *bot.* hemlock
cylinder *m* (*-dra; -dry*) cylinder; (*kapelusz*) top hat
cymbał *m* (*-a; -y*) F fool; ***cymbały*** *pl.* dulcimer, (*węgierskie*) cimbalom
cyna *f* (*-y; 0*) *chem.* tin
cynaderki *f/pl.* (*-rek*) *gastr.* kidneys *pl.*
cynamon *m* (*-u; 0*) cinnamon; **~owy** cinnamon
cynfolia *f* (*GDL -ii; 0*) tinfoil
cyniczny cynical
cynk *m* (*-u; 0*) zinc; F tip; **~ować** ⟨**o-**⟩ (*-uję*) galvanize; **~owy** zinc
cynować ⟨**o-**⟩ (*-uję*) tin, plate with tin
cypel *m* (*-pla; -ple*) headland, spit
Cypr *m* (*-u*) Cyprus; **&yjski** Cyprus
cyprys *m* (*-a; -y*) cypress
cyrk *m* (*-u; -i*) circus (*też fig.*)
cyrkiel *m* (*-kla; -kle*) compasses *pl.*
cyrk|owiec *m* (*-wca; -wce*); **~ówka** *f* (*-i; G -wek*) circus artist; **~owy** circus
cyrkul|acja *f* (*-i; -e*) circulation; **~ować** (*-uję*) circulate
cysterna *f* (*-y*) tank, cistern
cysterski Cistercian
cytadela *f* (*-i; -e*) citadel

C

cytat *m* (*-u*; *-y*), **~a** *f* (*-y*) quotation, citation
cytować ⟨*za-*⟩ (*-uję*) quote
cyt|rusowy: ***owoce*** *m/pl.* **~owe** citrus fruit; **~ryna** *f* (*-y*) lemon; **~rynowy** lemon
cyw. *skrót pisany*: **cywilny** civ. (*civil*)
cywil *m* (*-a*; *-e*, *-ów*): ***w ~u*** civilian; ***w ~u*** (*ubraniu*) in civilian clothes, F in mufti; (*w życiu*) F in civilian life; **~izacja** *f* (*-i*; *-e*) civilisation; **~noprawny** civil law, of civil law; **~ny** civilian; civil; ***stan ~ny*** marital status; → ***urząd***
cz. *skrót pisany*: **część** pt (*part*)
czad *m* (*-u*; *-y*) carbon monoxide; (*woń spalenizny*) smell of burning
czaić się ⟨***przy-***, ***za- się***⟩ (*-ję*) lie in wait
czajnik *m* (*-a*; *-i*) kettle
czambuł *m*: ***w ~*** wholesale, without exception
czap|eczka *f* (*-i*; *G -czek*) (little) cap; **~ka** *f* (*-i*; *G -pek*) cap
czapla *f* (*-i*; *-e*) *zo.* heron
czaprak *m* (*-a*; *-i*) saddle-cloth
czar *m* (*-u*; *-y*) magic; (*oczarowanie*) magic spell; (*urok*) charm; **~y** *pl.* magic
czarno *adv.*: ***na ~*** black; → ***biały***; **~-biały** black and white; **⁓góra** *f* (*-y*; *0*) Montenegro; **~księżnik** *m* (*-a*; *-cy*) sorcerer; **~oki** black-eyed; **~rynkowy** black-market; **~skóry** black; **~włosy** black-haired
czarn|y black; *fig.* gloomy; ***~a jagoda*** bilberry, blueberry; ***pół ~ej, mała ~a*** a cup of black coffee; ***na ~ą godzinę*** in case of emergency
czarodziej *m* (*-a*; *-e*, *-i/-ów*), **~ka** *f* (*-i*) magician; **~ski** magic, magical; **~stwo** *n* (*-a*) magic
czarow|ać (*-uję*) do *lub* work magic, *fig.* ⟨**o-**⟩ bewitch, enchant; **~nica** *f* (*-y*; *-e*) witch; **~nik** *m* (*-a*; *-cy*) wizard; **~ny** enchanting, charming
czart *m* (*-a*, *D -u/-rcie*; *-y*) devil
czarter *m* (*-u*; *-y*) charter; **~ować** (*-uję*) charter; **~owy** charter
czar|ująco charmingly; **~ujący** charming; **~y** → ***czar***
czas *m* (*-u*; *-y*) time; ***~ odjazdu*** time of departure; ***~ pracy*** working time; working hours *pl.*; ***już ~*** (*+bezok.*) it is (high) time we went; ***mieć ~ na*** (*A*) to have time to; ***~ przeszły*** *gr.* the past tense; ***~ przyszły*** *gr.* the future tense; ***~ teraźniejszy*** *gr.* the present tense; (***przez***) ***jakiś ~*** for some time; ***co jakiś ~***, ***od ~u do ~u*** from time to time; ***do tego ~u*** until then; ***na ~*** in time; ***na ~ie*** up to the minute, topical; ***od ~u*** (***jak***) since the time (when); ***od tego ~u*** from that time on, since then; ***po ~ie*** too late; ***przed ~em*** too early, (*przedwcześnie*) prematurely; ***w ~ie*** (*G*) when; ***w krótkim ~ie*** shortly, soon; ***swego ~u*** at that time; in those days; ***w sam ~*** just in time; ***z ~em*** with time; ***za moich ~ów*** in my times; **~ami** now and again; at times; **~em** → ***czasami***; (*przypadkiem*) perhaps
czaso|chłonny time-consuming; **~pismo** *n* periodical; (*zwł. codzienne*) newspaper; **~wnik** *m* (*-a*; *-i*) *gr.* verb; **~wo** *adv.* temporarily; **~wy** temporal, temporary
czaszka *f* (*-i*; *G -szek*) *anat.* skull; ***trupia ~*** (*jako symbol*) death's head
czat|ować (*-uję*) lie in wait (***na*** *A* for); **~y** *f/pl.* (-) lookout; ***stać na ~ach*** be on the lookout
cząst|eczka *f* (*-i*; *G -czek*) *phys.* molecule; **~ka** *f* (*-i*; *G -tek*) particle; small part; **~kowy** partial
czci → ***cześć***, ***czcić***; **~ciel** *m* (*-a*; *-e*), **~cielka** *f* (*-i*; *G -lek*) worshipper, adorer; **~ć** worship, adore; **~godny** venerable, esteemed
czcionka *f* (*-i*; *G -nek*) type; font, *Brt.* fount
czcz|ą, **~ę** → ***czcić***; **~o** *adv.* → ***czczy***; ***na ~o*** on an empty stomach; **~y** (*płonny*, *pusty*) idle, futile; *żołądek*, *też fig.* empty
Czech *m* (*-a*; *-si*) Czech; **~y** *pl.* (*G -*) (*region*) Bohemia; (*państwo*) Czech Republic
czego, **~kolwiek**, **~ś** → ***co***(***kolwiek***)
czek *m* (*-u*; *i*) *Brt.* cheque, *Am.* check; ***~ gotówkowy*** open *lub* uncrossed cheque/check; ***~ podróżny*** *Brt.* traveller's cheque, *Am.* traveler's check; ***~iem*** by checque/check
czekać ⟨***po-***, ***za-***⟩ (*-am*) wait (*G*, ***na*** *A* for; *impf. też być udziałem*) expect
czekolad|a *f* (*-y*) chocolate; **~ka** *f* (*-i*; *G -dek*) chocolate; ***~ka nadziewana*** filled chocolate; **~owy** chocolate
czekowy *Brt.* cheque, *Am.* check
czeladnik *m* (*-a*; *-cy*) journeyman

czel|e → ***czoło***; **~ny** arrogant
czeluść *f* (*-ści*; *-ście*) abyss, chasm
czemu → ***co***; (*dlaczego*) why; F ***po ~*** how much; **~kolwiek, ~ś**; **~ż** → ***cokolwiek, coś, cóż***
czepek *m* (*-pka*; *-pki*) (*pielęgniarki, dziecka itp.*) cap; (*dawniej*) bonnet; ***~ kąpielowy*** swimming *lub* bathing cap
czepi|ać się (*-am*) ⟨***~ć się***⟩ (*-ę*) cling (*G* to), hang (*G* to); *fig.* (*G*) find fault (with), carp (at)
czepiec *m* (*-pca*; *-pce*) cap
czeremcha *f* (*-y*) *bot.* bird cherry
czerep *m* (*-u*; *-y*) head; (*odłamek*) piece, fragment
czereśnia *f* (*-i*; *-e*) *bot.* sweet cherry
czerni|ak *m* (*-a*; *-i*) *med.* melanoma; **~ca** *f* (*-y*; *-e*) → ***borówka***; **~ć** (*-ę*, *-ń/-nij!*) blacken; **~eć** (*-eję*) appear in black; ⟨***po-, s-***⟩ get *lub* become black, turn black
czernina *f* (*-y*) *gastr.* (*soup made of blood*)
czerń *f* (*-ni*) black; blackness
czerp|ać (*-ię*) *wodę, zasoby, fig. itp.* draw; (*czerpakiem*) scoop (up); **~ak** *m* (*-a*; *-i*) scoop; *tech.* dredge, bucket
czerstw|o *adv.* robustly; **~y** *chleb itp.* stale; *fig.* hale (and hearty), robust
czerw *m* (*-wia*; *-wie*, *-wi*) maggot
czerw|cowy June; **~iec** June; **~ienić się** ⟨***za- się***⟩ (*-ę*), **~ienieć** ⟨***po-***⟩ (*-eję*) redden (*na twarzy*), become red
czerwonka *f* (*-i*; *0*) *med.* dysentery
czerwono *adv.*: ***na ~*** red; **~skóry** *pej.* redskin; **~ść** *f* (*-ści*; *0*) red, redness, blush
czerwony *adj.* red
czesać ⟨***u-***⟩ (*-szę*) comb (***się*** *też* one's hair)
czesankow|y: ***wełna ~a*** worsted
czeski (***po -ku***) Czech
Czeszka *f* (*-i*; *G -szek*) Czech
cześć *f* (*czci*, *czcią*; *0*) deference, hono(u)r; ***otaczać czcią*** venerate; revere; (*zmarłego*) hono(u)r s.o.'s memory; ***na ~, ku czci*** (*G*) in hono(u)r of; ***~!*** bye!, so long!
często *adv.*, **~kroć** *adv.* often, frequently
częstotliwość *f* (*-ści*) frequency
częstować ⟨***po-***⟩ (*-uję*) offer (*I* to), treat (*I* to); ***~*** ⟨***po-***⟩ ***się*** help o.s. (*I* to)
częsty *adj.* (*m-os części*, *comp. -tszy*) often
częś|ciej *adv.* more often; **~ciowo** *adv.* partly; **~ciowy** partial; **~ć** *f* (*-ci*) part; ***~ć składowa*** component, element; ***większa ~ć*** larger part; ***lwia ~ć*** lion's share; ***~ć mowy*** *gr.* part of speech; ***po/w ~ci*** partly
czka|ć (*-m*) hiccup; **~wka** *f* (*-i*; *G -wek*) hiccup
człapać (*-pię*) clump, trudge
człek *m* (*-a*, *-owi/-u*, *-u/-ecze!*, *I -kiem*; *0*) → ***człowiek***
człon *m* (*-a/-u*; *-y*) section, part
członek[1] *m* (*-nka*; *-nki*) *anat.* (*penis*) penis; (*kończyna*) limb
człon|ek[2] *m* (*-nka*; *-nkowie*), **~kini** *f* (*-*; *-inie*) member; ***być ~kiem komitetu*** sit on a committee; **~kostwo** *n* (*-a*) membership; **~kowski** member('s)
człowie|czeństwo *n* (*-a*; *0*) humanity; **~k** *m* (*-a*; *ludzie*) human being, (*zwł. mężczyzna*) man; (*bezosobowo*) one; ***szary ~k*** the man in the street; ***~k interesu*** (*zwł. mężczyzna*) businessman, (*kobieta*) businesswoman; → ***czyn***
czmychać (*-am*) make off
czołg *m* (*-u*; *-i*) tank
czołgać się (*-am*) crawl, creep
czoł|o *n* (*-a*, *L -czele*; *-a*, *czół*) *anat.* forehead; (*przód*) front; (*pochodu*) head; (*burzy*) front(line); ***stawić ~o*** stand *lub* face up to; ***na czele*** at the head; ***~em!*** hallo!
czołowy forehead; *med.* frontal; *zderzenie itp.* head-on; *fig.* foremost
czołówka *f* (*-i*; *G -wek*) forefront; (*artykuł*) leading article; (*na filmie*) opening credits *pl.*; *sport*: lead, top
czop *m* (*-a*; *-y*) bung; **~ek** *m* (*-pka*; *-pki*) plug; *med.* suppository
czosn|ek *m* (*-nku*; *0*) garlic; **~kowy** garlic
czół|enka *n/pl.* (*-nek*) pumps *pl.*; **~no** *n* (*-na*; *G -łen*) boat, canoe; (*z pnia*) dug-out
czterdzie|stka *f* (*-i*; *G -tek*) forty; **~stoletni** forty-year-long, -old; **~stu** *m-s*, **~sty**, **~ści(oro)** → ***734***
czter|ech (*też w zł.*); **~ej** four; **~nastka** *f* (*-i*; *G -tek*) fourteen; (*linia*) number fourteen; **~nastu** *m-os*, **~nasty, ~naście, ~naścioro** → ***734***
cztero|- *w zł.* four; **~krotny** fourfold; **~letni** four-year-long, -old; **~motoro-**

C

C

wy four-engine; **~osobowy** for four persons; **~pasmowy** *droga* four-lane; **~suwowy** *Brt.* four-stroke, *Am.* four-cycle; **~ścieżkowy** *zapis* (*na ścieżce*) four-track

cztery four; **~sta, ~stu** *m-os* four hundred

czub *m* (*-a*; *-y*) (*włosów*) shock of hair; (*piór*) crest; ***z ~em*** heaped; *fig.* with interest; **~ato** *adv.* with a heap; **~aty** *zo.* crested; **~ek** *m* (*-bka*; *-bki*) tip; (*szczyt*) top; ***~ek głowy*** top of one's head; ***~ek palca*** fingertip

czu|cie *n* (*-a*; *-a*) feeling; ***bez ~cia*** (*odrętwiały*) numb, insensitive; (*nieprzytomny*) unconscious; **~ć** ⟨**po-, u-**⟩ (*-uję*) feel (**się** *też* o.s.; **dobrze** good; **Polakiem** o.s. to be a Pole); ***~ć miłość do*** (*G*) feel love for; *impf.* (*I*) smell (of)

czuj|ka *f* (*-i*; *G -jek*) *tech.* detector; **~nik** *m* (*-a*; *-i*) *tech.* sensor; **~ny** watchful, vigilant, alert; *sen* light

czule *adv.* → ***czuły***

czuło|stkowo (over-)sentimentally; **~stkowy** (over-)sentimental; **~ść** *f* (*-ści*) tenderness; affection; (*pieszczota*) *zwł. pl.* caress(es *pl.*); (*wagi, instrumentu*) sensitivity; (*filmu*) speed

czuły tender, affectionate; (*uczulony*) sensitive (*też przyrząd itp.*); *słuch* acute; ***~ na światło*** sensitive to light; *tech.* photosensitive

czupiradło *n* (*-a*; *G -deł*) *fig.* scarecrow

czupryna *f* (*-y*) hair

czuwać (*-am*) be awake, sit up (***przy*** *I* at); (*pilnować*) watch (***nad*** *I* over)

czw. *skrót pisany*: **czwartek** Thur(s). (*Thursday*)

czwart|ek *m* (*-tku*; *-tki*) Thursday; **~kowy** Thursday; **~y** fourth; ***~a godzina*** four o'clock; ***po ~e*** fourthly

czwora|czki *m/pl.* (*-ów*) quadruplets *pl.*, F quads *pl.*; **~ki** four-fold; ***na ~kach*** on all fours

czworo four; ***we ~*** in a foursome, in a group of four; ***złożyć we ~*** fold in four; **~bok** *m* (*-u*; *-i*), **~kąt** *m* (*-a*; *-y*) quadrangle; **~nożny** four-legged

czwórk|a *f* (*-i*; *G -rek*) four; (*linia*) number four; *szkoła*: *jakby*: B; ***we ~ę*** in a foursome, in a group of four; ***~ami*** in fours

czy 1. *part.* if, whether; ***~ to prawda?*** is it true?; ***~ wierzysz w to?*** do you believe in this?; ***nie wiem ~ to dobrze*** I don't know if it is OK; **2.** *cj.* or; ***tak ~ inaczej*** one way or the other

czyhać (*-am*) lie in wait (***na*** *A* for)

czyj *m*, **~a** *f*, **~e** *n* whose; **~kolwiek** anyone's, anybody's; **~ś** someone's, somebody's

czyli that is

czym → ***co***; ***~ ... tym*** the ... the ...; ***~prędzej*** as soon as possible; **~kolwiek** → ***cokolwiek***; **~ś** → ***coś***; **~że** → ***cóż***

czyn *m* (*-u*; *-y*) act, deed, action; ***człowiek ~u*** man/woman of action; **~ić** ⟨**u-**⟩ (*-ę*) do; *postępy, ustępstwa* make; *cuda* work; (*wynosić*) constitute, make; **~nie** → ***czynny***; **~nik** *m* (*-a*; *-i*) factor; *zwł. pl.* organ(s *pl.*); **~ność** *f* (*-ści*) activity; action; (*organu itp.*) function; **~ny** active; *mechanizm* operating, functioning; *sklep* open; *napad* physical; ***~ny zawodowo*** working, in paid employment; *gr.* ***strona ~na*** the active voice

czynsz *m* (*-u*; *-y*) rent

czyrak *m* (*-a*; *-i*) *med.* boil, *med.* furuncle

czyst|a 1. *f* (*-ej*; *-e*) F (clear) vodka; **2.** *adj. f* → ***czysty***; **~o** *adv.* clean(ly); (*bez domieszek*) purely; (*schludnie*) tidily, neatly; *śpiewać* in tune; ***przepisać na ~o*** make a fair copy; ***wyjść na ~ o*** break even

czystość *f* (*-ści*; *0*) tidiness, cleanness; (*chemikalia itp.*) purity; (*skóry*) clearness

czyst|y clean, tidy, neat; (*bez domieszek*) pure; *dochód* net(t); *niebo* clear; *przyjemność itp.* sheer; ***do ~a*** completely, entirely

czyszczenie *n* (*-a*) cleaning, cleansing; (*w pralni chemicznej*) dry-cleaning

czyś|cibut *m* shoe-cleaner; **~cić** ⟨**o-, wy-**⟩ (*-szczę*) clean, cleanse, tidy; ***~cić szczotką*** brush; **~ciej(szy)** *adv.* (*adj.*) *comp. od* → ***czysto, czysty***

czytać (*-am*) read (**głośno** aloud)

czytan|ie *n* (*-a*) reading; ***do ~ia*** to be read; **~ka** *f* (*-i*) reader

czyteln|ia *f* (*-i*; *-ie*) reading room; (*wypożyczalnia*) (lending) library; **~iczka** *f* (*-i*; *G -czek*), **~ik** *m* (*-a*; *-cy*) reader; **~y** readable, legible

czytnik *m* (*-a*; *-i*) *komp.* reader

czyż → ***czy***

czyżyk *m* (*-a*; *-i*) siskin

Ć

ćma *f* (*-y*; *G ciem*) *zo.* moth
ćmić (*-ę*; *ćmij!*) *v/i.* (*boleć*) ache; (*też* **się**) smo(u)lder, burn without fire; *v/t.* (*palić*) F puff (away) at; → ***przyćmiewać***
ćpać F (*-am*) (*brać*) take, F do; (*regularnie*) be an addict
ćpun F *m* (*-a*; *-y*) drug addict, F junkie
ćwiartka *f* (*-i*; *G -tek*) quarter; F quarter *Brt.* litre (*Am.* liter); (*butelka*) *Brt.* quarter-liter, *Am.* liter bottle; ***~ papieru*** slip of paper
ćwicze|bny drill, practice; (*ubiór*) training; **~nie** *n* (*-a*) exercise; ***~nie domowe*** homework; ***~nia*** *pl. mil.* exercise(s *pl.*); ***~nia*** *pl.* (*na uniwersytecie itp.*) classes
ćwiczyć (*-ę*) ⟨**wy-**⟩ train; drill; *opanowanie itp.* exercise; *pamięć* practise; **~** ⟨**wy-**⟩ **się** (**w** *L*) practise; ⟨**o-**⟩ flog
ćwiek *m* (*-a*; *-i*) tack
ćwierć *f* (*-ci*; *-ci*) quarter; **~finałowy** quarterfinal; **~litrowy** *Brt.* quarter-litre (*Am.* -liter); **~nuta** *f mus. Brt.* crotchet, *Am.* quarter note; **~wiecze** *n* (*-a*) quarter of a century
ćwierkać (*-am*) chirp
ćwikł|a *f* (*-y*; *G -kieł*) red-beet salad; **~owy**: ***burak ~owy*** *Brt.* beetroot, *Am.* red beet

D

da → ***dać***
dach *m* (*-u*; *-y*) roof; ***bez ~u nad głową*** homeless; **~ówka** *f* (*-i*) (roof) tile
dać *pf* (*dam*, *dadzą*, *daj!*) → ***dawać***; ***~ się*** (*być możliwym*) be possible; ***da się zrobić*** it can be done; ***co się da*** whatever is possible; ***gdzie się da(ło)*** somewhere, anywhere; ***jak się da*** somehow or other; ***dajmy na to*** let's say; ***daj spokój!*** come off it!
daktyl *m* (*-a*; *-e*) date
dal *f* (*-i*; *-e*) distance; ***w ~i*** in the distance; ***z ~a*** at a distance (**od** *G* from)
dale|ce *adv.*: ***jak ~ce*** to what extent, how far; ***tak ~ce*** so much (***że*** that); **~j** *adv.* (*comp. od* → ***daleko***) further; farther; ***i tak ~j*** and so on; ***nie ~j jak tydzień temu*** a week or so ago; **~ki** distant (*też fig.*); far-off, faraway; ***z ~ka*** from a distance; **~ko** *adv.* far; ***~ko idący*** far reaching; ***~ko lepiej*** far better; ***~ko więcej*** far more
daleko|bieżny *rail.* long-distance; **~morski** *statek* oceangoing; *połowy* deep-sea; **~pis** telex; **~siężny** far-reaching; **~wzroczność** *f* (*-ści*; *0*) long-sightedness; *fig.* far-sightedness
dalia *f* (*GDL -ii*; *-e*) dahlia
dal|mierz *m* (-a; *-e*) range-finder; **~szy** *adj.* (*comp. od* → ***daleki***) farther, further; ***~szy plan*** background; → ***ciąg***
dam → ***dać***
dam|a *f* (*-y*) lady; (*szlachcianka*) Dame; (*w kartach*) queen; **~ski** lady('s), women('s), female, feminine
dan|e[1] → ***dany***; **~e**[2] *pl.* (*-ych*) data *sg./pl.*; ***baza ~ych*** data base; ***przetwarzanie ~ych*** data processing; **~ie** *n* (*-a*; *0*) giving; (*pl. -a*, *G -ń*) *gastr.* dish, meal; ***bez ~ia racji*** without an explanation
Dania *f* (*-ii*; *0*) Denmark
daniel *m* (*-a*; *-e*) *zo.* fallow deer *sg./pl.*
danina *f* (*-y*) *hist. fig.* tribute
dansing *m* (*-u*; *-i*) dancing; (*lokal*) café/restaurant with dancing
dany given; ***w ~m razie*** in this case; ***w ~ch warunkach*** given these circumstances
dar *m* (*-u*; *-y*) gift (*też fig.*), present
daremny futile, vain
darmo *adv.* free; (*bezpłatnie*) free of charge; ***za pół ~*** for a song; **~wy** free; **~zjad** *m* (*-a*; *-y*) sponger, scrounger
dar|nina *f* (*-y*), **~ń** *f* (*-ni*; *-nie*) sod, turf
darow|ać *pf* (*-uję*) ⟨*też* **po-**⟩ give, present; *karę* remit; *winy*, *urazę* forgive;

~izna *f* (*-y*) donation, gift; ***akt ~izny*** deed of gift
da|rzyć ⟨***ob-***⟩ (*-ę*) give, favo(u)r; **~sz** → ***dać***
daszek *m* (*-szka*; *-szki*) (small) roof; (*nad drzwiami itp.*) canopy; (*czapki*) peak
dat|a *f* (*-y*) date; F ***pod dobrą ~ą*** tipsy
datek *m* (*-tka*; *-tki*) donation, contribution
datow|ać (*-uję*) date; (**się**) be dated; **~nik** *m* (*-a*; *-i*) date-stamp; ***~nik okolicznościowy*** special postmark
dawać (*-ję*) give; *podarunek też* present; *dowód* provide; *okazję* offer, give; *zysk* bring in; *zezwolenie* grant; *cień* afford, give; ***~ coś do naprawy*** have s.th. repaired; ***~ k-ś spokój*** let s.o. alone; ***~ się słyszeć*** could be heard; ***tego nie da się otworzyć*** it cannot be opened; → ***dać***
daw|ca *m* (*-y*; *G -ów*), **~czyni** *f* (*-i*; *-e*) donor; ***~ca, ~czyni krwi*** blood-donor; **~ka** *f* (*-i*; *G -wek*) dose; **~kować** (*-uję*) dose; *fig. uczucia itp.* dispense in small doses
dawn|iej *adv.* (*comp. od* → ***dawno***); earlier; formerly; **~o** *adv.* a long time ago; ***jak ~o*** how long; **~y** (*były*) former; earlier; ***od ~a*** for a long time; ***po ~emu*** (the same) as before
dąb *m* (*dębu*; *dęby*) *bot.* oak; ***stawać dęba*** *koń*: rear up; *włosy*: stand on end
dąć (*dmę*) blow; ⟨***na-***⟩ *też* ***się*** puff up
dąs|ać się (*-am*) sulk, be cross (***na*** *A* with); **~y** *pl.* (*-ów*) sulk
dąż|enie *n* (*-a*) aspiration; **~ność** *f* (*-ści*) effort, attempt; tendency; **~yć** (*-ę*) (**do** *G*) strive (for), aspire (to), (*do celu*) pursue, ⟨*też* ***po-***⟩ make (for), go (to)
dba|ć (*-am*) (**o** *A*) *chorego* care (for), nurse; *wygląd* take care (of), *maszynę itp.* look after; **~le** *adv.* carefully; considerately, thoughtfully; **~łość** *f* (*-ści*; *0*) care (for, of); **~ły** careful; considerate, thoughtful
dealer *m* (*-a*; *-rzy*) dealer; (*też sprzedawca*) retailer
debat|a *f* (*-y*) debate, discussion; **~ować** (*-uję*) debate (***nad*** *I*)
debel *m* (*-bla*; *-ble*) (*w sporcie*) double
debil *m* (*-a*; *-e*), **~ka** *f* (*-i*; *G -lek*) moron (*też med.*); **~ny** moronic

debiut *m* (*-u*; *-y*) debut, first appearance; **~ować** ⟨***za-***⟩ (*-uję*) debut, make a debut
decentraliz|acja *f* (*-i*; *-e*) decentralisation; **~ować** (*-uję*) decentralize
dech *m* (*tchu, tchowi, dech, tchem, tchu*; *0*) breath; (*powiew*) breeze; ***nabrać tchu*** take *lub* draw a breath; ***bez tchu*** breathless; ***co/ile tchu*** F for all one's worth; ***jednym tchem*** at once
decy- *w złoż.* deci-
decyd|ent *m* (*-a*; *-ci*) decision-maker; **~ować** ⟨***za-***⟩ (*-uję*) decide; make decisions (**o** *L* about); **~ować** ⟨***z-***⟩ ***się*** (***na*** *A*, *bezok.*) decide (on, *bezok.*), settle (on)
decy|dująco decisively; **~dujący** decisive; **~zja** *f* (*-i*; *-e*) decision; (*sędziego itp.*) ruling, verdict; ***powziąć ~zję*** make a decision
dedyk|acja *f* (*-i*; *-e*) dedication; **~ować** ⟨***za-***⟩ (*-uję*) dedicate
defekt *m* (*-u*; *-y*) defect, fault; (*usterka*) breakdown, malfunction; ***z ~em*** faulty; defective
defensyw|a *f* (*-y*) defensive; **~ny** defensive
deficyt *m* (*-u*; *-y*) deficit; (*niedobór*) shortage, lack; **~owy**: ***towar ~owy*** (*brakujący*) product in short supply, (*niezyskowny*) unprofitable product
defil|ada *f* (*-y*) parade, march; **~ować** ⟨***prze-***⟩ parade, march
defini|cja *f* (*-i*; *-e*) definition; **~tywny** definitive, definite, conclusive
deformować ⟨***z-***⟩ (*-uję*) deform; ***~ się*** become deformed
de|fraudacja *f* (*-i*; *-e*) embezzlement; **~generacja** *f* (*-i*; *0*) degeneration; **~generować się** (*-uję*) degenerate; (*w pracy*) degrade
degradacja *f* (*-i*; *0*) degradation; (*w pracy*) demotion; ***~ środowiska*** environmental degradation; *med.*, *chem.* breakdown; *fig.* decline, deterioration
deka F *n* (*-idkl.*) decagram; *w zł.* deca; **~da** *f* (*-y*) decade
dekarstwo *n* (*-a*; *0*) roofwork
dekarz *m* (*-a*; *-e*) roofer
dekla|mator *m* (*-a*; *-rzy*) reciter; **~mować** (*-uję*) recite, declaim
deklaracja *f* (*-i*; *-e*) declaration; ***~ celna*** customs declaration; (*blankiet*) form; ***~ podatkowa*** tax return

deklarować ⟨**za-**⟩ (*-uję*) declare; state
deklin|acja *f* (*-i*; *-e*) *gr.* declension; **~ować** (*-uję*) decline
dekolt *m* (*-u*; *-y*) low(-cut) neckline; ***sukienka z dużym ~em*** very low-cut dress; **~ować się** (*-uję*) wear low-cut dresses; put on a low-cut dress
dekora|cja *f* (*-i*; *-e*) decoration; (*wystawa*) window-dressing; (*w teatrze, filmie*) set, scenery; **~cyjny** (**-*nie***) decorative; **~tor** *m* (*-a*; *-rzy*), **~torka** *f* (*-i*; *G -rek*) (*wystaw*) window-dresser; (*wnętrz*) interior decorator; *teatr*: scene-painter; **~tywny** decorative
dekorować ⟨**u-**⟩ (*-uję*) decorate (*też odznaczeniem*); *wystawę* dress
dekować F (*-uję*) cover up for; **~ *się*** dodge (service), shirk
dekret *m* (*-u*; *-y*) decree; **~ować** ⟨**za-**⟩ (*-uję*) decree
delega|cja *f* (*-i*; *-e*) (*wysłannicy*) delegation; (*wyjazd służbowy*) business trip; **~t** *m* (*-a*; *-ci*), **~tka** *f* (*-i*; *G- tek*) delegate; **~tura** *f* (*-y*) agency, branch
delegować ⟨**wy-**⟩ (*-uję*) send as a delegate/delegates; (*służbowo*) send on a business trip; *odpowiedzialność* delegate
delektować się (*-uję*) savo(u)r
delfin *m* (*-a*; *-y*) *zo.* dolphin; (*w sporcie*) (*pływanie*) butterfly (stroke)
delicje *f/pl.* (*-i/-cyj*) delicacy
delikatesy *m/pl.* (*-ów*) (*sklep*) delicatessen, F deli
delikatn|ość *f* (*-ści*; *0*) delicacy; (*skóry*) softness; (*porcelany*) fragility; (*zdrowia, dziecka*) frailty; **~y** delicate; soft; fragile
delikwent *m* (*-a*; *-ci*), **~ka** *f* (*-i*; *G -tek*) offender
demaskować ⟨**z-**⟩ (*-uję*) expose; **~** ⟨**z-**⟩ ***się*** give o.s. away
demen|tować ⟨**z-**⟩ (*-uję*) deny; **~ti** *n* (*idkl.*) denial
demilitaryzacja *f* (*-i*; *0*) demilitarisation
demobilizować (*-uję*) demobilize
demokra|cja *f* (*-i*; *-e*) democracy; **~ta** *m* (*-y*; *-ci*), **~tka** *f* (*-i*; *G -tek*) democrat (*też pol.*); **~tyczny** democratic
demolować ⟨**z-**⟩ (*-uję*) wreck, smash up
demonstra|cja *f* (*-i*; *-e*) demonstration, manifestation; (*manifestacja itp.*) demonstration, F demo; **~cyjny** demonstrative
demon|strować (*-uję*) demonstrate; **~tować** ⟨**z-**⟩ (*-uję*) take apart, dismantle, disassemble
demoralizować ⟨**z-**⟩ (*-uję*) deprave, debase; **~** ⟨**z-**⟩ ***się*** become depraved *lub* debased
den → ***dno***
denat *m* (*-a*; *-ci*), **~ka** *f* (*-i*; *G -tek*) victim, casualty; (*samobójca*) suicide
denaturat *m* (*-u*; *0*) methylated spirits
denerwować ⟨**z-**⟩ (*-uję*) irritate, annoy; **~** ⟨**z-**⟩ ***się*** get excited, get worked up
denerwująco: ***działać ~ na kogoś*** get on s.o.'s nerves
den|ko *n* (*-a*) bottom; **~ny** bottom
dentyst|a, *m* (*-y*; *-ści*); **~ka** *f* (*-i*; *-tek*) dentist; **~yczny** dentist; **~yka** *f* (*-i*; *0*) dentistry
de|nuklearyzacja *f* (*-i*; *-e*) denuclearisation; **~nuncjator** *m* (*-a*; *-rzy*), **-rka** *f* (*-i*; *G-rek*) informer
denuncjować ⟨**za-**⟩ (*-uję*) inform (***kogoś*** on s.o.)
departament *m* (*-u*; *-y*) department, (*ministerialny Brt. też*) office; **♀ *stanu*** *Am.* Department of State
depesza *f* (*-y*; *-e*) telegram, *Brt.* Telemessage; (*kablem podmorskim*) cable
deponować ⟨**z-**⟩ (*-uję*) deposit (***u*** *A* with)
deport|acja *f* (*-i*; *-e*) deportation; **~ować** (*-uję*) deport
depozyt *m* (*-u*; *-y*) deposit; ***oddać do ~u u*** deposit with
de|prawować ⟨**z-**⟩ (*-uję*) deprave, corrupt, debase; **~precjacja** *f* (*-i*; *-e*) depreciation; **~presja** *f* (*-i*; *-e*) depression (*też fin., psych.*); **~prymować** ⟨**z-**⟩ (*-uję*) depress; **~prymująco** depressingly, dishearteningly; **~prymujący** depressing, disheartening
depta|ć ⟨**po-, roz-**⟩ (*-pczę/-cę*) (*A*, ***po*** *L*) (*nieumyślnie*) step (on), tread (on); (*umyślnie*) stamp (on); *też fig.* trample (on); *impf.* ***~ć komuś po piętach*** follow at s.o.'s heels; **~k** *m* (*-a*; *-i*) promenade, public walk
deput|at *m* (*-u*; *-y*) payment in kind; **~owany** *m* (*-ego*, *-i*), **~owana** *f* (*-ej*; *-e*) delegate, deputy
derka *f* (*-i*; *G -rek*) (horse-) blanket
dermatolog *m* (*-a*; *-dzy*) dermatologist

D

D

desant *m* (*-u*; *-y*) landing; **~ *powietrzny*** air landing operation; **~owiec** *m* (*-wca*; *-wce*) (*urządzenie*) landing craft
deseń *m* (*-niu/-nia*; *-nie*) pattern
deser *m* (*-u*; *-y*) dessert, *Brt.* F afters; ***na ~*** as a *lub* for dessert; **~owy** dessert
desk|a *f* (*-i*; *G -sek*) board; (*długa, gruba*) plank; *pl.* ***deski*** (*narty*) skis; ***~a do prasowania*** ironing board; ***ostatnia ~a ratunku*** the last hope; ***od ~i do ~i*** from cover to cover; → ***tablica***
desko|rolka *f* (*-i*) skateboard; **~wanie** *n* (*-a*) *bud.* formwork, *Brt.* shuttering; (*deski*) boarding
desperac|ki desperate; **~ko** *adv.* desperately
despotyczny despotic
destruk|cyjny, ~tywny destructive
de|stylacja *f* (*-i*; *-e*) destilation; **~stylować** ⟨***prze-***⟩ (*-uję*) destilate; **~sygnować** (*-uję*) designate (***na*** *A* as)
deszcz *m* (*-u/rzadk. dżdżu*; *-e*) rain; ***drobny ~*** drizzle, fine rain; ***ulewny ~*** downpour; → ***padać***; **~ownia** *f* (*-i*; *-e*) sprinkler; **~owy** rainy; **~ówka** *f* (*-i*; *0*) rainwater
deszczułka *f* (*-i*; *G -łek*) board
deszczyk *m* (*-u*; *-i*) light rain
detal *m* (*-u*; *-e*) detail; (*szczegół*) particular; F *econ.* retail (trade); ***nie wchodząc w ~e*** without going into (the) details; **~iczny** retail; ***cena ~iczna*** retail price
detektyw *m* (*-a*; *-i*) detective; (*prywatny*) private detective/investigator; **~istyczny** detective
deton|ator *m* (*-a*; *-y*) detonator; **~ować** ⟨***z-***⟩ (*-uję*) *bombę* detonate, explode; *kogoś* confuse, disconcert
dewaluacja f (*-i*; *-e*) devaluation
dewast|acja *f* (*-i*; *-e*) vandalism, destruction; **~ować** ⟨***z-***⟩ (*-uję*) vandalize
dewiz|a *f* (*-*; *-y*) motto, maxim; → ***dewizy***; **~ka** *f* (*-i*; *G -zek*) watch-chain; **~y** *pl.* (-) foreign currrency
dewocjonalia *pl.* (*-ów*) devotional objects *pl.*
dezaprobata *f* (*-y*; *0*) disapproval
dezer|cja *f* (*-i*; *-e*) desertion; **~terować** ⟨***z-***⟩ (*-uję*) desert
dezodorant *m* (*-u*; *-y*) deodorant; ***~ do pach*** underarm deodorant; ***~ w sprayu/kulce*** spray/roll-on deodorant
dezodoryzator *m* (*-a*; *-y*) (*do pomieszczeń*) deodorant
dezorganiz|acja *f* (*-i*; *-e*) lack of organisation; **~ować** ⟨***z-***⟩ (*-uję*) disorganize
dezorientować ⟨***z-***⟩ (*-uję*) confuse, disorientate; **~** ⟨***z-***⟩ ***się*** get confused
dezyderat *m* (*-u*; *-y*) claim
dezynfekcja *f* (*-i*; *-e*) disinfection
dęb|ina *f* (*-y*) (*drewno*) oak(-wood); **~owy** oak(en); **~y** → ***dąb***
dęt|ka *f* (*-i*; *G -tek*) *mot.* inner tube; **~y** wind; ***orkiestra ~a*** brass band
dia|belny F damned; **~belski** diabolic(al); fiendish, devilish; **~belsko** fiendishly, devilishly; **~beł** *m* (*-bła*, *D -błu*, *-ble*; *-bły/-bli*, *-ów*) devil; ***do ~bła!*** damn it!
diab|lica *f* (*-y*; *-e*) she-devil; **~oliczny** diabolical
dia|gnoza *f* (*-y*) diagnosis; **~gnozować** (*-uję*) diagnose; **~gonalny** diagonal; **~gram** *m* (*-u*; *-y*) diagram; **~lekt** *m* (*-u*; *-y*) *gr.* dialect; **~lektyczny** dialectical; *gr.* dialectal
dializacyjny dialysis; ***ośrodek ~*** *med.* dialysis *Brt.* centre (*Am.* center)
di'alog *m* (*-u*; *-i*) *Brt.* dialogue, *Am.* dialog
di'ament *m* (*-u*; *-y*) diamond; **~owy** diamond
diecezja *f* (*-i*; *-e*) diocese; **~lny** diocesan
dies|el *m* (*-sla*; *-sle*) diesel (engine); **~lowski** diesel
di'e|ta *f* (*-y*) diet; **~ty** *pl.* (*parlamentarzysty*) parliamentary allowance; (*na delegacji*) travelling (traveling *Am.*) expenses *pl.*; ***być na ~cie*** diet; **~tetyczny** diet; dietary; ***napój ~tetyczny*** diet drink
dla *prp.* (*G*) for; ***~ dorosłych*** for adults; ***miły ~ rąk*** kind to the hands; ***przyjazny ~ zwierząt*** animal-friendly; ***~ nabrania tchu*** in order to take a breath of air; **~czego** why; **~ń** = ***dla niego***; **~tego** for that reason; because of that; ***~tego, że*** because
dł. *skrót pisany*: ***długość*** (*length*)
dławić ⟨***z-***⟩ (*-ę*) choke, strangle; *fig.* sup press, hold back; **~** ⟨***z-***⟩ ***się*** (*I*) choke (on)
dławik *m* (*-a*; *-i*) *electr.* choking coil
dło|ń *f* (*-ni*; *-nie*) palm; hand; ***jasne jak na ~ni*** it is obvious
dłubać (*mieszać się*) fiddle (***przy*** *L* with); **~** ⟨***wy-***⟩ (*-bię*) (*w nosie, zębach*)

pick; (*w jedzeniu*) pick (**w** *L* at)

dług *m* (*-u*; *-i*) debt, (*też moralny*) obligation

dług|awy longish; **~i** long; **~o** long; ***jak ~o?*** how long?; ***na ~o*** for a long time; ***tak ~o aż*** so/as long that

długo|dystansowiec *m* (*-wca*; *-wcy*) long-distance runner; **~falowy** long-term; ***~falowo*** on a long-term basis, in the long term; **~letni** long-standing; of many years' standing; **~pis** *m* (*-u*; *-y*) ball-point (pen); **~ść** *f* (*-ci*) length; (*okres też*) duration; **~terminowo** long-term; **~terminowy** long-term; **~trwały** long-lasting; *choroba itp.* lengthy, prolonged; **~wieczny** long-lived; **~włosy** long-haired

dłuto *n* (*-a*) chisel

dłużej *adv.* (*comp. od* → ***długo***); ***~ nie*** no longer

dłużn|iczka *f* (*-i*; *G -czek*), **~ik** *m* (*-a*; *-cy*) debtor; **~y**: ***być ~ym*** owe to

dłuż|szy *adj.* (*comp. od* → ***długi***); ***na ~szy czas, od ~szego czasu*** for a longer time; **~yć się** (*-ę*) drag

dmą, dmę → ***dąć***

dmuch|ać (*-am*) blow; **~awa** *f* (*-y*) blower; **~awiec** *m* (*-wca*; *-wce*) *bot.* dandelion; **~nąć** → ***dmuchać*** F (*ukraść*) pinch, swipe

dn. *skrót pisany*: **dnia** on; *też* **d.n. *dokończenie nastąpi*** to be cont'd (*to be continued*)

dna, dnem → ***dno***

dni, ~a, ~e → ***dzień***; **~eć**: ***~eje*** it is dawning; ***~ało*** the day broke

dniówk|a *f* (*-i*; *G -wek*) working day; (*zapłata*) daily *lub* day's wage(s *pl.*); ***pracować na ~ę*** work as a day-labo(u)rer

dniu → ***dzień***

dno *n* (*-a*; *G den*) bottom; ***pójść na ~*** go down; ***do góry dnem*** bottom up

do *prp.* (*G*) to; till, until; into ; ***~ niego*** to him; ***~ szkoły*** to school; ***~ piątku*** until Friday; **(*aż*) *~ rana*** until the morning; ***~ pudła*** into the box; ***pół ~ drugiej*** half past one ***od … ~ …*** from … to …; (*często nie tłumaczy się, zwłaszcza w złożeniach*); ***łańcuch ~ drzwi*** door chain; ***beczka ~ wina*** wine barrel; ***lekki ~ strawienia*** easily digestible

dob|a *f* (*-y*; *G dób*) day (and night); 24 hours; *fig.* age; ***przez całą ~ę*** round the clock

dobić *pf.* → ***dobijać, targ***

dobie|gać ⟨***~c, ~gnąć***⟩ (*-gam*) (**do** *G*) run (to); (*do celu*) reach; (*o dźwiękach*) reach, come; ***~ga godzina …*** it is almost … o'clock; ***to ~ga końca*** it is drawing to an end

dobierać (*-am*) take more; (*wybierać*) choose, select; ***~ się*** get (**do** *G* at); (*majstrować*) fiddle (**do** *G* with)

dobijać (*-am*) *v/t.* deal the final blow to; finish off (*też fig.*); *fig.* destroy, ruin; *v/i.* ***~ do celu*** reach the goal; ***~ do brzegu*** reach the shore; ***~ się do drzwi*** rap at the door

dobit|ek: ***na ~ek***, **~ka**: ***na ~kę*** on top of that; **~ny** *głos* stentorian, resonant; *żądanie* insistent, urgent

doborowy excellent; *oddziały* elite

dobosz *m* (*-a*; *-e*) drummer

dobowy day-and-night; → ***doba***

dobór *m* (*-boru*; *0*) selection

dobrać *pf.* → ***dobierać*** (***się***); ***~ się*** (*pasować*) make a good match

dobranoc (*idkl.*) good night; **~ka** *f* (*-i*)- (*bedtime TV feature for children*)

dobrany *adj.* well-matched

dobre *n* (*-ego*; *0*) → ***dobro, dobry***; ***na ~*** for good; ***po ~mu*** in an amicable way; ***wszystkiego ~go!*** all the best!

dobrnąć *pf.* (**do** *G*) get (to), reach (with difficulty)

dobr|o *n* (*-a*; *G dóbr*) good; ***~o społeczne*** public *lub* common good; ***~a** pl.* ***rodzinne*** (*majątek*) property; ***~a** pl.* ***kulturalne*** cultural possessions *pl.*; ***dla ~a*** (*G*) for the good (of); ***na ~o*** in favo(u)r of; ***zapisać*** (*A*) ***na ~o k-ś/rachunku*** *econ.* credit s.o./s.o.'s account with

dobro|byt *m* (*-u*) prosperity, affluence; **~czynność** *f* charity; **~czynny** *skutek itp.* beneficial, agreeable; *akcja itp.* charitable

dobro|ć *f* (*-ci*; *0*) goodness, kindness; ***po ~ci*** amicably; **~duszny** good-natured; **~dziejstwo** good deed, favo(u)r; *pl. rel.* blessings *pl.*; **~tliwość** *f* (*-ści*) goodness, kindness; **~tliwie** kindly, good-naturedly; **~tliwy** good, kind, good-natured; *med.* benign; **~wolnie** voluntarily, of one's own will; **~wolny** voluntary

dob|ry good; (**na** *A*, **do** *G*) good (for); (*w L*) good (at); ***~ra!*** OK!; ***a to ~re!*** I like that!; ***na ~rą sprawę*** actually;

na ~rej drodze on the right track; ***przez ~re dwie godziny*** for two solid hours, F for two hours solid; → ***dobre***
dobrze well; *wyglądać, czuć się* good; ***~ ubrany*** well-dressed; ***~ wychowany*** well brought-up; ***on ma się ~*** he is fine; ***~ mu tak!*** (it) serves him right!
dobudow(yw)ać (-[*w*]*uję*) *skrzydło* build on, add
dobudówka *f* (*-i*; *G -wek*) extension
doby|ć *pf.* → ***dobywać***; **~tek** *m* (*-tku*; *0*) possessions *pl.*, belongings *pl.*; (*bydło*) cattle; **~wać** (*G*) draw; (*wytężyć*) exert, call on; ***~wać się*** appear
docelowy destination; ***port ~*** destination
doceni|ać (*-am*) ⟨***~ć***⟩ appreciate, acknowledge; ***nie ~ć*** underestimate
docent *m* (*-a*; *-ci*) lecturer
dochodow|ość *f* (*-ści*; *0*) profitability; **~y** profitable; → ***podatek***
dochodz|enie *n* (*-a*) investigation; *jur. też* assertion; ***~enie sądowe*** *jur.* preliminary inquiry; ***~ić*** (***do*** *G*) approach, come up (to); (*nadchodzić*) come; (*sięgać*) (***do*** *G*) reach (to), get (to); (*dociekać*) investigate; *prawa* claim; *gastr.* be coming along; *owoce*: ripen; ***~ić swego*** assert one's rights; ***~ić do głosu*** get a chance to speak; *fig.* come to the fore; ***~i ósma*** it is almost eight (o'clock); → ***dojść***
dochow|ywać (*-wuję*) ⟨***~ać***⟩ (*G*) preserve; ***~ać słowa*** keep one's word; ***~(yw)ać się*** remain in good condition; ***~ać się*** manage to bring up
dochód *m* (*-chodu*; *-chody*) income; ***czysty ~*** net income; ***dochody*** *pl.* returns *pl.*
docią|ć → ***docinać***; **~gać** (*-am*) ⟨***~gnąć***⟩ draw (**do** *G* as far as); *pas, śrubę* tighten
docie|kać (*-am*) ⟨***~c***⟩ *fig.* (*G*) make inquiries about; **~kliwie** inquisitively; **~kliwy** inquisitive; **~rać** (*-am*) *v/i.* (***do***) get as far as (to), reach; *v/t. mot.* run in
docin|ać (*-am*) *fig.* (*D*) tease, gibe (at); **~ek** *m* (*-nka*; *-nki*) gibe, dig
docis|kać ⟨***~nąć***⟩ (*-am*) tighten; ***~kać*** ⟨***~nąć***⟩ ***się*** force one's way through
do cna completely
doczekać (***się***) *pf.* (*G*) wait until; live to; ***~ się*** receive at last; ***nie móc się ~*** be impatient for
doczepi(a)ć attach
doczesny earthly, worldly
dod. *skrót pisany*: ***dodatek*** sup. (*supplement*)
dodać *pf.* → ***dodawać***
dodat|ek *m* (*-tku*; *-tki*) addition; (*budynek*) annex, extension; (*do pensji*) extra pay, additional allowance; (*do gazety*) supplement; (*do książki*) supplement, appendix; ***~ek mieszkaniowy*** housing benefit; ***~ek nadzwyczajny*** special edition, extra; ***z ~kiem*** (*G*) with; ***na ~ek, w ~ku*** in addition, additionally; ***~ki*** *pl.* ingredients *pl.*
dodatkow|o *adv.* additionally; **~y** additional; ***wartość ~a*** value added
doda|tni positive; *fig.* advantageous, beneficial; ***znak ~tni*** plus (sign); *bilans* favourable; **~nio** *adv.* positively; *fig.* advantageously, beneficially; **~(wa)ć** (*-ję*) (***do*** G) add (to); *fig.* give, lend; *math.* add (up); ***~ć otuchy*** (*D*) encourage; ***~ć gazu*** F step on it; **~wanie** addition
dodzwonić się *pf* (***do*** *G*) get through (to); ***nie mogę się ~*** nobody answers
doga|dać się *pf* (***z*** *I*) (*porozumieć się*) make o.s. understood (to); (*uzgodnić*) come to terms (with); **~dywać** (*-uję*) → ***docinać***; **~dzać** (*-am*) (*D*) pamper; coddle; satisfy (***zachciankom*** whims); ***to mu nie ~dza*** that does not appeal to him; **~niać** catch up with; **~snąć** go out
doglądać (*-am*) (*G*) supervize, care for; look after
dogmat *m* (*-u*; *-y*) dogma
dogo|dny convenient; ***na ~dnych warunkach*** on favo(u)rable conditions; **~dzić** *pf.* → ***dogadzać***; **~nić** *pf.* → ***doganiać***; **~rywać** (*-am*) be in agony; **~towywać się** (*-wuję*) ⟨***~tować się***⟩ finish cooking
do|grywać (*-am*) ⟨***~grać***⟩ (*mecz*) play extra time; **~grywka** (*-i*; *-wek*) extra time; **~gryzać** (*-am*) ⟨***~gryźć***⟩; *fig.* (*D*) tease; **~grzewać** (*-am*) warm (up)
doić ⟨**wy-**⟩ (*-ję*; *dój!*) milk
dojadać finish eating; *resztki* finish; ***nie ~*** not eat enough
dojarka *f* (*-i*; *G -rek*) milkmaid; ***~ mechaniczna*** milking machine
dojazd *m* (*-u*; *-y*) journey, way; (*droga*) approach, drive; **~owy** *droga* access; ***kolejka ~owa*** *rail.* local (train)

do|jąć *pf* (*-jmę*) → ***dojmować***; **~jechać** *pf.* (**do** *G*) arrive (at, in), reach; **~jeść** → ***dojadać***; **~jeżdżać** (*-am*): ***~jeżdżać do pracy*** commute (to work)

dojm|ować (*-uję*) *v/t.* get through to, pierce; **~ujący** piercing; acute

dojn|y: ***krowa ~a*** dairy cow

dojrzale *adv.* in a mature way, *owoc itp.* ripely

dojrzał|ość *f* (*-ści*; *0*) maturity; (*owocu itp.*) ripeness; ***egzamin ~ości*** *jakby*: *Brt.* GCSE, *Am.* high school diploma; **~y** mature, *owoc itp.* ripe

dojrze|ć¹ *pf* (*-ę*; *-y*) catch sight of, see; **~wać** ⟨**~ć²**⟩ (*-eję*) *człowiek*: mature, *ser*, *owoc*: ripen

dojście *n* (*-a*) way, approach (**do** *G* to); ***~ do skutku*** coming into effect

dojść *pf.* (*-dę*) → ***dochodzić***; *fig.* (**do** *G*) come to, approach; ***~ do zdrowia*** regain one's health; ***~ do skutku*** come into being *lub* effect; ***~ do władzy*** come to power

dok *m* (*-u*; *-i*) *naut.* dock

dokańczać (*-am*) finish, complete, bring to an end

dokazywać¹ (*-uję*) romp around

doka|zywać² accomplish, achieve; ⟨***~zać***⟩ ***~ywać swego*** assert o.s.

dokąd where; (*czas*) as long as; ***~ bądź*** → ***bądź***; **~kolwiek, ~ś** anywhere

doker *m* (*-a*; *-rzy*) dock-worker; docker

dokład|ać (*-am*) add; (*szczodrobliwie*) throw in; **~ność** *f* (*-ci*; *0*) precision; **~ny** precise, exact, accurate

dokoła *adv.* all around; *prp.* (*G*) (a)round; ***~ siebie*** (a)round o.s.

dokon|any finished, accomplished; *gr.* perfect, perfective; **~ywać** (*-uję*) ⟨**~ać**⟩ *wyczynu itp.* accomplish; *zbrodni* commit; *wyboru* make; ***~(yw)ać się*** take place, occur

dokończenie *n* (*-a*) ending; end; ***~ nastąpi*** to be continued

dokończyć *pf.* → ***dokańczać***

dokształcać (*-am*) ⟨**-ić**⟩ provide further education; ***~ się*** continue one's education

dokształcający further education

doktor *m* (*-a*; *-rzy/-owie*) doctor; (*lekarz też*) medical doctor; **~ant** *m* (*-a*; *-nci*) post-graduate student; **~at** *m* (*-u*; *-y*) doctorate; **~ski** doctor's, doctoral; **~yzować się** (*-uję*) obtain a/one's doctorate (**z** *G* in)

dokucz|ać (*-am*) ⟨**~yć**⟩ (*D*) tease, annoy; *ból*, *głód*: torment, plague; **~liwie** *adv.* pesteringly, tiresomely; plaguingly; **~liwy** pestering, tiresome; plaguing

dokument *m* (*-u*; *-y*) document; **~y** *pl.* *też* F (identity) papers; **~acja** *f* (*-i*; *-e*) documentation; **~alny, ~arny** documentary; **~ować** ⟨**u-**⟩ (*-uję*) document

dokup|ywać (*-uję*) ⟨**~ić**⟩ buy additionally

dola *f* (*-i*; *zw. 0*) fate, destiny

do|lać → ***dolewać***; **~latywać** (*-uję*) ⟨***~lecieć***⟩ (**do** *G*) approach (by plane) (to); *pf.* reach; *fig.* get through (to), come through (to) (**z** *G* from)

doleg|ać (*-am*; *t-ko bezok. i 3. os.*) (*D*) trouble, bother; (*boleć*) hurt; ***co ci/Panu ~a?*** what seems to be the matter?; **~liwość** *f* (*-ści*) trouble; (*ból*) pain

dolewać (*-am*) (*G*) fill up

dolicz|ać (*-am*) ⟨**~yć**⟩ add; ***~yć się*** count (up); ***nie ~yć się*** be … short

dolin|a *f* (*-y*) valley; ***dno ~y*** valley floor

doliniarz *m* (*-a*; *-e*) pickpocket

dolno- *w zł.* lower, low

dolnoniemiecki Low German

doln|y lower, bottom; ***~a część*** lower part

dołącz|ać (*-am*) ⟨**~yć**⟩ (**do** *G*) add (to); (*z listem*) enclose; join (**się** to)

doł|ek *m* (*-łka*, *-łki*) hole; *med.* pit; (*w brodzie*) dimple; *fig.* F ***być w ~ku*** have a crisis, be depressed; **~em** below, underneath

do|łożyć *pf.* → ***dokładać***; **~ły** *pl.* → ***dół***

dom *m* (*-u*; *-y*) (*budynek*) house; (*rodzinny*) *fig.* home; ***~ dziecka*** children's home; ***do ~u*** home; ***w ~u*** at home; ***z ~u*** *kobieta*: née; ***czuć się jak u siebie w ~u*** feel like at home; ***pan(i) ~u*** host

domagać się (*-am*) (*G*) demand

domek *m* (*-mku*; *-mki*) (small) house; ***~ letniskowy*** (summer) holiday house; ***~ jednorodzinny*** (one-family) house

domiar *m* (*-u*; *-y*) *econ.* back tax; ***na ~ złego*** to make matters worse

domiesz|ać *pf.* (*G* **do** *G*) add (to); **~ka** *f* (*-i*; *G -szek*) addition

domięśniow|o *adv. med.* intramuscularly; **~y** *med.* intramuscular

domin|ować (*-uję*) (***nad*** *I*) dominate

D

(over); **~ujący** dominating
domknąć *pf.* → **domykać**
domniemany alleged, purported
domo|fon *m* (*-u*; *-y*) intercom, *Brt.* entryphone; **~krążca** *m* (*-y*; *G -ów*) pedlar, hawker; **~stwo** *n* (*-a*) (*rolne*) farmstead; house; **~wnik** *m* (*-a*; *-cy*) member of the household; **~wy** home; domestic; household; ***porządki*** *m/pl.* ***~we*** clean-out, (*wiosenne*) spring-clean; ***~wej produkcji*** domestic
domy|kać (*-am*) shut, push to; ***drzwi nie ~kają się*** the door won't shut; **~sł** *m* (*-u*; *-y*) supposition, conjecture; **~ślać się** (*-am*) ⟨***~ślić się***⟩ (*-lę*) (*G*) suspect, presume; *pf.* guess, find out (***że*** that); **~ślny** perceptive, shrewd
doni|ca *f* (*-y*; *-e*) (*na kwiaty*) large flowerpot; (*kuchenna*) pot; **~czka** *f* (*-i*; *G -czek*) flowerpot; **~czkowy**: ***kwiaty*** *m/pl.* ***~czkowe*** potted flowers
donie|sienie *n* (*-a*; *G -ń*) report; → **donos**; **~ść** *pf.* → **donosić**
donikąd nowhere
doniosł|ość *f* (*-ści*; *0*), significance, importance, moment; **~y** significant, important, momentous
donos *m* (*-u*; *-y*) denunciation; **~iciel** *m* (*-a*; *-e*), **-lka** *f* (*-i*) informer; **~ić** (*-szę*) (***na*** *A*) report (against, on); (***o*** *L*) report (about)
donośny stentorian, resonant
doń = ***do niego***; → ***on***
dookoła → ***dokoła***
dopa|dać (***do*** *G*) lay hands (on), seize; *smutek itp.*: come over; → **dopaść**; **~lać** (*-am*) ⟨**~lić**⟩ *cygaro* finish (smoking); *węgiel* burn; ***~lać się*** *ogień*: burn low; *budynek*: burn down
dopa|sow(yw)ać (*-[w]uję*) fit; (*do otoczenia*) adapt (***się*** o.s.; ***do*** *G* to); **~ść** *pf.* → **dopadać**; (*dogonić*) catch (up with); **~trywać się** (*-uję*) ⟨***~trzyć się***⟩ (***w kimś*** *G*) see (in s.o.)
dopełni|acz *m* (*-a*; *-e*) *gr.* genitive; **~ać** (*-am*) ⟨**~ć**⟩ fill up, refill; (*uzupełnić*) complete; *fig.* fulfill; **~ający** completing; **~enie** *n* (*-a*) completion; *gr.* object
dopędz|ać (*-am*) ⟨**~ić**⟩ catch up with
dopiąć *pf. fig.* (*G*) achieve; ***~ swego*** have one's will; → **dopinać**
do|pić *pf.* → **dopijać**; **~piekać** (*-am*) ⟨***~piec***⟩ *v/i. słońce*: be scorching, be burning down; *fig.* (*D*) nettle, sting
dopiero only, just; ***~ co*** just now; ***a to ~!*** well, well!
dopi|jać (*-am*) drink up; **~lnować** *pf.* (*G*, ***aby***) look (to it that); **~nać** (*-am*) button up, *też fig.*; → **dopiąć**
dopingować (*-uję*) spur on, encourage, cheer
doping|owy, ~ujący: ***środek ~owy/ ~ujący*** stimulant drug
dopis|ek *m* (*-sku*; *-ski*) comment, note; ***~ek na marginesie*** marginal note *lub* comment; **~ywać** (*-uję*) ⟨***~ać***⟩ *v/t.* add (in writing); *v/i.* (*-3. os.*) be good, be favourable; ***pogoda ~uje*** the weather is fine; ***zdrowie mu nie ~uje*** he is in poor health; ***szczęście mu nie ~ało*** he had bad luck
dopła|cać (*-am*) ⟨**~cić**⟩ (***do*** *G*); pay extra (to), pay an additional sum (to); *porto* pay additionally (to); **~ta** *f* (*-y*) additional payment; extra payment; (*w pociągu*) excess (fare)
dopły|nąć *pf.* → **dopływać**; **~w** *m* (*-u*; *0*) (*energii*) supply, (*kabel*) line; *fig.* influx; (*pl. -y*) feeder stream; (*rzeka*) tributary
dopływ|ać (*-am*) (***do*** *G*) reach; *statek, łódź*: approach; **~owy** *kabel itp.* supply; *rzeka itp.* tributary, feeder
dopo|magać (*-m*) (***w*** *L*) help out (with), be helpful (with); **~minać się** (*-am*) ⟨***~mnieć się***⟩ (*-nę*, *-nij!*) (***o coś*** (*A*) ***u kogoś***) claim (s.th. from s.o.), demand (s.th. from s.o.); ask (for)
dopó|ki *cj.* as/so long as; **~ty**: ***~ty … aż, ~ty … dopóki*** as long as
doprawdy *adv.* really
doprowadz|ać (*-am*) ⟨***~ić***⟩ (***do*** *G*) lead (to), result (in); *tech.* convey (to), supply (to); *prąd, gaz* connect (to); ***~ić do końca*** bring to an end; ***~ić do ruiny*** ruin; **~enie** *n* supply; connection; *electr.* lead
dopuszcza|ć (*-m*) (***do*** *G*) allow, permit; ***nie możemy do tego ~ć*** we cannot let it happen; ***~ć się*** (*G*) commit, make; **~lny** permissible
dopuścić *pf.* → **dopuszczać**; ***~ do głosu*** let s.o. speak
dopyt|ywać się (*-uję*) ⟨***~ać się***⟩ (*G*, ***o*** *A*) ask (about), inquire (about)
dorabiać (*-am*) prepare; *klucz* duplicate; *też* ***~ sobie*** (*I*) earn on the side, earn extra; ***~ się*** (*G*) make one's way;

(*wzbogacać*) get rich, do all right for o.s.

dorad|ca *m* (*-y*; *-y*), **~czyni** *f* (*-*; *-e*, *-yń*) advisor *lub* adviser; consultant; **~czy** advisory, consultative

doradz|ać (*-am*) ⟨**~ić**⟩ advise; **~two** *n* (*-a*; *0*) consultation; (*usługi*) consultancy (services *pl.*)

dorasta|ć (*-am*) grow up (*też fig.*) (**do** *G* (in)to); → ***dorównywać***; **~jący** growing up

doraźn|ie *adv.* (*na razie*) for the time being; temporarily; (*karać*) summarily; **~y** summary; temporary; ***pomoc ~a*** emergency relief; (*medyczna*) first aid; ***sąd ~y*** summary court

doręcz|ać (*-am*) ⟨**~yć**⟩ hand over; *list itp.* deliver; **~enie** *n* (*-a*) delivery

dorob|ek *m* (*-bku*; *0*) (*niematerialny*) achievements *pl.*, (*materialny*) property; (*utwory itp.*) work; ***~ek kulturalny*** cultural possessions *pl.*; ***być na ~ku*** make one's way; **~ić** *pf.* → ***dorabiać***

doroczny annual

dorodny well-built, good-looking; *zboże itp.* ripe

doros|ły 1. *adj.* adult, grown-up; **2.** *m* (*-ego*; *-śli*) adult, grown-up; **~nąć** → ***dorastać***

do|rożka *f* (*-i*; *G -żek*) cab; **~róść** *pf.* → ***dorastać***

dorówn|ywać (*-uję*) ⟨**~ać**⟩ (*D*) equal, match; ***~ywać komuś*** be s.o.'s equal/match

dorsz *m* (*-a*; *-e*) *zo.* cod

dorysow(yw)ać (*-[w]uję*) finish drawing; (*dodać*) add

dorywcz|o *adv.* occasionally, from time to time, incidentally; **~y** occasional, incidental; *praca* odd

dorzecze *m* (*-a*) *geogr.* basin

dorzeczny reasonable

dorzuc|ać ⟨**~ić**⟩ (**do** *G*) throw (as far as); add (*też fig.*); *węgla itp.* put more

dosadny *dowcip itp.* earthy, crude

do|salać (*-am*) add salt; **~siadać** ⟨***~siąść***⟩ mount (***konia*** the horse), get on; ***~siąść się*** (***do k-ś***) join (s.o.)

do siego: ***~ roku!*** happy New Year!

dosięg|ać ⟨**~nąć**⟩ (*G*, **do** *G*) reach (to) (*też fig.*)

doskona|le *adv.* → ***doskonały***; **~lenie** (**się**) *n* (*-a*; *0*) perfecting; (*nauka*) further education; **~lić** ⟨**u-**⟩ (*-lę*) perfect; ***~lić się*** improve; **~łość** *f* (*-ci*; *0*) perfection; **~ły** *adj.* perfect; (*znakomity*) excellent, first-rate

do|słać → ***dosyłać***; **~słowny** literal; **~słyszeć** *pf.* hear; ***on nie ~słyszy*** he is hard of hearing; **~solić** *pf.* → ***dosalać***; **~spać** *pf.* → ***dosypiać***; **~stać** *pf.* → ***dostawać***

dostarcz|ać ⟨**~yć**⟩ (*A*, *G*) deliver (to), supply (with); *świadka, dowody* produce; *fig.* (*dawać*) provide

dostat|ecznie *adv.* sufficiently, (*dobry itp.*) acceptably; **~eczny** sufficient, acceptable; *ocena* fair; **~ek** *m* (*-tku*; *0*) prosperity; ***pod ~kiem*** in abundance, in plenty; **~ni** prosperous, comfortable; **~nio** *adv.* prosperously, comfortably

dostaw|a *f* (*-y*) delivery, supply; ***termin ~y*** delivery time; **~ać** get, obtain, receive; (*wyjmować*) take out; (*dosięgać*) get, reach (**do** *G* to); ***~ać się*** (**do** *G*) get (to, into); ***~ać się w … ręce*** get into the hands of …; ***nagroda dostała się*** (*D*) the price was given to; **~ca** *m* (*-y*; *G -ów*) supplier; (*bezpośredni*) delivery man; **~czy** delivery; **~i(a)ć** *stół itp.* add; *więźnia itp.* deliver, bring; → ***przystawiać, dostarczać***

dostąpić *pf.* (*-ę*) → ***dostępować***

dostęp *m* (*-u*; zw. 0) admission; *też fig.* access; **~ny** accessible; *cena też* reasonable; *tekst też* clear; **~ować** (*-uję*) (*dochodzić*) (**do** *G*) approach, go up (to); *fig.* → ***dostąpić***

dostoj|eństwo *n* (*-a*) dignity; **~nik** *m* (*-a*; *-cy*) dignitary; **~ny** dignified; → ***czcigodny***

dostosow|anie *n* (*-a*; *0*) adaptation, adjustment; **~(yw)ać** adapt, adjust (**do** *G* to; ***się*** o.s.); **~awczy** adaptative

do|strajać (*-am*) ⟨***~stroić***⟩ *mus.*, *RTV*: tune; *fig.* adjust (***się do*** o.s. to); **~strzegać** (*-am*) ⟨***~strzec***⟩ notice

dostrzegalny noticeable; ***~ ledwo*** hardly noticeable

dosu|wać ⟨**~nąć**⟩ move up closer, push (**do** *G* to)

dosyć *adv.* quite, fairly; ***~ dobrze*** quite good; ***mieć ~*** (*G*) be sick *lub* tired of

dosy|łać (*-am*) send on, send after; **~piać** (*-am*): ***nie ~piać*** sleep too little; **~pywać** (*-uję*) ⟨***~pać***⟩ (**do** *G*) pour in more, *węgla itp.* put on more

D

D

do|szczętny (*adv. też* ***do szczętu***) complete, total; **~szkalać** (*-am*) ⟨***~szkolić***⟩ → ***dokształcać***; **~sztukow(yw)ać** (-[*w*]*uję*) (**do** *G*) *dywanu itp.* add a piece to; *sukienkę itp.* lengthen
doszuk|ać się *pf.* (*G*) find, come across; **~iwać się** (*-uję*) (*G*) suspect
dościg|ać ⟨***~nąć***⟩ (*-am*) catch up with
dość → ***dosyć***; ***~ na tym, że ...*** in a word; ***od ~ dawna*** for quite a long time
dośpiewać *pf.*: ***~ sobie*** guess
dośrodkow|(yw)ać (-[*w*]*uję*) (*w sporcie*) *Brt.* centre, *Am.* center; **~o** *adv.* centripetally; **~y** centripetal
doświadcz|ać (*-am*) (*G*) experience; *bólu itp.* go through, endure; ***los go ciężko ~ył*** fate has been very unkind to him; **~alny** experimental; **~enie** *m* (*-a*) experiment (***na zwierzętach*** on animals), (*próba też*) test; experience; ***brak ~enia*** lack of experience; ***z ~enia*** from experience; **~ony** experienced; (*wypróbowany*) (tried and) tested; **~yć** *pf.* → ***doświadczać***
dot. *skrót pisany*: **dotyczy** Re:
dotacja *f* (*-i*; *-e*) subvention
dotąd (*w czasie*) until now; up to now; (*w przestrzeni*) so far; → ***dopóty***
dotk|liwie *adv.* sharply, severely; **~liwy** sharp, severe; **~nąć** *pf.* → ***dotykać***; *fig.* hurt, wound; **~nięcie (się)** *n* (*-a*) touch, contact; **~nięty** (*I*) (*urażony*) upset, hurt; (*spustoszony itp.*) stricken
dotować (*-uję*) subsidize
do|trwać *pf.* (**do** *G*) remain (until), hold out (until), last (until); **~trzeć** *pf.* → ***docierać***; **~trzymywać** (*-uję*) ⟨***~trzymać***⟩ *słowa, kroku, towarzystwa* keep; *warunków* keep to
dotychczas *adv.* until now; **~owy** previous
doty|czyć (*G*) concern, apply to; ***co ~czy ...*** as to *lub* for; ***to mnie nie ~czy*** that does not concern me; ***~czące ciebie ...*** concerning you; **~k** *m* (*-u*; *-i*) touch; ***na ~k*** to the touch; ***być szorstkim w ~ku*** be rough to the touch; ***zmysł ~ku*** sense of touch; **~kać** (*-am*) (*G*) touch (***się*** o.s., each other); **~kalny** palpable, tangible; **~kowy** touch
doucz|ać (*-am*) ⟨***~yć***⟩ continue (***się*** one's) education; ***~yć się*** learn
doustny oral
doważać (*-am*) ⟨***doważyć***⟩: ***nie ~*** cheat on the weight
dowcip *m* (*-u*; *-y*) joke; **~kować** (*-uję*) joke; **~ny** witty
dowiadywać się (*-uję*) enquire (**o** *A* about); → ***dowiedzieć się***
dowidzieć: ***nie~*** have poor eyesight
dowie|dzieć się *pf.* learn, hear (**o** *A* about); **~dziony** proved, proven; **~rzać** (*-am*) trust; ***nie~rzać*** mistrust; **~ść** *pf.* → ***dowodzić***; **~źć** *pf.* → ***dowozić***
dowlec *pf.* drag (**się** o.s.)
dowodow|y: *jur.* ***wartość ~a*** value as evidence; ***postępowanie ~e*** *jur.* hearing of evidence
dowodz|enie *n* (*-a*) command; (*wykazywanie*) argumentation, reasoning; *jur.* presentation of the case; **~ić** (*-dzę*) argue (for), prove; *mil.* have command of, be in command of
dowoln|y free; ***ćwiczenia ~e*** (*w sporcie*) free *Brt.* programme (*Am.* program), optional exercises
dowozić *v/t.* (**do** G) bring (to), drive (to), *rzeczy* transport (to); (*dostarczać*) supply
dowód *m* (*-odu*; *-ody*) (*też jur.*) proof, evidence; (*dokument*) certificate, receipt; ***~ osobisty*** identity card; ***~ nadania*** certificate of posting; ***~ rzeczowy*** *jur.* (piece of) material evidence; ***na/w ~*** (*G*) in token of; **~ca** *m* (*-y*; *G -ów*) commander; *mil.* commanding officer; ***~ca plutonu*** *mil.* platoon commander
dowództwo *n* (*-a*) command; (*miejsce*) command post; (*siedziba*) headquarters *sg./pl.*
dowóz *m* supply
doza *f* (*-y*) dose
dozbr|ajać (*-am*) ⟨***~oić***⟩ rearm
dozgonny lifelong, for life
dozna|wać (*-ję*) ⟨***~ć***⟩ (*G*) feel; *złego* experience; *straty, kontuzji* suffer; ***~ć zawodu*** feel disappointment; ***~ć wrażenia*** get an impression
dozor|ca *m* (*-y*; *-y*, *G -ów*), **~czyni** *f* (*-ni*; *-e*, *G -yń*) (*domu*) caretaker, janitor (*zwł. Am.*); (*w więzieniu*) *Brt.* warder, *Am.* (prison) guard; **~ować** (*-uję*) (*G*) supervize, oversee
dozować (*-uję*) dose, measure out (a dose)

dozór *m* (*-oru*; *0*) supervision; **~ techniczny** technical inspection/supervision
dozw|alać (*-am*) ⟨**~olić**⟩ (*-lę*; *-wól!*) allow; permit; **~olony dla młodzieży** suitable for persons under 18
dożyć *pf.* (*G*) live (to); **~ stu lat** live to be a hundred; **~ późnego wieku** live to a ripe old age
dożylny *med.* intravenous
dożynki *pl.* (*-nek*) harvest festival
doży|wać (*-am*) → **dożyć**; **~wać swoich dni** reach the twilight of one's life; **~wiać się** (*-am*) take additional food; **~wotni** lifelong; *jur.* life; **~wotnio** *adv.* lifelong; for life
dójka *f* (*-i*; *G -jek*) milkmaid; (*cycek*) teat
dób *G pl.* → **doba**; **~r** *G pl.* → **dobro**
dół *m* (*dołu*; *doły*) hole, pit; (*dolna część*) bottom part; under-side; bottom; **w/na ~** down; **na ~** (*domu*) downstairs; **iść w ~** *fig.* go down; **w ~ rzeki** downstream; **z/od dołu** from below; **w/na dole, u dołu** (down) below; **płatny z dołu** payment on delivery
dr *skrót pisany*: **doktor** Dr, PhD, MedD
drab F *m* (*-a*; *-y*) ruffian, thug
drabin|a *f* (*-y*) ladder; **~iasty**: **wóz ~iasty** open-frame wooden cart; **~ka** *f* (*-i*) ladder; **~ka linowa, sznurowa** rope ladder; **~ka szwedzka** (*w sporcie*) wall bars *pl.*
dragi *f/pl. sl.* (*narkotyki*) drugs
draka *f* (*-i*) F row
drakoński draconian
dramat *m* (*-u*; *-y*) drama (*też fig.*)
drama|topisarz *m* (*-a*; *-e*), **-rka** *f* (*-i*) playwright; **~tyczny** dramatic
drań *m* (*-nia*; *-nie*, *-ni*[*ów*]) *pej.* scoundrel, swine; **~stwo** *n* (*-a*) meanness; nastiness
drapa|cz *m* (*-a*; *-e*): **~cz chmur** skyscraper; **~ć** ⟨**po-**⟩ (*-ię*) scratch (**się** (o.s.), **w** *A* on); **~ć się pod górę** clamber up; **~k** *m* (*-a*; *-i*) old comb; **dać ~ka** → **drapnąć**
drapieżn|ik *m* (*-a*; *-i*) predator (*też fig.*), (*ptak*) bird of prey, (*ssak*) beast of prey; **~ość** *f* (*-ci*; *0*) rapacity; **~y** predacious, predaceous
drapn|ąć *v/s.* (*-nę*) scratch; F make o.s. scarce; **~ięcie** *n* (*-a*; *G -ć*) scratch
drapować ⟨**u-**⟩ (*-uję*) drape

drasnąć *v/s.* (*-nę*) scratch, scrape; *kula*: graze; *fig.* hurt, wound
drastyczny drastic
draśnięcie *n* (*-a*; *G -ć*) scratch
drażetka *f* (*-i*; *G -tek*) *med.* dragée
draż|liwość *f* (*-ści*; *0*) irritability; **~liwie** *adv.* irritably; **~liwy** irritable; touchy; *sytuacja* risky; **~niąco** *adv.*: **działać ~niąco** →; **~nić** (*-ę*, *-ń/-nij!*) irritate
drą → **drzeć**
drą|g *m* (*-a*; *-i*) pole, rod; **~żek** *m* (*-żka*; *-żki*) (*w sporcie*) horizontal bar, high bar; **na ~żkach …** on the horizontal bar; **~żyć** ⟨**wy-**⟩ (*-żę*) hollow out; *tunel* bore
drelować → **drylować**
drelich *m* (*-u*; *-y*) drill, (*dżins*) denim; (*ubranie*) overalls *pl.*
dren *m* (*-u*;*-y*) *tech.* drain pipe; *med.* drain; **~ować** (*-uję*) drain
dreptać ⟨**po-**⟩ (*-czę/-cę*) toddle, patter
dres *m* (*-u*; *-y*) sweat suit, (*cieplejszy*) tracksuit
dreszcz *m* (*-u*; *-e*) shudder, shiver; **~e** *pl.* shivers; *fig.* F kick, buzz; **~yk** *m* (*-u*; *-i*) shiver, shudder; *fig.* F kick, buzz; **opowieść z ~ykiem** horror story
drew|niak *m* (*-a*; *-i*) timber house; (*but*) clog; **~niany** wooden (*też fig.*); **~nieć** ⟨**z-**⟩ (*-eję*) *fig.* stiffen; **~no** *n* (*-a*; *0*) wood; (*kawałek*) piece of wood
dręcz → **drzeć**; **~czący** tormenting, torturing; **~czyć** (*-ę*) torment, torture; **~czyć się** worry, agonize (*I* about)
drętw|ieć ⟨**o-, z-**⟩ (*-eję*) stiffen (**z zimna** from cold); *noga, ręka*: go numb, go to sleep; be paralysed (**na myśl** by the thought of); **~o** *adv. fig.* drearily, boringly; **~y** (*ścierpnięty*) numb; *fig.* dreary, dull
drg|ać (*-am*) tremble, shiver; (*nerwowo*) twitter, jerk; *urządzenie*: vibrate; **~ania** *n/pl.* (*-ń*) *phys.* vibrations *pl.*; **~awki** *f/pl.* (*-wek*) spasms *pl.*, convulsions *pl.*; **~nąć** *v/s.* (*-nę*) → **drgać**; **ani** (**nie**) **~nąć** not budge
drobiazg *m* (*-u*; *-i*) trifle; small thing, minor detail; **to ~!** don't mention it!; **~owość** *f* (*-ści*, *0*) pedantry, punctiliousness, **~owo** *adv.* pedantically, punctiliously; **~owy** pedantic, punctilious
drobi|ć ⟨**roz-**⟩ (*-ę*) *chleb* crumble, break into crumbs; (*nogami*) toddle; **~na** *f*

D

(*-y*) particle; *chem.*, *phys.* molecule
drobn|e *pl.* (*-ych*) small change; **~ica** *f* (*-y*; *0*) *econ.* general cargo; **~icowiec** *m* (*-wca*; *-wce*) *econ.* general cargo ship
drobno *adv.* → **drobny**; **~mieszczański** petit(e) bourgeois; **~stka** *f* (*-i*; *G -tek*) trifle; small thing, minor detail; **~stkowy** pernickety, small-minded; **~ustrój** *m* microorganism; **~ziarnisty** fine, fine-grained
drobny small; petty; *szczegół* petty; (*miałki*) fine; (*delikatny*) delicate; → ***drobne, deszcz***
droczyć się F (*-ę*) (***z*** *I*) tease
droga[1] *adj. f* → **drogi**
drog|a[2] *f* (*-i*; *G dróg*) way (*też fig.*); (*szosa*) road; (*podróż*) journey; ***~a szybkiego ruchu*** expressway; ***~a startowa*** (take-off) runway; ***wybrać się w ~ę*** set off; ***zejść k-ś z ~i*** get out of s.o.'s way; ***~ą urzędową*** through the official channels; ***swoją ~ą*** at any rate, anyhow; ***po/w drodze*** on one's way; ***szczęśliwej ~i!*** have a good journey!
dro'geria *f* (*GDL -ii*; *-e*) *Brt.* chemist's (shop), *Am.* drugstore
drogi expensive; *fig. też* dear; *pl.* → ***droga***[2]
drogo *adv.* expensively, dearly; **~cenny** precious, valuable
drogo|wskaz *m* (*-u*; *-y*) signpost; **~wy** road; traffic; ***kodeks ~wy*** rules of the road, *Brt.* Highway Code
drogówka F *f* (*-i*; *0*) traffic police
drozd *m* (*-a*; *-y*) *zo.* thrush
drożdż|e *pl.* (*-y*) yeast; **~owy** yeast
droż|eć ⟨**po-**, **z-**⟩ (*-eję*) get more expensive, go up; **~ej** *adv.* (*comp. od* → **drogo**), **~szy** *adj.* (*comp. od* → **drogi**) more expensive; **~yzna** *f* (*-y*; *0*) high prices *pl.*
drób *m* (*drobiu*; *0*) poultry
dró|g *G pl.* → ***droga***[2]; **~żka** *f* (*-i*; *G -żek*) path; **~żnik** *m* (*-a*; *-cy*) *rail. Brt.* linesman, *Am.* trackman
druci|any wire; **~k** *f* (*-a*; *-i*) little wire
druczek *m* (*-czka*; *-czki*) form
drugi second; (*inny*) (the) other; (*z dwóch*) (the) latter; ***~e danie*** main course; ***co ~*** every second; ***po ~e*** secondly; ***~e tyle*** twice as much; ***jeden po/za ~m*** one after the other; ***po ~ej stronie*** on the other side; ***z ~ej strony*** on the other hand; ***z ~ej ręki*** second-hand; ***druga*** (***godzina***) two o'clock
drugo|planowy secondary; **~rzędny** second-rate;
druh *m* (*-a*; *-owie/-y*) friend; (*harcerz*) scout; **~na** *f* (*-y*; *G -hen*) (*na weselu*) bridesmaid; (*harcerka*) *jakby*: *Brt.* (Girl) Guide, *Am.* Girl Scout
druk *m* (*-u*; *0*) print; (*pl. -i*) form; (*na poczcie*) printed matter; ***wyjść ~iem*** appear in print
drukar|ka *f* (*-i*) printer; ***~ka igłowa/laserowa/atramentowa*** dot-matrix/laser/ink-jet printer; **~nia** *f* (*-ni*; *-e*) printing-works; (*firma*) printing-house; printer's; **~ski** print; ***błąd ~ski*** misprint
druk|arz *m* (*-a*; *-e*) printer; **~ować** (*-uję*) print
drut *m* (*-u*; *-y*) wire; ***~y*** *pl. też* knitting-needles *pl.*; ***robić na ~ach*** knit
druzgotać ⟨**z-**⟩ (*-czę/-cę*) crush, smash
druż|ba *m* (*-y*; *-owie*) best man; **~ka** *f* (*-i*; *G -żek*) bridesmaid
drużyn|a *f* (*-y*) (*w sporcie*) team; *mil.* squad; (*harcerzy*) troop; **~owo** *adv.* in a group, together; **~owy 1.** group, team; **2.** *m* (*-ego*; *-i*), **~owa** *f* (*-ej*; *-e*) Scouter, scout leader
drwa *pl.* (*drew*) wood
drwalnia *f* (*-i*; *-e*) wood-shed
drwi|ąco *adv.* sneeringly, mockingly; **~ący** sneering, mocking; **~ć** (*-ę*; *-ij!*) (***z*** *G*) sneer (at), mock (at); **~ny** *f/pl.* (*-*) sneer(ing), mocking
dryblas F *m* (*-a*; *-y*) beanpole, strapper
dryblować (*-uję*) (*w sporcie*) dribble (the ball)
dryfować (*-uję*) *v/i.* drift
dryl *m* (*-u*; *0*) *mil. zwł. pej.* drill, training
drylować (*-uję*) stone
drzazg|a *f* (*-i*) splinter; ***rozbić na/w ~i*** splinter, shatter
drzeć ⟨**po-**⟩ *v/t.* tear (to pieces); *ubranie* wear out; **~ się** *ubranie*: wear out; (*krzyczeć*) shout
drzem|ać (*-mię*) doze, snooze, nap; *fig.* lie dormant; **~ka** *f* (*-i*; *G -mek*) nap, snooze; ***~ka poobiednia*** after-lunch nap
drzew|ce *n* (*-a*) shaft; (*flagi*) pole, staff; **~ko** *n* (*-a*; *G -wek*) small tree; (*młode*) young tree; **~ny** tree, timber; **~o** *n* (*-a*) *bot.* tree; ***~o iglaste/liściaste/owocowe*** deciduous/coniferous/fruit tree; (*drewno*) wood; **~oryt** *m* (*-u*; *-y*): **~oryt**

wzdłużny woodcut; **~*oryt sztorcowy*** wood engraving
drzwi *pl.* (*drzwi*) door; ***rozsuwane ~*** sliding door; ***~ oszklone/przeszklone*** French window; **~*ami*** through the door; ***przy ~ach zamkniętych*** *jur.* in camera; *fig.* behind closed doors; **~czki** *pl.* (*-czek*) (small) door; (*klapa*) (hinged) lid; **~owy** door
drże|ć (*-ę*) tremble, shiver, shake; **~nie** *n* (*-a*; *zw. 0*) tremble, shiver, shaking; *med.* tremor
d/s, d.s. *skrót pisany*: ***do spraw*** for
dubbing *m* (*-u*; *0*) dubbing; **~ować** (*-uję*) dub
dubeltówka *m* (*-i*; *G -wek*) double-barrelled shotgun
dubler *m* (*-a*; *-rzy*), **~ka** *f* (*-i*; *G -rek*) stand-in, (*w filmie też*) double
Dublin *m* (*-a/-u*; *0*) Dublin
dublować ⟨**z-**⟩ (*-uję*) double; *kogoś* stand in for; (*w sporcie*) lap
duch *m* (*-a*; *-y*) spirit, (*też zjawa*) ghost; (*odwaga*) spirit, mettle; ***~ czasu*** spirit of the age; ***wierzyć w ~y*** believe in ghosts; ***w ~u*** in spirit; ***nabrać ~a*** cheer up; ***podnieść k-ś na ~u*** cheer s.o. up
duchow|ieństwo *n* (*-a*; *0*) clergy; **~ny** **1.** spiritual, religious; **2.** *m* (*-ego*; *-i*) clergyman; **~o** *adv.* mentally, intellectually; **~y** mental, intellectual
dud|ka *f* (*-i*; *G -dek*) → ***fujarka***; **~nić** (*-ę*) *deszcz*: drum, batter; *grzmot*, *czołg*: rumble, grumble; **~y** *pl.* (*dud/dudów*) *mus.* bagpipes *pl.*
duet *m* (*-u*; *-y*) (*wokalny*) duet; (*instrumentalny*) duo
dum|a *f* (*-y 0*) pride; (*w Rosji*) duma; **~ać** (*-am*) (**o** *L*) think (of, about), muse (on), ponder (on); **~ka** *f* (*-i*; *G -mek*) (*romantic Ukrainian folk song*); **~ny** proud (***z*** *G* of)
Du|naj *m* (*-u*; *0*) Danube; **~nka** *f* (*-i*; *G -nek*), **~ńczyk** *m* (*-a*; *-cy*) Dane; **≈ński** Danish; ***mówić po ≈ńsku*** speak Danish
dup|a V *f* (*-y*) *Brt.* arse, *Am.* ass; ***do ~y*** lousy, shitty
dur¹ *m* (*-u*; *0*) *med.* typhus; ***~ plamisty*** typhoid fever
dur² (*idkl.*) major; ***C-dur*** C major
dur|eń *m* (*-rnia*; *-rnie*, *-rni*[*ów*]) fool; **~ny** foolish, dense
durszlak *m* (*-a*; *-i*) → ***cedzak***
du|rzyć się (*-ę*) F have a crush (***w*** *L* on); **~sić** (*-szę*) ⟨**u-, za-**⟩ strangle, choke; *fig.* suppress, quell; *gastr.* ⟨**u-**⟩ stew; **~*sić się*** suffocate; *gastr.* stew
dusz|a *f* (*-y*; *-e*) soul (*też fig.*); *tech.* core; ***zrobiło jej się lekko na ~y*** a weight was lifted from her heart; ***czego ~a zapragnie*** everything one's heart desires; **~kiem** *adv. wypić* at one gulp; **~nica** *f* (*-y*; *-e*): **~*nica bolesna*** angina pectoris; **~ność** *f* (*-ści*) shortness of breath; **~ny** (*parny*) sultry, close; **~pasterski** pastoral; **~pasterz** *m* (*-a*; *-e*) priest
duż|o *adv.* much; many; **~y** big, large; *deszcz, mróz, zachmurzenie* heavy
dw. *skrót pisany*: **dworzec** Stn (*Station*)
dwa two; ***~ słowa*** a word or two; → ***734***; **~dzieścia** twenty; **~j** *m-os* two; **~naście** twelve
dwie *f/pl.* two; **~ście** two hundred
dwo|ić się (*-ję*; *dwój!*) → ***podwajać***; **~*i mi się w oczach*** I see everything double; **~isty** dual, double; **~jaczki** *m/pl.* (*-ów*) twins *pl.*; **~jaki** double, two different; **~jako** *adv.* doubly; **~je** two; ***jedno z ~jga*** one of the two; ***na ~je*** in two; ***za ~je*** for two
dwom *D* → ***dwa***
dwo|rcowy (railway) station; **~rski** court, courtly; **~ry, ~rze** → ***dwór***; **~rzec** *m* (*-rca*; *-rce*) station; **~*rzec lotniczy*** airport
dwóch *m-os* two
dwójk|a *f* (*-i*; *G -jek*) two; (*linia*) number two; (*łódź*) pair-oar, double-scull; (*ocena*) unsatisfactory; ***we ~ę*** in two; **~*ami*** two by two
dwójnasób: ***w ~*** doubly
dwóm *D* → ***dwa***
dwór *m* (*-oru*; *-ory*) (*królewski*) court, (*magnacki*) manor; ***na ~*** out, outdoors; ***na dworze*** in the open
dwu **1.** *m-os* two; **2.** *w zł.* two, double; **~aktówka** *f* (*-i*) two-act play; **~bój** *m* (*-boju*; *-boje*) biathlon; **~cyfrowy** two-figure, two-digit; **~częściowy** two-part; *ubiór* two-piece; **~daniowy** two-course; **~dniowy** two-day
dwudziest|ka (*-i*; *G -tek*) twenty; (*banknot*) twenty-zloty *itp.* note; (*linia*) number twenty; **~o-** *w zł.* twenty-; **~y**

twentieth; ***lata ~e*** the twenties
dwu|głoska *f* (*-i*) *gr.* diphthong; **~godzinny** two-hour (long); **~języczny** bilingual; **~kierunkowy** bidirectional; two-way; **~kropek** *m* (*-pka*; *-pki*) colon
dwukrotn|ie *adv.* twice, ***wzrosnąć ~ie*** grow twice as much; **~y** twofold
dwu|letni two-year-long, -old; ***roślina ~letnia*** biennial; **~licowy** duplicitous; **~mian** *m* (*-u*; *-y*) *math.* binomial; **~miejscowy** two-seat, for two people; **~miesięcznik** *m* (*-a*; *-i*) bimonthly; **~miesięczny** bimonthly
dwunast|ka *f* (*-i*; *G- tek*) twelve; (*linia*) number twelve; **~nica** *f* (*-y*; *-e*) duodenum; **~o-** *w zł.* twelve; **~y** twelfth; ***~a*** twelve (o'clock); → ***734***
dwu|nogi, ~nożny bipedal; **~osobowy** two-person; double; **~piętrowy** two-floor, two-stor(e)y; **~pokojowy** two-room
dwu|rodzinny two-family; **~rzędowy** double-breasted; **~rzędówka** F *f* (*-i*) double-breasted suit/coat/jacket; **~setny** two-hundredth; **~silnikowy** two-engine; **~stopniowy** two-stage; **~stronny** bilateral; two-sided; **~suwowy** *Brt.* two-stroke, *Am.* two-cycle; **~szereg** *m* (*-u*; *-i*) double-line; **~tlenek** *m* (*-nku*; *-nki*) dioxide; ***~tlenek węgla*** carbon dioxide; **~tomowy** two-volume; **~torowy** double-track, double-line; **~tygodnik** *m* (*-a*; *-i*) biweekly; **~tygodniowy** biweekly
dwuwęglan *m*: ***~ sodu*** sodium bicarbonate, bicarbonate of soda
dwu|wymiarowy two-dimensional; **~zakresowy** *RTV*: with two wavebands; **~zmianowy** two-shift; **~znaczny** ambiguous, equivocal; **~żeństwo** *n* (*-a*; *0*) bigamy
dybel *m* (*-bla*; *-ble*) dowel
dychawica *f* (*-y*; *-e*) asthma
dydaktyczny didactic
dyfteryt *m* (*-u*; *-y*) diphtheria
dygnitarz *m* (*-a*; *-e*) dignitary
dygotać (*-czę*/*-cę*) tremble, shiver (***z*** *G* from)
dykcja *f* (*-i*; *-e*) pronunciation
dykta *f* (*-y*) plywood
dykta|fon *m* (*-u*; *-y*) Dictaphone *TM*, dictating machine; **~ndo** *n* (*-a*; *G -nd*) dictation; ***pisać pod ~ndo*** take dictation; **~tor** *m* (*-a*; *-rzy*/*-owie*) dictator; **~tura** *f* (*-y*) dictatorship
dyktować (*-uję*) dictate
dyl *m* (*-a*; *-e*, *-i*/*ów*) floor-board; thick plank
dylemat *m* (*-u*; *-y*) dilemma
dyletanck|i dilettant, amateurish; ***po ~u*** in an amateurish way
dym *m* (*-u*; *-y*) smoke; ***pójść z ~em*** go up in smoke; ***puścić z ~em*** lay in ashes; ***rozwiać się jak ~*** *fig.* go up in smoke; **~ić** (*-ę*) smoke; ***~ić się*** be smoking
dymisj|a *f* (*-i*; *-e*) *komuś* dismissal; (*własna*) resignation; ***udzielić ~i*** (*D*) dismiss; ***podać się do ~i z*** resign from; **~onować** dismiss; **~onowany** retired, in retirement
dymny smoke
dynamiczny dynamic
dy'nastia *f* (*GDL -ii*; *-e*) dynasty; house
dynia *f* (*-i*; *-e*) *bot.* pumpkin
dyplom *m* (*-u*; *-y*) diploma, certificate; (*wyższej szkoły*) degree; **~acja** *f* (*-i*; *0*) diplomacy; **~ata** *m* (*-y*; *-ci*), **~atka** *f* (*-i*) diplomat; **~atyczny** diplomatic; **~owany** qualified; **~owy** degree, diploma
dyr. *skrót pisany*: ***dyrektor*** dir. (*director*)
dyrek|cja *f* (*-i*; *-e*) management, administration; **~tor** *m* (*-a*; *-rzy*/*-owie*), **~torka** *f* (*-i*) director, manager; (*szkoły*) head teacher; **~torski** director's; **~tywa** *f* (*-y*) directive, instruction
dyrygent *m* (*-a*; *-ci*) conductor
dyrygować (*-uję*) conduct
dyscyplina *f* (*-y*) discipline; **~rny** disciplinary
dysertacja *f* (*-i*; *-e*) dissertation, thesis
dysfunkcja *f* (*-i*; *-e*) malfunction
dysk *m* (*-u*; *-i*) *Brt.* disc, *Am.* disk; ***~ twardy*** *komp.* hard disk; (*w sporcie*) discus; ***rzut ~iem*** the discus
dyskietka *f* (*-i*; *G -tek*) floppy disk, diskette
dyskobol *m* (*-a*; *-e*), **~ka** *f* (*-i*) discus thrower
dys|komfort *m* (*-u*; *0*) discomfort, uneasiness; **~konto** *n* (*-a*) discount; **~kontowy** discount
dyskotek|a *f* (*-i*) discotheque, F disco; **~owy**: ***muzyka ~owa*** disco music
dyskre|cja *f* (*-i*; *0*) discretion; **~dytować** ⟨***z-***⟩ (*-uję*) discredit

dyskrymin|acja *f* (*-i*; *0*) discrimination; **~ować** (*-uję*) discriminate
dysku|sja *f* (*-i*; *-e*) discussion, debate; ***poddać ~sji/pod ~ się*** put forward to discussion; **~syjny** controversial, debatable; **~tować** ⟨***prze-***⟩ (*-uję*) discuss
dyskwalifik|acja *f* (*-i*; *-e*) disqualification; **~ować** ⟨***z-***⟩ (*-uję*) disqualify
dysponować (*-uję*) have at one's disposal
dyspozy|cja *f* (*-i*; *-e*) right of disposal; ***mieć do ~cji*** have at one's disposal
dysproporcja *f* (*-i*; *-e*) disproportion, disparity
dystans *m* (*-u*; *-e*) distance; ***trzymać na ~*** keep at long range
dystrybu|cja *f* (*-i*; *0*) distribution; **~tor** *m* (*-a*; *-y*) *mot. Brt.* petrol-pump, *Am.* gas(oline) pump
dystynkcje *f/pl.* (*-i*) insignia (of rank)
dysydent *m* (*-a*; *-ci*), **~ka** *f* (*-i*) dissident
dysz|a *f* (*-y*; *-e*) nozzle, jet; **~eć** (*-ę*, *-y*) pant, puff
dyszel *m* (*-szla*, *-szle*) pole
dywan *m* (*-u*; *-y*) carpet
dywersja *f* (*-i*; *-e*) sabotage
dywidenda *f* (*-y*) dividend
dywiz|ja *f* (*-i*; *-e*) *mil.* division; **~jon** *m* (*-u*; *-y*) *aviat.*, *naut.* squadron
dyżur *m* (*-u*; *-y*) duty; ***~ nocny*** night duty; **~ny 1.** *adj.* duty; on duty; ***~na zupa*** soup of the day; ***~ny temat*** current topic; **2.** *m* (*-ego*; *-i*), **~na** *f* (*-ej*; *-e*) duty officer, (*w szkole*) monitor; ***~ny ruchu*** *rail.* train controller; **~ować** (*-uję*) be on duty
dz. *skrót pisany*: ***dzień*** d. (*day*); ***dziennie*** dly (*daily*); ***dziennik*** J. (*journal*)
dzban *m* (*-a*; *-y*) jug, (*wiekszy lub Am.*) pitcher; ***~ gliniany*** clay jug; **~ek** *m* (*-nka*; *-nki*) pot, jug
dziać[1] (*dzieję*; *dział*) knit
dziać[2] **się** (*t-ko 3. os. dzieje*, *działo się*) go on, happen, be; be the matter (***z*** *I* with); ***co się tu dzieje?*** what's going on here?
dziad *m* (*-a*, *-dzie/-du!*; *-y*) beggar; (*starzec*) old man; *pej.* chap, bloke; (*pl. -owie*) → **~ek** *m* (*-dka*; *-dkowie*) grandfather; F grandpa; *pl.* grandfathers *pl.*, grandparents *pl.*; ***~ek do orzechów*** nutcracker; **~owski** trashy, poor; (*nędzny*) pitiful; dreadful, appalling; **~y** *pl.* (*-ów*) *hist.* memorial service
dział *m* (*-u*; *-y*) department, section (*też część czasopisma*); (*część własności*) share; ***~ kadr*** personnel department; ***~ wód*** watershed
działacz *m* (*-a*; *-e*) activist; ***~ partyjny*** cadre-party member; ***~ polityczny*** politician; ***~ rewolucyjny*** professional revolutionist; ***~ ruchu robotniczego*** workers' leader; **~ka** *f* (*-i*) activist; → ***działacz***; ***~ka społeczna*** socially committed woman; ***~ka podziemia*** underground fighter
działa|ć (*-am*) function, work, operate; (*oddziaływać*) act; ⟨**po-**⟩ have an effect; ***~ć na nerwy*** get on one's nerves; **~lność** *f* (*-ci*; *0*) activity; **~nie** *n* (*-a*) operating, functioning, working; effect; *mil.* operation; → ***arytmetyczny***
działk|a *f* (*-i*; *G -łek*) plot (of land); (*ogródek*) small garden, *Brt.* allotment; **~owicz** *m* (*-a*; *-e*), **~owiczka** *f* (*-i*) allotment-holder
działo[1] *n* (*-a*) gun
działo[2] **się** → ***dziać się***
działow|y: ***ścianka ~a*** partition
dzia|nina *f* (*-y*) (*tkanina*) jersey; (*ubiór*) jersey clothes *pl.*; **~ny** knitted
dziarsk|i hale (and hearty); robust, vigorous; **~o** *adv.* robustly, vigorously
dziąsło *m* (*-a*) *anat.* gum
dzicz *f* (*-y*; *0*) (*miejsce*) wilderness, back country; *fig. zbior.* (*ludzie*) mob, rabble; **~eć** ⟨***z-***⟩ (*-eję*) go wild; *fig.* brutalize; **~yzna** *f* (*-y*; *0*) venison, game
dzida *f* (*-y*) spear
dzie|ci *pl.* → ***dziecko***; **~ciak** *m* (*-a*; *-i*) child, F kid; **~ciarnia** *f* (*-i*; *0*) *zbior.* children *pl.*; **~ciątko** *n* (*-a*; *G -tek*) baby; ***♀ciątko Jezus*** Baby Jesus; **~cięco** like a child; **~cięcy** children's; childlike; **~cinada** *f* (*-y*; *0*) childish behavio(u)r; **~cinny** → ***dziecięcy***; *fig.* childish; ***po ~cinnemu*** like a child; **~ciństwo** *n* (*-a*; *0*) childhood; **~ciobójstwo** *n* (*-a*) child murder, (*własnego*) infanticide; **~ciuch** F *m* (*-a*; *-y*) child; **~cko** *n* (*-a*; *dzieci*, *I*) child; ***od ~cka*** from childhood
dziedzi|c *m* (*-a*; *-e*) heir; *hist.* squire; **~ctwo** *n* (*-a*; *0*) heritage, inheritance; **~czka** *f* (*-i*; *G -czek*) heiress; *hist.* lady of the manor; **~czny** hereditary; **~czyć** ⟨***o-***⟩ (*-czę*) inherit (***po*** *L* from)
dziedzina *f* (*-y*) domain, area, field
dziedziniec *m* (*-ńca*; *-ńce*) courtyard

dziegieć *m* (*-gciu*; *0*) tar
dzieje *pl.* (*-ów*) history, *fig.* story; **~ *się* → *dziać się***
dziejowy historical, (*przełomowy*) historic
dziekan *n* (*-a*; *-i*) dean; (*dyplomatów*) doyen; **~at** *m* (*-u*; *-y*) dean's office
dziel|enie *n* (*-a*; *0*) division (*też math.*); **~ić** ⟨**po-**, **roz-**⟩ (*-lę*) divide (*też math.* ***przez*** by, ***się***); share (out) (***między*** *A* among, between); (*rozdzielać*) separate; **~*ić*** ⟨**po-**⟩ ***się*** (*I*) share; (*sekretami*) confide (***z kimś*** in s.o.); *math.* be divisible; **~na 1.** *f* (*-ej*; *-e*) *math.* dividend; **2.** → ***dzielny***
dziel|nica *f* (*-y*; *-e*) region, province; (*miasta*) district, part; **~nicowy** regional, provincial; district; **~nie** → ***dzielny***; **~nik** *m* (*-a*; *-i*) *math.* divisor; **~ność** *f* (*-ści*; *0*) bravery, boldness; **~ny** brave, bold
dzieł|o *n* (*-a*) work; ⟨***za***⟩***brać się***/***przystąpić do ~a*** set to work
dzien|nie daily; (*na dzień*) a day; **~nik** *m* (*-a*; *-i*) (*gazeta*) daily; (*pamiętnik*) diary; (*wiadomości*) news; ***~nik urzędowy*** official gazette; ***~nik klasowy*** *jakby*: class-register; **~nikarka** *f* (*-i*; *G -rek*), **~nikarz** *m* (*-a*; *-e*, *-y*) journalist; **~ny** daily; (*w ciągu dnia*) daytime
dzień *m* (*dnia*; *dni/dnie*, *G dni*) day; ***~ świąteczny*** holiday, (*religijny*) feast-day; ***~ dobry!*** hello!; ***~ w ~***, ***~ po dniu*** day after day; ***za dnia*** in daylight; ***z dnia na ~*** from one day to the next; ***w ciągu dnia*** during the day (time); ***co*** (***drugi***) **~** every other day; ***na drugi ~*** next day; ***do dziś dnia*** until today
dzierżaw|a *f* (*-y*) lease, tenancy; **~ca** *f* (*-y*) leaseholder, tenant; **~czy** leasing; *gr.* possessive; **~czyni** *f* (*-*, *-e*) leaseholder, tenant; **~ić** ⟨***wy-***⟩ (*-ę*) lease, rent; **~ne** *n* (*-ego*; *0*) rent; **~ny**: ***czynsz ~ny*** rent; ***umowa ~na*** lease contract
dzierżyć (*-ę*) wield, hold
dziesiąt|ek *m* (*-tka*; *-tki*) decade; *też* → **~ka** *f* (*-tki*; *G -tek*) ten; (*linia*) number ten; (*banknot itp.*) F tenner; **~kować** ⟨**z-**⟩ (*-uję*) decimate; **~y** tenth; ***jedna ~a*** a tenth
dziesięcio|- *w zł.* deca-, ten-; **~boista** *m* (*-y*; *-ści*, *-ów*) decathlete; **~krotny** tenfold; **~lecie** *n* (*-a*) tenth anniversary
dziesię|ć, *m-os* **~ciu** ten → ***734***; **~ćkroć** *adv.* tenfold; **~tnik** *m* (*-a*; *-cy*) *hist.* decurion; **~tny** decimal
dziewcz|ę *n* (*-ęcia*; *-ęta*) girl; **~ęco** *adv.* girlishly; **~ęcy** girlish; **~yna** *f* (*-y*) girl; **~czynka** *f* (*-i*) little girl
dziewiąt|ka *f* (*-i*; *G -tek*) nine; (*linia*) number nine; **~y** ninth → ***734***
dziewica *f* (*-y*; *-e*) virgin
dziewiczy virginal, virgin (*też fig.*)
dziewięcio|- *w zł.* nine, **~krotny** ninefold; **~letni** nine-year-long, -old
dziewię|ć *m-os*; **~ciu** nine → ***734***; **~ćdziesiąt** ninety; **~ćset** nine hundred; **~tnastka** *f* (*-i*; *G -tek*) nineteen; (*linia*) number nineteen; **~tnasto-** *w zł.* nineteen; **~tnaście** nineteen → ***734***
dziewucha *f* (*-y*) girl, *żart.* wench
dzieża *f* (*-y*; *-e*) kneading trough
dzięcioł *m* (*-a*; *-y*) *zo.* woodpecker
dzięk|czynny thankful, thank-you; **~i 1.** *pl.* thanks *pl.* (***za*** *A* for); **2.** *prp.* thanks (to); ***~i Bogu*** thank God!; **~ować** ⟨**po-**⟩ (*-uję*) thank (***k-u za*** *A* s.o. for)
dzik *m* (*-a*; *-i*) *zo.* wild boar (*też odyniec*); **~i** wild; *fig.* (*dziwny*) odd, peculiar; **~o** *adv.* wildly; *fig.* (*dziwnie*) oddly, peculiarly; **~us** *m* (*-a*; *-y*), **-ska** *f* (*-i*; *G -sek*) savage
dziob|ać (*-ię*), ⟨**~nąć**⟩ (*-nę*) peck; **~aty** pock-marked; **~y** *pl.* → ***dziób***
dziób *m* (*-obu/-oba*; *-oby*) bill; (*drapieżcy*) beak; (*statku*) bow, (*samolotu*) nose; F gob; ***dzioby*** *pl.* (*na twarzy*) pock-marks
dzi|siaj → ***dziś***; **~siejszy** today's; contemporary; ***po dzień ~siejszy*** until the present day; **~ś 1.** *adv.* today; **2.** *n* (*idkl.*) today; ***~ś rano*** this morning; ***od ~ś*** from now on; ***na ~ś*** for today
dziupla *f* (*-i*; *-e*) hollow
dziura *f* (*-y*) hole; (*w zębie*) cavity; F (*miejsce*) dump, hole; **~wić** ⟨**prze-**⟩ (*-ę*) puncture, pierce, perforate; **~wy** full of holes (*też fig.*); *garnek* broken
dziur|ka *f* (*-i*; *G -rek*) hole; ***~ka od klucza*** keyhole; ***~ka na guzik*** buttonhole; **~kacz** *m* (*-a*; *-e*) punch; **~kować** (*-uję*) punch; perforate
dziw *m* (*-u*; *-y*) wonder, (*natury itp.*) curio; ***nie ~*** no wonder; **~actwo** *n* (*-a*) oddity; **~aczeć** ⟨**z-**⟩ (*-eję*) become odd; **~aczka** *f* (*-i*; *G -czek*) eccentric,

F oddity; **~aczny** odd, eccentric; **~ak** *m* (*-a*; *-cy/-i*) eccentric, F oddity; **~ić** ⟨**z-**, **za-**⟩ (*-ę*) surprise, astonish; **~ić** ⟨**z-**⟩ **się** (*D*) be surprised (**z** *A* at)
dziwka *f* (*-i*; *G -wek*) *pej.* slut
dziwn|y strange, odd; ***~a rzecz*** strangely enough; ***nic ~ego, że*** no wonder that
dziwo *n* (*-a*) → ***dziw***; **~ląg** *m* (*-a*; *-i*) freak, curiosity
DzU, Dz.U *skrót pisany*: ***Dziennik Urzędowy*** (*law gazette*)
dzwon *m* (*-u*; *-y*) bell; **~ek** *m* (*-nka*; *-nki*) bell; (*dźwięk*) ringing; *bot.* bell-flower, campanula; **~ić** ⟨**za-**⟩ (*-ę*) ring (the bell); (*szkłem itp.*) clink; F (***do*** *G*) call, *Brt.* ring up; **~ko** *n* (*-a*; *G -nek*) slice (***śledzia*** of herring); **~nica** *f* (*-y*; *-e*) belfry
dźwię|czeć ⟨**za-**⟩ (*-czę*) sound; ring; **~czny** *głos* sonorous; *gr.* voiced; **~k** *m* (*-u*; *-i*) sound; *mus.* tone; ***barwa ~ku*** tone colo(u)r; ***zapis ~ku*** sound recording; **~koszczelny** soundproof; **~kowy** *ścieżka, film*: sound
dźwig *m* (*-u*; *-i*) (*winda*) *Brt.* lift, *Am.* elevator; *tech.* crane; **~ać** (*-am*) *impf.* lift up; (*nosić*) carry; **~ar** *m* (*-a/-u*; *-y*) supporting beam; **~nąć** *pf.* lift (up); ***~nąć z gruzów*** rebuild; ***~nąć się*** rise up; **~nia** *f* (*-i*; *-e*) *tech.* lever; **~owy 1.** *adj.* crane; lift, elevator; **2.** *m* (*-ego*; *-i*), ***~owa*** *f* (*-ej*; *-e*) crane-operator
dżdż|ownica *f* (*-y*; *-e*) *zo.* earthworm; **~u** → ***deszcz***; **~ysty** rainy
dżem *m* (*-u*; *-y*) jam; (*z cytrusów*) marmalade
dżentelmen *m* (*-a*; *-i*) gentleman
dżersej *m* (*-u*; *-e*) jersey
dżez → ***jazz***
dżins|owy denim, jean; **~y** *pl.* (*-ów*) jeans
dżokej *m* (*-a*; *-e*) jockey
dżul *m* (*-a*; *-e*) *phys.* joule
dżuma *f* (*-y*; *0*) *med.* (bubonic) plague
dżungla *f* (*-i*; *-e*) jungle

E

echo *f* (*-a*) echo; *fig.* response, repercussions *pl.*; **~sonda** *f* (*-y*) echo-sounder; sonic depth finder
Edynburg *m* (*-a*; *0*) Edinburgh
edukac|ja *f* (*-i*; *0*) education; **~cyjny** educational
edycja *f* (*-i*; *-e*) edition
efek|ciarstwo *f* (*-a*; *0*) showiness, flashiness; **~t** *m* (*-u*; *-y*) effect; (*skutek*) result, outcome; ***zrobić wielki ~t na*** leave a great impression on; **~towny** effective; **~tywny** efficient, effective
egi|da *f* (*-y*; *0*): ***pod ~dą*** (*G*) under the auspices of
Egipcjan|in *m* (*-a*; *-nie*, *-*), **~ka** *f* (*-i*) Egyptian
egipski (***po -ku***) Egyptian
Egipt *m* (*-u*; *0*) Egypt
egoist|a *m* (*-y*; *-ści*), **~ka** *f* (*-i*) egoist; **~yczny** egoistic(al)
egz. *skrót pisany*: ***egzemplarz*** co. (*copy*)
egzaltowany affected, pretentious
egzamin *m* (*-u*; *-y*) examination, F exam; ***~ z polskiego*** examination in Polish, ***~ na prawo jazdy*** driving test; ***~ wstępny*** entrance examination; → ***zda***(***wa***)***ć***; **~acyjny** examination; **~ować** (*-uję*) examine
egzekuc|ja *f* (*-i*; *-e*) execution; **~yjny** *nakaz itp.* enforcement; ***pluton ~yjny*** firing squad
egzekwować ⟨**wy-**⟩ (*-uję*) (*wymagać*) demand, insist on; (*wykonywać*) extort, exact
egzema (*-y*) *med.* eczema
egzemplarz *m* (*-a*; *-e*) copy; ***w trzech ~ach*** in three copies
egzotyczny exotic
egzys|tencja *f* (*-i*; *-e*) existence; ***minimum ~tencji*** subsistence level; **~tować** (*-uję*) (*istnieć*) exist; (*utrzymywać się*) subsist
ekierka *f* (*-i*; *G -rek*) set square
ekipa *f* (*-y*) team; (*pracowników*) crew
ekler *m* (*-a*; *-y*) *gastr.* éclair; (*zamek*) zip (fastener); **~ka** *f* (*-i*) *gastr.* éclair
ekologi|a *f* (*GDL -ii*; *0*) ecology; **~czny** ecological
ekonomi|a *f* (*GDL -ii*; *0*) economy; (*nauka*) economics; → ***oszczędność***; **~czny** economic; (*oszczędny*) economical; **~ka** *f* (*-i*; *0*) economics; manage-

ment; **~ka przedsiębiorstwa** business management
ekonomist|a *m* (*-y*; *-ści*), **~ka** *f* (*-i*) economist
eko|system *m* (*-u*; *-y*) ecosystem; **~turystyka** *f* ecotourism
ekran *m* (*-u*; *-y*) screen (*też RTV*); *tech.* shield; **~ *kinowy*** cinema screen; ***szeroki* ~** wide screen; **~izacja** *f* (*-i*; *-e*) filming (***powieści*** of a novel)
eks|- *w zł.* ex-, former; **~centryczny** eccentric; **~cesy** *m/pl.* (*-ów*) act of violence *pl.*, disturbances *pl.*; **~humacja** *f* (*-i*; *-e*) exhumation, disinterment; **~kluzywny** exclusive; (*luksusowy*) luxurious; **~komunikować** (*-uję*) excommunicate; **~misja** *f* (*-i*; *-e*) eviction; **~mitować** (*-uję*) evict; **~pansja** *f* (*-i*; *0*) expansion; **~patriacja** *f* (*-i*; *-e*) expatriation; **~patriować** (*-uję*) expatriate
ekspedient *m* (*-a*; *-ci*), **~ka** *f* (*-i*) (shop) assistant
eksped|iować ⟨**wy-**⟩ (*-uję*) ship, dispatch, forward; **~ycja** *f* (*-i*; *-e*) expedition; (*towar*) shipment; ***~ycja bagażowa*** dispatch office; **~ycyjny** expeditionary; dispatch
ekspert *m* (*-a*; *-ci*) expert, specialist, authority; **~yza** *f* (*-y*) expert opinion, expert's report
eksperyment|alny experimental; **~ować** (*-uję*) experiment
eksploat|acja *f* (*-i*; *-e*) use; utilisation; exploitation; *górnictwo*: mining; ***być w ~acji*** be in use; ***oddać do ~acji*** put into service; **~ować** (*-uję*) use; utilize; *ludzi* exploit
eksplozja *f* (*-i*; *-e*) explosion
ekspon|at *m* (*-u*; *-y*) exhibit, display item; **~ować** ⟨**wy-**⟩ (*-uję*) display, exhibit; (*podkreślać*) make prominent
eksport *m* (*-u*; *0*) export; ***na* ~** to be exported; **~ować** ⟨**wy-**⟩ (*-uję*) export; **~owy** export
ekspozy|cja *f* (*-y*; *-e*) exposition, display; **~tura** *f* (*-y*) branch office, agency
ekspres *m* (*-u*; *-y*) (*pociąg itp.*) express; (*pocztowy*) special delivery; **~ *do kawy*** coffee-maker; **~owy** express; ***herbata ~owa*** tea bags
ekstaza *f* (*-y*) ecstasy, rapture
eksterminacja *f* (*-i*; *0*) extermination
ekstra (*idkl.*) extra; F first-class, great; **~dycja** *f* (*-i*; *-e*) extradition
ekstrakt *m* (*-u*; *-y*) extract
ekstrawagancki extravagant
ekstrem|alny extreme; **~ista** *m* (*-y*; *-ści*), **~istka** *f* (*-i*) extremist
ekwi|punek *m* (*-nku*; *0*) equipment, gear, outfit; **~walent** *f* (*-u*; *-y*) equivalent
elastyczn|ość *f* (*-ci*; *0*) elasticity; *fig.* flexibility; **~y** elastic; *fig.* flexible
elegan|cki elegant; **~tować się** ⟨**wy-się**⟩ F (*-uję*) doll up, dress up
elektor *m* (*-a*; *-rzy*) elector (*też hist.*); **~at** *m* (*-u*; *zw. 0*) electorate; voters *pl.*; **~ski** electoral
elektro|ciepłownia *f* (*-i*; *-e*) heat and power plant; **~da** *f* (*-y*) electrode; **~kardiogram** *m* (*-u*; *-y*) electrocardiogram; **~liza** *f* (*-y*; *0*) electrolysis; **~magnes** *m* (*-u*; *-y*) electromagnet; **~mechanik** *m* (*-a*; *-cy*) electrical engineer; **~monter** *m* (*-a*; *-rzy*) electrician; **~niczny** electronic; ***poczta ~niczna*** e-mail, email; **~nowy** electron, electronic; **~technika** *f* (*-i*; *0*) electrical engineering
elektrownia *f* (*-i*; *-e*) power station; **~ *cieplna*/*wodna*** thermal/hydroelectric power station
elektrowóz *m* (*-wozu*; *-wozy*) electric locomotive
elektry|czność *f* (*-ci*; *0*) electricity; **~czny** electric; **~k** *m* electrician; ***inżynier ~k*** electrical engineer; **~zować** ⟨**na-, z-**⟩ (*-uję*) electrify
element *m* (*-u*; *-y*) element, component; F shady elements *pl.*; **~y** *pl.* elements *pl.*, rudiments *pl.*
elementarz *m* (*-a*; *-e*) primer
elewa|cja *f* (*-i*; *-e*) façade, frontage; **~tor** *m* (*-a*; *-y*) elevator (*zwł. Am.*), grain silo
eliminac|ja *f* (*-i*; *-e*) elimination; (*w sporcie*) qualifier, qualifying round; **~yjny** qualifying
eliminować ⟨**wy-**⟩ (*-uję*) eliminate; (*wyłączać*) exclude
elip|sa *f* (*-y*) ellipsis; **~tyczny** elliptical
elita *f* (*-y*) élite; **~rny** elitist, select
emali|a *f* (*GDL -ii*; *-e*) enamel; **~owany** enamel(l)ed
emancyp|antka *f* (*-i*) woman emancipation activist, suffragist; **~ować się** ⟨**wy- się**⟩ (*-uję*) emancipate o.s.
emblemat *m* (*-u*; *-y*) emblem
embrion *m* (*-a*/*-u*; *-y*) embryo

ementalski: ***ser*** **~** Emmenthal(er)
emeryt *m* (*-a*; *-ci*), **~ka** *f* (*-i*) old-age pensioner; retired person; **~owany** retired; **~ura** *f* (*-y*) retirement; (*pieniądze*) pension; ***wcześniejsza ~ura*** early retirement; ***przejść na ~urę*** retire; ***pobierać ~urę*** receive pension
emigr|acja *f* (*-i*; *-e*) emigration; ***na ~acji*** in exile; **~acyjny** émigré; in exile; **~ować** (*im*)*pf* ⟨**wy-**⟩ (*-uję*) emigrate
emi|sja *f* (*-i*; *-e*) (*znaczków itp.*) issue; (*gazów itp.*) emission; (*radiowa lub telewizyjna* broadcast; **~tować** (*-uję*) emit
emocja *f* (*-i*; *-e*) emotion
emocjonalny emotional
emocjonujący (**-*co***) exciting
emulsja *f* (*-i*; *-e*) emulsion; (*kosmetyk*) lotion
encyklika *f* (*-i*) *rel.* encyclical
encykloped|ia *f* (*GDL -ii*; *-e*) *Brt.* encyclopaedia, *Am.* encyclopedia; **~yczny** encyclopedic
energety|czny energy; ***surowce*** *m/pl.* ***~czne*** energy sources *pl.*; **~ka** *f* (*-i*; *0*) energy sector; (*przemysł*) power industry
energi|a *f* (*GDL -ii*; *0*) energy; power; **~czny** energetic
energo|chłonny energy-consuming; **~oszczędny** energy-saving
entuzja|styczny enthusiastic; **~zmować się** (*-uję*) (*I*) be enthusiastic about
epatować (*-uję*) impress, amaze
epi|cki (**-*ko***), **~czny** epic
epi|demia *f* (*GDL -ii*; *-e*) epidemic; **~lepsja** *f* (*-i*; *-e*) epilepsy
episkopat *m* (*-u*; *-y*) episcopate
epi|tafium *n* (*pl. -fia*, *-fiów*) epitaph; memorial plaque; **~tet** *m* (*-u*; *-y*) epithet; F epithet, abusive word
epizod *m* (*-u*; *-y*) episode
epo|ka *f* (*-i*) epoch, age, time; ***~ka kamienna*** Stone Age; **~kowy** historic, epoch-making; **~peja** *f* (*-ei*; *-e*, *-ei*) epic, epos
era *f* (*-y*) era; ***naszej ery*** AD, ***przed naszą erą*** BC
erekcja *f* (*-i*; *-e*) erection
eremita *m* (*-y*; *-ci*) hermit
erka F *f* (*-i*; *-rek*) emergency ambulance
eroty|ka *f* (*-i*; *0*) eroticism; **~czny** erotic
erudycja *f* (*-i*; *0*) erudition
erupcja *f* (*-i*; *-e*) eruption
esej *m* (*-u*; *-e*, *-ów*) essay
esencja *f* (*-i*; *-e*) essence; (*herbaciana*) brew
eskadra *f* (*-y*) *aviat.* flight; *naut.* squadron
eskalacja *f* (*-i*; *0*) escalation
Eskimos *m* (*-a*; *-i*), **~ka** *f* (*-i*) Eskimo; **ℒki** Eskimo
eskort|a *f* (*-y*) escort; ***pod ~ą*** under escort; **~ować** (*-uję*) escort
estetyczny esthetic, *Brt.* aesthetic
Esto|nia *f* (*GDL -ii*; *0*) Estonia; **~nka** *f* (*-i*); **~ńczyk** *m* (*-a*; *-cy*) Estonian; **ℒński** (***po -ku***) Estonian
estrad|a *f* (*-y*) platform, podium, dais; **~owy** cabaret
etap *m* (*-u*; *-y*) stage; (*podróży*) leg; **~owo** by stages
eta|t *m* (*-u*; *-y*) permanent position, full-time job; ***pracować na pół ~tu*** work part-time; ***być na ~cie*** have a full-time job; have a permanent position; **~towy** permanent, regular
etażerka *f* (*-i*; *G -rek*) shelf unit
eter *m* (*-u*; *0*) *chem.*, *phys.* ether; ***na falach ~u*** on the air
Etiop|czyk *m* (*-a*; *-cy*) Ethiopian; **~ia** *f* (*GDL -ii*) Ethiopia; **ℒski** Ethiopian
etiuda *f* (*-y*) *mus.* etude
etniczny ethnic
ety|czny ethical; **~kieta** *f* (*-y*), **~kietka** *f* (*-i*; *G -tek*) label
etylina *f* (*-y*) *Brt.* leaded petrol, *Am.* ethyl gasoline
eukaliptus *m* (*-a*; *-y*) *bot.* eucalyptus; **~owy** eucalyptus
euroczek *m* (*-u*; *-i*) *Brt.* Eurocheque, *Am.* Eurocheck
Europa *f* (*-y*; *0*) Europe
Europej|czyk *m* (*-a*; *-cy*), **~ka** *f* (*-i*) European; **ℒski** European
ewakuac|ja *f* (*-i*; *-e*) evacuation; **~yjny** evacuation
ewakuować (*-uuję*) evacuate
ewan'geli|a *f* (*GDl -ii*; *-e*) (*rel.* ℒ) Gospel; **~cki** Protestant
ewenement *m* (*-u*; *-y*) sensation
ew(ent). *skrót pisany*: ***ewentualnie*** alternatively
ewentual|ność *f* (*-ci*; *0*) eventuality; **~ny** possible; ***~nie*** *adv. też* if applicable, if possible
ewidencja *f* (*-i*; *-e*) registration; (*wykaz*) record(s *pl.*)
ewidencjonować (*-uję*) register; record
ewolucja *f* (*-i*; *-e*) evolution

E

F

fabryczny factory
'fabryka *f* (*-i*) factory; works *sg.*
fabrykować (*-uję*) fabricate
fabularny: ***film ~*** feature film
facet F *m* (*-a*; *-ci*) guy, fellow; **~ka** *f* (*-i*) *pej.* female
fach *m* (*-u*; *-y*) trade; ***kolega po ~u*** fellow-worker by trade; professional colleague; **~owiec** *m* (*-wca*; *-wcy*) F fixer, repairman; (*ekspert*) specialist, expert; **~owy** professional; expert
facjata *f* (*-y*) attic (room); F (*twarz*) gob
faja F *f* (*GDL -fai*; *-e*, *-*) pipe
fajansowy faience; earthenware
fajdać F ⟨***za-***⟩ (*-am*) shit
fajerwerk *m* (*-u*; *-i*) firework; **~i** *pl.* (*pokaz*) fireworks *pl.*
fajk|a *f* (*-i*) pipe; F (*papieros*) fag; (*znaczek*) *Brt.* tick, *Am.* check; **~owy** pipe
fajny F (***-no, -nie***) super, great
fajtłapa *m/f* (*-y*; *G f*: *-/m*: *-ów*) bungler, duffer
faks *m* (*-u*; *-y*) fax; **~ować** fax
fak|t *m* (*-u*; *-y*) fact; ***~t ~tem*** it is true; ***po ~cie*** afterwards, belatedly; **~tura** *f* (*-y*) *econ.* invoice, bill; **~tyczny** actual; ***stan ~tyczny*** facts of the matter
fakultatywny optional
fakultet *m* (*-u*; *-y*) faculty
fal|a *f* (*-i*; *-e*) wave (*też phys.*, *fig.*); *fig.* flood; ***~a zimna*** cold wave; **~e** *pl.* ***średnie*** medium waves *pl.*; ***~ami*** in waves
falban|a *f* (*-y*), **~ka** *f* (*-i*; *G -nek*) frill
falisty *ruch*, *linia*, *włosy* wavy; (***-ście, -to***) *ruch* wavelike
falo|chron *m* (*-u*; *-y*) breakwater; **~wać** (*-uję*) *morze*, *tłum*: surge; *zboże*: wave; **~wanie** *n* (*-a*) surge, waving
falstart *m* (*-u*; *-y*) (*w sporcie*) false start
falsyfikat *m* (*-u*; *-y*) fake, forgery
fałd *m* (*-u*; *-y*), **~a** *f* (*-y*) fold; **~ować** ⟨***po-, s-***⟩ (*-uję*) fold
fałsz *m* (*-u*; *-e*) (*kłamstwo*) falsity, falsehood; (*obłuda*) falseness; **~erka** *f* (*-i*; *G -rek*) forger; counterfeiter; **~erstwo** *n* (*-a*; *G -tw*) forgery; **~erz** *m* (*-a*; *-e*) forger; counterfeiter
fałszowa|ć ⟨***s-***⟩ (*-uję*) forge, counterfeit; *fakty* falsify; *melodię* sing/play out of tune; **~ny** counterfeit, forged
fałszyw|ość *f* (*-ci*; *0*) (*cecha*) duplicity; (*stan*) falseness; **~y** (***-wie***) false
fanaty|czny fanatic(al); **~czka** *f* (*-i*; *G -czek*), **~k** *m* (*-a*; *-cy*) fanatic
fanfara *f* (*-y*) fanfare; flourish
fant *m* (*-u/-a*; *-y*) (*na loterii*) prize; (*w zabawie*) forfeit; ***gra w ~y*** (game of) forfeits
fantastyczny fantastic
fantaz|ja *f* (*-i*; *-e*) fantasy; (*wymysł*) fancy; (*animusz*) panache, flair; *mus.* fantasia; **~jować** (*-uję*) fantasize; **~yjny** imaginative
fantow|y: ***loteria ~a*** prize lottery
faraon *m* (*-a*; *-i/-owie*) pharaoh
farb|a *f* (*-y*) paint; ***~a kryjąca*** hiding paint; ***~a olejna*** oil paint; **~ować** ⟨***po-, u-***⟩ (*-uję*) dye
farma *f* (*-y*) farm
farma|ceutyczny pharmaceutical; **~cja** *f* (*-i*; *0*) pharmacy
farmer *m* (*-a*; *-rzy*) farmer
farsa *f* (*-y*) farce, burlesque
farsz *m* (*-u*; *-e*) *gastr.* stuffing, (*mięsny*) forcemeat
fart F *m* (*-u*; *0*) luck, break
fartu|ch *m* (*-a*; *-y*) apron; (*mechanika*) overall; (*lekarza*) white coat; **~szek** *m* (*-szka*; *-szki*) apron
fasada *f* (*-y*) façade; *fig.* front
fascyn|ować ⟨***za-***⟩ (*-uję*) fascinate; **~ujący** (***-co***) fascinating
fasol|a *f* (*-i*; *-e*) *bot.* bean(s *pl.*); **~owy** bean; ***zupa ~owa*** bean soup; **~ka** *f* (*-i*; *G -lek*) *bot.* bean; ***~ka szparagowa*** string bean; ***~ka po bretońsku*** baked beans *pl.*
fason *m* (*-u*; *-y*) pattern, cut; *fig.* style; F ***trzymać ~*** stand fast
fastryg|a *f* (*-i*) tack; **~ować** ⟨***s-***⟩ (*-uję*) baste, tack
faszerowa|ć ⟨***na-***⟩ (*-uję*) *gastr.* stuff; **~ć** (***się***) ⟨***na-***⟩ pump (o.s.) full of; **~ny** stuffed; *warzywa* filled
faszystowski Fascist
fatalny *skutki itp.* unfortunate, fatal; *pogoda* awful

fatałaszki *m/pl.* (*-ów*) frippery, finery
fatyg|a *m* (*-i*) trouble, bother; (*zmęczenie*) fatigue; ***nie żałować ~i*** spare no effort; ***szkoda ~i*** it is not worth the trouble; **~ować** ⟨***po-***⟩ (*-uję*) trouble; **~ować** ⟨***po-***⟩ ***się*** (*bezok.*) make an effort (to do)
faul *m* (*-a*; *-e*) (*w sporcie*) foul
fawo|ryt *m* (*-a*; *-ci*), **-tka** *f* (*-i*; *G -tek*) favo(u)rite; **~ryzować** (*-uję*) favo(u)r
faza *f* (*-y*) stage, phase
febra *f* (*-y*) *med.* fever
federa|cja *f* (*-i*; *-e*) federation; **~cyjny, ~lny** federal
feler F *m* (*-u*; *-y*) fault, flaw, defect
felieton *m* (*-u*; *-y*) column
feministka *f* (*-i*) feminist, F libber
fenig *m* (*-a*; *-i*) pfennig
fenol *m* (*-u*; *-e*) *chem.* phenol
fenomenalny phenomenal, extraordinary
feralny unlucky, fatal
ferie *pl.* vacation (*zwł. Am.*), *Brt.* holiday
ferma *f* (*-y*) farm
fermentować (*-uje*) ferment
fertyczny spry
festiwal *m* (*-u*; *-e*) festival
festyn *m* (*-u*; *-y*) feast, festival; ***~ ludowy*** public festival; (*w ogrodzie*) garden party
fetor *m* (*-u*; *-y*) stink, fetor
fetyszyst|a *m* (*-y*, *-ści*), **~ka** *f* (*-i*) fetishist
feudalny feudal
fig|a *f* (*-i*) fig; ***~i*** *pl.* (*majtki*) panties *pl.*
fig|iel *m* (*-gla*; *-gle*) joke; ***~le*** *pl.* fooling around; ***o mały ~iel*** almost, nearly; **~larka** *f* (*-i*) → ***~larz***; **~larny** playful; *uśmiech też.* coquettish; **~larz** *m* (*-a*; *-e*) trickster, prankster; **~lować** (*-uję*) play jokes; (*wygłupiać się*) fool around
figow|iec *m* (*-wca*; *-wce*) fig tree; **~y** fig; ***listek ~y*** fig leaf (*też fig.*)
figur|a *f* (*-y*) figure; (*postać też*) form; *szachowa*: piece; *iron.* sort, character; ***~a myślowa*** hypothesis; F ***do ~y*** without a coat; **~ować** (*-uję*) figure; (*na spisie*) be, appear; **~owy**: ***jazda ~owa na lodzie*** figure skating
fikać (*-am*): ***~ nogami*** kick one's feet; → ***koziołek***
fikcyjny fictional
fikus *m* (*-a*; *-y*) *bot.* rubber plant
Filadelfia *f* (*-ii*; *0*) Philadelphia
filar *m* (*-a/-u*; *-y*) pillar (*też fig.*); (*mostu*) pier
filatelistyka *f* (*-i*; *0*) philately, stamp collecting
filcowy felt
filet *m* (*-u*; *-y*) fillet; ***~ rybny*** fish fillet
filharmoni|a *f* (*GDL -ii*; *-e*) (*budynek*) (philharmonic) concert hall; (*instytucja*) philharmonic society; **~czny** philharmonic
filia *f* (*GDL -ii*; *-e*) branch
Filipi|ny *pl.* (*G -*) Philippines; **~ńczyk** *m* (*-a*; *-cy*), **~nka** *f* (*-i*; *-nek*) Filipino
filiżanka *f* (*-i*) cup
film *m* (*-u*; *-y*) film; ***~ oświatowy*** documentary film; → ***animowany, fabularny, błona***; **~ować** ⟨***s-***⟩ (*-uję*) film, shoot; **~owy** film
filologi|a *f* (*GDL -ii*; *-e*) philology; ***~a angielska*** English department; **~czny** philological; ***studia*** *pl.* ***~czne*** foreign language studies *pl.*
filozof *m* (*-a*; *-owie*) philosopher; **~ia** *f* (*GDL -ii*; *-e*) philosophy; **~iczny** philosophical; **~ka** *f* (*-i*) philosopher; **~ować** (*-uję*) philosophize
filtr *m* (*-a/-u*; *-y*) filter; **~ować** (*-uję*) filter
filuterny roguish; mischievous
Fin *m* (*-a*; *-owie*) Finn
finali|sta *m* (*-y*; *-ści*), **~stka** *f* (*-i*; *G -tek*) finalist; **~zować** ⟨***s-***⟩ (*-uję*) finalize, complete, make final
finał *m* (*-u*; *-y*) ending; (*w sporcie*) final; *mus.* finale; **~owy** final
finans|e *pl.* (*-ów*) finances *pl.*; funds *pl.*; **~ować** ⟨***s-***⟩ (*-uję*) finance; **~owy** financial
fingować ⟨***s-***⟩ (*-uję*) fake
Finka *f* (*-i*; *G -nek*) Finn; ♀ (*nóż*) sheath knife
Finlandia *f* (*GDL -ii*) Finland
fińsk|i Finnish; ***mówić po ~u*** speak Finnish
fioletowy (***-wo***) purple; violet
fioł|ek *m* (*-łka*; *-łki*) violet; ***~ek alpejski*** cyclamen; ***~ek trójbarwny*** pansy; **~kowy** (***-wo***) violet
firanka *f* (*-i*; *G -nek*) (net) curtain
fircyk *m* (*-y*; *-i*) dandy, fop
firm|a *f* (*-y*) firm, business; **~owy** company; ***danie ~owe*** *Brt.* speciality, *Am.* specialty; ***papier ~owy*** letterhead
fiskalny fiscal
fistuła *f* (*-y*) *med.* → ***przetoka***

fito- *w zł.* phyto
fizjologi|a *f* (*GDL -ii*; *0*) physiology; **~czny** physiological
fizjonomia *f* (*GDL -ii*; *-e*) physiognomy, countenance
fizyczn|y physical; corporal; (*ręczny*) manual; ***wychowanie ~e*** (*skrót* ***WF***) physical education
fizyk *m* (*-a*; *-cy*) physicist; **~a** *f* (*-i*; *0*) physics
f-ka *skrót pisany*: ***fabryka*** factory
flaczki *m/pl.* (*-ów*) *gastr.* tripe
flag|a *f* (*-i*) flag; **~owy** flag
flaki *m/pl.* (*-ów*) intestines, F guts; *gastr.* → ***flaczki***
flakon *m* (*-u*; *-y*), **~ik** *m* (*-a*; *-i*) bottle; (*na kwiaty*) vase
Flaman|d *m* (*-a*; *-owie*), **~dka** *f* (*-i*) Fleming; **2dzki** (***po -ku***) Flemish
flamaster *m* (*-a*; *-y*) felt-tip pen
flaming *m* (*-a*; *-i*) *zo.* flamingo
flanca *f* (*-y*; *-e*) seedling
flanel|a *f* (*-i*; *-e*) flannel; **~owy** flannel
flanka *f* (*-i*; *G flank*) flank
flaszka *f* (*-i*) bottle
flądra *f* (*-y*) *zo.* flounder
flecist|a *m* (*-y*; *-ści*), **~ka** *f* (*-i*) flutist
flegma *f* (*-y*; *0*) phlegm; (*opanowanie też*) sluggishness; **~tyczny** phlegmatic
flejtuchowaty (***-to***) slobbish
flesz *m* (*-a*; *-e*) *phot.* flash
flet *m* (*-u*; *-y*) (*poprzeczny*) flute; (*prosty*) recorder
flirtować (*-uję*) flirt
flisak *m* (*-a*; *-cy*) raftsman
florecist|a *m* (*-y*; *-ści*); **~ka** *f* (*-i*) foil fencer
Florencja *f* (*-i*; *0*) Florence
floret *m* (*-u*; *-y*) foil
Floryda *f* (*-y*; *0*) Florida
flota *f* (*-y*) fleet; ***~a dalekomorska*** deep-sea fleet; ***~a wojenna*** navy
flower *m* (*-u*; *-y*) small-bore rifle
fluktuacja *f* (*-i*; *-e*) fluctuation
fluor *m* (*-u*; *0*) *chem.* fluorine
fochy F *pl.*(*-ów*) whims *pl.*
fok|a *f* (*-i*) seal; ***~i*** *pl.* (*futro*) sealskin
fokstrot *m* (*-a*; *-y*) foxtrot
folgować (*-uję*) (*D*) be lenient; ***~ sobie*** take it easy; indulge (***w*** in)
foli|a *f* (*GDL -ii*; *-e*) (*z metalu*) foil; (*plastik*) plastic; **~owy** foil; plastic
folwark *m* (*-u*; *-i*) estate
fon|etyczny phonetic; **~etyka** *f* (*-i*) phonetics; **~ia** *f* (*-i*; *0*) sound; **~o-** *w zł.* phono-
fonoteka *f* (*-i*) sound archive
fontanna *f* (*-y*) fountain
for *m* (*-a*; *-y*) handicap; ***mieć ~y u*** find favo(u)r with
foremka *f* (*-i*) (*do ciasta*) (baking) tin; (*do zabawy*) *Brt.* mould, *Am.* mold; → ***forma***
foremny shapely
form|a *f* (*-y*; *G form*) shape, form; ***nie być w ~ie*** be out of form, ***być w ~ie*** be in (good) form; ***~y towarzyskie*** good manners; → ***foremka***
forma|cja *f* (*-i*; *-e*) formation; **~listyczny** formal; **~lność** *f* (*-ci*) formality; **~lny** formal; ***w kwestii ~lnej*** point of order; **~t** *m* (*-u*; *-y*) format (*też komp.*); (*rozmiar*) size; **~tować** ⟨**s-**⟩ (*-uję*) *komp.* format
formować ⟨**u-**⟩ (*też* **się** *v/i.*) form, build up; ⟨**s-**⟩ form, group
formu|larz *m* (*-a*; *-e*) form; **~ła** *f* (*-y*), **~łka** *f* (*-i*) formula; **~łować** ⟨**s-**⟩ (*-uję*) formulate, express
fornir *m* (*-u*; *-y*) veneer
forsa F *f* (*-y*; *0*) dough
forsow|ać (*-uję*) force (*też mil*), step up; ⟨**s-**⟩ strain; ***~ać się*** overstrain; **~ny** forced, intensive
forteca *f* (*-y*; *-e*) fortress
fortel *m* (*-u*; *-e*) trick, scheme
fortepian *m* (*-u*; *-y*) piano; ***na ~*** for the piano; *też.* → **~owy** piano
fortun|a *f* (*-y*; *0*) fortune; ***koło ~y*** wheel of fortune
fortyfikacja *f* (*-i*; *-e*) fortifications *pl.*
fosa *f* (*-y*) moat
fosfor *m* (*-u*; *0*) *chem.* phosphorus; **~yzować** (*-uję*) phosphoresce
fotel *m* (*-a*; *-e*) armchair; ***~ wyrzucany*** ejector seat
fotka *f* (*-i*; *G -tek*) snapshot
fotogeniczny photogenic
fotogra|f *m* (*-a*; *-owie*) photographer; **~fia** *f* (*GDL -ii*; *-e*) (*sztuka*) photography; (*zdjęcie*) photo(graph); **~ficzny** photographic; **~fować** ⟨**s-**⟩ (*-uję*) photograph
foto|komórka *f* photo-electric cell; **~kopia** *f* photocopy; **~montaż** *m* photomontage; **~reporter**(**ka** *f*) *m* news reporter
fotos F *m* (*-u*; *-y*) still; (*zdjęcie*) snapshot

fracht *m* (*-u*; *-y*) freight; **~owiec** *m* (*-wca*; *-wce*) freighter; **~owy** freight
fragment *m* (*-u*; *-y*) fragment; (*tekstu*) excerpt
frajda *f* (*-y*) fun
frajer *m* (*-a*; *-rzy/-y*) nincompoop; ***zrobić ~a*** (***z k-ś***) take (s.o.) for a ride; **~ka** *f* (*-i*; *G -rek*) silly goose
frak *m* (*-a*; *-i*) tail coat, F tails *pl.*
frakcja *f* (*-i*; *-e*) fraction; *pol.* faction
Fran|cja *f* (*-i*; *0*) France; **ȣcuski** (***po -ku***) French; **ȣcuszczyzna** *f* (*-y*; *0*) French language; **~cuz** *m* (*-a*; *-i*) Frenchman; **~zi** the French; **~cuzka** *f* (*-i*) Frenchwoman
frank *m* (*-a*; *-i*) franc
frankować ⟨**o-**⟩ (*-uję*) frank
frapujący (**-co**) astonishing
fraszka *f* (*-i*; *G -szek*) trifle; (*wiersz*) epigram
frazes *m* (*-u*; *-y*) phrase, hackneyed phrase
frekwencj|a *f* (*-i*; *0*) attendance; turnout; ***cieszyć się ~ą*** be popular
fresk *m* (*-u*; *-i*) fresco
frez *m* (*-u*; *-y*) cutter; **~arka** *f* (*-i*; *G -rek*) (*do drewna*) mo(u)lding machine; (*do metalu*) milling machine
frędzla *f* (*-i*; *-e*) tassel; ***frędzle*** *pl.* fringe
fron|t *m* (*-u*; *-y*): ***na ~cie*** at the front; **~towy** front
froterować ⟨**wy-**⟩ (*-uję*) polish
frotté *n* (*idkl.*) terry (towel(l)ing); ***ręcznik ~*** terry towel
frunąć *pf.* (*-nę*) → ***fruwać***
frustrować (*-uję*) frustrate; ⟨**s-**⟩ ***~ się*** get frustrated
fruwać (*-am*) fly
frycowe F *n* (*-wego*; *0*): ***płacić ~*** learn the hard way
frykasy *m/pl.* (*-ów*) titbits *pl.*, *zwł. Am.* tidbits *pl.*
frytki *f/pl. Brt.* chips, *Am.* (French) fries
fryzjer *m* (*-a*; *-rzy*) hairdresser, (*męski*) barber; **~ka** *f* (*-i*; *G -rek*) → ***fryzjer***; **~ski**: ***zakład ~ski*** hairdresser's
fryzura *f* (*-y*) hairstyle
fujarka *f* (*-i*; *G -rek*) pipe
fund|acja *f* (*-i*; *-e*) foundation; **~ament** *m* (*-u*; *-y*) foundation(s); **~ować** (*-uję*) ⟨**u-**⟩ found, grant; ⟨***za-***⟩ *napój itp.* stand; **~usz** *m* (*-u*; *-e*) fund(s *pl.*); ***~usz powierniczy*** trust fund
funkc|ja *f* (*-i*; *-e*) function; **~jonalny** functional; **~jonariusz** *m* (*-a*; *-e*), **~jonariuszka** *f* (*-i*) functionary, officer
funkcjonować (*-uję*) function
funt *m* (*-a*; *-y*) pound
fura *f* (*-y*) cart; F (*G*) a heap of
furgonetka *f* (*-i*) van
furi|a *f* (*GDl -ii*; *-e*) fury, rage; ***wpaść w ~ę*** fly into a rage
furkotać (*-czę/-cę*) *Brt.* whirr, *Am.* whir
furman *m* (*-a*; *-i*) carter, driver; **~ka** *f* (*-i*; *G -nek*) cart
furt|a *f* (*-y*), **~ka** *f* (*-i*; *G -tek*) gate, door
fusy *m/pl.* dregs *pl.*; (*kawy też*) grounds *pl.*; (*herbaty*) tea leaves
fuszer|ka *f* (*-i*) botch, bungle; **~ować** → ***partaczyć***
futbolowy soccer, football
futerał *m* (*-u*; *-y*) case; étui
futerkow|y fur; ***zwierzę ~e*** fur-bearing animal
futro *f* (*-a*) fur
futryna *f* (*-y*): ***~ drzwiowa/okienna*** door/window frame
futrzany fur
fuzja[1] *f* (*-i*; *-e*) (*strzelba*) shotgun
fuzja[2] *f* (*-i*; *-e*) *econ.* fusion, merger

G

g. *skrót pisany*: ***godzina*** hr (*hour*)
gabinet *m* (*-u*, *y*) office; (*pokój w domu*) study; *pol.* cabinet; ***~ lekarski*** consulting-room; ***~ kosmetyczny*** beauty salon; **~owy** cabinet
gablotka *f* (*-i*; *G -tek*) display case; show-case
gad *m* (*-a*; *-y*) *zo.* reptile
gada|ć (*-am*) talk, chat, chatter; **~nie** *n* (*-a*), **~nina** *f* (*-y*) chatter; **~tliwy** (***-wie***) talkative
gadzina *f* (*-y*) *pej. fig.* reptile
gaf|a *f* (*-y*) faux pas; gaffe; ***popełnić ~ę*** make a gaffe
gaj *m* (*-u*; *-e*) grove
gajowy *m* (*-ego*, *-i*) forester

gala *f* (*-i*; *-e*) gala
galaktyka *f* (*-i*; *G* -) galaxy
galanteria *f* (*GDL -ii*; *0*) gallantry; *zbior.* fashion accessories *pl.*
galare|ta *f* (*-y*) jelly; (*do ryby, mięsa*) aspic; ***w ~cie*** in aspic; **~tka** *f* (*-i*) jelly
galeria *f* (*GDl -ii*; *-e*) gallery
galimatias *m* (*-u*; *0*) → ***bałagan***
galon[1] *m* (*-u*; *-y*) (*miara*) gallon
galon[2] *m* (*-u*; *-y*) braid; (*na mundurze*) stripe
galop *m* (*-u*; *0*) gallop; ***~em*** at a gallop; **~ować** (*-uję*) gallop
galowy gala; ***w stroju ~m*** in gala dress; (*wojskowy*) in full uniform
gałą|zka *f* (*-i*) twig; **~ź** *f* (*-ęzi*) branch
gałgan *m* (*-a*; *-y*) rag; *fig.* (*pl. -i/-*) (*łobuz*) scamp
gałka *f* (*-i*; *G -łek*) ball; (*do drzwi itp., w radiu itp.*) knob; ***~ oczna*** eyeball
gama *f* (*-y*) *mus.* scale; (*zakres*) range
gamoń *m* (*-nia*; *-nie*) nitwit
ganek *m* (*-nku*; *-nki*) veranda, porch
gang *m* (*-u*; *-i*) gang; ***~ samochodowy*** gang of car thieves; **~sterski** criminal, gangster
gani|ać (*-am*) run around/about; (***za*** *I*) run after; **~ć** ⟨**z-**⟩ criticize (***za*** *A* for)
gap *m* (*gapia*; *-pie*, *-piów*) onlooker; bystander; **~a** F *m/f* (*-y*; *G* -) scatterbrain; → ***oferma***; ***jechać na ~ę*** dodge paying the fare; **~ić się** ⟨***za- się***⟩ (*-ię*) gape (***na*** *A* at); **~iostwo** *n* (*-a*; *0*) absent-mindedness; **~iowaty** (**-*to***) foolish, simple-minded
garaż *m* (*-u*; *-e*) garage
garb *m* (*-u*; *-y*) hunchback, hump (*też zo.*)
garbarnia *f* (*-i*, *-e*) tannery
garb|aty (**-*to***) hunchbacked; **~ić się** (*-ię*) stoop
garbować ⟨**wy-**⟩ tan; *fig.* ***~ komuś skórę*** tan s.o's hide
garbus *m* (*-a*; *-i/-y*) hunchback; F (*samochód*) beetle; **~ka** *f* (*-i*) hunchback
garderoba *f* (*-y*) (*pokój*) dressing-room; (*szatnia*) *Am.* check-room, *Brt.* cloak-room; (*ubrania*) clothes *pl.*, wardrobe
gard|ło *n* (*-a*, *L -dle*; *G -deł*) throat; ***wąskie ~ło*** bottleneck; ***ból ~ła*** sore throat; ***na całe ~ło*** at the top of one's voice; **~łować** (*-uję*) clamo(u)r; **~łowy** *głos* throaty
gardzić ⟨**po-, wz-**⟩ (*I*) (*-dzę*) despise
gardziel *f* (*-i*; *-e*) → ***gardło***; *fig.* bottleneck
garkuchnia *f* soup kitchen
garmaże|ria *f* (*GDl -ii*; *-e*) delicatessen *pl.*; **~ryjny** delicatessen *pl.*
garnąć ⟨***przy-***⟩ (*-nę*): ***~ się*** cuddle up (***do*** *G* to); ***~ się do nauki*** be eager to learn
garn|carnia *f* (*-i*; *-e*) pottery, potter's workshop; **~carz** *m* (*-a*; *-e*) potter
garnek *m* (*-nka*; *-nki*) pot
garnirować (*-uję*) *gastr.* garnish
garnitur *m* (*-u*; *-y*) suit; (*komplet*) set, (*mebli*) suite
garnuszek *m* (*-szka*; *-szki*) small pot; (*kubek*) mug
garsonka *f* (*-i*; *G -nek*) woman's suit
gar|stka *f* (*-i*; *G -tek*) *fig.* handful; **~ść** *f* (*-ści*; *-ście*) hand; (*ilość*) handful; ***wziąć się w ~ść*** pull o.s. together
gas|ić ⟨**wy-, z-**⟩ (*-szę*) put out, extinguish; *światło* turn off; *silnik* switch off; ⟨**u-**⟩ *pragnienie* quench; *zapał* kill; **~nąć** ⟨**z-**⟩ (*-nę*) go out; *silnik*: stall
gastro'nomi|a *f* (*GDL -ii*; *0*) gastronomy; (*restauracje*) restaurant trade; **~czny** gastronomic; restaurant
gaszenie *n* (*-a*) extinguishing
gaśnica *f* (*-y*; *-e*) fire-extinguisher
gatun|ek *m* (*-nku*; *-nki*) sort, type, brand; *biol.* species; (*jakość*) high quality; **~kowy** high-quality; select
gawęda *f* (*-y*) tale, chat
gawędzić ⟨**po-**⟩ (*-ę*) chat
gaworzyć (*-rzę*) *niemowlę*: babble
gawron *m* (*-a*; *-y*) *zo.* rook
gaz *m* (*-u*; *-y*) gas; ***~ łzawiący*** tear gas; ***~ rozweselający*** laughing gas; ***~ ziemny*** natural gas; ***pełnym ~em, na pełnym ~ie*** at full speed; ***pod ~em*** drunk; **~y** *pl.* (*jelitowe*) wind
gaza *f* (*-y*) gauze
gazda *m* (*-y*; *-owie*) *jakby*: mountain farmer
gaze|ciarka *f* (*-i*), **~ciarz** *m* (*-a*; *-e*) (*sprzedawca*) newspaper-seller, (*roznosiciel*) newspaper-deliverer; **~ta** *f* (*-y*) newspaper, paper; **~towy** newspaper
gazo|ciąg *m* (*-u*; *-i*) gas pipeline; **~mierz** *m* (*-a*; *-e*) gas meter; **~wany** *napój* sparkling; **~wnia** *f* (*-i*; *-e*) gasworks *sg.*; **~wy** gas; *chem., phys.* gaseous
gaździna *f* (*-y*) *jakby*: mountain farmer
gaźnik *m* (*-a*; *-i*) carburettor, *Am.* carburetor

gaża *f* (*-y*; *-e*) fee, honorarium
gąb|czasty (**-*to***) spongy; **~ka** *f* (*-i*) sponge (*też zo.*)
gąsienic|a *f* (*-y*; *-e*) *zo.*, *tech.* caterpillar; *tech.* caterpillar (track); **~owy** caterpillar
gąsior *m* (*-a*; *-y*) *zo.* gander; (*naczynie*) demijohn
gąska *f* (*-i*; *-sek*) *zo.* young goose; gosling; *bot.* blewits *sg.*; ***głupia ~*** a silly goose
gąszcz *m* (*-u*; *-e*) thicket; dense undergrowth; *fig.* tangle
gbur *m* (*-a*; *-y*) oaf; **~owaty** (**-*to***) oafish
gdakać (*-czę*) *kura*: cackle
gderać (*-am*) grumble, carp
gdy *cj.* when; as; ***~ tylko*** as soon as; ***podczas ~*** when, during; **~by** *cj.* if
gdynki
gdyż *cj.* because
gdzie where; ***~ indziej*** somewhere else; → ***bądź***; **~'kolwiek** anywhere; **~'niegdzie** here and there; **~ś** some place (or other); **~ż** where else
gej F *m* (*-a*; *-e*) gay
gem *m* (*-a*; *-e*) (*w sporcie*) game
gen *m* (*-u*; *-y*) gene
gencjana *f* (*-y*) gentian
genealogiczn|y: ***drzewo ~e*** family tree
genera|cja *f* (*-i*; *-e*) generation; **~lny** general, overall; ***~lne porządki*** thorough cleaning
generał *m* (*-a*; *-owie*) general
gene|tyczny genetic; **~tyka** *f* (*-i*; *0*) genetics *sg.*; **~za** *f* (*-y*; *0*) genesis
geni|alny brilliant; of genius; **~usz** *m* (*-a*; *-e*) genius
genowy *biol.* gene
geo|'grafia *f* (*GDL -ii*; *0*) geography; **~graficzny** geographical; **~logia** *f* (*GDL -ii*; *0*) geology; **~logiczny** geological; **~metria** *f* (*GDL -ii*; *-e*) geometry; **~metryczny** geometrical
germa'nistyka *f* (*-i*) (*studia*) German studies *pl.*; (*instytut*) German department
gest *m* (*-u*; *-y*) gesture (*też fig.*)
getto *n* (*-a*) ghetto
gęb|a F *f* (*-y*; *G gąb/gęb*) (*usta*) trap, *Brt.* gob; (*twarz*) mug; *zo.* mouth; ***zamknij ~ę!*** shut your trap!; ***dać w ~ę*** smack in the gob; **~owy** oral
gę|gać (*-am*) gaggle; **~si** goose; ***~siego*** in single *lub* Indian file; **~sina** *f* (*-y*; *0*) goose
gęst|nieć ⟨**z-**⟩ (*-eję*) *ciecz*, *mgła*: thicken, get thicker; *tłum*: become more dense; **~ość** *f* (*-ści*) thickness; density; **~wina** *f* (*-y*) thicket, dense undergrowth; **~y** (**-*to***) thick; dense
gęś *f* (*-si*; *I -siami/-śmi*) goose
giąć (*gnę*) (**się** *v/i.*) bend
gibki (**-*ko***) lithe, supple
gicz *f* (*-y*; *-e*): ***~ cielęca*** knuckle of veal
gieł|da *f* (*-y*) *econ.* exchange; **~dowy** exchange; **~dziarz** *m* (*-a*; *-e*) stock-market speculator
giemza *f* (*-y*; *0*) kid
gier *G pl.* → ***gra***
giermek *m* (*-mka*; *-mkowie*) *hist.* shield-bearer
giętk|i elastic; *fig.* flexible; **~ość** (*-ści*; *0*) elasticity; flexibility
gigantyczny gigantic
gil *m* (*-a*; *-e*) *zo.* bullfinch
gimnasty|czny gymnastic; **~k** *m* (*-a*; *-cy*), **~czka** *f* (*-i*; *G -czek*) gymnast; (*nauczyciel*) PE teacher; **~ka** *f* (*-i*; *0*) gymnastics *sg.*; (*ćwiczenia*) gymnastics *pl.*; **~kować się** (*-uję*) do gymnastics, exercise
gimna|zjalny *Brt.* grammar-school, *Am.* high-school; **~zjum** *n* (*idkl.*; *-a*, *-ów*) *Brt.* (*a three-year school between primary school and secondary school*)
ginąć (*-nę*) ⟨**z-**⟩ die (*też fig.* **z** *G* of), perish; (*niknąć*) disappear, vanish; (*gubić się*) ⟨***też za-***⟩ get lost
ginekolog *m* (*-a*; *-owie/-dzy*) gynecologist, *Brt.* gynaecologist; **~ia** *f* (*GDl -ii*; *0*) gynecology, Brt. gynaecology
gips *m* (*-u*; *-y*) plaster; *chem.* gypsum; **~owy** plaster; gypsum
girlsa *f* (*-y*) chorus-girl
giro- *w zł.* → ***żyro-***
gisernia *f* (*-i*; *-e*) *tech.* foundry
gita|ra *f* (*-y*) *mus.* guitar; **~rzysta** *m* (*-y*; *-ści*), **~rzystka** *f* (*-i*) guitar player, guitarist
glansowany shining, gleaming, polished
glazur|a *f* (*-y*) glaze, glazing; (*kafelki*) tiling; **~ować** ⟨**po-**⟩ (*-uję*) glaze; (*kafelkami*) tile
gleba *f* (*-y*) soil; *fig.* ground
ględzić F (*-dzę*) blather, *zwł. Am.* blether; prattle
gliceryna *f* (*-y*; *0*) glycerine

G

glin *m* (*-u*; *-0*) *chem. Brt.* aluminium, *Am.* aluminum
glina *f* (*-y*) clay
glinian|ka *f* (*-i*; *G -nek*) (*zagłębienie*) clay-pit; **~y** clay; (*naczynie itp.*) earthen
gliniarz *m* (*-a*; *-e*) F cop
gliniasty clayey
glinka *f* (*-i*; *G -nek*) clay; **~ *kaolinowa*** kaolin
glista *f* (*-y*; *-y*, *glist*) ascarid; F earthworm
glob *m* (*-u*; *-y*) globe; **~alny** global; (*suma itp.*) total
globus *m* (*-a*/*-u*; *-y*) globe
glon *m* (*-u*; *-y*) *bot.* alga
glosa *f* (*-y*) gloss
gł. *skrót pisany*: ***główny*** main
gładk|i smooth (*też fig.*); (*bez ozdób*) simple; ***~o wygolony*** clean-shaven; **~ość** *f* (*-ci*; *0*) smoothness; simplicity
gładzić (*-dzę*) ⟨**wy-**⟩ smooth out/down; ⟨**po-**⟩ → ***głaskać***
głaskać ⟨**po-**⟩ (*-szczę*/*-am*) stroke; ***~ się*** stroke o.s.
głaz *m* (*-u*; *-y*) boulder
głąb[1] *m* (*-a*; *-y*) (*kapusty*) heart; F *fig.* fool
głąb[2] *f* (*głębi*; *-ębie*) interior; ***w ~ kraju*** inland, toward the interior
głęb|ia *f* (*-i*; *-e*) depth; *phot.* ***~ia ostrości*** depth of focus; ***w ~i*** inside; ***do ~i*** deeply, profoundly; ***z ~i serca*** from the bottom of the heart; **~iej** *adv.* (*comp. od* → ***głęboki***) deeper; **~inowy** abyssal; ***studnia ~inowa*** deep well; **~oki** deep; profound (*też fig.*); *głos* low; *sen* sound; **~oko** deep(ly); ***~oko idący*** far-reaching; **~okość** *f* (*-ści*) depth; **~szy** *adj. comp. od* → ***głęboki***
głodny (***-no***) hungry; F ***strasznie ~ jestem*** I'm famished
głodow|ać (*-uję*) starve; **~y** hunger; *dieta itp.* starvation; ***umrzeć śmiercią ~ą*** starve to death
głodówka *f* (*-i*) (*leczenie*) starvation diet; (*strajk*) hunger strike
głodzić ⟨**wy-**⟩ (*-dzę*) starve; ***~ się*** go hungry, starve
głos *m* (*-u*; *-y*) voice; (*ptaka*) call; (*prawo głosu*) say; (*w wyborach*) vote; *mus.* part; ***prosić o ~*** ask to speak; ***zabrać ~*** take the floor; ***na cały ~*** loud(ly); **~ić** (*-szę*) preach; **~ka** *f* (*-i*; *G -sek*) *gr.* sound
głosow|ać (*-uję*) vote (***nad*** *I* on; ***za*** *I*, ***na*** *A* for; ***przeciwko*** *D* against); **~anie** *n* (*-a*) voting; **~y** (***-wo***) vocal; *gr.* sound
głoś|nik *m* (*-a*; *-i*) loudspeaker; **~ność** *f* (*-ci*; *0*) loudness; **~ny** (***-no***) loud; (*sławny*) famous
głow|a *f* (*-y*) head; ***~a państwa/rodziny*** head of state/the family; ***bez ~y*** *fig.* panic-stricken; ***na ~ę, od ~y*** per head/capita; ***uderzyć k-ś do ~y*** go to s.o.'s head; ***strzelić do ~y*** suddenly occur to, come to mind; ***łamać ~ę, zachodzić w ~ę*** rack one's brains; ***chodzić komu po ~ie*** have *s.th.* on the brain; ***wbić sobie do ~y*** get it into one's head; ***mieć ~ę na karku*** have one's head screwed on; ***włos mu z ~y nie spadnie*** (*D*) nobody will harm a hair on his head; ***to stoi na ~ie*** it is wrong side up; ***~ą w dół*** headlong; ***~a do góry!*** cheer up!; ***od stóp do głów*** from head to toe
głowiasty *bot.* head
głowi|ca *f* (*-y*; *-e*) *tech.*, *mil.* head; *arch.* capital; **~ć się** (*-ię*; *głów!*) rack one's brains (***nad*** *I* over); **~zna** *f* (*-y*) pig's head
głód *m* (*-łodu*; *0*) hunger; ***~ mieszkaniowy*** housing crisis; ***klęska głodu*** famine
głóg *m* (*-ogu*; *-ogi*) *bot.* hawthorn
głów|ka *f* (*-i*) (*fajki*) bowl; (*młotka*) head; (*w sporcie*) header; ***~ka maku*** poppyhead; ***~ka czosnku*** bulb of garlic
główn|ie *adv.* mainly, chiefly; **~odowodzący** *m* (*-ego*; *-y*) commander in chief; **~y** main, chief
głuchnąć (*-nę*) ⟨**o-**⟩ go deaf; (*cichnąć*) die away
głucho *adv.* hollowly, dully; quietly; ***zamknięty na ~*** locked up; **~niemy** deaf-mute, *pej.* deaf and dumb; **~ta** *f* (*-y*; *0*) deafness
głuchy 1. deaf (*też fig.* ***na*** *A* to); (*dźwięki*) hollow; (*cisza*, *prowincja*) deep; ***~ jak pień*** stone-deaf; **2.** *m* (*-ego*; *-si*) deaf; ***głusi*** the deaf *pl.*
głupi 1. foolish, stupid; ***udawać ~ego*** act stupid; **2.** *m* (*-ego*; *-*) → fool; **~ec** *m* (*-pca*; *-pcy*) fool; **~eć** ⟨**z-**⟩ (*-eję*) go stupid, get daft
głup|io *adv.* stupidly; foolishly; ***czuć się ~io*** feel stupid; **~ota** *f* (*-y*; *0*) foolishness, stupidity; **~stwo** *n* (*-a*) nonsense; (*drobnostka*) trifle, nothing

G

głusz|a *f* (*-y*; *-e*) wilderness; **~ec** *m* (*-szca*; *-szce*) *zo.* capercaillie, wood grouse; **~yć** (*-szę*) ⟨**o-**⟩ stun; ⟨**za-**⟩ drown out; (*chwasty*) overgrow

gm. *skrót pisany*: *gmina* commune

gmach *m* (*-u*; *-y*) building, edifice

gmatwać ⟨**po-**⟩ tangle; (*też* ⟨**za-**⟩) (*-am*) confuse; **~ się** get confused

gmatwanina *f* (*-y*) tangle

gmerać (*-am*) rummage around/about

gmin|a *f* (*-y*) commune; **~ny** communal

gnać (*gnam*) rush

gnat F *m* (*-a*; *-y*) bone

gną, gnę → ***giąć***

gnębić (*-ę*) suppress, oppress; *fig.* worry, pester

gniazd|ko *n* (*-a*) *electr.* socket, *Am.* outlet; → **~o** *n* (*-a*) nest; → ***wtyczkowy***

gnicie *n* (*-a*; *0*) decay, rotting

gnić ⟨**z-**⟩ (*-ję*) decay, rot

gnida *f* (*-y*) *zo.* nit; *fig. pej.* blighter

gnie|sz → ***giąć***; **~ść** press; *gastr.* mash, *ciasto* knead; *fig.* weigh on; → ***miąć***; ***~ść się*** crowd, throng

gniew *m* anger; ***wpaść w ~*** get angry; **~ać** (*-am*) anger, enrage; ***~ać*** ⟨**po-**⟩ ***się*** get angry (***na*** *A* with); **~ny** angry, cross

gnieździć się (*-żdżę*) nest *fig.* live (in a cramped space)

gnij → ***giąć, gnić***

gno|ić (*-ję*) fertilize; (*upokarzać*) F slag off, put down; **~jowisko** *n* (*-a*) manure heap; **~jówka** *f* (*-i*; *G -wek*) liquid manure

gnój *m* (*gnoju*; *0*) manure, dung; (*gnoju*; *-e*) V asshole

gnuśn|ieć ⟨**z-**⟩ (*-eję*) get sluggish; **~y** sluggish

go *pron.* (*ściągn. jego*) → ***on***

godło *n* (*-a*; *G -deł*) emblem; ***~ państwowe*** national emblem

godn|ie *adv.* fittingly; (*z godnością*) with dignity; **~ość** *f* (*-ci*; *0*) dignity; (*pl. -ści*) high position/rank; ***jak Pana/Pani ~ość?*** what is your name?; **~y** worthy; suitable; ***podziwu ~y*** admirable; ***~y zaufania*** trustworthy; ***~y pogardy*** despicable; ***~y polecenia*** recommendable; ***nic ~ego uwagi*** nothing noteworthy

gody *pl.* (*-ów*) *biol.* mating period; ***weselne ~*** wedding; ***złote ~*** golden wedding (anniversary)

godz. *skrót pisany*: ***godzina*** hr (*hour*)

godzi|ć (*-dzę*, *gódź!*) *v/t.* ⟨**po-**⟩ reconcile, conciliate; ***~ć się*** become reconciled; *v/i.* (***w*** *A*) aim (at); *v/r.* ***~ć*** ⟨**po-**⟩ ***się*** (***z*** *I*) agree (to); resign o.s. (to); → ***zgadzać się, przystawać***[1]; **~en** *pred.* → ***godny***

godzin|a *f* (*-y*) hour; ***która ~a?*** what time is it? ***jest*** (***~a***) ***druga*** it is two (o'clock); ***o której ~ie?*** at what time?; ***za ~ę*** in an hour; ***z ~y na ~ę*** from hour to hour, hourly; ***~ami*** for hours and hours; ***~y otwarcia*** opening hours; → ***przyjęcie, nadliczbowy***; **~ny** one-hour; **~owy** (***-wo***) hour(ly)

gogle *pl.* (*-i*) (protective) goggles *pl.*

goić ⟨**wy-, za-**⟩ (*-ję*, *gój!*) heal; **~** ⟨**wy-, za-**⟩ ***się*** heal up/over

golarka *f* (*-i*; *G -rek*) shaver

goleni|e (**się**) *n* (*-a*) shaving, shave; ***maszynka do ~a*** electric shaver; ***płyn po ~u*** shaving lotion

goleń *f* (*-ni*; *-nie*) shank

golf[1] *m* (*-a*; *0*) golf

golf[2] *m* (*-u*; *-y*) polo neck, turtleneck; **~y** *pl.* (*spodnie*) knickerbockers *pl.*

golić ⟨**o-**⟩ (*-lę*, *gól!*) (***się*** *v/i.*) shave

golonka *f* (*-i*; *G -nek*) *gastr.* knuckle of pork

gołąb *m* (*-ębia*; *-ębie*, *-bi*) pigeon, dove; ***~ pocztowy*** carrier pigeon; **~ki** *m/pl.* (*-bków*) *gastr.* stuffed cabbage

gołęb|i pigeon; *fig.* dovelike; **~iarz** *m* (*-a*; *-e*) pigeon keeper; **~ica** *f* (*-y*; *-e*) pigeon; **~nik** *m* (*-a*; *-i*) pigeon-loft

goło *adv.* → ***goły***; **~ledź** *f* (*-dzi*; *-dzie*) black ice; **~słowny** groundless; **~wąs** F *m* callow youth

goły naked, bare; *drut*, *ręce*, *drzewa* bare; ***pod ~m niebem*** in the open (air); ***~mi rękoma*** with bare hands; ***~m okiem*** with the naked eye

gondola *f* (*-i*; *-e*) gondola

goni|ć (*-ę*) (*A*, *za I*) chase (after); → ***poganiać***; *v/i.* hurry, hasten; ***~ć się*** race; **~ec** *m* (*-ńca*; *-ńcy*, *-ńców*) office boy, (*dziewczyna*) office girl; (*pl. -ńce*) *szachy*: bishop; **~twa** *f* (*-y*; *G -*) race; chase

gont *m* (*-a/-u*; *-y*) shingle

gończy (*pies*) hunting; ***list ~*** 'wanted' poster

GOPR *skrót*: ***Górskie Ochotnicze Pogotowie Ratunkowe*** mountain rescue service

gorąco[1] *n* (*-a*; *0*) heat
gorąc|o[2] *adv.* warmly; hot; ***~o*** (***jest***) it is hot; ***na ~o*** *fig.* live; ***parówki*** *f/pl.* ***na ~o*** sausages served hot
gorącokrwisty warm-blooded
gorący hot; *fig.* hot-blooded; ***złapać k-ś na ~m uczynku*** catch s.o. red-handed
gorączk|a *f* (*-i*) fever (*też fig.*); *fig.* excitement; F (*człowiek*) hothead; ***biała ~a*** delirium tremens; ***~ować*** (*-uję*) run a fever; ***~ować się*** get excited; **~owy** feverish (*też fig.*)
gorczyca *f* (*-y*; *0*) *bot.* mustard
gorę|cej *adv. comp. od* → **gorąco**; **~tszy** *adj. comp. od* → **gorący**
gorliw|iec *m* (*-wca*; *-wcy*) zealot, fanatic; **~ość** *f* (*-ci*; *0*) zeal, enthusiasm; **~y** (***-wie***) zealous
gors *m* (*-u*; *-y*) bust; (*koszuli*) shirt-front; **~et** *m* (*-u*; *-y*) corset
gorsz|ący (**-co**) offensive, objectionable; **~y** *adj.* (*comp. od* → **zły**); ***co ~a*** what is worse; **~yć** ⟨**z-**⟩ (*-ę*) give offence (***k-o*** to s.o.), scandalize (*I* with); ***~yć*** ⟨***z-***⟩ ***się*** (*I*) be offended (at), be scandalized (at)
gorycz *f* (*-y*; *0*) bitterness (*też fig.*); **~ka** *f* (*-i*; *G -czek*) bitter taste; *bot.* gentian
goryl *m* (*-a*; *-e*) *zo.* gorilla
gorzej *adv.*, *adv.* (*comp. od* → **źle**) worse
gorzelnia *f* (*-i*; *-e*) distillery
gorzk|i (***-ko***) bitter (*też fig.*); **~nąć** (*-nę*), **~nieć** ⟨**z-**⟩ (*-eję*) grow bitter, *fig.* become embittered
gospoda *f* (*-y*) inn, restaurant
gospodar|czy (***-czo***) economic; **~ka** *f* (*-i*; *G -rek*) economy; (*rolna*) farm, farming; (*zarządzanie*) management; ***zła ~ka*** mismanagement; **~ny** economical; **~ować** (*-uję*) (*I*) manage; (***na*** *L*) farm; **~ski** economic; **~stwo** *n* (*-a*) farm; ***~stwo domowe*** household
gospo|darz *m* (*-a*; *-e*) farmer; (*pan domu*) host; (*wynajmujący*) landlord; ***~darz schroniska*** warden; **~dyni** *f* (*-i*; *-e*, *-ń*) (*pani domu*) hostess; (*wynajmująca*) landlady; → **~sia** *f* (*-i*; *-e*) housekeeper
gościć (*-szczę*) *v/t.* be host to, entertain; *v/i.* stay (***u*** *G* with); ***zbyt długo u k-ś ~*** overstay one's welcome
gościec *m* (*-śćca*; *0*) *med.* rheumatism; F rheumatics *pl.*
gościn|a *f* (*-y*; *0*) visit; ***w ~ie/~ę*** on a visit; **~iec** *m* (*-ńca*; *-ńce*) (*droga*) country road; **~ność** *f* (*-ści*; *0*) hospitality; **~ny** hospitable; ***pokój ~ny*** guest *lub* spare room
goś|ć *m* (*-ścia*; *-ście*, *ści*, *I -śćmi*) guest; visitor; F guy, chap; → ***facet***, ***klient***; ***mieć ~ci*** have visitors
gotow|ać (*-uję*) ⟨**u-**, **z-**, **za-**⟩ *wodę* boil (**się** *v/i.*); *obiad* cook ; *fig.* ***~ać*** ⟨***u-***, ***za-***⟩ ***się*** seethe; → ***przygotowywać***; **~any** boiled; **~ość** *f* (*-ści*; *0*) readiness; **~y** ready (**do** *G* for; **na** *A* to do); ***~y do użycia*** ready to be used; ***~e ubrania*** ready-made clothes
gotów *pred.* → **gotowy**; **~ka** *f* (*-i*; *0*) cash; ***zapłacić ~ką*** pay cash; ***za ~kę*** for cash; **~kowy** cash
goty|cki Gothic; **~k** *m* (*-u*; *i*) Gothic
goździk *m* (*-a*; *-i*) *bot.* (*kwiat*) pink, carnation; (*przyprawa*) clove; **~owy** pink, carnation; clove
gór|a *f* (*-y*) mountain; (*sukni*) top; (*fartucha*) bib; (*budynku*) (the) upstairs; ***do ~y***, ***na/w ~ę*** up(wards), (*budynku*) upstairs; ***na górze*** up (here/there), (*budynku*) upstairs; ***od ~y do dołu*** from top to bottom; ***pod ~ę*** uphill; ***u ~y*** at the top; ***z ~y*** from above; *fig.* condescendingly; (*płacić*) in advance; ***z ~ą*** (*ponad*) with interest; ***iść w ~ę*** *fig.* go up; ***brać ~ę*** gain the upper hand
góral *m* (*-a*; *-e*), **~ka** *f* (*-a*; *-i*) highlander
górka *f* (*-i*; *G -rek*) mountain
górni|ctwo *n* (*-a*; *0*) mining; **~czy** mining; **~k** *m* (*-a*; *-cy*) miner
gór|nolotny high-flown; **~ny** upper; high; ***Ꞩny Śląsk*** Upper Silesia; **~ować** (*-uję*) (***nad*** *I*) dominate, overlook; be superior (***~ować siłą nad*** in power to); → ***dominować***, ***przodować***; **~ski** mountain; ***choroba ~ska*** *med.* mountain sickness
Góry Skaliste *pl.* Rocky Mountains *pl.*, Rockies *pl.*
górzysty mountainous
gówniarz *m* (*-a*; *-e*) F squirt
gówno V *n* (*-a*; *G -wien*) shit; ***~ prawda*** bullshit
gr *skrót pisany*: **grosz**(**y**) gr (*grosze*)
gra *f* (*gry*; *G gier*) play (*też fig.*); *mus.* playing, performance; (*w sporcie*) game; (*aktora*) acting, performance; ***~ na fortepianie*** piano performance; ***~ w kar-***

ty card game, ***nie wchodzić w grę*** be out of the question
grab *m* (*-u/-a*; *-y*) *bot.* hornbeam
grabarz *m* (*-a*; *-e*) grave-digger
grabi|ć (*-ę*) rake; ⟨**o-**⟩ (*łupić*) rob; **~e** *pl.* (*-i*) rake; **~eć** ⟨**z-**⟩ (*-eję*) grow numb (***z zimna*** from cold)
grabież *f* (*-y*; *-e*) robbery, plunder; **~ca** *m* (*-y*; *G -ów*) robber; plunderer
grabina *f* (*-y*) hornbeam (wood)
graca *f* (*-y*; *-e*) hoe
gracj|a *f* (*-i*; *-e*) grace; ***z ~ą*** gracefully
gracować (*-uję*) hoe
gracz *m* (*-a*; *-e*) player
grać (*-am*) ⟨**za-**⟩ play (***na flecie*** the flute; ***w koszykówkę*** play basketball); → ***gra***; ***~ na nerwach*** get on *s.o.'s* nerves; ***~ na zwłokę*** play for time; ***co grają w kinie?*** what's on at the cinema?
grad *m* (*-u*; *0*) hail; *fig.* storm; ***pada ~*** it is hailing; **~obicie** *n* (*-a*) hailstorm
gradzina *f* (*-y*) hailstone
grafi|czny graphic; ***karta ~czna*** *komp.* graphics card; **~k** *m* (*-a*; *-cy*) graphic designer; **~ka** *f* (*-i*; *0*) graphics *sg.*
grafit *m* (*-u*; *0*) *chem.* graphite; (*-u*; *-y*) (*do ołówka*) lead
grafologiczny graphologic(al)
graham *m* (*-a*; *-y*) whole-wheat bread
grajek *m* (*-jka*; *-jki*, *-jkowie*) player
gram *m* (*-a*; *-y*) gram
gramaty|czny grammatical; **~ka** *f* (*-i*) grammar
granat *m* (*-u*; *-y*) *bot.* pomegranate; (*minerał*) garnet; (*kolor*) navy blue; *mil.* grenade; ***~ ręczny*** hand grenade; **~owy (-wo)** navy blue
grand|a *f* (*-y*) row; ***na ~ę*** by force, unceremoniously
graniastosłup *m* (*-a*; *-y*) prism
graniasty sharp-edged, angular
grani|ca *f* (*-y*; *-e*) (*państwowa*) border, frontier; (*majątku itp.*) boundary; (*rozgraniczenie*) borderline; (*zakres*) limit; ***za ~cą/za ~cę*** abroad; ***na ~cy*** at the border; **~czny** border, frontier; **~czyć** (*-ę*) border (***z*** *A* on); *fig.* verge (***z*** *A* on)
granit *m* (*-u*; *-y*) granite; **~owy** granite
granulowany granulated
grań *f* (*-ni*; *-nie*, *-ni*) ridge
grasica *f* (*-y*; *-e*) *anat.* thymus (gland)
grasować (*-uję*) stalk, prowl; *choroba*: rage
grat *m* (*-a*; *-y*) a piece of junk; (*pojazd*) F heap; **~y** *pl.* junk, trash
gratis(owy) free, complimentary
gratka *f* (*-i*) (dead) bargain; windfall
gratul|acje *pl.* (*-i*) congratulations *pl.*; **~ować** ⟨**po-**⟩ congratulate (***czegoś*** on s.th.)
gratyfikacja *f* (*-i*; *-e*) gratuity, bonus
grawerować ⟨**wy-**⟩ (*-uję*) engrave
grawerunek *m* (*-nku*; *-nki*) engraving
grążel *m* (*-a*; *-e*) *bot.* water-lily
grdyka *f* (*-i*) Adam's apple
Gre|cja *f* (*-i*; *0*) Greece; **≗cki (po -cku)** Greek; **~czynka** *f* (*-i*; *G -nek*), **~k** *m* (*-a*; *-cy*) Greek; **≗ka** *f* (*-i*; *0*) Greek (language)
gremi|alnie *adv.* in a body, en masse; **~alny** joint, unified
Grenlandia *f* (*-ii*; *0*) Greenland
grobla *f* (*-i*; *-e*, *G -el*) dike, embankment
grobow|iec *m* (*-wca*; *-wce*) tomb; ***~iec rodzinny*** family vault; **~o** gravely; gloomily; **~y** grave; sepulchral; (*ponury*) gloomy; *cisza* dead; ***do ~ej deski*** till death
groch *m* (*-u*; *0*) *bot.* pea(s *pl.*); ***~ z kapustą*** mishmash; **~owy** pea; **~ówka** *f* (*-i*, *G -wek*) *gastr.* pea soup
grodzi|ć (*-dzę*) → ***ogradzać, zagradzać***; **~sko** *n* (*-a*) castle
grodzki municipal, city, town
grom *m* (*-u*; *-y*) thunder; ***jak ~ z jasnego nieba*** like a bolt from the blue
gromad|a *f* (*-y*) crowd, group; **~nie** *adv.* in a group, in droves; **~ny** group, (*liczny*) numerous
gromadz|ić ⟨**na-, z-**⟩ (*-dzę*) accumulate (*też* **się** *v/i.*); (*o ludziach*) group together, gather (*też* **się** *v/i.*)
gromić ⟨**z-**⟩ (*-ę*) rebuke, scold
gromki loud; *oklaski itp.* thunderous
gromni|ca *f* (*-y*; *-e*) votive candle; **~czny**: (**dzień**) ***Matki Boskiej ≗cznej*** Candlemas
gron|kowce *m/pl.* (*-ów*) staphylococci; **~o** *f* (*-a*; *G -*) (*winne*) bunch, (*porzeczek itp.*) cluster; (*grupa*) bunch
gronostaj *m* (*-u*; *-e*) *zo.* stoat; **~e** *pl.* (*futro*) ermine
gronowy grape
grosz *m* (*-a*; *-e*) grosz; (*austriacki*) groschen; *fig.* penny; F (*pieniądze*) *zbior.* money, F dough; ***bez ~a*** without a penny; ***co do ~a*** down to a penny
grosz|ek *m* (*-szku*; *-szki*) green pea-

(s *pl.*); (*deseń*) polka-dot; ***w ~ki*** polka-dot
groszowy grosz, *fig.* penny
grot *m* (*-u*; *-y*) head; ***~ strzały*** arrowhead
grota *f* (*-y*) cave
groteskowy grotesque; (*śmieszny*) ridiculous
grotołaz *m* (*-a*; *-i/-y*) speleologist; (*sportowy*) caver
groz|a *f* (*-y*) awe; terror; ***zdjęty ~ą*** overawed, intimidated; **~ić** (*-żę*) terrify (*I* with); endanger; ***za … ~i mu więzienie*** he is liable to imprisonment for …
groź|ba *f* (*-y*; *G gróźb*) threat; danger; ***~ba pożaru*** danger of fire; ***pod ~bą*** (*G*) under threat of; **~ny** dangerous; *mina itp.* threatening
grożący impending, threatening: ***~ śmiercią*** mortally dangerous; ***~ zawaleniem*** in imminent danger of collapsing
grób *m* (*-obu*; *-oby*) grave
gród *m* (*-odu*; *-ody*) castle; town
grub|as *m* (*-a*; *-y*), **~aska** *f* (*-i*) fatty, F fatso; **~ieć** ⟨***po-, z-***⟩ (*-eję*) grow fat; *głos*: become lower; **~iej** *adv. comp. od* → ***grubo***
grubo *adv.* thickly; (*z miarami*) thick; *podkreślać* heavily; (*mało subtelnie*) coarsely, roughly; → ***gruby***; **~skórny** *fig.* thick-skinned; **~ść** *f* (*-ści*; *0*) thickness; (*ludzi*) fatness; **~ziarnisty** coarse
grub|y thick; *człowiek* fat; *płótno*, *ziarno* coarse; *głos* deep; ***~e pieniądze*** F heaps of money; ***z ~sza*** roughly; ***w ~szych zarysach*** in rough outline
gruch|ać (*-am*) coo; *fig.* bill and coo; **~nąć** *v/s.* (*-chnę*) *v/i.* crash; *wieść*: break; → ***grzmotnąć*** (***się*** *v/i.*); **~ot** *m* (*-u*; *-y*) rattle; F (*rzecz*) museum-piece, (*samochód*) heap; **~otać** (*-oczę/-cę*) *v/i.* rattle, clatter; ⟨***po-, z-***⟩ shatter, smash
gruczoł *m* (*-u*; *-y*) *anat.* gland; ***~ dokrewny*** endocrine gland; **~owy** glandular
gru|da *f* (*-y*; *G -*) clod, clump; ***jak po ~dzie*** with great difficulty; **~dka** *f* (*-i*; *G -dek*) small clod; **~dniowy** December; **~dzień** *m* (*-dnia*; *-dnie*) December
grunt *m* (*-u*; *-y*) ground; soil; land; F ***~ to …*** the main thing is …; ***do ~u*** totally, utterly; ***z ~u*** at heart; in fact; ***w gruncie rzeczy*** in fact, at bottom
gruntow|ać ⟨***za-***⟩ (*-uję*) prime; (*zmierzyć*) *też fig.* fathom; **~ny** fundamental; basic; **~y** soil; *warzywa* outdoor
grup|a *f* (*-y*) group; **~ować** ⟨***z-***⟩ (*-uję*) group, gather (*też* ***się*** *v/i.*); **~owo** in a group; **~owy** group
grusz|a *f* (*-y*; *-e*) *anat.* pear (tree) → **~ka** *f* (*-i*; *G -szek*) pear; **~(k)owy** pear
gruz *m* (*-u*; *-y*) rubble; ***~y*** *pl.* ruins *pl.*; ***zamienić w ~y*** devastate, ravage
gruzeł *m* (*-zła*; *-zły*) lump
Gruz|ja *f* (*-i*; *0*) Georgia; **~in** *m* (*-a*; *-i*), **~inka** *f* (*-i*; *G -nek*) Georgian; **ℒiński** (***po -ku***) Georgian
gruzowisko *n* (*-a*) heap of rubble
gruźli|ca *f* (*-y*; *-e*) *med.* tuberculosis, TB; **~czy** tubercular; **~k** *m* (*-a*; *-cy*), **~czka** *f* (*-i*; *G -czek*) tubercular
gry *G pl.* → ***gra***
gryczan|y buckwheat; ***kasza ~a*** buckwheat (grits)
gryf *m* (*-a*; *-y*) griffin; (*-u*; *-y*) (*gitary itp.*) neck
gryka *f* (*-i*) buckwheat
gryma|s *m* (*-u*; *-y*) grimace; **~sy** *pl.* whims *pl.*; **~sić** (*-szę*) be finicky; *dziecko*: give trouble, *Brt.* play up; **~śny** capricious, whimsical
gryp|a *f* (*-y*) influenza, F flu; **~owy** influenza, F flu
gryps F *m* (*-u*; *-y*) secret message
grysik *m* (*-u*; *0*) semolina
grywać (*-am*) play occasionally
gryzący biting (*też fig.*); *zapach* sharp; *dym* acrid
gryzmolić (*-lę*) scrawl, scribble
gryzoń *m* (*-nia*; *-nie*) rodent
gryźć bite; *kość* gnaw (at); *orzechy* crack; *dym*, *osy*: sting; *pchły*, *komary*: bite; *sumienie*: gnaw at; ***~ się*** *kolory*: clash; (*martwić się*) worry (*I* about); F be at loggerheads (***z*** *I* with)
grza|ć (*-eję*) heat, warm; *słońce itp.*: beat down; F (*bić*) belt; ***~ć się*** warm o.s.; warm up; → ***ogrzewać***; **~łka** *f* (*-i*; *G -łek*) heater; ***~łka nurkowa*** immersion heater; **~nka** *f* (*-i*; *G -nek*) toast; (*w zupie*) crouton
grządka *f* (*-i*; *G -dek*) (*kwiatów*) bed, (*warzyw*) patch, plot
grząski marshy
grzbiet *m* (*-u*; *-y*) back; (*górski*) ridge
grzebać (*-ię*) (***w*** *L*) (*w ziemi*) root (in); *fig.* rummage (in); *kury*: scratch; F ***~ się*** (***z*** *I*) dawdle (over); → ***pogrzebać***

grzebień *m* (*-nia*; *-nie*) comb; (*zwierząt*) crest
grzebyk *m* (*-a*; *-i*) comb
grzech *m* (*-u*; *-y*) sin
grzechot|ać (*-czę/-cę*) rattle; **~ka** *f* (*-i*; *G -tek*) rattle; **~nik** *m* (*-a*; *-i*) rattlesnake
grzeczn|ościowy courtesy; **~ość** *f* (*-ci*; *0*) politeness, courtesy; (*przysługa*) favo(u)r, courtesy; ***z ~ości, przez ~ość*** out of kindness; **~ny** polite, courteous
grzej|nik *m* (*-a*; *-i*) heater; (*kaloryfer*) radiator; ***~nik elektryczny*** electric heater, *Brt.* electric fire; ***~nik wody*** hot-water heater, *Brt.* geyser; **~ny** heating
grzesz|nica *f* (*-y*; *-e*), **~nik** *m* (*-a*; *-cy*) sinner; **~ny** sinful; **~yć** ⟨**z-**⟩ (*-ę*) sin
grzę|da *f* (*-y*) patch, plot, bed; (*dla kur*) roost, perch; **~znąć** ⟨**u-**⟩ (*-nę*, *grzązł*) sink, swamp; *pf. też* get stuck
grzmi|ąco *adv.* boomingly; **~eć** (*-ę*; *-mij!*) thunder; *głos*: boom; ***grzmi*** *nieos* it is thundering
grzmo|cić (*-cę*) beat, belt; **~t** *m* (*-u*; *-y*) thunder; **~tnąć** *v/s.* (*-nę*) *v/t.* F clout *s.o. one*; (*rzucić*) smash; F ***~tnąć się*** (***o*** *A*) bump o.s. (on)
grzyb *m* (*-a*; *-y*) *bot.*, *med.* fungus; *bot.* (*z kapeluszem*) mushroom; (*na ścianie*) mould; ***~ trujący*** toadstool; **~ica** *f* (*-y*; *-e*) *med.* mycosis; **~owy** mushroom
grzywa *f* (*-y*; *G -*) mane
grzywna *f* (*-y*; *G -wien*) fine
gubern|ator *m* (*-a*; *-rzy*) governor; **~ia** *f* (*-i*; *-nie*) province
gubić ⟨**z-**⟩ (*-ę*) lose; **~** ⟨**z-**⟩ ***się*** get lost; lose one's way
guma *f* (*-y*) rubber; gum; ***~ do żucia*** chewing gum; F (*prezerwatywa*) rubber
gumisie *m/pl.* jelly babies
gumka *f* (*-i*; *G -mek*) (*do ubrania*) elastic; (*do wycierania*) eraser, *Brt.* rubber
gumowy rubber; *fig.* rubbery
GUS *skrót pisany*: ***Główny Urząd Statystyczny*** Main Statistical Organization
gusła *n/pl.* (*-seł*) sorcery; superstition
gust *m* (*-u*; *-y/-a*) taste; ***w tym guście*** of this type; **~ować** (*-uję*) (***w*** *L*) take pleasure (in); **~owny** tasteful, in good taste
guz *m* (*-a*; *-y*) bump; knob; *med.* tumo(u)r
guzdrać się F (*-am*) dawdle
guzik *m* (*-a*; *-i*) button
gwał|cić (*-cę*) ⟨**po-**⟩ *prawo* violate; ⟨**z-**⟩ *kobietę* rape; **~t** *m* (*-u*; *-y*) violation; rape; (*przemoc*) force; ***zadać ~t*** force; ***~tem*** by force; ***na ~t*** immediately, at once; **~towny** violent; (*nagły*) abrupt
gwar *m* (*-u*; *0*) clatter, hum
gwara *f* (*-y*; *G -*) *gr.* dialect
gwaran|cja *f* (*-i*; *-e*) guarantee; (*zwł. na towar*) warranty; **~cyjny** guarantee; warranty; **~tować** ⟨**za-**⟩ (*-uję*) guarantee, warrant
gwardia *f* (*GDl -ii*; *-e*) guard; ***♀ Narodowa*** *Am.* National Guard
gwarny noisy
gwiazd|a *f* (*-y*) star; **~ka** *f* (*-i*; *D -dek*) star; (*znak*) asterisk; (*aktorka*) starlet; (*24-26.XII*) Christmas; **~kowy**: ***podarunek ~kowy*** Christmas gift; **~or** *m* (*-a*; *-rzy*) star; **~ozbiór** *m* (*-oru*; *-ory*) constellation
gwiaździsty (**-ście**) starry; *kształt* star-shaped
gwiezdny stellar, star
gwint *m* (*-u*; *-y*) thread
gwizd *m* (*-u*; *-y*) whistle; **~ać** (*-żdżę*) whistle; **~ek** *m* (*-dka*; *-dki*) whistle; **~nąć** *v/s.* (*-nę*) whistle; F (*ukraść*) pinch
gwóźdź *m* (*gwoździa*; *-oździe*, *I -oździami/-oźdźmi*) nail
gzyms *m* (*-u*; *-y*) *arch.* cornice; → ***karnisz***

H

habit *m* (*-u*; *-y*) habit
haczyk *m* (*-a*; *-i*) hook
hafciarka *f* (*-i*; *G -rek*) embroiderer
haft *m* (*-u*; *-y*) embroidery; **~ka** *f* (*-i*; *G -tek*) hook and eye; **~ować** ⟨**wy-**⟩ (*-uję*) embroider; F (*wymiotować*) puke
Haga *f* (*-i*) The Hague
hak *m* (*-u*; *-i*) hook
hala[1] *f* (*-i*; *-e*) hall; (*w fabryce*) workshop; ***~ targowa*** covered market
hala[2] *f* (*-i*; *-e*) mountain pasture
halibut *m* (*-a*; *-y*) *zo.* halibut
halka *f* (*-i*; *G -lek*) slip
halogenowy halogen

halowy indoor
hałas *m* (*-u*; *-y*) noise; **~ować** (*-uję*) make a noise, be noisy
hałaśliwy (**-*wie***) noisy
hałda *f* (*-y*; *G hałd*) slag-heap; *fig.* heap
hamak *m* (*-a*; *-i*) hammock
hamować (*-uję*) ⟨**za-**⟩ brake; *fig. też* hinder, hamper; ⟨**po-**⟩ *łzy* hold back, keep in; *gniew itp.* curb, restrain; **~ *się*** control o.s.
hamul|cowy brake, braking; **~ec** *m* (*-ca*; *-e*, *-ów*) brake; *fig.* inhibition
hand|el *m* (*-dlu*; *-0*) trade, commerce; ***prowadzić ~el, zajmować się ~lem*** (*I*) trade (in), deal (in); do business; **~larz** *m* (*-a*; *-e*) (***używanymi samochodami, narkotykami*** used-car, drug) dealer, (***uliczny*** street) vendor; **~larka** *f* (*-i*; *G -rek*) dealer, vendor
handlow|ać (*-uję*) (*I*) trade (in), deal (in); **~iec** *m* (*-wca*; *-wcy*) trader; salesperson; **~y** trade, commercial
hangar *m* (*-u*; *-y*) hangar
haniebny disgraceful, disreputable
hańb|a *f* (*-y*; *0*) dishono(u)r, disgrace; **~ić** ⟨**z-**⟩ (*-ę*) dishono(u)r, disgrace
haracz *m* (*-u*; *-e*) tribute; (*okup*) ransom
haratać F ⟨**po-**⟩ (*-am/-czę*) mangle, cut up (***się*** o.s.)
harce|rka *f* (*-i*; *G -rek*) *Brt.* (Girl) Guide, *Am.* Girl Scout; **~rz** *m* (*-a*; *-e*) Scout; **~rski** Scouting, Scout(s *pl.*); **~rstwo** *n* (*-a*; *0*) Scouting
hard|ość *f* (*-ści*; *0*) imperiousness; (*dziecko itp.*) unruliness; **~y** (**-*do***) overbearing; imperious; *dziecko itp.* unruly
harfa *f* (*-y*; *G -*) *mus.* harp
har'mo|nia *f* (*GDL -ii*; *0*) harmony; (*GDL -ii*; *-e*) *mus.* (*ręczna*) concertina; **~nijka** *f* (*-i*; *G -jek*) *mus.* harmonica, mouth organ; **~nijny** harmonious; **~nizować** (*-uję*) ⟨**z-**⟩ *też mus.* harmonize (***z*** *I* with); **~nogram** *m* (*-u*; *-y*) chart, diagram
harować F (*-uję*) slave, slog away
harówka *f* (*-i*; *G -wek*) slaving away; slog
harpun *m* (*-a*; *-y*) harpoon
hart *m* (*-u*; *0*) power, strength; **~ *ducha*** will-power; **~ *fizyczny*** stamina, staying-power; **~ować** ⟨**za-**⟩ (*-uję*) *stal* temper; *plastik* cure; *fig.* harden (***się*** o.s.); **~ow(a)ny** tempered; cured; hardened
haski Hague
hasło *n* (*-a*; *G -seł*) motto, slogan; *mil.*, *komp.* password; (*w słowniku*) entry
haszysz *m* (*-u*; *0*) hashish
haust *m* (*-u*; *-y*) swallow, (*duży*) gulp; ***jednym ~em*** at a gulp
Hawaje *pl.* (*G -ów*) Hawaii
hazardow|y gambling; ***gra ~a*** gambling; ***grać ~o w karty*** gamble at cards
heban *m* (*-u*; *0*) ebony
heb|el *m* (*-bla*, *-ble*) plane; **~lować** (*-uję*) plane
hebrajski (***po -ku***) Hebrew
Hebrydy *pl.* (*G -ów*) Hebrides *pl.*
hec|a *f* (*-y*; *-e*) farce, fuss; ***urządzić ~ę*** make a fuss; ***to ci ~a!*** what a farce!
hejnał *m* (*-u*; *-y*) bugle-call
hektar *m* (*-a*; *-y*) hectare
hel *m* (*-u*; *0*) *chem.* helium
helikopter *m* (*-a*; *-y*) helicopter
hełm *m* (*-u*; *-y*) helmet; (*na wieży*) steeple
hemo|filik *m* (*-a*; *-cy*) *med. Brt.* haemophiliac, *Am.* hemophiliac; F bleeder; **~roidy** *pl.* (*-ów*) *med. Brt.* haemorrhoids *pl.*, *Am.* hemorrhoids *pl.*, F piles *pl.*
hen: ***~ daleko*** far away; ***~ wysoko*** high up
hera *f* (*-y*; *0*) *sl.* (*heroina*) junk
herb *m* (*-u*; *-y*) coat of arms; **~ *rodowy*** family coat of arms
herba|ciany tea; **~ciarnia** *f* (*-i*; *-e*) teashop, tearoom; **~ta** *f* (*-y*) tea; ***~ta ekspresowa*** tea bag; **~tniki** *pl.* (*-ów*) *Brt.* biscuits, *Am.* cookies
herbowy armorial
herc *m* (*-a*; *-e*) *phys.* hertz
here|tycki heretic; **~zja** *f* (*-i*; *-e*) heresy
hermetycz|ny hermetic; *fig.* opaque, dense; **~nie** air-tight
herod-baba F *f* (*-y*) dragon
heroi|czny heroic, valiant; **~na** *f* (*-y*; *0*) *chem.* heroin; **~nowy** heroin
herszt *m* (*-a*; *-ci/-y*) ringleader
heteroseksualny heterosexual
hetman *m* (*-a*; *-i/-owie*) *hist.* hetman; (*w szachach*) queen
hiena *f* (*-y*) *zo.* hyena
hieroglif *m* (*-u*; *-y*) hieroglyph (*też fig.*)
higi'ena *f* (*-y*; *0*) hygiene; **~ *osobista***, **~ *ciała*** personal hygiene
higieniczny hygienic, healthy
higroskopijny hygroscopic
Himalaje *pl.* (*G -jów/-ai*) Himalayas *pl.*
Hindus *m* (*-a*; *-si*), **~ka** *f* (*-i*; *G -sek*) (*narodowość*) Indian, Hindu; **~** *m*, **~ka** *f* (*przynależność do religii*) Hindu; **&ki** Indian

H

hiobow|y: ***wieść ~a*** dismal news
hipiczny: ***konkurs ~*** riding event
hipis *m* (*-a*; *-i*), **~ka** *f* (*-i*) hippie *lub* hippy
hipno|tyzować ⟨***za-***⟩ (*-uję*) hypnotize; **~za** *f* (*-y*; *0*) hypnosis
hipopotam *m* (*-a*; *-y*) *zo.* hippopotamus
hipo|teczny hypothetical; **~teka** *f* (*-i*) mortgage; **~teza** *f* (*-y*) hypothesis
histeryczny hysterical
hi'stor|ia *f* (*GDL -ii*; *-e*) history; **~yk** *m* (*-a*; *-cy*) historian; (*nauczyciel*) history teacher; **~yczny** historical; (*przełomowy*) historic
Hiszpan *m* (*-a*; *-ie*) Spaniard; **~ia** *f* (*GDl - ii*; *0*) Spain; **~ka** *f* (*-i*; *G -nek*) Spaniard
hiszpańsk|i Spanish; ***mówić po ~u*** speak Spanish
hodow|ać (*-uję*) breed; *rośliny* cultivate, grow; ⟨***wy-***⟩ bring up; raise; rear; **~ca** *m* (*-y*; *G -ów*), **~czyni** *f* (*-*; *-e*) breeder; (*roślin*) grower; **~la** *f* (*-i*; *-e*) breeding; growing; **~lany** breeding
hojn|ie *adv.* generously, copiously; **~y** generous, copious
hokej *m* (*-a*; *0*) hockey; ***~ na lodzie*** ice hockey
hol[1] *m* (*-u*; *-e*, *-ów/-i*) foyer, hall, entrance
hol[2] *m* (*-u*; *-e*, *-ów*) tow; ***brać na ~*** take in tow
Holandia *f* (*-ii*; *0*) Holland
Holender *m* (*-dra*; *-drzy*, *-rów*), Dutchman; ***Holendrzy*** *pl.* the Dutch *pl.*; **~ka** *f* (*-i*; *G -rek*) Dutch woman; **~ski (*po -ku*)** Dutch
holow|ać (*-uję*) ⟨***od-***⟩ tow; **~niczy** towing; ***lina ~nicza*** towrope; **~nik** *m* (*-a*; *-i*) tug(boat)
hołd *m* (*-u*; *-y*) tribute, homage; ***złożyć ~ pamięci*** (*G*) commemorate; **~ować** (*-uję*) *fig.* (*D*) indulge in
hołota *f* (*-y*) mob, rabble
homar *m* (*-a*; *-y*) *zo.* lobster
homeopatyczny homeopathic
homoseksual|ny homosexual; **~ista** *m* (*-y*; *-ści*) homosexual
honor *m* (*-u*) hono(u)r; ***słowo ~u*** word of hono(u)r; → ***honory***; **~arium** *n* (*-a*; *G -ów*) (*adwokata itp.*) fee; (*autorskie*) royalty; **~ować** (*-uję*) hono(u)r; **~owy** hono(u)rable; *pozycja itp.* honorary; **~y** *pl.* (*-ów*) salute; ***~y domu*** the hono(u)rs *pl.*
hormon *m* (*-u*; *-y*) hormone; **~alny** hormonal
horyzont *m* (*-u*; *-y*) horizon (*też fig.*)
hossa *f* (*-y*) *econ.* boom; (*na giełdzie*) bull market
hostia *f* (*GDL -ii*; *-e*) the Host
hotel *m* (*-u*; *-e*) hotel; ***~ robotniczy*** workers' hostel; **~owy** hotel
hoży (**-*żo***) well-built; *cera itp.* fine
hrabi|a *m* (*GA -ego/-i*, *D -iemu/-i*, *V -io!*, *I -ią/-im*, *L -i*; *-iowie*, *GA -iów*, *D -iom*, *I -iami*, *L -iach*) count; **~anka** (*-i*; *G -nek*) count's (unmarried) daughter; **~na** *f* (*-y*) countess; **~owski** count's, of the count
hreczka *f* (*-i*; *G -czek*) → ***gryka***
hucz|eć (*-ę*, *-y*) boom; *morze*, *wiatr*, *maszyna*: roar; **~nie** *adv.* loud(ly); **~ny** *impreza* lively, exuberant; *oklaski* thunderous; *śmiech* booming
hufiec *m* (*-fca*; *-fce*): ***~ harcerski*** troop unit
huk *m* (*-u*; *-i*) boom; roar
hulać (*-am*) F live it up
hulajnoga *f* scooter
hulanka *f* (*-i*; *G -nek*) booze-up
humanitarny humanitarian; (*ludzki*) humane
humo|r *m* (*-u*; *0*) humo(u)r; (*-u*; *-y*) (*nastrój*) mood; whim; ***w złym ~rze*** in a bad mood; **~rystyczny** humorous, comic(al)
huragan *m* (*-u*; *-y*) hurricane; (*wiatr*) gale; **~owy** hurricane; *fig.* thunderous
hurt *m* (*-u*; *0*) *econ.* wholesale; ***~em*** wholesale; F en bloc
hurtow|nia *f* (*-i*; *-e*) wholesale business; **~nik** *m* (*-a*; *-cy*) wholesaler; **~o** *adv.* wholesale; **~y** wholesale
huśtać ⟨***po-***⟩ (*-am*) swing; (*w krześle*) rock; (***się*** *v/i.*)
huśtawka *f* (*-i*; *G -wek*) swing; (*pozioma*) seesaw
hut|a *f* (*-t*) works *sg./pl.*; ***~a stali*** iron (and steel) works; ***~a szkła*** glassworks; **~nictwo** *n* (*-a*; *0*) iron and steel industry; **~nik** *m* (*-a*; *-cy*) ironworker, steelworker
hydrauli|czny hydraulic; **~k** *m* (*-a*; *-cy*) plumber
hydro|elektrownia *f* water power station; **~energia** *f* water power; **~plan** *m* hydroplane; **~terapia** *f* hydrotherapy
hymn *m* (*-u*; *-y*) (*kościelny*) hymn; (*państwowy*) anthem

H

I

i *cj.* and; **~ ... ~ ...** both ... and ..., ... as well as ...; **~ *tak*** anyway

ich 1. *pron. D* → **one**, *G, A* → **oni**; **2.** *poss.* **~ *rzeczy*** their things

idą *3. os. pl* → ***iść***

ide|a *f* (*GDL idei; -ee, -ei, -eom*) idea; **~alny** ideal; **~ał** *m* (*-u; -y*) ideal

identy|czny identical, the same; **~fikować** (*-uję*) identify (***się*** *v/i.* ***z*** with)

ideo|logiczny ideological; **~wy** ideological

idę *1. os. sg.* → ***iść***

idiot|a *m* (*-y; -ci*), **~ka** *f* (*-i; G -tek*) idiot (*też med.*), fool; **~yczny** foolish, stupid; **~yzm** *m* (*-u; -y*) stupidity, idiocy; nonsense

idyll|a *f* (*-i; -e*) idyll; **~iczny** idyllic

idzie|my, ~sz, idź → ***iść***

igie|lny needle; **~łka** *f* (*-i; G -łek*) (little) needle; **~łkowy** needle(-shaped)

iglast|y coniferous; ***drzewo ~e*** conifer

ig|lica *f* (*-y; -e*) *tech.* pin; (*w broni*) firing pin; (*na wieży*) spire; **~liwie** *n* (*-a; 0*) needles *pl.*; **~ła** *f* (*-y; G -ieł*) needle; (*kaktusa itp.*) spine; ***~ła do szycia*** sewing needle; ***jak z ~ły*** spick and span

ignorować ⟨**z-**⟩ (*-uję*) ignore

igra|ć (*-m*) play (***z*** *I* with); **~szka** *f* (*-i; G -szek*) plaything

igrzyska *n/pl.* games *pl.*; ***♀ Olimpijskie*** the Olympic Games

i in. *skrót pisany*: ***i inni, i inne*** et al. (*and others*)

ikr|a *f* (*-y; 0*) roe, spawn; ***składać ~ę*** spawn; ***z ~ą*** with nerve, with guts

ile (*m-os ilu, I iloma*) (*niepoliczalne*) how much, (*policzalne*) how many; ***~ razy*** how often; ***~ masz lat?*** how old are you?; ***o ~ bardziej*** how much more; ***o ~ wiem*** as far as I know; ***o ~ ... o tyle ...*** in so far as; ***o ~ nie*** unless; **~kroć** whenever; **~ś** (*m-os iluś*) some; ***~ś lat temu*** some years ago

ilo|czyn *m* (*-u; -y*) *math.* product; **~ma** → ***ile***; **~raz** *m* (*-u; -y*) *math.* quotient; **~ściowy** quantitative; **~ść** *f* (*-ci*) quantity

ilu *m-os* → ***ile***

ilumina|cja *f* (*-i; -e*) illumination; (festive) illuminations *pl.*; **~tor** *m* (*-a; -y*) (circular) porthole

ilustracja *f* (*-i; -e*) illustration; (*obrazek*) picture

ilustrowany illustrated; ***magazyn ~*** glossy

iluz|ja *f* (*-i; -e*) illusion; **~jonista** *m* (*-y; -ści*), **-tka** *f* (*-i*) conjurer; **~oryczny** illusory; pointless

ił *m* (*-u; -y*) clay; **~owaty** clay, clayey

im. *skrót pisany*: ***imię*** n. (*name*)

im 1. *pron.* (*D* → ***one, oni***) **2.** *adv.* the; ***~ prędzej, tym lepiej*** the sooner the better

imadło *n* (*-a*) vice

imaginac|ja *f* (*-i; 0*) imagination; **~yjny** imaginary

imbir *m* (*-u; 0*) ginger; **~owy** ginger

imbryk *m* (*-a; -i*) kettle

imien|iny *pl.* (*-in*) name-day; **~niczka** *f* (*-i; G -czek*), **~nik** *m* (*-a; -cy*) namesake; **~ny** name; *gr.* nominal; (***-nie***) by name

imiesłów *m* (*-u; -y*) *gr.* participle

imię *n* name; *gr.* noun; *fig. też* ***dobre ~*** good reputation; ***mieć na ~*** be called; ***jak ci na ~?*** what is your name?; ***po imieniu*** by name; ***w ~*** (*G*), ***w imieniu*** (*G*) in the name of, on behalf of; ***szkoła imienia NN*** NN school

imigracja *f* (*-i; -e*) immigration

imiona *pl.* → ***imię***

imit|acja *f* (*-i; -cje*) imitation; **~ować** (*-uję*) imitate

im|matrykulacja (*-i; -e*) matriculation; **~munizować** (*-uję*) immunize

impas *m* (*-u; -y*) *fig.* impasse, stalemate

imperialistyczny imperialistic

imperium *n* (*-a; G -ów*) empire

impertynen|cja *f* (*-i; -e*) impertinence, impudence; (*wyzwisko*) a piece of impertinence; **~cki** impertinent, impudent; **~t** *m* (*-a; -ci*), **~tka** *f* (*-i; G -tek*) impertinent *lub* impudent person

impet *m* (*-u; 0*) momentum, impetus, drive

impon|ować ⟨***za-***⟩ (*-uję*) impress (***czymś*** with s.th.); **~ujący** (***-co***) impressive, imposing

import *m* (*-u; -y*) import; **~ować** (*-uję*)

import; **~owy** imported
impotencj|a *f* (*-i*; *0*) *med.* impotence; ***cierpieć na ~ę*** be impotent
im|pregnować (*-uję*) impregnate, waterproof; **~preza** *f* (*-y*) (***sportowa*** sporting) event; (*przyjęcie*) party; **~prowizować** (*-uję*) improvize; **~pulsywny** impulsive, impetuous
in. *skrót pisany*: ***inaczej*** differently
inaczej differently (***niż*** than); (*w przeciwnym razie*) otherwise; ***tak czy ~*** either way; ***jakże ~*** how else
inaugur|acja *f* (*-i*; *-cje*) inauguration; opening; **~acyjny** inaugural; inauguration; **~ować** ⟨***za-***⟩ (*-uję*) inaugurate; open
incydent *m* (*-u*; *-y*) incident, event
indagować (*-uję*) ask (***o*** *A* about)
indeks *m* (*-u*; *-y*) index; (*studenta*) student's credit book; ***~ rzeczowy*** subject index
indeksacja *f* (*-i*; *-e*) *econ.* indexation, index-linking
Indi'a|nin *m* (*-a*; *-ie*), **~nka** *f* (*-i*; *G -nek*) Indian; **≈ński** Indian
Indie *pl.* (*GDL -ii*; *0*) India
Indonez|ja *f* (*-i*; *0*) Indonesia; **≈yjski** Indonesian
indor *m* (*-a*; *-y*) turkey (cock)
indos *m* (*-a*; *-y*) *econ.* endorsement
indosować (*-uję*) endorse
indukc|ja *f* (*-i*; *-e*) induction; **~yjny** inductive
indycz|ka *f* (*-i*; *G -czek*) turkey (hen); **~y** turkey; **~yć się** F (*-ę*) get annoyed
indyjs|ki (***po -ku***) Indian
indyk *m* (*-a*; *-i*) turkey
indywidu|alność *f* (*-ści*; *0*) individuality; **~alny** individual; personal; single; **~um** *n* (*idkl.*; *-ua*, *-duów*) individual; character
indziej → ***gdzie***, ***kiedy***, ***nigdzie***
inercj|a *f* (*-i*; *0*) inertia; ***siła ~i*** inertia
infekcja *f* (*-i*; *-e*) infection
inflacja *f* (*-i*; *-e*) inflation
informa|cja *f* (*-i*; *-e*) information; (*jedna*) piece of information; (*okienko itp.*) information desk/office *etc.*; **~cyjny** information; **~tor** *m* (*-a*; *-ry*) (*książka*) guide (***po*** *L* to); (*pl. -rzy*) informer **~tyka** *f* (*-i*; *0*) computer science
informować ⟨***po-***⟩ (*-uję*) inform; ***~ się*** inquire (***o*** *L*, ***w sprawie*** G about); ask (***u*** *G* s.o.)
infuła *f* (*-y*) *Brt.* mitre, *Am.* miter
ingerować ⟨***za-***⟩ (*-uję*) interfere, intervene
inhalować (*-uję*) inhale
inicjator *m* (*-a*; *-rzy*), **~ka** *f* (*-i*; *G -rek*) initiator, originator
inicjatyw|a *f* (*-y*) initiative; ***z ~y*** on s.o.'s own initiative
inicjować ⟨***za-***⟩ (*-uję*) initiate, originate
iniekcja *f* (*-i*; *-e*) *med.* injection
inkas|ent *m* (*-a*; *-ci*) collector; ***~ent gazowni*** gas-meter reader; **~o** *n* (*-a*) *econ.* collection
inkrustowany inlaid
inkubacyjny: ***okres ~*** *med.* incubation period
inkubator *m* (*-a*; *-y*) incubator
in|na, ~ne, ~ni → ***inny***; **~no-** *w zł.* differently
innowacja *f* (*-i*; *-e*) innovation
inny another, other; ***co innego*** something else; ***kto ~*** someone else; → ***między***
inscenizacja *f* (*-i*; *-e*) *theat.* staging
inspek|cja *f* (*-i*; *-e*) inspection, checking; **~tor** *m* (*-a*; *-rzy*), inspector; superintendent; ***~tor szkolny*** schools inspector; **~torat** *m* (*-u*; *-y*) inspectorate; **~towy** hothouse; **~ty** *m/pl.* (*-ów*) (cold) frame
instal|acja *f* (*-i*; *-e*) installation; (*zakładanie*) fitting; (*urządzenia*) *zw. pl.* installations *pl.*, facilities *pl.*; **~ować** ⟨***za-***⟩ (*-uję*) install; put in, put up, fit in; ***~ować się*** make o.s. at home
instruk|cja *f* (*-i*; *-e*) instruction; ***~cja obsługi*** operating instructions *pl.*; **~tor** *m* (*-a*; *-rzy*), **-rka** *f* (*-i*; *G -rek*) (***jazdy, pilotażu*** driving, flying) instructor; **~tywny** instructive
instrument *m* (*-u*; *-y*) instrument
instynktowny instinctive
instytucja *f* (*-i*; *-e*) institution
instytut *m* (*-u*; *-y*) institute; department
insynuacja *f* (*-i*; *-e*) insinuation
insynuować (*-uję*) insinuate
integra|cja *f* (*-i*; *0*) integration; **~lny** integral
integrować ⟨***z-***⟩ (*-uję*) integrate
intelektual|ista *m* (*-y*; *-ści*), **~istka** *f* (*-i*; *G -tek*) intellectual; **~ny** intellectual
inteligen|cja *f* (*-i*; *0*) intelligence; (*klasa*) intelligentsia; **~cki** of intelligentsia; **~tny** intelligent

I

intencj|a *f* (*-i*; *-e*) intention; plan; ***w ~i*** on behalf of
intencyjny: ***list ~*** letter of intent
intensyfikować ⟨**z-**⟩ (*-uję*) intensify
intensywn|ość *f* (*-ci*; *0*) intensity; **~y** intensive; *światło, kolor itp.* intense
intonacja *f* (*-i*; *-e*) intonation
interes *m* (*-u*; *-y*) business; (*sprawa*) interest; (*transakcja*) dealings *pl.*; ***nie twój ~*** none of your business; ***w twoim ~ie*** in your (best) interest(s *pl.*); ***ładny ~!*** a pretty kettle of fish!
interesant *m* (*-a*; *-ci*), **~ka** *f* (*-i*; *G -tek*) client, customer; *econ.* potential buyer
interesow|ać ⟨**za-**⟩ (*-uję*) *v/t.* interest; *v/i.* (***~ać się***) be interested (*I* in); **~ny** self-interested, selfish
interesujący (**-co**) interesting
inter|na F *f* (*-y*; *0*) internal medicine; **~nat** *m* (*-u*; *-y*) dormitory bloc; (***prywatna***) ***szkoła z ~natem*** boarding school; **~nować** (*-uję*) intern; **~pretować** (*-uję*) interpret; **~punkcja** *f* (*-i*; *0*) punctuation
interwen|cja *f* (*-i*; *-e*) intervention; **~cyjny**: ***prace*** *f/pl.* ***~cyjne*** job-creation measures; **~iować** (*-uję*) intervene; F step in
intonować ⟨**za-**⟩ (*-uję*) *pieśń* start singing
intratny lucrative, profitable
introligatornia *f* (*-i*; *-e*) bindery
intruz *m* (*-a*; *-i/-y*) intruder
intry|ga *f* (*-i*) intrigue, scheme; **~gancki** scheming; **~gować** ⟨**za-**⟩ (*-uję*) scheme; **~gujący** intriguing
intymn|ość *f* (*-ci*; *0*) intimacy; (*odosobnienie*) privacy; **~y** intimate; (*osobny*) private
inwali|da *m* (*-y*; *-dzi*), **~dka** *f* (*-i*; *G -dek*) invalid; ***~da wojenny*** war invalid; **~dzki** invalid; ***wózek ~dzki*** wheelchair
in|wazja *f* (*-i*; *-e*) invasion; **~wentaryzacja** *f* (*-i*; *-e*) stock-taking; **~wentarz** *m* (*-a*; *-e*) stock, inventory
inwersyjny: ***film ~*** *phot.* reversal film
inwestor *m* (*-a*; *-rzy*) investor
inwestować ⟨**za-**⟩ (*-uję*) invest
inwestyc|ja *f* (*-i*; *-e*) (*działalność*) investment; (*przedsięwzięcie*) investment project; **~yjny** investment
inwigilacja *f* (*-i*; *-e*) surveillance
inż. *skrót pisany*: ***inżynier*** Eng., Engr. (*Engineer*)
inżynie|r *m* (*-a*; *-owie*) engineer; **~ria** *f* (*GDL -ii*; *0*) engineering; ***~ria genetyczna*** genetic engineering; ***~ria lądowa*** (building) construction and civil engineering
ira|cki Iraqi; **♀k** (*-u*; *0*) Iraq; **♀kijczyk** *m* (*-a*; *-cy*), **♀kijka** *f* (*-i*; *G -jek*) Iraqi; **♀n** (*-u*; *0*) Iran; **♀nka** *f* (*-i*; *G -nek*), **♀ńczyk** *m* (*-a*; *-cy*) Iranian; **~ński** Iranian
Irlan|dczyk *m* (*-a*; *-cy*) Irishman; ***~dczycy*** *pl.* the Irish; **~dia** *f* (*GDL -ii*; *0*) Ireland; **~dka** *f* (*-i*; *G -dek*) Irishwoman; **♀dzki** Irish
ironiczny ironic
irygacyjny irrigation
irys *m* (*-a*; *-y*) *bot.* iris
iryt|acja *f* (*-i*; *0*) annoyance, irritation; **~ować** ⟨**po-, z-**⟩ (*-uję*) annoy; ***~ować*** ⟨**z-**⟩ ***się*** get annoyed
isk|ra *f* (*-y*; *G -kier*) spark; **~rzyć** (*-ę*) spark (***się*** *v/i.*)
islam *m* (*-u*; *0*) Islam; **~ski** Islamic
Islan|dia *f* (*GDL -ii*; *0*) Iceland; **~dczyk** *m* (*-a*; *-cy*), **~dka** *f* (*-i*; *G -dek*) Icelander; **♀dzki** Icelandic
istnie|ć (*-eję*) exist; be; → ***być, trwać***; **~nie** *n* (*-a*) existence, being
istny veritable, virtual
isto|ta *f* (*-y*) creature, being; (*sedno*) essence; ***w ~cie*** in fact; **~tny** essential, fundamental
iść go, (**do** *G* to); (*pieszo*) walk; (*pojazdy*) run; **~ po** fetch, get; **~ za** (*I*) follow; ***~ za mąż*** (***za*** *I*) get married (to); ***~ dalej*** go on, continue; ***idzie o ...*** all this is about..., what is at stake is...; ***co za tym idzie*** what follows from this is ...; → ***(przy)chodzić, pójść***
itd. *skrót*: ***i tak dalej*** etc. (*and so on*)
itp. *skrót*: ***i tym podobne*** etc. (*and so on*)
izba *f* (*-y*) room; (instytucja *itp.*) chamber; *pol.* house; ♀ ***Gmin*** the House of Commons; **~ *przyjęć*** (*w szpitalu*) admissions office
izola|cja *f* (*-i*) isolation; (*kabla, pokoju itp.*) insulating, insulation; **~cyjny** isolating; insulating; **~tka** *f* (*-i*; *G -tek*) (*dla chorego*) isolation ward; (*w szkole itp.*) sickbay
izolować ⟨**za-, od-**⟩ (*-uję*) isolate; *kabel itp.* insulate
Izrael *m* (*-a*; *0*) Israel; **~czyk** *m* (*-a*; *-cy*), **~ka** *f* (*-i*; *G -lek*) Israeli; **♀ski** Israeli
iż *cj.* that; → ***że***

J

ja *pron.* I; ***kto tam? to ~*** who is it? - that's me; ***własne ~*** one's own self
jabłeczn|ik *m* apple pie; (*wino*) cider; **~y** apple
jabłko *n* (*-a*; *G -łek*) apple
jabło|ń *f* (*-ni*, *-nie*) apple-tree; ***kwiat ~ni*** apple blossom
jacht *m* (*-u*; *-y*) yacht; ***~ kabinowy*** cabin cruiser
jacy *m-os* → ***jaki***
jad *m* (*-u*; *-y*) venom (*też fig.*); (*trucizna*) poison; ***~ kiełbasiany*** botulin
jada|ć (*-am*) → ***jeść***; **~lnia** *f* (*-i*; *-e*, *-i*) dining-room; (*meble*) dining-room suite; **~lny** edible, eatable; ***sala ~lna*** dining-room
ja|dą, ~dę → ***jechać***; **~dł(a)** → ***jeść***
jadło|dajnia (*-i*; *-e*, *-i*) restaurant, *Am.* diner; **~spis** *m* (*-u*; *-y*) menu
jado|wity venomous (*też fig.*), poisonous; **~wy** *zo.* venomous
jaglan|y: ***kasza ~a*** millet gruel
jagły *f/pl.* (*-giel*) millet; millet gruel
jagnię *n* (*-cia*; *-ta*, *G -niąt*) lamb
jagnięcy lamb
jagod|a *f* (*-y*; *G -gód*) *bot.* berry; ***czarna ~a*** → ***borówka brusznica***; **~y** *pl. też* soft fruit; **~owy** bilberry, blueberry, whortleberry
jajeczkowanie *n* (*-a*) *biol.* ovulation
jajecznica *f* (*-y*; *-ce*) scrambled eggs *pl.*
jaj|ko *n* (*-a*; *G -jek*) egg; **~ka** *pl.* ***sadzone*** fried eggs *pl.*; **~nik** *m* (*-a*;*-i*) *anat.* ovary
jajo egg; *biol.* ovum; **~waty** egg-shaped; *biol.* ovoid
jak 1. *pron.* how; as; ***~ się masz?*** how are you?; **2.** *cj.* as; like; ***~ gdyby*** as if; ***~ na owe czasy*** for those times; **3.** *part.* as; ***nic innego ~*** nothing else but; ***~ najwięcej*** as much as possible; ***~ najlepszy*** best of all; → ***byle, tylko***
jakby as if, as though; F something like; → ***gdyby***
jaki (*m-os jacy*) what; which; how; ***~ bądź*** whichever; ***~ taki*** so so; ***~m prawem*** by what right; ***~m cudem*** by a miracle or what; ***za ~ rok*** in a year or so; F ***po ~emu*** how, in what language; **~'kolwiek** any; **~ś** some; about; ***~eś trzy metry*** about three meters; ***~ś dziwny*** sort of strange
jak'kolwiek however; (*chociaż*) although
jako as; ***~ taki*** as such; ***~ tako*** to some extent, F a bit; ***~ że*** because, as; **~by** *adv.* supposedly, allegedly; **~ś** somehow
jakoś|ciowy (***-wo***) qualitative; **~ć** *f* (*-ci*; *0*) quality
jakże how; → ***jak***
jałmużna *f* (*-y*; *zw. 0*) alms *pl.*; *fig.* pittance
jałow|cowy juniper; **~iec** *m* (*-wca/-wcu*; *-wce*) juniper
jałowy arid, barren; *biol.* infertile, barren; *electr.*, *tech.* neutral; *tech.* idle; ***bieg ~*** neutral
jałówka *f* (*-i*; *G -wek*) heifer
jama *f* (*-y*) pit, hole; *anat.* cavity
jamnik *m* (*-a*; *-i*) *zo.* dachshund
janowiec *m* (*-wca*; *-wce*) broom
Japo|nia *f* (*GDL -ii*; *0*) Japan; **~nka** *f* (*-i*; *G -nek*), **~ńczyk** *m* (*-a*; *-cy*) Japanese; **2ński** (***po -ku***) Japanese
jarmar|czny fair, market; *fig.* cheapjack; **~k** *m* (*-u*; *-i*) fair, market
jarosz *m* (*-a*; *-e*) vegetarian
jar|ski vegetarian; **~y** *agr.* spring
jarząb *m* (*-rzębu/-ęba*; *-rzęby/-ębie*, *-ębiów*) *bot.* mountain ash; **~ek** *m* (*-bka*; *-bki*) *zo.* hazelhen
jarzeniówka *f* (*-i*; *G -wek*) strip light
jarzębina *f* (*-y*) *bot.* rowan, European mountain ash
jarzmo *n* (*-a*; *G -/-rzem*) yoke
jarzyć się (*-ę*) glow; (*lśnić*) glisten
jarzyn|a *f* (*-y*) vegetable; **~owy** vegetable
jasełka *n/pl.* (*-łek*) *rel.* nativity play
jasiek *m* (*-śka*; *-śki*) little pillow; *bot.* (*type of large white bean*)
jaski|nia *f* (*-i*; *-e*) cave, cavern; **~niowiec** *m* (*-wca*; *-wcy*) caveman (*też fig.*); **~niowy** cave
jaskół|czy swallow; **~ka** *f* (*-i*; *G -łek*) *zo.* swallow; (*w sporcie*) arabesque
jaskra *f* (*-y*; *0*) *med.* glaucoma
jaskraw|o- glaringly; bright; **~y** (***-wo***) glaring (*też fig.*); bright

J

jasno light; **~blond** (*idkl.*) very fair; (*o kobiecie*) light blonde, **~ść** *f* (*-ści*; *0*) brightness; *fig.* clarity, lucidity; **~widz** *m* (*-a*; *-e*) clairvoyant; **~żółty** light yellow
jasn|y light; *fig.* clear, lucid; ***rzecz ~a***, F ***~e*** it is clear; ***w ~y dzień*** in broad daylight
jastrząb *m* (*-rzębia*; *-ębie*, *-ębi*) hawk (*też pol.*)
jaszczur *m* (*-a*; *-y*) *zo.* reptile; **~ka** *f* (*-i*; *G -rek*) *zo.* lizard
jaśmin *m* (*-u*; *-y*) *bot.* jasmine
jaśnie|ć (*-eję*) be shining (*też fig.* with); glow; ⟨**po-**⟩ brighten, become lighter; **~j(szy)** *adv.* (*adj.*) *comp. od* → ***jasno, jasny***
jatka *f* (*-i*; *G -tek*) slaughter house; *fig.* slaughter, butchery
jaw: ***wyjść na ~*** come to light; ***wydobyć na ~*** bring to light; **~ić się** (*im*)*pf* (*-ę*) appear (***k-ś*** to s.o.); **~nie** *adv.* openly, in the open; **~ny** open; undisguised
jawor *m* (*-a*; *-y*) *bot.* sycamore (maple)
jaz *m* (*-u*; *-y*) dam, *Brt.* weir
jazda *f* (*-y*) travel, journey; ***~ koleją*** journey by train; ***~ na rowerze*** bike ride; ***~ na nartach*** skiing; ***~ konna*** → ***prawo, rozkład***
jazz *m* (*-u*; *0*) *mus.* jazz; **~ować** (*-uję*) play jazz; **~owy** jazz, F jazzy
jaź|ń *f* (*-ni*; *-nie*) ego, the I; ***rozdwojenie ~ni*** split personality
ją *pron.* → ***ona***
jąd|ro *f* (*-a*; *G -der*) core; nucleus (*też phys.*, *biol.*, *fig.*); (*orzecha*) kernel; *anat.* testicle; **~rowy** nuclear;
jąkać się (*-am*) stutter, stammer
jątrzyć (*-ę*) foment, stir up; ***~ się*** fester, ulcerate
je *pron. A*; → ***one, ono***; *v/t.*, *v/i.* → ***jeść***
jechać (*-dę*) ⟨**po-**⟩ go (***koleją*** by train); ride (***rowerem*** (on) a bike; ***konno*** (on) a horse); (*samochodem*) *kierowca*: drive, *pasażer*: ride in; travel; *windą* take; → ***jeździć***
jeden → ***734***; one; ***~ raz*** once; ***~ drugiego/drugiemu*** one another; ***~ do zera*** one-nil; ***ani ~*** not a single one; ***sam ~*** all alone; ***~ i ten sam*** the same; ***jednym słowem*** in a word; ***z jednej strony*** on the one hand; ***co to za ~?*** who is he?
jedena|stka *f* (*-i*; *G -tek*) eleven; (*w sporcie*) penalty kick; (*drużyna*) team; **~sty** eleventh; **~ście, ~stu** *m-os* eleven
jedlina *f* (*-y*) → ***jodła***; fir sprigs *pl.*
jedn. *skrót pisany* ***jednostka*** unit
jedna *f* → ***jeden***; **~ć** ⟨**z-**⟩ (*-am*) gain, win (*też* ***sobie***); → ***pojednać***; **~k** nevertheless, however; **~kowo** *adv.* identically; in the same way; equally; **~kowy** identical
jedni *m-os pl.* → ***jeden***
jedno *n* (*jednego*; *jedni*) one; the same; → ***jeden***; **~barwny** unicolo(u)r; monochromatic; **~brzmiący** identical (in sound); **~czesny** (***-śnie***) simultaneous; **~czyć** ⟨**z-**⟩ (*-ę*) unite (***się*** *v/i.*); **~dniowy** one-day; **~głośnie** unanimously; **~imienny** of the same name
jednokierunkow|y one-way; ***ruch ~y*** one-way traffic; ***ulica ~a*** one-way street
jedno|kondygnacyjny one-stor(e)y, single-stor(e)y; **~konny** one-horse; **~krotny** single; **~lity** uniform; homogeneous; **~myślny** unanimous; **~oki** one-eyed; **~osobowy** single; single-person; **~piętrowy** two-stor(e)y; **~pokojowy** one-room
jednoraz|owy single; ***do ~owego użycia*** disposable; **~ówka** *f* (*-i*; *G -wek*) disposable
jedno|ręki one-handed; **~roczny** one-year; **~rodny** homogeneous; **~rodzinny** one-family, single-family; **~rzędowy** *marynarka* single-breasted; **~silnikowy** one-engine; **~stajny** monotonous
jednost|ka *f* (*-i*; *G -tek*) unit; (*osobnik*) individual; ***~ka miary*** unit of measure; ***~ka wojskowa*** army unit (*też math.*); **~kowy** unique; individual, single
jednostronny one-sided, unilateral
jedność *f* (*-ści*; *0*) unity; unit
jedno|tlenek *m* monoxide; **~torowy** one-track; **~zgłoskowy** *gr.* monosyllabic; **~znaczny** unambiguous, unequivocal
jedwab *m* (*-iu*; *-ie*) silk; **~isty** silky, silken; **~ny** silk, silken, silky
jedyna|czka *f* (*-i*; *G -czek*) only daughter; **~k** *f* (*-a*; *-i*) only son
jedyn|ie *adv.* only, merely; **~ka** *f* (*-i*; *G -nek*) one; (*linia*) number one; *szkoła*: *jakby*: F, failing; **~y** only, single; ***~y w swoim rodzaju*** unique

J

jedz|(ą) → ***jeść***; **~enie** *n* (*-a*; *0*) food; eating

jedzie(cie, -sz), jedź → ***jechać***

je|go 1. *pron.* (*GA* → ***on***) him; (*G* → ***ono***) it; **2.** *poss.* his; **~j** *pron.* (*GD* → ***ona***) her; *poss.* her, hers

jeleń *m* (*-nia*, *-nie*) *zo.* deer, (*samiec*) stag

jelito *n* (*-a*) *anat.* intestine, bowel; **~ *grube*** large intestine; **~wy** intestinal

jełczeć ⟨***z-***⟩ (*-eję*) grow rancid, go bad

jem *1. os. sg.* → ***jeść***

jemioła *f* (*-y*) *bot.* mistletoe

jemu *pron.* (*D* → ***on, ono***) him

jeniec *m* (*-ńca*; *-ńcy*) prisoner; **~ki** prisoner

Jerozolima *f* (*-y*; *0*) Jerusalem

jesie|nny autumn(al); fall; **~ń** *f* (*-ni*; *-nie*) *Brt.* autumn, *Am.* fall; ***~nią*** in autumn/fall

jesion *m* (*-u*; *-y*) *bot.* ash

jesionka *f* (*-i*; *G -nek*) coat

jesiotr *m* (*-a*; *-y*) *zo.* sturgeon

jest (he, she, it) is; ***~em*** (I) am; ***~eś*** (you) are; ***~eśmy*** (we) are; ***~eście*** (you) are; → ***być***

jesz *2. os. sg.* → ***jeść***

jeszcze yet, still; ***~ jak!*** and how!; ***~ nie*** not yet; ***~ dłuższy*** even longer

jeść ⟨***z-***⟩ eat; have; ***~ c-ś*** have s.th. to eat; ***~ śniadanie*** have breakfast; ***dać c-ś ~*** give s.th. to eat; ***chce mi się ~*** I am hungry

jeśli *cj.* if, when

jez. *skrót pisany*: **jezioro** L., *lub* l. (*lake*)

jezdnia *f* (*-i*; *-e*) roadway

jezioro *n* (*-a*) lake; ***~ sztuczne*** artificial lake

jezuicki Jesuit

jeździć (*-żdżę*) go (***na urlop*** on holiday); travel (***po kraju*** all over the country); *autobus, pociąg*: run; ***~ na nartach*** ski; ***~ samochodem*** *kierowca*: drive; → ***jechać***

jeździec *m* (*-dźca -dźcy, jeźdźcze!*) rider; **~ki** riding; **~two** *n* (*-a*; *0*) riding

jeż *m* (*-a*; *-e*) *zo.* hedgehog; ***włosy*** *m/pl.* ***na ~a*** crew-cut

jeżeli → ***jeśli***

jeżyć ⟨***na-***⟩ (*-ę*) bristle (***się*** *v/i.*)

jeżyna *f* (*-y*) *bot.* blackberry, bramble

jęczeć (*-ę*, *-y*) moan, groan

jęczmie|nny barley; **~ń** *m* (*-nia*; *-nie*) barley; *med.* sty(e)

jędrny husky; *styl* expressive

jędza *f* (*-y*; *-e*) termagant, shrew; (*czarownica*) witch

jęk *m* (*-u*; *-i*) moan, groan; **~liwy (*-wie*)** moaning; **~nąć** *v/s.* (*-nę*) give a groan

jęzor *m* (*-a*; *-y*) tongue

języ|czek *m* (*-czka*; *-czki*) tongue; *anat.* uvula; **~k** *m anat.* tongue (*też fig.*); ***~k ojczysty*** mother tongue; ***kaleczyć ~k polski*** speak broken Polish; ***mleć ~kiem*** waffle about; **~kowy** linguistic; **~koznawstwo** *n* (*-a*; *0*) linguistics

jidysz *m* (*-u*; *0*) Yiddish

j.n. *skrót pisany*: ***jak niżej*** as below

jod *m* (*-u*; *0*) *chem.* iodine

jod|ełka *f* (*-i*; *G -łek*): ***garnitur w ~ełkę*** a herringbone suit; **~ła** *f* (*-y*; *G -deł*) *bot.* fir

jodyna *f* (*-y*; *0*) iodine

jogurt *m* (*-u*; *-y*) yoghurt

jonowy ionic

Jowisz *m.* (*-a*; *0*) *astr.* Jupiter

jubilat *m* (*-a*; *-ci*), (*man celebrating his anniversary/birthday*); **~ka** *f* (*-i*; *G -tek*) (*woman celebrating her anniversary/birthday*)

jubiler *m* (*-a*; *-ów*) jeweller; **~ka** F *f* (*-i*; *0*) (*rzemiosło*) jewellery; **~ski** jeweller's

jubileusz *m* (*-u*; *-e*) anniversary

juczny *zwierzę* pack

juda|istyczny Judaistic; **~izm** *m* (*-u*) Judaism

judasz *m* (*-a*; *-e*) *fig.* Judas; (*w drzwiach*) peep-hole, judas; **~owski, ~owy** judas

judzić (*-dzę*) goad (***do*** *G* into)

juhas *m* (*-a*; *-i*) junior sheep herder (*in the Tatras*); **~ka** *f* (*-i*; *G -sek*) junior sheep woman herder (*in the Tatras*)

junacki daring, audacious

junior *m* (*-a*; *-rzy*), **~ka** *f* (*-i*; *G -rek*) junior

juror *m* (*-a*; *-rzy*) juryman; **~ka** *f* (*-i*; *G -rek*) jurywoman, juryperson

jutr|o 1. *adv.* tomorrow; **2.** *n* (*-a*; *0*) tomorrow; ***od ~a*** from/since tomorrow

jutrze|jszy tomorrow; **~nka** *f* (*-i*; *G -nek*) dawn; **Ջnka** Morning Star

już already; yet; ***~ nie*** no longer; ***~ nigdy*** never again; ***~!*** OK; (I'm) coming

jw. *skrót pisany*: ***jak wyżej*** as above

J

K

kabaczek *m (-czka; -czki) Brt.* marrow, *Am.* squash
kabał|a *f (-y; G -)* cabbala; ***stawiać ~ę*** tell fortunes (from the cards); ***wpaść w ~ę*** F get into a mess
kabaret *m (-u; -y)* cabaret
ka|bel *m (-bla; -ble, -bli)* cable; **~bina** cabin; *tel.* phone booth; *(przepierzenie)* cubicle; *lotn.* ***~bina pilota*** cockpit; **~blowy**: ***telewizja ~blowa*** cable TV
kabłąk *m (-u; -i)* bow; bail; *tech.* pantograph, bow; **~owaty (*-to*)** bent
kabura *f (-y)* holster
kabz|a *f*: F ***nabić ~ę*** make a pile
kac F *m (-a; -e)* hangover; ***mieć ~a*** be hung over
kacyk *m (-a; -i)* chieftain
kaczan *m* → ***głąb***[1]; corncob
kacz|ka *f (-i; G -czek) zo.* duck; ***~ka pieczona*** roast duck; **~or** *m (-a; -y) zo.* drake; **~y** duck
kadencja *f (-i; -e)* term (of office); *parl.* legislative period; *mus.* cadence
kadłub *m (-a; -y)* body; *(samolotu)* fuselage; *(statku)* hull
kadr *m (-u; -y)* frame
kadr|a *f (-y; G -)* personnel, staff, cadre; ***~y kierownicze*** management; **~owy 1.** *(zawodowy)* cadre; *(personalny)* personnel; **2.** *m (-ego; -wi)*, ***~owa*** *f (-wej; -we)* personnel officer
kadzi|ć *(-dzę)* incense; *fig.* honey up; **~dło** *n (-a; G -deł)* incense
kadź *f (-dzi; -dzie)* tub
kafar *m (-u) bud.* pile-driver
kafejka *f (-ki; G -jek)* cafe/café
kafel *m (-fla; -fle, -fli)*, **~ek** *m (-ka; -ki)* tile
kaflowy tile, tiled
kaftan *m (-a; -y)*: ***~ bezpieczeństwa*** strait-jacket; **~ik** *m (-a; -i) (niemowlęcia)* shirt, *Brt.* vest
kaganiec *m (-ńca; -ńce)* muzzle
Kair *m (-u; 0)* Cairo
kajak *m (-a; -i)* kayak, canoe; ***~ składany*** collapsible kayak/canoe; **~arstwo** *n (-a)* canoeing
kajdan|ki *pl. (-nek/-nków)* handcuffs *pl.*; **~y** *pl. (-)* fetters *pl.*, shackles *pl.*
kajuta *f (-y)* cabin
kajzerka *f (-i; G -rek)* bread roll
kakao *n (idkl.)* cocoa
kaktus *m (-a; -y)* cactus
kalać ⟨**po-, s-**⟩ *(-am)* defile
kalafior *m (-a; -y) bot.* cauliflower
kalambur *m (-a; -y)* pun
kalarepa *f (-y)* kohlrabi
kale|ctwo *n (-a)* disability; **~czyć** ⟨**po-, s-**⟩ *(-ę)* cut (***się*** o.s.; ***sobie rękę*** one's hand); → ***język***; **~ka** *m/f (-i;-i/-cy, G -/-ów)* disabled person, *pej.* cripple *(też fig.)*; **~ki** disabled, cripple(d)
kalendarz *m (-a; -e)* calendar; *(podręczny) Brt.* diary, *Am.* (pocket) calendar
kalenica *f (-y; -e)* (roof-)ridge
kalesony *pl. (-ów)* underpants; *(długie)* long underwear, F long johns *pl.*
kaliber *m (-bru; -y) Brt.* calibre, *Am.* caliber *(też fig.)*
Kalifornia *f (-ii; 0)* California
kalina *f (-y) bot.* snowball
kalk|a *f (-i; G -/-lek)* carbon paper; **~omania** *m (GDL -ii; -e) Brt.* transfer, *Am.* decalc(omania)
kalkula|cja *f (-i; -e)* calculation; **~cyjny**: ***arkusz ~cyjny*** spreadsheet; **~tor** *m (-a; -y)*, **~torek** *m (-rka; -rki)* calculator
kalkulować ⟨**s-, wy-**⟩ *(-uję)* calculate; ***~ się*** F pay, pay off
kaloryczny caloric; *(pożywny)* high-calorie
kaloryfer *m (-u; -y)* radiator
kalosz *m (-a; -e) Brt.* wellington (boot), *Am.* rubber (boot)
kal'waria *(GDL -ii; -e)* calvary *(też fig.)*
kalwiński Calvinist
kał *m (-u; 0) Brt.* faeces *pl.*, *Am.* feces
kałamarz *m (-a; -e)* ink-pot
kałuża *f (-y, -e)* puddle; *(krwi, oleju)* pool
kambuz *m (-a; -y) naut.* galley
kameleon *m (-a; -y) zo.* chameleon
kamer|a *f (-y)* camera; **~alny** *mus.* chamber; **~ton** *m (-u; -y)* tuning fork
kamerzysta *m (-y; -ści)* cameraman
kamfora *f (-y; 0)* camphor
kamica *m (-y; -e) med.* lithiasis; ***~ nerkowa*** *med.* urolithiasis

kamieni|arka *f* (*-i*) masonry; stonework; **~arski**: ***zakład ~arski*** (*nagrobkowy*) monumental mason's workshop; marble mason's workshop; **~arz** marble mason; (*nagrobków*) monumental mason; **~ca** *f* (*-y*; *-e*) house; ***~ca czynszowa*** block of (rented) *Brt.* flats *lub Am.* apartments; **~eć** ⟨***s-***⟩ (*-eję*) turn to stone, petrify (*też fig.*); **~ołom** *m* (*-u*; *-y*) quarry; **~sty** (***-ście***) stony

kamie|nny stone; **~ń** *m* (*-nia*; *-nie*) stone; (*pojedynczy też*) pebble; (*kotłowy*) scale, *Brt.* fur; ***~ń węgielny*** corner-stone (*też fig.*); ***~ń do zapalniczki*** flint; ***~ń obrazy*** a bone of contention; ***jak ~ń w wodę*** without a trace; F ***jak z ~nia*** with a difficulty

kamionkowy stoneware

kamizelka *f* (*-i*; *G -lek*) *Brt.* waistcoat, *Am.* vest

kam'pania *f* (*GDL -ii*; *-e*) campaign; ***~ promocyjna*** advertising *lub* promotion campaign; ***~ wyborcza*** election campaign

kamrat *m* (*-a*; *-ci*) pal, mate, buddy

kamy|czek *m* (*-czka*; *-czki*), **~k** *m* (*-ka*; *-ki*) stone; pebble

Kanad|a *f* (*-y*) Canada; **~yjczyk** *m* (*-a*; *-cy*), **~yjka** *f* (*-i*; *G -jek*) Canadian; ***ꝏyjka*** (*kajak*) Canadian canoe; **ꝏyjski** Canadian

kanaliza|cja *f* (*-i*; *-e*) (*urządzenia*) sewage system; (*kanalizowanie*) installation of a sewage system; **~cyjny** sewage

kanał *m* (*-u*; *-y*) *naturalny* channel; *sztuczny* canal; *ściekowy* sewer; (*rów*) ditch; *TV*: channel; ***ꝏ La Manche*** English Channel; **~owy**: ***leczenie ~owe*** *med.* root(-canal) therapy

kanap|a *f* (*-y*) sofa, couch; **~ka** *f* (*-i*; *G -pek*) settee, sofa; (*przekąska*) sandwich

kanarek *m* (*-rka*; *-rki*) *zo.* canary

kance'la|ria *f* (*GDL -ii*; *-e*) office; **~ryjny** office; ***papier ~ryjny*** (large-size) writing paper

kancia|rstwo F *n* (*-a*) swindling; **~rka** *f* (*-i*; *G -rek*), **~rz** *m* (*-a*, *-e*) swindler

kanciasty (***-to***) angular

kanc|lerski chancellor's; **~lerz** *m* (*-a*; *-e*) chancellor

kand. *skrót pisany*: ***kandydat*** cand. (*candidate*)

kandy|dat *m* (*-a*; *-ci*), **~datka** *f* (*-i*; *G -tek*) candidate (***na*** *A*, ***do*** *G* to); **~dować** (*-uję*) apply (***na*** *A* for), stand (as a candidate) (***na*** *A* for)

kandyzowany glacé, candied

kangur *m* (*-a*; *-y*) *zo.* kangaroo

kanikuła *f* (*-y*) dog days *pl.*; (*upał*) heat wave

kanonada *f* (*-y*) bombardment, cannonade

kanoni|k *m* (*-a*; *-cy*) canon; **~zować** (*-uję*) canonize

kant *m* (*-u*; *-y*) edge; (*po zaprasowaniu*) crease; F swindle

kantor[1] *m* (*-u*; *-y*) office; ***~ walutowy*** exchange office

kantor[2] *m* (*-a*; *-rzy*) cantor

kantować F ⟨**o-**⟩ (*-uję*) swindle, cheat

kantówka *m* (*-i*; *G -wek*) *bud.* square timber; ruler

kantyna *f* (*-y*) (*sklep*) canteen

kapa *f* (*-a*; *-y*) bedspread; *rel.* cope

kapać (*-ię*) drop, drip

kapary *m/pl.* (*-ów*) capers *pl.*

kapeć *m* (*-pcia*; *-pcie*, *-pci*[*ów*]) slipper; (*stary but*) old worn-out slipper/shoe

kapela *f* (*-i*; *-e*) *mus.* F band; (*ludowa*) folk group

kapel|an *m* (*-a*; *-i/-owie*) *rel.* chaplain; *mil.* army chaplain; **~mistrz** *m* (*-a*; *-e/-owie*) *mus.* bandmaster, bandleader; (*dyrygent*) conductor

kapelusz *m* (*-a*; *-e*) hat

kaper|ować ⟨**s-**⟩ (*-uję*) capture, seize; (*w sporcie*) entice; **~unek** *m* (*-nku*; *-nki*) capturing; enticing

kapiszon *m* (*-a*; *-y*) → ***kaptur, spłonka***

kapitali|sta *m* (*-y*; *-ści*) capitalist; **~styczny** capitalist; **~zm** *m* (*-u*; *-y*) capitalism

kapita|lny F splendid, wonderful; ***remont ~lny*** general overhaul; **~ł** *m* (*-u*; *-y*) capital; ***~ł zakładowy*** registered *lub* nominal capital; ***~ł akcyjny*** joint stock

kapitan *m* (*-a*; *-owie*) *mil.*, *naut.*, (*w sporcie*) captain; **~at** *m* (*-u*; *-y*) *naut.* port authority

kapitański: ***mostek ~*** bridge

kapitu|lacja *f* (*-i*; *-e*) capitulation, surrender; **~lować** ⟨**s-**⟩ (*-uję*) capitulate, surrender; *fig.* give up

kapituła *f* (*-y*) *rel.* chapter

kapli|ca *f* (*-y*; *-e*, *G -czek*), **~czka** *rel.* chapel; wayside shrine

kapła|n *m* (*-a*; *-i*) priest; **~nka** *f* (*-i*; *G*

-nek) priestess; **~ński** clerical, priestly, sacerdotal
kapnąć *v/s.* (*-nę*) drip
kapota *f* (*-y*) coat, jacket
kapować ⟨**s-**⟩ F (*-uję*) get, understand
kapral *m* (*-a*; *-e*) corporal
kapry|s *m* (*-u*; *-y*) whim; caprice; *mus.* capriccio; **~sić** → ***grymasić***; **~śny** capricious, whimsical
kapsel *m* (*-sla*; *-sle*, *-sli*) (crown) cap
kapsuł|a *f* (*-y*; *G* -) capsule; *astr.* (space) capsule; **~ka** *f* (*-i*; *G -łek*) *med.* capsule
Kapsztad *m* (*-u*; *0*) Cape Town
kaptować ⟨**s-**⟩ (*-uję*) entice; buy
kaptur *m* (*-a*; *-y*) hood; *tech.* cover
kapucyn *m* (*-a*; *-i*) *rel.* Capuchin (friar)
kapu|sta *f* (*-y*; *G* -) *bot.* cabbage; ***biała ~sta*** white cabbage; ***głowiasta ~sta*** headed cabbage; ***włoska ~sta*** savoy cabbage; **~ściany** cabbage; **~śniak** *m* (*-a*; *-i*) *gastr.* cabbage soup; (*deszcz*) drizzle
kar|a *f* (*-y*; *G* -) punishment (***za*** *A* for); penalty; ***~a pozbawienia wolności*** imprisonment; ***pod ~ą więzienia*** punishable by prison; ***za ~ę*** as a punishment
karabin *m* (*-u*; *-y*) gun, *mil. zwł.* rifle; **~ek** *m* (*-nka*; *-nki*) small-bore rifle; snap hook, karabiner, **~owy** rifle, gun
karać ⟨**u-**⟩ (*-rzę*) punish (***za*** *A* for; ***więzieniem*** with imprisonment)
karafka *f* (*-i*; *G -fek*) decanter
karakułowy astrakhan
karalny punishable; ***czyn ~*** *jur.* criminal offence
karaluch *m* (*-a*; *-y*) *zo.* cockroach
karambol *m* (*-u*; *-e*) *mot.* pile-up
karaś *m* (*-sia*; *-sie*) *zo.* crucian
karawan *m* (*-u*; *-y*) hearse; **~a** *f* (*-y*; *G* -) caravan
karb *m* (*-u*; *-y*) notch, score; ***kłaść na ~*** (*G*) put down to, set down to; ***trzymać w ~ach*** curb, restrain
karbidówka *f* (*-i*; *G -wek*) carbide lamp
karbowa|ć (*-uje*) notch, score; *włosy* → ***kręcić***; **~ny** notched, scored
karcąco *adv.* reproachfully
karciany card
karcić ⟨**s-**⟩ (*-cę*) rebuke; → ***ganić***
karczma *f* (*-y*; *G -czem*) inn
karczoch *m* (*-a*; *-y*) *bot.* artichoke
karczow|ać ⟨**wy-**⟩ (*-uję*) grub; **~isko** *n* (*-a*) clearance

kardio|gram *m* (*-u*; *-y*) *med.* cardiogram; **~stymulator** *m* (*-a*; *-y*) *med.* pace-maker
kardynalny fundamental, basic, cardinal
kardynał *m* (*-a*; *-owie*) *rel.* cardinal
karet|a *f* (*-y*) carriage, coach; **~ka** *f* (*-i*; *G -tek*): ***~ka pogotowia*** (***ratunkowego***) ambulance; ***~ka więzienna*** *Brt.* prison van, *Am.* patrol wagon
kariera *f* (*-y*) career; success
kark *m* (*-u*; *-i*) *anat.* neck; ***nadstawiać ~u*** risk one's neck; ***zima na ~u*** the winter is approaching; **~ołomny** breakneck, headlong
karłowaty dwarfish, dwarf
karmazyn *m* (*-a*; *-y*) zo. rose-fish; **~owy** crimson
karmel *m* (*-u*; *-e*) caramel; **~ek** *m* (*-ka*; *-ki*) caramel (toffee)
karmelicki Carmelite
karmi|ć ⟨**na-**⟩ give food to; *niemowlę* breast-feed; *zwł. zwierzę* feed; ***~ się*** live on; **~enie** *n* (*-a*) feeding
karnawał *m* (*-u*; *-y*) carnival
karn|ość *f* (*-ści*; *0*) discipline; **~y** disciplined
karo *n* (*-a lub idkl.*; *-a*) *gra w karty*: diamond(s *pl.*); ***as ~*** ace of diamonds; ***wyjść w ~*** play diamonds
karoseria *f* (*GDL -ii*; *-e*) *mot.* bodywork
karowy *gra w karty*: diamond
karp *m* (*-ia*; *-ie*) *zo.* carp
kart|a *f* (*-y*; *G* -) (*kredytowa, do gry*) card; (*papieru*) sheet; *komp.* expansion card; ***~a tytułowa*** title page; ***~a łowiecka*** game licence; ***~a wyborcza*** ballot-paper; ***~a telefoniczna*** *zwł. Brt.* phonecard; ***zielona ~a*** *Brt.* green card, certificate of motor insurance; ***grać w*** (***otwarte***) ***~y*** put one's cards on the table; ***z ~y*** à la carte; **~ka** *f* (*-i*; *G -tek*) (*w książce*) leaf; (*luzem*) sheet; ***~ka pocztowa*** postcard
kartof|el *m* (*-fla*; *-fle*) potato; **~lanka** *m* (*-i*; *G -nek*) potato soup
karton *m* (*-u*; *-y*) cardboard; (*pudło*) box; **~owy** cardboard
kartoteka *f* card file *lub* index
karuzela *f* (*-i -e*) *Brt.* merry-go-round, *Am.* carousel
karygodny criminal
karykatu|ra *f* (*-y*) cartoon; (*portret*) caricature; **~rować** ⟨**s-**⟩ (*-uję*) caricature;

~rzysta *m* (*-y*; *-ści*), **~rzystka** *f* (*-i*; *G -tek*) cartoonist, caricaturist

karzeł *m* (*-rła*; *-rły*) dwarf

kasa *f* (*-y*) cash-box, (*urządzenie*) cash register; (*miejsce*) pay desk, (*w supermarkecie*) check-out; (*w teatrze itp.*) box-office; F (*pieniądze*) money; **~ *pancerna*** safe, strongbox

kasacja *f* (*-i*; *-e*) *jur.* annulment, cassation

kaset|a *f* (*-y*; *G -*) (*na pieniądze*) cash-box; *RTV*: cassette, tape; *phot.* cartridge; **~ka** *f* (*-i*; *G -tek*) box; **~owy** cassette

kasjer *m* (*-a*; *-rzy*), **~ka** *f* (*-i*; *G -rek*) cashier, teller

kask *m* (*-u*; *-i*) (*motocyklisty itp.*) helmet, (*robotnika itp.*) hard-hat

kaskader *m* (*-a*; *-rzy*) stuntman

kasłać (*-am*) → ***kaszlać***

kasow|ać ⟨**s-**⟩ (*-uję*) *wyrok* annul; *zapis* cancel; *bilet* cancel, punch; *nagranie* erase; *komp.* delete, erase; **~ość** *f* (*-ści*; *0*) success at the box-office; **~y** *wpływy* cash; *sukces* box-office

kastet *m* (*-u*; *-y*) *Brt.* knuckle-duster, *Am.* brass knuckles *pl.*

kastrować ⟨**wy-**⟩ (*-uję*) *samca* castrate; *samicę* spay

kasyno *n* (*-a*) casino; *mil.* mess

kasza *f* (*-y*; *-e*) (*sypka*) groats *pl.*; (*przyrządzona*) gruel; **~nka** *f* (*-i*; *G -nek*) *Brt.* black pudding, *Am.* blood sausagc

kaszel *m* (*-szlu*; *-szle*) cough

kaszkiet *m* (*-u*; *-y*) peaked cap

kaszl|ać, ~eć (*-lę*, *-l!*) ⟨**~nąć**⟩ *v/s.* (*-nę*) cough

kasztan *m* (*-a*; *-y*) (*jadalny*) chestnut; (*kasztanowiec*) horse chestnut, (*owoc*) conker; (*koń*) chestnut; **~owy** chestnut

kat *m* (*-a*; *-ci/-y*) hangman, executioner

kata|klizm *m* (*-u*; *-y*) cataclysm, catastrophe, (natural) disaster; **~lizator** *m* (*-a*; *-y*) *chem.*, *mot.* catalyst; **~log** *m* (*-u*; *-i*) catalog(ue); *komp.* directory; **~logować** ⟨**s-**⟩ (*-uję*) catalog(ue)

katar *m* (*-u*; *-y*) cold (in the head), catarrh

katarakta *f* (*-y*) cataract (*też med.*)

katarynka *f* (*-i*; *G -nek*) barrel organ

katastrofa *f* (*-y*) catastrophe; **~ *kolejowa/lotnicza*** train/air crash; **~ *samochodowa*** car accident

katechizm *m* (*-u*; *-y*) catechism

katedra *f* (*-y*) cathedral; (*uczelnia*) chair (***historii*** of history); **~lny** cathedral

kategor|ia *f* (*GDL -ii*; *-e*) category; **~yczny** categorical; **~yzować** (*-uję*) categorize

katoli|cki (***po -ku***) (Roman) Catholic; **~cyzm** (Roman) Catholicism; **~czka** *f* (*-i*; *G -czek*), **~k** *m* (*-a*; *-cy*) (Roman) Catholic

katować (*-uję*) torment, torture

kaucja *f* (*-i*; *-e*) (*w sklepie itp.*) deposit; *jur.* bail

kauczukowy caoutchouc, rubber

Kauk|az *m* (*-u*; *0*) the Caucasus; **℘aski** Caucasus, Caucasian

kawa *f* (*-y*) coffee; **~ *naturalna*** real coffee; → ***biały, zbożowy***

kawalarz F *m* (*-a*; *-e*) joker

kawaler *m* (*-a*; *-rzy/-owie*) bachelor, unmarried man; (*amant*) boyfriend, beau; (*pl. -owie*) Knight (***Orderu …*** of the Order…); (*na dworze*) chevalier; **~ia** *f* (*GDL -ii*; *-e*) *mil.* cavalry; **~ka** *f* (*-i*; *0*) *Brt.* bachelor flat, *Am.* studio apartment; **~ski** bachelor; **~yjski** cavalry

kawał *m* (*-u*; *-y*) lump, chunk; F joke; **~ *drogi*** a long way; **~ *chłopa*** a fine figure of a man; ***zrobić komuś ~*** play a joke on s.o.; **~eczek** *m* (*-czka*; *-czki*) a little bit, piece; **~ek** *m* (*-ka*; *-ki*) a bit, piece; ***na ~ki*** to pieces

kawiarnia *f* (*-i*; *-e*) café/cafe, coffee shop

kawior *m* (*-u*; *0*) caviar(e)

kawka *f* (*-i*; *G -wek*) jackdaw

kawowy coffee

kaza|ć (*im*)*pf* (*każę*, *każ!*) order, command; ***~ł mi na siebie czekać*** he made me wait for him, he kept me waiting; **~lnica** *f* (*-y*; *-e*) *rel.* pulpit; **~nie** *n* (*-a*) *rel.* sermon; *fig.* lecture

kazirodztwo *n* (*-a*; *0*) incest

kaznodzieja *m* (*-i*; *-e*, *G -jów*) *rel.* preacher

kaźń *f* (*-ni*; *0*) torture

każdorazowo *adv.* each/every time

każd|y (**~a, ~e**) every, each; everybody, everyone; ***w ~ej chwili*** (at) any moment; ***o ~ej porze*** (at) any time; ***za ~ym razem*** every time; ***na ~ym kroku*** at every step

kącik *m* (*-a*; *-i*) → **kąt**; (*zakątek*) nook

kąpać ⟨**wy-**⟩ (*-ię*) *v/t. Brt.* bath, *Am.* bathe; **~** ⟨**wy-**⟩ **się** *v/i.*; (*myć*) take *lub* have a bath; (*pływać*) swim; ***~ się w słońcu*** soak up the sun

K

kąpiel *f* (*-i*; *-e*) (*mycie*) bath; (*pływanie*) swim; **~isko** *n* (*-a*) bathing place; bathing beach; ***~isko morskie*** seaside resort; **~owy** bathing; ***strój ~owy*** bathing suit; **~ówki** *f/pl.* (*-wek*) bathing trunks *pl.*

kąs|ać (*-am*) bite; **~ek** *m* (*-ska*; *-ski*) morsel, bit, chunk

kąśliwy (***-wie***) biting, sharp

kąt *m* (*-a*; *-y*) *math.* angle; (*pokoju itp.*) corner; F place to stay; ***~ widzenia*** point of view; ***pod ostrym ~em*** at an acute angle; ***pod ~em*** at an angle; (*G*) from the point of; ***po ~ach*** secretly; **~omierz** *m* (*-a*; *-e*) protractor; **~ownik** *m* (*-a*; *-i*) *tech.* angle (iron), angle (bar); **~owy** angle, angular

kc *skrót pisany*: ***kodeks cywilny*** civil code

kciuk *m* (*-a*; *-i*) thumb

keczup *m* (*-a*; *0*) ketchup

kefir *m* (*-u*; *-y*) kefir

keks *m* (*-u*; *-y*) fruit cake

kelner *m* (*-a*; *-rzy*) waiter; **~ka** *f* (*-i*; *G -rek*) waitress

kemping *m* (*-u*; *-i*) camping site; **~owy** camping; ***przyczepa ~owa*** *Brt.* caravan, *Am.* trailer

kędzierzawy curly, curling

kędzior *m* (*-a*; *-y*) lock

kęp|a *f* (*-y*) (*drzew*) clump, cluster; (*trawy*) tuft, bunch; (*wyspa*) islet, *Brt.* holm; **~ka** *f* (*-i*; *G -pek*) little cluster

kęs *m* (*-a*; *-y*), **~ek** (*-ska*; *-ski*) bite, mouthful

kibel F *m* (*-bla*; *-ble*) (*toaleta*) *Brt.* loo, *Am.* john

kibic *m* (*-a*; *-e*) fan, supporter

kibuc *m* (*-a*; *-e*) kibbutz

kich|ać (*-am*) ⟨***~nąć***⟩ (*-chnę*) sneeze; *fig.* think nothing (***na*** *A* of)

kicia *m* (*-i*; *-e*) F pussy

kiczowaty (***-to***) kitschy, trashy, cheap

kić F (*-cia*, *-cie*; *-ciów*) *Brt.* nick, *zwł. Am.* slammer

kiecka *f* (*-i*; *G -cek*) skirt; ***kiecki*** *pl.* F togs *pl.*

kiedy 1. *pron.* when; **2.** *cj.* when; as; ***~ indziej*** another time; ***~'kolwiek*** whenever; at any time; **~ś** sometime, (at) some time (or other); **~ż** when at last

kielich *m* (*-a*; *-y*) goblet; *rel.* chalice; *bot.* calyx; ***iść na ~a*** go for a drink

kieliszek *m* (*-a*; *-szki*) glass; ***~ do wódki*** vodka glas; ***~ do jaj*** egg cup

kielnia *f* (*-i*; *-e*) *bud.* trowel

kieł *m* (*kła*; *kły*) canine tooth; (*drapieżcy*) fang; (*słonia*, *dzika*) tusk

kiełbas|a *f* (*-y*; *G -*) sausage; **~iany** sausage; ***jad ~iany*** botulin, **~ka** *f* (*-i*; *G -sek*) sausage; frankfurter

kiełkować ⟨**wy-**⟩ (*-uję*) germinate; sprout; *fig.* stir, awaken

kiepski bad; poor

kier. *skrót pisany*: ***kierownik*** man., mngr (*manager*); ***kierunek*** dir. (*direction*)

kier *m* (*-a*; *-y*) *gra w karty*: heart(s *pl.*); ***as ~*** ace of hearts; → *też* ***kra***; ***wyjść w ~y*** play hearts

kierat *m* (*-u*; *-y*) treadmill (*też fig.*); *fig.* drudgery, dreary routine

kiermasz *m* (*-u*; *-e*) fair, bazaar

kierować (*-uję*) ⟨**s-**⟩ (**do** *G*, **na** *A*) direct (to, towards, *też fig.*), aim (at); *spojrzenie* turn (towards); *broń* point (at); ⟨**po-**⟩ (*I*) (*autem itp.*) drive (*też v/i.*); (*zakładem*) manage, run; ***~ się*** (*I*) be guided (by)

kierow|ca *m* (*-cy*; *G -ów*) driver; **~nica** *m* (*-y*; *-e*) steering wheel; (*roweru*) handlebars *pl.*

kierowni|ctwo *n* (*-a*) management; supervision; **~czka** *f* (*-i*; *G -czek*) manager, director, head; (*szkoły*) headmistress; **~czy** managerial, executive; **~k** *m* (*-a*; *-cy*) manager, director, head; (*szkoły*) headmaster

kierowy heart(s)

kierun|ek *m* (*-nku*; *-nki*) direction; ***pod ~kiem*** under the direction *lub* supervision of; **~kowskaz** *m* (*-y*; *G -ów*) (*drogowskaz*) signpost; *mot. Brt.* indicator, *Am.* turn signal; **~kowy** directional; ***numer ~kowy*** *tel.* dialling code, *Am.* area code

kieszeń *f* (*-ni*; *-nie*) (***spodni, wewnętrzna*** trouser, inside) pocket

kieszonkow|e *n* (*-ego*) pocket money; **~iec** *m* (*-wca*; *-wcy*) pickpocket; (*pl. -wce*) (*książka*) pocket book; **~y** pocket

kij *m* (*-a*; *-e*, *-ów*) stick; ***~ golfowy*** golf club; F ***~e*** *pl.* beating, caning, hiding

kijanka *f* (*-i*; *G -nek*) tadpole

Kijów *m* (*-jowa*; *0*) Kiev

kikut *m* (*-a*; *-y*) stump, stub

kilim *m* (*-a*; *-y*) kilim

kilka (*m-os kilku*) several, some; F a

couple (of); **~dziesiąt** a few dozen; **~krotny** repeated; ***-nie*** *adv.* repeatedly; **~naście** a dozen or so; **~set** several hundred

kilk|oro, ~u *m-os* → ***kilka***

kilku|dniowy lasting several days; several days long; **~godzinny** lasting several hours, of several hours; **~letni** lasting several years, of several years; **~miesięczny** lasting several months, of several months; **~nasto-** *w zł.* → ***kilkanaście***; **~nastoletni** lasting over ten years; in one's teens; **~osobowy** for several people; **~rodzinny** for several families; multifamily; **~set** → ***kilkaset***; **~tysięczny** of several thousand

kilof *m (-a; -y)* pick mattock, *Brt.* pickaxe, *Am.* pickax

kilo|gram *m* kilogram; **~metr** *m Brt.* kilometre, *Am.* kilometer; **~wy** one-kilogram; *naut.* keel

kiła *m (-y; 0) med.* syphilis

kim(że) *(IL* → ***kto, któż***): ***z ~*** with who(m); ***o ~*** about who(m)

kimać *(-am)* F nap, doze off

kinkiet *m (-u; -y)* wall lamp

kino *n (-a) (budynek) Brt.* cinema, *Am.* movie theater; *(seans) Brt.* the cinema, *Am.* the movies; *(sztuka)* cinema; **~operator** *m (-a; -rzy)* projectionist; **~wy** cinema

kiosk *m (-u; -i)* kiosk; newsagent('s); **~arka** *f (-i; G -rek)*, **~arz** *m (-a; -e)* newsagent

kipi|ący boiling, seething; **~eć** *(-ę, -i)* boil, seethe *(też fig.* ***z*** *G* with)

kir *m (-u; -y)* crepe; *fig.* mourning

kis|ić ⟨**za-**⟩ *(-szę, -ś!)* pickle; ***~ić się*** pickle; *fig.* ferment; **~iel** *m (-ślu; -śle)* jelly-like dessert; **~nąć** ⟨**s-**⟩ *(-nę, -[nął]ł)* turn sour

kiszka *f (-i; G -szek)* F gut, bowel; ***ślepa ~*** F *med.* appendix; ***~ pasztetowa*** *gastr.* liver sausage

kiszon|ka *f (-G -nek) agr.* silage; **~y**: ***~a kapusta*** sauerkraut; ***~y ogórek*** pickled cucumber/gherkin

kiść *f (-ci; -cie)* bunch

kit *m (-u; -y)* putty; **~a** *f (-y)* plume, *(ogon)* brush, brushy tail

kitel *m (-tla; -tle)* overall; *(lekarza itp.)* white coat

kitować *(-uję)* ⟨**za-**⟩ putty, fix with putty; ⟨**wy-**⟩ F *Brt.* croak, peg out

kiw|ać *(-am)* ⟨***~nąć***⟩ *(-nę) (głową)* nod (one's head); *(ręką)* wave (***na k-oś*** to s.o.); ***~ać się*** move about, be loose; *meble*: be rickety; → ***kołysać się***

kiwi *n (idkl.) zo., bot.* kiwi

kk *skrót pisany*: ***kodeks karny*** criminal code

kl. *skrót pisany*: ***klasa*** cl. *lub* Cl. *(class)*

klacz *f (-y; -e)* mare

klajster *m (-tra; -try)* paste; *(paćka)* goo

klakson *m (-u; -y) mot.* horn

klam|ka *f (-i; G -mek)* door-handle, *(gałka)* doorknob; **~ra** *f (-y; G -mer)* clasp; buckle

klap|a *f (-y; -)* hinged lid, trapdoor; *(marynarki)* lapel; ***~a bezpieczeństwa*** safety valve; ***zrobić ~ę*** fall flat; ***~ać*** *(-ię) chodaki*: click; *kapcie*: pad; *deska*: rattle; **~nąć** *v/s. (-nę)* fall *lub* sit with a bump

klarnet *m (-u; -y) mus.* clarinet

klarow|ać ⟨**wy-**⟩ *(-uję) wino* clear; clarify, make clear; **~ny** clear

klas|a *f (-y; G -)* class *(też uczniów); (oddział uczniów w szkole) Brt.* form, *Am.* grade, *(sala)* classroom; **~kać** *(-szczę/-kam)* ⟨***~nąć***⟩ *(-nę)* clap (one's hands), applaud; **~owy** class; classroom; **~ówka** *f (-i; G -wek)* test; **~yczny** classical, classic

klasy|fikować ⟨**za-**⟩ *(-uję)* classify; ***~fikować się*** be classified, be grouped; **~ka** *f (-i; 0)* classics *pl.*

klasztor *m (-u; -y) rel. (męski)* monastery, *(żeński)* convent; **~ny** monastery, monastic; convent, conventual

klatka *f (-i; G -tek)* cage; *(zdjęciowa)* frame; ***~ piersiowa*** chest, *med.* thorax; ***~ schodowa*** staircase

klauzula *f (-i; -le) jur.* clause

klawiatura *f (-y)* keyboard

klawisz *m (-a; -e)* key; **~owy** *instrument* keyboard

klą|ć *(klnę)* (***na*** *A)* swear (at), curse; **~twa** *f (-y; G -)* curse

klecić ⟨**s-**⟩ *(-cę) meble itp.* knock together; *wypracowanie itp.* knock off

kleić ⟨**s-, za-**⟩ *(-ję)* glue (together), stick (together); ***~ się*** be sticky; stick; *(do kogoś)* cling (**do** G to); F *fig.* ***nie ~ się*** not work out (all right)

kle|ik *m (-u; -i)* gruel; **~isty** sticky; *ręce itp.* clammy

klej *m (-u; -e)* glue; paste

K

klejnot *m* (*-u*; *-y*) jewel
klekotać (*-cę/-czę*) rattle, clatter; → ***paplać***
klep|ać (*-ię*) ⟨**po-**⟩ slap, pat (**się** o.s., each other); ⟨**wy-**⟩ (*mówić*) patter; *kosę* strickle; *metal* chase; **~isko** *n* (*-a*) (*w stodole*) thrashing floor; **~ka** *f* (*-i*; *G -pek*) (*w beczce*) stave; (*na podłodze*) flooring strip *lub* block; F ***brak mu piątej ~ki*** he has got a screw loose; **~nąć** → ***klepać***
klepsydra *f* (*-y*; *G -*) hourglass; (*nekrolog*) obituary (notice)
kler *m* (*-u*; *0*) (the) clergy; **~ykalny** clerical
kleszcz *m* (*-a*; *-e*) *zo.* tick; **~e** *m/pl.* (*-y/-ów*) *tech.* pliers *pl.* pincers *pl.*; *med.* forceps *pl.*; *zo.* pincers *pl.*; **~owy**: ***poród ~owy*** *med.* forceps delivery
klęcz|eć (*-ę*) kneel; **~ki** *pl.*: ***na ~kach*** on knees; **~nik** *m* (*-a*; *-i*) prie-dieu
klęk|ać (*-am*) ⟨**~nąć**⟩ (*-nę, też -kła, -kli*) kneel down
klę|li, ~łam → ***kląć***
klęsk|a *f* (*-i*; *G -*) defeat; disaster, catastrophe; ***~a pożaru*** fire, conflagration, ***~a głodu*** hunger, famine; ***ponieść ~ę*** suffer defeat
klient *m* (*-a*; *-ci*) client; customer; **~ela** *f* (*-i*; *G -el*) clientele, customers *pl.*; **~ka** *f* (*-i*; *G -tek*) client; customer
klika *f* (*-i*; *G -*) clique
klikać (*-nę*) *komp.* (*A*) click (on)
klimat *m* (*-u*; *-y*) climate; **~yczny** climatic; ***stacja ~yczna*** climatic health resort; **~yzacja** *f* (*-i*; *0*) air-conditioning; **~yzator** air-conditioner
klin *m* (*-a*; *-y*) wedge; (*w ubraniu*) (wedge-shaped) gusset; ***zabić ~(a) między*** drive a wedge between
klinga *f* (*-i*; *G -*) blade
klini|czny clinical; **~ka** *f* (*-i*) teaching hospital; clinic
klinow|aty wedge-shaped; **~y**: ***pas ~y*** *tech.* V-belt; ***pismo ~e*** cuneiform writing
klisza *f* (*-y*; *-e*) plate; film
kln|ą, ~ę, ~iecie, ~iesz → ***kląć***
kloc *m* (*-a*; *-e*) block, (*pień*) log; **~ek** *m* (*-cka*; *-cki*) block
klomb *m* (*-u*; *-y*) flowerbed
klon *m* (*-u*; *-y*) *bot.* maple; *biol.* clone; **~ować** (*-uję*) clone
klops *m* (*-a*; *-y*) meat loaf; (*mały*) meatball; F washout; **~ik** *m* (*-a*; *-i*) meatball, rissole
klosz *m* (*-a*; *-e*) lampshade; (*na ser itp.*) bell-shaped cover; (*na rośliny*) cloche; ***w ~*** → **~owy** (widely) flared
klown *m* (*-a*; *-y/-i*) clown
klozet *m* (*-u*; *-y*) WC, toilet; **~owy** toilet
klub *m* (*-u*; *-y*) club; ***~ poselski*** parliamentary group; **~owy** club
klucz *m* (*-a*; *-e*) key (*też fig.*); *mus.* clef; *tech. Brt.* spanner, *Am.* wrench; ***pod ~em*** under lock and key; (*w więzieniu*) behind bars; **~owy** key
kluć się (*-ję*) hatch
klusk|a *f* (*-i*; *G -sek*) dumpling; ***~i*** *pl. też* pasta
kła → ***kieł***
kłaczkowaty fluffy
kła|dą, ~dę → ***kłaść***; **~dka** (*-i*; *G -dek*) foot-bridge, *naut.* gangplank; **~dziesz** → ***kłaść***
kłak *m* (*-a*; *-i*) flock, tuft; ***~i*** *pl. pej.* shock, mop
kłam *m* (*-u*; *0*): ***zadać ~*** (*D*) give the lie to; **~ać** ⟨**s-**⟩ (*-ię*) lie; **~ca** *m* (*-y*; *G -ów*) lier; **~liwy** (***-wie***) lying; **~stwo** *n* (*-a*) lie
kłania|ć się (*-am*) bow; nod (***znajomym*** to acquaintances); ***~j się im od nas*** remember us to them
kłaść lay; (*do łóżka*) lay down; put (***do kieszeni*** (in)to the pocket); ***~ się*** lie down; → ***wkładać***
kłąb *m* (*kłębu*; *kłęby*) ball, tangle; *zo.* withers *pl.*; ***kłęby*** clouds (***dymu, kurzu*** of smoke, of dust)
kłęb|ek *m* (*-ka*; *-ki*) ball, tangle; *fig.* ***~ek nerwów*** a bundle of nerves; ***zwinąć się w ~ek*** curl up; **~ić się** (*-ę*) get up (in clouds), hang (in clouds); mill about
kłoda *m* (*-y*; *G kłód*) log
kłonić ⟨**s-, po-**⟩ bow down (**się** *v/i.*)
kłopot *m* (*-u*; *-y*) trouble, problem, worry; ***~y pieniężne*** financial difficulties *pl.*; ***~y z sercem*** heart trouble; ***wprawić w ~*** embarrass; **~ać się** (*-czę/-cę*) worry (***o*** *A* about); **~liwy** troublesome, difficult
kłos *m* (*-a*; *-y*) ear
kłócić się (*-cę*) quarrel, argue (***o*** *A* about); *kolory*: clash
kłódka *m* (*-i*; *G -dek*) padlock
kłót|liwy (***-wie***) quarrelsome; **~nia** *f* (*-i*; *-e*) quarrel, argument
kłu|ć (*-ję/kolę, kolesz, kole, kłuj!*) prick;

K

ból: stab; **~jący** prickling; stabbing
kłus *m* (*-a*; *0*) trot; **~em** at a trot; **~ak** *m* (*-a*; *-i*) trotter
kłusować¹ (*-uję*) trot
kłusow|ać² (*-uję*) poach; **~nictwo** *n* (*-a*; *0*) poaching; **~nik** *m* (*-a*; *-cy*) poacher
kły *pl.* → ***kieł***
KM *skrót pisany*: ***koń mechaniczny*** HP (*horse power*)
kminek *m* (*-nku*; *0*) caraway (seed)
knajpa F *f* (*-y*) joint, *Brt.* dive, boozer, *Am.* beanery
knedle *m/pl.* dumplings
knocić F ⟨***na-, s-***⟩ (*-cę*) → ***partaczyć***
knot *m* (*-a*; *-y*) wick; F (*partactwo*) botch-up
knowania *pl.* (*-ń*) intrigues *pl.*
knuć ⟨***u-***⟩ (*-ję*) scheme, intrigue
koalic|ja *f* (*-i -e*) coalition; **~yjny** coalition
kobiałka *f* (*-i*; *G -łek*) basket
kobie|ciarz *m* (*-a*; *-e*) womanizer; **~cy** (***-co, po -cemu***) feminine; female; **~ta** *f* (*-y*) woman
kobyła *f* (*-y*) mare
koc *m* (*-a*; *-e*) blanket; ***wełniany ~*** woollen blanket
kocha|ć (*-am*) love (***się*** o.s.); ***~ć się*** (***w*** *I*) be in love (with); (***z*** *I*) make love (to); ***~m cię*** I love you; ***jak mamę ~m*** cross my heart; **~nek** *m* (*-nka*; *-nkowie*) lover; **~nka** *f* (*-i*; *G -nek*) mistress; **~ny** dear
kocher *m* (*-u*; *-y*) stove
koci catty, catlike; *biol.* feline; **~ak** *m* (*-a*; *-i*), **~ę** *n* (*-ęcia*; *-ęta*) kitten, kitty
kocioł *m* (*kotła*; *-tły*) vat, pot, cauldron; *tech.* boiler; ***kotły*** *pl. mus.* (kettle)-drums *pl.*
kocur *m* (*-a*; *-y*) tom(cat)
koczow|ać (*-uję*) lead a nomadic existence; F squat, park (o.s.); **~nik** *m* (*-a*; *-cy*) nomad
kod *m* (*-u*; *-y*) code; ***~ banku*** sorting code number; ***~ pocztowy*** *Brt.* postcode, *Am.* zip code
kodeks *m* (*-u*; *-y*) code; ***~ karny*** criminal code; ***~ postępowania cywilnego*** civil procedure
kodować ⟨***za-***⟩ (*-uję*) code
kogo(ż) (*GA* → ***kto, któż***) who(m); ***do ~*** to who(m); ***od ~*** from who(m)
kogu|ci: ***waga ~cia*** bantam weight; **~t** *m* (*-a*; *-y*) cock, *zwł. Am.* rooster
koić ⟨***u-***⟩ (*-ję*) soothe, comfort, calm
kojarzyć ⟨***s-***⟩ (*-ę*) associate; ***~ się*** be associated (***z*** *I* with)
kojący (***-co***) soothing, calming
kojec *m* (*-jca*; *-jce*) (*dla kur*) coop; (*dla dziecka*) playpen
kok *m* (*-a*; *-i*) bun
kokain|a *f* (*-y*; *0*) cocaine; **~izować się** (*-uję*) take cocaine, snort (cocaine)
kokarda *f* (*-y*) bow
kokiet|eryjny coquettish, flirtatious; **~ować** (*-uję*) flirt (*A* with)
koklusz *m* (*-u*; *0*) *med.* whopping cough
kokos *m* (*-a*; *-y*) *bot.* coconut; **~owy** coconut; ***~owy interes*** gold mine
kokoszka *f* (*-i*; *G -szek*) brood-hen
koks *m* (*-u*; *0*) coke; ***na ~ie*** F doped
koksownia *f* (*-i*; *-e*) coking plant
koktajl *m* (*-u*; *-e*) (*alkohol*) cocktail; (*mleczny*) milk shake
kol. *skrót pisany*: ***kolega, koleżanka*** colleague; ***kolejowy*** rail. (*railway*); ***kolegium*** college
kolacj|a *f* (*-i*; *-e*) supper; (*późny obiad*) dinner; ***jeść ~ę*** have supper/dinner
kolano *n* (*-a*) knee; **~wy** knee, *med.* genual
kola|rski cycle; **~rstwo** *n* (*-a*; *0*) cycling; **~rz** *m* (*-a*; *-e*) cyclist
kolaż *m* (*-u*; *-e*) collage
kolą → ***kłuć***; **~cy** → ***kłujący***
kolba *f* (*-y*; *G -*) *mil.* butt; *bot.* cob
kol|ce → ***kolec***; **~czasty** (***-to***) prickly, **~czyk** *m* (*-a*; *-i*) earring; *agr.* earmark
kolebka *f* (*-i*; *G -bek*) cradle (*też fig.*)
kol|e → ***kłuć***; **~ec** *m* (*-lca*, *-lce*) thorn, spine; **~ce** *pl.* (*w sporcie*) spikes *pl.*
kolega *m* (*-i*; *-dzy*) colleague, friend; ***~ z pracy*** workmate, fellow worker; ***~ szkolny*** schoolmate; → ***fach***
kole|gialny collective; **~giata** *f* (*-y*) *rel.* collegiate church; **~gować** (*-uję*) be friends (***z*** with)
kole'ina *f* (*-y*) rut
kole|j *f* (*GDl -i*; *-e*, *-ei*) *rail. Brt.* railway, *Am.* railroad; order, sequence; ***~j rzeczy*** course of events; ***pracować na ~i*** work on the railway; ***spóźnić się na ~j*** miss the train; ***po ~i*** one by one, by turns; ***~j na mnie*** it is my turn; ***z ~i*** in turn
kolejarz *m* (*-a*; *-e*, *-y*) *Brt.* railwayman, *Am.* railroader
kolej|ka *f* (*-i*; *G -jek*) train; (*do skle-*

K

pu) *Brt.* queue, *Am.* line; **~ka górska** mountain railway/railroad; **stać w ~ce** queue up (**po** *A* for); **wejść poza ~ką** jump the queue; **stawiać ~kę** (*G*) buy a round of …

kolej|nictwo *n* (*-a*; *0*) railway/railroad system; **~no** in turn; **~ność** *f* (*-ci*; *0*) sequence, order; **według ~ności** one after the other; **~ny** next

kolejowy *Brt.* railway, *Am.* railroad

kolek|cjonować (*-uję*) collect; **~tura** *f* (*-y*) lottery-ticket selling point

kolektyw *m* (*-u*; *-y*) collective, body; **~ny** collective

koleż|anka *f* (*-i*; *G -nek*) → **kolega**; **~eński** comradely; **~eństwo** *n* (*-a*; *0*) friendship, comradeship

kolę *1. os. sg.* → **kłuć**

kolęda *f* (*-y*) carol

kolidować (*-uję*) clash (**z** *I* with)

kolisty (**-to**) circular

kolizja *f* (*-i*; *-e*) collision; → **zderzenie**

kolka *f* (*-i*; *G -lek*) stitch; *med.*, *wet.* colic

kolokwium *n* (*idkl.*; *-a*, *G -ów*) test

koloni|a *f* (*GDL -ii*; *-e*) colony; **~e** (**letnie**) *pl.* holiday camp; **~zować** ⟨**s-**⟩ (*-uję*) colonize

koloń sk|i: **woda ~a** (eau de) cologne

kolor *m* (*-u*; *-y*) colo(u)r; (*w grze w karty*) suit; **pod ~** colo(u)r-coordinated; **~y** *pl.* colo(u)reds *pl.*; → **barwa, barwnik**; **~owy** colo(u)red, colo(u)rful

koloryzować (*-uję*) embellish, whitewash

kolos *m* (*-a*; *-y*) colossus; **~alny** colossal

kolpor|taż *m* (*-u*; *0*) distribution; **~ter** *m* (*-a*; *-rzy*), **-rka** *f* (*-i*; *G -rek*) distributor; **~tować** (*-uję*) distribute

kolumna *m* (*-y*) column; (*głośnik*) loudspeaker; **~da** *f* (*-y*) colonnade

kołatać (*-czę*) knock (**do** *G* on); beat; **~ się** shake, rattle *v/i.*

kołczan *m* (*-u*; *-y*) quiver

kołdra *f* (*-y*; *G -der*) blanket, quilt

kołduny *m/pl.* (*-ów*) meat-filled dumplings *pl.*

kołek *m* (*-łka*; *-łki*) peg

kołnierz *m* (*-a*; *-e*), **~yk** *m* (*-a*; *-i*) collar; **~yk koszuli** shirt collar

koł|o[1] *n* (*-a*; *G kół*) circle (*też fig.*, *math.*); (*pojazdu*) wheel; **~em, w ~o** all around; → **grono, kółko**

koło[2] *prp.* (*G*) near, close to, next to; **~ Wrocławia** near Wroclaw; → **niedaleko, około**

kołow|acizna *f* (*-y*; *0*) *wet.* staggers *sg./pl.*; F confusion; **~ać** (*-uję*) circle; (*po lotnisku*) taxi; **~rotek** *m* (*-tka*; *-tki*) spinning-wheel; *wędkarstwo*: reel; **~rót** *m* (*-rotu*; *-roty*) winch; (*przy wejściu itp.*) turnstile; (*w sporcie*) circle; **~y** circular; *pojazd* wheeled

kołpak *m* (*-a*; *-i*) cap, helmet; *mot.* hubcap

kołtun *m* (*-a*; *-y*) *fig.* bourgeois, philistine; **~y** *pl.* matted hair *sg.*

koły|sać (*-szę*) rock, (*biodrami itp.*) sway; **~sać się** rock; sway; → **bujać** (**się**); **~sanka** *f* (*-i*; *G -nek*) lullaby; **~ska** *f* (*-ski*; *G -sek*) cradle

koman|dorski: **Krzyż ~dorski** Grand Cross; **~dos** *m* (*-a*; *-i*) commando

komandytow|y: **spółka ~a** limited partnership

komar *m* (*-a*; *-y*) mosquito, gnat

kombajn *m* (*-u*; *-y*) *agr.* combine harvester; (*górniczy*) cutter loader

kombina|cja *f* (*-i*; *-e*) combination; *fig.* **~cje** *pl.* wheeling and dealing; **~tor** *m* (*-a*; *-rzy*), **~torka** *f* (*-i*; *G -rek*) swindler

kombi|nerki *pl. tech.* (a pair of) combination pliers *pl.*; **~nezon** *m* (*-u*; *-y*) *Brt.* overalls, *Am.* coveralls; jump suit; (*astronauty*) space suit; **~nować** (*-uję*) combine, join together; F think; **~nować jak** *inf.* how to *bezok.*; F be up to

ko'media *f* (*GDL -ii*; *-e*) comedy; **~nt** *m* (*-a*; *-ci*), **~ntka** *f* (*-i*; *G -tek*) comedian, comic

komediowy comedy

komenda *f* (*-y*) command; **~ policji/straży pożarnej** police/fire brigade headquarters *pl.*; **~nt** *m* (*-a*; *-ci*) commandant; *mil.* commander, commanding officer

komenderować (*-uję*) command, be in command of

komentarz *m* (*-a*; *-e*) commentary

komentować ⟨**s-**⟩ (*-uję*) comment

komercyjny commercial

komet|a *f* (*-y*; *G -*) comet; **~ka** *f* (*-i*; *G -tek*) *sport*: badminton

komfortowy comfortable

komi|czny comical, funny; **~k** *m* (*-a*; *-cy*) comic, comedian; **~ks** *m* (*-u*; *-y*) comic strip; (*książeczka*) comic

komin *m* (*-a*; *-y*) chimney, (*wysoki*)

smokestack; (*statku*) funnel; **~ek** *m* (*-nka*; *-nki*) (*w pokoju*) fireplace; **~iarz** *m* (*-a*; *-e*) chimney sweep; **~kowy** fireplace

komis F *m* (*-u*; *-y*) commission shop

komi|'sariat *m* (*-u*; *-y*) police station; **~saryczny**: ***zarząd ~saryczny*** receivership; **~sarz** *m* (*-a*; *-e*) commissioner; (*policji*) *Brt.* superintendent, *Am.* captain; (*komunistyczny*) commissar; **~sja** *f* (*-i*) committee, commission; board; **~tet** *m* (*-u*; *-y*) committee

komityw|a *f* (*-y*; *0*): ***żyć w ~ie*** be good friends (***z*** *I* with); ***wejść w ~ę*** become good friends (***z*** *I* with)

komiwojażer *m* (*-a*; *-owie/-rzy*) (travelling) salesman/saleswoman, commercial travel(l)er

komnata *f* (*-y*) chamber

komoda *f* (*-y*) chest of drawers

komor|a *f* (*-y*) *biol.*, *med.*, *tech.* chamber; *anat.* ventricle; **~ne** *n* (*-ego*; *0*) rent; **~nik** *m* (*-a*; *-cy*) *jur.* bailiff; **~owy** *tech.* chamber

komórk|a *f* (*-i*; *G -rek*) *biol.*, *tech.* cell; (*pomieszczenie*) closet; F (*telefon komórkowy*) mobile; **~owiec** mobile; **~owy** cellular; → ***telefon***

kompakt *m* (*-u*; *-y*) CD, *Brt.* compact disc, *Am.* compact disk; CD player; **~owy** CD, compact

kompan *m* (*-a*; *-i*) mate, buddy

kom'pania *f* (*GDL -ii*; *-e*) *mil.*, *econ.* company

kompas *m* (*-u*; *-y*) compass

kompatybilny compatible

kompensa|cyjny compensatory; **~ta** *f* (*-i*; *-e*) compensation

kompensować (*-uję*) compensate

kompeten|cja *f* (*-i*; *-e*) competence; **~tny** competent

kompleks *m* (*-u*; *-y*) complex

komplement *m* (*-u*; *-y*) compliment

komple|t *m* (*-u*; *-y*) set; (*mebli itp.*) suite; ***~t widzów*** full house; ***w ~cie*** in full force; ***do ~tu*** to make complete

komplet|ny complete; F utter; **~ować** ⟨**s-**⟩ (*-uję*) complete, make complete

komplik|acja *f* (*-i*; *-e*) complication; **~ować** ⟨**s-**⟩ (*-uję*) complicate

kompo|nent *m* (*-u*; *-y*) component, constituent; **~nować** ⟨**s-**⟩ (*-uję*) compose

kompost *m* (*-u*; *0*) *agr.* compost; **~ować** ⟨**za-**⟩ (*-uję*) compost

kompot *m* (*-u*; *-y*) stewed fruit; compote

kompozy|cja *f* (*-i*; *-e*) composition; **~tor** *m* (*-a*; *-rzy*), **~torka** *f* (*-i G -rek*) composer

kompres *m* (*-u*; *-y*) compress; **~ja** *f* (*-i*; *-e*) compression

kompromi|s *m* (*-u*; *-y*) compromise; **~tacja** *f* (*-i*; *-e*) discredit; **~tować** ⟨**s-**⟩ (*-uję*) discredit, compromise; **~tujący** discrediting, compromising

komputer *m* (*-a*; *-y*) computer; ***~ osobisty*** personal computer (*skrót*: ***PC***); **~owy** computer; **~owiec** F *m* (*-wca*; *-wcy*) computer wizard; **~ować** ⟨**s-**⟩ (*-uję*) computerize

komu (*D* → ***kto***) to whom

komuch F *m* (*-a*; *-y*) commie

komu|na *f* (*-y*) *hist.* commune; *pej.* communist system, commies *pl.*; **~nalny** municipal; *bud. Brt.* council, *Am.* low-cost; **~nał** *m* (*-u*; *-y*) commonplace; **~nia** *f* (*GDl -ii*; *-e*) communion; **~nikacja** *f* (*-i*; *0*) communication; (*transport*) communications *pl.*, *Brt.* transport, *Am.* transportation; **~nikacyjny** communication; *Brt.* transport, *Am.* transportation; **~nikat** *m* (*-u*; *-y*) (*rządowy itp.*) communiqué; announcement; (***o stanie pogody***, ***radiowy*** weather, radio) report

komunikować (*-uję*) ⟨**za-**⟩ communicate, announce; ***~ się*** *t-ko impf.* be in touch; ⟨**s-**⟩ get in touch

komunistyczny Communist

komuż (*D* → ***któż***) to who(m)

komża *f* (*-y*; *-e*, *-y/-meż*) surplice

kona|ć (*-am*) be dying; ***~ć ze śmiechu*** die laughing; **~jący** dying

konar *m* (*-a*; *-y*) bough

koncentra|cja *f* (*-i*; *0*) concentration; **~cyjny** concentration

koncentrować ⟨**s-**⟩ (*-uję*) concentrate, focus (***się na*** *L* on)

koncep|cja *f* (*-i*; *-e*) idea, conception; **~t** *m* (*-u*; *-y*) idea; ***ruszyć ~tem*** think of s.th.

koncern *m* (*-u*; *-y*) concern

koncert *m* (*-u*; *-y*) performance, concert

konces|ja *m* (*-i*; *-e*) *Brt.* licence, *Am.* license; **~jonować** (*-uję*) license

koncha *f* (*-y*; *G -*) conch

kondensowa|ć (*-uję*) condense; ***mleko ~ne*** (*słodzone*) condensed milk, (*niesłodzone*) evaporated milk

K

kondolenc|je *f/pl.* (*-i*): ***składać ~je*** offer one's condolences (*D* to); **~yjny** condolence

kondom *m* (*-u*; *-y*) condom, F rubber

kondukt *m* (*-u*; *-y*): ***~ żałobny*** funeral procession

konduktor *m* (*-a*; *-rzy*), **~ka** *f* (*-i*; *G -rek*) (*w autobusie*) conductor; *rail. Brt.* guard, *Am.* conductor; ***~ka*** *też* satchel

kondy|cja *f* (*-i*; *-e*) condition, fitness; **~cyjny** fitness; **~gnacja** *f* (*-i*; *-e*) stor(e)y, level

konewka *f* (*-i*; *G -wek*) watering-can

konfederacja *f* (*-i*; *-e*) confederation

konfekcyjny ready-made

konfe|ransjer *m* (*-a*; *-rzy*), **~ransjerka** *f* (*-i*; *G -rek*) *Brt.* compère, master of ceremonies (*skrót*: ***MC***); **~rencja** *f*(*-i*; *-e*) conference; **~rować** (*-uję*) confer

konfesjonał *m* (*-u*; *-y*) *rel.* confessional

konfiden|cjonalny confidential; **~t** *m* (*-a*; *-ci*), **~tka** *f* (*-i*; *G -tek*) informer

konfirmacja *f* (*-i*; *-e*) confirmation (*też rel.*)

konfisk|ata *f* (*-y*) confiscation; **~ować** ⟨**s-**⟩ (*-uję*) confiscate

konfitury *f/pl.* (-) jam

konfliktowy provocative

konfront|acja *f* (*-i*; *-e*) confrontation; comparison; **~ować** ⟨**s-**⟩ (*-uję*) (***z*** *I*) confront (with), compare (with)

kongres *m* (*-u*; *-y*) congress

koniak *m* (*-u*; *-i*) *gastr.* brandy, (*francuski*) cognac

koniczyna *f* (*-y*) clover

koniec *m* (*-ńca*; *-ńce*) ending, end; (*szpic też*) tip; ***~ świata*** end of the world; ***i na tym ~*** and that will do; ***bez końca*** infinite, interminable; ***do*** (***samego***) ***końca*** to the very end; ***na/w końcu*** in the end, finally; ***od końca*** from the end, from back; ***pod ~*** at the end; ***~ końców*** in the end, finally; → ***kres, dobiegać***

koniecz|nie *adv.* absolutely; necessarily; **~ność** *f* (*-ści*; *0*) necessity; ***z ~ności*** of necessity; **~ny** necessary, obligatory

koni|k *m* (*-a*; *-i*) pony; *fig.* hobby; (*w szachach*) knight; ***~k polny*** grasshopper; **~na** *f* (*-y*) horse-meat; **~okrad** *m* (*-a*; *-y*) horse thief; **~uch** *m* (*-a*; *-y/-owie*) groom, stableman

kon|iugacja *f* (*-i*; *-e*) *gr.* conjugation; **~iunktura** *f* (*-y*) economic trend; (*dobra*) economic boom

koniuszek *m* (*-szka*; *-szki*) tip

konkluzja *f* (*-i*; *-e*) conclusion

konkret|ny concrete; specific; *człowiek* practical, down-to-earth; **~yzować** ⟨**s-**⟩ (*-uję*) put in concrete terms

konkubina *f* (*-y*) *jur.* concubine; cohabitant

konkur|encja *f* (*-i*) competition; (*wsporcie*) event; **~encyjny** competitive; **~ent** *m* (*-a*; *-ci*), **~entka** *f* (*-i*; *G -tek*) competitor, rival; **~ować** (*-uję*) compete (***o*** for)

konkurs *m* (*-u*; *-y*) competition, contest; ***otwarty ~*** open competition (***na*** *A* for); ***brać udział poza ~em*** take part as an unofficial competitor; **~owy** competition, contest

kon|no *adv.* on horseback; → ***jechać***; **~ny** horse; horse-drawn; mounted

konopie *f/pl.* (*-pi*) *bot.* hemp, cannabis

konosament *m* (*-u*; *-y*) *econ.* bill of lading

konował *f* (*-a*; *-y*) *pej.* quack

konsekwen|cja *f* (*-i*; *-e*) consequence; logicality, consistency; **~tny** consequent; consistent, logical

konserwa *f* (*-y*) *Brt.* tinned food, *Am.* canned food; **~cja** *f* (*-i*; *-e*) maintenance; conservation; **~'torium** *n* (*idkl.*; *-ia*, *-iów*) conservatory, music school; **~tysta** *m* (*-y*; *-ści*), **~tystka** *f* (*-i*; *G -tek*) conservative; **~tywny** conservative

konserwo|wać ⟨***za-***⟩ (*-uję*) preserve, conserve; maintain; **~wy** *Brt.* tinned, *Am.* canned

kon|solidacja *f* (*-i*; *-e*) consolidation; **~sorcjum** *n* (*idkl.*; *-ja*, *-ów*) consortium; **~spekt** *m* (*-u*; *-y*) outline, draft

konspira|cja *f* (*-i*; *-e*) conspiracy; underground movement; underground organisation; **~cyjny** conspiratorial; underground

kon|spirować (*-uję*) conspire; ⟨***za-***⟩ hide, camouflage (***się*** o.s.); **~statować** ⟨**s-**⟩ (*-uję*) state

konsternacja *f* (*-i*; *0*) consternation, dismay

konstru|kcja *f* (*-i*; *-e*) construction; structure; **~kcyjny** constructional; structural; **~ktor** *m* (*-a*; *-rzy*), **~ktorka** *f* (*-i*; *G -rek*) constructor; designer; **~ktywny** constructive; **~ować** ⟨**s-**⟩ (*-uję*) construct, design

konsty|tucja *f* (*-i*; *-e*) constitution; **~tucyjny** constitutional; **~tuować** ⟨**u-**⟩ (*-uję*) constitute
konsul *m* (*-a*; *-owie*, *-ów*) consul; **~at** *m* (*-u*; *-y*) consulate
konsul|tacja *f* (*-i*; *-e*) consultation; **~tant** *m* (*-a*; *-nci*), **~tantka** *f* (*-i*; *G -tek*) consultant; specialist; **~tingowy** consulting; *firma* consultancy; **~tować** (*-uję*) consult; discuss; give advice; ***~tować się*** (**u** *A*) consult (with), take advice (from)
konsum|encki consumer; **~ent** *m* (*-a*; *-nci*), **~entka** *f* (*-i*; *G -tek*) consumer; **~ować** ⟨**s-**⟩ (*-uję*) consume; **~pcja** *f* (*-i*; *0*) consumption; **~pcyjny** consumer; ***artykuły*** *pl.* ***~pcyjne*** consumer goods *pl.*
konsygnacja *f* (*-i*; *-e*) *econ.* delivery note
konsystorz *m* (*-a*; *-e*) *rel.* consistory
konszachty *pl.* (*-ów*) underhand dealings *pl.*
kontakt *m* (*-u*; *-y*) contact; *electr.* (*przełącznik*) switch, (*gniazdko*) socket, *Am.* outlet; **~ować** ⟨**s-**⟩ (*-uję*) bring into contact (**k-o z** *I* s.o. with); ***~ować*** ⟨**s-**⟩ ***się*** (**z** *I*) come into contact (with); stay in contact; **~owy** friendly, approachable
kontener *m* (*-a*; *-y*) container; **~owiec** *m* (*-wca*; *-wce*) *naut.* container ship
konto *n* (*-a*; *G -*) account; ***na ~*** on account
kontra[1] *f* (*-y*) (*w kartach*) double; (*boks*) counter-blow
kontra[2] against; versus; **~banda** *f* contraband → ***przemyt***
kontrahent *m* (*-a*; *-nci*), **~ka** *f* (*-i*; *G -tek*) *econ.* contractor
kontrakt *m* (*-u*; *-y*) contract; **~owy** contractual
kontrargument *m* (*-u*; *-y*) counter-argument
kontrast *m* (*-u*; *-y*) contrast; **~owy** full of contrasts; *med.* contrast
kontr|asygnować (*-uję*) countersign; **~atak** *m* counterattack; **~kandydat** *m*, **~kandydatka** *f* opponent; **~ofensywa** *f* counteroffensive
kontrol|a *f* (*-i*; *-e*) control; inspection, check; (*punkt*) checkpoint; **~er** *m* (*-a*; *-rzy*), **~erka** *f* (*-i*; *G -rek*) inspector; **~ny** controlling; check; **~ować** ⟨**s-**⟩ (*-uję*) control; inspect, check
kontro|wać (*-uję*) counter; (*w kartach*) double; **~wersyjny** controversial
kontr|propozycja *f* counterproposal; **~rewolucja** *f* counterrevolution; **~uderzenie** *n* counterstroke; counterattack; **~wywiad** *m* counterintelligence
kontuar *m* (*-u*; *-y*) counter
kon|tur *m* (*-u*; *-y*) outline, conto(u)r; **~tuzja** *f* (*-i*; *-e*) *med.* contusion; F injury
konty|nent *m* (*-u*; *-y*) continent; **~nentalny** continental, mainland; **~ngent** *m* (*-u*; *-y*) quota; *mil.* contingent; **~nuacja** *f* (*-i*; *0*) continuation; **~nuować** (*-uuję*) continue
kon'walia *f* (*GDL -ii*; *-e*) *bot.* lily of the valley
konwen|anse *m/pl.* (*-ów*) conventions *pl.*, propriety; **~cja** *f* (*-i*; *-e*) convention; **~cjonalny** conventional; **~t** *m* (*-u*; *-y*) council of elders; ***~t seniorów*** *parl.* advisory parliamentary committee
konwersacja *f* (*-i*; *-e*) conversation
konwersja *f* (*-i*; *-e*) conversion
konwo|jent *m* (*-a*; *-nci*) escort; **~jować** (*-uję*) escort; convoy
konw|ój *m* (*-oju*; *-oje*) convoy; ***pod ~ojem*** *też* under guard
konwuls|je *f/pl.* (*-i*) convulsions *pl.*; **~yjny** convulsive
koń *m* (*-nia*; *-nie*, *I -ńmi*) *zo.* horse; (*w szachach*) knight; ***~ mechaniczny*** *tech.* horsepower; ***na koniu*** on horseback
końc|a *G*, **~e** *pl.* → ***koniec***; **~owy** final, end; **~ówka** *f* (*-i*; *G -wek*) ending (*też gr.*); (*reszta*) remainder; (*w sporcie*) final; (*w szachach*) endgame; *tech.* tip, end, terminal
kończy|ć (*-ę*) ⟨**s-, u-**⟩ end, finish, complete; *v/i.* stop (**z czymś** s.th.); **~ć** ⟨**s-**⟩ **się** end; (*zużywać się*) come to an end; run out; (*kończyć ważność*) expire; **~na** *f anat.* limb, extremity
koński horse; *biol.* equine
kooper|acja *f* (*-i*; *-e*) co-operation; **~ant** *m* (*-a*; *-ci*) co-operating partner; **~ować** (*-uję*) co-operate
koordynować ⟨**s-**⟩ (*-uję*) co-ordinate
kopa|czka *f* (*-i*; *G -czek*) *agr.* digger; **~ć** (*-pię*) *piłkę itp.* kick; ⟨**wy-**⟩ *dół* dig out/up; *studnię* sink; *ziemniaki* lift; *węgiel* excavate; **~lnia** *f* (*-ni*; *-nie*) mine (*też fig.*), pit; **~lniany** mine; **~lny** fossil; **~nie** *n* (*-a*; *0*) digging; kicking; excavating; **~rka** *f* (*-i*; *G -rek*) excavator; digger

K

kop|cić (*-cę, ć!*) give off clouds of smoke; F *papierosy* puff away (at); **~eć** *f* (*-pcia/-pciu; 0*) soot

Kopenhaga *f* (*-i; 0*) Copenhagen

koper *m* (*-pru; -pry*), **~ek** (*-rku; -rki*) *bot.* dill; **~kowy** dill

koperta *f* (*-y; G -*) envelope

kopi|a *f* (*GDL -ii; -e*) copy; duplicate; **~ał** *m* (*-u; -y*) duplicate pad; **~arka** *f* (*-i; G -rek*) copier; (*kserograficzna*) photocopier

kopiec *m* (*-pca; -pce*) heap; **~ *mogilny*** grave mound; *agr.* clamp

kopiow|ać (*-uję*) ⟨**s-**⟩ copy, duplicate; ⟨**prze-**⟩ trace; **~y**: ***ołówek ~y*** indelible pencil

kopn|ąć *v/s.* (*-nę*) → ***kopać***; **~iak** *m* (*-a; -i*) kick

kopu|lacja *f* (*-i; -e*) copulation; **~lacyjny** copulative; **~lować** (*-uję*) copulate; **~ła** *f* (*-y; G -*) cupola, dome

kopyto *n* (*-a; G -*) hoof

kora *f* (*-y; G -*) bark

koral *m* (*-a; -e*) *zo.* coral; ***~e szklane*** glass beads; **~owy** coral

korb|a *f* (*-y; G -*) crank (handle), handle; **~owód** *m* (*-odu; -ody*) connecting-rod

korci|ć (*t-ko 3.os.*) tempt, attract; ***~ło go/ją, by*** he/she was tempted to

kordon *m* (*-u; -y*) cordon

Korea *f* (*-ei; 0*) Korea; **~nka** *f* (*-i; G -nek*), **~ńczyk** *m* (*-a; -cy*) Korean; **≈ński** (***po -ku***) Korean

kor|ek *m* (*-rka; -rki*) *bot.* cork; (*do butelki itp.*) cork, stopper; (*do wanny itp.*) plug; F *electr.* fuse; F (*na jezdni*) jam, *Brt.* tailback, *Am.* backup; ***~ek wlewu paliwa*** filler cap; ***~ki*** *pl.* cork heels *pl.*

kore|kta *f* (*-y; G -*) correction; revision; (*publikacji itp.*) proof-reading; F (*materiał do korekty*) the proofs; **~petycje** *f/pl.* (*-i; G -cji*) private lessons *pl.*

koresponden|cja *f* (*-i; 0*) correspondence; letters *pl.*, *Brt.* post, *Am.* mail; **~cyjny** correspondence; ***studia*** *pl.* ***~cyjne*** correspondence course, *Brt.* Open University course; **~t** *m* (*-a; -ci*), **~tka** *f* (*-i; G -tek*) correspondent

korespondować (*-uję*) correspond

korko|ciąg *m* (*-u; -i*) corkscrew; **~wać** ⟨**za-**⟩ (*-uję*) cork

kornet *m* (*-u; -y*) *mus.* cornet

kornik *m* (*-a; -i*) *zo.* bark beetle

korniszon *m* (*-a; -y*) gherkin

Kornwalia *f* (*-ii; 0*) Cornwall

koron|a *f* (*-y; G -*) crown; **~acja** *f* (*-i; -e*) crowning; **~ka** *f* (*-i; G -nek*) *med.* tooth cap; lace; **~kowy** lace; **~ować** ⟨**u-**⟩ (*-uję*) crown (***kogoś na króla*** s.o. king)

korozja *f* (*-i; 0*) corrosion

korowód *m* (*-wodu; -wody*) round dance

korporacja *f* (*-i; -e*) corporation, corporate body

korpu|lentny corpulent, obese; **~s** *m* (*-u; -y*) trunk; *mil.* corps *sg.*

Korsyka *f* (*-i; 0*) Corsica; **~ńczyk** *m* (*-a; -cy*) Corsican; **≈ński** Corsican

kort *m* (*-u; -y*) (*w sporcie*) court

korup|cja *f* (*-i; -e*) corruption; **~cyjny** corrupt

korygować ⟨**s-**⟩ (*-uję*) correct, revise

koryntka *f* (*-i; G -tek*) *bot.* currant

koryt|arz *m* (*-a; -e*) hall, hallway, corridor; **~o** *n* (*-a; G -*) (*rzeki*) bed; (*świni*) trough

korze|nić się (*-nię*) take root; **~nny** spicy; **~ń** *m* (*-nia; -nie*) root; ***~nie*** *pl.* (*przyprawa*) spices *pl.*

korzon|ek *m* (*-nka, -nki*) *med.* radicle; ***zapalenie ~ków*** *med.* radiculitis; → ***korzeń***

korzyst|ać ⟨**s-**⟩ (*-am*) (**z** *G*) use; make use (of); take advantage (of); **~ny** useful; favo(u)rable; profitable

korzyść *f*(*-ści*) advantage; profit; ***na twoją ~*** in your favo(u)r, to your benefit

kos *m* (*-a; -y*) *zo.* blackbird

ko|sa *f* (*-y; G -*) *agr.* scythe (*też fig.*); **~siarka** *f* (*-i; G -rek*) mower; **~sić** ⟨**s-**⟩ (*-szę*) mow

kosmaty (**-to**) shaggy; hirsute

kosmety|czka *f* (*-i; G -czek*) beautician, cosmetician; (*torebka*) vanity bag, *Brt.* sponge bag; **~czny** cosmetic (*też fig.*); **~k** *m* (*-u; -i*) cosmetic; **~ka** *f* (*-i; 0*) *fig.* cosmetic procedures *pl.*

kosm|iczny cosmic; **~os** *m* (*-u; -y*) cosmos

kosmyk *m* (*-a; -i*) wisp, stray lock

koso: ***patrzeć ~*** (***na*** *A*) look askance (at); **~drzewina** *f* (*-y; 0*) *bot.* (*sosna*) dwarf pine; **~oki** slit-eyed; → ***zezowaty***

kostium *m* (*-u; -y*) costume; → ***kąpielowy***

kost|ka *f* (*-i; G -tek*) small bone; *anat.* ankle; (*cukru*) lump; (*brukowa*) cobble (stone); (*do gry*) die, *pl.* dice; ***krajać w ~kę*** *gastr.* dice; ***po ~ki*** ankle-deep; **~nica** *f* (*-y*; *-e*) mortuary, morgue; **~nieć** ⟨**s-**⟩ (*-eję*) grow stiff (***z zimna*** with cold); **~ny** bone

kosy slanting; scowling

kosz *m* (*-a*; *-e*) basket; F (*w sporcie*) basketball; *mot.* sidecar

koszar|owy barrack(s); **~y** *pl.* barracks *sg.*

koszerny kosher

koszmar *m* (*-u*; *-y*) nightmare; horror; **~ny** nightmarish; horrible

koszt *f* (*-u*; *-y*) cost, expense; (*rozchody*) *pl.* expenses *pl.*; ***~em*** (*G*) at the cost (of); ***narazić na ~y*** put s.o. to expense

koszto|rys *m* (*-u*; *-y*) cost estimate; **~wać** (*-uję*) cost; **~wności** *pl.* precious objects *pl.*, jewel(le)ry; **~wny** expensive

koszul|a *f* (*-i*; *-e*) shirt; ***~a nocna*** nightdress; **~ka** *f* (*-i*; *G -lek*) singlet, T-shirt; *tech.* mantel; → ***podkoszulek***

koszyk *m* (*-a*; *-i*) basket; **~arka** *f* (*-i*; *G -rek*), **~arz** *m* (*-a*; *-e*) basketball player; **~ówka** *f* (*-i*; *0*) basketball

kościec *m* (*-śćca*; *- śćce*) bone structure; *fig.* backbone

kościelny 1. church; **2.** *m* (*-nego*; *-ni*) sexton

kościotrup *m* (*-a*; *-y*) skeleton

kościół *m* (*-cioła*; *-cioły*) church

koś|cisty bony; **~ć** *f* (*-ści*; *-ści*, *I śćmi*) bone; ***kości*** *pl. do gry* dice; ***~ć słoniowa*** ivory; ***~ć strzałkowa*** *anat.* fibula; ***~ć niezgody*** a bone of contention; ***do (szpiku) ~ci*** to the bone; **~lawy** crooked, lopsided; *meble* wobbly; *styl* halting

kot *m* (*-a*; *-y*) *zo.* cat

kotara *f* (*-y*; *G -*) curtain, drape

ko'teria *f* (*GDL -ii*; *-e*) coterie, clique

kotka *f* (*-i*; *G -tek*) *zo.* (she-)cat, tabby

kotlet *m* (*-a*; *-y*) cutlet, chop; ***~ mielony*** hamburger, beefburger; ***~ siekany*** rissole

kotlina *f* (*-y*; *G -*) valley

kotł|a, ~em → ***kocioł***; **~ować się** (*-uję*) churn, seethe; **~ownia** *f* (*-i*; *-e*) boiler room; boiler-house; **~owy** boiler; ***kamień ~owy*** fur; **~y** *pl.* → ***kocioł***

kotny pregnant

kotwi|ca *f* (*-y*; *-e*) *naut.* anchor; ***rzucać ~cę*** anchor, drop anchor; **~czny** anchor

kowa|dło *n* (*-a*) anvil; **~l** *m* (*-a*; *-e*) blacksmith; **~lik** *m* (*-a*; *-i*) *zo.* nuthatch; **~lski** blacksmith

kowboj *m* (*-a*; *-e*) cowboy

koz|a *f* (*-y*; *G kóz*) *zo.* goat, (*samica*) nanny-goat; ***siedzieć w ~ie*** *przest.* be in clink

kozetka *f* (*-i*; *G -tek*) couch, day bed

kozi goat, *biol.* caprine; **~ca** *f* (*-y*; *-e*) chamois; **~na** *f* (*-y*; *0*) goat (meat)

kozioł *m* (*-zła*; *-zły*) *zo.* buck; (*kozy*) billy goat; ***~ ofiarny*** scapegoat; **~ek** *m* (*-łka*; *-łki*): ***fikać ~ki*** turn somersaults

koziorož|ec *m* (*-żca*; *-żce*) *zo.* ibex; **℞ec** *znak Zodiaku:* Capricorn; ***on(a) jest spod znaku ℞ca*** he/she is (a) Capricorn

koźl|ątko *n* (*-a*; *G -tek*), **~ę** *n* (*-ecia*; *-ęta*) kid

kożuch *m* (*-a*; *-y*) sheepskin; (*do ubrania*) sheepskin coat; (*na mleku*) skin

kół *m* (*kołu*; *koły*) stake; → ***koło***

kółko *n* (*-a*; *G -łek*) ring; circle (*też fig.*); ***~ do kluczy*** key-ring; ***w ~*** in a circle, in circles; *fig.* over and over; → ***koło***

k.p.a. *skrót pisany*: ***kodeks postępowania administracyjnego*** code of administrative proceedings

kpi|ąco mockingly; **~ć** (*-ę*; *kpij!*) (***z*** *G*) mock, ridicule, poke fun (at); **~na** *f* (*-y*) jeer; *zwł. pl.* **~ny** mockery, ridicule

kpt. *skrót pisany*: ***kapitan*** Capt. (*captain*)

kra *f* (*-y*; *G kier*) ice floe

krab *m* (*-a*; *-y*) *zo.* crab

krach *m* (*-u*; *-y*) collapse; (*giełdowy*) crash

kraciasty checked, *Am.* checkered

kra|dli, ~dł *itp.* → ***kraść***; **~dzież** *f* (*-y*; *-e*) theft; (*z włamaniem*) robbery; (*w sklepie*) shoplifting; **~dziony** stolen

kraj *m* (*-u*; *-e*) country; ***~ rodzinny*** homeland; ***tęsknota za ~em*** homesickness; ***do ~u*** home

krajać ⟨**na-, po-**⟩ (*-ę*) cut; *mięso* carve

krajo|braz *m* (*-u*; *-y*) landscape, scenery; ***~braz miejski*** cityscape; **~wiec** *m* (*-wca*; *-wcy*) native; **~wy** native; *produkt* domestic; **~znawczy** sightseeing

krakać (*-czę*) caw; *fig.* croak

Krak|ów *m* (*-owa*; *0*) Cracow, Krakow; **℞owski** Cracow

krakers *m* (*-a*; *-y*) cracker

kraksa *f* (*-y*; *G -*) collision, crash, smash

K

kram *m* (*-u*; *-y*) stall; (*rzeczy*) stuff, junk; → ***kłopot***
kran *m* (*-u*; *-y*) (*kurek*) *Brt.* tap, *Am.* faucet; ***woda z ~u*** tap-water; → ***żuraw***
kra|niec *m* (*-ńca*; *-ńce*) end; ***na ~ńcu*** at the end; ***~ńce** pl.* ***miasta*** outskirts; **~ńcowy** extreme
krasić ⟨**o-**⟩ (*-szę*) *gastr.* add fat to
kras|nal *m* (*-a*; *-e*), **~noludek** *m* (*-dka*; *-dki*) dwarf, brownie; gnome; **~omówca** *m* (*-y*) orator
kraszanka *f* (*-i*; *G -nek*) → ***pisanka***
kraść ⟨***s-, u-***⟩ (*-dnę*) steal
krat|a *f* (*-y*; *G -*) grating, bars *pl.*; (*deseń*) check; **~ka**: ***za ~kami*** behind bars; ***w ~kę*** checked; **~kowany** checked; *papier* squared; **~kować** (*-uję*) square
kraul *m* (*-u*; *-e*) (*w sporcie*) crawl
krawat *m* (*-a*; *-y*) neck-tie
kra|wcowa *f* (*-wej*; *-e*) (*damski*) dressmaker; → ***~wiec***; **~wędź** *f* (*-dzi*; *-dzie*) edge, brink; (*łyżki*) rim; (*filiżanki*) lip; **~wężnik** *m* (*-a*; *-i*) *Brt.* kerb, *Am.* curb; **~wiec** *m* (*-wca*; *-wcy*) dressmaker, (*męski*) tailor; **~wiectwo** *n* (*-a*; *0*) dressmaking; tailoring
krą|g *m* (*kręgu*; *kręgi*) circle (*też fig.*); ring; **~żek** *m* (*-żka*; *-żki*) *Brt.* disc, *Am.* disk; (*w hokeju*) puck; *tech.* roller; **~żenie** *n* (*-a*) (*też med.*) circulation; **~żownik** *m* (*-a*; *-i*) *naut.* cruiser; **~żyć** (*-żę*) go (***dokoła*** (a)round), circle; circulate
krea|cja *f* (*-i*; *-e*) creation; **~tura** *f* (*-y*; *G -*) *pej.* wretch; **~tywny** creative
kreci mole; ***~a robota*** ruse, scheme
kreda *f* (*-y*) chalk
kredens *m* (*-u*; *-y*) dresser, sideboard
kredka *f* (*-i*; *G -dek*) crayon; (*rodzaj ołówka*) colo(u)red pencil; ***~ do ust*** lipstick
kredow|o- *w zł.* chalk; ***~o-biały*** as white as sheet; **~y** chalk
kredyt *m* (*-u*; *-y*) credit, loan; ***na ~*** on credit; **~ować** (*-uję*) credit, extend credit to; **~owy** credit
krem *m* (*-u*; *-y*) cream
kremacja *f* (*-i*; *-e*) cremation
kremowy (***-wo***) cream, creamy
kreować (*-uję*) create; perform
krepa *f* (*-y*) crepe
kres *m* (*-u*; *-y*) limit; end; ***być u ~u*** (*G*) be at the end of; ***położyć ~*** (*D*) put an end (to)
kresk|a *f* (*-i*; *G -sek*) line; (*w rysunku*) stroke; (*na skali*) mark; **~ować** (*-uję*) shade; **~owany** shaded; **~owy** line; **~ówka** *f* (*-i*; *G -wek*) (animated) cartoon
kreśl|arka *f* (*-i*; *G -rek*) *Brt.* draughtswoman, *Am.* draftswoman; **~arz** *m* (*-a*; *-e*) *Brt.* draughtsman, *Am.* draftsman; **~enie** *n* (*-a*) *tech.* drawing; **~ić** (*-lę*) ⟨**na-**⟩ draw; ⟨***s-, wy-***⟩ cross out, strike out
kret *m* (*-a*; *-y*) *zo.* mole; **~owisko** *n* (*-a*) molehill
kret|yn *m* (*-a*; *-i/-y*) moron, cretin (*też med.*); **~yński** moronic
krew *f* (*krwi*; *0*) blood; ***~ go zalała na to*** it made him see red; ***z krwi i kości*** flesh and blood; ***czystej krwi*** pure-bred, pure-blooded; ***z zimną krwią*** in cold blood
krewet|ka *f* (*-i*; *G -tek*) *zo.*, *gastr.* shrimp, prawn; ***~ki panierowane*** scampi *pl.*
krew|ki hot-blooded, rash; **~na** *f* (*-nej*; *-ne*), **~ny** *m* (*-nego*; *-ni*) relative, relation; ***najbliższy ~ny*** next of kin
kręc|ić (*-cę*) turn; *włosy* curl; *wąsa* twirl; F (*kłamać*) tell fibs; ***~ić głową*** shake one's head; ***~ić nosem na*** turn up one's nose at; ***~ić się*** spin; turn; *włosy* curl; twitch, fidget; ***~ić się koło*** (*G*) hover about; ***w głowie jej się ~i*** her head is spinning; **~ony** *włosy* curly; ***schody ~one*** spiral staircase
kręg *m* (*-u*; *-i*) *anat.* vertebra; → ***krąg***; **~arstwo** *n* (*-a*; *0*) chiropractic; **~ielnia** *f* (*-i*; *-e*) bowling alley; **~le** *m/pl.* (*-i*) skittles *pl.*; ***grać w ~le*** bowl
kręgo|słup *m* (*-a*; *-y*) *anat.* spinal column; backbone; spine (*też fig.*); **~wce** *m/pl.* (*-wców*) vertebrates *pl.*
krępować ⟨**s-**⟩ (*-uję*) tie up; *fig.* limit; (*żenować*) embarrass; ***~⟨s-⟩ się*** be ashamed
krępujący (***-co***) embarrassing; awkward
krępy stocky
kręta|ctwo *n* (*-a*; *G -*) crookedness, guile; **~cz** *m* (*-a*; *-e*), **~czka** *f* (*-i*; *G -czek*) crook
kręty (***-to***) *droga* winding; *wyjaśnienie* devious
krnąbrny unruly
krochmal *m* (*-u*; *0*) starch; **~ić** ⟨***na-, wy-***⟩ (*-ę*) starch
krocze *n* (*-a*) *anat.* crotch, *med.* perineum

kroczyć (*-ę*) pace, (*dużymi krokami*) stride; (*dumnie*) strut
kroić (*-ję, krój!*; *-ją*) ⟨**po-**⟩ cut, slice; ⟨**s-**⟩ cut out
krok *m* (*-u*; *-i*) step (*też fig.*); (*krocze*) crotch; **~i** *pl.* measures *pl.*; **~ za ~iem** step by step; **podejmować ~i, aby** take steps to; **na każdym ~u** at everystep
krokiet *m* (*-a*; *-y*) *gastr.* croquet
krokodyl *m* (*-a*; *-e*) *zo.* crocodile
kromka *f* (*-i*; *-mek*) slice (of bread)
kronika *f* (*-i*; *G* -) chronicle; **~ filmowa** newsreel
krop|elka *f* (*-i*; *G -lek*) → **kropla**; **~ić** ⟨**po-, s-**⟩ (*-ę*) sprinkle; **~i** it is spitting; **~idło** *n* (*-a*; *G -deł*) aspersorium, aspergillum; **~ielnica** *f* (*-y*; *-e*) aspersorium; **~ka** *f* (*-i*; *G -pek*) dot, spot; (*w interpunkcji*) *Brt.* full stop, *Am.* period; **w ~ki** dotted; **~kowany** dotted; **~la** *f* (*-i*; *-e*, *-i/-pel*) drop; (*potu*) bead; **~lówka** *f* (*-i*; *G -wek*) *med.* drip (infusion)
krosno *n* (*-a*; *G -sen*) loom
krosta *f* (*-y*) spot, pimple; *med.* pustule
krotochwila *f* (*-i*; *-e*) farce
krow|a *f* (*-y*; *G krów*) *zo.* cow; **~i** cow(s')
króc|ej *adv.* (*comp. od* → **krótki**) shorter; **~iutki** very short
krój *m* (*-oju*; *-oje*, *-ojów*) cut
król *m* (*-a*; *-owie*) king; **Święto Trzech ♀li** *rel.* Epiphany
królestwo *n* (*-wa*; *G -tw*) kingdom
królew|na *f* (*-ny*; *G -wien*) princess; **~ski** royal, regal
królik *m* (*-a*; *-i*) *zo.* rabbit; **~arnia** *f* (*-i*; *-e*) rabbit hutch
królowa *f* (*-ej*, *-wo!*; *-e*) queen; **~ć** (*-uję*) reign, rule (**nad** *I* over); *fig. też* predominate
krótki short; brief; *rozmowa tel.*, *spacer* quick
krótko *adv.* briefly; **~dystansowiec** *m* (*-wca*; *-wcy*) short (film); **~falowy** short-wave; **~metrażówka** *f* (*-i*; *G -wek*) (*w sporcie*) sprint; **~ść** *f* (*-ści*; *0*) brevity; shortness; **~terminowy** short-term; **~trwały** short-lived; **~widz** *m* (*-a*; *-e*) short-sighted person; **~wzroczny** short-sighted
krótszy *adj.* (*comp. od* → **krótko** shorter (**od** *G* than, from)
krówka *f* (*-i*; *G -wek*) → **krowa**; fudge; **boża ~** *Brt.* ladybird, *Am.* ladybug
krta|ń *f* (*-ni*; *-nie*) *anat.* larynx; **zapalenie ~ni** *med.* laryngitis
krucho *adv.* → **kruchy**; F terribly, badly
kruchta *f* (*-y*; *G* -) porch
kruch|y fragile (*też fig.*), brittle; *mięso* tender; *ciastko*, *sałata* crisp; **~e ciasto** short pastry
krucjata *f* (*-y*; *G* -) crusade
krucyfiks *m* (*-u*; *-y*) crucifix
kruczek *m* (*-czka*; *-czki*) snag, catch
kru|czy raven; **~k** *m* (*-a*; *-i*) *zo.* raven
krup *m* (*-u*; *-0*) *med.* croup; **~a** *f* (*y*), *zwł. pl.* **~y** grains *pl.*; *meteo.* soft hail pellet, graupel; **~nik** *m* (*-u*; *-i*) *gastr.* barley soup
krusz|ec *m* (*-szca*; *-szce*) ore; precious metal; **~eć** ⟨**s-**⟩ (*-eję*) become brittle; *mięso*: become tender; **~on** *m* (*-u*; *-y*) *gastr.* punch; **~onka** *f* (*-i*; *G -nek*) *gastr.* crumbly topping, *Am.* streusel
kruszy|ć ⟨**po-, s-**⟩ (*-ę*) crumble (**się** *v/i.*); → **drobić**; **~na** *f* (*-y*; *G* -) crumb; (*dziecko*) a little one; **~wo** *n* (*-a*; *G* -) *bud.* aggregate, ballast
krużganek *m* (*-nka*; *-nki*) cloister
krwawią|cy bleeding; **~czka** *f* (*-i*; *0*) h(a)emophilia
krwawi|ca *f* (*-y*; *-e*) back-breaking work; hard-earned money; **~ć** (*-wię*) bleed
krwa|woczerwony blood-red; **~wy** bloody, bloodstained; *praca* hard
krwi|ak *m* (*-a*; *-i*) *med.* h(a)ematoma; **~ą** → **krew**; **~nka** *f* (*-ki*; *G -nek*) *med.* blood cell; **czerwona ~nka** erythrocyte
krwio|bieg *m* (*-u*; *-i*) blood circulation, bloodstream; **~dawca** *m* (*-y*), **~dawczyni** *f* (*-*; *G -yń*) blood donor; **~nośny**: **naczynie ~nośne** blood vessel; **~żerczy** bloodthirsty
krwisty *oczy itp.* bloodshot; *kiszka* blood; *befsztyk* rare; *rumieniec* ruddy
krwotok *m* (*-u*; *-i*) h(a)emorrhage
kry|ć (*-ję*) ⟨**u-**⟩ conceal, hide (*też* **się** *v/i.*); (*tuszować*) cover up; (*w sporcie*) cover, mark; ⟨**po-**⟩ cover (**się** o.s.); **~jówka** *f* (*-i*; *G -wek*) hiding place, hideaway
Krym *m* (*-u*; *0*) the Crimea
kryminal|ista *m* (*-y*; *-ści*), **~istka** *f* (*-i*; *G -tek*) criminal; **~ny** criminal; **policja ~na** criminal police
kryminał F *m* (*-u*; *-y*) nick; (*utwór*) thriller, detective story; (*czyn*) criminal activity
krynica *f* (*-y*; *-e*) fount

K

krystali|czny crystal; *fig.* crystal clear; **~zować się** (*-uję*) crystallize

kryształ *m* (*-u*; *-y*) crystal; **~owy** (**-wo**) crystal

kryterium *n* (*idkl.*; *-a*) criterion

kryty covered; roofed

kryty|czny critical; **~k** *m* (*-a*; *-cy*) critic; reviewer; **~ka** *f* (*-i*; *G* -) criticism; critique; **~kować** ⟨**s-**⟩ (*-uję*) criticize (**za** *A* for)

kryzys *m* (*-u*; *-e*) crisis; **~owy** crisis

krza|czasty (**-to**) bushy; **~k** *m* (*-a*; *-i*) bush, shrub

krząta|ć się bustle (***koło*** *G*, ***przy*** *L* about); **~nina** *f* (*-y*; *0*) bustle

krze|m *m* (*-u*; *0*) *chem.* silicon; **~mian** *m* (*-u -y*) silicate; **~mień** *m* (*-nia*; *-nie*) flint; **~mionka** *f* (*-i*; *G -nek*) siliceous earth

krzep|ić ⟨**po-**⟩ (*-ę*) fortify; refresh (**się** o.s.); **~ki** robust, vigorous; (*silny*) hefty; **~nąć** ⟨**s-, za-**⟩ (*-ę*; *-[ną]ł*, *-pła*) set, solidify; *krew*: coagulate, congeal

K

krzesać ⟨**wy-**⟩ (*-szę*) *iskry* strike

krzesełkowy: ***wyciąg ~*** chair lift

krzesło *n* (*-ła*; *G -seł*) chair

krzew *m* (*-u*; *-y*) shrub

krzewić (*-ę*) spread (**się** *v/i.*)

krzt|a: ***ani ~y*** not an ounce

krztusić się ⟨***za- się***⟩ (*-szę*) choke (*I* on); → ***dławić się***

krztusiec *m* (*-śca*; *0*) *med.* whooping cough

krzy|czący (**-co**) crying; **~czeć** (*-ę*) cry (**z** *G* with); shout (***na kogoś*** at s.o.); scream; **~k** *m* (*-u*; *-i*) cry, shout; scream; **~kliwy** noisy; loud (*też fig.*); *kolory* garish, lurid; (**-wie**) ***~kliwy dzieciak*** bawler

krzywa *f* (*-wej*; *-e*) *math.* curve

krzyw|da *f* (*-y*; *G* -) harm, injustice; wrong; **~dzić** ⟨**po-, s-**⟩ (*-dzę*) harm, hurt; do injustice to, do *s.o.* wrong

krzywi|ca *f* (*-y*; *0*) *med.* rickets *pl.*; **~ć** ⟨**s-, wy-**⟩ (*-ę*) bend (**się** *v/i.*); **~ć** ⟨**s-**⟩ **się** make faces (***na*** *A* at); (*z bólu*) wince; **~zna** *f* (*-y*; *G* -) curvature

krzywo *adv.* not straight, crookedly; ***spojrzeć ~*** frown (***na*** *A* on); **~nogi** bandy-legged; **~przysięstwo** *n* (*-a*) *jur.* perjury

krzywy bent; crooked; uneven; *uśmiech* wry; ***w ~m zwierciadle*** distorted; → ***krzywo***

krzyż *m* (*-a*; *-e*) cross (*też rel.*); *anat.* small of the back; ***na ~*** across, crosswise; ***bóle w ~u*** pain in the small of the back; **~ak** *m* (*-a*; *-i*) *tech.* cross; *zo.* cross spider; **2ak** (*-a*; *-cy*) knight of the Teutonic Order; **~ować** (*-uję*) ⟨**u-**⟩ cross; *rel.* crucify; ⟨**u-**⟩ upset; ⟨**s-**⟩ cross (**się** *v/i.*); ***~ować się*** intersect; **~owy** cruciform; *anat.* sacral; ***wojny ~owe*** Crusades; ***wziąć w ~owy ogień pytań*** cross-examine; **~ówka** *f* (*-i*; *G -wek*) intersection; (*w gazecie*) crossword (puzzle); **~yk** *m* (*-a*; *-i*) cross; ***oznaczyć ~ykiem*** cross; *mus.* sharp

ks. *skrót pisany*: ***książę*** duke, prince, ***ksiądz*** the Rev. (*reverend*)

kserokopia *f* photocopy; **~rka** *f* (*-i*; *G -rek*) photocopier

ksiądz *m* (*księdza*, *-ędzu*, *-ęże!*; *księża*, *-ęży*, *-ężom*; *I -ężmi*) priest; (*tytuł*) Father (*skrót*: the Rev.)

książeczka *f* (*-i*; *G -czek*) book, booklet; ***~ oszczędnościowa*** saving book; ***~ czekowa*** *Brt.* chequebook, *Am.* checkbook

książę *m* (*GA księcia*, *DL księciu*, *I księciem*, *książę!*; *książęta*, *-żąt*) prince, duke; **~cy** ducal, princely

książk|a *f* (*-i*; *G -żek*) book; **~owy** book; ***mól ~owy*** bookworm

księ|cia, ~dza → ***książę, ksiądz***

księga *f* (*-i*; *G ksiąg*) book; ***księgi*** *pl.* (*rachunkowe*) the books; **~rnia** *f* (*-i*; *-e*) *Brt.* bookshop, *Am.* bookstore; **~rz** *f* (*-a*; *-e*) bookseller

księgo|susz *m* (*-u*; *0*) *wet.* rinder pest; **~wa** *f* (*-ej*; *-e*) accountant; **~wać** ⟨**za-**⟩ (*-uję*) enter; **~wość** *f* (*-ci*; *0*) accountancy, bookkeeping; **~wy** *m* (*-ego*; *-i*) accountant; **~zbiór** *m* (*-oru*; *-ory*) library

księ|stwo *n* (*-a*; *G* -) dukedom, duchy; **~żna** *f* (*-nej/-ny*; *DL nej/-nie*, *A -nę/-ną*, *-no!/*; *-ne*, *-nych*, *-nym/-nom*) duchess, princess; **~żniczka** *f* (*-i*) princess

księżyc *m* (*-a*; *-e*) moon; ***światło ~a*** moonlight; **~owy** moon(lit), lunar

ksylofon *m* (*-u*; *-y*) xylophone

ksywa F *f* (*-y*) nickname, F moniker

kształc|enie *n* (*-a*; *0*) education; → ***doskonalenie***; **~ić** ⟨**wy-**⟩ (*-cę*) educate; *umysł itp.* train, discipline, develop; ***~ić się*** learn, study; ***~ić się*** study (***na*** *A* to be)

kształt *m* (*-u*; *-y*) shape, form; ***coś na ~*** (*G*) something like; **~ny** shapely; **~ować** ⟨**u-**⟩ shape; form; ***~ować się*** *ceny*, *liczby*: be established, stand

kto *pron.* who; → ***bądź***; **~'kolwiek** anyone, anybody; whoever; **~ś** someone, somebody

któr|ędy where, which way; **~y** *pron.* which, that, who; what; → ***godzina***; ***~ego dziś mamy?*** what day is it today?; ***dom, w ~ym ...*** the house in which...; ***ludzie, ~zy ...*** the people who/that

który|'kolwiek, ~ś any, either (***z was*** of you)

któż who; ***kogóż ja widzę?*** who do I see here?

ku *prp.* (*D*) to, towards; for, → ***cześć***

Kuba *f* (*-y*; *0*) Cuba; **≈ński** Cuban; **~ńczyk** *m* (*-a*; *-cy*), **~nka** *f* (*-i*; *G -nek*) Cuban

kubatura *f* (*-y*; *G -*) cubature, capacity

kubek *m* (*-bka*; *-bki*) mug

kubeł *m* (*-bła*; *-bły*) bucket, pail; (*na śmieci*) *Brt.* dustbin, *Am.* trash can

kubiczny cubic

kucha|rka *f* (*-i*; *G -rek*) cook; **~rski** cookery, cooking; ***książka ~rska*** *Brt.* cookery book, *Am.* cookbook; **~rz** *m* (*-a*; *-e*) cook

kuchen|ka *f* (*-i*; *G -nek*) cooker, stove; **~ny** kitchen

kuchmistrz *m* (*-a*; *-e*), **~yni** *f* (*-*; *G -yń*) chef

kuchnia *f* (*-i*; *-e*, *-i/-chen*) kitchen; (*styl*) cookery

kuc|ać (*-am*) ⟨**~nąć**⟩ squat, croach; **~ki** *pl.* (*-cek*): ***siedzieć w ~ki*** squat, crouch; **~nąć** (*-nę*) → ***kucać***

kucyk *m* (*-a*; *-i*) pony

kuć (*kuję*, *kuj!*, *kuł*) *metal* forge, hammer; *dziurę* chisel; F *Brt.* cram, *Am.* bone up on; → ***podkuwać, w(y)kuwać***

kudłaty shaggy

kufel *m* (*-fla*; *-fle*) mug

kufer *m* (*-fra*; *-fry*) trunk; → ***bagażnik***

kuglarz *m* (*-a*; *-e*) conjurer

kuk *m* (*-a*; *-owie*) *naut.* cook

kukanie *n* (*-a*) cuckooing

kuk|iełka *f* (*-i*; *G -łek*) puppet; **~iełkowy** puppet; **~ła** *f* (*-y*; *G -kieł*) dummy

kukuł|czy cuckoo; **~ka** *f* (*-i*; *G -łek*) *zo.* cuckoo; ***zegar z ~ką*** cuckoo clock

kukurydza *f* (*-y*; *-e*) *Brt.* maize, *Am.* corn; ***~ prażona*** popcorn

KUL *skrót pisany*: ***Katolicki Uniwersytet Lubelski*** Lublin Catholic University

kul|a[1] *f* (*-i*; *-e*) ball; *math.* sphere; (*nabój*) bullet; ***pchnięcie ~ą*** (*w sporcie*) shot put

kul|a[2] *f* (*-i*; *-e*) crutch; ***chodzić o ~ach*** walk on crutches; **~awy** lame

kule|czka *f* (*-i*; *G -czek*) → ***kulka, kula***; **~ć** (*-ję*) limp, hobble; *fig.* ail

kulić (*-lę*) *nogi itp.* curl up; **~** ⟨**s-**⟩ ***się*** huddle, curl up; (*ze strachu*) cower

kulig *m* (*-u*; *-i*) sleigh ride

kuli|s *m* (*-a*; *-i*) coolie; **~sty** spherical; **~sy** *pl.* (*-*) wings *pl.*

kulk|a *f* (*-i*; *G -lek*) → ***kula***; ***~a szklana*** marble; **~owy** ball

kuloodporny bullet-proof

kulszowy: ***nerw ~*** schiatic nerve

kult *m* (*-u*; *-y*) cult; ***~ jednostki*** personality cult

kultur|a *f* (*-y*; *G -*) culture; (*osobista*) good manners; **~alny** cultural; polite; **~owy** cultural, culture; **~ystyka** *f* (*-i*; *0*) body-building

kultywować (*-uję*) cultivate, nourish

kuluary *m/pl.* (*-ów*) lobby

kułak *m* (*-a*; *-i*) fist

kum *m* (*-a*; *-y/-owie*) godfather; **~a** *f* (*-y*; *G -*) godmother; **~kać** (*-am*) croak

kumo|szka *f* (*-i*; *G -szek*) gossip; **~ter** *m* (*-tra*; *-trzy/-trowie*) mate; **~terstwo** *m* (*-a*; *0*) nepotism

kumpel F *m* (*-pla*; *-ple*) pal, buddy, mate

kuna *f* (*-y*; *G -*) *zo.* marten

kundel *m* (*-dla*; *-dle*) mongrel

kunsztowny ornate, elaborate

kup|a *f* (*-y*; *G -*) heap, pile (*też fig.*); F (*odchody*) turd; ***do ~y, na ~ę, na ~ie*** together; ***trzymać się ~y*** stick together

kuper *m* (*-pra*; *-pry*) rump (*też* F)

kupić *pf* (*-ę*) → ***kupować***

kupiec *m* (*-pca*, *-pcze/-pcu!*; *-pcy*) trader, merchant; (*w sklepiku*) shopkeeper; (*nabywca*) buyer, purchaser; **~ki** (***po -ku***) businesslike

kupka *f* (*-i*; *G -pek*) → ***kupa***

kupn|o *n* (*-pna*; *0*) purchase, buying; **~y** F bought

kupon *m* (*-a*; *-y*) coupon; national-lottery coupon; voucher

kup|ować (*-uję*) buy; purchase; **~ujący**

K

m (*-ego*; *-y*), **-ca** *f* (*-ej*; *-e*) buyer, purchaser
kur *m* (*-a*; *-y*): ***czerwony ~*** fire; **~a** *f* (*-y*; *G -*) hen
kurac|ja *f* (*-i*; *-e*) cure, treatment; ***na ~ji, na ~ję*** on a cure, to a health resort; **~jusz** *m* (*-a*; *-e*), **-szka** *f* (*-i*; *G -szek*) visitor, patient; **~yjny** health
kuranty *m/pl.* (*-ów*) *mus.* glockenspiel
kurat|ela *f* (*-i*; *-e*) *jur.* guardianship; **~or** *m* (*-a*; *-rzy*), **-rka** *f* (*-i*; *G -rek*) guardian; (*szkolny*) superintendent of schools; **~orium** *n* (*idkl.*; *-ia*, *-iów*) education authority
kurcz *m* (*-a*; *-e*) spasm, cramp
kurcz|ak *m* (*-a*; *-i*), **~ę** *n* (*-cia*; *-ta*) chicken
kurcz|owy spasmodic, convulsive; ***~yć się*** ⟨***s- się***⟩ (*-ę*) *muskuł*: contract; *materiał*: shrink
kurek *m* (*-rka*; *-rki*) *tech.*, *mil.* cock; (*z wodą*) *Brt.* tap, *Am.* faucet
kurenda *f* (*-y*; *G -*) circular (letter)
kurewski V whorish, whore, bitch
kuria *f* (*GDL -ii*; *-e*) *rel.* curia
kurier *m* (*-a*; *-rzy*) courier, messenger; **~ski** courier
kuriozalny odd
kurnik *m* (*-a*; *-i*) *agr.* hen house
kuropatwa *f* (*-y*; *G -*) *zo.* partridge
kurs *m* (*-u*; *-y*) course (*też fig.*); *econ.* rate, price; (*wykład*) course, class; (*jazda*) ride; → ***obieg***; **~ant** *m* (*-a*; *-ci*), **-tka** *f* (*-i*; *G -tek*) course participant; **~ować** (*-uję*) run
kursywa *f* (*-y*; *G -*) italics *pl.*
kurtka *f* (*-i*; *G -tek*) jacket
kurtuazyjny courteous
kurtyna *f* (*-y*; *G -*) curtain
kurwa V *f* (*-y*; *G -*) whore, bitch, hooker
kurz *m* (*-u*; *-e*) dust; **~ajka** *f* (*-i*; *G -jek*) flat wart, *med.* verruca; **~awa** *f* (*-y*; *G -*) cloud of dust
kurz|y hen, chicken; ***~e łapki*** crow's feet
kurzyć (*-ę*) dust; raise dust; ***kurzy się*** there is a lot of dust; ***kurzy się z*** (*G*) there is smoke from
kusi|ciel *m* (*-a*; *-e*), **~cielka** *f* (*-i*; *G -lek*) temptress; **~ć** ⟨***s-***⟩ (*-szę*) tempt; lure
kustosz *m* (*-a*; *-e*) curator
kusy (***-so***) short; skimpy, scanty
kusza *f* (*-y*; *G -*) crossbow
kuszący (***-co***) tempting, alluring
kuszetka *f* (*-i*; *G -tek*) couchette
kuśnierz *m* (*-a*; *-e*) furrier
kuśtykać ⟨***po-***⟩ (*-am*) limp, walk with a limp
kutas V *m* (*-a*; *-y*) prick, cock
kuter *m* (*-tra*; *-try*) fishing boat, cutter
kutia *f* (*GDL-ii*;*-e*) (*Christmas sweet dish*)
kutwa *m/f* (*-y*; *-ów/-*) skinflint
kuty wrought; *koń* shod
kuzyn *m* (*-a*; *-i*), **~ka** *f* (*-i*; *G-nek*) cousin; **~ostwo** *n* (*-a*) cousin with his wife
kuźnia *f* (*-ni*; *-nie*) smithy
kw. *skrót pisany*: ***kwadratowy*** sq. (*square*); ***kwartał*** q. (*quarter*)
kwadra *f* (*-y*; *G -*) *astr.* quarter; **~ns** *m* (*-u*; *-e*) quarter; ***za ~ns druga*** a quarter to two; ***~ns po drugiej*** a quarter *Brt.* past two *lub Am.* after two; **~t** *m* (*-u*; *-y*) *math.* square; **~towy** square; ***metr ~towy*** square *Brt.* metre (*Am.* meter) (*skrót*: **sq. m**)
kwakać (*-czę*) quack
kwakier *m* (*-a*; *-rzy*), **~ka** *f* (*-i*; *G -rek*) Quaker
kwalifikacja *f* (*-i*; *-e*) qualification
kwalifikowa|ć ⟨***za-***⟩ (*-uję*) qualify; ***~ć*** ⟨***za-***⟩ ***się*** (***na*** *A*) be suitable (as); qualify (as); **~ny** qualified
kwantowy quantum
kwapić się (*-ę*): ***nie ~*** (***z*** *I*) not be in any hurry (with)
kwarantanna *f* (*-y*; *G -*) quarantine
kwarc *m* (*-u*; *-e*) *chem.* quartz; **~ówka** *f* (*-i*; *G -wek*) sun lamp
kwart|a *f* (*-y*; *G -*) quart; ***pół ~y piwa*** pint of beer
kwarta|lnik *m* (*-a*; *-i*) quarterly; **~lny** quarterly; **~ł** *m* (*-u*; *-y*) quarter
kwartet *m* (*-u*; *-y*) *mus.* quartet
kwas *m* (*-u*; *-y*) *chem.* acid; (*zaczyn*) leaven; **~y** *pl.* quarrels *pl.*, arguments *pl.*; **~ić** (*-szę*) → ***kisić***; **~kowaty** (***-to***) sharp
kwa|soodporny acid-resistant; **~sowy** acid; **~szony** → ***kiszony***; **~śnieć** ⟨***s-***⟩ (*-ję*) turn acid, turn sour; **~śno** *fig.* sourly, wryly; **~śnosłodki** sweet and sour; **~śny** acid, sour
kwater|a *f* (*-y*; *G -*) *mil.* quarters *pl.*; accommodation(s *pl.*); lodgings *pl.*; ***~a główna*** headquarters (*skrót*: HQ); **~ować** (*-uję*) house, take lodgings; **~unkowy** *Brt.* municipal
kwes|ta *f* (*-y*) collection; **~tia** *f* (*GDl -ii*; *-e*) question; **~tionariusz** *m* (*-a*; *-e*) questionnaire; **~tionować** ⟨***za-***⟩

(*-uję*) question, challenge, dispute
kwestować (*-uję*) collect
kwękać (*-am*) be ailing
kwiacia|rka *f* (*-i*; *G -rek*) flower girl, florist; **~rnia** *f* (*-i*; *-e*) florist('s), flower shop; **~sty** → ***kwiecisty***
kwiat *m* (*-u*, *L kwiecie*; *-y*) flower (*też fig.*), bloom, blossom; **~ek** *m* (*-tka*; *-tki*) → ***kwiat***; **~owy** *bot.* flowering; flowery
kwiczeć (*-czę*) squeal
kwie|cień *m* (*-tnia*; *-tnie*) April; **~cisty** (***-to***, ***-ście***) flowery; flowered; **~tnik** *m* (*-a*; *-i*) flower bed; **~tniowy** April
kwik *m* (*-u*; *-i*) squeal
kwilić (*-ę*) whimper
kwint|al *m* (*-a*; *-e*) quintal; **~et** *m* (*-u*; *-y*) *mus.* quintet
kwit *m* (*-u*; *-y*) receipt; **~ *bagażowy*** *Brt.* luggage ticket, *Am.* baggage check; **~ *zastawny*** pawn ticket; **~a** F (*idkl.*): ***być ~a z kimś*** be quits with s.o.; **~ariusz** *m* (*-a*; *-e*) receipt block
kwitnąć (*-nę*) flower, bloom, blossom; *fig.* flourish
kwitować ⟨***po-***⟩ (*-uję*) acknowledge receipt of
kwiz *m* (*-u*; *-y*) quiz
kwoka *f* (*-i*; *G -*) hen
kworum *n* (*idkl.*) quorum
kwota *f* (*-y*; *G -*) amount, sum

L

laborato|rium *n* (*idkl.*; *-ia*, *-iów*) laboratory, F lab; **~ryjny** laboratory
l. *skrót pisany*: ***liczba*** n. (*number*)
lać (*leję*) pour; F (*bić*) shower blows (on), hit; **~ *się*** pour; stream; run; ***leje*** (***jak z cebra***) it's pouring buckets; → ***nalewać***, ***rozlewać***, ***wylewać***
lada[1] *f* (*-y*; *G -*) counter; **~ *chłodnicza*** cold shelves *pl.*
lada[2] *part.*(+ *rzecz.*): **~ *trudność*** any (small) difficulty; **~ *chwila*** any moment; (+ *pron.*) → ***byle***; ***nie* ~** not to be scoffed at
lafirynda *f* (*-y*; *G -*) *pej.* slut
lai|cki lay; **~k** *m* (*-a*; *-cy*) lay person, layman
lak *m* (*-u*; *-i*) sealing wax; *bot.* wall flower
lakier *m* (*-u*; *-y*) varnish, lacquer; **~ *do paznokci*** nail polish; **~ować** ⟨***po-***⟩ (*-uję*) varnish; polish; **~owany** varnished; lacquered; *skóra* patent
lakować ⟨***za-***⟩ (*-uję*) seal
lal|a *f* (*-i*; *-e*), **~ka** *f* (*-i*; *G -lek*) doll; ***teatr ~ek*** puppet *Brt.* theatre (*Am.* theater)
lamentować (*-uję*) lament (***nad*** *I* over)
lamówka *f* (*-i*; *G -wek*) binding
lampa *f* (*-y*; *G -*) lamp; → ***błyskowy***
lampart *m* (*-a*; *-y*) *zo.* leopard
lampka *f* (*-i*; *G -pek*) lamp; **~ *nocna*** bedside lamp; **~ *kontrolna*** control lamp; **~ *wina*** a glass of wine
lamus *m* (*-a*; *-y*) junk room; ***złożyć do ~a*** discard, scrap
landrynk|a *f* (*-i*; *G -nek*) fruit drop; **~owy** sweet
lan|ie *n* (*-a*; *G lań*) pouring; (*bicie*) beating, hiding; ***~e wody*** *fig.* waffle; **~y** poured; *metal* cast
Lap|onia *f* (*GDL -ii*; *0*) Lapland; **~ończyk** *m* (*-a*; *-cy*), **~oka** *f* (*-i*; *G -nek*) Lapp; **2oński** Lapp
larwa *f* (*-y*; *G -*) *zo.* larva
laryngolog *m* (*-a*; *-owie*/*-dzy*) laryngologist, ENT specialist
las *m* (*-u*; *-y*) wood, forest
lase|cznik *m.* (*-a*; *-i*) *biol.* bacillus; **~k** *m* (*-sku*; *-ski*) → ***las***
laser *m* (*-a*; *-y*) laser; **~owy** laser
lask|a *f* (*-i*; *G -sek*) walking stick, cane; F chick, *Brt.* bird; *tech.* rod; **~owy** stick; ***orzech ~y*** hazelnut
lasować (*-uję*) slake
lata *pl.* years *pl.*; → ***lato***; *1. sg. od* ***latać***; ***ile masz lat?*** how old are you?; **~ *dziewięćdziesiąte*** the 1990's; ***sto lat!*** many happy returns!; ***na swoje* ~** for his/her age
lata|ć (*-am*) fly; F (*biegać*) run (***do*** *G* to); (***za*** *I*) run (after); ***~ć po zakupy*** go shopping in a hurry; **~nina** *f* (*-y*; *G -*) running around
latar|ka *f* (*-i*; *G -rek*) *Brt.* torch, *Am.* flashlight; **~nia** *f* (*-i*; *-e*) lamp, *naut.* lantern; ***~nia morska*** lighthouse; **~niowiec** *m* (*-wca*; *-wce*) lightship
latawiec *m* (*-wca*; *-wce*) kite

lato *n* (*-a*; *G* -) summer; ***latem, w lecie*** in summer; ***na ~*** for the summer; **~rośl** *f* (*-i*; *-e*) offspring
lau|r *m* (*-u*; *-y*) laurel; **~reat** *m* (*-a*; *-ci*), **~reatka** *f* (*-i*; *G -tek*) laureate; **~rowy** laurel, bay
lawa *f* (*-y*) lava
lawenda *f* (*-y*) *zo.* lavender
lawin|a *f* (*-y*; *G* -) avalanche (*też fig.*); **~owy** (**-wo**) like an avalanche
lawirować (*-uję*) *Brt.* manoeuvre, *Am.* manoeuver
laz|ł(a), ~łam, ~łem → ***leźć***
lazurowy (**-wo**) azure
ląd *m* (*-u*; *-y*) land; ***~ stały*** mainland, dry land; ***~em*** overland; ***zejść na ~*** go on shore; **~ować** ⟨**wy-**⟩ (*-uję*) land; *samolot*: touch down; **~owanie** *n* (*-a*; *G -ń*) landing; (*samolotu*) touchdown; **~owisko** *n* (*-a*; *G* -) airfield, landing strip; (*helikoptera*) pad; **~owy** land; *przesyłka* overland; *biol.* terrestrial; ***poczta ~owa*** surface mail
lecieć ⟨*po-*⟩ (*-cę, -ci, leć!*) fly; *ciecz*: run; F run, hurry; → ***przelatywać***; ***jak leci?*** how are you?; ***co leci w telewizji wieczorem?*** what's on TV tonight?
leciutki lightweight
leciwy aged
lecz but; yet; ***nie tylko ..., ~ także ...*** not only ... but also ...
lecz|enie *n* (*-a*) treatment; **~nica** *f* (*-y*; *G* -) hospital, clinic; **~nictwo** *n* (*-a*; *0*) health care; **~niczy** therapeutic; *kosmetyk* medicated; **~yć** (*-czę*) treat, cure; ***~yć się*** be under medical treatment; *rana itp.*: heal
ledw|ie, ~o hardly, scarcely; ***~ie/~o nie*** almost, nearly; ***~ie żywy*** nearly dead
legal|izować ⟨**za-**⟩ (*-uję*) legalize; **~ny** legal, lawful
legawy: ***pies ~*** pointer
legenda *f* (*-y*; *G* -) legend; (*mapy*) key
legi|a *f* (*GDL -ii*; *-e*) legion; **~onista** *m* (*-y*; *-ści*) legionnaire
leginsy *pl.* (*-ów*) leggings *pl.*
legislacyjny legislative
legitym|acja *f* (*-y*; *-e*) identification, identity card; (*członkowska*) membership card; **~ować** (*-uję*) ask to see identification; ***~ować*** ⟨**wy-**⟩ ***się*** establish one's identity (*I* by); hold, have
legowisko *n* (*-a*; *G* -) bedding; → ***barłóg***
legumina *f* (*-y*; *G* -) pudding

lej *m* (*-a*; *-e*) crater; → ***lać***
lejce *pl.* (*-y/-ów*) reins *pl.*
lejek *m* (*-ka*; *-ki*) funnel
lek. *skrót pisany*: **lekarz** MD (*Doctor of Medicine*)
lek *m* (*-u*; *-i*) *med.* medicine, drug; *fig.* cure
lekar|ka *f* (*-i*; *G -rek*) doctor, physician; **~ski** medical; doctor's; **~stwo** *n* (*-a*; *G* -) → ***lek***
lekarz doctor, physician; ***~ specjalista*** consultant
lekceważ|ący (**-co**) disdainful, disrespectful; neglecting (*obowiązków*); **~enie** *n* (*-a*; *0*) disdain, disrespect; **~yć** ⟨**z-**⟩ disdain, disrespect; *obowiązki* neglect
lekcj|a *f* (*-i*) lesson, class; (*godzina*) period; ***prowadzić ~e*** teach; ***odrabiać ~e*** do homework
lekk|i light (*też fig.*); slight; *herbata* weak; *szum* faint; ***z ~a*** lightly; **~o** *adv.* light; lightly; slightly
lekko|atletyczny track; **~myślny** careless; irresponsible; **~ść** *f* (*-ści*; *0*) lightness; → ***łatwość***; **~strawny** light, easily digestible
lekooporny *med.* drug-resistant
lek|sykon *m* (*-u*; *-y*) lexicon; **~tor** *m* (*-a*; *-rzy*) instructor; **~tura** *f* (*-y*; *G* -) reading; text; ***~tura obowiązkowa*** set book
lemiesz *m* (*-a*; *-e*) *agr. Brt.* ploughshare, *Am.* plowshare
lemoniada *f* (*-y*; *G* -) lemonade
len *m* (*lnu, G lnie*; *lny*) *bot.* flax; (*materiał*) linen
leni|ć się (*-ę*) be lazy (**do** *G* to, **z** *I* with); → ***linieć***; **~stwo** *n* (*-a*; *0*) laziness
leniuch *m* (*-a*; *-y*) layabout; idler; **~ować** (*-uję*) laze (away)
leniw|iec *m* (*-wca*; *-wce*) *zo.* sloth; (*-wcy*) → ***leniuch***; **~y** lazy, idle
leń *m* (*-nia*; *-nie*, *-ni/-niów*); → ***leniuch***
lep *m* (*-u*; *-y*) glue; ***~ na muchy*** fly paper; **~ić** (*-pię*) ⟨**u-**⟩ shape, model; ⟨**przy-**⟩ stick, glue; ***~ić się*** (*być lepkim*) be sticky
lepiej *adv.* (*comp. od* → ***najlepiej***) better
lepki sticky, tacky
lepsz|y *adj.* (*comp. od* → ***dobry***; *m-os lepsi*) better; ***zmienić się na ~e*** turn for the better
lesbijka *f* (*-i*; *G -jek*) Lesbian
lesisty woody
leszcz *m* (*-a*; *-e*) *zo.* bream

leszczyna *f* (*-y*; *G -*) *bot.* hazel
leśni|ctwo *n* (*-a*; *G -*) forestry; **~czówka** *f* (*-i*; *G -wek*) forester's house; **~czy** *m* (*-ego*; *G -ych*) forester
leśn|ik *m* (*-a*; *-cy*) forester; **~y** woodland, forest
letni tepid, lukewarm; summer, summery; **~czka** *f* (*-i*; *G -czek*), **~k** *m* (*-a*; *-cy*) holiday-maker; **~o** *adv.* → ***letni***; **~sko** *n* (*-a*; *G -*) summer resort
lew *m* (*lwa*; *lwy*, *G lwów*) *zo.* lion; ♌ *znak Zodiaku:* Leo; ***on(a) jest spod znaku Lwa*** he/she is (a) Leo
lew|a *f* (*-y*) (*w kartach*) trick; **~acki** leftist
lewar|ek *m* (*-rka*; *-rki*) jack; ***podnosić ~kiem*** jack up
lewatywa *f* (*-y*; *G -*) *med.* enema
lewic|a *f* (*-y*; *-e*) *zwł. pol.* left; left wing; **~owy** left, leftist
lew'konia *f* (*GDL -ii*; *-e*) *bot.* stock
lewo *adv.*: ***na ~***, ***w ~*** to the left, left; ***na ~*** under the table, on the sly; **~ręczny** left-handed
lewostronny: ***ruch ~*** driving on the left
lew|y left; F *fig. też* fake, pseudo; ***po ~ej*** (***stronie***) on the left; ***z ~a*** from the left; → ***lewo***
leźć F climb; (***do*** *G*) get (into)
leż|ak *m* (*-a*; *-i*) deck-chair; **~anka** *f* (*-i*; *G -nek*) couch; **~ąco**: ***na ~ąco*** when lying, lying down; **~eć** (*-żę*, *-y*) lie (*też fig.*); *suknia*: fit
lędźwie *pl.* (*-dźwi*) loins *pl.*
lęgnąć się ⟨***wy- się***⟩ (*-nę*, *lągł*) (*z jaja*) hatch; *fig.* breed
lęk *m* (*-u*; *-i*) fear, anxiety; **~ać się** (*-am*) fear, dread; **~liwy** fearful, apprehensive
lgnąć (*-nę*) (***do*** *G*) cling (to)
libacja *f* (*-i*; *-e*) binge, F booze-up
Liba|n *m* (*-u*; *0*) Lebanon; **~ńczyk** *m* (*-a*; *-cy*) Lebanese; **♌ński** Lebanese
libera|lizować (*-uję*) liberalize; **~lny** liberal; **~ł** *m* (*-a*; *-owie*) liberal
Libi|a *f* (*GDL -ii*; *0*) Libya; **~jczyk** *m* (*-a*; *-cy*); **~jka** *f* (*-i*; *G -jek*) Libyan; **♌jski** Libyan
licealist|a *m* (*-y*; *-ści*), **~ka** *f* (*-i*; *G -tek*) secondary-school student
licenc|ja *f* (*-i*; *-e*) *Brt.* licence, *Am.* license; **~jat** *m* (*-u*; *-y*) Bachelor's degree
liceum *n* (*idkl.*; *-a*, *-ów*) *Brt.* grammar school, *Am.* high school, lycée; ***~ zawodowe*** vocational secondary school
licho[1] *adv.* → ***lichy***
lich|o[2] *n* (*-a*) devil; ***~o wie*** God knows; ***co u ~a*** what on earth; ***mieć do ~a*** (*G*) have in plenty
lichota *f* (*-y*; *G -*) trash
lichtarz *m* (*-a*; *-e*) candlestick
lichwia|rski extortionate; **~rstwo** *n* (*-a*) usury; **~rz** *m* (*-a*; *-e*) usurer
lichy crummy, paltry, poor
lico *n* (*-a*; *G lic*) *lit.* face, countenance; **~wać** (*-uję*) (***z*** *I*) *v/i.* fit, be suitable, be appropriate; *v/t. arch.* face; **~wy** facing
licyt|acja *f* (*-i*; *-e*) auction; (*w kartach*) bidding; **~ator** *m* (*-a*; *-rzy*) auctioneer; **~ować** (*-uję*) auction; (*w kartach*) bid
liczb|a *f* (*-y*; *G -*) number; ***~a mnoga*** the plural; ***~a pojedyncza*** the singular; ***w ~ie gości*** among the guests; ***przeważać ~ą*** outnumber, exceed in number; ***~a ofiar śmiertelnych*** death toll; **~owo** *adv.* numerically; in numbers; **~owy** numcrical
licze|bnik *m* (*-a*; *-i*) *gr.* numeral; ***~bnik porządkowy*** ordinal; ***~bnik główny*** cardinal; **~bny** numerical; ***stan ~bny*** number, size; **~nie** *n* (*-a*; *0*) counting
licz|nik *m* (*-a*; *-i*) meter, (*w taksówce*) clock; *tech.* counter; *math.* numerator; ***~nik gazowy*** gas meter; **~ny** numerous
liczy|ć ⟨***po-***⟩ (*-ę*) count (*impf też v/i.*); calculate; number; → ***obliczać, wyliczać***; *fig.* (***na*** *A*) depend (on), rely (on); ***on ~ł sobie … lat*** he was … years old; ***~ć się*** count *v/i.*; (***z*** *I*) reckon (with), take *s.o./s.th.* into account; ***to się nie ~*** it does not count; **~dło** *n* (*-a*; *G -deł*) abacus
lider *m* (*-a*; *-rzy*) leader
liga *f* (*-i*; *G -*) league
lignina *f* (*-y*; *G -*) *med.* wood-wool
ligow|iec *m* (*-wca*; *-wcy*) league player; **~y** league
likier *m* (*-u*; *-y*) liqueur
likwid|acja *f* (*-i*; *-e*) liquidation; elimination; **~ować** ⟨***z-***⟩ (*-uję*) liquidate; eliminate
lili|a *f* (*GDL -ii*; *-e*) lily; **~owy** lilac
liliput *m* (*-a*; *-ci*), **~ka** *f* (*-i*; *G -tek*) Lilliputian
limfa *f* (*-y*; *0*) lymph; **~tyczny** lymphatic
limit *m* (*-u*; *-y*) limit; **~ować** (*-uję*) limit, restrict
lin *m* (*-a*; *-y*) *zo.* tench
lina *f* (*-y*; *G -*) rope, line; (*w cyrku*) tightrope

L

linczować ⟨**z-**⟩ (*-uję*) lynch
lingwistyczny linguistic
lini|a *f* (*GDL -ii*; *-e*) line (*też fig.*); **~a polityczna** platform; **dbać o ~ę** watch one's weight; → **kreska**; **~ał** *m* (*-u*; *-y*) ruler
linieć (*-eję*) *Brt.* moult, *Am.* molt
lini|jka *f* (*-i*; *G -jek*) ruler; **~owany** ruled; **~owy** linear
linka *f* (*-i*; *G -nek*) →**lina**
lino|leum *n* (*idkl.*) linoleum; **~ryt** *m* (*-u*; *-y*) linocut
lino|skoczek *m* (*-czka*; *-czkowie/-czki*) tightrope-walker; **~wy** rope, cable
lip|a *f* (*-y*; *G -*) lime, linden; **~cowy** July; **~iec** *m* (*-pca*; *-pce*) July; **~ny** F fake; → **lichy**; **~owy** lime, linden
liry|czny lyrical; lyric; **~ka** *f* (*-i*; *G -*) lyric poetry
lis *m* (*-a*; *-y*) *zo.* fox
lisi fox; foxlike; **~ca** *f* (*-y*; *G -*) *zo.* vixen; *bot.* chanterelle
list *m* (*-u*; *-y*) letter; **~a** *f* (*-y*; *G -*) list, register; **~ek** *m* (*-tka*; *-tki*) → **liść**
listonosz *m* (*-a*; *-e*) *Brt.* postman, *Am.* mailman, mail carrier; **~ka** *f* (*-i*; *G -szek*) *Brt.* postwoman, *Am.* mail carrier
listo|pad *m* (*-a*; *-y*) November; **~padowy** November; **~wie** *n* (*-wia*; *0*) leaves *pl.*, foliage
listow|ny, ~y letter
listwa *f* (*-y*; *G -tew*) strip; batten, slat; **~ zasilająca** power strip
liszaj *m* (*-a*; *-e*) *med.* lichen
liszka *f* (*-i*; *G -szek*) *zo.* caterpillar
liś|ciasty deciduous; **~ć** *m* (*-cia*; *-cie*) leaf
lit *m* (*-u*; *0*) *chem.* lithium
li'tania *f* (*GDL -ii*; *-e*) litany
litera *f* (*-y*; *G -*) letter; **~cki** (**-ko, po -ku**) literary; **~lny** literal; **~t** *m* (*-a*; *-ci*); **~tka** *f* (*-i*; *G -tek*) writer; **~tura** *f* (*-y*; *G -*) literature
literować ⟨**prze-**⟩ (*-uję*) spell
litewski (**po -ku**) Lithuanian
litoś|ciwy merciful, compassionate; **~ć** *f* (*-ści*; *0*) mercy, pity
litować się ⟨**u-, z- się**⟩ (*-uję*) have mercy (**nad** *I* on), pity
litr *m* (*-a*; *-y*) *Brt.* litre, *Am.* liter; **~aż** *m* (*-u*; *0*) *mot.* cubic capacity; **~owy** *Brt.* litre, *Am.* liter
li'turgia *f* (*GDL -ii*; *-e*) liturgy
Lit|wa *f* (*-y*; *0*) Lithuania; **~win** *m* (*-a*; *-i*), **~winka** *f* (*-i*; *G -nek*) Lithuanian
lity solid
liz|ać (*-żę, liż!*) lick; **~ak** *m* (*-a*; *-i*) lollipop
Lizbona *f* (*-y*; *0*) Lisbon
liznąć *v/s.* (*-nę*) → **lizać**
lizus *m* (*-a*; *-y*) *pej.* bootlicker, toady, creep; **~owski** toady
lm *skrót pisany:* **liczba mnoga** pl. (*plural*)
ln|iany *bot.* flaxen; linen; **~u, ~y** → **len**
loch *m* (*-u*; *-y*) dungeon
locha *f* (*-y*; *G -*) *zo.* wild sow; (*młoda*) gilt
loczek *m* (*-czka*; *-czki*) → **lok**
lodo|łamacz *m* (*-a*; *-e*) *naut.* icebreaker; **~waty** (**-to**) icy; glacial, ice-cold; **~wiec** *m* (*-wca*; *-wce*) glacier; **~wisko** *n* (*-a*; *G -*) ice rink; **~wnia** *f* (*-i*; *-e*) cold room
lo|dowy ice; ice-cream; **~dówka** *f* (*-i*; *G -wek*) fridge; **~dy** *m/pl.* (*-ów*) ice-cream; → **lód**; **~dziarnia** *f* (*-i*; *-e*) ice-cream parlo(u)r; **~dziarka** *f* (*-i*; *G -rek*), **~dziarz** *m* (*-a*; *-e*) ice-cream seller, *Am.* iceman
logarytm *m* (*-u*; *-y*) logarithm
logi|czny logical, coherent; **~ka** *f* (*-i*; *-*) logic; coherence
logować się (*-uję*) *komp.* log in
lojaln|ość *f* (*-ści*; *0*) loyalty; **~y** loyal
lok *m* (*-a*; *-i*) curl, lock
lokaj *m* (*-a*; *-e*) lackey (*też fig.*), valet
lokal *m* (*-u*; *-e*) place; accommodation; restaurant; **~ nocny** night club; **~ wyborczy** polling station; **~izować** ⟨**z-**⟩ (*-uję*) localize, locate; **~ny** local
lokata *f* (*-y*; *G -*) place, position; (*w banku*) deposit; (*kapitału*) investment
lokator *m* (*-a*; *-rzy*), **~ka** *f* (*-i*; *G -rek*) lodger, tenant, occupant
lokaut *m* (*-u*; *-y*) *econ.* lockout
lokomo|cja *f* (*-i*): **środek ~cji** vehicle, means of *Brt.* transport, *Am.* transportation; **~tywa** *f* (*-y*; *G -*) locomotive, engine
lokować ⟨**u-**⟩ (*-uję*) place, position (**się** o.s.); *econ.* invest
lokówka *f* (*-i*; *G -wek*) curler
lombard *m* (*-u*; *-y*) pawnshop
Londyn *m* (*-u*; *0*) London; **~ńczyk** Londoner; **&ński** London
lont *m* (*-u*; *-y*) fuse
lord *m* (*-a*; *-owie*) Lord, lord
lornetka *f* (*-i*; *G -tek*) binoculars *pl.*, glasses *pl.*; **~ teatralna** opera-glasses *pl.*
los *m* (*-u*; *-y*) fate, lot; (*w grze*) ticket; **dobry ~** good luck; **~ loteryjny** lottery ticket; **rzucać ~y** cast lots; **na ~ szczęścia** hit-or-miss

losow|ać (*-uję*) draw (lots *v/i.*); **~anie** *n* (*-a*; *G -ań*) drawing; **~y** random; ***wybrany ~owo*** chosen at random
lot *m* (*-u*; *-y*) flight; ***w ~*** immediately, at once; → ***ptak***; ***~em błyskawicy*** like lightning
lo'ter|ia *f* (*GDL -ii*; *-e*) lottery; ***~ia fantowa*** raffle
lot|ka *f* (*-i*; *G -tek*) *zo.* flight feather; (*w sporcie*) shuttlecock; **~nia** *f* (*-i*; *-e*) hang-glider; **~niarz** *m* (*-a*; *-e*) hang--glider; **~nictwo** *n* (*-a*; *0*) aviation; (*wojskowe*) air force; **~niczy** air, aerial; **~nik** *m* (*-a*; *-cy*) aviator, airman; **~nisko** *n* (*-a*; *G -*) airport; (*małe*) airfield; **~niskowiec** *m* (*-wca*; *-wce*) *mil.* aircraft carrier; **~niskowy** airport
lotn. *skrót pisany*: ***lotniczy*** airline
lotny airborne; *ciecz* volatile; *człowiek* quick, alert
loża *f* (*-y*; *G lóż*) *theat.* box
lód (*lodu*; *lody*) ice; → ***lody***
lp. ***liczba porządkowa*** No. (*number*); ***liczba pojedyncza*** sing. (*singular*)
lśni|ący (***-co***) glistening, glittering; **~ć** (**się**) (*-ę*) glisten, glitter
lub *cj.* or
lubić (*-ę*) like, enjoy
lubieżny lewd, lascivious; ***czyn ~*** *jur.* immoral act
lubować się (*-uję*) (*I*) take pleasure (in)
lud *m* (*-u*, *-u/-dzie!*; *-y*) people, nation; **~ność** *f* (*-ści*; *0*) population, inhabitants *pl.*; **~ny** populated
ludo|bójstwo *n* (*-a*; *G -*) genocide; **~wy** folk; (*wiejski*) rural, peasant; *pol.* people's; **~znawczy** ethnographic; **~żerca** *m* (*-y*) cannibal
ludz|ie *pl.* (*-i*, *I -dźmi*) people; **~ki** (***po -ku***) human; (*dobry*) humane; **~kość** *f* (*-ści*; *0*) humanity, mankind, humankind
lufa *f* (*-y*; *G -*) barrel
lufcik *m* (*-a*; *-i*) air vent (in a window)
luft: F ***do ~u*** good-for-nothing
luk *m* (*-u*; *-i*) hatch; **~a** *f* (*-i*; *G -*) gap
lukier *m* (*-kru*; *0*) icing
lukrecja *f* (*-i*; *-e*) *bot.* liquorice
lukrować ⟨***po-***⟩ ice
luksusowy (***-wo***) luxurious
lunaty|czka *f* (*-i*; *G -czek*), **~k** *m* (*-a*; *-cy*) sleepwalker
lunąć *pf.* (*-nę*, *-ń!*) *v/i.* beat down, pelt down
luneta *f* (*-y*; *G -*) telescope
lupa *f* (*-y*; *G -*) magnifying glass
lust|erko *n* (*-rka*; *G -rek*) pocket mirror; **~racja** *f* (*-i*; *-e*) inspection, review; **~ro** *n* (*-a*; *G -ter*) mirror; **~rować** ⟨***z-***⟩ (*-uję*) inspect, review
lustrzan|ka *f* (*-i*; *G -nek*) reflex camera; **~y** mirror
lut *m* (*-u*; *-y*) solder
Lutera|nin *m* (*-a*; *-e*), **~nka** *f* (*-i*; *G -nek*) Lutheran; **~nizm** *m* (*-u*; *0*) Lutheranism; **Żński** Lutheran
lutnia *f* (*-i*; *-e*) *mus.* lute
lutow|ać (*-uję*) solder; **~nica** *f* (*-y*; *-e*) soldering iron; **~niczy** soldering
lut|owy February; **~y** *m* (*-ego*; *0*) February
luz *m* (*-u*; *-y*) room; *tech.* play, slackness; *mot.* neutral (gear); F ***~em*** loose; *wóz* empty; *fig.* free; ***na ~ie*** *mot.* in neutral; ***na*** (***pełnym***) ***~ie*** *fig.* easy-going, carefree; **~ować** ⟨***z-***⟩ (*-uję*) relieve, take over from (**się** *v/i.*); ⟨***ob-, po-***⟩ loosen
luźny (***-no***) loose; *lina* slack; *sweter* baggy
lw|a → ***lew***; **~i** lion; **~ica** *f* (*-y*; *-e*) *zo.* lioness; **~y** *pl.* → ***lew***
lżej(**szy**) *adv.* (*adj.*) *comp. od* → ***lekki, lekko***
lżyć ⟨***ze-***⟩ (*-ę*, *lżyj!*) scold, abuse

Ł

Łaba *f* (*-y*; *0*) Elbe
łabę|dzi swan; **~dź** *m* (*-dzia*; *-dzie*, *-dzi*) *zo.* swan
łach(**man**) *m* (*-a*; *-y*) rag; ***~y*** *pl.* *też* F togs *pl.*, things *pl.*
łachudra *f/m* (*-y*; *G -der/-drów*) *pej.* sloven, bum; → ***szubrawiec***
łaciaty *koń* roan
łaci|na *f* (*-y*; *0*) Latin; **~ński** Latin
ład *m* (*-u*; *0*) order; ***dojść do ~u*** straighten out (***z I***)
ładny *adj.* (*comp. -niejszy*) pretty, nice

Ł

ładow|ać (*-uję*) ⟨**za-, wy-**⟩ load; ⟨**na-**⟩ *broń* load; *akumulator* charge; **~nia** *f* (*-i*; *-e*) hold; **~ność** *f* (*-ści*; *0*) load capacity; **~ny** → ***pakowny***
ładunek *m* (*-nku*; *-nki*) load, cargo; *electr.* charge; **~ *wybuchowy*** (explosive) charge
łago|dnieć ⟨**z-**⟩ (*-ję*) soften; *ból*, *wiatr*: subside; **~dność** *f* (*-ści*; *0*) gentleness, mildness; **~dny** gentle, mild, soft; *med.* benign; **~dzić** (*-dzę*) ⟨**z-**⟩ ease, appease; relieve; ***okoliczności*** *f/pl.* ***~dzące*** mitigating (*lub* extenuating) circumstances *pl.*
łajać ⟨**z-**⟩ (*-am*) scold, rap
łajda|cki villainous; **~ctwo** *n* (*-a*; *G* -) rascality, villainy; **~czka** *f* (*-i*; *G -czek*), **~k** *m* (*-a*; *-i/-cy*) scoundrel
łajno *n* (*-a*; *G -jen*) dung; F turd, crap
łakocie *pl.* (*-i*) *Brt.* sweets *pl.*, *Am.* candy
łakom|ić się ⟨***po- się***⟩ (*-ę*) (**na** *A*) crave (for); be greedy (for); **~y** greedy (*też* ***na*** *A* for); (*na słodycze*) sweet-toothed
łam *m* (*-u*; *-y*) *print.* column; **~ać** (*-ię*) ⟨**po-, z-**⟩ break; ***~ać*** ⟨**po-**⟩ ***się*** break, give way; *fig.* crack up; **~anie** *n* (*-a*; *G -ń*) *med.* pains *pl.*; **~any** broken
łami|główka *f* (*-i*; *G -wek*) puzzle; **~strajk** *m* (*-a*; *-i*) strike-breaker, scab
łamliwy fragile, breakable
łan *m* (*-u*; *-y*) field
łania *f* (*-ni*; *-e*) *zo.* doe
łańcu|ch *m* (*-a*; *-y*) chain; (*gór*) ridge; ***przykuwać ~chem*** chain; **~chowy** chain; ***pies ~chowy*** watchdog; **~szek** *m* (*-szka*; *-szki*) chain
łapa *f* (*-y*; *G* -) paw (*też fig.*)
łapa|ć ⟨**z-**⟩ (*-pię*) catch (*też fig.*); get hold of; get; (*nagle*) grab; ***~ć się na cz-ś*** catch o.s. doing s.th.; **~nka** *f* (*-i*; *G -nek*) raid
łap|czywy greedy, avid; **~ka** *f* (*-i*; *G -pek*) (***na myszy*** mouse)trap
łapówk|a *f* (*-i*; *G -wek*) bribe; ***dawać ~kę*** bribe; **~arski** bribery; **~arstwo** *n* (*-a*; *0*) bribery
łasica *f* (*-y*; *G* -) *zo.* weasel
łasić się (*-szę*) fawn (***do*** *G* on)
łas|ka *f* (*-i*; *G* -) favo(u)r; mercy, clemency; *rel.* grace; ***prawo ~ki*** the right of reprieve; ***niech pan z ~ki swojej*** would you be so kind as to; ***z ~ki*** condescendingly; **~kawy** gracious; favo(u)rable; kind; ***bądź ~kaw*** be so kind
łaskot|ać ⟨**po-**⟩ (*-am*) tickle; **~ki** *f/pl.*: ***mieć ~tki*** be ticklish; **~liwy** ticklish
łas|ować (*-uję*) treat o.s. to; **~y** → ***łakomy***
łata[1] *f* (*-y*; *G* -) slat
łata[2] *f* (*-y*; *G* -) patch; **~ć** ⟨**za-**⟩ (*-am*) patch (up); **~nina** *f* (*-y*) botch, patchwork
łatka *f* (*-i*; *G -tek*) → ***łata***
łatwo *adv.* (*comp. -wiej*) easily; readily; **~ść** *f* (*-ści*; *0*) easiness, ease; readiness; **~wierny** credulous, gullible
łatwy *adj.* (*comp. -wiejszy*) easy; simple
ław|a *f* (*-y*; *G* -) bench; coffee table; ***~a oskarżonych*** dock; ***~a przysięgłych*** jury; **~ica** *f* (*-y*; *G* -) school; (*piasku*) drift, shoal; **~ka** *f* (*-i*; *G -wek*) bench; (*w kościele*) pew; **~niczka** *f* (*-i*; *G -czek*), **~nik** *m* (*-a*; *-cy*) juror
łazanki *f/pl. jakby*: lasagne
łazić (*-żę*) (**po** *I*) F trudge, walk; climb
łazienka *f* (*-i*; *G -nek*) bathroom
łazik *m* (*-a*; *-i*) *Brt.* tramp, *Am.* hobo; *mot.* jeep; **~ować** (*-uję*) roam, hang around (***po ulicach*** the streets)
łaźnia *f* (*-i*; *-e*) baths *sg./pl.*
łącz|nica *f* (*-y*; *G* -) *tel.* switchboard; **~niczka** *f* (*-i*; *G -czek*) courier, messenger; **~nie** together (**z** *I* with); including; **~nik** *m* (*-a*; *-cy*) courier, messenger; *mil.* liaison officer; *print.* hyphen; *tech.* coupling; **~ność** *f* (*-ści*; *0*) connection (*też tel.*), contact; *tel.* (tele)communications *pl.*; *fig.* (sense of) community; **~ny** all-in, inclusive; joint; **~yć** ⟨**po-, z-**⟩ (*-czę*) (**się**) connect, link; join; combine, merge; unite; *tel.* put through; ***~ymy się z*** (*I*) we are going over to
łąk|a *f* (*-i*; *G* -) meadow; **~owy** meadow
łeb *m* (*łba*; *łby*) head, F nut; ***na ~, na szyję*** headlong; ***kocie łby*** *pl.* cobbles *pl.*; **~ek** *m* (*-bka*; *-bki*) head (***gwoździa*** of the nail); ***od ~ka*** per head; ***po ~kach*** cursorily, slapdash
łechta|czka *f* (*-i*; F *-czek*) *anat.* clitoris; **~ć** (*-am*) tickle
łga|ć F lie; tell fibs; **~rz** *m* (*-a*; *-e*) liar
łkać (*-am*) sob
łobuz *m* (*-a*; *-y/-i*) hooligan, yob; (*chłopiec*) rascal; **~erski** roguish; *spojrzenie* arch; **~ować** (*-uję*) go wild, charge about

łodyga *f* (*-i*; *G* -) stalk, stem
łodzi *G* → ***łódź***
łojo|tok *m* (*-u*; *0*) seborrh(o)ea; **~wy** seborrh(o)eal, seborrh(o)eic
łok|ciowy elbow; **~ieć** *m* (*-kcia*; *-kcie*) elbow
łom *m* (*-u*; *-y*) crowbar
łomot *m* (*-u*; *-y*) thud, bang, crash; **~ać** (*-czę*/*-cę*) crash, bang, thud
łon|o *n* (*-a*; *G* -) womb; (*piersi*) bosom (*też fig.*); *anat.* pubis; *fig.* ***w ~ie*** (*G*) inside; in the bosom of; **~owy** pubic
łopat|a *f* (*-y*; *G* -) shovel; (*śmigła*) blade; **~ka** *f* (*-i*; *G -tek*) (small) shovel; *anat.* (shoulder) blade; *gastr.* (*przyrząd*) spatula; (*potrawa*) shoulder of ham
łopian *m* (*-u*; *-y*) *bot.* burdock
łopotać (*-czę*/*-cę*) flutter, flap
łosi|ca *f* (*-y*; *-e*, *G* -) *zo.* elk; ***~ca amerykańska*** moose
łoskot *m* (*-u*; *-y*) din; bang, crash
łoso|siowy salmon; **~ś** *m* (*-sia*; *-sie*) *zo.* salmon
łoś *m* (*-a*; *G łosi*) *zo.* elk; ***~ amerykański*** moose
Łot|wa *f* (*-y*; *0*) Latvia; **≗ewski** (***po -ku***) Latvian; **~ysz** *m* (*-a*; *-e*), **-szka** *f* (*-i*; *G -szek*) Latvian
łot|r *m* (*-a*; *-y*/*-trzy*), **~rzyca** *f* (*-y*; *G* -) villain, scoundrel
łow|ca *m* (*-y*; *-cy*), **~czyni** *f* (*-ń*, *-nie*) hunter; **~czy 1.** hunting; **2.** *m* (*-ego*; *-owie*) master of the hunt; **~ić** ⟨**z-**⟩ (*-ię*) catch; hunt; ***~ić ryby*** fish; **~iecki** hunting; **~ny**: ***zwierzyna ~na*** game; **~y** *pl.* (*-ów*) hunt
łoza *f* (*-y*; *łóz*) *bot.* willow
łoże *n* (*-a*; *G łóż*) (***małżeńskie, śmierci*** marital, death) bed
łoży|ć (*-żę*) (***na*** *A*) finance, pay (for); **~sko** *n* (*-a*; *G* -) (***kulkowe*** ball) bearing
łó|dka *f* (*-i*; *G -dek*), **~dź** *f* (*łodzi*; *łodzie*, *-dzi*) boat
łój *m* (*łoju*; *0*) (*jadalny*) suet, (*na mydło itp.*) tallow
łóż|eczko *n* (*-a*; *G -czek*): ***~eczko dziecięce*** *zwł. Brt.* cot, crib; → ***kołyska***; **~ko** *n* (*-a*; *G -żek*) bed; ***do ~ka*** to bed; **~kowy** bed
łubin *m* (*-u*; *-y*) *bot.* lupin
łuczni|ctwo *n* (*-a*; *0*) archery; **~czka** *f* (*-i*; *G -czek*), **~k** *m* (*-a*; *-cy*) archer
łudz|ący (**-co**) *podobieństwo* remarkable, striking; **~ić** ⟨**z-**⟩ (*-dzę*) deceive, delude; (***nie***) ***~ić się, że*** (not) be under the illusion that; ***~ić się nadzieją*** entertain the hope
ług *m* (*-u*; *-i*) *chem.* lye
łuk *m* (*-u*; *-i*) curve; *math.* arc; *arch.* arch; (*broń*) bow; **~owy** *tech.* arc; *arch.* arch
łuna *f* (*-y*; *G* -) glow
łup *m* (*-u*; *-y*) loot, plunder; ***paść ~em*** (*D*) fall prey (to)
łup|acz *m* (*-a*; *-e*) *zo.* haddock; **~ać** ⟨***roz-***⟩ (*-pię*) split; *orzech* crack; **~ek** *m* (*-pka*; *-pki*) slate; **~ić** (*-pię*) loot, plunder
łupież *m* (*-u*; *0*) dandruff
łupin|a *f* (*-y*; *G* -) (*owoców*) skin, (*ziemniaków*) peel; (*orzecha, też arch.*) shell; **~owy** *arch.* shell
łupnąć F *v/s.* (*-nę*) hit, smash
łuska *f* (*-i*; *G -sek*) scale; (*grochu itp.*) pod, hull; *mil.* shell; → ***łupina***; **~ć** (*-am*) shell
łuszczy|ca *f* (*-y*; *0*) *med.* psoriasis; **~ć** (*-szczę*) → ***łuskać***; ***~ć się*** peel, flake
łut *m* (*-u*; *-y*): ***~ szczęścia*** a piece of luck
Łużyc|e *pl.* (*-c*) Lusatia; **≗ki** Lusatian
łydk|a *f* (*-i*; *G -dek*) calf
łyk *m* (*-a*/*-u*; *-i*) swallow, mouthful; **~ać** (*-am*) swallow; **~nąć** *v/s.* (*-nę*) (*G*) take a swallow
łyko *n* (*-a*) *bot.* phloem; **~waty** *gastr.* stringy
łys|ieć ⟨**wy-**⟩ (*-eję*) bald, go bald; **~ina** *f* (*-y*; *G* -) bald patch; (*cała głowa*) bald head; **~y** bald
łyż|eczka *f* (*-i*; *G -czek*) (tea)spoon; **~ka** *f* (*-i*; *G -żek*) (***stołowa*** soup-)-spoon; ***~ka do nabierania*** table-spoon
łyżwa *f* (*-y*; *G -żew*) skate
łyżwia|rstwo *n* (*-a*; *0*) skating; **~rka** *f* (*-i*; *G -rek*), **~rz** *m* (*-a*; *-e*) skater
łyżworolki *f/pl.* (*G -lek*) Rollerblades *pl.*, in-line skates *pl.*
łza *f* (*łzy*; *łzy*, *G łez*) tear; ***śmiać się do łez*** laugh till the tears come; ***przez łzy*** through tears; **~wiący** *oczy* watering; ***gaz ~wiący*** teargas; **~wić** (*-wię*) water; **~wy** tear-jerking, maudlin
łzowy *anat.* lachrymal, lacrimal
łżą, łże(**sz**) → ***łgać***

Ł

M

m. *skrót pisany*: ***miasto*** town; ***miesiąc*** month; ***mieszkanie*** flat; apt. (*apartment*)
ma[1] *3. os. sg.* → ***mieć***; *econ.* credit
ma[2] *pron.* (*ściągn.* ***moja***) → ***mój***
macać ⟨***po-***⟩ (*-am*) feel, finger; feel up
Macedo|nia *f* (*GDL -ii*; *0*) Macedonia; **~nka** *f* (*-i*; *G -nek*), **~ńczyk** *m* (*-a*; *-cy*) Macedonian; **2ński** Macedonian
machać (*-am*) wave (***do*** *G* to); (*skrzydłami*) flap; ***~ ogonem*** wag
machin|a *f* (*-y*; *G -*) machine; *fig.* machinery; **~acje** *f/pl.* (*G -i*) machinations *pl.*
machlojka F *f* (*-i*; *G -jek*) fraud, *Brt.* fiddle, wangle
machnąć *v/s.* (*-nę*) → ***machać***; ***~ ręką*** (***na*** *A*) give up
maci|ca *f* (*-y*; *-e*, *G -*) *anat.* uterus; ***~ca perłowa*** mother of pearl; **~czny** uterine
macie *2. os. pl.* → ***mieć***
macierz *f* (*-y*; *-e*) *math.* matrix
macierzanka *f* (*-i*; *G -nek*) *bot.* thyme
macierzy|ński maternal; motherly; ***urlop ~ński*** maternity leave; **~ństwo** *n* (*-a*; *G -*) maternity, motherhood; **~sty** native, indigenous
maciora *f* (*-y*; *G -*) sow
mac|ka *f* (*-i*; *G -cek*) feeler, tentacle; **~nąć** *v/s.* (*-nę*) → ***macać***
maco|cha *f* (*-y*; *G -*) stepmother; **~szy** (***po -szemu***) *fig.* unfeeling, uncompassionate
maczać (*-czam*) dip
mać V: ***psia ~!*** shit!, *Brt.* bloody hell!; ***kurwa ~!*** fucking hell!
madera *f* (*-y*) Madeira
Madryt *m* (*-u*; *0*) Madrid
mafia *f* (*GDL -ii*; *-e*) the Mafia
mag *m* (*-a*; *-owie*) magician
magazy|n *m* (*-u*; *-y*) store(-room), warehouse; (*pismo*) magazine; **~nek** *m* (*-nku*; *-nki*) *mil.* magazine; **~nier** *m* (*-a*; *-rzy*) warehouseman; **~nować** ⟨***z-***⟩ (*-uję*) store (up)
magi|a *f* (*GDL -ii*; *-e*) magic; **~czny** magic(al)
magiel *m* (*-gla*; *-gle*) mangle; ***~ elektryczny*** electric ironer
magik *m* (*-a*; *-cy*) magician; conjurer
magi|ster *m* (*-a*; *-trzy*) person with a Master's degree; **~stracki** municipal; **~strala** *f* (*-i*; *-e*) main road; *rail.* main line; (*gazowa itp.*) main; *komp.* bus
maglować ⟨***wy-***⟩ (*-uję*) mangle, iron, press; *fig.* mangle
magnes *m* (*-u*; *-y*) magnet (*też fig.*)
magnetofon *m* (*-u*; *-y*) tape-recorder; (*bez wzmacniacza*) tape deck; ***~ kasetowy*** cassette recorder; **~owy** tape-recorder
magne|towid *m* (*-u*; *-y*) videocassette recorder (*skrót*: VCR); **~tyczny** magnetic
magnez *m* (*-u*; *-y*) *chem.* magnesium
mahometa|nizm *m* (*-u*; *0*) Islam; **~ański** Islamic, Muslim; **2anin** *m* (*-a*; *-e*), **2anka** *f* (*-i*; *G -nek*) Muslim
maho|ń *m* (*-niu*; *-nie*) *bot.* mahogany; **~niowy** mahogany
maj *m* (*-a*; *-e*) May; ***1 2a*** May Day
majacz|enie *n* (*-a*; *G -ń*) delirium; **~yć** (*-ę*) be delirious, rave; → ***bredzić***; (***się***) appear, loom
mają *3. os. sg.* → ***mieć***; **~tek** *m* (*-tku*; *-tki*) fortune, possessions *pl.*; (*ziemski*) landed property; **~tkowy** financial
majeranek *m* (*-nku*; *-nki*) *bot.* marjoram
majestat *m* (*-u*; *0*) majesty
majętny wealthy, affluent
majonez *m* (*-u*; *-y*) *gastr.* mayonnaise
major *m* (*-a*; *-rzy*) *mil.* major
majowy May
majster *m* (*-tra*; *-trzy*, *-trowie*) (*w fabryce*) foreman; (*rzemieślnik*) master craftsman; (*mistrz*) master; ***~ do wszystkiego*** handyman
majsterkow|ać (*-uję*) *Brt.* do DIY, *Am.* fix things; **~anie** *n* (*-a*) DIY; **~icz** *m* (*-a*; *-e*) *Brt.* DIY enthusiast, *Am.* do-it-yourselfer
majstrować (*-uję*) tinker (***przy*** *I* with); ⟨***z-***⟩ build, make; *fig.* tinker
majtać (*-am*) nogami dangle; ogonem wag
majt|eczki *pl.* (*-czek*) → ***majtki***; **~ki** *pl.* (*-tek*) briefs *pl.*, (*damskie*) panties *pl.*
mak *m* (*-u*; *-i*) *bot.* poppy

makabryczny ghastly, grusome
makaron *m* (*-u*; *-y*) pasta; **~ *nitki*** vermicelli *pl.*; **~ *paski*** noodles *pl.*; **~ *rurki*** macaroni; **~owy** pasta
makata *f* (*-y*; *G -*) wall-hanging
makieta *f* (*-y*; *G -*) model; *tech.* mock-up; *print.* dummy
makijaż *m* (*-u*; *-e*) make-up
makler *m* (*-a*; *-rzy*) *econ.* stock-broker
makow|iec *m* (*-wca*; *-wce*), **~nik** *m* (*-a*; *-i*) poppyseed cake; **~y** poppyseed
makówka *f* (*-i*; *G -wek*) poppy-head
maksyma *f* (*-y*; *G -*) maxime, saying; **~lny** maximum, maximal
Malaj *m* (*-a*; *-e*) Malay; **≗ski** Malay
malaria *f* (*GDL -ii*; *-e*) *med.* malaria
malar|ka *f* (*-i*; *G -rek*) painter; **~ski** painting; painter's; ***sztuka ~ska*** painting; **~stwo** *n* (*-a*; *0*) painting
malarz *m* (*-a*; *-e*) painter
male|c *m* (*-lca*; *-lce*) little one, F kid; **~ć** ⟨**z-**⟩ (*-eję*) diminish; *siły*: decline; **~ńki** tiny; **~ństwo** *n* (*-a*; *G -*) baby
Malezja *f* (*-i*; *0*) Malaysia
mali *m-os pl.* → ***mały***
malign|a *f* (*-y*; *0*): ***w ~ie*** in fever
malin|a *f* (*-y*; *G -*) raspberry; **~owy** raspberry
malkontenctwo *n* (*-a*; *G -*) grumbling
malow|ać (*-uję*) ⟨***na-, po-***⟩ paint (***się*** o.s.; ***na biało*** white); ⟨***u-, po-***⟩ ***~ać się*** make up; **~anki** *f/pl.* (*-nek*) colo(u)ring-book; **~idło** *n* (*-a*; *G -deł*) painting; **~niczy** (***-czo***) picturesque; scenic
maltańs|ki (***po -ku***) Maltese
maltretować (*-uję*) maltreat, ill-treat; (*bić*) batter
malu|ch *m* (*-a*; *-y*) kid, toddler; **~tki** tiny
malwa *f* (*-y*; *G -*) *bot.* mallow
malwersacja *f* (*-i*; *-e*) embezzlement
mała, małe → ***mały***
mało *adv.* little, few; ***~ kto*** few people; ***~ co, o ~ nie*** nearly, almost; ***~ kiedy*** hardly ever; ***~ tego*** that's not all; ***~ ważny*** insignificant; **~duszny** mean; **~kaloryczny** low-calorie; **~lat** *m* (*-a*; *-y*) F teenager; **~letni** teenage; *jur.* juvenile; **~mówny** taciturn; **~obrazkowy** 35 mm; **~rolny**: ***chłop ~rolny*** smallholder; **~stkowy** mean, petty; **~wartościowy** low-quality, inferior
małp|a *f* (*-y*; *G -*) monkey; (*człekokształtna*) ape; **~i** (***-pio***) monkey; ape; **~ować** (*-uję*) ape

mał|y **1.** small, little; ***bez ~a*** almost, nearly; ***od ~ego*** from childhood; **2.** *m* (*-ego*, *-li*), **~a** *f* (*-ej*; *-e*), **~e** *n* (*-ego*; *-e*) baby, little one
małż *m* (*-a*; *-e*) *zo.* clam; (*jadalny*) mussel
małżeńs|ki marital, matrimonial, married; **~two** *n* (*-a*; *G -*) (*związek*) marriage; (*mąż i żona*) couple
małżon|ek *m* (*-ka*; *-kowie*) spouse, partner; (*mąż*) husband; **~ka** *f* (*-i*; *G -nek*) wife
małżowina *f* (*-y*; *G -*) *anat.* external ear, auricle
mam *1. os. sg. pres.* → ***mieć***
mama *f* (*-y*; *G -*) mother, mum
mamer F *m* (*-mra*; *-mry*) clink
mamić ⟨**z-**⟩ (*-ę*) → ***wabić, zwodzić***
maminsynek *m* (*-a*; *-i*) mother's boy
mam|lać, ~leć (*-ę*, *-i*), **~rotać** (*-czę/-cę*) ⟨***wy-***⟩ mumble, mutter
mamy *1. os. pl. pres.* → ***mieć***
manatki F (*-tków*) stuff
mandarynka *f* (*-i*; *G -nek*) mandarin, tangerine
mandat *m* (*-u*; *-y*) fine, ticket; (*parlamentarny*) seat
manekin *m* (*-a*; *-y*) dummy
manewr *m* (*-u*; *-y*) *Brt.* manoeuvre, *Am.* maneuver; **~ować** (*-uję*) *Brt.* manoeuvre, *Am.* maneuver
mango *n* (*-a*) *bot.* mango
mania *f* (*GDl -ii*; *-e*) mania; ***~ prześladowcza*** persecution mania; **~cki** maniac(al); **~czka** *f* (*-i*; *G -czek*), **~k** *m* (*-a*; *-cy*) maniac
manicurzystka *f* (*-i*; *G -tek*) → **manikiurzystka**
maniera *f* (*-y*; *G -*) manner; mannerism
manierka *f* (*-i*; *G -rek*) canteen
manifest|acja *f* (*-i*; *G -e*) demonstration; rally; manifestation; **~ować** (*-uję*) demonstrate (***na rzecz*** *G* in support of)
manikiurzystka *f* (*-i*; *G -tek*) manicurist
manipul|acja *f* (*-i*; *-e*) manipulation; **~ować** (*-uję*) manipulate; handle; *niepotrzebnie* tamper
mankament *m* (*-u*; *-y*) defect, shortcoming
mankiet *m* (*-u*; *-y*) cuff; ***~ u spodni*** *Brt.* turn-up, *Am.* cuff
manna *f* (*-y*; *0*) *fig.* manna; ***kasza ~*** semolina
manowce *m/pl.* (*-ów*) wrong track; ***zejść na ~*** go astray

M

mańkut *m* (*-a*; *-ci/-y*) left-hander
mapa *f* (*-y*; *G -*) map
mara|tończyk *m* (*-a*; *-cy*) marathon runner; **~toński**: ***bieg ~toński*** marathon (race)
marc|a *G*, **~e** *pl.* → ***marzec***
marcepan *m* (*-a*; *-y*) marzipan
marchew *f* (*-wi*; *-wie*), **~ka** *f* (*-i*; *G -wek*) carrot
marc|owy March; **~u** *DL* → ***marzec***
margaryna *f* (*-y*; *G -*) margarine, F marge
margines *m* (*-u*; *-y*) margin; ***uwaga na ~ie*** marginal note, comment in passing; **~owy** marginal
marihuana *f* (*-y*; *0*) marijuana *lub* marihuana
marionetka *f* (*-i*; *G -tek*) marionette; *fig.* puppet
marka¹ *f* (*-i*; *G -rek*) mark
marka² (*-i*; *G -rek*) brand, make
marketingowy marketing
marko|tny (**-nie, -no**) glum, morose; **~wać** (*-uję*) feign, pretend
marmolada *f* (*-y*; *G -*) jam, (*z cytrusów*) marmalade
marmur *m* (*-u*; *-y*) marble; **~owy** marble
marnie *adv.* → ***marny***; **~ć** ⟨**z-**⟩ (*-ję*) wither, wilt, fade
marnotraw|ić ⟨**z-**⟩ (*-ię*) squander, waste; **~stwo** *n* (*-a*; *G -*) waste
marnować ⟨**z-**⟩ (*-uję*) waste; *okazję* lose; **~** ⟨**z-**⟩ ***się*** go to waste
marn|y poor; bad; worthless; ***pójść na ~e*** go to waste
marskość *f* (*-ci*; *0*) *med.* cirrhosis
marsz *m* (*-u/mus. -a*; *-e*) march; ***~ stąd!***, ***~ za drzwi!*** out you go!
marszałek *m* (*-łka*; *-łkowie*) *mil.* marshal; ***~ sejmu*** speaker
marszczyć ⟨**na-, z-**⟩ (*-czę*) wrinkle (***się*** *v/i.*); *woda*: ripple; ***~ się*** shrivel; crease
marszruta *f* (*-y*; *G -*) itinerary
martwi|ca *f* (*-y*; *0*) *med.* necrosis; **~ć** ⟨**z-**⟩ (*-ę*) trouble, worry; ***~ć się*** worry (**o** *A* about); **~eć** ⟨**z-**⟩ (*-eję*) *fig.* be paralysed (**z** *G* by)
martw|y dead; ***~a natura*** still life; ***utknąć w ~ym punkcie*** come to a standstill
martyro'logia *f* (*GDL -ii*; *0*) martyrdom
maru|dny peevish, sulky; **~dzić** (*-dzę*) dawdle; → ***guzdrać się***
maryjny *rel.* Marian, Lady
maryna|rka *f* (*-i*; *G -rek*) jacket; (*-i*; *0*) *naut.* (*wojenna*) navy, (*handlowa też*) marine; **~rski** nautical, naval; **~rz** *m* (*-a*; *-e*) *naut.* sailor, seaman
mary|nata *f* (*-y*; *G -*) marinade, pickle; **~nować** ⟨**za-**⟩ (*-uję*) pickle, marinade
marzec March
marzenie *n* (*-a*; *G -eń*) dream, day-dream
marznąć [-r·z-] (*-nę*, *-ł*) ⟨**z-**⟩ freeze; ⟨**za-**⟩ freeze to death; *roślina*: be damaged by frost
marzyciel *m* (*-a*; *-e*), **~ka** *f* (*-i*; *G -lek*) dreamer; **~ski** dreaming; **~stwo** *n* (*-a*; *0*) dreaming
marzyć (*-ę*) dream (**o** *L* about); *fig.* be dying (**o** *L* for)
marża *f* (*-y*; *G -*) *econ.* margin
masa *f* (*-y*; *0*) *phys.* mass; *fig.* F heaps *pl.*; (*do ciasta*) paste
masakra *f* (*-y*; *G -kr*) massacre, slaughter
masarski meat, butcher
masaż *m* (*-u*; *-e*) massage; ***salon ~u*** massage parlo(u)r; **~ysta** *m* (*-y*; *-ści*), **~ystka** *f* (*-i*; *-tek*) masseur
maselniczka *f* (*-i*; *G -czek*) butter dish
maska *f* (*-i*; *G -sek*) mask; *mot. Brt.* bonnet, *Am.* hood; **~rada** *f* (*-y*; *G -*) masquerade
maskotka *f* (*-i*; *G -tek*) mascot, charm
maskow|ać ⟨**za-**⟩ (*-uję*) mask, *mil.* camouflage; ***~ać*** ⟨**za-**⟩ ***się*** disguise o.s.; **~y** mask
masło *n* (*-a*; *G -seł*) butter; ***~ maślane*** tautology
mason *m* (*-a*; *-i*) Freemason
masować ⟨**po-, wy-**⟩ (*-uję*) massage
masow|o *adv.* in masses; **~y** mass
mass 'media *pl.* (*G -ów*) mass media *pl.*, the media *pl.*
masturb|acja *f* (*-i*; *-e*) masturbation; **~ować się** (*-uję*) masturbate
masyw *m* (*-u*; *-y*) massif; **~ny** massive, solid
masz *2. os. sg. pres.* → ***mieć***
maszerować (*-uję*) march
maszkara *f* (*-y*; *G -*) nightmare
maszt *m* (*-u*; *-y*) mast
maszy|na *f* (*-y*; *G -*) machine, device; ***~na do pisania*** typewriter; ***~na do szycia*** sewing-machine; **~nista** *m* (*-y*; *-ści*) *rail. Brt.* engine-driver, *Am.* engineer; **~nistka** *f* (*-i*; *G -stek*) typist
maszynka *f* (*-i*; *G -nek*): ***~ do kawy***

coffee-maker; **~ *do mięsa*** mincer; **~ *spirytusowa*** spiritus stove
maszyno|pis *m* (*-u*; *-y*) typescript, manuscript; **~wy** machine; automatic
maść *f* (*-ci*) ointment
maśla|k *m* (*-a*; *-i*) boletus luteus; **~nka** *f* (*-i*; *-nek*) buttermilk; **~ny** butter
mat *m* (*-u*; *0*) matt; (*-a*; *0*) (*w szachach*) checkmate; ***dać ~a*** checkmate
mata *f* (*-y*; *G* -) mat
matactwo *n* (*-a*; *G* -) cheating, fraud
matczyn(y) motherly
matema|tyczny mathematical; **~tyk** *m* (*-a*; *-cy*) mathematician; **~tyka** *f* (*-i*) mathematics *sg.*
materac *m* (*-a*; *-e*) mattress
ma'teri|a *m* (*GDL -ii*; *0*) matter; **~alny** material; **~ał** *m* (*-u*; *-y*) fabric, textile; (*surowiec*) material
matka *f* (*-i*; *G -tek*) mother; **≈ *Boska*** Mother of God; **~ *chrzestna*** godmother; **~ *zastępcza*** surrogate mother
matnia *f* (*-i*; *-e*) *fig.* trap
matołek *m* (*-łka*; *-łki*) simpleton, dimwit
matowy (*-wo*) matt; frosted
matryca *f* (*-y*; *G* -) *Brt.* mould, *Am.* mold; pattern
matrymonialny matrimonial
matu|ra *f* (*-y*; *G* -) (*secondary-school leaving examination*; *secondary-school examination certificate*); **~rzysta** *m* (*-y*; *-ści*), **~rzystka** *f* (*-i*; *G -tek*) *Brt.* (*secondary school leaver*); *Am.* graduate
mawiać (*-am*) say
maza|ć (*-żę*) smear; **~k** *m* (*-a*; *-i*) felt-tip pen; **~nina** *f* (*-y*; *G* -) scribble
mazgaj *m* (*-a*; *-e*) cry-baby
maznąć *v/s.* (*-nę*) → ***mazać***
Mazowsze *n* (*-a*; *0*) Mazovia
mazurek *m* (*-rka*; *-rki*) *mus.* mazurka; *gastr.* Easter cake
Mazury *pl.* (*G* -) Masuria
maź *f* (*-zi*; *-zie*) grease; F gook, goo
mącić ⟨***z-***⟩ (*-cę*) make cloudy, cloud; **~ *się*** become cloudy; *fig.* get confused
mącz|ka *f* (*-i*; *G -czek*) flour; **~ny** flour; **~ysty (*-to*)** powdery
mądr|ość *f* (*-ci*; *0*) wisdom; **~ry (*-rze*)** wise; **~rzeć** ⟨***z-***⟩ (*-ję*) become wiser; **~rzej(szy)** *adv.* (*adj.*) (*comp. od* → ***mądrze, mądry***) wiser
mąka *f* (*-i*; *G* -) flour; **~ *ziemniaczana*** potato starch
mątwa *f* (*-y*; *G* -) *zo.* cuttlefish
mąż *m* (*męża*, *mężowie*, *mężów*) husband; ***wyjść za ~*** (***za*** *A*) marry, get married (to); ***wydać za ~*** marry; **~ *stanu*** statesman
m.b. *skrót pisany*: ***metr bieżący*** m. (*metre*)
m-c *skrót pisany*: ***miesiąc*** m. (*month*)
mchu *DL*, **mchy** *pl.* → ***mech***
mdleć ⟨***ze-***⟩ (*-ję*) faint, pass out
mdlić: ***k-ś mdli*** s.o. feels sick
mdł|ości *pl.* (-) nausea; ***mieć ~ości*** feel sick; **~y (*-ło*)** bland, tasteless
me *pron.* (*ściągn.* ***moje***) → ***mój***
mebel *m* (*-bla*; *-ble*, *-bli*) piece of furniture; ***meble*** *pl.* furniture
meblo|wać ⟨***u-***⟩ (*-uję*) furnish; **~wóz** *m* furniture van
mecenas *m* (*-a*; *-si*) Maecenas; (*adwokat*) lawyer
mech *m* (*mchu*; *mchy*) moss
mechani|czny mechanical; **~k** *m* (*-a*; *-cy*) mechanic; **~zm** *m* (*-u*; *-y*) mechanism; ***~zm zegara*** clockwork; **~zować** ⟨***z-***⟩ (*-uję*) mechanize
mecz *m* (*-u*; *-e*) match, game
meczet *m* (*-u*; *-y*) *rel.* mosque
meda|l *m* (*-a*; *-e*) medal; **~lik** *m* (*-a*; *-i*) locket; **~lista** *m* (*-y*; *-ści*), **~listka** *f* (*-i*; *G -tek*) (*w sporcie*) medal winner, medallist, title holder
medi'ator *m* (*-a*; *-rzy*) mediator
Mediolan *m* (*-u*; *0*) Milan
meduza *f* (*-y*; *G* -) *zo.* jellyfish
medy|cyna *f* (*-y*; *0*) medicine; **~czny** medical
medytować (*-uję*) meditate
mega|bajt *m* (*-u*; *-y*) megabyte (*skrót*: MB); **~lo'mania** *f* (*GDL -ii*; *0*) megalomania; **~tona** *f* megaton
mego *pron.* (*ściągn.* ***mojego***), **mej** *pron.* (*ściągn.* ***mojej***) → ***mój***
Meksy|k *m* (*-u*; *0*) Mexico; **~kanka** *f* (*-i*; *G -nek*), **~kańczyk** *m* (*-a*; *-cy*) Mexican; **≈kański** Mexican
melancholijny melancholic
meld|ować ⟨***za-***⟩ (*-uję*) report (***się*** *v/i.*); *zamieszkanie* register (***się*** *v/i.*); **~unek** *m* (*-nku*; *-nki*) report; **~unkowy** registration
melin|a F *f* (*-y*; *G* -) hide-out; den; *z alkoholem* after-hours joint; **~ować** ⟨***za-***⟩ (*-uję*) F hide (*też* ***się*** *v/i.*)
melioracja *f* (*-i*; *-e*) *agr.* melioration
me'lodia *f* (*GDL -ii*; *-e*) melody

M

melo|dyjny melodious; musical, tuneful; **~man** *m* (*-a*; *-i*); **~manka** *f* (*-i*; *G -nek*) music-lover
melon *m* (*-a*; *-y*) *bot.* melon; **~ik** *m* (*-a*; *-i*) bowler (hat)
meł|li, ~ł(am, -em) → ***mielić***
me'moriał *m* (*-u*; *-y*) memorandum; F (*w sporcie*) memorial contest
Men *m* (*-u*; *0*) Main
menażka *f* (*-i*; *G -żek*) *Brt.* mess tin, *Am.* mess kit
menedżer *m* (*-a*; *-rzy*) manager
mennica *f* (*-y*; *G -*) mint
mentalność *f* (*-ci*; *0*) mentality
mentolowy menthol
menu *n* (*idkl.*) menu
merdać ⟨***po-***⟩ (*-am*) wag
mereżka *f* (*-i*; *G -żek*) hem-stitch
merla *f* gauze
merynos *m* (*-a*; *-y*) *zo.* merino
merytoryczn|y substantial; ***w sprawie ~ej*** to the point
Mesjasz *m* (*-a*) *rel.* Messiah
meszek *m* (*-szka*; *-szki*) down
met|a *f* (*-y*; *G -*) finish; ***na bliższą/dalszą ~ę*** in the short/long run
meta|l *m* (*-u*; *-e*) metal; *mus.* heavy-metal; **~liczny** metallic; **~lowiec** *m* (*-wca*; *-wcy*) metalworker; **~lowy** metal
metan *m* (*-u*; *-y*) methane
meteorologiczny meteorologic(al)
meteor *m* (*-u*; *-y*) meteor; **~yt** *m* (*-u*; *-y*) meteorite
metka[1] *f* (*-i*; *G -tek*) (soft) sausage
metka[2] *f* (*-i*; *G -tek*) label, tag
meto|da *f* (*-y*; *G -*) method; **~dyczny** methodical; **~dysta** *m* (*-y*; *-ów*), **~dystka** *f* (*-i*; *G -tek*) *rel.* Methodist
metr *m* (*-a*; *-y*) *Brt.* metre, *Am.* meter
metraż *m* (*-u*; *-e*) area (in metres); ***krótki ~*** *zbior.* short film
metro *n* (*-a*, *0*) *Brt.* underground, *Am.* subway
metrowy *Brt.* metre, *Am.* meter
metryka *f* (*-i*; *G -*) (***ślubu, urodzenia, zgonu, chrztu*** wedding, birth, death, baptismal) certificate
metylowy methyl
Metys *m* (*-a*; *-i*) mestizo; **~ka** *f* (-i) mestiza
mewa *f* (*-y*; *G -*) gull; ***~ śmieszka*** black-headed gull
męcz|arnia *f* (*-i*; *-e*) agony, torment, torture; **~ący** (***-co***) tiring; *fig.* trying; **~ennik** *m* (*-a*; *-cy*), **~ennica** *f* (*-e*; *G-*) martyr (*też rel.*); **~eński** martyr's; **~yć** (*-ę*) torment; ***~yć się*** suffer; ⟨***z-***⟩ tire, make tired; *oczy itp.*: strain; ***~yć się*** get tired; *też* ***~yć się*** slave away (***nad*** *I* over)
męd|rek *m* (*-rka*; *-rki/-rkowie*) F smart aleck; **~rzec** *m* (*-drca*; *-drcy/-drcowie*) sage, savant
męka *f* (*-i*; *G mąk*) torment, torture, agony
męs|ki male; masculine, manly; *gr.* masculine; ***po ~ku*** like a man; **~kość** *f* (*-ci*; *0*) masculinity, manhood, virility; **~two** *n* (*-a*; *0*) bravery, valo(u)r
męt|lik *m* (*-a*; *-i*) confusion, mess; **~nieć** ⟨***z-***⟩ (*-eję*) become cloudy/opaque, cloud; **~ny** cloudy; opaque; **~y** *pl.* (*-ów*) dregs *pl.*
mężatk|a *f* (*-i*; *G -tek*) married woman; ***ona jest ~ą*** she is married
męż|czyzna *m* (*-y*; *G -*) man, male; **~ny** brave, valiant, valorous; **~owski** husband's
mglisty (***-ście***) foggy, misty; *fig.* vague, hazy
mgła *f* (*-y*, *DL mgle*; *-y*, *G mgieł*) fog, mist; ***zajść mgłą*** mist up; **~wica** *f* (*-y*; *G -wic*) nebula
mgnieni|e *n* (*-a*; *G -eń*): ***na ~e*** for a moment; ***w ~u oka*** in no time
mgr *skrót pisany*: ***magister*** MA (*Master of Arts*)
mi *pron.* (*ściągn. D*) → ***mnie***
miał[1], **~a, ~o** → ***mieć***
miał[2] *m* (*-u*; *-y*) dust, powder; **~ki** fine
miano *n* (*-a*; *G -*) *lit.* name; → ***nazwa***; **~wać** (*-uję*) appoint (*I* as), nominate; **~wicie** namely; ***a ~wicie*** to be precise; **~wnik** *m* (*-a*; *-i*) *gr.* nominative; *math.* denominator
miar|a *f* (*-y*; *G -*) measurement, measure; ***bez ~y*** boundless; ***szyty na ~ę*** made to measure; ***nad ~ę*** beyond measure; ***w ~ę*** moderately; ***w ~ę jak*** as; ***w ~ę możliwości/potrzeby*** as the need arises; ***w pewnej mierze*** to some extent; ***w dużej mierze*** to a great extent; ***ze wszech miar*** by all means; ***żadną ~ą*** by no means; **~ka** *f* (*-i*; *G -rek*) measure
miarkować (*-uję*) (***się***) contain (o.s.), restrain (o.s.), control (o.s.)
miaro|dajny authoritative; **~wy** rhythmic

miasteczko *n* (*-a*; *G -czek*) → ***miasto***; ***wesołe ~*** amusement park, *Brt.* funfair
miast|o *n* (*-a*, *L mieście*; *G -*) town, city; ***jechać do ~a*** go to town; ***~o portowe*** port
miauczeć (*-czę*) meow
miazga *f* (*-i*; *G -*) pulp
miażdży|ca *f* (*-y*; *0*) *med.* sclerosis, *zwł.* arteriosclerosis; **~ć** ⟨**z-**⟩ (*-ę*) crush, squash; *fig.* overwhelm
miąć ⟨***wy-***, ***z-***⟩ (*mnę*) crumple, crease (***się*** *v/i.*)
miąższ *m* (*-u*; *0*) pulp, flesh
miech *m* (*-u*; *-y*) bellows *sg. lub pl.*
miecz *m* (*-a*; *-e*) sword; *naut. Brt.* centreboard, *Am.* centerboard; **~nik** *m* (*-a*; *-i*) *zo.* swordfish; (*orka*) orc, killer whale; **~yk** *m* (*-a*; *-i*) *bot.* gladiolus
mieć have, possess; (*+ bezok.*) be going to; (**tu**) ***masz, macie …*** here is, here are …; ***nie ma*** there is not; ***~ na sobie*** have on, wear; ***~ 40 lat*** be 40 years old; ***nie ma za co*** you are welcome; ***~ miejsce*** take place; ***~ za złe*** take amiss; ***masz ci los!*** there we are!; ***ja miałbym to zrobić?*** I am supposed to do it?; ***miano tu budować dom*** a house was to be built here; ***nie ma jak …*** there is nothing like…; ***on ma się dobrze*** he is fine; ***jak się masz?*** how are you?; ***nie ma się czego wstydzić*** there is nothing to be ashamed of; ***ma się na deszcz*** it looks like rain; ***on ma się za artystę*** he considers himself an artist; ***~ się ku*** it is going to; → ***baczność, lata***
miednic|a *f* (*-y*; *G -*) bowl; *anat.* pelvis; **~owy** *anat.* pelvic
miedza *f* (*-y*; *G -*) balk
miedziany copper
miedzioryt *m* (*-u*; *-y*) copperplate engraving
miedź *f* (*-dzi*; *0*) *chem.* copper
miej(cie) → ***mieć***
miejsc|e *n* (*-a*; *G -*) place (***na*** *A*, ***do*** *G* for); position, location; space, room; seat (*też fig.*); ***~e pracy*** workplace; ***~e zbrodni*** scene of the crime; ***~e spotkania*** meeting place, rendezvous; ***na ~u*** there and then; on the spot; ***na twoim ~u*** if I were you; ***w ~e*** in place of; ***w tym ~u*** at this place; ***z ~a*** at once; ***ustąpić ~a*** make room; *fig.* give way; → ***pobyt, przeznaczenie***; **~ami** in place
miejscownik *m* (*-a*; *-i*) *gr.* locative
miejscow|ość *f* (*-ści*) locality, place; **~y** local; (*w sporcie*) home
miejs|cówka *f* (*-i*; *G -wek*) *rail.* seat reservation (ticket); **~ki** urban, municipal; (***po -ku***) town; ***rada ~ka*** town council
miel|ą, ~e(sz), ~ę, ~i → ***mleć***
mieliś|cie, ~my → ***mieć***
mieli|zna *f* (*-y*; *G -*) shallow; ***osiąść na ~źnie*** run aground
mielon|y minced; ***mięso ~e*** minced meat, *Brt.* mince
mienić się (*-nię*) shimmer
mienie *n* (*-a*; *0*) property; ***~ społeczne*** common property
miern|iczy 1. measuring; **2.** *m* (*-ego*; *-owie*) land surveyor; **~ik** *m* (*-a*; *-i*) measure; *tech.* measuring instrument; *fig.* yardstick; ***~ik wartości*** standard; **~ość** *f* (*-ści*; *0*) mediocrity; **~y** mediocre
mierz·eja *f* (*-i*; *-e*) sandbar
mierzić [-r·z-] (*t-ko 3. os. -i*) feel with digust
mierzwić ⟨**z-**⟩ (*-wię*) tousle, ruffle
mierzyć ⟨**z-**⟩ (*-ę*) measure; *suknię* try on; ***~ wzrokiem*** eye; ***nie móc się ~ z*** be no match for; *v/i.* take aim (**do** *G* at)
mies. *skrót pisany*: **miesiąc** m. (*month*); ***miesięczny*** monthly; ***miesięcznik*** monthly
miesiąc *m* (*-a*; *-e*) month; ***raz na ~*** once a month; ***za ~*** in a month; **~ami** for months on end
miesiączk|a *f* (*-i*; *G -czek*) menstruation, period; ***mieć ~ę*** have a period, menstruate
miesić ⟨***wy-***⟩ (*-szę*) knead
miesięczn|ik *m* (*-a*; *-i*) monthly; **~y** monthly
miesza|ć (*-am*) ⟨**za-**⟩ stir; ⟨**z-**⟩ mix together, blend; ⟨**w-**⟩ add (**do** *G* to); *fig.* drag into, involve; ***~ć się*** interfere (**do** *G* in), intervene; **~dło** *n* (*-a*; *G -deł*) mixer; **~niec** *m* (*-ńca*; *-ńce/-ńcy*) mongrel; (*też -ńcy*) half-caste; **~nina** *f* (*-y*; *G -*) mixture; **~nka** *f* (*-i*; *G -nek*) mixture; blend, assortment
mieszczań|ski middle-class; **~stwo** *n* (*-a*; *G -*) middle class, bourgeoisie
mieszka|ć (*-am*) live; inhabit; **~lny** inhabitable, habitable; **~nie** *n* (*-a*; *G -ań*) *Brt.* flat, *Am.* apartment; home; **~niec** *m* (*-ńca*; *-ńcy*), **~nka** *f* (*-nki*; *G -nek*) inhabitant, resident; **~niowy** housing;

dzielnica residential; → ***głód***
mieści|ć (*-szczę*) contain, hold; accommodate; **~ć się** fit; ⟨**po-, z-**⟩ fit in; *budynek*: house; **~na** *f* (*-y*; *G -*) little town
miewać (*-am*) have from time to time
mię (*ściągn. GA*) → ***mnie***
mięczak *m* (*-a*; *-i*) *pej.* softy, pushover; *zo. Brt.* mollusc, *Am.* mollusk
międlić F (*-lę*) → ***miąć, ględzić***
między *prp.* (*I, A*) between, among; **~ *innymi*** among other things; **~czas** *m*: ***w ~czasie*** in the meantime; **~kontynentalny** intercontinental; **~ludzki** interpersonal; **~miastowy**: ***rozmowa ~miastowa*** long-distance call, trunk call; **~narodowy** international; **~wojenny** interwar
mięk|czyć ⟨**z-**⟩ (*-ę*) make soft; soften (*też fig.*); *gr.* palatalize; **~isz** *m* (*-a*; *-e*) (bread)crumb; *biol.* parenchyma; **~ki** (*m-os -kcy*) soft; *mięso* tender; *fig.* wet; *gr.* palatalized; ***jajko na ~ko*** soft-boiled egg; **~kość** *f* (*-ści*; *0*) softness; **~nąć** ⟨**z-**⟩ (*-nę*) become soft, soften
mię|sień *m* (*-śnia*; *-śnie*) muscle; **~sisty** meaty; *fig.* brawny; **~sny** meat; **~so** *n* (*-a*; *G mięs*) meat, flesh; **~sożerny** carnivorous; **~śniowy** muscular
mię|ta *f* (*-y*; *G mięt*) mint, (*zwł. pieprzowa*) peppermint; **~tosić** (*-szę*) → ***miąć***; **~towy** mint, peppermint
mig *m* (*-u*; *-i*): ***na ~i*** by signs, in sign language; ***w ~*** in an instant; **~acz** *mot. Brt.* indicator, *Am.* turn signal; **~ać** (*-am*) flash; *lampa*: flicker; → ***przemykać***
migawk|a *f* (*-i*; *G -wek*) *phot.* shutter; *fig.* **~*i*** *pl.* scenes *pl.*; **~owy** shutter
migdał *m* (*-a*; *-y*) *bot.* almond; **~ek** *m* → **migdał**; *anat.* tonsil; **~owy** almond
mig|nąć *v/s.* (*-nę*) → ***migać***; **~otać** (*-czę/-cę*) flicker, waver; **~owy** sign
migracja *f* (*-i*; *-e*) migration
migrena *f* (*-y*; *G -*) migraine
mija|ć (*-am*) *v/t.* pass; *v/i.* pass by, go by; **~*ć się*** pass each other; *listy*: cross; *fig.* (***z*** *I*) miss; **~*ć się z prawdą*** depart from the truth; ***... go nie minie*** he will not escape ...; **~nka** *f* (*-i*; *G -nek*) passing place; *rail.*, *mot.* turnout
mika *f* (*-i*; *0*) mica
Mikołaj *m* (*-a*; *-e*) *też* **św(ięty)** *~ jakby*: Santa Claus, Father Christmas
mikro|bus *m* (*-u*; *-y*) minibus; **~element** *m* (*-u*; *-y*) trace element; **~fala** *f* (*-i*; *-e*) microwave; **~falowy** microwave; **~falówka** *f* (*-i*) F microwave (oven); **~fon** *m* (*-u*; *-y*) microphone; **~komputer** *m* (*-a*; *-y*) *komp.* microcomputer; **~procesor** *m* (*-a*; *-y*) *komp.* microprocessor; **~skop** *m* (*-u*; *-y*) microscope; **~skopijny, ~skopowy** microscopic
mikrus *m* (*-a*; *-y*) little one
mikser *m* (*-a*; *-y*) mixer; *gastr. też* liquidizer; *Brt.* blender; *RTV*: mixing desk
mila *f* (*-i*; *-e*) mile; **~ *morska*** nautical mile
milcz|ący silent; implicit; **~eć** (*-czę*) be silent; **~enie** *n* (*-a*; *0*) silence; ***chwila ~enia*** minute's silence; ***pominąć ~eniem*** pass over in silence; **~kiem** *adv.* stealthily, secretively
mile *adv.* kindly; (*ładnie*) pretty; **~ *widziany*** welcome
miliard *m* (*-a*; *-y*) billion, *Brt. też* milliard; **~owy** billionth; ***jedna ~owa*** one billionth
milicja *f* (*-i*; *0*) (Communist) police; **~nt** *m* (*-a*; *-nci*) policeman
mili|gram *m* (*-u*; *-y*) milligram; **~metr** *m* (*-a*; *-y*)*Brt.* millimetre, *Am.* millimeter; **~on** *m* (*-a*; *-y*) million; **~oner** *m* (*-a*; *-rzy*), **~onerka** *f* (*-i*; *G -rek*) millionaire; **~onowy** millionth ***jedna ~onowa*** onc millionth
militarystyczny militaristic
milknąć ⟨**za-**⟩ (*-nę*, *-[ną]ł*) fall silent; *fig.* calm down
milowy mile
mi|lszy *adv. comp. od* → ***miły***; **~luchny, ~lutki** nice
miło *adv.* pleasantly, agreeably; kind(ly); **~ *mi*** pleased to meet you; **~sierdzie** *n* (*-a*; *0*) mercy, charity; **~sierny** merciful, charitable; **~sny** love; **~stka** *f* (*-i*; *G -tek*) (love) affair; **~ść** *f* (*-ści*) love; **~śniczka** *f* (*-i*; *G -czek*), **~śnik** *m* (*-a*; *-cy*) (*sztuki*) lovcr; (*sportu*) fan; **~wać** (*-uję*) *lit.* love
miły (***-le, -ło***) kind; pleasant, agreeable; (*drogi*) dear
mimo *cj.* (*G*) in spite of; despite; **~ *to*** nevertheless; **~ *wszystko*** all the same; **~ *że*, ~ *iż*** though, although; → ***pomimo, wola***; **~chodem** *adv.* in passing; **~wolny** involuntary
m.in. *skrót pisany*: ***między innymi*** among others
mina[1] *f* (*-y*; *G -*) face

mina² *f* (*-y*; *G -*) *mil.* mine
minąć *pf.* (*-nę*, *-ń*) go by, pass by → ***mijać***
minera|lny mineral; **~ł** *m* (*-u*. *-y*) mineral
mini *f* (*idkl.*) *w złoż.* mini; F mini(skirt); **~aturowy** (**-wo**) miniature; **~malny** minimum, minimal; **~mum** **1.** *n* (*idkl.*; *-a*, *-mów*) minimum; **2.** *adv.* at least
miniony last; past
mini|ówa F *f* (*-wy*) mini; **~spódniczka** *f* (*-i*; *G -czek*) miniskirt
minister *m* (*-tra*; *-trowie*) minister, secretary; ***rada ministrów*** Council of Ministers; **~ialny** ministerial; **~stwo** *n* (*-a*; *G -*) (***sprawiedliwości***) ministry (of justice)
minorowy *mus.* minor; (**-wo**) gloomy
minować ⟨**za-**⟩ (*-nuję*) *mil.* mine
minus *m* (*-a*; *-y*) *math.* minus (sign); (*-u*; *-y*) minus; ***plus ~*** give or take; ***2 ~ 1*** 2 minus/less 1; **~owy** minus; negative; below zero
minut|a *f* (*-y*; *G -*) minute; ***za ~ę*** in a minute; ***co do ~y*** to a minute; **~owy** minute; *wskazówka* big
miodow|nik *m* (*-a*; *-i*) *gastr.* honey cake; **~y** honey; ***miesiąc ~y*** honeymoon
miot *m* (*-u*; *-y*) *zo.* litter; **~acz** *m* (*-a*; *-e*), **~aczka** *f* (*-i*; *G -czek*) thrower; ***~acz kulą*** (*w sporcie*) shot putter; ***~acz gazu*** (Chemical) Mace; ***~acz płomieni*** flame thrower; **~ać** (*-am*) hurl, throw; **~ła** *f* (*-y*; *G -teł*) broom, brush
miód *m* (*miodu*; *miody*) honey; ***~ pitny*** mead
miraż *m* (*-u*; *-e*) mirage; *fig.* illusion
mirt *m* (*-u*; *-y*) *bot.* myrtle
misja *f* (*-i*; *-e*) mission
miska *f* (*-i*; *G -sek*) bowl; ***~ klozetowa*** toilet bowl
Missisipi (*idkl.*) Mississippi
misterny elaborate, delicate
mistrz *m* (*-a*; *-owie*, *-ów*) master; (*w sporcie*) champion; ***~ Polski*** Polish champion
mistrzo|stwo *n* (*-a*; *G -*) mastery; (*w sporcie*) championship; **~wski** masterful, masterly; champion; ***po ~wsku*** expertly
mistrzyni *f* (*-ni*; *-nie*, *-ń*) master; (*w sporcie*) champion
misty|fikować (*-uję*) deceive; mystify; **~czka** *f* (*-i*; *G -czek*), **~k** *m* (*-a*; *-cy*) mystic; **~ka** *f* (*-i*; *0*) mysticism
misyjny missionary
miś *m* (*-sia*; *-sie*) (*zabawka*) teddy-bear; (*w bajkach*) bruin
mit *m* (*-u*; *-y*) myth; **~ologiczny** mythological
mitręga *f* (*-i*; *G -*) waste of time
mityczny mythical
mitygować (*-uję*) calm, mollify
mizdrzyć się F (*-rzę*) (**do** *G*) letch after
mi'zer|ia *f* (*GDL -ii*; *-e*) *gastr.* cucumber salad; **~nieć** ⟨**z-**⟩ (*-nię*) waste away; grow thin; **~ny** poor; paltry
m-ka *skrót pisany*: ***marka*** make; mark
mknąć (*-knę*) hurry (along)
MKOl *skrót pisany*: ***Międzynarodowy Komitet Olimpijski*** IOC (*International Olympic Committee*)
mkw. *skrót pisany*: ***metr kwadratowy*** sq. m. (*square metre*)
mlas|kać (*-skam*) F slurp; ⟨**~nąć**⟩ (*-nę*) click one's tongue
mld *skrót pisany*: ***miliard*** billion
mlecz *m* (*-a*; *-e*) *bot.* sow-thistle; F (*mniszek*) dandelion; *zo.* milt, soft roe; **~arnia** *f* (*-i*; *-e*) dairy; **~arstwo** *n* (*-a*; *0*) dairy industry; dairying; **~arz** *m* (*-a*; *-e*) milkman; **~ko** *n* (*-a*; *G -czek*) milk; **~ny** milk; milky
mleć ⟨**ze-**⟩, **mielić** grind, mill; ***~ językiem*** chatter
mleko *n* (*-a*; *0*) milk; ***~ pełne*** full-cream milk; ***~ w proszku*** powdered milk; ***na mleku*** *gastr.* milk; **~dajny** dairy
mln *skrót pisany*: ***milion*** m (*million*)
mł. *skrót pisany*: ***młodszy*** the younger
młocarnia *f* (*-i*; *-e*) threshing machine
młocka *f* (*-i*; *G -cek*) threshing
młod|e *n* (*-ego*; *-e*) young, baby; → ***młody***; **~nieć** (*-eję*) get younger
młodo *adv.* young; **~ciany** *jur.* **1.** juvenile; **2.** *m* (*-nego*; *-ni*), **~ciana** *f* (*-nej*; *-ne*) juvenile; **~ść** *f* (*-ci*; *0*) youth; ***nie pierwszej ~ści*** not young any more
młod|szy *adj.* (*comp. od* → ***młody***; *m-os -dsi*) younger; **~y** young; *ziemniak*, *wino* new; *mięso* tender; ***pan ~y*** (bride)groom; ***panna ~a*** bride; ***za ~u*** in one's youth
młodzie|j *adv. comp. od* → ***młodo***; **~niec** *m* (*-ńca*; *-ńcy*) youth, boy, young man, adolescent; **~ńczy** (**-czo, po -czemu**) youthful; **~ż** *f* (*-y*; *0*) the young *pl.*; ***~ż szkolna*** school children; **~żowy** youth
młodzik *m* (*-a*;*- i*) youngster

młodziutki very young
młokos *m (-a; -y) pej. Brt.* pup
młot *m (-a; -y)* hammer; ~ ***pneumatyczny*** pneumatic drill; ***walić jak ~em*** pound; **~ek** *m (-tka; -tki)* hammer
młócić ⟨***wy-***⟩ *(-cę)* thresh
młyn *m (-a; -y)* mill; **~arka** *f (-i; G -rek)*, **~arz** *m (-a; -e)* miller; **~ek** *m (-nka; -nki)* mill; ***~ek do kawy*** coffee grinder
młyński mill; ***koło ~e*** millstone
mną[1] *pron. (I →* ***ja****)*; ***ze ~*** with me
mną[2] *3. os. pl. pres. →* ***miąć***
mnich *m (-a; -si)* monk
mnie[1] *pron. (GA →* ***ja****)* me; *(DL →* ***ja****)* me; ***o ~*** about me; ***u ~*** with me
mnie[2] *3. os. pl. sg. →* ***miąć***
mniej *adv. (comp. od →* ***mało****)* less, fewer; ***~ więcej*** more or less; **~szość** *f (-ści)* minority; **~szy** *adj. (comp. od →* ***mały****)* smaller (***od*** *G* than); lesser; ***~sza o to/z tym*** never mind
mniema|ć *(-am)* believe; **~nie** *n (-a)* belief; ***w ~niu*** *też* on the assumption
mni|si → ***mnich***; *adj.* monastic; **~szek** *m (-szka; -szki) bot.* dandelion; **~szka** *f (-i; G -szek)* nun; *zo.* nun moth
mnog|i *(m-os mnodzy)* numerous; → ***liczba***; **~ość** *f (-ści; 0)* multitude
mnoż|enie *n (-a)* reproduction; *math.* multiplication; **~na** *f (-nej; -ne) math.* multiplicand; **~nik** *m (-a; -i) math.* multiplier; **~yć** ⟨***po-***⟩ *(-żę)* multiply (*też math.*; ***się*** *v/i.*)
mnóstwo *n (-a; 0)* lots of
mobil|izacja *f (-i; -e)* mobilisation; **~izować** ⟨***z-***⟩ mobilize; **~ny** mobile
moc *f (-y; -e)* power; *jur.* force; F lots of; ***nabierać ~y*** take effect; ***wszystko, co w jego ~y*** all in his power; ***na ~y*** *(G)* on the strength (of), in virtue (of); ***~ą*** *(G)* by virtue (of); ***~ alkoholu*** proof; **~arstwo** *n (-a; G -)* power; ***wielkie ~arstwo*** superpower; **~niej(szy)** *adv. (adj.) (comp. od →* ***mocno, mocny****)* more powerful, stronger; **~no** *adv.* very, hard; **~ny** powerful, strong; *ból* sharp; *chwyt itp.* firm, tight
mocować ⟨***przy-, u-***⟩ *(-uję)* attach, fix (***do*** *G* to); ***~ się*** wrestle (*też fig.*)
mocz *m (-u; -e)* urine
moczary *m/pl. (-ów)* marsh, swamp
mocznik *m (-a; 0) chem.* urea
moczo|pędny diuretic; **~wód** *m (-odu; -ody) anat.* ureter; **~wy** uretic
moczyć *(-czę)* ⟨***z-***⟩ wet; ⟨***za-***⟩ soak; water; *impf.* ***~ się*** soak; *(moczem)* water
mod|a *f (-y; G mód)* fashion, vogue; ***wyjść z ~y*** go out of fashion
model *m (-u; -e)* model; *tech.* mock-up; **~arstwo** *n (-a; G -)* model making; **~ka** *f (-i; G -lek)* model; **~ować** *(-uję)* model; *włosy* style
modem *m (-u; -y)* modem; **~owy** modem
moderni|zacja *f (-i; -e)* modernisation; **~zować** ⟨***z-***⟩ *(-uję)* modernize, update
modli|ć się ⟨***po- się***⟩ *(-ę; módl!)* pray (***do*** *G* to); **~twa** *f (-y; G -)* prayer
modł|a *f (-y; -deł)*: ***na ~ę*** *(G)* after the fashion (of); **~y** *pl. (-ów)* prayers *pl.*
modrzew *m (-ia; -ie) bot.* larch; **~iowy** larch
moduł *m (-u; -y)* module (*też math.*); unit; *phys.* modulus; **~owy** modular
modyfik|acja *f (-i; -e)* modification; **~ować** ⟨***z-***⟩ *(-uję)* modify
modzel *m (-a; -e) med.* callus
mogiła *f (-y; G -)* grave; ***~ wspólna*** mass grave
mog|ą, ~ę, ~li, ~łam, ~łem → ***móc***
mohair, moher *m (-u; 0)* mohair
moi, moja, moje → ***mój***
mojżeszowy Mosaic
mok|nąć ⟨***z-***⟩ *(-nę, nął/mókł)* get wet; *impf.* soak; **~ry** (**-ro**) wet
moll *m (idkl.) mus.* minor; ***c-moll*** C-minor
molo *n (idkl./-a; G mol)* pier, jetty
moloodporny moth-resistant
moment *m (-u; -y)* moment; ***za ~*** in a moment; **~alnie** at once, immediately, instantaneously; **~alny** immediate, instantaneous
Monachium *n (idkl.)* Munich
monarch|a *m (-y; -owie)* monarch; **~ia** *f (GDL -ii; -e)* monarchy; **~istyczny** monarchist
monet|a *f (-y; G -)* coin; ***brać coś za dobrą ~ę*** take s.th. at its face value
Mongo|lia *f (GDL -ii; 0)* Mongolia; **~lski** Mongolian
monit *m (-u; -y)* reminder; **~ować** *(-uję)* remind
mono *(idkl.)* mono, *w złoż.* mono-; **~'grafia** *f (GDl -ii; -e)* monograph; **~gram** *m (-u; -y)* monogram; **~partyjny** mono-party; **~pol** *m (-u; -e) econ., pol.* monopoly; **~polowy**: ***sklep ~polowy*** *Brt.* off-licence, *Am.* liquor store;

~tonny monotonous
monstrualny monstrous
monsun *m* (*-u*; *-y*) monsoon
montaż *m* (*-u*; *-e*) *tech.* assembly, installation; *phot.* editing; **~owy** editing; assembly; **~ysta** *m* (*-y*; *-ści*), **~ystka** *f* (*-y*; *G -tek*) *phot.*, *RTV*: editor
monter *m* (*-a*; *-rzy*) mechanic; fitter; ***~ instalacji wodociągowych*** plumber
montować (*-uję*) 〈**z-**〉 assemble; install; erect; *phot.*, *RTV*: edit; 〈**za-**〉 fix, put up, build in
mora|lność *f* (*-ci*; *0*) morality; **~lny** moral; **~ł** *m* (*-u*; *-y*) moral, maxim
mord *m* (*-u*; *-y*) murder
morda *f* (*G -*; *-y*) muzzle; F gob, mug
morder|ca *m* (*-y*; *G -ów*), **~czyni** *f* (*-i*; *-nie*, *-ń*) murderer; **~czy** (**-czo**) murderous; **~stwo** *n* (*-a*; *G -*) murder
mordęga F *f* (*-i G -*) toil; drudgery
mordować (*-uję*) 〈**po-, za-**〉 murder; 〈**z-**〉 exhaust, tire, strain; **~** 〈**na-, z-**〉 **się** get tired; struggle (**z** *I*, **przy** *I* with); 〈**z-**〉 *pf.* *też* be dead tired
morel|a *f* (*-i*; *-e*) *bot.* apricot; **~owy** apricot
morfin|a *f* (*-y*; *0*) morphine; **~izować się** (*-uję*) take morphine
morfo'logia *f* (*GDl -ii*; *0*) *bot.*, *gr.* morphology
morowy pestilential; ***~ chłop*** *Brt.* great bloke, *Am.* great chap
mors *m* (*-a*; *-y*) *bot.* walrus
mor|ski sea; naval; maritime; marine; ***drogą ~ską*** by sea; **~szczuk** *m* (*-a*; *-i*) *zo.* hake; **~świn** *m* (*-a*; *-y*) *zo.* porpoise
morwa *f* (*-y*; *G morw*) *bot.* mulberry
morz|e *n* (*-a*; *G mórz*) sea; ***pełne ~e*** the high seas; ***nad ~em*** (*wakacje itp.*) at the seaside; ***wyjść w ~e*** put to sea; ***na ~u*** at sea; → ***poziom***
Morze Karaibskie *n* the Caribbean Sea
Morze Śródziemne *n* the Mediterranean Sea
morzyć (*-ę*) *v/i.* 〈**z-**〉 *sen*: overcome; *v/t.* ***~ głodem*** 〈**za-** 〉 starve
mosiądz *m* (*-u*; *0*) brass
mosiężny brass
moskit *m* (*-a*; *-y*) mosquito; **~iera** *f* (*-y*; *G -*) mosquito net
Moskwa *f* (*-y*; *0*) Moscow
most *m* (*-u*; *-y*) bridge; ***~ zwodzony*** drawbridge; ***prosto z ~u*** without beating about the bush; **~ek** *m* (*-ku*; *-tki*) bridge; → ***kapitański***; **~owy** bridge
moszcz *m* (*-u*; *0*) new wine
moszn|a *f* (*-y*; *G -*) *anat.* scrotum; **~owy** scrotal
mot|ać (*-am*) wind, entangle; ***~ać się*** get entangled; **~ek** *m* (*-tka*; *-tki*) skein
motel *m* (*-u*; *-e*) motel
motłoch *m* (*-u*; *-y*) mob, rabble
motocykl *m* (*-a*; *-e*) motorcycle; **~ista** *m* (*-y*; *-ści*), **~istka** *f* (*-i*; *G -tek*) motorcyclist; **~owy** motorcycle
motor *m* (*-u*; *-y*) engine, motor; F cycle, bike; **~niczy** *m* (*-ego*; *-owie*), **-cza** *f* (*-ej*; *-e*) tram-driver
motorow|er *m* (*-u*; *-y*) moped, light motorcycle; **~iec** *m* (*-wca*; *-wce*) motor ship; **~y** motor, engine
motorówka *f* (*-i*; *G -wek*) motor boat
motory|zacyjny motor, automobile, automotive; **~zować** 〈**z-**〉 (*-uję*) motorize; ***być zmotoryzowanym*** have a car, have wheels; ***~zować się*** get a car, get o.s. wheels
motyka *f* (*-i*; *G -*) hoe
motyl *m* (*-a*; *-e*) butterfly
motyw *m* (*-u*; *-y*) (*postępku*) motive; (*literacki*) motif; theme; **~ować** 〈**u-**〉 (*-uję*) *coś* give a reason for; *kogoś* motivate
mow|a *f* (*-y*; *G mów*) speech; language, tongue; ***wygłosić ~ę*** deliver a speech; ***~a ojczysta*** mother tongue; ***w ~ie*** orally; ***nie ma ~y!*** F no way!
mozaika *f* (*-i*; *G -*) mosaic; *fig.* patchwork
mozol|ić się (*-lę*, *-zól!*) (**nad** *I*) labo(u)r (over), toil (over); **~ny** laborious
moździerz *m* (*-a*; *-e*) *mil.*, *gastr.* mortar
może *3. os. sg. pres.* → ***móc***; *adv.* maybe; ***być ~*** perhaps; ***~ byśmy usiedli*** why don't we sit down?; **~cie, ~my, ~sz** → ***móc***
możliw|ie *adv.* possibly; **~ość** *f* (*-ści*; *0*) possibility, chance; **~y** possible, likely; F not too bad, fair enough; ***~y do*** (*G*) -able; ***~y do realizacji*** implementable, realisable; ***robić wszystko co ~e*** do whatever is possible
można one can/may…; ***nie ~*** one must not…, one cannot…; ***~ by*** one could…; ***jak ~ najlepiej*** as good as possible
możność *f* (*-ci*; *0*) possibility, opportunity, chance
możny affluent, opulent
móc can, may; be able to; be allowed to

M

mój (*moja f, moje n, moi m-os/pl., moje f/pl.*) my, mine; ***to moje*** that's mine; ***moi*** my family
mól *m* (*mola*; *mole*) moth
mów|ca *m* (*-y*; *G -ów*), **~czyni** *f* (*-i*; *-e*) speaker; **~ić** (*-ę*) speak, say; talk, tell; ***~ić po angielsku*** speak English; ***~ią, że*** they say that, it is said that; ***szczerze ~iąc*** to be frank; ***szkoda ~ić*** it is not even worth talking about; ***nie ma o czym ~ić*** don't mention it; ***to ~i samo za siebie*** it speaks for itself; **~ienie** *n* (*-a*; *0*) speaking; **~nica** *f* (*-y*; *-e*) rostrum, platform
mózg *m* (*-u*; *-i*) brain (*też fig.*); F ***padło mu na ~*** he is off his rocker; **~owy** cerebral (*też fig.*)
MPK *skrót*: ***Miejskie Przedsiębiorstwo Komunikacyjne*** Municipal Transport Company
mro|czny (**-*no***) dark; *fig.* gloomy; **~k** *m* (*-u*; *-i*) dark, darkness; *fig.* gloom; ***zapada ~k*** dusk is falling
mrowi|ć się (*-ę*) swarm, teem; **~e** *n* (*-a*; *0*) → ***mnóstwo***; **~sko** *n* (*-a*; *G -*) ant-hill
mrozić (*-żę*) ⟨***z-***⟩ freeze (*też fig.*), chill
mrozoodporny frost-resistant
mroźn|o *adv.*: ***jest ~o*** it is freezing; **~y** frosty, icy
mrożon|ki *f/pl.* (*-nek*) frozen food; ***~ka warzywna*** frozen vegetables *pl.*; **~y** frozen, deep-frozen
mrówk|a *f* (*-i*; *G -wek*) *zo.* ant; **~owiec** *m* (*-wca*; *-wce*) F high-rise block
mróz *m* (*-ozu*; *-y*) frost
mru|czeć (*-ę*, *-y*) murmur; mutter; *kot*: purr; **~gać** (*-am*) ⟨***~gnąć***⟩ blink; *gwiazda*: twinkle; (**do** *G*, **na** *A*) wink (to, at); **~k** *m* (*-a*; *-i*) grouch, grumbler; **~kliwy** (**-*wie***) grumpy, grouchy; **~knąć** *v/s.* (*-nę*) → ***mruczeć***
mrużyć (*-żę*) ⟨***z-***⟩: ***~ oczy*** squint
mrzonka *f* (*-i*; *G -nek*) pipe-dream, daydream
m.st. *skrót pisany*: ***miasto stołeczne*** capital city
MSW *skrót pisany*: ***Ministerstwo Spraw Wewnętrznych*** Ministry of Interior; *Brt.* HO (*Home Office*)
MSZ *skrót pisany*: ***Ministerstwo Spraw Zagranicznych*** Ministry of Foreign Affairs; *Brt.* FO (*Foreign Office*)
msz|a *f* (*-y*; *msze*) *rel.* Mass, service; ***służyć do ~y*** serve at Mass; ***dać na ~ę*** have a Mass said; ***iść na ~ę*** go to Mass; **~ał** *m* (*-u*; *-y*) *rel.* missal
mszcz|ą, ~ę → ***mścić***
mszyca *f* (*-y*; *-e*) *zo.* aphid, greenfly
mści|ciel *m* (*-a*; *-e*), **-lka** *f* (*-i*; *G -lek*) avenger; **~ć** ⟨***po-***⟩ avenge, take revenge for; ***~ć się*** take one's revenge (***za*** *A* for); **~wość** *f* (*-ci*; *-*) revengefulness, vindictiveness; **~wy** (**-*wie***) revengeful, vindictive
MTP *skrót pisany*: ***Międzynarodowe Targi Poznańskie*** International Poznan Fair
mu *pron.* (*ściągn.* **jemu**) → ***on***
much|a *f* (*-y*; *G -*) *zo.* fly; bow-tie; ***~a nie siada*** tip-top; ***być pod ~ą*** be tipsy
muchomór *m* (*-ora*; *-ory*) toadstool
mularski → ***murarski***
mulisty muddy, slimy
multimedialny multimedia
muł[1] *m* (*-a*; *-y*) *zo.* mule
muł[2] *m* (*-u*; *-y*) mud, slime
mumia *f* (*-i*; *-e*) mummy
mundur *m* (*-u*; *-y*) uniform; **~owy** uniform
mur *m* (*-u*; *-y*) wall (*też fig.*); ***~ pruski*** half-timbering; ***na ~*** F for sure; **~arski** mason's; **~arstwo** *n* (*-a*; *0*) bricklaying, masonry; **~arz** *m* (*-a*; *-e*) mason, bricklayer; **~ować** ⟨***wy-***⟩ (*-uję*) lay bricks; *budynek* build; **~owany** brick, stone; F dead-certain
Murzy|n *m* (*-a*; *-i*), **~nka** *f* (*-i*; *G -nek*) African; (*w USA*) Afro-American, Black; **2ński** Black
mus[1] *m* (*-u*; *-y*) *gastr.* mousse
mus[2] *m* (*-u*; *0*) necessity; ***z ~u*** out of necessity; **~ieć** (*-szę*) have to, must
muskać (*-am*) brush
muskularny muscular
musnąć *v/s.* (*-nę*) → ***muskać***
mus|ować (*-uję*) effervesce, fizz; **~jący** effervescent, fizzy; *wino* sparkling
muszk|a *f* (*-i*; *G -szek*) → ***mucha***; *mil.* foresight; ***wziąć na ~ę*** take aim at
muszkat *m* (*-u*; *-y*) nutmeg; **~ołowy**: ***gałka ~ołowa*** nutmeg
muszla *m* (*-i*; *-e*, *-i/-szel*) shell; ***~ klozetowa*** toilet bowl
musztard|a *f* (*-y*; *G -*) mustard; **~owy** mustard
musztr|a *f* (*-y*; *G -*) drill; **~ować** (*-uję*) drill
musz|y fly; ***waga ~a*** flyweight; ***~e śla-***

dy fly droppings *pl.*
muśnięcie *n* (*-a*; *G -ęć*) brushing
muza *f* (*-y*) muse
muze|um *n* (*idkl.*; *-a*, *-ów*) museum; **~alny** museum
muzułma|nin *m* (*-a*; *-anie*, *-ów*), **~nka** *f* (*-i*; *G -nek*) Muslim; **~ński** Muslim
muzy|czny music(al), melodious; **~k** *m* (*-a*; *-cy*) musician; **~ka** *f* (*-i*; *0*) music; **~kalny** musical; **~kować** (*-uję*) play music, make music; ***~kować na ulicy*** *Brt.* busk
my *pron.* (*GAL* **nas**, *D* **nam**, *I* ***nami***) we; ***o nas*** about us; ***z nami*** with us
myć (*-ję*) ⟨***u-***⟩ wash (**się** *v/i. lub* o.s.); *warzywa, kafelki* clean
myd|lany soap; **~lić** ⟨***na-***⟩ (*-lę*) soap (**się** o.s.); *mydło*: lather; ***~lić oczy*** dupe; **~liny** *pl.* (*G* -) suds *pl.*; **~ło** *n* (*-a*; *G -deł*) soap
myjnia *f* (*-i*; *-e*) car wash
myl|ić (*-lę*) ⟨***po-, z-***⟩ confuse, mix; ***~ić*** ⟨***o-, po-***⟩ ***się*** get confused, go wrong; be wrong; **~ny** mistaken, wrong
mysi mouse; *fig.* mousy
mysz *f* (*-y*), **~ka** *f* (*-i*; *G -szek*) mouse; **~kować** (*-uję*) snoop about, nose about
myśl *f* (*-i*) thought; idea; ***w ~*** according to; ***mieć na ~i*** have in mind; ***w ~i*** in mind; ***wpaść na ~*** hit on an idea; ***przyjść na ~*** come to mind; ***być dobrej ~i*** be in good spirits; **~ący** thinking; **~eć** ⟨***po-***⟩ (*-lę*, *-i*) think (***o*** *L* of, about); ***niewiele ~ąc*** without thinking too much; **~enie** *n* (*-a*; *0*) thinking; ***sposób ~enia*** way of thinking, mentality; **~iciel** *m* (*-a*; *-e*) thinker
myśli|stwo *n* (*-a*; *0*) hunting; **~wiec** *m* (*-wca*; *-wce*) *mil.* fighter; (*-wca*; *-wcy*) hunter; **~wski** hunting; *mil.* fighter; **~wy** hunting
myśl|nik *m* (*-a*; *-i*) dash; **~owy** intellectual
MZK *skrót*: ***Miejskie Zakłady Komunikacyjne*** Municipal Transport Company
mżawka *f* (*-i*; *G -wek*) drizzle
mżyć: (***deszcz***) ***mży*** it is drizzling

N

n. *skrót pisany*: **nad** over, above
na *prp.* (*L*) *pozycja* on (***~ półce*** on the shelf); in (***~ łóżku*** in bed; ***~ Litwie*** in Lithuania); *istnienie* in (***~ piśmie*** in writing); (*A*) *ruch*: on(to), on (***~ łóżko*** on the bed), to (***~ Ukrainę*** to (the) Ukraine); *okres*, *termin* in (***~ wiosnę*** in spring), for (***~ Wielkanoc*** for Easter; ***~ dwa dni*** for two days), on (***~ drugi dzień*** on the next day); *miara* per (***raz ~ miesiąc*** once a/per month); *cel* to, on, for (***iść ~ spacer*** go for a walk); *skutek*, *przyczyna* at, with, about (***zachorować ~*** be taken ill with; ***skarżyć się ~*** complain about); *przeznaczenie* for (***lekarstwo ~ kaszel*** medicine for coughing); *rezultat* into (***dzielić ~ części*** divide into parts); ***~ końcu …*** in the end; finally; ***…***; *często nie tłumaczy się*: *miara* ***głęboki ~ dwa metry*** two metres deep; ***~ dole*** downstairs; *gra* ***grać ~ flecie*** play the flute; *przeznaczenie* ***pojemnik ~ chleb*** bread-bin; ***złapać ~ kradzieży*** catch stealing; → *odnośne rzeczowniki i czasowniki*
nabawi|ać się (*-am*) ⟨***~ć się***⟩ (*G*) catch, contract
nabiał *m* (*-u*; *0*) dairy products *pl.*; **~owy** dairy
na|bić → ***bić***, ***nabijać***; **~biegać** ⟨***~biec, ~biegnąć***⟩ (*I*) *łzy*: well up; *rumieniec*: spread
nabierać (*-am*) (*G*, *A*) take; powietrza, tchu take in; F (*oszukiwać*) take in, kid; ***~ znaczenia*** gain importance; → ***nabrać, siła***
nabijać (*-am*) (*wypełniać*) stuff full; *broń* load; ***~ gwoździami*** stud with nails; ***~ się*** (***z*** *G*) → ***drwić***
naboż|eństwo *n* (*-a*; *G -w*) divine service; **~ny** pious
nabój *m* (*-boju*; *-boje*, *-boi*) charge; (*kula*) bullet; ***ślepy ~*** blank
nabrać *pf.* → ***nabierać***; F ***~ na kawał*** take in; ***dać się ~*** fall for
nabrzeże *n* (*-a*; *G -y*) quay, wharf; embankment

N

na|brzmiały swollen; **~brzmiewać** ⟨**~mieć**⟩ (*-am*) swell
naby|tek *m* (*-tku*; *-tki*) purchase, acquisition; **~wać** ⟨**~ć**⟩ (*-am*) buy, purchase, acquire; **~wca** *m* (*-y*) buyer, purchaser; **~wczy**: ***siła ~wcza*** *econ.* purchasing power
na|chalny F cheeky, brazen; **~chmurzony** frowning, grim
nachodzić (*opanować*) overcome; (*odwiedzać*) descend (up)on; **~ *się*** tire o.s. by walking
nachy|lać (*-am*) ⟨**~lić**⟩ bend (***się*** down); **~lony** bent
nacią|ć → ***nacinać***; **~gać** (*-am*) ⟨**~gnąć**⟩ *v/t.* draw *lub* pull tight; *koszulę itp.* pull on; *mięsień* strain; F *fig.* → ***nabierać***; *v/i. herbata* draw, brew
nacie|k *m* (*-u*; *-i*) *med.* (o)edema; **~kać** (*-am*) ⟨**~c, ~knąć**⟩ leak in(to), flow in(to); **~rać** (*-am*) *v/t.* run in; *v/i.* (**na** *A*) attack, assault
na|cięcie *n* (*-a*; *G -ęć*) score, notch, incision; **~cinać** (*-am*) cut, incise
nacis|k *m* (*-u*; *-i*) pressure (*też fig.*); *gr.* stress; *fig.* ***z ~kiem*** with emphasis; **~kać** ⟨**~nąć**⟩ press; *guzik* push; *fig.* pressurize
nacjonali|styczny nationalistic; **~zować** (*-uję*) nationalize
nacz. *skrót pisany*: ***naczelny*** chief
naczeln|ik *m* (*-a*; *-cy*) head; chief; ***~ik urzędu pocztowego*** postmaster; ***~ik stacji*** stationmaster; ***~ik urzędu policyjnego*** *Am.* marshal; **~y** head; chief, foremost; supreme
naczyni|e *n* (*-a*; *G -yń*) vessel (*też anat.*); dish; ***~a*** *pl.* crockery
nać *f* (*-ci*; *-cie*) tops *pl.*
naćpany F high (*I* on)
nad *prp.* (*I*) *miejsce* over, above; (*przy*) on, by (***~ Wisłą*** on the Vistula, ***~ morzem*** by the sea); ***~ ranem*** towards morning; (*A*) *kierunek* to; ***~ podziw*** astonishingly; → ***miara, wyraz, wszystko***
nad. *skrót pisany*: ***nadawca*** sender
nada|ć *pf.* → ***nadawać***; **~jnik** *m* (*-a*; *-i*) transmitter
nadal *adv.* still
nada|remnie *adv.* to no effect, fruitlessly; **~remny** futile, fruitless; **~rzać się** (*-am*) ⟨**~rzyć się**⟩ *okazja*: occur
nadaw|ać *list* send; *imię, kształt* give; *tytuł* confer, bestow; *RTV*: broadcast; ***~ać się*** (***do*** *G*, ***na*** *A*) be fit (for), be suitable (for, to); **~anie** *n* (*-a*; *G -ań*) *RTV*: broadcast; (*tytułu*) conferral; **~ca** *m* (*-y*; *G -ców*), **~czyni** *f* (*-i*; *-e*) sender; **~czy**: ***zespół ~czy*** transmitter unit
nadą|ć *pf.* → ***nadymać***; **~sany** sulky; **~żać** (*-am*) ⟨**~żyć**⟩ (***za*** *I*) keep pace (with); ***nie ~żać*** *też* fall behind; *fig.* not be with s.o.
nad|bagaż *m* excess baggage; **~bałtycki** Baltic; **~biegać** ⟨**~biec, ~biegnąć**⟩ come running up; **~bity** *talerz* chipped; **~brzeże** *n* (*-a*; *G -y*) seafront
nadbudow|a *f* superstructure; **~(yw)ać** (*-uję*) build on
nadchodz|ący approaching; **~ić** (*-dzę*) approach, come up
nad|ciąć *pf.* → ***nacinać***; **~ciągać** (*-am*) ⟨**~ciągnąć**⟩ *v/i.* arrive; come up; *burza*: approach; **~cięcie** *n* (*-a*; *G -ć*) incision, cut; **~cinać** (*-am*) → ***nacinać***; **~ciśnienie** *m* (*-a*; *G -ń*) excess pressure; *med.* hypertension; **~czuły** hypersensitive; **~czynność** *f* (*-ści*; *0*) *med.* hyperfunction; **~dzierać** (*-am*) → ***nadrywać***; **~dźwiękowy** supersonic
nade → ***nad***; **~drzeć** *pf.*, **~rwać** → ***nadrywać***
nadejś|cie *n* (*-a*) approach, coming; oncoming; **~ć** *pf.* come, approach; → ***nadchodzić***
na|depnąć *pf.* (***na*** *A*) tread (on), *niechcący* step (on); **~der** *adv.* extremely, very, greatly; **~derwać** *pf.* → ***nadrywać***; F ***~derwać się*** overstrain, sprain; **~desłać** *pf.* → ***nadsyłać***
nadetatowy supernumerary
nadęty → ***nadąsany, napuszony***
nad|fioletowy ultraviolet; **~garstek** *m* (*-tka*; *-tki*) wrist; **~godzina** *f* (*-y*; *G -*) one hour's overtime; ***~godziny*** *pl.* overtime; **~gorliwy** officious; **~graniczny** border, frontier; **~gryzać** (*-am*) ⟨**~gryźć**⟩ bite into, take a bite of; **~jeżdżać** (*-am*) ⟨**~jechać**⟩ come, arrive; **~latywać** (*-uję*) ⟨**~lecieć**⟩ come flying up, arrive
nadleśni|ctwo *n* (*-a*; *G -*) forestry administration (office); **~czy** *m* senior forestry officer
nadliczbow|y overtime; ***godziny*** *f/pl.* ***~e*** overtime
nad|ludzki superhuman; **~łamywać** (*-uję*) ⟨**~łamać**⟩ *v/t.* crack; **~miar** *m*

(*-u*; *0*) (*G*) excess; surplus; ***w ~miarze*** in excess
nadmie|niać (*-am*) ⟨***~nić***⟩ mention
nadmierny excessive, surplus
nadmorski seaside
nadmuch|iwać (*-uję*) ⟨***~ać***⟩ blow up, inflate; **~iwany** inflated
nad|naturalny supernatural; **~obowiązkowy** optional; **~palać** (*-am*) ⟨***~palić***⟩ singe; **~pijać** (*-am*) ⟨***~pić***⟩ start drinking; **~piłow(yw)ać** (*-[w]uję*) start to saw; **~płacać** (*-am*) ⟨***~płacić***⟩ overpay; **~pływać** (*-am*) ⟨***~płynąć***⟩ → ***przypływać***; **~produkcja** *f* (*-i*; *0*) overproduction, surplus
nadprogram *m* supporting program(me); **~owy** additional, surplus
nad|przyrodzony supernatural; → ***nadnaturalny***; **~psuty** slightly spoiled; *mięso* bad; **~rabiać** (*-am*) ⟨***~robić***⟩ *czas* make up; *zaległości* catch up on, make up for; ***~rabiać miną*** put on a show of bravery; ***~robić drogi*** go a long way round
nadruk *m* (*-u*; *-i*) imprint
nad|rywać (*-am*) rip, tear; ***~rywać się*** strain o.s., overstrain; **~rzędny** overriding; higher; **~skakiwać** (*-uję*) (*D*) pay court to, toady; **~słuchiwać** (*-uję*) listen out for; **~spodziewany** surprise, startling, unanticipated; **~stawi(a)ć** (*-am*) hold out, *uszy* prick up (*też fig.*); ***~stawi(a)ć głowy*** take risks; **~stawka** *f* (*-i*; *G -wek*) top *lub* upper part; **~syłać** (*-am*) send in; **~szarpnąć** *pf. fig.* shatter; *zdrowie* ruin; **~tlenek** *m chem.* peroxide
nadto *adv.* moreover
nadużycie *n* (*-cia*; *G -ć*) abuse, misuse; *jur.* embezzlement; ***~cie podatkowe*** tax evasion; **~(wa)ć** (*G*) abuse; ***~wać alkoholu*** drink too much
nad|waga *f* overweight, excess weight; **~wątlony** impaired, weakened
nadweręż|ać (*-am*) ⟨***~yć***⟩ (*-ę*) impair, weaken
nadwodny aquatic; above water level
nadworny court
nadwozie *n* (*-a*; *G -i*) *mot.* body
nad|wrażliwy hypersensitive; **~wyżka** *f* (*-i*; *G -żek*) surplus
na|dymać (*-am*) inflate, blow up; ***~dymać się*** puff o.s. up; **~dziać** *pf.* → ***nadziewać*** (*-am*)
nadzie|ja *f* (*-ei*; *-e*, *-ei*) hope; ***mieć ~ję*** hope; ***w ~i/z ~ją, że*** in the hope that; ***przy ~i*** with child
nadziemny above ground, overhead
nadziemski ethereal; supernatural
nadzie|nie *n* (*-a*; *G -ń*) *gastr.* filling, stuffing; **~wać** (*-am*) *gastr.* (*nadzieniem*) fill, stuff (*I* with); impale (***się na*** o.s. on); **~wany** filled
nadzor|ca *m* (*-y*; *GA -ców*), **~czyni** *f* (*-i*; *-nie*, *-ń*) warder, supervisor; **~czy** supervising, supervisory; **~ować** (*-uję*) supervize, oversee, control
nadzór *m* (*-oru*; *0*) supervision, overseeing, control
nadzwyczaj(nie) *adv.* unusually, remarkably; **~ny** unusual, remarkable; *profesor* extraordinary; extra
nadzy *m-os pl.* → ***nagi***
naft|a *f* (*-y*; *0*) *Brt.* paraffin (oil), *Am.* kerosene; **~owy** paraffin, kerosene; → ***ropa***
nagab|ywać (*-uję*) ⟨***~nąć***⟩ (*-nę*), pester, solicit; bother (**o** *A* about)
nagana *f* (*-y*; *G -*) rebuke, reprimand
nag|i (**-go**) naked, *też drzewo itp.* bare; ***do ~a*** naked
na|ginać (*-am*) ⟨***~giąć***⟩ bend (down), bow; ***~ginać się*** bend; → ***chylić***; **~glący** urgent, pressing; **~gle** suddenly; abruptly, all at once; → ***nagły***; **~glić** (*-lę*) → ***przynaglać***; ***czas ~gli*** time presses; **~głaśniać** (*-am*) ⟨***~głośnić***⟩ (*-ę*, *-nij!*) *fig.* make public; **~głość** *f* (*-ści*; *0*) suddenness, urgency; **~główek** *m* (*-wka*; *-wki*) headline; letter-heading; **~gły** sudden, abrupt; **~gminny** common, wide-spread; **~gniotek** *m* (*-tka*; *-tki*) corn
nago *adv.* → ***nagi***
nagonka *f* (*-ki*; *-G -nek*) battue; *fig.* witch-hunt
nagość *f* (*-ści*; *0*) nudity, nakedness, bareness
nagra|ć *pf.* → ***nagrywać***; **~dzać** (*-am*) reward; **~nie** *n* (*-a*; *G -ań*) recording
nagrob|ek *m* (*-bka*; *-bki*) tomb; tombstone, gravestone; **~kowy, ~ny** tombstone, gravestone
nagro|da *f* (*-y*; *G -ród*) award, reward; prize; ***~da pocieszenia*** consolation prize; ***w ~dę za*** (*A*) in reward for; **~dzić** *pf.* → ***nagradzać***; **~dzony** awarded
nagromadz|enie *n* (*-a*) accumulation,

N

amassing; **~ać** (*-am*) → ***gromadzić***
na|grywać (*-am*) record; ***~grywać na taśmę*** tape, put on tape; **~grzewać** (*-am*) ⟨***~grzać***⟩ (*-eję*) heat, warm (**się** *v/i.*)
nagusieńki stark-naked, F starkers
naigrawać się (*-am*) → ***kpić, drwić***
naiwn|ość *f* (*-ci; 0*) naivety *lub* naïveté, ingenuousness; **~y** naive *lub* naïve, ingenuous
najadać się (*-am*) eat one's fill
najazd *m* (*-u; -y*) invasion; raid
nająć *pf.* (*-jmę*) → ***najmować***
naj|bardziej *adv.* (*sup. od* → ***bardzo***) most; **~bliższy** (***~bliżej***) (*sup. od* → ***bliski***); nearest, closest; *czas* next; ***~bliższa rodzina*** next of kin; **~częściej** *adv.* (*sup. od* → ***często***); most frequently, most often; mostly; **~dalej** *adv.* (*sup. od* → ***daleki***) farthest, furthest; *czas* at the latest; **~dalszy** *adv.* (*sup. od* → ***daleko***) farthest, furthest; **~dłużej** *adv.* (*sup. od* → ***długo***) longest; *fig.* at the most; **~dłuższy** *adj.* (*sup. od* → ***długi***) longest
najechać *pf.* → ***najeżdżać***
najem *m* (*-jmu; 0*) hire, lease; ***umowa o ~*** tenancy agreement; **~ca** *m* (*-y; GA -ów*), **~czyni** *f* (*-ń; -nie*) tenant; **~nik** *m* (*-a; -cy*) *mil.* mercenary; **~ny** hired; ***praca ~na*** hired labo(u)r; ***wojsko ~ne*** mercenary troops *pl.*
naje|ść się *pf.* → ***najadać się***; **~ździca** *m* (*-cy; GA -ców*) invader, aggressor; **~żać** (*-am*) → ***jeżyć***; **~żdżać** (*-am*) (**na** *A*) drive (into), run (into); (*na kraj*) invade; **~żony** (*I*) bristling (with)
naj|gorszy *adj.* (*sup. od* → ***zły***) worst; ***w ~gorszym razie*** at (the) worst; **~gorzej** *adv.* (*sup. od* → ***źle***) worst
naj|lepiej *adv.* (*sup. od* → ***dobrze***) best; **~lepszy** *adj.* (*sup. od* → ***dobry***) best; ***w ~lepszym razie*** at best, at most; ***wszystkiego ~lepszego!*** all the best!
najmniej *adv.* (*sup. od* → ***mało***) least, smallest; ***co ~*** at least; ***jak ~*** as little as possible; **~szy** *adj.* (*sup. od* → ***mały***) least, smallest; ***w ~szym stopniu*** not in the least
najmować (*-uję*) hire, rent; *osobę* engage, hire; ***~ się*** become engaged, get a job
naj|niżej *adv.* (*sup.* → ***nisko***) lowest; right at the bottom; **~niższy** *adj.* (*sup. od* → ***nisko***) lowest; **~nowszy** *adj.* (*sup. od* → ***nowy***) latest, most recent; **~pierw** *adv.* at first; first; to begin with; **~prawdopodobniej** *adv.* (*sup. od* → ***prawdopodobnie***) most probably; **~prędzej** *adv.* (*sup. od* → **prędko**) at the earliest; ***jak ~prędzej*** as soon as possible; **~starszy** *adj.* (*sup. od* → ***stary***) oldest, eldest; **~ście** *n* (*-a*) intrusion, trespass; **~ść** *pf.* (→ ***-jść***) → ***nachodzić***; **~ważniejszy** *adj.* (*sup. od* → ***ważny***) most important; uppermost, paramount; **~wcześniej** *adv.* (*sup. od* → ***wcześnie***) earliest; ***jak ~wcześniej*** as soon as; **~wyżej** *adv.* (*sup.* → ***wysoko***) highest; (***co - żej***) at (the) most; **~wyższy** *adj.* (*sup. od* → ***wysoki***) highest, tallest; *sąd itp.* supreme; ***stopień ~wyższy*** *gr.* (the) superlative; **~zupełniej** *adj.* (*sup. od* → ***zupełny***) totally, utterly
nakarmić *pf.* → ***karmić***
nakaz *m* (*-u; -y*) order; *fig.* dictate; *jur.* warrant; *jur.* ***~ sądowy*** writ, injunction; **~ywać** (*-uję*) ⟨***~ać***⟩ order, impose; *dietę itp.* prescribe; *szacunek* command
nakle|jać (*-am*) ⟨***~ić***⟩ stick on, paste on; **~jka** *f* (*-i; G -jek*) sticker
nakład *m* (*-u; -y*) expenditure, expense; *print.* print run, circulation; **~em** (*G*) published by; **~ać** (*-am*) put on; *krem, lekarstwo* apply; *obowiązek, podatek, karę itp.* impose; *podatek też* levy; **~any**: ***kieszeń ~ana*** patch-pocket
nakł|aniać ⟨***~onić***⟩ → ***skłaniać***
nakra|- *pf.* → ***kra-***, **~piany** speckled
nakre- *pf.* → ***kre-***
nakrę|cać (*-am*) ⟨***~cić***⟩ *zegarek* wind up; *numer* dial; *film* shoot, tape; **~tka** *f* (*-i; G -tek*) *tech.* nut; (*butelki*) cap
nakry|cie *n* (*-a; G -yć*) cover; ***~cie głowy*** headgear, head covering; **~wać** (*-am*) ⟨***~ć***⟩ cover (**się** o.s.); ***~wać stół, ~wać do stołu*** lay the table; ***~wać się nogami*** do a head over heels
nakup|ować ⟨***~ić***⟩ buy a lot of things
nalać *pf.* → ***nalewać***
nale|gać (*-am*) (**na** *A*) insist (on), demand; **~piać** (*-am*) ⟨***~pić***⟩ stick on, paste on; **~pka** *f* (*-i; G -pek*) sticker; **~śnik** *m* (*-a; -i*) pancake; **~wać** (*-am*) pour; **~wka** *f* (*-i; G -wek*) fruit liqueur
należ|eć (**do** *G*) belong (to); ***~eć się*** (*D*) be due (to); **~y** (**się**) **...** one should..., it is necessary to...; **~ałoby...** it would be necessary to...; ***jak ~y*** correctly,

N

properly; ***ile się panu/pani ~y?*** how much do I owe you?; **~ność** *f* (*-ści*) charge, amount due, outstanding amount; **~ny** due; *zapłata* outstanding; **~y** → ***należeć***; **~yty** appropriate
nalot *m* (*-u*; *-y*) raid; *med.* coating, (*na języku*) fur; **~ *bombowy*** *mil.* bomb attack, bombing raid
nała|- *pf.* → ***ła-***; **~dowany** loaded (*też* F)
nałogow|iec *m* (*-wca*; *-wcy*) addict; **~y** *palacz* habitual; *pijak* compulsive
nałożyć *pf.* → ***nakładać***
nałóg *m* (*-łogu*; *-łogi*) addiction; *fig.* (bad) habit
nam *pron.* (*D pl.* → ***my***) us
namaca|ć *pf.* make out by touch; *drogę* feel one's way; **~lny** tangible; *med.* palpable
namal-, namar- *pf.* → ***mal-, mar-***
namaszczenie *n* (*-a*; *G -eń*) *rel.* unction; ***z ~m*** solemnly; ***ostatnie ~*** *rel.* anointing of the sick, extreme unction
namawiać (*-am*) persuade (***do kupna*** *G* to buy; ***kogoś na spacer*** s.o. to go for a walk)
nami *pron.* (*I pl.* → ***my***); ***z ~*** with us
namiastka *f* (*-i*; *G -tek*) substitute, surrogate
namięk|ać (*-am*) ⟨***~nąć***⟩ become soft
namiętn|ość *f* (*-ści*) passion; **~y** passionate
namiot *m* (*-u*; *-y*) tent
namo|- *pf.* → ***mo-***; **~knąć** *pf.* become soft; soak through; **~wa** *f* (*-y*; *G -mów*) persuasion, instigation; ***za jego ~wą*** at his instigation
namówić → ***namawiać***
namy|dlać (*-am*) → ***mydlić***; **~sł** *m* (*-u*; *0*) reflection, consideration; ***bez ~słu*** without thinking; (*od razu*) without a moment's thought; ***po ~śle*** on reflection; ***czas do ~słu*** time for reflection; ***~ślać się*** (*-am*) ⟨***~ślić się***⟩ reflect, think (***nad*** *I* about)
na|nosić (*im*)*pf* ⟨***~nieść***⟩ (*G*) *błota itp.* track; *wiatr*: drift; *woda*: wash up; na mapę plot; ***~nosić poprawki*** make corrections
naoczn|ie *adv.* with one's own eyes; **~y** visible *fig.* apparent, obvious; → ***świadek***
naokoło *prp.* (*G*) (a)round
naówczas *lit.* at that time
napad *m* (*-u*; *-y*) attack, assault; (*na państwo*) invasion; (*kradzież*) robbery; *med. fig.* attack, fit; **~ać** (*-am*) (***na*** *A*) attack, assault; ***~ało dużo śniegu*** there has been a heavy snowfall
napalić *pf.* (***w*** *L*) heat, stoke; ***~ się na*** (*A*) F get hooked on
na|par *m* (*-u*; *-y*) infusion; **~parstek** *m* (*-tka*; *-tki*) thimble; **~parzać** (*-am*) → ***parzyć***; **~paskudzić** F *pf.* (*-dzę*) mess up, make filthy
napast|liwy (***-wie***) aggressive; → ***złośliwy***; **~nik** *m* (*-a*; *-cy*) attacker, assailant; (*w sporcie*) forward, striker; **~ować** (*-uję*) bother, pester; (*seksualnie*) molest; *owady*: plague
na|paść[1] (*paść*[1]) → ***napadać***; **~paść**[2] → ***paść***[2]; *f* (*-ści*; *-ści*) attack, assault; → ***napad***; **~pawać** (*-am*) fill with (***dumą*** pride); ***~pawać się*** (*I*) feast (on), delight (in); **~pchać** *pf.* → ***napychać***; ***~pchać się*** (***do*** *G*) push one's way (into)
napełni|ać (*-am*) ⟨***~ć***⟩ fill up (*I* with; ***się*** *v/i.*); *fig.* fill (*I* with)
napę|d *m* (*-u*; *-y*) drive (*też mot.*, *komp.*); *mot.* transmission; **~dowy** driving, drive; **~dzać** (*-am*) *tech.* drive, propel; *też* ⟨***~dzić***⟩ (*G*) herd into; ***~dzać do*** *fig.* set to; ***~dzać komuś strachu*** give s.o. a fright
na|piąć *pf.* → ***napinać***; ***~pić się*** *pf.* (*G*) drink, have a drink; **~piec** *pf.* → ***piec***[2]; **~pierać** (*-am*) (***na*** *A*) press (against); *fig.* assail (with)
napię|cie *n* (*-a*; *G -ęć*) tension, strain; suspense; *electr.* voltage; **~tek** *m* (*-tka*; *-tki*) (*buta*) heel; **~tnować** *f* → ***piętnować***; **~ty** tense (*też fig.*); *uwaga* close; *nerwy* taut; *sytuacja* fraught
napinać (*-am*) tighten, tauten; *muskuły* tense, flex; ***~ się*** become *lub* go taut; *muskuły* tense
napis *m* (*-u*; *-y*) inscription; (*kwestii na filmie*) subtitles *pl.*, (*na zakończenie*) credits *pl.*; **~ać** *pf.* → ***pisać***
napiwek *m* (*-wku*; *-wki*) tip
napletek *m* (*-tka*; *-tki*) *anat.* prepuce, foreskin
napływ *m* (*-u*; *-y*) flow, inflow; (*też fig.*) influx, rush; *med.* inflow, afflux; **~ać** ⟨***napłynąć***⟩ flow in; (*w dużych ilościach*) flood in; *ludzie*: come in crowds, (*na stałe*) immigrate; **~owy** immigrational

N

napo|cić się *pf.* sweat (*też fig.* ***przy*** *I* over); **~czynać** ⟨**~cząć**⟩ *chleb* start (eating); *butelkę* open; **~minać** (*-am*) admonish, reprimand; **~mknąć** *pf.* → ***napomykać***; **~mnienie** *n* (*-a*) admonition, reprimand; **~mnieć** *pf.* (*-nę; -nij*) → ***napominać***; **~mykać** (*-am*) (**o** *L*) mention, hint; **~t(y)kać** (*-am*) encounter; come across

na|pój *m* (*-poju; -poje*) beverage, drink; ***~pój bezalkoholowy*** soft drink; ***~pój gazowany*** pop; **~pór** *m* (*-poru; 0*) pressure; *fig.* power, weight

napraw|a *f* (*-y; G -*) repair; renovation; *fig.* recovery; ***dać do ~y*** have repaired; **~czy** repair; *fig.* recovery

naprawdę *adv.* really, actually

napraw|iać (*-am*) ⟨**~ić**⟩ repair, renovate; *fig.* improve (**się** *v/i.*); *zło, krzywdę* right, undo

naprędce *adv.* hastily, rashly

napręż|ać (*-am*) ⟨**~yć**⟩ (*-ę*) (**się** *v/i.*) tighten, tauten; tense; *mięśnie* flex; **~enie** *n* (*-a*) tension; *fig.* strain, stress; **~ony** → ***napięty***

napro|mieniować (*-uję*) *phys.* irradiate; **~mieniowanie** *n* (*-a; G -ań*) irradiation, exposure; **~wadzać** (*-am*) ⟨**~wadzić**⟩ guide; direct; ***~wadzać na właściwy ślad*** put on the right track

naprze|ciw 1. *prp.* (*G*) against, opposite (to); in front of; **2.** *adv.* towards; ***wyjść ~ciw*** (*D*) *fig.* meet halfway; **~ć** *pf.* → ***napierać***

naprzód *adv.* forward(s), ahead

naprzykrz|ać się (*-am*) ⟨**~yć się**⟩ (*D*) bother, hassle

na|pso- *pf.* → ***pso-***; **~puchnięty** swollen; **~puszony** pompous; **~pychać** (*-am*) (**do** *G*) stuff (into); → ***napchać***

nara|da *f* (*-y; G -*) meeting, conference; **~dzać się** (*-am*) ⟨**~dzić się**⟩ discuss, consult, confer

naramien|nik *m* (*-a; -i*) shoulder-strap; **~ny** shoulder

narastać (*-am*) grow, mount up

naraz *adv.* at once, suddenly

nara|żać (*-am*) ⟨**~zić**⟩ risk, jeopardize; (**na** *A*) subject (to) ***~zić się*** (*D*) run the risk of; F displease; **~żenie** *n* (*-a; 0*): ***z ~żeniem życia*** at the risk of one's life

narcia|rka *f* (*-i; G -rek*) skier; **~rski** ski, skiing; **~rstwo** *n* (*-a; 0*) skiing; **~rz** *m* (*-a; -e*) skier

narcyz *m* (*-a; -y*) *bot.* narcissus, daffodil

nareszcie *adv.* at last, finally

naręcze *n* (*-a; G -y*) bunch, armful

narko|man *m* (*-a; -i*), **~manka** *f* (*-i; G -nek*) drug addict; F junkie; **~mania** *f* (*GDL -ii; 0*) drug addiction; **~tyk** *m* (*-u; -i*) (hard) drug; narcotic; **~tyzować się** (*-uję*) take drugs; **~za** *f* (*-y; G -*) sedation, an(a)esthesia

narobić *pf.* (*G*) make, do, cause

narodow|ość *f* (*-ci; 0*) nationality; **~y** national

naro|dzenie (się) *n* (*-a; G -eń*) birth; ***Boże ℒdzenie*** Christmas; **~dziny** *pl.* (*-*) birth; **~snąć** *pf.* → ***narastać***; **~śl** *f* (*-i; -e*) growth; *med.* excrescence, tumo(u)r; **~wisty** *koń* vicious

naroż|nik *m* (*-a; -i*) corner; **~ny** corner; ***dom ~ny*** house on the corner

naród *m* (*-odu; -ody*) nation

narta *f* (*-y; G -*) ski; ***jeździć na ~ch*** ski

narusz|ać *prawo, granicę* violate; *umowę* breach; *słowo* break; *równowagę* upset; *zapasy, kapitał* make inroads in; *prywatność* trespass on; **~enie** *n* (*-a; G -ń*) (*też prawa*) violation, breach, infringement

narwany F *fig.* crazy

narybek *m* (*-bku; -bki*) *zo.* fry; *fig.* new blood, new recruits *pl.*

narząd *m* (*-u; -y*) organ

narzecze *n* (*-a; G -y*) dialect

narzeczon|a *f* (*-ej; -e*) fiancee *lub* fiancée; **~y** *m* (*-ego; -czeni*) fiancé

na|rzekać (*-am*) complain (**na** *A* about); **~rzędnik** *m* (*-a; -i*) *gr.* instrumental; **~rzędzie** *n* (*-a; G -*) tool, implement

narznąć *pf.* → ***narzynać***

narzu|cać ⟨**~cić**⟩ *płaszcz* throw on *lub* over; *fig.* force (**na** *A* on); ***~cać się*** impose o.s. on (*A*); **~t** *m* (*-u; -y*) *econ.* mark-up; **~ta** *f* (*-y; G -*) bedspread; **~tka** *f* (*-i; G -tek*) cape

narżnąć *pf.* → ***narzynać***

nas *pron.* (*GA* → ***my***) us

nasa|da *f* (*-y; G -*) butt, handle; *anat., bot.* base; ***~da włosów*** hairline; **~dka** *f* (*-i; G -dek*) cap; **~dzać** ⟨**~dzić**⟩ put on, pin on

nasenny: ***środek ~*** soporific; sleeping pill

nasercowy: ***środek ~*** cardiac, F heart pill

nasi *pron. m-os* → ***nasz***

nasiadówka *f* (*-i; G -wek*) hip-bath

N

nasiąk|ać (*-am*) ⟨**~nąć**⟩ (*-nę*) (*I*) soak through, absorb
nasien|ie *n* (*-a*; *-siona*, *-sion*) *bot.* seed; *zo.* sperm, semen; **~ny** seed
nasilenie *n* (*-a*; *G -eń*) intensification; escalation
nasiona *pl.* → ***nasienie***
na|skoczyć *pf.* → ***naskakiwać***; **~skórek** *m* (*-rka*; *-rki*) *anat.* cuticle; **~słać** *pf.* → ***nasyłać***; **~słuchiwać** (*-uję*) listen in; **~sma-** *pf.* → ***sma-***; **~so-** *pf.* → ***so-***; **~srożony** angry; **~stać** *pf.* → ***nastawać***; **~stanie** *n* (*-a*; *0*) start, onset; **~starczyć** *pf.*: ***nie móc ~starczyć*** (*G*) not be able to satisfy the needs (of)
nasta|wać come; (**po** *L*) follow (after); ***~wać na czyjeś życie*** threaten s.o.'s life; **~wiać** *budzik* set; *mechanizm* adjust, regulate; *RTV*: tune in; *uszy* cock; *med.* set; ***~wiać wodę na herbatę*** put the kettle on; **~wienie** *n* (*-a*; *G -eń*) setting (*też med.*); (*umysłowe*) attitude; **~wnia** *f* (*-i*; *-e*) *rail. Brt.* signal box, *Am.* switch tower
nastąpić *pf.* → ***następować***
następ|ca *m* (*-y*; *G -ców*) successor; ***~ca tronu*** crown prince; **~czyni** *f* (*-i*; *-nie*, *-ń*) successor; **~nie** *adv.* next, then; **~ny** next, following; ***~nego dnia*** next day; **~ować** (*-uję*) step (**na** *A* on); follow (***po sobie*** one after the other); ***jak ~uje*** as follows; → ***nastawać***; **~stwo** *n* (*-a*; *G -*) succession; consequence, after-effect; **~ująco** *adv.* as follows, in the following way; **~ujący** following
nastolat|ek *m* (*-tka*; *G -tków*), **~ka** *f* (*-i*; *G -tek*) teenager
nastoletni teenage
nastra|jać (*-am*) → ***stroić***; **~szyć** *pf.* → (***prze***)***straszyć***
nastręcz|ać (*-am*) ⟨**~yć**⟩ present, offer (***się*** o.s.)
nastro|ić *pf.* → ***stroić***; **~jowy** atmospheric; **~szony** bristled; *ptak*, *pióra*: ruffled up; → ***stroszyć***
nastr|ój *m* (*-oju*; *-oje*, *-ojów*) spirit, mood; atmosphere, climate; ***w dobrym ~oju*** in good spirits
nasturcja *f* (*-i*; *-e*) nasturtium
nasu|wać ⟨**~nąć**⟩ *czapkę* pull (***na oczy*** over one's eyes); draw (**na** *A* on); *fig. wątpliwości*: give rise to; *pomysł* suggest; ***~wać*** ⟨***na-***⟩ ***się*** arise, occur, *pomysł*: come

nasy|cać (*-am*) → ***sycić***; **~cony** *chem.* saturated; satiated, satisfied; **~łać** (*-am*) F put *s.o.* on (to)
nasyp *m* (*-u*; *-y*) embankment; **~ywać** (*-uję*) ⟨**~ać**⟩ pour (**do** *G* into)
nasz *pron.* (*m-os nasi*) our, ours; F ***po ~emu*** like we do; like we speak
na|szki- *pf.* → ***szki-***; **~szukać się** search for hours
naszy|ć *pf.* → ***naszywać***; **~jnik** *m* (*-a*; *-i*) necklace; **~wka** *f* (*-i*; *G -wek*) *mil.* stripe; **~wać** (*-am*) sew on(to)
naśladow|ać (*-uję*) imitate, copy; mimic; **~ca** *m* (*-y*; *G -ów*), **~czyni** *f* (*-i*; *-nie*, *-ń*) imitator; mimic; **~czy** imitative; **~nictwo** *n* (*-a*; *G -*) imitation
na|śmiewać się (*-am*) (**z** *G*) mock, ridicule; **~świetlać** (*-am*) ⟨**~świetlić**⟩ (*-lę*) *phys.* irradiate; *med.* use radiation treatment; *phot*, expose (*też fig.*)
natar|cie *n* (*-a*; *G -ć*) *mil.*, (*w sporcie*) attack; *mil.* advance; **~czywy** (**-wie**) insistent
natchn|ąć *pf.* inspire (**do** *G* to); **~ienie** *n* (*-a*; *G -ń*) inspiration
natęż|ać (*-am*) ⟨**~yć**⟩ (*-ę*) *wzrok itp.* strain, exert; **~enie** *n* (*-a*; *G -eń*) intensity (*też phys.*); (*dźwięku*) volume
na|tknąć się *pf.* → ***natykać się***; **~tłoczony** crowded, packed; **~tłok** *m* (*-u*; *0*) crowd, crush; *fig.* flood, influx
natomiast *adv.* however
natrafi(a)ć (**na** *A*) encounter, come across; (*na złoto*) strike
natręctwo *n* (*-a*; *G -w*) pushiness, insistence; *med.* compulsion, obsession; **~tny** pushy, insistent
natrysk *m* (*-u*; *-i*) shower; **~iwać** (*-uję*) spray, sprinkle; **~owy** shower
na|trząsać się (*-am*) (**z** *G*) mock, ridicule; **~trzeć** *pf.* → ***nacierać***
natu|ra *f* (*-y*; *G -*) nature; ***z ~ry*** by nature; ***w ~rze*** in nature; **~ralizacja** *f* (*-i*; *-e*) naturalisation; **~ralny** natural
natychmiast *adv.* immediately, instantly; **~owy** immediate, instant
natykać się (*-am*) (**na** *A*) meet, come across
naucz|ać (*-am*) teach; **~anie** *n* (*-a*; *G -ń*) teaching, instruction; **~ka** *f* (*-i*; *G -czek*) *fig.* lesson; ***dać k-ś ~kę*** give s.o. a lesson
nauczyciel *m* (*-a*; *-e*), **~ka** *f* (*-i*; *G -lek*) teacher; **~ski** teacher

N

nau|czyć *pf.* → **nauczać, uczyć**; **~czyć się** (*G*) teach; **~ka** *f* (*-i*; *G* -) (*przyrodnicza*) science, (*humanistyczna*) scholarship; (*szkolna*) teaching; (*teoria*) teaching(s *pl.*); (*morał*) lesson; (*nauczanie zawodu*) apprenticeship; **~kowiec** *m* (*-wca*; *-wcy*) (*przyrodnik*) scientist, (*humanista*) scholar; **~kowy** academic, scientific, scholarly

naumyślnie *adv.* on purpose

nausznik *m* (*-a*; *-i*) ear-flap

nawa *f* (*-y*; *G* -): **~ *główna*** nave; **~ *boczna*** aisle

nawadniać (*-am*) irrigate

nawa|lać (*-am*) 〈**~lić**〉 *v/t.* pile up, heap up; *v/i.* F fail, crash; *pf. też* be broken down

nawał *m* (*-u*; *0*) barrage, spate; **~a** *f* (*-y*; *G* -) *mil.* barrage; **~nica** *f* (*-y*; *-e*) thunderstorm

nawet *adv.* even; **~ *gdyby*** even if; **~ *nie*** not even

nawia|ć *pf.* → **nawiewać**; **~s** *m* (*-u*; *-y*) parenthesis, (*zwł. kwadratowy*) bracket; ***~sem mówiąc*** incidentally; ***wyłączyć poza ~s*** exclude; **~sowy** parenthetic(al), bracket

nawiąz|ywać (*-uję*) 〈**~ać**〉 *kontakty*, establish; *negocjacje* open, start; *stosunki* form; *znajomość* strike up; take (**do** *G* up); **~ując do** (*G*) with reference (to), referring (to)

nawiedz|ać (*-am*) 〈**~ić**〉 (*-dzę*) *nieszczęście* afflict, strike, plague; (*we śnie*) appear; *duch*, *wspomnienia*: haunt

nawierzchnia *f* (*-i*; *-e*, *-i*) surface

nawietrzn|y: ***strona ~a*** windward

na|wiewać (*-am*) 〈**~wiać**〉 (*-eję*) blow (in); F scram

nawi|jać (*-am*) wind up, reel up, roll up (**się** *v/i.*); **~jać się** *fig. okazja* come up, crop up; **~nąć** *pf.* (*-nę*; *-ń!*) → **nawijać**

na|wlekać (*-am*) 〈**~wlec**〉 *igłę* thread; *paciorki* string; **~wodnić** *pf.* (*-ę*, *-nij!*) → **nawadniać**; **~wodny**: ***budowla ~wodna*** lacustrine dwelling

nawoływać (*-uję*) call; *fig.* call (**do** *G* up(on))

na|wozić fertilize; **~wóz** *m* (*-ozu*; *-ozy*) dung, manure; ***~wóz sztuczny*** fertilizer

na|wracać (*-am*) 〈**~wrócić**〉 *v/i. mot.* do an about-turn; → **wracać**; *v/t. mot.* turn; *rel.* convert (**na** *A* to); **~wracać** 〈**~wrócić**〉 **się** become converted (**na** *A* to); **~wrócenie** *n* (*-a*; *G -eń*) *rel.* conversion; **~wrót** *m* (*-otu*; *-oty*) return, recurrence; *med.* relapse

nawyk *m* (*-u*; *-i*) habit; **~ać** (*-am*) 〈**~nąć**〉 (*-nę*) (**do** *G*) get used (to), get accustomed (to)

nawzajem *adv.* each other, one another; ***dziękuję, ~!*** thank you, the same to you!

nazajutrz *adv.* (on) the next day

nazbyt *adv.* too, excessively

na|zębny dental; ***kamień ~zębny*** dental plaque; **~ziemny** *zo.* terrestrial; *astr.*, *aviat.* ground

naznacz|ać (*-am*) 〈**~yć**〉 mark; *termin* fix, establish

nazw. *skrót pisany*: **nazwisko** n. (*name*)

nazwa *f* (*-y*; *G* -) name; **~ć** *pf.* → **nazywać**

nazwisk|o *n* (*-a*) (family) name, surname; **~iem, o ~u ...** by name; ***znać z ~a*** know by name

nazyw|ać (*-am*) call, name; **~ać się** be called; ***to się ~a ...!*** that's what I call…; ***jak się to ~a?*** what's its name?; ***jak się ~asz?*** what's your name?

nażreć się *pf.* (*fig.*) stuff o.s.

NBP *skrót*: ***Narodowy Bank Polski*** Polish National Bank

n.e. *skrót pisany*: ***naszej ery*** AD (*Anno Domini*)

Neapol *m* (*-u*; *0*) Naples

negatyw *m* (*-u*; *-y*) negative; **~ny** negative

negliż *m* (*-u*; *-e*, *-y*) undress; ***w ~u*** in a state of undress

negocja|cje *f/pl.* (*-i*) negotiations *pl.*; **~tor** *m* (*-a*; *-rzy*), **~torka** (*-i*; *G -rek*) negotiator

ne|gocjować (*-uję*) negotiate; **~gować** (*-uję*) negate; **~krolog** *m* (*-u*; *-i*) obituary; (*w gazecie*) death notice

nenufar *m* (*-u/-a*; *-y*) *bot.* water lily, (*zwł.*) yellow water lily

neo- *w zł.* neo-

neon *m* (*-u*; *0*) *chem.* neon; (*-u*; *-y*) neon light; **~ówka** *f* (*-i*; *G -wek*) strip light

nerk|a *f* (*-i*;*G -rek*) *anat.*, *gastr.* kidney; **~owaty** kidney-shaped, reniform; **~owy** kidney; renal

nerw *m* (*-u*; *-y*) *anat.* nerve; ***działać na ~y*** get on nerves; **~ica** *f* (*-y*; *G* -) *med.* neurosis; ***~ica lękowa*** anxiety neurosis; **~oból** *m med.* neuralgia; **~owy** nerv-

ous; nerve; **~owo chory** mentally ill
neseser *m* (*-u*, *-y*) *Brt.* sponge-bag, *Am.* toilet bag; *też* briefcase, attaché case
neska F *f* (*-i*; *0*) instant (coffee)
netto (*idkl.*) net
neuro- *w zł.* neuro-
neutral|izować ⟨**z-**⟩ (*-uję*) neutralize; **~ny** neutral
newralgiczny sore, touchy
nęc|ący tempting, enticing; **~ić** ⟨**z-**⟩ (*-cę*) tempt, entice
nędz|a *f* (*-y*; *-e*) poverty; misery, destitution; ***cierpieć ~ę*** suffer poverty; **~arka** *f* (*-i*; *G -rek*), **~arz** *m* (*-a*; *-e*) pauper; **~ny** poor, destitute, miserable; → ***nikczemny***
nękać ⟨**z-**⟩ (*-am*) plague; *fig.* pester
ni *cj.* → ***ani***; ***~ stąd, ~ zowąd*** without reason; ***~ to …, ~ owo …*** neither fish nor fowl; ***~ w pięć, ~ w dziewięć*** without rhyme or reason
niań|czyć (*-ę*) nurse; **~ka** *f* (*-i*; *G -niek*) nurse
nią *pron.* (*AI* → ***ona***); ***z ~*** with her
niby 1. *part.* (*A*) as though, as it were; of a kind; ***małżeństwo na ~*** sham marriage; ***~ śpi …*** he is apparently sleeping; **2.** *w złoż.* pseudo-, quasi-, sham
nic *pron.* nothing; ***~ a ~*** not a thing; ***jak gdyby ~*** as if nothing (had) happened; ***na ~*** for nothing; a waste of time; ***~ z tego*** (***nie będzie***) nothing will come of it; ***tyle co ~*** next to nothing; ***~ ci do tego*** that's none of your business; ***za ~ w świecie*** not for anything; ***niczego nie brakuje*** there's nothing missing; ***być do niczego*** be of no use; ***zostać bez niczego*** be left with nothing; ***z niczym*** empty-handed; ***na niczym mu nie zależy*** he doesn't care about anything; ***skończyć się na niczym*** come to nothing; ***w niczym*** not at all
nich *pron.* (*GL* → ***oni, one***; *A* → ***oni***); ***o ~*** about them
nici *pl.* → ***nić***
nicować ⟨**prze-**⟩ (*-uję*) *ubranie* turn over
nicpoń *m* (*-nia*; *-nie*, *-i/-ów*) god-for-nothing
nicz|ego (*G*) → ***nic***; F **~ego sobie** not bad; **~emu** (*D*) → ***nic***; **~yj** no-one's; ***ziemia ~yja*** no man's land; ***bez ~yjej pomocy*** on one's own; **~ym** (*IL* → ***nic***) *prp. lit.* (*A*) like
nić *f* (*-ci*; *-ci*, *I -ćmi*) thread; *med.* suture
niderlandzki Netherlandic, Netherlandian
nie 1. *part.* no; (+ *verb*) not; ***jeszcze ~*** not yet; ***to ~ żarty*** no joking; ***~ płacąc*** without paying; ***~ zapytany*** not asked; ***no ~?*** isn't it so?; ***~ ma*** there isn't; → ***już, mieć, nic***; **2.** *w złoż.* un-, in-, non-
nie|aktualny out of date; invalid; **~apetyczny** unappetizing; **~baczny** careless, inconsiderate; **~bawem** soon, before long
niebezpiecz|eństwo *n* (*-a*; *G -*) danger; threat; **~ny** dangerous, hazardous; perilous
niebiesk|awy (**-*wo***) bluish; **~i**[1] (**-*ko***) blue; **~i**[2] heavenly; ***Królestwo ~ie*** Kingdom of Heaven; **~ooki** blue-eyed
niebiosa *pl.* (*-os*, *L -osach*) heavens *pl.*
nieb|o *n* (*-a*; *-a*, → ***niebiosa***) sky; *rel.* heaven; ***na ~ie*** in the sky; ***w ~ie*** *rel.* in heaven
niebora|czka *f* (*-i*; *G -czek*) → ***biedaczka***; **~k** *m* (*-a*; *-cy/-i*) → ***biedak***
nieboszcz|ka *f* (*-i*; *G -czek*), **~yk** *m* (*-a*; *-cy/-i*) the deceased; ***moja babka ~ka*** my late lamented Grandmother
niebotyczny sky-high, lofty
nie|brzydki not bad; **~bywały** unbelievable, unheard-of; **~całkowity** incomplete, not complete; **~cały** not quite; ***~cały tydzień*** less than a week, under a week; **~celny** imprecise; **~celowy** inadvisable; **~cenzuralny** indecent, obscene; unprintable
niech *part.* let; ***~ zaczeka*** let him wait; ***~ sobie jadą*** let them go; ***~ pan*(*i*) *pozwoli*** allow me; ***~ żyje demokracja!*** long live democracy; ***~ żyje Jan!*** hurray for John!; **~by** suppose; even though
niechcący unwittingly, incidentally
niechę|ć *f* (*-ci*) dislike (***do*** *G* towards); reluctance; **~tnie** *adv.* reluctantly; **~tny** reluctant; averse (***do*** *G* to); hostile
nie|chlujny untidy, squalid, sloppy; **~chlujstwo** *n* (*-a*; *G -*) squalor, sloppiness; **~chodliwy** *econ.* unattractive, hardly saleable; **~chybny** inevitable; **~ciekawy** unattractive, uninteresting; *człowiek* uninterested (*G* in)
niecierpliw|ić ⟨**z-**⟩ (*-ę*) *v/t.* make impatient; **~ić** ⟨**z-**⟩ ***się*** be impatient, grow impatient; **~ość** *f* (*-ci*) impatience; **~y** impatient

N

niecka *f* (*-i*; *G -cek*) trough; *geol.* hollow
niecny dastardly, heinous
nieco *adv.* somewhat; **~ *za mały*** on the small side; **~dzienny** unusual; **~ś** → ***nieco***; ***coś ~ś*** a little bit
nie|często *adv.* infrequently, now and then; **~czuły** insensitive (***na*** *A* to); **~czynny** inactive; out of order; *zakład* closed; *wulkan* extinct; *chem.* inert; **~czysto** *adv.* → ***nieczysty***
nieczyst|ość (*-ści*; *0*) untidiness; *tylko pl.* ***~ości*** waste; *Brt.* refuse, *Am.* garbage; **~y** (**-*to***) untidy, unclean; *chem.* impure (*też fig.*); dirty; ***~e sumienie*** guilty conscience
nie|czytelny illegible; **~daleki** → ***pobliski***; (***od*** *G*) near (to), not far (from); (*w czasie*) at hand; **~daleko** *adv.* (*G*, ***od*** *G*) not far (from)
niedawn|o *adv.* recently; ***~o temu*** not long ago; **~y** recent; ***od ~a*** for a short time; ***do ~a*** until recently
niedba|lstwo *n* (*-a*; *0*) carelessness, negligence; **~ły** careless, negligent
nie|delikatny indelicate; tactless; **~długo** *adv.* before long; (*wkrótce*) soon
niedo|bór *m* (*-boru*; *-ory*) lack, shortage; deficiency; **~brany** ill-matched, mismatched; **~bry** bad; wrong; *czyn* bad, wicked, nasty; *smak*, *pogoda* bad, foul, nasty; (*niezdrowy*) unwell; ***niedobrze mi*** I feel sick; **~ciągnięcie** *n* (*-a*) shortcoming; **~czas** *m* (*-u*; *-y*): ***być w ~czasie*** be pressed for time
niedogod|ność *f* (*-ści*) inconvenience; **~ny** inconvenient
niedojadanie *n* (*-a*) malnutrition
niedojrzały immature
niedo|kładny imprecise, inaccurate; **~konany** *gr.* imperfect(ive); **~krwistość** *f* (*-ści*; *0*) *med.* an(a)emia; **~kształcony** half-educated
niedola *f* (*-i*; *-e*) adversity, misfortune
niedołę|ga *f/m* (*-i*; *G -/-ów*) failure; → ***niezdara***; **~stwo** *n* (*-a*; *0*) infirmity, frailty; **~żny** infirm, frail
niedomag|ać (*-am*) be ailing; be ill (***na*** *A* with); **~anie** *n* (*-a*) illness, complaint; *fig.* shortcoming; defect
niedo|moga *f* (*-i*; *G -móg*) *med.* insufficiency; *fig.* shortcoming; **~mówienie** *n* (*-a*; *G -eń*) hint, suggestion; vague hint; **~myślny** slow to understand; **~pałek** *m* (*-ałka*; *-ałki*, *-ałków*) butt, stub; **~patrzenie** *n* (*-a*; *-eń*) inattentiveness, carelessness; ***przez~patrzenie*** by oversight; **~płata** *f* (*-y*; *G -*) underpayment; **~powiedzenie** *n* (*-a*; *G -eń*) → ***niedomówienie***; **~puszczalny** inadmissible
niedorajda *f/m* (*-y*; *G -*) bungler; → ***niedołęga***
niedoręczeni|e *n* (*-a*; *G -eń*): ***w razie ~a ...*** if undelivered ...
niedo|rosły immature; **~rostek** *m* (*-tka*; *-tki*) adolescent, teenager; **~rozwinięty** retarded, (***umysłowo*** mentally-)handicapped; **~rozwój** underdevelopment; (*psychiczny*) mental deficiency; **~rzeczny** absurd, ridiculous; **~sięgły** unattainable, beyond grasp; **~skonały** (*m-os -li*) imperfect
niedosłysz|alny inaudible; **~eć** (*-ę*) be hard of hearing; **~enie** *n* (*-a*; *0*) hardness of hearing
niedo|smażony underdone; **~solony** insufficiently salted; **~spać** *pf.* → ***niedosypiać***; **~stateczny** insufficient, *ocena* unsatisfactory; **~statek** *m* (*-tku*; *-tki*) shortage, lack; **~stępny** inaccessible, unattainable; **~strzegalny** indiscernible, imperceptible; **~sypiać** (*-am*) sleep too short *lub* too little; **~szły** would-be, potential, unfulfilled
niedo|ścigły, ~ścigniony unequalled; unmatched; **~świadczony** inexperienced; **~trzymanie** *n* (*-a*) non-compliance, breach; **~tykalny** untouchable; **~uczony** half-educated; → ***niedokształcony***; **~waga** *f* underweight; **~warzony** *fig.* unripe, immature; **~wiarek** *m* (*-rka*; *-rki/-rkowie*) sceptic, disbeliever; **~widzieć** (*-dzę*) be short-sighted
niedowierza|jąco disbelievingly, incredulously; **~nie** *n* (*-a*) disbelief, doubt
nie|dowład *m* (*-u*; *-y*) *med.* paresis; **~dozwolony** forbidden, prohibited; **~dożywiony** undernourished; **~drogi** (**-*go***) inexpensive, low-priced; **~dużo** *adv.* not much, little; not many, few; **~duży** small; **~dwuznaczny** unambiguous, unequivocal; **~dyskrecja** *f* indiscretion; **~dysponowany** unwell; **~dyspozycja** *f* indisposition
niedz. *skrót pisany*: ***niedziela*** Sun. (*Sunday*)
niedziel|a *f* (*-i*; *-e*) Sunday; **~ny** Sunday
niedźwiadek *m* (*-dka*; *-dki*) *zo.* → ***miś***, ***niedźwiedź***

N

niedźwiedzi bear, *biol.* ursine; **~ca** *f* (*-y*; *-e*, *-*) *zo.* she-bear; ***Wielka* ♀ca** Ursa Major, (Great) Bear

niedźwiedź *m* (*-dzia*; *-dzie*) *zo.* (***biały, brunatny*** polar, brown) bear

nie|efektowny unattractive; **~ekonomiczny** uneconomical; **~estetyczny** unsightly, disagreeable; **~efektywny** ineffective

nie|fachowy unprofessional, incompetent; **~foremny** ungainly, shapeless; **~formalny** informal; **~fortunny** unfortunate; luckless, unhappy; **~frasobliwy** (**-*wie***) carefree, free and easy; **~gazowany** still; **~głęboki** shallow, superficial; **~głupi** clever, sensible

niego *pron.* (*GA* → ***on***; *G* → ***ono***); ***dla/ /od/do/u*** **~** for/from/to/with him

niego|dny, *pred.* **~dzien** (*G*) unworthy, undeserving; **~dziwy** (**-*wie***) → ***niecny***

nie|gospodarny uneconomic; **~gościnny** inhospitable; **~gotowy, ~gotów** *pred.* unfinished, not ready; **~groźny** harmless; **~grzeczność** *f* impoliteness, unkindness, rudeness; **~grzeczny** impolite, unkind, rude; **~gustowny** tasteless; **~higieniczny** insanitary, unhealthy; **~ingerencja** non-intervention; **~istotny** insignificant, inconsiderable

niej *pron.* (*GDL* → ***ona***); ***dla/od/do/u*** **~** for/from/to/with her

nieja|dalny inedible; **~dowity** non-poisonous

nieja|ki certain; some; ***od ~kiego czasu*** for some time; ***~ki pan ...*** a certain Mr; **~ko** *adv.* as it were; **~sny** (**-*no***) unclear, vague; **~wny** closed, classified

niejed|en, ~na, ~no[1] many a, many; ***~na kobieta*** many a woman, many women

niejedno[2] all kinds of, all sorts of; ***przeżył*** **~** he has seen a lot of life; **~krotnie** *adv.* several times, repeatedly; **~krotny** repeated; **~lity** non-uniform; **~znaczny** ambiguous

niekar|alny exempt from punishment; **~ność** *f* (*-ści*) exemption from punishment; **~ny 1.** without criminal record; **2.** *m* (*-ego*) person without criminal record

niekiedy sometimes, occasionally; ***kiedy*** **~** now and then

nie|kłamany sincere, honest; **~koleżeński** unhelpful to one's colleagues; **~kompetentny** incompetent; **~kompletny** incomplete; **~koniecznie** *adv.* not necessarily; **~konsekwentny** inconsistent

niekorzy|stny unfavo(u)rable; **~ść** *f*: ***na ~ść*** (*G*) to disadvantage, to detriment

nie|kształtny shapeless, ungainly; **~którzy** *pl.*, ***~które*** *f/pl.* some; ***~którzy z nich*** some of them; **~kulturalny** uncultured, uncultivated; **~legalny** illegal; **~letni** under age; **~liczny**: ***~liczni, ~liczne*** few; **~litościwy** unmerciful; **~logiczny** illogical; **~lojalny** disloyal; **~ludzki** inhuman

nieła|d *m* (*-u*; *0*) disorder, disarray, mess; ***w ~dzie*** disordered

nie|ładny plain; wrong; **~łamliwy** unbreakable; **~łaska** (*-i*; *0*): ***być w ~łasce*** be out of favo(u)r; **~łatwy** not easy; ***~łatwe zadanie*** not an easy task

nie|mal(że) *adv.* almost, nearly; **~mało** *adv.* quite a lot; **~mały** quite big; **~mądry** (**-*rze***) unwise

niemczyzna *f* (*-y*; *0*) German, the German language

nie|męski unmanly; effeminate; **~miara** *f* F: ***co ~miara*** a heap of

Niemcy *pl.* (*-iec*) Germany

Niemiec *m* (*-mca*; *-mcy*, *-mców*) German; ♀**ki** (***po -ku***) German

nie|mieszkalny non-residential; **~mile** *adv.*; **~miło** *adv.* → ***niemiły***; **~miłosierny** unmerciful; F terrible, awful; **~miły** unkind, unpleasant

Niemka *f* (*-i*; *G -mek*) German (woman/girl *itp.*)

niemnący non-crease

niemniej nevertheless, even so

niemo *adv.* silently, speechlessly

niemoc *f* (*-y*; *0*) weakness; **~ *płciowa*** impotence; **~ny** weak (*też* F *fig.*)

nie|modny unfashionable; **~moralny** immoral; ***czyn ~moralny*** *jur.* sexual *Brt.* offence (*Am.* offence); **~mowa** *f/m.* (*-y*; *G -mów/-owów*) mute

niemowlę *n* (*-cia*; *-ta*, *G -ląt*) baby, infant; **~ctwo** *n* (*-a*; *0*) infancy; **~cy** infant, baby

niemoż|liwie *adv.* F impossibly, awfully, terribly; **~liwy** impossible; awful, terrible; ***to ~liwe*** that's impossible; ***~liwy do opisania*** indescribable, beyond

N

description; **~ność** *f* (*-ci*; *0*) lack of ability, impossibility
niemrawy sluggish, languid
niemu *pron.* → ***jemu***; ***ku ~*** to him
niemy mute, dumb; *fig.* speechless,- wordless; → ***niemowa***
niena|ganny beyond reproach; **~prawialny** irreparable, beyond repair; **~ruszalny** inviolable, sacred; **~ruszony** intact; **~sycony** insatiable, quenchless; **~turalny** unnatural; **~umyślnie** *adv.* unintentionally
nienawi|dzić (*-dzę*) hate, detest (***się*** each other); **~stny** hateful, detestable; **~ść** *f* (*-ści*; *0*) hatred, hate, loathing
nie|nawykły unaccustomed (***do*** *G* to); **~normalny** abnormal; **~nowy** not new, used; **~obcy** not strange
nieobecn|ość *f* (*-ści*; *0*) absence; ***pod ~ość*** (*G*) in the absence (of); **~y** absent; ***być ~ym*** be absent (***na*** *L* at)
nie|obliczalny incalculable; *fig.* unpredictable; **~obowiązkowy** *osoba* negligent; **~obrobiony** rough; untreated; **~obsadzony** vacant; **~obywatelski** unsocial, antisocial; **~oceniony** inestimable; **~oczekiwany** unexpected; **~odczuwalny** indiscernible, imperceptible
nieod|gadniony inscrutable; **~łączny** inseparable; **~mienny** unalterable, unchangeable; *gr.* uninflected; **~party** irresistible; *chęć* irrepressible; *argument* irrefutable; **~płatny** free (of charge); **~powiedni** inappropriate, inadequate, improper; **~powiedzialny** irresponsible; **~stępny** → ***nieodłączny***; **~wołalny** irrevocable, **~wracalny** irreversible; **~zowny** indispensable, essential; **~żałowany** *strata* irretrievable, irrecoverable
nie|oficjalny unofficial; **~oględny** careless, rash; **~ograniczony** (***-czenie***) unlimited; limitless; **~okiełznany** *fig.* rampant, uncontrolled; **~określony** indefinite (*też gr.*), nondescript; **~okrzesany** *fig.* loutish; **~omal** → ***niemal***; **~omylny** infallible, unerring; **~opanowany** uncontrollable, unruly; **~opatrzny** unguarded; **~opisany** indescribable; **~opłacalny** unprofitable, uneconomic; **~organiczny** inorganic; **~osiągalny** unattainable, beyond reach; **~osobowy** impersonal
nieostrożn|ość *f* (*-ści*; *0*) carelessness, rashness; **~y** careless, rash
nie|ostry not sharp, blunt; *phot.* out of focus; *zdjęcie* fuzzy; *zima* mild; **~oświecony** unenlightened, backward; **~ożywiony** inanimate
niepaląc|y 1. non-smoking; **2.** *m* (*-ego*; *-y*), **~a** *f* (*-ej*; *-e*) non-smoker; ***jestem ~y*** I don't smoke; ***wagon dla ~ych*** non-smoker
niepalny non-flammable, not flammable
niepamię|ć *f*: ***puścić w ~ć*** forgive and forget; ***wydobyć z ~ci*** rescue from oblivion; **~tliwy** forgiving, relenting; **~tny**: ***od ~tnych czasów*** from time immemorial
nieparzysty odd
niepełno|letni 1. under age; **2.** *m* (*-ego*; *-ni*), **~letnia** *f* (*-ej*; *-e*) minor; **~prawny** without full legal capacity; **~sprawny** disabled
nie|pełny incomplete; deficient; **~pewność** uncertainty, incertitude; **~pewny** uncertain, doubtful; **~pijący** *m* (*-ego*; *-y*) non-drinker; **~piśmienny** illiterate; **~planowy** unplanned; unscheduled; **~płodny** sterile; fruitless; **~pochlebny** unfavo(u)rable; **~pocieszony** disconsolate, inconsolable; **~poczytalny** not responsible for one's actions, of unsound mind
niepodległ|ość *f* (*-ci*; *0*) independence; **~y** independent
niepodob|ieństwo *n* imposibility; **~na** (*nieos.*) it is impossible; **~ny** (***do*** *G*) unlike
niepo|dzielny indivisible; *fig.* absolute; **~goda** (*-y*; *0*) bad weather; **~hamowany** unrestrained, uncontrollable; **~jętny** untalented, ungifted; **~jęty** incomprehensible; **~kalany** *rel.* immaculate; **~kaźny** inconspicuous; **~koić** ⟨***za-***⟩ (*-ję*) bother, worry, disturb; ***~koić się*** worry (***o*** *A* about); **~kojący** (***-co***) worrying; disturbing; **~konany** invincible, unconquered; **~kój** *m* (*-koju*; *-koje*) anxiety, worry, disquiet; **~liczalny** uncountable
nie|pomierny excessive; **~pomny** (*G*) forgetful (of), unmindful (of); **~pomyślny** unfavo(u)rable, adverse; **~popłatny** unprofitable; **~poprawny** incorrect, inaccurate; *winowajca* incorri-

gible; **~popularny** unpopular; **~poradny** → ***niezaradny***; **~poręczny** unwieldy, cumbersome; **~porozumienie** *n* (*-a*; *G -eń*) misunderstanding; *zw. pl.* (*spory*) difference of opinion

nieporów|nany incomparable, inimitable; **~nywalny** incomparable

niepo|ruszony immovable, still; *spojrzenie* fixed; **~rządek** *m* → ***nieład***; **~rządny** → ***niechlujny***; **~skromiony** → ***niepohamowany***

nieposłusz|eństwo *n* disobedience, insubordination; **~ny** disobedient, insubordinate

niepo|spolity uncommon; **~strzeżenie** unnoticed; **~szanowanie** disrespectfulness; lack of respect; ***~szanowanie prawa*** disregard for law; **~szlakowany** impeccable, irreproachable; **~trzebny** unnecessary, needless

niepo|ważny frivolous, flippant; **~wetowany** irreparable, irrecoverable; **~wodzenie** *n* failure, misadventure; **~wołany** unauthorized; **~wstrzymany** irrepressible, unrestrained; **~wszedni** not everyday; → ***niepospolity***; **~wtarzalny** unique, single, one-off; **~znawalny** *fig.* unfathomable; **~zorny** inconspicuous; **~żądany** undesirable

niepraktyczny impractical, unpractical

niepraw|da *f* untruth, untruthfulness; ***to ~da*** that's not true; ***jest duży, ~da?*** it is big, isn't it?, ***był duży, ~da?*** it was big, wasn't it?; **~dopodobny** improbable; **~dziwy** (***-wie***) untrue; (*sztuczny*) false

nieprawidłow|ość *f* (*-ści*) irregularity; **~y** incorrect, wrong, improper

niepra|wny unlawful, illegal; **~womocny** *jur.* not final; invalid; **~wowity** unlawful, illegal

nie|prędko *adv.* not soon; **~produktywny** unproductive; **~profesjonalny** unprofessional, amateur

nieproliferacj|a *f* (*-i*; *0*): ***układ o ~i*** nonproliferation treaty

nie|proporcjonalny disproportionate (***do*** *G* to); **~proszony** uninvited, unwelcome, unbidden

nieprze|brany innumerable; immeasurable; **~byty** impassable, impenetrable; **~chodni** *gr.* intransitive; **~cięty** uncommon, above average; **~jednany** irreconcilable; **~jezdny** impassable

nieprzejrzany *tłum* enormous, immense; *mrok* impenetrable

nieprze|konujący, ~konywujący unconvincing; **~kraczalny** impassable; *termin* latest possible; **~kupny** incorruptible; **~makalny** waterproof; **~mijający** *piękno* unchanging; *sława* immortal; **~nikniony** impenetrable; **~pisowy** (***-wo***) against the rules; **~puszczalny** impermeable, impervious

nieprzerwany incessant, ceaseless

nieprze|ścigniony unsurpassable; **~tłumaczalny** untranslatable; **~widziany** unforeseen; **~zorny** careless; inadvertent; **~zroczysty** opaque; **~zwyciężony** insurmountable

nieprzy|chylny unfavo(u)rable; **~datny** useless (***do*** *G*, ***na*** *A* to, for); → ***bezużyteczny***; **~jaciel** *m* (*-a*; *-e*, *G -ciół*), **~jaciółka** *f* (*-i*; *G -łek*) enemy; **~jacielski** enemy, hostile; **~jazny** unfriendly, inimical; **~jemność** *f* trouble; **~jemny** unpleasant; **~padkowy** not accidental; purposeful, deliberate; **~stępny** unapproachable; *cena* prohibitive; **~tomny** unconscious; *wzrok* absent-minded; ***~tomny ze strachu*** frightened out of one's wits; **~tulny** cheerless, unfriendly; **~zwoity** indecent; *wyrazy* obscene

nie|punktualny unpunctual; **~racjonalny** irrational

nierad (*m-os -dzi*) (*D*) unwilling; ***rad ~*** willy-nilly

nieraz *adv.* frequently; sometimes

nierdzewny stainless

nie|realny unreal; **~regularny** irregular; **~rentowny** unprofitable; **~rogacizna** (*-y*; *0*) *zbior.* swine; **~rozdzielny** inseparable; **~rozerwalny** indissoluble

nieroz|garnięty slow-witted; **~łączka** *f* (*-i*; *G -czek*) *zo.* budgerigar, F budgie; **~łączny** inseparable; **~poznawalny** unrecognizable; **~puszczalny** insoluble; **~sądny** unreasonable; thoughtless; **~strzygalny** unsolvable, insoluble; **~tropny** → ***nierozsądny***; *czyn* unthinking, ill-considered, rash

nierozumny irrational

nierozwa|ga *f* (*-i*; *0*) thoughtlessness; rashness; **~żny** thoughtless, rash

nieroz|wiązalny insoluble, insurmountable; **~winięty** undeveloped; immature; *pąk* unopened

nieróbstwo *n* (*-a*; *0*) idleness

nierów|no *adv.* → ***nierówny***; **~nomierny** uneven; **~ność** *f* (*-ści*) inequality; **~ny** (*statusem*) unequal; *powierzchnia, droga* uneven; *teren* rough

nieruch|awy, ~liwy slow, lethargic; **~omo** → ***nieruchomy***; **~omość** *f*(*-ści*) *Brt.* real property, *Am.* real estate; **~omy** motionless, immobile, immovable

nierzadk|i frequent, often; **~o** *adv.* frequently, often

nierząd *m* (*-u*; *0*) prostitution; **~ny**: ***czyn ~ny*** *jur.* indecent assault

nierze|czowy pointless, futile; **~czywisty** unreal; **~telny** dishonest, unreliable

nie|samowity weird, uncanny; **~sforny** unruly; **~skalany, ~skazitelny** impeccable *fig.* immaculate; **~skłonny** (***do*** *G*) averse (to), unwilling (to); **~skomplikowany** uncomplicated, simple; **~skończony** (**-*czenie***) infinite, endless; **~skromny** immodest; indecent; **~skuteczny** ineffective, inefficient; **~sławny** inglorious, obscure; **~słony** unsalted; **~słowny** unreliable; **~słusznie** *adv.* unjustly; **~słuszny** unjust (*też jur.*); unfair; **~słychany** unheard of; unbelievable; **~smaczny** tasteless (*też fig.*); **~smak** *m* (*-u*; *0*) nasty after-taste

niesnaski *f/pl.* (*-sek*) quarrelling, disputes *pl.*

nie|solidny unreliable; **~specjalnie** *adv.* not really; **~spełna** less than; ***~spełna rozumu*** out of one's mind; **~spodzianka** *f* (*-i*; *G -nek*) surprise; **~spodzi(ew)any** unexpected; **~spokojny** uneasy; *wzrok itp.* restless; **~sporo** *adv.* slowly, slow; **~spożyty** robust, vigorous

niesprawiedliw|ość *f* (*-ści*; *0*) unjustness, injustice; **~y** unjust, unfair (***wobec, dla*** *G* on)

niesprawny *urządzenie* out of order

niesta|ły unstable; changeable, variable; **~ranny** careless; slapdash; messy; **~stateczny** fickle, unstable

niestety *adv.* unfortunately, regrettably

nie|stosowny inappropriate; unsuitable; **~strawność** *f* (*-ści*; *0*) *med.* indigestion, dyspepsia; **~strawny** indigestible; **~strudzony** restless, tireless, unflagging; **~stworzony** F incredible; **~sumienny** → ***nierzetelny, niestaranny***; **~swojo** *adv.* uneasily, uncomfortably; **~swój** (→ ***swój***) unwell

nie|symetryczny asymmetric(al); **~sympatyczny** disagreeable, unpleasant; **~systematyczny** unsystematic, haphazard; **~syty** insatiable; **~szablonowy** → ***niepospolity***; **~szczególny** insignificant, nondescript, uninteresting; **~szczelny** leaky; **~szczery** insincere

nieszczę|sny unfortunate; F wretched; **~ście** *n* (*-cia*; *G -ść*) bad luck; ***na ~ście*** unfortunately; **~śliwy** unlucky; unhappy

nieszkodliwy safe; harmless (***dla zdrowia*** to health); **~ *dla środowiska*** environment-friendly

nieszpory *pl.* (*-ów*) *rel.* vespers *pl.*

nieścisł|ość *f* (*-ci*; *0*) inaccuracy, imprecision; **~y** inaccurate, imprecise

nieść *v/t.* carry; bring (*też sprawiać*); *jaja* lay; **~ *się*** *dźwięki, woń*: carry; *kura*: lay eggs

nie|ślubny *dziecko* illegitimate; **~śmiały** timid, shy; **~śmiertelny** immortal

nieświado|mość *f* unawareness, unconsciousness; ignorance; **~my** (*pred. m* **~*m***) unaware; unconscious; ignorant

nie|świeży off, not fresh; **~takt** *m* tactlessness; discourtesy; **~taktowny** tactless; discourteous; **~terminowy** (**-*wo***) after the closing date; **~tęgi** (**-*go***) F weak; **~tknięty** → ***nienaruszony***; **~tłukący** unbreakable; **~tolerancyjny** intolerant

nietoperz *m* (*-a*; *-e*) *zo.* bat

nie|towarzyski unsociable; **~trafny** → ***chybiony***; **~trudny** easy, effortless; **~trwały** non-durable, short-lived; *kolor* not fast, fast-fading; **~trzeźwość** *f* insobriety, intoxication; **~trzeźwy** intoxicated, drunk; **~tutejszy** strange, not local

nietykaln|ość *f* (*-ści*; *0*) inviolability; *pol.* immunity; **~y** inviolable; *pol.* possessing immunity

nie|typowy atypical; **~ubłagany** implacable; **~uchronny** inevitable; **~uchwytny** difficult to catch; *fig.* imperceptible; ***~uchwytny dla ucha*** inaudible; **~uctwo** *n* (*-a*; *0*) ignorance; **~uczciwy** dishonest, fraudulent; **~udany** unsuccessful, failed

nieudoln|ość *f* (*-ści*; *0*) incompetence, ineptitude; **~y** incompetent, inept

N

nie|ufność *f* distrust, mistrust; **~ufny** distrustful, mistrustful, suspicious; **~ugaszony** inextinguishable, *fig.* unquenchable; **~ugięty** unyielding
nieuk *m* (*-a*; *-cy*) ignorant
nie|ukojony inconsolable; **~uleczalny** incurable; **~ulękły** intrepid, fearless; **~umiarkowany** intemperate; unrestrained; **~umiejętny** inept, incompetent; **~umyślny** unintentional; **~uniknony** unavoidable; **~uprzedzony** unbiased; **~uprzejmy** unkind, impolite
nieurodzaj *m* (*-u*; *-e*) bad harvest; **~ny** *ziemia* infertile, barren; ***~ny rok*** bad year
nieusta|jący, ~nny incessant, ceaseless
nie|ustępliwy (**-*wie***) unyielding; **~ustraszony** intrepid, fearless; **~usuwalny** *plama* indelible; **~uwaga** *f* inattentiveness, carelessness; ***przez ~uwagę*** because of carelessness; **~uważny** inattentive; **~uzasadniony** unfounded, groundless; **~użyteczny** useless; **~użytki** *m/pl.* (*-ów*) *agr.* fallow land, uncultivated land
niewart (*m-os -rci*) not worth; ***nic ~ …*** worth nothing
nieważ|kość *f* (*-ści*; *0*) weightlessness; **~ny** unimportant, insignificant
niewątpliw|ie *adv.* undoubtedly, without doubt; **~y** undoubted, certain
nie|wczas *m*: ***po ~wczasie*** afterwards, after the event; **~wdzięczny** unthankful, ungrateful; **~wesoły** (**-*ło***) joyless, sad
niewiadom|y unknown; **~a** *f* (*-ej*; *-e*) *math.* unknown; ***w ~e*** to nowhere in particular
niewiar|a *f* (*-y*; *0*) disbelief, unbelief; **~ogodny, ~ygodny** incredible, unreliable
niewiasta *f* (*-y*; *G -*) woman, fair
niewido|czny invisible; **~my 1.** blind, visually impaired; **2.** *m* (*-ego*; *-mi*), **~ma** *f* (*-ej*; *-e*) blind person; ***~mi*** the blind
nie|widzialny invisible; **~wiedza** *f* ignorance
niewiel|e 1. (*m-os -lu*) not much, little; not many, few; **2.** *adv.* little; ***~e brakowało*** all but, nearly; → ***myśleć***; **~ki** small, little, low
niewie|rność *f* infidelity, unfaithfulness; **~rny** unfaithful; **~rzący 1.** unbelieving; **2.** *m* (*-ego*; *-cy*), ***~rząca*** *f* (*-ej*; *-e*) unbeliever
niewin|iątko *n* (*-a*; *G -tek*) *iron.* innocent; **~ność** *f* (*-ści*; *0*) innocence; **~ny** innocent
niewłaściwy (**-*wie***) improper, inappropriate
niewol|a *f* (*-i*; *-e*) captivity, slavery; **~nica** *f* (*-y*; *-e*) slave; **~nictwo** *n* (*-a*; *G -*) slavery; **~niczy** (**-*czo***) slavish, servile; **~nik** *m* (*-a*; *-cy*) slave
niewód *m* (*-wodu*; *-wody*) dragnet
nie|wprawny unskilful; **~wrażliwy** (***na*** *A*) insensitive (to); insensible (to); **~wskazany** inadvisable; **~współmierny** disproportionate, incommensurate; **~wybaczalny** inexcusable, unforgivable; **~wybredny** undemanding, not fussy; *iron.* tasteless; **~wybuch** *m* blind, F dud; **~wyczerpany** inexhaustible; **~wydolny** *med.* insufficient
niewy|goda *f* discomfort, inconvenience; **~godny** uncomfortable, inconvenient; **~konalny** impracticable; **~kwalifikowany** unqualified, unskilled; **~magający** undemanding; **~mierny** immeasurable; **~mowny** unspeakable; **~muszony** natural, unaffected; **~myślny** simple, plain
niewy|pał *m* misfired shell, F dud; F fiasco, flop; **~płacalny** insolvent, bankrupt; **~powiedziany** unuttered, unspoken; **~raźny** indistinct; *kształt* blurred; *mowa* inarticulate; F *mina itp.* strange; **~robiony** unpractised; inexperienced; **~spany**: ***być ~spanym*** be sleepy; **~starczająco** *adv.* insufficiently; inadequately; **~szukany** homely, plain; **~tłumaczalny** inexplicable; **~tłumaczony** unexplained; **~trzymały** (***na*** *A*) not resistant (to), sensitive (to); **~żyty** unsated, unsatisfied
nie|wzruszony (**-*szenie***) adamant, imperturbable; **~zaangażowany** *pol.* non-aligned; **~zachwiany** unshaken, steadfast; **~zadługo** *adv.* shortly, soon; **~zadowolenie** *n* discontent, displeasure; **~zadowolony** discontented, displeased (***z*** *G* with)
niezależn|ość *f* independence; **~y** independent (***od*** *G* of); ***mowa ~a*** *gr.* direct speech; → ***samodzielny***
nieza|mącony imperturbable, unruffled; **~mężny** single, unmarried; **~możny** impecunious; **~pominajka** *f*

N

(*-i*; *G -jek*) *bot.* forget-me-not; **~pomniany** unforgettable; **~przeczalny** undeniable, indisputable; **~radny** helpless, unenterprising; **~służenie** *adv.* unjustly, undeservedly; **~stąpiony** irreplaceable; **~tarty** indelible; **~uważalny** inconspicuous; **~uważony** unnoticed

niezawisł|ość *f* (*-ści*; *0*) independence; **~y** (**-*śle***) independent

niezawodn|ie *adv.* without fail; reliably; **~ość** *f* (*-ści*; *0*) reliability, dependability; **~y** reliable, dependable

nie|zbadany unstudied, unexplored; *fig.* unfathomable; **~zbędny** indispensable, necessary; **~zbity** irrefutable

niezbyt *adv.* not very (much)

nie|zdarny clumsy, awkward; **~zdatny** (**do** *G*, **na** *A*) unfit (to); → ***niezdolny***

niezdecydowa|nie[1] *n* indecision, hesitation; **~nie**[2] *adv.*, **~ny** undecided, indecisive, hesitant

niezdoln|ość *f* (*-ści*; *0*) inability, incompetence; **~y** (**do** *G*) unable (to), incapable (of), unfit (for); ***~y do służby wojskowej*** unfit for military service; ***~y do pracy*** unable to work

nie|zdrowy unwell, indisposed; **~zdyscyplinowany** undisciplined; **~zgłębiony** unfathomed

niezgod|a *f* (*-y*; *0*) discord; **~ność** *f* incompatibility, conflict; **~ny** incompatible, inconsistent; ***~ny z przepisami*** against the regulations, irregular

nie|zgrabny ungainly, shapeless; → ***niezdarny***; **~ziszczalny** unrealizable; **~zliczony** innumerable; **~złomny** steadfast, inflexible; unbroken; **~zły** not bad; **~zmienny** unchangeable, immutable; **~zmiernie** *adv.* extremely, exceedingly; **~zmierny** immense; **~zmordowany** indefatigable, untiring; **~zmywalny** indelible

niezna|czny slight; **~jomość** *f* (*-ści*; *0*) ignorance; **~jomy 1.** *adj.* unfamiliar, unknown; **2.** *m* (*-ego*; *-i*), **~joma** *f* (*-ej*; *-e*) stranger; **~ny** unknown; ***w ~ne*** to nowhere in particular

nie|znośny unbearable; **~zręczny** clumsy, awkward; → ***niezdarny***; **~zrozumiały** incomprehensible; **~zrozumienie** *n* (*-a*; *0*) incomprehension; **~zrównany** unmatched, unequalled; **~zupełnie** *adv.* not quite; incompletely; **~zupełny** incomplete; **~zwłoczny** prompt, immediate; **~zwyciężony** unconquerable, invincible; **~zwykły** uncommon, unusual; extraordinary

nieźle *adv.* not bad

nie|żonaty single, unmarried; **~życiowy** unrealistic; **~życzliwy** (**-*wie***) unkind; **~żyjący** dead; the late

nieżyt *m* (*-u*; *-y*) *med.* infection, inflammation; **~ *żołądka*** gastritis

nieżyw|otny inanimate; **~y** dead

nigdy never; **~ *więcej*** never more *lub* again; ***jak ~*** as never before

nigdzie nowhere, anywhere; **~ *indziej*** nowhere else

nijak F in no way, nowise; **~i** nondescript, commonplace; *gr.* neuter; **~o** *adv.* indefinably, F awkward; ***czuć się ~o*** feel unpleasant

NIK *skrót*: ***Najwyższa Izba Kontroli*** Supreme Chamber of Control

nikczemny vile, mean, wicked

nikiel *m* (*-klu*; *0*) *chem.* nickel

nikim (*IL* → ***nikt***); ***z ~ innym*** with nobody else

niklow|ać ⟨***po-***⟩ (*-uję*) nickel, plate with nickel; **~any** nickel-plated; **~y** nickel

nik|ły (**-*le*, -*ło***) faint; **~nąć** (*-nę*) fade, die away

niko|go (*G* → ***nikt***); ***~go tam nie ma*** there's no-one there, there isn't anyone there; **~mu** (*D* → ***nikt***): ***nie ufam ~mu*** I do not trust anybody

nikotyna *f* (*-y*; *0*) nicotine

nikt *pron.* nobody, no-one; anyone, anybody; → ***nikim, nikogo, nikomu***

nim[1] *cj.* before

nim[2] (*IL* → ***on***[***o***]); ***z ~*** with him; (*D* → ***oni, one***); ***dzięki ~*** thanks to them; **~i** (*I* → ***oni, one***); ***z ~i*** with them

nin. *skrót pisany*: ***niniejszy*** this

niniejszy present; **~m** hereby; ***wraz z ~m*** enclosed

nisk|i low; *wzrost* short; *głos, ukłon* deep; → ***niższy***; **~o** *adv.* low; deep; → ***niżej***

nisko|gatunkowy low-quality, low-grade; **~kaloryczny** low-calorie

nisza *f* (*-y*; *G -*) niche

niszcz|ący (**-*co***) destructive; **~eć** ⟨***z-***⟩ (*-eję*) decay, become ruined; fall to pieces; **~yciel** *m* (*-a*; *-e*) *mil.* destroyer; **~yć** ⟨***z-***⟩ (*-ę*) destroy, ruin; ***~yć się*** → ***niszczeć***

N

nit *m* (*-u*; *-y*) rivet; **~ka** *f* (*-i*; *G -tek*) thread; **~ować** (*-uję*) rivet
niuans *m* (*-u*; *-e*) nuance, subtlety
niuch *m* (*-a*; *-y*) pinch of snuff; F smell; **~ać** (*-am*): ***~ać tabakę*** snuff
niwa *f* (*-y*; *G -*) *lit.* field; *fig.* area, field
niweczyć ⟨**z-**⟩ (*-ę*) thwart, shatter; → ***niszczyć, udaremniać***
niwelować ⟨**z-**⟩ (*-uję*) level
nizać ⟨***na-***⟩ (*-żę*) thread
nizin|a *f* (*-y*; *G -*) lowland; **~ny** lowland
niziutki → ***niski***
niż[1] *cj.* than; ***więcej ~*** more than
niż[2] *m* (*-u*; *-e*) → ***nizina***; *meteo.* depression; **~ej** *adv.* (*comp. od* → ***nisko***); lower, below; ***~ej podpisany*** the undersigned; **~owy**: ***zatoka ~owa*** *meteo.* trough; **~szość** *f* (*-ści*; *0*) inferiority; **~szy** *adj.* (*comp. od* → ***niski***); lower; *fig.* inferior; junior
no *part.* well; now; ***patrz ~!*** well, I never!; ***~ proszę!*** well, well!; ***~ dobrze*** well, all right; ***~, mówże!*** fire away!
noc *f* (*-y*; *-e*) night; ***po ~y, w ~y*** by night; ***~ w ~, całymi ~ami*** night after night; ***do późna w ~y*** until late at night; ***przez ~, na ~*** overnight; **~leg** *m* (*-u*; *-i*) accommodation for the night; **~legowy**: ***dom ~legowy*** hostel; ***miejsce ~legowe*** place to sleep; **~nik** *m* (*-a*; *-i*) chamber pot, F potty; **~ny** night, nightly; **~ować** ⟨***prze-, za-***⟩ (*-uję*) spend the night; *kogoś* put up
nog|a *f* (*-i*; *G nóg*) leg; (*stopa*) foot; ***zerwać się na równe ~i*** jump up; ***walić się z nóg*** hardly stand up; ***wstawać lewą ~ą*** get out on the wrong side of the bed; ***do góry ~ami*** upside down, head over heels; ***stanąć na ~i*** find one's feet; ***do ~i!*** heel!; ***w ~i!*** F let's hop it!
nogawka *f* (*-i*; *G -wek*) (trouser *itp.*) leg
nokaut *m* (*-u*; *-y*) knockout, k.o.; **~ować** ⟨**z-**⟩ (*-uję*) knock out
nomada *m* (*-y*; *-dzi/-owie*, *-ów*) nomad
nomina|cja *f* (*-i*; *-e*) nomination, appointment; **~cyjny** appointment; **~lny** nominal; **~ł** *m* (*-u*; *-y*) denomination
nonsens *m* (*-u*; *-y*) nonsense, absurd; **~owny** nonsensical
nora *f* (*-y*; *G -*) (*lisia*) burrow; (*mysia*) hole; *fig.* hole
nork|a *f* (*-i*; *G -rek*) → ***nora***; *zo.* mink; **~i** *pl.* mink coat
norma *f* (*-y*; *G -*) norm; ***~ prawna*** legal norm; **~lizować** (*-uję*) normalize (***się*** *v/i.*); **~lny** normal
normować ⟨***u-***⟩ standardize; ***~*** ⟨***u-***⟩ ***się*** be standardized
Norwe|gia *f* (*-ii*) Norway; **~g** *m* (*-a*; *-dzy/-owie*), **~żka** *f* (*-ki*; *G -żek*) Norwegian; **℞ski** (***po -ku***) Norwegian
nos *m* (*-a*; *-y*) nose (*też fig.*); ***przez ~*** through the nose; F ***mieć w ~ie*** (*A*) not care (about); → ***kręcić, sprzątnąć, wodzić***; **~acizna** *f* (*-y*; *0*) *wet.* glanders *sg.*; **~ek** *m* (*-ska*; *-ski*) → ***nos***; (*buta*) toe
nosi|ciel *m* (*-a*; *-e*), **~cielka** *f* (*-i*; *G -lek*) carrier; **~ć** (*-szę*) carry (***przy sobie*** on o.s.); bear; *ubranie* wear; ***~ć się*** dress; be contemplating, think (***z*** *I* of)
noso|rożec *m* (*-żca*; *-żce*) *zo.* rhinoceros, F rhino; **~wy** nasal, nose
nostalgiczny nostalgic, romantic
nosze *pl.* (*-y*) stretcher; **~nie** *n* (*-a*; *0*) carrying, bearing; ***~nie się*** style of dress
nośn|ik *m* (*-a*; *-i*) *tech.*, *econ.* medium; vehicle; **~ość** *f* (*-ści*; *0*) capacity; (*broni*) range; **~y** carrying; *bud.* load-carrying; ***kura ~a*** laying hen; ***rakieta ~a*** carrier vehicle
nota *f* (*-y*; *G -*) note; memorandum, F memo; **~bene** (*idkl.*) incidentally, by the way
notari|alny notarial; notarized; **~usz** *m* (*-a*; *-e*) notary
notat|ka *f* (*-i*; *G -tek*) note; **~nik** *m* (*-a*; *-i*) notepad
notes *m* (*-u*; *-y*) notebook
notoryczny notorious
notowa|ć ⟨***za-***⟩ (*-uję*) take down, take notes; *fig.* note, notice; ***być źle ~nym u kogoś*** be in s.o.'s bad books; **~nie** *n* (*-a*; *G -ań*) *econ.* quotation
nowa|lie *pl.* (*-ii/-ij*), **~lijki** *pl.* (*-jek*) early vegetables *pl.*; **~tor** *m* (*-a*; *-rzy*), **~torka** *f* (*-i*; *G -rek*) innovator; **~torski** innovative
Nowa Zelandia *f* New Zealand
nowela *f* (*-i*; *-e*) short story
nowelizacja *f* (*-i*; *-e*) *jur.* amendment
nowicjusz *m* (*-a*; *-e*), **~ka** *f* (*-i*; *G -szek*) novice, recruit
nowin|a *f* (*-y*; *G -*) piece of news; ***~y*** *pl.* news *sg.*; ***to nie ~a*** that is nothing new; **~ka** (*-i*; *G -nek*) → ***nowina***
nowiut(eń)ki brand new

N

nowo|czesny (**-śnie**) modern; **~modny** newfangled; **~roczny** New Year's; **~rodek** *m* (*-dka*; *-dki*) newborn baby
nowość *f* (*-ści*) novelty
nowo|twór *m* (*-woru*; *-wory*) *med.* tumo(u)r; **~żeniec** *m* (*-ńca*; *-ńcy*) newlywed; **~żytny** modern
now|y new; ***Ꝋy Rok*** New Year; ***od ~a, na ~o*** anew, afresh; ***po ~emu*** in a new way; ***~e*** *n* (*-ego*; *0*) the latest; ***co ~ego?*** what's new?
Nowy Jork *m* New York
Nowy Orlean *m* New Orleans
nozdrze *n* (*-a*; *-y*) nostril
noż|e *pl.* → ***nóż***; **~ny** foot; **~ownik** *m* (*-a*; *-cy*) knifeman; **~yce** *f/pl.* (*-*), **~yczki** *f/pl.* (*-czek*) scissors *pl.*
nów *m* (*GL nowiu*; *0*) new moon
nóż *m* (*noża*; *noże*, *noży*) knife; ***~ do*** (***otwierania***) ***konserw*** *Brt.* tin opener, *Am.* can opener; ***być na noże*** (***z*** *I*) be in conflict (with), fight (with *lub* against); ***mieć ~ na gardle*** be pinned into a tight corner
nóżka *f* (*-i*; *G -żek*) → ***noga***; (*grzyba*, *kieliszka*) stem
np. *skrót pisany*: ***na przykład*** e.g. (*for example*)
n.p.m. *skrót pisany*: ***nad poziomem morza*** a.s.l. (*above sea level*)
nr *skrót pisany*: ***numer*** No (*number*)
NSA *skrót pisany*: ***Naczelny Sąd Administracyjny*** Chief Administrative Court
nucić (*-cę*) hum
nud|a *f* (*-y*; *-y*, *-ów*) boredom; ***z ~ów*** out of boredom; **~ności** *f/pl.* nausea; **~ny** boring, dull
nudyst|a *m* (*-y*; *-yści*), **~ka** *f* (*-i*; *G -tek*) nudist; **~yczny** nudist
nudzi|ara *f* (*-y*; *G -*), **~arz** *m* (*-a*; *-e*) bore, nuisance; **~ć** (*-dzę*) bore; ***~ć się*** be bored; → ***mdlić***
numer *m* (*-u*; *-y*) number (*skrót*: No.); (*butów itp.*) size; (*czasopisma*) issue; (*w kabarecie*) act; ***~ rejestracyjny*** *mot.* registration number; **~ować** ⟨**po-**⟩ (*-uję*) number;
nuncjusz *m* (*-a*; *-e*) *rel.* nuncio
nur *m* (*-a*; *-y*): ***dać ~a*** dive; **~ek** *m* (*-rka*; *-rkowie*) diver; ***dać ~ka*** → ***nur***; **~ka** *f* (*-i*; *G -rek*) → ***norka***
nurkow|ać (*-uję*) dive; **~y** diving; ***lot ~y*** nose-dive
nurt *m* (*-u*; *-y*) current; trend; **~y** *pl.* *też* waters *pl.*; **~ować** (*-uję*; *t-ko 3. os.*) be on *s.o.'s* mind; (*dręczyć*) torment
nurzać (*-am*) immerse; dip; ***~ się*** (***w*** *L*) wallow (in); revel (in)
nut|a *f* (*-y*; *G -*) *mus.* note (*też fig.*); ***cała ~a*** *Brt.* semibreve, *Am.* whole note; **~owy** note
nuż: ***a ~*** what if
nuż|ący (**-co**) tiring, tiresome; **~yć** ⟨**z-**⟩ (*-ę*) tire, exhaust
nygus F *m* (*-a*; *-i*) loafer
nylon *m* (*-u*; *-y*) nylon; **~owy** nylon

O

o¹ *prp.* (*L*, *A*) about, on; ***mówił ~ tobie*** he was talking about you; ***niepokoić się ~ dzieci*** worry about the children; ***pytać ~ drogę*** ask about the way; *godzina, pora*: at; ***~ świcie*** at dawn; *cecha*: with; ***~ jasnych włosach*** with fair hair; *styczność*: against; ***oprzeć ~ ścianę*** lean against the wall; *sposób*: on, with; ***chodzić ~ lasce*** walk with a stick; ***~ kulach*** on crutches; ***~ własnych siłach*** by one's own efforts; *może być tłumaczony przez złożenie*: ***~ napędzie silnikowym*** motor-driven
o² *int.* oh; ***~ tak!*** oh, yes!
oaza *f* (*-y*; *G -*) oasis
ob. *skrót pisany*: ***obywatel***(***ka***) citizen
oba, ~j *num.* both
obal|ać (*-am*) ⟨**~ić**⟩ (*-lę*) *v/t.* knock down; *władzę* overthrow; *prawo*, *zwyczaje* abolish; *teorię* disprove; **~enie** *n* (*-a*; *G -ń*) *fig.* overturn, overthrow; *jur.* abolition
obandażowany *med.* bandaged
obarcz|ać (*-am*) ⟨**~yć**⟩ (*-ę*) (***k-o*** *I*) burden (with), overburden (with); ***~ać*** ⟨**~yć**⟩ ***się*** (*I*) burden (o.s.); ***~ony rodziną*** with a family
obaw|a *f* (*-y*; *G -*) fear, anxiety; *pl.* *też* doubt; ***z ~y przed*** (*I*) for fear of; ***mieć***

lub **żywić ~y** fear, be afraid; **~iać się** (*-am*) (*G*) be afraid (of); (**o** *A*) be worried (about)
obcas *m* (*-a*; *-y*) heel
obcesow|o brusquely, bluntly; **~y** brusque, blunt
obcęgi *pl.* pincers *pl.*
obcho|dzenie się *n* (*-a*; *0*) (**z** *I*) handling (of); dealing (with); **~dzić** pace out, walk around; *przeszkodę*, *prawo* go round; (*interesować się*) concern, interest, care; *rocznicę* celebrate, commemorate; **~dzić sklepy** do the rounds of the shops; **~dzić się** (**z** *I*) treat, handle; use, operate; (**bez** *G*) go (without), do (without)
obchód *m* round; patrol; **obchody** *pl.* celebrations *pl.*, festivities *pl.*
obcią|ć *pf.* → **obcinać**; **~gać** (*-am*) ⟨**~gnąć**⟩ (*I*) cover (with); *suknię itp.* straighten; **~żać** (*-am*) ⟨**~żyć**⟩ load (*I* with; **się** o.s.); weight, weigh down; *fig.* burden; (*też fin.*, *jur.*) charge; *jur.* incriminate; → **obarczać**; **~żenie** *n* (*-a*; *G -eń*) load; drain; *electr.* load; *tech.* ballast; **~żenie dziedziczne** inherited susceptibility to a disease
ob|cierać (*-am*) wipe off/away; rub; **~cierać się** wipe; **~cięcie** *n* cutting; clipping; (*zarobków*) (*G*) cut (in); **~cinać** (*-am*) cut off; clip; *fig.* restrict; F (*na egzaminie*) fail, *Am.* flunk; **~ciosywać** (*-uję*) → **ciosać**; **~cisły** skin-tight
obco *adv.* (*czuć się*) foreign, strange; **~języczny** foreign-language; **~krajowiec** *m* foreigner; **~ść** *f* (*-ści*; *0*) strangeness, foreignness; **~wać** (*-uję*) (**z** *I*) associate (with); mix (with); **~wanie** *n* (*-a*; *0*) (**z** *I*) association (with), mixing (with); dealings *pl.* (with)
ob|cy 1. somebody else's, other people's; strange; foreign; **2.** *m* (*-ego*; *-cy*), **~ca** *f* (*-ej*; *-ce*) stranger; outsider; **~czyzna** *f* (*-y*; *0*) foreign lands *pl.*; **na ~czyźnie** in exile
obdarow(yw)ać (*-[w]uję*) present
obdarty shabby, ragged
obdarzać (*-am*) → **darzyć**
obdrapany scratched
obdukcja *f* (*-i*; *-e*) *jur.* autopsy, post-mortem
obdzie|lać (*-am*) ⟨**~lić**⟩ (**k-o** *I*) distribute (to); hand out (to); **~rać** (*-am*) (*ze skóry*) skin; *skórę* graze; *korę* bark; *fig.* (**k-o z** *G*) rob (of); F **~rać ze skóry** (*A*) fleece
obecn|ie *adv.* at present, now; **~ość** *f* (*-ści*; *0*) presence; **lista ~ości** attendance list; **~y** present (**przy** *L* at; **na** *L* in); current; **~i** *pl.* those *pl.* present
obedrzeć *pf.* → **obdzierać**
obejmować (*-uję*) embrace, hug (**się** *v/i.*); (*zawierać*, *włączać*) include; *urząd*, *rządy* take; *okres* span; *lęk*: overcome; *płomienie*: catch; *umysłem* grasp; *wzrokiem* take in
obej|rzeć *pf.* → **oglądać**; **~rzenie** *n*: **do ~rzenia** for inspection; **~ście** *n* **1.** (*-a*; *G -ść*) *dom* farmstead; **2.** (*-a*; *0*) manner *pl.*; **miły w ~ściu** charming, pleasant; **~ść** *pf.* (→ **-jść**) → **obchodzić**
obel|ga *f* (*-i*; *G-*) insult, **~gi** *pl.* abuse; **~żywie** *adv.* insultingly; offensively; abusively; **~żywy** insulting; offensive; abusive
oberwa|ć *pf.* → **obrywać**; **~nie** *n*: **~nie** (**się**) **chmury** cloudburst; **~ny** ragged; → **obdarty**
oberża *f* (*-y*; *G -*) inn
oberżnąć *pf.* → **obrzynać**
oberżyna *f* (*-y*; *G -*) → **bakłażan**
obe|schnąć *pf.* → **obsychać**; **~trzeć** *pf.* → **obcierać**; **~znany** familiar (**z** *I* with)
obezwładni|ać (*-am*) ⟨**~ć**⟩ (*-ę*, *-nij!*) overpower; *uczucie*: overwhelm, overcome
obeżreć *pf.* → **obżerać**
obfi|cie *adv.* → **obfity**; **~tość** *f* (*-ści*; *0*) abundance; **róg ~tości** horn of plenty, *fig.* cornucopia; **~tować** (*-uję*) (**w** *A*) abound (with), teem (with); **~ty** abundant; plentiful; *porcja* generous
obgry|zać ⟨**~źć**⟩ → **ogryzać**
obiad *m* (*-u*; *-y*) (*wieczorem*) dinner; (*w południe*) lunch; **jeść ~** have dinner/lunch; **~owy** dinner, lunch
obibok *m* (*-a*; *-i*) loafer
obi|cie *n* (*-a*; *G -ć*) upholstery; **~ć** *pf.* → **obijać**; **~e** *num. f/pl.* → **oba**
obiec|ać *pf.* (*-am*) → **obiecywać**; **~anka** *f* (*-i*; *G -nek*) empty promise; **~ująco** promisingly; **~ujący** promising; **~ywać** (*-uję*) promise; **~ywać sobie po** (*L*) hope for
obieg *m* (*-u*; *0*) *astr.*, *phys.* rotation, revolution; (**krwi** blood) circulation; **czas ~u** *astr.* period; **puścić w ~** circulate; **wycofać z ~u** withdraw from circulation; **~ać** ⟨**~nąć**⟩ (*-am*) circulate,

O

go (a)round; *astr.* revolve; *sklepy itp.* do the rounds of; **~owy** current; ***pieniądz ~owy*** currency
obiek|cja *f* (*-i*; *-e*) objection; reservation; **~tyw** *m* (*-u*; *-y*) *phot.* lens *sg.*; **~tywny** objective
obie|rać (*-am*) *warzywa* peel; *owoce* skin; *os.*, *zawód* go into; (*na stanowisko*) choose, appoint; **~ralny** elected; **~rki** *f/pl.* (*-rek*), **~rzyny** *f/pl.* (-) peelings *pl.*
obietnica *f* (*-y*; *G* -) promise
obieżyświat F *m* (*-a*; *-y*) globetrotter
obijać (*-am*) (*młotkiem itp.*) knock off; *kubek itp.* chip; *krzesło* upholster; ***~ się o uszy*** come to one's ears; ***~ się*** F loaf about/around
objadać się F gorge o.s., stuff o.s.
objaśni|ać (*-am*) ⟨***~ć***⟩ (*-ę*, *nij!*) explain; **~enie** *n* (*-a*) explanation
obja|w *m* (*-u*; *-y*) symptom (*też med.*); **~wiać** (*-am*) ⟨***~wić***⟩ manifest; show, reveal (**się** o.s.); **~wienie** *n* (*-a*; *G -eń*) revelation (*też rel.*)
objazd *m* (*-u*; *-y*) detour; diversion; (*artystyczny*) tour; **~owy** itinerant; *wystawa itp.* touring; ***droga ~owa*** bypass
ob|jąć *pf.* (*-ejmę*) → ***obejmować***; **~jeść** *pf.* → ***objadać***; **~jeżdżać** (*-am*) ⟨***~jechać***⟩ *przeszkodę*, *plac* go round; *kraj* travel around; **~jęcie** *n* (*-a*; *G -ęć*) embrace, hug; beginning; taking over; takeover; ***w ~jęciach*** (*G*) in the arms (of); → ***obejmować***
objętość *f* (*-ści*; *0*) volume; capacity; size
ob|juczony (*I*) loaded (with), laden (with); **~kła-, ~ko-, ~kra-** → ***okła-, oko-, okra-***; **~lać** *pf.* → ***oblewać***; **~latany** F *fig.* knowledgeable, well-versed; **~latywać** (*-uję*) ⟨***~lecieć***⟩ *v/t.* fly (a)round; (*wypróbować samolot*) test-fly; ***~latywać sklepy*** F do the rounds of the shops; **~legać** (*-am*) ⟨***~lec, ~legnąć***⟩ besiege
oble|piać (*-am*) ⟨***~pić***⟩ stick all over (*ścianę itp.*); **~śny** lecherous; lascivious; **~wać** (*-am*) douse; *wody*: wash; *fig.* (*ogarnąć*) flood; F *egzamin* fail; ***~wać się potem*** be bathed in sweat; **~wanie** *n* (*mieszkania*) house-warming (party); ***~źć*** *pf.* → ***obłazić***
oblężenie *n* (*-a*) siege
obli|cow(yw)ać (*-[w]uję*) *bud.* face; **~czać** (*-am*) count; calculate; **~czalny** calculable
oblicz|e *n* (*-a*; *G* -) *lit.* countenance, face; ***w ~u*** (*G*) in the face (of), in view (of); **~enie** *n* (*-a*) calculation; count; **~eniowy** computational; **~yć** *pf.* → ***obliczać***
obligacja *f* (*-i*; *-e*) *econ.* bond, stock
obliz|ywać (*-uję*) ⟨***~ać***⟩ lick
ob|lodzić (*-dzę*) ice up; **~lodzony** icy; **~luzowany** loose
obła|dow(yw)ać (*-[w]uję*) load, weigh; **~mywać** (*-uję*) ⟨***~mać***⟩ break (**się** *v/i.*); **~piać** F (*-am*) ⟨***~pić***⟩ (*-ę*) neck; **~skawiony** tame(d); **~wa** *f* (*-y*; *G* -) hunt; (*na człowieka*) manhunt; **~zić** *robaki*: cover (with); *farba*: peel off
obłąka|nie *n* (*-a*; *0*) → ***obłęd***; **~niec** F (*-ńca*; *-ńcy*) madman *m*, madwoman *f*; **~ny, ~ńczy** mad, insane
obłęd *m* (*-u*; *-y*) madness, insanity; **~ny** F terrific
obłok *m* (*-u*; *-i*) cloud
obło|wić się *pf.* F (**na** *L*) make a profit (from); **~żny**: ***~żna choroba*** serious illness; ***~żnie chory*** bed-ridden; **~żyć** *pf.* → ***okładać***
obłożony: ***~ język*** coated tongue
obłud|a *f* (*-y*; *0*) hypocrisy; **~nica** *f* (*-y*; *G* -), **~nik** *m* (*-a*; *-cy*) hypocrite; **~ny** hypocritical, false
obłu|pywać (*-uję*) ⟨***~pać***⟩ peel; *jajko* shell; **~skiwać** (*-uję*) shell; → ***łuskać***
obły oval
obmac|ywać (*-uję*) ⟨***~ać***⟩ → ***macać***
obmarz|ać [-r·z-] (*-am*) ⟨***~nąć***⟩ ice up; freeze over
ob|mawiać (*-am*) slander, backbite; **~mierzać** (*-am*) ⟨***~mierzyć***⟩ measure; **~mierzły** [-r·z-] nasty; **~mowa** *f* (*-y*; *G -mów*) slander, backbiting; **~mówić** *pf.* → ***obmawiać***; **~murow(yw)ać** (*-[w]uję*) wall, surround with a wall; **~myć** *pf.* → ***obmywać***; **~myślać** (*-am*) ⟨***~myślić***⟩ devise, think out; **~mywać** (*-am*) bathe, wash; *fale*: wash
obnaż|ać (*-am*) ⟨***~yć***⟩ (*-ę*) bare, uncover; *fig.* reveal; ***~ać się*** take one's clothes off; *fig.* expose o.s.; **~ony** bare; naked; *fig.* reveal
obniż|ać (*-am*) ⟨***~yć***⟩ lower; *econ. też* reduce; ***~ać się*** sink, come down; subside; **~ka** *f* (*-i*; *G -żek*) (***cen, kosztów*** price, cost) reduction; ***~ka płac*** wage cut
obnosić pass round, show round
obojczyk *m* (*-a*; *-i*) *anat.* collar-bone, clavicle

O

oboje → ***obaj***

obojętn|ieć ⟨**z-**⟩ (*-eję*) become indifferent (***na*** *A* to); **~ość** *f* (*-ści*; *0*) indifference; **~y** indifferent; (*nijaki*) bland; ***to mi ~e*** I do not care

obojnak *m* (*-a*; *-i*) hermaphrodite

obok 1. *adv.* nearby, next to, past; ***tuż ~***, ***~ siebie*** side by side; **2.** *prp.* beside, by, near

obolały sore, painful, aching

OBOP *skrót*: ***Ośrodek Badania Opinii Publicznej*** Centre for Research of Public Opinion

obopólny mutual, reciprocal

obor|a *f* (*-y*; *G obór*) cowshed, *Am.* barn; **~nik** *m* (*-a*; *0*) manure

obosieczny double-edged

obostrz|ać (*-am*) ⟨**~yć**⟩ make more severe, tighten; **~enie** *n* (*-a*; *G -eń*) tightening; greater severity

obowiąz|any obliged (***do*** *G* to); **~ek** *m* (*-zku*; *-zki*) obligation; ***poczuwać się do ~ku*** feel obliged; ***pełniący ~ki*** (*G*) acting, deputy; **~kowo** *adv.* obligatorily; → ***obowiązkowy***; **~kowość** *f* (*-ści*; *0*) sense of duty; **~kowy** obligatory, compulsory; *człowiek* conscientious; **~ujący** valid, in force, binding; ***nadać moc ~ującą*** bring into force; **~ywać** (*-uję*, *t-ko 3. os.*) be in force, hold

obozow|ać (*-uję*) camp (out); **~isko** *n* (*-a*; *G -*) camping site, campsite; **~y** camp, camping

obój *m* (*-boju*; *-boje*) *mus.* oboe

obóz *m* (*-bozu*; *-bozy*) camp; ***stanąć obozem*** set up camp

obrabia|ć (*-am*) work; machine; *ziemię* cultivate, till; *brzeg* hem; **~rka** *f* (*-i*; *G -rek*) machine tool

obra|bow(yw)ać (*-[w]uję*) rob; **~cać** (*-am*) turn; use; ***~cać na kupno*** use for buying; reduce ***~cać w gruzy*** reduce to rabble; ***~cać się*** turn, rotate, spin; revolve; **~chow(yw)ać** (*-[w]uję*) → ***obliczać***; **~chunek** *m* reckoning

obrać *pf.* → ***obierać***

obrad|y *pl.* (*G -*) proceedings *pl.*, debate; **~ować** (*-uję*) (***nad*** *I*) debate

obra|dzać (*-am*) *roślina*: produce a good crop; **~mow(yw)ać** (*-[w]uję*) border; frame; **~stać** (*-am*) (*I*) grow over (with); be overgrown (with)

obraz *m* (*-u*; *-y*) picture; painting; film, *Am.* movie

obraza *f* (*-y*; *zw. 0*) offence, *Am.* offense; outrage; ***~ moralności publicznej*** indecency

obrazek *m* (*-zka*; *-zki*) → ***obraz***

obrazić *pf.* → ***obrażać***

obraz|kowy picture; **~ować** ⟨**z-**⟩ (*-uję*) portray; depict; **~owo** graphically, vividly; **~owy** graphic, vivid

obra|źliwie *adv.* offensively, insultingly; **~źliwy** offensive, insulting; **~żać** (*-am*) offend, insult; **~żenie** *n* (*-a*; *G -eń*) injury; **~żony** offended, insulted

obrąb|ywać (*-uję*) ⟨**~ać**⟩ chop off

obrączka *f* (*-i*; *G -czek*) (*ślubna*) ring; → ***obręcz***

obręb *m* (*-u*; *-y*) area; ***w ~ie*** within, inside; ***poza ~em*** outside; **~ek** *m* (*-bka*; *-bki*) hem; **~iać** (*-am*) ⟨**~ić**⟩ (*-ę*) hem

obręcz *f* (*-y*; *-e*, *-y*) hoop, ring; (*koła*) (wheel) rim

obr/min *skrót pisany*: ***obrotów na minutę*** rpm (*revolutions per minute*)

obro|bić *pf.* → ***obrabiać***; **~dzić** *pf.* → ***obradzać***; **~k** *m* (*-u*; *-i*) horse feed, provender

obro|na *f* (*-y*; *G -*) defence, *Am.* defense; ***~na własna*** self-defence; ***stawać w ~nie*** (*G*) stand up (for); → ***bronić***; **~nny** defence; **~ńca** *m* (*-y*; *G -ów*); **~ńczyni** *f* (*-ni*; *-e*, *G -yń*) defender (*też sport*); *fig.* protector; **~ńcy** *pl.* (*w sporcie*) defence; **~ńczy** *jur.*: ***mowa ~ńcza*** final speech, speech for the defence

obro|snąć *pf.* → ***obrastać***; **~śnięty** (*I*) overgrown (with)

obrotn|ość *f* (*-ści*; *0*) resourcefulness, ingenuity; **~y** resourceful, ingenuous

obrotomierz *m* (*-a*; *-e*) *mot.* tachometer, rev counter

obrotow|y revolving; *krzesło* swivel; *econ.* sales, turnover; ***środki*** *pl.* ***~e*** active assets *pl.*

obroża *f* (*-y*; *-e*) collar

obróbka *f* (*-i*; *G -bek*) processing; *tech.* working

obró|cić *pf.* → ***obracać***; **~t** *m* (*-rotu*; *-roty*) turn; revolution; rotation; *econ.* turnover; *fig.* turn (***na*** *A* for); ***wziąć w obroty*** (*A*) F give a talking-to

obrumieni|ać (*-am*) ⟨**~ć**⟩ *gastr.* brown

obrus *m* (*-a*; *-y*) tablecloth

obrys *m* (*-u*; *-y*) outline

obrywać (*-am*) tear down; *owoce* pick; ***~ się*** come off

O

obryzgiwać (*-uję*) ⟨**~ać**⟩ splash
obrządek *m* (*-dku*; *-dki*) ritual; rite
obrzez|ać (*-am*) circumcise; **~anie** *n* (*-a*; *G -ań*) circumcision
obrzeże *n* (*-a*; *G -y*) edge
obrzęd *m* (*-u*; *-y*) ceremony; → ***obrządek***; **~owy** ceremonial; ritual
obrzęk *m* (*-u*; *-i*) *med.* (o)edema; **~ać** (*-am*) ⟨**~nąć**⟩ (*-nę*) *med.* swell (up); **~ły** swollen
obrzmi|ałość *f* (*-ści*), **~enie** *n* (*-a*; *-eń*) swelling; **~ały** bloated; → ***obrzękły***
obrzuc|ać (*-am*) ⟨**~ić**⟩ throw; pelt (***się*** at each other); ***~ić wzrokiem*** (*A*) cast a glance (at)
obrzyd|listwo *n* (*-a*; *G -*) disgusting thing; repulsiveness; **~liwiec** *m* (*-wca*; *-wcy*) scoundrel; **~liwość** *n* (*-ści*; *0*) abomination; **~liwy** (**-*wie***), **~ły** disgusting, repulsive; **~nąć** (*-nę*) *pf.*: ***~ł(a)/~ło mi …*** I am sick of…; → ***brzydnąć***
obrzydz|ać (*-am*) ⟨**~ić**⟩ spoil, put off; **~enie** *n* (*-a*; *0*) disgust; loathing; revulsion; ***do ~enia*** until one has wearied
obrzynać (*-am*) cut off
obsa|da *f* (*-y*; *G -*) *theat.* cast, casting; (*załoga*) crew; personnel; *tech.* holder, mounting; **~dka** *f* (*-i*; *G -dek*) holder; **~dzać** (*-am*) ⟨**~dzić**⟩ (*I*) plant (with); *fig.* fill, cast; → ***osadzać***
obserwa|cja *f* (*-i*; *-e*) observation; **~cyjny** observational; **~tor** *m* (*-a*; *-rzy*) observer; **~torium** *n* (*idkl.*; *-ia*, *-iów*) observatory; **~torka** *f* (*-i*) observer
obserwować (*-uję*) ⟨***za-***⟩ watch; observe
obsług|a *f* (*-i*; *G -*) service; handling; (*personel*) staff; **~iwać** (*-uję*) serve, deal with
obstaw|a *f* (*-y*; *G -*) *zbior.* F guard; **~ać** (*-ję*) (***przy*** *L*) insist (on), persist (in); **~i(a)ć** (*I*) surround; *pieniądze* bet (on), stake (on)
obst|ępować (*-uję*) ⟨**~ąpić**⟩ surround, ring
obstrukcja *f* (*-i*; *-e*) obstruction; *med.* constipation
obstrz|ał *m* (*-u*; *-y*) shelling, shooting; **~eliwać** (*-wuję*) ⟨**~elać**⟩ (*A*) shoot (at), fire (at)
obsu|wać się ⟨***~nąć się***⟩ slip
obsy|chać (*-am*) dry; **~pywać** (*-uję*) ⟨**~pać**⟩ scatter, sprinkle; *fig.* heap, shower; ***~p(yw)ać się*** crumble away

obszar *m* (*-u*; *-y*) area, region; territory; **~nik** *m* (*-a*; *-cy*) big landowner
obszarpany ragged
obszerny large, extensive; *ubranie* loose
obszy|cie *n* (*-a*; *G -yć*) trimming, edging; **~wać** (*-am*) ⟨**~ć**⟩ (*I*) trim (with), edge (with)
obt|aczać ⟨***~oczyć***⟩ roll; ***~aczać w mące*** toss in flour; *tech.* turn
obtarcie *n* (*-a*; *G -rć*) *med.* abrasion, graze; (*szmatą itp.*) wipe
obu *num.* → ***oba***; *w złoż.* bi-, di-, two-
obuch *m* (*-a*; *-y*) poll
obudow|a *f* (*-y*; *G -dów*) casing, housing; **~(yw)ać** (*-[w]uję*) (*I*) build up; encase
obudzić *pf.* → ***budzić***
obukierunkowy two-way
ob|umarły dead; **~umierać** ⟨***~umrzeć***⟩ die; *fig.* die out
oburącz *adv.* with both hands
oburz|ać (*-am*) ⟨**~yć**⟩ outrage, incense; ***~ać się*** become outraged *lub* indignant (***na*** *A* about); **~ająco** *adv.* outrageously; **~ający** outrageous; **~enie** *n* (*-a*; *0*) outrage; indignation; **~ony** indignant, incensed
obustron|nie *adv.* mutually; bilaterally; **~ny** mutual; bilateral
obuwie *n* (*-a*; *0*) shoes *pl.*, footgear; ***sklep z ~m*** shoe shop/store
obwa|łow(yw)ać (*-[w]uję*) *rzekę* embank; **~rowanie** *n* (*-a*; *G -ań*) embankment
obwarzanek *m* (*-nka*; *-nki*) pretzel
obwąch|iwać (*-uję*) ⟨**~ać**⟩ sniff
obwiąz|ywać (*-uję*) ⟨**~ać**⟩ (*I*) tie up (with); wrap (with)
obwie|szczać (*-am*) ⟨**~ścić**⟩ announce; make public; **~szczenie** *n* (*-a*; *G -eń*) announcement; public notice; **~źć** *pf.* → ***obwozić***
obwi|jać → ***owijać***; **~niać** (*-am*) ⟨**~nić**⟩ (***k-o o*** *A*) blame (s.o. for); **~sać** (*-am*) ⟨***~snąć***⟩ droop, sag
obwo|dnica *f* (*-y*; *-e*) *Brt.* ring road; bypass, *Am.* belt(way); **~dowy** peripheral; district; **~luta** *f* (*-y*; *G -*) dust jacket; **~ływać** (*-uję*) ⟨**~łać**⟩ (*I*) proclaim; **~zić** drive round (***po mieście*** the town)
obwód *m* (*-odu*; *-ody*) perimeter; *math.* circumference; (*obszar*) district; *electr.* circuit; ***~ scalony*** integrated circuit; **~ka** *f* (*-i*; *G -dek*) border, edge

O

oby *part.* may it be so; **~ *był szczęśliwy!*** may he be happy!
obycie *n* (*-a*; *0*) good manners *pl.*; **~ *w świecie*** worldliness
obyczaj *m* (*-u*; *-e*, *-ów*) custom; *pl. też* morals *pl.*; ***starym ~em*** in accordance with an old custom; ***zepsucie ~ów*** moral decline; **~owość** *f* (*-ści*; *0*) custom, customs *pl.*; morals *pl.*; **~owy** moral; *policja*: vice
obyć się *pf.* → ***obywać się***
obydw|a(j), ~ie, ~oje → ***oba, oboje***
oby|ty polite, well-bred; (**z** *I*) experienced (with), familiar (with); **~wać się** (***bez*** *G*) do without, go without; (*I*) make do (without), content o.s. (with)
obywatel *m* (*-a*; *-e*), **~ka** *f* (*-i*; *G -lek*) citizen; national; **~ski** civic; civil; **~stwo** *n* (*-a*; *G -*) citizenship; nationality
obżar|stwo *f* (*-a*; *0*) gluttony; **~tuch** *m* (*-a*; *-y*) F pig, glutton
OC *skrót pisany*: ***ubezpieczenie OC*** (***odpowiedzialności cywilnej***) *mot* third party insurance
ocal|ać (*-am*) → ***ocalić***; **~eć** (*-eję*) (**z** *G*) survive (from); ***~eć od śmierci*** escape death; **~enie** *n* (*-a*) rescue; salvation; saving; **~ić** *pf.* (*-ę*) (**od** *G*) save (from)
ocean *m* (*-u*; *-y*) ocean
ocen|a *f* (*-y*; *G -*) assessment, valuation; estimate; (*w szkole*) *Brt.* mark, *Am.* grade; **~iać** (*-am*) ⟨**~ić**⟩ assess, evaluate; estimate; *Brt.* mark, *Am.* grade
ocet *m* (*octu*; *octy*) vinegar
ochładzać (*-am*) → ***chłodzić***
ochłap *m* (*-u*; *-y*) scrap of meat
ochł|odzenie *n* (*-a*; *G -eń*) cooling; **~onąć** *pf.* cool down; calm down; ***~onąć z szoku*** recover from shock
ocho|czo *adv.* willingly; eagerly; **~czy** eager; cheerful; (**do** *G*) → ***chętny***; **~ta** *f* (*-y*; *0*) desire, willingness; ***mieć ~tę na*** (*A*) feel like doing; → ***chęć***
ochotni|czka *f* (*-i*; *G -czek*) volunteer; **~czo** *adv.* voluntarily; **~czy** voluntary; **~k** *m* (*-a*; *-cy*) volunteer
ochra *f* (*-y*; *0*) ochre
ochrania|cz *m* (*-a*; *-e*) guard; pad; **~ć** (*-am*) protect, shelter (**od** *G* from, against)
ochron|a *f* (*-y*; *G -*) protection; (*osoba*) bodyguard; ***~a środowiska naturalnego*** conservation; **~iarz** *m* (*-a*; *-e*) F bodyguard; **~ić** *pf.* (*-nię*) → ***ochraniać, chronić***; **~ny** protective
ochryp|le hoarsely; **~ły** hoarse, husky; → ***chrypnąć***
ochrzanić F *pf.* (*-ę*) rap
ociągać się (*-am*) (**z** *I*) dawdle (over)
ocie|kać (*-am*) (*I*) be dripping wet; drip (with); **~lić się** *pf.* calf
ociemniały (*m-os -li*) blind; ***związek ~ch*** organization of the blind
ocieplać (*-am*) ⟨**~ić**⟩ (*-lę*) warm; *budynek itp.* insulate; ***~ać się*** get warm; **~enie** *n* (*-a*; *0*) warming up; insulation
ocierać (*-am*) → ***obcierać***; *skórę* chafe
ocięża|le heavily; **~ły** heavy
ocios|ywać (*-uję*) ⟨**~ać**⟩ hew
ocknąć się *pf.* (*-nę*) wake up; (*po omdleniu itp.*) come round
ocleni|e *n* payment of duty; ***podlegający ~u*** dutiable; ***nie mieć nic do ~a*** have nothing to declare
oclić *pf.* → ***clić***
oct|an *m* (*-u*; *-y*) *chem.* acetate; **~owy** vinegar
o|cukrzyć *pf.* → ***cukrzyć***; **~cyganić** F *pf.* con, diddle; **~czarow(yw)ać** (*-[w]uję*) charm, enthral(l)
oczekiw|ać (*-uję*) expect (***po kimś*** from s.o.); wait (**na** *A* for); **~anie** *n* (*-a*) expectation; waiting; ***wbrew ~aniom*** contrary to expectation
oczerni|ać (*-am*) ⟨**~ć**⟩ *fig.* blacken; defame
ocz|ko *n* (*-a*; *G -czek*) → ***oko***; (*na karcie*) pip; (*gra w karty*) blackjack; (*w pończosze*) *Brt.* ladder, *Am.* run; (*przy dzierganiu*) stitch; (*wpierścionku*) stone; (*w sieci*) mesh; **~ny** eye; *anat.* ocular; optic; **~odół** *m anat.* eye-socket, orbit; **~y** *pl.* → ***oko***
oczyszcza|ć (*-am*) (**z** *G*) clean (from/off), clear (from), *fig.* exonerate (from); *por.* ***czyścić***; **~lnia** *f* (*-i*; *-e*) (*ścieków*) sewage treatment plant; **~nie** *n* (*-a*; *G -ań*) cleaning; clearing
oczy|tany well-read; **~wisty** obvious, evident; **~wiście** *adv.* obviously, evidently
od *prp.* (*G*) from; (*czasu*) since, for; (*niż*) than; (*przeciw*) against, for; **~ *morza*** from the sea; **~ *rana*** since the morning; **~ *2 godzin*** for 2 hours; ***starszy ~e mnie*** older than me; **~ *kaszlu*** for coughing, against coughing; *często nie*

O

tłumaczy się: ***dziurka ~ klucza*** keyhole; ***~ ręki*** right away; *por.* ***dla, do***
odb. *skrót pisany*: ***odbiorca*** addressee
odbarwi|ać (*-am*) ⟨***~ć***⟩ discolo(u)r (***się*** *v/i.*)
odbezpiecz|ać (*-am*) ⟨***~yć***⟩ (*-ę*) *broń* release the safety catch
odbi|cie *n* reflection; image; (*piłki*) hitting off; (*kraju*) reconquest; (*uwolnienie*) release; ***~cie od brzegu*** *naut.* cast-off; ***kąt ~cia*** angle of reflection; ***~ć*** *pf.* → ***odbijać***
odbie|c *pf.*, **~gać** ⟨***~gnąć***⟩ (***od*** *A*) run away (from); *fig.* differ (from), deviate (from); ***~gł go sen*** he was unable to sleep; ***~gła ją chęć na to*** she no longer took pleasure in it; **~rać** (*-am*) (***od*** *G*) take away (from); *paczkę* collect (from), reclaim; *dziecko* pick up; *przysięgę, towar, RTV*: receive (from); *telefon* answer; → ***odebrać***
odbijać (*-am*) *v/t. światło* reflect, throw back; *pieczęć* imprint; *deseń* print; (*na kopiarce*) run off; *tynk itp.* knock off; *atak* fend off; *piłkę* return; *jeńców* rescue; *miasto itp.* win back; (*w tańcu*) cut in; *sympatię* steal; *v/i. łódź*: cast off; ***~ się*** be reflected; *głos*: echo, resound; *piłka*: bounce; *narciarz*: push off; *ślad*: leave marks; *fig.* have an effect (***na*** *A* on); F (*po jedzeniu*) belch, *dziecko*: burp
odbior|ca *m* (*-y*; *G -ców*), **~czyni** *f* (*-i*; *-e*) receiver; recipient; **~czy** receiving; **~nik** *m* (*-a*; *-i*) *RTV*: receiver, set
od|biór *m* (*-oru*; *0*) reception; **~bitka** *f* (*-i*; *G -tek*) *phot.*, *print.* copy; **~bity** *światło* reflected; **~blask** *m* reflection; **~blaskowy** *tech.* reflective; **~błyśnik** *m* (*-a*; *-i*) reflector
odbudo|wa *f* restoration; re-building; **~w(yw)ać** (*-[w]uję*) restore, re-build
odby|cie *n* (*-a*; *0*): ***~cie kary*** serving of sentence; ***w celu ~cia rozmów*** to carry out negotiations; ***~ć*** *pf.* → ***odbywać***
odbytnica *f* (*-y*; *-e*, *G -*) *anat.* rectum
odbywać *zebranie* hold; *studia* pursue; *służbę, karę* serve, go through; *podróż* make; ***~ się*** take place
odc. *skrót pisany*: ***odcinek*** sector
odcho|dy *pl.* (*-ów*) excrements *pl.*, f(a)eces *pl.*; **~dzić** go away; *pociąg itp.*: leave, depart; *ulica*: branch (off), diverge; (*z pracy*) (***z*** *G*) quit, leave; (***od*** *G*) leave; (*umrzeć*) depart from this world; *fig.* leave; ***~dzić od zmysłów*** be out of one's senses
od|chrząknąć *pf.* clear one's throat; → ***chrząkać***; **~chudzać się** (*-am*) slim
odchyl|ać (*-am*) ⟨***~ić***⟩ deflect (***się*** *v/i.*); (***do tyłu***) bend back (***się*** *v/i.*); *firankę* draw back; ***~ać się*** deflect; deviate (***od*** *G* from); **~enie** *n* (*-a*) deviation; departure
odcią|ć *pf.* → ***odcinać***; **~gać** (*-am*) ⟨***~gnąć***⟩ *v/t.* draw back; pull away; *fig.* dissuade (***od*** *G* from); *uwagę* divert; ***mleko ~gane*** *Brt.* skimmed milk, *Am.* skim milk; **~żać** (*-am*) ⟨***~żyć***⟩ lighten, relieve
odcie|kać (*-am*) ⟨***~c***⟩ drain away
od|cień *m* (*-nia*; *-nie*) shade; tone; nuance; **~cierpieć** *pf.* (***za*** *A*) suffer (for); *rel.* atone (for)
odcię|cie *n* (*-a*; *G -ęć*) cutting off; *med.* amputation; **~ty** cut off; **~ta** *f* (*-ej*; *-e*) *math.* abscissa
odcin|ać (*-am*) cut (off); *med.* amputate; *dostęp* seal off; *gaz* disconnect; *połączenia* sever (*też fig.*); ***~ać się*** answer back; (***od*** *G*) separate (from), distance (from); stand out, contrast (***na tle*** against); **~ek** *m* (*-nka*; *-nki*) section; *math.* segment; stub, (*biletu itp.*) counterfoil; (*podróży*) leg; (*filmu*) episode; ***~ek czasu*** period; ***powieść w ~kach*** serialized novel
odcis|k *m* (*-u*; *-i*) impression, imprint; (*stopy*) print; *med.* corn; ***~k palca*** fingerprint; **~kać** (*-am*) ⟨***~nąć***⟩ *pieczęć* impress; *ser* squeeze; *ślad* make; ***~nąć się*** leave an imprint
od|cyfrować *pf.* (*-uję*) decode; decipher; **~czekać** *pf.* wait; **~czepi(a)ć** (*-am*) detach, remove; unfasten, undo; ***~czepić się*** lay off (***od*** *G*)
odczu|(wa)ć feel; (*wyczuwać*) sense; perceive; ***dać się ~ć*** be felt; **~walny** perceivable, perceptible
odczyn *m* (*-u*; *-y*) *chem.* reaction; *med.* ***~ Biernackiego*** (*skrót*: OB) erythrocyte sedimentation rate (*skrót*: ESR); **~nik** *m* (*-a*; *-i*) *chem.* reagent
odczyt *m* (*-u*; *-y*) lecture, talk; **~ywać** (*-uję*) ⟨***~ać***⟩ read out
oddać *pf.* → ***oddawać***
odda|lać (*-am*) ⟨***~lić***⟩ (*-lę*) drive away; (*ze szkoły*) expel; *wniosek* reject; *jur.* dismiss; ***~lać*** ⟨***~lić***⟩ ***się*** go away; (***z*** *G*)

O

leave; **~lenie** *n* (*-a*; *-leń*) distance; *jur.* rejection, dismissal; (*ze szkoły*) expulsion; **~lony** distant, remote; **~nie** *n* (*-a*; *G -ń*) return; *fig.* devotion, dedication; ***~nie do eksploatacji*** bringing into service; **~ny** devoted, dedicated

oddaw|ać (*-ję*) give back, return; give; *cześć* pay; *usługę* do; *ukłony* return; (*do instytucji*) send; *broń, miasto* surrender; ***~ać mocz*** pass water; ***~ać pod sąd*** bring to court; ***~ać się*** give o.s. up; *komuś* give o.s. to; **~ca** *m* (*-y*), **~czyni** *f* (*-i*; *-e*) bearer

oddech *m* (*-u*; *-y*) breath; **~owy** breathing

oddolny *fig.* grass-roots

oddycha|ć (*-am*) breathe; **~nie** *n* (*-a*; *0*) breathing, respiration; ***sztuczne ~nie*** artificial respiration, resuscitation

oddz. *skrót pisany*: ***oddział*** department

oddział *m* (*-u*; *-y*) department, section; *mil.* troop, unit; *med.* ward; **~owy** departmental; *med.* ward; **~ywać** (*-uję/ -am*) ⟨**~ać**⟩ (**na** *A*) affect, act (on)

oddziel|ać (*-am*) ⟨**~ić**⟩ separate (***się*** *v/i.*); **~ny** separate

oddzwaniać (*-niam*) ⟨***-dzwonić***⟩ (*-nię*) (***do k-ś***) call back s.o.

oddźwięk *m* (*-u*; *-i*) repercussion; *fig.* response, reaction

ode *pf.* → ***od***; **~brać** *pf.* → ***odbierać***

ode|chcie(wa)ć się: ***~chciewa*** ⟨***~chciało***⟩ ***mu się*** (*G, bezok.*) he is not eager (to *bezok.*) any more; **~gnać** *pf.* → ***odganiać***; **~grać** *pf.* → ***odgrywać***

odejmowa|ć (*-uję*) *math.* subtract; (*zabierać*) deduct; (*odłączać*) take away; **~nie** *n* (*-a*; *0*) *math.* subtraction

odejś|cie *n* (*-a*; *G -ść*) departure; **~ć** *pf.* → (***-jść***) → ***odchodzić***

ode|mknąć → ***odmykać***; **~pchnąć** *pf.* → ***odpychać***; **~przeć** *pf.* → ***odpierać***; *v/i.* retort, reply; **~rwać** *pf.* → ***odrywać***; **~rwanie** *n* (*-a*; *0*) detachment; ***w ~rwaniu*** (***od*** *G*) in isolation (from); **~rznąć** *pf.*, **~rżnąć** *pf.* → ***odrzynać***; **~słać** *pf.* → ***odsyłać***; **~tchnąć** *pf.* breathe (***swobodnie*** freely); *fig.* have a breather; **~tkać** *pf.* (*-am*) → ***odtykać***; **~zwa** *f* (*-y*; *G -dezw*) proclamation; **~zwać się** *pf.* (*-ę, -ie, -wij!*) → ***odzywać się***

odęty puffed up; grumpy, surly; → ***nadąsany***

odfajkow(yw)ać (*-[w]uję*) *Brt.* tick off, *Am.* check off

odfru|wać (*-am*) ⟨***~nąć***⟩ (*-nę*) fly away, take flight

odga|dywać (*-uję*) ⟨***~dnąć***⟩ (*-nę*) guess; ***~łęziać się*** (*-am*) ⟨***~łęzić się***⟩ (*-żę*) branch off; **~łęzienie** *f* (*-a*; *G -eń*) branching, forking; **~niać** → ***odpędzać***; **~rniać** (*-am*) ⟨***~rnąć***⟩ rake aside, push aside; *śnieg* scrape away

od|ginać (*-am*) ⟨***~giąć***⟩ (*-egnę*) bend (up, back *itp.*); **~głos** *m* (*-u*; *-y*) echo; *zw. pl.* sound, noise; **~gniatać** (*-am*) ⟨***~gnieść***⟩ mark; ***~gniatać się*** make marks; **~gonić** *pf.* → ***odpędzić***; **~gradzać** (*-am*) fence off

odgranicz|ać (*-am*) ⟨**~yć**⟩ bound, enclose

od|grażać się (*-am*) threaten; **~grodzić** *pf.* → ***odgradzać***; **~gruzow(yw)ać** (*-[w]uję*) remove the rubble; **~grywać** (*-am*) play; *głupiego* play, act; ***~grywać się*** get one's revenge; **~gryzać** (*-am*) ⟨***~gryźć***⟩ bite off; ***~gryzać się*** hit back; **~grzać** *pf.* → ***odgrzewać***

odgrze|bywać (*-uję*) ⟨***~bać***⟩ dig up; *fig.* rake up; **~wać** (*-am*) re-warm, warm up

od|gwizdać *pf.* whistle; blow the whistle; **~holować** *pf.* tow away; **~izolowywać** (*-wuję*) → ***izolować***

od|jazd *m* (*-u*; *-y*) departure; **~jąć** *pf.* (*-ejmę*) → ***odejmować***; **~jemna** *f* (*-ej*; *-e*) *math.* minuend; **~jemnik** *m* (*-a*; *-i*) *math.* subtrahend; **~jeżdżać** (*-am*) ⟨***~jechać***⟩ (*I*, **na** *L*) depart (in/on), drive off (in/on); leave (**do** *G* for); **~karmiony** well-fed; **~każać** (*-am*) ⟨***~kazić***⟩ (*-żę*) disinfect, *teren* decontaminate; **~każający** disinfecting, antiseptic

odkąd *pron.* from/since when; since, from; (from) where

odkła|dać (*-am*) put away, put back, replace; *słuchawkę* hang up; (*oszczędzać*) put aside, put by; (*odraczać*) put off, postpone; ***~dać się*** deposit, be deposited; **~niać się** ⟨***odkłonić się***⟩ (*D*) return s.o.'s greetings

odkodować (*-uję*) *szyfrogram* decode; *RTV*: unscramble

od|komenderować *pf.* send, detail (**do** *G* to/for); **~kopywać** (*-uję*) ⟨***~kopać***⟩ dig up; **~korkow(yw)ać** (*-[w]uję*) uncork; **~krajać, ~krawać** (*-am*) cut off; **~kręcać** (*-am*)⟨***~kręcić***⟩ unscrew; twist off; *kurek* turn on; **~kroić** *pf.* → ***odkrajać***

odkry|cie *n* (*-a*; *G -yć*) discovery; **~wać** (*-am*) ⟨**~ć**⟩ *ląd* discover; *ramię*, *twarz* uncover; *fig.* reveal, expose; ***~wać*** ⟨***~ć***⟩ ***się*** throw off one's covers; **~ty** uncovered; *ląd* discovered; **~wca** *m* (*-y*; *G -ów*), **~wczyni** *f* (*-i*; *G -yń*) discoverer; **~wczy** of discovery; *fig.* revealing; **~wka** *f* (*-i*; *G -wek*) *Brt.* opencast mine, *Am.* strip mine

odkup|iciel *m* (*-a*; *-e*) *rel.* redeemer; **~ywać** (*-uję*)⟨**~ić**⟩ (**od** *G*) buy back (from), repurchase (from); *winę* compensate, expiate; *rel.* redeem; → ***okupywać***

odkurz|acz *m* (*-a*; *-e*) vacuum, vacuum cleaner, *Brt.* Hoover; **~ać** (*-am*) ⟨**~yć**⟩ vacuum

od|lać *pf.* → ***odlewać***; **~latywać** (*-uję*) ⟨**~lecieć**⟩ fly away; *samolot*: depart; *obcas itp.*: come off

odległ|ość *f* (*-ści*) distance; range; **~y** *adj.* (*comp. -glejszy*) remote; distant; far-away; ***~y o pięć kroków*** 5 steps away

odlepi|ać (*-am*) ⟨**~ć**⟩ remove, unstick

odlew *m* (*-u*; *-y*) cast; **~ać** (*-am*) pour off; *tech.* cast; ***~ać się*** V take a leak; **~nia** *f* (*-i*; *-e*) foundry

odleż|eć się *pf.* *owoce*: mature; *fig.* wait one's turn; **~yny** *pl.* (*G -yn*) *med.* bedsores

odlicz|ać (*-am*) ⟨**~yć**⟩ count (out); (*odjąć*) deduct; **~enie** *n* (*-a*) count; deduction; (*czasu*) countdown

odlot *m* departure; ***czas ~u*** departure time

odludny secluded, isolated

odłam *m* (*-u*; *-y*) *fig.* fraction; *pol.* faction; **~ek** *m* (*-mka*; *-mki*) splinter; chip; fragment; **~ywać** (*-uję*) ⟨**~ać**⟩ break (off) (**się** *v/i.*)

od|łączać (*-am*) ⟨**~łączyć**⟩ disconnect; isolate (**się** *v/i.*); → ***odczepiać***; **~łożyć** *pf.* → ***odkładać***; **~łóg** *m* (*-ogu*; *-ogi*) fallow land; ***leżeć ~łogiem*** lie fallow; **~łupywać** (*-uję*)⟨**~łupać**⟩ chip off, split off

odma|czać soak off; **~low(yw)ać** (*-*[*w*]*uję*) repaint; *fig.* depict; → ***malować***; **~rzać** [-r·z-] (*-am*) ⟨**~rznąć**⟩ thaw out (*v/i.*); defrost; **~wiać** (*G*) refuse, deny (***sobie*** o.s.), (**k-o od** *G*) talk s.o. out of s.th.; (*A*) *pacierz* say; *wizytę* cancel; ***~wiać przyjęcia*** reject; ***~wiać wstępu*** turn away

odmęt *m* (*-u*; *-y*) *lit. zw. pl.* waters *pl.*, *fig.* whirls *pl.*

odmian|a *f* (*-y*; *G -*) change; *agr.*, *biol.* variety; (*odmianka*) variant; *gr.* inflection; ***dla ~y, na ~ę*** for a change

odmien|iać (*-am*)⟨~ić⟩change (**się** *v/i.*); transform; *gr.* inflect; ***~ić się*** change; **~ność** *f* (*-ści*; *0*) difference; different nature; **~ny** different; *gr.* inflectional

od|mierzać (*-am*)⟨***~mierzyć***⟩ measure; **~mładzać** (*-am*) ⟨***~młodzić***⟩ rejuvenate, make younger; ***~mładzać*** ⟨***~młodzić***⟩ ***się*** become younger; grow young again; **~młodnieć** *pf.* → ***młodnieć***; **~moczyć** *pf.* → ***odmaczać***; **~mowa** *f* (*-y*; *G -mów*) refusal, denial; **~mowny** negative; **~mówić** *pf.* → ***odmawiać***; **~mrażać** (*-am*) ⟨**~mrozić**⟩ defrost, de-ice; ***~mrażać sobie uszy*** lose ears through frostbite; **~mrożenie** *n* (*-a*; *G -eń*) frostbite; **~myć** *pf.* → ***odmywać***; **~mykać** *pf.* (*-am*) open, unlock; **~mywać** (*-am*) wash off; *naczynia* wash up

odna|jdować, ~jdywać (*-uję*) find again (**się** each other); *fig.* regain; **~jmować** ⟨**~jąć**⟩ hire, rent; **~leźć** *pf.* (→ *-naleźć*) → ***odnajdować***; **~wiać** (*-am*) renovate; ***~wiać się*** renew itself

odnie|sienie *n* (*-a*): ***w ~sieniu do*** (*G*) with reference to; **~ść** *pf.* → ***odnosić***

odno|ga *f* → ***odgałęzienie***; arm, branch; (*górska*) offset, spur; (***rzeki*** river) arm, branch; **~sić** (*-szę*) carry back, take back; *wrażenie* form; *sukces*, *zwycięstwo* achieve; *korzyść* reap; *szkodę*, *rany* suffer; ***~sić się*** (**do** *G*) apply (to), refer (to); relate (to); feel (about); **~śnie**: ***~śnie do*** (*G*) with respect to; **~śny** concerning, appropriate

odno|tow(yw)ać (*-*[*w*]*ję*) take down; *fig.* note; **~wić** *pf.* (*-ę*, *-nów!*) → ***odnawiać***

odos|abniać (*-am*) ⟨**~obnić**⟩ (*-ę*, *-nij!*) isolate (**się** *v/i.*); **~obnienie** *n* (*-a*; *0*) isolation; (*zamknięcie*) confinement; **~obniony** isolated; confined

odór *m* (*-oru*; *-ory*) bad smell, stench

odpad|ać (*-am*) fall off, come off; *fig.* be inapplicable, be inappropriate; *sport*: be eliminated; **~ek** *m* (*-dka*; *-dki*) *zw. pl.* **~ki** refuse, *Brt.* rubbish, *Am.* garbage; (*na ulicy*) litter; **~(k)owy** waste; **~y** *m/pl.* (*G -ów*) (*przemysłowe*) waste

odpa|rcie *n* (*-a*; *0*) (*ataku*) repulsion; (*zarzutu*) refutation, rebuttal; **~row(yw)ać** (*-*[*w*]*uję*) evaporate; *fig.*

parry, fend off; **~rzać** (*-am*) ⟨**~rzyć**⟩ chafe; **~ść** *pf.* → ***odpadać***
od|pędzać (*-am*) ⟨**~pędzić**⟩ chase away; ward off; **~piąć** *pf.* (*-epnę*) → ***odpinać***; **~pić** *pf.* → ***odpijać***; **~pieczętow(yw)ać** (*-[w]uję*) unseal; **~pierać** (*-am*) *atak*, *wroga* repel, drive back; *cios* parry, ward off; *zarzut* refute, disprove
odpi|jać (*-am*) drink off; **~łow(yw)ać** (*-[w]uję*) saw off; **~nać** (*-am*) undo, unfasten; *guzik* unbutton; **~nać** ⟨**~ąć**⟩ **się** get undone
odpis *m* (*-u*; *-y*) copy; *econ.* deduction; **~ywać** (*-uję*) ⟨**~ać**⟩ copy; *econ.* write off; deduct
odpła|cać (*-am*) ⟨**~cić**⟩ (**za** *A*) pay back (*też fig.*), repay; **~ta** *f* (*-y*; *G* -) repayment (*też fig.*); **~tny** paid
odpły|nąć *pf.* → ***odpływać***; **~w** *m* (*-u*; *-y*) outlet; (*morza*) ebb, low tide; *fig.* migration, departure; **~wać** (*-am*) *ludzie*: swim away; *statek*: sail out; *ciecz*: flow away; *ludność*: emigrate; **~wowy** *kratka* drain
odpocz|ynek *m* (*-nku*; *-nki*) rest; peace; **~ywać** (*-am*) ⟨**~ąć**⟩ rest, have a rest
odpo|kutow(yw)ać (*-[w]uję*) atone for; *rel.* redeem; **~mpow(yw)ać** (*-[w]uję*) pump out
odporn|ość *f* (*-ści*) resistance; resilience (*też biol.*); *med.* immunity, resistance; **~y** (**na** *A*) resistant (to); ***~y na wpływy atmosferyczne*** weather-resistant
odpowi|adać (*-am*) answer (**na** *A* to; **za** *A* for); reply, respond; (*być odpowiednim*) be appropriate, be suitable; match; **~edni** (**do** *G*) appropriate (to), suitable (to); adequate (to); **~ednik** *m* (*-a*; *-i*) counterpart, equivalent; **~ednio** *adv.* appropriately, suitably
odpowiedzialn|ość *f* (*-ści*; *0*) responsibility; accountability; *econ.* liability; ***spółka z ograniczoną ~ością*** limited liability company; **~y** responsible (**za** *A* for)
od|powiedzieć *pf.* → ***odpowiadać***; **~powiedź** *f* (*-dzi*) answer, reply; response
odpowietrzyć *pf.* (*-ę*) bleed
odpór *m* (*-poru*; *0*) resistance
odpra|cow(yw)ać (*-[w]uję*) work out; **~wa** *f* (*-y*; *G* -) briefing; (*odmowa*) rebuff; (*zapłata*) compensation; *aviat.* check-in; ***~wa celna*** customs *pl.*; **~wiać** (*-am*) ⟨**~wić**⟩ *towar* dispatch; *rel.* celebrate, officiate; → ***odsyłać***
odpręż|ać (*-am*) ⟨**~yć**⟩ (*-ę*) relax (**się** *v/i.*); **~enie** *n* (*-a*; *G -eń*) relaxation; *pol.* détente
odprowadz|ać (*-am*) ⟨**~ić**⟩ accomany, escort; *ścieki itp.* carry (away); ***~ać do drzwi*** show to the door; ***~ać do domu*** see home; ***~ać na dworzec*** see off
odpru|wać (*-am*) ⟨**~ć**⟩ unseam, rip
odprys|kiwać (*-uję*) ⟨**~nąć**⟩ flake off
odprzeda|wać (*-ję*) ⟨**~ć**⟩ (*-am*) resell
odpu|st *m* (*-u*; *-y*) *rel.* indulgence; (*festyn*) fête; **~szczać** (*-am*) ⟨**~ścić**⟩ pardon, forgive
odpycha|ć (*-am*) push away, shove away; *fig.*, *phys.* repel; **~jąco** *adv.* repulsively; **~jący** repulsive
odpyl|ać (*-am*) ⟨**~ić**⟩ dust
odra *f* (*-y*; *0*) *med.* measles *sg.*; **♀** *f* (*-y*; *0*) (the) Oder, Odra
odra|biać (*-am*) *dług* work off; *lekcje* do; *zaległości*, *błędy* make up for; *zaległości też* catch up with; **~czać** (*-am*) put off, postpone; *jur.* suspend; **~dzać**[1] (*-am*) ⟨**~dzić**⟩ (*A*) advise (against)
odra|dzać[2] → ***odrodzić***; **~pywać** (*-uję*) ⟨**~pać**⟩ scratch; **~stać** (*-am*) grow again; → ***podrastać***; **~tow(yw)ać** (*-[w]uję*) rescue; *fig.* revive; **~za** *f* (*-y*; *0*) repulsion, aversion; **~żająco** *adv.* repulsively, disgustingly; **~żający** repulsive, disgusting
odrąb|ywać (*-uję*) ⟨**~ać**⟩ chop off
odre- *pf.* → ***re-***
odrę|bny different; distinct, special; **~czny** hand-written; *rysunek* free-hand; *naprawa* on the spot, immediate
odrętwie|ć *pf.* → ***drętwieć***; **~nie** *n* (*-a*) numbness; *fig.* lethargy
odro|bić *pf.* → ***odrabiać***; **~bina** *f* (*-y*; *G* -) particle; (*G*) a bit (of); **~czenie** *n* (*-a*; *G -eń*) postponement, adjournment; (*wyroku*) reprieve; **~czyć** *pf.* → ***odraczać***; **~dzenie** *n* (*-a*; *0*) renascence, rebirth, renaissance; ***♀dzenie*** Renaissance; **~dzić** *pf.* revive, renew; ***~dzić się*** revive; **~snąć** *pf.* → ***odrastać***
odróżni|ać (*-am*) ⟨**~ć**⟩ distinguish (**od** *G* from); ***~ać się*** differ (**od** *G* from); **~enie** *n* (*-a*; *0*) distinction; ***w ~eniu*** (**od** *G*) in contrast (to), unlike; ***nie do ~enia*** indistinguishable

odruch *m* (*-u*; *-y*) *biol.* reflex; *fig.* emotion, prompting; **~owo** *adv.* involuntarily; **~owy** involuntary
odry|glow(yw)ać (*-*[*w*]*uję*) unbolt; **~wać** (*-am*) tear off; *wzrok* turn away; ***~wać się*** come off, break off; *fig.* wrench o.s. away (***od*** *G* from)
odrzec *pf.* say
odrzu|cać ⟨***~cić***⟩ discard, cast off; *prośbę* turn down; (*w głosowaniu*) overrule; *skargę*, *warunki* reject; **~t** *m mil.* recoil; *econ.* reject; **~towiec** *m* (*-wca*; *-wce*) jet (plane); **~towy** jet
odrzwia *pl.* door frame
od|rzynać (*-am*) cut off; **~salanie** *n* (*-a*; *0*) desalination; **~salutować** (*-uję*) salute; **~sapnąć** (*-nę*) have a breather; **~sądzać** (*-am*) ⟨***~sądzić***⟩ (***kogoś od*** *G*) deny
odset|ek *m* (*-tka*; *-tki*) percentage; ***~ki*** *pl.* interest (***za zwłokę*** for late payment)
odsia|ć *pf.* → ***odsiewać***; **~dywać** (*-uję*) sit out, F *wyrok* do
odsie|cz *f* (*-y*; *-e*) *mil.* relief; **~dzieć** *pf.* → ***odsiadywać***; **~wać** (*-am*) sift; *fig.* sift through
od|skakiwać (*-uję*) ⟨***~skoczyć***⟩ (***od*** *G*) jump aside/back; *piłka*: bounce (off); **~skocznia** *f* (*-i*; *-e*) springboard; **~słaniać** (*-am*) uncover; *pomnik* unveil; *prawdę* reveal; *głowę* bare; *zasłonę* draw (back); ***~słaniać się*** appear; **~słona** *f* (*-y*; *G* -) *theat.* act; **~słonić** *pf.* → ***odsłaniać***; **~słonięcie** *n* (*-a*; *G -ęć*) unveiling; revelation
odsprzedawać → ***odprzedawać***
odsta|wać ⟨***~ć***⟩ (→ *stać²*) come off; *uszy*: stick out; (*wyróżniać się*) stand out; **~wi(a)ć** put away, put aside; deliver; *lekarstwo* stop taking; ***~wiać dziecko od piersi*** wean the baby
odstąpi|ć *pf.* → ***odstępować***; **~enie** *n* (*-a*) (*praw*, *ziemi*) cession; relinquishment, renunciation (***od*** *G* of)
odstęp *m* (*-u*; *-y*) interval, distance; space, gap; **~ne** *n* (*-ego*; *-e*) compensation; **~nik** *m* (*-a*; *-i*) space-bar; **~ować** (*-uję*) *v/i.* step aside; cede; waive; *econ.* dispose; transfer; withdraw (***od umowy*** from the agreement); *mil.* retreat, move away (***od*** *G* from); *v/t.* cede, transfer; **~stwo** *n* (*-a*; *G* -) departure; *rel.* dissent

odstrasz|ać (*-am*) ⟨***~yć***⟩ scare away (***od*** *G* from); deter; **~ająco** *adv.* frighteningly; **~ający** deterrent; frightening
odstręcz|ać (*-am*) ⟨***~yć***⟩ (*-ę*) *fig.* repel, put off; (*zniechęcać*) (***od*** *G*) prevent (from)
odstrzał *m* (*-u*; *-y*) *hunt.* shooting down
odsuwać (*-am*) ⟨***odsunąć***⟩ push away, move away; *zasuwę*, *firankę* draw back; **~ *od władzy*** remove from power; **~** ⟨***odsunąć***⟩ ***się*** move away; *fig.* withdraw, retire
odsyła|cz *m* (*-a*; *-e*) reference; **~ć** (*-am*) (***do*** *G*) send back (to), return (to); refer (to)
odsyp|ywać (*-uję*) ⟨***~ać***⟩ pour away
odszkodowani|e *n* (*-a*; *G -ań*) compensation, recompense; *jur.* damages *pl.*; ***~a wojenne*** reparations *pl.*
od|szraniać (*-am*) ⟨***~szronić***⟩ (*-ę*) defrost; **~szukać** (*-am*) trace, find (again) (***się*** *v/i.*); **~szyfrow(yw)ać** (*-*[*w*]*uję*) decipher, decode; **~śpiewać** *pf.* sing; **~środkowy** centrifugal
odśwież|ać (*-am*) ⟨***~yć***⟩ (*-ę*) refresh; *mieszkanie* renew; *fig.* brush up on; ***~yć się*** freshen o.s. up, refresh o.s.
od|świętny festive; **~tajać** *pf.* thaw
odtąd since; from… on…; *przestrzeń*: from here
odtłuszczon|y: ***mleko ~e*** skimmed milk
od|transportować *pf.* take away, remove; **~trącać** (*-am*) ⟨***~trącić***⟩ push away, shove away; *fig.* reject; → ***potrącać***; **~trutka** *f* (*-i*; *G -tek*) antidote (*też fig.*); **~twarzacz** *m* (*-a*; *-e*): ***~twarzacz płyt kompaktowych*** CD player; **~twarzać** (*-am*) ⟨***~tworzyć***⟩ reconstruct, reproduce; *taśmę* play; *rolę* play, act; ***~twarzać się*** *biol.* regenerate
odtwór|ca *m* (*-y*; *G -ców*), **~czyni** *f* (*-i*; *-e*) interpreter, performer
od|tykać (*-am*) unblock, unstop; **~uczać** (*-am*) ⟨***~uczyć***⟩: ***~uczać kogoś od*** (*G*) teach s.o. not to; (*zwyczaju*) break s.o. of; ***~uczać się*** unlearn
odurz|ać (*-am*) ⟨***~yć***⟩ intoxicate; ***~ać*** ⟨***~yć***⟩ ***się*** become intoxicated; *fig.* become carried away; **~ająco** *adv.* intoxicatingly; **~ający** intoxicating, heady; **~enie** *n* (*-a*; *G -eń*) intoxication
odwadniać (*-am*) drain
odwag|a *f* (*-i*; *0*) courage; ***~a cywilna***

courage of one's convictions; ***nabrać ~i, zebrać się na ~ę*** muster up courage; ***dodać ~i*** encourage

odwal|ać (*-am*) ⟨**~ić**⟩ remove; F (*wykonać*) get *s.th.* over and done with; (*wykonać źle*) bungle; ***zostać ~onym*** be given the brush-off; F ***~ się!*** get lost!

odwar *m* (*-u*; *-y*) *med.* decoction

odważ|ać (*-am*) weigh out; ***~ać się*** → ***odważyć***; **~nik** *m* (*-a*; *-i*) weight; **~ny** courageous; brave; **~yć** *pf.* → ***odważać***; ***~yć się*** (***na*** *A*) dare (to); have the courage (to)

odwdzięcz|ać się (*-am*) ⟨***~yć się***⟩ (*-ę*) (***za*** *A*) repay (for), return (for)

odwet *m* (*-u*; *0*) retaliation, reprisal; ***w ~ za*** in reprisal/retaliation for; **~owiec** *m* (*-wca*; *-wcy*) revanchist

od|wiązywać (*-uję*) ⟨***~wiązać***⟩ untie, undo; ***~wiązać się*** get untied, get undone; **~wieczny** perennial

odwiedz|ać (*-am*) ⟨***~ić***⟩ (*-dzę*) visit; **~iny** *pl.* (-) visit; ***przyjść w ~iny*** (***do*** *G*) visit, come to visit

odwiert *m* (*-u*; *-y*) *tech.* well

od|wieść *pf.* → ***odwodzić***; **~wieźć** *pf.* → ***odwozić***; **~wijać** (*-am*) unwind, reel off; *rękaw* turn up; ***~wijać się*** unwind o.s.; **~wilż** *f* (*-y*; *-e*) thaw (*też fig.*); **~winąć** *pf.* → ***odwijać***

od|wirow(yw)ać (*-[w]uję*) spin; *pranie też.* spin-dry; **~wlekać** (*-am*) ⟨**~wlec**⟩ drag away, pull away; *fig.* put off, delay; **~wodnić** *pf.* (*-ę, -nij!*) → ***odwadniać***; **~wodzić** lead away, take away; *kurek* cock; ***~wodzić od*** (*G*) dissuade from

odwoła|ć *pf.* → ***odwoływać***; **~nie** *n* cancellation; *jur.* repeal; ***aż do ~nia*** until further notice; ***~nie alarmu*** all-clear (signal); ***~nie się*** (***do*** *G*) call (to), appeal (to); **~wczy** *jur.* appeal

odwoływać (*-uję*) call off, cancel; *urzędnika* recall, call back; *rozkaz*, *zamówienie* cancel, revoke; ***~ się*** (***do*** *G*) turn (to), appeal (to)

odwozić (*samochodem*) drive off; cart away

odwraca|ć turn (round) (***się*** *v/i.*); *głowę*, *klęskę* turn away; ***~ć uwagę*** distract; **~lny** reversible; ***film ~lny*** reversal film

odwrot|nie *adv.* conversely, vice versa; inversely; the other way round; **~ność** *f* (*-ści*; *0*) the opposite; reversal; *math.* reciprocal; **~ny** opposite; reverse; ***~na strona*** back, reverse, the other side

odwró|cenie *n* (*-a*; *0*) reversal; **~cić** *pf.* → ***odwracać***; **~t** *m* (*-otu*; *-oty*) *mil.*, *fig.* retreat; withdrawal; ***na ~t*** → ***odwrotnie***; ***na odwrocie*** (*strony*) overleaf

odwyk|ać (*-am*) ⟨**~nąć**⟩ (*-nę*) (***od*** *G*) lose the habit (of); **~owy** withdrawal

odwzajemni|ać (*-am*) ⟨**~ć**⟩ (*-ę*, *-nij!*) return; ***~(a)ć się*** repay (***k-u za*** *A* s.o. for)

odyniec *m* (*-ńca*; *-ńce*) wild boar

odzew *m* (*-u*; *-y*) *mil.* password; *fig.* response

odziedziczony inherited

odzież *f* (*-y*; *0*) clothing, clothes *pl.*; **~owy** clothing, clothes

odzna|czać (*-am*) (*orderem*) decorate; single out, distinguish; ***~czać się*** stand out; **~czenie** *n* (*-a*; *G -eń*) decoration; (*wyróżnienie*) award; **~czyć** *pf.* → ***odznaczać***; **~ka** *f* (*-i*; *G -*) badgc

odzwierciedl|ać (*-am*) ⟨**~ić**⟩ (*-lę*, *-lij!*) reflect, mirror; ***~ać się*** be reflected; **~enie** *n* (*-a*; *G -eń*) reflection

odzwycza|jać (*-am*) ⟨**~ić**⟩ (*-ję*, *-j!*) break (***k-o od*** *G* s.o. of) a habit, wean (***od*** *G* from); ***~jać*** ⟨***~ić***⟩ ***się*** (***od*** *G*) lose the habit (of)

odzysk|anie *n* (*-a*; *0*) recovery, recuperation; **~(iw)ać** (*-[w]uję*) recover; regain; *zdrowie* recuperate; *surowce* recycle; ***~ać przytomność*** regain consciousness

odzyw|ać się (*-am*) say, speak; *dzwonek*: sound, be heard; *gry w karty*: bid; (***do*** *G*) speak (to); ***nikt się nie odzywa*** *tel.* nobody answers; F ***nie odezwał się jeszcze*** we haven't heard from him yet; **~ka** *f* (*-i*) *gry w karty*: bid

odźwierny *m* (*-ego*; *-ni*) porter, doorman, gatekeeper

odżałować *pf.* get over

odżyw|ać (*-ję*) ⟨**odżyć**⟩ come (back) to life; *fig.* revive, rejuvenate; **~czo** *adv.* nutritiously; **~czy** nutritious, nourishing; **~iać** (*-am*) ⟨**~ić**⟩ feed; nourish ***~iać się*** *zw. zwierzęta*: feed (on); live on; **~ianie** nutrition, nourishment; **~ka** *f* (*-i*; *G -wek*) nutrient; (*do włosów*) conditioner; ***~ka dla dzieci*** formula feed, baby food

ofensyw|a *f* (*-y*; *G -*) offensive; *sport*: attack; **~ny** offensive

ofer|ent *m* (*-a*; *-ci*) bidder; **~ować** (*-uję*)

O

⟨**za-**⟩ (*-uję*) offer; **~ta** *f* (*-y*; *G* -) offer; ***złożyć ~tę*** make an offer

ofiar|a *f* (*-y*, *DL ofierze*; *-y*, *G* -) sacrifice; *osoba itp.*: victim; casualty (*wypadku*); *datek*: offering, donation; F *oferma*: loss-loser; ***paść ~ą*** (*G*) fall victim (to); **~ność** *f* devotion; **~ny** devoted; **~odawca** *m*, **~odawczyni** *f* contributor, donor, donator; **~ow(yw)ać** (*-[w]uję*) give, *też* (**się z** *I*) offer; donate, (*poświęcać*) sacrifice

ofi|cer *m* (*-a*; *-owie*) officer; **~cerski** officer; **~cjalny** official, formal

oficyna *f* (*-y*; *G* -) (building) wing; *wydawnicza* publishing house

ofsajd *m* (*-u*; *-y*) (*w sporcie*) offside

ofuk|iwać (*-uję*) ⟨***~nąć***⟩ (*-nę*) snub

oganiać (się) → ***opędzać*** (***się***)

ogarek *m* (*-rka*; *-rki*) stump

ogarn|iać (*-am*) ⟨***~ąć***⟩ take in, include; (*pojąć*) grasp, catch; *por.* ***obejmować, otaczać***

og|ień *m* (*ognia*; *ognie*, *-ni*) fire; ***w ~niu*** on fire; ***puścić z ~niem*** set on fire; ***otwierać ~ień*** (***na*** *A*) open fire (at)

ogier *m* (*-a*; *-y*) *zo.* stallion

oglądać (*-am*) watch (***się*** o.s.; ***w*** *I* in); view, see; ***~ się*** look round (***na*** *A* at)

oglę|dność *f* (*-ści*; *0*) prudence; **~dny** cautious, guarded; ***~dnie mówiąc*** putting it mildly; **~dziny** *pl.* (-) inspection; ***~dziny zwłok*** post-mortem, autopsy

ogład|a *f* (*-y*; *0*) polish, politeness; ***bez ~y*** unrefined, uncouth; → ***obycie***

O

ogłaszać (*-am*) announce, make public; ***~ drukiem*** publish; ***~ się*** advertise

ogło|sić *pf.* → ***ogłaszać***; **~szenie** *n* (*-a*; *G -eń*) announcement; notice; advertisement; **~szeniowy** notice

ogłuchnąć *pf.* grow deaf

ogłupi|ały stupefied; **~eć** *pf.* lose one's head; go soft in the head

ogłusz|ać (*-am*) → ***głuszyć***; **~ająco** *adv.* deafeningly

ogni|e *pl.* → ***ogień***; ***sztuczne ~e*** *pl.* fireworks *pl.*; ***zimne ~e*** *pl.* sparklers *pl.*; **~k** *m* (*-a*; *-i*) flame; ***błędny ~k*** will o' the wisp; jack o' lantern

ognio|odporny, ~trwały fire-proof; **~wy** fire; ***straż ~wa*** *Brt.* fire brigade, *Am.* fire department

ognisko *n* (*-a*; *G* -) (bon)fire; *fig. Brt.* centre, *Am.* center; *phys.*, *phot.* focus; ***~ domowe*** hearth (and home); **~wa** *f* (*-ej*; *-e*) *phys.* focal length; **~wać** (*-uję*) ⟨**z-**⟩ (*-uję*) focus (**się** *v/i.*)

ogni|sto- *w złoż.* fire; **~ście** *adv.* passionately; **~sty** fiery; *fig.* fiery, passionate; flaming red

ogniwo *n* (*-a*; *G* -) link; *electr.* cell

ogołoc|ić *pf.* (*-cę*) denude; take away (***z pieniędzy*** one's money); ***~ony z liści*** bare, without leaves

ogon *m* (*-a*; *-y*) tail; ***wlec się w ~ie*** bring up the rear; **~ek** *m* (*-nka*; *-nki*) → ***ogon***; (*kucyk*) ponytail; (*kolejka*) *Brt.* queue, *Am.* line; ***ustawić się w ~ku*** *Brt.* queue up, *Am.* line up; **~owy** tail; *biol.* caudal

ogorzały tanned

ogólni|e *adv.* generally; **~k** *m* (*-a*; *-i*) → ***komunał***; **~kowo** *adv.* generally, vaguely; **~kowy** general, vague

ogólno|europejski European, pan-European; **~kształcący** all-round education; **~polski** Polish, all-Polish; **~światowy** world-wide, world

ogólny general

ogół *m* (*-u*; *0*) general public, public at large; ***dobro ~u*** public welfare *lub* good; ***~em*** in all; ***na ~*** usually; on the whole; ***w ogóle*** by and large; ***w ogóle nie*** not at all

ogór|ek *m* (*-rka*; *-rki*) *bot.* cucumber; **~kowy** cucumber; ***sezon ~kowy*** the silly season

ogra|biać (*-am*) → ***grabić***; **~ć** *pf.* → ***ogrywać***; **~dzać** (*-am*) fence off/in

ogranicz|ać (*-am*) limit, restrict; ***~ać się*** (***do*** *G*) restrict o.s. (to), confine o.s.(to); **~enie** *n* (*-a*; *G -eń*) restriction, limit; **~oność** *f* (*-ści*; *0*) limited intelligence; **~ony** limited, restricted; *fig.* dull-witted, narrow-minded; **~yć** *pf.* → ***ograniczać***

ograny *dowcip itp.* hackneyed, trite

ogrod|nictwo *n* (*-a*; *0*) gardening; horticulture; **~niczka** *f* (*-ki*; *G -czek*), **~nik** *m* (*-a*; *-icy*) gardener; **~owy** garden, gardening; horticultural

ogrodz|enie *n* (*-a*; *G -eń*) fence; **~ić** *pf.* → ***ogradzać***

ogrom *m* (*-u*; *0*) enormity; immensity; magnitude; **~ny** enormous; immense; magnitude

ogród *m* (*-odu*; *-ody*) garden; ***~ owocowy*** orchard; **~ek** *m.* → ***ogród***; (*działka*) *Brt.* allotment; ***~ek przed domem*** front garden

ogródka *f*: ***bez ~ek*** without beating about the bush

ogry|wać *(-am)* win all *s.o.'s* money (***w pokera*** at poker); beat (***w*** *A* at); **~zać** *(-am)* ⟨**~źć**⟩ gnaw at; **~zek** *m (-zka; -zki)* (*owocu*) core

ogrzewa|ć *(-am)* ⟨***ogrzać***⟩ heat, warm; ***~ć*** ⟨***ogrzać***⟩ ***się*** get warm; **~nie** *n (-a; G -ń)* (***centralne*** central) heating

ogumienie *n (-a; G -eń) mot.* set of *Brt.* tyres, *Am.* tires

ohydny hideous

OI *skrót pisany*: ***Ośrodek Informacyjny*** information centre

oj oh

ojciec *m (-jca; -jców)* father; ***~ chrzestny*** godfather; ***po ojcu*** paternal; ***bez ojca*** fatherless

ojco|stwo *n (-a; G -tw)* fatherhood, paternity; **~wizna** *f (-y; G -zn)* patrimony; **~wski** fatherly, paternal; ***po ~wsku*** like a father

ojczy|m *m (-a; -y)* stepfather; **~sty** native; → ***język***; **~zna** *f (-y; G -zn)* homeland, motherland, mother country

ok. *skrót pisany*: ***około*** c. (*around*)

okalać *(-am)* surround, encircle

okalecz|enie *n (-a; G -eń)* injury; **~yć** *(-ę)* injure, hurt

okamgnieni|e *n (-a)*: ***w ~u*** in a flash

okap *m (-u; -y) bud.* eaves *pl.*; (*wyciąg*) hood

okaz *m (-u; -y)* specimen; ***~ać się*** *pf.* → ***okazywać się***; **~ale** *adv.* spectacularly; **~ały** spectacular, impressive; **~anie** *n (-a; 0)* (*dowodu*) production, demonstration; ***~anie pomocy*** assistance; ***za ~aniem*** on production *lub* presentation; **~iciel** *m (-a; -e)*, **~icielka** *f (-i; G -lek)* bearer; ***czek na ~iciela*** *Brt.* bearer cheque, *Am.* bearer check

okazj|a *f (-i; -e)* occasion; (*kupna*) bargain, good buy; ***przy ~i, z ~i*** (*G*) on the occasion (of)

okaz|owy specimen; **~yjny** bargain; ***~yjna cena*** special price; **~ywać** *(-uję)* present, demonstrate; (*dać wyraz*) express; ***~ywać pomoc*** help; ***~ywać się*** (*I*) turn out, prove; ***jak się ~ało*** as it turned out

okien|ko *n (-nka; G -nek)* window; (*w urzędzie też*) counter; **~nica** *f (-y; -e)* shutter; **~ny** window

oklapnąć *pf.* F *fig.* wilt, sag

oklaski *m/pl. (-ów)* applause; **~wać** *(-uję)* applaud

okle|ina *f (-y; G -)* veneer; **~jać** *(-am)* ⟨**~ić**⟩ stick (all over s.th.)

oklepany hackneyed, trite

okład *m (-u; -y) med.* compress, (*ciepły*) poultice; F ***sto … z ~em*** a good hundred …; **~ać** *(-am)* cover; (*kompresem*) apply; *tech.* face, (*metalem*) clad; ***~ać kijem*** thrash with a stick; **~ka** *f (-i; G -dek)* (*książki*) cover; (*na książkę*) jacket; (*płyty*) sleeve

okładzina *f (-y; G -)* overing, lining; facing

okłam|ywać *(-uję)* ⟨**~ać**⟩ lie (*A* to)

okno *n (-a; G okien)* window; ***~ wystawowe*** shop window; ***przez ~, z okna, oknem*** out of the window

oko *n (oka; oczy, oczu, oczom, oczami/oczyma, o oczach) anat.* eye; (*oka; oka, ok, okami*) mesh; → ***oczko***; ***mieć ~ na*** (*A*) have an eye (on); ***nie rzucać się w oczy*** keep a low profile; ***~ za ~*** eye for eye; ***na ~*** approximately; ***na oczach*** in full view; ***w cztery oczy*** face to face; ***na własne oczy*** with one's own eyes; ***w oczach*** visibly

okolic|a *f (-y; G -)* area; neighbo(u)rhood; ***w ~y*** round about

okolicz|nik *m (-a; -i) gr.* adverbial; **~nościowy** occasional; **~ność** *f (-ści) zw. pl.* circumstances *pl.*, conditions *pl.*; ***w tych ~nościach*** under these circumstances; **~ny** local; neighbo(u)ring; ***~ni mieszkańcy*** *pl.* locals *pl.*

oko|lić *pf. (-lę)* → ***okalać***; **~ło** *prp.* (*G*) about, around

okoń *m (-nia; -nie) zo.* perch

okop *m (-u; -y)* trench; **~ywać** *(-uję)* ⟨**~ać**⟩ *agr.* earth up

oko|stna *f (-nej; 0) anat.* periosteum; **~wy** *f/pl. (-wów)* fetters *pl.*, chains *pl.*

okóln|ik *m (-a; -i)* circular; **~y** circular; → ***okrężny***

ok|piwać *(-am)* ⟨**~pić**⟩ F lead on

okradać *(-am)* rob

okra|jać → ***okrawać***; **~kiem** astride; **~sa** *f (-y; -)* fat; **~szać** *(-am)* → ***krasić***; **~ść** *pf.* → ***okradać***; **~tować** *(-uję)* put bars over; **~wać** *(-am)* trim, cut; *fig.* shorten; **~wek** *m (-wka; -wki)* paring, scrap

okrąg *m (okręgu; okręgi) math.* circle; **~lak** *(-a; -i)* round timber; **~ły** round; circular

O

okrąż|ać (*-am*) go round; enclose; surround; **~enie** *n* (*-a*; *G -eń*) circuit; (*w sporcie*) lap; **~yć** *pf.* → ***okrążać***
okres *m* (*-u*; *-y*) (***próbny, ochronny*** trial, close) period; *szkoła*: term; (*u kobiety*) period, menstruation; season (*świąt itp.*); **~owo** *adv.* periodically; **~owy** periodic; *tymczasowy* temporary; ***bilet ~owy*** season ticket
określ|ać (*-am*)⟨**~ić**⟩determine, define; (*nazywać*) call, describe; **~enie** *n* (*-a*; *G -eń*) determination, definition; description, label; **~ony** specific; *gr.* definite
okręc|ać (*-am*) ⟨**~ić**⟩ (*I*) bind (with), wind (with), wrap (with); (*obracać*) twist; ***~ać*** ⟨***~ić***⟩ ***się*** (***wokół***) coil (around); (*obracać się*) turn (a)round
okręg *m* (*-u*; *-i*) district, region; **~owy** district; regional
okręt *m* (*-u*; *-y*) *naut.* warship; **~ownictwo** *n* (*-a*; *0*) shipbuilding; **~ować** ⟨***za-***⟩ (*-uję*) embark; **~owy** ship, naval, marine; ***linia ~owa*** shipping line; ***dziennik ~owy*** log
okrężn|y roundabout; circular; ***droga ~a*** roundabout way, detour; ***drogą ~ą*** *fig.* indirectly; → ***skrzyżowanie***
okroić *pf.* → ***okrawać***
okrop|ieństwo *n* (*-a*; *G -*) horror, atrocity; **~ność** *f* (*-ści*; *0*) horror; **~ny** horrible, atrocious; *ból itp.* awful, terrible
okruch *m* (*-a*; *-y*) crumb; *fig.* piece, bit
okrucieństwo *n* (*-a*; *G -*) cruelty
okruszyna *f* (*-y*; *G -*) crumb; → ***okruch***
okrutny cruel
okry|cie *n* (*-a*; *G -yć*) cover; (*płaszcz*) coat; **~wać** (*-am*) ⟨**~ć**⟩ (*-ję*) cover (***się*** o.s.; *I* with); envelop (*też fig.*)
okrzepnąć *pf.* → ***krzepnąć***
okrzy|czany famous; (*złej sławy*) notorious; **~k** *m* (*-u*; *-i*) shout, cry; ***~ki radości*** shouts of joy
Oksford *m* (*-u*; *0*) Oxford
oktawa *f* (*-y*; *G -*) *mus.* octave
oku|cie *n* (*-a*; *G -uć*) fitting; (*laski itp.*) ferrule; **~ć** *pf.* → ***okuwać***; **~lary** *pl.* (*-ów*) glasses *pl.*; (*końskie*) blinkers *pl.*; ***on nosi ~lary*** he wears glasses
okulist|a *m* (*-y*; *-ów*), **~ka** *f* (*-i*; *G -tek*) *med.* eye doctor; ophthalmologist; **~yczny** ophthalmological
okup *m* (*-u*; *-y*) ransom; **~acja** *f* (*-i*; *-e*) occupation; **~acyjny** occupation; **~ant** *m* (*-a*; *-nci*) occupant; **~ować** (*-uję*) *kraj* occupy; *fig.* hog, monopolize; **~ywać** (*-uję*) pay (***życiem*** with one's life); *krzywdę* redeem; ***~ywać się*** buy o.s. off, buy one's freedom
okuwać (*-am*) fit; *konia* shoe
olbrzym *m* (*-a*; *-i/-y*) giant; **~i** giant, colossal; **~ka** *f* (*-i*; *G -ek*) giant
olch|a *f* (*-y*; *G -*) *bot.* alder; **~owy** alder
ole|isty oily; **~j** *m* (*-u*; *-e*) (***jadalny, opałowy, napędowy*** cooking, heating, diesel) oil; **~jarka** *f* (*-i*; *G -jek*) oiler, oilcan; **~jarnia** *f* (*-i*; *-e*) oil-mill; **~jek** *m* (*-jku*; *-jki*) (***do opalania*** suntan) oil; **~jny, ~jowy** oil; **~odruk** *m* (*-u*; *-i*) oleograph
olicowanie *n* (*-a*) *bud.* facing
olimpi|ada *f* (*-y*; *G -*) Olympics *pl.*; **~jczyk** *m* (*-a*; *-cy*), **~jka** *f* (*-i*; *G -jek*) Olympic competitor, *Am.* Olympian; **~jski** Olympic
oliw|a *f* (*-y*; *zw. 0*) (olive) oil; **~ić** ⟨***na-***⟩ (*-ę*) oil, lubricate; **~ka** *f* (*-i*; *G -wek*) olive; **~kowy** olive; *kolor* olive-green; **~ny** olive; ***gałązka ~na*** *też fig.* olive branch
olsz|a *f* (*-y*; *G -*) *bot.*, **~yna** *f* (*-y*; *G -*) → ***olcha***
olśnić *pf.* → ***olśniewać***
olśnie|nie *n* (*-a*; *G -eń*) *fig.* flash of inspiration, brain wave; **~wać** (*-am*) dazzle (*też fig.*); **~wająco** *adv.* stunningly, brilliantly; **~wający** stunning, glamorous, brilliant
ołowi|any, ~owy lead; *fig.* leaden
ołów *m* (*-łowiu*; *0*) *chem.* lead; **~ek** *m* (*-wka*; *-wki*) pencil; ***~ek do brwi*** eyebrow pencil; ***~ek kolorowy*** colo(u)red pencil; ***~ek automatyczny*** *Brt.* propelling pencil, *Am.* mechanical pencil
ołtarz *m* (*-a*; *-e*) *rel.* altar; ***wielki ~*** high altar
omac|ek: ***iść po ~ku, ~kiem*** grope one's way; ***szukać po ~ku*** grope for; **~ywać** (*-uję*) → ***macać***
omal: **~** (***że***) ***nie*** almost, nearly
omam *m* (*-u*; *-y*) delusion, illusion; **~iać** (*-iam*) ⟨**~ić**⟩ (*-ię*) beguile, deceive
omawiać go over, discuss; treat
omdl|ały faint, limp; **~enie** *n* (*-a*; *G -eń*) faint; **~ewać** (*-am*)⟨**~eć**⟩ faint, pass out
omiatać (*-am*) sweep
omieszkać (*-am*): ***nie ~*** not fail, not forget
omi|eść *pf.* → ***omiatać***; **~jać** ⟨**~nąć**⟩ *v/t.* go round, bypass; *trudność, prob-*

O

lem, *zakaz* get round; (*t-ko impf.*) avoid; ***nie ~nie go kara*** he will not escape punishment; ***~nął ją awans*** she was passed over for promotion; → ***mijać***
omlet *m* (*-u*; *-y*) *gastr.* omelette
omłot *m* (*-u*; *-y*) *agr.* threshing; **~owy** threshing
omomierz *m* (*-a*; *-e*) *tech.* ohmmeter
omot|ywać (*-uję*) ⟨**~ać**⟩ wrap (*I* with); *fig.* ensnare (**w** *A* in)
omówi|ć *pf.* → ***omawiać***; **~enie** *n* (*-a*; *G -eń*) discussion, treatment; ***bez ~eń*** openly
omszały mossy
omułek *m* (*-łka*; *-łki*) *zo.* (edible) mussel
omy|ć *pf.* → ***omywać***; **~lić** *pf.* → ***mylić***; **~lny** fallible; **~łka** *f* (*-i*; *G -łek*) error, mistake; → ***błąd, pomyłka***; **~łkowo** *adv.* erroneously; **~łkowy** erroneous
on *pron.* (*G* [*je*]*go*, *D* [*je*]*mu*, *A* [*je*]*go*, *IL nim*) he; *rzecz*: it; **~a** *pron.* (*GD jej*, *A ją*, *I nią*, *L niej*) she; *rzecz*: it
onanizować się (*-uję*) masturbate
ondulacja *f* (*-i*; *-e*): ***trwała ~*** perm
on|e *pron. ż-rzecz* (*G* [*n*]*ich*, *D* [*n*]*im*, *A je*, *nie*, *I nimi*, *L nich*), **~i** *pron. m-os* (*A* [*n*]*ich*; → ***one***) they
oniemiały (***z*** *G*) dumbfounded, speechless (with)
onieśmiel|ać (*-am*) ⟨***~ić***⟩ (*-lę*) discourage, overawe
ono *pron.*(*A je*; → ***on***) it
ONZ *skrót pisany*: ***Organizacja Narodów Zjednoczonych*** UN (*United Nations*)
opactwo *n* (*-a*; *G -w*) abbey
opaczn|ie *adv.* wrong, falsely; **~y** wrong, false
opad *m* (*-u*; *-y*) fall; (*w sporcie*) bend from the hips; ***~ krwi*** F *med.* EST, sedimentation test; *zw. pl.* ***~y*** *meteo.* showers *pl.*; ***~y śnieżne*** snowfall; **~ać** *v/i.* fall, drop (*też fig.*); *głowa*, *głos itp.*: droop; *teren*: sink down; *gorączka*: subside; (*ze zmęczenia*) collapse; *v/t. owady itp.* besiege, swarm around; *fig.* plague, persecute; ***on ~a z sił*** he is losing his strength
opak: ***na ~*** the other way round, amiss
opakow|anie *n* (*-a*; *G -ań*) packaging, wrapping, packet; ***w ładnym ~aniu*** *fig.* in nice packaging; ***w*** (***próżniowym***) ***~aniu*** vacuum-packed; **~ywać** (*-uję*) → ***pakować***
opala|cz *m* (*-a*; *-e*) bikini top; **~ć** (*-am*) *pokój* heat; *sierść* singe; (*część ciała*) tan; ***~ć się*** tan, sunbathe
opal|enizna *f* (*-y*; *G -zn*) suntan; **~ić** *pf.* → ***opalać***; **~ony** (sun)tanned
opał *m* (*-u*; *-y*) fuel; ***skład ~u*** coal merchant's; **~owy**: ***drewno ~owe*** firewood
opamięt|ywać się (*-uję*) ⟨***~ać się***⟩ come to one's senses
opancerzony armo(u)red; → ***pancerny***
opanow|anie *n* composure; calmness; **~any** calm, self-controlled; **~(yw)ać** (*-*[*w*]*uję*) control (***się*** o.s.); *pożar*, *sytuację* bring under control; (*o uczuciach*) overcome, seize
opar *m* (*-u*; *-y*) veil of mist; **~y** *pl.* fumes *pl.*, vapo(u)rs *pl.*; → ***wyziewy***
opar|cie *m* (*-a*; *G -rć*) (*krzesła itp.*) back; support; *fig.* reliance; ***~cie dla głowy*** headrest; ***punkt ~cia*** hold; **~ty** based (***na*** *L* on)
oparz|elina *f* (*-y*; *G -in*) *med.* scalding; **~enie** *n* (*-a*; *G -eń*) burning; **~yć** *pf.* → ***parzyć***
opas|ać *pf.* → ***opasywać***; **~ka** *f* (*-i*; *G -sek*) band; ***~ka żałobna*** mourning-band; **~ły** obese; **~ywać** (*-uję*) (*I*) belt (with), bind (with), gird (with); ***~ywać się*** gird
opaść *pf.* → ***paść***[1]***, opadać***
opat *m* (*-a*; *-ci*) abbot
opatentować *pf.* (*-uję*) patent
opatrun|ek *m* (*-nku*; *-nki*) *med.* dressing; **~kowy** dressing
opatrywać (*-uję*) get ready; *ranę* dress; (*pieczęcią*, *kratą*) (*D*) provide (with); ***~ datą*** date
opatrznoś|ciowy providential; **~ć** *f* (*-ści*; *0*) providence
opa|trzyć *pf.* → ***opatrywać***; **~tulać** (*-am*) ⟨***~tulić***⟩ (*-lę*) wrap up
opcja *f* (*-i*; *-e*) option
opera *f* (*-y*; *G -er*) opera; (*budynek*) opera house
opera|cja *f* (*-i*; *-e*) operation (*też mil.*, *med.*); *med.* surgery; ***~cja handlowa*** transaction; **~cyjny** operating; surgical; ***system ~cyjny*** *komp.* operating system; **~tor** *m* (*-a*; *-rzy*), **~torka** *f* (*-i*; *G -rek*) operator; **~tywny** efficient
operetk|a *f* (*-i*; *G -tek*) operetta; **~owy** operetta
operować (*-uję*) (*-uję*) ⟨**z-**⟩ *v/i.* operate; *v/t. med.* operate on; manipulate

O

operowy opera, operatic
opędz|ać (*-am*) ⟨**~ić**⟩ (*też* ***się od*** *G*) chase away; *wydatki* meet; *potrzeby* satisfy; ***nie móc się ~ić*** not be able to get rid of
opęt|ać *pf.* → ***opętywać***; **~anie** *n* (*-a*) possession; *fig.* obsession; **~ańczy** like one possessed; **~ywać** (*-uję*) possess; ***być ~anym przez*** (*A*) be possessed by, *fig.* be obsessed with
opić *pf.* → ***opijać***
opie|c *pf.* → ***opiekać***; **~czę-** *pf.* → ***pieczę-***; **~ka** *f* (*-i*; *G* -) care; ***~ka społeczna*** social security, welfare; ***~ka lekarska*** medical care; ***~ka nad zabytkami*** preservation of historic monuments; ***być pod ~ką*** (*G*) be under the care (of)
opieka|cz *m* (*-a*; *-e*) toaster; **~ć** (*-am*) *chleb* toast; (*na ruszcie*) grill; (*w tłuszczu*) braise
opiek|ować ⟨***za-***⟩ **się** (*-uję*) (*I*) look (after), take care (of); (*chorym*) nurse; (*dziećmi dorywczo*) baby-sit; **~un** *m* (*-a*; *-owie/-i*), **~unka** *f* (*-i*; *G -nek*) (*starszych itp.*) social worker; (*dzieci, stały*) (child) minder, (*dorywczy*) baby-sitter; (*studentów*) tutor; *jur.* guardian; **~uńczo** protectively; **~uńczy** protective, caring; ***państwo ~uńcze*** welfare state
opieprz|ać (*-am*) ⟨**~yć**⟩ F *Brt.* tear a strip, *Am.* chew out
opierać (*-am*) (***o*** *A*) lean (against) (***się*** *v/.i.*), prop (against); rest (on) (***się*** *v/.i.*); (***na*** *A*) *fig.* base (on); ***~ się*** *fig.* resist, withstand

opiesza|le *adv.* negligently, inertly; **~łość** *f* (*-ści*; *0*) negligence; **~ły** slow-moving, negligent, inert
opiewać (*-am*) extol, glorify; (***na*** *A*) amount to; *wyrok* come to
opięty tight, close-fitting
opi|jać (*-am*) celebrate with a drink; ***~jać się*** (*I*) drink too much, F sink; **~lstwo** *n* (*-a*; *0*) alcoholism; ***w stanie ~lstwa*** when drunk
opił|ki *m/pl.* filings *pl.*; **~ow(yw)ać** (*-[w]uję*) file
opini|a *f* (*GDl -ii*; *-e*) opinion, view, belief; (*sława*) reputation; *szkoła*: school report; → ***ocena***; **~ować** ⟨***za-***⟩ (*-uję*) (*A*, ***o*** *L*) express opinion (about)
opis *m* (*-u*; *-y*) description; **~ywać** (*-uję*) ⟨**~ać**⟩ describe
o|platać (*-am*) entwine (***się*** *v/i.*); fold around; **~plątywać** (*-uję*) ⟨~plątać⟩ entangle (*też fig.*); **~pleść** *pf.* → ***oplatać***; **~pluwać** (*-am*) ⟨**~pluć**⟩ (***na*** *A*) spit (at)
opłac|ać (*-am*) pay; ***~ać się*** pay (*też fig.*); *szantażyście* pay off; ***nie opłaca się*** it's no use; **~alny** profitable, lucrative; *fig.* worthwhile, rewarding; **~ić** *pf.* → ***opłacać***; **~ony** paid; *koperta* stamped
opłak|any sorry, pitiful; **~iwać** (*-uję*) lament, mourn (*też fig.*)
opłata *f* (*-y*; *G* -) charge, fee; (*opłacenie*) payment; ***~ za przejazd*** fare; ***~ pocztowa*** postage
opłatek *m* (*-tka*; *-tki*) *rel.* wafer
opłucna *f* (*-ej*; *-e*) *anat.* pleura
opłuk|iwać (*-uję*) ⟨***~ać***⟩ rinse, flush
opły|wać ⟨***~nąć***⟩ *v/t.* *człowiek*: swim round; *okręt*: sail round; *woda*: wash round; ***~wać w dostatki*** be rolling in money; **~wowy** streamlined
opodal 1. *adv.* (*też* ***nie ~***) nearby; **2.** *prp.* (*G*) nearby
opodatkow|anie *n* (*-a*; *G -ań*) taxation; **~(yw)ać** (*-[w]uję*) tax
opona *f* (*-y*; *G* -) *mot.* *Brt.* tyre, *Am.* tire; *anat.* ***~ mózgowa*** meninx
oponować ⟨***za-***⟩ (*-uję*) (***przeciw*** *D*) protest, oppose
opończa *f* (*-y*; *G -cz*) cape
opor|nie *adv.* *robić* reluctantly; *przesuwać* with difficulty; **~nik** *m* (*-a*; *-i*) *electr.* resistor; **~ność** *f* (*-ści*; *0*) *electr.* resistance; **~ny** (*niegrzeczny*) disobedient; resistant
oportunistyczny opportunistic
oporządz|ać (*-am*) ⟨**~ić**⟩ *bydło* look after; *gastr.* gut
opowiada|ć (*-am*) narrate, tell; ***~ć się*** (***za*** *I*) declare o.s. in favo(u)r (of); **~nie** *n* (*-a*; *G -ań*) tale; story
opowie|dzieć *pf.* → ***opowiadać***; **~ść** *f* tale
opozyc|ja *f* (*-i*; *-e*) opposition; **~yjny** opposition
opór *m* (*-oru*; *-ory*) resistance; opposition; ***ruch oporu*** the Resistance
opóźni|ać (*-am*) ⟨**~ć**⟩ delay, hold up; ***~ać*** ⟨***~ć***⟩ ***się*** be late (***z*** *I* with); **~enie** *n* (*-a*; *G -eń*) delay; hold-up; **~ony** late, delayed; *fig.* retarded (***w*** *I* in)
opracow|anie *n* (*dzieło*) treatise, study; working out; **~(yw)ać** (*-[w]uję*) work out, develop, prepare; *dzieło* prepare, make up

opraw|a *f* (*-y*; *G -*) setting (*też theat.*, *fig.*); *print.* binding; ***w ~ie*** *print.* bound; ***w twardej ~ie*** hardback; → ***oprawka***; **~iać** (*-am*) ⟨***~ić***⟩ bind; *obraz* frame; *klejnot* set, mount; *tuszę* dress, skin; **~ka** *f* (*-i*; *G -wek*) → ***oprawa***; *okularów* frame, rim; *żarówki* socket; *tech.* holder; **~ny** bound; framed; set, mounted

opresj|a *f* (*-i*; *-e*) predicament, F fix; ***w ~i*** in dire straits

oprocentowanie *n* (*-a*; *G -ań*) interest

oprogramowanie *n* (*-a*; *G -ań*) *komp.* software

opromieniony *fig.* bright

oprowadz|ać (*-am*) ⟨***~ić***⟩ show around

oprócz *prp.* (*G*) besides, aside from

opróżni|ać (*-am*) ⟨***~ć***⟩ (*-ę*, *-nij!*) empty (***się*** *v/i.*); *pokój* vacate, move out of; *teren* evacuate; ***~ać*** ⟨***~ć***⟩ ***się*** become empty

oprysk|iwać (*-uję*) ⟨***~ać***⟩ sprinkle, spatter; **~liwie** *adv.* gruffly, brusquely; **~liwy** gruff, brusque

opryszczka *f* (*-i*; *G -ek*) *med.* herpes

opryszek *m* (*-szka*; *-szki/-szkowie*) thug, mugger, hudlum

oprzeć *pf.* → ***opierać***

oprzęd *m* (*-u*; *-y*) cocoon shell, floss

oprzytomnieć *pf.* (*-eję*) regain consciousness; collect o.s.; → ***opamiętywać się***

optować (*-uję*) opt (***na rzecz*** *G* in favo(u)r of, for)

opty|czny optical; **~k** *m* (*-a*; *-ycy*) optician; **~ka** *f* (*-i*; *0*) optics *sg.*

opty|malizować (*-uję*) optimize; **~malny** optimal, optimum; **~mista** *m* (*-y*; *G -tów*), **~mistka** *f* (*-i*; *G -tek*) optimist; **~mistyczny** optimistic

opuch|li(z)na *f* (*-y*; *G -(z)n*) swelling; **~ły**, **~nięty** swollen; → ***puchnąć***

opuk|iwać (*-uję*) ⟨***~ać***⟩ tap; *med.* percuss

opust *econ.* → ***upust***

opustosz|ały deserted, empty; ***~eć*** *pf.* (*-eję*) become deserted; **~yć** *pf.* → ***pustoszyć***

opuszcz|ać leave; *wyraz* omit, skip; *wykład* miss, skip; *rodzinę* desert; *por.* ***spuszczać***; ***~ać się*** come down; (*w pracy*) become disorderly/untidy; **~enie** *n* (*-a*; *0*) desolation; neglect; (*rodziny itp.*) desertion; (*pl.* *-a*) (*tekstu*) omission; **~ony** left; deserted; omitted; skipped

opuszka *f* (*-i*; *G -szek*) fingertip

opuścić *pf.* → ***opuszczać***

opyl|ać (*-am*) ⟨***~ić***⟩ dust; F sell

orać ⟨***z-, za-***⟩ *Brt.* plough, *Am.* plow; (*t-ko impf.*) F *fig.* work like hell

oranżada *f* (*-y*; *G -ad*) orangeade

oraz *cj.* and

orbi|ta *f* (*-y*; *G -*) orbit; ***na ~cie*** in orbit

orchidea *f* (*-dei*; *-dee*) *bot.* orchid

orczyk *m* (*-a*; *-i*) swingletree, *Am.* whiffletree; *aviat.* rudder bar; (*w sporcie*) tow bar; **~owy**: ***wyciąg ~owy*** tow lift

order *m* (*-u*; *-y*) medal, decoration

ordy|nacja *f*: ***~nacja wyborcza*** voting regulations *pl.*; **~nans** *m* (*-a*; *-i*) *mil.* orderly; **~narny** vulgar, gross; **~nator** *m* (*-a*; *-rzy*) consultant; **~nować** (*-uję*) administer, prescribe

orędowni|czka *f* (*-i*; *G -czek*), **~k** *m* (*-a*; *-cy*) advocate, champion

orędzie *n* (*-a*; *G -*) speech, address

oręż *m* (*-a*; *zw. 0*) weapons *pl.*

organ *m* (*-u*; *-y*) organ; **~y** *pl.* *mus.* organ; **~iczny** organic; **~ista** *m* (*-y*; *-ści*, *-stów*), **~istka** *f* (*-i*; *G -tek*) organist

organiza|cja *f* (*-i*; *-e*) organization; institution; **~cyjny** organizational; **~tor** *m* (*-a*; *-rzy*), **~torka** *f* (*-i*; *G -rek*) organizer

organizm *m* (*-y*) organism

organizować ⟨***z-***⟩ (*-uję*) organize; *spotkanie* arrange; *przyjęcie* hold

organ|ki *pl.* (*-ków*) *mus.* mouth organ; **~owy** organ; **~y** *pl.* → ***organ***

orgazm *m* (*-u*; *-y*) orgasm

orgia *f* (*GDl -ii*; *-e*) orgy

orienta|cja *f* (*-i*; *-e*) orientation; *fig.* view; ***zmysł ~cji*** sense of direction; ***~cja seksualna*** sexuality; **~cyjny** guiding; (*przybliżony*) approximate; **~lny** Oriental

orientować ⟨***z-***⟩ (*-uję*) inform; (*w terenie*, *kościół*) orient, orientate; ***~ się*** orientate o.s.; be familiar (***w*** *L* with); understand

orka *f* (*-i*; *0*) *Brt.* ploughing, *Am.* plowing

Orkady *pl.* (*G -ów*) Orkneys *pl.*

orkiestra *f* (*-y*; *G -*) orchestra; ***~ symfoniczna*** symphony orchestra

orli aquiline

Ormianin *m* (*-a*; *-nie*), **~ka** *f* (*-i*; *G -nek*) Armenian

ormiańs|ki Armenian; ***mówić po ~ku*** speak Armenian

ornament *m* (*-u*; *-y*) ornament

ornat *m* (*-u*; *-y*) *rel.* chasuble

O

ornitologi|a *f* (*GDL -ii*; *0*) ornithology; **~czny** ornithological
orny arable; ***grunt ~*** arable land
orszak *m* (*-u*; *-i*) entourage; (***ślubny, żałobny*** wedding, funeral) procession
ortodoksyjny orthodox
ortograficzny spelling
ortodontyczny orthodontic
ortopedyczny orthop(a)edic
oryginaln|ie originally; **~y** original
oryginał *m* (*-u*; *-y*) original, (*m-os a*; *-y/-owie*) original, nonconformist
orzec *pf.* → ***orzekać***
orzech *m* (*-a*; *-y*) *bot.* nut; ***~ włoski*** walnut; **~owy** nut; *zapach* nutty; *kolor* hazel
orzecz|enie *n* (*-a*; *G -eń*) decision; *jur.* judg(e)ment, verdict, ruling; *gr.* predicate; *med.* expert (medical) opinion
orzeka|ć (*-am*) decide, judge; *jur.* rule, adjudicate; **~jący**: ***tryb ~jący*** indicative mood
orzeł *m* (*orła*; *orły*) eagle; → ***reszka***
orzeszek *m* (*-szka*; *-szki*) → ***orzech***
orzeźwi|ać (*-am*) ⟨**~ć**⟩ refresh (**się** o.s.); **~ająco** *adv.* refreshingly; **~ający** refreshing; *fig.* invigorating; ***napoje*** *pl.* ***~ające*** refreshments *pl.*
os. *skrót pisany*: ***osoba, osób*** person; ***osiedle*** estate, settlement
osa *f* (*-y*; *G os*) *zo.* wasp
osacz|ać (*-am*) ⟨**~yć**⟩ encircle, beset
osad *m* (*-u*; *-y*) sediment, deposit; **~a** *f* (*-y*; *G -*) settlement; **~niczka** *f* (*-i*; *G -czek*), **~nik** *m* (*-a*; *-cy*) settler; **~owy** sedimentation, sedimentary
osadz|ać (*-am*) ⟨**~ić**⟩ (*w miejscu, też osad*) settle (**się** *v/i.*); *łopatę* fix; mount; *fig.* establish; ***~ić w areszcie*** put under arrest
osamotni|eć *pf.* (*-eję*) become lonely; **~enie** *n* (*-a*; *G -eń*) loneliness, solitude; **~ony** lonely
osącz|ać (*-am*) ⟨**~yć**⟩ drip off
osą|d *m* (*-u*; *-y*) estimation; judg(e)ment; **~dzać** (*-am*) ⟨**~dzić**⟩ estimate; *czyny* adjudge
osch|le *adv.* stiffly, crisply; **~łość** *f* (*-ści*; *0*) stiffness; **~ły** stiff, crisp
oscyla-, oscylo- *w złoż.* oscilla-, oscillo-
osełka *f* (*-i*; *G -łek*) whetstone
oset *m* (*ostu*; *osty*) *bot.* thistle
osiad|ać settle down; *budynek, teren* subside, sink; *osad* settle, deposit (***na*** *L* on); → ***osadzać się***; **~ły** settled
osiąg|ać (*-am*) ⟨**~nąć**⟩ (*-nę*) reach, achieve; *cenę* fetch; **~alny** within reach; available, attainable; **~i** *m/pl.* (*-ów*) *tech.* performance; **~nięcie** *n* (*-a*) achievement, attainment; accomplishment
osiąść → ***osiadać, mielizna***
osie *pl.* → ***oś***
osiedl|ać (*-am*) settle (**się** *v/i.*); **~e** *n* (*-a*; *G -i*) *Brt.* housing estate, *Am.* housing development; **~eńczy** settling; **~ić** *pf.* (*-lę*) → ***osiedlać***; **~owy** estate
osiem eight; **~dziesiąt** eighty; → ***734***; **~nasto-** *w złoż.* eighteen-; **~nastka** *f* (*-i*; *G -tek*) eighteen; (*linia*) number eighteen; **~nasty** eighteenth; **~naście** eighteen; → ***734***; **~set** eight hundred; → ***734***; **~setny** eight hundredth
osierdzie *n* (*-a*; *G -dź*) *anat.* pericardium
osieroc|ać (*-am*) ⟨**~ić**⟩ orphan
osi|ka *f* (*-i*; *G -*) *bot.* aspen; **~na** *f* (*-y*; *G -*) aspen wood
osioł *m* (*osła*; *osły*) *zo.* donkey, ass (*też fig.*)
osiow|y axial; **~e** *n* (*-ego*; *0*) *rail.* stall fee
oskarż|ać (*-am*) accuse (**o** *A* of); *jur. też.* impeach, charge (**o** *A* with); ***~ać przed sądem*** sue, take to court; **~enie** *n* (*-a*; *G -eń*) accusation; charge; ***wnieść ~enie*** (***przeciw*** *D*) sue (against); ***akt ~enia*** indictment; **~ony** *m* (*-ego*; *-żeni*, *G -żonych*), **~ona** *f* (*-ej*; *G -ych*) *jur.* the accused, defendant; ***ława ~onych*** the dock; **~yciel** *m* (*-a*; *-e*), **~cielka** *f* (*-i*; *G -lek*) *jur.* prosecutor; **~yć** *pf.* (*-am*) → ***oskarżać***
oskrob|ywać (*-uję*) ⟨**~ać**⟩ scrape; (*z łusek*) scale
oskrzel|e *n* (*-a*; *G -i*) *anat.* bronchus, bronchial tube; ***zapalenie/nieżyt ~i*** bronchitis
oskubywać (*-uję*) pluck; → ***skubać***
osłabi|ać (*-am*) ⟨**~ć**⟩ (*-ę*) lessen, weaken; *krytykę, argumenty* tone down, moderate; **~enie** *n* (*-a*; *0*) weakening, lessening; moderation; **~ony** weakened; moderated
osła|bnąć *pf.* → ***słabnąć***; **~dzać** (*-am*) sweeten, sugar (*też fig.*); **~niać** (*-am*) cover; protect; (*przed światłem*) shade; *fig.* shield; **~wiony** notorious
osło|dzić *pf.* → ***osładzać***; **~na** *f* (*-y*; *G -*) cover, shield; shelter; *fig.* protec-

tion; *mil.* covering (fire); (*w sporcie*) covering, guard; **~nić** *pf.* → ***osłaniać***; **~nka** *f* (-; *G -nek*) (*kiełbasy*) skin; ***bez ~nek*** openly

osłuch|iwać (*-uję*) ⟨***~ać***⟩ listen to; *med.* auscultate

osłupie|ć *pf.* (*-eję*) be flabbergasted; **~nie** *n* (*-a*; *0*) amazement, bewilderment; ***wprawić w ~nie*** amaze, bewilder

osma|lać (*-am*) → ***smalić***; **~row(yw)ać** (*-[w]uję*) daub; besmear (*też fig.*); **~żać** (*-am*) ⟨***~żyć***⟩ brown

osnowa *f* (*-y*; *G -nów*) *włók.* warp; *fig.* fabric

osob|a *f* (*-y*; *G osób*): ***~a fizyczna/prawna*** natural/legal person; individual; ***na ~ę, od ~y*** per person; ***starsza ~a*** older person; **~istość** *f* (*-ści*) personage, notable; **~isty** personal; individual; → ***dowód***; **~iście** in person, personally, individually

osobliw|ie *adv.* peculiarly; unusually; **~ość** *f* (*-ści*) curiosity; rarity; peculiarity; **~y** peculiar; unusual; ***nic ~ego*** nothing peculiar

osobn|ik *m* (*-a*; *-i*; *m-os pl. -cy*) individual; **~o** *adv.* separately, individually; **~y** separate, individual; → ***oddzielny, odrębny***; ***każdy z ~a*** each individual

osobow|ość *f* (*-ści*) personality; ***~ość prawna*** *jur.* legal capacity; **~y** personal; ***akta*** *pl.* ***~e*** personal files/dossiers *pl.*; ***pociąg ~y*** slow train

osowia|le *adv.* dejectedly; **~ły** depressed, downcast

ospa *f* (*-y*; 0) *med.* smallpox, variola; ***~ wietrzna*** chickenpox

ospa|le *adv.* sluggishly; lethargically; **~ły** sluggish; lethargic

ospowaty pock-marked

osprzęt *m* (*-u*; *-y*) equipment; *zwł. komp.* hardware

ostateczn|ie *adv.* finally, after all; **~ość** *f* (*-ści*) extremity; finality; ***w ~ości*** as a last resort; in an emergency; **~y** final; extreme → ***sąd***

ostat|ek *m* (*-tku*; *-tki*) rest; *t-ko pl.* ***~ki*** Shrovetide, Mardi Gras; ***do ~ka*** to the end; ***na ~ek*** at the end; **~ni** last; final; (*najnowszy*) latest; ***~nimi czasy*** → **~nio** *adv.* recently, lately; → ***namaszczenie***

ostentacyjny ostentatious, F splashy

ostoja *f* (*-oi*; *-oje*, *-oi*) *fig.* bastion, mainstay

ostro *adv.* sharply, sharp; keenly; → ***ostry***; **~ga** *f* (*-i*; *G ostróg*) spur; **~kątny** acute-angled; **~słup** *math.* pyramid; **~ść** *f* (*-ści*; *0*) sharpness; *phot.* focus; (*nauczyciela itp.*) harshness

ostrożn|ie carefully; cautiously; **~ość** *f* (*-ści*; *0*) care, caution; carefulness; ***środki*** *pl.* ***~ości*** precautions *pl.*, precautionary measures *pl.*; **~y** careful, cautious; *wyliczenia* conservative

ostr|y sharp; *światło* dazzling; *głos* shrill; *nauczyciel itp.* harsh; *zdjęcie* in focus; *zapach* pungent; *jedzenie* hot; *med.* acute; ***~e pogotowie*** alert; ***~y dyżur*** *med.* emergency service, emergency *Brt.* centre (*Am.* center)

ostryga *f* (*-i*; *G -*) *zo.* oyster

ostrze *n* (*-a*; *G -y*) blade

ostrze|gać (*-am*) ⟨***~c***⟩ warn (***przed*** *I* against); **~gawczy** warning; **~liwać** (*-wuję*) ⟨***~lać***⟩ shell, bombard; **~żenie** *n* (*-a*; *G -eń*) warning

o|strzyc *pf.* → ***strzyc***; **~strzyć** ⟨***na-***⟩ (*-ę*) sharpen, (*na szlifierce*) grind; *fig.* whet; **~studzać** (*-am*) cool; **~stygać** (*-am*) → ***stygnąć***; **~sunąć się** *pf.* → ***osuwać***

osusz|ać (*-am*) ⟨***~yć***⟩ dry; *bagno itp.* drain; F *butelkę* empty

osuw|ać się slip, slip off; *ziemia*: give way, slide; *ktoś*: sink (down); **~isko** *n* (*-a*; *G -*) landslide, landslip

oswa|badzać (*-am*) → ***oswobadzać***; **~jać** (*-am*) (***się z*** *I*) get used (to), get accustomed (to); *zwierzę* tame

oswo|badzać (*-am*) ⟨***~bodzić***⟩ (*-dzę*; *też -bódź!*) free (***się*** o.s.; ***od*** *G* from), liberate; **~bodzenie** *n* (*-a*; *0*) freeing; liberating; **~ić** *pf.* → ***oswajać***; ***~ić się*** *zwierzę*: become tame; **~jony** tame

osyp(yw)ać → ***obsypywać***

osza|cować *pf.* → ***szacować***; **~leć** go mad

oszałamia|ć (*-am*) stun; *fig.* daze, dazzle; **~jąco** *adv.* stunningly; bewilderingly; **~jący** stunning; dazzling, bewildering

oszczep *m* (*-u*; *-y*) (*w sporcie*) javelin

oszczepni|ctwo *n* (*-a*; *0*) (*w sporcie*) javelin-throwing; **~czka** *f* (*-i*; *G -czek*), **~k** *m* (*-a*; *-cy*) *sport*: javelin-thrower

oszczer|ca *m* (*-y*; *G -ców*) slanderer; **~czo** *adv.* slanderously; libellously; **~czy** slanderous; libellous; **~stwo** *n* (*-a*; *G -*) slander; libel

O

oszczę|dnościowy *rachunek itp.* savings; *poczynania* economy; **~dność** *f* (*-ści*; *0*) economy; thriftiness; (*pl.* **~dności**) savings *pl.*; **~dny** economical; sparing; *osoba* thrifty; **~dzać** (*-am*) ⟨**~dzić**⟩ (**na** *A*) save (up for); (**na** *L*) be sparing (with); *światło*, *materiały* save, economize on; *k-uś* save, spare; (*żyć oszczędnie*) economize

oszk|- *fig.* → **szk-**; **~lony** glazed

oszołomi|ć *pf.* → **oszałamiać**; **~enie** *n* (*-a*; *0*) daze; *fig.* bewilderment

oszpecać *pf.* → **szpecić**

oszroniony frosted

oszuka|ć *pf.* → **oszukiwać**; **~ńczo** *adv.* deceitfully; **~ńczy** deceitful; deceptive; **~ństwo** *n* (*-a*; *G* -) deceit; deceptiveness

oszukiwać (*-uję*) deceive; *v/i.* cheat; **~ się** deceive o.s.

oszust *m* (*-a*; *-ści*), **~ka** *f* (*-i*; *G -tek*) cheat, fraud, impostor; **~wo** *n* (*-a*; *G* -) deceit, deception; fraud

oś *f* (*osi*; *osie*) *mot.* axle; *math. itp.* axis

ościenny neighbo(u)ring

oścież: **na ~** wide open

ość *f* (*ości*) fishbone

oślep: **na ~** blindly, blind; **~iać** (*-am*) ⟨**~ić**⟩ (*-ę*) blind; (*światłem*) daze; **~iająco** *adv.* dazzlingly; **~iający** dazzling; **~nąć** (*-nę*) *pf.* go blind

ośl|i donkey; asinine (*też fig.*); **~e uszy** *fig.* dog ears; **~ica** *f* (*-y*; *G* -) *zo.* she-donkey; jenny-ass

ośliz(g)ły slimy

ośmie|lać (*-am*) ⟨**~lić**⟩ (*-lę*) encourage; **~lić się** take heart; dare; **~szać** (*-am*) ⟨**~szyć**⟩ (*-szę*) ridicule; **~szać** ⟨**~szyć**⟩ **się** make a fool of o.s.

ośmio|- *w złoż.* eight-; *math.*, *chem. itp.* octo-, octa-; **~bok** *m* (*-u*; *-i*) *math.* octagon; **~dniowy** eight-day(-long); **~krotny** eightfold; **~letni** eight-year-long, -old

ośmiornica *f* (*-y*; *G* -) *zo.* octopus

ośmi|oro, ~u *m-os* eight → **666**

ośnieżony snow-covered

ośr. *skrót pisany*: **ośrodek** *Brt.* centre, *Am.* center

ośrodek *m* (*-dka*; *-dki*) *Brt.* centre, *Am.* center

oświadcz|ać (*-am*) ⟨**~yć**⟩ state, declare; **~yć się** (*D*) propose (to); **~enie** *n* (*-a*; *G -eń*) statement, declaration; **~yny** *pl.* (-) proposal

oświat|a *f* (*-y*; *0*) education; **~owy** educational; **film ~owy** educational film

oświec|ać (*-am*) ⟨**~ić**⟩ *zwł. fig.* enlighten; **~enie** *n* (*-a*; *0*) enlightenment; **Ωenie** Enlightenment; **~ony** enlighted

oświetl|ać (*-am*) ⟨**~ić**⟩ (*-lę*) light, light up; illuminate; **~enie** *n* light (*s pl.*); lighting; illumination; **~eniowy** lighting

Oświęcim *m* (*-ia*) (*miejsce obozu koncentracyjnego*) Auschwitz; **Ωski** Auschwitz

otaczać (*-am*) surround, encircle; **~ się** (*I*) surround o.s. (with)

otchłań *f* (*-ni*; *-nie*) abyss, chasm

otępi|ały stupefied, torpid; *wzrok* vacant; **~eć** (*-eję*) deaden, become stupefied; **~enie** *n* (*-a*; *0*) stupefaction; *med.* dementia

oto here, there; **~ wszystko** that's all; **~ nasz dom** here is our house; **~ oni/one** here they are

otocz|ak *m* (*-a*; *-i*) pebble; **~enie** *n* (*-a*; *G -eń*) surrounding(s *pl.*); environment; **w ~eniu** (*G*) surrounded (by); **~yć** *pf.* → **otaczać**

otok *m* (*-u*; *-i*) round; **~ czapki** cap band

otomana *f* (*-y*; *G* -) ottoman

otóż → **oto**; **~ to** that is it

otręby *pl.* (*-rąb/-bów*) bran

otru|cie *n* (*-a*; *G -uć*) poisoning; **~ć** *pf.* poison; **~ty** poisoned

otrzaska|ć się F *pf.* (**z** *I*) get the knack (of); **~ny** F → **obyty**

otrząs|ać (*-am*) ⟨**~nąć**⟩ (*-nę*) (*też* **się z** *G*) shake off; **~ać** ⟨**~nąć**⟩ **się** shake o.s.; *fig.* recover (**po** *I* after)

otrze|ć *fig.* → **ocierać**; **~pywać** (*-uję*) ⟨**~pać**⟩ knock off, tap off

otrzewna *f* (*-ej*; *-e*) *anat.* peritoneum

otrzeźwi|ać (*-am*) ⟨**~ć**⟩ (*-ę*) refresh (**się** o.s.); *fig.* sober up

otrzym|anie *n* (*-a*; *0*) receipt; reception; **~ywać** (*-uję*) ⟨**~ać**⟩ receive, get, obtain; *tech.* produce

otuch|a *f* (*-y*; *0*) comfort; **pełen ~y** confident

otul|ać (*-am*) ⟨**~ić**⟩ (*I*) wrap (with); *v/i. fig.* shroud

otumaniać (*-am*) → **tumanić**

otwar|cie 1. *adv.* openly; **2.** *n* (*-a*; *G -rć*) opening; → **godzina**; **~tość** *f* (*-ści*; *0*) openness; cando(u)r; **~ty** open; *ktoś* candid, frank

otwier|acz *m* (*-a*; *-e*) opener; **~ać** (*-am*) open; (*zaczynać*) open, start; *parasol* put up; ***~ać się*** open

otwo|rek *m* (*-rka*; *-rki*) → ***otwór***; **~rem**: ***stać ~rem*** be open; **~rzyć** *pf.* → ***otwierać***

otwór *m* (*-woru*; *-wory*) opening; hole; gap

otyłość *f* (*-ści*; *0*) obesity

otyły obese

owa *f* → ***ów***; **~cja** *f* (*-i*; *-e*) ovation, applause; **~cyjny** enthusiastic

owad *m* (*-a*; *-y*) *zo.* insect

owado|bójczy: ***środek ~bójczy*** insecticide, insect poison; **~żerny** insectivore

owak(i) → ***tak(i)***

owal *m* (*-u*; *-e*) oval; **~ny** oval

owca *f* (*-y*; *-e, G -wiec*) *zo.* sheep *sg./pl.*

owcza|rek *m* (*-rka*; *-rki*) sheepdog, shepherd dog; ***~rek niemiecki*** Alsatian; ***~rek szkocki*** collie; **~rnia** *f* (*-i*; *-e, -i/-ń*) sheep-fold; **~rstwo** *f* (*-a*; *0*) sheep-breeding; **~rz** *m* (*-a*; *-e*) shepherd

owczy sheep; ***~ pęd*** herd instinct

owdowi|eć (*-eję*) *kobieta*: become a widow; *mężczyzna*: become a widower; ***~ały*** widowed

owdzie → ***ówdzie***

owe *ż-rzecz* → ***ów***

owędy: ***tędy i ~*** here and there

owi *pl. m-os* → ***ów***

owieczka *f* (*-i*; *G -czek*) *zo.* → ***owca***

owies *m* (*-wsa*; *-wsy*) *bot.* oat, (*nasiona*) oats *pl.*

owi|ewać (*-am*) blow on; *fig.* envelope; **~jać** (*-am*) ⟨***~nąć***⟩ (*-nę, -ń!*) wrap (round), bind (round); ***~jać*** ⟨~nąć⟩ ***się*** wind o.s., wrap o.s. (***wokół*** *G* round)

owładnąć *pf* (*-nę*) → ***zawładnąć***

owłosiony hairy

owo *n* → ***ów***

owoc *m* (*-u*; *-e*) *bot.* fruit (*też fig.*); **~arski** fruit; **~ny** fruitful; **~ować** fruit; **~owy** fruit

owrzodz|enie *n* (*-a*; *G -eń*) *med.* ulceration; **~ony** ulcerated

owsian|ka *f* (*-i*; *G -nek*) porridge; **~y** oat

owszem *adv.* of course, without a doubt; on the contrary

ozdabiać (*-am*) decorate, embellish; → ***zdobić***

ozdob|a *f* (*-y*; *G -dób*) decoration, ornament; **~ić** *pf.* → ***ozdabiać***; **~ny** ornamental, decorative; (*przeładowany*) ornate

ozdrowie|niec *m* (*-a*; *-y*) convalescent; **~ńczy** convalescent; *econ.* redevelopment, rehabilitation

oziębi|ać (*-am*) ⟨***~ć***⟩ cool down (***się*** *v/i.*); **~enie** *n* (*-a*; *G -eń*) cooling

oziębl|le *adv.* coldly; **~ły** cold; chilly; (*seksualnie*) frigid

ozim|ina *f* (*-y*; *G -*) *agr.* winter seed; winter grain; **~y** *agr.* winter

oznacz|ać (*-am*) mean, signify; symbolize, represent; ⟨***~yć***⟩ *też* mark, label

oznajmi|ać (*-am*) ⟨***~ć***⟩ (*-ę, -mij!*) declare, state, announce; **~enie** *n* (*-a*) announcement; → ***obwieszczenie***

oznajmujący: ***tryb ~*** *gr.* indicative mood

oznaka *f* (*-i*; *G -*) symptom, sign, indication; (*znaczek*) badge

ozon *m* (*-u*; *0*) *chem.* ozone; **~owy** ozone; ***warstwa ~owa*** ozone layer

ozór *m* (*-zoru*; *-zory*) tongue (*też gastr.*)

ożaglowanie *n* (*-a*; *G -ań*) *naut.* rig

ożen|ek *m* (*-nku*; *-nki*) marriage; **~ić się** → ***żenić się***; **~iony** married (***z*** *I* to)

oży|wać (*-am*) ⟨***~ć***⟩ come alive; *fig.* revive; **~wczo** *adv.* in a stimulating way; **~wczy** stimulating, invigorating; **~wiać** (*-am*) ⟨***~wić***⟩ enliven, F liven up; stimulate; ***~wiać*** ⟨***~wić***⟩ ***się*** *oczy*: light up; *gospodarka*: revive; **~wiony** lively, animated

Ó

ósemka *f* (*-i*; *G -mek*) eight; (*linia itp.*) number eight; *mus. Brt.* quaver, *Am.* eighth note

ósm|y eighth; ***~a*** eight (o'clock); → ***734***

ów (***owa*** *f*, ***owo*** *n*, ***owe*** *ż-rzecz*, ***owi*** *m-os*) this; ***to i owo*** this and that; ***ni z tego ni z owego*** out of the blue

ów|czesny the then; **~dzie**: ***tu i ~dzie*** here and there

P

p. *skrót pisany*: ***pan*** Mr; ***pani*** Mrs, Ms; ***panna*** Miss; ***patrz*** see; ***piętro*** floor; ***porównaj*** cf. (*compare*); ***punkt*** point; ***po*** after

pach|a *f* (*-y*) armpit; (*w ubraniu*) armhole; ***pod ~ą*** under the arm

pach|nąco *adv.* fragrantly; **~nący** fragrant, scented; **~nieć** (*-nę*; *-nij!*) smell; (*I*) smell, pick up the scent

pachołek *m* (*-łka*; *-łki/-łkowie*) (*słupek*) *naut.* bollard

pachwina *f* (*-y*; *G* -) *anat.* groin

pacierz *m* (*-a*; *-e*, *-y*) prayer; ***odmawiać ~*** pray, say prayers

paciorek *m* (*-rka*; *-rki*) bead

pacjent *m* (*-a*; *-nci*), **~ka** *f* (*-i*; *G -tek*) patient

packa *f* (*-i*; *G -cek*) fly swat

Pacyfik *m* (*-u*; *0*) the Pacific Ocean

pacz|ka *f* (*-i*; *G -czek*) parcel; packet; (*papierosów*) *Brt.* packet, *Am.* package; F (*ludzi*) bunch, crowd; **~kowany** packaged; **~yć** ⟨***s-, wy-***⟩ (*-ę*): **~yć** ⟨***s-, wy-***⟩ ***się*** warp

padaczka *f* (*-i*; *0*) epilepsy

padać (*-am*) fall, drop; ***pada deszcz/śnieg*** it is raining/snowing

padalec *m* (*-lca*; *-lce*) *zo.* slow-worm

padlina *f* (*-y*; 0) rotten carcass; (*mięso*) carrion

pagaj *m* (*-a*; *-e*) paddle

pagór|ek *m* (*-rka*; *-rki*) hillock; **~kowaty** hilly

pajacyk *m* (*-a*; *-i*) (*zabawka*) jumping jack; (*ubranie*) rompers *pl.*, play-suit

pa|jąk *m* (*-a*; *-i*) *zo.* spider; **~jęczyna** *f* (*-y*; *G* -) cobweb

paka *f* (*-i*; *G* -) box, chest; → ***paczka***; F (*więzienie*) clink

pakie|cik *m* (*-a*; *-i*) → ***pakiet***; **~t** *m* (*-u*; *-y*) packet

pakow|ać (*-uję*) ⟨***za-***⟩ pack; ⟨***o-***⟩ wrap (up); ⟨***w-***⟩ put into; (*siłą*) cram into; **~ać** ⟨***s-***⟩ ***się*** pack up; **~ny** roomy; **~y**: ***papier ~y*** manila paper, wrapping paper

paktować (*-uję*) pact

pakunek *m* (*-nku*; *-nki*) package; bundle; *tech.* packing

pal *m* (*-a*; *-e*, *-i/-ów*) stake, post; *bud.* pile

palacz *m* (*-a*; *-e*), (*w piecu*) stoker; (*papierosów*) smoker; **~ka** *f* (*-i*; *G -czek*) smoker

palarnia *f* (*-i*; *-e*) smoking room

palący burning (*też fig.*); smoking; *słońce* scorching; ***dla ~ch*** smoker

pal|ec *m* (*-lca*; *-lce*) (*ręki*) finger, (*stopy*) toe; *anat.* digit; ***~ec wskazujący*** index finger; ***~ec serdeczny*** ring finger; ***duży ~ec*** big toe; ***na ~cach*** tip-toe; ***sam jak ~ec*** all alone

pale|nie *n* (*-a*; *G -eń*) burning; (*w piecu*) heating; (*tytoniu*) smoking; (*kawy*) roasting; **~nisko** *n* (*-a*; *G* -) hearth

Palestyna *f* (*-y*; *0*) Palestine

paleta *f* (*-y*; *G* -) (*malarza*) palette; *tech.* pallet

pali|ć (*-lę*) *v/i.* (*w piecu*) heat, stove; (*rana*, *w gardle*) burn; *papierosy* smoke; *papiery* burn; *lampę* have on, keep on; ⟨***s-***⟩ burn; ***~ć się*** burn; *budynek*: be on fire; *lampa*: be on; F be burning to do; **~wo** *n* (*-a*; *G* -) fuel

palm|a *f* (*-y*; *G* -) *bot.* palm (tree); **~owy** palm

paln|ąć F *v/s* (*-nę*) (*trzasnąć*) bash; ***~ąć sobie w łeb*** blow one's brains out; **~ik** *m* (*-a*; *-i*) burner; **~y** inflammable, combustible; ***broń ~a*** firearm

palto *n* (*-a*; *G* -) overcoat

palu|ch *m* (*-a*; *-y*) *anat.* big toe; **~szek** *m* (*-szka*; *-szki*) → ***palec***; ***~szki*** *pl.* ***rybne*** *gastr.* fish fingers *pl.*

pałac *m* (*-u*; *-e*) palace

pałać (*-am*) *oczy*: blaze; ***~ nienawiścią*** be burning with hatred

pał|ąk *m* (*-a*; *-i*) bail; bow; **~eczka** *f* (*-i*; *G -czek*) → ***pałka***; *gastr.* chopstick; **~ka** *f* (*-i*; *G -łek*) stick; (*policjanta*) club, *Brt.* truncheon, *Am.* night stick

pamiątk|a *f* (*-i*; *G -tek*) memento, souvenir (***~a po matce*** of the mother); (*z wczasów*) souvenir; ***na ~ę*** to remember; **~owy** commemorative

pamię|ć *f* (*-ci*; *0*) memory (*też komp.*); (*wspomnienie*) remembrance; ***na ~ć*** by heart; ***świętej ~ci*** of blessed memory; ***ku ~ci*** (*G*) in memory (of); **~tać** (*-am*) (*A*) remember; (***o*** *L*) not forget (about);

P

~tnik *m* (*-a*; *-i*) diary; *pl.* **~tniki** memoirs *pl.*; **~tny** memorable, unforgettable
PAN *skrót pisany*: ***Polska Akademia Nauk*** Polish Academy of Sciences
pan *m* (*-a*; *DL -u*; *-owie*) gentleman; (*psa itp.*) master; (*przy zwracaniu się: z nazwiskiem*) Mr, (*bez nazwiska*) sir; ***~ Nowak*** Mr Nowak; ***~ie doktorze*** Doctor (*skrót*: Dr); ***czy ~ ma ...?*** do you have...?; ***~ domu*** (*gospodarz*) host, landlord; ***~ młody*** bridegroom
pan|cernik *m* (*-a*; *-i*) battleship; *zo.* armadillo; **~cerny** armo(u)red; **~cerz** *m* (*-a*; *-e*) armo(u)r
panel *m* (*-a*; *-e*) panel; (*dyskusja*) panel discussion
pani *f* (*A -ą*, *G -*; *-e*) woman, lady; (*psa, władczyni*) mistress; (*przy zwracaniu się, z nazwiskiem*) Ms, *zamężna* Mrs, *niezamężna* Miss; (*bez nazwiska*) madam; ***czy ~ ma ...?*** do you have...?; ***~ domu*** hostess, landlady
paniczny panic
panienka *f* (*-i*; *G -nek*) young woman, young lady; (*przy zwracaniu się*) Miss
panień|ski: ***nazwisko ~skie*** maiden name
panierować ⟨**o-**⟩ (*-uję*) bread
panika *f* (*-i*; *0*) panic
pann|a *f* (*-y*; *G -nien*) girl, maiden; (*w dowodzie*) unmarried woman; (*przy zwracaniu się*) Miss; **♀a** *znak Zodiaku:* Virgo; ***on(a) jest spod znaku ♀y*** (s)he is (a) Virgo; ***stara ~a*** spinster; ***~a młoda*** bride; → ***pani***
panowa|ć (*-uję*) rule, reign (*też* ***nad*** *I* over); ⟨**za-**⟩ (***nad sobą***) control (o.s.), be in control of (o.s.); ***panuje ...*** there is ...; **~nie** *n* (*-a*; *0*) rule, ruling, mastery; control (***nad sobą*** of o.s.)
pantera *f* (*-y*; *G -*) *zo.* panther
panterka *f* (*-i*; *G -rek*) camouflage jacket
pantof|el *m* (*-fla*; *-fle*, *-fli*) shoe; ***~le*** *pl.* ***damskie*** ladies' shoes *pl.*; ***~le*** *pl.* ***domowe*** slippers *pl.*; **~larz** F *m* (*-a*; *-e*) henpecked husband
pantomima *f* (*-y*; *G -*) mime
pańsk|i *gest* lordly, grand; your, yours; ***~i list*** your letter; ***po pańsku*** gentlemanly
państw|o *n* (*-a*; *G -*) (*kraj*) country, state; you, (*z nazwiskiem*) Mr and Mrs; ***proszę ~a ...*** Ladies and Gentleman; ***~o pozwolą*** please allow me; ***~o młodzi*** *pl.* the newlyweds *pl.*
państwowy state
PAP *skrót pisany:* ***Polska Agencja Prasowa*** Polish Press Agency
papa *f* (*-y*; *G -*): ***~ dachowa*** roofing-felt
papier *m* (*-u*; *-y*) (***maszynowy, toaletowy*** typing, toilet) paper; F ***~y*** *pl.* documents *pl.*, identity papers *pl.*; **~ek** *m* (*-rka*; *-rki*) a piece of paper
papiero|s *m* (*-a*; *-y*) cigarette; **~śnica** *f* (*-y*; *G -*) cigarette-case; **~wy** paper
papieski papal
papież *m* (*-a*; *-e*) *rel.* pope
papk|a *f* (*-i*; *G -ek*) mash, pap; **~owaty** mashy
paplanina *f* (*-y*; *G -*) chatter
paprać (*-przę*) smear; ***~ się*** *rana*: fester
paproć *f* (*-oci*; *-ocie*) *bot.* fern
papryka *f* (*-i*; *G -*) *bot.* (*w strączkach*) pepper, (*proszek*) paprika
papuć *m* (*-cia*; *-cie*) F slipper
papu|ga *f* (*-i*; *G -*) *zo.* parrot; **~żka** *f* (*-i G -żek*): ***~żka falista*** *zo.* budgie, budgerigar
par *m* (*-a*; *-owie*) *Brt.* peer
para[1] *f* (*-y*; *0*) steam, vapo(u)r; (*na szybie*) mist
par|a[2] *f* (*-y*; *G -*) pair; couple; ***~a zakochanych*** (pair of) lovers; ***~a małżonków*** married couple; ***w ~y, ~ami*** in pairs; ***nie do ~y*** odd; ***iść w parze*** go hand in hand
parad|a *f* (*-y*; *G -*) parade; *piłka nożna*: save; ***wejść komuś w ~ę*** get in s.o.'s way
paradoksalny paradoxical
parafia *f* (*GDL -ii*; *-e*) *rel.* parish; **~lny** parish, parochial; **~nin** *m* (*-a*; *-anie*,*-*), **~nka** *f* (*-i*; *G -nek*) parishioner
parafinowy paraffin
para|gon *m* (*-u*; *-y*) sales slip, receipt; **~graf** *m* (*-u*; *-y*) clause
paraliż *m* (*-u*; *-y*) *med.* paralysis; ***~ dziecięcy*** polio; **~ować** ⟨**s-**⟩ (*-uję*) paralyse (*też fig.*)
para|pet *m* (*-u*; *-y*) windowsill; **~sol** *m* (*-a*; *-e*), **~solka** *f* (*-i*; *G -lek*) umbrella; (*od słońca*) parasol; **~wan** *m* (*-u*; *-y*) (folding)screen
parcela *f* (*-i*; *-e*) plot, lot
parciany sacking
parcie *n* (*-a*; *0*) pressure; *med.* pushing
parę (*GDL -ru*, *I -roma*; *m-os NA -ru*) (*G*) a couple (of), a few; ***~ razy*** several times; **~set** several hundred

P

park *m* (*-u*; *-i*) park
parkan *m* (*-u*; *-y*) fence
parkiet *m* (*-u*; *-y*) parquet
park|ing *m* (*-u*; *-i*) *Brt.* car park, *Am.* parking lot; **~ometr** *m* parking-meter
parkow|ać ⟨*za-*⟩ (*-uję*) park; **~anie** *n* (*-a*; *G -ań*) parking; **~y** park
parlament *m* (*-u*; *-y*) parliament
parlamenta|rny parliamentary; **~rzysta** *m* (*-y*; *-ści*, *-tów*) *Brt.* Member of Parliament, *Am.* Congressman
parn|o *adv.* close, sultry; **~y** close, sultry
parodia *f* (*GDl -ii*; *-e*) parody
paro|godzinny of several hours; **~konny** drawn by two horses; **~krotnie** *adv.* several times; repeatedly; **~krotny** repeated, multiple
paroksyzm *m* (*-u*; *-y*) paroxysm, fit
paro|letni several years old; several yearslong;**~miesięczny**severalmonths long; **~statek** *m* (*-tka*; *-tki*) → ***parowiec***;**~tygodniowy** several weeks long
parować[1] (*-uję*) *cios* parry, ward off
paro|wać[2] (*-uję*) *v/i.* evaporate; vaporize; *v/t.* steam; **~wiec** *m* (*-wca*; *-wce*) *naut.* steamship (*skrót*: SS); **~wóz** *m* (*-wozu*; *-wozy*) *rail.* steam engine; **~wy** steam
parów *m* (*-rowu*; *-rowy*) ravine, gorge
parówka *f* (*-i*; *G -wek*) frankfurter, *Am.* wiener
parsk|ać (*-am*) ⟨**~nąć**⟩ (*-nę*) snort; ***~nąć śmiechem*** snort with laughter
parszywy *pies* mangy; *fig.* rotten
parta|cki botched, bungled; **~ctwo** *n* (*-a*; *G -*) botching, botched-up job; **~czyć** ⟨**s-** ⟩ (*-ę*) botch, bungle
parter *m* (*-u*; *-y*) *Brt.* ground floor, *Am.* first floor; *teatr.* stalls *pl.*; **~owy** *Brt.* ground-floor, *Am.* first-floor; one-stor(e)y
partia *m* (*GDl -ii*; *-e*) *pol.* party; (*towaru itp.*) shipment, lot; (*w sporcie*) game, round; (*do małżeństwa*) match; *teatr itp.* part
partner *m* (*-a*; *-rzy*), **~ka** *f* (*-i*; *G -rek*) partner; **~stwo** *n* (*-a*; *G -*) partnership
partolić F ⟨**s-**⟩ (*-lę*) → ***partaczyć***
party|jny party; **~kuła** *f* (*-y*; *G -*) *gr.* particle; **~tura** *f* (*-y*; *G -*) *mus.* score
partyza|ncki guerrilla; **~nt** *f* (*-a*; *-nci*) guerrilla; **~ntka** *f* (*walka*) guerrilla war; (*kobieta*) guerilla
paru(-) → ***paro***(-)
paryski Paris
Paryż *m* (*-a*; *0*) Paris
parytet *m* (*-u*; *-y*) *econ.* parity
parzyć (*-ę*) *v/t.* (*zaparzać*) brew; *zwierzęta* mate; ⟨**o-, po-, s-**⟩ burn (***sobie usta*** one's lips); (*mocno*) scald; ***~ się*** burn (*też* o.s.), get burnt; *herbata*: draw; *zwierzęta*: mate
parzysty even
pas *m* (*-a*; *-y*) band; (*do ubrania*) belt; (*część ciała*, *sukni*) waist; ***~ ratunkowy*** life belt; ***~ startowy*** runway; ***~ ruchu*** lane; ***w ~y*** striped; ***po ~*** waist-high, -deep; scald; → ***klinowy***; **~ać** (*-am*) → ***paść***[2]
pasaż *m* (*-u*; *-e*) (*sklepowy*) shopping arcade; *mus. itp.* passage
pasażer *m* (*-a*; *-owie*), **~ka** *f* (*-i*; *G -rek*) passenger
pasek *m* (*-ska*; *-ski*) → ***pas***; ***~ do zegarka*** watchband
paser *m* fence, receiver of stolen goods; **~stwo** *n* (*-a*; *0*) receiving (stolen goods)
pasieka *f* (*-i*; *G -*) apiary
pasierb *m* (*-a*; *-owie*) stepson; **~ica** *f* (*-y*; *-e*) stepdaughter
pas|ja *f* (*-i*; *-e*) passion; ***wpaść w ~ję*** get furious; **~jonująco** *adv.* excitingly; **~jonujący** exciting
paska|rstwo *n* (*-a*; *0*) profiteering; **~rka** *f* (*-i*; *G -rek*), **~rz** *m* (*-a*; *-e*) profiteer
paskudny terrible, dreadful
pasmo *n* (*-a*; *G -/-sem*) strip, strand; *RTV*: band; (*górskie*) range, chain; (*ruchu*) lane, (*na autostradzie*) *Brt.* carriageway
pasować[1] (*-uję*) *v/i.* be suitable, be appropriate (**do** *G* to); *v/t.* ⟨**do-**⟩ fit (**do** *G* to); *kolory itp.*: match
pasować[2] (*-uję*) (*w grze w karty*) pass
pasożyt *m* (*-a*; *-y*) *biol.*, *fig.* parasite; *fig.* sponger; **~ować** (*-uję*) parasitize (**na** *L* on); *fig.* sponge
pasta *f* (*-y*; *G -*) paste; ***~ do butów*** shoe polish; ***~ do zębów*** tooth paste; ***~ do podłogi*** floor polish
paster|ka *f* (*-i*; *G -rek*) → ***pastuszka***; *rel.* midnight mass (at Christmas); **~ski** shepherd; *rel.* pastoral
pasteryzowany pasteurized
pasterz *m* (*-a*; *-e*) → ***pastuch***
pastewny fodder
pastor *m* (*-a*; *-orzy/-owie*) pastor, (*anglikański*) vicar

pastorał *m* (*-u*; *-y*) *rel.* crosier
pastować ⟨**na-**⟩ (*-uję*) *parkiet* polish
pastu|ch *m* (*-a*; *-y/-si/-owie*) shepherd; **~szka** *f* (*-i*; *G -szek*) shepherdess
past|wa: ***stać się, paść ~wą*** (*G*) fall prey (to); **~wisko** *n* (*-a*; *G* -) pasture
pastylka *f* (*-i*; *G -lek*) *med.* pill, dragée
pasywny passive
pasza *f* (*-y*; *-e*) *agr.* (***zielona*** green) fodder
paszcza *f* (*-y*; *G* -) mouth, *fig.* jaws *pl.*
paszport *m* (*-u*; *-y*) passport; **~owy** passport; ***biuro ~owe*** passport office
paszte|cik *m* (*-a*; *-i*) *gastr.* pie, patty; **~t** *m* (*-u*; *-y*) *gastr.* pâté
paść[1] *pf.* fall (down) → ***padać***
paść[2] *bydło* graze; (*karmić*) feed; **~ *się*** graze
partałach *m* (*-a*; *-y*) F botcher, bungler
patelnia *f* (*-i*; *G -e*) frying-pan
pa|tentowany patented; **~tetyczny** pathetic; **~tologiczny** pathological
patriot|a *m* (*-y*; *-ci*), **~ka** *f* (*-i*) patriot; **~yczny** patriotic
patrol *m* (*-u*; *-e*) patrol; **~ować** (*-uję*) patrol
patron *m* (*-a*; *-i*); **~ka** *f* (*-i*; *G -nek*) patron; *rel.* patron saint
patroszyć ⟨**wy-**⟩ (*-ę*) *gastr.* gut
patrz|eć, ~yć ⟨**po-**⟩ (*-ę*) look (***przez okno*** out of the window; ***na*** *A* at); ***jak się ~y*** comme il faut, as it should be; ***patrz*** look
patyk *m* (*-a*; *-i*) stick
pauza *f* (*-y*; *G* -) break; (*przy mówieniu itp.*) pause; *mus.* rest
paw *m* (*-ia*; *-ie*) *zo.* peacock; **~i** peacock
pawian *m* (*-a*; *-y*) *zo.* baboon
pawilon *m* (*-u*; *-y*) (*sklep*) shop; *bud.* pavilion
pawlacz *m* (*-a*; *-e*) shallow mezzanine
pazerny greedy
paznok|ieć *m* (*-kcia*; *-kcie*) *anat.* nail; ***do ~ci*** nail
pazur *m* (*-a*; *-y*) claw, talon
październik *m* (*-a*; *-i*) October; **~owy** October
pączek *m* (*-czka*; *-czki*) *bot.* → ***pąk***; *gastr.* doughnut
pąk *bot.* bud; ***wypuszczać ~i*** bud
pąsowy crimson
pchać (*-am*) push, (*mocno*) shove; thrust (***do*** *G* into); **~ *się*** crowd, throng; (***przez*** *A*) push one's way (through); → ***pchnąć***
pch|ełka *f* (*-i*; *G -łek*) (*do gry*) tiddlywink; ***~ełki*** *pl. gra*: tiddlywinks; **~ła** *f* (*-y*; *G pcheł*) *zo.* flea; **~li** flea; ***~li targ*** flea market
pchn|ąć *pf* (*-nę*) → ***pchać***; (*nożem*) stab; **~ięcie** *n* (*-a*; *G -ęć*) thrust; (*w sporcie*) put; ***~ięcie nożem*** stab
PCK *skrót pisany:* ***Polski Czerwony Krzyż*** Polish Red Cross
pech *m* (*-a*; *0*) bad luck, misfortune; ***mieć ~a*** be unlucky; **~owiec** *m* (*-wca*; *-wcy*) unfortunate
pe|dagogiczny pedagogic(al); **~dał** *m* **1.** (*-u*; *-y*) pedal; **2.** (*-a*; *-y*) V (*homoseksualista*) queer; **~dantyczny** pedantic
pedi'kiur *m* (*-u*; *0*) pedicure
pejcz *m* (*-a*; *-e*) whip
pejzaż *m* (*-u*; *-e*) landscape
Pekin *m* (*-u*; *0*) Peking, Beiging
peklowany corned
pelargonia *f* (*-ii*; *-e*) geranium
peleryna *f* (*-y*; *G* -) cape
pelisa *f* (*-y*; *G* -) fur coat
peł|en → ***pełny***; **~nia** *f* (*-i*; *-e*) full moon; (*szczyt*) heyday, peak; ***~nia życia*** the prime of life; ***w ~ni lata*** in high summer; ***w całej ~ni*** completely; **~nić** (*-ę*, *-ń/-nij!*) *obowiązki* fulfil; *wartę* keep; ***~nić służbę*** serve
pełno *adv.* (*G*) a lot (of); **~letni** of age; **~metrażowy** full-length
pełnomocn|ictwo *n* (*-a*; *G* -) proxy; *jur.* power of attorney; **~ik** *m* (*-a*; *-cy*) authorized representative; *jur.* proxy, plenipotentiary; **~y** plenipotentiary, authorized
pełno|morski *flota* deep-sea; *jacht* ocean-going; **~prawny** rightful; **~wartościowy** fully adequate
peł|ny full; complete; whole; ***~ne mleko*** full-cream milk; ***na ~nym morzu*** on the high seas; ***~en nadziei*** hopeful; ***~en energii*** vigorous; ***do ~na*** to the brim; ***napełnić do ~na*** fill up
pełz|ać (*-am*), **~nąć** (*-nę*) crawl
penicylina *f* (*-y*; *G* -) *med.* penicillin
pens *m* (*-a*; *-y*) penny, *pl.* pennies *lub* pence
pensja *f* (*-i*; *-e*) salary, (*robotnika*, *cotygodniowa*) wages *pl.*; (*dla panien*) boarding school
pensjonat *m* (*-u*; *-y*) guest-house
pepegi *pl.* (*-ów*) tennis-shoes *pl.*
pepitka *f* (*-i*; *G -tek*) shepherd's check

P

perfidny perfidious
perfum|eria *f* (*GDL -ii*; *-e*) perfumery; **~y** *pl.* (-) perfume, scent
pergamin *m* (*-u*; *-y*) parchment; parchment paper
periody|czny periodic(al); **~k** *m* (*-u*; *-i*) periodical
perkaty F: **~ *nos*** snub nose
perku|sista *m* (*-y*; *-ści*) *mus.* drummer; percussionist; **~sja** *f* (*-i*; *0*) *mus.* drums; percussion
per|lić się (*-lę*) pearl; *śmiech*: ripple; **~listy** beady, pearly; **~ła** *f* (*-y*; *G -reł*) pearl; **~łowy** pearly; *kolor* pearl-grey
peron *m* (*-u*; *-y*) *rail.* platform; **~ówka** *f* (*-i*; *G -wek*) platform ticket
perski Persian; ***~e oko*** wink
perso|nalny personal; (*dotyczący pracowników*) personnel; **~nel** *m* (*-u*; *0*) personnel, staff
perspektyw|a *m* (*-y*; *G* -) perspective; ***~y*** *pl.* (*szanse*) prospects *pl.*
perswazja *f* (*-i*; *-e*) persuasion
pertrakt|acje *pl.* (*-i*) negotiations *pl.*; **~ować** (*-uję*) negotiate
peruka *f* (*-i*; *G* -) wig
perwers|ja *f* (*-i*; *-e*) perversion; **~yjny** perverse, perverted
peryferie *f/pl.* (*GDL -ii*) periphery; **~ *miasta*** outskirts *pl.*
peryskop *m* (*-u*; *-y*) periscope
pestka *f* (*-i*; *G -tek*) stone, (*mała*) pit
pesymist|yczny pessimistic; **~a** *m* (*-y*; *-ści*), **~ka** *f* (*-i*; *-tek*) pessimist
peszyć ⟨**s-**⟩ (*-ę*) put out, disturb
petarda *f* (*-y*; *G* -) banger
petent *m* (*-a*; *-ci*), **~ka** *f* (*-i*; *G -tek*) applicant
petycja *f* (*-i*; *-e*) petition
pew|ien[1] (*-wna*, *-wne*, *m-os -wni*) (*niejaki*) a certain; a, one; ***~na ilość*** a certain amount; ***co ~ien czas*** from time to time; ***~nego dnia*** one day; ***po ~nym czasie*** after some time
pew|ien[2] → ***pewny***; **~nie** *adv.* surely; reliably; stać firmly; ***~nie!*** sure!; **~no** *adv.*: ***na ~no*** for certain, sure; **~ność** *f* (*-ści*; *0*) certainty; (*niezawodność*) reliability; (*zaufanie*) confidence; ***~ność siebie*** self-confidence; ***z całą ~nością*** surely; **~ny** certain, sure; *oparcie*, *krok* firm; *ręka*, *cięcie* steady; (*niezawodny*) confident; ***nic ~nego*** nothing definite
pęcherz *m* (*-a*; *-e*) (*z odparzenia*) blister; *anat.* bladder; **~yk** *m* (*-a*; *-i*) → ***pęcherz***; *anat.* bladder
pęczak *m* (*-u*; *0*) *gastr.* pearl barley
pęcz|ek *m* (*-czka*; *-czki*) bunch; (*mały*) wisp; **~nieć** ⟨**na-**⟩ (*-eję*) swell
pęd rush; shoot, sprout; **~ *do wiedzy*** thirst for knowledge; ***biec ~em*** dash
pędny *tech.* driving, propellent
pędzel *m* (*-dzla*; *-dzle*) brush
pędzić (*-dzę*) *v/i.* dash, rush, race; *v/t.* drive; → ***spędzać, wypędzać***
pędzlować (*-uję*) *med.* paint (*D* with)
pęk *m* (***kluczy*** key) bunch; (*chrustu*) armful
pęk|ać (*-am*) ⟨**~nąć**⟩ (*-nę*) burst; *lina itp.*: break; *szkło*: crack; *wargi*: crack, chap; ***~ać ze śmiechu*** laugh one's head off; **~aty** squat; (*wypchany*) bulging; **~nięcie** *n* (*-a*; *G -ęć*) (*szczelina*) crack; (***rury*** pipe) burst; (*kości*) fracture
pęp|ek *m* (*-pka*; *-pki*) *anat.* navel; **~owina** *f* (*-y*; *G* -) *anat.* umbilical cord
pęseta *f* (*-y*; *G* -) tweezers *pl.*
pęt|ak *m* F (*-a*; *-i*) sprog; **~elka** *f* (*-i*; *G -lek*) loop; **~la** *f* (*-i*; *-e*) loop; (*na linie*) noose; (*tramwaju itp.*) terminus
piach *m* (*-u*; *-y*) → ***piasek***
piać ⟨**za-**⟩ (*-eję*) crow
piana *f* (*-y*; *G* -) foam; (*z mydła*) lather; (*na napoju*) froth
piani|no *n* (*-a*; *G* -) *mus.* (upright) piano; **~sta** *m* (*-y*; *-ści*) pianist
pianka *f* (*-i*; *G -nek*) → ***piana***
piano|guma *f* (*-y*; *G* -) foam rubber; **~wy**: ***gaśnica ~wa*** foam extinguisher
pias|ek *m* (*-ku*; *-ki*) sand; **~kowiec** *m* (*-wca*; *-wce*) sandstone; **~kownica** *f* (*-y*; *G* -) *Brt.* sand-pit, *Am.* sand-box
piasta *f* (*-y*; *G* -) hub
piastować (*-uję*) hold
piaszczysty sandy, sand
piąć się (*pnę*, *piął*) climb
piąt. *skrót pisany*: ***piątek*** Fri. (*Friday*)
piąt|ek *m* (*-tku*; *-tki*) Friday; ***Wielki ≈ek*** *rel.* Good Friday; **~ka** *f* (*-i*; *G -tek*) five; (*linia*) number five; *szkoła*: *jakby*: A; ***w ~kę***; in a group of five; **~kowy** Friday; **~y** fifth; ***o ~ej*** at five (o'clock)
pici|e *n* (*-a*; -) drinking; (*napój*) drink; ***do ~a*** to drink
pić (*piję*) drink; ***chce mi się ~*** I am thirsty; → ***zdrowie***
piec[1] *m* (*-a*; *-e*) stove; *tech.* furnace, kiln; **~ *kuchenny*** range

piec[2] ⟨***na-, u-, wy-***⟩ *v/t. ciasto* bake (**się** *v/i.*); *mięso* roast (**się** *v/i.*); *v/t. impf. słońce* beat down; *oczy itp.*: smart, sting
piechot|a *f* (*-y*; *G* -) *mil.* infantry; **~ą,** ***na ~ę*** on foot
piecyk *m* (*-a*; *-i*) → ***piec***[2]; (*do wody itp.*) heater
piecz|a *f* (*-y*; *-e*) care; ***on sprawuje ~ę nad*** he takes care of
piecza|ra *f* (*-y*; *G* -) cave; **~rka** *f* (*-i*; *G -rek*) *bot.* meadow mushroom
pieczątka *f* (*-i*; *G -tek*) (rubber) stamp
pieczeń *f* (*-eni*; *-nie*) roast meat; ***~ z sarny*** roast venison
pieczę|ć *f* (*-ci*; *-cie*) seal; stamp; **~tować** ⟨**o-**⟩ (*-uję*) seal; stamp
pieczołowi|tość *f* (*-ści*; *0*) care; **~cie** *adv.* carefully; **~ty** careful
piecz|ony roast; **~yste** *n* (*-go*) roast meat; **~ywo** *n* (*-a*; *0*) bread, cakes, and pastries
piedestał *m* (*-u*; *-y*) pedestal; *arch.* plinth
pieg|i *m/pl.* (*-ów*) freckles *pl.*; **~owaty** freckled
piek|arnia *f* (*-i*; *-e*) bakery; **~arnik** *m* (*-a*; *-i*) oven; **~arz** *m* (*-a*; *-e*) baker; **~ący** *ból* stinging; **~ielny** hellish; **~ło** *n* (*-a*; *G -kieł*) hell
pielęgnacja *f* (*-i*; *0*) care; (*urządzenia*) maintenance
pielęgnia|rka *f* (*-i*; *G -rek*) nurse; **~rz** *m* (*-a*; *-e*) (male) nurse
pielęgnować (*-uję*) look after; *ludzi* care for; *zęby* take care of; *ogródek* look after
pielgrzym *m* (*-a*; *-i*) pilgrim; **~ka** *f* (*-i*; *G -mek*) pilgrimage
pielić ⟨***wy-***⟩ (*-lę*) weed
pielu|chomajtki *pl.* nappy pants *pl.*; **~szka** *f* (*-i*; *G -szek*) (***do jednorazowego użytku*** disposable) *Brt.* nappy, *Am.* diaper
pieniądz *m* (*-a*; *-e*, *-iędzy*, *I -iędzmi*) coin; *zbior.* → ***pieniądze***; **~e** *m/pl.* money; ***przy ~ach*** in the money
pienić się (*-ę*, *-ń!*) foam, froth; *mydło*: lather
pienięzn|y money; ***kara ~a*** fine
pienisty foaming, frothing; → ***musujący***
pień *m* (*pnia*; *pnie*, *pni*) trunk; (*pniak*) tree-stump
pie|prz *m* (*-u*; *0*) *bot.*, *gastr.* pepper; **~przny** hot, peppery; *kawał* dirty; **~rnik** *m* (*-a*; *-i*) *gastr.* ginger bread
pierogi *pl.* (*-gów*) dumplings *pl.*
pier|siowy chest; *anat.* pectoral; **~ś** *f* (*-si*) (*kobieca, też gastr.*) breast; **~si** *pl.* (*klatka piersiowa*) chest; ***pełną ~sią*** lustily
pierście|niowy ring (*też fig.*); **~ń** *m* (*-nia*; *-nie*, *-ni*) ring
pier|ścionek *m* → ***pierścień***; **~wiastek** *m* (*-stka*; *-stki*) *chem.* element; *math.* root, radical; ***~wiastek kwadratowy*** square root; **~wiosnek** *m* (*-snka*; *-snki*) *bot.* primrose
pierwo|rodny first-born; **~tny** (*nieskażony*) prim(a)eval; (*prymitywny*) primitive; (*pierwszy*) original; **~wzór** *m* (*-oru*; *-ory*) prototype, archetype
pierwszeństwo *n* (*-a*; *0*) priority; ***~ przejazdu*** right of way; ***dać ~*** (*D*) give precedence (to)
pierwszo|planowy foreground; **~rzędny** first-class
pierwsz|y first; ***~a godzina*** one o'clock; ***~ego maja*** first of May; ***po ~e*** first(ly); ***po raz ~y*** for the first time
pierzch|ać (*-am*) ⟨***~nąć***[1]⟩ (*-nę*) run away; *ptaki*: fly away; *nastrój*: disappear; **~nąć**[2] (*-nę*) *skóra*: chap
pierze *n* (*-a*; *0*) *zbior.* feathers *pl.*
pierzyna *f* (*-y*; *G* -) duvet, *Brt.* continental quilt, *Am.* stuffed quilt
pies *m* (*psa*, *psu*, *L psie*; *psy*) *zo.* dog; (*myśliwski*) hound; ***pod psem*** under the weather; **~ek** *m* (*-ska*; *-ski*) → ***pies***
pieszczot|a *f* (*-y*; *G* -) caress; ***~y*** *pl.* petting; **~liwy** gentle; ***~liwe imię*** pet name
piesz|o on foot; **~y** foot, pedestrian; ***~a wycieczka*** hike; ***przejście dla ~ych*** pedestrian crossing
pieścić (*-szczę*) caress, pet
pieś|niarka *f* (*-ki*; *G -rek*), **~niarz** *m* (*-a*; *-e*) singer
pieśń *f* (*-ni*) song; ***~ ludowa*** folk song
pietruszka *f* (*-i*; *G -szek*) *bot.* parsley
pięcio|bok *m* pentagon; **~bój** *m* (*w sporcie*) pentathlon; **~krotny** fivefold; **~letni** five-year-long, -old; **~linia** *f* (*-ii*; *-e*) staff, stave; **~raczki** *pl.* (*-ów*) quintuplets *pl.*; **~ro** five → ***734***
pięć five; **~dziesiąt** fifty; **~dziesiątka** *f* (*-i*; *G -tek*) fifty; **~set** five hundred; → ***734***
piękn|ie *adv.* prettily, beautifully; **~o** *n*

P

(*-a; 0*), **~ość** *f* (*-ci*) beauty; **~y** beautiful
pięś|ciarstwo *n* (*-a; 0*) (*w sporcie*) boxing; **~ciarz** *m* (*-a; -e*) (*w sporcie*) boxer
pięść *f* (*-ci*) *anat.* fist
pięta *f* (*-y; G -*) *anat.* heel
piętna|sto- *w złoż.* fifteen; **~stka** *f* (*-i; G -tek*) fifteen; (*linia*) number fifteen; **~ście** fifteen; → ***734***
pięt|no *n* (*-a, L -nie; G -tn*) brand; mark, mole; *fig.* ***wyciskać swoje ~no*** (na *I*) take its toll (on); **~nować** ⟨**na-**⟩ (*-uję*) brand; **~ro** *n* (*-a; G -ter*) floor, storey; ***na drugim ~rze*** *Brt.* on the second floor, *Am.* on the third floor
piętrzyć się (*-ę*) be piled up
pigułka *f* (*-i; G -łek*) pill (*też fig.*)
pija|czka *f* (*-i; G -czek*), **~k** *m* (*-a; -i*) drunk, drunkard; **~ny** drunk; ***po ~nemu*** when drunk; **~ństwo** *n* (*-a; G -*) alcoholism, drunkenness; **~tyka** *f* (*-i; G -*) binge, spree
pijawka *f* (*-i; G -wek*) *zo.* leech (*też fig.*)
pik *m* (*-a; -i*) *gra w karty*: spade(s *pl.*); ***as ~*** ace of spades; ***wyjść w ~i*** play spades
pikantny hot, piquant; *fig.* juicy
pikle *m/pl.* (*-i*) *gastr.* pickles *pl.*
pikling *m* (*-a; -i*) *gastr.* smoked herring
pilniczek *m* (*-czka; -czki*) file
pilno|ść *f* (*-ści; 0*) diligence; hard work; **~wać** (*-uję*) (*G*) guard, keep watch (on); ***~wać się*** take care, be careful; watch each other
pilny urgent, immediate; *ktoś* diligent, conscientious
pilot *m* (*-a; -ci*) *aviat.* pilot; (*przewodnik, też fig.*) guide; *RTV*: remote control; **~ować** (*-uję*) navigate; *aviat.* pilot
pilśniow|y felt; ***płyta ~a*** *bud.* hardboard
piła *f* (*-y; G -*) saw; *fig.* pain in the neck
piłka[1] *f* (*-i; G -łek*) → ***piła***
piłka[2] *f* (*-i; G -łek*) (*w sporcie*) ball; ***~ nożna*** football, soccer; ***grać w piłkę*** play ball; **~rski** football; **~rz** *m* (*-a; -e*) (*w sporcie*) footballer, football player
piłować (*-uję*) saw
pinceta *f* (*-y; G -*) tweezers *pl.*
pineska (*-i; G -sek*), **pinezka** (*-i; G -zek*) *Brt.* drawing pin, *Am.* thumbtack
ping-pong *m* (*-a; -i*) table tennis
pingwin *m* (*-a; -y*) penguin
piołun *m* (*-u; -y*) *bot.* wormwood, mugwort
pion *m* (*-u; -y*) (*narzędzie*) plumb (line); (*kierunek*) perpendicular, verticality; *fig.* area of responsibility; **~ek** *m* (*-nka; -nki*) (*w grze w szachy*) pawn; (*w grze w warcaby*) piece, counter
pi'onier *m* (*-a; -rzy*) pioneer
piono|wo *adv.* vertically; (*w krzyżówce*) down; **~wy** vertical, perpendicular; **~wzlot** *m* (*-u; -y*) *aviat.* VTOL
piorun *m* (*-a; -y*) lightning; ***huk ~a*** thunder; ***~em*** like lightning; ***do ~a!*** damn it!
piorunochron *m* (*-u; -y*) lightning rod
piosenka *f* (*-i; G -nek*) song; **~rka** *f* (*-i; G -rek*), **~rz** *m* (*-a; -e*) singer
piórnik *m* (*-a; -i*) pen-case
pióro *n* (*-a; G -*) (*ptaka*) feather; (***wieczne*** fountain) pen; ***~ kulkowe*** rollerball (pen), ballpoint (pen)
pira|cki pirate; ***~ckie wydanie*** pirated edition; **~mida** *f* (*-y; G -*) pyramid; **~t** *m* (*-a; -ci*) pirate; (*drogowy*) F speeder
piro- *w złoż. zwł.* pyro-
pisa|ć ⟨**na-**⟩ (*-szę*) write; ***~ć na maszynie*** type; **~nka** *f* (*-ki; G -nek*) Easter egg; **~k** *m* (*-a; -i*) felt-tip pen; **~rka** *f* (*-i; G -rek*), **~rz** *m* (*-a; -e*) writer, author
pisemn|ie *adv.* in writing; **~y** written
pisk *m* (*-u; -i*) squeal; (*człowieka*) shriek; (*opon*) screech; **~lę** *n* (*-cia; -ta, G -ląt*) nestling, fledgling; **~liwy** shrill, squeaky
pism|o *n* (*-a; G -sem*) writing; (*list*) letter; → ***charakter***; ***Ꙩo Święte*** the Scriptures *pl.*; ***na piśmie*** in writing
pisnąć *pf.* → ***piszczeć***; F ***nie ~ ani słówka*** not utter a single word
pisownia *f* (*-i; 0*) writing, spelling
pistolet *m* (*-u; -y*) pistol
piszcz|ałka *f* (*-i; G -łek*) *mus.* (*w organach*) pipe; (*w orkiestrze*) fife; **~eć** (*-ę, -y*) *mysz, urządzenie*: squeal; *koła*: screech; **~el** *f* (*-i; -e*) *anat.* tibia
piśmien|nictwo *n* (*-a; G -*) literature; **~ny** writing; *człowiek* literate; ***artykuły*** *pl.* ***~ne*** stationery, writing materials *pl.*
pitny drinking; ***miód ~*** mead
piw|iarnia *f* (*-i; -e*) *Brt.* pub, *Am.* beer bar; **~nica** *f* (*-y; -e, G -*) cellar; **~ny** beer; *oczy* light brown, hazel; **~o** *n* (*-a; G -*) (***z beczki*** draught) beer; ***małe ~o*** *fig.* small beer
piwonia *f* (*GDl -ii; -e*) *bot.* peony
pizz|a *f* (*-y ; G -*) *gastr.* pizza; **~eria** *f* (*GDl -ii; -e*) pizzeria

P

piżama *f* (*-y*; *G* -) *Brt.* pyjamas *pl.*, *Am.* pajamas *pl.*
piżmak *m* (*-a*; *-i*) *zo.* muskrat
piżmo *n* (*-a*; *0*) musk
p-ko *skrót pisany*: ***przeciwko*** agst., ver. (*against*)
PKOl *skrót pisany*: ***Polski Komitet Olimpijski*** Polish Olympic Committee
PKP *skrót pisany*: ***Polskie Koleje Państwowe*** Polish State Railways
PKS *skrót pisany*: ***Państwowa Komunikacja Samochodowa*** Polish State Coach Company
pkt *skrót pisany*: ***punkt*** p. (*point*)
pl. *skrót pisany*: ***plac*** Sq. (*Square*)
plac *m* (*-u*; *-e*) square; ~ ***zabaw*** playground; ~ ***targowy*** market square; ~ ***budowy*** construction site
plac|ek *m* (*-ka*; *-ki*) **(*śliwkowy, z serem*** plum, cheese) cake; ***~ki*** *pl.* ***kartoflane*** potato pancakes; ***~ek nadziewany*** pie; **~ówka** *f* (*-i*; *G -wek*) outpost, post
plaga *f* (*-i*; *G* -) plague (*też fig.*)
plagiat *m* (*-u*; *-y*) plagiarism
plajtować ⟨**s-**⟩ (*-uję*) go bankrupt, go bust
plakat *m* (*-u*; *-y*) poster
plakietka *f* (*-i*; *G -tek*) badge
plam|a *f* (*-y*; *G* -) stain, smudge; blot; **~ić** ⟨***po-, s-, za-***⟩ (*-ię*) stain, smudge; blot
plan *m* (*-u*; *-y*) plan; (*zajęć itp.*) schedule; (*lekcji*) timetable; (*mapa*) map; ***na pierwszym ~ie*** in the foreground
planeta *f* (*-y*; *G* -) planet
planow|ać ⟨***za-***⟩ (*-uję*) plan; **~anie** *n* (*-a*; *G -ań*) planning; **~y** planned, scheduled
plansza *f* (*-y*; *-e*, *G* -) (*do gry*) board
plantacja *f* (*-i*; *-e*) plantation
planty *f/pl.* (-) green space
plas|kać (*-am*) ⟨***~nąć***⟩ (*-nę*) slap
plaster *m* (*-tra*; *-try*) **(*przylepny*** sticking) plaster; ~ ***miodu*** honeycomb; **~ek** *m* (*-rka*, *-rki*) slice
plastik(owy) → ***plastyk²***, ***plastykowy***
plastycz|ka *f* (*-i*; *G -czek*) artist; **~ny** plastic; *opis* graphic, vivid; ***sztuki*** *pl.* ***~ne*** fine arts *pl.*
plastyk¹ *m* (*-a*; *-cy*) artist
plastyk² *m* (*-u*; *-i*) plastic; **~owy** plastic
platyn|a *f* (*-y*; *0*) *chem.* platinum; **~owy** platinum
plaż|a *f* (*-y*; *G* -) beach; ***na ~y*** on the beach; **~ować** (*-uję*) sunbathe; **~owy** beach
plądrować ⟨**s-**⟩ (*-uję*) loot, plunder
pląta|ć ⟨***po-, s-, za-***⟩ (*-czę*) tangle up, entangle; *fig.* confuse; ***~ć*** ⟨***po-, za-***⟩ ***się*** get tangled; *fig.* get confused; (*łazić*) loaf around; **~nina** *f* (*-y*; *G* -) tangle; *fig.* confusion
plebania *f* (*GDL -ii*; *-e*) (*katolicka*) presbytery, (*protestancka*) vicarage
plecak *m* (*-a*; *-i*) rucksack; (*turystyczny*) backpack
pleciony plaited, woven
plec|y *pl.* (*-ców*) back; ***za moimi ~ami*** behind my back; ***stać ~ami*** (***do*** *G*) have one's back (to); ***szeroki w ~ach*** broad-shouldered
pleć ⟨***wy-***⟩ → ***pielić***
plem|ię *n* (*-ienia*; -iona, *G -ion*) tribe; **~nik** *m* (*-a*; *-i*) sperm
plenarny plenary
plene|r *m* (*-u*; *-y*) outdoors, open air; ***w ~rze*** on location
plenić się (*-ę*) reproduce, spread
plenum *n* (*idkl.*; *-na*; *-nów*) plenary session
pleść ⟨**s-**⟩ weave, plait; F ⟨***na-***⟩ natter
pleś|nieć ⟨**s-**⟩ (*-eję*) *Brt.* mould, *Am.* mold; **~ń** *f* (*-ni*; *-nie*) *Brt.* mould, *Am.* mold
plewa *f* (*-y*; *G* -) husk
plik *m* (*-u*; *-i*) pile, stack; *komp.* file
plisowany pleated
pliszka *f* (*-i*; *G -szek*) *zo.* wagtail
PLN *skrót pisany*: ***polski nowy złoty*** new Polish zloty
plomb|a *f* (*-y*; *G* -) seal; *med.* filling; *bud.* infilling building; **~ować** ⟨***za-***⟩ (*-uję*) seal; *med.* fill; **~owy**: ***budownictwo ~owe*** infilling
plon *m* (*-u*; *-y*) harvest (*też fig.*); ***święto ~ów*** harvest festival
plotk|a *f* (*-i*; *G -tek*) rumo(u)r, gossip; ***~i*** *pl.* gossip; **~ować** (*-uję*) gossip
plucha *f* (*-y*; *G* -) wet weather
pluć (*-uję*) spit
plugaw|ić ⟨**s-**⟩ (*-ię*) defile; **~y** foul, filthy → ***obrzydliwy***
plunąć *pf.* → ***pluć***
plus *m* (*-a*; *-y*) *math.* plus; ~ ***minus*** *fig.* give or take
pluskać (*-am/-szczę*) splash (***o*** *A* against); ~ ***się*** splash about
pluskiewka *m* (*-i*; *G -wek*) → ***pinezka***

P

pluskwa *f* (*-y*; *G -kiew*) *zo.* bedbug; F (*urządzenie podsłuchowe*) bug
plusnąć *v/s.* (*-nę*) → ***pluskać***; **~ *do wody*** plop into the water
plusz *m* (*-u*; *-e*) plush
pluton[1] *m* (*-u*; *0*) *chem.* plutonium
pluton[2] *m* (*-u*; *-y*) *mil.* platoon; **~owy** *m* (*-ego*; *-wi*) platoon leader
plwocina *f* (*-y*; *G -*) *med.* spit, spittle
płaca *f* (*-y*; *-e*, *G -*) payment, pay; **~ *za urlop*** holiday pay
płachta *f* (*-y*; *G -*) tarpaulin; (*papieru*) sheet; **~ *ratownicza*** safety blanket
płacić ⟨**o-, za-**⟩ (*-cę*) pay
płacowy pay, payment
pła|cz *m* (*-u*; *-e*) weeping, cry; **~czliwy** weepy, tearful; **~czliwie** *adv.* tearfully; **~kać** (*-czę*) cry, weep
płaski flat
płasko *adv.* flatly, flat; **~rzeźba** *f* (*-y*; *G -*) bas-relief; **~stopie** *n* (*-a*; *0*) flat feet *pl.*, *med.* platypodia; **~wzgórze** *n* (*-a*; *G -*) plateau
płaszcz *m* (*-a*; *-e*) coat; *biol.* mantle
płaszczyć ⟨**s-**⟩ (*-ę*) flatten; **~ *się*** *fig. pej.* crawl, grovel
płaszczyzna *f* (*-y*; *G -*) *math.* plane; *fig.* ground
płat *m* (*-a*; *-y*) (*kawał*) piece; (*mięsa itp.*) cut, slice; *anat.* lobe; **~ek** *m* (*-tka*; *-tki*) flake; *bot.* petal; ***~ki** pl.* ***owsiane*** oatmeal; ***~ki** pl.* ***kukurydziane*** cornflakes *pl.*; F ***jak z ~ka*** without a hitch
płatn|iczy payment, of payment; **~ik** *m* (*-a*; *-nicy*) payer; ***~ik podatku*** taxpayer; **~ość** *f* (*-ści*; *0*) payment; ***warunki** pl.* ***~ości*** terms *pl.* of payment; **~y** paid
pława *f* (*-y*; *G -*) *naut.* beacon
płaz *m* **1.** (*-a*; *-y*) *zo.* reptile; **2.** (*-u*; *-y*) (*klingi*) flat; ***puścić ~em*** (*A*) let get away (with)
płciowy sexual
płd. *skrót pisany*: ***południe*** S (*south*); ***południowy*** S (*southern*)
płeć *f* (*płci*; *płcie*) sex, gender
płet|wa *f* (*-y*; *G -*) (*ryby*) fin; (*nurka, foki itp.*) flipper; **~wonurek** *m* (*-rka*; *-rkowie/-rki*) diver; *mil.* frogman
płochliw|ie *adv.* shyly; **~y** shy
płoć *f* (*-ci*; *-cie*) *zo.* roach
płodność *f* (*-ści*; *0*) fertility
płod|ny fertile; **~y** *pl.* → ***płód***
płodzić ⟨**s-**⟩ (*-dzę*, *płódź!*) beget, engender
płomie|nny flaming; *fig.* fiery; **~ń** *m* (*-nia*; *-nie*) flame
płomyk *m* (*-a*; *-i*) flame
płoną|cy burning; **~ć** (*-nę*; *-ń!*) burn; *twarz*: glow
płonica *f* (*-y*; *0*) *med.* scarlet fever
płonny vain, futile
płoszyć ⟨**s-, wy-**⟩ (*-ę*) shoo, scare; **~ *się*** shy
płot *m* (*-u*; *-y*) fence; **~ek** *m* (*-tka*; *-tki*) → ***płot***; (*w sporcie*) hurdle; ***bieg przez ~ki*** hurdle race
płow|ieć ⟨**s-, wy-**⟩ (*-eję*) fade; **~y** fawn
płoza *f* (*-y*; *G płóz*) runner
płócienny linen
płód *m* (*-łodu*; *-łody*) *med.* fo(e)tus; ***płody ziemi*** agricultural produce
płótno *n* (*-a*; *G -cien*) linen; *mal.* canvas
płuc|ny pulmonary; **~o** *n* (*-a*; *G -*) *anat.* *zw.* ***~a** pl.* lungs *pl.*; ***zapalenie ~*** pneumonia
pług *m* (*-a*; *-i*) *Brt.* plough, *Am.* plow
płukać ⟨**prze-, wy-**⟩ (*-czę*) rinse; **~ *gardło*** gargle
płycizna *f* (*-y*; *G -*) shallow
płyn *m* (*-u*; *-y*) liquid, fluid; ***w ~ie*** liquid; **~ *do włosów*** hair lotion; **~ąć** (*-nę*, *-ń!*) swim; *statek*: sail; *patyk itp.*: float; **~ność** *f* (*-ści*; *0*) fluidity, liquidity; ***~ność płatnicza*** cash liquidity; **~ny** liquid, fluid
płyt|a *f* (*-y*; *G -*) (*kamienna*) slab; (*metalowa*) plate; *bud.* tile; (*dźwiękowa*) record, (*zwł. kompakt*) disk; ***~a pamiątkowa*** commemorative plaque; ***muzyka z ~*** canned music
płytk|i shallow; *fig.* superficial; **~o** *adv.* shallowly; *fig.* superficially
pływa|czka *f* (*-i*; *G -czek*) swimmer; **~ć** (*-am*) swim; (*statkiem*) sail; **~k** *m* (*-a*; *-cy*) swimmer; (*-a*; *-i*) *tech.* float; **~lnia** *f* (*-i*; *-e*) swimming pool; **~nie** *n* (*-a*; *0*) swimming; sailing
pływy *m/pl.* (*-ów*) tides *pl.*
p.n.e. *skrót pisany*: ***przed naszą erą*** BC (*before Christ*)
pneumatyczny pneumatic; inflatable
p.o. *skrót pisany*: ***pełniący obowiązki*** acting
po *prp.* (*L*) after; by, from; on; ***odziedziczyć ~ ojcu*** inherit after the father; **~ *wojnie*** after the war; ***pięć ~ piątej*** five minutes past five (o'clock); **~ *ramieniu*** on the shoulder; **~ *stole*** on

P

the table; ~ **pokoju** in the room; ~ **głosie** by the voice; **wędrować ~ kraju** wander all over the country; ~ **kolei** in succession; ~ **całych nocach** night after night; (*A*) to; for; per; ~ **co?** what for?; ~ **... złotych za funta** ... zlotys per pound; *często nie tłumaczy się*: ~ **kolana** knee-deep; **puszka ~ konserwach** *Am.* can, *Brt.* tin; ~ **pierwsze** firstly; ~ **bohatersku** valiantly; ~ **niemiecku** (in) German

poba-, pobe- *pf.* → **ba-, be-**

pobi|cie *n* beating; *fig.* **nie do ~cia** unbeatable; **~ć** *pf.* → **bić**

pobie|- → **bie-**; **~lany** *rondel* tin; *fig.* whited; **~rać** (*-am*) *pensję* draw; *lekcje, próbki* take; *podatki* levy; *opłaty* collect; **~rać się** get married

pobieżny superficial, cursory

pobli|ski nearby; **~że** *n*: **w ~żu** (*G*) nearby, in the vicinity (of)

pobłaż|ać (*-am*) (*D*) indulge, be lenient (towards); **~liwie** *adv.* leniently; **~liwy** lenient, permissive

po|bła-, ~błą-, ~bły- *pf.* → **bła-, błą-, bły-**; **~bocze** *n* (*-a*; *G -y*) (*drogi*) *mot.* hard houlder; (*trawiaste*) verge; **~boczny** collateral

pobo|jowisko *n* (*-a*; *G -*) battlefield; **~rca** *m* (*-y*; *G -ców*): **~rca podatków** tax collector; **~rowy 1.** military; recruitment; **2.** *m* (*-ego*; *-wi*) recruit; **~ry** *m/pl.* (*-ów*) → **pobór**; (*pensja*) pay, salary, wages *pl.*

po|bożność *f* (*-ści*; *0*) *rel.* piety; **~bożny** pious; **~bór** *m* (*-boru*; *-bory*) *mil.* *Brt.* conscription, *Am.* draft; *econ.* collection; (*wody*) consumption; **~brać** *pf.* → **pobierać**

pobranie *n* (*-a*): **za ~m** cash on delivery

pobru- *pf.* → **bru-**

pobrzeż|e *n* (*-a*; *-y*) coast, riverside; (*skraj*) edge; **na ~u** on the edge

pobu|- → **bu-**; **~dka** *f* (*-i*; *G -dek*) motive, impulse; *mil.* reveille; **~dliwy** impetuous, impulsive

pobudz|ać (*-am*) ⟨**~ić**⟩ (*-ę*) stimulate (**do** *G* to); **~ająco** *adv.* stimulatingly; **~ający** stimulating; **środek ~ający** stimulant

poby|ć *pf.* stay; **~t** *m* (*-u*; *-y*) stay; **miejsce stałego ~tu** place of residence, domicile

pocałunek *m* (*-nku*; *-nki*) kiss

pochleb|ca *m* (*-y*; *G -ców*), **~czyni** *f* (*-yni*; *G -yń*) flatterer, sycophant; **~czy** flattering, cajoling; **~iać** (*-am*) flatter; **~ny** flattering; **~stwo** *n* (*-a*; *G -*) flattery; compliment

pochł|aniać (*-am*) ⟨**~onąć**⟩ → **chłonąć**; absorb; *ofiary* claim; **~onięty** (*I*) absorbed (in)

pochmurny cloudy; *fig.* gloomy, dismal

pochodn|ia *f* (*-i*; *-e*) torch; **~y** derivative; (*wtórny*) secondary

pochodz|enie *n* (*-a*; *0*) descent; origin(s *pl.*); **~ić** (**z** *G*) come (from); be descended (**z** *G*, **od** *G* from); (*wynikać*) (**z** *G*) stem (from), result (from); date (**z** *G* from); → **chodzić**

po|chopny rash, impulsive; **~chować** *pf.* → **chować**; **~chód** *m* (*-chodu*; *-chody*) procession, parade; **~chwa** *f* (*-y*; *G -*) (*kabura*) holster; (*na miecz itp.*) sheath; *anat.* vagina

pochwa|lać (*-am*) → **chwalić**; **~lnie** *adv.* approvingly; **~lny** commendatory; approving; **~ła** *f* (*-y*; *G -*) praise (**za** *A* for)

pochwy- *pl.* → **chwy-**

pochy|lać (*-am*) ⟨**~lić**⟩ → **chylić**; **~lony** sloping; bent (**nad** *I* over); **~łość** *f* (*-ści*) inclination, slope; **~ło** *adv.* at an angle, slopingly; **~ły** sloping, slanted, oblique

pociąg *m* (*-u*; *-i*) *rail.* train; (*skłonność*) attraction (**do** *G* to); ~ **drogowy** *mot.* road train; **~iem** by rail; **~ać** (*-am*) ⟨**~nąć**⟩ draw (**do** *G* to), pull (**za** *A* after); (*farbą itp.*) cover; (*nęcić*) attract; **~ać za sobą** result in; **~ająco** *adv.* attractively; **~ający** attractive; **~ły** *twarz* oval; **~nięcie** *n* (*-a*; *G -ęć*) pull

po cichu *adv.* quietly, softly; *fig.* in silence, quietly

pocić się (*-cę*) sweat; *metal, szkło*: mist, steam up

pocie|cha *f* (*-y*; *G -*) comfort; (*dziecko*) offspring; **~m-** *pf.* → **ciem-**

po ciemku *adv.* in dark

pocierać (*-am*) rub (**o** *A* on, *I* with)

pociesza|ć (*-am*) comfort, console; **~ć się** take comfort (*I* in); **~jący** comforting, consoling

pociesz|enie *n* (*-a*; *0*) comfort, consolation; **na ~enie** by way of consolation; **~ny** funny; **~yć** *pf.* → **pocieszać**

pocisk *m* (*-u*; *-i*) *karabinowy itp.* bullet; (*artyleryjski itp.*) shell; ~ **kierowany** guided missile

P

po co/cóż what for
pocu-, pocwa- *pf.* → ***cu-, cwa-***
pocz|ąć *pf.* → ***poczynać***
począt|ek *m* (*-tku*; *-tki*) start, beginning; (*choroby itp.*) onset; **~ki** *pl.* rudiments *pl.*; ***na ~ek / ~ku*** at the beginning; ***od ~ku*** from the start; **~kowo** *adv.* initially, at first; **~kowy** initial; **~kujący 1.** beginning; **2.** *m* (*-ego*; *-y*, *G -ych*) beginner; ***dla ~kujących*** for beginners
poczciw|ie *adv.* kindly; **~y** kind; good
po|czekalnia *f* (*-i*; *-e*) waiting room; **~czesny** hono(u)rable; **~częcie** *n* (*-a*; *G -ęć*) conception; **~częstunek** *m* (*-nku*; *-nki*) treat
po części *adv.* partly
pocz|ęty *dziecko* conceived; ***życie ~ęte*** unborn children *pl.*
poczt|a *f* (*-y*; *G -*) *Brt.* post, *Am.* mail; (*placówka, instytucja*) post office; ***~a lotnicza*** airmail; ***~ą*** by post/mail; → ***elektroniczny***; **~owy** post; postal; **~ówka** *f* (*-i*; *G -wek*) postcard
poczu|cie *n* (*-a*; *0*) sense; ***~cie czasu, honoru, winy, humoru*** sense of time, hono(u)r, guilt, humo(u)r; ***~ć*** *pf.* → ***czuć***; **~wać się** feel; ***~wać się do winy*** feel guilty
poczwarka *f* (*-i*; *G -rek*) *zo.* chrysalis
poczwórny fourfold; quadruple
poczyna|ć (*-am*) (*-cznę*) do; *dziecko* conceive; **~nia** *n/pl.* (*-ń*) deeds *pl.*, actions *pl.*
poczyt|ać *pf.* (*-am*) read; → ***poczytywać***; **~alny** sound of mind, responsible; **~ny** best-selling, widely read; **~ywać** (*-uję*) consider (***coś za dobre*** s.th. good; ***sobie za obowiązek*** it one's duty)
poćw- *pf.* → ***ćw-***
pod *prp.* (*A*) *kierunek* under; below; ***~ okno*** under the window; *czas* towards; ***~ wieczór*** towards the evening; ***~ sam(o) …*** up to; ***~ dyskusję*** for discussion; ***~ światło*** to the light; (*I*) *miejsce* under; below; beneath, underneath; ***~ oknem*** under the window; ***~ warunkiem*** under the condition; *bliskość* near, by; ***~ Warszawą*** near Warsaw; ***~ ścianą*** by the wall; ***~ karą*** (*G*) on the penalty (of); ***~ postacią*** (*G*) in the shape/form (of)
podać *pf.* → ***podawać, dymisja***
podagra *f* (*-y*; *0*) *med.* gout
podajnik *m* (*-a*; *-i*) *tech.* feeder
podanie *n* (*-a*; *G -ań*) (*pismo*) application; (*legenda*) legend; (*w sporcie*) pass; ***~ do wiadomości*** announcement; ***~ ręki*** handshake
podarować *pf.* → ***darować***
podarty ragged
podat|ek *m* (*-tku*; *-tki*) (***dochodowy, obrotowy*** income, sales) tax; ***~ek od wartości dodanej*** VAT; ***wolny od ~ku*** tax-free, exempt from taxation; **~kowy** tax; ***urząd ~kowy*** *Brt.* Inland Revenue; **~nik** *m* (*-a*; *-cy*) taxpayer; **~ny** susceptible (***na*** *A* to); ***~ny grunt*** *fig.* hotbed
podawać (*wręczyć*) pass; *prośbę, skargę* submit, hand in; *adres* give; *obiad* serve (up); *lekarstwo* administer; (*w sporcie*) *piłkę* pass; *rękę* hold out; ***~ do sądu*** sue; ***~ do wiadomości*** announce; ***~ się za*** (*A*) pass o.s. off (as); ***~ sobie ręce*** shake hands
podaż *f* (*-y*; *0*) *econ.* supply
podąż|ać (*-am*) ⟨**~yć**⟩ go; ***~ać za*** (*I*) follow, go after; ***~yć z pomocą*** rush to s.o.'s aid
pod|bicie *n* (*-a*; *G -ić*) *anat.* instep; *kraw.* lining; **~bić** *pf.* → ***podbijać***; **~biegać** ⟨**~biec, ~biegnąć**⟩ run up (***do*** *G* to); **~biegunowy** *geogr.* polar; **~bijać** (*-am*) *kraj* conquer; *piłkę* flick (up), (*wysoko*) loft; *oko* black; *cenę* push up; *buty* sole; *kraw.* line; **~bój** *m* (*-boju*; *-boje*) conquest (*też fig.*); **~bródek** *m* (*-a*; *-i*) *anat.* chin; **~budowa** *f* foundation, basis
pod|burzać (*-am*) ⟨**~burzyć**⟩ incite, stir up; **~chmielony** F tipsy; **~chodzić** approach (***do*** *G*), come up (***do*** *G* to); **~chorąży** *m mil.* officer cadet
podchwy|tywać (*-uję*) ⟨**~cić**⟩ catch; *melodię* pick up
podcią|ć *pf.* → ***podcinać***; **~gać** (*-am*) ⟨**~gnąć**⟩ pull up (***się*** o.s.); pull, draw up (***do*** *G* towards)
podci|nać (*-am*) cut; *krzaki* lop; (*w baseballu*) curve; (*w tenisie*) slice; **~śnienie** *n tech.* low pressure; *med.* hypotension
podczas *prp.* (*G*) during; ***~ gdy*** while
podczerwony infrared
podda|ć *pf.* → ***poddawać***; **~sze** *n* (*-a*; *G -y*) attic (storey); **~wać** (*-ję*) surrender (***się*** *v/i.*); *myśl* suggest; ***~wać próbie*** try out; ***~wać się*** give up; (*operacji*) undergo; (*żądaniom itp.*) give way

P

poddostawca *m* subcontractor
pode → ***pod***; ~ ***mną*** under me
podejmować (*-uję*) take, take up; (*wznosić*) lift up; *pieniądze* draw, withdraw; *decyzję* take; *walkę* take up; *podróż* make, undertake; *gości* receive, entertain; ~ ***się*** (*G*) undertake
podejrz|any 1. suspicious, suspect; **2.** *m* (*-ego*; *-ych*), **~ana** *f* (*-ej*; *-e*) suspect; **~enie** *n* (*-a*; *G -eń*) suspicion; **~ewać** (*-am*) suspect (***o*** *A* of); (*przypuszczać*) suspect, believe, suppose; **~liwość** *f* (*-ści*; *0*) mistrust, distrust; **~liwie** *adv*. suspiciously; **~liwy** suspicious
podejś|cie *n* (*-a*; *G -jść*) approach (*też fig.* ***do*** *G* to); (*pod górę*) climb; *fig.* treatment; **~ć** *pf.* (→ ***-jść***) → ***podchodzić***; *fig.* approach
podekscytowany excited
pode|przeć *pf.* → ***podpierać***; **~rwać** *pf.* → ***podrywać***; **~słać** *pf.* → ***podścielić***; **~szły** *wiek* advanced
podeszwa *f* (*-y*; *G -szew*) sole
pod|galać (*-am*) ⟨***~golić***⟩ shave
podglądа|cz *m* (*-a*; *-e*) peeper; voyeur; **~ć** (*-am*) peep (*A* at)
pod|główek *m* (*-wka*; *-wki*) head-rest; **~górze** *n* (*-a*) foothills *pl.*; **~grzewać** (*-am*) ⟨***~grzać***⟩ warm up; **~jazd** *m* (*-u*; *-y*) drive; **~jąć** *pf.* → ***podejmować***; **~jeżdżać** (*-am*) ⟨***~jechać***⟩ drive up, draw up; **~jęcie** *n* (*-a*; *0*) *fig.* start(ing); *por.* ***podejmować***; **~judzać** (*-am*) ⟨***~judzić***⟩ incite; **~klejać** (*-am*) ⟨***~kleić***⟩ glue, paste
podkład *m* (*-u*; *-y*) (*o farbie*) undercoat; *rail. Brt.* sleeper, *Am.* tie; *med.* absorbent pad; **~ać** (*-am*) put under; *fig.* plant; **~ka** *f* (*-i*; *G -dek*) mat, pad; *tech.* washer
podkop|ywać (*-uję*) ⟨***~ać***⟩ dig in; *fig.* undermine, erode
podko|szulek *m* (*-lka*; *-lki*), **~szulka** *f* (*-lki*; *G -lek*) *Brt.* vest, *Am.* undershirt; **~wa** *f* (*-y*; *G -ków*) horse-shoe
podkra|dać się (*-am*) ⟨***~ść się***⟩ sneak up
podkreś|lać (*-am*) ⟨***~lić***⟩ underline; *fig. też* emphasize
pod|kusić *pf.* → ***kusić***; **~kuwać** (*-am*) ⟨***~kuć***⟩ shoe; **~lać** *pf.* → ***podlewać***; **~latywać** (*-uję*) ⟨***~lecieć***⟩ (*w górę*) fly up; **~le** *adv.* despicably, basely; **~legać** (*-am*) ⟨***~lec***⟩ (→ ***lec***) be subordinate (*D* to); *podatkowi* be subject (*D* to); **~legły 1.** subordinate; subject; **2.** *m* (*-ego*; *-li*) subordinate
pod|lewać (*-am*) water; **~liczać** (*-am*) ⟨***~liczyć***⟩ count up, add up; **~lotek** *m* (*-tka*; *-tki*) teenager; **~łączać** (*-am*) ⟨***~łączyć***⟩ (***do*** *G*) connect (to), hook up (to); **~łoga** *f* (*-i*; *G -łóg*) floor; **~łość** *f* (*-ści*; *0*) meanness; nastiness; **~łoże** *n* (*-a*; *G -ży*) foundation, base; **~łożyć** *pf.* → ***podkładać***
podłuż|nie *adv.* longitudinally; lengthways; **~ny** longitudinal; oblong
podły mean; base, despicable
podma|kać (*-am*) get damp; **~lowywać** (*-uję*) ⟨***~lować***⟩ paint
pod|miejski suburban; **~miot** *m* (*-u*; *-y*) subject (*też gr.*); **~moknąć** *pf.* → ***podmakać***; **~morski** submarine
podmuch *m* (*-u*; *-y*) gust
pod|mywać (*-am*) ⟨***~myć***⟩ *brzeg* undermine, underwash; **~najemca** *m* (*-y*; *G -ców*) subtenant
podniebienie *n* (*-a*; *G -eń*) *anat.* palate
podnie|cać (*-am*) ⟨***~cić***⟩ excite; (*podsycać*) stimulate; ***~cać się*** get excited; **~cenie** *n* (*-a*; *G -eń*) excitement; stimulation; **~ść** *pf.* → ***podnosić***; **~ta** *f* (*-y*; *G -*) incentive
pod|niosły lofty, elevated; **~nosić** raise (*też fig., math.*); pick up; *flagę* hoist up, run up; *kotwicę* weigh; *kołnierz* turn up; *cenę też* put up; ***~nosić się*** rise; get up, stand; (*w łóżku*) sit up; *mgła*: lift up; **~nośnik** *m* (*-a*; *-i*) jack
podnóż|e *n* (*-a*; *G -y*) foot; ***u ~a*** (*G*) at the foot of (of); **~ek** *m* (*-ka*; *-ki*) footstool
podob|ać się (*-am*) like, enjoy; ***nie ~ać się*** *też* dislike; ***jak ci się to ~a?*** how do you like it?; ***ile ci się ~a*** as much as you like it; **~ieństwo** *n* (*-a*; *G -w*) similarity; **~nie** *adv.* similarly (***jak*** to), likewise; **~no** *adv.* supposedly; ***on ~no wyjechał*** they say he has gone; **~ny** like, similar (***do*** *G* to); ***i tym/temu ~ne*** and the like
podoficer *m* (*-a*; *-owie*) non-commissioned officer
podokiennik *m* (*-a*; *-i*) → ***parapet***
podołać (*-am*) (*D*) cope (with), manage
podomka *f* (*-i*; *G -mek*) housecoat
podpa|dać (***pod*** *A*) come under, fall into; (*D*) get into trouble (with); **~lacz** *m* (*-a*; *-e*) arsonist; **~lać** (*-am*) ⟨***~lić***⟩ (*A*) set fire (to); **~ska** (*-i*; *G -sek*) *Brt.* san-

P

itary towel, *Am.* sanitary napkin; **~ść** *pf.* → ***podpadać***; **~trywać** (*-uję*) ⟨***~trzyć***⟩ spy, peep
podpełz|ać (*-am*) ⟨***~nąć***⟩ crawl, creep (***pod*** *A* to)
pod|piąć *pf.* → ***podpinać***; **~pić**: ***~pić sobie*** get tipsy, get o.s. Dutch courage; **~pierać** (*-am*) support, prop up; ***~pierać się*** lean, support o.s.; **~pinać** (*-am*) (***do*** *G*) pin up (to); *papier* attach (to)
podpis *m* (*-u*; *-y*) signature; (*pod rysunkiem*) caption; **~ywać** (*-uję*) ⟨***~ać***⟩ (*też* ***się***) sign
pod|pity tipsy; **~pływać** ⟨***~płynąć***⟩ (***do*** *G*) *pływak*: swim up (to); *wioślarz*: row up (to); *statek*: sail up (to); **~pora** *f* (*-y*) support; **~porucznik** *m* second lieutenant
podpo|rządkow(yw)ać (*-[w]uję*) subordinate; ***~rządkow(yw)ać się*** conform to *s.th.*; comply with *s.th.*; defer to *s.o.*; **~wiadać** (*-am*) ⟨***~wiedzieć***⟩ prompt; suggest
podpórka *f* (*-i*; *G -rek*) support
podpułkownik *m* lieutenant colonel
podra|biać (*-am*) forge; **~pać** *pf.* scratch; **~stać** (*-am*) grow; **~żać** (*-am*) raise the cost of
podrażnienie *n* (*-a*) irritation (*też med.*)
podreperować *pf.* repair, mend; patch up
podręczn|ik *m* manual; ***~ik szkolny*** textbook, handbook; **~y** hand
pod|robić *pf.* → ***podrabiać, drobić***; **~rosnąć** *pf.* → ***podrastać***; **~rostek** *m* (*-tka*; *-tki*) teenager; juvenile
podroż|eć *pf.*, **~yć** *pf.* (*-ę*) → ***drożeć, podrażać***
podróż *f* (*-y*; *-e*) (*krótka*) trip; (*długa*) journey; voyage; ***biuro ~y*** travel agency; **~ny 1.** travel(l)ing, travel(l)er's; **2.** *m* (*-ego*; *-i*), **~na** *f* (*-ej*; *-e*) travel(l)er; **~ować** travel; ***~ować koleją*** travel by train) (***po*** *L* in)
podrumienić *pf.* roast/bake slightly brown
podrywać (*-am*) raise; snatch; *fig.* undermine; F *dziewczynę* pick up; ***~ się*** start; jump to one's feet; *ptak*: take wing
podrzeć *pf.* tear up; tear *s.th.* to pieces; *ubranie też* wear out
podrzędny inferior; (*mierny*) second-rate; *gr.* subordinate
podrzu|cać ⟨***~cić***⟩ toss/throw into the air; *dziecko* expose; F (*dostarczyć*) deliver; let *s.o.* have *s.th.*; (*kogoś*) give *s.o.* a lift; **~tek** *m* (*-tka*; *-tki*) foundling
pod|sadzać ⟨***~sadzić***⟩ help up; **~sądny** *m* (*-ego*; *-i*), **-na** *f* (*-ej*; *-e*) defendant; **~skakiwać** (*-uję*) jump up; *piłka*: bounce; F *ceny*: shoot up; soar; **~skakiwać *z radości*** jump for joy; **~skok** *m* jump; leap; **~skórny** *med.* subcutaneous; *zastrzyk*: hypodermic
podsłuch *m* (*-u*) bug; tap; ***założyć ~*** bug (s.o.'s room); tap (s.o.'s phone); **~iwać** (*-uję*) ⟨***~ać***⟩ *v/i.* eavesdrop; (*pod drzwiami*) overhear; **~owy** tapping; (*urządzenie*) device
podsmaż|ać (*-am*) ⟨***~yć***⟩ fry
podstarzały elderly
podstaw|a *f* (*-y*) base; basis; foundation; *tech.* mount, pedestal; *mat.* base; ***na ~ie czegoś*** on the ground of sth; ***mieć ~ę*** (do *G*) to have good reason for doing sth; ***mieć ~ę*** have good reason for; ***na ~ie*** (*G*) on the basis of; **~i(a)ć** put *s.th.* under *s.th.*; substitute; *samochód* to bring round; **~ka** *f* (*-i*; *G -wek*) support; (*spodek*) saucer; **~owy** basic; fundamental; ***szkoła ~owa*** *Brt.* primary school, *Am.* elementary school
podstęp *m* (*-u*; *-y*) trick; ruse; **~ny** deceitful; scheming; tricky; *plan* insidious
pod|strzygać (*-am*) ⟨***~strzyc***⟩ trim; **~sumow(yw)ać** (*-[w]uję*) add up; *fig.* sum up; **~suwać** ⟨~sunąć⟩ push; shove; draw; *myśl* suggest; **~sycać** (*-am*) ⟨~sycić⟩ *nienawiść* hatred; **~szeptywać** (*-uję*) ⟨***~szepnąć***⟩ *fig.* prompt; hint; insinuate; **~szewka** *f* (*-i*; *G -wek*) *kraw.* lining
podszy|wać (*-am*) ⟨***~ć***⟩ line; ***~ć się*** impersonate; pretend to be (***pod*** *s.o.*)
pod|ścielić *pf.* (*-lę*) *koc* spread; **~ściółka** *f* (*-i*; *G -łek*) bed; (*słoma itp.*) litter; **~śpiewywać** (*-uję*) hum; **~świadomy** subconscious; **~tytuł** *m* (*-u*; *-y*) subtitle; (*w gazecie*) subheading
podtrzym|ywać (*-uję*) ⟨***~ać***⟩ support; hold up; *fig.* support; uphold; keep up; *żądania*, *stosunki itp.* maintain; ***~ywać ogień*** keep the fire burning
pod|udzie *n* (*-a*) shank; **~upadać** ⟨***~upaść***⟩ (→***paść***[2]) deteriorate; fall into decline; fall into poverty
poduszk|a *f* (*-i*; *G -szek*) pillow; cushion; *tech.* cushion, pad; **~owiec** *m*

(*-wca*; *-wce*) hovercraft
podwajać (*-am*) double
pod|walina *f* (*-y*) *fig.* foundations *pl*; **~ważać** (*-am*) 〈**~ważyć**〉 lever up; prize upon; *fig.* undermine; challenge
podwiąz|ka *f* (*-i*; *G -zek*) garter; suspender; **~ywać** (*-uję*) 〈**~zać**〉 tie; bind up; *med.* ligate
pod|wieczorek *m* (*-rku*; *-rki*) tea; **~wieźć** *pf* → **podwozić**; **~wijać** (*-am*) 〈**~winąć**〉 (*-nę*, *-ń!*) *rękawy* roll up; *nogi* draw up; ***z ~winiętym ogonem*** with the tail between the legs; **~władny** subordinate; inferior; → **podległy**; **~wodny** underwater; ***okręt ~ny*** submarine
podwo|ić *pf.* → **podwajać**; **~zić** give *s.o.* a lift; **~zie** *n* (*-a*; *G -zi*) *mot.* chassis; *aviat.* undercarriage
podwój|nie *adv.* double; doubly; (*dwukrotnie*) twice; **~ny** double; ***gra ~na*** (*w sporcie*) doubles; *fig.* ***~na gra*** double-dealing
podwó|rko *n* (*-a*; *G -rek*), **~rze** *n* (*-a*) court, (back) yard
podwyż|ka *f* (*-i*; *G -żek*) rise, increase; ***~ka płac*** *Brt.* rise, *Am.* raise; ***~ka cen*** increase in prices; **~szać** (*-am*) 〈**~szyć**〉 (*-ę*) raise, increase; ***~szać się*** rise; **~szenie** *n* (*-a*) rise; platform
podzelować [-d·z-] *pf.* re-sole
po|dziać *pf.* → **podziewać**; **~dział** *m* division; **~działka** *f* scale; **~dzielić** *pf.* → **dzielić**; **~dzielnik** *math.* divisor
podziem|ie [-d·ź-] *n* (*-a*; *G -i*) basement; *fig.* underground; **~ny** underground
podziewać (*-am*) (*zgubić*) to get lost, to vanish; (*znaleźć schronienie*) **~ się** to find shelter
podziękowanie *n* (*-a*) thanks
podziurawiony full of holes, in holes
podziw *m* (*-u*; *0*) admiration; → **nad**; **~iać** (*-am*) admire
podzwrotnikowy [-d·z-] subtropical
podźwignąć *pf.* raise, lift; *fig.* restore; **~ się** pull oneself up
podżegać [-d·ʒ-] (*-am*) incite (**przeciw** *D* against; **do** *G* to)
poe|mat *m* (*-u*; *-y*) poem; **~ta** *m* (*-y*; *-ci*), **~tka** *f* (*-i*; *G -tek*) poet; **~tycki** (**-ko**), **~tyczny** poetic; **~zja** *f* (*-i*; *0*) poetry; (*pl. -e*) poems
po|fa-, ~fi-, ~fo- *pf.* → **fa-, fi-, fo-**
poga|danka *f* (*-i*; *G -nek*) talk; **~niać** drive; urge; **~nin** *m* (*-a*; *-anie*, -), **~nka** *f* (*-i*; *G -nek*) pagan, heathen; **~ński** pagan, heathen
pogar|da *f* (*-y*; *0*) contempt; disdain; scorn; ***godny ~dy*** contemptible; despicable; ***mieć w ~dzie*** hold in contempt; **~dliwy** (**-wie**) contemptuous; disdainful; scornful; **~dzać** (*-am*) 〈**~dzić**〉 (*I*) despise; scorn; hold in contempt; (*czymś też*) renounce *s.th.*
pogarszać (*-am*) worsen; make *s.th.* worse; **~ się** deteriorate
pogawędka *f* (*-i*; *G -dek*) chat
pogląd *m* (*-u*; *-y*) view; opinion; ***~ na świat*** outlook; ***wymiana ~ów*** exchange of ideas; **~owy** visual
po|głębiać (*-am*) 〈**~głębić**〉 deepen; *fig.* intensify; **~głębiarka** *f* (*-i*) dredger; **~głos** *m* (*-u*; *0*) reverberation; **~głoska** *f* rumo(u)r; hearsay; **~gmatwany** entangled; intricate; **~gnać** *pf.* → **poganiać**; *v/i.* rush, speed off
pogod|a *f* (*-y*) weather; ***będzie ~a*** we're going to have fine weather; **~ny** bright; fine; clear; *fig.* cheerful
pogodzeni|e *n* (*-a*) reconciliation; ***niemożliwy do ~a*** irreconcilable
pogo|nić *pf.* → **poganiać, pognać**; **~ń** *f* (*-ni*; *-nie*) chase; pursuit
pogorsz|enie (się) *n* (*-a*) deterioration; **~yć** *pf.* → **pogarszać**
pogorzelisko *n* (*-a*) site of a fire
pogotowi|e *n* (*-a*; *0*) alert; (*karetka*) ambulance; ***~e górskie*** mountain rescue team; ***~e awaryjne/techniczne*** public utilities emergency service; ***~e górskie*** mountain rescue service; ***w ~u*** in readiness; on the alert
pogranicz|e *n* (*-a*) borderland; ***na ~u*** on borderline; **~ny** frontier; *fig.* borderline
pogrąż|ać (*-am*)〈**~yć**〉(*-ę*) sink; plunge; *fig.* crash, destroy; ***~yć się*** sink, become immersed
pogrom *m* (*-u*; *-y*) rout; *hist.* pogrom; **~ca** *m* (*-y*; *G -ów*), **~czyni** *f* (*-i*) conqueror; ***~ca zwierząt*** tamer
pogróżka *f* (*-i*; *G -żek*) threat
pogru-, pogry- *pf.* → **gru-, gry-**
pogrzeb *m* (*-u*; *-y*) funeral; (*kondukt*) funeral procession; **~acz** *m* (*-a*; *-e*) poker; **~ać** *pf.* → **grzebać**; *ciało* bury (*też fig.*); **~owy** funeral; ***zakład ~owy*** undertaker's; funeral parlour
pogu- *pf.* → **gu-**

P

pogwałc|ać (*-am*) ⟨**~ić**⟩ *uczucia* violate, transgress; *prawo* break
pogwizdywać (*-uję*) whistle
pohamowa|ć się *pf.* control o.s.; check o.s.; **~nie** *n* restraint, self-control
po|ić ⟨**na-**⟩ (*-ję, -isz, pój!*) *v/t.*give *s.th.* to drink; *konie* water; F (*upijać*) ply *s.o.* with drink; **~in-** *pf.* → **in-**; **~jawiać się** (*-am*) ⟨**~jawić się**⟩ appear; emerge; become visible; **~jazd** *m* (*-u*; *-y*) (*mechaniczny* motor) vehicle; **~jazd kosmiczny** spacecraft; **~jąć** *pf.* → **pojmować**; **~je-** *pf.* → **je-**
pojedna|nie *n* (*-a*) reconciliation; **~wczy** conciliatory
pojedyn|czy individual; (*nie podwójny*) single; **gra ~cza** (*w sporcie*) singles; **liczba ~cza** *gr.* singular; **~ek** *m* (*-nku*; *-nki*) duel (*też fig.*)
pojemn|ik *m* (*-a*; *-i*) container; **~ość** *f* (*-ści*; *0*) capacity (*też phys.*); *mar.* tonnage; **~ość skokowa** cubic capacity; **~y** capacious; roomy
pojezierze *n* (*-a*; *G -rzy*) lake district
pojęci|e *n* (*-a*) notion; F (*pl. 0*) idea; **nie do ~a** incomprehensible; **nie mam ~a** I have no idea
pojętny intelligent; clever
pojmować (*-uję*) understand; comprehend
pojutrze the day after tomorow
po|ka- *pf.* → **ka-**
pokarm *m* (*-u*; *-y*) food; **~owy**: **przewód ~owy** alimentary canal
pokaz *m* (*-u*; *-y*) (*mody* fashion) show; demonstration; **na ~** for show; **~ywać** (*-uję*) ⟨**~ać**⟩ show; **~ywać się** turn up; show up
po|kaźny sizeable; considerable; **~kątny** illegal; *transakcja* under the table
poklask *m* (*-u*; *0*) applause (*też fig.*)
poklep|ywać (*-uję*) ⟨**~ać**⟩ → **klepać**
pokła|d *m* (*-u*; *-y*) *mar* deck; (*warstwa*) layer; stratum; (*w górnictwie*) seam; **na ~dzie** (**statku**) on board (a ship); **~dać** (*-am*) *nadzieję itp.* put (one's hopes) (**w** *L* in); **~dowy** deck
pokłosie *n* (*-a*; *G -si*) *fig.* aftermath
po|kłócić *pf.* turn *s.o.* against *s.o.*; **~kłócić się** quarrel (with); **~kochać** *pf. v/t.* fall in love (with); come to love
poko|jowy¹ peacuful; peace; **~jowy²** room; **~jówka** *f* (*-i*; *G -wek*) (chamber)maid
pokolenie *n* (*-a*) generation
poko|nywać (*-uję*) ⟨**~nać**⟩ defeat; beat; *fig.* overcome; **~nany** beaten; conquered; **~ra** *f* (*-y*; *0*) humility; **~rny** humble
pokost *m* (*-u*; *-y*) varnish
po|kój¹ *m* (*-oju*; *0*) peace; **~kój²** *m* (*-oju*; *-oje*) (**hotelowy, stołowy** hotel, dining) room
pokra- *pf.* → **kra-**
pokrew|ieństwo *n* (*-a*) kinship; **~ny** related (*D* to)
pokro|- *pf.* → **kro-**; **~wiec** *m* (*-wca*; *-wce*) cover
pokrój *m* (*-oju*; *0*) type; sort
pokrótce *adv.* briefly
pokry|cie *n* (*-a*) covering; *tech.* (roof) cover; *fin.*, *econ.* cover, backing; **wystawić czek bez ~cia** bounce a cheque; **słowa bez ~cia** empty words; **~ć** *pf.* → **pokrywać, kryć**
po kryjomu *adv.* secretly
pokryw|a *f* (*-y*) cover; *tech.* bonnet; **~ać** (*-am*) be covered (with); **~ać się z** (*I*) agree with; **~ka** *f* (*-i*; *G -wek*) lid
pokrzepi|ać (*-am*) ⟨**~ć**⟩ strengthen; fortify; **~ć na duchu** comfort; cheer; **~ający** strengthening; fortifying
pokrzywa *f* (*-y*) nettle
pokrzywdzony deprived, disadvantaged, harmed
pokrzywk|a *f* (*-i*; *0*) *med.* rash, hives
pokupny *towar* sal(e)able; in demand
pokus|a *f* (*-y*) temptation; **~ić się** (*o* A) attempt to *inf.*
pokut|a *f* (*-y*) penance; **~ować** (*-uję*) to do penance (**za** A for); *fig.* pay for *s.th.*
pokwa-, pokwę- *pf.* → **kwa-, kwę-**
pokwitowanie *f* (*-a*) receipt; **za ~m** against receipt
pola|- *pf.* → **la-**; **~ć** *pf.* → **polewać**
Polak *m* (*-a*; *-cy*) Pole
pola|na *f* (*-y*) clearing; **~no** *n* (*-a*) log
polarny polar; → **zorza**
pole *n* (*-a*; *G pól*) field (*też fig.*); *mat.* area; **wywieść w ~** hoodwink *s.o.*
pole|c *pf.* fall; be killed; **~c za ojczyznę** be killed for *one's* country; **~cać** (*-am*) ⟨**~cić**⟩ (*-cę*) command; (*powierzać*) entrust; (*doradzać*) recommend; **list ~cający** letter of recommendation; **list ~cony** registered letter; **~cenie** *n* (*-a*) (*zlecenie*) command, order; **z ~cenia** on *s.o.'s* recommendation;

P

~gać (*-am*) (**na** *L*) depend, rely (on); (*zasadzać się*) consist (in); **~gły** killed; *m* (*-ego*; *-li*) casualty
polemiczny polemic
polepsz|ać (*-am*) ⟨**~yć**⟩ (*-ę*) improve (*też* **się**); **~enie** *n* (*-a*) improvement
polerować ⟨**wy-**⟩ (*-uję*) polish
polew|a *f* (*-y*) glaze; (*na cieście*) icing; **~aczka** *f* (*-i*; *G -czek*) → **konewka**; **~ać** (*-am*) pour water on; *tech.* glaze; **~ka** *f* (*-i*; *G -wek*) soup
poleżeć *pf.* lie (some time)
polędwica *f* (*-y*; *-e*) fillet, loin
polichlorek *m* (*-rku*; *-rki*): **~ winylu** polyvinyl chloride
polic|ja *f* (*-i*; *0*) (**drogowa** traffic) police; **~ja śledcza** criminal investigation department, CID; **~jant** *m* (*-a*; *-ci*) policeman; **~jantka** *f* (*-i*; *G -tek*) policewoman; **~yjny** police
policz|ek *m* (*-czka*; *-czki*) cheek; slap in the face; **~kować** ⟨**s-**⟩ (*-uję*) slap *s.o.'s* face; **~yć** *pf.* → **liczyć**
poli|etylenowy polythene; **~gon** *m* (*-u*; *-y*) *mil.* military training ground; **~'grafia** *f* (*GDL -ii*; *0*) typography, printing
polisa *f* (*-y*) policy
politechnika *f* politechnic
politowanie *n* (*-a*; *0*) pity, compassion; **z ~m** pitifully, with compassion
politur|a *f* (*-y*) French polish; **~ować** (*-uję*) French-polish
polity|czny political; **~k** *m* (*-a*; *-cy*) politician; **~ka** [-'li-] *f* (*-i*) politics; policy
polka *f* (*-i*; *G -lek*) (*taniec*) polka
Polka *f* (*-i*; *G -lek*) Pole; Polish girl *lub* woman
polny field; **konik ~** grasshopper
polonez *m* (*-a*; *-y*) polonaise
polonijny: **ośrodek ~** Polish community centre
polonistyka *f* (*-i*; *0*) Polish studies
polot *m* (*-u*; *0*) inspiration
polowa|ć (*-uję*) (**na** *A*) hunt; *zwierzę*: prey; **~nie** *n* (*-a*) (**na lisa** fox) hunting; hunt
Polska *f* (*-i*; *0*) Poland
pols|ki Polish; **po ~ku** Polish
polszczyzna *f* (*-y*; *0*) Polish (language)
polub|ić *pf.* become fond (of); come to like; **~owny** conciliatory; **sąd ~owny** court of conciliation
poła *f* (*-y*; *G pół*) tail
poła|- *pf.* → **ła-**; **~many** broken
połącz|enie *n* (*-a*) combination; joint; *kolej*, *tel. Brt.* connection, *Am.* connexion; (*firm itp.*) merger; **~ony** joint; *fig.* connected (**z** *I* with); **~yć** *pf.* → **łączyć**
połknąć *pf.* (*-nę*) swallow
połow|a *f* (*-y*) (*część*) half; (*środek*) middle; **do ~y** half-…; **w ~ie maja** in the middle of May; **w ~owie drogi** halfway; **podzielić na ~ę** halve; **~iczny**: **środki ~iczne** half measures
położ|enie *n* (*-a*) location; position, situation; **~na** *f* (*-ej*; *-e*) midwife; **~nictwo** *n* (*-a*; *0*) obstetrics; **~yć** *pf.* → **kłaść**
połóg *m* (*-ogu*; *-ogi*) *med.* puerperium
połów *m* (*-owu*; *-owy*) fishing; (*złowione ryby*) catch
połówka *f* (*-i*; *G -wek*) half
południ|e *n* (*-a*) noon; midday; *geogr.* south; **po ~u** in the afternoon; **przed ~em** in the morning; **w ~e** at noon, at midday; **na ~e od** (*G*) south of; **~k** *m* (*-a*; *-i*) *geogr.* meridian
południo|wo-wschodni south-east(ern); **~wo-zachodni** south-west(ern); **~wy** southern; south
połykać (*-am*) swallow
połysk *m* (*-u*; *0*) polish; gloss; lustre/luster
połyskiwać (*-uję*) glitter; glisten
poma|- *pf.* → **ma-**; **~dka** *f* (*-i*; *G -dek*): **~dka do ust** lipstick; **~gać** (*-am*) help; assist (**przy, w** *L*) with; **~gać na** (*A*) *kaszel itp.* relieve; **~lo-** *pf.* → **malo-**; **~łu** *adv.* slowly; F *fig.* slow down!
pomarańcz|a *f* (*-y*; *-e*) orange; **~owy** (**-wo**) orange
pomarszczony wrinkled
pomawiać (**k-o o** *A*) unjustly accuse (s.o. of s.th.)
po|mazać *pf.* smear; **~mą-, ~me-, ~mę-** *pf.* → **mą-, me-, mę-**
pomiar *m* (*-u*; *-y*) measurement; **~owy** measuring
pomi(ą)- *pf.* → **mi(ą)-**
pomidor *m* (*-a*; *-y*) tomato; **~owy** tomato; *kolor*: tomato-red
pomie|- *pf.* → **mie-**; **~szanie** *n* (*-a*; *0*): **~szanie zmysłów** insanity; **~szczenie** *n* (**-a**) room; **~ścić** *pf.* hold; find room for; **~ścić się** find room
pomię|- *pf.* → **mię-**; **~ty** crumpled
pomi|jać ⟨**~nąć**⟩ (*opuścić*) omit; (*nie uwzględnić*) pass over; **~jając** (*A*) ex-

P

cepted; **~mo** *prp.* (*G*) in spite of, despite
pomnażać (*-am*) → ***mnożyć***
pomniejsz|ać (*-am*) ⟨***~yć***⟩ (*-ę*) diminish; lessen; *fig.* diminish, belittle; **~y** smaller; lesser
pomnik *m* (*-a*; *-i*) monument
pomoc *f* (*-y*; *0*) help; assistance; aid; (*pl. -e*) help, aid; (*w sporcie*) midfield; ***~e naukowe*** teaching aids; ***przyjść z ~ą*** come to s.o.'s help; ***wzywać na ~*** call for help; ***przy ~y, za ~ą*** by means of; **~nica** *f* (*-y*; *-e*) helper; **~nictwo** *n* (*-a*) *jur.* abetting; **~niczy** auxiliary; **~nik** *m* (*-a*; *-cy*) helper; assistant; **~ny** helpful; ***być ~nym*** (***w*** *L*) be helpful in
pomor|- *pf.* → ***mor-***; **~ski** Pomeranian
pomost *m* (*-u*; *-y*) pier; platform; *tech*; ***~ wieńcowy*** bypass
pomóc *pf.* (*-móż!*) → ***pomagać***
pomór *m* (*-oru*; *0*) plague, pest
pomówić *pf.* → ***pomawiać***
pomp|a[1] *f* (*-y*) pump; **~a**[2] *f* (*-y*, *0*) pomp; **~atyczny** pompous; bombastic; **~ka** *f* (*-i*) (*do roweru itp.*) pump; (*ćwiczenie*) *Brt.* press-up, *Am.* push-up; **~ować** (*-uję*) ⟨***na-***⟩ pump (up); *powietrze* inflate
pomruk *m* (*-u*; *-i*) murmur; rumble
po|mstować (*-uję*) execrate; **~mścić** *pf.* (*-mszczę*) avenge; **~myje** *pl.* (-) swill
pomy|lić *pf.* mistake; confuse; mix up; ***~lić się*** → ***mylić***; **~lony** F crazy, loony; **~łka** *f* (*-i*; *G -łek*) mistake, error; ***przez ~łkę*** by mistake; ***~łka!*** wrong number
pomysł *m* (*-u*; *-y*) idea; **~odawca** *m* (*-y*) originator; **~owy** ingenious; inventive
pomyśleni|e: ***nie do ~a*** unthinkable, inconceivable
pomyśln|ość *f* (*-ści*) prosperity; success; ***życzyć wszelkiej ~ości*** wish *s.o.* the best of luck; **~y** favo(u)rable
pona- *pf.* → ***na-***
ponad *prp.* (*A I*) above, over; beyond; ***~ miarę*** beyond measure, excessively; ***to jest ~ moje siły*** it is beyond me; **~dźwiękowy** supersonic; **~to** *adv.* besides; moreover
pona|glać (*-am*) rush, press; → ***naglić***; **~glenie** *n* (*-a*) (*pismo*) reminder; **~wiać** (*-am*) renew; repeat
poncz *m* (*-u*; *-e*) punch
ponętny tempting
poniedział|ek *m* (*-łku*; *-łki*) Monday; **~kowy** Monday

ponie|kąd *adv.* in a way; **~ść** *pf.* → ***ponosić***; **~waż** *cj.* because; as; since; **~wczasie** *adv.* too late; tardily
poniewierać (*-am*) (*A*, *I*) hold in contempt, treat *s.o.* badly; ***~ się*** (*o rzeczach*) lie about
poniż|ać (*-am*) humiliate; ***~ać się*** stoop, demean o.s.; **~ej** *prp.* (*G*) below; beneath; *adv.* below; **~enie** *n* (*-a*) humiliation; **~szy** the following; **~yć** *pf.* (*-ę*) → ***poniżać***
ponosić (*-szę*) ⟨***ponieść***⟩ *v/t.* bear (*też fig. koszty*); *ryzyko* incur, *klęskę* suffer; *karę* undergo a punishment; *v/i. konie*: bolt; **~** ⟨***ponieść***⟩ ***winę*** (***za*** A) take blame for; ***ponieść śmierć*** meet one's death; ***poniosło go*** he got carried away
ponow|ić *pf.* (*-ę*) → ***ponawiać***; **~nie** *adv.* again **~ny** renewed, repeated
ponton *m* (*-u*; *-y*) pontoon
pontyfikat *m* (*-u*; *-y*) *rel.* pontificate
ponu|- *pf.* → ***nu-***; **~ry** gloomy; bleak; dismal
pończocha *f* (*-y*) stocking
po|ob- *pf.* → ***ob-***; **~obiedni** after-dinner; **~od-** *pf.* → ***od-***
po omacku *adv.* gropingly
po|op- *pf.* → ***op-***; **~operacyjny** post-operative; **~os-**, **~ot-** *pf.* → ***os-***, ***ot-***; **~padać** fall (into); **~pamiętać** *pf.*: ***popamiętasz mnie!*** I'll show you!; **~parcie** *n* (*-a*) support; **~parzenie** *n* (*-a*) burn; **~paść** *pf.* → ***popadać***, ***paść***[2]; ***brać co ~padnie*** take whatever turns up; **~pchnąć** *pf.* → ***popychać***
popelinowy poplin
popełni|ać (*-am*) ⟨***~ć***⟩ commit; make
popę|d *m* (*-u*; *-y*) impulse, urge; inclination; **~dliwy** impetuous; **~dzać** (*-am*) ⟨***~dzić***⟩ rush; hurry; → ***pędzić***; **~kany** cracked
popić *pf.* → ***popijać***
popiel|aty (***-to***) grey, *Am.* gray; **Ᵽec** *m* (*-lca*; *-lce*) Ash Wednesday; **~niczka** *f* (*-i*; *G -czek*) ashtray
popierać (*-am*) support, back
popiersie *n* (*-a*; *G -i*) bust
popijać (*-am*) *v/t.* sip; *jedzenie* wash down
popiół *m* (*-ołu*, *L -iele*; *-oły*) ash
popis *m* (*-u*; *-y*) show; **~owy** spectacular; **~ywać się** (*-uję*) ⟨***~ać się***⟩ (*I*) show off
po|pl- *pf.* → ***pl-***; **~plecznik** *m* (*-a*; *-cy*) partisan, supporter; **~płacać** (*-am*) pay; **~płatny** well-paid; profitable; **~płoch**

m (*-u*; *0*) panic; ***w ~płochu*** in panic
popołudni|e *n* (*-a*) afternoon; → ***południe***; **~owy** afternoon
popra- *pf.* → ***pra-***
popraw|a *f* (*-y*) improvement; (*poprawienie*) correction; **~czy**: ***zakład ~czy*** *Brt.* borstal, *Am.* reformatory; **~iać** (*-am*) ⟨**~ić**⟩ correct; adjust; improve; ***~i(a)ć się*** correct o.s.; *v/i* improve; **~ka** *f* (*-i*; *G -wek*) correction; (*o sukni*) alteration; (*do ustawy*) amendment; F (*egzamin*) repeat an exam; **~ność** *f* (*-ści*; *0*) correctness; **~ny** correct
popro- *pf.* → ***pro-***
po prostu *adv.* simply; → ***prosty***
po|pró-, ~pru- *pf.* → ***pró-, pru-***
poprzecz|ka *f* (*-i*; *G -czek*) cross-beam; (*w sporcie*) crossbar; **~ny** transversal
poprzeć *pf.* → ***popierać***
poprzedni previous; ***~ego dnia*** the day before; **~czka** *f* (*-i*; *G -czek*), **~k** *m* (*-a*; *-cy*) predecessor; **~o** *adv.* previously
poprzedz|ać (*-am*) ⟨**~ić**⟩ (*-dzę*) *v/t.* precede
poprze|k: ***na*** *lub* ***w ~k*** crosswise; **~sta(wa)ć** content o.s. (***na*** *L* with s.th.)
poprzez *prp.* through; across
po|przy- *pf.* → ***przy-***; **~psu-** *pf.* → ***psu-***
popular|ność *f* (*-ści*; *0*) popularity; **~ny** popular; **~yzować** ⟨**s-**⟩ (*-uję*) popularize
popu|szczać ⟨**~ścić**⟩ *v/t.* loosen; slacken; *fig.* *v/i* relent
popycha|ć (*-am*) → ***pchać***; *fig.* ill-treat; **~dło** *n* (*-a*; *G -deł*) *fig.* drudge
popyt *m* (*-u*; *0*) *econ.* demand
por *m* (*-u*; *-y*) *anat.* pore; (*-a*) (*warzywo*) leek
por. *skrót pisany*: ***porównaj*** cf. (compare); *skrót pisany*: ***porucznik*** Lt. (lieutenant)
po|ra *f* (*-y*; *G pór*) time; hour; ***~ra roku*** season; ***w ~rę*** at the right moment, in time; ***nie w ~rę*** ill-timed; ***do tej ~ry*** until now; so far; ***o tej ~rze*** at this time; ***o każdej ~rze*** at any time
porabia|ć (*-am*): ***co ~sz?*** what are you up to?; how are you getting on?
porachunki *m/pl.* *fig.* accounts
porad|a *f* advice; ***za ~ą*** (*G*) on s.o.'s advice; **~nia** *f* (*-i*; *-e*): ***~nia lekarska*** outpatient clinic; **~nik** *m* (*-a*; *-i*) guide
poran|ek *m* morning; (*impreza*) matinée; **~ny** morning
pora|stać (*-am*) *v/t* overgrow: *v/i* become overgrown; **~żać** (*-am*) ⟨**~zić**⟩ *med.*, *fig.* *Brt.* paralyse, *Am.* paralyze; *agr.* attack; **~żenie** *n* (*-a*) paralysis; ***~żenie słoneczne*** sunstroke; ***~żenie prądem*** electric shock; **~żka** *f* (*-i*; *G -żek*) defeat
porcelana *f* (*-y*) china, porcelain
porcja *f* (*-i*; *-e*) portion, helping; ***żelazna ~*** emergency ration
pore- *pf.* → ***re-***
poręcz *f* (*-y*; *-e*, *-y*) banister; handrail; (*oparcie*) arm; ***~e*** *pl.* (*w sporcie*) parallel bars; **~ać** (*-am*) → ***ręczyć***; **~enie** *n* (*-a*) guarantee; **~ny** handy; **~yciel** *m* (*-a*; *-e*, *-i*), **~ycielka** *f* (*-i*; *G -lek*) guarantor
poręka *f* (*-i*; *0*) guarantee
porno F, **~graficzny** porno(graphic)
poro|- *pf.* → ***ro-***; **~dowy**: ***izba ~dowa*** delivery room **~nienie** *n* (*-a*) miscarriage; abortion; **~niony** F *fig.* silly, foolish
poros|nąć *pf.* → ***porastać***; **~t** *m* (*-u*; *0*) growth; ***~ty*** *pl.* *bot.* lichen(s)
porowaty porous
poroz- *pf.* → ***roz-***
porozumie|nie *n* (*-a*) understanding, agreement; (*układ*) agreement; ***dojść do ~nia*** come to an agreement; **~wać się** (*-am*) ⟨***~ć się***⟩ communicate (***z*** *I* with); (*dojść do zgody*) come to an agreement (***co do*** *G* about s.th.); **~wawczy** knowing
poród *m* (*-odu*; *-ody*) (child)birth, delivery
porówn|anie *n* (*-a*) comparison; **~awczy** comparative; **~ywać** (*-uję*) ⟨***~ać***⟩ compare
poróżnić *pf.* set *s.o.* against *s.o.*; ***~ się*** fall out with *s.o.*
port *m* (*-u*; *-y*) port, harbo(u)r; *fig.* haven; ***~ lotniczy*** airport
portfel *m* (*-a*; *-e*) wallet
portier *m* (*-a*; *-rzy*) porter, doorman; **~a** *f* (*-y*) portière; **~nia** *f* (*-ni*; *-nie*) porter's lodge
portki F *pl.* (*-tek*) *Brt.* trousers, *Am.* pants
portmonetka *f* (*-i*; *G -tek*) purse
porto *n* (*idkl./-a*; *0*) (*wino*) port; (*opłata*) postage
portowy port; dock
portret *m* (*-u*; *-y*) portrait
Portugalia *f* (*-ii*; *0*) Portugal

P

Portugal|czyk *m* (*-a*; *-cy*), **~ka** *f* (*-i*; *G -lek*) Portuguese; **℞ski** (**po -ku**) Portuguese

porucznik *m* (*-a*; *-cy*) lieutenant

porusz|ać ⟨**~yć**⟩ (*I*, *fig. A*) move; *tech.* drive, propel; *temat itp.* touch (up)on; **~ać** ⟨**~yć**⟩ **się** move; **~enie** *n* (*-a*) *fig.* agitation

porwa|ć *pf.* → **porywać, rwać**; **~nie** *n* (*-a*) kidnapping; (*samolotu*) hijacking

poryw *m* (*-u*; *-y*) gust; *fig.* outburst; **~acz** *m* (*-a*; *-e*) kidnapper; (*samolotu*) hijacker; **~ać** (*-am*) kidnap; *samolot* hijack; (*unieść*) sweep away, carry away; (*chwycić*) snatch, grab; *fig.* (*ogarnąć*) carry away; (*pociągać*) ravish, enrapture; **~ać się** (*z miejsca*) jump to one's feet; (**na** *A*) fall (on s.o.); (*podjąć się*) attempt *s.th.*; **~ać się z motyką na słońce** attempt the impossible; **~ający** ravishing; **~czy** impetuous, hot-tempered

porząd|ek *m* (*-dku*; *-dki*) order (*też ciąg*); **w ~ku** in good order; **w ~ku!** all right!, OK!; **~ek dzienny** order of the day; **robić ~ki** clean up; **~kować** ⟨**u-**⟩ order; tidy; **~ny** tidy; *fig.* respectable; proper

porzeczka *f* (*-i*; *G -czek*) currant

porzuc|ać ⟨**~ić**⟩ leave, abandon; → **rzucać**

posa|- *pf.* → **sa-**; **~da** *f* (*-y*) job; **bez ~dy** out of work

posadzka *f* (*-i*; *G -dzek*) floor

posag *m* (*-u*; *-i*) dowry

posądz|ać (*-am*) ⟨**~ić**⟩ (**k-o o** *A*) suspect (s.o. of s.th.)

posąg *m* (*-u*; *-i*) statue

pose|lski parliamentary; → **klub**; **~lstwo** *n* (*-a*) *pol.* legation; mission; **~ł** *m* (*-sła*; *-słowie*) envoy; *pol.* member of parliament

posesja *f* (*-i*; *-e*) estate; property

posępny gloomy, *Brt.* sombre, *Am.* somber

posiadacz *m* (*-a*; *-e*), **~ka** *f* (*-i*; *G -czek*) owner

posiad|ać own; possess; **nie ~ać się** (**z** *G*) be beside o.s. (with); **~łość** *f* (*-ci*) estate, property

po|siąść *pf.* acquire; **~siedzenie** *n* sitting, session; meeting

posi|lać się (*-am*) have a meal, take some refreshment; **~łek** *m* (*-łku*; *-łki*) meal; *pl. mil.* reinforcements *pl.*; **~łkowy** *gr.* auxiliary

po|sk- *pf.* → **sk-**; **~skramiać** (*-am*) ⟨**~skromić**⟩ (*-ę*) tame; *fig.* restrain

posła|ć *pf.* → **słać, posyłać**; **~nie**[1] *n* (*-a*; *0*) message; **~nie**[2] *n* (*-a*) (*do spania*) bedding; **~niec** *m* (*-ńca*; *-ńcy*) messenger; **~nka** *f* (*-i*; *G -nek*) *pol.* member of parliament

posłowie *n* (*-a*) afterword; → **poseł**

posłuch *m* obedience, discipline; **dawać ~** (*D*) give s.o. a hearing; **~ać** *pf.* → **słuchać**

posługacz *m* (*-a*; *-e*) attendant; **~ka** *f* (*-i*; *G -czek*) charwoman

posługiwać się (*-uję*) (*I*) use, employ

posłusz|eństwo *n* (*-a*; *0*) obedience; **odmówić ~eństwa** refuse obedience; (*o przedmiocie*) **odmawia ~eństwa** it won't work; **~ny** obedient

po|służyć się *pf.* → **posługiwać się**; **~smak** *m* aftertaste; **~spa-** *pf.* → **spa-**; **~spiech** *m* → **pośpiech**; **~spolity** (**-cie**) common, ordinary; **~sprzeczać się** *pf.* quarrel; fall out

posrebrzany silver-plated

post *m* (*-u*; *-y*) fast; *rel.* **Wielki** ℞ Lent; **zachowywać ~** observe fast

posta|ć *f* (*-ci*; *-cie/-ci*) (*sylwetka*) figure; (*w książce*) character; (*forma*) form, shape; **~nawiać** (*-am*) ⟨**~nowić**⟩ decide; **~nowienie** *n* (*-a*) decision; (*uchwała*) resolution; **~rzać** (*-am*) age; **~wa** *f* (*-y*) bearing; posture; *fig.* attitude; **~wić** *pf.* → **stawiać**; **~wny** portly

postąpić *pf.* → **postępować**

posterunek *m* (*-nku*; *-nki*) post

postęp *m* (*-u*; *-y*) progress; **~ek** *m* (*-pku*; *-pki*) deed; (*zły*) misdeed; **~ować** (*-uję*) proceed; **~ować za** (*I*) follow; *praca, choroba*: progress; (*czynić*) act, behave; **~ować z** (*I*) treat s.o.; **~owanie** *n* (*-a*) conduct, behavio(u)r; *jur.* legal action; **~owy** progressive; **~ujący** progressive

postny fast(-day); → **bezmięsny**

po|stojowy: **światła** *n/pl* **~stojowe** *mot.* parking lights; **~stój** *m* (*-oju*; *-oje*, *-ojów/-oi*) (*odpoczynek*) halt, stop; *tech.* stoppage; **~stój taksówek** taxi rank

postrach *m* (*-u*; *0*) terror

postradać *pf.* (*-am*) lose

postronny: **~ widz** outsider, stranger

postrzał *m* gunshot wound; *med.* lumbago

P

postrze|gać (*-am*) ⟨**~c**⟩ perceive; **~lić** *pf.* shoot; **~lony** wounded; F *fig.* crazy, wacky; **~żenie** *n* (*-a*) perception
postrzępiony *ubranie* ragged; *kontury* jagged, rugged
postu|lat *m* (*-u*; *-y*) postulate; **~lować** (*-uję*) postulate, stipulate; **~ment** *m* (*-u*; *-y*) pedestal
posucha *f* (-y) drought; *fig.* lack (**na** *A* of)
posu|nąć *pf.* → ***posuwać, sunąć***; **~nięcie** *n* (*-a*) (*w grze*) move (*też fig.*); **~wać** *v/t.* move forward, advance; ***~wać się*** move, advance, progress (*też fig.*); ***~wać się za daleko*** go too far; → ***suwać***
posy|łać (*-am*) *v/t.*send; *v/i.* (**po** *A*) send (for s.th.); **~łka** *f* (*-i*; *G -łek*) errand; **~pywać** (*-uję*) ⟨***~pać***⟩ ***sprinkle***; → ***sypać***
po|sza- → ***sza-***; **~nowanie** *n* (*-a*) respect; **~szarpany** *ubranie* torn, ragged; *kontury* jagged, rugged; **~szczególny** individual, particular
poszerz|ać (*-am*) ⟨***~yć***⟩ widen; broaden (*też* ***się***); *ubranie* let out; ***~ać*** ⟨***~yć***⟩ ***się*** *fig.* spread
poszewka *f* (*-i*; *G -wek*) pillow case
poszkodowany injured; *jur.* injured person; ***być ~m*** be injured, suffer damage
poszlak|a *f* (*-i*) circumstancial evidence; **~owy** circumstancial
poszukiw|acz *m* (*-a*; *-e*), **~czka** *f* (*-i*; *G -czek*) searcher; ***~acz przygód*** adventurer; **~ać** (*-uję*) search (*G* for s.th.); **~anie** *n* (*-a*) search; quest; hunt; *pl. też* investigation, inquiries; (*naukowe*) research; **~any** sought after; *przestępca* wanted; **~awczy** exploratory
poszwa *f* (*-y*) quilt cover
pościć (*-szczę, pość!*) fast
pościel *f* (*-i*; *0*) bedclothes, bedding; **~ić** → ***słać***[2]; **~owy**: ***bielizna ~owa*** bedlinen
pościg *m* (*-u*; *-i*) chase; pursuit
poślad|ek *m* (*-dka*; *-dki*) buttock; ***~ki*** *pl. med.* nates; F bottom
pośledni mediocre, second-rate; *fig.* delay
poślizg *m* (*-u*) skid; ***wpaść w ~*** *mot.* go into a skid
poślizgnąć się *pf.* (*-nę*) slip
po|ślubny: ***podróż ~ślubna*** honeymoon; **~śmiertny** posthumous
pośmiewisko *n* (*-a*; *0*) laughing-stock
pośpie|ch *m* (*-u*; *0*) hurry, haste; **~szać** (*-am*) ⟨***~szyć***⟩ hasten, hurry, be quick (**z** *I* in); **~sznie** *adv.* hurriedly, in a hurry; **~szny** hasty; ***pociąg ~szny*** fast train; → ***pochopny***
pośredni indirect; (*stadium*) intermediate; **~ctwo** *n* (*-a*) mediation; ***za ~ctwem*** (G) throgh the medium; ***biuro ~ctwa pracy*** employment agency; **~czka** *f* (*-i*; *G -czek*) → ***pośrednik***; **~czyć** (*-ę*) mediate, be instrumental (**w** *L* in); **~k** *m* (*-a*; *-cy*) intermediary; mediator; agent
po|środku *adv.* in the middle; **~śród** *prp.* (*G*) among(st)
poświadcz|ać (*-am*) ⟨***~yć***⟩ certify; **~enie** *n* (*-a*) certificate; certification
poświęc|ać (*-am*) ⟨***~ić***⟩ sacrifice, devote (***się*** oneself); (*składać w ofierze*) sacrifice; *kościół* consecrate; **~enie** *n* (*-a*) sacrifice; devotion; consecration; ***z ~eniem*** with devotion
poświst *m* (*-u*; *-y*) whistle; whizz
pot *m* (*-u*; *-y*) sweat, perspiration; ***mokry od ~u, zlany ~em*** in a sweat; ***na ~y*** sudorific
potajemny secret; clandestine; underhand
potakiwać (*-uję*) assent
potańcówka F *f* (*-i*; *G -wek*) dance
po|tar- *pf.* → ***tar-***; **~tas** *m* (*-u*; *0*) *chem.* potassium; **~taż** *m* (*-u*; *-e*) potash
po|tąd up to here; **~tem** then; afterwards, later; ***na ~tem*** for a future occasion
potencjał *m* (*-u*; *-y*) potential
potęg|a *f* (*-a*; *0*) might; force; power; *mat.* power; ***druga ~a*** square; ***trzecia ~a*** cube; **~ować** ⟨**s-**⟩ (*-uję*) increase, intensify; *mat.* raise to a power; ***~ować*** ⟨**s-**⟩ ***się*** be intensified
potępi|ać (*-am*) ⟨***~ć***⟩ damn; (*ganić*) condemn; disapprove (of); **~enie** *n* (*-a*) condemnation; disapproval; *rel.* damnation; ***godny ~enia*** codemnable; blameworthy
potężny powerful; mighty
potkn|ąć się *pf.* (*-nę*) → ***potykać się***; **~ięcie** *n* (*-a*) stumble; *fig.* slip; lapse
potłuczenie *n* (*-a*) bruise
poto|czny everyday; common; ordinary; ***język ~czny*** colloquial speech; **~czysty** fluent; well-turned; **~czyście**

P

fluently; glibly; **~k** *m* (*-u*; *-i*) stream, brook; (*nurt*) stream, torrent; ***~k słów*** deluge of words; ***lać się ~kiem*** gush
potom|ek *m* (*-mka*; *-mkowie*), **~kini** *f* (*-i*; *-e*, *-ń*) descendant; **~ność** *f* (*-ci*; *0*) posterity; **~stwo** *n* (*-a*; *0*) offspring; progeny; (*o zwierzętach*) breed, young
po|to- *pf.* → ***to-***; **~top** *m* (*-u*; *0*) deluge; flood; **~tra** *pf.* → ***tra-***; **~trafić** *pf.* be able (to), be capable (of), manage (to); **~trajać** → ***troić***
potraw|a *f* (*-y*) dish; ***spis potraw*** menu; **~ka** *f* (*-i*; *G -wek*) ragout; fricassee
potrąc|ać ⟨***~ić***⟩ jostle; push; (*autem*) run *s.o.* down; **~enia** *n/pl.* (*-ń*) deduction
po|trójny threefold; triple; treble; **~tru-, ~trw-** *pf.* → ***tru-, trw-***; **~trzask** *m* (*-u*; *-i*) trap (*też fig.*); **~trzaskać** *pf.* smash, shatter, break (to pieces); *v/i.* crack; **~trząsać** (*-am*) shake
potrzeb|a [-t·ʃ-] *f* (*-y*) need; ***~y*** *pl.* needs; ***bez ~y*** needlessly; ***w razie ~y*** if necessary; *pred.* → ***trzeba***; **~ny** necessary, needed; ***to jest mi ~ne*** I need that; **~ować** (*-uję*) (*G*) need; require; **~jący** (*G*) in need (of)
po|trzeć *pf.* → ***pocierać***; **~tulny** submissive; meek; **~turbować** *pf.* beat; batter; **~twarca** *m* (*-y*; *G -ów*) calumniator; slanderer; **~twarz** *f* (*-y*; *-e*) (*ustna*) slander; (*na piśmie*) libel
potwierdz|ać (*-am*) ⟨***~ić***⟩ confirm; corroborate; ***~ać*** ⟨***~ić***⟩ ***się*** be confirmed; **~ająco** *adv.* affirmatively; **~enie** *n* (*-a*) confirmation; **~ony** confirmed
potworn|ość *f* (*-ści*) monstrosity; *pl.* (*postępki*) atrocities *pl.*; **~y** monstrous; horrible
potwór *m* (*-a*; *-y*) monster
poty|czka *f* (*-i*) skirmish; **~kać się** (*-am*) trip (up), stumble (***o*** *A* against)
potylica *f* (*-y*; *-e*) occiput
poucz|ać (*-am*) ⟨***~yć***⟩ instruct; advise; (*strofować*) admonish; **~ający** instructive; edifying; **~enie** *n* (*-a*) instruction(s)
poufa|le *adv.* informally; **~łość** *f* (*-ści*) familiarity; **~ły** familiar; unceremonious
po|ufny confidential; secret; ***informacja ~ufna*** inside information; **~uk-, ~um-, ~un-, ~us-, ~ut-** *pf.* → ***uk-, um-, un-, us-, ut-***
powabny charming; attractive; alluring
powag|a *f* (*-i*; *0*) seriousness; dignity; authority; ***cieszyć się ~ą*** enjoy high reputation (***u*** *G* among); ***zachować ~ę*** keep one's countenance, keep serious
powalać *pf.* (*-am*) strike down; → ***walać, walić***
poważ|ać (*-am*) esteem; respect; **~anie** *n* (*-a*; *0*) respect; regard; esteem; ***z ~aniem*** (*w listach*) yours sincerely *lub* faithfully; **~nie** *adv.* seriously; in earnest; **~ny** serious; grave; solemn; *wiek* old; (*wybitny*) respectable; (*znaczny*) considerable; ***w ~nym stanie*** in the family way; ***muzyka ~na*** classical music
powątpiewa|ć (*-am*) doubt (***o*** *L* s.th.); be dubious (about s.th.); **~nie** *n* (*-a*) doubt(s); ***z ~niem*** doubtfully; dubiously
powetować *pf.* (*-uję*): ***~ sobie*** retrieve (***stratę*** one's losses); ***~ sobie stracony czas*** make up for the lost time
powia|ć *pf.* → ***wiać, powiewać***; **~damiać** (*-am*) ⟨***~domić***⟩ (*-ę*) inform, notify (***o*** *L* of)
powiat *m* (*-u*; *-y*) administrative district; **~owy** district
powiąza|ć *pf.* tie; bind; *fig.* connect; join; **~nie** *n fig.* connection, connexion
powidła *n/pl.* (*-deł*) plum jam
powiedz|enie *n* (*-a*): ***mieć dużo*** (***nie mieć nic***) ***do ~enia*** have a lot (nothing) to say; **~ieć** *pf.* say; tell; ***że tak powiem*** so to say; **~onko** *n* (*-a*; *G -nek*) stock phrase
powieka *f* (*-i*) eyelid
powie|lacz *m* (*-a*; *-e*) duplicator; duplicating machine; **~lać** (*-am*) ⟨***~lić***⟩ (*-ę*) copy; duplicate
powierni|ca *f* (*-y*; *-e*) confidante; **~ctwo** *n* (*-a*) trusteeship; **~czy**: ***fundusz ~czy*** trust fund; **~k** *m* (*-a*; *-cy*) confidant
powierzać (*-am*) entrust (***komuś*** *A* s.o. with s.th.)
powierzch|nia *f* (*-i*; *-e*) surface; (*obszar*) area; **~niowy** surface **~owność** *f* (*-ści*) (outward) appearance; *fig.* superficiality; **~owny** superficial; shallow
powie|rzyć *pf.* → ***powierzać***; **~sić** *pf.* (*-szę*) → ***wieszać***; ***~sić się*** hang oneself
powieścio|pisarka *f*, **~pisarz** *m* novelist; **~wy** novel
powieść[1] *f* (*-ści*) novel
powieść[2] *pf.* → ***wieść***[2]; ***~ się*** succeed, be successful; ***powiodło mi się*** I made

P

it; ***nie powiodło mi się*** I was unsuccessful *lub* I failed

powietrz|e [-t·ʃ-] *n* (*-a*; *0*) air; ***na wolnym ~u*** outdoors; outside; in the open; **~ny** air; ***trąba ~na*** whirlwind; ***poduszka ~na*** *mot.* airbag

powiew *m* (*-u*; *-y*) puff of air, waft of air; **~ać** (*-am*) flutter; ***~ać na wietrze*** flutter in the wind; (*machać*) wave

powiększ|ać (*-am*) increase (*też* ***się***); enlarge; ***szkło ~ające*** magnifying glass; **~alnik** *m* (*-a*; *-i*) *phot.* enlarger; **~enie** *n* (*-a*) *phot.* enlargement, F blow-up; *opt.* magnification; **~yć** *pf.* (*-ę*) → ***powiększać***

powikłan|ie *n* (*-a*) complication (*też med.*); **~y** complicated

powinien (*m-os powinni*) *pred.* should, ought; ***~em to zrobić*** I should do it; ***~em był to zrobić*** I should have done it

powin|na (*pl. powinny*), **~no** *pred.* should, ought

powinność *f* (*-ści*) *lit.* duty, obligation

powinowaty related, akin

powinszowanie *n* (*-a*) congratulations

powita|lny welcoming; **~nie** *n* (*-a*) greeting, welcome; ***na ~nie*** by way of greeting; **~ć** *pf.* → ***witać***

powk- *pf.* → ***wk-***

powle|kać (*-am*) ⟨**~c**⟩ coat (*I* with); ***~kać pościel*** put on fresh bed-linen; ***~kać się*** become overcast

powło|czka *f* (*-czki*; *G -czek*) pillowcase; **~ka** *f* (*-i*) cover; (*warstwa*) coat; (*osłona*) shelter

powodować ⟨**s-**⟩ (*-uję*) cause; bring about; *impf.* **~ się** (*I*) be motivated, be prompted (by)

powodzeni|e *n* (*-a*) success; well-being; prosperity; (*popularność*) popularity; ***cieszyć się ~em*** be successful; prosper; ***~a!*** good luck

powodz|ić: ***dobrze mu się ~i*** he is well off, he is thriving; ***jak ci się ~i?*** how are you?

powodziowy inundation, flood

po|wojenny post-war; **~woli** *adv.* slowly; (*stopniowo*) gradually; **~wolny** slow; leisurely

powoł|anie *n* appointment; *mil.* call-up; **~ywać** (*-uję*) ⟨***~ać***⟩ appoint (***na*** *A* s.o. *lub* to); ***~ać do życia*** bring *s.th.* into being; ***~ać do wojska*** call up, conscript; ***~ać się*** refer, quote

powonienie *n* (*-a*; *0*) (sense of) smell

powozić (*I*) drive

po|wód¹ *m* (*-odu*; *-ody*) (*G*, ***do*** *G*) reason for, cause; ***z ~wodu*** due to; ***bez żadnego ~wodu*** for no reason

powó|d² *m* (*-oda*; *-owie*), **~dka** *f* (*-i*; *G -dek*) *jur.* plaintiff; **~dztwo** *n* (*-a*) complaint

powódź *f* (*-odzi*; *-odzie*) flood (*też fig.*); inundation

powóz *m* (*-ozu*; *-ozy*) carriage, coach

powr|acać ⟨***~ócić***⟩ → ***wracać***; **~otny** return; **~ót** *m* (*-otu*; *-oty*) return; ***~ót do domu*** homecoming; ***~ót do zdrowia*** recovery; ***z ~otem*** back; *ponownie* again; ***tam i z ~otem*** to and fro, back and forth

powróz *m* (*-ozu*; *-ozy*) rope

powsta|ć *pf.* → **(po)*wstawać***; **~nie** *n* (*-a*) rise; origin; *zbrojne* (up)rising; **~niec** *m* (*-ńca*; *-ńcy*) insurgent; **~ńczy** insurgent; **~wać** (*stać*) get up; rise; *fig.* revolt (***przeciw*** *D* against); (*utworzyć się*) come into being; originate

powstrzym(yw)ać → ***wstrzymywać***

powszechn|ie *adv.* universally; generally; **~y** (***-nie***) universal; general; public; widespread

powszedni everyday; commonplace; ***chleb ~*** daily bread, *fig.* everyday occurrence; ***dzień ~*** weekday

powściągliw|ość *f* (*-ści*; *0*) moderation; restraint; **~y** moderate; reticent; reserved

powtarzać (*-am*) repeat; ***~ się*** *człowiek*: repeat o.s.; *zjawisko*: happen again, recur

powtór|ka *f* (*-i*; *G -rek*) repetition; **~kowy** repeat; **~nie** *adv.* once more; **~ny** second

po|wtórzyć *pf.* (*-ę*) → ***powtarzać***; **~wy-** *pf.* → ***wy-***; **~wyżej** *prp.* (*G*) above, over; *adv.* above; **~wyższy** above-mentioned, the above; **~wziąć** *pf. decyzję* take, make; *podejrzenie* conceive

poza¹ *f* (*-y*; *G póz*) attitude

poza² *prp.* (*A*, *I*) behind, beyond; (*I*) outside, beside; ***~ tym*** besides; furthermore; ***nikt ~ tym*** nobody else

poza|- *prp.* → ***za-***; **~czasowy** beyond the limits of time, eternal; **~grobowy** afterlife; **~małżeński** extramarital; *dziecko* illegitimate; **~ziemski** extraterrestrial

P

pozawałowy post-infractional
pozaziemski extraterrestrial
pozbawi|ać (*-am*)⟨**~ć**⟩ deprive (***kogoś*** *G* s.o. of s.th.); **~(a)ć się** (*G*) deprive o.s (of); **~ony** (*G*) deprived (of); devoid (of)
po|zbierać *pf.* gather, collect; **~zby-(wa)ć się** (*G*) get rid (of)
pozdr|awiać (*-am*) ⟨**~owić**⟩ (*-ę, -rów!*) greet; ***~awiać*** ⟨***~owić***⟩ ***się*** exchange greetings; ***kazał cię ~owić*** he sends his love *lub* regards; **~owienie** *n* (*-a*) greetings; regards
pozew *m* (*-zwu; -zwy*) *jur.* citation, summons; ***wnieść ~*** file a suit *lub* petition
pozie- *pf.* → ***zie-***
poziom *m* (*-u; -y*) level; *fig.* standard; ***~ morza*** sea level; ***na ~ie*** up to the mark; **~ka** *f* (*-i; G -mek*) wild strawberry; **~o** *adv.* horizontally; (*w krzyżówce*) across; **~y** horizontal
pozł|acać (*-am*) → ***złocić***; **~acany** gilt, gilded; **~ota** *f* (*-y*) gilding
pozna|ć *pf.* → ***poznawać***; **~nie** *n* (*-a; 0*) knowledge; (*kogoś*) meeting; *filoz.* cognition; ***nie do ~nia*** unrecognizable; **~wać** (*-ję*) get to know; recognize (***po*** *L* by); ***~wać się*** become acquainted; ***~ć się*** see the value (***na*** *L* of)
pozor|ny apparent; seeming; **~ować** ⟨**u-**⟩ (*-uję*) simulate; feign
pozosta|ć *pf.* → ***pozostawać***; **~łość** *f* (*-ści*) remainder, remains *pl.*; *fig.* relic; **~ły** remaining; ***~ły przy życiu*** surviving; **~wać** stay, remain; ***~wać w tyle*** lag behind; ***nie ~je mi nic innego*** nothing remains for me to do but; **~wi(a)ć** leave behind; *decyzję itp.* leave; → ***zostawiać***
pozować (*-uję*) sit, pose; *fig.* show off; ***~ na*** (*A*) affect
poz|ór *m* (*-oru; -ory*) appearance; ***na ~ór*** seemingly; ***pod ~orem*** (*G*) under a pretence of *s.th.*; ***pod żadnym ~orem*** on no account; ***zachowywać ~ory*** keep up appearances; ***~ory mylą*** appearances are deceptive
pozwa|ć *pf.* (*-ę*) → ***pozywać***; **~lać** (*-am*) permit, allow; ***~lać sobie*** (***na*** *A*) be able to afford; ***~lam sobie zauważyć ...*** allow me to say that ...; → ***pozwolić***; **~na** *f* (*-ej; -e*), **~ny** *m* (*-ego; -ni*) *jur.* defendant
pozwol|enie *n* (*-a*) permission; permit; → ***zezwolenie***; **~ić** *pf.* (*-lę, -wól!*) → ***pozwalać***; ***pan(i) ~i*** let me ...
pozy|cja *f* (*-i; -e*) position (*też mil.*); (*w spisie*) item; **~sk(iw)ać** (*sobie*) gain, win (**do** *G* to); **~tyw** *m* (*-u; -y*) *fot.* positive; **~tywny** *odpowiedź* affirmative; *korzystny* favo(u)rable; **~wać** (*-am*) *jur.* sue
pożałowani|e *n*: ***godny ~a*** (*przykry*) regrettable, (*żałosny*) lamentable, pitiful
pożar *m* (*-u; -y*) fire; **~ny**: ***straż ~na*** *Brt.* fire brigade, *Am.* fire department; **~owy** fire
pożąd|ać (*G*) desire; **~anie** *n* (*-a*) desire; lust; **~any** (much-)desired; desirable; *gość itp.*: welcome; **~liwie** *adv.* greedily; lustfully; **~liwy** greedy; lustful; lewd
poże|- *pf.* → ***że-***; **~gnalny** parting; farewell; **~gnanie** *n* (*-a*) farewell; goodbye; ***ucałować na ~gnanie*** kiss s.o. good-bye
pożerać (*-am*) devour
pożoga *f* (*-i; G -żóg*) conflagration
po|żółkły yellow(ed); **~żreć** *pf.* → ***pożerać***
pożycie *n* life; ***~ małżeńskie*** married life; ***~ seksualne*** sexual relationship
pożycz|ać (*-am*) lend (***k-u*** *A* s.o. s.th.); borrow (***od, u*** *G* from); **~ka** *f* (*-i; G -czek*) loan; **~kobiorca** *m* borrower; **~yć** *pf.* → ***pożyczać***
pożyt|eczny useful; **~ek** *m* (*-tku; -tki*) advantage, benefit; ***z ~kiem*** profitably; ***z ~kiem dla kogoś*** to s.o.'s advantage
pożyw|iać się (*-am*) ⟨***~ić się***⟩ have some food, have a bite; **~ienie** *n* (*-a; 0*) food, nourishment; **~ny** nutritious
pójść *pf.* → ***iść***
póki *cj* till, until; as long as; → ***póty***
pół (*idkl.*) half; ***~ godziny*** half an hour; ***~ do drugiej*** half past one; ***~ na ~*** half-and-half; ***w ~ drogi*** half-way; midway; ***za ~ ceny*** at half price; ***~ na ~*** fifty-fifty; **~automatyczny** semi-automatic; **~buty** *m/pl.* low shoes; **~etatowy** half-time, part-time; **~fabrykat** *m* semi-finished product; **~finał** *m* semifinal; **~głosem** *adv.* in an undertone; under one's breath; **~główek** *m* (*-wka; -wki*) halfwit: **~godzinny** half-an-hour's, thirty minutes'
półka *f* (*-i; G -łek*) shelf; ***~ na bagaż*** rack

P

pół|kole *n* (*-a*; *G -i*) semicircle; **~kolisty** semicircular; **~księżyc** *m* half-moon; crescent; **~kula** *f* hemisphere; **~litrówka** *f* (*-i*; *G -wek*) half-litre bottle; **~metek** *m* (*-tka*; *-tki*) halfway mark; *fig.* halfway; **~metrowy** half-a-metre long; **~misek** *m* (*-ska*; *-ski*) *gastr.* dish

północ *f* (*-y*; *0*) midnight; *geogr.* north; ***o ~y*** at midnight; ***na ~y*** in the north; ***na ~ od*** (*G*) north of; **~ny** northern, north

pół|okrągły semicircular; **~piętro** *n* landing; **~przewodnik** *m* semiconductor; **~rocze** *n* (*-a*) half-year; **~słodki** *wino* demi-sec; **~szlachetny**: ***kamień ~szlachetny*** semi-precious stone; **~tora** (*m/n*), **~torej** (*f*) *num.* (*idkl.*) one and a half; **~wiecze** *n* (*-a*) half-century; **~wysep** *m* (*-spu*; *-spy*) peninsula; **~żartem** *adv.* half-jokingly

póty: ***~ ... aż, ~ ... póki*** till, until

późn|ić się (*o zegarku*) be slow; **~iej** *adv. comp.* later; **~iejszy** *adj. comp.* later; subsequent; **~o** *adv.*, **~y** late

prababka *f* great-grandmother

prac|a *f* (*-y*; *-e*) work, labour; (*zajęcie*) occupation; (*dzieło*) work; ***~a zawodowa*** employment; ***zwolnić z ~y*** dismiss, fire; ***iść do ~y*** go to work

praco|biorca *m* (*-y*) worker, employee; **~dawca** *m* employer; **~holik** *m* (*-a*; *-cy*) workaholic

pracow|ać ⟨**po-**⟩ (*-uję*) work (***na*** *A* for; ***u*** *G* by; ***nad*** *I* on); **~icie** *adv.* industriously; **~itość** *f* (*-ści*; *0*) diligence; **~ity** hard-working; diligent; **~nia** *f*(*-i*; *-e*) (*artysty*) studio; (*fizyczna, chemiczna*) laboratory; (*rzemieślnicza*) workshop; **~nica** *f* (*-y*; *-e*) worker, employee; →***pracownik***; **~niczy** workers'; **~nik** *m* (*-a*; *-y*) worker, employee; ***~nik fizyczny*** manual worker, labo(u)rer, blue-collar worker; ***~nik naukowy*** research worker; ***~nik umysłowy*** office worker, white-collar worker

prać ⟨**u-, wy-**⟩ wash, launder; (*chemicznie*) dry-clean

pra|dawny prim(a)eval; **~dziad(ek)** *m* great-grandfather; **~dzieje** *pl.* prim(a)eval history

Praga *f* (*-i*; *0*) Prague

pragn|ąć ⟨**za-**⟩ (*-nę*) (*G*) desire; long (for); be anxious (to do *s.th.*); **~ienie** *n* (*-a*) thirst; *fig.* desire; longing

prakty|czny practical; **~ka** ['pra-] *f* (*-i*) *Brt.* practice, *Am.* practise; training; ***~ki*** *pl.* practices *pl.*; **~kant** *m* (*-a*; *-ci*), **-tka** *f* (*-i*; *G -tek*) trainee; apprentice; **~kować** (*-uję*) *Brt.* practise, *Am.* practice; carry on

pralinka *f* (*-i*; *G -nek*) chocolate cream

pral|ka *f* (*-i*; *G -lek*) washing machine; **~nia** *f* (*-i*; *-e*) laundry; ***~nia chemiczna*** (dry-)cleaner's

prałat *m* (*-a*; *-ci*) prelate

prani|e *n* (*-a*) washing; (*prana bielizna*) laundry

pras|a *f* **1.** (*-y*) *tech.* press; printing press; **2.** (*0*) press; ***na łamach ~y, w ~ie*** in the press; **~ować** ⟨**s-**⟩ press; ⟨**wy-**⟩ *suknię* iron; **~owy** press

prastary prim(a)eval; ancient

prawd|a *f* (*-y*) truth; ***czy to ~a?*** is that true?

prawdo|mówny truthful; **~podobieństwo** *n* (*-a*) probability; likelihood; **~podobnie** *adv.* probably

prawdziw|ie *adv.* truly; really; indeed; **~ość** *f* (*-ści*; *0*) truth; veracity; **~y** (*nie zmyślony*) true; (*realny, niefałszywy*) real; genuine; authentic; (*typowy*) regular

prawi|ca *f* (*-y*; *-e*) right hand; *pol.* the right; **~cowy** *pol.* right-wing; **~ć** (*-ę*) talk; say; ***~ć komplementy*** pay compliments

prawidło *n* (*-a*; *G -deł*) rule; (*do butów*) foot-tree; **~wo** *adv.* properly; correctly; **~wy** proper; correct; (*regularny*) regular

prawie *adv.* almost; nearly; ***~ nie*** hardly; ***~ nikt/nic*** hardly anybody/anything

prawnicz|ka *f* (*-i*; *G -czek*) lawyer; **~y** legal

praw|nie *adv.* legally; legitimately; **~nik** *m* (*-a*; *-cy*) lawyer

prawnu|czka *f* great-granddaughter; **~k** *m* great-grandson

praw|ny legal; lawful; *akt* legislative; ***środki ~ne*** *pl.* legal measures *pl.*; ***osobowość ~na*** legal personality; **~o**[1] *n* (*-a*) law; ***~o autorskie*** copyright; ***~o głosowania*** voting rights *pl.*; ***~o karne*** criminal law; ***~o natury*** law of nature; ***~a człowieka*** *pl.* human rights *pl.*; F ***~o jazdy*** *Brt.* driving licence, *Am.* driver's license; ***mieć ~o*** be entitled (***do*** *G* to); ***studiować ~o*** study law

prawo[2]: ***na ~, w ~*** right, to the right

prawo|dawca *m* legislator; lawmaker;

P

~mocny legally valid; **~ręczny** right-handed; **~rządność** *f* (*-ści*; *0*) law and order; **~rządny** law-abiding; **~sławny** Orthodox; **~stronny**: ***ruch ~stronny*** right-hand traffic; **~wierny** orthodox; **~wity** legal; lawful; legitimate; **~znawstwo** *n* (*-a*; *0*) jurisprudence

praw|y right, right-handed; *fig.* hono(u)rable; honest; ***po ~ej stronie*** on the right side; ***z ~a*** on the right

prawzór *m* prototype

praży|ć (*-ę*) *v/t.* roast; *v/i. słońce*: beat down, scorch; **~nki** *f/pl.* (*-nek*) *Brt.* crisps, *Am.* chips

prącie *n* (*-a*; *G -i*) *anat.* penis

prąd *m* (*-u*; *-y*) current (*też elektryczny*); stream; ***~ stały*** direct current; ***~ zmienny*** alternating current; ***pod ~*** upstream; against the stream; ***z ~em czasu*** with time; **~nica** *f* (*-y*; *-e*) generator

prąż|ek *m* (*-żka*; *-żki*) line; stripe; ***w ~ki*** → **~kowany** striped

precedens *m* (*-u*; *-y*) precedent; ***bez ~u*** unprecedented

precy|zować ⟨**s-**⟩ (*-uję*) specify; state precisely; **~zyjny** precise; exact; *tech.* precision

precz *adv.* away; ***~ z nim*** down with him; ***~ stąd!*** go away!, off with you

pre|destynowany predestined (***do*** *G*, ***na*** *A* to); **~fabrykat** *m* prefabricated element; **~fabrykowany** prefabricated; **~ferencyjny** preferential; **~historyczny** prehistoric(al); **~kursor** *m* (*-a*; *-rzy*), **~kursorka** *f* (*-i*; *G -rek*) forerunner; **~legent** *m* (*-a*; *-ci*), **~legentka** *f* (*-i*; *G -tek*) lecturer; **~lekcja** *f* lecture; talk

prelimin|arz *m* (*-a*; *-e*) budget estimate; **~ować** (*-uję*) assign (***na*** *A* for)

preludium *n* (*idkl*; *-ia*, *-iów*) prelude

premedytacj|a *f* (*-i*; *0*) *jur.* premeditation; ***z ~ą*** with malice aforethought

premi|a *f* (*GDL-ii*; *-e*) bonus; **~er** *m* (*-a*; *-rzy*) prime minister; **~era** *f* (*-y*) première, first night; **~ować** (*-uję*) award a bonus; **~owy** bonus; premium

prenume|rata *f* (*-y*) subscription; **~rator** *m* (*-a*; *-rzy*), **~ratorka** *f* (*-i*; *G -rek*) subscriber; **~rować** ⟨**za-**⟩ (*-uję*) subscribe (to *s.th.*)

preparat *m* (*-u*; *-y*) *chem.* preparation; *biol.* specimen

preria *f* (*-i*; *-e*) prairie

prerogatywy *f/pl.* (-) prerogatives

presja *f* (*-i*; *-e*) pressure

prestiż *m* (*-u*; *0*) prestige

pretekst *m* (*-u*; *-y*) pretext

preten|dent *m* (*-a*; *-ci*), **~dentka** *f* (*-i*; *G -tek*) pretender; **~dować** (*-uję*) (*do urzędu*) run for (*an office*); **~sja** *f* (*-i*; *-e*) claim; (*uraza*) grudge; (*żal*) resentment; ***nie mam do niej ~sji*** I hold no grudge against her; **~sjonalny** pretentious; affected

prewencyjny preventive

prezent *m* (*-u*; *-y*) present, gift; **~er** *m* (*-a*; *-rzy*), **~erka** *f* (*-i*; *G -rek*) *RTV*: presenter; **~ować** ⟨**za-**⟩ (*-uję*) show; ***~ować się*** look

prezerwatywa *f* (*-y*) condom, sheath, F French letter

prezes *m* (*-a*; *-i*) president; chairman, chairperson

prezy|dent *m* (*-a*; *-nci*) president; (*miasta*) mayor; **~dium** *n* (*idkl.*; *-ia*, *-ów*) presidium; **~dować** (*-uję*) (*D*) preside

pręcik *m* (*-a*; *-i*) *bot.* stamen

pręd|ki fast, quick, swift; **~ko** *adv.* quickly; → ***rychło***; **~kościomierz** *m* (*-a*; *-e*) speedometer; **~kość** *f* (*-ści*) speed; velocity; ***~kość dźwięku*** speed of sound; → ***szybkość***; **~szy** faster

prędzej *adv.* faster; (*rychlej*) sooner; ***czym ~*** as quickly as possible; ***~ czy później*** sooner or later

pręg|a *f* (*-i*) streak; **~ierz** *m* (*-a*; *-e*) pillory

pręt *m* (*-a*; *-y*) rod; *tech.* bar, rod

prężn|ość *f* (*-ści*; *0*) (*działania*) vigo(u)r; **~y** *ciało* supple; *krok* springy; *fig.* resilient, buoyant, energetic

prima aprilis *n* (*idkl.*) April Fool's Day

priorytetowy priority

probierczy: ***urząd ~*** assay office; ***kamień ~*** touchstone

problem *m* (*-u*; *-y*) problem, issue

problematyczny questionable

probo|stwo *n* (*-a*) (*katolickie*) presbytery; (*anglikańskie*) rectory; **~szcz** *m* (*-a*; *-owie/-e*) parish priest; rector

probówk|a *f* (*-i*; *G -wek*) test tube; F ***dziecko z ~i*** test-tube baby

proca *f* (*-y*) sling; *hist.* catapult

proce|der *m* (*-u*; *0*) (underhand) dealings *pl.*; shady business; **~dura** *f* (*-y*) procedure, practice

procent *m* (*-u*; *-y*) *Brt.* per cent, *Am.* percent; (*odsetki*) interest; ***w stu ~ach***

P

one hundred per cent; **~owo** *adv.* in proportion; **~owy** proportional; ***stopa ~owa*** interest rate

proces *m* (*-u*; *-y*) process (*też tech.*); *jur.* (law)suit, case, trial; **~ja** *f* (*-i*; *-e*) procession; **~or** *m* (*-a*; *-y*) *tech.* processor; **~ować się** (*-uję*) take legal action (***z*** *I* against), sue

proch *m* (*-u*; *-y*) gunpowder; (*pył*) dust; ***~y*** *pl.* remains, (*popioły*) ashes; F dope; **~owy** powder

producent *m* (*-a*; *-nci*) producer (*też filmowy*), manufacturer

produk|cja *f* (*-i*; *0*) production, manufacture; **~cyjność** *f* (*-ści*; *0*) productivness, productivity; **~ować** ⟨***wy-***⟩ (*-uję*) produce, manufacture, make; **~t** *m* (*-u*; *-y*) product; produce; **~tywny** productive

proekologiczny environmentally friendly, green

prof. *skrót pisany*: ***profesor*** Prof. (*Professor*)

profanacja *f* (*-i*; *0*) profanation, desecration

profes|jonalny professional; **~or¹** *m* (*-a*; *-owie/-orzy*) professor; (*nauczyciel*) teacher; **~or²** *f* (*idkl.*) professor; teacher; → **~orka** F *f* (*-i*; *G -rek*) teacher

profil *m* (*-u*; *-e*) profile; (*zarys*) outline

profilaktyczny prophylactic, preventive

progi *pl.* → ***próg***

prognoz|a *f* (*-y*) prognosis; ***~a pogody*** weather forecast; **~ować** (*-uję*) forecast

program *m* (*-u*; *-y*) *Brt.* programme, *Am.* program; (*wyborczy*) manifesto; ***~ nauczania*** curriculum, syllabus; **~ista** *m* (*-y*; *-ści*), **~istka** *f* (*-i*; *G -tek*) programmer; **~ować** ⟨***za-***⟩ (*-uję*) *Brt.* programme, *Am.* program; **~owy** manifesto

pro|gresywny progressive; **~jekcja** *f* (*-i*; *-e*) projection; **~jekcyjny** projection

projekt *m* (*-u*; *-y*) plan; design; (*szkic*) draft; (*zamierzenie*) project; ***~ ustawy*** bill; **~ant** *m* (*-a*; *-ci*) designer; **~or** *m* (*-a*; *-y*) projektor; **~ować** ⟨***za-***⟩ (*-uję*) plan; *arch.*, *tech.* design; **~owy** design(ing)

prokurator *m* (*-a*; *-rzy*), **~ka** F *f* (*-i*; *G -rek*) prosecutor, prosecuting attorney

prokuratura *f* (*-y*) public prosecutor's office

proletariacki proletarian

proletariusz *m* (*-a*; *-e*), **~ka** *f* (*-i*; *G -szek*) proletarian

prolong|ata *f* (*-y*) prolongation; extension; **~ować** ⟨***s-***⟩ (*-uję*) prolong

prom *m* (*-u*; *-y*) ferry; ***~ kosmiczny*** space shuttle

promienio|twórczy radioactive; **~wać** (*-uję*) radiate; *fig.* (*I*) beam (with); **~wanie** *n* (*-a*) radiation

promienny beaming, radiant

promie|ń *m* (*-nia*; *-nie*) ray; *mat.* radius; ***~ń słońca*** sunbeam; ***w ~niu*** (*G*) within a radius (of)

promil *m* (*-a*; *-e*) per mil

prominentny prominent

promo|cja *f* (*-i*; *-e*) promotion (*też ucznia*); **~cyjny**: ***sprzedaż ~cyjna*** promotion; **~wać** (*-uję*) promote (*też ucznia*)

promyk *m* (*-a*; *-i*) ray

proniemiecki pro-German

propag|anda *f* (*-y*) propaganda; **~ować** (*-uję*) popularize

proponować ⟨***za-***⟩ (*-uję*) suggest, propose; *towar, zakąskę* offer

proporcj|a *f* (*-i*; *-e*) proportion, ratio; **~onalny** (***odwrotnie*** inversely) proportional (to)

propo|rczyk *m* (*-a*; *-i*) banner; **~rzec** *m* (*-rca*; *-rce*) banner

propozycj|a *f* (*-i*; *-e*) suggestion, proposal, offer; ***zgodzić się na ~ę*** accept a proposal

proro|ctwo *n* (*-a*) prophecy; **~czy** prophetic; **~k** *m* (*-a*; *-cy*), **~kini** *f* (*-i*; *-e*) prophet(ess); **~kować** (*-uję*) prophesy

pro|sić ⟨***po-***⟩ (*-szę*) ask (***o*** *A* for; ***na*** *A* to); (*urzędowo, formalnie*) request; ***~szę!*** come in!; ***~szę bardzo*** (*odpowiedź na „dziękuję”*) you're welcome; ***~szę pana/pani***, … sir/madam …

prosię *n* (*-ięcia*; *-ięta*, *G -siąt*) piglet; ***~ pieczone*** *gastr.* roast pig

proso *n* (*-a*) millet

prospekt *m* (*-u*; *-y*) brochure, prospectus

prosperować (*-uję*) prosper, thrive

prosta *f* (*-tej*; *-te*) straight line; **~cki** coarse, boorish; **~cko, po ~cku** coarsely, boorishly; **~k** *m* (*-a*, *-cy*) boor

prosto *adv.* straight; (*niezawile*) clearly **~duszny** simple-hearted, guileless; **~kąt** *m* rectangle; **~kątny** rectangular; **~linijny** *fig.* straightforward; **~liniowy** (**-*wo***) rectilinear; **~padłościan** *m* (*-u*; *-y*) cuboid; **~padły** (**-*le***) perpendicular;

P

(*liniowo*) square (to); **~ta** *f* (*-y*; *0*) simplicity; **~wać** (*-uję*) ⟨**wy-**⟩ straighten; *prąd* rectify; ⟨**s-**⟩ *błąd itp.* rectify, correct; **~wnik** *m* (*-a*; *-i*) *anat.* extensor; *electr.* rectifier

prost|y[1] *adj.* (*m-os -ści*; *comp. -tszy*) (*nie wygięty*) straight; (*zwykły*) simple; (*skromny*) plain; ***kąt ~y*** right angle; ***po ~u*** simply; (*bez ceremonii*) unceremoniously; **~y**[2] *m* (*-ego*; *-e*) (*cios*) straight

prostytutka *f* (*-i*; *G -tek*) prostitute

prosz|ek *m* (*-szku*; *-szki*) (***do prania, do pieczenia*** washing, baking) powder; ***mleko w ~ku*** powdered milk; ***utrzeć na ~ek*** pulverize; **~kowy** powder

prośb|a *f* (*-y*; *G próśb*) request; (*podanie*) application; ***mam do ciebie ~ę*** I have a favo(u)r to ask of you; → ***prosić***

proś|ciej *comp.* → ***prosto***; **~ciutki** (***-ko***) perfectly straight; → ***prosty***

protegować (*-uję*) pull strings for *s.o.*, open doors for *s.o.*

protek|cja *f* (*-i*; *-e*) favo(u)ritism; **~cjonalny** patronizing, condescending; **~tor**[1] *m* (*-a*; *-y*) (tyre) tread; **~tor**[2] *m* (*-a*; *-rzy/-owie*), **~torka** *f* (*-i*; *G -rek*) protector; **~torat** *m* (*-u*; *0*) patronage; *pol.* protectorate

protest *m* (*-u*; *-y*) protest; ***na znak ~u*** in protest; **~acyjny** protest

protestan|cki Protestant; **~t** *m* (*-a*; *-nci*), **~tka** *f* (*-i*; *G -tek*) Protestant

protestować ⟨**za-**⟩ (*-uję*) protest (against *lub* about)

proteza *f* (*-y*) (*ortopedyczna*) artificial limb; (*dentystyczna*) dentures *pl.*

protoko|lant *m* (*-a*; *-nci*), **~lantka** *f* (*-i*; *G -tek*) recorder; *jur.* clerk of the court; **~łować** ⟨**za-**⟩ (*-uję*) record, (*zebranie*) keep the minutes

protokół *m* (*-ołu*; *-oły*) report; minutes; ***sporządzić ~*** take the minutes

prototyp *m* (*-u*; *-y*) prototype

prowadz|ąca *f* (*-ej*; *-e*), **~ący** *m* (*-ego*; *-y*) *RTV*: host; **~enie** *n* (*-a*) (*domu*) running; (*samochodu*) driving; ***objąć ~enie*** be in the lead; **~ić** ⟨**po-**⟩ (*-dzę*) *v/t.* lead; conduct; *pojazd* drive; *zakład* run; *rozmowę* carry on; *wojnę* wage; → ***kierować***; *v/i.* lead; ⟨**do-, za-**⟩ lead (**do** *G* to); ***~ić się*** conduct oneself, behave

prowiant *m* (*-u*; *-y*) provisions *pl.*, victuals *pl.*

prowi|ncja *f* (*-i*; *-e*) province; (*obszar poza stolicą*) provinces; **~ncjonalny** provincial; **~zja** *f* (*-i*; *-e*) commission; **~zorka** *f* (*-i*; *G -rek*) makeshift, improvisation; **~zoryczny** makeshift, rough-and-ready

prowodyr *m* (*-a*; *-rzy/-owie*) ringleader

prowo|kacja *f* (*-i*; *-e*) provocation; instigation; **~kacyjny** provocative; **~kować** ⟨**s-**⟩ (*-uję*) provoke; **~kujący** (*-co*) provocative; (*spojrzenie, uśmiech*) lascivious

proza *f* (*-y*; *0*) prose; **~iczny** prose; *fig.* prosaic; **~ik** *m* (*-a*; *-cy*) prose writer

prób|a *f* (*-y*) test; (*w teatrze*) rehearsal; (*usiłowanie*) attempt; ***na ~ę, dla ~y*** on a trial basis; **~ka** *f* (*-i*; *G -bek*) sample, specimen; **~ny**: ***lot ~ny*** test flight; ***zdjęcia ~ne*** screen test; ***okres ~ny*** trial period; **~ować** (*-uję*) try; attempt; ⟨**po-, s-**⟩ *potrawy* taste; ⟨**wy-**⟩ test, put *s.th.* to the test

próch|nica *f* (*-y*; *0*) *med.* caries; *agr.* humus; **~nieć** ⟨**s-**⟩ (*-eję*) rot; *ząb*: decay; **~no** *n* (*-a*; *0*) rotten wood

prócz *prp.* (*G*) apart from; beside(s); except; ***~ tego*** except

próg *m* (*-ogu*; *-ogi*) threshold (*też fig.*), doorstep; ***zima za progiem*** winter is near; ***u progu*** *fig.* on the doorstep

prósz|yć (*-szę*): ***śnieg ~y*** it is snowing lightly

próżnia *f* (*-i*; *-e*) void; *phys.* vacuum; **~ctwo** *n* (*-a*; *0*) idleness; **~k** *m* (*-a*; *-cy*) idler

próżn|o: ***na ~o*** in vain; **~ość** *f* (*-ści*; *0*) vanity; **~ować** (*-uję*) loaf; **~y** empty; *fig.* vain; (*daremny*) futile

pruć ⟨**po-, s-**⟩ (*-ję*) *kraw.* undo, unravel; *suknię* unpick

pruderyjny prudish

prus|ak *m* (*-a*; *-i*) *zo.* cockroach; **~ki** Prussian; ***kwas ~ki*** prussic acid

prych|ać (*-am*) ⟨***~nąć***⟩ (*-nę*) snort; → ***parskać***

prycza *f* (*-y*; *-e*) bunk

pry|mas *m* (*-a*; *-i/-owie*) primate; **~mitywny** primitive; **~mula** *f* (*-i*; *-e*) primrose; **~mus** *m* (*-a*; *-i/-y*), **~muska** *f* (*-i*; *G -sek*) top student

prys|kać (*-am*) ⟨***~nąć***⟩ (*-nę*) splash; spray; *szkło*: burst; *fig.* vanish; F (*uciec*) scram, hop it

pryszcz *m* (*-a*; *-e*) spot, pimple; **~yca** *f* (*-y*; *0*) *vet.* foot-and-mouth disease

P

prysznic *m* (*-a*; *-e*) shower
prywat|ka *f* (*-i*; *G -tek*) party; **~nie** *adv.* privately; **~ność** *f* (*-ści*; *0*) privacy; **~ny** private; personal
prywatyz|acja *f* (*-i*; *0*) privatization; **~ować** ⟨**s-**⟩ (*-uję*) privatize
pryzmat *m* (*-u*; *-y*) prism
przaśny *chleb* unleavened
prząść ⟨**u-**⟩ spin
przebacz|ać (*-am*) ⟨**~yć**⟩ (*-ę*) forgive; **~enie** *n* (*-a*) forgiveness
przebi|cie *f electr.* breakdown; **~ć** *pf.* → ***przebijać***
przebie|c *pf.* → ***przebiegać***; **~g** *m* course; mil(e)age **~gać** run, rush, dash (***przez*** *A* across); *droga*: go, run; *sprawa*: proceed; ***~c wzrokiem*** run one's eyes over *s.th.*; **~gły** cunning, shrewd
przebiera|ć (*-am*) be fussy; (*sortować*) sift; ***~ się*** disguise o.s. (***za*** *A* as); (*zmienić ubranie*) change one's clothes; ***~ć nogami*** hop from one leg to the other; **~lnia** *f* (*-i*; *-e*) dressing-room
przebijać (*-am*) pierce; puncture; *tunel* dig up, drill; *barwa*: show through; (*w kartach*) beat
przebiśnieg *m* (*-u*; *-i*) snowdrop
przebitk|a *f* (*-i*; *G -tek*) copy, duplicate, carbon copy; **~owy**: ***papier ~owy*** copying paper
przebłysk *m* glimmer, flash
prze|boleć *pf.* (*-eję*) get over; **~bój** *m* hit
przebra|ć *pf.* → ***przebierać***; ***~ć miarę*** go too far; **~nie** *n* (*-a*) disguise; **~ny** disguised
prze|brnąć *pf.* wade; struggle (***przez*** *A* through *lub* across); → ***brnąć***; **~brzmiały** out-of-date
przebudow|a *f* conversion; rebuilding; **~(yw)ać** (*-[w]uję*) convert; rebuild
przebudzenie (się) *n* (*-a*) awakening
przeby(wa)ć *drogę* travel, cover; *granicę* cross; *chorobę itp.* suffer (from); (*zostawać*) stay
przecedzać (*-am*) ⟨**~ić**⟩ strain
przecen|a *f* (*-y*; *0*) repricing, sale; **~iać** (*-am*), ⟨**~ić**⟩ overestimate; *hdl.* reduce the price
przechadz|ać się (*-am*) stroll; ***~ać się tam i z powrotem*** walk up and down; **~ka** *f* (*-i*; *G -dzek*) stroll; ***iść na ~kę*** go for a walk
przecho|dni *gr.* transitive; ***puchar ~dni*** challenge cup; ***pokój ~dni*** passage-room; **~dzić¹** *v/i.* go, get (***do*** *G* to); (*przebyć*) go, come; *światło*, *kula*: go *lub* pass through; *droga itp.*: run; *zima*, *deszcz*: be over; *ból*: pass, ease; *czas*: pass; *v/t. biedę*, *chorobę* suffer; *wyobraźnię* be beyond; *oczekiwania* surpass; *samego siebie* excel o.s.; *kurs* go (through); **~dzić²** *pf.* pass (by), cross, go over; **~dzień** *m* (*-dnia*; *-dnie*, *-dniów*) passer-by
przechow|ać *pf.* → ***przechowywać***; **~alnia** *f* (*-i*; *-e*) *kolej*: *Brt.* left-luggage office, *Am.* checkroom; **~anie** *n* (*-a*; *0*) preservation, storage; ***na ~anie*** for safekeeping; **~ywać** (*-wuję*) keep; store; hold; *zbiega* hide
prze|chwalać się (*-am*) boast (*I* of *lub* about); **~chwytywać** (*-uję*) ⟨***~chwycić***⟩ intercept; **~chylać** (*-am*) ⟨***~chylić***⟩ tilt; ***~chylać się*** lean over; **~ciąć** *pf.* → ***przecinać***
przeciąg *m Brt.* draught, *Am.* draft; ***w ~u tygodnia*** in the course of a week; **~ać** (*-am*) ⟨**~nąć**⟩ *v/t.* pull; thread (***przez*** *A* through); (*w czasie*) prolong, protract; *v/i.* ***~ać ręką po*** (*L*) run one's hand across *s.th.*; ***~ać się*** stretch out; drag on; *człowiek*: stretch o.s.; **~ły** *dźwięk* drawn-out; *spojrzenie* lingering
przeciąż|ać (*-am*) ⟨**~yć**⟩ overload; overburden
przecie|kać (*-am*) ⟨**~c, ~knąć**⟩ *beczka*, *łódź*: leak; *płyn*: leak through, (*też fig.*) leak out
przecier *m* (*-u*; *-y*) paste, purée; **~ać** (*-am*) sieve, *Am.* rice; ***~ać się*** *spodnie*: wear through
przecierpieć *pf.* suffer, endure; undergo *s.th.*
przecież *adv.* but, yet
przecię|cie *n* cut; intersection; **~tna** *f* (*-ej*; *-e*) average; **~tnie** *adv.* on (the) average; **~tny** average; mean; (*mierny*) mediocre
przecin|ać (*-am*) cut; *drogę*, *odwrót* block one's way; *rozmowę itp.* cut short; ***~ać się*** intersect; **~ak** *m* (*-a*; *-i*) cutter; **~ek** *m* (*-nka*; *-nki*) comma; *mat.* point
przecis|kać ⟨**~nąć**⟩ squeeze through, force through; ***~kać*** ⟨**~nąć**⟩ **się** squeeze o.s. (under *lub* through)
przeciw *prp.* (*D*) against; *w złoż.* anti-, counter-; **~bólowy** analgesic; ***środek ~bólowy*** painkiller; **~ciała** *n/pl.* anti-

P

bodies; **~deszczowy**: ***płaszcz ~deszczowy*** raincoat; **~działać** (*D*) counteract

przeciwgrypowy against flu

przeciwieństw|o *n* (*-a*) contrast; contradiction; the opposite of; ***w ~ie do*** (*G*) in contrast to, unlike

przeciw|jad *m* counterpoison, antidote; **~ko** → ***przeciw***; **~kurczowy** (*-wo*) antispasmodic; **~legły** opposite; **~lotniczy** anti-aircraft; ***schron ~lotniczy*** air-raid shelter; **~mgłowy**: ***reflektor ~mgłowy*** fog-lamp; **~niczka** *f* (*-i*; *G -czek*) adversary; opponent; **~nie** *adv.* in reverse; on the contrary; **~nik** *m* (*-a*; *-cy*) adversary; opponent; **~ność** *f* (*-ści*) reverse (of fortune); *pl.* adversities; **~ny** opposite; opposed to; (*odwrotny*) contrary; ***być ~nym*** (*D*) oppose s.th., be against s.th.; ***wiatr ~ny*** headwind, opposing wind; ***w ~nym razie*** otherwise; or else

przeciw|odblaskowy anti-dazzle; **~pożarowy** fire

przeciwsłonecz|ny: ***okulary ~ne*** sunglasses, F shades

przeciwstaw|i(a)ć (*D*) contrast (s.th. with s.th.); ***~ić się*** oppose; **~ienie** *n* (*-a*) contrast; → ***przeciwieństwo***; **~ny** opposing

przeciw|tężcowy antitetanic; **~waga** *f* counterweight, counterbalance; **~wskazany** *med.* contraindicated; **~zapalny** *med.* antiphlogistic

przeczący negative

przeczekać *pf.* wait for the end (of)

przeczenie *n* (*-a*) negative

przecznica *f* (*-y*; *-e*) cross-street

przeczu|cie *f* intuition; ***złe ~cie*** premonition; **~ć** *pf.* → ***przeczuwać***; **~lenie** *n* (*-a*; *0*) oversensitiveness; **~wać** sense; have an inkling of

przeczyć (*-ę*) deny

przeczyszcza|ć (*-am*) → ***czyścić***; **~jący**: ***środek ~jący*** laxative, purgative

przeć push (*też med.*)

przed *prp.* (*I*, *A*) (*miejsce*) in front of; (*czas*) before; (*obrona*) against; ***~ laty*** years ago; ***żalić się ~ matką*** open one's heart to one's mother, complain to one's mother

przedawkować *pf.* overdose

przedawni|enie *n* (*-a*) *jur.* limitation, prescription; **~ony** prescribed

przeddzień *m*: ***w ~*** on the day before; on the eve of

przed|e → ***przed***; ***~e wszystkim*** first of all; **~emerytalny** before retirement; ***w wieku ~emerytalnym*** heading for retirement; **~gwiazdkowy** Christmas (sale *itp.*); **~imek** *m* (*-mka*; *-mki*) *gr.* article; **~kładać** (*-am*) (*woleć*) prefer (*s.th.* to *s.th.*); ⟨***~łożyć***⟩ submit, present

przedłuż|acz *m* (*-a*; *-e*) *electr. Brt.* extension lead, *Am.* extension cord; **~ać** (*-am*) ⟨**~yć**⟩ extend; prolong; **~enie** *n* (*-a*) extension

przed|małżeński premarital; **~miejski** suburban; **~mieście** *n* (*-a*) suburb(s); **~miot** *m* (*rzecz*) object; (*temat*) topic, subject; **~miotowy** topical; **~mowa** *f* foreword, preface; **~mówca** *m*, **~mówczyni** *f* the preceding speaker

przedmuch|iwać (*-uję*) ⟨***~ać***⟩ blow; blow air (through)

przed|ni front; *fig.* exquisite, outstanding; **~nówek** *m* time before the harvest; **~obiedni** before the dinner; **~ostatni** penultimate; *Brt.* last but one, *Am.* next to last

przedosta(wa)ć się get through

przed|płata *f* advance payment; **~pokój** *m* hall; **~południe** *n* morning; **~potopowy** *fig.* obsolete; **~ramię** *n* forearm; **~rostek** *m* (*-tka*; *-tki*) *gr.* prefix

przedruk *m* reprint; **~ow(yw)ać** (*-[w]uję*) reprint

przedrze|ć *pf.* → ***przedzierać***; **~źniać** (*-am*) mock

przedsię|biorca *m* (*-y*) entrepreneur; ***~biorca budowlany*** building contractor; ***~biorca pogrzebowy*** undertaker; **~biorczość** *f* (*-ści*; *0*) enterprise; **~biorczy** enterprising; **~biorstwo** *n* (*-a*) enterprise, company; **~brać** ⟨***~wziąć***⟩ undertake; **~wzięcie** *n* undertaking, venture

przed|sionek *m* (*-nka*; *-nki*) vestibule; **~smak** *m* foretaste; **~sprzedaż** *f* advance sale, pre-booking

przedstawiać introduce (*s.o.*); *sprawę, plan itp.* present; *wniosek* bring forward; *dowód* produce, submit; (*zgłosić*) put forward; (*na scenie*) act; ***~ się*** *os.* introduce o.s., *widok*: present itself, *sprawa*: stand

przedstawi|ciel *m* (*-a*; *-e*, *-i*), **~cielka** *f* (*-i*; *G -lek*) representative, agent; **~ciel-**

stwo *n* (*-a*) agency; sales *lub* branch office; *pol.* diplomatic post; **~ć** *pf.* → ***przedstawiać***; **~enie** *n* (*-a*) show; *theatr.* spectacle, performance; play
przedszkol|e *f* (*-a*) *Brt.* nursery school, *Am.* kindergarten; **~ny** *Brt.* nursery school, *Am.* kindergarten
przed|śmiertny deathbed; **~świąteczny** preceding a holiday; **~świt** *m* (*-u*; *-y*) daybreak; dawn; *fig.* harbinger
przedtem *adv.* earlier; before
przed|terminowy early; executed ahead of time; **~wczesny** premature, untimely; **~wcześnie** *adv.* prematurely **~wczoraj** the day before yesterday; **~wczorajszy** of the day before yesterday; **~wieczorny** (of) late afternoon; **~wiośnie** *n* (*-a*) early spring; **~wojenny** pre-war; **~wyborczy** *spotkanie* election; pre-election
przedział *m* range; (*kolejowy*) compartment; **~ek** *m* (*-łka*; *-łki*) parting
przedzie|lać (*-am*) ⟨**~lić**⟩ divide; **~rać** (*-am*) tear (*też* ***się***); ***~rać się*** struggle (***przez*** *A* through)
prze|dziurawiać (*-am*) → ***dziurawić***; **~faksować** *pf.* (*-uję*) fax; **~forsować** *pf.*(*postawić na swoim*) carry; **~ganiać** (*-am*) ⟨**~gonić**⟩ (*przepędzić*) chase away; (*być szybszym*) outrun; **~gapiać** (*-am*) ⟨**~gapić**⟩ overlook; *okazję* miss; **~ginać** (*-am*) ⟨**~giąć**⟩ bend; ***~ginać*** ⟨***~giąć***⟩ ***się*** bend over
przegląd *m* (*-u*; *-y*) inspection; review; survey; ***~ lekarski*** medical examination; ***~ prasy*** review of the press; **~ać** (*-am*) look through; (*sprawdzać*) check; ***~ać się*** examine o.s. in the mirror; **~arka** *f* (*-i*) *komp.* browser
przegłos *m* (*-u*; *0*) *gr.* vowel change; **~ować** *pf.* outvote; vote down; → ***głosować***
przegotow(yw)ać (*-[w]uję*) boil; (*za długo gotować*) overboil; ***~ się*** boil too much *v/i.*
prze|grać *pf.* → ***przegrywać***; **~gradzać** (*-am*) partition, divide; **~grana** *f* (*-ej*; *-e*) loss; (*porażka*) defeat; **~groda** *f* (*-y*) partition; division; (*kojec, przedział*) stall; **~grodzić** *pf.* → ***przegradzać***; **~gródka** *f* (*-i*; *G -dek*) compartment; pigeon-hole
prze|grupow(yw)ać (*-[w]uję*) redeploy; **~grywać** (*-am*) lose (*też pieniądze*); *kasetę* copy; **~gryzać** (*-am*) ⟨***~gryźć***⟩ bite through; F *rdza*: eat; ***~gryźć coś*** F have a bite to eat; ***~grzewać*** (*-am*) ⟨***~grzać***⟩ overheat; ***~grzewać*** ⟨***~grzać***⟩ ***się*** become overheated
przegub *m* (*-u*; *-y*) wrist; *tech.* joint
prze|holow(yw)ać (*-[w]uję*) F *fig.* go too far; **~inaczać** (*-am*) ⟨***-czyć***⟩ (*-czę*) misrepresent; **~istoczenie** *n* (*-a*) transformation; *rel.* transubstantiation; **~jadać** spend on food; **~jaskrawiać** (*-am*) ⟨***~jaskrawić***⟩ exaggerate
przejaśni|ać się (*-am*) ⟨***~ć się***⟩ clear up; **~enie** *n* (*-a*): ***~enia*** *pl.* sunny intervals *pl.*
przejaw *m* (*-u*; *-y*) manifestation; (*choroby*) symptom; (*wyraz*) expression, sign; **~iać** (*-am*) ⟨**~ić**⟩ display; ***~iać się*** manifest itself (in *s.th.*)
przejazd *m* (*-u*; *-y*) (*samochodem*) drive; (*koleją*) ride; ***~ kolejowy*** *Brt.* level crossing, *Am.* grade crossing; ***~em*** passing through
przejażdżka *f* (*-i*; *G -dżek*) ride
prze|jąć *pf.* (*-jmę*) → ***przejmować***; **~jechać** *pf.* → ***przejeżdżać***; (*rozjechać*) run over; ***~jechać się*** go for a ride; **~jeść** *pf.* → ***przejadać***; **~jeździć** *pf.* *czas, pieniądze* spend on travel; **~jeżdżać** (*-am*) (*A*, ***przez*** *A*) cross, pass; drive, ride (***przez*** *A* through, ***po*** *L* in, ***koło*** *G* past, by)
przejęcie *n* (*-a*) taking over; (*wzruszenie*) excitement, emotion; ***z ~m*** with excitement
przejęzyczenie *n* (*-a*) slip of the tongue
przejm|ować (*-uję*) take over; adopt; *strach itp.*: seize; *zimno itp.*: penetrate; ***~ować się*** (*I*) be concerned (about *s.th.*); **~ujący** (**-co**) piercing; *głos* shrill; *widok* impressive, moving; *smutek* deep
przejrzały overripe
przejrz|eć *pf.* (*-ę, -y, -yj!*) *v/t.* → ***przeglądać***; *fig.* see through; *v/i.* recover one's sight; *fig.* become conscious of; **~ysty** transparent; *fig.* clear, lucid **~yście** *adv.* clearly
przejś|cie *n* (*-a*) passage; gangway; (*w sporcie*) transfer; (*doznanie*) ordeal; ***~cie dla pieszych*** pedestrian crossing; ***~cie podziemne*** *Brt.* subway, *Am.* underpass; **~ciowo** *adv.* temporarily; **~ciowy** passing, transitory, temporary;

P

(*pośredni*) transitional; **~ć** *pf.* → ***przechodzić***; ***~ć się*** take a walk (***po*** *L* in)
przekaz *m* (*-u*; *-y*) (*za pośrednictwem banku*) transfer; ***~ pocztowy*** postal order; ***środki*** *m/pl.* ***~u*** mass media; **~anie** *n* (*-a*) (*paczki*) delivery; (*wiadomości*) transmission; (*własności*) transferrence; **~ywać** (*-uję*) ⟨**~ać**⟩ pass; hand over; *prawo* transfer; ***~ywać komuś pozdrowienia*** give one's regards to s.o.
przekąs *m*: ***z ~em*** sneeringly; **~ić** *pf.* (*-szę*) have a bite to eat; **~ka** *f* (*-i*; *G -sek*) snack
przekątna *f* (*-ej*; *-e*) diagonal
prze|kląć *pf.* → ***przeklinać*** *v/t.*; **~kleństwo** *n* (*-a*) swear-word; **~klęty** damned; **~klinać** (*-am*) *v/t.* curse; *v/i.* swear
przekład *m* (*-u*; *-y*) translation; **~ać** (*-am*) ⟨**-żyć**⟩ (*-ę*) rearrange; (*tłumaczyć*) translate; *termin* reschedule; **~nia** *f* (*-i*; *-e*) *tech.* transmission (gear)
przekłamanie *n* (*-a*) distortion
przekłu|wać (*-am*) ⟨**~ć**⟩ *balon* prick; *uszy* pierce
przekon|anie *n* (*-a*) conviction, belief; ***nie mieć ~ania do*** (*G*) be wary of, be sceptical about; **~ywać** (*-uję*) ⟨**~ać**⟩ convince (*s.o.* of *s.th.*); ***~ywać*** ⟨**~ać**⟩ ***się*** become convinced; **~ywujący** (**-co**) convincing
przekop *m* (*-u*; *-y*) ditch, excavation; **~ywać** (*-uję*) ⟨**~ać**⟩ dig
przekor|a *f* (*-y*; *0*) perversity; **~ny** perverse, contrary
przekór *m*: ***na ~*** in defiance of
przekra|czać (*-am*) *v/t.* cross; exceed; *prawo* transgress; ***~czać stan konta*** overdraw one's account; **~dać się** (*-am*) ⟨**~ść się**⟩ slip through *lub* across; **~wać** (*-am*) cut (***na pół*** in two)
prze|kreślać (*-am*) ⟨**~kreślić**⟩ cross out; **~kręcać** (*-am*) ⟨**~kręcić**⟩ turn; *fakty* twist; *sprężynę* overwind
przekro|czenie *n* (*-a*) transgression; (*przepisów*) infringement; *granicy* crossing; ***~czenie salda*** overdraft; ***~czenie szybkości*** speeding; **~czyć** *pf.* → ***przekraczać***; **~ić** *pf.* → ***przekrawać***
przekrój *m* (*-roju*; *-roje*) section; ***~ podłużny*** longitudinal section; ***~ poprzeczny*** cross section
przekrzywiony tilted, askew
przekształc|ać (*-am*) ⟨**~ić**⟩ convert; reshape; transform; ***~ać się*** evolve; **~enie** *n* conversion; transformation
przekup|ić *pf.* → ***przekupywać***; **~ka** *f* (*-i*; *G -pek*) tradeswoman, vendor; **~ny** corruptible; **~stwo** *n* (*-a*) bribery, corruption; **~ywać** (*-uję*) bribe
prze|kwalifikować *pf.* retrain; **~kwaterować** *pf.* change housing *lub* lodging; **~kwitać** (*-am*) ⟨**~kwitnąć**⟩ wither; **~kwitanie** *n med.* menopause; **~lać** *pf.* → ***przelewać***; **~latywać** (*-uję*) ⟨**~lecieć**⟩ fly (***z*** from ***do***/***na*** to, ***nad*** *I* over, ***koło*** *G* past); *czas* fly (by)
przelew *m* (*-u*; *-y*) *fin.*, *jur.* transfer; ***~ krwi*** bloodshed; **~ać** (*-am*) *płyn* pour; *prawa* transfer; ***~ać krew*** shed blood; ***~ać się*** overflow
prze|leźć *pf.* → ***przełazić***; **~lęknąć się** *pf.* (*-nę*) take fright at
przelicz|ać (*-am*) ⟨**~yć**⟩ (*zliczać*) count; convert; **~enie** *n* conversion; ***w ~eniu*** in conversion
przelot *m* flight; ***~ ptaków*** passage; **~nie** *adv.* fleetingly; **~ny** fleeting, occasional; ***deszcz ~ny*** shower; ***ptaki ~ne*** birds of passage
przeludni|enie *n* (*-a*; *0*) overpopulation; **~ony** overpopulated
przeład|ow(yw)ać (*-[w]uję*) reload; (*przeciążyć*) overburden, overload; **~unek** *m* reloading; **~unkowy** reloading
przełaj *m*(*-u*; *-e*) cross; ***bieg na ~*** cross-country race; ***droga na ~*** short cut
przełam|ywać (*-uję*) ⟨**~ać**⟩ (*-ię*) break; *fig.* overcome
przełazić (***przez*** *A*) get through *lub* over *lub* across
przełącz|ać (*-am*) ⟨**~yć**⟩ (*-ę*) switch (over); **~nik** *m* (*-a*; *-i*) switch
przełęcz *f* (*-y*; *-e*) *geogr.* pass
przełknąć *pf.* (*-nę*) swallow, swallow down
przełom *m* fracture; *geol.* gorge; *fig.* breakthrough, turning point; ***na ~ie wieków*** on the turn of the centuries; **~owy** crucial, critical
przełoż|ona *f* (*-ej*; *-e*), **~ony** *m* (*-ego*; *-żeni*) superior; *pl. też* the people overhead *lub* in command; **~yć** *pf.* → ***przekładać***
przełyk *m* gullet, oesophagus; **~ać** → ***łykać***

P

prze|maczać ⟨**~moczyć**⟩ wet, drench; ***~moczyć sobie nogi*** get one's feet wet; **~magać** (*-am*) ⟨***~móc***⟩ *v/t* overcome; *v/i* prevail; ***~móc się*** conquer one's fears; **~makać** (*-am*) ⟨***~moknąć***⟩ get soaked, get drenched; **~marzać** [-r·z-] ⟨***~marznąć***⟩ freeze; **~maszerować** *pf. v/i.* march by; **~mawiać** give *lub* make a speech; speak (**do** *G* to; ***za*** *I* in *s.o.'s* favour)
przemądrzały bigheaded
przemeldow(yw)ać (-[*w*]*uję*) report *s.o.'s* change of address
przemęcz|ać (*-am*) ⟨***~yć***⟩ (over)strain; ***~yć się*** overexert o.s.; → ***męczyć się***; **~enie** *n* (*-a*; *0*) exhaustion, fatigue; **~ony** (*pracą*) exhausted, fatigued
przemian: ***na ~*** alternately; **~a** *f* (*-y*) transformation; ***~a materii*** metabolism; **~owanie** *n* renaming
przemie|ni(a)ć transform, change; ***~nić się*** change (***w*** *A* into); **~szać** *pf.* mix (thoroughly); **~szczać** (*-am*) move
przemi|jać ⟨***~nąć***⟩ pass, go by; come to an end; *uroda*: fade; **~lczać** (*-am*) ⟨***~lczeć***⟩ *v/t.* pass over (in silence); leave unsaid
przemknąć *pf.* → ***przemykać***
przemoc *f* (*-y*; *0*) violence; ***akt ~y*** act of violence; ***~ą*** through violence, forcibly
przemo|czyć *pf.* → ***przemaczać***; **~knąć** *pf.* → ***przemakać***; **~knięty** soaked, drenched
prze|mowa *f* → ***przemówienie***; **~móc** *pf.* → ***przemagać***; **~mówić** *pf.* → ***przemawiać***; **~mówienie** *n* speech; **~mycać** (*-am*) ⟨***~mycić***⟩ smuggle; **~myć** *pf.* → ***przemywać***; **~mykać** (*-am*) steal; *myśli*: flit; ***~mykać się*** steal
przemysł *m* (*-u*; *-y*) industry; F ***własnym ~em*** oneself, by one's own means
przemysłow|iec *m* (*-wca*; *-wcy*) industrialist; **~y** industrial
przemyśl|any well-thought-out, deliberate; **~eć** *pf.* think *s.th.* over; **~iwać** (*-am*) ponder (***o*** *L* upon) **~ny** clever; *urządzenie* ingenious
prze|myt *m* (*-u*; *0*) smuggling; **~mytniczka** *f* (*-czek*; *-czki*), **~mytnik** *m* (*-a*; *-cy*) smuggler; **~mywać** (*-am*) wash, bathe; **~nicować** *pf.* → ***nicować***
przeniesieni|e *n* (*-a*) transfer (*też służbowe*); ***z ~a*** *fin.* brought forward
przenieść *pf.* → ***przenosić***
przenik|ać (*-am*) penetrate (**do** *G* s.th. *lub* into s.th.) **~liwość** *f* (*-ści*; *0*) *fig.* perspicacity; **~liwy** penetrating; *fig.* keen, searching; **~nąć** *pf.* → ***przenikać***
przeno|cować *pf. v/i.* → ***nocować***; *v/t.* put up; **~sić** move, carry; *słowo* hyphenate; ***~sić na emeryturę*** pension s.o.; ***~sić się*** move (**do** *G* to), *ogień*: spread **~śnia** *f* (*-i*; *-e*) metaphor; **~śnie** *adv.* figuratively; **~śnik** *m* (*-a*; *-i*) *tech.* conveyor; **~śny** portable; *fig.* figurative, metaphorical
przeobra|żać ⟨***~zić***⟩ transform; ***~żać*** ⟨***~zić***⟩ ***się*** be transformed, turn; **~żenie** *n* (*-a*) transformation, change
przeocz|ać (*-am*) ⟨***~yć***⟩ (*-czę*) overlook; **~enie** *n* oversight; ***przez ~enie*** by an oversight
przeor *m* (*-a*; *-rzy/-owie*) prior
prze|orać *pf.* plough; *fig.* furrow; **~organizować** *pf.* reorganize
przeorysza *f* (*-y*; *-e*) prioress
przepa|dać disappear; ***~dać za*** (*I*) be very fond of → ***przepaść***[2]; **~dły** missing; **~jać** (*-am*) fill (*I* with); permeate; **~kow(yw)ać** (-[*w*]*uję*) repack; **~lać** (*-am*) ⟨***~lić***⟩ *v/t.* burn (through); ***~lić dziurę*** burn a hole; ***~lić się*** *żarówka*: blow; **~lony** blown
przepas|ka *f* (*-i*; *G -sek*) sweatband; (*na oczy*) blindfold; **~ywać** (*-uję*) ⟨***~ać***⟩ (*-szę*) tie *s.th.* around one's waist
przepa|ść[1] *f* (*-ści*; *-ści/-ście*) precipice; *fig.* gap, gulf; **~ść**[2] *pf.* → ***przepadać***; (*na egzaminie itp.*) fail; ***~ść bez wieści*** he is missing; **~trywać** (*-uję*) ⟨***~trzyć***, ***~trzeć***⟩ examine, study
przepchnąć *pf.* → ***przepychać***
przepełni|enie *n* (*-a*; *0*) crowd; excess; **~ony** overcrowded; (*wodą*) overflowing
przepędz|ać (*-am*) ⟨***~ić***⟩ drive; *ludzi* drive away *lub* out of
prze|pić *pf.* → ***przepijać***; **~pierać** (*-am*) launder; **~pierzenie** *n* partition; **~piękny** most beautiful, exquisite; **~pijać** (*-am*) *v/t.* spend on drink; *v/i.* (**do** *G*) drink to; **~piłow(yw)ać** (-[*w*]*uję*) saw through
przepiórka *f* (*-i*; *G -rek*) quail
przepis *m* (*-u*; *-y*) regulation; ***~y bezpieczeństwa*** safety code; ***~ kucharski*** recipe; ***~y ruchu drogowego*** highway code; ***~y drogowe*** traffic regula-

P

tions, Highway Code; **~ać** *pf.* → ***przepisywać***; **~owy** regulation; **~ywać** (*-uję*) copy out; type out; *med.* prescribe

przepity *głos* hoarse from drinking; *człowiek* hung over

przeplatać (*-am*) interlace, interweave; **~ *się*** alternate with *s.th.*

prze|płacać (*-am*) ⟨***~płacić***⟩ pay too much; **~płaszać** (*-am*) ⟨***~płoszyć***⟩ frighten away; **~płukiwać** (*-uję*) ⟨***~płukać***⟩ rinse; → ***płukać***; **~pływać** ⟨***~płynąć***⟩ *v/t człowiek*: swim; *statek*: sail (***przez*** *A* across); (*łodzią*) row; *woda*: flow; **~pocić** *pf.* sweat; **~poić** *pf.* → ***przepajać***; **~pona** *f* (*-y*) *anat.* diaphragm; *tech.* diaphragm, membrane

przepowi|adać (*-am*) ⟨***~edzieć***⟩ prophesy; foretell; *pogodę* predict; **~ednia** *f* (*-i*; *-e*) prophecy

prze|pracow(yw)ać (*-[w]uję*): ***~pracować trzy dni*** work three days; (*na nowo*) do *s.th.* over again; ***~pracować się*** overstrain o.s. **~prać** *pf.* → ***przepierać***; **~praszać** (*-am*) apologize (***kogoś za*** *A* to s.o. for s.th.); ***~praszam!*** (I'm) sorry!

przepraw|a *f* (*-y*) crossing; (*bród*) ford; **~iać** (*-am*) ⟨***~ić***⟩ (*-ę*) ferry; ***~ić się na drugi brzeg*** get to the other side; ***~ić się*** (***przez*** *A*) get across (*a river itp.*)

przepro|sić *pf.* → ***przepraszać***; ***~sić się*** make friends again; **~szenie** *n* (*-a*) apology

przeprowadz|ać (*-am*) ⟨***~ić***⟩ take (***przez*** *A* across *lub* through); (*realizować*) carry out; *szosę* build; ***~ić się*** move; **~ka** *f* (*-i*; *G -dzek*) move

przepuklina *f* (*-y*) *med.* hernia, rupture

przepu|st *m* (*-u*; *-y*) (*śluza*) sluice (-gate); **~stka** *f* (*-i*; *G -tek*) pass; **~szczać** ⟨***~ścić***⟩ let through; F *zw. pf.* → ***pominąć, przeoczyć***; **~szczalny** penetrable, permeable

przepych *m* (*-u*; *0*) *Brt.* splendour, *Am.* splendor

przepychać (*-am*) *v/t.* shove (through); *rurę* unclog; **~ *się*** elbow one's way

przera|biać (*-am*) alter; (*opracować na nowo*) rewrite; (*przetworzyć*) process; *lekcję* do; **~chow(yw)ać** (*-[w]uję*) → ***przeliczać***; **~dzać się** (*-am*) turn into; **~stać** (*-am*) *v/t.* outgrow; *fig.* surpass; **~zić** *pf.* → ***przerażać***; **~źliwy** frightful; *krzyk*: ear-piercing; **~żać** (*-am*) terrify, horrify; ***~żać się*** be terrified; **~żający** terrifying, horrifying; **~żony** terrified

prze|rdzewieć *pf.* be eaten up with rust; **~robić** *pf.* → ***przerabiać***; **~rodzić się** *pf.* → ***przeradzać się***; **~rosnąć** *pf.* → ***przerastać***; **~rób** *m* (*-obu*; *0*) processing; **~róbka** *f* (*-i*; *G -bek*) alteration; adaptation

przerw|a *f* (*-y*) break; *teatr.* interval; (*luka*) gap; ***bez ~y*** without a break; **~ać** *pf.* → ***przerywać***; ***~ać się*** break; **~anie** *n* (*-a*) break; disconnection; ***~anie ciąży*** abortion

przerywa|cz *m* (*-a*; *-e*) *tech.* interrupter, breaker; **~ć** (*-am*) break, interrupt; discontinue; (*nie skończyć*) break off; ***~ć ciążę*** have an abortion; **~ny** *oddech*, *głos* broken

przerzedz|ać (*-am*) ⟨***~ić***⟩ (*-dzę*) thin (*też agr.*)

przerzuc|ać ⟨***~ić***⟩ throw (***przez*** *A* over); ***~ić most*** bridge a river; ***~ić bieg*** *Brt.* change gear, *Am.* shift gear; ***~ać kartki*** (*G*) leaf through; → ***przetrząsać***; ***~ić się*** (***na*** *A*) pass over (to)

prze|rzynać (*-am*) ⟨***~rżnąć***⟩ cut; (*przepiłować*) saw; F (*przegrać*) lose

przesa|da *f* (*-y*) exaggeration; **~dnie** *adv.* excessively; **~dny** exaggerated; **~dzać** ⟨***~dzić***⟩ *ucznia* move (to another seat); *agr.* transplant; *v/i. fig.* exaggerate

przesalać (*-am*) → ***przesolić***

przesącz|ać ⟨***~yć***⟩ filter, percolate

przesą|d *m* superstition; (*uprzedzenie*) prejudice; **~dny** superstitious; **~dzać** (*-am*) ⟨***~dzić***⟩ determine; ***niczego nie ~dzając*** without prejudice

przesia|ć *pf.* → ***przesiewać***; **~dać się** move to another seat; (*w podróży*) change; **~dka** *f* (*-i*; *G -dek*) change

przesią|kać (*-am*) ⟨***~knąć***⟩ (*-nę*) soak (through); *pf.* → ***nasiąkać***; **~ść się** *pf.* → ***przesiadać się***

przesiedl|ać (*-am*) displace; rehouse; ***~ać się*** migrate (***do*** *G* to); **~enie** *n* (*-a*) displacement; rehousing; ***~enie się*** migration; **~eniec** *m* (*-ńca*; *-ńcy*) emigrant; displaced person; **~ić** *pf.* (*-ę*) → ***przesiedlać***

przesieka *f* (*-i*) cutting

przesiewać (*-am*) sift

przesilenie *n* (*-a*) turning point; *med.*

crisis; **~ letnie** solstice
przesk|akiwać (-*uję*) ⟨**~oczyć**⟩ *v/t.* jump (over); *fig.* skip (**przez** *A* over, **z ... na ...** from ... to ...); **~ok** *m* jump
przeskrobać F *pf.* (*zawinić*) perpetrate; (*spsocić*) be up to (some mischief)
przesła|ć *pf.* → **przesyłać, prześcielać**; **~niać** (-*am*) conceal; **~nie** *n* (-*a*) message; **~nka** *f* (-*i*; *G* -*nek*) circumstance; *filoz.* premise
przesło|dzić *pf.* make too sweet; **~na** *f* (-*y*) screen; *phot.* aperture; **~nić** *pf.* → **przesłaniać**
przesłuch|anie *n* (-*a*) *jur.* interrogation, questioning; (*świadków*) examination; **~iwać** (-*uję*) ⟨**~ać**⟩ *artystę* audition; *jur.* interrogate, examine
prze|smyk *m* (-*u*; -*i*) pass; *geogr.* isthmus; **~solić** put too much salt in; F *fig.* overdo; **~spać** *pf.* → **przesypiać**
przestać[1] *pf.* (*stać*[1]) stand
przesta|ć[2] *pf.* (*stać*[2]) → **przestawać**; **~nkowy**: **znaki** *m/pl.* **~nkowe** punctuation marks; **~rzały** obsolete; **~wać** (-*ję*): **~wać coś robić** stop doing s.th.; **~wać z kimś** associate with s.o.; **~wi(a)ć** move, rearrange; **~wi(a)ć się na coś** switch (over) to s.th.
przestąpić *pf.* → **przestępować**
przestęp|ca *m* (-*y*; *G* -*ów*) criminal; **~czość** *f* (-*ści*; *0*) crime; **~czy** criminal; **~czyni** *f* (-*i*; -*nie*, *G* -*ń*) criminal; **~ny** *jur.* criminal, felonious; **rok ~ny** leap year; **~ować** (-*uję*) cross (**przez** *A* s.th.); **~stwo** *n* (-*a*) crime; **popełnić ~stwo** commit a crime
przestój *m* (-*oju*; -*oje*) stoppage
przestra|ch *m* fright; **~szony** frightened; **~szyć** *pf.* frighten, scare; **~szyć się** be frightened, take fright
przestroga *f* (-*i*; *G* -*óg*) admonition, (fore)warning
przestronny spacious
przestrze|gać[1] (-*am*) (*G*) obey; abide by; observe; (*o tajemnicach*) keep; **~gać**[2] ⟨**~c**⟩ (**przed** *I*) warn (of *lub* against)
przestrze|nny three-dimensional; spatial; **~ń** *f* (-*ni*; -*nie*, -*ni*) (**życiowa** living) space; (*powierzchnia*) expanse; (*dystans*) distance; **~ń kosmiczna** (outer) space
przestudiować *pf.* *v/t.* make a thorough study; examine
przesu|nięcie *n* (-*a*) shift; displacement; **~wać** ⟨**~nąć**⟩ move, shift; **~wać** ⟨**~nąć**⟩ **się** shift, *człowiek*: move over; **~nąć się do przodu** move forward; **~wny** mov(e)able, slidable
przesy|cać (-*am*) ⟨**~cić**⟩ saturate; **~cony** permeated with *s.th.*; **~łać** (-*am*) send; **~łać dalej** forward; **~łka** *f* (-*i*; *G* -*łek*) mail; (*przesyłanie*) sending, dispatch; **~pać** *pf.* → **przesypywać**; **~piać** (-*am*) sleep through; (*przepuścić*) *fig.* let slip; **~pywać** (-*uję*) pour
przesyt *m* (-*u*; *0*) surfeit
przeszczep *m* (-*u*; -*y*) *med.* transplant, graft; **~iać** (-*am*) ⟨**~ić**⟩ transplant, graft
przeszka|dzać (-*am*) disturb; interfere; **proszę sobie nie ~dzać** don't let me disturb you; → **przeszkodzić**; **~lać** (-*am*) train, instruct
przeszko|da *f* (-*y*) obstruction; obstacle; **stać na ~dzie** stand in *s.o.'s* way; **~dzić** *pf.* → **przeszkadzać**; **~lenie** *n* training; **~lić** *pf.* → **przeszkalać**
przesz|ło *adv.* more than, over; **~łość** *f* (-*ści*; *0*) past; **~ły** past
przeszuk|iwać (-*uję*) ⟨**~ać**⟩ search; *teren* scour, comb
przeszy|wać (-*am*) ⟨**~ć**⟩ stitch; (*przebić*) pierce; *fig.* penetrate
przeście|łać (-*am*) *łóżko* rearrange; **~radło** *n* (-*a*; *G* -*deł*) sheet; **~radło kąpielowe** bath towel
prześcig|ać (-*am*) ⟨**~gnąć**⟩ (-*nę*) outrun; *fig.* beat *s.o.* at *s.th*; **~ać się** *fig.* try to outdo one another (**w** *L* at)
prześladow|ać (-*uję*) persecute; *fig.* haunt; (*dręczyć*) pester; **~anie** *n* (-*a*) persecution; **~any** persecuted, oppressed; **~ca** *m* (-*y*) persecutor; **~czy**: **mania ~cza** persecution mania *lub* complex
prześliczny lovely
prześliz|giwać się (-*uję*) ⟨**~(g)nąć się**⟩ (-*nę*) steal through *lub* past; *fig.* skate (over *s.th.*)
prześmie|szny extremely funny
przeświadcz|enie *n* conviction; **~ony** (**o** *L*) convinced (of)
prześwie|cać (-*am*) show (through); shine (**przez** *A* through); **~tlać** (-*am*) ⟨**~tlić**⟩ (-lę) X-ray; *pf. phot.* overexpose; **~tlenie** *n* (-*a*) X-ray
prześwit *m* (-*u*; -*y*) gap, clearance
przeta|czać (-*am*) roll; *wagony* strunt;

P

płyn decant; *krew* give a blood transfusion; **~czać się** roll by; **~piać** (*-am*) melt down; *gastr.* melt

przetarg *m* (*wybór ofert*) tender; (*licytacja*) auction

prze|tarty frayed; **~tasow(yw)ać** (-[*w*]*uję*) shuffle; **~terminowany** expired; **~tkać** *pf.* → ***przetykać***

przeto *cj.* therefore; ***niemniej ~*** nevertheless; **~ka** *f* (*-i*) *med.* fistula; **~czyć** *pf.* → ***przetaczać***; **~pić** *pf.* → ***przetapiać***

przetraw|iać (*-am*) ⟨***~ić***⟩ digest; *fig.* mull over

prze|trącić F *pf.* break; have a snack; **~trenowany** stale; **~trwać** *pf.* survive

przetrząs|ać [-t·ʃ-] (*-am*) ⟨***~nąć***⟩ (*-nę*) (*szukać*) scour

przetrze|biać [-t·ʃe-] (*-am*) ⟨***~bić***⟩ (*-bię*) fig. thin, make thin; **~ć** *pf.* → ***przecierać***

przetrzym|ywać [-t·ʃ-] (*-uję*) ⟨***~ać***⟩ keep; hold; detain; (*ukrywać*) conceal, hide; (*znieść*) endure

przetwarza|ć (*-am*) ⟨***-rzyć***⟩ process; *electr.* convert; *fig.* convert; **~nie** *n* (*-a*; *0*): ***~nie danych*** data processing

przetwór *m* product; ***przetwory*** *pl.* preserves; **~czy** processing; **~nia** *f* (*-i*; *-e*) food processing plant

przetykać *v/t. rurę, fajkę* clear, clean out; *tkaninę* interweave, interlace

przewag|a *f* superiority; (*w tenisie*) advantage; ***mieć ~ę nad kimś*** have the upper hand over s.o; ***uzyskać ~ę*** get the upper hand

przeważ|ać (*-am*) *v/i.* overweigh; *fig.* prevail, predominate; **~ający** *siła*: overwhelming; (*dominujący*) predominant, prevailing; **~nie** *adv.* mostly; **~yć** *pf.* → ***przeważać***

przewąch|iwać (*-uję*) ⟨***~ać***⟩ F *v/t.* scent

przewiąz|ywać (*-uję*) ⟨***~ać***⟩ tie; *ranę* tie up

przewi|dujący foreseeing; far-sighted; **~dywać** (*-uję*) foresee, predict; *pogodę* forecast; (*planować*) anticipate

przewidywa|nie *n* (*-a*) expectation; ***~nie pogody*** weather forecast; ***w ~niu*** in anticipation (of); ***według wszelkich ~ń*** according to expectation; **~ny** expected

przewidz|enie *n*: ***to było do ~enia*** it was predictable *lub* foreseeable; **~iany, ~ieć** *pf.* → ***przewidywany, przewidywać***

przewie|rcać (*-am*) ⟨***~rcić***⟩ drill through; *fig.* pierce; **~szać** ⟨***~sić***⟩ *v/t.* (***przez*** *A*) hang, sling (over)

przewietrz|ać (*-am*) ⟨***~yć***⟩ air, ventilate

przewiew *m* (*-u*; *-y*) *Brt.* draught, *Am.* draft; **~ny** *ubiór* cool; *budynek* airy

prze|wieźć *pf.* → ***przewozić***; **~wijać** (*-am*) ⟨***~winąć***⟩ (*-nę*) rewind; *dziecko* change; *ranę* put a new dressing on; **~winienie** *n* (*-a*) *Brt.* offence, *Am.* offense; (*w sporcie*) foul; **~wlekać** (*-am*) ⟨***~wlec***⟩ pass (*s.th.* through *s.th.*); *fig.* protract; ***~wlekać się*** drag on; **~wlekły** protracted; *med.* chronic

przewodni leading; ***motyw ~*** leitmotiv; **~ctwo** *n* (*-a*; *0*) leadership; (*obrad*) chairmanship; *phys.* conduction, conductance (of); **~czący** *m* (*-ego*; *-y*), **~cząca** *f* (*-ej*; *-e*) chair, chairperson; **~czka** *f* (*-i*; *G -czek*) guide; **~czyć** (*-ę*) be in the chair; (*D*) chair (a meeting); **~k** *m* (*-a*; *-cy*) (*osoba*) guide; (*książka*) guidebook; *phys.* conductor

przewo|dowy wire; **~dzić** (*D*) lead; (*A*) *phys.* conduct **~zić** *v/t.* transport; take; **~zowy** transport; ***list ~zowy*** bill of lading, consignment note; **~źnik** *m* (*-a*; *-cy*) carrier; *Brt.* haulier, *Am.* hauler; (*na promie*) ferryman; **~źny** mobile

przewód *m* (*-odu*; *-ody*) (*gazowy* gas) pipe; *electr.* wire; ***~ pokarmowy*** alimentary canal; ***~ słuchowy*** accoustic duct; ***~ sądowy*** legal proceedings; ***pod przewodem*** under *s.o.'s* leadership

przewóz *m* transport; (*samochodowy*) haulage, trucking

przewracać ⟨***po-***⟩ *v/t.* overturn; knock over; *kartki* turn; (*obracać*) turn round; *v/i* (*szperać*) rummage; ***~ się*** fall over; turn over, roll over; ***~ się do góry dnem*** *łódź*: capsize

przewrażliwiony → ***przeczulony***

przewrotny perverse

przewró|cić *pf.* → ***przewracać***; **~t** *m* (*-otu*; *-oty*) revolution; *pol.* coup (d'état); (*w sporcie*) somersault

przewyższ|ać (*-am*) ⟨***~yć***⟩ outstrip, surpass; be better than; (*liczebnie*) outnumber

przez *prp.* (*A*) across; through; over; ***~ radio*** over *lub* on the radio; ***~ przypadek*** by accident; ***~ telefon*** over *lub* on the

P

phone; ~ ***cały rok*** all year; ~ ***sekundę*** for a second; ~***e mnie*** because of me

przeziębi|ać (*-am*) ⟨~**ć**⟩ catch (a) cold; ~**enie** *n* (*-a*) cold; ~**ony**: ***jestem przeziębiony*** have a cold

przeznacz|ać (*-am*) ⟨~**yć**⟩ intend, destine; assign (***na*** *A*, ***do*** *G* for); ~**enie** *n* (*-a*) use, purpose; (*los*) destiny, fate; ***miejsce ~enia*** destination

przezorn|ie *adv.* providently, far-sightedly; ~**y** foreseeing, far-sighted; (*ostrożny*) circumspect

przezrocz|e *n* (*-a*) slide; ~**ysty** transparent; *materiał*: see-through; *płyn*: clear

prze|zwać *pf.* → ***przezywać***; ~**zwisko** *n* (*-a*) nickname; → ***wyzwisko***; ~**zwyciężać** ⟨~***zwyciężyć***⟩ overcome; ~***zwyciężyć się*** control o.s., overcome a feeling; ~**zywać** (*-am*) *v/t.* nickname; (*ubliżać*) call *s.o.* names

prze|źrocz- → ***przezrocz-***; ~**żegnać się** *pf.* cross o.s.; ~**żerać** (*-am*) ⟨~***żreć***⟩ eat away; ~**żuwać** (*-am*) *krowa*: ruminate; ⟨~***żuć***⟩ chew

przeży|cie *n* survival; (*doznanie*) experience; ~**tek** *m* (*-u*; *-i*) anachronism; ~**wać** (*-am*) ⟨~**ć**⟩ ***experience, go through***; ~***wać*** ⟨~***ć***⟩ ***się*** become outdated

przędza *f* (*-y*) yarn; ~**lnia** *f* (*-i*; *-e*) spinning room; spinning mill

przęsło *n* (*-a*; *G -seł*) *arch.* span

przodek *m* (*-dka*; *-dki*) *górn.* coalface; (*pl. -dkowie*) ancestor, forefather

przodow|ać (*-uję*) (***w*** *L*) excel (in *lub* at) ~**nica** *f* (*-y*; *-e*), ~**nik** *m* (*-a*; *-cy*) leader

przodujący leading

przód *m* (*-odu*; *-ody*) front; ***w ~, do przodu*** forward; ***z przodu*** in front; ***przodem, na przedzie*** in front

przy *prp* (*L*) by; at; ~ ***stole*** at the table; ***mieć coś ~ sobie*** have s.th. on *lub* about one; ~ ***pracy*** at work; ~ ***czym*** *lub* ~ ***tym*** at the same time; ~ ***ulicy*** on the street; ~**bić** *pf.* → ***przybijać***; ~**biegać** ⟨~***biec***⟩ come running; ~**bierać** (*-am*) *v/t.* assume; (*zdobić*) decorate, *potrawę* garnish; *v/i. rzeka*: rise; ~***bierać na wadze*** put on weight; ~**bijać** (*-am*) *v/t. gwóźdź* hammer, drive; *deskę* nail; *pieczęć* set; *v/i.* ~***bijać do brzegu*** reach the shore, land

przybliż|ać ⟨~**yć**⟩ bring closer, bring nearer; *lornetka*: magnify; ~***ać*** ⟨~***yć***⟩ ***się*** come closer, approach; ~**enie** *n* (*-a*) approximation; ***w ~eniu*** approximately, roughly; ~**ony** approximate

przy|błąkany *pies*: stray; ~**boczny**: ***straż przyboczna*** bodyguard; ~**bój** surf; ~**bory** *m/pl.* (*-ów*) accessories *pl.*; gear; ~***bory do golenia*** shaving gear; ~***bory toaletowe*** toilet set; ~**brać** *pf.* → ***przybierać***; ~**brany** → ***przybierać***; ~***brane dziecko*** foster child; ~***brane nazwisko*** assumed name; ~***brani rodzice*** *pl.* foster parents *pl.*; ~**brudzony** (slightly) soiled; ~**brzeżny** coastal

przybudówka *f* (*-i*; *G -wek*) *Brt.* annexe, *Am.* annex

przyby|cie *n* (*-a*) arrival; ~**ć** *pf.* → ***przybywać***; ~**sz** *m* (*-a*; *-e*) newcomer; ~**tek** *m* (*-tku*; *-tki*) gain; (*świątynia*) shrine; ~**wać** arrive, come; ~**wa** (*G*): ***dnia ~wa*** the days are getting longer; ~***ło mu pięć lat*** he is five years older

przycho|dnia *f* (*-i*; *-e*) out-patient clinic; ~**dzić** come; arrive; *fig.* ~***dzić do siebie*** recover; ~***dzić na myśl*** enter s.o.'s mind; ~***dzić po*** *(A)* fetch, collect; ***to ~dzi mu z trudem*** he has difficulty in doing that

przychód *m* income; (*zysk*) profit

przychyl|ać (*-am*) ⟨~**ić**⟩ bend, incline; *fig.* ~***ić się do*** (*G*) consent to; ~**ność** *f* (*-ści*; *0*) *Brt.* favour, *Am.* favor; ~**ny** *Brt.* favourable, *Am.* favorable

przyciąć *pf.* → ***przycinać***

przyciąg|ać (*-am*) ⟨~**nąć**⟩ pull closer; *zwł. impf. phys.* attract; *fig.* attract; ~***ać się*** attract one another; ~**anie** *n* (*-a*; *0*): ~***anie ziemskie*** gravity

przyciemni|ać (*-am*) ⟨~**ć**⟩ (*-ę*) darken; *światło* dim

przycinać (*-am*) *v/t.* cut (to size); *włosy itp.* clip, trim; *v/i. fig*, gibe at s.o.

przycis|k *m* (*-u*; *-i*) (paper-)weight; (*dzwonka itp.*) button; *fig.* emphasis; ~**kać** ⟨~***nąć***⟩ *v/t.* press (*też fig.*)

przycisz|ać (*-am*) ⟨~**yć**⟩ (*-ę*) *głos* subdue; *radio* turn down

przyczajony lurking, hidden

przyczep|a *f* (*-y*) *mot.* trailer; *motocyklowa* sidecar; ~**i(a)ć** attach, fasten; *fig.* ~***i(a)ć się*** (***do*** *G*) pick on s.o., find fault (with) → ***czepiać się***; ~**ka** *f* (*-i*; *G -pek*) (*motocykla*) sidecar; ~**ny** adhesive; attachable

przyczołgać się *pf.* crawl up, creep up

P

przyczyn|a *f* (*-y*) reason, cause; ***z tej ~y*** for that reason; **~ek** *m* (*-nku*; *-nki*) contribution; **~iać się** (*-am*) ⟨***~ić się***⟩ (***do*** *G*) contribute (to); **~owy** causal

przyćm|iewać (*-am*) ⟨***~ić***⟩ *niebo* darken; *światło*, *pamięć* dim; *fig.* outshine; **~iony** dim

przyda|ć *pf.* → ***przydawać***; **~tność** *f* (*-ści*; *0*) usefulness, utility; **~tny** useful, helpful; **~wać** add; ***~wać się*** (***do*** *G*, ***na*** *A*) come in useful, be of use (for s.o.); ***~łby mi się …*** I could do with …; ***to na nic się nie ~*** it's no use; **~wka** *f* (*-i*; *G -wek*) *gr.* attribute

przydept|ywać (*-uję*) ⟨***~ać***⟩ *v/t.* tread, step (on *s.th.*)

przydługi F longish; lengthy

przydo|mek *m* (*-mka*; *-mki*) nickname; **~mowy** adjacent (to the house)

przydrożny wayside

przydu|szać (*-am*) ⟨***~sić***⟩ *v/t.* smother; suppress; (*ciężarem*) press down

przyduży F somewhat too large

przydzi|ał *m* allowance; ration; (*dokument*) order of allocation; **~elać** (*-am*) ⟨***~elić***⟩ allocate; assign

przyganiać (*D*) reprimand, rebuke

przygar|biony stooping; → ***garbić się***; **~niać** (*-am*) ⟨***~nąć***⟩ take in one's arms, (*dać przytułek*) take in, take under one's roof; ***~nąć się do kogoś*** nestle close to s.o.

przy|gasać (*-am*) ⟨***~gasnąć***⟩ *ogień*: be going out; **~gaszać** (*-am*) ⟨***~gasić***⟩ stifle; *światło* dim, turn down; **~glądać się** (*-am*) (*D*) watch, observe; **~gładzać** (*-am*) ⟨***~gładzić***⟩ smooth

przygłu|chy hard of hearing; **~szać** (*-am*) ⟨***~szyć***⟩ muffle; stifle, smother

przygnębi|ać (*-am*) ⟨***~ić***⟩ depress; **~ający** depressing; **~enie** *n* (*-a*; *0*) depression; **~ony** depressed

przy|gniatać (*-am*) ⟨***~gnieść***⟩ crush, squash; overwhelm; → ***przyduszać***, ***przytłaczać***; **~gniatający** *większość* overwhelming; *cisza* oppressive

przygod|a *f* (*-y*) adventure; ***~a miłosna*** love affair; **~ny** accidental, chance; **~owy** adventure

przygotow|ać *pf.* → ***przygotowywać***; **~anie** *n* preparation; **~awczy** preparatory; **~ywać** (*-wuję*) prepare; ***~ywać się*** (***do*** *G*) get ready (for); → ***przyrządzać***

przy|graniczny border; **~gruby** F thickish; *człowiek* stoutish; **~grywka** *f* (*-i*; *G -wek*) prelude (*też fig.*); **~grzewać** (*-am*) ⟨***~grzać***⟩ *v/t.* warm up; *v/i.* *słońce*: swelter

przyimek *m* (*-mka*; *-mki*) preposition

przyjaciel *m* (*-a*; *-e*, *-ciół*, *-ciołom*, *-ciółmi*, *-ciołach*) friend; **~ski** friendly; ***~sko, po ~sku*** in a friendly manner

przyjaciółka *f* (*-i*; *G -łek*) (girl)friend

przyjazd *m* (*-u*; *-y*) arrival

przyja|zny friendly; **~źnić się** (*-ę*, *-nij!*) be friends (***z*** *I* with); **~źń** *f* (*-źni*; *-źnie*) friendship

przy|jąć *pf.* (*-jmę*) → ***przyjmować***; **~jechać** *pf.* → ***przyjeżdżać***

przyjemn|ie *adv.* pleasantly; **~ość** *f* (*-ści*) pleasure; **~y** pleasant; (*miły*) nice; ***~ej zabawy!*** have a good time!

przyje|zdny visiting; ***dla ~zdnych*** for visitors; **~żdżać** (*-am*) arrive, come

przyję|cie *n* (*-a*) acceptance; reception; party; (*gości*) reception; (*do szkoły itp.*) admission; (*do pracy*) engagement; **~ty** established

przyjmować (*-uję*) *v/t.* accept; admit; *pokarm*, *lek* take; *pracownika* engage; *gościa*, *interesanta* receive; ***~ coś na siebie*** undertake s.th.; ***~ do wiadomości*** take note of; *v/i.* receive; ***~ się*** *moda*: catch on; *roślina*: take root; *fig.* take on, become generally accepted

przyj|rzeć się *pf.* (*-ę*, *-rzyj!*) → ***przyglądać się***; **~ście** *n* (*-a*) coming, arrival; ***~ście do zdrowia*** recovery; ***~ść*** *pf.* → ***przychodzić***

przykaz|anie *n* *rel.* commandment; **~ywać** (*-uję*) ⟨***~ać***⟩ tell, enjoin

przyklas|kiwać (*-uję*) ⟨***~nąć***⟩ (*D*) applaud, praise

przykle|jać (*-am*) ⟨***~ić***⟩ stick

przyklęknąć *pf.* bend the knee

przykład *m* (*-u*; *-y*) example; ***na ~*** for example, for instance; ***iść za ~em, brać ~*** follow *s.o.'s* example; **~ać** (*-am*) (***do*** *G*) put *s.th.* (against); **~ny** exemplary; **~owo** for example, for instance; **~owy** hypothetical, exemplary

przykręc|ać (*-am*) ⟨***~ić***⟩ screw in; screw; *gaz itp.* turn down

przykro *adv.*: ***~ mi*** I'm sorry; **~ść** *f* (*-ści*) distress; unpleasantness; ***sprawić ~ść*** distress; annoy; ***z ~ścią coś robić*** regret to do s.th.

P

przykrótki F shortish
przykry unpleasant, nasty; *misja itp.* awkward; *wspomnienia itp.* bad; *człowiek* tiresome
przykry|cie *n* cover(ing); **~wać** (*-am*) 〈**~ć**〉 cover (up); **~wać** 〈**~ć**〉 **się** be covered; **~wka** *f* (*-i*; *G -wek*) lid, cover
przykrz|yć się (*-ę*): **~y mi się** (**bez** *G*) I'm longing (for)
przykuc|ać 〈**~nąć**〉 squat, crouch
przy|kuwać (*-am*) 〈**~kuć**〉 *fig.* rivet; catch; **~latywać** (*-uję*) fly in; *aviat.* arrive; F *fig.* come running; **~lądek** *m* (*-dka*; *-dki*) cape; **~lecieć** *pf.* → **przylatywać**
przyleg|ać (*-am*) (**do** *G*) stick (to *s.th.*); (*stykać się*) border (on *s.th.*); **~ać do siebie** lie close together, meet; **~ły** adjoining; adjacent
przylepi|ać (*-am*) 〈**~ć**〉 stick, glue; **~ć się** stick (**do** *G* to *s.th.*); **~ec** *m* (*-pca*; *-pce*) *Brt.* (sticking) plaster, *Am.* Band-Aid *TM*
przy|leźć *pf.* → **przyłazić**; **~lgnąć** *pf.* (**do** *G*) cling (to) **~lot** *m zo.* coming, return; *aviat.* arrival; **~łapywać** (*-uję*) 〈**~łapać**〉 catch; **~łapywać się na** (*L*) find o.s. doing s.th.; **~łazić** F come
przyłącz|ać (*-am*) 〈**~yć**〉 (**do** *G*) attach; *electr.* connect; **~yć się** join in; **~enie** *n* annexation; *electr.* connection; **~eniowy** additive
przyłbica *f* (*-y*; *-e*) *hist.* visor
przy|łożyć *pf.* → **przykładać**; **~marzać** [-r·z-] (*-am*) 〈**~marznąć**〉 freeze; freeze on (to *s.th.*); **~mglony** hazy, misty; **~miarka** *f* F fitting
przymie|rać (*-am*): **~rać głodem** starve; **~rzać** (*-am*) 〈**~rzyć**〉 try on; **~rze** *n* (*-a*) alliance
przymilny cajoling, ingratiating
przymiot *m* attribute, quality; **~nik** *m* (*-a*; *-i*) *gr.* adjective
przy|mknąć *pf.* → **przymykać**; **~mocow(yw)ać** (*-[w]uję*) fasten, fix; **~mówka** *f* (*-i*; *G -wek*) gibe; (*aluzja*) hint; **~mrozek** *m* (*-zka*; *-zki*) ground frost
przymruż|ać (*-am*) 〈**~yć**〉 *oczy* screw up one's eyes; **z ~eniem oka** with tongue in cheek
przymus *m* (*-u*; *0*) compulsion; **pod ~em, z ~u** under compulsion; *jur.* under duress; **~ić** (*-szę*) *pf.* → **przymuszać**; **~owy** compulsory; **lądowanie ~owe** forced landing
przymuszać (*-am*) force *s.o.* (**do** *G* to)
przymykać (*-am*) cover up; *drzwi*, *okno* push to, set ajar; F *os.* arrest, lock *s.o.* up; **~ oko** *fig.* turn a blind eye (**na** *A* to *s.th.*)
przyna|glać (*-am*) 〈**~glić**〉 rush *s.o.*; **~jmniej** at least
przynależność *f* membership; **~ państwowa** nationality
przy|nęcać (*-am*) → **nęcić**; **~nęta** *f* (*-y*) bait; *fig.* decoy; **~nosić** 〈**~nieść**〉 bring (*też fig.*); **~obiec(yw)ać** promise; **~padać** 〈**~paść**〉 fall (**do** *G* to); **~paść komuś do gustu** to take s.o.'s fancy
przypad|ek *m* (*-dku*; *-dki*) coincidence, chance; *med.* case; *gr.* (*-dka*) case; **~kiem** by chance, by accident; **~kowo** *adv.* accidentally; **~kowy** accidental
przypal|ać (*-am*) 〈**~ić**〉 singe; *pieczeń* burn; *papierosa* light; **~ić się** burn
przypas|ywać (*-uję*) 〈**~ać**〉 (*-szę*) buckle on; *fartuch* fasten on; **~ać się** fasten one's seat belt
przy|patrywać się (*-uję*) 〈**~patrzyć się**〉 → **przyglądać się**; **~pełzać** 〈**~pełznąć**〉 creep up, crawl up; **~pędzać** (*-am*) 〈**~pędzić**〉 *v/t.* drive; *v/i.* run up; **~piąć** *pf.* → **przypinać**; **~piec** *pf.* → **przypiekać**; **~pieczętować** *pf.* seal; *fig.* confirm; **~piekać** (*-am*) *v/t.* brown; *v/i. słońce*: beat down; **~pierać** (*-am*) press, push (**do** *G* against); **~pinać** (*-am*) pin, strap; *narty* put on
przypis *m* (*-u*; *-y*) note; (*u dołu strony*) footnote; (*na końcu tekstu*) endnote; **~ywać** (*-uję*) 〈**~ać**〉 ascribe; attribute
przypłac|ać (*-am*) 〈**~ić**〉 *fig.* pay for *s.th.* with *s.th.*
przypły|nąć *pf.* → **przypływać**; **~w** *m* (*-u*; *-y*) high tide; **w ~wie** (*G*) in a flash of; **~wać** (*-am*) swim up; *łódź*, *statek*: arrive, come in
przypo|minać (*-am*) 〈**~mnieć**〉 (*być podobnym*) resemble; **~minać** 〈**~mnieć**〉 **komuś o czymś** remind s.o. of s.th.; **~minać** 〈**~mnieć**〉 **sobie** (*A*) recall; **~minać** 〈**~mnieć**〉 **się** come back, (*o potrawie*) lie on *s.o.'s* stomach; **~mnienie** *n* (*-a*) reminder; **~wiastka** *f* (*-i*; *G -tek*) anecdote
przypraw|a *f* (*-y*) spice, seasoning; **~iać** (*-am*) 〈**~ić**〉 *gastr.* spice (up), season;

P

~iać ⟨**~ić**⟩ ***kogoś o coś*** give s.th. to s.o.
przyprostokątna *f* (*-ej*; *-e*) leg (of a right-angled triangle)
przyprowadz|ać (*-am*) ⟨**~ić**⟩ → ***doprowadzać***
przyprzeć *pf.* → ***przypierać***
przypuszcz|ać *fig.* suppose; **~ający**: ***tryb ~ający*** conditional; **~alny** presumable; **~enie** *n* (*-a*) presumption, supposition
przy|puścić *pf.* → ***przypuszczać***; **~rastać** (*-am*) increase
przyro|da *f* (*-y*) nature; **~dni** half-; **~dniczy** nature; *nauki* natural; **~dnik** *m* (*-a*; *-cy*) naturalist; **~dzony** inborn, innate; **~rosnąć** *pf.* → ***przyrastać***; **~st** *m* (*-u*; *-y*) increase, growth; ***~st naturalny*** population growth, population rate, birth rate; **~stek** *m* (*-stka*; *-stki*) suffix
przyrówn|ywać (*-uję*) ⟨**~ać**⟩ compare (***do*** *G* to), equate
przyrzą|d *m* instrument, device, appliance; **~dzać** (*-am*) ⟨**~dzić**⟩ prepare
przyrze|c *pf.* → ***przyrzekać***; **~czenie** *n* promise; **~kać** (*-am*) promise
przysadzisty squat
przysądz|ać (*-am*) ⟨**~ić**⟩ *jur.* award
przysiad *m* knee bend; **~ać** sit down; (*kucnąć*) crouch; ***~ać się*** (***do*** *G*) join s.o.
przy|siąc *pf.* (→ *-siąc*) → ***przysięgać***; **~siąść** *pf.* → ***przysiadać***
przysięg|a *f* (*-i*; *G -siąg*) oath; ***pod ~ą*** under oath; ***składać ~ę*** take *lub* swear an oath; **~ać** ⟨**~nąć**⟩ swear (***na*** *A* by); **~ły** sworn; ***ława ~łych*** *zbior.* jury
przy|skakiwać (*-uję*) ⟨**~skoczyć**⟩ jump up, spring up (***do*** *G* to); **~słać** → ***przysyłać***; **~słaniać** (*-am*) cover up; obscure; *lampę* shade; **~słona** *f* (*-y*) aperture; **~słonić** *pf.* (*-ę*) → ***przysłaniać***; **~słowie** *n* (*-a*; *G -słów*) proverb; **~słowiowy** proverbial; **~słówek** *m* (*-wka*; *-wki*) adverb
przysłu|chiwać się (*-uję*) listen in (to); **~ga** *f* (*-i*) favo(u)r; **~giwać** (*-uję*): ***~guje mi ...*** I am entitled to ...; ***~żyć się*** *pf.* do *s.o.* a service
przysmak *m* delicacy
przysmaż|ać (*-am*) ⟨**~yć**⟩ fry, brown
przyspa|rzać (*-am*) (*G*) (*o troskach itp.*) cause *s.o.* trouble; **~wać** *pf.* (*-am*) *tech.* weld on
przyspiesz|ać (*-am*) ⟨**~yć**⟩ speed up; accelerate; **~ony** accelerated
przyspo|rzyć *pf.* (*-ę*) → ***przysparzać***; **~sabiać** (*-am*) ⟨**~sobić**⟩ (*-ę*) prepare; train; ***~sabiać się do czegoś*** prepare o.s. for s.th.; *dziecko* adopt; **~sobienie** *n* (*-a*) preparation, training; *jur.* adoption
przysta|ć *pf.* → ***przystawać***[1]; **~nąć** *pf.* → ***przystawać***[2]; **~nek** *m* (*-nku*; *-nki*) stop; **~ń** *f* (*-ni*; *-nie*, *-ni*) harbo(u)r, port; (*jachtowa*) marina; *fig.* haven; **~wać**[1] (*zgodzić się*) (***na*** *A*); → ***przylegać***; (***na*** *A*); ***jak ~ło/jak przystoi*** as befits s.o./s.th.; **~wać**[2] stop, pause; **~wi(a)ć** (***do*** G) put s.th. against s.th.; **~wka** *f* (*-wki*; *G -wek*) *gastr. Brt.* starter, hors d'oeuvre, *Am.* appetizer
przystąpić *pf.* → ***przystępować***
przystęp *m* (*-u*; *-y*) access, approach; **~ny** approachable; *wykład* accessible, clear; *cena* affordable, moderate; **~ować** (*-uję*) (***do*** *G*) (*zaczynać*) begin, start; (*przyłączyć się*) join
przystoi → ***przystawać***[2]
przystojny handsome
przystoso|wanie *n* adaptation; adjustment; **~w(yw)ać** (*-[w]uję*) adapt *s.th.* to *s.th.*; ***~w(yw)ać się*** adapt to *s.th.*
przy|strajać (*-am*) ⟨**~stroić**⟩ (*I*) adorn (with); **~strzygać** (*-am*)⟨**~strzyc**⟩trim; **~suwać** ⟨**~sunąć**⟩ (***do*** *G*) bring *s.th.* nearer to *s.th.*; ***~suwać*** ⟨***~sunąć***⟩ ***się*** move closer; **~swajać** (*-am*) ⟨**~swoić**⟩ (*-ję*) *sobie* acquire; learn; *metodę* adopt; **~syłać** (*-am*) send, send in; **~sypywać** (*-uję*) ⟨**~sypać**⟩ (*I*) cover *s.th.* up (with); **~szkolny** school
przyszł|ość *f* (*-ści*; *0*) future; ***w ~ości*** in future; **~y** future; next; prospective
przy|sztukować *pf.* tie on; stick on; sew on; nail on; **~szywać** (*-am*) ⟨**~szyć**⟩ sew (on); **~śnić się** *pf.*: ***~śniło mi się ...*** I had a dream about ...; **~śpie-** → ***przyspie-***; **~śrubowywać** (*-uję*) ⟨**~śrubować**⟩ screw on; **~świecać** (*-am*) *słońce*: shine; *fig.* (*D*) be s.o.'s guiding principle; **~taczać** (*-am*) roll up; (*wymienić*) quote
przytak|iwać (*-uję*) ⟨**~nąć**⟩ (*-nę*) nod
przytęp|iać (*-am*) ⟨**~ić**⟩ dull, deaden; ***~i(a)ć się*** deaden, become dull; **~iony** *słuch*, *umysł* dull; *wzrok* dim
przytknąć *pf.* → ***przytykać***

P

przytłacza|ć (*-am*) ⟨**~*przytłoczyć***⟩ overwhelm; (*ciężarem*) crush; **~jący** *fig.* overwhelming
przy|tłumiony muffled; **~toczyć** *pf.* → ***przytaczać***
przytomn|ie *adv.* consciously; (*rozsądnie*) sensibly; **~ość** *f* (*-ści*; *0*) consciousness; ***~ość umysłu*** presence of mind; **~y** conscious; (*bystry*) astute
przy|trafi(a)ć się happen to *s.o.*; **~trzymywać** (*-uję*) ⟨**~*trzymać***⟩ support, hold; (*zatrzymać*) hold back
przytu|lać (*-am*) ⟨**~*lić***⟩ hug, give a hug *lub* cuddle; **~lny** cosy, *Am.* cozy; **~łek** *m* (*-łku*; *-łki*) shelter
przytwierdz|ać (*-am*) ⟨**~*ić***⟩ attach, affix; → ***przytakiwać***
przytyk *m* (*-u*; *-i*) hint, allusion; **~ać** *v/t.* (***do*** *G*) put *s.th.* (against s.th.); *v/i.* meet, abut
przyucz|ać (*-am*) ⟨**~*yć***⟩ (***kogoś do*** *G*) train (s.o. in s.th.)
przywal|ać (*-am*) ⟨**~*ić***⟩ → ***przytłaczać***
przywara *f* (*-y*) vice
przywiąz|anie *n fig.* attachment; **~ywać** (*-uję*) ⟨**~*ać***⟩ tie, attach; *fig. wagę* attach importance (to *s.th.*); ***~(yw)ać się*** (***do*** *G*) become attached (to)
przy|widzieć się *pf.*: ***coś ci się przywidziało*** you must have been seeing things; **~wieść** *pf.* → ***przywodzić***; **~wieźć** *pf.* → ***przywozić***; **~więdnąć** *pf.* wither
przywilej *m* (*-u*; *-e*) privilege
przywitanie *n* greeting, welcome
przywle|kać (*-am*) ⟨**~*c***⟩ drag up
przywłaszcz|ać (*-am*) ⟨**~*yć***⟩ (*sobie*) appropriate *s.th.*; *władzę*, *tytuł* usurp
przywo|dzić bring (***do*** *G* to); → ***przyprowadzać***; **~ływać** (*-uję*) ⟨**~*łać***⟩ call; **~zić** *v/t.* bring; (*importować*) import; **~zowy** import
przywódca *m* (*-y*; *G -ów*) leader
przywóz *m* delivery; (*z zagranicy*) importation
przywr|acać ⟨**~*ócić***⟩ restore
przywyk|ać (*-am*) ⟨**~*nąć***⟩ (*-ę*) get used *lub* accustomed (***do*** *G* to)
przyzna|nie *n* (*-a*) admission, recognition; ***~nie się*** confession; **~wać** (*-ję*) ⟨**~*ć***⟩ admit, acknowledge; *kredyt* grant; *nagrodę* award; *tytuł* confer; (*uznać*) acknowledge; ***~ć się do winy*** confess one's guilt, *jur.* plead guilty
przyzwoi|tość *f* (*-ści*; *0*) decency; **~ty** decent
przyzwycza|jać (*-am*) ⟨**~*ić***⟩ (*-ję*) accustom; ***~jać*** ⟨**~*ić***⟩ ***się*** get accustomed *lub* used (***do*** *G* to); **~jenie** *n* (*-a*) habit; **~jony** accustomed (to), used (to)
psa (*G*) → ***pies***
psalm *m* (*-u*; *-y*) psalm
pseudonim *m* (*-u*; *-y*) pseudonym; (*literacki*) pen name
psi canine, dog's; ***~e życie*** dog's life; F ***za ~ grosz*** dog-cheap
psia|kość!, ~krew! F damnation!; **~rnia** *f* (*-i*; *-e*) kennel; F ***zimno jak w ~rni*** it's icy cold
psikus (*-a*; *-y*) prank
psioczyć F (*-czę*) gripe (***na*** *A* about *lub* at s.o./s.th.)
psisko *n* (*-a*) big dog
pso|cić (*-cę*) ⟨***na-***⟩ play tricks, be up to mischief; **~ta** *f* (*-y*) → ***psikus***; **~tnica** *f* (*-y*; *-e*), **~tnik** *m* (*-a*; *-cy*) prankster
pstrąg *m* (*-a*; *-i*) trout
pstry (***-o***) gaudy
pstryk|ać (*-am*) ⟨**~*nąć***⟩ click; ***~ać palcami*** snap one's fingers
psu (*DL*) → ***pies***; **~ć** ⟨***po-, ze-***⟩ (*-ję*) break; ruin; *nastrój itp.* spoil; **~ć** ⟨***po-, ze-***⟩ ***się*** break down; (*gnić*) go bad; *pogoda itp.*: get worse
psy *pl.* → ***pies***
psychi|atra *m* (*-y*; *-rzy*, *-ów*) psychiatrist; **~czny** mental; psychic; **~ka** *f* (*-i*; *0*) psyche
psycho|analiza *f* psychoanalysis; **~log** *m* (*-a*; *-dzy/-owie*) psychologist; **~logiczny** psychological; **~patyczny** psychopathic; **~te'rapia** *f* psychotherapy; **~za** *f* (*-y*) psychosis
pszczela|rstwo *n* (*-a*; *0*) bee-keeping; **~rz** *m* (*-a*; *-e*) bee-keeper
pszczoła *f* (*-y*, *G -czół*) bee
pszen|ica *f* (*-y*; *-e*) wheat; **~iczny, ~ny** wheat
pta|ctwo *n* (*-a*; *0*) *zbior.* birds, fowl; ***~ctwo domowe*** domestic fowl, poultry; **~k** *m* (*-a*; *-i*) ptak; ***widok z lotu ~a*** bird's eye view; **~si** bird('s); **~szek** *m* (*-szka*; *-szki*) bird; F *Brt.* tick, *Am.* check
ptyś *m* (*-ysia*; *-ysie*) *gastr.* cream puff
publiczn|ość *f* (*-ści*; *0*) audience, public; **~y** public; ***dobro ~e*** common good; ***dom ~y*** brothel

P

publikować ⟨**o-**⟩ (*-uję*) publish
puch *m* (*-u*; *-y*) down; fluff
puchacz *m* (*-a*; *-e*) eagle owl
puchar *m* (*-u*; *-y*) cup
puch|lina *f* (*-y*): **~lina wodna** *med.* dropsy, hydropsy; **~nąć** ⟨**s-**⟩ swell; **~owy** down, down-filled
pucołowaty chubby
pucybut *m* (*-a*; *-ci/-y*) shoeblack, bootblack
pucz *m* (*-u*; *-e*) coup (d'état)
pudełko *n* (*-a*; *G -łek*) box; **~ od zapałek** matchbox
puder *m* (*-dru*; *-dry*) powder; **~niczka** *f* (*-i*; *G -czek*) (powder) compact
pudło *m* (*-a*; *G -deł*) box; F *fig.* miss; (*więzienie*) pen; **~wać** (*-uję*) ⟨**s-**⟩ miss
pudrować ⟨**przy-**⟩ (*-uję*) powder
puenta *f* (*-y*; *G -*) punchline
puka|ć (*-am*) knock; F (*strzelać*) pop; **~nina** F *f* (*-y*) gun-fire
pukiel *m* (*-kla*; *-kle*) lock
puknięty F nuts, tonto, crazy
pula *f* (*-i*; *-e*) (*w kartach*) pool, kitty
pularda *f* (*-y*) poulard
pulchny *ciasto* spongy; *ciało* plump; *grunt* loose
pulower *m* (*-u*; *-y*) pullover, *Brt.* jumper
pulpet *m* (*-a/-u*; *-y*) meat ball
pulpit *m* (*-u*; *-y*) music stand; desk top; **~ sterowniczy** console
puls *m* (*-u*; *-y*) pulse; **~ować** (-uję) pulsate (*też fig.*)
pulweryzator *m* (*-a*; *-y*) atomizer
pułap *m* (*-u*; *-y*) *bud.* ceiling (*też aviat.*, *fig.*)
pułapka *f* (*-i*; *G -pek*) trap (*też fig.*)
pułk *m* (*-u*; *-i*) regiment
pułkownik *m* (*-a*; *-cy*) colonel
pumeks *m* (*-u*; *-y*) pumice (stone)
punk|t *m* (*-u*; *-y*) point; (*programu*) item; **~t widzenia** viewpoint, point of view; **w dobrym ~cie** well-situated; **na ~cie** (*G*) about; **~t zwrotny** turning-point; **~towiec** *m* (*-wca*; *-wce*) block of flats; **~tualny** punctual
pupa F *f* (*-y*) bottom
pupil *m* (*-a*; *-e*) teacher's pet
purpurowy purplish red
Purym *m* (*idkl.*) *rel.* Purim
purytański puritan; *fig.* puritanical
pust|ak *m* (*-a*; *-i*) *bud.* hollow block; **~elnia** *f* (*-i*; *-e*) hermitage; **~elnik** *m* (*-a*; *-cy*) hermit; **~ka** *f* (*-i*; *G -tek*) emptiness; ***świecić ~kami*** be (half-)empty; **~kowie** *n* (*-a*) waste
pusto *adv.*: ***było ~ na ulicach*** the streets were deserted; **~słowie** *n* verbosity, empty talk; **~szyć** ⟨**s-**⟩ (*-ę*) ravage
pusty empty; *fig.* empty, hollow; **~nia** *f* (*-i*; *-e*) desert; **~nny** desert
puszcza *f* (*-y*; *-e*) (primeval) forest
puszczać (*-am*) *v/t.* release; let go; → ***w(y)puszczać***; *liście*, *korzenie* send out; *maszynę* run; *latawca* fly; *v/i. mróz*: break; *oczko*: wink; *farba*: come off; **~ się** (*wyruszać*) set out; F (*o kobiecie*) sleep around
pusz|czyk *m* (*-a*; *-i*) tawny owl; **~ek** *m* (*-szku*; *-szki*) (*na policzkach*) down; (*do pudru*) powder puff; **~ka** *f* (*-i*; *G -szek*) *Brt.* tin, *Am.* can
puszy|ć ⟨**na-**⟩ **się** (*-ę*) *ptak*: fluff the feathers; *człowiek*: swager, give oneself airs **~sty** fluffy; *dywan*: nappy; *śnieg*, *ciasto*: flaky; *ogon*: furry
puścić *pf.* (*-szczę*) → ***puszczać***
puzon *m* (*-u*; *-y*) trombone
pycha *f* (*-y*; *0*) pride; F **~!** yum-yum!
py|kać (*-am*) puff; **~lić** (*-lę*) dust; *bot.* pollen;
pył *m* (*-u*; *-y*) dust; **~ek** *m* (*-łku*; *-łki*) speck of dust, mote; *bot.* pollen
pysk *m* (*-a*; *-i*) mouth, snout, muzzle; *fig.* F mug, gob; **~aty** F cheeky; **~ować** F (*-uję*) talk back
pyszałkowaty conceited, prancing
pyszn|ić się (*-ię*, *-nij!*) boast; **~y** proud; (*smaczny*) delicious; (*doskonały*) excellent
pyta|ć (się) (*-am*) ask, inquire (**o** *A* about); **~jący** questioning; *gr.* interrogative; **~jnik** *m* (*-a*; *-i*) question mark; **~jny** *gr.* interrogative; **~nie** *n* (*-a*) question
pytlowy: ***chleb ~*** whole meal bread
pyza *f* (*-y*) dumpling; **~ty** chubby

R

r. *skrót pisany*: ***rok*** y. (*year*)
raban *m* (*-u*; *-y*) (*hałas*) din; (*protesty*) fuss
rabarbar *m* (*-u*; *-y*) *bot.* rhubarb
rabat *m* (*-u*; *-y*) *econ.* discount; **~a** *f* (*-y*; *G -*) flower-bed
rabin *m* (*-a*; *-i*) *rel.* rabbi
rabować ⟨***ob-***, ***z-***⟩ (*-uję*) rob
rabun|ek *m* (*-nku*; *-nki*) robbery; **~kowy** predatory; ***napad ~kowy*** robbery
raca *f* (*-y*; *G -*) flare
rachmistrz *m* accountant
rachować *v/t.* ⟨***ob-***⟩ calculate; ⟨***po-***⟩ add up; *v/i.* (***na*** *A*) count (on)
rachu|ba *f* (*-y*; *G -*) calculation; ***brać w ~bę*** take into account; ***nie wchodzić w ~bę*** be out of the question; ***stracić ~bę*** (*G*) lose count (of); **~nek** *m* (*-nku*; *-nki*) calculation; (*do zapłacenia*) bill; (*konto*) account; ***~nki*** *pl.* *szkoła*: *Brt.* maths *sg.*, *Am.* math
rachunkow|ość *f* (*-ści*; *0*) accountancy, bookkeeping; **~o** *adv.* by calculation, mathematically; **~y** arithmetical; *wartość* in figures
racica *f* (*-y*; *-e*, *G -*) *zo.* hoof
racj|a *f* (*-i*; *-e*) reason; (*do jedzenia*) ration; ***~a stanu*** reasons of state; ***mieć ~ę*** be right; ***nie mieć ~i*** be wrong; ***nie bez ~i*** not without reason; ***z jakiej ~i*** for what reason?; ***z ~i*** (*G*) by virtue (of), for reasons (of)
racjona|lizacja *f* (*-i*; *-e*) rationalization; **~lizować** ⟨***z-***⟩ rationalize; **~lny** rational
racjonować ⟨***z-***⟩ ration
raczej *adv.* rather, fairly
raczkować (*-uję*) *dziecko*: crawl
raczyć (*-ę*) condescend, deign; ⟨***u-***⟩ (*I*) treat (to), help (to); **~** ⟨***u-***⟩ ***się*** (*I*) treat o.s. to, help o.s. to
rad[1] *m* (*-u*; *0*) *chem.* radium
rad[2] *adj.* (*D*, ***z*** *G*): ***być ~*** be glad (to); **~**(***a***) ***bym*** I would be glad (to); ***~ nierad*** willy-nilly, nolens volens
rada[1] *adj.* *f* → ***rad***[2]
rad|a[2] *f* (*-y*; *G -*) a piece of advice; (*grupa ludzi*) council; (***nadzorcza*** supervisory) board; ***pójść za ~ą*** (*G*) follow *s.o.'s* advice; ***dać sobie ~ę*** (***z*** *I*) → ***radzić sobie***; ***dawać sobie ~ę bez*** (*G*) manage without, do without; ***na to nie ma ~y*** there is nothing one can do about it
radar *m* (*-u*; *-y*) radar; **~owy** radar
radca *m* (*-y*; *-y*, *G -ców*) *hist.* councillor; ***~ prawny*** legal advisor
radio *n* (*-a*, *L -u/-o*, *0 lub -a*) radio; **~aktywność** *f* radioactivity; **~aktywny** radioactive; **~amator** *m* radio ham; **~'fonia** *f* (*GDL -ii*; *0*) radio; radio communication; **~komunikacja** *f* radio communication; **~lokacja** *f* radio position-finding; **~magnetofon** *m* radio-cassette recorder *lub* player, **~odbiornik** *m* radio; **~pajęczarz** *m* (*-a*; *-e*) radio licence dodger
radio|słuchacz(ka *f*) *m* listener; **~stacja** *f* (*-i*; *-e*) radio station; **~telefon** *m* radiotelephone, radiophone; **~telegram** *m* radiotelegram, radiogram; **~terapia** *f* *med.* radiotherapy; **~wóz** *m* radio patrol car; **~wy** radio
radn|a *f* (*-nej*; *-e*), **~y** *m* (*-ego*; *-i*) councillor; ***~y miejski*** city councillor
rado|sny joyful, happy, joyous; **~ść** *f* (*-ści*) joy, happiness; ***z ~ści*** for *lub* with joy; ***nie posiadać się z ~ści*** be overjoyed; **~śnie** *adv.* joyfully, happily; **~wać** ⟨***po-***, ***u-***⟩ (*-uję*) gladden, delight; ***~wać się*** rejoice
radykaln|ie *adv.* radically; **~y** radical
radzi *m-os* → ***rad***[2]
radzić (*-dzę*) (***nad*** *I*) discuss; ⟨***po-***⟩ advise; ⟨***po-***, ***za-***⟩ (***na*** *A*) remedy; ***~ sobie*** (***z*** *I*) manage (with), cope (with); **~** ⟨***po-***⟩ ***się*** (*G*) consult, ask advice
radziecki *hist.* Soviet; ***Związek ≈*** Soviet Union
rafa *f* (*-y*; *G -*) reef
rafi'neria *f* (*GDL -ii*; *-e*) refinery
raj *m* (*-u*; *-e*) paradise; *rel.* Eden
rajd *m* (*-u*; *-y*) (*turystyczny*) trip, hike; *mot.* rally; *mil.* raid
rajski paradisiacal
rajstopy *f/pl.* *Brt.* tights *pl.*, *Am.* pantyhose
rak *m* (*-a*; *-i*) *zo.* crayfish; *med.* cancer; ≈ *znak Zodiaku:* Cancer; ***on***(***a***) ***jest***

R

spod znaku* ♋*a he/she is (a) Cancer; ***spiec ~a*** flush, turn as red as a beetroot

rakarz *m* (*-a*; *-e*) dog-catcher

rakiet|a[1] *f* (*-y*; *G -*) (*w tenisie*) racket

rakiet|a[2] *f* (*-y*; *G -*) rocket; *mil.* missile; ***~a świetlna*** flare; **~ka** *f* (*-i*; *G -tek*) (*w sporcie*) bat; **~nica** *f* (*- y*; *-e*, *G -*) flare pistol; **~owy** rocket; missile

rakotwórczy carcinogenic

rakowy crayfish

ram|a *f* (*-y*; *G -*) frame; *fig. tylko* ***~y*** *pl.* framework

ramiączko *n* (*-a*; *G -czek*) (shoulder) strap

rami|ę *n* (*-enia*; *-ona*) arm (*też fig.*, *tech.*); (*bark*) shoulder; ***~ę w ~ę*** arm in arm, shoulder to shoulder; ***z ~enia*** (*G*) on behalf (of); ***wzruszyć ~onami*** shrug (one's shoulders)

ramka *f* (*-i*; *G -mek*) frame; (*w formularzu*) box

ramol F *m* (*-a*; *-e*) old geezer

ramowy framework

rampa *f* (*-y*; *G -*) loading platform; → ***szlaban***

rana *f* (*-y*; *G -*) (***kłuta*** stab) wound

randka F *f* (**-i**; *G -dek*) date

ran|ek *m* (*-nka*; *-nki*) morning; ***~kiem*** in the morning

ranga *f* (*-i*; *G -*) rank, status

ran|ić (*-ę*) wound, injure (*też fig.*); *fig.* hurt; **~iony** wounded; *fig.* hurt

ranking *m* (*-u*; *-i*) rating, ranking; (*lista*) ranking list

ran|ny[1] **1.** wounded; **2.** *m* (*-ego*; *-i*), **~na** *f* (*-ej*; *-e*, *G -ych*) wounded person, casualty; ***~ni*** *pl.* the wounded

ranny[2] morning

ran|o[1] *adv.* (early) in the morning; ***dziś ~o*** this morning

ran|o[2] *n* (*-a*; *G -*) morning; ***nad ~em*** in the morning; ***od razu z ~a*** first thing in the morning

raport *m* (*-u*; *-y*) report; **~ować** ⟨***za-***⟩ (*-uję*) report

rap'sodia (*GDL -ii*; *-e*) rhapsody

rapt|em *adv.* all of a sudden; **~owny** sudden, unexpected

ras|a *f* (*-y*; *G -*) race; (*psa*) breed; **~istowski** racist; **~owy** racial; *pies* pedigree

rat|a *f* (*-y*; *G -*) instal(l)ment; ***~ami, na ~y*** by instal(l)ments; **~alny**: ***sprzedaż ~alna*** *Brt.* hire purchase (*skrót*: HP), *Am.* instalment plan

ratow|ać ⟨***po-, u-, wy-***⟩ (*-uję*) save, rescue (***od*** *G* from); *przedmioty* salvage; ***~ać się*** escape; **~niczy** rescue; **~niczka** *f* (*-i*; *G -czek*), **~nik** *m* (*-a*; *-cy*) rescuer; (*na plaży itp.*) life-guard

ratun|ek *m* (*-nku*; *0*) rescue, help; ***~ku!*** help!; **~kowy** rescue

ratusz *m* (*-a*; *-e*) town hall

ratyfikować (*-uję*) ratify

raut *m* (*-u*; *-y*) evening party

raz[1] *m* (*-u*; *-y*, *-ów*) blow; (*G/pl. -y*) time; ***dwa ~y*** twice, two times; ***dwa ~y dwa*** two times two; ***ile ~y*** how many times; ***jeszcze ~*** once again; ***~ po ~, ~ za ~em*** time and again; ***~ na zawsze*** once and for all; ***za każdym ~em*** every time; ***pewnego ~u*** once upon a time; ***tym ~em*** this time; ***w obu ~ach*** in both cases; ***w ~ie*** (*G*) in case (of); in the event (of); ***w każdym ~ie*** in any case; ***w takim ~ie*** in this case; ***w przeciwnym ~ie*** otherwise; ***na przyszły ~*** next time; ***na ~ie*** for the time being; ***od ~u*** at once; *por.* ***wypadek***

raz[2] **1.** *num.* (*idkl.*) one; **2.** *adv.* once; **3.** *cj.*, *part.* **~ … ~ …** now …now …

razem *adv.* together; (*w sumie*) altogether

razić (*-żę*) annoy, make hostile; *światło*: dazzle; (*im*)*pf.* strike, hit; → ***rażony***

razowy: ***chleb ~*** *Brt.* wholemeal (*Am.* wholewheat) bread

raźn|ie *adv.* in a lively way; cheerfully; **~y** lively

rażąc|o *adv.* dazzlingly; *fig.* glaringly; **~y** *kolor* gaudy, garish; *światło* dazzling; *błąd* glaring

rażony (*I*) *chorobą itp.* stricken (with)

rąb|ać (*-ię*) ⟨***po-, na-***⟩ chop; ⟨***wy-***⟩ *las* fell, cut down; F → ***rąbnąć***; **~ek** *m* (*-bka*; *-bki*) hem; **~nąć** F *v/s.* (*-nę*) *v/t.* clout *s.o.* one; ***~nąć się*** F bum o.s., knock o.s.

rą|czka *f* (*-i*; *G -czek*) → ***ręka***; (*uchwyt*) handle; → ***rękojeść***; **~k** *G pl.* → ***ręka***

rdza *f* (*-y*; *0*) rust (*też bot.*); **~wy** rusty, rust-colo(u)red

rdzen|iowy *anat.* spinal; *tech.* core; **~ny** indigenous; *gr.* stem

rdzeń *m* (*-nia*; *-nie*) core (*też tech.*); *anat.* medulla; ***~ kręgowy*** spinal cord

rdzewieć ⟨***za-***⟩ (*-wieję*) rust

R

reagować ⟨**za-**⟩ (*-uję*) react, respond (**na** *A* to)

reak|cja *f* (*-i*; *-e*) reaction, response; **~cjonista** *m* (*-y*; *-ści*), **~cjonistka** *f* (*-i*; *G -tek*) reactionary; **~cyjny** reactionary; **~tor** *m* (*-a*; *-y*) *tech.* reactor

reali|sta *m* (*-y*; *-ści*), **~stka** *f* (*-i*; *G -tek*) realist; **~styczny** realistic

realiza|cja *f* (*-i*; *-e*) realization; (*projektu itp.*) execution; *econ.* cashing; *theat.* staging, production; **~tor** *m* (*-a*; *-rzy*), **~torka** *f* (*-i*; *G -rek*) producer (*filmu*); ***~torem projektu jest …*** the project will be executed by …

rea|lizm *m* (*-u*; *0*) realism; **~lizować** ⟨**z-**⟩ realize; *econ.* cash; **~lność** *f* (*-ści*; *0*) reality; **~lny** real; genuine

reasekuracja *f* (*-i*; *-e*) reassurance, reinsurance

reasumować ⟨**z-**⟩ (*-uję*) summarize, recapitulate

rebus *m* (*-u*; *-y*) rebus

recenzja *f* (*-i*; *-e*) review

recep|cja *f* (*-i*; *-e*) reception; **~cjonista** receptionist; **~cyjny** reception; ***sala ~cyjna*** banqueting hall; **~ta** *f* (*-y*; *G -*) remedy; *med.* prescription

recesja *f* (*-i*; *-e*) *econ.* recession

rechot *m* (*-u*; *-y*) croak; **~ać** (*-am*) croak

recydyw|a *f* (*-y*; *G -yw*) relapse; **~ista** *m* (*-y*; *-ści*), **~istka** *f* (*-i*; *-tek*) habitual offender

recytować (*-uję*) recite

red. *skrót pisany*: ***redaktor*** ed. (*editor*); ***redakcja*** editorial office

redagować ⟨**z-**⟩ (*-uję*) edit

redak|cja *f* (*-i*; *G -e*) editing; (*pomieszczenie*) editorial department; (*redaktorzy*) editorial staff; **~cyjny** editorial; **~tor** *m* (*-a*; *-rzy*), **~torka** *f* (*-i*; *G -rek*) editor

reduk|cja *f* (*-i*; *-e*) reduction (***personelu*** in staff); cutback; ***~cja płac*** wage cut; **~ować** ⟨**z-**⟩ (*-uję*) reduce; *personel* make redundant

reedukacja *f* (*-i*; *-e*) re-education; (*przestępcy*) rehabilitation

refektarz *m* (*-a*; *-e*) refectory

refe|rat *m* (*-u*; *-y*) paper; **~rencja** *f* (*-i*; *-e*) reference; **~rent** *m* (*-a*; *-ci*), **-tka** *f* (*-i*; *G -tek*) speaker; (*urzędnik*) clerk; **~rować** ⟨**z-**⟩ (*-uję*) give a paper (on *v/i.*)

refleks *m* (*-u*; *-y*) reflex; reflection, reflexion

reflekt|ant *m* (*-a*; *-ci*), **~antka** *f* (*-i*; *-tek*) customer; **~or** *m* (*-a*; *-y*) flood light; *mot.* light; **~ować** (*-uję*) *v/i.* (**na** *A*) be interested (in)

reform|a *f* (*-y*; *G -*) reform; **~acja** *f* (*-i*; *0*) *rel.* reformation; **~ować** ⟨**z-**⟩ (*-uję*) reform

refren *m* (*-u*; *-y*) chorus, refrain

regał *m* (*-u*; *-y*) (set of) shelves *pl.*

regaty *f/pl.* (-) regatta

re|generować ⟨**z-**⟩ (*-uję*) regenerate (**się** *v/i.*); **~gion** *m* (*-u*; *-y*) region; **~gionalny** regional

reglament|acja *f* (*-i*; *-e*) rationing; **~ować** (*-uję*) ration

regresowy *math.* regressive

regula|cja *f* (*-i*; *-e*) regulation; adjustment; (*zapłacenie*) settlement; **~min** *m* (*-u*; *-y*) regulations *pl.*; **~minowy** regulation; **~rnie** *adv.* regularly; **~rny** regular; **~tor** *m* (*-a*; *-ry*) control

regu|lować (*-uję*) regulate; ⟨**na-**⟩ adjust, set; ⟨**u-**⟩ *rachunek* settle, pay; **~ła** *f* (*-y*; *G -*) rule; **z *~ły*** as a rule, usually

rehabilit|acja *f* (*-i*; *-e*) rehabilitation; **~ować** ⟨**z-**⟩ (*-uję*) rehabilitate

rej: ***wodzić ~*** set the tone

reja *f* (*-ei*; *-je*) *naut.* yard

rejestr *m* (*-u*; *-y*) register

rejestrac|ja *f* (*-i*; *-e*) registration; (*dźwięku itp.*) recording; **~yjny**: *mot.* ***tablica ~yjna*** number plate

rejestrow|ać ⟨**za-**⟩ (*-uję*) register (**się** *v/i.*); *tech. też* record; **~y** register

rejon *m* (*-u*; *-y*) district, region; **~owy** district, regional

rejs *m* (*-u*; *-y*) *naut.* cruise, voyage; *aviat.* flight

rekcja *f* (*-i*; *-e*) *gr.* rection, government

rekin *m* (*-a*; *-y*) *zo.* shark

reklam|a *f* (*-y*; *G -*) advertisement, F ad; *RTV*: commercial; **~acja** *f* (*-i*; *-e*) complaint; **~ować** ⟨**za-**⟩ (*-uję*) advertise; lodge a complaint about; **~owy** advertising; **~ówka** *f* (*-i*; *G -wek*) commercial; (*torba*) carrier-bag

rekolekcje *f/pl.* (*-i*) *rel.* spiritual exercises *pl.*

rekomendacja *f* (*-i*; *-e*) recommendation

rekompen|sata *f* (*-y*; *G -*) compensation; **~sować** ⟨**z-**⟩ (*-uję*) (*A*) compensate (for)

rekonesans *m* (*-u*; *-e*) reconnaissance

R

rekonstruować ⟨**z-**⟩ (*-uję*) reconstruct, rebuild
rekord *m* (*-u*; *-y*) (**świata** world) record; *komp.* record; ***bić ~*** beat a record; **~owy** record
rekordzist|a *m* (*-y*; *-ści*), **~ka** *f* (*-i*; *G -tek*) record holder; ***~(k)a świata*** world-record holder
rekreacyjny recreational
rekrut *m* (*-a*; *-ci*) *mil.* recruit, conscript; **~ować** (*-uję*) recruit; ***~ować się*** come from
rektor *m* (*-a*; *-rzy*) rector, *Brt.* vice-chancellor, *Am.* president
rekultywacja *f* (*-i*; *-e*) *agr.* land reclamation
rekwiem *n* (*idkl.*) *rel.*, *mus.* requiem
rekwirować ⟨**za-**⟩ (*-uję*) requisition
rekwizyt *m* (*-u*; *-y*) prop
relacj|a *f* (*-i*; *-e*) relation; (**o** *L*) account (of), relation (about); ***zdać ~ę*** (**z** *G*) → ***relacjonować***; **~onować** ⟨**z-**⟩ (*-uję*) relate
relaks *m* (*-u*; *0*) relaxation; **~ować się** (*-uję*) relax
relatywn|ie *adv.* relatively; **~y** relative
relief *m* (*-u*; *-y*) relief
re'ligi|a *f* (*GDl -ii*; *-e*) religion; ***nauka ~i*** religious instruction
religijny religious
re'likwia *f* (*GDl -ii*; *-e*) relic
remanent *m* (*-u*; *-y*) stock-taking; (*stan*) stock; **~owy** stock-taking
remis *m* (*-u*; *-y*) (*w sporcie*) draw, tie; **~ować** (*-uję*) draw, tie; **~owo** *adv.* in a draw *lub* tie; **~owy** drawn
remiza *f* (*-y*; *G -*), depot; ***~ strażacka*** fire station
remont *m* (*-u*; *-y*) renovation; repair; (re)decoration; **~ować** ⟨**od-, wy-**⟩ (*-uję*) renovate; repair; (re)decorate; **~owy** repairing
ren *m* (*-a*; *-y*) *zo.* → ***renifer***
Ren *m* (*-u*; *0*) Rhine
rencist|a *m* (*-y*; *-ści*), **~ka** *f* (*-i*; *G -tek*) (old-age) pensioner
renesans *m* (*-u*; *-y*) renaissance; ♀ *hist.* the Renaissance
renifer *m* (*-a*; *-y*) *zo.* reindeer
renom|a *f* (*-y*) renown; **~owany** renowned
renowacja *f* (*-i*; *-e*) renovation, redecoration
renta *f* (*-y*; *G -*) pension; ***~ starcza*** old-age pension; ***~ inwalidzka*** disability pension; ***być na rencie*** receive a pension
rentgen *m* (*-a*; *-y*) (*zdjęcie*) X-ray; (*urządzenie*) X-ray machine; ***zrobić ~*** (*G*) X-ray
rentgeno|gram *m* (*-u*; *-y*) x-ray photograph; **~wski** x-ray
rentowność *f* (*-ści*) profitability
rentowny profitable
reorganizować ⟨**z-**⟩ reorganize
repa|tri'acja *f* (*-i*; *0*) repatriation; **~triant** *m* (*-a*; *-ci*), **~triantka** *f* (*-i*; *G -tek*) repatriate
reperacja *f* (*-i*; *-e*) repair
reperować ⟨**z-**⟩ (*-uję*) repair
repertuar *m* (*-u*; *-y*) repertoire
repet|a *f* (*-y*; *G -*) second helping, F seconds; **~ować** (*-uję*) (*w szkole*) repeat; *mil.* cock
replika *f* (*-i*; *G -*) replica; *theat.* cue
repor|taż *m* (*-u*; *-e*) report; **~tażysta** *m* (*-y*; *-ści*), **~tażystka** *f* (*-i*; *G -tek*) reporter, correspondent; **~ter** *m* (*-a*; *-rzy*), **~terka** *f* (*-i*; *G -rek*) reporter, journalist
repres|ja *f* (*-i*; *-e*) repression; **~yjny** repressive
reprezent|acja *f* (*-i*; *-e*) representation; (*w sporcie*) selected team; **~acyjny** representative; (*elegancki*) imposing; **~ować** (*-uję*) represent
reproduk|cja *f* (*-i*; *-e*) reproduction; **~ować** (*-uję*) reproduce, copy
reprywatyz|acja *f* (*-i*; *-e*) re-privatization; **~ować** (*-uję*) re-privatize
re'publika *f* (*-i*; *G -*) republic; **~nin** *m* (*-a*; *-nie*, *-*), **~nka** *f* (*-i*; *G -nek*) republican; **~ński** republican
reputacja *f* (*-i*; *-e*) reputation
resocjaliz|acja *f* (*-i*; *0*) rehabilitation; **~ować** (*-uję*) rehabilitate
resor *m* (*-u*; *-y*) *tech.* spring
resort *m* (*-u*; *-y*) department
respekt *m* (*-u*; *0*) respect, deference; **~ować** (*-uję*) respect
respirator *m* (*-a*; *-y*) respirator
respondent *m* (*-a*; *-ci*), **~ka** *f* (*-i*; *G -tek*) respondent
restaura|cja *f* (*-i*; *-e*) restaurant; (*odnowienie*) restoration; **~cyjny** restaurant; ***wagon ~cyjny*** *rail.* dining car; **~tor** *m* (*-a*; *-rzy*), **~torka** *f* (*-i*; *G -rek*) restaurateur
re|staurować ⟨**od-**⟩ (*-uję*) restore;

~strukturyzować (*-uję*) restructure; **~strykcja** *f* (*-i*; *-e*) restriction
reszka *f* (*-i*): ***orzeł czy ~?*** heads or tails?
reszt|a *f* (*-y*; *G* *-*) rest; (*pieniądze*) change; ***bez ~y*** completely, totally; ***do ~y*** completely; **~ka** *f* (*-i*; *G -tek*) rest; ***~ki*** *pl.* remains *pl.*, (*jedzenia*) leftovers *pl.*
retoryczny rhetoric
retransmisja *f* (*-i*; *-e*) *RTV* broadcast, transmission
retuszować (*-uję*) retouch; *fig.* gloss over
reumaty|czny rheumatic; **~zm** *m* (*-u*; *0*) *med.* rheumatism
rewaloryzacja *f* (*-i*; *-e*) revaluation
rewanż *m* (*-u*; *-e*) revenge; (*w sporcie*) return match *lub* game; **~ować** ⟨**z-**⟩ **się** (*-uję*) settle accounts (***za*** *A* for); **~owy** (*w sporcie*) return
rewelac|ja *f* (*-i*; *-e*) revelation, sensation; **~yjny** sensational
rewia *f* (*GDL -ii*; *-e*) revue
rewid|ent *m* (*-a*; *-ci*), **~entka** *f* (*-i*; *-tek*) *econ.* auditor; **~ować** ⟨**z-**⟩ (*-uję*) *tekst* revise; *bagaż* search; *econ.* audit
rewiowy revue
rewiz|ja *f* (*-i*; *-e*) (*tekstu*) review; ***~ja osobista*** body search; ***nakaz dokonania ~ji*** search warrant; **~jonistyczny** revisionist; **~yjny** review; ***komisja ~yjna*** committee of auditors
rewizyta *f* (*-y*; *G* *-*) return visit
rewoluc|ja *f* (*-i*; *-e*) revolution; **~jonista** *m* (*-y*; *-ści*), **~jonistka** *f* (*-i*; *-tek*) revolutionary; **~yjny** revolutionary
rewolwer *m* (*-u*; *-y*) revolver
rezerw|a *f* (*-y*; *G* *-*) reserve; *mil.*, (*w sporcie*) reserves *pl.*; ***mieć/trzymać w ~ie*** have in reserve; **~acja** *f* (*-i*; *-e*) reservation, *Brt.* booking; **~at** *m* (*-u*; *-y*) reserve; (*Indian*) reservation; ***~at przyrody*** nature reserve; **~ować** ⟨**za-**⟩ reserve, *Brt.* book; **~owy** reserve
rezolu|cja *f* (*-i*; *-e*) resolution; **~tność** *f* (*-ści*; *0*) resoluteness; ingenuity; **~tny** resolute; ingenious
rezonans *m* (*-u*; *-e*) resonance; *fig.* response
rezultat *m* (*-u*; *-y*) result
rezurekc|ja *f* (*-i*; *-e*) *rel.* Resurrection service
rezy|dencja *f* (*-i*; *-e*) residence; **~dować** (*-uję*) reside; **~gnacja** *f* (*-i*; *-e*) resignation; (***z*** *A*) renunciation; **~gnować** ⟨**z-**⟩ (*-uję*) (***z*** *A*) give up; (*z jedzenia*) do without; (*z planu*) abandon; (*z pracy*) resign (from)
rezyst|ancja *f* (*-i*; *0*) *electr.* resistance; **~or** *m* (*-a*; *-y*) *electr.* resistor
reż. *skrót pisany*: ***reżyser*** dir. (*director*)
reżim *m*, **reżym** *m* (*-u*; *-y*) regime
reżyser *m* (*-a*; *-rzy/-owie*) director; **~ia** *f* (*GDL -ii*; *0*) direction; **~ka** *f* (*-i*; *G -rek*) director; F direction; **~ować** ⟨**wy-**⟩ (*-uję*) direct
rębacz *m* (*-a*; *-e*) *górnictwo*: face-worker
ręce *pl.* → ***ręka***
ręczn|ie *adv.* manually; by hand; ***pisany ~ie*** handwritten; **~ik** *m* (*-a*; *-i*) towel; ***~ik kąpielowy*** bath towel; **~y** manual; *bagaż itp.* hand; hand-made; ***hamulec ~y*** *mot.* hand brake; emergency brake
ręczyć ⟨**po-, za-**⟩ (*-ę*) (***za*** *A*) guarantee (for), vouch (for)
ręk|a *f* (*-i*, *L ręce*; *ręce*, *rąk*, *rękami/-koma*, *L -kach/-ku*) hand; ***~a w ~ę*** hand in hand; ***za ~ę*** by the hand; ***przechodzić z rąk do rąk*** change hands; ***od ~i*** on the spot; ***pod ~ę*** arm in arm, with linked arms; ***być na ~ę*** (*D*) be convenient (for); ***mieć pod ~ą*** have *s.th.* at hand; ***iść na ~ę*** play ball; ***dać/mieć wolną ~ę*** have carte blanche; ***na własną ~ę*** on one's own initiative, F off one's own bat; ***podać/wyciągnąć ~ę*** stretch a hand; ***uścisnąć ~ę*** shake *s.o.'s* hand; ***z pierwszej*** (***drugiej***) ***~i*** at first (second) hand
rękaw *m* (*-a*; *-y*) sleeve; **~ica** *f* (*-y*; *-e*), **~iczka** *f* (*-i*; *G -czek*) glove
rękoczyn *m* (*-u*; *-y*) manhandling; ***posunąć się do ~u*** start using one's fists
rękodzieł|o *n* (*-a*; *0*) handicraft; ***~a*** *pl.* arts and crafts *pl.*
ręko|jeść *f* (*-ści*; *-e*) handle; (*łopaty*) stick; **~jmia** *f* (*-i*; *-e*) guarantee, security; **~pis** *m* (*-u*; *-y*) manuscript
ring *m* (*-u*; *-i*) *sport*: ring; **~owy** ring
r-k *skrót pisany*: ***rachunek*** inv. (*invoice*)
robactwo *n* (*-a*; *G* *-*) *zbior.* vermin
robacz|ek *m* (*-czka*; *-czki*) → ***robak***; ***~ek świętojański*** glow-worm; **~kowy** *biol.* vermiform; ***wyrostek ~kowy*** *anat.* appendix; **~ywy** worm-eaten
robak *m* (*-a*; *-i*) worm; F insect

R

rober *m* (*-bra*; *-bry*) rubber
robić ⟨**z-**⟩ (*-ę*, *rób!*) do, make; ***co on robi?*** what is he doing?; ***co ~*** (**z** I) what to do (with); ***~ się*** become, get; *nieos.* it is getting (***ciemno*** dark; ***gorąco*** hot); F ***już się robi!*** will do!
robiony *fig.* artificial; forced
robocizna *f* (*-y*; *0*) labo(u)r; (*koszt pracy też*) wage costs *pl.*
robocz|y labo(u)r; working; ***siła ~a*** labo(u)r force; ***dzień ~y*** work day
robot *m* (*-a*; *-y*) robot; ***~ kuchenny*** food-processor; **~a** *f* (*-y*; *G robót*) work, (*ciężka*) labo(u)r; ***krecia ~a*** *pej.* subversive activities *pl.*; *zw. pl.* ***~y na drodze*** men at work; *zw. pl.* ***~y przymusowe*** forced labo(u)r; ***po robocie*** after work; ***własnej/swojej ~y*** homemade; ***nie mieć nic do ~y*** have nothing to do; **~nica** *f* (*-y*; *-e*) worker; **~niczy** working; **~nik** *m* (*-a*; *-cy*) worker
robótka *f* (*-i*; *G -tek*) (*na drutach*) needlework
rockowy *mus.* rock
roczni|ca *f* (*-y*; *G -*) anniversary; ***setna ~ca*** centenary; **~e** *adv.* annually; **~k** *m* (*-a*; *-i*) year; (*wina itp.*) vintage; (*czasopism*) volume; (*książka*) year-book
roczny annual, yearly
roda|czka *f* (*-i*; *G -czek*), **~k** *m* (*-a*; *-cy*) compatriot
rodo|wity indigenous, native; ***~wity Polak*** a Pole by birth; **~wód** *m* (*-wodu*; *-wody*) (*człowieka*) family tree; (*zwierzęcia*) pedigree; **~wy** pedigree; ***szlachta ~wa*** ancient nobility
rody *pl.* → ***ród***
rodzaj *m* (*-u*; *-e*) type, kind; *biol.* species; *gr.* genus; *sztuka*: genre; ***~ ludzki*** humankind, mankind; ***coś w ~u*** (*G*) s.th. like; ***jedyny w swoim ~u*** unique; **~nik** *m* (*-a*; *-i*) *gr.* article; **~owy** generic; ***malarstwo ~owe*** genre painting
rodzeństwo *n* (*-a*; *G -*) brothers and sisters *pl.*; *biol.* siblings *pl.*
rodzi|c *m* (*-a*; *-e*) parent; **~ce** *pl.* (*-ów*) parents *pl.*; **~cielski** parent(al)
rodzić (*-dzę*, *też ródź!*) ⟨**na-, u-**⟩ give birth to, bear; ⟨**ob-, u-**⟩ *agr.* bear, produce; *fig.* produce, generate; ***~*** ⟨***na-, u-***⟩ ***się*** be born
rodzi|my native, indigenous; **~na** *f* (*-y*; *G -*) family; ***ojciec ~ny*** paterfamilias; ***bez ~ny*** no family *lub* dependants; **~nny** family; ***dom ~nny*** (parental) home
rodzony *dziecko*, *brat itp.* one's own
rodzyn|ek *m* (*-nka*, *-nki*), **~ka** *f* (*-nki*; *-nek*) raisin
roga|cz *m* (*-a*; *-e*) *zo.* deer; *iron.* cuckold; **~l** *m* (*-a*; *-e*), **~lik** *m* (*-a*; *-i*) croissant; **~tka** *f* (*-i*; *G -tek*) barrier; bar, toll-house ***za ~tkami miasta*** outside the city limits; **~ty** horned, antlered
rogi *pl.* → ***róg***
rogow|acieć ⟨**z-**⟩ (*-eję*) become horny; **~aty** hornlike; **~y** horn
rogoża *f* (*-y*; *-e*) bast mat
rogówka *f* (*-i*; *G -wek*) *anat.* cornea
ro|ić (*-ję*; *rój!*) (**o** *L*) dream (of), fantasize (about); ***~ić się*** *muchy*: swarm, teem; ***~i się*** (***od*** *G*) it is crawling (with); ***~i mu się*** (*A*) he fancies; **~je** *pl.* → ***rój***
rojn|y busy, bustling; ***na ulicach było ~o*** the streets were crowded
rok *m* (*-u*; *lata*) year; ***od ~u*** for a year; ***raz do ~u*** once a year; ***z ~u na ~*** every year; ***~ w ~*** year in, year out; → ***nowy***, ***lata***, ***przestępny***
rokowa|ć (*-uję*) *v/i.* negotiate (**o** *A* about; **z** *I* with); *v/t.* hope (***sobie*** for); ***~ć nadzieje*** promise well; **~nie** *n* (*-a*; *G -ań*) *med.* prognosis; *t-ko pl.* **~nia** negotiations *pl.*
rokrocznie *adv.* annually, every year
rola¹ *f* (*-i*; *-e*, *ról*) soil; → ***gleba***
rola² *f* (*-i*; *-e*, *ról*) *theat. fig.* role, part
rolada *f* (*-y*; *G -*) *gastr.* (*mięsna*) roulade
roleta *f* (*-y*; *G -*) (roller) shutter, (roller) blind
rolka *f* (*-i*; *G -lek*) roll, reel; ***~ papieru*** paper roll; ***~ nici*** thread reel
rolni|ctwo *f* (*-a*; *0*) agriculture; **~czka** *f* (*-i*; *-czek*), **~k** *m* (*-a*; *-cy*) farmer; **~czo** *adv.* agriculturally; **~czy** agricultural
roln|y agricultural; ***gospodarstwo ~e*** farm; ***produkty*** *pl.* ***~e*** produce
roma'nistyka *f* (*-i*) (*studia*) French studies *pl.*; (*instytut*) French department
roman|s *m* (*-u*; *-y*) (*literatura*, *mus.*, *fig.*) romance; (*miłostka*) love affair; **~sik** *m* (*-u*; *-i*) flirtation, casual affair; **~tyczny** romantic; *hist.* Romantic; **~tyczka** *f* (*-i*; *-czek*), **~tyk** (*-a*; *- cy*) romantic; **~tyzm** *m* (*-u*; *-y*) *hist.* Romanticism
romański Romanesque
romb *m* (*-u*; *-y*) *math.* diamond, rhombus
rondel *m* (*-dla*; *-dle*) pan

R

rond|o¹ *n* (*-a*; *G* -) (hat) brim; *mus.* rondo; *lit.* rondeau
rond|o² *n* (*-a*; *G* -) *Brt.* roundabout, *Am.* traffic circle
ronić (*-ę*) *lit.*: **~ *łzy*** shed tears; ⟨***po-***⟩ *med.* miscarry
rop|a *f* (*-y*; *0*) *med.* pus; (*naftowa*) oil; **~ieć** (*-eję*) suppurate, fester; **~ień** *m* (*-pnia*; *-pnie*) abscess; **~ny** *mot.* Diesel; *med.* purulent
ropucha *f* (*-y*; *G* -) *zo.* toad
rosa *f* (*-y*; *0*) dew
Rosja *f* (*-i*; *0*) Russia; **~nin** *m* (*-a*; *-anie*, -), **~nka** *f* (*-i*; *G -nek*) Russian
ros|ły tall, big; **~nąć** ⟨***u-, wy-***⟩ grow (*też fig.*); *ciasto*, *ceny*: rise
rosochaty forked, branching
ros|ołowy broth; **~ół** *m* (*-ołu*; *-oły*) stock, broth, clear soup; ***~ół z kury*** consommé
rostbef *m* (*-u*; *-y*) roast beef
rosyjs|ki Russian; ***mówić po ~ku*** speak Russian
roszczenie *n* (*-a*; *G -eń*) claim; ***wysunąć ~*** (***o*** *A*) make a claim (for)
rościć (*-szczę*) claim; **~** (***sobie***) ***prawo*** (***do*** *G*) lay claim (to); ***~ pretensje*** (***do*** *G*) pretend (to)
roś|lejszy *adj. comp. od* → ***rosły***; **~lina** *f* (***lekarska, ogrodowa, użytkowa*** medicinal, garden, economically useful) plant; **~linność** *f* (*-ści*; *0*) vegetation; flora; **~linny** plant; **~linożerny** herbivorous
rota *f* (*-y*; *G* -) (***przysięgi*** oath) formula
rotacja *f* (*-i*; *-e*) rotation
rowek *m* (*-wka*; *-wki*) (*na płycie itp.*) groove; furrow; → ***rów***
rowe|r *m* (*-ru*; *-y*) bicycle, F bike; ***jeździć na ~rze*** ride a bike, cycle; **~rowy** bicycle, bike; **~rzysta** *m* (*-y*; *-ści*), **~rzystka** *f* (*-i*; *-tek*) cyclist
rowy *pl.* → ***rów***
roz|bawiony amused; **~bełtywać** (*-uję*) → ***bełtać***; **~bestwiony** (*wściekły*) raging, mad; (*nieposłuszny*) unruly, wild
rozbi|cie *n* (*-a*; *G -ić*) breaking, crashing, breakage; ***~cie okrętu*** shipwreck; ***ulec ~ciu*** be broken; **~ć** *pf.* → ***rozbijać***
rozbie|g *m* (*w sporcie*) run-up; **~gać się** ⟨***~c się***⟩ *tłum*: scatter, disperse; take a run-up; **~gany** *oczy* restless; **~rać** (*-am*) undress (***się*** *v/i.*); *aparat* take to pieces, dismantle; *budynek* demolish, take down; **~ralnia** *f* (*-i*; *-e*) changing-cubicle
rozbieżn|ość *f* (*-ści*) divergence, discrepancy; **~y** divergent, different, differing
rozbijać (*-am*) break, smash (***się*** *v/i.*; ***o*** *A* against); *samochód itp.* wreck; *obóz*, *namiot* set up, pitch; *kolano itp.* injure; *kraj* divide up (***na*** *A* into); ***~ bank*** break a bank; ***~ się*** F move about the world
rozbiór *m* (*-bioru*; *-biory*) analysis; (*państwa*) partition; **~ka** *f* (*-i*; *G -rek*) (*domu*) demolition; (*maszyny*) dismantling; **~kowy** demolition
rozbit|ek *m* (*-tka*; *-tkowie/-tki*) castaway (*też fig.*); *fig.* wreck; **~y** broken, smashed
rozbój *m* robbery; **~niczka** *f* (*-i*; *G -czek*), **~nik** *m* (*-a*; *-cy*) robber; ***~nik morski*** pirate
rozbraja|ć (*-am*) disarm (*też fig.*; ***się*** *v/i.*); **~jąco** *adv.* disarmingly; **~jący** disarming
rozbratel *m* (*-tla*; *-tle*) rump steak
rozbro|ić *pf.* → ***rozbrajać***; **~jenie** *n* (*-a*; *0*) disarmament
roz|bryzgiwać (*-uję*) ⟨***~bryzgać, ~bryznąć***⟩ spray; **~brzmiewać** (*-am*) ⟨***~brzmieć***⟩ resound, ring out; **~budowa** *f* (*-y*; *G -dów*) extension; **~budow(yw)ać** (*-[w]uję*) extend; ***~budow(yw)ać się*** expand; **~budzać** (*-am*) → ***budzić***; **~charakteryzow(yw)ać** (*-[w]uję*) remove make-up; ***~charakteryzow(yw)ać się*** remove one's make-up; **~chmurzać się** (*-am*) ⟨***~chmurzyć się***⟩ clear
roz|chodowy expenditure; **~chodzić się** disperse; *drogi*: fork; *fig.* drift apart; *wieść*, *ciepło*: spread; *wiadomość*: get around; *pieniądze*: be spent; *małżeństwo*: break up, split up; **~chorować się** *pf.* be taken ill, fall ill; **~chód** *m* *econ.* expenditure; **~chwiać** *pf.* set *s.th.* swinging, work *s.th.* loose
rozchwyt|ywać (*-uję*) ⟨***~ać***⟩ buy up; ***być ~ywanym*** be much sought-after; **~ywany** in demand
rozchy|botany loose; *krzesło itp.* rickety, wobbly; **~lać** (*-am*) ⟨***~lić***⟩ part (***się*** *v/i.*); **~lony** parted
rozciąć *pf.* → ***rozcinać***;
rozciąg|ać (*-am*) ⟨***~nąć***⟩ stretch (***się*** *v/i.*); extend (***się*** *v/i.*); *sznury* put up;

R

→ ***rozpościerać***; **~liwy** stretchy, stretch, elastic; **~łość** *f* (*-ści*) extent, extension; ***w całej ~łości*** completely, to the full extent
rozcieńcz|ać (*-am*) ⟨**~yć**⟩ (*-ę*) dilute, thin, (*wodą*) water down; **~alnik** *m* (*-a*; *-i*) thinner
roz|cierać (*-am*) rub; *maść* rub in; *żółtka* beat; crush (***na proch*** to a powder); **~cięcie** *n* (*-a*; *G -ęć*) slit; cut; **~cinać** (*-am*) slit, cut
rozcza|pierzać (*-am*) ⟨***~pierzyć***⟩ (*-ę*) spread; **~rowanie** *n* (*-a*; *0*) disappointment; **~row(yw)ać** (*-*[*w*]*uję*) disappoint; ***~row(yw)ać się*** become disappointed
rozcze|pi(a)ć separate; *tech.* uncouple; **~sywać** (*-uję*) ⟨***~czesać***⟩ comb through
roz|członkow(yw)ać (*-*[*w*]*uję*) dismember; **~czochrany** unkempt, dishevel(l)ed
rozczul|ać (*-am*) ⟨**~ić**⟩ (*-lę*) move (***do łez*** to tears); ***~ić się nad*** melt over; **~ająco** *adv.* touchingly; **~ający** touching; **~enie** *n* (*-a*; *0*) emotion
rozczyn *m* (*-u*; *-y*) *chem.* solution; *gastr.* leaven; **~iać** (*-am*) ⟨**~ić**⟩ (*-ę*) *ciasto* mix (***na*** *A* for)
rozda|ć *pf.* → ***rozdawać***; **~rcie** *n* (*-a*; *G -rć*) tear; *fig.* inner turmoil; **~wać** ⟨*po-*⟩ (*D*) give out (to), give away (to), distribute (to)
rozdąć *pf.* → ***rozdymać***
rozdept|ywać (*-uję*) ⟨***~ać***⟩ stamp on, crush; *nowe buty* break in
rozdmuch|iwać (*-uję*) ⟨***~ać***⟩ *ogień* fan; *fig.* blow up, exaggerate
rozdrabniać (*-am*) break into small pieces, fritter; ***~ się*** *fig.* try to do too many things at once
rozdrap|ywać (*-uję*) ⟨***~ać***⟩ scratch
rozdrażn|iać (*-am*) ⟨***~ić***⟩ annoy, irritate; **~ienie** *n* (*-a*; *G -eń*) annoyance, irritation; **~iony** annoyed, irritated
roz|drobnić *pf.* (*-ę, nij!*) → ***rozdrabniać***; **~droże** *n* (*-a*; *G -y*) crossroads *sg.*; ***na ~drożu*** *fig.* at the crossroads
rozdw|ajać (*-am*) ⟨***~oić***⟩ split, divide; ***~ajać*** ⟨***~oić***⟩ ***się*** split; *droga, konar*: fork; **~ojenie** *n* (*-a*; *G -eń*) → ***jaźń***
roz|dymać (*-am*) *żagiel, ubranie* billow (***się*** *v/i.*); *fig.* blow up; **~dział** *m* (*-u*; *-y*) (*funduszy itp.*) distribution, allocation; (*rozdzielenie*) separation (***od*** *G* from); (*w książce*) chapter
rozdziawi|ać (*-am*) ⟨**~ć**⟩ (*-ę*) open wide
rozdziel|ać (*-am*) ⟨**~ić**⟩ distribute, allocate; separate; → ***dzielić, rozdawać***; **~czy** distributive; ***tablica ~cza*** *tech.* control panel; **~nia** *f* (*-i*; *-e*) *electr.* switching station; **~nik** *m* (*-a*; *-i*) distribution list; **~ny** separate
rozdziera|ć (*-am*) tear, rip (***się*** *v/i.*); **~jąco** *adv.* piercingly; **~jący** *krzyk* piercing; *ból* excruciating
rozdźwięk *m* dissonance, discord
roze|brać *pf.* → ***rozbierać***; **~brany** undressed; **~drzeć** *pf.* → ***rozdzierać***; **~gnać** *pf.* → ***rozganiać***; **~grać** *pf.* → ***rozgrywać***
rozejm *m* (*-u*; *-y*) truce, armistice
roze|jrzeć się *pf.* → ***rozglądać się***; **~jść** (*-dę*) **się** (***→-jść***) → ***rozchodzić się***; **~pchać**, **~pchnąć** *pf.* → ***rozpychać***
rozerwa|ć *pf.* → ***rozrywać***; *fig.* entertain, amuse; ***~ć się*** have fun; **~ny** torn
roze|rżnąć *pf.* → ***rozrzynać***; **~słać** *pf.* → ***rozsyłać, rościełać***; **~spany** drowsy; **~śmiać się** *pf.* laugh, burst into laughter; **~trzeć** *pf.* → ***rozcierać***; **~wrzeć** *pf.* (→ ***-wrzeć***) → ***rozwierać***
rozezna|nie *n* (*-a*; *0*) knowledge, information; ***mieć ~nie w sytuacji*** be in the know; **~wać** (*-ję*) ⟨**~ć**⟩ distinguish; ***~(wa)ć się*** know what's what
rozga|łęziać się (*-am*) branch out; **~łęzienie** *n* (*-a*; *G -eń*) branching; (*dróg*) crossroads *sg.*; **~niać** disperse
roz'gar|diasz *m* (*-u*; *0*) mess, confusion; **~niać** (*-am*) ⟨**~nąć**⟩ move apart; *popiół* rake aside; **~'nięty** brainy
roz|ginać (*-am*) ⟨***~giąć***⟩ unbend; bend apart; **~glądać się** (*-am*) look around; (***za*** *I*) *fig.* look for; **~głaszać** (*-am*) publicize, make public
rozgło|s *m* (*-u*; *0*) publicity; fame; ***sprawa nabrała ~su*** it has become public knowledge; ***bez ~su*** in quiet; **~sić** *pf.* → ***rozgłaszać***; **~śnia** *f* (*-i*; *-e*) broadcasting station; **~śny** loud
rozgni|atać (*-am*) ⟨**~eść**⟩ mash; *muchę* squash
rozgniewa|ć *pf.* → ***gniewać***; **~ny** angry, enraged
roz|gonić *pf.* → ***rozganiać***; **~gorączkować się** *pf.* become frantic; **~gorączkowany** feverish, frantic (*też fig.*)

R

rozgoryczony embittered, bitter
rozgotować się *pf.* get overcooked
rozgra|biać (*-am*) ⟨**~bić**⟩ plunder; **~miać** (*-am*) crush, rout; **~niczać** (*-am*) ⟨**~niczyć**⟩ demarcate, delimit
rozgromić *pf.* → **rozgramiać**
rozgry|wać (*-am*) *mecz, partię* play; **~wać się** take place; **~wka** *f* (*-i; G -wek*) (*w sporcie*) game; **~wki** *pl.* games *pl.*, tournament; **~zać** ⟨**~źć**⟩ bit in two, crack; *fig.* solve
rozgrzać *pf.* → **rozgrzewać**
rozgrze|bywać (*-uję*)⟨**~bać**⟩rake aside *lub* up; *fig.* rake up; **~szać** (*-ę*) ⟨**~szyć**⟩ *v/t. rel.* absolve; *fig.* (**z** *I*) forgive; **~szenie** *n* (*-a; G -eń*) *rel.* absolution; **~wać** (*-am*) (*też sport, mot.*) warm up (**się** *v/i.*); **~wka** *f* (*-i; G -wek*) warm-up
roz|gwiazda *f zo.* starfish; **~hermetyzowanie** *n* (*-a; G -ań*) depressurization; **~hukany** unruly, wild; **~huśtać** *pf.* → **rozkołysać**; **~jarzony** *pred.* ablaze; bright; **~jaśniacz** *m* (*-a; -e*) *chem.* bleach; **~jaśniać** (*-am*)⟨**~jaśnić**⟩ (*-ę; -nij!*) make lighter; lighten; *twarz* light up; *włosy, oczy* brighten (**się** *v/i.*); **~jazd** *m* (*-u; -y*) junction; **być w ~jazdach** travel much; **~jątrzać** *pf.* → **jątrzyć**; **~jechać** *pf.* → **rozjeżdżać**
rozjem|ca *m* (*-y; G -ów*) arbitrator; **~czy** arbitration; **~czyni** *f* (*-; G -yń*) arbitrator
rozjeżdżać (*-am*) travel much; *coś* knock down; **~ się** part, go one's separate ways
rozjuszony enraged
rozkaz *m* (*-u; -y*) order, command; **być pod ~ami** (*G*) be under *s.o.'s* command; **~ać** *pf.* → **rozkazywać**; **~ująco** *adv.* commandingly; **~ujący** commanding; **tryb ~ujący** *gr.* imperative; **~ywać** (*-uję*) *v/t.* command, order; *v/i.* be in command
rozkaźnik *m* (*-a; -i*) *gr.* imperative
roz|kiełznać *pf.* (*-am*) unbridle; **~klejać** (*-am*) ⟨**~kleić**⟩ *plakaty* stick up, post; *kopertę* undo, unstick; **~klejać się** come undone; **~kleić się** *fig.* go to pieces; **~klekotany** rickety; **~kloszowany** *suknia* (widely-)flared
rozkład *m* (*-u; -y*) arrangement; **~ jazdy** *Brt.* timetable, *Am.* schedule; **~ lekcji** schedule; *biol.* rot; *chem.* breakdown, disintegration; *fig.* decline, collapse; *math.* distribution; **~ać** (*-am*) spread (out), unfold; *gazetę* open up; *łóżko* fold out; *pracę* assign; *maszynę* dismantle; *biol., chem.* decompose; *fig.* undermine; **~ać się** unfold; stretch (o.s.) up; (**z** *I*) spread out; *chem.* break down; *biol. też* decompose, decay; **~any** *łóżko* collapsible
rozkoch|iwać (*-uję*) ⟨**~ać**⟩ make enamo(u)red; inspire with love (**w sztuce** towards art); **~ać się** fall in love
rozkojarzony absent-minded
rozkołysać *pf. v/t.* (*-am*) sway (to and fro) (**się** *v/i.*)
rozkop|ywać (*-uję*) ⟨**~ać**⟩ dig over
rozkosz *f* (*-y; -e*) delight, joy; pleasure; **~e** *pl.* pleasures *pl.*, delights *pl.*; **~ny** delightful; sweet; **~ować się** (*-uję*) (*I*) delight (in), feast (on)
roz|kręcać (*-am*) ⟨**~kręcić**⟩ unscrew; *maszynę* take apart; *fig. gospodarkę itp.* boost up; **~kręcić się** bloom, burgeon; **~krok** *m* straddle; **~kruszać** (*-am*) → **kruszyć**; **~krwawić** *pf.* make bleed; **~krzewiać** (*-am*) → **krzewić**; **~kupywać** (*-uję*) ⟨**~kupić**⟩ buy up; **~kurczać** (*-am*) ⟨**~kurczyć**⟩ *mięsień* relax; **~kurczowy** *med.* diastolic
rozkwit *m* (*-u; 0*) bloom, flowering, blossoming (*też fig.*); **w pełni ~u** in full bloom; **~ać** (*-am*) ⟨**~nąć**⟩ bloom, flower, blossom
roz|lać *pf.* → **rozlewać**; **~latywać się** (*-uję*) ⟨**~lecieć się**⟩ fall apart, go to pieces; → **rozbijać się**
rozleg|ać się (*-am*) ⟨**rozlec się**⟩ (→ **lec**) ring out; *echo*: resound, reverberate; *protest*: be vociferous; **~le** *adv.* extensively, widely; substantially; **~łość** *f* (*-ści; 0*) spaciousness; extensiveness; **~ły** extensive, wide; substantial; widespread
rozleniwi|ać (*-am*) ⟨**~ć**⟩ (*-ę*) make lazy; **~(a)ć się** grow lazy
rozlepi|ać (*-am*) ⟨**~ć**⟩ → **rozklejać**
rozlew *m* (*-u; 0*) filling, (*do butelek itp.*) bottling; **~ krwi** bloodshed; **~ać** (*-am*) *v/t.* spill; *herbatę itp.* pour out; *krew* shed; fill (**do kieliszków** the glasses); **~ać do butelek** bottle; *v/i. rzeka*: overflow; **~ać się** spill
rozleźć się *pf.* → **rozłazić się**
rozlicz|ać (*-am*) ⟨**~yć**⟩ *wydatki* account for; *czek* clear; **~ać** ⟨**~yć**⟩ **się** (**z** *I*) settle

R

(accounts) (with); **~enie** *n* (*-a*; *G -eń*) settlement, clearing

rozlokow(yw)ać (-[*w*]*uję*) put up; *mil.* quarter; **~ *się*** find accommodation

rozlosow(yw)ać (-[*w*]*uję*) raffle

rozluźni|ać (*-am*) ⟨**~ć**⟩ (*-ę*, *-nij!*) loosen; ***~ać*** ⟨***~ć***⟩ ***się*** work o.s. loose; **~ony** loosened

rozładow(yw)ać (-[*w*]*uję*) unload (***się*** *v/i.*); **~ *napięcie*** relax the tension

roz|ładunek *m* (*-nku*; *-nki*) unloading; **~łam** *m* (*-u*; *-y*) split, division; **~łamywać** (*-uję*) ⟨***~łamać***⟩ break (***się*** *v/i.*). break (into pieces); *fig.* break up; **~łazić się** F (***po*** *L*) spread; *ludzie*: disperse; *buty*: fall apart

rozłą|czać (*-am*) disconnect, cut off; part (***się*** *v/i.*); **~ka** *f* (*-i*; *G -*) separation

rozłoży|ć *pf.* → ***rozkładać***; **~sty** spreading

rozłupywać (*-uję*) → ***łupać***

rozmach *m* (*-u*; *0*) swing; *fig.* drive, energy; **~iwać** (*-uję*) (*I*) → ***machać***

rozma|czać soak; **~gnesow(yw)ać** (-[*w*]*uję*) demagnetize

rozmai|cie *adv.* variously; **~tość** *f* (*-ści*; *0*) diversity, variety; ***~tości*** *pl.* sundries *pl.*, bits and pieces *pl.*; **~ty** diverse, various

rozmaryn *m* (*-u*; *-y*) *bot.* rosemary

roz|marzać [-r·z-] *v/i.* thaw; **~marzony** dreamy; **~mawiać** speak (***o*** *L* about); talk (***z*** *I* to, with); **~miar** *m* (*-u*; *-y*) size; dimension

rozmie|niać (*-am*) ⟨**~nić**⟩ *banknot* change; **~szać** (*-am*) *pf.* mix; **~szczać** ⟨***po-***⟩ (*-am*) ⟨***~ścić***⟩ place, situate, position; → ***rozlokowywać***; ***~ścić się*** take places; **~szczenie** *n* (*-a*; *G -eń*) placement, situation

rozmięk|ać (*-am*) *v/i.* get *lub* become soft; soften (up); **~czać** (*-am*) ⟨***~czyć***⟩ *v/i.* soften; **~nąć** *pf* → ***rozmiękać***

rozmiłowany: ***być ~m*** (***w*** *L*) be in love (with)

rozminąć się *pf.* → ***mijać się***

rozmnaża|ć (*-am*) reproduce (***się*** *v/i. lub* o.s.), *bakterie itp.* multiply; **~nie** *n* (*-a*; *0*) reproduction

roz|mnożyć *pf.* → ***rozmnażać***; **~moczyć** *pf.* → ***rozmaczać***; **~moknąć** *pf.* → ***rozmiękać***; **~montow(yw)ać** (-[*w*]*uję*) disassemble, take apart; **~mowa** *f* (*-y*; *G -mów*) talk, conversation; ***~mowy*** *pl. pol.* negotiations *pl.*; *tel.* call; **~mowny** talkative

rozmów|ca *m* (*-y*; *G -ów*), **~czyni** *f* (*-i*; *-e*) interlocutor; **~ić się** *pf.* talk (***na temat*** *G* on, about), come to an understanding; **~nica** *f* (*-y*; *-e*) *tel.* (post office) telephone booth

roz|mrażać (*-am*) ⟨***~mrozić***⟩ defrost

rozmyć *pf.* → ***rozmywać***

rozmy|sł *m* (*-u*; *-y*) deliberation; ***z ~słem*** intentionally, deliberately; **~ślać** (*-am*) think, ponder (***nad*** *I* on); **~ślić się** *pf.* (*-lę*) change one's mind, think better of; **~ślny** deliberate, intentional

rozmywać (*-am*) undermine and wash away

roznamiętni|ać (*-am*) ⟨**~ć**⟩ (*-ę*, *-nij!*) incense (***się*** *v/i.*); ***~ać się*** *iron.* become amorous; **~ony** incensed, enflamed; amorous, passionate

roz|negliżowany undressed; **~niecać** (*-am*) ⟨**~niecić**⟩ (*-cę*) kindle (*też fig.*); *fig.* provoke; **~nieść** *pf.* → ***roznosić***; **~nosiciel** *m* (*-a*; *-e*), **~nosicielka** *f* (*-i*; *G -lek*) delivery person; **~nosić** (*-szę*) deliver, distribute; *wieści*, *chorobę itp.* spread (***się*** *v/i.*; ***po*** *L* around); → ***rozbijać***, ***rozrywać***; **~ochocić się** (*-cę*) *pf.* liven up; (***do*** *G*) get excited (about); **~ogniony** inflamed; *fig.* heated

rozpacz *f* (*-y*; *0*) despair; ***doprowadzić do ~y*** drive to despair; ***szaleć z ~y*** be frantic; **~ać** (*-am*) despair (***nad*** *I* at, of); **~liwie** *adv.* desperately; **~liwy** desperate

rozpad *m* (*-u*; *0*) disintegration, breakup; **~ać się** (*-am*) disintegrate, break apart *lub* up, disunite; ***~ało się*** it has begun to rain steadily; **~lina** *f* (*-y*; *G -*) crack, crevice

rozpakow(yw)ać (-[*w*]*uję*) unpack

rozpal|ać (*-am*) ⟨***~ić***⟩ *ogień* kindle; *kominek* light; *piec*, *kocioł* fire up; *fig.* arouse, kindle; ***~ić się*** start burning; catch fire

roz|paplać *pf.* let out, blab; **~parcelow(yw)ać** (-[*w*]*uję*) divide into plots; **~pasany** rampant, unbridled; **~paść się** *pf.* → ***rozpadać się***

rozpatrywać (*-uję*) ⟨***rozpatrzyć***⟩ examine, investigate; *jur.* hear; **~** ⟨***rozpatrzyć***⟩ **się** (***w*** *L*) get acquainted (with)

rozpęd *m* (*-u*; *0*) momentum, impetus;

nabierać ~u gain momentum; **~owy**: ***koło ~owe*** *tech.* flywheel

rozpędz|ać (*-am*) ⟨***~ić***⟩ *tłum, chmury* disperse, scatter; *pojazd* accelerate, speed up; *fig.* drive away; ***~ać*** ⟨***~ić***⟩ ***się*** speed up; (*w sporcie*) take a run-up; *fig.* gain momentum

rozpęt|ywać (*-uję*) ⟨***~ać***⟩ (*-am*) *fig.* foment, stir up; ***~ać się*** break off

rozpiąć *pf.* → ***rozpinać***

rozpie|czętow(yw)ać (*-[w]uję*) unseal; *list* open; **~rać** (*-am*) distend, expand; *tech.* strut; ***~rać się*** lounge; **~rzchnąć się** *pf.* (*-nę*) scatter, disperse; **~szczać** (*-am*) ⟨***~ścić***⟩ spoil; **~szczony** *dziecko* spoiled

rozpiętość *f* (*-ści*; *0*) span; *fig.* range, scope

rozpi|jaczony F boozy; **~łow(yw)ać** (*-[w]uję*) saw up; **~nać** (*-am*) undo, unbutton; *płótno itp.* stretch; ***~nać się*** come undone

rozpis|ywać (*-uję*) ⟨***~ać***⟩ *wybory* call, announce; ***~ywać konkurs na coś*** open s.th. to competition

rozpląt|ywać (*-uję*) ⟨***~ać***⟩ disentangle, untangle

rozpleni|ać się (*-am*) ⟨***~ć się***⟩ (*-ę*) multiply

rozpłakać się *pf.* burst into tears

rozpła|szczać (*-am*) → ***płaszczyć***; **~tać** *pf.* (*-am*) slit open, slash open

rozpłodowy foetal; *agr.* breeding

rozpły|wać się ⟨***~nąć się***⟩ melt away

rozpocz|ynać ⟨***~ąć***⟩ start, begin; ***~ynać*** ⟨***~ąć***⟩ ***się*** start

rozpo|gadzać (*-am*) ⟨***~godzić***⟩ brighten (***się*** *v/i.*); **~godzenie** *n* (*-a*; *G -eń*) (*w pogodzie*) bright period

rozporek *m* (*-rka*; *-rki*) fly, flies *pl.*

rozporządz|ać (*-am*) ⟨***~ić***⟩ (*nakazywać*) order, decree; (*dysponować*) have at one's disposal; **~enie** *n* (*-a*; *G -eń*) order, decree

rozpo|ścierać (*-am*) *papier* spread (***się*** *v/t.*); ***~ścierać się*** extend, stretch (out); **~wiadać** (*-am*) ⟨***~wiedzieć***⟩ tell; *pogłoski* spread

rozpowszechni|ać (*-am*) ⟨***~ć***⟩ (*-ę*, *-nij!*) spread (***się*** *v/i.*); (*popularyzować*) popularize; *doktrynę* disseminate; **~enie** *n* (*-a*; *0*) spreading; popularization; dissemination; **~ony** widespread

rozpozna|ć *pf.* → ***rozpoznawać***; **~nie** *n* (*-a*; *G -ań*) identification, recognition; *mil.* reconnaissance; *med.* diagnosis; *jur.* examination, cognizance; **~wać** recognize, identify (***się*** o.s.); *med.* diagnose; *jur.* examine; **~wczy** *mil.* reconnaissance

rozpra|szać (*-am*) scatter, disperse (***się*** *v/i.*); *kogoś, uwagę* distract; **~wa** *f* (*-y*; *G -*) debate; *jur.* hearing; (*traktat*) treatise, dissertation; (*walka*) fight, struggle; ***~wa doktorska*** doctoral *lub* PhD dissertation

rozpra|wiać[1] (*-am*) discourse, hold forth (***o*** *L* on, about)

rozpra|wiać[2] **się** (*-am*) ⟨***~wić się***⟩ (***z*** *I*) settle matters (with); (*zabić*) dispose (of); ***szybko się ~wić*** make short shrift (***z*** *I* with)

rozpręż|ać (*-am*) ⟨***~yć***⟩ (*-ę*) *ramiona* strech out; *tech.* expand (***się*** *v/i.*); ***~yć się*** *fig.* relax

rozpromieniony *fig.* beaming, radiant

rozpro|stow(yw)ać (*-[w]uję*) *drut itp.* straighten out; *ramiona* stretch out (***się*** *v/i.*); **~szyć** *pf.* → ***rozpraszać***; **~szony** scattered; *ktoś* distracted; **~wadzać** (*-am*) ⟨***~wadzić***⟩ distribute; *farbę* spread; (*rozcieńczać*) thin down, dilute; *posterunki* station

rozpruwać (*-am*) → ***pruć***; *brzuch* slash open; *kasę* rip open

rozprysk|iwać (*-uję*) ⟨***~ać***⟩ spray; ***pryskać***

rozprząc (→ *-prząc*) → ***rozprzęgać***

rozprzeda(wa)ć → ***wyprzedawać***

rozprzestrzeni|ać (*-am*) ⟨***~ć***⟩ → ***rozpowszechniać***; **~(a)ć się** spread

rozprzę|gać (*-am*) ⟨***~gnąć***⟩ (*-nę*) *konia* unharness, unhitch; *fig.* disarrange

rozprzężenie *n* (*-a*; *0*) *fig.* disorder, confusion; anarchy; ***~ obyczajów*** dissoluteness

rozpust|a *f* (*-y*; *0*) debauchery; *fig.* self--indulgence; **~ny** dissipated, dissolute; *fig.* self-indulgent

rozpuszcz|ać (*-am*) dissolve (***się*** *v/i.*); (*topić*) melt (***się*** *v/i.*); *załogę* dismiss; *plotkę* spread; *dziecko* spoil; **~alnik** *m* (*-a*; *-i*) solvent; **~alny** (***łatwo*** readily) soluble; ***kawa ~alna*** instant coffee

rozpuścić *pf.* → ***rozpuszczać***

rozpy|chać (*-am*) *kieszeń* make baggy; push (***się*** one's way); **~lacz** *m* (*-a*; *-e*) spray, atomizer; **~lać** (*-am*)⟨***~lić***⟩(*-lę*)

R

spray; **~tywać** (*-uję*) ⟨***~tać***⟩ question; enquire (***się*** *v/i.*; ***o*** *A* about)
rozrabia|ctwo *n* (*-a*; *0*) hooliganism, vandalism; **~cz** *m* (*-a*; *-e*), **~czka** (*-i*; *G -czek*) *pej.* stirrer; **~ć** (*-am*) *farbę* mix; *v/i.* stir up trouble
rozrachun|ek *m* → ***rozliczenie***; ***~ek z przeszłością*** getting over the past; **~kowy** *econ.* clearing
rozra|dowany overjoyed; **~dzać się** (*-am*) multiply; **~rastać się** (*-am*) increase, grow
roz|rąbać *pf.* chop up; **~regulow(yw)ać** (*-[w]uję*) deregulate; adjust wrongly; ***~regulow(yw)ać się*** go out of adjustment; **~robić** *pf.* → ***rozrabiać***; **~rodczy** reproductive; **~rodzić się** *pf.* → ***rozradzać się***; **~rosnąć, ~róść się** *pf.* → ***rozrastać się***
rozróżni|ać (*-am*) ⟨***~ć***⟩ distinguish
rozruch *m* start(ing); *mot.* start-up; ***~ próbny*** test run; *t-ko pl.* ***~y*** riots *pl.*; **~owy** starting, launching
rozrusz|ać *pf.* set in motion; cheer up (***się*** *v/i.*); **~nik** *m* (*-a*; *-i*) *mot.* starter
rozryw|ać (*-am*) tear (***się*** *v/i.*); *fig.* break; → ***rozerwać***; **~ka** *f* (*-i*; *G -wek*) entertainment; **~kowy** entertainment
rozrze|dzać (*-am*) ⟨***~dzić***⟩ (*-dzę*) thin (down) (***się*** *v/i.*); **~wniająco** *adv.* pathetically; **~wniający** moving, pathetic; **~wnienie** (*-a*; *0*) emotion
rozrzu|cać ⟨***~cić***⟩ scatter; *fig.* waste
rozrzutn|ość *f* (*-ści*; *0*) wastefulness, extravagance; **~y** wasteful, extravagant
rozrzynać (*-am*) cut open, slit open
rozsa|da *f* (*-y*; *G -*) *agr.* seedling; **~dnik** *m* (*-a*; *-i*) *agr.* seed-plot, nursery plot; **~dzać** ⟨***~dzić***⟩ place, seat; *uczniów* separate; *skałę itp.* blow up; *agr.* plant; → ***sadzić***
rozsąd|ek *m* (*-dku*; *0*) reason; ***zdrowy ~ek*** common sense; **~ny** reasonable, sensible
rozsądz|ać (*-am*) ⟨***~ić***⟩ decide (on), arbitrate
rozsi|ewać (*-am*) ⟨***~ać***⟩ sow (*też fig.*); *fig.* scatter, spread; ***~any*** *też* scattered over
rozsiodł|ywać (*-uję*) ⟨***~ać***⟩ unsaddle
roz|sławiać (*-am*) glorify, extol; **~smarow(yw)ać** (*-[w]uję*) spread
rozsta|ć się *pf.* → ***rozstawać się***; **~j** *m* (*-u/-a*; *-e*, *-ai/-ów*) crossroads *sg.*; **~nie** *n* (*-a*; *G -ań*) parting; **~w** *m* (*-u*; *-y*): ***rozstaw osi*** *mot.* wheelbase; **~wać się** (*-ję*) (***z*** *I*) part (with), part company (with); **~wi(a)ć** place; *mil.* post, station; position (***się*** o.s.); *palce* spread; **~wienie** *n* (*-a*; *G -eń*) (*w sporcie*) line-up (*też mil.*); *mil.* deployment
roz|stępować się (*-uję*) ⟨***~stąpić się***⟩ part, divide; *ziemia*: open up, split; **~strajać** (*-am*) ⟨***~stroić***⟩ *mus.* put out of tune; *nerwy* upset; **~strój** *m* (*-roju*; *-roje*) shattering; ***~strój żołądka*** stomach upset;
rozstrzel|iwać (*-uję*) ⟨***~ać***⟩ execute (by firing squad); **~ić** *print.* space out
rozstrzyg|ać (*-am*) ⟨***~nąć***⟩ (*-nę*) decide (*też v/i.* ***się***; ***o*** *L* on); turn the scales; **~ająco** *adv.* conclusively; **~ający** conclusive, final; **~nięcie** *n* (*-a*; *G -ęć*) decision
rozsu|nąć *pf.* → ***rozsuwać***; **~pływać** (*-uję*) ⟨***~płać***⟩ (*-am*) untangle, undo, unravel; **~wać** part; *stół* extend; ***~wać się*** *kurtyna*: go up; → ***rozstępować się***
rozsy|łać (*-am*) send out; **~pywać** (*-uję*) ⟨***~pać***⟩ scatter (***się*** *v/i.*)
rozszarp|ywać (*-uję*) ⟨***~ać***⟩ tear apart; *ciało itp.* tear limb from limb
rozszczep|iać (*-am*) ⟨***~ić***⟩ split up; *światło* disperse; *atom* split; **~ialny** fissionable; **~ienie** *n* (*-a*; *0*) *phys.* fission
rozszerz|ać (*-am*) ⟨***~yć***⟩ (***się***) widen; extend (*też fig.*); *źrenice itp.* dilate; **~enie** *n* (*-a*; *G -eń*) widening; extension
roz|sznurow(yw)ać (*-[w]uję*) undo, untie; **~szyfrow(yw)ać** (*-[w]uję*) decipher, decode; **~ścielać** (*-am*) spread (***się*** *v/i.*); **~śmieszać** (*-am*) ⟨***~śmieszyć***⟩ make *s.o.* laugh, amuse; **~świetlać** (*-am*) ⟨***~świetlić***⟩ (*-lę*) light up; ***~świetlać*** ⟨***~świetlić***⟩ ***się*** brighten
rozta|czać (*-am*) unfold; *zapach* give off; *fig.* display; ***~czać opiekę*** (***nad*** *I*) take care (of); ***~czać się*** spread, extend; **~piać** (*-am*) melt (***się*** *v/i.*)
roztargni|enie *n* (*-a*; *0*) absent-mindedness; ***przez ~enie*** absent-mindedly; ***w ~eniu*** → ***przez roztargnienie***; **~ony** absent-minded, distracted
rozter|ka *f* (*-i*; *0*) dilemma; ***w ~ce*** in a dilemma
roztkliwi|ać (*-am*) ⟨***~ć***⟩ (*-ę*) move, touch; **~(a)ć się** be moved; (***nad sobą***) feel sorry (for o.s.)

R

roztłuc smash, crush
rozto|cza *n/pl.* (*-y*) *zo.* mite; **~czyć** *pf.* → ***roztaczać***; **~pić** *pf.* → ***roztapiać***; **~py** *m/pl.* (*-ów*) slush; ***okres ~pów*** thaw
roz|tratować *pf.* trample all over; **~trąbić** *pf.* tell the whole world about; **~trącać** ⟨***~trącić***⟩ push aside
roztropny reasonable, sound
roz|trwonić *pf.* → ***trwonić***; **~trzaskać** *pf.* smash, shatter; → ***rozbijać***; **~trząsać** (*-am*) *fig.* discuss
roztrzep|any *fig.* absent-minded, distracted; **~ywać** (*-uję*) ⟨***~ać***⟩ *włosy* ruffle; *gastr.* beat
roz|trzęsiony rickety, wobbly; *fig.* worried, excited; **~twór** *m* (***soli*** salt) solution
rozum *m* (*-u*; *-y*) reason; ***odchodzić od ~u*** (*z G*) go out of one's mind (because of); ***brać na ~*** consider; ***mieć swój ~*** have a mind of one's own; ***ruszyć ~em*** think hard; ***uczyć ~u*** teach *s.o.* a lesson; **~ieć** ⟨***z-***⟩ understand (***się*** each other); ***co przez to ~iesz?*** what do you mean by that?; ***to się ~ie samo przez się*** that goes without saying; ***ma się ~ieć*** naturally, of course; **~ny** reasonable; wise
rozumow|ać (*-uję*) consider, think; conclude; **~anie** *n* (*-a*; *G -ań*) thinking; reasoning; ***tok ~ania*** train of thought; ***sposób ~ania*** way of thinking; mental attitude; **~o** *adv.* rationally; **~y** rational
roz|wadniać (*-am*) water down; **~waga** *f* (*-i*; *0*) caution, carefulness; ***brać pod ~wagę*** take into consideration
rozwal|ać ⟨***~ić***⟩ destroy, demolish; *dom też* pull down; ***~ić się*** break down; fall apart; (*na krześle*) lounge
rozwalniający *med.* laxative
rozwałkow(yw)ać (*-[w]uję*) *ciasto* roll out; *fig.* go on about
rozwarty open; ***kąt ~*** *math.* obtuse angle
rozważ|ać (*-am*) ⟨***~yć***⟩ *fig.* consider; weigh (up); **~ny** considerate, thoughtful
rozwesel|ać (*-am*) ⟨***~ić***⟩ cheer up, brighten up; ***~ać*** ⟨***~ić***⟩ ***się*** brighten; ***gaz ~ający*** laughing gas; **~ony** cheerful, happy
rozwiać *pf.* → ***rozwiewać***
rozwiąz|ać *pf.* → ***rozwiązywać***; **~alny** soluble; **~anie** *n* (*-a*; *G -ań*) (*problemu, zadania, zagadki*) solution; (*umowy*) termination, cancellation; (*poród*) delivery; **~ły** dissipated, licentious; **~ywać** (*-uję*) *supeł* undo, untie; *problem* solve; *zgromadzenie, firmę* dissolve; *por.* ***rozwiązanie***
rozwid|lać się (*-am*) ⟨***~lić się***⟩ (*-lę*) fork; **~lenie** *n* (*-a*; *G -eń*) forking; **~niać się**: ***~nia się*** day is breaking
rozwie|dziony divorced; **~rać** (*-am*) open (wide) (***się*** *v/i.*); *ramiona* spread, stretch; **~szać** (*-am*) ⟨***~sić***⟩ (*-szę*) hang up; **~ść** *pf.* → ***rozwodzić***; **~wać** (*-am*) *v/t.* blow away; *włosy* ruffle; *obawy* dispel; *marzenia* dash; ***~wać się*** *mgła*: clear, lift; *fig.* vanish, disappear; ***~źć*** *pf.* → ***rozwozić***
rozwi|jać (*-am*) unwind, unfold; *zwój* unroll; *sztandar, parasol* unfurl; *cechy, działalność, plany, kraj itp.* develop; *temat* expand on; ***~jać się*** unfold; *fig.* develop, evolve; **~kływać** (*-uję*) ⟨***~kłać***⟩ (*-am*) unravel (***się*** *v/i.*); **~nąć** *pf.* → ***rozwijać***; **~nięty** (***w pełni, słabo*** fully, poorly) developed
rozwlek|le *adv.* in a lengthy way; **~ły** long-winded, lengthy
rozwo|dnić *pf.* (*-ę*) → ***rozwadniać***; **~dnik** *m* (*-a*; *-cy*) divorcé; **~dowy** divorce; **~dzić** (*-dzę*) divorce; ***~dzić się*** get divorced; divorce (***z k-ś*** s.o.); dwell (***nad*** *I* on); **~jowy** developmental
rozwolnienie *n* (*-a*) *med.* diarrh(o)ea
roz|wozić *towar* deliver (***po domach*** home); **~wód** *m* (*-odu*; *-ody*) divorce; **~wódka** *f* (*-i*; *G -dek*) divorcée; **~wój** *m* (*-woju*; *0*) development; *por.* ***rozwijać***; **~wścieczony** enraged; **~wydrzony** impertinent; **~złoszczony** furious, angry; *por.* ***złościć***
rozzuchwa|lać się (*-am*) ⟨***~lić się***⟩ (*-lę*) grow insolent
rozża|lony embittered; morose, resentful; **~rzać** (*-am*) ⟨***~rzyć***⟩ enflame; ***~rzyć się*** heat until red-hot
roż|ek *m* (*-żka*; *-żki*) (*na lody*) cone; **~en** *m* (*-żna*; *-żny*) spit; **~ny**: ***rzut ~ny*** corner (kick)
ród *m* (*rodu*; *rody*) family, stock; ***ona jest rodem z …*** she comes from…
różdżkarz *m* (*-a*; *-e*) water diviner, water finder
róg *m* (*rogu*; *rogi*) *biol.* horn; (*kąt, zbieg ulic*) corner; *mus.* horn, *zwł.* French horn; ***w/na rogu*** on/at the corner; ***za rogiem*** round the corner

R

rój *m* (*roju*; *roje*) swarm

róść → ***rosnąć***

rów *m* (*rowu*; *rowy*) ditch; (*oceaniczny*) trench

rówie|śnica *f* (*-y*; *G -*), **~śnik** *m* (*-a*; *-cy*) one's contemporary; ***jest moim ~śnikiem*** he is my age

równ|ać (*-am*) ⟨**wy-**⟩ level; straighten (out); ⟨**z-**⟩ (**z** *I*) make similar (to), bring into line (with); ***~ać się*** *mil.* dress ranks, line up; equal; match; *math.* ***~a się*** equals, is; **~anie** *n* (*-a*; *G -ań*) *math.* equation; **~ia** *f* (*-i*; *-e*, *-i*) *tech.* plane; ***na ~i*** (**z** *I*) on a par (with); **~ie** *adv.* equally; just as; exactly (the same); **~ież** *adv.* also, too, as well

równi|k *m* (*-a*; *-i*) equator; **~kowy** equatorial; **~na** *f* (*-y*; *G -*) plain, lowland

równo *adv.* evenly, equally; **~boczny** *math.* equilateral; **~brzmiący** identical; **~czesny** simultaneous, coincidental; **~legły** parallel; **~leżnik** *m* (*-a*; *-i*) parallel; **~mierny** even, regular; **~prawny** with equal rights; **~ramienny** *math.* isosceles; **~rzędny** of the same value; *chem.* equivalent; *fig.* equal

równoś|ć *f* (*-ści*; *0*) equality; ***znak ~ci*** equals sign

równo|uprawnienie *n* equality, equal rights *pl.*; **~waga** *f* balance (*też fig.*); ***wyprowadzić z ~wagi*** throw off balance; **~wartościowy** of the same value; **~ważyć** ⟨**z-**⟩ (*-ę*) balance (***się*** out); equate, equalize; **~ważnia** *f* (*-i*; *-e*) (*w sporcie*) balance beam; **~ważnik** *m* (*-a*; *-i*) equivalent; **~znaczny** synonymous

równy (*gładki*) even, smooth; (*płaski*) level, flat; (*prosty*) straight; *oddech*, *krok* regular, even; (*spokojny*) balanced; F *kwota* round; (*jednakowy*) (*D*, **z** *I*) equal (to); *gr.* ***stopień ~*** positive; ***w ~m wieku*** of the same age

rózga *f* (*-i*; *G -z*[*e*]*g*) rod, cane

róż *m* (*-u*; *-e*) rouge, pink

róża *f* (*-y*; *G -*) rose; **~niec** *m* (*-ńca*; *-ńce*) *rel.* rosary; **~ny** rosy, rose

różdżka *f* (*-i*; *G -dżek*) divining rod; ***~ czarodziejska*** magic wand

różni|ca *f* (*-y*; *G -*) difference (*też math.*); **~cować** (*-uję*) differentiate; **~czkowy**: *math.* ***rachunek ~czkowy*** differential calculus; **~ć** (*-ę*; *-nij!*) differ (**się** *v/i.*; *I*, ***pod względem*** *G* in; ***od*** *G* from); **~e** *adv.* differently

różno|barwny multicolo(u)red; **~języczny** multilingual; **~raki** → **~rodny** (**-ko**) *adv.* in a multifarious way; **~rodny** multifarious, diverse; **~ść** *f* (*0*) diversity; *zwł. pl.* (***różne***) ***~ści*** all sorts

różny → ***rozmaity***; (*odmienny*) different (***od*** *G* from)

różow|ić ⟨**za-**⟩ (*-ę*) become pink *lub* rosy; ***~ić*** ⟨**za-**⟩ ***się*** → **~ieć** ⟨**po-**⟩ (*-eję*) become pink *lub* rosy; **~o** *adv. fig.* in an optimistic way; **~y** pink; *wino*, *fig.* rosy

różyczka (*-i*; *0*) *med.* German measles *sg.*

RP *skrót pisany*: ***Rzeczpospolita Polska*** Republic of Poland

RPA *skrót pisany*: ***Republika Południowej Afryki*** Republic of South Africa

rtęć *f* (*-ci*; *0*) *chem.* mercury

rubaszny ribald, bawdy

rubin *m* (*-u*; *-y*) ruby; **~owy** ruby

rubryka *f* (*-i*; *G -*) column

ruch *m* (*-u*; *-y*) movement (*też fig.*, *pol.*); (*statku*, *ręki*) motion; (*drogowy*) traffic; (*w grach*) move; (*maszyny*) operation; ***bez ~u*** motionless; ***wprawić w ~*** set in motion; ***zażywać ~u*** exercise

ruchliw|ość *f* (*-ści*; *0*) mobility; **~ie** *adv.* busily; restlessly; **~y** busy; (*bez przerwy*) restless

rucho|mo *adv.* movably; movingly; **~mości** *f/pl.* *jur.* movables *pl.*; **~my** movable; moving

ruda *f* (*-y*; *G -*) (***żelaza*** iron) ore

rudera *f* (*-y*; *G -*) hovel, dump

rudobrody with a red beard, red-bearded

rudowiec *m* (*-wca*; *-wce*) *naut.* ore carrier

rudy red

rudzik *m* (*-a*; *-i*) *zo.* robin

ruf|a *f* (*-y*; *G -*) *naut.* stern; ***na ~ie*** astern, aft

rugować ⟨**wy-**⟩ (*-uję*) drive out; oust

ru'ina *f* (*-y*; *G -*) ruin

rujnować ⟨**z-**⟩ (*-uję*) ruin (***się*** o.s.)

rulet|a *f* (*-y*; *G -*), **~ka** *f* (*-i*; *G -tek*) roulette; ***~ka*** *też tech.* measuring tape

rulon *m* (*-u*; *-y*) roll

rum *m* (*-u*; *-y*) rum

rumian|ek *m* (*-nku*; *-nki*) *bot.* camomile, chamomile; **~y** ruddy

rumie|nić *gastr.* ⟨**ob-**, **przy-**⟩ brown; ***~nić*** ⟨**za-**⟩ ***się*** blush, flush; **~niec** *m* (*-ńca*; *-ńce*) blush, flush; ***nabrać***

~ńców gain colo(u)r; *fig.* take shape
rumor *m* (*-u*; *-y*) racket, din
rumowisko *n* (*-a*; *G -*) debris
rumsztyk *m* (*-u*; *-i*) *gastr.* rump steak
Rumu|nia *f* (*-ii*; *0*) Romania; **~n** *m* (*-a*; *-i*), **~nka** *f* (*-i*; *G -nek*) Romanian; **℞ński** Romanian; ***mówić po ℞ńsku*** speak Romanian
runąć *pf.* (*-nę*, *-ń!*) fall, collapse; *plany*: fail
runda *f* (*-y*; *G -*) (*w sporcie*) round, bout
rupieciarnia *f* (*-i*; *-e*) junk-room
rupiecie *m/pl.* (*-ci*) junk
rur|a *f* (*-y*; *G -*) pipe; **~ka** *f* (*-i*; *G -rek*) tube; ***~ka do picia*** straw
rurociąg *m* pipeline; ***~ gazowy*** gas pipe
rusałka *f* (*-i*; *G -łek*) nymph
ruski F Russian
rusy'cystyka *f* (*-i*) (*studia*) Russian studies *pl.*; (*instytut*) Russian department
ruszać (*-am*) *v/t.* move (**ręką** the hand; ***się*** *v/t.*); touch; *v/i. pojazd*: pull out; (*w podróż*) set off; *silnik*: start; ***~ się*** move; stir
ruszt *m* (*-u*; *-y*) (*pieca*) grate; (*do pieczenia*) grill
rusztowanie *n* (*-a*; *G -ań*) scaffolding
ruszyć *pf.* → ***ruszać***; ***nie ~ palcem*** not lift a finger
rutynow|any experienced; **~y** routine
rwać ⟨***po-***⟩ tear (***się*** *v/i.*); ⟨***wy-***⟩ tear out; *ząb* pull out; ⟨***ze-***⟩ *plakat itp.* tear off, tear down; *kwiaty itp.* pick; *v/i. impf.* (*t-ko 3. os.*) ache; ***~*** ⟨***po-***⟩ ***się*** break; *fig.* ***~ się*** (***do*** *G*) be dying (to *bezok.*), be keen (on)
rwący *potok* raging; *ból* stabbing
rwetes *m* (*-u*; *0*) hubbub, turmoil
ryb|a *f* (*-y*; *G -*) *zo.* fish; ***gruba ~a*** *fig.* big noise; ***iść na ~y*** go fishing; **℞y** *pl. znak Zodiaku:* Pisces; ***on/ona jest spod znaku ℞*** he/she is (a) Pisces
ryb|acki fishing; **~aczka** *m* (*-i*; *G -czek*), fisher; ***~aczki*** *pl.* (*spodnie*) dungarees *pl.*; **~ak** *m* (*-a*; *-cy*) fisher; **~ka** *f* (*-i*; *G -bek*) → ***ryba***; ***złota ~ka*** goldfish; **~ny** fish
rybołówstwo *n* (*-a*; *0*) fishery, fishing
ryc. *skrót pisany*: ***rycina*** fig. (*figure*)
rycerski knightly; (*też uprzejmy*) chivalrous
rycerz *m* (*-a*; *-e*) *hist.* knight
rychł|o *adv.* shortly; ***~o patrzeć jak*** at any moment; **~y** early
rycina *f* (*-y*; *G -*) figure
rycyna *f* (*-y*; *0*) *med.* castor oil
ryczałt *m* (*-u*; *-y*) flat-rate payment; ***~em*** by flat-rate payment; **~owy** flat-rate, lump
ryczeć (*-ę*, *-y*) roar; *syrena*: wail
ry|ć (*-ję*, *ryj!*; *rył*, *ryty*) burrow; *napis* inscribe; **~del** *m* (*-dla*; *-dle*) spade
rydz *m* (*-a*; *-e*) *bot.* saffron milk cap
ryg|iel *m* (*-gla*; *-gle*) bolt; **~lować** ⟨***za-***⟩ (*-uję*) bolt
rygor *m* (*-u*; *-y*) discipline; *jur.* ***pod ~em*** (*G*) under the penalty (of); **~ystyczny** rigorous
ryj 1. *m* (*-a*; *-e*) snout; V mug; **2.** → ***ryć***
ryk *m* (*-u*; *-i*) roar, bellow, yell; **~nąć** *v/s.* (*-nę*) → ***ryczeć***
rym *m* (*-u*; *-y*) rhyme
rymarz *m* (*-a*; *-e*) leather-worker
rymować (*-uję*) rhyme (***się*** *v/s.*)
rynek *m* (*-nku*; *-nki*) market(place); *econ.* (***krajowy*** domestic) market; ***wypuścić na ~*** launch; ***~ papierów wartościowych*** stock exchange
rynkowy market
ryn|na *f* (*-y*; *G -nien*) gutter; drainpipe; **~sztok** *m* (*-u*; *-i*) gutter
rynsztunek *m* (*-nku*; *-nki*) gear; *hist.* suit of armo(u)r
rypsowy *włok.* rep
rys. *skrót pisany*: ***rysunek*** fig. (*figure*)
rys *m* (*-u*; *-y*) feature; ***~ charakteru*** trait; ***~y twarzy*** facial features; **~a** *f* (*-y*; *G -*) crack; scratch; *fig.* flaw; **~ik** *m* (*-a*; *-i*) lead
ryso|pis *m* (*-u*; *-y*) personal description; **~wać** ⟨***na-***⟩ (*-uję*) draw; ⟨***po-***⟩ scratch; ***~wać*** ⟨***za-***⟩ ***się*** begin to emerge; ⟨***po-***⟩ become scratched; **~wnica** *f* (*-y*; *G -*) drawing-board; **~wniczka** *f* (*-i*; *G -czek*) draughtswoman; **~wnik** *m* (*-a*; *-cy*) draughtsman
rysun|ek *m* (*-nku*; *-nki*) (***w ołówku, węglem*** pencil, charcoal) drawing; ***nauka ~ku*** drawing lessons *pl.*; **~ki** *pl. szkoła*: drawing class; **~kowy** drawing; ***film ~kowy*** (animated) cartoon
ryś *m* (*-sia*; *-sie*) *zo.* lynx
rytm *m* (*-u*; *-y*) rhythm; **~iczny** rhythmic(al)
rytować ⟨***wy-***⟩ engrave
rytualny ritual
rywal *m* (*-a*; *-e*) rival, competitor; **~izacja** *f* (*-i*; *-e*) rivalry; competition; **~izo-**

R

wać (*-uję*) compete (***z*** *I* with; ***o*** *L* for); **~ka** *f* (*-i*; *G -lek*) rival, competitor
ryzykancki risky; reckless
ryzyko *n* (*-a*; *0*) risk; **~wać** (*-uję*) risk; **~wny** risky
ryż *m* (*-u*; *0*) *bot.*, *gastr.* rice; **~owy** rice
ryży → ***rudy***
rzadk|i rare; uncommon; infrequent; *płyn*, *włosy itp.* thin; ***z ~a*** rarely, once in a while; **~o** *adv.* rarely; uncommonly; thinly; sparsely; ***~o zaludniony*** sparsely populated; ***~o kto*** hardly anyone; **~ość** *f* (*-ści*; *0*) rarity
rzadziej *adv. comp. od* → ***rzadko***
rząd[1] *m* (*rzędu*; *rzędy*) line, row; *biol*, *math.* order; ***z rzędu, pod ~*** in a row; in succession; ***drugi z rzędu*** next; ***w pierwszym rzędzie*** above all, in the first place; ***wydatki rzędu ...*** expenses in the order of ...
rząd[2] (*-u*; *-y*) government; **~y** *pl.* rule, regime; ***związek ~u*** *gr.* agreement, concord; **~ca** *m* (*-y*; *G -ów*) administrator, manager
rządek *m* (*-dka*; *-dki*) row, line
rzą|dowy government(al); **~dzić** (*-dzę*) (*I*) govern (*też gr.*); *fig.* order about; ***~dzić się*** give the orders
rzec say; ***jak się rzekło*** as I've said; ***~ można*** one can say
rzecz *f* (*-y*) thing; (*sprawa*) matter; ***~ sama przez się zrozumiała*** self-evident thing; ***ogólnie ~ biorąc*** in general; (***cała***) ***~ w tym, że*** the matter is (that); ***ściśle ~ biorąc*** to be precise; ***na ~*** (*G*) in favo(u)r (of); ***od ~y*** irrelevant(ly); ***jak ~y stoją, jak się ~ ma*** as things stand (at the moment); ***mówić od ~y*** wander; (***przystąpić***) ***do ~y*** come to the point; ***co to ma do ~y?*** what has that got to do with it?; ***niestworzone ~y*** nonsense
rzeczka *f* (*-i*; *G -czek*) → ***rzeka***
rzeczni|czka *f* (*-i*; *G -czek*), **~k** *m* (*-a*; *-cy*) (***rządu*** government's) spokesperson; ***~k patentowy*** patent agent; ***~k praw obywatelskich*** ombudsman, ombudswoman
rzeczny river
rzeczo|wnik *m* (*-a*; *-i*) *gr.* noun; **~wo** *adv.* to the point; **~wość** *f* (*-ści*; *0*) matter-of-factness; **~wy** matter-of-fact; businesslike; **~znawca** *m* (*-y*; *G -ców*) expert
rzeczpospolita *f* [-'pOli-] (*rzecz*[*y*]... *'litej*, ...*'litą itp.*; *'lite*, *-'litych -itp.*) republic; ***℞ Polska*** the Republic of Poland
rzeczywist|ość *f* (*-ści*; *0*) reality; ***w ~ości*** in reality; as a matter of fact; **~y** real; ***~y członek*** full member
rzeczywiście *adv.* really
rzednąć ⟨**z-**⟩ (*-nę*, *-nął/-dł!*) thin, become thin
rzek|a *f* (*-i*; *G -*) river; *fig.* stream; ***w górę ~i*** upstream
rzek|li, ~ł(a, -o) → ***rzec***; **~omo** *adv.* allegedly; **~omy** alleged
rzekotka *f* (*-i*; *G -tek*) *zo.* tree frog
rzemie|nny leather; **~ń** *m* (*-nia*; *-nie*) (leather) belt, (leather) strap
rzemieślni|czy craft guild; **~k** *m* (*-a*; *-cy*) craftsman, tradesman
rzemiosło *n* (*-a*; *G -*) craft, trade; ***~ artystyczne*** arts and crafts *pl.*
rzemyk *m* (*-a*; *-i*) strap
rzep *m* (*-a*; *-y*) burr; (*zapięcie*) *TM* Velcro ; **~a** *f* (*-y*; *G -*) *bot.* turnip; **~ak** *m* (*-a*; *-i*) *bot.* rape
rzepka *f* (*-i*; *G -pek*) → ***rzepa***; *anat.* kneecap
rzesz|a *f* (*-y*; *G -e*) throng, crowd; **~e** *pl.* masses *pl.*; **℞a** *hist.* Third Reich
rześk|i fresh; brisk; **~o** *adv.* briskly
rzetelny upright; credible
rzewny sentimental, mawkish, maudlin
rzeź *f* (*-zi*; *-zie*) slaughter (*też fig.*); ***bydło na ~*** animals for slaughter
rzeźba *f* (*-y*; *G -*) (***w brązie*** bronze) sculpture; *geol.* relief
rzeźbi|arka *f* (*-i*; *G -rek*) sculptor; **~arstwo** *n* (*-a*; *0*) sculpture; **~arz** *m* (*-a*; *-e*) sculptor; **~ć** ⟨**wy-**⟩ (*-bię*) sculpture, sculpt
rzeźni|a *f* (*-i*; *-e*) slaughterhouse, abattoir; **~k** *m* (*-a*; *-cy*) butcher
rzeźw|iąco *adv.*, **~ić** (*-ę*) → ***orzeźwiać***; **~y** (**-wo** *adv.*) → ***raźny, rześki***
rzeżączka *f* (*-i*; *0*) gonorrh(o)ea
rzęd|na *f* (*-nej*; *-ne*) *math.* ordinate; **~owy**: ***siew ~owy*** drilling; ***silnik ~owy*** in-line engine; **~y** *pl.* → ***rząd***[1]
rzęsa *f* (*-y*; *G -*) eyelash
rzęsist|ek *m* (*-tka*; *-tki*) *med.* trichomonad; **~y** *deszcz* heavy; *brawa* thunderous; ***~e łzy*** a flood of tears
rzęsiście *adv.* heavily; thunderously
rzężenie *n* (*-a*; *G -eń*) *med.* death-rattle

R

rznąć → ***rżnąć***
rzodkiew *f* (*-kwi*; *-kwie*), **~ka** *f* (*-i*; *G -wek*) radish
rzuc|ać (*-am*) ⟨**~ić**⟩ (*-cę*) *v/t.* throw (*też fig.*); → ***ciskać***; *dom* abandon; *palenie* give up; *uwagę* drop; *kogoś* walk out on; ***~ać*** ⟨***~ić***⟩ ***się*** (***na*** *A*) fall (on), pounce (on); (***do*** *G*) rush (to *bezok.*); ***~ać się do ucieczki*** take (to) flight; ***~ać się na szyję*** fling one's arms around s.o.'s neck; ***~ać się w oczy*** stand out
rzut *m* (*-u*; *-y*) throw (*też sport*); *math.*, *tech.* projection; ***~ karny*** penalty; ***na pierwszy ~ oka*** at first glance; (*w piłce nożnej*) ***~ rożny*** corner (kick); ***~ wolny*** free kick; **~ki** dynamic, go-ahead; enterprising; **~kość** *f* (*-ści*; *0*) spirit of enterprise; **~nik** *m* (*-a*; *-i*) projector; **~ować** (*-uję*) project
rzygać (*-am*) V puke
rzym. kat. *skrót pisany*: ***rzymskokatolicki*** RC (*Roman Catholic*)
Rzym *m* (*-u*; *0*) Rome; **~ianin** *m* (*-a*; *-anie*, *-*), **~ianka** *f* (*-i*; *G -nek*) Roman; **ꝏski** Roman; **ꝏskokatolicki** Roman Catholic
rżeć (*-ę*, *-y*) neigh
rżnąć (*im*)*pf* (*-nę*) saw; cut; *bydło* slaughter; (*grać*) blare out; V *kogoś* screw; ***~ w karty*** play cards
rżysko *n* (*-a*) stubble

S

s *skrót pisany*: ***strona*** p. (*page*); ***siostra*** s. (*sister*); ***sekunda*** s (*second*)
sabot|aż *m* (*-u*; *-e*) sabotage, subversion; **~ażysta** *m* (*-y*; *-ści*, *-ów*), **-tka** *f* (*-i*; *G -tek*) saboteur; **~ować** (*-uję*) sabotage
sacharyna *f* (*-y*; *0*) saccharine
sad *m* (*-u*; *-y*) orchard
sadło *n* (*-a*; *0*) fat
sadowić się ⟨***u- się***⟩ (*-ę*, *-ów!*) settle (o.s.)
sadownictwo *n* (*-a*; *0*) fruit-growing
sadyst|a *m* (*-y*; *-ści*), **~ka** *f* (*-i*; *G -tek*) sadist; **~yczny** sadistic
sadza *f* (*-y*; *-e*) soot
sadz|ać (*-am*) seat, put; **~awka** *f* (*-i*; *G -wek*) pond; **~ić** ⟨***po-***⟩ (*-dzę*) *agr.* plant; **~onka** *f* (*-i*; *G -nek*) seedling; **~ony**: *gastr.* ***jajko ~one*** fried egg
sadź *f* (*-dzi*; *0*) hoarfrost, white frost
sakiewka *f* (*-i*; *G -wek*) purse
sakrament *m* (*-u*; *-y*) *rel.* sacrament; ***ostatnie ~y*** extreme unction
saksofon *m* (*-u*; *-y*) *mus.* saxophone
saksoński Saxon
sala *f* (*-i*; *-e*) room, hall; (*w szpitalu*) ward; ***~ gimnastyczna*** gym(nasium); ***~ operacyjna*** *Brt.* operating theatre, *Am.* operating room
salaterka *f* (*-i*; *G -rek*) salad-bowl
salceson *m* (*-u*; *-y*) *gastr. Brt.* brawn, *Am.* head cheese
saldo *n* (*-a*) balance
saletra *f* (*-y*; *G -*) *chem. Brt.* saltpetre, *Am.* saltpeter
salomonowy Solomon's; ***wyrok ~*** a judgement of Solomon
salon *m* (*-u*; *-y*) drawing-room; (*w hotelu*) salon (*też fryzjerski itp.*); (*ze sprzętem*) showroom; **~owy** drawing-room
salowa *f* (*-ej*; *-e*) ward maid
salutować ⟨***za-***⟩ (*-uję*) salute
salwa *f* (*-y*; *G -*) salvo, volley; (*śmiechu*) peal, burst
sałat|a *f* (*-y*; *G -*) *bot.*, *gastr.* (***głowiasta*** head) lettuce; **~ka** *f* (*-i*; *G -tek*) (***śledziowa, jarzynowa*** herring, vegetable) salad
sam 1. *pron.*, oneself; *m* himself, ***~a*** *f* herself; ***~o*** *n* itself, ***~e*** *pl.*, ***~i*** *m-os* themselves; (*samotny*) alone; (*bez pomocy*) by himself *etc.*; ***~ sobie*** to himself *etc.*; ***~ w sobie*** in itself; as such; ***~ jeden*** all alone; ***do ~ej góry*** to the very top; ***nad ~ym brzegiem*** just on the shore; ***~e fakty*** only the facts; ***z ~ego rana*** first thing in the morning; ***w ~ą porę*** just in time; ***ten ~, ta ~a, to ~o*** the same; ***tym ~ym*** by the same token; ***~ na ~*** in private; *n* (*idkl.*) tête-à-tête; → ***tak, tyle***; **2.** *m* (*-u*; *-y*) self-service shop
sami|ca *f* (*-y*; *-e*, *G -*), **~czka** *f* (*-i*; *G -czek*) *zo.* female; *w złoż.* she-; **~ec** *m* (*-mca*; *-mce*) *zo.* male; *w złoż.* he-

S

samobój|ca *m* (*-y*; *G -ców*) suicide; **~czo** *adv.* suicidally; **~czyni** *f* (*-yń*; *-ynie*) suicide; **~czy** suicidal; ***gol ~czy*** own goal; **~stwo** *n* (*-a*; *G -*) suicide
samo|chodowy (motor)car, automobile; motoring; **~chód** *m* (*-chodu*; *-chody*) *mot.* car, *zwł. Am.* automobile; ***~chodem*** by car; **~chwalstwo** *n* (*-a*; *0*) self-praise; **~czynny** automatic; **~dział** *m* (*-u*; *-y*) homespun; **~dzielność** *f* (*-ści*; *0*) independency; **~dzielny** independent; **~głoska** *f gr.* vowel; **~gon** *m* (*-u*; *0*) *Brt.* poteen, *zwł. Am.* moonshine; **~istny** spontaneous; **~krytyczny** self-critical; **~krytyka** *f* self-criticism; **~kształcenie** *n* self-education
samolot *m* (*-u*; *-y*) *aviat. Brt.* (aero)-plane, *Am.* (air)plane, aircraft; ***~em*** by plane; **~owy** plane, aircraft
samo|lub *m* (*-a*; *-y/-i*) egoist; **~lubny** egoistic, selfish; **~naprowadzający się** *mil.* homing; **~obrona** *f* self-defence; **~obsługa** *f* self-service; **~obsługowy** self-service; **~pał** *m* (*-u*; *-y*) spring gun; *hist.* arquebus; **~poczucie** *n* feeling; **~pomoc** *f* self-help, mutual aid; **~przylepny** self-adhesive; **~rodny** self-generated; self-produced; autogenous
samorząd *m* self-government; local government; **~ny** self-governing; independent; **~owy** self-governing, local-government
samo|rzutny spontaneous; **~sąd** *m* self-administered justice; **~spalenie** *n* self-immolation by burning; **~stanowienie** *n* (*-a*; *0*) *pol.* self-determination; **~tnica** *f* (*-y*; *-e*) solitary, recluse; **~tnie** *adv.* alone; **~tnik** *m* (*-a*; *-cy*) solitary, recluse; **~tność** *f* (*-ści*, *0*) loneliness; solitude; **~tny** solitary, lonely; *rodzic* single
samo|uczek *m* (*-czka*; *-czki*) self-study textbook; **~uk** *m* (*-a*; *-cy/-ki*) autodidact; ***on jest ~ukiem*** he is self-taught; **~wola** *f* wil(l)fulness; arbitrariness; **~wolny** wil(l)ful; arbitrary; **~wystarczalny** self-sufficient; *pol.* autarkic; **~wyzwalacz** *m phot.* delayed-action shutter release; self-timer; **~zachowawczy**: ***instynkt ~zachowawczy*** survival instinct; **~zaparcie** *n* self-denial; **~zapłon** *m tech.* spontaneous ignition
samozwańczy self-assumed, self-styled

sanatorium *n* (*idkl.*; *-a*, *-iów*) sanatorium
sandacz *m* (*-a*; *-e*) *zo.* zander
sandał *m* (*-a*; *-y*) sandal; **~ek** *m* (*-łka*; *-łki*) → ***sandał***
sandałowy sandal
saneczk|i *pl.* (*-czek*) sledge
sanie *pl.* (*-sań*) sledge; (*konne*) sleigh
sanitar|iusz *m* (*-a*; *-e*) male nurse; *mil.* medical orderly; **~iuszka** *f* (*-szki*; *-szek*) *mil.* nurse; **~ka** F *f* (*-i*; *G -rek*) ambulance; **~ny** sanitary
sankcj|a *f* (*-i*; *-e*) sanction; **~onować** (*-uję*) sanction
san|ki *pl.* (*-nek*) sledge, *zwł. Am.* sled; *sport*: toboggan; **~na** *f* (*-y*; *0*) sleigh ride
sapać (*-ię*) pant, gasp
saper *m* (*-a*; *-rzy*) *mil.* engineer
sardela *f* (*-i*; *-e*) *zo.* anchovy
sardynka *f* (*-i*; *-nek*) *zo.* sardine
sarkać (*-am*) grumble, complain
sarkastyczny sarcastic
sarn|a *f* (*-y*; *G -ren*) *zo.* deer; **~ina** *f* (*-y*; *0*) venison; *gastr.* roast venison
sasanka *f* (*-i*; *G -nek*) *bot.* anemone
saski Saxon
saszetka *f* (*-i*; *G -tek*) sachet
sateli|ta *m* (*-y*; *G -tów*) satellite; **~tarny** satellite; ***antena ~tarna*** satellite dish
satyna *f* (*-y*; *G -*) satin
satynow|any *papier* supercalendered; **~y** satin; *fig.* satiny
satyr|a *f* (*-y*; *G -*) satire; **~yczny** satirical
satysfakcj|a *f* (*-i*; *0*) satisfaction; gratification; **~onować** (*-uję*) satisfy; **~onujący** *też* rewarding
są *3. os. pl. pres.* → ***być***
sącz|ek *m* (*-czka*; *-czki*) filter; *tech.*, *med.* drain; **~yć** (*-ę*) filter; *napój* sip; ***~yć się*** seep, trickle
sąd *m* (*-u*; *-y*) *jur.* court; (*ocena*) judg(e)-ment, verdict; ***~ ostateczny*** Last Judgement; ***ꝏ Najwyższy*** Supreme Court; ***podawać do ~u*** go to court, sue; ***wyrobić sobie ~*** (***o*** *L*) form an opinion (about); **~ownictwo** *n* (*-a*; *0*) jurisdiction; **~ownie** *adv.* legally; **~owy** judicial; *medycyna* forensic; ***w drodze ~owej*** through legal action
sądzić (*-dzę*) *v/i.* (*oceniać*) evaluate, judge; have an opinion (***o*** *L* about); form an opinion (***po*** *L*; ***z*** *G* by, from); *v/t. jur.* try (***za*** *A* for); (***nie***) ***sądzę, że*** I (don't) think that

sąg *m* (*-a/-u*; *-i*) cord
sąsiad *m* (*-a*; *sąsiedzi*, *-adów*), **~ka** *f* (*-i*; *G -dek*) neighbo(u)r; **~ować** (*-uję*) (**z** *I*) live next door (to); *państwo*: border (on)
sąsie|dni neighbo(u)ring; next door (to); **~dzki** neighbo(u)rly; ***mieszkać po ~dzku*** live next door to; **~dztwo** *n* (*-a*; *0*) neighbo(u)rhood; vicinity
sążnisty very long
scalony *obwód* integrated
scen|a *f* (*-y*; *G -*) scene; *theat.*, *fig.* stage; *pol.* arena; **~ariusz** *m* (*-a*; *-e*) script, scenario (*też fig.*); **~arzysta** *m* (*-y*; *-ści*) scriptwriter; **~eria** *f* (*GDL -rii*; *-e*) scenery; setting; **~iczny** stage
scenograf *m* (*-a*; *-owie*) set designer
sceptyczny sceptic
schab *m* (*-u*; *-y*) *gastr.* pork loin; **~owy**: ***kotlet ~owy*** pork chop
schadzka *f* (*-i*; *G -dzek*) date, tryst
schemat *m* (*-u*; *-y*) pattern; (*działania*) routine; *tech.* circuit diagram; **~yczny** *działanie* routine; *wykres* schematic
schlany F blind drunk
schlebiać (*-am*) flatter
schludn|ie *adv.* tidily, neatly; **~y** tidy, neat
schnąć (*-nę*, *-nął/sechł*, *schła*) dry; *roślina*: wither; *fig.* pine away (**z** *G* for)
schod|ek *m* (*-dka*; *-dki*) stair, step; **~owy** staircase; → ***klatka***; **~y** *pl.* (*-ów*) stairs *pl.*; ***ruchome ~y*** escalator; ***zejść po ~ach*** go down the stairs
schodzić (*-dzę*) go down, descend; move (***na bok*** aside); get (***z drogi*** out of one's way); *farba*, *skóra*: peel; *plama*: come out; ***~ na ląd*** go ashore; ***~ z konia*** dismount; → ***zejść***; ***~ się*** get together, meet; assemble
scho|rowany emaciated; **~rzenie** *n* (*-a*; *G -eń*) disorder; (***serca*** heart) condition
schow|ać *pf.* → ***chować***; **~ek** *m* (*-wka*; *-wki*) → ***skrytka***
schron *m* (*-u*; *-y*) shelter
schroni|ć się *pf.* → ***chronić***; **~enie** *n* (*-a*; *0*) shelter; **~sko** *n* (*-a*; *G -sk*) youth hostel; mountain hut; ***~sko dla zwierząt*** shelter
schrypnięty hoarse
schwy|cić *pf.* → ***chwytać***; **~tać** *pf.* grab, seize, grasp; catch (***na*** *L* at)
schy|lać (*-am*) → ***chylić***; **~łek** *m* (*-łku*; *0*) end(ing); ***u ~łku*** at the end; ***~łek życia*** autumn of one's life; **~łkowy** decadent
scysja *f* (*-i*; *-e*) argument, row
scyzoryk *m* (*-a*; *-i*) pocket-knife
seans *m* (*-u*; *-e*) *kino*: show(ing); presentation; seance
secesyjny: ***styl ~*** Art Nouveau
sedes *m* (*-u*; *-y*) toilet-seat
sedno *n* (*-a*; *0*) heart (***sprawy, rzeczy*** of the matter); ***trafić w ~*** hit the nail on the head
segreg|ator *m* (*-a*; *-y*) file binder; **~ować** ⟨***po-***⟩ (*-uję*) sort (out)
sejf *m* (*-u*; *-y*) safe
Sejm *m* (*-u*; *0*) *parl.* the Sejm
sekc|iarski sectarian; **~ja** *f* (*-i*; *-e*) section; ***~ja zwłok*** *med.* post-mortem (examination), autopsy
sekr *skrót pisany*: **sekretarz** S(ec.) (*secretary*)
sekre|t *m* (*-u*; *-y*) secret; ***pod ~tem, w ~cie*** in secret, confidentially; **~tariat** *m* (*-u*; *-y*) secretary's office; **~tarka** *f* (*-i*; *G -rek*), secretary; ***automatyczna ~tarka*** answering machine; **~tarz** *m* (*-a*; *-e*) secretary; **~tny** secret
seks *m* (*-u*; *0*) sex; **~owny** sexy; **~ualny** sexual
sekt|a *f* (*-y*; *G -*) sect; **~or** *m* (*-a*; *-y*) sector
sekund|a *f* (*-y*; *G -*) second; ***chodzić co do ~y*** keep perfect time; **~nik** *m* (*-a*; *-i*) second hand
Sekwana *f* (*-y*; *0*) Seine
sekwencja *f* (*-i*; *-e*) sequence
seledyn *m* (*-u*; *0*) celadon, greyish-green; **~owy** celadon, greyish-green
selek|cja *f* (*-i*; *-e*) selection; **~tywność** *f* (*-ści*; *0*) *RTV*: selectivity
seler *m* (*-a*; *-y*) *bot.* celeriac; (*nać*) celery
se|mafor *m* (*-a*; *-y*) *rail.* semaphore
semestr *m* (*-u*; *-y*) semester, term
semi'narium *n* (*idkl.*; *-a*, *-ów*) seminar; *rel.* seminary
sen. *skrót pisany*: **senator** Sen. (*Senator*)
sen *m* (*snu*; *sny*) sleep; (*marzenie*) dream; ***kłaść się do snu*** go to sleep; ***ujrzeć we śnie*** see in a dream
sena|cki Senate; **~t** *m* (*-u*; *-y*) *parl.* Senate
senior *m* (*-a*; *-rzy/-owie*), **~ka** *f* (*-i*; *G -rek*) senior
sen|ność *f* (*-ści*; *0*) sleepiness, drowsiness; **~ny** sleepy, drowsy
sens *m* (*-u*; *-y*) sense; meaning; ***z ~em*** sensibly; ***co za ~ …*** what point there is

…; ***bez ~u*** meaningless
sensac|ja *f* (*-i*; *-e*) sensation; **~yjny** sensational; ***film ~yjny*** thriller
sensowny sensible; meaningful
sentencja *f* (*-i*; *-e*) aphorism, maxim; *jur.* tenor
sentyment *m* (*-u*; *-y*) feeling; sentiment; liking; **~alny** sentimental
separ|acja *f* (*-i*; *-e*) *jur.* separation; **~atka** *f* (*-i*; *G -tek*) *med.* isolation room; **~ować** (*-uję*) separate
seplenić (*-ę*) lisp
ser *m* (*-a*; *-y*) cheese; ***~ topiony*** processed cheese; ***biały ~*** cottage cheese
Serb *m* (*-a*; *-owie*) Serb; **~ia** *f* (*GDL -ii*; *0*) Serbia; **~ka** *f* (*-i*; *G -bek*) Serb; **≈ski** Serbian; ***mówić po ≈sku*** speak Serbian
serc|e *n* (*-a*; *G -*) heart (*też fig.*); (*dzwonu*) clapper; ***chory na ~e*** suffering from a heart condition; ***brak ~a*** heartlessness; ***brać do ~a*** take to heart; ***przypaść do ~a*** grow fond (of); ***z całego ~a*** whole-heartedly; ***w głębi ~a*** at heart; **~owy** *med.* cardiac; romantic
serdeczn|ość *f* (*-ści*; *0*) kindness; warmth; **~y** kind; warm; ***~y palec*** ring finger; ***~y przyjaciel*** bosom friend
serdel|ek *m* (*-lka*; *-lki*) frankfurter; **~owy**: ***kiełbasa ~owa*** pork sausage
serduszko *f n* (*-a*; *G -szek*) → ***serce***
seria *f* (*GDL -ii*; *-e*) series; (*znaczków*) set; (*zastrzyków*) course; *mil.* burst; **~l** *m* (*-a*; *-e*) *RTV*: serial, series
serio: ***na ~*** seriously, in earnest
sernik *m* (*-a*; *-i*) *gastr.* cheesecake
serwantka *f* (*-i*; *G -tek*) display cabinet
serwatka *f* (*-i*; *G -tek*) whey
serwet|a *f* (*-y*; *G -*) tablecloth; **~ka** *f* (*-i*; *G -tek*) (***bibułkowa*** paper) napkin; → ***serweta***
serwis *m* (*-u*; *-y*) (***do kawy*** coffee) set; (*obsługa*) service; (*w tenisie*) serve
serwować (*-uję*) serve
seryjny serial; mass-produced
sesja *f* (*-i*; *-e*) session
set *m* (*-a*; *-y*) *sport*: set
seter *m* (*-a*; *-y*) *zo.* setter
set|ka *f* (*-i*; *G -tek*) hundred; F (*w sporcie*) hundred *Brt.* metres, *Am.* meters; F double vodka 100 *Brt.* gramme, *Am.* gram; F pure wool; **~ny** hundredth; ***jedna ~na*** one hundredth
Seul *m* (*-u*; *0*) Seoul
sezon *m* (*-u*; *-y*) season
sędzia *m* (*-i[ego]*, *i[emu]*, *-iego*, *-io!*, *-ią*, *i[m]*; *-owie*, *-ów*) *jur.* judge; (*w sporcie*) judge, referee, umpire
sędziowski judicial
sędziwy aged, advanced in years
sęk *m* (*-a*; *-i*) knot; F ***w tym ~, że*** the snag is; **~aty** gnarled
sęp *m* (*-a*; *-y*) *zo.* vulture
sfał-, sfas- *pf.* → ***fał-, fas-***
sfer|a *f* (*-y*; *G -*) sphere (*też fig.*); (*w społeczeństwie*) class; *fig.* area; **~yczny** spherical
sfi- *pf.* → ***fi-***
sfor- *pf.* → ***for-***; **~mułowanie** *n* (*-a*; *G -ań*) formulation, wording
sfru- *pf.* → ***fru-***
siać ⟨***po-, za-***⟩ (*-eję*) sow (*też fig.*)
siad *m* (*-u*; *-y*) *sport*: seat, (*kucnięcie*) squat; **~ać** (*-am*) sit (down) (***do*** *G*, ***przy*** *I* at); *aviat.* land
siano *n* (*-a*; *0*) hay; **~kosy** *pl.* (*-ów*) hay harvest, haymaking
siarcz|an *m* (*-u*; *-y*) *chem. Brt.* sulphate, *Am.* sulfate; **~any** *Brt.* sulphurous, *Am.* sulfurous; **~yn** *m* (*-u*; *-y*) *Brt.* sulphite, *Am.* sulfite; **~ysty** (*mocny*) powerful; *mróz* biting
siark|a *f* (*-i*; *0*) *chem. Brt.* sulphur, *Am.* sulfur; **~owodór** *m chem.* hydrogen *Brt.* sulphide, *Am.* sulfide; **~owy** *Brt.* sulphur, *Am.* sulfur
siatk|a *f* (*-i*; *G -tek*) net (*też fig.*); *tech.*, *el.* grid; *chem.* lattice; ***~a na zakupy*** carrier bag, *zwł.* string bag; **~ówka** *f* (*-i*; *G -wek*) *anat.* retina; (*w sporcie*) volleyball
sią|pić (*-ę*): ***siąpi*** it is drizzling; **~ść** *pf.* → ***siadać***
sidła *n/pl.* (*-deł*) snare, trap (*też fig.*)
siebie *pron.* (*GDL* ***sobie***, *A* ***siebie*** *lub* ***się***, *I* ***sobą***) oneself; each other, one another; ***dla/do/od ~*** for/to/from oneself; ***przy/w sobie*** with/in oneself; ***po sobie*** after oneself; ***z sobą*** with oneself; ***blisko ~*** nearby, close at hand; ***u ~*** at home; ***pewny ~*** self-assured
siec *v/t.* chop, hack; *deszcz*: lash
sieciowy net, network
siecz|ka *f* (*-i*; *G -czek*) *agr.* chaff (*też fig.*); *fig.* jumble; **~na** *f* (*-ej*; *-e*) *math.* secant; **~ny** *broń* cutting
sieć *f* (*-ci*; *-ci*) net; (*komputerowa itp.*) network; (*pająka*) web

S

siedem seven; → ***734***; **~dziesiąt** seventy; **~dziesiąty** seventieth; **~dziesięcio-** *w złoż.* seventy; **~nasto-** *w złoż.* seventeen; **~nasty** seventeenth; **~naście** seventeen

siedlisko *n* (*-a*; *G -*) seat; *fig.* breeding ground, hotbed; *biol.* habitat; ***~ choroby*** site of the disease

siedmi|o- *w złoż.* seven; **~okrotny** sevenfold; seven-times; **~oletni** seven-year-old; **~oro, ~u** *m-os* seven → ***734***

siedz|enie *n* (*-a*; *G -dzeń*) seat; sitting; F (*pupa*) bottom, behind; **~iba** *f* (*-y*; *G -*) seat; **~ieć** (*-dzę*, *-i*) sit (*też fig.*); F (*w więzieniu*) do time

sieka|cz *m* (*-a*; *-e*) *anat.* incisor; chopper; **~ć** ⟨**po-**⟩ (*-am*) chop, hack; → ***siec***; ***mięso ~ne*** minced meat

siekiera *f* (*-y*; *G -*) ax(e)

sielank|a *f* (*-i*; *G -nek*) idyl(l); **~owy** idyllic

siemię *n* (*-ienia*; *0*) seed

sien|nik *m* (*-a*; *-i*) palliasse, *zwł. Am.* paillasse, pallet; **~ny**: ***katar ~ny*** hay fever

sień *f* (*-ni*; *-nie*) hall-way, entrance-hall

siero|cy orphan; **~ta** *f/m* (*-y*; *G -*) orphan

sierp *m* (*-a*; *-y*) sickle; (*cios*) hook; **~ień** *m* (*-pnia*; *-pnie*) August; **~niowy** August; **~owy** *m* (*-ego*; *-e*) (*w sporcie*) hook

sierść *f* (*-ści*; *0*) fur, coat

sierżant *m* (*-a*; *-ci*) *mil.* sergeant

siew *m* (*-u*; *-y*) sowing; **~nik** *m* (*-a*; *-i*) *agr.* seeder, seed-drill; **~ny** seed

się *pron.* oneself; *nieos.* one, *Brt.* you; ***on ~ myje*** he washes himself; ***myj ~*** wash yourself; ***jeśli ~ chce*** if one *lub Brt.* you want it; ***nigdy ~ nie wie*** one never knows; → ***czasowniki*** + ***się***

sięg|ać (*-am*) ⟨**~nąć**⟩ (*-nę*) reach (***po*** *A* for; ***do*** *G* to); *impf.* reach, extend (*G*, [***aż***] ***do*** *G* as far as); ***jak okiem ~nąć*** as far as the eye can see

sik|ać F (*-am*) ⟨**~nąć**⟩ (*-nę*) squirt, spray; F *impf.* pee; **~awka** *f* (*-i*; *G -wek*) fire hose

sikor|a *f* (*-y*; *G -*), **~ka** *f* (*-i*; *G -rek*) *zo.* tit

silić się (*-lę*) make an effort, exert o.s.; try (***na*** *A* to be)

siln|ie *adv.* strongly; powerfully; **~iej(szy)** *adv.* (*adj*). (*comp. od* → ***silnie, silny***) stronger; more powerful; **~ik** *m* (*-a*; *-i*) engine; **~ikowy** engine; **~y** strong; powerful

silos [s·i-] *m* (*-a*; *-y*) *agr.*, *mil.* silo; storage bin; **~ować** ⟨**za-**⟩ (*-uję*) ensile

siła *f* (*-y*; *G -*) (***fizyczna*** physical) strength; power; force; violence; *mil. pl.* forces *pl.*; ***~ ciężkości*** gravity; ***~ dźwięku*** volume; ***~ robocza*** workforce; ***~ wyższa*** act of God; ***nabierać sił*** recover; ***czuć się na ~ch*** feel up to; ***co sił(y)*** with all one's strength; ***w sile wieku*** in one's prime; ***siłą*** by force; ***siłą rzeczy*** inevitably; → ***opadać, wola***; **~cz** *m* (*-a*; *-e*), **~czka** *f* (*-i*; *G -czek*) athlete

siłownia *f* (*-i*; *-e*) *electr.* power station; (*w sporcie*) fitness *Brt.* centre (*Am.* center)

singel *m* (*-gla*; *-gle*) *mus.* single

sini|ak *m* (*-a*; *-i*), **~ec** *m* (*-ńca*; *-ńce*) bruise; **~eć** ⟨**po-**⟩ (*-eję*) go *lub* turn blue

sin|o *w złoż.* blue-; **~y** *adj.* (*comp. -ńszy*) blue; livid

siod|ełko *n* (*-a*; *G -łek*) (*roweru itp.*) saddle; **~ło** *n* (*-a*; *G -deł*) saddle; **~łać** ⟨**o-**⟩ (*-am*) saddle

siorbać (*-ię*) slurp

siost|ra *f* (*-y*; *G sióstr*) sister; (*zakonnica*) nun; (*pielęgniarka*) nurse; **~rzenica** *f* (*-y*; *-e*, *G -*) niece; **~rzeniec** *m* (*-ńca*; *-ńcy*) nephew

siód|emka *f* (*-i*; *G -mek*) seven; (*linia itp.*) number seven; **~my** seventh; → ***734***

sit|ko *n* (*-a*; *G -tek*) (*kuchenne*) strainer; → **~o** *n* (*-a*; *G -*) sieve; **~owie** (*a*; *0*) *bot.* bulrush

siusiu F: ⟨***z***⟩***robić ~*** pee, wee

siw|ieć ⟨**o-, po-**⟩ (*-eję*) go *Brt.* grey, *Am.* gray; **~izna** *f* (*-y*; *G -*) *Brt.* grey, *Am.* gray, hair; **~owłosy** *Brt.* grey-haired, *Am.* gray-haired; **~y** *Brt.* grey, *Am.* gray

ska, s-ka *skrót pisany*: *spółka* partnership

skafander *m* (*-dra*; *-dry*) parka; *Brt.* wind-cheater, *Am.* windbreaker; *astr.* spacesuit; *aviat.* pressure suit; *naut.* diving suit

skaka|ć (*-czę*) jump, leap; *ptak itp.*: hop; F (*do sklepu itp.*) pop; (*do wody*) dive; (*w sporcie*) hurdle; **~nka** *f* (*-i*; *G -nek*) skipping rope; ***skakać przez ~nkę*** skip

skal|a *f* (*-i*; *-e*, *-i/-*) scale (*też fig.*); ***w ~i 1:100*** to a scale of 1:100; ***na dużą/wielką ~ę*** on a large-scale

S

skalecz|enie *n* (*-a*; *G -eń*) injury; **~ony** injured; **~yć** *pf.* → ***kaleczyć***
ska|listy rocky; **~lny** rocky
skała *f* (*-y*; *G -*) rock
skamieniały petrified (*też fig.*)
skandal *m* (*-u*; *-e*) scandal, disgrace; **~iczny** scandalous, disgraceful
Skandynaw *m* (*-a*; *-owie*) Scandinavian; **~ia** *f* (*GDl -ii*) Scandinavia; **2istyka** *f* (*studia*) Scandinavian studies *pl.*; (*instytut*) department of Scandinavian studies; **~ka** *f* (*-i*; *G -wek*) Scandinavian; **2ski** Scandinavian
skan|er *m* (*-a*; *-y*) *komp.* scanner; **~ować** (*-uję*) scan
skansen *m* (*-u*; *-y*) outdoor museum; *zwł.* museum of traditional architecture
skap-, skar- *pf.* → ***kap-, kar-***
skarb *m* (*-u*; *-y*) treasure; **~ *państwa*** the Treasury, public purse; **~iec** *m* (*-bca*; *-bce*) safe; (*w banku*) strong-room; *hist.* treasure-chamber; **~nica** *f* (*-y*; *-e*, *G -*) *fig.* treasure; **~niczka** *f* (*-i*; *G -czek*), **~nik** *m* (*-a*; *-cy*) treasurer; **~onka** *f* (*-i*; *G -nek*) money-box; (*dziecka*) piggy bank; **~owy** fiscal; ***opłata ~owa*** stamp duty; ***urząd ~owy*** *Brt.* Inland Revenue, *Am.* Internal Revenue Service
skarga *f* (*-i*; *G -*) complaint (***na*** *A*, ***przeciw*** *D* against)
skarpa *f* (*-y*; *G -*) *bud.* slope
skarpet|a *f* (*-y*; *G -*), **~ka** *f* (*-i*; *G -tek*) sock
skarżyć (*-ę*) ⟨***za-***⟩ sue (***o*** *A* for); ⟨***na-***⟩ inform (***na*** *A* against); **~ *się*** complain (***na*** *A* about)
skas-, skat- *pf.* → ***kas-, kat-***
skaut *m* (*-a*; *-ci*) scout; **~ka** *f* (*-i*; *G -tek*) *Brt.* girl guide, *Am.* girl scout; **~owski** scout
skaza *f* (*-y*; *G -*) flaw, defect
skaz|ać *pf.* → ***skazywać***; **~anie** *n* (*-a*; *G -ań*) *jur.* conviction; **~any 1.** convicted; **2.** *m* **~any** (*-ego*; *-ni*), *f* **~ana** (*-ej*; *-e*) convict; **~ić** *pf.* → ***skażać***; **~ywać** (*-uję*) sentence (***na*** *A* to)
skażać (*-am*) contaminate
skąd *adv.* from where; **~ *jesteś?*** where are you from?; **~'inąd** *pron.* from elsewhere; **~'kolwiek, ~ś** *pron.* from anywhere
skąp|ić ⟨***po-***⟩ (*-ę*) (***na*** *L*) be mean (with); (***k-u*** *G*) skimp (s.o. s.th.); **~o** *adv.* sparingly; scantily; **~iec** *m* (*-pca*; *-pcy*) miser; **~stwo** *n* (*-a*; *0*) miserliness; **~y** miserly, stingy
skierowa|ć *pf.* → ***kierować***; ***~ć się*** (***do*** *G*, ***ku*** *D*) turn (to); **~nie** *n* (*-a*; *G -ań*) pass, authorization
skin *m* (*-a*; *-i/-owie*) skinhead
skinąć *pf.* (*-nę*, *-ń!*) (***na*** *A*) beckon (to); **~ *głową*** nod
skinienie *n* (*-a*; *G -eń*) sign (with one's hand); (*głową*) nod
skisły sour, fermented; → ***kisnąć***
skle|jać (*-am*) ⟨**~ić**⟩ cement (together), paste (together), glue (together)
sklejka *f* (*-i*; *G -jek*) plywood
sklep *m* (*-u*; *-y*) *zwł. Brt.* shop, *zwł. Am.* store
sklepienie *n* (*-a*; *G -eń*) vault
sklepika|rka *f* (*-i*; *G -rek*), **~rz** *m* (*-a*; *-e*) *Brt.* shopkeeper, *Am.* storekeeper
sklep|iony vaulted; **~owy** *Brt.* shop, *Am.* store
skleroza *f* (*-y*) sclerosis
skład *m* (*-u*; *-y*) composition (*też chem.*); (*magazyn*) store, warehouse; *print.* setting; (*w sporcie*) lineup; ***wchodzić w ~*** (*G*) be included (in), be a member (of); ***w pełnym składzie*** complete, in full strength
składać (*-am*) (*zestawiać*) put together, assemble; *papier* fold; *jaja*, *wieniec* lay; *broń*, *obowiązki* lay down, resign from; *przysięgę* swear; *egzamin* sit; *podpis* put, affix; *wizytę* pay; *podanie* submit; *sprawozdanie* present, submit; *oświadczenie*, *ofiarę* make; *zeznanie*, *zastaw* give; *życzenia*, *dzięki* express; *wiersze* write; *pieniądze* save; *print.* set; → ***wkładać, złożyć***; **~ *się*** (***z*** *G*) be made up (of), be composed (of); (***na*** *A*) form; (*dać składkę*) club together (for)
skład|ak *m* (*-a*; *-i*) (*łódka*) collapsible boat; (*rower*) folding bike; **~anka** *f* (*-i*; *G -nek*) compilation; **~any** collapsible; folding; **~ka** *f* (*-i*; *G -dek*) collection; (***członkowska*** membership) fee; **~nia** *f* (*-i*; *-e*, *-i*) *gr.* syntax; **~nica** *f* (*-y*; *-e*) warehouse; **~nik** *m* (*-a*; *-i*) ingredient; component, element; *math.* summand; **~niowy** *gr.* syntactical; **~ny** *mowa* fluent; *robota* orderly
składow|ać (*-uję*) store; **~isko** *n* (*-a*; *G -*) storage place *lub* yard; ***~isko odpadów*** waste dump; **~y** storage; component
skła|m- *pf.* → ***kłam-***; **~niać** (*-am*) per-

S

suade (**k-o do** *G* s.o. to *bezok.*); → **kłonić**; **~niać się** (**do** *G*) be inclined (to); (**ku** *D*) tend (towards)
skłon *m* (*-u*; *-y*) nod; (*w sporcie*) bend; (*góry*) slope; **~ić** *pf.* → **skłaniać**; **~ność** *f* (*-ści*) inclination (**do** *G* to); susceptibility; *med.* predisposition; **~ny** (**do** *G*) inclined (to); prone (to); susceptible (to)
skłóc|ać (*-am*) ⟨**~ić**⟩ → **pokłócić**
sknera *f/m* (*-y*; *G -/-ów*) skinflint
skobel *m* (*-bla*; *-ble*, *-bli*) staple
skocz|ek *m* (*-czka*; *-czkowie*) jumper; (*pl. -i*) (*w szachach*) knight; **~nia** *f* (*-i*; *-e*, *-i*) ski jump; **~ny** *rytm* lively; **~yć** *pf. v/s.* (*-ę*) → **skakać**; **~yć na równe nogi** jump up
skojarzenie *n* (*-a*; *G -eń*) association
skok *m* (*-u*; *-i*) (**w dal, wzwyż** long, high) jump; **~ o tyczce** pole-vault; *mot.* (**tłoka** piston) stroke; *fig.* jump; **~owy** *anat.* ankle; *mot.* cubic
skoligacony (**z** *I*) related (to)
sko|łatany confused; troubled; **~łowany** confused
skom|en- *pf.* → **komen-**; **~leć** (*-ę*, *-/-lij!*), **~lić** (*-lę*, *-lij!*) whine, whimper; **~ple-** *pf.* → **komple-**; **~plikowany** complex, complicated; **~p(r)o-**, **~u-** *pf.* → **komp(r)o-**, **komu-**
skon|- *pf.* → **kon-**; **~ać** (*-am*) *pf.* die; **~any** F dead tired; **~sternowany** dumbfounded
skończ|ony finished (*też fig.*); completed; **~yć** *pf.* → **kończyć**; **~ywszy na** (*L*) down to…
sko|o-, **~p-** *pf.* → **koo-**, **kop-**; **~ro** *cj.* (*jak tylko*) as soon as; (*jeśli*) if; as **~roszyt** *m* (*-u*; *-y*) loose-leaf binder; **~rowidz** *m* (*-u*; *-e*) index
skorpion *m* (*-a*; *-y*) *zo.* scorpion; ♏ *znak Zodiaku:* Scorpio; **on(a) jest spod znaku ♏a** he/she is (a) Scorpio
skorumpowany corrupt
skorup|a *f* (*-y*; *G -*) shell; (*raka*) carapace; (*gliniana*) potsherd; **~a ziemska** earth's crust; **~a ślimaka** snail shell; **~iak** *m* (*-a*; *-i*) *zo.* crustacean; **~ka** *f* (*-i*) shell; **~ka jajka** eggshell
sko|ry (*m-os skorzy*) → **chętny, skłonny**; **~ry-** *pf.* → **kory-**; **~rzy-** *pf.* → **korzy-**
skos *m*: **na ~**, **w ~** obliquely, slantwise
skostniały numb
skośny oblique, slanting
skowronek *m* (*-nka*; *-nki*) *zo.* lark
skowyczeć (*-am*) howl
skór|a *f* (*-y*; *G -*) skin; (*wyprawiona*) leather; (*niewyprawiona*) hide (*też fig.*); F **dostać w ~ę** get a thrashing; **~ka** *f* (*-i*; *G -rek*) → **skóra**; (*przy paznokciu*) cuticle; (*sera*) rind; (*banana*) skin; **~ka chleba** crust; **~ka cytryny** lemon peel; **gęsia ~ka** goose flesh; **~kowy** leather; **~ny** skin
skórzany leather
skra|cać (*-am*) shorten, abbreviate; **~cać się** be short; **~dać się** (*-am*) sneak (**do** *G* up to; **przez** *A* through)
skraj *m* (*-u*; *-e*) edge; (*przepaści, też fig.*) brink; **na ~u** (*G*) on the brink (of); **~ność** *f* (*-ści*) extreme; **~ny** extreme
skra|piać (*-am*) sprinkle; **~piać wodą** sprinkle with water; **~plać** (*-am*) condense (**się** *v/i.*); *chem.* liquefy (**się** *v/i.*); **~ść** *pf.* → **kraść**; **~wać** (*-am*) cut away; **~wek** *m* (*-wka*; *-wki*) snippet; scrap
skreśl|ać (*-am*) ⟨**~ić**⟩ → **kreślić**; *list* write
skręc|ać (*-am*) ⟨**~cić**⟩ *v/t. papierosa* roll; (*wygiąć, też linę*) twist; (*zwijać*) roll up (**się** *v/i.*); *nogę* sprain; F **~cić kark** break one's neck; *v/i. os., pojazd*: turn; *rzeka, droga*: turn, bend; **~cać się** writhe (**z bólu** in pain); **~powanie** *n* (*-a*; *0*) discomfort, unease; **~powany** *fig.* → **krępować**
skręt *m* (*-u*; *-y*) twist; turning; (*zakręt*) turn; bend; *med.* torsion, twisting
skroba|czka *f* (*-i*; *G -czek*) scraper; **~ć** (*-ię*) scrape (**się** o.s.); **~ć** ⟨**o-**⟩ scrape off *lub* clean; *rybę* scale; **~nka** F *f* (*-nki*; *-nek*) (*zabieg*) curettage; (*rezultat*) abortion
skrobi|a *f* (*GDL -bi*; *0*) starch; **~owy** starch
skroić *pf.* → **skrawać**
skromn|ie *adv.* modestly; **~ość** *f* (*-ści*; *0*) modesty; **~y** modest
skroń *f* (*-ni*; *-nie*) *anat.* temple
skrop|ić *pf.* → **skrapiać**; **~lić** *pf.* → **skraplać**; **~lina** *f* (*-y*; *G -*) condensate
skró|cenie *n* (*-a*; *G -eń*) shortening; reduction; abbreviation; abridgement; **~cić** *pf.* → **skracać**; **~cony** shortened; abbreviated, abridged; **~t** *m* (*-u*; *-y*) abbreviation; abridgement; summary; (*drogi, też fig.*) shortcut; **w ~cie** in short *lub* brief; **~towiec** *m* (*-wca*; *-wce*) *gr.* acronym; **~towo** *adv.* in an abbreviated form; **~towy** shortened; abbreviated

S

skruch|a *f* (*-y*; *0*) *rel.* repentance; remorse; ***okazywać ~ę*** repent
skru|pić się *pf.*: ***~pi(ło) się na mnie*** I had to suffer the consequences (for it); **~pulatny** scrupulous, meticulous; **~puł** *m* (*-u*; *-y*) scruple(s *pl.*); ***bez ~pułów*** unscrupulous
skrusz|- *pf.* → ***krusz-***; **~ony** repentant, penitent
skrutacyjn|y: ***komisja ~a*** tellers *pl.*, *Brt.* scrutineers
skrwawiony bloody
skry|cie *adv.* in secret, secretly; **~ć** *pf.* → ***skrywać***
skrypt *m* (*-u*; *-y*) (university) textbook; ***~ dłużny*** promissory note
skry|tka *f* (*-i*; *G -tek*) secret compartment; ***~tka pocztowa*** post-office box; **~tobójstwo** *n* (*-a*; *G -stw*) treacherous murder; **~tość** *f* (*-ści*; *0*) reserve; secretiveness; **~ty** reserved; secretive; (*tajemny*) hidden; **~wać** (*-am*) hide (***się*** *v/i.*), conceal; *uczucia* harbo(u)r
skrzat *m* (*-a*; *-y*) kobold, goblin; F nipper
skrze|czeć (*-ę*, *-y*) screech, squawk; **~k** *m* (*-u*; *-i*) screech, squawk; (*jaja*) spawn; **~kliwie** *adv.* in a rasping *lub* screeching way; **~kliwy** rasping, screeching
skrzel|a *n/pl.* (*G -li*) *anat.* gills *pl.*
skrzep *m* (*-u*; *-y*) *med.* clot; **~nięty** coagulated, clotted; **~owy** clot
skrzętny assiduous, diligent
skrzyć (się) (*-ę*) glitter, sparkle
skrzyd|laty winged; **~ło** *n* (*-a*; *G -deł*) *anat.*, *aviat.* wing; *mil. Brt.* wing, *Am.* group
skrzyn|ia *f* (*-i*; *-e*) box, chest; ***~ia biegów*** gearbox; **~ka** *f* (*-i*; *G -nek*) → ***skrzynia***; (*piwa itp.*) crate
skrzyp *m* (*-u*; *-y*) creak; *bot.* horsetail; **~aczka** *f* (*-i*; *G -czek*) violinist; **~ce** *pl.* (*-piec*) *mus.* violin; **~ek** *m* (*-pka*; *-pkowie*) violinist; **~ieć** (*-ę*, *-i*) ⟨**~nąć**⟩ (*-nę*) creak; *śnieg*: crunch
skrzyżowani|e *n* (*-a*; *G -ań*) crossing, crossroad(s *sg.*); ***na ~u*** at the crossroad(s *sg.*); ***~e okrężne*** *Brt.* roundabout, *Am.* traffic circle; ***~e na autostradzie*** interchange
skubać (*-ę*) *jedzenie* nibble; *trawę* browse, graze; *drób* pluck; ⟨**o-**⟩ *kogoś* fleece
sku|ć *pf.* → ***skuwać***; **~lić** *pf.* → ***kulić***
skup *m* (*-u*; *-y*) purchase, buying
skupi|ać (*-am*) ⟨**~ć**[1]⟩ ***assemble, gather together***; focus; concentrate (***się*** *v/i.*)
skupi|ć[2] *pf.* → ***skupować***; **~enie** *n* (*-a*; *G -eń*) concentration; *chem.* ***stan ~enia*** state; ***w ~eniu*** with rapt attention, raptly; **~ony** concentrated; focused; **~sko** *n* (*-a*; *G -*) accumulation; cluster
skupować (*-uję*) buy up
skurcz *m* (*-u*; *-e*) cramp; *med.* contraction; **~ać** *pf.* → ***kurczyć***
skurwysyn *m* (*-a*; *-y*) V son of a bitch, bastard
sku|sić *pf.* → ***kusić***; **~teczny** effective, efficient; **~tek** *m* (*-tku*; *-tki*) effect, result, consequence; ***~tek prawny*** legal effect; ***~tek uboczny*** side effect; ***nie odnieść ~tku*** have no effect; ***~tkiem/na ~tek*** (*G*) as a result (of)
skuter *m* (*-a*; *-y*) motor scooter
skutkować ⟨**po-**⟩ (*-uję*) take effect, be effective
skwapliw|ie *adv.* eagerly; **~y** eager
skwar *m* (*-u*; *-y*) heat; **~ki** *m/f/pl.* (*G -ków/-rek*) cracklings *pl.*, greaves *pl.*
skwaśnieć *pf.* → ***kwaśnieć***
skwer *m* (*-u*; *-y*) green space
slajd *m* (*-u*; *-y*) *phot.* slide, transparency
slalomowy slalom
slipy *pl.* (*-ów*) briefs, underpants; (*kąpielówki*) bathing trunks *pl.*
slogan *m* (*-u*; *-y*) slogan; (*hasło*) catchword
słab|iej *adj. comp. od* ***słaby***; **~nąć** ⟨**o-**⟩ (*-ę*) get weaker; **~o** *adv.* weakly; ***czuć się ~o*** feel unwell; **~ostka** *f* (*-i*; *G -tek*) soft spot; **~ość** *f* (*-ści*; *0*) weakness; **~owity** weak; (*chorowity*) sickly, feeble; **~y** weak; poor; ***~y punkt*** flaw
słać[1] ⟨**po-**⟩ send, forward
słać[2] ⟨**po-**⟩: ***~ łóżko*** make the bed; → ***rozściełać***; *impf.* ***~ się*** stretch, spread
słaniać się (*-am*) stagger, wobble
sław|a *f* (*-y*; *0*) fame; ***światowej ~y*** world-famous; ***cieszyć się złą ~ą*** have a bad reputation; **~ić** (*-ę*) praise, exalt; **~ny** famous, eminent
słod|kawy sweetish; slightly sweet; **~ko** *adv.* sweetly; **~ki** sweet (*też fig.*); **~kowodny** freshwater; **~ycz** *f* (*-y*; *0*) sweetness; **~ycze** *pl. Brt.* sweets *pl.*, *Am.* candy
słodzi|ć ⟨**o-**⟩ (*-dzę*, *też słódź!*) sweeten; **~k** *m* (*-a*; *-i*) sweetener
słoik *m* (*-a*; *-i*) jar

słom|a *f* (*-y*; *G -*) straw; **~iany** straw; **~ka** *f* (*-i*; *G -mek*) straw; **~kowy** straw

słoneczn|ik *m* (*-a*; *-i*) *bot.* sunflower; **~y** sunny; sun; *tech.* solar; ***udar ~y*** sun stroke

słonica *f* (*-y*; *G -*) *zo.* she-elephant, cow

słonina *f* (*-y*; *G -*) pork fat

słoniowy elephant; → ***kość***

słono *adv.* saltily; **~wodny** salt-water

słony salty; ***za ~*** too salty

słoń *m* (*-nia*; *-nie*) *zo.* elephant

słońc|e *n* (*-a*; *G -*) sun; (*światło*) sunshine; ***leżeć na ~u*** lie in the sun; ***jasne jak ~e*** crystal clear; ***mieć słońce prosto w oczy*** have the sun in one's eyes

słot|a *f* (*-y*; *G -*) rainy weather; continuous rain; **~ny** rainy

Sło|wacja *f* (*-i*; *0*) Slovakia; Slovak Republic; **&wacki** Slovak; ***mówić po &wacku*** speak Slovak; **~waczka** *f* (*-i*; *G -czek*), **~wak** *m* (*-a*; *-cy*) Slovak

Sło|wenia *f* (*GDL -ii*; *-*) Slovenia; **~weniec** *m* (*-ńca*; *-ńcy*), **~wenka** *f* (*-i*; *G -nek*) Slovene; **&weński** Slovenian; (*język*) Slovene; **~wianin** *m* (*-a*; *-anie*, *-*), **~wianka** *f* (*-i*; *G -nek*) Slav; **~wiański** Slavonic, Slavic

słowik *m* (*-a*; *-i*) *zo.* nightingale

słow|nie *adv.* verbally; in words; **~nik** *m* (*-a*; *-i*) dictionary; (*zasób słów*) vocabulary; **~ny** verbal; *człowiek* reliable

słow|o *n* (*-a*; *G -łów*, *I -wami/-wy*) word; ***~o w ~o*** word for word, literally; ***co do ~a*** to the word; ***dojść do ~a*** get a word in; ***w całym tego ~a znaczeniu*** in the truest sense of the word; ***ani ~a*** not a word; ***łapać za ~o, trzymać za ~o*** take *s.o.* at one's word; ***dać ~o*** give *s.o.* one's word; ***liczyć się ze ~ami*** watch one's tongue; ***swoimi ~ami*** in one's own words; ***innymi ~y*** in other words; ***w krótkich ~ach*** briefly, in a few brief words; ***~em*** in a word; ***brak mi słów*** I'm lost for words; ***być po ~ie*** (***z*** *I*) be engaged (to)

słowotwórczy word-building

słód *m* (*-łodu;0*) malt

słój *m* (*-łoju*; *-oje*, *-oi/-ojów*) → **słoik**; *bot.* annual ring

słówk|o *n* (*-a*; *G -wek*) word; *zwł. pl.* **~a** vocabulary

słuch *m* (*-u*; *0*) hearing; ***zamienić się w ~*** be all ears; ***w zasięgu ~u*** within hearing; ***~ zaginął o nim*** he was not heard from any more; **~y** *m/pl.* (*-ów*) rumo(u)r; ***chodzą ~y*** there is a rumo(u)r; **~acz** *m* (*-a*; *-e*, *-y/-ów*), **~aczka** *f* (*-i*; *G -czek*) listener; **~ać** 〈**po-**〉 (*-am*) (*G*) listen (to); follow (***rady*** the advice); (*też* ***się***) obey

słuchawk|a *f* (*-i*; *G -wek*) *tel.* receiver; *med.* stethoscope; **~i** *pl.* headphones *pl.*

słuchow|isko *n* (*-a*; *G -*) radio play; **~y** hearing

sługa *m* (*-i*; *G -/-dzy*, *-*) servant

słup *m* (*-a*; *-y*) pillar; (*latarni*) post; *tel.* pole; *electr.* pylon; **~ek** *m* (*-pka*; *-pki*) post; *sport*: goal-post; *bot.* pistil; ***~ek drogowy*** bollard; ***~ek rtęci*** column of mercury; ***~ek startowy*** starting-block

słuszn|ie *adv.* justly, deservedly; rightly; **~ość** *f* (*-ści*; *0*) rightness; validity; correctness; ***mieć ~ość*** be right; ***nie mieć ~ości*** be wrong; **~y** right, correct; valid; → ***sprawiedliwy***

służalcz|o in a servile manner; **~y** servile

służąc|a *f* (*-ej*; *-e*), **~y** (*-ego*; *-*) servant

służb|a *f* (*-y*; *G -*) service; ***pełniący ~ę*** (on) duty; ***na ~ie*** on duty; ***po ~ie*** free, in free time; ***zdolny do ~y*** fit for service; **~owo** *adv.* on business; **~owy** business; official

służ|yć 〈**po-**〉 (*-żę*) serve (***w*** *L*, ***u*** *G*, *D* in; ***do*** *G* for; ***za*** *A*, ***jako*** as); ***zdrowie mu ~y*** he enjoys good health; ***czym mogę pani ~yć?*** can I help you, Madam?; ***to mi nie ~y*** it does not agree with me

słychać (*t-ko bezok.*) be heard; ***co ~?*** what's new?

słyn|ąć (*-nę*, *-ń!*) (***z*** *G*, ***jako***) be famous (for, as); **~ny** famous

słysz|alny audible; **~eć** 〈**po-, u-**〉 (*-ę*, *-y*) hear

smaczn|y tasty; ***~ego!*** enjoy your meal!

smagać (*-am*) lash (*też fig.*)

smagły dark-skinned

smak *m* (*-u*; *-i*) taste (*też fig.*); (*potrawy*) flavo(u)r; ***ze ~iem*** *fig.* tasteful; ***bez ~u***, *fig.* ***w złym ~u*** tasteless; ***przypaść do ~u*** be to one's liking

smako|łyk *m* (*-u*; *-i*) delicacy; **~sz** *m* (*-a*; *-e*) gourmet; **~wać** (*-uję*) taste; **~wicie** *adv.* deliciously; **~wity** tasty, delicious

smalec *m* (*-lca*; *0*) *gastr.* lard

smalić 〈**o-**〉 (*-lę*) singe off

S

smar *m* (*-u*; *-y*) grease, lubricant; **~** ***do nart*** ski-wax
smark F *m* (*-u*; *-i*) snot; **~acz** *m* F (*-a*; *-e*) snotty brat; **~ać** F (*-am*) blow one's nose; **~aty** F *fig.* wet behind the ears; **~ula** F *f* (*-i*; *-e*) snotty brat
smarow|ać ⟨**na-, po-**⟩ (*-uję*) spread; (*maść*) apply; *tech.* grease, lubricate; **~idło** *n* (*-a*; *G -deł*) grease
smaż|ony fried; **~yć** ⟨**u-**⟩ (*-ę*) fry (**się** *v/i.*); roast (***na słońcu*** in the sun)
smętny gloomy
smoczek *m* (*-czka*; *-czki*) *Brt.* dummy, *Am.* pacifier
smok *m* (*-a*; *-i*) dragon
smoking *m* (*-u*; *-i*) *Brt.* dinner jacket, *Am.* tuxedo
smo|lić ⟨**u-**⟩ (*-lę*, *smol/smól!*) smear; **~listy, ~lny** pitchy; **~ła** *f* (*-y*; *0*) tar; **~łować** (*-uję*) tar
smro|dliwy stinky; **~dzić** ⟨**na-**⟩ (*-dzę*) break wind
smród *m* (*-rodu*; *-rody*) stink, stench
smucić ⟨**za-**⟩ (*-cę*) sadden; **~** ⟨**za-**⟩ **się** become sad
smuga *f* (*-i*; *G -*) streak; (*brudu*) smudge; (*samolotu*) trail
smukł|o *adv.* in a slim way; **~y** slender, slim
smut|ek *m* (*-tku*; *-tki*) sorrow; sadness; **~no** *adv.* sadly; with sorrow; **~ny** sad; sorrowful; ***~no mi*** I am sad
smycz *f* (*-y*; *-e*) leash; **~ek** *m* (*-czka*; *-czki*) *mus.* bow; **~kowy** *instrument* string
smyk *m* F (*-a*; *-i*) nipper
sna|ch, ~mi → ***sen***
snajper *m* (*-a*; *-rzy*) sniper
snem → ***sen***
snop *m* (*-u*; *-y*) sheaf; **~** ***światła*** beam of light; **~owiązałka** *f* (*-i*; *G -łek*) *agr.* sheaf-binder
snów, snu → ***sen***
snuć (*-ję*) *przędzę* spin; **~** ***domysły*** speculate; **~** ***marzenia*** dream; **~** ***się*** *dym itp.*: hang; *myśli*: buzz through (***po głowie*** one's head)
sny → ***sen***
snycerstwo *n* (*-a*; *0*) wood-carving
sob. *skrót pisany*: ***sobota*** Sat. (*Saturday*)
sob|ą → ***siebie***; **~ie** → ***siebie***; ***był ~ie*** there was; **~kostwo** *n* (*-a*; *G -*) egoism
sobot|a *f* (*-y*; *G -bót*) Saturday; ***w ~ę*** on Saturday
sobowtór *m* (*-a*; *-y*) double
soból *m* (*-bola*; *-bole*) *zo.* sable
sobór *m* (*-boru*; *-bory*) *rel.* council; cathedral
sobótk|a *f* (*-i*; *G -tek*) Saint John's fire; *też* **~i** *pl.* Midsummer's night
socjal|demokratyczny social democratic; **~istyczny** socialist; **~ny** social
socjolog *m* (*-a*; *-dzy*) sociologist; **~ia** *f* (*GDL -gii*; *0*) sociology
soczew|ica *f* (*-y*; *G -*) *bot.* lentil; **~ka** *f* (*-i*; *G -wek*) *phot.*, *phys.* lens *sg.*
soczysty juicy; *kolor, barwa itp.* rich; *język* earthy; *zieleń* lush
sod|a *f* (*-y*; *0*) *chem.* soda; ***~a oczyszczona*** bicarbonate of soda; F bicarb; ***~a żrąca*** caustic soda; **~owy**: ***woda ~owa*** soda (water)
sofa *f* (*-y*; *G -*) sofa
soj|a *f* (*GDL soi*; *0*) *agr.* soy(a) bean; **~owy** soy(a)
sojusz *m* (*-u*; *-e*) alliance; **~niczy** allied; **~niczka** *f* (*-i*; *G -czek*), **~nik** *m* (*-a*; *-cy*) ally
sok *m* (*-u*; *-i*) juice
sokol|i falcon; **~nik** *m* (*-a*; *-cy*) falconer
sokół *m* (*-koła*; *-koły*) *zo.* falcon
sola *f* (*-i*; *-e*) *zo.* sole
sol|anka *f* (*-i*; *G -nek*) salt water, brine; (*źródło*) salt-water *lub* brine spring; **~ankowy** salt-water, brine
solarium *n* (*idkl.*; *-a*, *-iów*) solarium
sole *pl.* → ***sól***
solenizant *m* (*-a*; *-ci*), **~ka** *f* (*-i*; *G -tek*) (*person celebrating his/her name-day*)
solenny solemn, festive
solić ⟨**o-, po-**; **na-, za-**⟩ salt
solidar|ność *f* (*-ści*; *0*) solidarity; **~ny** cooperative; ***być ~nym*** show one's solidarity; **~yzować się** (*-uję*) show one's solidarity
solidny solid; *fig.* reliable, dependable
soli|sta *m* (*-y*; *-ści*), **~stka** *f* (*-i*; *G -tek*) soloist; **~ter** *m* (*-a*; *-y*) *zo.* tapeworm
sol|niczka *f* (*-i*; *G -czek*) salt sprinkler, *Am.* salt-shaker; **~ny** salt; *chem.*, *geol.* saline; ***kwas ~ny*** *chem.* hydrochloric acid
solowy solo
sołtys *m* (*-a*; *-i*) president of the village council
sond|a *f* (*-y*; *G -*) probe; → **~aż** *m* (*-a*; *-e*) sounding out; (***opinii publicznej*** public opinion) poll; **~ować** (*-uję*) sound

out; *med.* probe; *naut.* sound, plumb
sopel *m* (*-pla*; *-ple*) icicle
sopran *m* (*-u*; *-y*) soprano; **~owy** soprano
sortować (*-uję*) sort
sos *m* (*-u*; *-y*) sauce; gravy
sosn|a *f* (*-y*; *G -sen*) *bot.* pine; **~owy** pine
sow|a *f* (*-y*; *G sów*) *zo.* owl; **~i** owl
sowiecki *pej.* Soviet
sowi|cie *adv.* generously; **~ty** generous
sód *m* (*sodu*; *0*) *chem.* sodium
sójka *f* (*-i*; *G -jek*) *zo.* jay
sól *f* (*soli*; *0*) (***kuchenna*** common) salt; *chem.* (*pl. sole*) salt; ***być solą w oku*** be a thorn in s.o.'s side
spacer *m* (*-u*; *-y*) walk; ***iść na ~*** go for a walk; **~niak** F *m* (*-a*; *-i*) prison yard; **~ować** (*-uję*) walk, stroll (**po** *L* around)
spacz|enie *n* (*-a*; *G -eń*) warp(ing); **~ony** warped
spać sleep (*też fig.*)
spad (*-y*; *-u*) slope, incline; **~y** *pl.* (*owoce*) windfalls *pl.*; **~ać** (*-am*) fall, drop (**z** *G* from, off); *teren*: slope; *ceny*: go down, fall; (**na** *A*) *cios*: hit; *wina*: fall (**na** *A* on); *obowiązki*: fall (**na** *A* to)
spad|ek¹ *m* (*-dku*; *-dki*) decrease, fall; ***~ek ciśnienia*** drop in pressure; → ***spad***
spad|ek² *m* (*-dku*; *-dki*) heritage, legacy, inheritance (*też fig.*); ***otrzymać w ~ku*** (**po** *L*) inherit (from); ***zostawić w ~ku*** leave, bequeath
spadko|bierca *m* (*-y*; *G -ów*), **~bierczyni** *f* (*-i*; *-ie*, *G -yń*) heir; **~dawca** *m* (*-y*; *G -ców*), **~dawczyni** *f* (*-i*; *-ie*, *G -yń*) *jur.* testator; **~wy** decreasing, on the wane; *jur.* hereditary
spadochro|n *m* (*-u*; *-y*) parachute; **~niarka** *f* (*-i*; *G -rek*), **~niarz** *m* (*-a*; *-e*) parachutist; **~niarstwo** *n* (*-a*; *0*) parachuting; **~nowy** parachute
spadzi|sto *adv.* steeply; **~sty** steep; **~ście** *adv.* → ***spadzisto***
spa|jać¹ (*-am*) join, connect; *fig.* unite
spa|jać² (*-am*) make drunk; **~kować** *pf.* pack (**się** *v/i.*); **~lać** (*-am*) burn (**się** *v/i.*); **~lanie** *n* (*-a*; *G -ań*) burning; *tech.* combustion; **~lenie** *n* (*-a*; *G -eń*) burning; **~larnia** *f* (*-i*; *-e*) (*odpadków*) incinerating plant; **~lić** *pf.* → ***spalać***; **~linowy**: ***silnik ~linowy*** internal-combustion engine; **~liny** *f/pl. mot.* exhaust (fumes *pl.*); *tech.* waste gases *pl.*; **~lony** **1.** burnt; *fig.* uncovered, disclosed; **2.** *m* (*-ego*; *-e*) (*w sporcie*) offside
spani|e *n* (*-a*; *0*) sleeping; ***miejsce do ~a*** sleeping place
sparaliżowany paralysed (*też fig.*)
spa|r- *pf.* → ***par-***; **~rz-** *pf.* → ***parz-***
spas|iony, ~ły obese, fat
spastyczny *med.* spastic
spaść¹ *pf.* → ***spadać***
spawa|cz *m* (*-a*; *-e*) *tech.* welder; **~ć** (*-am*) *tech.* weld; **~rka** *f* (*-i*; *G -rek*) *tech.* welder, welding machine
spazm *m* (*-u*; *-y*) spasm
spec *m* F (*-a*; *-e*) expert
specjali|sta *m* (*- y*; *-ści*, *G -ów*), **~stka** *f* (*-i*; *G -tek*) specialist; ***lekarz ~sta*** consultant, specialist; **~styczny** specialist, specialized; **~zować się** ⟨***wy- się***⟩ (*-uję*) specialize (**w** *L* in)
specjaln|ie *adv.* peculiarly, (e)specially; **~ość** *f* (*-ści*) speciality (*też gastr.*); **~y** special
specyficzny specific, peculiar
spedycyjny shipping, forwarding
spektrum *n* (*idkl.*; *-a*; *-ów*) spectrum; range
spektakl *m* (*-u*; *-e*) *theat.* performance
spekul|acja *f* (*-i*; *-e*) speculation; **~ant** *m* (*-a*; *-ci*), **~antka** *f* (*-i*; *G -tek*) speculator; **~ować** (*-uję*) speculate
speł|niać (*-am*) ⟨***~nić***⟩ *warunek itp.* meet; *prośbę itp.* grant; *postanowienia* fulfil(l); *funkcję* serve, perform; ***~niać się*** *życzenie*: come true; **~nienie** *n* (*-a*; *G -eń*) granting, meeting; performance; realization; **~zać** (*-am*) ⟨***~znąć***⟩ fail, end in failure; *pf.* (*kolor*) → ***płowieć***
sperma *f* (*-y*; *G -*) sperm, semen
speszony mixed-up, confused; → ***peszyć***
spędz|ać (*-am*) ⟨***~ić***⟩ *bydło* round up, gather; *czas* spend; *płód* abort
spiąć *pf.* → ***spinać***
spi|czasto *adv.* pointedly, sharply; **~czasty** pointed, sharp; **~ć** *pf.* → ***spijać***
spie|kać (*-am*) ⟨***~c***⟩ bake, burn; *tech.* sinter; ***~c się na słońcu*** sun-burn
spienięż|ać (*-am*)⟨***~yć***⟩ (*-ę*) sell, cash in
spie|niony foamy, frothy, bubbly
spie|rać się¹ (*-am*) argue (**o** *A* about)
spie|rać² (*-am*) *plamę* wash up; **~rzchnięty** parched; *wargi też* chapped
spiesz|ny, ~yć → ***śpiesz-***

spięcie *n* (*-a*; *G -ęć*) *electr.* short-circuit; *fig.* clash
spiętrz|ać (*-am*) ⟨**~yć**⟩ tower up, pile up; *wodę* dam up
spijać (*-am*) drink off; F get drunk; ***spić się*** *pf.* get drunk
spiker *m* (*-a*; *-rzy*), **~ka** *f* (*-i*; *G -rek*) announcer; newscaster
spilśniony → ***pilśniowy***
spiłow(yw)ać (*-*[*w*]*uję*) saw off; (*pilnikiem*) file off
spin|acz *m* (*-a*; *-e*) paper-clip; **~ać** (*-am*) staple together; **~ka** *f* (*-i*; *G -nek*) cuff(-link); ***~ka do włosów*** *Brt.* hair-grip, *Am.* bobby pin
spirala *f* (*-i*; *-e*) spiral; *med.* (*domaciczna*) loop
spiry|tus *m* (*-u*; *0*) spirit, ethyl alcohol; **~tusowy** spirit; **~tystyczny** spiritualist(ic)
spis *m* (*-u*; *-y*) list; ***~ rzeczy*** table of contents; ***~ ludności*** census; ***~ potraw*** menu
spis|ać *pf.* → ***spisywać***; **~ek** *m* (*-sku*; *-ski*) plot; scheme; conspiracy; **~kować** (*-uję*) plot, conspire; **~kowiec** *m* (*-wca*; *-wcy*) conspirator; **~ywać** (*-uję*) *v/t.* make a list of; list; ***~ać na straty*** write off; ***~ywać się*** behave (o.s.); ***~ać się*** distinguish o.s., do well
spiżar|ka *f* (*-i*; *G -rek*), **~nia** *f* (*-i*; *-e*) pantry, larder
spiżowy bronze
spla|- *pf.* → ***pla-***; **~tać** *pf.* (*-am*) → ***pleść***
spleśniały mo(u)ldy
splot *m* (*-u*; *-y*) tangle, twist; *włók.* weave; *anat.* plexus; ***~ okoliczności*** set of coincidences
splu|- *pf.* → ***plu-*** **~nąć** *pf.* → ***pluć, spluwać***; **~wa** *f* (*-y*; *G -*) F shooting-iron; **~waczka** *f* (*-i*; *G -czek*) spittoon; **~wać** (*-am*) spit
spłac|ać (*-am*) ⟨**~ić**⟩ pay off, pay back
spłakany tear-stained
spła|szczać (*-am*) → ***płaszczyć***; **~ta** *f* (*-y*; *G -*) payment; repayment; **~tać** (*-am*): ***~tać figla*** (*D*) play a trick (on)
spław *m* (*-u*; *-0*) rafting, floating; **~iać** (*-am*) ⟨**~ić**⟩ float, raft; *fig.* get rid of; **~ny** navigable
spłon|ąć *pf.* get burnt; **~ka** *f* (*-i*; *G -nek*) detonator
spłowiały faded
spłu|czka *f* (*-i*; *-czek*) (*w toalecie*) flush; **~kiwać** (*-uję*) ⟨***~kać***⟩ rinse (off); *toaletę* flush
spły|nąć *pf.* → ***spływać***; **~w** *m* (*-u*; *-y*) drain; outlet; ***~w tratwą*** voyage by raft; **~wać** (*-am*) drain away; flow off *lub* away; *pot*, *łzy*: run; *tratwa*: float downstream; ***~wać krwią*** be stained with blood; F ***~waj!*** get lost!
spocony sweaty
spocz|ąć *pf.* → ***spoczywać***; **~ynek** *m* (*-nku*; *0*) rest; ***miejsce ostatniego ~ynku*** last resting-place; ***w stanie ~ynku*** retired; **~ywać** (*-am*) rest; *fig.* lie
spod *prp.* (*G*) from under
spod|ek *m* (*-dka*; *-dki*) saucer; **~em** *adv.* below, underneath; **~enki** *pl.* (*-nek*) shorts *pl.*; **~ni** bottom; **~nie** *pl.* (*-i*) *zwł. Brt.* trousers *pl.*, *zwł. Am.* pants *pl.*; **~nium** *n* (*-u*; *-y lub idkl.*) *Brt.* trouser suit, *Am.* pant suit
spodoba|ć się *pf.*: ***to ci się ~*** you will like it, you will enjoy it; → ***podobać się***
spody *pl.* → ***spód***
spodziewa|ć się (*-am*) (*G*) expect; hope; ***nie ~ł się niczego złego*** he was unsuspecting
spoglądać (*-am*) (***na*** *A*) look (at), glance (at)
spo|ić *pf.* → ***spajać***[1]***, spajać***[2]; **~ina** *f* (*-y*; *G -*) weld; joint; **~isty** compact; *fig.* coherent; **~iwo** *n* (*-a*; *G -*) binder, binding material
spojó|wka *f* (*-i*; *G -wek*) *anat.* conjunctiva; ***zapalenie ~wek*** conjunctivitis
spojrze|ć *pf.* → ***spoglądać***; **~nie** *n* (*-a*; *G -eń*) look, glance
spo|kojny calm, peaceful; **~kój** *m* (*-koju*) peace, calm; ***daj mi ~kój*** leave me alone
spokrewniony related (***z*** *I* to)
spolszcz|ać (*-am*) ⟨**~yć**⟩ (*-ę*) translate into Polish; polonize
społecz|eństwo *n* (*-a*; *G -*) society, community; **~ność** *f* (*-ści*) community; **~ny** social; (*dla społeczeństwa*) community
społem *adv.* together
spo|między *prp.* (*G*) from among; **~nad** *prp.* (*G*) from above
sponsorować (*-uję*) sponsor
spontaniczny spontaneous, impulsive
spo|pielały burnt to ashes; **~pu-** *pf.* → ***popu-***; **~radycznie** *adv.* sporadically,

S

occasionally; **~radyczny** sporadic, occasional
spor|ny disputable, questionable; **~o** *adv.* a lot of, plenty of
sport *m* (*-u*; *-y*) sport; **~y** *pl.* ***zimowe*** winter sports *pl.*; **~owiec** *m* (*-wca*; *-wcy*) sportsman; **~owo** *adv.* in a sporty manner; **~owy** sport, sporting, sports; **~smen** *m* (*-a*; *-i*) sportsman; **~smenka** *f* (*-i*; *G -nek*) sportswoman
spory 1. big, large; fair; **2.** *pl.* → ***spór***
sporysz *m* (*-u*; *-e*) *bot.* ergot
sporządz|ać (*-am*) ⟨***~ić***⟩ *pismo*, make; *testament jur.* draw up; → ***przyrządzać***
sposobność *f* (*-ści*) opportunity
sposób *m* (*-sobu*; *-soby*) way, manner; means *sg.*; ***~ użycia*** instructions *pl.* for use; ***w ten ~*** (in) this way; ***w następujący ~*** in the following way; ***jakimś sposobem*** in some way, somehow; ***w istotny ~*** significantly; ***wszelkimi sposobami*** by hook or by crook; ***w żaden ~, żadnym sposobem*** by no means; ***nie ~ (jest)*** it is impossible
spostrze|gać (*-am*) ⟨***~c***⟩ perceive, sight; (*też odczuwać*) notice; **~żenie** *n* (*-a*; *G -eń*) observation
spośród *prp.* (*G*) → ***spomiędzy***
spot|ę- *pf.* → ***potę-***; **~kać** *pf.* → ***spotykać***; **~kanie** *n* (*-a*; *G -ań*) meeting, encounter; *sport*: match; (*umówione*) appointment
spotnieć *pf.* → ***pocić się, potnieć***
spotwarz|ać (*-am*) ⟨***~yć***⟩ (*-ę*) slander, libel
spotyka|ć (*-am*) *v/t.* meet, encounter; *Nowy Rok* greet; (*t-ko 3. os.*) *bieda*: happen to; *kara*, *nieszczęście*: befall to; ***~ć się*** meet (***z*** *I v/i.*); *fig.* (***z*** *I*) meet (with); ***to się często ~*** you can often see this
spowiadać ⟨***wy-***⟩ (*-am*) *rel.* hear *s.o.'s* confession; ***~*** ⟨***wy-***⟩ ***się*** go to confession; (***z*** *I*) confess
spowiednik *m* (*-a*; *-cy*) *rel.* confessor
spowiedź *f* (*-dzi*) *rel.* confession
spo|winowacony related; **~wodowany** caused (***przez*** *A* by)
spowszedniały commonplace, ordinary
spoza *prp.* (*G*) from; from outside; from behind
spoży|cie *n* (*-a*; *0*) consumption; use; **~wać** (*-am*) ⟨***~ć***⟩ consume, use up; eat; **~wca** *m* (*-y*; *G -ców*) consumer, user; **~wczy** food; ***sklep ~wczy*** grocer('s), food shop
spód *m* (*spodu*; *spody*) bottom; (*listy*, *strony*) foot; (*podeszwa*) sole; ***na spodzie, u spodu*** at the bottom; ***pod spodem*** underneath; ***od spodu*** from below; **~nica** *f* (*-y*; *G -*), **~niczka** *f* (*-i*; *G -czek*) skirt
spój|nik *m* (*-a*; *-i*) *gr.* conjunction; **~ność** *f* (*-ści*; *0*) coherence, cohesion
spół|dzielczy cooperative; **~dzielnia** *f* (*-i*; *-e*) cooperative; **~głoska** *f* (*-i*; *G -sek*) *gr.* consonant; **~ka** *f* (*-i*; *G -łek*) *econ.* partnership; company; ***do ~ki*** (***z*** *I*) together (with); **~kować** (*-uję*) copulate
spór *m* (*sporu*; *spory*) argument, quarrel (***z powodu*** *G* about)
spóźni|ać się (*-am*) ⟨***~ć się***⟩ be late; *impf. zegar*: be slow; ***~ć się na pociąg*** miss the train; **~enie n** (*-a*; *G -eń*) delay, hold-up; **~ony** late, delayed
spra|cowany worn out; **~ć** *pf.* → ***spierać***[2] F give s.o. a thrashing; **~gniony** thirsty (*też fig.*)
spraw|a *f* (*-y*; *G -*) business, matter; question; cause; *jur.* case, proceedings *pl.*; ***gorsza ~a, że*** what is worse; ***na dobrą ~ę*** after all; ***zdać ~ę*** (***z*** *G*) account (for); ***zdawać sobie ~ę*** (***z*** *G*) realize, be aware (of); ***za jej ~ą*** at her instigation, because of her; ***pokpił ~ę*** F he botched it; **~ca** *m* (*-y*; *G -ców*), **~czyni** *f* (*-i*; *-e*, *-yń*) perpetrator; ***przeciw(ko) nieznanemu ~cy*** against person(s *pl.*) unknown
sprawdz|ać (*-am*) ⟨***~ić***⟩ (*-dzę*) check, verify; examine; (*w słowniku*) look up; ***~ić się*** realize, come true; → ***spełniać się***
sprawdzian *m* (*-u*; *-y*) *szkoła*: test; *fig.* lesson
spraw|iać (*-am*) ⟨***~ić***⟩ (*-dzę*) cause, give; → ***wywierać***; ***~ić sobie*** (*A*) buy, get o.s. s.th.
sprawiedliw|ie *adv.* fairly, justly; **~ość** *f* (*-ści*) justice; → ***wymiar***; ***Ministerstwo ℒości*** Ministry of Justice; **~y** fair, just
spraw|ka *f* (*-i*; *G -wek*) doing; **~ność** *f* (*-ści*; *0*) skill; ability, capability; **~ny** skil(l)ful, able, capable
sprawo|wać (*-uję*) *władzę* exercise;

S

urząd hold; **~wać nadzór** (**nad** *I*) watch (over); **~wać się** *urządzenie*: function; *ktoś*: behave; **~wanie (się)** *n* (*-a*; *0*) functioning; behavio(u)r

sprawozda|nie *n* (*-a*; *G -ań*) report; **~wca** *m* (*-y*; *G -ców*), **~wczyni** *f* (*-i*; *-e*) reporter; commentator; **~wczy**: ***referat ~wczy*** report

sprawun|ek *m* (*-nku*; *-nki*) purchase; ***załatwić ~ki*** do the shopping

Sprewa *f* (*-y*; *0*) Spree

spręż|arka *f* (*-i*; *G -rek*) compressor; **~ony** compressed; *bud.* prestressed; *fig.* tense; **~yna** *f* (*-y*; *G -*) spring; **~ysty** springy; elastic; *fig. też* energetic; → ***sprawny***

sprint *m* (*-u*; *-y*) *sport*: sprint; **~er** *m* (*-a*; *-rzy*), **~erka** *f* (*-i*; *G -rek*) (*w sporcie*) sprinter

spro|- *pf.* → ***pro-***; **~stać** (*-am*) (*D*) be equal (to), to match

sprostowa|ć *pf.* → ***prostować***; **~nie** *n* (*-a*; *G -ań*) correction; denial

sproszkowany powdered

sprośny bawdy, ribald

sprowadz|ać (*-am*) ⟨**~ić**⟩ *v/t.* bring, get; *Brt.* fetch; *lekarza itp.* send for; *towar* obtain; *fig.* lead (**na** *A* to); (**do** *G*) reduce (to); (**z** *G*) import (from), get (from); *v/i.* ***co cię ~a?*** what brings you here?; ***~ać się*** (**do** *G*) be reduced (to); ***~ić się*** (**do** *G*) (*do miejscowości*) move in

spró|- *pf.* → ***pró-***; **~chniały** rotten; *ząb* decayed; *med.* carious

sprysk|iwać (*-uję*) ⟨***~ać***⟩ sprinkle

spryt *m* (*-u*; *0*) cleverness; cunning; shrewdness; **~ny** clever; cunning; shrewd

sprzą|c *pf.* (→ *-prząc*) → ***sprzęgać***; **~czka** *f* (*-i*; *G -czek*) buckle

sprząt|aczka *f* (*-i*; *G -czek*) cleaner; *Brt.* char(lady); **~ać** ⟨**po-**⟩ (*-am*) ⟨***~nąć***⟩ (*-nę*) clear up, tidy up (*też v/i.*); (*usunąć*) remove, get rid of; *zboże* gather in; *fig.* (*zabić*) eliminate; ***~nąć sprzed nosa*** F snatch away from under *s.o.'s* nose; ***~nąć ze stołu*** clear; **~anie** *n* (*-a*; *G -ań*) cleaning up, tidying up

sprzeciw *m* (*-u*; *-y*) protest; opposition; ***bez ~u*** without objecting; **~iać się** (*-am*) ⟨***~ić się***⟩ (*-ę*) (*D*) oppose; be opposed (to)

sprzecz|ać się ⟨***po- się***⟩ (*-am*) argue, quarrel (**o** *A* about); **~ka** *f* (*-i*; *G -czek*) argument, quarrel; **~ność** *f* (*-ści*) (*logiczna itp.*) contradiction; (*konflikt*) conflict; **~ny** contradictory; (**z** *I*) incompatible (with); conflicting

sprzed *prp.* (*G*) (from) before

sprzeda|ć *pf.* → ***sprzedawać***; **~jący** *m* (*-ego*; *-y*) seller; **~jny** mercenary, venal; **~nie** *n* (*-a*; *0*) selling; sale; ***do ~nia*** for sale; **~wać** (*-ję*) sell; **~wca** *m* (*-y*; *G -ów*), **~wczyni** *f* (*-i*; *G -yń*) *econ.* sales assistant, salesperson; **~ż** *f* (*-y*; *-e*) sale; ***na ~ż*** for sale; **~żny** sale(s)

sprzeniewierz|ać (*-am*) ⟨***~yć***⟩ embezzle; ***~yć się*** (*D*) betray; **~enie** *n* (*-a*; *G -eń*) embezzlement; ***~enie się*** betrayal

sprzę|gać (*-am*) couple; interconnect; **~gło** *n* (*-a*; *G -gieł*) *mot.* clutch; ***włączyć ~gło*** clutch; ***wyłączyć ~gło*** declutch; **~t** *m* (*-u*; *-y*) equipment (*też RTV*); gear; *agr.* harvest; ***~ty*** *pl.* furniture; fittings *pl.*; ***~t komputerowy*** hardware; **~żony** *m* coupled

sprzy|jać (*-am*) favo(u)r; encourage, further; **~jający** favo(u)rable; auspicious

sprzykrzy|ć się *pf.* (*t-ko pret.*): ***~ł*** (**a, -o, -y**) ***mi się*** I am tired of *lub* F fed up with it (him, her, them)

sprzymierz|eniec *m* (*-ńca*; *-ńcy*) ally; **~ony** allied

sprzysi|ęgać się (*-am*) ⟨***~ąc się***⟩ conspire (***przeciwko*** *D* against)

spuchnięty swollen

spulchni|ać (*-am*) ⟨**~ć**⟩ (*-ę*, *-nij!*) *glebę itp.* break up, loosen

spust *m* (*-u*; *-y*) *tech. itp.* outlet; *phot.* shutter release; (*broni*, *tez fig.*) trigger; F ***mieć ~*** eat like a horse; ***zamknąć na cztery ~y*** lock up

spustoszenie *n* (*-a*; *G -eń*) devastation

spuszczać (*-am*) let down; *głowę*, *oczy*, *flagę* lower (**się** *v/i.*); *płyn* let out; *psa* let go, ***~ na wodę*** put out, launch; ***~ cenę*** lower the price; ***nie ~ oczu z kogoś*** not take one's eyes off s.o.; ***~ się*** come down; F come, come off

spuści|ć *pf.* → ***spuszczać***; **~zna** *f* (*-y*; *G -*) legacy; (*pisarska*) output, work

spycha|cz *m* (*-a*; *-e*) bulldozer; **~ć** (*-am*) push, shove (***w bok*** aside); **~rka** *f* (*-i*; *G -rek*) → ***spychacz***

sp. z o.o. *skrót pisany*: ***spółka z ograniczoną odpowiedzialnością*** limited liability company; (*prywatna*) Ltd., plc (*publiczna*)

S

srać V (*-am*) shit
sreb|rnoszary silver-grey, *Am.* -gray; **~rny** silver, silvery; **~ro** *n* (*-a; 0*) *chem.* silver; (*naczynia*) (*pl. G -ber*) silver-(ware); **~rzyć** ⟨**po-**⟩ (*-ę*) silver-plate; **~rzysty** silvery (*też fig.*)
sro|czy magpie; **~gi** strict, severe; *mróz* severe, sharp; **~go** *adv.* strictly, severely; **~gość** *f* (*-ści; 0*) strictness, severity
sroka *f* (*-i; G -*) *zo.* magpie; **~ty** piebald
srom *m* (*-u; -y*) *anat.* vulva; **~otny** shameful; **~owy** vulval, vulvar; ***wargi*** *pl.* ***~owe*** *anat.* labia *pl.*
sroż|ej, ~szy *adj. comp. od* → ***srogo, srogi***; **~yć się** (*-ę*) rage
ssa|ć suck; **~k** *m* (*-a; -i*) *biol.* mammal; **~nie** *n* (*-a; G -ań*) *tech.* suction; **~wka** *f* (*-i; G -wek*) (suction) nozzle
st. *skrót pisany*: ***stacja*** railway station; ***starszy*** senior
stabil|izować ⟨**u-**⟩ (*-uję*) stabilize; ***~izować*** ⟨**u-**⟩ ***się*** stabilize, become stabilized; **~ny** stable
stacja *f* (*-i; -e*) station (*też mot., rail.*); ***~ benzynowa*** *Brt.* petrol station, filling station, *Am.* gas station; ***~ nadawcza*** broadcasting station; (*urządzenie*) transmitter
stacyjka *f* (*-i; G -jek*) → ***stacja***; *mot.* ignition (lock)
staczać (*-am*) roll down (***się*** *v/i.*); ***~ się na dno*** *fig.* sink low
stać¹ stand; *fabryka, maszyna*: be idle; ***~!, stój!*** halt!; ***~ na straży*** be on guard; (***nie***) ***~ go na to*** he can(not) afford it
sta|ć² się *pf.* (*zajść*) become, get; ***co się ~ło?*** what has happened?; ***co się z nim ~ło?*** what has happened to him?; ***dobrze się ~ło, że*** it is good that; → ***stawać się***
stadion *m* (*-u; -y*) *sport*: stadium
stad|ło *n* (*-a; G -deł*) (married) couple; **~nina** *f* (*-y; G -*) stud(-farm); **~ny** herd; **~o** *n* (*-a; G -*) herd; (*wilków, psów*) pack; (*lwów*) pride; (*ptaków*) flock
sta|jać *pf.* (*-ję*) thaw, melt; **~je** → ***stawać***
stajnia *f* (*-i; -e, -i/-jen*) stable
stal *f* (*-i; -e*) steel
stal|e *adv.* steadily, constantly; **~i** → ***stały***
stalinowski Stalinist
stalo|wnia *f* (*-i; -e*) *tech.* steelworks; **~woszary** steel-grey, *Am.* -gray; **~wy** steel
stalówka *f* (*-i; G -wek*) nib
stał|a się, ~o się → ***stawać się***
sta|łocieplny *zo.* warm-blooded; **~łość** *f* (*-ści; 0*) constancy, permanence
stał|y 1. (*m-os stali*) steady; regular; *phys., chem.* solid; *członek, korespondent* permanent; *komisja* standing; *math., koszty* constant; ***~y gość*** regular (visitor); ***na ~e*** for ever; **2. *~a*** *f* (*-ej; -e, G -ych*) *math.* constant
stamtąd *adv.* from there
stan *m* (*-u; -y*) condition; state; status; (*jednostka administracyjna*) state; ***~ dróg*** road conditions *pl.*; ***~ wojny*** state of war; ***~ zdrowia*** state of health; ***~ pogody*** weather situation; ***~ wody*** water level; ***~ kasy*** cash (at hand); ***~ rzeczy*** state of affairs; ***~ wojenny*** martial law; ***~ wyjątkowy*** state of emergency; ***Ꞩy Zjednoczone*** (***Ameryki***) the United States (of America); ***w … ~ie*** in … form, in …state; ***być w ~ie*** be able to do, be capable of; ***żyć ponad ~*** live beyond one's means; → ***cywilny, liczebny, poważny***
stan|ąć *pf.* (*-nę, -ń!*) → ***stawać***; *rzeka*: freeze over; *dom*: be erected; ***~ęło na tym*** it was agreed that
stancja *f* (*-i; -e*) lodgings *pl.*
standaryzować (*-uję*) standardize
stanica *f* (*-u; -e, G -*) *jakby*: boat harbo(u)r (*with on-site facilities*)
stanieć *pf.* become cheaper
stanik *m* (*-a; -i*) bra
staniol (*-u; -e*) tin foil
stanow|czo *adv.* decidedly; decisively; **~czość** *f* (*-ści; 0*) decisiveness; finality; **~czy** decisive, definitive, final
stanowi|ć (*-ię, -nów!*) *v/i.* (***o*** *L*) be decisive (in), determine; *v/t.* constitute, form; **~sko** *n* (*-a; G -*) position (*też mil.*); (*wykopalisk itp.*) site; (*posada też*) post, appointment; (*pogląd*) viewpoint, stance; ***~sko pracy*** work-place; ***zająć ~sko*** take a stand (***w sprawie*** on)
stanowy *pol.* state
stapiać (*-am*) fuse; alloy
stara|ć się ⟨***po- się***⟩ (*-am*) (***o*** *A*) try (to obtain); apply (for); *pf. też* get, gain; **~nie** *n* (*-a; G -ań*): *zwł. pl.* **~nia** efforts *pl.*; ***dołożyć ~ń*** (***do*** *G*) take pains (to do); ***poczynić ~nia*** → ***starać się***; **~nność** *f* (*-ści; 0*) care; **~nny** careful
star|cie *n* (*-a; G -rć*) *mil.* engagement,

S

battle; *fig.* clash; (*w sporcie*) round; *med.* → ***obtarcie***; **~cy** *pl.* → ***starzec***; **~czać** (*-am*) ⟨**~czyć**⟩ (*-ę*) be enough *lub* sufficient (***na*** *A* for); **~czy** *adj.* senile
staro *adv. czuć się* old; **~cie** *n* (*-a*; *G -i*) jumble, junk; **~dawny** ancient; **~miejski** old town; **~modny** old-fashioned; **~polski** Old Polish; (*tradycje*) traditional; **~sta** *m* (*-y*; *-towie*, *G -tów*), **~ścina** *f* (*-y*; *G -*) *szkoła*: form captain; *hist.* starosta
starość *f* (*-ści*; *0*) old age; ***na*~** for old age
staro|świecki old-fashioned; **~świecko** *adv.* in an old-fashioned way; **~żytność** *f* (*-ści*; *0*) antiquity; → ***antyk***; **~żytny** antique
star|si → ***starszy***; **~szawy** oldish
starszeństw|o *n* (*-a*; *0*) seniority
starszy 1. *adj.* (*comp. od* → ***stary***; *m-os -rsi*); older, elder; (*w hierarchii*) senior; **2.** (*-rszego*;*-rsi*) adult; elder; **~zna** *f* (*-y*; *G -*) elders *pl.*
start *m* (*-u*; *-y*) start; beginning; *aviat.* take-off; *astronautyka*: lift-off; **~er** *m* **1.** (*-a*; *-rzy*) (*w sporcie*) starter; **2.** (*-u*; *-ry*) *mot.* starter; **~ować** ⟨***wy-***⟩ (*-uję*) start, take part; *aviat.* take off; *astronautyka*: lift off; **~owy** starting
starty *adj. gastr.* grated
starusz|ek *m* (*-ka*; *-kowie*) old man; **~ka** *f* (*-i*; *G -szek*) old woman
star|y 1. (*m-os -rzy*) old; **2.** *m* (*-ego*, *-rzy*), **~a** *f* (*-ej*; *-e*), **~e** *n* (*-ego*; *-rzy*) the old, the past; ***po ~emu*** as before; as it was
starze|c *m* (*-rca*; *-rcy*) old man; **~ć** ⟨***po-***, ***ze-***⟩ **się** (*-ję*) grow old; **~j** *adv.* (*comp. od* → ***stary***) older
starzyzna *f* (*-y*; *0*) junk
stateczny stable; *ktoś* sedate, staid
stat|ek *m* (*-tku*; *-tki*) (***handlowy, spacerowy, kosmiczny*** merchant, excursion, space) ship; ***na ~ku/~ek*** on board; ***~kiem*** by ship
statut *m* (*-u*; *-y*) statute(s *pl.*); **~owy** statutory
statyczny static
statyst|a *m* (*-y*; *-ści*, *-ów*), **~ka** *f* (*-i*; *G -tek*) extra; *fig.* bystander; **~yczny** statistic(al); **~yka** *f* (*-i*; *0*) statistics *sg./pl.*
statyw *m* (*-u*; *-y*) tripod
staw *m* (*-u*; *-y*) pond; *med.* joint
stawać (*-ję*) stand (***na*** *A*, *L* on; ***za*** *I* behind; ***przed*** *I* in front of); (*zatrzymać się*) stop, halt; (*zgłaszać się*) report (***do*** *G*, ***przed*** to); (*zaczynać*) go (***do*** *G* to); → ***dąb, stanąć***
stawać się (*-ję*) become; → ***stać***[2]
staw|iać (*-am*) stand, put; *fig. zwł.* place; *pomnik* erect; *namiot* pitch; *płot* put up; *pytanie* ask; (*w grze*) bet; ***~iać opór*** put up resistance; ***~iać się*** appear; report (***do*** *G* to); F get tough; **~ić** (*-im*) *pf.* (*-ę*) → ***czoło***; ***~ić się*** → ***stawiać się***; **~iennictwo** *n* (*-a*; *0*) appearance; **~ka** *f* (*-i*; *G -wek*) (***dzienna, podatkowa*** daily, tax) rate; (*w grze*) stake
staż *m* (*-u*; *-e*) (practical) training; ***~ pracy*** seniority; ***trzyletni ~ pracy*** three years' service; **~ysta** *m* (*-y*; *G -tów*), **~ystka** *f* (*-i*; *G -tek*) trainee
stąd from here; (*dlatego*) therefore
stąp|ać (*-am*) ⟨**~nąć**⟩ (*-nę*) tread, stamp
stchórzyć *pf.* (*-ę*) back out, F chicken out
stek[1] *m* (*-u*; *-i*) (*wyzwisk itp.*) heap, pack
stek[2] *m* (*-u*; *-i*) *gastr.* steak
stek[3] *m* (*-u*; *-i*) *biol.* cloaca; **~owiec** *m* (*-wca*; *-wce*) *zo.* monotreme
stempel *m* (*-pla*; *-ple*) (rubber) stamp
stemplow|ać ⟨***o-***⟩ (*-uję*) stamp; **~y** stamp; ***znaczek ~y*** postage mark
stenograf|ia *f* (*GDL -ii*; *0*) shorthand; **~ować** (*-uję*) record in shorthand
step *m* (*-u*; *-y*) steppe; **~owy** steppe
ster *m* (-u; -y) rudder; *fig.* helm
sterburta *f* (*-y*; *G -*) starboard
stercz *m* (*-a*; *-e*) *anat.* prostate (gland); **~ący** sticking out; **~eć** (*-ę*) stick out, jut out, project; F stand around *lub* about
stereo (*idkl.*) stereo; stereophonic; **~foniczny** stereophonic
stereotypow|o *adv.* in a stereotyped way; **~y** stereotyped, stock
sternik *m* (*-a*; *-cy*) *naut.* helmsman, steersman; *sport*: cox(swain)
sterow|ać (*-uję*) steer; control; **~anie** *n* (*-a*; *G -ań*) control; ***zdalne ~anie*** remote control; **~y** steering
sterta *f* (*-y*; *G -*) heap, pile, stack
sterujący steering
sterydy *m/pl.* (*-ów*): *pharm.* ***~ anaboliczne*** anabolic steroids *pl.*
steryl|izować (*-uję*) sterilize; **~ny** sterile
steward *m* (*-da*; *-dzi*) *aviat.* flight attendant; *naut.* steward; **~essa** *f* (*-y*; *G -*) *aviat.* air hostess, flight attendant; *naut.* stewardess

stębnować (*-uję*) backstitch
stęch|lizna *f* (*-y*; *0*) musty smell; **~ły** musty
stękać (*-am*) ⟨**~nąć**⟩ (*-nę*) moan, groan
stępi|ać (*-am*) ⟨**~ć**⟩ blunt; **~ony** blunted
stępka *f* (*-i*; *G -pek*) keel
stęskniony nostalgic; longing (**za** *I* for); **~ za ojczyzną** homesick; → **tęskny**
stęż|ać (*-am*) ⟨**~yć**⟩ (*-ę*) *chem.* concentrate; *bud.* brace; **~enie** *n* (*-a*; *-eń*) *chem.* concentration; *bud.* bracing; **~enie pośmiertne** rigor mortis; **~ony** concentrated; *bud.* braced
stłoczony crowded
stłu|c *pf.* → **tłuc**; **~czenie** *n* (*-a*; *G -eń*) *med.* bruise, contusion; **~miony** muted
sto (*m-os stu*) hundred; → **734**
stocznia *f* (*-i*; *-e*) shipyard
sto|czyć *pf.* → **staczać**; **~doła** *f* (*-y*; *G -dół*) barn; **~gi** *pl.* → **stóg**
sto|i → **stać**[1]; **~isko** *n* (*-a*; *G -*) stand, stall; (*w dużym sklepie*: *półki*) gondola, shelves *pl.*, (*lada*) counter; **~jak** *m* (*-a*; *-i*) stand; (*na płyty*) rack; **~jący** standing; **miejsce ~jące** standing place, standing room
stok *m* (*-u*; *-i*) slope
stokrot|ka *f* (*-i*; *G -tek*) *bot.* daisy; **~ny** hundredfold
stola|rnia *f* (*-i*; *-e*) carpenter's/cabinet-maker's (workshop); **~rz** *m* (*-a*; *-e*) carpenter; (*meblowy*) cabinet-maker
stol|ec *m* (*-lca*; *-lce*) *med.* stool; **~ica** *f* (*-y*; *G -*) capital (city); (*biskupstwa itp.*) see; **Ⓢica Apostolska** Holy See; **~ik** *m* (*-a*; *-i*) → **stół**; **~nica** *f* (*-y*; *-e*, *G -*) (pastry) board
stoł|eczny capital; **~ek** *m* (*-łka*; *-łki*) stool; **~ować** (*-uję*) cater for; **~ować się** dine (**u** with)
stołowni|czka *f* (*-i*; *G -czek*), **~k** *m* (*-a*; *-cy*) diner
sto|łowy table; **~łówka** *f* (*-i*; *G -wek*) canteen; **~łówkowy** canteen; **~ły** *pl.* → **stół**
stomatologiczny dental, dentist's; **fotel ~** dentist's chair
stonka *f* (*-i*; *G -nek*) *zo.* Colorado beetle
stonoga *f* (*-i*; *G -nóg*) *zo.* centipede
stop *m* (*-u*; *-y*) *tech.* alloy
stop|a *f* (*-y*; *G stóp*) foot (*też fig.*); (*buta*) sole; (*jednostka miary*) foot (*= 0,30 m*); *econ.* rate; **~a życiowa** standard of living; **u stóp** (*G*) at the foot (of); **od stóp do głów** from head to foot; → **procentowy**
stoper *m* (*-a*; *-y*) stopwatch
stop|ić *pf.* → **stapiać**; **~ień** *m* (*-pnia*; *-pnie*) step (*też fig.*), stair; degree (*też math.*, *geogr.*, *fig.*); *mil.* rank; (*w szkole*) *Brt.* mark, *Am.* grade; **~ień wyższy, najwyższy** *gr.* comparative, superlative degree; **do tego ~nia, że** to such an extent that; **w mniejszym ~niu** to a lesser extent; **w wysokim ~niu** to a high degree
stop-klatka *f* (*-i*) freeze-frame
stopniały melted
stopniow|ać (*-uję*) grade, change by degrees; *gr.* compare; **~o** *adv.* gradually; **~y** gradual, by degrees
stopować (*-uję*) stop, halt
storczyk *m* (*-a*; *-i*) *bot.* orchid
stornia *f* (*-i*; *-e*) *zo.* flounder
stornować ⟨**wy-**⟩ (*-uję*) *econ.* reverse
stos *m* (*-u*; *-y*) pile, stack; (*dla czarownicy*) stake; **ułożyć w ~** stack, pile
stosow|ać ⟨**za-**⟩ (*-uję*) use, apply; **~ać się** (**do** *G*) apply (to); conform (to); comply (with), be appropriate (for); → **dostosowywać się**; **~any** *nauka itp.* applied; **~nie** *adv.* appropriately (**do** *G* to); **~ny** appropriate, suitable; **w ~nej chwili** in the appropriate moment; **uważać za ~ne** (*A*) think it fit (to)
stosun|ek *m* (*-nku*; *-nki*) *math.* ratio; (*kontakt*) relation, relationship; (*płciowy*) intercourse; **w ~ku do** (*G*) in relation (to); **być w dobrych ~kach** (**z** *I*) have good relations (with); **~kowo** *adv.* relatively; **~kowy** relative
stow. *skrót pisany*: **stowarzyszenie** association
stowarzysz|enie *n* (*-a*; *G -eń*) association; **~ony** associated
stoż|ek *m* (*-żka*; *-żki*) cone (*też math.*); **~kowato** *adv.* conically; **~kowaty** conical
stóg *m* (*stogu*; *stogi*) haystack
stół *m* (*stołu*; *stoły*) table; (*posiłki*) board; **przy stole** at the table; **nakryć ~** lay the table
stówka F *f* (*-i*; *G -wek*) one hundred
str. *skrót pisany*: **strona** p. (*page*)
straceni|e *n* (*-a*; *G -eń*) (*więźnia*) execution; loss; **nie mieć nic do ~a** have nothing to lose
strach *m* (*-u*; *-y*) fear, fright, dread;

S

(*zjawa*) nightmare, *Brt.* spectre, *Am.* specter; ***ze ~u*** (***przed*** *I*) for fear (of); ***aż ~*** awfully; ***~ na wróble*** scarecrow
strac|ić (*-ę*) *pf.* → ***tracić***; *skazańca* execute; **~ony** executed; (*zgubiony*) lost
stragan *m* (*-u*; *-y*) stall; **~iarka** *f* (*-i*; *G -rek*), **~iarz** *m* (*-a*; *-e*) stall-holder
strajk *m* (*-u*; *-i*) (***powszechny, okupacyjny*** general, sit-down/sit-in) strike; **~ować** (*-uję*) strike; go on strike; **~owy** striking; **~ujący 1.** striking; **2.** *m* (*-ego*; *-y*), **~ująca** *f* (*-ej*; *-e*) striker
strapi|enie *n* (*-a*; *G -eń*) trouble, problem, worry; **~ony** troubled, dejected
strasz|ak *m* (*-a*; *-i*) toy gun; → ***straszydło***; **~liwie** *adv.* frightfully, horribly; **~liwy** frightful, horrible; **~ny** terrible; **~yć** *v/t.* ⟨***na-, prze-***⟩ frighten, scare; **~yć**⟨***wy-***⟩ ***się*** get a fright; *v/i.* haunt; ***tu ~y*** this place is haunted; **~ydło** *n* (*-a*; *-deł*) nightmare; *fig.* scarecrow, frump
strat|a *f* (*-y*; *G -*) loss (*też econ.*); ***ze ~ą*** at a loss; ***narazić się na ~ę*** suffer losses
strategiczny strategic
stratny: ***być ~m*** suffer a loss
straw|a *f* (*-y*; *G -*) food; **~ić** *pf.* → ***trawić***; **~ny** digestible
straż *f* (*-y*; *-e*) (***przyboczna, przednia*** body, advance) guard; ***trzymać pod ~ą*** keep under guard; → ***pożarny***; **~acki** fire; fireman's; **~ak** *m* (*-a*; *-cy*) fireman; **~nica** *f* (*-y*; *G -*) watchtower; **~niczka** *f* (*-i*; *G -czek*) guard, warder; **~nik** *m* (*-a*; *-cy*) watchman, guard, warder
strąc|ać ⟨***~ić***⟩ knock off; precipitate (*też ze szczytu itp.*)
strą|czek *m* (*-czka*; *-czki*), **~k** *m* (*-a*; *-i*) pod
stref|a *f* (*-y*; *G -*) zone, area, region; **~owy** zone, zonal
stremowany nervous
stres *m* (*-u*; *-y*) stress; **~owy** stressing
streszcz|ać (*-am*) ⟨***streścić***⟩ (*-szczę*) abbreviate, summarize; ***~ać się*** be brief; **~enie** *n* (*-a*; *G -eń*) abbreviation, summary
stręczy|cielstwo *n* (*-a*; *0*) procurement; **~ć** procure; → ***nastręczać***
striptizerka *f* (*-i*; *G -rek*) striptease artist, stripper
strofa *f* (*-y*; *G -*) stanza
strofować (*-uję*) criticize, reprimand
stroić (*-ję*, *strój*) ⟨***u-, wy-***⟩ decorate; ***~*** ⟨***wy-***⟩ ***się*** dress up; ⟨***na-***⟩ *mus.*, *tech.* tune; (*t-ko impf.*) *figle* play, make; *miny* make
stroj|e *pl.* → ***strój***; **~ny** decorated, ornamented; *ktoś* dressed up
strom|o *adv.* steeply; **~y** steep, precipitous
stron|a *f* (*-y*; *G -*) side (*też fig.*); (*książki*) page; *jur.* party (***w*** *L* to); ***cztery ~y świata*** the four points of the compass; ***na ~ę*** aside; ***ze ~y*** (*G*) *fig.* on the part of; ***w ~ę*** (*G*) in the direction (of); ***z jednej ~y ... z drugiej ~y ...*** on the one hand … on the other (hand) …; ***~a tytułowa*** title page
stronica *f* (*-y*; *G -*) page
stronić (*-ę*) (***od*** *G*) avoid, escape (from)
stronni|ctwo *n* (*-a*; *G -*) *pol.* party; **~czka** *f* (*-i*; *G -czek*) supporter, adherent, follower; **~czo** *adv.* in a biased way; **~czy** biased, prejudiced; **~k** *m* (*-a*; *-cy*) supporter, adherent, follower
stront *m* (*-u*; *0*) *chem.* strontium
strop *m* (*-u*; *-y*) ceiling, ceiling; *górnictwo*: roof
stroskany anxious, careworn
stroszyć ⟨***na-***⟩ (*-ę*) ruffle (up), bristle; ***~*** ⟨***na-***⟩ ***się*** become ruffled, bristle
strój *m* (*stroju*; *stroje*, *strojów*) dress, costume; → ***adamowy***
stróż *m* (*-a*; *-e*) watchman, caretaker; → **~ka** *f* (*-i*; *G -żek*) caretaker; → ***anioł***
stru|- *pf.* → ***tru-***; **~dzony** weary, fatigued
strug *m* (*-a*; *-i*) *tech.* plane; **~a** *f* (*-i*; *G -*) stream, brook; (*wody*) gush, jet; **~ać** ⟨***o-***⟩ (*-am*) *figurkę* carve; *tech.* plane; F *fig.* play, act
struktura *f* (*-y*; *G -*) structure
strumie|ń *m* (*-nia*; *-nie*) stream; *fig. też* torrrent; ***padać ~niem, ~niami*** pour with rain
strumyk *m* (*-a*; *-i*) → ***strumień***; trickle
strun|a *f* (*-y*; *G -*) string; *anat.* chord; ***~y*** *pl.* ***głosowe*** vocal chords *pl.*; **~owy** string
strup *m* (*-a*; *-y*) *med.* scab
strusi ostrich
struś *m* (*-sia*; *-sie*) *zo.* ostrich
strwożony frightened
strych *m* (*-u*; *-y*) loft, attic
stryczek *m* (*-czka*, *-czki*) halter (*też fig.*)
stry|j *m* (*-a*; *-owie*) uncle; **~jeczny**: ***brat ~jeczny, siostra ~jeczna*** cousin; **~jenka** *f* (*-i*; *G -nek*) aunt; **~jostwo** *n*

S

(*-a*; *G -*) uncle and aunt
strzał *m* (*-u*; *-y*) shot; **~a** *f* (*-y*; *G -*) arrow; **~ka** *f* (*-i*; *G -łek*) arrow; (*w sporcie*) dart; *anat.* fibula; **~kowy** *anat.* fibular
strząs|ać (*-am*) ⟨**~nąć**⟩ (*-nę*) shake down
strzec (*G*) guard, keep watch (over); **~ się** be on one's guard; look out for
strzecha *f* (*-y*; *G -*) thatch
strzel|ać (*-am*) (**do** *G*) shoot (to) (*też sport*), fire (at); (*trzaskać*) snap, click; ***~ać bramkę*** score; **~anina** *f* (*-y*; *G -*) shooting; **~ba** *f* (*-y*; *G -*) shotgun; **~ec** *m* (*-lca*; *G -lców*) shot; ***~ec wyborowy*** marksman; **℞ec** *znak Zodiaku:* Sagittarius; ***on(a) jest spod znaku ℞ca*** he/she is (a) Sagittarius **~ectwo** *n* (*-a*; *0*) *sport*: shooting; **~ić** *pf.* (*-lę*) → ***strzelać***; **~isty** slender, soaring; *fig.* lofty; **~nica** *f* (*-y*; *G -*) shooting range
strzem|iączko *n* (*-a*; *G -czek*) strap; **~ienny** *m* (*-ego*; *0*) stirrup cup; **~ię** *n* (*-enia*; *-iona*, *G -ion*) stirrup
strzep|ywać (*-uję*) ⟨**~nąć**⟩ (*-nę*) shake off, shake down
strzeżony guarded
strzęp *m* (*-u*; *-y*) shred, scrap; *fig.* bit, piece; **~ić** ⟨**wy-**⟩ (*-ę*) fringe; ***~ić się*** fray
strzyc ⟨**o-**⟩ *włosy* cut, crop; *trawę* mow, cut; *owce* shear; ***~ się*** have a haircut; *impf.* ***~ uszami*** prick one's ears
strzyk|ać (*-am*) squirt, spurt; *med.* have a stabbing pain; **~awka** *f* (*-i*; *G -wek*) syringe; **~nąć** *pf.* → ***strzykać***
strzyż|enie *n* (*-a*; *G -eń*) cutting, shearing; mowing; **~ony** shorn
stu *m-os* → ***sto***; → ***666***
studen|cki student(s'); ***dom ~cki*** *Brt.* hall of residence, *Am.* dormitory; **~t** *m* (*-a*; *-ci*), **~tka** *f* (*-i*; *G -tek*) student
studi|a *pl.* (***medyczne*** medical) studies *pl.* (**na, w** *L* at); **~ować** (*-uję*) study; **~um** *n* (*idkl.*; *-a*; *-iów*) study; college
studnia *f* (*-i*; *-e*) well
studniówka *f* (*-i*; *G -wek*) graduation ball (*in secondary schools, traditionally 100 days before the final exams*)
studzić ⟨**o-**⟩ (*-dzę*) cool down
studzienny well
stuk *m* (*-u*; *-i*) knocking; **~ać** ⟨**~nąć**⟩ knock (**do** *G*, **w** *A* on, at); *serce*: pound; *silnik*: knock, pink; **~nięty** F loony, *Brt.* barmy
stu|lecie *n* (*-a*; *G -eci*) century; (*rocznica*) centenary; **~letni** a hundred years old; **~metrówka** *f* (*-i*; *G -wek*) hundred metres *sg.*; **~procentowy** (one-)hundred per cent
stwardni|ały hardened; **~enie** *n* (*-a*; *G -eń*) hardening; ***~enie rozsiane*** *med.* multiple sclerosis
stwarzać (*-am*) create
stwierdz|ać (*-am*) ⟨**~ić**⟩ find, establish, state; **~enie** *n* (*-a*; *G -eń*) finding; statement
stworz|enie *n* (*-a*; *0*) creation, *rel.* the Creation; (*pl. -a*) creature; **~yć** *pf.* → ***stwarzać***
stwórca *m* (*-y*; *G -ców*) creator
styczeń *m* (*-cznia*; *-cznie*) January
styczna *f* (*-ej*; *G -ych*) *math.* tangent
styczniowy January
styczn|ość *f* (*-ści*; *0*) contact; ***wejść w ~ość*** (**z** *I*) get in touch *lub* contact (with); **~y**: ***punkt ~y*** point of contact
stygnąć ⟨**o-, wy-**⟩ (*-nę*) cool (*też fig.*); ⟨**za-**⟩ set; *krew*: congeal
styk *m* (*-u*; *-i*) touch, contact; (*miejsce*) joint; ***na ~*** edge to edge; *fig.* by a narrow margin; **~ać** (*-am*) bring into contact, bring together; ***~ać się*** touch (**z** *I* to); **~owy** contact; *złącze* butt
styl *m* (*-u*; *-e*) style; **~istyczny** stylistic; **~owo** *adv.* stylishly, elegantly; **~owy** stylish, elegant
stymul|ator *m* (*-a*; *-y*): *med.* ***~ator serca*** pace maker; **~ować** (*-uję*) stimulate
stypa *f* (*-y*; *G -*) (funeral) wake
stypend|ium *n* (*idkl.*; *-ia*, *-iów*) scholarship, grant; **~ysta** *m* (*-y*; *-ści*), **~ystka** *f* (*-i*; *-tek*) scholar, grantee, scholarship holder
styropian *m* (*-u*; *-y*) polystyrene (foam)
subiektywn|ie *adv.* subjectively; **~y** subjective
sub|lokator(ka *f*) *m* subtenant, lodger; **~lokatorski**: ***pokój ~lokatorski*** subleased room; **~ordynacja** *f* obedience; **~skrybować** (*-uję*) subscribe (*A* to), take out; **~skrypcja** *f* (*-i*; *-e*) subscription (**na** *A* to); **~stancja** *f* (*-i*; *-e*) substance
sub|sydiować (*-uję*) subsidize, support; **~telny** subtle; **~wencjonować** (*-uję*) subsidize
such|arek *m* (*-rka*; *-rki*) (*dla dzieci*) rusk, biscuit; **~o** *adv.* dryly; **~ość** *f* (*-ści*; *0*) dryness

S

suchoty *hist. pl.* (-) consumption, tuberculosis
such|y (*m-os susi*) dry (*też fig.*); (*wyschnięty*) withered, dried up; *osoba* gaunt; ***wytrzeć do ~a*** wipe dry
Sudety *pl.* the Sudety *pl.*, the Sudeten *pl.*
sufit *m* (*-u*; *-y*) *bud.* ceiling
suflet *m* (*-u*; *-y*) *gastr.* soufflé
sufragan *m* (*-a*; *-i*) *rel.* suffragan (bishop)
suge|rować ⟨***za-***⟩ (*-uję*) suggest, propose; **~stia** *f* (*GDL -ii*;*-e*) suggestion
suita *f* (*-y*; *G* -) *mus.* suite
suka *f* (*-i*; *G* -) bitch (*też pej.*); she-dog
sukces *m* (*-y*; *-u*) success; ***odnosić ~*** succeed; **~ja** *f* (*-i*; *G -e*) succession; **~ywny** successive
sukien|ka *f* (*-i*; *G -nek*) dress; **~nice** *f/pl.* (*G* -) cloth hall; **~ny** cloth
sukinsyn *m* (*-a*; *-y*) V son of a bitch
sukn|ia *f* (*-i*; *-e*, *-i/-ien*) (*zwł.* evening) dress; **~o** *n* (*-a*; *G sukien*) cloth
sułtan *m* (*-a*; *-i*) sultan; **~ka** *f* (*-i*; *G -nek*) *bot.* sultana
sum|a *f* (*-y*; *G* -) sum; (*kwota też*) amount; *rel.* high mass; ***w ~ie*** in all, *lub* altogether
sumien|ie *n* (*-a*; *G -eń*) conscience; **~ny** conscientious
sumow|ać (*-uję*) add up (***się*** *v/i.*); **~anie** *n* (*-a*; *G -ań*) addition
sunąć (*-nę*, *-ń!*) glide; (*na kółkach*, *piłka*) roll
supeł *m* (*-pła*; *-pły*) knot
super super; *w złoż.* super-, ultra-; **~nowoczesny** ultra-modern; **~sam** *m* (*-u*; *-y*) (*zwł.* self-service) supermarket
surfing *m* (*-u*; *-i*) *sport*: surfing; **~owy** surfing; ***deska ~owa*** surf-board
surogat *m* (*-u*; *-y*) surrogate, substitute
surow|cowy raw material; **~ica** *f* (*-y*; *-e*, *G* -) serum; **~iec** *m* (*-wca*; *-wce*) raw material; ***~ce*** *pl.* ***naturalne*** natural resources *pl.*; **~o** *adv.* severely; harshly; ***na ~o*** raw; **~ość** *f* (*-ści*; *0*) severity, harshness; **~y** raw; severe; harsh; ***w stan ~y zakończony*** *bud.* structurally complete
surówka *f* (*-i*; *G -wek*) (*zwł.* raw vegetable) salad; *tech.* pig-iron
sus *m* (*-a*; *-y*) jump, leap, bound
susi *m-os* → ***suchy***
susza *f* (*-y*; *G* -) drought; **~rka** *f* (*-i*; *G -rek*) dryer; (*na naczynia*) *Brt.* draining rack, *Am.* (dish) drainer; **~rnia** *f* (*-i*; *-e*) drying room
susz|enie *n* (*-a*; *G -eń*) drying; **~ony** dried; **~yć** ⟨***wy-***⟩ (*-ę*) dry; ***~yć sobie głowę*** (***nad*** *I*) rack one's brains (over)
sutanna *f* (*-y*; *G* -) *rel.* cassock
sutek *m* (*-tka*; *-tki*) *anat.* nipple
sutenerstwo *n* (*-a*; *0*) pimping
suterena *f* (*-y*; *G* -) basement
suty generous; opulent
suw *m* (*-u*; *-y*) *tech.*, *mot.* stroke; **~ać** (*-am*) *v/t.* slide; ***~ać nogami*** shuffle; **~ak** *m* (*-a*; *-i*) (***logarytmiczny*** slide-)-rule; → ***zamek błyskawiczny***
suwerenn|ość *f* (*-ści*; *0*) sovereignty; **~y** sovereign
suwnica *f* (*-y*; *G* -) *tech.* (overhead) crane
swa (*ściągn.* ***swoja***) → ***swój***
swar|liwie *adv.* quarrelsomely; contentiously; **~liwy** quarrelsome, contentious; **~y** *m/pl.* (*-ów*) quarrels *pl.*, quarrelling
swastyka *f* (*-i*; *G* -) swastika
swat *m* (*-a*; *-owie/-ci*), **~ka** *f* (*-i*; *G -tek*) matchmaker; **~y** *m/pl.* (*G -ów*) matchmaking
swawol|a *f* (*-i*; *-e*) frolic, prank; **~ić** (*-ę*) frolic; **~ny** playful; → ***figlarny***
swąd *m* (*swędu*; *0*) smell of burning
swe (*ściągn.* ***swoje***) → ***swój***
sweter *m* (*-tra*; *-try*) sweater
swędz|enie *n* (*-a*; *0*) itching; **~i(e)ć** (*-ę*) itch
swobod|a *f* (*-y*; *G -bód*) freedom; liberty; **~nie** *adv.* freely; **~ny** free
swo|i *m-s* → ***swój***; **~isty** specific; characteristic; **~iście** *adv.* specifically; characteristically; **~ja, ~je 1.** → ***swój***; **2. *~je*** *n* (*-ego*; *0*) one's own; ***obstawać przy ~im*** stand up to one's opinion; ***postawić na ~im*** get one's own way; ***robić ~je*** do one's job; → ***czas, dopiąć***; **~jski** familiar; home-made
swój *poss.* (***swoja*** *f*, ***swoje*** *n i pl.*, ***swoi*** *m-os*) my, your, his, her, our, your, their (*często + own*); ***wziął swoje rzeczy*** he took his things; ***swoimi słowami*** in your own words; ***chodzić swoimi drogami*** walk by oneself; ***na ~ sposób*** in one's own way; → ***krewny, rodaczka, rodak, swoje***
Syberia *f* (*GDl -ii*; *0*) Siberia

S

sycić ⟨***na-***⟩ (*-cę*) satiate; *fig.* satisfy
Sycylia *f* (*GDL -ii*; *0*) Sicily
syczeć (*-ę*) hiss
syfon *m* (*-u*; *-y*) siphon
sygnalizator *m* (*-a*; *-y*) (***pożarowy*** fire) alarm; **~ *alarmowy*** alarm system
sygnał *m* (*-u*; *-y*) signal; **~ *świetlny*** headlight flasher; **~ *wzywania pomocy*** *naut.* Mayday call
sygnatura *f* (*-y*) (*w bibliotece*) catalogue number
sygnet *m* (*-u*; *-y*) signet-ring
syjonistyczny Zionistic
syk *m* (*-u*; *-i*) hiss; **~ać** (*-am*), **~nąć** *v/s.* hiss
sylab|a *f* (*-y*; *G -*) syllable; **~izować** (*-uję*) read letter by letter
syl|wester *m* (*-a*; *-y*) New Year's Eve; ***obchodzić ~westra*** see the New Year in; **~westrowy** New Year's; **~wetka** *f* (*-i*; *G -tek*) silhouette; *fig.* portrait
symbol *m* (*-u*; *-e*) symbol; **~iczny** symbolic
symetr|ia *f* (*GDL -ii*; *-e*) symmetry; **~yczny** symmetric(al)
symfoni|a *f* (*GDL -ii*; *-e*) *mus.* symphony; **~czny** symphony; ***poemat ~czny*** symphonic poem
sympat|ia *f* (*GDl -ii*; *-e*) liking, affection; F (*dziewczyna*) girlfriend, (*chłopak*) boyfriend; ***czuć ~ię*** (***do*** *G*) feel attracted (to); **~yczny** likeable; **~yk** *m* (*-a*; *-cy*) (*G*) sympathizer
symptom *m* (*-u*; *-y*) symptom
symul|ować (*-uję*) simulate; *chorobę* fake; **~taniczny** simultaneous
syn *m* (*-a*; *-owie*) son
synagoga *f* (*-i*; *G -*) *rel.* synagogue
synchro|niczny synchronic; **~nizować** ⟨***z-***⟩ (*-uję*) synchronize
syndyk *m* (*-a*; *-cy/-owie*) receiver
synek *m* (*-nka*; *-nkowie*) son
syno|d *m* (*-u*; *-y*) synod; **~nim** *m* (*-u*; *-y*) synonym; **~nimiczny** synonymous
synoptyczny synoptic
synow|a *f* (*-ej*; *-e*) daughter-in-law; **~ski** filial; ***po ~sku*** like a son
syntetyczny synthetic; (*plastikowy*) plastic
sypać (*-ię*) *v/t. mąkę itp.* pour (***się*** *v/i.*); sprinkle; *wał* build; *fig.* reel off; F *kogoś* split on; *v/i. śnieg*: snow; **~ *się*** *tynk itp.*: crumble off *lub* away (***z*** *G* from); *wąsy*: sprout; *fig.* rain down; *iskry*: fly
sypial|nia *f* (*-i*; *-e*) bedroom; (*w internacie itp.*) dormitory; **~ny** bedroom
syp|ki loose; **~nąć** *pf.* → ***sypać***
syrena *f* (*-y*; *G -*) *tech.* siren; *zo.* sea cow; (*w mitologii*) mermaid, siren
syrop (*-u*; *-y*) syrup
Syria *f* (*GDL -ii*; *0*) Syria
syryj|ski Syrian; **℘czyk** *m* (*-a*; *-cy*), **℘ka** (*-i*; *G -jek*) Syrian
system *m* (*-u*; *-y*) system; **~atyczny** systematic
syt|ny filling; **~ość** *f* (*-ści*; *0*) satiety, repleteness
sytuac|ja (*-i*; *-e*) situation; **~yjny** situational
sytuowa|ć ⟨***u-***⟩ (*-uuję*) locate, situate; ***dobrze ~ny*** well-to-do
syty (*pred.* ***do syta***) full-up
szabas *m* (*-u*; *-y*), **szabat** *m* (*-u*; *-y*) *rel.* Sabbath
szabl|a *f* (*-i*; *-e*) *Brt.* sabre, *Am.* saber; **~ista** *m* (*-y*; *-ści*) *Brt.* sabre (*Am.* saber) fencer
szablon *m m* pattern; (*językowy*) cliché; **~owo** *adv.* in a clichéd *lub* stereotyped manner; **~owy** clichéd, stereotyped
szach *m* (*-a*; *-owie*) shah; (*-u/-a*; *-y*) check (*też fig.*); ***dać ~a*** (give) check; **~ *mat*** checkmate; *t-ko pl.* **~y** (*-ów*) chess; **~ista** *m* (*-y*; *-ści*, *G -tów*), **~istka** *f* (*-i*; *G -tek*) chess-player; **~ownica** *f* (*-y*; *-e*, *G -*) chessboard; *fig.* patchwork
szachr|aj *m* (*-a*; *-e*), **~ajka** *f* (*-i*; *G -jek*) swindler; **~ajstwo** *n* (*-a*; *G -*) swindle; **~ować** (*-uję*) swindle
szachy *pl.* → ***szach***
szacować ⟨***o-***⟩ (*-uję*) estimate
szacun|ek *m* (*-nku*; *0*) esteem, respect; (*ocena*) estimate, estimation; → ***wyraz***; **~kowo** *adv.* approximately
szafa *f* (*-y*; *G -*) wardrobe, cupboard; **~ *grająca*** jukebox
szafir *m* (*-u*; *-y*) sapphire; **~owy** sapphire
szafk|a *f* (*-i*; *G -fek*) cabinet; locker; ***~a nocna*** bedside table; **~owy** cabinet
szafować (*-uję*) (*I*) be wasteful (with)
szafran *m* (*-u*; *-y*) *bot.*, *gastr.* saffron
szajka *f* (*-i*; *G -jek*) gang
szal *m* (*-a*; *-e*) shawl, scarf
szala *f* (*-i*; *-e*) scale (pan)
szalbierstwo *n* (*-a*; *G -*) imposition

S

szale|ć (*-eję*) go wild, rage; be beside o.s. (**z** *G* with); be mad (**za** *I* about); **~niec** *m* (*-ńca*; *-ńcy*) madman, maniac, lunatic; **~ńczo** *adv.* madly, crazily; **~ńczy** mad, crazy; lunatic; **~ństwo** *n* (*-a*; *G* -) madness, craziness, craze
szalet *m* (*-u*; *-y*) public convenience
szalik *m* (*-a*; *-i*) scarf
szalony mad, crazy
szalować ⟨**o-**⟩ (*-uję*) board, shutter
szalunek *m* (*-nku*; *-nki*) boarding, shuttering
szalupa *f* (*-y*; *G* -) *naut.* launch; lifeboat
szał *m* (*-u*; *0*) rage, frenzy; craze; ***wpaść w ~*** go mad; → ***furia***
szałas *m* (*-u*; *-y*) shanty, shed, hut
szałowy great, fantastic
szałwia *f* (*GDL -ii*; *-e*) *bot.* sage
szamotać (*-czę/-cę*): ***~ się*** struggle
szampa|n *m* (*-a*; *-y*) *gastr.* champagne; **~ński** champagne; *fig.* wonderful
szampon *m* (*-u*; *-y*) shampoo
szaniec *m* (*-ńca*; *-ńce*) entrenchment
szanow|ać (*-uję*) respect, esteem; *prawo* respect, observe; *ubranie* treat with care; **~ny** respected; (*w listach*) Dear
szansa *f* (*-y*; *G* -) chance, prospect
szantaż *m* (*-u*; *-e*) blackmail; **~ować** (*-uję*) blackmail; **~ysta** *m* (*-y*; *G -stów*), **~ystka** *f* (*-i*; *G -tek*) blackmailer
szarak *m* (*-a*; *-i*) *zo.* hare
szarańcza *f* (*-y*; *-e*, *-y*) *zo.* locust
szarfa *f* (*-y*; *G* -) sash
szarlata|n *m* (*-a*; *-i*) charlatan; **~neria** *f* (*GDL -ii*; *0*) charlatanism
szarlotka *f* (*-i*; *G -tek*) apple-pie
szaro *adv. w złoż. Brt.* grey, *Am.* gray; **~tka** *f* (*-i*; *G -tek*) *bot.* edelweiss; **~zielony** grey-green
szarówka *f* (*-i*; *G -wek*) twilight, dusk
szarp|ać *v/i.* tug, yank (**za** *A* at); *pojazd*: jerk, jolt; ⟨***po-***, ***roz-***⟩ *v/t.* tear up; ***~ać się*** struggle; (***na*** *A*) lash out (on); **~nąć** *v/s.* (*-nę*) → ***szarpać***; **~nięcie** *n* (*-a*; *G -ęć*) jolt, jerk
szaruga *f* (*-i*; *G* -) rainy weather
szary (*m-os -rzy*) *Brt.* grey, *Am.* gray; *fig.* drab; ***na ~m końcu*** at the very end
szarz|eć ⟨***po-***⟩ (*-eję*) grow dusky; grow *Brt.* grey, *Am.* gray; ***~eje*** it is getting dark; **~y** *pl.* → ***szary***; **~yzna** *f* (*-y*; *0*) *fig.* monotony, tediousness
szastać (*-am*) → ***szafować***

szata *f* (*-y*; *G* -) dress, garment; *print.* layout
szata|n *m* (*-a*; *-i/-y*) satan; **~ński** satanic
szatkować (*-uję*) *gastr.* shred
szatnia *f* (*-i*; *-e*) *Brt.* cloakroom, *Am.* checkroom; (*do przebrania się*) changing room; **~rka** *f* (*-i*; *G -rek*), **~rz** *m* (*-a*; *-e*) cloakroom attendant
szatyn *m* (*-a*; *-i*), **~ka** *f* (*-i*; *G -nek*) dark-haired/brown-haired person
szczać V (*-ę*) piss
szczapa *f* (*-y*; *G* -) piece of wood
szczaw *m* (*-wiu*; *-wie*, *-wi*) *bot.* sorrel; **~iowy** sorrel
szczęt|ek *m* (*-tka*; *-tki*) fragment; *przew.* ***~ki*** *pl.* remains *pl.*; (*po katastrofie*) debris; **~kowy** residual
szczeb|el *m* (*-bla*; *-ble*) rung; *fig.* rank, level; *pol.* ***na ... ~lu*** at the ... level
szczebiot *m* (*-u*; *-y*) twittering; chirping; **~ać** (*-czę/-cę*) twitter; chirp
szczecina *f* (*-y*; *G* -) bristle; (*na brodzie*) stubble
szczególn|ie *adv.* particularly, in particular; especially, specially; **~ość** (*-ści*; *0*): ***w ~ości*** in particular; **~y** particular; especial, special
szczegół *m* (*-u*; *-y*) detail; **~owo** *adv.* in detail; **~owy** detailed
szczekać (*-am*) bark
szczel|ina *f* (*-y*; *G* -) split, crevice; **~ny** air-tight, water-tight
szczeni|ak *m* (*-a*; *-i*) *fig. pej.* whipper-snapper; → **~ę** *n* (*-cia*; *-nięta*, *G -niąt*) puppy
szczep *m* (*-u*; *-y*) tribe; *biol.*, *med.* strain; *agr.* scion, graft; **~ić** (*-ę*) ⟨***za-***⟩ *med.* vaccinate; ⟨***prze-***⟩ *med.* graft; **~ienie** *n* (*-a*; *G -eń*) *med.* vaccination; *agr.* grafting; **~ionka** *f* (*-i*; *G -nek*) vaccine
szczerba *f* (*-y*; *G* -) chip, nick; (*między zębami*) gap (in one's teeth); **~ty** gap-toothed; → ***wyszczerbiony***
szczerość *f* (*-ści*; *0*) frankness, openness, sincerity; **~ry** frank, open, sincere; **~rze** *adv.* frankly, openly, sincerely
szczerzyć ⟨***wy-***⟩ (*-ę*): ***~ zęby*** bare one's teeth; *fig.* give a friendly smile (***do*** *G* to)
szczędzić (*-ę*): ***nie ~*** (*G*) not spare, be generous
szczęk *m* (*-u*; *-i*) clank, clink; **~a** *f* (*-i*; *G* -) *anat.* jaw; ***sztuczna ~a*** false teeth *pl.*, denture; **~ać** (*-am*) clink, clank

S

szczęś|ciara *f* (*-y*; *G -*), **~ciarz** *m* (*-a*; *-e*) lucky person; **~cić się**: **~ci mu się** he is lucky; **~cie** *n* (*-a*; *0*) (good) luck, fortune; **~ciem, na ~cie** fortunately; luckily; **~liwie** *adv.* fortunately; luckily; happily; **~liwy** fortunate; lucky; happy

szczod|ry generous; **~rze** *adv.* generously

szczot|eczka *f* (*-i*; *G -czek*) (**do zębów** tooth) brush; **~ka** *f* (*-i*; *G -tek*) brush; **~ka do zamiatania** broom; **~ka mechaniczna** carpet sweeper; **~kować** ⟨**wy-**⟩ (*-uję*) brush

szczuć ⟨**po-**⟩ (*-ję*) set the dog(s) on

szczudło *n* (*-a*; *G -deł*) stilt; → **kula²**

szczupak *m* (*-a*; *-i*) *zo.* pike

szczup|leć ⟨**ze-**⟩ (*-eję*) slim down, get slimmer; **~ły** slim, slender

szczu|r *m* (*-a*; *-y*) *zo.* rat (*też fig.*); **~rzy** rat

szczwany shrewd, crafty

szczycić się (*-cę*) (*I*) boast, be proud (of)

szczygieł *m* (*-gła*, *-gły*) *zo.* goldfinch

szczy|pać (*-pię*) pinch; *trawę* nip; *dym*: sting, be stinging; **~pce** *pl.* (*-piec/ -pców*) → **kleszcze**; **~piorek** *m* (*-rku*; *0*) chives *pl.*; **~pta** *f* (*-y*; *G -*) pinch

szczyt *m* (*-u*; *-y*) top (*też fig.*); (*góry*) peak, summit; *bud.* gable; (*łóżka*, *stołu*) head; **godziny** *pl.* **~u** rush hours *pl.*; **spotkanie na szczycie** summit meeting; **~ny** noble; **~ować** (*-uję*) climax; **~owanie** *n* (*-a*; *G -ań*) climax; **~owy** summit; climax; peak

szedł(em) *3.* (*1.*) *os. pret. sg.* → **iść**

szef *m* (*-a*; *-owie*) boss, chief; (*kuchni*) chef; **~owa** *f* (*-ej*; *-e*) boss, chief

szejk *m* (*-a*; *-owie*) sheikh

szele|st *m* (*-u*; *-y*) rustle; **~ścić** (*-ę*) rustle

szelki *pl.* (*G -lek*) *Brt.* braces *pl.*, *Am.* suspenders *pl.*

szelma *f/m* (*-y*; *G -/ów*) rogue

szemrać (*-rzę*) *deszcz*, *drzewa*: whisper; *strumyk*: babble; *fig.* grumble, murmur

szep|nąć *v/s* (*-nę*) whisper; **~t** *m* (*-u*; *-y*) whisper; **~tać** (*-czę/-cę*) whisper; **~tany** whispered

szer. *skrót pisany*: **szerokość** w. (*width*); **szeregowiec** Pvt. (*private*)

szereg *m* (*-u*; *-i*) row; line; series; (*wydarzeń*) chain

szeregow|ać ⟨**u-**⟩ (*-uję*) line up; **~iec** *m* (*-wca*; *-wcy*) *mil.* private; **~y 1.** ordinary; **2.** *m* (*-ego*; *-wi*) *mil.* private; **~i** *pl.* *mil.* the ranks; **~i członkowie** *pl.* rank and file

szermie|rka *f* (*-i*; *0*) *sport*: fencing; **~rz** *m* (*-a*; *-e*) (*w sporcie*) fencer

szerok|i wide, broad; **~o** *adv.* widely, broadly

szeroko|kątny *phot.* wide-angle; **~ść** *f* (*-ści*) breadth, width; **~ść torów** *rail.* gauge; **~torowy** *rail.* broad-gauge

szerszeń *m* (*-nia*; *-nie*) *zo.* hornet

sze|rszy, ~rzej *adj./adv. comp. od* → **szeroki, -ko**

szerzyć (*-ę*) spread (**się** *v/i.*)

szesna|stka *mus. Brt.* semiquaver, *Am.* sixteenth note; **~sto-** *w złoż.* sixteen; **~sty** sixteenth; **~ście** sixteen; → ***734***

sześc. *skrót pisany*: **sześcienny** c (*cubic*)

sześci|an *m* (*-u*; *-y*) *math.* cube; **podnieść do ~anu** cube; **~enny** *math.* cubic; *kształt* cubical

sześ|cio- *w złoż.* six; **~ciokąt** *m* (*-a*; *-y*) hexagon; **~ciokrotny** sixfold; **~cioletni** six-year-long, -old; **~ciu** *m-os*, **~ć** six → ***734***

sześć|dziesiąt sixty; → ***734***; **~dziesiąty** sixtieth; **~set** six hundred; → ***734***; **~setny** six hundredth

Szetlandy *pl.* (*G -ów*) Shetland Islands *pl.*, Shetlands *pl.*

szew *m* (*szwu*; *szwy*) seam; *med.* suture; **zdjąć szwy** remove the stitches; **bez szwu** seamless

szew|c *m* (*-a*; *-y*) shoemaker; **~ski** shoemaker's

szkalować ⟨**o-**⟩ (*-uję*) malign

szkapa *f* (*-y*; *G -*) nag, hack

szkaradny hideous

szkarlatyna *f* (*-y*; *0*) *med.* scarlet fever

szkatułka *f* (*-i*; *G -łek*) box

szkic *m* (*-u*; *-e*) sketch; **~ować** ⟨**na-**⟩ (*-uję*) sketch; **~owo** *adv.* sketchily; in rough; **~owy** sketchy

szkielet *m* (*-u*; *-y*) *anat.* skeleton (*też fig.*)

szkiełko *n* (*-a*; *G -łek*) glass; (*zegarka*) crystal

szkla|nka *f* (*-i*; *G -nek*) glass; **~ny** glass; **~rnia** *f* (*-i*; *-e*) greenhouse, *Brt.* glasshouse; **~rski** glazier's; **~rz** *m* (*-a*; *-e*) glazier

szkli|ć ⟨**o-** ⟩ (*-lę*; *-lij!*) glaze; **~sty** glassy; **~ście** *adv.* in a glassy manner; **~wo** *n* (*-a*; *G -*) *anat.* enamel; *tech.* glaze

szkło *n* (*-a*; *G szkieł*) glass

S

Szko|cja *f* (*-i*; *0*) Scotland; **♀cki** Scots, Scottish
szkod|a¹ *f* (*-y*; *G szkód*) damage, harm; mischief; ***na ~ę, ze ~ą dla*** (*G*) to the detriment (of)
szkod|a² *adv*. pity; ***~a, że*** a pity that; ***jaka ~a!*** what a pity!; **~liwość** *f* (*-ści*; *0*) harmfulness; **~liwie** *adv*. harmfully; **~liwy** harmful; (*niezdrowy*) unhealthy; **~nik** *m* (*-a*; *-i*) pest
szkodz|ić (*-dzę*) damage, harm; ***co to ~i?*** what harm does it do?; ***nie ~i*** not at all
szkol|enie *n* (*-a*; *G -eń*) training; **~ić** ⟨***wy-***⟩ (*-lę*) train; **~nictwo** *n* (*-a*; *G -*) educational system; **~ny** school
szkoła *f* (*-y*; *G szkół*) school (*też fig.*); ***~ wyższa*** higher education institution
szkopuł *m* (*-u*; *-y*) hitch, difficulty
Szkot *m* (*-a*; *-ci*), **~ka** *f* (*-i*; *G -tek*) Scot
szkółka *f* (*-i*; *G -łek*) → ***szkoła***; course for beginners; *agr.* nursery
szkuner *m* (*-a*; *-y*) schooner
szkwał *m* (*-u*; *-y*) squall
szlaban *m* (*-u*; *-y*) gate, barrier
szlach|cianka *f* (*-i*; *G -nek*) noblewoman; **~cic** *m* (*-a*; *-e*) nobleman; **~ecki** noble
szlachetn|ość *f* (*-ści*; *0*) nobility; **~y** noble
szlachta *f* (*-y*; *G -*) nobility
szlafrok *m* (*-a*; *-i*) dressing-gown, *Am.* bath robe
szlak *m* (*-u*; *-i*) route, track; (*turystyczny*) trail
szlam *m* (*-u*; *0*) mire, sludge
szli *3. os. pret. pl.* → ***iść***
szlifować ⟨***o-***⟩ (*-uję*) grind
szlochać (*-am*) sob
szła(m) *3.* (*1.*) *os. pret. pl.* → ***iść***
szmacia|ny rag; ***lalka ~na*** rag doll; **~rz** *m* (*-a*; *-e*) rag-and-bone man; *fig.* bum
szmaragd *m* (*-u*; *-y*) emerald; **~owy** emerald
szmat *m*: ***~ drogi*** a long way; ***~ czasu*** a long time; **~a** *f* (*-y*; *G -*) rag; → **~ka** *f* (*-i*; *G -tek*) cloth; rag
szmelc *m* (*-u*; *0*) junk, rubbish
szmer *m* (*-u*; *-y*) noise, sound
szminka *f* (*-i*; *G -nek*) (*do ust*) lipstick; (*do charakteryzacji*) make-up
szmira *f* (*-y*) trash, rubbish
szmuglować (*-uję*) smuggle
sznur *m* (*-a*; *-y*) string (*też fig.*); cord (*też electr.*); ***~ do bielizny*** clothes-line; **~ek** *m* (*-rka*; *-rki*) string, line; **~owadło** *n* (*-a*; *G -deł*) lace
sznycel *m* (*-cla*; *-cle*) *gastr.* schnitzel
szofer *m* (*-a*; *-rzy*) driver; **~ka** *f* (*-i*; *G -rek*) cab
szok *m* (*-u*; *-i*) shock; **~ować** ⟨***za-***⟩ shock; **~owy** shock
szop *m* (*-a*; *-y*) *zo.* racoon
szop|a *f* (*-y*; *G szop*) shed; **~ka** *f* (*-i*; *G -pek*) *rel.* crib
szorować ⟨***wy-***⟩ (*-uję*) scrub, scour
szorstk|o *adv.* roughly; coarsely; **~i** rough; *ktoś* coarse, abrupt
szorty *pl.* (*G -tów*) shorts *pl.*
szosa *f* (*-y*; *G szos*) high road, highway
szowinistyczny chauvinist
szóst|ka *f* (*-i*; *G -tek*) six; (*linia itp.*) number six; **~y** sixth; → ***734***
szpachl|a *f* (*-i*; *-e*) spatula; **~ować** (*-uję*) stop, fill
szpa|da *f* (*-y*; *G -*) épée; **~del** *m* (*-dla*; *-dle*) spade; **~dzista** *m* (*-y*; *G -tów*), **~dzistka** *f* (*-i*; *G -tek*) épéeist
szpa|gat *m* (*-u*; *-y*) splits *pl.*; (*sznurek*) string; **~k** *m* (*-a*; *-i*) *zo.* starling; **~kowaty** *Brt.* greying, *Am.* graying; *koń* roan; **~ler** *m* (*-u*; *-y*) line; **~ra** *f* (*-y*; *G -*) slit, cleft; crack
szparag *m* (*-u*; *-i*) *bot.*: *zw.* **~i** *pl.* asparagus
szpargał *m* (*-u*; *-y*) bit of paper; **~y** *pl.* useless papers
szpecić (*-cę*) mar; ⟨***o-, ze-***⟩ disfigure
szperać (*-am*) rummage about *lub* through
szpetny ugly, unsightly
szpic *m* (*-a*; *-e*) point, tip; *zo.* spitz; **~el** *m* (*-cla*; *-cle*) *pej.* informer; **~ruta** *f* (*-y*; *G -*) riding whip
szpieg *m* (*-a*; *-dzy*) spy
szpiego|stwo *n* (*-a*; *G -*) spying, espionage; **~wać** (*-uję*) spy; **~wski** spy
szpik *m* (*-u*; *0*) *anat.* marrow; → ***kość***
szpilk|a *f* (*-i*; *G -lek*) pin; (*do włosów*) hairpin; (*obcas*) stiletto; **~owy** *bot.* coniferous
szpinak *m* (*-u*; *-i*) *bot.* spinach
szpital *m* (*-a*; *-e*) hospital; **~ny** hospital
szpon *m* (*-a/-u*; *-y*) claw, talon
szprotka *f* (*-i*; *G -tek*) *zo.* sprat
szprycha *f* (*-y*; *G -*) spoke

S

szpul|a *f* (*-i*; *-e*) reel, spool; **~ka** *f* (*-i*; *G -lek*) reel, spool
szrama *f* (*-y*; *G* -) scar
szreń *f* (*-ni*; *0*) firn, névé
szron *m* (*-u*; *0*) frost
szt. *skrót pisany*: **sztuk(a)** pc. (*piece*)
sztab *m* (*-u*; *-y*) staff; **~ *główny*** headquarters *pl.*
sztab|a *f* (*-y*; *G* -) bar; ***~a złota*** gold bar *lub* ingot
sztabowy staff
sztacheta *f* (*-y*; *G* -) pale
sztafet|a *f* (*-y*; *G* -) *sport*: relay; **~owy**: ***bieg ~owy*** relay race
sztalug|a *f* (*-i*; *G* -): *zw.* **~i** easel
sztandar *m* (*-u*; *-y*) flag, standard; **~owy** flag, standard
sztang|a *f* (*-i*; *G* -) (*w sporcie*) weight; **~ista** *m* (*-y*; *G -ów*) (*w sporcie*) weightlifter
sztolnia *f* (*-i*; *-e*) (*w górnictwie*) gallery
szton *m* (*-u*; *-y*) chip
sztorc: ***na ~*** on end
sztorm *m* (*-u*; *-y*) storm; **~owy** storm
sztruks|owy corduroy; **~y** *pl.* cords *pl.*
sztucz|ka *f* (*-i*; *G -czek*) trick; **~ny** artificial, *biżuteria itp.* imitation
sztućce *m/pl.* (*-ćców*) cutlery
sztufada *f* (*-y*; *G* -) *gastr.* marinated roast beef
sztuk|a *f* (*-i*; *G* -) art; (*jednostka*) piece; *theat.* play; (*umiejętność*) artistry; (*robienia czegoś*) knack; ***historia ~i*** history of art; ***~a mięsa*** boiled beef; **~ować** ⟨**nad-**⟩ (*-uję*) piece together
szturch|ać ⟨**~nąć**⟩ nudge, elbow
szturm *m* (*-u*; *-y*) *mil.* assault, storm; **~ować** (*-uję*) *mil.* storm; **~owy** *mil.* assault
sztych *m* (*-u*; *-y*) stab; (*rycina*) engraving
sztygar *m* (*-a*; *-rzy*) (*w górnictwie*) pit foreman
sztylet *m* (*-u*; *-y*) dagger
sztywn|ieć ⟨**ze-**⟩ (*-eję*) stiffen; grow stiff; **~o** *adv.* stiffly; **~y** stiff
szubienica *f* (*-y*; *G* -) gallows
szubrawiec *m* (*-wca*; *-wcy*) *pej.* scoundrel
szuf|elka *f* (*-i*; *G -lek*) (*do zamiatania*) dustpan; **~la** *f* (*-i*; *-e*) shovel; **~lada** *f* (*-y*; *G* -) drawer; **~lować** (*-uję*) shovel
szukać (*-am*) ⟨**po-**⟩ look for, search
szuler *m* (*-a*; *-rzy*) card-sharper
szum *m* (*-u*; *-y*) noise; (*fal*) hum; (*wody, drzew*) rustle; F *fig.* fuss
szumieć[1] (*-ę*, *-i*) be noisy; rustle
szum|ieć[2] (*-ę*, *-i*) effervesce; ***~i mu w głowie*** his head is buzzing; **~ny** noisy; *fig.* high-flown; **~owiny** *f/pl.* (-) scum (*też fig.*)
szur|ać (*-am*) scrape (***nogami*** one's feet)
szus *m* (*-u/-a*; *-y*) (*w sporcie*) schuss
szuter *m* (*-tru*; *0*) gravel
szuwary *m/pl.* (*-ów*) reeds *pl.*
szwaczka *f* (*-i*; *G -czek*) needlewoman, seamstress
szwagier *m* (*-gra*; *-growie*) brother-in-law; **~ka** *f* (*-i*; *G -rek*) sister-in-law
Szwajcar *m* (*-a*; *-rzy*) Swiss; **~ia** *f* (*GDL -ii*) Switzerland; **~ka** Swiss; **Ձski** Swiss
szwalnia *f* (*-i*; *-e*) sewing workshop
szwank *m* (*-u*; *0*): ***bez ~u*** unscathed; **~ować** (*-uję*) go wrong, malfunction
Szwecja *f* (*-i*; *0*) Sweden
Szwed *m* (*-a*; *-dzi*), **~ka** *f* (*-i*; *G -dek*) Swede
szwedz|ki Swedish; ***mówić po ~ku*** speak Swedish
szwu, szwy → ***szew***
szyb *m* (*-u*; *-y*) shaft; ***~ naftowy*** oil well; **~a** *f* (*-y*; *G* -) (window) pane
szyb|ciej *adv. comp. od* → **~ki** fast, quick, swift; **~ko** *adv.* fast, quickly, swiftly
szyberdach *m mot.* sunroof, sliding roof
szybko|strzelny *mil.* quick-fire, quick-firing; **~ściomierz** speedometer; **~ściowy** high-speed; **~ść** *f* (*-ści*) speed, rapidity; *tech., phys.* velocity; **~war** *m* (*-u*; *-y*) *gastr.* pressure cooker
szybow|ać (*-uję*) glide; **~iec** *m* (*-wca*; *-wce*) glider; **~nictwo** *n* (*-a*; *0*) gliding; **~nik** *m* (*-a*; *-cy*) glider pilot; **~y** gliding
szybszy *adj.* (*m-os -bsi*) *comp. od* → ***szybki***
szyci|e *n* (*-a*; *G -yć*) sewing; ***do ~a*** sewing
szyć ⟨**u-**⟩ (*szyję*) sew
szydełko *n* (*-a*; *G -łek*) crochet hook; **~wać** (*-uję*) crochet
szyder|czo *adv.* derisively; **~czy** derisive; **~stwo** *n* (*-a*; *G* -) derisiveness
szydło *n* (*-a*; *G -deł*) awl
szydzić (*-dzę*) (***z** G*) ridicule, mock, deride

S

szyfr *m* (*-u*; *-y*) cipher, code; **~ować** ⟨***za-***⟩ (*-uję*) cipher, code, encode
szyj|a *f* (*szyi*; *-e*, *szyj*) *anat.* neck; ***po ~ę*** up to one's neck; **~ka** *f* (*-i*; *G -jek*) neck; *anat.* ***~ka macicy*** cervix; **~ny** neck
szyk[1] *m* (*-u*; *0*) chic, stylish
szyk[2] *m* (*-u*; *0*) order; formation; *gr.* (word) order; *t-ko pl.* ***~i*** *pl.* (*-ów*) ranks *pl.*; *fig.* ***pomieszać ~i*** (*D*) thwart, frustrate
szykować ⟨***na-, przy-***⟩ (*-uję*) prepare; ***~*** ⟨***na-, przy-***⟩ ***się*** get prepared, get ready (***do*** *G* for)
szyl|d *m* (*-u*; *-y*), **~dzik** *m* (*-u*; *-i*) sign
szyling *m* (*-a*; *-i*) shilling
szympans *m* (*-a*; *-y*) *zo.* chimpanzee
szyna *f* (*-y*; *G -*) *rail.* rail; *med.* splint
szynel *m* (*-a*; *-e*) *mil.* overcoat
szynka *f* (*-i*; *G -nek*) ham
szynowy rail
szyper *m* (*-pra*; *-prowie*) skipper
szyszka *f* (*-i*; *G -szek*) cone

Ś

ścian|a *f* (*-y*; *G -*) wall; ***mieszkać przez ~ę*** (***z*** *I*) live next door (to); **~ka** *f* (*-i*; *G -nek*) wall (*też biol.*, *anat.*)
ściąć *pf.* → ***ścinać***
ściąg|a *f* (*-i*; *G -*) *szkoła*: F crib; **~acz** *m* (*-a*; *-e*) (knitted) welt; **~ać** (*-am*) ⟨***~nąć***⟩ *v/t.* pull down; *skórę* peel off; *pierścionek* pull off; *wino* bottle; *buty*, *ubranie* take off; *uwagę* draw (***na siebie*** to o.s.); *podatki* levy; *wojska* move together; *brwi* knit; F (*w szkole*) copy, crib; *zw. pf.* (*ukraść*) pinch, swipe; *v./i. ludzie*: gather, congregate
ściec *pf.* → ***ściekać***
ścieg *m* (*-u*; *-i*) stitch
ściek *m* (*-u*; *-i*) sewer; ***~i*** *pl.* sewage, sewerage; **~ać** (*-am*) ⟨***~nąć***⟩ flow off *lub* away
ściemni|ać (*-am*) ⟨***~ć***⟩ (*-ę*, *-nij!*) → ***przyciemniać***; ***~a się*** it is getting dark; **~eć** *pf.* grow dark
ście|nny wall; **~rać** (*-am*) *skórę* rub off (***się*** *v/i.*) *gastr.* grate; (*gumką*) erase, rub out; (*gąbką*, *kurz*) wipe off; **~rka** *f* (*-i*; *G -rek*) cloth; (*do wycierania naczyń*) *Brt.* drying-up cloth, *Am.* dish towel
ścier|nisko *f* (*-a*; *G -*) stubble field; **~ny** *tech.* abrasive; **~pieć** (*-ę*) *pf.* bear, tolerate; **~pnąć** *pf.* → ***cierpnąć***
ścieśni|ać (*-am*) ⟨***~ć***⟩ (*-ę*, *-nij!*) (***się***) narrow, become narrow; contract; crowd together; ***~ć szeregi*** close ranks
ścieżka *f* (*-i*; *G -żek*) (foot)path; track ***~ dźwiękowa*** sound track; ***~ zdrowia*** keep-fit trail
ścięgno *n* (*-a*; *G -gien*) *anat.* tendon
ścięty cut off; *białko* stiff; ***stożek ~*** truncated cone; ***~ skośnie*** bevelled
ściga|cz *m* (*-a*; *-e*) speedboat; **~ć** (*-am*) chase, pursue; *zbrodniarza* hunt; ***~ć się*** race; *fig.* compete
ścinać (*-am*) cut (*też zakręt*); (*piłą*) saw off; (*w sporcie*) smash; *hist.* behead; ***~ się*** coagulate, clot; *mleko*: curdle
ścis|k *m* (*-u*; *0*) crowd; **~kać** *v/t.* (*w objęciach*) squeeze, hug; *rękę* press, squeeze; compress; clasp; *fig.* ***coś ~ka mnie w gardle*** I have a lump in my throat; → ***uściskać***; ***zaciskać***; ***~kać się*** crowd, throng; move together
ści|słość *f* (*-ści*; *0*) precision; ***dla ~słości*** to be precise; **~sły** (*m-os -śli*) precise; *więzi* close; *dieta* strict; *przepis* exact, strict; ***nauki ~słe*** the sciences; **~snąć** *pf.* → ***ściskać***; **~szać** (*-am*) → ***przyciszać***; **~śle** *adv.*, **~ślejszy** *adj.* (*comp. od* → ***ścisły***); ***~śle biorąc*** to be precise
ślad *m* (*-u*; *-y*) (*pojedynczy*) print; (*ciąg*) trail; (*pozostałość*) trace; ***bez ~u*** without trace; ***ani ~u*** (*G*) not a trace (of); ***iść ~em, iść w ~y*** (*G*) follow in s.o.'s footsteps
ślamazarny sluggish, slothful
ślaz *m* (*-u*; *-y*) *bot.* mallow
Śląs|k *m* (*-a*; *0*) Silesia; **&ski** Silesian; **~zaczka** *f* (*-i*; *G -czek*), **~zak** *m* (*-a*; *-cy*) Silesian
śledczy *jur.* investigating
śledzić (*-dzę*) *v/t.* follow, trail; *por.* ***tropić***
śledzio|na *f* (*-y*; *G -*) *anat.* spleen; **~wy** herring
śledztwo *n* (*-a*; *G -*) investigation

Ś

śledź *m* (*-dzia*; *-dzie*) *zo.* herring; **~ *wędzony*** bloater, smoked herring
ślep|ia *n/pl.* eyes *pl.*; **~iec** *m* (*-pca*, *-cze!*; *-pcy*, *-pców*) blind person; **~nąć** ⟨**o-**⟩ (*-nę*) go blind; lose one's sight; **~o** *adv.* blindly; ***na ~o*** blindly; **~ota** *f* (*-y*; *0*) blindness; **~y 1.** blind (*też fig.*; ***na*** *A* to); → ***uliczka***, ***tor***; **2.** *m* (*-ego*; *-i*), **~a** *f* (*-ej*; *-e*) blind person
ślęczeć (*-ę*, *-y*) (***nad*** *I*) pore (over)
śliczny beautiful, lovely
ślima|czy sluggish; **~k** *m* (*-a*; *-i*) *zo.* (*skorupkowy*) snail, (*nagi*) slug; *anat.* cochlea; *tech.* worm, screw; **~kowaty** helical, helicoid
ślin|a *f* (*-y*; *0*) saliva, (*wypluta*) spit; **~ić** (*-ę*) ⟨**po-**⟩ moisten; ***~ić się*** dribble, drool; ⟨**za-**⟩ slobber; **~ka** *f*(*-i*; *G -nek*) → ***ślina***; ***~ka mi do ust idzie*** my mouth waters
ślisk|i slippery; *fig.* tricky; **~o** *adv.*: ***jest ~o*** it is slippery
śliw|a *f* (*-y*; *G* -) *bot.* plum tree; **~ka** *f* (*-i*; *G -wek*) plum; ***~ka suszona*** prune; **~kowy** plum
ślizg *m* (*-u*; *-i*) chute; (*łódka*) → **~acz** *m* (*-a*; *-e*) hydroplane boat; **~ać się** (*-am*) slide, glide (***po*** *I* on); ***~ać się na łyżwach*** skate; **~awica** *f* (*-y*; *G* -) black ice; **~awka** *f* (*-i*; *G -wek*) ice-rink
ślub *m* (*-u*; *-y*) (***cywilny***, ***kościelny*** registry office, church) wedding; ***brać ~*** be married; ***dawać ~***, ***udzielić ~u*** marry; *rel.* ***~y*** *pl.* ***zakonne*** vows *pl.*; **~ny** wedding; marriage; **~ować** (*im*)*pf.* (*-uję*) vow, promise solemnly; **~owanie** *n* (*-a*; *G -ań*) vow
ślusa|rnia *f* (*-i*; *-e*) locksmith's workshop; **~rz** *m* (*-a*; *-e*) locksmith
śluz *m* (*-u*; *-y*) *med.* mucus; *biol.* slime
śluz|a *f* (*-y*; *G* -) sluice(way), lock
śluz|owy[1] sluice, lock
śluz|owy[2] *biol.*, *med.* mucous; **~ówka** *f* (*-i*; *G -wek*) mucous membrane
śmiać się ⟨***za- się***⟩ (*-eję*) laugh (**z** *G* at)
śmiał|ek *m* (*-łka*; *-łkowie*) daredevil; **~o** *adv.* bravely, boldly **~ość** *f* (*-ści*; *0*) bravery, daring, boldness; **~y** brave, daring
śmiech *m* (*-u*; *-y*) laughter ***pokładać się ze ~u*** double up with laughter; ***ze ~em*** with laughter
śmie|ciarka *f* (*-i*; *G -rek*) *Brt.* dust-cart; *Am.* garbage truck; **~cić** ⟨**na-**⟩ (*-cę*) dirty, soil; litter; **~ci(e)** *pl.* (*-i*) litter, refuse, *Brt.* rubbish; *Am.* garbage
śmie|ć 1. dare; **2.** *m* (*-cia*; *-ci*(*e*)) → ***śmieci***; **~lej** *adv. comp. od* → ***śmiało***; **~lszy** *adj. comp. od* → ***śmiały***
śmier|ć *f* (*-ci*; *0*) death; ***ponieść ~ć*** die; ***na ~ć*** to death; *jur.* ***wyrok ~ci*** death sentence
śmierdz|ący stinking; **~ieć** (*-ę*; *-i*) stink; *fig.* smell; ***tu ~i*** it stinks here
śmierteln|iczka *f* (*-i*; *G -czek*), **~ik** *m* (*-a*; *-cy*) mortal; **~ość** *f* (*-ści*; *0*) mortality; **~y** *człowiek* mortal *wypadek* fatal; *dawka* lethal
śmieszn|ie *adv.* funnily; ***~ie niska cena*** ridiculously low price; **~ość** *f* (*-ści*; *0*) ridiculousness; ludicrousness; **~y** funny; ridiculous; ludicrous
śmietan|a *f* (*-y*; *0*) cream; **~ka** *f* (*-i*; *G -nek*) cream (*też fig.*); **~kowy** cream
śmietni|czka *f* (*-i*; *G -czek*) dustpan; **~k** *m* (*-a*; *-i*) *Brt.* dustbin, *Am.* garbage can, trash can; *fig.* mess; **~sko** *n* (*-a*; *G* -) *Brt.* tip; rubbish dump
śmig|ać (*-am*) ⟨**~nąć**⟩ (*-nąć*) *v/i.* flick; flit, dart; **~ło** *n* (*-a*; *G -gieł*) *aviat.* propeller; **~łowiec** *m* (*-wca*; *-wce*) *aviat.* helicopter; **~łowy** *aviat.* propeller-driven
śniadani|e *n* (*-a*; *-G -ań*) breakfast; ***jeść ~e*** have breakfast; **~owy** breakfast
śniady dark-skinned
śni|ć (*-ę*, *-nij!*) dream (**o** *L* about); **~ł**(**a**) ***mu się*** (*A*) he dreamt (about); ***ani mi się ~!*** I can't be bothered!
śniedź *f* (*-dzi*; *0*) verdigris
śnieg *m* (*-u*; *-i*) snow; ***biały jak ~*** snow-white; **~owce** *m/pl.* (*-ów*) overshoes *pl.*; **~owy** snow
śnież|ka *f* (*-i*; *G -żek*) snowball; **~ny** snow; **~yca** *f* (*-y*; *G* -) snowstorm; **~yczka** *f* (*-i*; *-czek*) *bot.* snowdrop
śp. *skrót pisany*: ***świętej pamięci*** the late
śpią|cy sleepy, drowsy; **~czka** *f* (*-i*; *G -czek*) coma
śpiesz|ny hurried; **~yć się** (*-ę*) hurry; *zegar*: be fast; (**z** *I*) hurry up (with)
śpiew *m* (*-u*; *-y*) *mus.* song, singing; **~aczka** *f* (*-i*; *G -czek*) *mus.* singer; **~aczy** singing; **~ać** (*-am*) sing; **~ak** *m* (*-a*; *-cy*) *mus.* singer; **~anie** *n* (*-a*; *0*) singing; **~ka** *f* (*-i*; *G -wek*) → ***śpiew***; **~nik** *m* (*-a*; *-i*) songbook; **~ny** melodious; *akcent* singsong

Ś

śpio|ch *m* (*-a*; *-y*) late riser; → **~szki** *m/pl.* (*-ków*) playsuit, rompers *pl.*
śpiwór *m* (*-woru*; *-wory*) sleeping-bag
śr. *skrót pisany*: ***średni*(*o*)** on average; ***środa*** Wed.; ***średnica*** diameter
średni medium; average, mean, moderate; **~a** *f* (*-ej*; *-e*) mean (value); ***~a roczna*** annual average; **~ca** *f* (*-y*; *-e*) diameter; **~k** *m* (*-a*; *-i*) semicolon; **~o** *adv.* on (an) average; moderately
średnio|terminowy medium-term; **~wiecze** *n* (*-a*; *0*) the Middle Ages *pl.*; **~wieczny** medi(a)eval
środ|a *f* (*-y*; *G śród*) Wednesday; **~ek** *m* (*-dka*; *-dki*) middle, *Brt.* centre, *Am.* center; inside; agent; *fig.* means *sg/.pl.*, measures *pl.*; ***~ek leczniczy*** remedy; ***~ek płatniczy*** means of payment; *jur.* ***~ek prawny*** appeal; ***~ki** pl.* ***trwałe*** fixed assets *pl.*; → ***ciężkość, przekaz*** *itp.*; ***do ~ka*** inside; ***od ~ka*** from within; ***bez ~ków*** without means; ***wszelkimi ~kami*** by all means; **~kowy** central, middle
środowisk|o *n* (*-a*; *G -*) environment; surroundings *pl.*; ***zanieczyszczenie ~a*** environmental pollution; **~owy** environmental
środowy Wednesday
śród|mieście *n* (*-a*; *G -ść*) centre, *Am.* downtown; inner city; **~ziemnomorski** Mediterranean; **~ziemny**: ***Morze Śziemne*** the Mediterranean (Sea)
śruba *f* (*-y*; *G -*) screw; *naut.* propeller
śrubo|kręt *m* (*-u*; *-y*) screwdriver; **~wy** screw
śrut *m* (*-u*; *-y*) shot; **~a** *f* (*-y*; *G -*) crushed grain, groats *pl.*; **~owy** shot; *agr.* groats; **~ówka** *f* (*-i*; *G -wek*) shotgun
św. *skrót pisany*: ***święty*** St. (*saint*); ***świadek*** witness
świadcz|enie *n* (*-a*; *G -eń*), *zw. pl.* ***~enia*** benefits *pl.*; **~yć** (*-ę*) (***o*** *L*) testify (to); testify (***w sądzie*** in court); *usługi* provide, render
świad|ectwo *n* (*-a*; *G -ectw*) (*dokument*) certificate; (*stwierdzenie*) testimony; (*w szkole*) *Brt.* school report, *Am.* report card; ***~ectwo urodzenia*** birth certificate; **~ek** *m* (*-dka*; *-dkowie*) *jur.* (***naoczny*** eye)witness
świadom|ość *f* (*-ści*; *0*) consciousness; **~y** (*nie nieprzytomny*) conscious; (*zamierzony*) deliberate, intentional; ***być ~(ym)*** (*G*) (*zdający sobie sprawę*) be aware (of)
świat *m* (*-a*; *-y*) world; *fig.* realm; ***za nic w świecie*** not for anything in the world
światł|o *n* (*-a*; *G -teł*) (***dzienne*** day)-light; *mot.* ***~a** pl.* ***długie/drogowe*** full beam; ***~a** pl.* ***krótkie/mijania*** *Brt.* dipped, *Am.* dimmed, beam; ***pod ~o*** to the light
światło|czuły photosensitive; **~mierz** *m* (*-a*; *-e*) *phot.* exposure meter; **~odporny** light-fast
światopogląd *m* (*-u*; *-y*) outlook, viewpoint; **~wy** *ktoś* worldly; (*na całym świecie*) worldwide
świąd *m* (*-u*; *0*) *med.* itch
świąt|eczny festive, holiday; *ubranie itp.* Sunday; **~ek** *m* (*-tka*; *-tki*) *rel.* holy figure; ***Zielone Śki** pl.* Whitsuntide; **~ynia** *f* (*-i*; *-e*) temple; (*kościół*) church
świd|er *m* (*-dra*; *-dry*) *tech.* bit; *górnictwo*: drill, bore; **~rować** (*-uję*) drill; *fig.* bore; **~rujący** piercing
świec|a *f* (*-y*; *G -*) candle; *mot.* spark--plug; **~ący** shiny, luminous; **~ić** (*-cę*) (*też* ***się***) shine, glow; ***~ić pustkami*** be deserted
świecki lay
świecz|ka *f* (*-i*; *G -czek*) → ***świeca***; **~nik** *m* (*-a*; *-i*) candlestick, candle holder
świergot *m* (*-u*; *-y*) chirp, twitter; **~ać** (*-am*) chirp, twitter
świerk *m* (*-u*; *-i*) *bot.* spruce; **~owy** spruce
świerszcz *m* (*-a*; *-e*) *zo.* cricket
świerzb *m* (*-u*; *-y*) *med.* itch; **~ić, ~ieć** (*-ę*, *-i*) itch
świet|lany shining, luminous; *fig.* bright, rosy; **~lica** *f* (*-y*; *G -*) day-room; community-room; **~lik** *m* (*-a*; *-i*) *zo.* glow-worm; *bud.* skylight; *naut.* port-hole; **~lny** light; **~lówka** *f* (*-i*; *G -wek*) fluorescent lamp
świetny splendid, magnificent
śwież|o *adv.* freshly; newly; **~ość** *f* (*-ści*; *0*) freshness; newness; **~y** fresh; new
święc|ić (*-cę*) celebrate; ⟨**po-**⟩ *rel.* consecrate; *dzień* keep, observe; **~ie** *adv.* faithfully, solemnly; **~ony 1.** consecrated; sanctified; **2.** ***~one*** *n* (*-ego*; *0*) Easter meal; (*food blessed in church at Easter*)

Ś

święto *n* (*-a*; *G świąt*) holiday; feast-day; special day; ≈ ***Matki*** Mother's Day; **~jański** St. John's; **~kradztwo** *n* (*-a*; *G -*) sacrilege, profanation, desecration; **~szek** *m* (*-szka*; *-szki/-szkowie*) hypocrite, prude; **~ść** *f* (*-ści*) holiness; sanctity, sacredness; **~wać** (*-uję*) celebrate; keep, observe

święty holy, blessed; ***Wszystkich ≈ch*** All Saints' Day

świn|ia *f* (*-i*; *-e*) *zo.* pig; *fig.* swine; **~ka** *f* (*-i*; *G -nek*) → ***świnia***; ***~ka morska*** *zo.* guinea pig; *med.* mumps *sg.*; **~tuch** *m* (*-a*; *-y*) *fig. pej.* (*brudas*) slob, pig; (*bezecny*) dirty old man

świńs|ki piggish; *fig.* filthy; **~two** *n* (*-a*; *G -*) (*brud*) mess; (*jedzenie*) nasty stuff; (*postępek*) dirty trick

świr *m* (*-a*; *-y*) F nut

świs|nąć *v/s.* (*-nę*) whistle; F pinch; **~t** *m* (*-u*; *-y*) whistle; **~tać** (*-am*) whistle; **~tak** *m* (*-a*; *-i*) *zo.* marmot; **~tek** *m* (*-stka*; *-stki*) slip of paper

świt *m* (*-u*; *-y*) dawn; ***o świcie*** at dawn; **~a** *f* (*-y*; *G -*) entourage, retinue; **~ać** (*-am*) dawn; *fig.* ⟨**za-**⟩ cross one's mind; ***~a*** it dawns; the day breaks

T

ta *pron. f* → ***ten***

t. *skrót pisany*: ***tom*** vol. (*volume*)

tabaka *f* (*-i*; *G -*) snuff

tabela *f* (*-i*; *G -*) table; chart; ***~ wygranych*** list of winners; **~ryczny** tabular

tabletka *f* (*-i*; *G -tek*) tablet

tablica *f* (*-y*; *G -*) plate; *szkoła*: blackboard; *baseball*: backboard; → ***rejestracyjny, rozdzielczy***

tabliczka *f* (*-i*; *G -czek*) → ***tablica***; (*z numerem*) number-plate, (*z nazwiskiem*) name-plate; ***~ czekolady*** bar of chocolate; ***~ mnożenia*** multiplication tables *pl.*

tabor *m* (*-u*; *-y*) transport fleet; *rail.* rolling stock; (***cygański*** Gypsy) camp

taboret *m* (*-u*; *-y*) stool

taca *f* (*-y*; *G -*) plate (*też rel.*); tray

tacy *pl.* → ***taki***

taczać (*-am*) roll (***się*** *v/i.*)

taczk|a *f* (*-i*), **~i** *f/pl.* (*G -czek*) wheelbarrow

tafla *f* (*-i*; *-e*, *-i/ -fel*) sheet; expanse

taić ⟨***za-***⟩ (*-ję*) hide, conceal (***przed*** *I* against); *poglądy też* keep secret, suppress

tajać (*-ję*) melt

tajemni|ca *f* (*-y*; *-e*, *-*) secret; ***w ~cy*** in secret; ***trzymać w ~cy*** keep secret; **~czo** *adv.* secretly; **~czy** secretive, enigmatic

taj|emny secret; underhand; **~niak** F *m* (*-a*; *-cy*) secret agent; **~nie** *adv.* secretly; underhand; **~nik** *m* (*-a*; *-i*): *zw. pl.* ***~niki*** secrets *pl.*; **~ność** *f* (*-ści*; *0*) secrecy; **~ny** secret; ***ściśle ~ne*** top secret

tak yes; (*dla wzmocnienia znaczenia następującego wyrazu*) so; ***~ jak on*** like he (does *itp.*); ***~ że*** so that; ***~ żeby*** in such a way that; ***i ~*** anyway; ***~ samo*** just as, ***~ sobie*** so-so, not too bad; ***~ … jak i …*** … as well as …; ***~ czy owak/siak*** one way or the other; *mil.* ***~ jest!*** yes, sir!

tak|i *pron. m* (*m-os tacy*) such; so; → ***jaki, jako, raz***[1]; ***~i sam*** the same, identical; ***~i sobie*** so-so; ***nic ~iego*** nothing special; ***~i czy owaki/siaki*** it makes no odds; ***coś ~iego*** something like, a thing like that; **~iż** → ***taki*** (***sam***); **~o** → ***jako***

tak|sa *f* (*-y*; *G -*): ***~sa klimatyczna*** visitors' tax; **~siarz** *m* (*-a*; *-e*) F → ***taksówkarz***; **~sować**⟨**o-**⟩(*-uję*) estimate; **~sówka** *f* (*-i*; *G -wek*) taxi, cab; **~sówkarz** *m* (*-a*; *-e*) taxi-driver, cab-driver

takt *m* (*-u*; *-y*) *mus.* bar; (*poczucie*) time, rhythm; *fig.* tact; **~owny** tactful

taktyczny tactical

taktyka *f* (*-i*; *G -*) tactics *sg.*

także also

talarek *m* (*-rka*; *-rki*) *gastr.* slice

talent *m* (*-u*; *-y*) (***do*** *G*) talent (to), gift (to)

talerz *m* (*-a*; *-e*), **~yk** *m* (*-a*; *-i*) plate

tali|a *f* (*GDL -ii*; *-e*) waist; ***~a kart*** pack, *Am.* deck; ***wcięty w ~i*** *ubranie* fit at the waist

T

talk *m* (*-u*; *-0*) talcum (powder)
talon *m* (*-u*; *-y*) coupon
tam (over) there; ***kto ~?*** who's there?; ***tu i ~*** here and there; ***gdzie ~!*** nothing of the kind!; ***co mi ~!*** what do I care!; ***jakiś ~ …*** some …; → ***powrót***
tam|a *f* (*-y*; *G -*) dam; *fig.* ***położyć ~ę*** (*D*) check, stem
tamci *pl.* → ***tamten***
Tamiza *f* (*-y*; *0*) the Thames
tamować ⟨**za-**⟩ (*-uję*) stop; *krwotok* stanch
tam|ta *f*, **~te** *f/pl.* → ***tamten***; **~tejszy** local; **~ten** that; ***ani ten, ani ~ten*** neither; ***po ~tej stronie*** on the other side; ***na ~tym świecie*** hereafter; **~tędy** that way; **~to** → ***tamten***; ***to i ~to*** this and that; **~że** in the same place
tance|rka *f* (*-i*; *G -rek*), **~rz** *m* (*-a*; *-e*) dancer
tande|ciarnia *f* (*-i*; *-e*) junk shop; **~ta** *f* (*-y*; *zw. 0*) trashy goods *pl.*, junk; **~tnie** *adv.* trashily, shoddily; **~tny** trashy, shoddy
taneczny dancing
tani cheap (*też fig.*); ***za ~e pieniądze*** dirt cheap
taniec *m* (*-ńca*; *-ńce*) dance
tanieć ⟨**po-**, **s-**⟩ get cheaper
tanio *adv.* cheaply; **~cha** F *f* (*-y*; *G -*) low price
tankow|ać ⟨**za-**⟩ (*-uję*) *v/t.* fill up; *v/i.* put *Brt.* petrol (*Am.* gas) in; **~iec** *m* (*-wca*; *-wce*) *naut.* tanker
tań|ce *pl.* → ***taniec***; **~czyć** ⟨**po-**, **za-**⟩ (*-ę*) dance (*też fig.*)
tapczan *m* (*-u*; *-y*) divan
tapet|a *f* (*-y*; *G -*) wallpaper; **~ować** ⟨**wy-**⟩ (*-uję*) wallpaper, paper
tapicer *m* (*-a*; *-rzy*) upholsterer; **~ka** *f* (*-i*; *G -rek*) upholstery
tapirować ⟨**u-**⟩ (*-uję*) backcomb
tarapaty *pl.* (*-ów*) trouble; ***wpaść w ~*** get in trouble
taras *m* (*-u*; *-y*) terrace; **~ować** ⟨**za-**⟩ (*-uję*) block; *drzwi* barricade
tarci|ca *f* (*-y*; *-e*) cut timber; **~e** *n* (*-a*; *G -rć*) friction (*też tech.*); **~a** *pl.* friction
tarcz|a *f* (*-y*; *-e*, *G -*) shield; *Brt.* disc, *Am.* disk; (*do strzelania*) target; *tel.* dial; ***~a zegara*** clock/watch face; **~owy** *tech.* disc/disk, circular; ***piła ~owa*** circular saw; ***hamulce ~owe*** disk brakes; **~yca** *f* (*-y*; *-e*) *anat.* thyroid (gland)
targ *m* (*-u*; *-i*) market; **~i** *pl. econ.* fair; ***dobić ~u*** (***z*** *I*) come to an agreement (with); ***po długich ~ach*** after lengthy haggling
targ|ać (*-am*) ruffle one's hair; pull; → ***szarpać***; **~nąć się** *pf.* (*-nę*) make an attempt (***na*** *A* on); ***~nąć się na życie*** (attempt to) commit a suicide
targow|ać (*-uję*) (*I*) trade (with), deal (with); ***~ać się*** haggle (***o*** *A* over); **~isko** *n* (*-a*; *G -*) market(-place); **~y** market, fair
tar|ka *f* (*-i*; *G -rek*) grater; **~lisko** *n* (*-a*; *G -*) spawning-ground; **~mosić** (*-szę*) → ***targać, szarpać***; **~nik** *n* (*-a*; *-i*) *tech.* rasp; **~nina** *f* (*-y*; *G -*) *bot.* blackthorn
tart|ak *m* (*-u*; *-i*) sawmill; **~y** grated; ***bułka ~a*** breadcrumbs *pl.*
taryf|a *f* (*-y*; *G -*) (*opłaty*) rates *pl.*; (*opłaty za przejazd*) fares *pl.*; F (*taksówka*) cab; **~owy** *tabela* rate, fare
tarzać (*-am*) roll; **~ *się*** roll about
tasak *m* (*-a*; *-i*) chopper, cleaver
tasiem|iec *m* (*-mca*; *-mce*) *zo.* tapeworm; **~ka** *f* (*-i*; *G -mek*) tape
tasować ⟨**prze-**⟩ (*-uję*) *karty* shuffle
taśm|a *f* (*-y*; *G -*) tape; (*montażowa*) assembly line; ***~a samoklejąca*** adhesive tape, *Brt.* Sellotape, *Am.* Scotch tape; ***~a maszynowa*** typewriter ribbon; ***~a filmowa*** film; *mil.* cartridge-belt; ***przy ~ie*** *tech.* on the assembly line; **~owy** tape
tata *m* (*-y*; *DL tacie*; *-owie*, *-ów*) → ***tatuś***
Tatar *m* **1.** (*-a*; *-rzy*) Tartar; **2.** ♀ F (*-a*; *-y*) *gastr.* steak tartar(e); ♀**ak** *m* (*-a*; *-i*) *bot.* sweet flag, calamus; ♀**ski** Tartar; ***sos*** ***♀ski*** tartar(e) sauce
taterni|czka *f* (*-i*; *G -czek*), **~k** *m* (*-a*; *-cy*) mountaineer
tato *m* (*-y*; *DL tacie*; *-owie*, *-ów*) → ***tatuś***
Tatry *pl.* (*G Tatr*) the Tatra Mountains *pl.*
tatrzański Tatra
tatuaż *m* (*-u*; *-e*) tattoo
tatuś *m* (*-sia*; *-siowie*) F dad
taż *pron.* *f* → ***tenże***
tą *pron.* (*I/sg*, F *A/sg.* → ***ta***) → ***ten***
tch|awica *f* (*-y*; *G -*) *anat.* windpipe, trachea; **~em** → ***dech***; **~nąć** (*-nę*) (*im*)*pf.* *v/i* smell (*I* of); *v/t. pf. pf.* breathe (into); **~nienie** *n* (*-a*; *G -eń*) breath
tchórz *m* (*-a*; *-e*) coward; **~liwie** *adv.* in a cowardly manner; **~liwy** cowardly;

T

~ostwo *n* (*-a*; *G -stw*) cowardliness; **~yć** ⟨**s-**⟩ (*-ę*) back out
tchu → ***dech***
te *pron. pl. f* → ***ten***
teatr *m* (*-u*; *-y*) *Brt.* theatre, *Am.* theater; **~alny** theatrical
tech|niczny technical; **~nik** *m* (*-a*; *-i*) technician; **~nika** *f* (*-i*; *G -*) technology; (*sposób*) technique; **~nikum** *n* (*idkl.*; *-a*, *-ów*) technical secondary school; **~nokracja** *f* (*-i*; *-e*) technocracy; **~nologia** *f* (*GDl -ii*; *-e*) technology
teczka *f* (*-i*; *G -czek*) briefcase; (*do akt*) folder; **~ *szkolna*** school-bag, satchel
teflonowy Teflon *TM*, non stick
tego *pron. GA* → ***ten*** *G*; → ***to***[1]; **~roczny** this year('s)
tej *pron.* (*GDL/sg.* → ***ta***) → ***ten***
teka *f* (*-i*; *G -*) portfolio
tekowy teak
Teksas *m* (*-u*; *0*) Texas
tekst *m* (*-u*; *-y*) text
tekstylia *pl.* (*-ów*) textile goods *pl.*
tekściarz F *m* (*-a*; *-e*) songwriter; (*reklam*) copywriter
tektur|a *f* (*-y*; *G -*) cardboard; **~owy** cardboard
telefaks → ***faks***
telefon *m* (*-u*; *-y*) (tele)phone; **~ *komórkowy*** mobile (phone); ***przez* ~** on the phone; **~iczny** (tele)phone; ***rozmowa ~iczna*** phone call; ***książka ~iczna*** (phone) directory; ***karta ~iczna*** phonecard; **~ować** ⟨**za-**⟩ (**do** *G*) call, phone
telegazeta *f* (*-y*; *G -*) *TV*: teletext
telegraf *m* (*-u*; *-y*) telegraph; **~iczny** telegraphic; ***w stylu ~icznym*** in telegraphese; **~ować** ⟨**za-**⟩ (*-uję*) (**do** *G*) cable, telegraph
tele|gram *m* (*-u*; *-y*) telegram, cable; **~komunikacja** *f* telecommunications *sg.*; **~ks** *m* (*-u*; *-y*) telex; **~ksować** ⟨**za-**⟩ (*-uję*) (**do** *G*) telex (to); **~ksowy** telex; **~obiektyw** *m* (*-u*; *-y*) *phot.* telephoto lens; **~pajęczarz** F *m* (*-a*; *-e*) licence dodger; **~patyczny** telepathic; **~skop** *m* (*-u*; *-y*) telescope; **~transmisja** *f* television broadcast; **~turniej** *m* quiz show; **~widz** *m* viewer
telewiz|ja *f* (*-i*; *-e*) television; ***oglądać ~ję*** watch TV; **~or** *m* (*-a*; *-y*) TV set; **~yjny** television, TV
temat *m* (*-u*; *-y*) subject (matter); topic, theme; *gr.* stem; **~ *do rozmowy*** subject of conversation; **~yczny** thematic, topical
temblak *m* (*-a*; *-i*) *med.* sling; ***na ~u*** in a sling
tempe|rament *m* (*-u*; *-y*) temperament; **~ratura** *f* (*-y*; *G -*) temperature; **~rować** ⟨**za-**⟩ (*-uję*) *ołówek* sharpen; **~rówka** *f* (*-i*; *G -wek*) sharpener
temp|o *n* (*-a*; *G -*) speed; ***dobrym ~em*** at a good speed
temu **1.** *pron. D* → ***ten***, ***to***[1]; **2.** *adv.*: ***rok* ~** a year ago; ***dawno* ~** a long time ago
ten *pron. m* (*f* **ta**, *n* **to**, *pl.* **te, ci**) this; → ***chwila, czas, sam***
tenden|cja *f* (*-i*; *-e*) trend, tendency; **~cyjny** tendentious, biased
tenis *m* (*-a*; *0*): **~ *stołowy*** table tennis; **~ówki** *f/pl.* (*-wek*) tennis shoes, *Am.* sneakers; **~ista** *m* (*-y*; *-ści*), **~istka** *f* (*-i*; *G -tek*) tennis-player; **~owy** tennis
tenor *m* (*-u/os. -a*; *-y/os. -rzy*) *mus.* tenor
tenże *pron. m* (**taż** *f*, **toż** *n*, *pl.* **też, ciż**) the same; *por.* ***ten***
teo|logiczny theological; **~retyczny** theoretical; **~ria** *f* (*GDL -ii*; *-e*) theory
terapeu|ta *m* (*-y*; *-ci*) therapist; **~tyczny** therapeutic
te'rapia *f* (*GDL -ii*; *-e*) therapy
teraz now; ***od* ~** from now on
teraźniejsz|ość *f* (*-ści*; *0*) the present; **~y** present; → ***czas***
tercja *f* (*-i*; *-e*) *mus.* third; *szermierka*: tierce; (*w hokeju*) (*część meczu*) period, (*część boiska*) zone
teren *m* (*-u*; *-y*) area; ground, terrain; **~y** *pl.* ***zielone*** green spaces *pl.*; ***w ~ie*** (*badania*) in the field; (*urzędowanie*) out of the office; **~owy** field; (*lokalny*) local; ***samochód ~owy*** all-terrain car
terkotać (*-czę/-cę*) *maszyna*: clutter; *budzik*: rattle; (*mówić*) jabber, chatter
termin *m* (*-u*; *-y*) time-limit; (*data*) date; (*wyrażenie, też med.*) term; ***przed ~em*** ahead of schedule; ***po ~ie*** behind schedule; ***na* ~** on time, to schedule; **~ *ostateczny*** deadline; → ***terminowy***
terminal *m* (*-u/-a*; *-e*) terminal
termin|arz *m* (*-a*; *-e*) schedule; (*kalendarz*) diary; **~ować** (*-uję*) be apprenticed (**u** *G* to); **~owo** *adv.* on time, to schedule; **~owy** with a deadline
termit *m* (*-a*; *-y*) *zo.* termite
termo|- *w złoż.* thermo-; **~jądrowy** thermonuclear; **~metr** *m* (*-u*; *-y*) thermo-

T

meter; **~s** *m* (*-u*; *-y*) thermos *TM* flask, vacuum flask

terrory|sta *m* (*-y*; *-ści*), **~stka** *f* (*-y*; *G -tek*) terrorist; **~styczny** terrorist **~zm** *m* (*-u*; *0*) terrorism; ***akt ~zmu*** act of terrorism; **~zować** (*-uję*) terrorize

terytorium *n* (*idkl.*; *-a*) territory

test *m* (*-u*; *-y*) test

testament *m* (*-u*; *-y*) will; *rel.* testament; *fig.* legacy; **~owy** testamentary

testow|ać (*-uję*) test; **~y** test

teś|ciowa *f* (*-wej*; *-we*) mother-in-law; **~ć** *m* (*-ścia*; *-ściowie*, *-ściów*) father-in-law

teza *f* (*-y*; *G -*) thesis

też[1] *adv.*, *part.* also

też[2] *pron. f* → ***tenże***

tę *pron.* (*A/sg.* → ***ta***) → ***ten***

tęcz|a *f* (*-y*; *G -*) rainbow; **~ówka** *f* (*-i*; *G -wek*) *anat.* iris

tędy *adv.* this way

tęg|i stout; (*dobry*) efficient, good; (*mocny*) strong; **~o** *adv.* strongly

tęp|ić ⟨***wy-***⟩ (*-ię*) eradicate, exterminate; ***~ić się*** → **~ieć** ⟨***s-***⟩ (*-eję*) blunt; *słuch*: deteriorate; **~y** blunt; *fig.* dull; *człowiek* thick-headed; *wzrok* vacant; apathetic

tęskn|ić ⟨***s- się***⟩ (*-ę*, *-nij!*) (***za*** *I*) long (for); (***do*** *I*) miss; ***~ić za krajem/domem*** be homesick; **~o** *adv.* nostalgically; ***jest mu ~o do*** he is longing for; **~ota** *f* (*-y*; *G -*) longing; homesickness; **~y** longing; homesick

tęt|ent *m* (*-u*; *0*) hoofbeats *pl.*, clatter; **~nica** *f* (*-y*; *G -*) *anat.* artery (*też fig.*); **~niczy** arterial; **~nić** (*-ę*, *nij!*) pulsate, throb; **~no** *n* (*-a*; *G -*) pulse

tęż|ec *m* (*-żca*; *-żce*) *med.* tetanus; **~eć** ⟨***s-***⟩ (*-ę*) set; *mróz itp.*: grow stronger; **~yzna** *f* (*-y*; *0*) strength

tj. *skrót pisany*: ***to jest*** i.e. (*that is*)

tka|ctwo *n* (*-a*; *0*) weaving; **~cz** *m* (*-a*; *-e*), **~czka** *f* (*-i*; *G -czek*) weaver; **~ć** ⟨***u-***⟩ (*-am*) weave

tkan|ina *f* (*-y*; *G -*) fabric; *fig.* tissue; **~ka** *f* (*-i*; *G -nek*) *biol.* tissue (*też fig.*); **~y** woven

tkliw|ość *f* (*-ści*; *0*) tenderness; **~ie** *adv.* tenderly; **~y** tender

tknąć *pf.* (*-nę*) → (***do***)***tykać***

tkwić ⟨***u-***⟩ (*-ę*, *-wij!*) stick (*fig.* around)

tlejący *Brt.* smouldering, *Am.* smoldering; glowing; → ***tlić***

tlen *m* (*-u*; *0*) *chem.* oxygen; **~ek** *m* (*-nku*; *-nki*) *chem.* oxide; **~ić** (*-ę*) → ***utleniać***; **~owy** oxygen

tlić się *Brt.* smoulder, *Am.* smolder; *fig.* glow

tłamsić ⟨***s-***⟩ (*-szę*) suppress

tło *n* (*-a*; *G teł*) background; ***na białym tle*** against a white background; ***w tle*** in the background

tłocz|nia *f* (*-i*; *-e*) *tech.* stamping press; **~no** *adv.*: ***jest ~no tu*** it is overcrowded here; **~ny** crowded; *ulica* busy; **~yć** (*-ę*) ⟨***wy-***⟩ press out, squeeze out; *tech.* stamp; ⟨***prze-***⟩ *płyn* pump; ***~yć*** ⟨***s-***⟩ ***się*** crowd, throng

tłok *m* (*-u*; *0*) crowd; (*-a*; *-i*) *tech.* piston

tłuc ⟨***po-, roz-, s-***⟩ smash, crush; ⟨***na-, u-***⟩ *ziemniaki* mash; *przyprawy* crush; ⟨***s-, wy-***⟩ *kogoś* beat up, clobber; ⟨***s-***⟩ bump (***o*** *A* against); ***~ się*** *szkło*: break; *fale itp.*: pound (***o*** *A* on); *serce*: pound, thump; (*robić hałas*) make a noise; F travel a long distance

tłucz|ek *m* (*-czka*; *-czki*) pestle, (***do kartofli*** potato) masher; **~eń** *m* (*-nia*; *0*) broken stone

tłum *m* (*-u*; *-y*) crowd; **~em** → ***tłumnie***

tłumacz *m* (*-a*; *-e*) translator; (*ustny*) interpreter; **~enie** *n* (*-a*; *G -eń*) translation; (*ustny*) interpreting; **~ka** *f* (*-i*; *G -czek*) translator; (*ustny*) interpreter; **~yć** (*-ę*) ⟨***wy-***⟩ explain; ***~yć się*** excuse o.s.; ⟨***prze-***⟩ translate (***na polski*** into Polish); ***~yć się jako*** be translated as

tłum|ić ⟨***s-***⟩ (*-ę*) *płomienie* smother; *bunt*, *uczucie* suppress; *odgłos* muffle; **~ik** *m* (*-a*; *-i*) *mot.* *Brt.* silence, *Am.* muffler; (*broni*) silencer; *mus.* mute

tłumn|ie *adv.* in huge numbers; **~y** numerous

tłumok *m* (*-a*;*-i*) bundle, pack

tłust|o *adv.*: ***jeść ~o*** eat fatty things; **~y** *ktoś* fat; *jedzenie* fatty; (*zatłuszczony*) greased

tłuszcz *m* (*-u*; *-e*) fat; **~owy** *biol.* adipose, fatty

tłuści|ć ⟨***na-***⟩ (*-szczę*) grease; (*kremem*) rub *cream* into; **~eć** F ⟨***po-***⟩ (*-eję*) become fat; **~och** *m* (*-a*; *-y*) fatso, fatty

tną *3. os. pl. pres.*, **tnę** *1. os. sg. pres.* → ***ciąć***

tnący cutting

to[1] *pron. n* this, that; → ***ten***; ***do tego*** moreover; ***na tym, na ~*** for it; ***w tym***

in it; ***za ~*** behind it; ***z tego*** from that; ***z tym, że*** provided that; ***~ jest*** that is

to² *part.* (*idkl.*) this, that, it; ***kto ~?*** who is there?; ***~ fakt*** this is a fact; ***~ …, ~ …*** now … now …; ***no ~ co?*** so what?; ***a ~ … !*** what (a) …!

toalet|a *f* (*-y*; *G* -) toilet; **~owy** toilet

toast *m* (*-u*; *-y*) toast

tobą (*I/sg.* → ***ty***); ***z ~*** with you

tobie (*DL/sg.* → ***ty***); ***o ~*** about you

tobół *m* (*-bołu*; *-boły*) → ***tłumok***

tocz|ony *tech.* turned; **~yć** (*-ę*) ⟨***po-***⟩ *kulę itp.* roll (***się*** *v/i.*); ⟨***s-***⟩ *bój* fight out; ⟨***na-***⟩ *impf. płyn* fill in; ⟨***wy-***⟩ *tech.* turn; *impf. płyn*: draw off, tap; *spór* have; *drewno* live on; *rokowania* carry out; ***~yć się*** roll; *łzy*: roll down, flow down; *czas, życie*: go, pass; *dyskusja, walka*: go on; *akcja*: take place; *rozmowa*: be (***o*** *L* about); **~ydło** *n* (*-a*; *G -deł*) grindstone

toga *f* (*-i*; *G tóg*) toga; *jur.* robe

tok *m* (*-u*; *0*) course; process; ***być w ~u*** be under way; ***w ~u*** (*G*) in the course (of)

toka|rka *f* (*-i*; *G -rek*) *tech.* (turning) lathe; **~rz** *m* (*-a*; *-e*) *tech.* turner

tokować (*-uję*) *zo.* display (in courtship)

toksyczny toxic

toler|ancyjny tolerant; **~ować** (*-uję*) tolerate

tom *m* (*-u*; *-y*) volume

tomo'grafia *f* (*GDL -ii*; *-e*) tomography; ***~komputerowa*** *Brt.* computerized (*Am.* computer) tomography

ton *m* (*-u*; *-y*) tone

tona *f* (*-y*; *G ton*) ton; (*metryczna*) tonne, metric ton

tonacja *f* (*-i*; *-e*) *mus.* key; *fig.* tone

tonaż *m* (*-u*; *0*) *naut.* tonnage

toną|cy *m* (*-ego*; *-cy*), **~ca** *f* (*-ej*; *-e*) drowning person; **~ć** (*-ę, toń!*) *fig.* be up to (***w*** *L* in); ⟨***u-***⟩ drown; ⟨***za-***⟩ *statek*: sink, go down

tonować (*-uję*) tone down

toń *f* (*GDL -ni*; *-nie, -ni, -ńmi*) *lit.* depth

topić (*-ę*) ⟨***po-, u-***⟩ drown; ⟨***za-***⟩ sink; ⟨***roz-***⟩ melt (***się*** *v/i.*); ***~ się*** → ***tonąć***

topiel *f* (*-i*; *-e*) whirlpool (*też fig.*); **~ec** *m* (*-lca*; *-lcy*), **~ica** *f* (*-cy*; *-ce*) drowned person

topik *m* (*-a*; *-i*) *electr.* fusible-element; **~owy** fuse

toples(s) topless

top|liwy fusible; **~nieć** ⟨***s-***⟩ (*-eję*) melt; *tech.* fuse

topola *f* (*-i*; *-e*) *bot.* poplar

topo|rny ungainly, coarse; **~rzysko** *n* (*-a*; *G* -) helve, handle

topór *m* (*-pora*; *-pory*) ax(e)

tor *m* (*-u*; *-y*) path; *rail.* track, line; (*w sporcie*) track, (*bobslejowy itp.*) run, (*koni*) course; ***~ wodny*** *naut.* fairway; *fig.* ***ślepy ~*** blind alley

Tora *f* (*-y*; *0*) *rel.* the Torah

tor|ba *f* (*-y*; *G -reb*) bag; *biol.* pouch; ***~ba na zakupy*** shopping bag; → **~ebka** *f* (*-i*; *G -bek*) bag; (*kobieca*) handbag

torf *m* (*-u*; *-y*) peat; **~owisko** *n* (*-a*; *G* -) peat bog; **~owy** peat

tornister *m* (*-tra*; *-try*) satchel

torow|ać ⟨***u-***⟩(*-uję*): ***~ać*** (***sobie***) ***drogę*** clear a path; pave the way; **~y** rail

torpedo|wać ⟨***s-***⟩ (*-uję*) *mil.* torpedo (*też fig.*); **~wiec** *m* (*-wca*; *-wce*) *mil.* torpedo boat

tors *m* (*-u*; *-y*) trunk, torso

torsje *pl.* (*-ji*) vomiting

tort *m* (*-u*; *-y*) layer cake, gateau *lub* gâteau; **~owy** gateau *lub* gâteau

tortu|ra *f* (*-y*; *G* -) torture (*też fig.*); ***narzędzie ~r*** instrument of torture; **~rować** (*-uję*) torture

Toskania *f* (*-ii*; *0*) Tuscany

tost *m* (*-u*; *-y*) toast

total|itarny totalitarian; **~ny** total

toteż *cj.* that is why

totolotek *m* (*-tka*; *0*) lottery

tow. *skrót pisany*: ***towarzystwo*** ass. (*association*)

towar *m* (*-u*; *-y*) article, commodity; goods *pl.*

towaro|wy commodity; trade; *rail. Brt.* goods, *Am.* freight; ***dom ~wy*** department store

towarzys|ki (*m-os -scy*) sociable, social; ***formy*** *pl.* ***~kie*** good manners *pl.*; (*w sporcie*) ***spotkanie ~kie*** friendly meeting; ***agencja ~ka*** escort agency; **~two** *n* (*-a*; *G -tw*) company; (*stowarzyszenie*) association, society; *econ.* company

towarzysz *m* (*-a*; *-e*), **~ka** *f* (*-i*; *G -szek*) companion; (*partyjny*) comrade; ***~(ka) niedoli*** fellow-sufferer; ***~(ka) zabaw*** playmate; **~yć** (*-ę*) (*D*) accompany; (*czemuś*) go with

tož¹ *pron.* → ***tenże***

T

toż[2] *part.* (*idkl.*) → ***przecież***
tożsamość *f* (*-ści*; *0*) identity
tracić ⟨***s-, u-***⟩ (*-cę*) lose (*też fig.*) miss; *pieniądze, czas* lose (***na*** *L*) lose out (on); *prawo* forfeit
tradycja *f* (*-i*; *-e*) tradition; **~cyjny** traditional
traf *m* (*-u*; *-y*) chance; ***szczęśliwym ~em*** by a fluke; **~iać** (*-am*) ⟨***~ić***⟩ (*-ę*) hit; find one's way (***do*** *G* to); find o.s. (***do*** *G* in); ***nie ~ić*** miss; ***~iać się*** *okazja*: come up; **~ienie** *n* (*-a*; *G -eń*) hit; ***sześć ~ień*** six right ones; **~ność** *f* (*-ści*; *0*) accuracy; (*uwagi*) relevance; **~nie** *adv.* accurately; relevantly; aptly; **~ny** accurate; relevant; apt
tragarz *m* (*-a*; *-e*) porter
tra'gedia *f* (*GDL -ii*; *-e*) tragedy (*też fig.*)
tragiczny tragic(al)
trajkotać (*-czę*/*-cę*) → ***terkotać***
trak|t *m* (*-u*; *-y*) country road; *bud.* section, wing; ***w ~cie*** (*G*) in the course (of)
traktat *m* (*-u*; *-y*) treatise, dissertation
trakto|r *m* (*-a*; *-y*) tractor; **~rzysta** *m* (*-y*; *-ści*), **-tka** *f* (*-i*; *G -tek*) tractor-driver
traktowa|ć (*-uję*) *v/t.* ⟨***po-***⟩ treat (***się*** each other); ***źle ~ć*** maltreat; *v/i.* (***o*** *L*) treat (of), deal (with); **~nie** *n* (*-a*; *G -ań*) treatment
trał *m* (*-u*; *-y*) *naut.*, *mil.* sweep
trampki *m/pl.* (*-pek*) sports shoes *pl.*
trampolina *f* (*-y*; *G -*) (*w sporcie*) springboard; (*przy basenie*) diving board
tramwaj *m* (*-u*; *-e*) *Brt.* tram(way), *Am.* streetcar; **~owy** tramway, streetcar
tran *m* (*-u*; *0*) cod-liver oil
trans *m* (*-u*; *-y*) trance
trans|akcja *f* (*-i*; *-e*) transaction; ***~akcje*** *pl.* dealings *pl.*; **~fer** *m* (*-u*; *-y*) *econ.*, (*też w sporcie*) transfer; **~formator** *m* (*-a*; *-y*) transformer; **~fuzja** *f* (*-i*; *-e*) *med.* transfusion; **~kontynentalny** transcontinental; **~misja** *f* (*-i*; *-e*) transmission, broadcast; **~mitować** (*-uję*) transmit, broadcast; **~parent** *m* (*-u*; *-y*) banner; **~plantacja** *f* (*-i*; *-e*) transplantation
transport *m* (*-u*; *-y*) *Brt.* transport, *Am.* transportation; (*ładunek*) consignment, shipment; **~ować** ⟨***od-, prze-***⟩ (*-uję*) transport, ship; **~owy** transport
transwestyta *m* (*-y*; *-yci*) transvestite
tranzystor *m* (*-a*; *-y*) *electr.* transistor
tranzytowy transit
trapez *m* (*-u*; *-y*) *math. Brt.* trapezium, *Am.* trapezoid; (*w cyrku itp.*) trapeze
trapić (*-ę*) (*I*) plague (with); → ***martwić (się)***
trasa *f* (*-y*; *G -*) route; way
trasowany *econ. weksel* drawn
trata *f* (*-y*; *G -*) *econ.* bill of exchange
tratować ⟨***s-***⟩ (*-uję*) trample
tratwa *f* (*-y*; *G -*) raft
traumatyczny traumatic
trawa *f* (*-y*; *G -*) grass
trawestacja *f* (*-i*; *-e*) travesty
trawiasty grass(y)
trawi|ć (*-ę*) ⟨***s-***⟩ *biol.* digest; (*o ogniu itp.*) consume; *czas* waste (***na*** *L* for); ⟨***wy-***⟩ *tech.*, *chem.* etch; **~enie** *n* (*-a*; *G -eń*) digestion; *chem.*, *tech.* etching
trawler *m* (*-a*; *-y*) *naut.* trawler; ***~-przetwórnia*** *naut.* factory *lub* processing trawler
trawnik *m* (*-a*; *-i*) lawn
trąb|a *f* (*-y*; *G -*) *mus.* trumpet; *zo.* trunk; *meteo.* (*powietrzna*) whirlwind; (*wodna*) waterspout; F (*ktoś*) fool; **~ić** (*-ę*) (***w*** *A*) blow; *słoń*: trumpet; *mil.* sound (***na alarm*** the alarm); *mot.* hoot, sound the horn; **~ka** *f* (*-i*; *G -bek*) *mus.* trumpet; *mil.* bugle
trąc|ać (*-am*) ⟨***~ić***⟩ (*-cę*) knock (*A* against); (*łokciem itp.*) nudge, elbow; ***~ać się kieliszkami*** clink glasses
trącić[2] (*-cę*; *nieos.*) (*I*) smell (of), smack (of)
trą|d *m* (*-u*; *-0*) *med.* leprosy; **~dzik** *m* (*-a*; *-i*) *med.* acne
trefl *m* (*-a*; *-e*) (*w kartach*) club(s *pl.*); ***as ~*** ace of clubs; ***wyjść w ~e*** play clubs
trefny tref, not kosher
trema *f* (*-y*; *G -*) stage fright
tren[1] *m* (*-u*; *-y*) threnody
tren[2] *m* (*-u*; *-y*) train
tren|er *m* (*-a*; *-rzy*) trainer, coach; **~ing** *m* (*-u*; *-i*) training; **~ować** ⟨***wy-***⟩ (*-uję*) *v/t.* train, coach; *v/i. Brt.* practise, *Am.* practice; train
trep|ki *m/pl.*, **~y** *m/pl.* (*-ów*) sandals
tresować ⟨***wy-***⟩ (*-uję*) train
treś|ciwie *adv.* succinctly; nutritiously; **~ciwy** rich in substance; *jedzenie* nutritious, nourishing; *tekst* succinct; **~ć** *f* (*-ści*; *0*) content; meaning
trębacz *m* (*-a*; *-e*) trumpeter
trędowat|y **1.** leprous; **2.** *m* (*-ego*; *-ci*), **~a** *f* (*-ej*; *-e*) leper

T

trik *m* (*-u*; *-i*) trick; play; **~owy** trick
triumf *m* (*-u*; *-y*) triumph; **~ować** ⟨**za-**⟩ (*-uję*) triumph (***nad*** *I* over)
trochę a bit, a little; somewhat; ***ani ~*** not a bit; not at all
trociny *pl.* (-) wood shavings *pl.*
troć *f* (*-ci*; *-cie*) *zo.* brown trout
trofeum *n* (*idkl.*; *-ea*, *-eów*) trophy
tro|ić się (*-ję*, *trój!*) treble, triple; **~jaczki** *m/pl.* (*-ków*) triplets *pl.*; **~jaki** threefold; **~je** three; ***we ~je*** in three
trolejbus *m* (*-u*; *-y*) trolleybus
tron *m* (*-u*; *-y*) throne; **~owy** throne
trop *m* (*-y*; *G -ów*) trail, scent; ***być na czyimś ~ie*** be on s.o.'s trail; **~ić** (*-ę*) track, trail
tropikalny tropical
tro|ska *f* (*-i*; *G* -) care; **~skliwie** *adv.* carefully; **~skliwy** careful; **~szczyć się** ⟨**za- się**⟩ (*-ę*) (**o** *A*) look (after), take care (of); → ***niepokoić się***
trosz|eczkę, ~kę → ***trochę***
trój|- *w złoż.* three-, tri-; **~ca** *f* (*-y*; *G* -): *rel.* **☐ca Święta** the Holy Trinity; **~drożny** *tech.* three-way; **~ka** *f* (*-i*; *G -jek*) three; (*linia*) number three; (*w szkole*) *jakby*: C; ***we ~kę*** in a group of three; ***~kami*** in threes
trójkąt *m* (*-a*; *-y*) *math.* triangle (*też fig.*); **~ny** triangular
trój|niak *m* (*-a*; *-i*) (*type of*) mead; **~nóg** *m* (*-noga*; *-nogi*) tripod; **~pasmowy** three-band; **~skok** *m* (*-u*; *0*) triple jump; **~stronny** tripartite; **~wymiarowy** three-dimensional; **~ząb** *m* trident
truchle|ć (*-eję*) be terrified; ***~ję na myśl o*** (*I*) I tremble at the thought of
trucht *m* (*-u*; *0*) trot; **~ać** (*-am*) trot
tru|cizna *f* (*-y*; *G* -) poison; **~ć** ⟨**o-**⟩ (*-ję*) poison (***się*** o.s.)
trud *m* (*-u*; *-y*) trouble; ***zadać sobie ~ z*** (*I*) go to a lot of trouble over; ***nie szczędzić ~ów*** spare no efforts; ***z ~em*** with difficulty; **~nić się** (*-ę*, *-nij!*) (*I*) occupy o.s. (with); be engaged (in); **~no** *adv.* with difficulty; ***~no mi powiedzieć*** it is hard for me to say; ***~no o*** (*A*) it is hard to get; (***no to***) ***~no!*** there's nothing I can do (about it)!; **~ność** *f* (*-ści*; *0*) difficulty; ***bez ~ności*** without trouble; **~ny** difficult, hard; ***~ny w pożyciu*** difficult to get along with
trudzić (*-dzę*) trouble; ***~ się*** try; (***nad*** *I*) struggle (with)

trujący poisonous
trumna *f* (*-y*; *G -mien*) coffin, *Am. też* casket
trun|ek *m* (*-nku*; *-nki*) (alcoholic) drink; **~kowy** F fond of drinking
trup *m* (*-a*; *-y*) corpse, (dead) body; ***paść ~em*** fall down dead; ***iść po ~ach*** stoop to anything, be ruthless; **~i** deathly; ***~ia czaszka*** skull and crossbones; **~io** *adv.* deathly; ***~io blady*** deathly pale
truskawk|a *f* (*-i*; *G -wek*) *bot.* raspberry; **~owy** raspberry
truteń *m* (*-tnia*; *-tnie*) *zo.* drone (*też Brt. fig.*); *fig.* parasite
trutka *f* (*-i*; *G -tek*) (***na szczury*** rat) poison
trwa|ć (*-am*) last; (***długo***) take (long); (***w*** *L*, ***przy*** *I*) persist (in); *rozmowa*: go on, continue; **~le** *adv.* long-lasting; **~łość** *f* (*-ści*; *0*) durability; **~ły** long-lasting; *produkt* durable
trwog|a *f* (*-i*; *G trwóg*) fright, fear; horror; ***bić na ~ę*** sound the alarm
trwonić (*-ę*) waste; squander
trwożyć (*-ę*) frighten, worry; **~ się** (**o** *A*) be frightened (about); be worried (about)
tryb *m* (*-u*; *-y*) course, mode; *tech.* cogwheel, gear; *gr.* mood; ***iść swoim ~em*** go on as usual; *jur.* ***~ przyspieszony*** summary proceedings *pl.*; ***w ~ie przyspieszonym*** *fig.* in a rush
trybu|na *f* (*-y*; *G* -) (grand)stand; **~nał** *m* (*-u*; *-y*) *jur.* tribunal
tryk *m* (*-a*; *-i*) *zo.* ram
trykot *m* (*-u*; *-y*) (*materiał*) cotton jersey; (*ubranie*) leotard; **~owy** cotton knitted
try'logia *f* (*GDL -ii*; *-e*) trilogy
trymestr *m* (*-u*; *-y*) trimester
trys|kać (*-am*) ⟨***~nąć***⟩ (*-nę*) spurt, squirt, gush; *iskry*: fly; *fig.* sparkle (*I* with) ***~kać zdrowiem*** be bursting with health
tryumf *m* → ***triumf***
trzas|k *m* (*-u*; *-i*) crack, snap; *por.* ***trzeszczeć***; **~kać** (*-am*) crack, snap; F *zdjęcia* snap; (*drzwiami*) slam; **~kający** *mróz* sharp; **~nąć** *pf.* → ***trzaskać***
trząść ⟨**po-, za-**⟩ (*A*, *I*) shake; *pojazd*: jerk; ***~ się*** shake, shiver (***z zimna*** with cold); quiver (***ze strachu*** with fear)
trzcin|a *f* (*-y*; *G* -) *bot.* reed; ***~a cukrowa*** sugar cane; **~owy** reed, cane
trzeba (*nieos.*) one needs (***na to*** to do it); it is necessary to; ***~ to zrobić*** it needs to be done; ***ile ~*** as much/many

as necessary; ***jak ~*** if necessary; ***nie ~*** it is not necessary
trzebić ⟨***wy-***⟩ (*-ę*) *zwierzę* neuter; *fig.* eradicate
trzech *m-os* three; ***Święto ⁀ Króli*** Epiphany; → ***734***
trzeci third; ***po ~e*** thirdly; ***jedna ~a, ~a część*** one third
trzeciorzędny third-class, third-rate
trzeć ⟨***po-***⟩ rub (***się*** o.s.); *gastr.* grate
trzej *m-os* three; → ***734***
trzep|aczka *f* (*-i*; *G -czek*) (*do dywanów*) carpet-beater; (*do piany itp.*) whisk; **~ać** (*-ię*) beat (*I* with) (*też dywan* ⟨***wy-***⟩); ***~ać językiem*** blab, babble; **~nąć** *v/s.* (*-nę*) hit; **~otać** (*-czę/-cę*) flutter; flap (***na wietrze*** in the wind); ***~otać się*** flutter; *ryba*: flounder
trzeszczeć (*-ę, -y*) *deski*: creak; (*w ogniu*) crackle; *lód*: crack; ***~ w szwach*** be bursting at the seams
trzewi|a *pl.* (*-i*) entrails *pl.*, insides *pl.*; *med.* viscera; **~owy** visceral
trzewik *m* (*-a*; *-i*) shoe
trzeźw|ić ⟨***o-***⟩ (*-ę, -wij!*) sober up; *fig.* bring back to earth; **~ieć** ⟨***o-, wy-***⟩ sober up; come to one's senses; **~o** *adv.* soberly; **~y** sober
trzęsawisko *n* (*-a*; *G -*) bog, marsh
trzęsienie *n* (*-a*; *G -eń*) shaking; ***~ ziemi*** earthquake
trzmiel *m* (*-a*; *-e*) *zo.* bumble bee
trzoda *f* (*-y*; *G trzód*) → ***chlewny***
trzon *m* (*-u*; *-y*) core; nucleus; *tech.* shank, stem, shaft; → **~ek** *m* (*-nka*; *-nki*) handle; **~owy**: ***ząb ~owy*** *anat.* molar
trzpień *m* (*-enia*; *-enie*) pin, bolt
trzustka *f* (*-i*; *G -tek*) *anat.* pancreas
trzy three; → ***trój- i 734***; **~cyfrowy** three-figure; **~częściowy** three-piece; **~drzwiowy** three-door; **~dziestka** *f* (*-ki*; *G -tek*) thirty; **~dziesty** thirtieth; **~dzieści** thirty; → ***734***; **~krotnie** *adv.* threefold, three times; **~krotny** threefold; **~letni** three-year-long, -old
trzyma|ć (*-am*) hold; keep; ***~ć się*** hold on (***za*** *A*, *G* to); (*G*) keep (to); ***~ć się razem*** stick together; ***~ć się z dala*** (***od*** *G*) keep away (from); ***~j się!*** so long!, take care!
trzyna|stka *f* (*-i*; *G -tek*) thirteen; **~sto-** *w złoż.* thirteen-; **~stu** *m-os* thirteen; **~sty** thirteenth; **~ście, ~ścioro** *m-os* thirteen; → ***734***
trzy|osobowy for three persons; **~pokojowy** three-room; **~sta, ~stu** *m-os* three hundred; → ***734***
tu here; → ***tam***
tub|a *f* (*-y*; *G -*) *mus.* tuba; *fig.* spokesperson, mouthpiece; → **~ka** *f* (*-i*; *G -bek*) tube
tubyl|czy native; indigenous; **~ec** *m* (*-ca*; *-cy*) native
tucz|nik *m* (*-a*; *-i*) fattening pig; **~ny** fattening; **~yć** ⟨***u-***⟩ (*-ę*) fatten
tulej|a *f* (*GDl -ei*; *-eje*), **~ka** *f* (*-i*; *G -jek*) *tech.* sleeve, bush
tulić ⟨***przy-***⟩ (*-lę*) hug, cuddle; ***~*** ⟨***przy-***⟩ ***się*** (***do*** *G*) nestle close (to), snuggle up (to)
tulipan *m* (*-a*; *-y*) *bot.* tulip
tułacz *m* (*-a*; *-e*) wanderer; **~ka** *f* (*-i*; *-czek*) wandering; **~y** wandering
tułać się (*-am*) wander
tułów *m* (*-łowia*; *-łowie*) trunk
tuman *m* (*-u*; *-y*) cloud (***kurzu*** of dust); *pej.* (*-a*; *-i*) dunce, fool
tunel *m* (*-u*; *-e*) tunnel
Tunez|ja *f* (*-i*; *0*) Tunisia; **~yjczyk** *m* (*-a*; *-cy*), **~yjka** *f* (*-i*; *G -jek*) Tunisian; **⁀yjski** Tunisian
tuńczyk *m* (*-a*; *-i*) *zo.* tuna
tupać (*-pię*) stamp
tupet *m* (*-u*; *-y*) nerve, cheek
tup|nąć *v/s.* (*-nę*) stamp; **~ot** *m* (*-u*; *-y*) patter, clatter
tura *f* (*-y*; *G -*) round
turbo|sprężarka *f tech.* turbocompressor; **~śmigłowy** turbo-prop
Tur|cja *f* (*-i*; *0*) Turkey; **~czynka** *f* (*-i*; *G -nek*) Turk; **⁀ecki** Turkish; ***mówić po ~ecku*** speak Turkish; **~ek** *m* (*-rka*; *-rcy*) Turk
turkot *m* (*-u*; *-y*) rattle; **~ać** (*-cę/-czę*) rattle
turkus *m* (*-a*; *-y*) turquoise; **~owy** turquoise
turniej *m* (*-u*; *-e*) tournament
turnus *m* (*-u*; *-y*) period
turyst|a *m* (*-y*; *G -tów*), **~ka** *f* (*-i*; *G -tek*) tourist; **~yczny** tourist; ***ruch ~yczny*** tourism
tusz *m* (*-u*; *-e*) (*do pisania itp.*) India(n) ink; (*prysznic*) shower; *mus.* flourish; ***~ do rzęs*** mascara
tusza *f* (*-y*; *0*) obesity; (*pl. -e*) (*zwierzęcia*) carcass
tut|aj → ***tu***; **~ejszy** local

T

tuzin *m* (*-a*; *-y*) dozen
tuż *adv*. immediately; **~ *przy*** right to; **~ *za*** right behind
twa *pron f* (*ściągn.* ***twoja***) → ***twój***
tward|nieć ⟨***s-***⟩ (*-ję*) harden; **~o** *adv*. firmly; ***jajko na ~o*** hard-boiled egg; **~ość** *f* (*-ści*; *0*) hardness; **~y** hard, firm; *sen* sound; *mięso* tough
twaróg *m* (*-rogu*; *-rogi*) cottage cheese
twarz *f* (*-y*; *-e*) face; ***stać ~ą do*** (*G*) face; ***być do ~y*** (*D*) suit; ***~ą w ~*** (***z*** *I*) face to face (with); **~owy** becoming, suitable; *anat.* facial
twe *pron. f, n/pl.* (*ściągn.* ***twoje***) → ***twój***
twierdz|a *f* (*-y*; *-e*) fortress; **~ąco** *adv*. affirmatively; **~ący** affirmative; **~enie** *n* (*-a*; *G -eń*) claim; *math.* proposition; ***bezpodstawne ~enie*** allegation; **~ić** (*-ę*) claim, maintain
two|i *m-os pl.*, **~ja, ~je** → ***twój***
tworzy|ć (*-ę, twórz!*) ⟨***s-***⟩ create; *całość* constitute, make up; ⟨***u-***⟩ form (***się*** *v/i.*); ***~ć się*** *też* be formed, be created **~wo** *n* (*-a*; *G -*) material, substance; ***sztuczne ~wo*** plastic
twój *pron. m* (*f* ***twoja***/***twa***, *n* ***twoje***/***twe***; *pl.* ***twoi***/***twoje***/***twe***) your, yours
twór *m* (*tworu*; *twory*) creation; **~ca** *m* (*-y*; *G -ów*) creator; **~czo** *adv*. creatively; **~czość** *f* (*-ści*; *0*) creativity; output; **~czy** creative; **~czyni** *f* (*-yni*; *-ynie*, *-yń*) creator
tw. szt. *skrót pisany*: ***tworzywo sztuczne*** plastic
ty *pron.* (*GA ciebie/cię*, *D tobie/ci*, *I tobą*, *L tobie*) you; ***być na ~*** (***z*** *I*) be on first name terms (with)
tych *pron. GL/pl.* → ***ten, to***[1]
tyczka *f* (*-i*; *G -czek*) pole (*też sport*); **~rz** *m* (*-a*; *-e*) (*w sporcie*) pole-vaulter
tycz|yć się (*-ę*, *t-ko 3. os. lub bezok.*) relate to, concern; ***co się ~y*** (*G*) as to
tyć ⟨***u-***⟩ (*-ję*) grow fat, put on weight
tydzień *m* (*tygodnia*; *tygodnie*) week; ***za ~*** in a week; ***~ temu*** a week ago; ***całymi tygodniami*** for weeks on end
tyfus *m* (*-a*; *-y*) *med.* typhoid fever; → ***dur***[1]
tygodni|e *pl.* → ***tydzień***; **~k** *m* (*-a*; *-i*) weekly; **~owo** *adv*. weekly; ***dwu ~owo*** two a/every week; **~owy** weekly
tygrys *m* (*-a*; *-y*) *zo.* tiger; **~ica** *f* (*-y*; *-e*) *zo.* tigress (*też fig.*)
tyka *f* (*-i*; *G -*) pole, stick
tykać[1] (*-am*) *zegar*: tick
tykać[2] (*-am*) touch; (*zwracać się*) be on first-name terms
tyle[1] (*m-os GAL tylu*, *I tyloma*) so much, so many; → ***ile***; ***~ czasu*** so much time; ***~ … co …*** as much/many … as …; ***drugie ~*** twice as much/many; ***nie ~ …, ile …*** not so much, … as …; ***~ samo, ~ż*** just as much/many
tyle[2] → ***tył***
tylko *adv.* only; merely; ***jak ~*** as soon as
tyln|y back; *tech.* rear; *zo.* hind; ***~e światło*** rear-light
tylu → ***tyle***[1]
tył *m* (*-u*; *-y*) back; rear; ***~em, do ~u, w ~*** backwards; ***w tyle*** behind; ***z ~u*** in the back; ***obrócić się ~em*** turn backwards (***do*** *G* to); *mil. pl.* **~y** rear; ***~ na przód*** back to front; ***pozostawać w tyle*** drop behind; **~ek** F *m* (*-łka*; *-łki*) behind, bottom
tym 1. *DIL/pl.* → ***ten, to***[1]; **2.** *part.* (+ *comp.*) the; → ***im, bardziej***
tymczas|em *adv.* (in the) meanwhile; **~owość** *f* (*-ści*; *0*) temporariness; **~owo** *adv.* temporarily; provisionally; **~owy** temporary; provisional
tymi → ***ten, to***[1]
tymianek *m* (*-nku*; *-nki*) *bot.* thyme
tynk *m* (*-u*; *-y*) plaster; **~ować** ⟨***o-***⟩ (*-uję*) plaster
typ *m* (*-u*; *-y*) type, sort; (*-a*; *-y*) *pej.* character
typow|ać (*-uję*) tip; (*w loterii*) do the lottery; ⟨***wy-***⟩ select, pick; **~o** *adv.* typically; **~y** typical
tyranizować bully, tyrannize
tys. *skrót pisany*: ***tysiąc***(***e***) thou. (*thousand*)
tysiąc (*G/pl. tysięcy*) thousand; → ***734***; ***~ami*** by the thousands; **~krotny** thousandfold; **~lecie** *n* (*-a*; *G -ci*) millennium; **~letni** thousand-year-long, -old
tysięczn|y thousandth; ***jedna ~a*** one thousandth; → ***734***
tyto|niowy tobacco; **~ń** *m* (*-niu*; *-nie*) *bot.* (***fajkowy*** pipe) tobacco
tytuł *m* (*-u*; *-y*) title; **~em** (*G*) as, by way (of)
tytułow|ać (*-uję*) address; ***~ać się*** (*I*) use the title; ⟨***za-***⟩ *książkę* entitle; **~y** title
tzn. *skrót pisany*: ***to znaczy*** i.e. (*that is*)
tzw. *skrót pisany*: ***tak zwany*** so-called

T

U

u *prp.* (*G*) at; with; **~ *ciebie*** with you, at your place; **~ *brzegu*** on the shore; *często nie tłumaczy się*: ***klamka ~ drzwi*** door handle; → ***dół, góra***

uak|tualniać (*-am*) ⟨**~*tualnić***⟩ (*-ę, -nij!*) update, bring up to date; **~*tywniać*** (*-am*) ⟨**~*tywnić***⟩ (*-ę, -nij!*) activate, make active; **~*tywniać*** ⟨**~*tywnić***⟩ ***się*** become active

ub. *skrót pisany*: ***ubiegły*** last

ubarwienie *n* (*-a*; *G -eń*) coloration; → ***barwa***

ubezpiecz|ać (*-am*) insure (***się*** o.s.; ***od*** *G* against); *mil.*, (*w sporcie*) cover; **~*alnia*** *f* (*-i*; *-e*) insurance company; **~*enie*** *n* (*-a*; *G -eń*) insurance, cover; **~*enie od odpowiedzialności cywilnej*** *mot.* third-party insurance; **~*enie na życie*** life insurance; **~*eniowy*** insurance; **~*ony*** *m* (*-ego*; *-eni*), **~*ona*** *f* (*-nej*; *-ne*) insured person; **~*yciel*** *m* (*-a*; *-e*) insurer; **~*yć*** *pf.* → ***ubezpieczać***

ubić *pf.* → ***ubijać***; *hunt.* shoot; **~ *interes*** strike a bargain

ubie|c *pf.* *v/t.* (*przebiec*) cover; *kogoś* beat *s.o.* to *s.th.*; *v/i.* → **~*gać*** (*-am*) *czas*: pass, go by; **~*gać się*** (***o*** *A*) apply (for), try to obtain; **~*gły*** last, previous; **~*gnąć*** *pf.* → ***ubiec***; **~*rać*** (*-am*) dress (***k-o w*** *A* s.o. in); *choinkę itp.* decorate; **~*rać się*** dress, get dressed; **~*rać się w*** (*A*) put on

ubija|ć (*-am*) *ziemię* stamp; *gastr.* beat, whip; **~*k*** *m* (*-a*; *-i*) tamper, pestle

ubikacja *f* (*-i*; *-e*) toilet

ubiór *m* (*-bioru*; *-biory*) dress; costume

ubliż|ać (*-am*) ⟨**~*yć***⟩ (*-ę*) insult; **~*ająco*** *adv.* insultingly; **~*ający*** insulting

ubocz|e *n*: ***na ~u*** out of the way; **~*nie*** *adv.* incidentally; **~*ny*** incidental; ***działanie ~ne*** side effect

ubog|i 1. poor; **2.** *m* (*-ego*; *-odzy*), **~*a*** *f* (*-iej*; *-ie*) poor man/woman, pauper; ***ubodzy*** *pl.* the poor *pl.*; **~*o*** *adv.* poorly

ubolewa|ć (*-am*) (***nad*** *I*) regret, deplore; **~*nie*** *n* (*-a*; *-ań*) regret; ***godny ~nia*** regrettable

uboż|eć ⟨***z-***⟩ (*-eję*) become impoverished; **~*ej*** *adv. comp. od* → ***ubogo***; **~*szy*** *adj. comp. od* → ***ubogi***

ubój *m* (*-boju*; *-boje*) slaughter

ubóstwiać (*-am*) adore

ubóstwo *n* (*-a*; *0*) poverty

ubra|ć *pf.* → ***ubierać***; **~*nie*** *n* (*-a*; *G -ań*) dress; **~*nie ochronne*** protective clothing; **~*ny*** dressed; ***być ~nym w*** be dressed in …, wear …

uby|ć *pf.* → ***ubywać***; **~*tek*** *m* (*-tku*; *-tki*) loss; *med.* cavity; **~*wać*** (*-am*) (*D*) decrease, be on the decrease; *księżyc*: wane; ***dnia ~wa*** the days are getting shorter

ucałowa|ć *pf.* kiss; **~*nie*** *n* (*-a*; *G -ań*) kiss

uchlany F blind drunk

ucho *n* **1.** (*-a*; *uszy*, *uszu*, *uszom*, *uszami*, *uszach*) *anat.* ear; **2.** (*pl.* *-a*, *uch*) handle; eye; ***na własne uszy*** with one's own ears; ***obijać się o uszy*** (*D*) come to one's ears; ***szepnąć na ~*** whisper in s.o.'s ears; ***po uszy*** up to one's ears

uchodz|ić escape (***cało*** unhurt), fly; *gaz*, *woda*: leak, escape; **~*ić za*** (*A*) pass (as); ***to nie ~i*** it is not done; → ***ujść***

uchodź|ca *m* (*-y*; *G -ców*) refugee; **~*stwo*** *n* (*-a*; *0*) emigration

uchować *pf.* protect, preserve (***przed*** *I* against); **~ *się*** survive

uchronić *pf.* protect (***od*** *G* against)

uchwa|lać (*-am*) ⟨**~*lić***⟩ *ustawę* pass; *wniosek* adopt; **~*ła*** *f* (*-y*; *G -*) resolution, decision

uchwy|cić *pf.* → ***chwytać***; **~*t*** *m* grip, grasp, hold; (*rączka*) handle; **~*tny*** tangible, concrete; *ktoś* available

uchybi|(a)ć (*D*) insult; **~*enie*** *n* (*-a*; *G -eń*) insult

uchyl|ać (*-am*) ⟨**~*ić***⟩ *drzwi* open slightly (***się*** *v/i.*); *kotarę* draw aside; *decyzję itp.* cancel, annul; **~*ić kapelusza*** raise the hat; **~*ić rąbka tajemnicy*** reveal a secret; **~*ać*** ⟨**~*ić***⟩ ***się*** (***od*** *G*) shirk, evade, F dodge

uciąć *pf.* → ***ucinać***

uciążliw|ie *adv.* arduously; **~*y*** arduous; burdensome, troublesome; **~*y dla środowiska naturalnego*** ecologically undesirable

ucichnąć *pf.* → ***cichnąć***
ucie|c *pf.* (*uciekne, -kniesz, -kł*) → ***uciekać***; **~cha** *f* (*-y*; *G* -) fun, enjoyment; **~czka** *f* (*-i*; *G -czek*) flight, escape; (*zwł. z więzienia*) break-out; ***zmusić do ~czki*** put to flight; **~kać** (*-am*) (**od** *G*) escape (from), run away (from), flee; *gaz*: escape; (*z więzienia*) break out; ***~kać się*** (**do** *G*) resort (to); ***~kać po wypadku*** *mot.* fail to stop after an accident; commit a hit-and-run offence; **~kinier** *m* (*-a*; *-rzy*), **~kinierka** *f* (*-i*; *G -rek*) fugitive, runaway
ucieleśni|ać (*-am*) ⟨**~ć**⟩ (*-ę*, *-nij!*) embody; ***~(a)ć się*** be realized
ucier|ać (*-am*) *gastr.* grate; (*rozmieszać*) stir; *ziarno* grind; **~pieć** *pf.* suffer
uciesz|ny comical, amusing; **~yć** *pf.* → ***cieszyć***
ucinać (*-am*) cut (off); cut short, curtail; → ***ciąć***
ucisk *m* (*-u*; *-i*) pressure; *fig.* oppression, suppression; **~ać** (*-am*) press; *fig.* oppress, suppress
ucisz|ać (*-am*) ⟨**~yć**⟩ (*-ę*) calm (down) (***się*** *v/i.*)
uciśniony suppressed
ucywilizować *pf.* (*-uję*) civilize
uczci|ć *pf.* → ***czcić***; *rocznicę* celebrate; **~wość** *f* (*-ści*; *0*) honesty, integrity; **~wie** *adv.* honestly; **~wy** honest
uczelnia *f* (*-i*; *-e*) college; ***~ wyższa*** university
ucze|nie się[1] *n* (*-a*; *0*) learning, study
ucze|nie[2] *adv.* learnedly, eruditely; **~nnica** *f* (*-y*; *G* -), **~ń** *m* (*ucznia*; *uczniowie*) pupil, student
ucze|pić się *pf.* → ***czepiać się***; **~rnić** *pf.* (*-ę*, *ń/-nij!*) blacken (*też fig.*); **~sać** *pf.* → ***czesać***; **~sanie** *n* (*-a*; *G -ań*) hairdo, hairstyle
uczestni|ctwo *n* (*-a*; *0*), **~czenie** *n* (*-a*; *0*) participation; **~czka** *f* (*-i*; *G -czek*), **~k** *m* (*-a*; *-cy*) participant (*G* in); ***~k wypadku*** person involved in an accident; **~czyć** (*-ę*) participate, take part (***w*** *L* in)
uczęszcza|ć (*-am*) (**do** *G*, **na** *A*) attend, take part (in); **~ny** well-attended, much-frequented
uczniowski student, pupil
uczon|ość *f* (*-ści*; *0*) erudition; scholarship; **~y 1.** scholarly, scientific; learned, erudite; **2.** *m* (*-ego*, *uczeni*), **~a** *f* (*-ej*; *-e*) scholar; (*przyrodnik*) scientist
uczt|a *f* (*-y*; *G* -) feast; **~ować** (*-uję*) feast
uczuci|e *n* (*-a*; *G* -) feeling; emotion; **~owość** *f* (*-ści*; *0*) sensitivity; **~owo** *adv.* with feeling; sentimentally; affectionately; **~owy** affectionate; emotional
uczu|ć *pf.* → ***uczuwać, czuć***; **~lać** (*-am*) ⟨**~lić**⟩ (*-lę*) make sensitive (***na*** *A* to); *chem.*, *biol.* make allergic (***na*** *A* to); **~lić się** (**na** *A*) become allergic (to); *fig.* be susceptible (to); **~lenie** *n* (*-a*) *med.* allergy
uczyć ⟨**na-**⟩ (*-ę*) (**k-o** *G*) teach (s.o. s.th., *bezok.*); **~ *się*** (*G*) learn, study
uczyn|ek *m* (*-nku*; *-nki*) act, deed; → ***gorący***; **~ny** helpful, accommodating
uda|ć (się) *pf.* → ***udawać*** (***się***); **~ny** successful; *dzieci* fine; (*nieszczery*) pretended; simulated
udar *m* (*-u*; *-y*) *med.* (**cieplny** heat-)stroke; **~ *słoneczny*** sunstroke
udaremni|ać (*-am*) ⟨**~ć**⟩ (*-ę*, *-nij!*) upset, thwart, frustrate
uda|(wa)ć (*-ję*) *v/t. chorobę* feign; pretend (***głuchego*** to be deaf), pose (***głuchego*** as a deaf person); *v/i.* pretend, pose; ***~(wa)ć się*** succeed, be successful; (**do** *G*, **na** *A*) *doktora*, *miejsce* go (to); *miejsce* make one's way (to)
uderz|ać (*-am*) *v/t.* hit, strike; *fig.* strike, fascinate; *v/i.* (**o** *A*) (*też* ***się***) knock (against, on), hit; bump (against, on); **~ająco** *adv.* strikingly; **~ający** striking; **~enie** *n* (*-a*; *G -eń*) hit, knock, bang; strike (*też mil.*); **~eniowy** *mil.* assault; *med.* shock; **~yć** *pf.* (*-ę*) → ***uderzać, bić***
udławić się *pf.* choke (*I* on)
udo *n* (*-a*; *G ud*) *anat.* thigh
udobruchać *pf.* (*-am*) placate, pacify, mollify
udogodni|ć *pf.* (*-ę*, *-nij!*) make (more) convenient; make easier; **~enie** *n* (*-a*; *G -eń*) convenience
udoskonal|ać (*-am*) ⟨**~ić**⟩ perfect, improve; **~enie** *n* (*-a*; *G -eń*) improvement, refinement
udostępni|ać (*-am*) ⟨**~ć**⟩ (*-ę*, *-nij!*) make accessible *lub* available
udow|adniać (*-am*) ⟨**~odnić**⟩ (*-ę*, *-nij!*) prove; substantiate
udowy thigh; *med.* femoral
udręk|czenie *n* (*-a*; *G -eń*), **~ka** *f* (*-i*; *G* -) agony, torment
udu|sić *pf.* choke, strangle; ***~sić się*** (*I*)

U

choke (on); *por.* **dusić**; **~szenie** *n* (*-a*; *G -eń*) strangling; choking; ***śmierć od ~szenia*** death by strangling

udział *m* (*-u*; *-y*) participation; (*wkład, też econ.*) share; ***~ w zbrodni*** participation in a crime; ***brać ~*** → ***uczestniczyć***; **~owiec** *m* (*-wca*; *-wcy*) *econ.* shareholder; **~owy** share

udziec *m* (*udźca*; *udźce*) *gastr.* leg

udziel|ać (*-am*) (*G*) offer; *pomocy, pożyczki* grant; *rady, słowa* give; ***~ać się*** *choroba itp.*: spread; *komuś* rub off (*D* on); **~enie** *n* (*-a*; *0*) granting, giving; ***~enie pomocy*** assistance; **~ić** *pf.* → ***udzielać***

udziesięciokrotni|ać (*-am*) ⟨***~ć***⟩ (*-ę, -nij!*) increase tenfold (***się*** *v/i.*)

udźwiękowi|ać (*-am*) ⟨***~ć***⟩ (*-ę, -wij!*) add sound to; *film*: add sound-track to

UE *skrót pisany*: ***Unia Europejska*** EC (*European Community*)

uf|ać (*-am*) ⟨***za-***⟩ (*-am*) trust (*D*; *impf.* ***że*** that); hope (*impf.* ***że*** that); ***nie ~ać*** distrust, mistrust; **~ność** *f* (*-ści*; *0*) trust; **~ny** trusting; (***w*** *A*) confident (in)

uga|niać się → ***ganiać***; **~sić** *pf.* → ***gasić***; **~szczać** (*-am*) (*D*) give; entertain

ugi|nać się (*-am*) ⟨***~ąć się***⟩ bend, bow; sag (under the weight)

ugłaskać *pf. fig.* mollify, appease

ugni|atać (*-am*) *v/i. but*: pinch; *v/t.* ⟨***~eść***⟩ *ciasto* knead

ugo|da *f* (*-y*; *G ugód*) agreement, settlement; **~dowy** conciliatory; willing to compromise; **~dzić** *pf.* hit; F (*do pracy*) sign on; **~ścić** *pf.* → ***ugaszczać***

ugór *m* (*ugoru*; *ugory*) wasteland; fallow land; ***leżeć ugorem*** lie fallow

ugruntow(yw)ać (*-[w]uję*) substantiate, ground

ugrupowanie *n* (*-a*; *G -ań*) group

ugryźć *pf.* bite; *komar*: sting

ugrząźć *pf.* → ***grzęznąć***

ui|szczać (*-am*) ⟨***~ścić***⟩ (*-szczę*) pay (***z góry*** in advance)

UJ *skrót pisany*: ***Uniwersytet Jagielloński*** Jagiellonian University

ujadać bark (***na*** *A* at)

ujarzmi|ać (*-am*) ⟨***~ć***⟩ (*-ę, -mij!*) subjugate, enslave; *rzekę* master, control

ujawni|ać (*-am*) ⟨***~ć***⟩ (*-ę, -nij!*) reveal, expose; ***~(a)ć się*** manifest o.s.; *usterka itp.*: develop; *pol.* reveal o.s.

ująć *pf.* → ***ujmować***

ujednolic|ać (*-am*) ⟨***~ić***⟩ (*-cę*) make uniform, standardize

ujemny negative

ujeżdża|ć (*-am*) ⟨***ujeździć***⟩ *konia* break in; **~lnia** *f* (*-i*; *-e, -i*) riding school

ujęcie *n* (*-a*; *G -jęć*) capture; seizure; *fig.* point of view; *phot.* shot; (*wody itp.*) intake

ujm|a *f* (*-y*; *G ujm*) disgrace, discredit; ***przynosić ~ę*** (*D*) bring discredit (on); **~ować** (*-uję*) grab, seize (***za*** *A* at); (*w słowa*) phrase, formulate; *fig. kogoś* enchant; (*odejmować, G*) take away; ***~ować się*** (***za*** *I*) support; **~ujący** enchanting

ujrzeć *pf.* (*-ę, -y, -yj!*) catch sight of, see

ujś|cie *n* (*-a*; *G ujść*) mouth; *fig.* outlet; → ***wylot***; **~ć** (*-jść*) → ***uchodzić***

ukartowany pre-arranged

ukatrupić F *pf.* (*-ę*) do in, bump off

ukaz|ywać (*-uję*) ⟨***~ać***⟩ reveal (***się*** o.s.); ***~(yw)ać się*** appear

uką|sić *pf.* (*-szę*) → ***kąsać***; **~szenie** *n* (*-a*; *G -eń*) bite; (*skorpiona*) sting

UKF *skrót pisany*: ***ultrakrótkie fale*** VHF (*ultrashort waves*)

układ *m* (*-u*; *-y*) arrangement; system; (*kontrakt*) contract, agreement; *pol.* treaty; ***zbiorowy ~ pracy*** framework collective agreement; ***≈ Słoneczny*** solar system; *t-ko pl.* ***~y*** negotiations *pl.*; F connections; **~ać** (*-am*) arrange, lay out; *tekst* compose; *plan* work out; *listę* make out; *sprawozdanie* compile; *melodię* compose; ***~ać się*** lie down (***do snu*** to sleep); *stosunki*: turn out (***dobrze*** all right); ***~ać się wygodnie*** snuggle, cuddle; ***~ać się w fałdy*** fall into folds; **~anka** *f* (*-i*; *G -nek*) jigsaw puzzle; **~ny** kind, charming; **~owy** system; contractual

ukłon *m* (*-u*; *-y*) bow; ***~y*** *pl. też* greetings; regards (***dla*** *G* to); ***~ić się*** *pf.* bow; *por.* ***kłaniać się***

ukłucie *n* (*-a*; *G -łuć*) prick (*też fig.*); sting

ukochan|a *f* (*-ej*; *-e*), **~y 1.** *m* (*-ego*; *-ani*) darling; **2.** beloved, loved

ukon- *pf.* → ***kon-***

ukończ|enie *n* (*-a*; *G -eń*) ending, conclusion; (*budowy itp.*) completion; (***szkoły*** school-leaving) qualification; **~yć** *pf.* → ***kończyć***

ukoronowanie *n* (*-a*; *G -ań*) crowning (*też fig.*)

U

ukorzeni|ać się (*-am*) ⟨**~ć się**⟩ take root; **~ony** rooted
ukos *m* (*-a*; *-y*) slant; *tech.* bevel; ***na ~, z ~a, ~em*** at a slant; obliquely; ***patrzeć z ~a*** look askance (***na*** *A* at)
ukośny slanting; oblique
ukradkiem *adv.* stealthily, furtively
Ukra'i|na *f* (*-y*; *0*) (the) Ukraine; **~niec** *m* (*-ńca*; *-ńcy*), **~nka** *f* (*-i*; *G -nek*) Ukrainian; **♀ński** Ukrainian; ***mówić po ~ńsku*** speak Ukrainian
u|krajać (*-am*) cut off; **~kręcić** *pf. powróz* twist; (*oderwać*) twist off; *gastr.* mix; **~kroić** *pf.* → ***ukrajać***
ukrop *m* (*-u*; *0*) boiling water
ukry|cie *n* (*-a*; *G -yć*) hiding place; *fig.* concealment; → ***kryjówka***; ***z ~cia*** from hiding; **~ty** concealed, hidden; *choroba* latent; **~wać** (*-am*) → ***kryć***; *plany itp.* conceal, hide
ukrzyżowanie *n* (*-a*; *G -ań*) crucifixion; *rel.* the Crucifixion
ukształtowanie *n* (*-a*; *G -ań*) shape, shaping
ukuć *pf.* forge; *fig.* hatch
ukwiecony flower-bedecked, flowery
ul. *skrót pisany*: ***ulica*** St. (*street*)
ul *m* (*-a*; *-e*) beehive
ula|ć *pf.* → ***ulewać***; ***jak ~ł*** fit like a glove; **~tniać się** (*-am*) evaporate; *zapach, nastrój*: disappear; F *fig.* clear off; **~tywać** (*-uję*) fly away/off; *woń*: disappear; → ***uchodzić***
ule|c *pf.* → ***ulegać***; **~cieć** *pf.* → ***ulatywać***; **~czalny** curable; **~gać** (*-am*) (*D*) yield, submit; lose, give in; agree to (***prośbie*** a request); ***~gać woli*** (*G*) bow to the will (of); ***~gać wpływom*** come under influence; ***~c zmianie*** undergo a change; ***~c wypadkowi*** have an accident; ***~c zapomnieniu*** fall into oblivion; *jur.* ***~c przedawnieniu*** be subject to prescription; → ***wątpliwość***; ***~gający zepsuciu*** highly perishable
uleg|le *adv.* submissively; **~łość** *f* (*-ści*; *0*) submission; **~ły** submissive, meek
ulepsz|ać (*-am*) ⟨**~yć**⟩ (*-ę*) improve; **~enie** *n* (*-a*; *G -eń*) improvement
ulewa *f* (*-y*; *G -*) downpour, heavy rain; **~ć** (*-am*) pour away; *niemowlę*: spit; **~ny** *deszcz* heavy
uleżeć *pf.*: ***~ się*** mellow, mature
ulg|a *f* (*-i*; *G -*) relief; (*zniżka*) discount, reduction; ***~a podatkowa*** *Brt.* tax allowance, *Am.* tax deduction; **~owo** *adv. traktować* preferentially; **~owy** with a discount, reduced; *traktowanie* preferential
uli|ca *f* (*-y*; *G -*) street; ***na/przy ~cy*** *Brt.* in (*Am.* on) the street; **~czka** *f* (*-czki*; *G -czek*) street; ***ślepa ~czka*** blind alley (*też fig.*); **~cznik** *m* (*-a*; *-cy*) waif, street urchin; **~czny** street
ulokowa|ć *pf.* → ***lokować***; **~nie** *n* (*-a*; *G -ań*) accommodation; location
ulot|ka *f* (*-i*; *G -tek*) leaflet; *reklamowa* prospectus, advertising brochure; ***~ka z instrukcją*** instruction leaflet; ***~nić się*** *pf.* (*-ę*, *-nij!*) → ***ulatniać się***
ultra|dźwiękowy ultrasonic, ultrasound; **~fioletowy** ultraviolet; **~krótkofalowy** very high frequency; VHF; **~nowoczesny** ultramodern; **~sonograf** *m* (*-u*; *-y*) *med.* ultrasound scanner; **~sonograficzny** *med.* ultrasound
ulubi|enica *f* (*-y*; *G -*), **~eniec** *m* (*-ńca*; *-ńcy*) darling, pet; favo(u)rite; **~ony** favo(u)rite, pet
ulży|ć (*-ę*) *pf.* (*D*, **k-u w** *L*) relieve (s.o. of), make easier (s.o. with); ***~ć sobie*** (*w toalecie*) relieve o.s.; *fig.* get *s.th.* off one's chest; ***~ło mi*** (***na sercu***) that came as a relief to me
ułam|ać *pf.* → ***ułamywać***; **~ek** *m* (*-mka*; *-mki*) *math.* fraction; piece; ***w ~ku sekundy*** in a split second; **~kowy** fraction; **~ywać** (*-uję*) break (off) (***się*** *v/i.*)
ułaskawi|ać (*-am*) ⟨**~ć**⟩ (*-ę*) *jur.* pardon; **~enie** *n* (*-a*; *G -eń*) *jur.* pardon
ułatwi|ać (*-am*) ⟨**~ć**⟩ (*-ę*) simplify, make easier; facilitate; **~enie** *n* (*-a*; *G -eń*) simplification
ułom|ek *m* (*-mka*; *-mki*) fragment, piece; **~ność** *f* (*-ści*; *0*) → ***kalectwo***; **~ny** disabled, physically handicapped
ułoż|enie *n* (*-a*; *G -eń*) arrangement; **~yć** *pf.* → ***układać***; ***~yć się*** *fig.* come to an agreement
ułuda *f* (*-y*; *G -*) illusion, hallucination
umacniać (*-am*) strengthen; *mil.* fortify; *fig.* consolidate; ***~ się*** become stronger; ***~ się w*** (*L*) make one's intentions stronger
umarł|y 1. dead; **2.** *m* (*-ego*; *-rli*), **~a** *f* (*-ej*; *-e*) dead person; ***umarli*** *pl.* the dead *pl.*
umarzać (*-am*) *econ. środek* amortize;

U

dług write off; *jur. rozprawę* abandon; *dochodzenie* stop

umawiać arrange (*też* ***się*** *v/i.*); agree; **~ *się*** (***co do*** *G*) agree (on), reach an agreement (about); (***z*** *I*) make an appointment (with)

umeblowanie *f* (*-a*; *0*) furniture

umiar *m* (*-u*; *0*) moderation; ***z ~em*** moderately, in moderation; ***zachować ~*** be moderate; **~kowanie** *n* (*-a*; *0*) temperance (*też w piciu*), restraint → **~kowany** temperate; *poglądy, kierunek* moderate

umie|ć (*-em*) be able to, can; ***czy ~sz ...?*** can you...?; ***on ~ sobie poradzić*** he can manage (it) on his own; **~jętność** *f* (*-ści*) skill; ability, capability; **~jętny** skilful

umiejs|cawiać (*-am*) ⟨**~cowić**⟩ (*-ę*, *-ców!*) locate; (*w klasyfikacji*) classify

umiera|ć (*-am*) die ***~ć na raka*** die of cancer, *fig.* ***~ć ze strachu*** die of fear; **~jący** dying

umie|szczać (*-am*) ⟨**~ścić**⟩ put, locate; place (***się*** o.s.); (*publikować*) publish; *pieniądze* deposit

umięśniony muscular

umi|lać (*-am*) ⟨**~lić**⟩ (*-ę*) make more agreeable; brighten up; **~lknąć** (*-nę*) *pf.* fall silent; *muzyka, rozmowa*: stop; **~łowanie** *n* (*-a*) fondness (*G* for)

umizg|ać się (*-am*) (***do*** *G*) flirt (with), make passes (to); (***o*** *A*) woo, curry favo(u)r (with); **~i** *pl.* flirting; wooing

umknąć *pf.* → ***umykać***

umniejsz|ać (*-am*) ⟨**~yć**⟩ (*-ę*) decrease, diminish

umocn|ić pp → ***umacniać***; **~ienie** *n* (*-a*; *G -eń*) fortification; *fig.* strengthening, consolidation

umo|cow(yw)ać (*-[w]uję*) (*I*) fix (with), fasten (with); **~czyć** *pf.* → ***maczać***; **~rusać** *pf.* (*-am*) smear; ***~rusać się*** get dirty; **~rzyć** *pf.* → ***umarzać***; **~tywowanie** *n* (*-a*; *G -ań*) reason, grounds *pl.*

umow|a *f* (*-y*; *G umów*) agreement; contract; ***~a kupna*** contract of sale; ***~a o pracę*** contract of employment; ***zgodnie z ~ą*** as stipulated in the contract; **~ny** contractual; *econ.* ***kara ~na*** liquidated damages *pl.*

umożliwi|ać (*-am*) ⟨**~ć**⟩ (*-ę*) make possible, enable

umówi|ć *pf.* → ***umawiać***; **~ony** *spotkanie* appointed

umrzeć *pf.* → ***umierać***

umundurowa|ć *pf.* (*-uję*) uniform; **~nie** *n* (*-a*; *G -ań*) uniform

umy|ć *pf.* → ***umywać, myć***; **~kać** (*-am*) escape, run away/off

umy|sł *m* (*-u*; *-y*) mind; intellect; ***zdrowy na ~śle*** of sound mind; → ***przytomność***; **~słowo** *adv.* mentally; intellectually; → ***chory***; **~słowość** *f* (*-ści*) mentality; **~słowy** mental; intellectual; → ***pracownik***

umyślny intentional, on purpose, deliberate

umywa|ć (*-am*) wash (***się*** o.s./*v/i.*); *naczynia* wash up; **~lka** *f* (*-i*; *G -lek*) washbasin; **~lnia** *f* (*-i*; *-e*) washing-room

unaoczni|ać (*-am*) ⟨**~ć**⟩ (*-ę*, *-nij!*) reveal, show

unia *f* (*GDl -ii*; *-e*) union

uncja *f* (*-i*; *-e*) ounce

unicestwi|ać (*-am*) ⟨**~ć**⟩ (*-ę*) destroy, exterminate; *plany* wreck; *nadzieje* dash

uniemożliwi|ać (*-am*) ⟨**~ć**⟩ (*-ę*) prevent, frustrate; make impossible

unieru|chamiać (*-am*) ⟨**~chomić**⟩ (*-ę*) immobilize; *aviat.* ground; *tech.* lock; *kapitał* tie; *med.* set

uniesieni|e *n* (*-a*; *G -eń*) rapture, elation; ***w ~u*** (*w zachwycie*) in rapture(s); (*w gniewie*) in anger

unieszkodliwi|ać (*-am*) ⟨**~ć**⟩ (*-ę*) neutralize; *śmieci* dispose of

unieść *pf.* → ***unosić***

unieważni|ać (*-am*) ⟨**~ć**⟩ (*-ę*, *-nij!*) *legitymację, kontrakt* invalidate; *jur.* void, nullify, annul; **~enie** *n* (*-a*; *G -eń*) voidance, nullification, annulment, invalidation

uniewinni|ać (*-am*) ⟨**~ć**⟩ (*-ę*) (***z*** *G*) exonerate (from); *jur.* acquit (of); **~enie** *n* (*-a*; *G -eń*) exoneration; *jur.* acquittal

uniezależni|ać (*-am*) ⟨**~ć**⟩ (*-ę*, *-nij!*) make independent; ***~(a)ć się*** become independent (***od*** *G* from)

unik *m* (*-u*; *-i*) dodge, duck; ***zrobić ~*** dodge, duck; **~ać** (*-am*) (*G*) avoid

unika|lny, ~towy unique, only

uniknąć *pf.* → ***unikać***; (*G*) escape, avoid

uniknięci|e *n* (*-a*; *G -ęć*) avoidance, escape; ***nie do ~a*** unavoidable

uniwer|salny universal; **~sytecki** university; academic; **~sytet** *m* (*-u*; *-y*) university

uniżony humble, servile

U

unosić raise; *rzeka*: carry away; ***uniesiony*** (*D*) in a fit (of); **~ się** rise; *w powietrzu, na wodzie* float; *na falach* drift
unowocześni|ać (*-am*) ⟨**~ć**⟩ (*-ę, -nij!*) modernize
uodporni|ać (*-am*) ⟨**~ć**⟩ (*-ę, -nij!*) immunize (***na*** *A* against); ***~ć się*** (***na*** *A*) become immune (to)
u|ogólniać (*-am*) ⟨***~ogólnić***⟩ (*-ę, -nij!*) generalize; **~osabiać** (*-am*) ⟨***~osobić***⟩ (*-ę, -nij!*) personify; **~osobienie** *n* (*-a; G -eń*) personification
upad|ać fall; *fig.* (*niszczeć*) decline, deteriorate; *pol.* fall, collapse; *econ.* go bankrupt; ***~ać na duchu*** lose heart; **~ek** *m* (*-dku; -dki*) fall; *fig.* decline, deterioration; *pol.* collapse; **~łość** *f* (*-ści; 0*) *econ.* bankruptcy, insolvency; **~ły** fallen; *fig.* sunk (low); ***do ~łego*** to the point of exhaustion
upa|jać (*-am*) (*alkoholem*) intoxicate, inebriate; *fig.* make euphoric, exhilarate; ***~jać się*** become intoxicated; become euphoric; **~lny** hot; **~ł** *m* (*-u; -y*) heat
upamiętni|ać (*-am*) ⟨**~ć**⟩ (*-ę, -nij!*) memorialize, commemorate; ***~(a)ć się*** be remembered, remain in memory
upaństw|awiać (*-am*) ⟨***~owić***⟩ (*-ę, -wów!*) nationalize
upar|cie *adv.* stubbornly, obstinately; **~ty** stubborn, obstinate
upa|ść[1] *pf.* (*paść[1]*) → (***u***)***padać***
upa|ść[2] *pf.* (*paść[2]*) fatten; **~trywać** (*-uję*) ⟨***~trzyć***⟩ → ***wypatrywać, wypatrzyć***; ***~trywać stosownej chwili*** wait for the suitable time
upch|ać *pf.*, **~nąć** *pf.* → ***upychać***
upełnomocni|ać (*-am*) ⟨**~ć**⟩ (*-ę, -nij!*) authorize (***do*** *G* to)
uperfumowany scented, perfumed
upewni|ać (*-am*) assure (***k-o o*** s.o. of); ***~ć się*** make sure (***co do*** of)
upi|ąć *pf.* → ***upinać***; **~ć** *pf.* → ***upijać***
upie|c *pf.* bake; *mięso* roast; ***świeżo ~czony*** *fig.* new, newly-qualified
upierać się (*-am*) insist (***przy*** *L* on), persist (***przy*** *L* in)
upierzenie *n* (*-a; G -eń*) plumage
upiększ|ać (*-am*) ⟨***~yć***⟩ (*-ę*) decorate, deck out; *fig.* embellish
upi|jać (*-am*) (*G*) make drunk, inebriate, intoxicate; ***~jać się*** get drunk; **~nać** (*-am*) *włosy* pin up
u|piorny ghastly; **~piór** *m* (*-piora; -piory*) ghost
upły|nąć *pf.* → ***upływać***; **~w** *m* (*-u; 0*) (*czasu*) passage, passing; ***z ~wem lat*** with years; ***~w krwi*** loss of blood; **~wać** *czas*: go by, fly; *termin*: expire, lapse
upodoba|ć (*-am*): ***~ć sobie*** (*A*) take a liking (to); **~nie** *n* (*-a; G -ań*) liking, fondness (***do*** *G* for); ***z ~niem*** with pleasure; ***według ~nia*** to one's liking
upo|ić *pf.* → ***upajać***; **~jenie** *n* (*-a; G -eń*) inebriation, intoxication (*też fig.*); **~karzać** (*-am*) ⟨***~korzyć***⟩ (*-ę, -kórz!*) humble (***się*** o.s.)
upomin|ać (*-am*) admonish, rebuke; ***~ać się*** (***o*** *A*) demand, insist (on); **~ek** *m* (*-nka; -nki*) souvenir, keepsake
upomnie|ć *pf.* → ***upominać***; **~nie** *n* (*-a; G -eń*) (*na piśmie*) reminder; reprimand, rebuke
upor|ać się *pf.* (*-am*) (***z*** *I*) get ready (with); clear (up); **~czywy** unrelenting; tenacious; *wzrok* insistent; *ból* persistent
uporządkow(yw)ać (*-[w]uję*) tidy up; *fig.* straighten out, sort out
uposażeni|e *n* (*-a; G -eń*) pay, salary; **~owy** pay, salary
upośledz|ać (*-am*) ⟨***~ić***⟩ handicap, impair; **~enie** *n* (*-a; G -eń*) disability; handicap; **~ony** disabled; underprivileged
upoważni|ać (*-am*) ⟨**~ć**⟩ (*-ę*) authorize, empower (***do*** *G* to); **~enie** *n* (*-a; G -eń*) authorization, authority; *jur.* power of attorney; ***z ~enia*** by proxy
upowszechni|ać (*-am*) ⟨**~ć**⟩ (*-ę, -nij!*) spread, disseminate
upozorowanie *n* (*-a; G -ań*) simulation, feigning
upór *m* (*uporu; 0*) stubbornness, obstinacy
upragnienie *n*: ***z ~m*** longingly
upragniony longed for
uprasz|ać (*-am*) request; ***~a się o ciszę!*** silence, please!; **~czać** (*-am*) simplify; *ułamek* cancel
upraw|a *f* (*-y; G -*) *agr.* tillage, cultivation; growing; crop; **~iać** (*-am*) ⟨***~ić***⟩ *ziemię* cultivate; *t-ko impf. rośliny* grow; *sport itp.* go in for, *Brt.* practise, *Am.* practice; **~niać** (*-am*) ⟨***~nić***⟩ (*-ę, -nij!*) (***do*** *G*) entitle (to); **~nienie** *n* (*-a; G -eń*) entitlement, right; **~niony** entitled (***do głosowania*** to vote); eligible (***do*** *G* for); **~ny** *agr.* arable

U

uprawomocnić się *pf.* (*-ę, -nij!*) come into force
upro|sić *pf.* → ***upraszać***; **~szczenie** *n* (*-a*; *G -eń*) simplification; **~ścić** *pf.* → ***upraszczać***; **~wadzać** (*-am*) ⟨**~wadzić**⟩ (*-ę*) hijack; *samolot* skyjack; **~wadzenie** *n* (*-a*; *G -eń*) hijacking; (*samolotu*) skyjacking
u|prząż *f* (*uprzęży*; *uprzęże*) harness; **~przeć się** *pf.* → ***upierać się***; **~przednio** *adv.* previously, before
uprzedz|ać (*-am*) *v/t.* forestall, anticipate; (*przestrzegać*) (**o** *L*) forewarn, warn (of); ***~ać się*** (***do*** *G*) become prejudiced (against); **~ająco** *adv.* obligingly; **~ający** obliging; **~enie** *n* (*-a*; *G -eń*) prejudice, bias; ***bez ~enia*** unbiased, open-minded; (*nagle*) without warning; **~ić** (*-am*) *v/t. pf.* → ***uprzedzać***; **~ony** prejudiced, biased
uprzejm|ość *f* (*-ści*; *0*) kindness, politeness; **~ie** *adv.*: ***dziękuję ~ie*** thank you very much; **~y** (***dla*** *G*, ***wobec*** *A*) polite (for), kind (for); ***bądź tak ~y*** (*i*) be so kind as to
uprzemysło|wienie *n* (*-a*; *0*) industrialization; **~wiony** industrialized
uprzyjemni|ać (*-am*) ⟨**~ć**⟩ (*-ę, -nij!*) make nicer, make enjoyable
uprzykrz|ać (*-am*) ⟨**~yć**⟩ spoil; make miserable; ***~yć sobie*** (*A*) grow tired (of); ***~ać się*** be a nuisance; **~ony** tiresome
uprzy|stępniać (*-am*) ⟨**~stępnić**⟩ (*-ę, -nij!*) → ***udostępniać***; **~tamniać, ~tomniać** (*-am*) ⟨**~tomnić**⟩ (*-ę, -nij!*) (*też* ***sobie***) realize; **~wilejowany** privileged
upu|st *m* (*-u*; *-y*) *tech.* bleed(ing); (*śluza*) sluice; ***dać ~st*** (*D*) *fig.* give vent (to); **~szczać** (*-am*) ⟨**~ścić**⟩ drop; ***~szczać krew*** bleed, draw blood
upychać (*-am*) stuff
ura|biać (*-am*) form (***się*** *v/i.*); (*w górnictwie*) mine, *kamień* quarry; F *kogoś* work on; **~czać** (*-am*) → ***raczyć***; **~dowany** delighted, joyful; *por.* ***radować***; **~dzać** (*-am*) ⟨**~dzić**⟩ agree on; conclude
uran *m* (*-u*; *0*) *chem.* uranium
Uran *m* (*-a*; *0*) *astr.* Uranus
uranowy uranium
ura|stać (*-am*) grow, increase; (***do*** *G*) take on the proportions (of); **~tować** *pf.* save
uraz *m* (*-u*; *-y*) trauma, injury; **~a** *f* (*-y*; *G -*) resentment, offence; grudge; ***mieć ~ę*** *Brt.* bear (*Am.* hold) a grudge (***do*** *G* against); **~ić** *pf.* → ***urażać***; **~owy** traumatic
urażać (*-am*) hurt, wound (*też fig.*)
urąg|ać (*-am*) defy; *lit. komuś* insult; → ***wymyślać***; **~owisko** *n* (*-a*; *0*) laughingstock
urbanistyczny urbanistic, town-planning
uregulowanie *n* (*-a*; *G -ań*) regulation
urlop *m* (*-u*; *-y*) (***macierzyński*** maternity) leave, (*wypoczynkowy*) holiday, *zwł. Am.* vacation; ***być na ~ie, korzystać z ~u*** be on *Brt.* holidays (*Am.* vacation); **~ować** (*im*)*pf.* (*-uję*) give *s.o.* leave (of absence); **~owy** holiday, vacation
urna *f* (*-y*; *G urn*) (*wyborcza*) ballot-box
uro|bić *pf.* → ***urabiać***; **~czo** *adv.* charmingly; **~czy** charming, lovely; **~czystość** *f* (*-ści*) ceremony; festivity, celebration; **~czysty** solemn, ceremonial; **~czyście** *adv.* solemnly; ceremonially; **~da** *f* (*-y*; *0*) beauty; looks *pl.*
urodz|aj *m* (*-u*; *-e*) good harvest/crop; ***~aj na owoce*** a good year for fruit; **~ajny** fertile; **~enie** *n* (*-a*; *G -eń*) birth; ***miejsce ~enia*** birthplacc; ***rok ~enia*** year of birth; ***Polak z ~enia*** a Pole by birth; **~ić** *pf.* → ***rodzić***; **~inowy** birthday; **~iny** *pl.* (*-*) birthday (party)
uro|jenie *n* (*-a*; *-eń*) illusion, hallucination; **~jony** imaginary
urok *m* (*-u*; *-i*) charm; ***pełen ~u*** charming; ***na psa ~!*** touch wood!
urosnąć *pf.* → ***urastać***
urozmaic|ać (*-am*) ⟨**~ić**⟩ (*-ę*) vary, diversify; **~enie** *n* (*-a*; *G -eń*) variety, diversity; **~ony** varied, diversified
uruch|amiać (*-am*) ⟨**~omić**⟩ (*-ę*) set in motion; turn on; *silnik* start up
urwać *pf.* → ***urywać, rwać***
urwis *m* (*-a*; *-y*) young rascal
urwis|ko *n* (*-a*; *G -*) precipice, bluff **~ty** → ***stromy***
uryw|ać (*-am*) *v/t.* cut short; tear off; *v/i.* ***~ać się*** come off; break off; F *ktoś*: slip away; **~any** interrupted; **~ek** *m* (*-wka*; *-wki*) bit, snatch, snippet; **~kowy** fragmentary, incomplete
urząd *m* (*-rzędu*; *-rzędy*) (***pocztowy, stanu cywilnego*** post, registry) office;

authorities *pl.*; ***z urzędu*** because of one's profession; *jur.* assigned (by court)
urządz|ać (*-am*) arrange; *mieszkanie* furnish; *przyjęcie* give; ***~ać się*** furnish, make o.s. at home; **~enie** *n* (*-a*; *G -eń*) appliance, device; facility; ***~enie sanitarne*** sanitary facilities *pl.*; **~ić** *pf.* → ***urządzać***
urze|c *pf.* → ***urzekać***; **~czony** bewitched; ***jak ~czony*** like one bewitched
urzeczywistni|ać (*-am*) ⟨***~ć***⟩ (*-ę*, *-nij!*) realize, put into practice; ***~ać*** ⟨***~ć***⟩ ***się*** be realized, be fulfilled
urzeka|ć (*-am*) enchant, bewitch; *fig.* (*I*) win, captivate; **~jąco** *adv.* enchantingly; captivatingly; **~jący** enchanting; captivating
urzędni|czka *f* (*-i*; *G -czek*), **~k** *m* (*-a*; *-cy*) clerk, official
urzędow|ać (*-uję*) work (in an office); **~anie** *n* (*-a*; *0*) discharge of one's duties; ***godziny*** *pl.* ***~ania*** office hours *pl.*; **~o** *adv.* officially; **~y** official
urzynać (*-am*) ⟨***urznąć, urżnąć***⟩ cut off; F **~** ⟨***urżnąć***⟩ ***się*** get drunk
usamodzielni|ać się (*-am*) ⟨***~ć się***⟩ (*-ę*, *-nij!*) become independent
USC *skrót pisany*: ***Urząd Stanu Cywilnego*** registry office
uschnąć *pf.* → ***usychać***
USG *n skrót*: *med.* ***ultrasonografia*** F ultrasound scan; ***zrobił sobie ~*** he was given an ultrasound scan
usiany studded
usi|ąść *pf.* → ***siadać***; **~edzieć** *pf.*: ***nie móc ~edzieć*** be on edge
usi|lny *prośba* insistent, urgent; *praca, starania* concentrated; **~łować** (*-uję*) (+ *bezok.*) try (to *bezok.*), endeavo(u)r (to *bezok.*); (*bardzo*) struggle (to *bezok.*); **~łowanie** *n* (*-a*; *G -ań*) endeavo(u)r; attempt
uskakiwać (*-uję*) jump aside
uskarżać się (*-am*) complain (***na*** *A* about)
u|składać *pf.* (*-am*) save (***na*** *A* for); **~skoczyć** *pf.* → ***uskakiwać***; **~słany** (*I*) covered (with); **~słuchać** *pf.* (*G*) respond (to); (*być posłusznym*) listen (to)
usłu|ga *f* (*-i*; *G -*) service; (*grzeczność*) favo(u)r; → ***przysługa***; **~giwać** (*-uję*) serve (***gościom*** the guests; ***przy stole*** at table); **~gowy** service; **~żność** *f* (*-ści*; *0*) willingness to help; **~żny** → ***uczynny***; **~żyć** *pf.* → ***usługiwać***
usłyszeć *pf.* → ***słyszeć***
usnąć *pf.* (*-nę*) fall asleep; *lit.* ***~ na wieki*** die
uspo|kajać (*-am*) ⟨***~koić***⟩ (*-ję*) calm down (***się*** *v/i.*); ***~koić się*** *wiatr, burza*: die down; *morze*: become calm; **~kajająco** *adv.* soothingly; **~kajający** soothing; *med.* sedative
uspołeczni|ać (*-am*) ⟨***~ć***⟩ socialize; *econ.* nationalize
uspos|abiać (*-am*) ⟨***~obić***⟩ (*-ę*, *-sób!*) set (***przeciw*** against); (***do*** *G*) dispose (toward(s)); ***nie być ~obionym*** not feel like (***do czegoś*** doing s.th.); **~obienie** *n* (*-a*; *G -eń*) nature, character
usprawiedliwi|ać (*-am*) ⟨***~ć***⟩ (*-ę*) excuse (***się*** o.s.); (*wytłumaczyć*) justify; **~enie** *n* (*-a*; *G -eń*) excuse; (*wytłumaczenie*) justification
usprawni|ać (*-am*) ⟨***~ć***⟩ (*-ę*, *-nij!*) improve (on), make more efficient
ust. *skrót pisany*: ***ustawa*** act; ***ustęp*** paragraph, passage
usta *pl.* (*ust*) mouth, lips *pl.*
usta|ć[1] *pf.* (*stać*[2]) stop, end
usta|ć[2] *pf.* (*stać*[1]) stand, keep standing; ***~ć się*** *płyn*: clear; **~lać** (*-am*) ⟨***~lić***⟩ (*-ę*) stabilize (***się*** *v/i.*); *warunki, termin itp.* fix, determine; *fakt* establish; **~nawiać** (*-am*) ⟨***~nowić***⟩ *zwyczaj itp.* introduce; *rekord* establish; *spadkobiercę* appoint, name; **~wa** *f* (*-y*; *G -*) rule, law; **~wać** (*-ję*) stop, end
ustawi|(a)ć się put up, set up; ***~(a)ć się*** place o.s.; (*w szeregu itp.*) line up; **~czny** continual, incessant
ustawodaw|ca *m* (*-y*; *G -ców*) law-maker, legislator; **~czy** legislative; ***władza ~cza*** legislative power; **~stwo** *n* (*-a*; *G -*) legislation
ustawow|o *adv.* by law *lub* statute; **~y** legal, statutory
ustąpi|ć *pf.* (*-ę*) → ***ustępować***; **~enie** *n* (*-a*; *G -eń*) withdrawal, resignation
uster|ka *f* (*-i*; *G -rek*) defect, fault; ***bez ~ek*** faultless
ustęp *m* (*-u*; *-y*) excerpt; passage; → ***klozet***; **~liwie** *adv.* yieldingly; compliantly; **~liwy** yielding; compliant; **~ować** (*-uję*) *v/i.* (*przed siłą itp.*) yield; give in; (*pod naciskiem*) give; (*z funkcji*) step down, resign; *pierwszeństwa itp.*,

U

też fig. give way; (**k-u w** *L*) be inferior (to s.o. in); *wróg*: retreat (**wobec** *A* against); *ból itp.*: subside, die away; **~ować z ceny** lower the price; *v/t.* let have, leave; **~stwo** *n* (*-a*; *G* -) concession
ustn|ie *adv.* orally; **~ik** *m* (*-a*; *-i*) mouthpiece; **~y** oral
ustokrotni|ać (*-am*) ⟨**~ć**⟩ (*-ę*, *-nij!*) increase a hundredfold (**się** *v/i.*)
ustosunkow(yw)ać się (*-*[*w*]*uję*) (**do** *G*) react (to), respond (to); take a position (to)
ustrojowy *biol.* body, organic; *pol.* political, constitutional
ustronny remote, out-of-the-way
ustrój *m* (*-roju*; *-roje*) system; *biol.* organism; **~ państwowy** state system
ustrzec *pf.* preserve (**przed** *I*, **od** *G* from); **~ się** (**przed** *I*) avoid
usu|nąć *pf.* → **usuwać**; **~nięcie** *n* (*-a*; *G -ęć*) removal; elimination; **~wać** (*-am*) remove; (*z grupy itp.*) get rid of, eliminate; *med.* take out (**z** *G* from); **~wać się** withdraw (**od** *G* from); move (**na bok** aside)
usychać (*-am*) dry
usynowienie *n* (*-a*; *G -eń*) adoption
usy|pać *pf.* → **usypywać**; **~piać** (*-am*) fall asleep, doze off; **~piająco** *adv.* soporifically; **~piający** soporific
usy|pisko *n* (*-a*; *G* -) (*śmieci*) dump, *Brt.* tip; (*piasku itp.*) pile; **~pywać** (*-uję*) pile (up)
usytuowanie *n* (*-a*; *G -ań*) localization, location
uszanowani|e *n* (*-a*; *G -ań*) → **poszanowanie, szacunek**; **brak ~a** lack of respect
uszczel|ka *f* (*-i*; *G -lek*) seal; washer; **~niać** (*-am*) ⟨**~nić**⟩ (*-ę*, *-nij!*) make tight; seal, stop
uszczerb|ek *m* (*-bku*; *0*) damage; **z ~kiem** (**dla**) **zdrowia** to the detriment of health
uszczęśliwi|ać (*-am*) ⟨**~ć**⟩ (*-ę*) make happy
uszczupl|ać (*-am*) ⟨**~ić**⟩ (*-lę*, *-lij!*) reduce, deplete
uszczyp|liwie *adv.* caustically, stingingly; **~liwy** caustic, stinging; **~nąć** *v/s.* (*-ę*) pinch
uszkadzać (*-am*) damage
uszko *n* (*-a*; *G -szek*) → **ucho**; (*igły*) ear; (*filiżanki*) handle
uszkodz|enie *n* (*-a*; *G -eń*) damage; injury; **~enie ciała** bodily harm; **~ony** damaged; broken-down; **~ić** *pf.* → **uszkadzać**
uszlachetni|ać (*-am*) ⟨**~ć**⟩ (*-ę*, *-nij!*) ennoble; *tech.* enrich, refine
usz|ny ear; *med.* aural; **~y** *pl.* → **ucho**
uszy|ć *pf.* → **szyć**; **~kować** (*-uję*) prepare, make ready
uścis|k *m* (*-u*; *-i*) (*ramionami*) embrace; hug; (*ręką*) grip; **~k dłoni** handshake; **~kać** ⟨**~nąć**⟩ embrace, hug; grip; *dłoń* shake
uśmiać się laugh (**do łez, serdecznie** to tears, heartily; **z** *G* at)
uśmiech *m* (*-u*; *-y*) smile; **szyderczy ~** smirk, grin; **~ać się** (*-am*) ⟨**~nąć się**⟩ (*-nę*) smile; (**z** *G*) grin (at), smirk (at); (**do** *G*) give a smile (to), smile (at); **~nięty** smiling
uśmierc|ać (*-am*) ⟨**~ić**⟩ (*-cę*) kill; *zwł. zwierzę* put to death
uśmierz|ać (*-am*) ⟨**~yć**⟩ (*-ę*) *ból* alleviate, soothe; *bunt* suppress
u|śmieszek *m* (*-szka*; *-szki*) grin; **~śpić** *pf.* → **usypiać**
uświad|amiać (*-am*) ⟨**~omić**⟩ (*-ę*) educate; tell, inform (**co do** *G* about); **~omić sobie** realize; **~omienie** *n* (*-a*; *0*) education; realization
uświęcony sanctified; traditional
uta|jniony secret; classified; **~jony** secret; latent, dormant; **~lentowany** talented, gifted
utarczka *f* (*-i*; *G -czek*) *mil.* skirmish; **~ słowna** battle of words, clash
utarg *m* (*-u*; *-i*) (**dzienny** daily) proceeds *pl.*; **~ować** *pf.* take, earn, make
utarty *fig.* commonplace, stock; **~m zwyczajem** traditionally; **~ zwrot** platitude
utęsknienie *n*: **z ~m** longingly; yearningly
utknąć (*-nę*) get stuck
utkwić *pf. v/s.* fix; stick; **~ w pamięci** stick in the memory
utleni|ać (*-am*) ⟨**~ć**⟩ (*-ę*) oxydize (**się** *v/i.*); *włosy* bleach; **~ony** oxydized; **woda ~ona** hydrogen peroxide
utonąć *pf.* drown; *por.* **tonąć**
utopić *pf.* sink; drown; **~ się** be drowned
utopijny utopian
utożsami|ać (*-am*) ⟨**~ć**⟩ (*-ę*) identify (**się** *v/i.*; **z** *I* with)
utra|cać (*-am*) → **tracić**; **~pienie** *n* (*-a*;

U

G -eń) sorrow, grief; **~ta** *f* (*-y*; *G -*) loss
utrącić *pf.* knock off; *fig.* kill
utrudni|ać (*-am*) ⟨**~ć**⟩ (*-ę*) make difficult; impede; **~enie** *n* (*-a*; *G -eń*) impediment, handicap
utrwal|acz *m* (*-a*; *-e*) *phot.* fixer, F hypo; (*do włosów*) setting lotion; **~ać** (*-am*) ⟨**~ić**⟩ (*-lę*) strengthen; *fig.* cement, consolidate; record (***na taśmie filmowej*** on film); preserve (***w pamięci*** in memory); *phot.* fix; **~ać** ⟨**~ić**⟩ **się** become stronger
utrzeć *pf.* → ***ucierać***
utrzyma|ć *pf.* → ***utrzymywać***; **~nie** *n* (*-a*; *0*) keep, living; (*maszyny*) maintenance; ***nie do ~nia*** not to be supported; ***mieć na ~niu*** (*A*) support; ***całodzienne ~nie*** full board
utrzymywać (*-uję*) *v/t.* support, bear; *rodzinę* support, provide for; *kochankę, spokój* keep; **~ *przy życiu*** keep alive; *v/i.* claim; **~ się** (***z*** *G*) support o.s. (by), earn one's living (by)
utwardz|acz *m* (*-a*; *-e*) *chem.* hardener; **~ać** (*-am*) ⟨**~ić**⟩ (*-dzę*) harden; *fig. związki* strengthen, consolidate; *postawę* toughen
utwierdz|ać (*-am*) ⟨**~ić**⟩ (*-ę*) *fig.* confirm; ***~ić się w przekonaniu, że*** become convinced that
utwór *m* (*-woru*; *-wory*) piece, work; composition
utycie *n* (*-a*; *0*) increase in weight
utykać (*-am*) limp, walk with a limp; → ***utknąć***
utylizacja *f* (*-i*; *0*) *tech.* utilization
utyskiwać (*-uję*) complain (***na*** *A* about)
uwag|a *f* (*-i*; *0*) attention; (*pl.* *-i*) remark, comment; ***~a!*** look out!; ***brać pod ~ę*** take into attention; ***skupić ~ę*** (***na*** *L*) concentrate (on); ***zwrócić ~ę k-u*** (***na*** *A*) draw s.o.'s attention (to); ***zwrócić ~ę*** (***na*** *A*) pay attention (to); ***zwrócić na siebie ~ę*** catch s.o.'s attention; ***nie zwracać ~i*** not pay attention (***na*** *A* to); ***z ~i na*** (*A*) because (of), considering; ***mieć na uwadze*** take into consideration
uwalniać (*-am*) free (***od*** *G* from, of)
uwarunkow(yw)ać (*-[w]uję*) condition
uważ|ać (*-am*) *v/i.* look out; take care (***na siebie*** of o.s.); (***z*** *I*) be careful (with); (***za*** *A*) consider (to be), regard (as); ***~am, że …*** I think that …; ***jak pan ~a*** as you wish; **~nie** *adv.* carefully, cautiously; **~ny** careful, cautious
uwertura *f* (*-y*; *G -*) *mus.* overture (*też fig.*)
uwiąz(yw)ać *pf.* → ***przywiązywać***
uwidaczniać (*-am*) ⟨***uwidocznić***⟩ (*-ę*, *-nij!*) show; **~ *się*** manifest, be manifested
uwielbi|ać (*-am*) adore, worship; **~enie** *n* (*-a*; *0*) adoration, worship
uwielokrotni|ać (*-am*) ⟨**~ć**⟩ (*-ę*, *-nij!*) multiply
uwieńczać *pf.* → ***wieńczyć***
uwierać (*-am*) press, pinch
uwierz|enie *n*: ***nie do ~enia*** unbelievable, beyond belief; **~yć** *pf.* believe; *por.* ***wierzyć***
uwierzytelni|ać (*-am*) ⟨**~ć**⟩ (*-ę*, *-nij!*) authenticate; **~enie** *n* (*-a*) authentication
uwie|sić *pf.* (*-szę*) hang; **~ść** *pf.* → ***uwodzić***; **~źć** *pf.* → ***uwozić***
uwięz|ić *pf.* (*-żę*) imprison; **~nąć** *pf.* (*-nę*) get stuck
uwię|ź *f* (*-zi*; *-zie*, *-zi*): ***na ~zi*** *balon* tethered; *fig.* tied down
uwijać się (*-am*) bustle (***koło*** *G* about)
uwikłać *pf.* *v/t.* involve; *v/i.* **~ *się*** be involved, be entangled
uwłaczający derogatory
uwłosienie *n* (*-a*; *0*) hair, hair cover
uwodziciel *m* (*-a*; *-e*), **~ka** *f* (*-i*; *G -lek*) seducer; **~sko** *adv.* seductively; **~ski** seductive
uwo|dzić (*-dzę*) seduce; **~lnić** *pf.* (*-ę*, *-nij!*) → ***uwalniać***; **~lnienie** *n* (*-a*; *G -eń*) freeing, liberation; **~zić** carry away
uwspółcześniony modernized, updated
uwsteczniony *fig.* retarded, degenerated
uwydatni|ać (*-am*) ⟨**~ć**⟩ (*-ę*, *-nij!*) emphasize, enhance; **~(a)ć *się*** be prominent, stand out
uwypukl|ać (*-am*) ⟨**~ić**⟩ (*-lę*, *-lij!*) *fig.* emphasize; → ***uwydatniać***
uwzględni|ać (*-am*) ⟨**~ć**⟩ (*-ę*, *-nij!*) *v/t.* take into consideration *lub* account; ***nie ~ć*** (*G*) ignore; **~enie** *n* (*-a*; *0*) taking into account *lub* consideration
uwziąć się → ***zawziąć się***
uzależni|ać (*-am*) ⟨**~ć**⟩ (*-ę*, *-nij!*) (***od*** *G*) make dependent (on); ***~ć się*** become dependent (on); (*od narkotyków*)

U

become addicted (to); **~enie** *n* (*-a*; *G -eń*) addiction; **~ony** (*od papierosów itp.*) addicted; ***być ~onym*** be addicted (**od** *G* to)

uzasadni|ać (*-am*) ⟨**~ć**⟩ (*-ę, -nij!*) justify, give reasons for; **~enie** *n* (*-a*; *G -eń*) justification; **~ony** justified

uzbierać *pf.* (*-am*) gather (**się** *v/i.*; *też* together)

uzbr|ajać (*-am*) ⟨**~oić**⟩ arm (*fig.* **się** o.s.; **w** *A* with); *tech.* (**w** *A*) equip (with), fit (with); *bud.* develop; → ***zbroić***; **~ojenie** *n* (*-a*; *G -eń*) armament; *tech.* armo(u)r; *bud.* ***~ojenie terenu*** territorial development

uzda *f* (*-y*; *G -*) bridle

u|zdatniać (*-am*) ⟨**~zdatnić**⟩ (*-ę, -nij!*) *tech.* treat, condition; **~zdolnienie** *n* (*-a*; *-eń*) talent, gift; **~zdolniony** talented, gifted

uzdrawia|ć (*-am*) heal, cure; *fig.* improve, repair; **~jąco** *adv.* in a healing way; **~jący** healing

uzdrowi|ciel *m* (*-a*; *-e*), **~cielka** *f* (*-i*; *G -lek*) healer; **~ć** (*-ę*; *-ów!*) *pf.* → ***uzdrawiać***; **~enie** *n* (*-a*; *G -eń*) healing; **~sko** *n* (*-a*; *G -*) spa, health resort

uzewnętrzni|ać się (*-am*) ⟨**~ć się**⟩ (*-ę, -nij!*) manifest o.s., be expressed

uzębienie *n* (*-a*; *0*) (set of) teeth *pl.*

uzgadniać (*-am*) ⟨**uzgodnić**⟩ (*-ę, -nij!*) agree on

uziemienie *n* (*-a*; *G -eń*) *electr. Brt.* earth, *Am.* ground

uzmysł|awiać (*-am*) ⟨**~owić**⟩ (*-ę, -łów!*) make *s.o.* realize; ***~owić sobie*** realize

uzna|ć *pf.* → ***uznawać***; **~nie** *n* (*-a*; *G -ań*) acknowledg(e)ment; (*szacunek*) respect; ***zależeć od ~nia*** be at *s.o.'s* discretion; ***według ... ~nia*** at *s.o.'s* discretion; ***spotkać się z ~niem*** be appreciated; **~wać** (*-ję*) recognize; *błąd, winę* admit, *dług* acknowledge; (**za** *A*) accept (as), regard (as), consider (**się** o.s. to be); ***~ć za zmarłego*** pronounce dead; ***~ć kogoś winnym*** admit one's guilt

uzupeł|niać (*-am*) ⟨**~nić**⟩ (*-ę, -nij!*) complete; supplement; ***~niać się*** be complementary; **~niający** supplementary; *pol.* ***wybory*** *pl.* ***~niające*** by(e)-election

uzwojenie *n* (*-a*; *-eń*) *electr.* winding

uzysk|anie *n* (*-a*; *0*) attainment; **~(iw)ać** (*-uję*) obtain, get; attain

użal|ać się (*-am*) ⟨**~ić się**⟩ (**na** *A*) complain (about); (**nad** *I*) feel sorry (for), pity

użądlić *pf.* (*-ę*) sting

uży|cie *n* (*-a*; *G -yć*) use; ***sposób ~cia*** instructions *pl.* for use; ***gotowy do ~cia*** ready for use; **~ć** *pf.* → ***używać***

użyteczn|ość *f* (*-ści*; *0*) usefulness; ***przedsiębiorstwo ~ości publicznej*** public utility; **~y** useful

użyt|ek *m* (*-tku*; *-tki*) use, application; ***do ~ku domowego*** for home use; ***~ki*** *pl.* ***rolne*** *agr.* arable land

użytkowa|ć (*-uję*) use; ⟨**z-**⟩ use up; **~nie** *n* (*-a*; *G -ań*) use

użytkow|niczka *f* (*-i*; *G -czek*), **~nik** *m* (*-a*; *-cy*) user; (*języka*) speaker; **~y** utilitarian; *lokal* for commercial purposes; ***powierzchnia ~a*** usable (floor) area

używ|ać (*-am*) use, make use of, employ; *swobody* enjoy; *med.* take; **~any** used; **~ka** *f* (*-i*; *G -wek*) stimulant

użyźni|ać (*-am*) ⟨**~ć**⟩ (*-ę, -nij!*) fertilize

W

w *prp.* (*L*) *pozycja, stan, czas*: in; ***~ lesie*** in the forest; (*A*) *ruch, kierunek*: in(to); ***~ pole*** to the field; ***~e wszystkie strony*** in all directions; ***~ czasie rozmowy*** during the talk; ***~ dzień*** (*G*) on the day (of); ***~ odwiedziny*** for a visit ***dzień ~ dzień*** day after day; ***~ paski*** striped; *tłumaczony też bez przyimka*: ***~ poprzek*** crosswise; → *odnośne rzeczowniki i czasowniki*

w. *skrót pisany*: ***wyspa*** isl. (*island*); ***wiek*** c. (*century*); ***wieś*** v., vil. (*village*)

wabi|ć (*-ę*) ⟨**z-**⟩ lure; *fig.* attract; ***~ć się*** *pies*: be called; **~k** *m* (*-a*; *-i*) *hunt.* decoy; *fig.* enticement

wach|larz *m* (*-a*; *-e*) fan; *fig.* range, spectrum; **~lować** (*-uję*) fan

wach|ta *f* (*-y*; *G -*) watch; **~towy** watch

wada *f* (*-y*; *G* -) shortcoming, disadvantage, fault, defect
wadium *n* (*-idkl.*; *-ia*, *-iów*) *econ.* deposit
wadliw|ie *adv.* defectively; **~y** defective, faulty
wafel *m* (*-fla*; *-fle*) wafer; (*do lodów*) cone
wag|a *f* (*-i*; *G* -) weight (*też sport*); (*przyrząd*) scales *pl.*; (*aptekarska itp.*) balance; (*ważność*) importance; ***na ~ę*** by weight; ***zrzucić ~ę*** lose weight; ***najwyższej ~i*** of the utmost importance; ♎***a*** *znak Zodiaku:* Libra; ***on*(*a*) *jest spod znaku ♎i*** he/she is (a) Libra
wagarować (*-uję*) play *Brt.* truant (*Am.* hookey)
wagon *m* (*-u*; *-y*) *rail. Brt.* carriage, *Am.* car; ***~ sypialny*** sleeping car; ***~ restauracyjny*** dining car
waha|ć się (*-am*) swing; *temperatura*, *ceny*: fluctuate, vary; 〈***za-***〉 hesitate; **~dło** *n* (*-a*; *G -deł*) pendulum; **~dłowiec** *m* (*-wca*; *-wce*) space shuttle; **~dłowo** *adv.* as a shuttle; **~dłowy** *zegar* pendulum; *drzwi* swing; *autobus itp.* shuttle; **~nie** *n* (*-a*; *G -ań*) *fig.* hesitation, indecision; ***bez ~nia*** without hesitation
wakac|je *pl.* (*-i*) *Brt.* holidays *pl.*, *Am.* vacation; **~yjny** *Brt.* holiday, *Am.* vacation
wakować (*-uję*) be vacant
walać 〈***po-, u-, za-***〉 (*-am*) → ***brudzić***; ***~ się*** F *impf.* be scattered about
walc *m* (*-a*; *-e*) *mus.* waltz
walcow|ać (*-uję*) roll; (*tańczyć*) waltz; **~nia** *f* (*-i*; *-e*, *-i*) rolling mill; **~y** cylindrical
walczyć (*-ę*) struggle (***o*** *A* for), fight (***z*** *I* (with); ***o*** *A* for)
walec *m* (*-lca*; *-lce*, *-lców*) roller; *math.* cylinder
waleczn|ość *f* (*-ści*; *0*) courage, bravery; **~y** brave, courageous; valiant
walentynka *f* (*-i*; *G -nek*) Valentine
walerianow|y: ***krople*** *pl.* ***~e*** valerian drops *pl.*
walet *m* (*-a*; *-y*) *gra w karty*: knave, jack
Wali|a *f* (*GDL -ii*; *0*) Wales; **~jczyk** *m* (*-a*; *-cy*), **~jka** *f* (*-i*; *G -jek*) Welsh; ***Walijczycy*** *pl.* the Welsh *pl* .; ♎**jski** Welsh; ***mówić po ♎jsku*** speak Welsh
walić (*-lę*) *v/i.* (*uderzać*) bang, pound; *lit. dym*, *ludzie*: stream; *v/t.* 〈***z-***〉 *mur* pull down; ***~*** 〈***po-, z-***〉 ***z nóg*** knock over *lub* down; ***~*** 〈***za-***〉 ***się*** come down, collapse (*też fig.*); (*bić się*) fight; ***~ się z nóg*** be dead tired
waliz|a *f* (*-y*; *G* -), **~ka** *f* (*-i*; *G -zek*) suitcase; **~kowy** suitcase
walka *f* (*-i*; *G* -) fight (*też sport*, *mil.*); *fig.* struggle
walnąć *v/s.* (*-nę*) strike, hit
walny general, plenary
walor *m* (*-u*; *-y*) value; ***~y*** *pl. też* assets *pl.*, holdings *pl.*
walut|a *f* (*-y*; *G* -) currency; (*dewizy*) foreign currency; **~owy** currency, foreign currency
wał *m* (*-u*; *-y*) (*rzeczny*) embankment, bank; *tech.* shaft; **~ek** *m* roll; (*-łka*; *-łki*) (*do włosów itp.*) roller; (*maszyny do pisania*, *drukarki*) platen; ***~ek do ciasta*** rolling-pin; ***zwinąć w ~ek*** roll up
wałęsać się (*-am*) hang around, loiter
wałkoń *m* (*-nia*; *-nie*, *-ni*[*ów*]) lazy-bones *sg.*
wam (*D* → ***wy***) you; ***z ~i*** with you
wampir *m* (*-a*; *-y*) vampire
wanienka *f* (*-i*; *G -nek*) *chem.*, *phot.* dish, tray
waniliowy vanilla
wanna *f* (*-y*; *G wanien*) (bath)tub, *Brt.* bath
wap|ienny lime; limy; *chem.* calcareous; **~ień** *m* (*-enia*; *-enie*) limestone; **~no** *n* (*-a*; *0*) lime; **~ń** (*-nia*; *0*) *chem.* calcium
warcaby *pl.* (*-ów*) *Brt.* draughts *pl.*, *Am.* checkers *pl.* ***grać w ~*** play draughts *lub* checkers
warchoł *m* (*-a*; *-y*) troublemaker
warczeć 〈***za-***〉 (*-ę*, *-y*) growl, gnarl; ***~ na siebie*** growl at each other; → ***warkotać***
warga *f* (*-i*; *G* -) (***górna, dolna*** upper, lower) lip; ***zajęcza ~*** *med.* harelip
wariack|i crazy; ***po ~u*** like crazy
wariant *m* (*-u*; *-y*) variant
wariat *m* (*-a*; *-ci*) madman, loony, lunatic; **~ka** *f* (*-i*; *G -tek*) madwoman, loony, lunatic
wariować 〈***z-***〉 (*-uję*) go mad *lub* mad; *fig. ktoś*: act crazy; *coś*: play up
warknąć *v/s.* (*-nę*) → ***warczeć***
warkocz *m* (*-a*; *-e*) plait, braid
warkot *m* (*-u*; *-y*) whirr; **~ać** (*-am*) whirr

W

warown|ia *f* (*-i-*; *-e*) stronghold; **~y** fortified
warstwa *f* (*-y*; *G -*) layer, stratum; (*społeczna*) class
Warszaw|a *f* (*-y*; *0*) Warsaw; **℞ski** Warsaw; **~wiak** *m* (*-a*; *-cy*) → **~wianin** *m* (*-a*; *-anie*), **~wianka** *f* (*-i*; *G -nek*) Varsovian
warsztat *m* (*-u*; *-y*) workshop; shop; **~owy** workshop
wart (**-ta** *f*, **-te** *n*, *pl. m-os* **warci**) worth; ***to nic nie ~e*** it is worth nothing *lub* worthless; ***śmiechu ~e*** ridiculous, laughable
war|ta *f* (*-y*; *G -*) guard (duty); ***stać na ~cie*** keep guard; ***zmiana ~y*** changing of the guard
warto (*nieos.*): ***~ by było*** it would be worth it
wartościow|o *adv.* valuably; **~y** valuable
wartoś|ć *f* (*-ści*) value; ***podanie ~ci*** declaration of value; ***bez ~ci*** worthless; ***~ć dodatkowa*** *econ.* value added
wartowni|a *f* (*-i*; *-e*) guardroom, guardhouse; **~k** *m* (*-a*; *-cy*) guard, sentry
warun|ek *m* (*-nku*; *-nki*) condition; ***~ki*** (*umowy*) *pl. też* terms *pl.*; ***pod żadnym ~kiem*** on no account; **~kowo** *adv.* conditionally; **~kowy** conditional
warzyw|niczy, ~ny vegetable; **~o** *n* (*-a*; *G -*) vegetable
was (*AL* → ***wy***) you
wasz 1. (*m-os* ***wasi***) your(s); **2.** ***wasi*** *pl. też* your people
Waszyngton *m* (*-u*; *0*) Washington
waśń *f* (*-śni*; *-śnie*, *-śni*) feud
wat|a *f* (*-y*; *G -*) *Brt.* cotton wool, *Am.* absorbent cotton; **~owany** padded
Watyka|n *m* (*-u*; *0*) Vatican (City); **℞ński** Vatican
wawrzyn *m* (*-u*; *-y*) laurel
waza *f* (*-y*; *G -*) tureen
wazeli|na *f* (*-y*; *G -*) vaseline *TM*, petrolatum; **~niarstwo** *n* (*-a*; *0*) soft-soap
wazon *m* (*-u*; *-y*) vase
ważka *f* (*-i*; *G -żek*) *zo.* dragonfly
waż|ki important, significant; **~niactwo** *n* (*-a*; *0*) self-importance; pomposity; **~niejszy** *adj.* (*comp. od* → ***ważny***) more important; **~ność** *f* (*-ści*; *0*) importance, significance; ***stracić ~ność*** expire; ***data ~ności*** expiry date; **~ny** important, significant; ***~ny do …*** valid until …; **~yć** (*-ę*) *v/t.* ⟨**z-**⟩ weigh (*też fig.*); *v/i.* weigh; *v/i.* ***~yć się*** weigh o.s.; (***na*** *A*) dare, risk
wąchać ⟨**po-**⟩ (*-am*) smell; *pies*: scent
wąg|ier *m* (*-gra*; *-gry*) blackhead; *biol.*, *med.* cysticercus
wąs *m* (*-a*; *-y*): *zw.* **~y** *pl.* m(o)ustache, m(o)ustaches *pl.*; **~aty** moustached, mustached
wąsk|o *adv.* narrowly; tightly; **~i** narrow; tight
wąskotorow|y: ***kolejka ~a*** narrow-gauge railway
wątek *m* (*-tku*; *-tki*) *włók.* weft, woof; *bud.* bond; *fig.* thread; (*sztuki*) plot
wątł|o *adv.* delicately; frailly; **~y** delicate; frail
wątp|ić ⟨**z-**⟩ (*-ę*) doubt (**w** *A*, **o** *L* in); **~ienie** *n*: ***bez ~ienia*** no doubt; doubtless; **~liwie** *adv.* doubtfully, dubiously; **~liwość** *f* (*-ści*) doubt; ***nie ulega ~liwości, że*** there is no doubt that; **~liwy** doubtful, dubious
wątrob|a *f* (*-y*; *G -rób*) *anat.*, *gastr.* liver; **~ianka** *f* (*-i*; *G -nek*) liver sausage; **~owy** liver
wąwóz *m* (*-wozu*; *-wozy*) ravine, gorge
wąż *m* (*węża*; *węże*) *zo.* snake; (***gumowy*** rubber) hose
wbić *pf.* → ***wbijać***
wbie|gać ⟨***~c, ~gnąć***⟩ run in; run (***do pokoju*** into the room; ***na piętro*** upstairs)
wbijać (*-am*) *gwóźdź itp.* hammer in; *pal* ram into; *igłę*, *nóż* plunge in; *gola* shoot; *klin* drive into
wbrew *prp.* (*D*) against, contrary to
w bród → ***bród***
wbudow(yw)ać (-[*w*]*uję*) build in, fit; *tech.* install
wcale *adv.*: ***~ nie*** not at all, not a bit
wchł|aniać (*-am*) ⟨***~onąć***⟩ (*-nę*) absorb; *zapach* breathe in
wchodzić (***do*** *G*, **w** *A*) come (in), get (in), enter; get on (***do wagonu*** the carriage); (***na*** *A*) *trawnik itp.* walk (on), step (on); *drzewo itp.* climb, go (up); (***do*** *G*) (*być w składzie*) be included (in); ***~ na górę*** go up (***w domu*** the stairs); ***~ w położenie*** (*G*) put o.s. in *s.o.'s* position; ***~ na ekrany*** *film*: go on release; → ***wejść***
wcią|ć *pf.* → ***wcinać***; **~gać** (*-am*) ⟨***~gnąć***⟩ (***do*** *G*) draw (in, into), pull

(in, into); (**na** *A*) pull (up); **~gnąć się** (**do** *G*) *fig.* get used (to), get accustomed (to)
wciąż *adv.* ever, always
wciel|ać (*-am*)⟨**~ić**⟩ (*-lę*) (**do** *G*) incorporate (into), integrate (into); ***~ać w życie*** bring into effect, put into practice; ***~ić w czyn*** put into action *lub* effect; **~enie** *n* (*-a*; *G -eń*) integration; incorporation; **~ony** incarnate, embodied
wcierać (*-am*) rub in
wcięcie *n* (*-a*; *G -ęć*) notch, indentation; (*linii*) indentation, indention
wcinać (*-am*) make a cut; F (*jeść*) tuck in; ***~ się*** cut into
wcis|kać ⟨***~nąć***⟩ press into; ***~nąć się*** (**do** *G*) push one's way (into)
wczasowicz *m* (*-a*; *-e*), **~ka** *f* (*-i*; *G -czek*) holiday-maker
wczas|owy holiday; **~y** *pl. Brt.* holiday, *Am.* vacation; ***~y lecznicze*** rest cure
wczepi(a)ć się (*-am*) (**do** *G*) cling (to)
wcze|sno- *w złoż.* early; **~sny** early; **~śnie** *adv.* early; **~śniejszy** *adj.* (*comp. od* → ***wczesny***) earlier
wczoraj yesterday; **~szy** yesterday
wczu(wa)ć się identify with
wda(wa)ć: ***~ się w coś*** get involved in; F ***~ się w kogoś*** take after
wdech *m* (*-u*; *-y*) inspiration; **~owy** → ***kapitalny***
wdow|a *f* (*-y*; *G wdów*) widow; **~i** widow's; **~iec** *m* (*-wca*; *-wcy*) widower; ***słomiany ~iec*** grass widower
wdrażać (*-am*) ⟨**wdrożyć**⟩ (*-ę*) implement, introduce; ***~ kogoś do*** (*G*) bring s.o. up to; ***~ się do pracy*** be training for the job
wdychać (*-am*) breathe in
wdzia|ć *pf.* → ***wdziewać***; **~nko** *n* (*-a*; *G -nek*) jacket
wdzierać się (*-am*) (**do** *G*) *ktoś*: burst (into); *coś*: penetrate; climb (***na szczyt*** the peak)
wdziewać (*-am*) put on
wdzięczn|ość *f* (*-ści*; *0*) gratitude, thankfulness; ***dług ~ości*** indebtedness; **~y** (**za** *A*) grateful (for), thankful (for); (*zgrabny*) graceful
wdzięk *m* (*-u*; *-i*) grace; gracefulness; *t-ko pl.* ***~i kobiece*** female charms *pl.*
we *prp.* → **w**
według *prp.* (*G*) according to
wedrzeć się *pf.* → ***wdzierać się***
wegetaria|nin *m* (*-a*; *-e*), **~nka** *f* (*-i*; *G -nek*) vegetarian; **~ński** vegetarian
wegetować (*-uję*) vegetate
wejrze|ć *pf.* → ***wglądać***; **~nie** *n* (*-a*; *G -eń*): ***od pierwszego ~nia*** at first glance *lub* sight
wejś|cie *n* (*-a*; *G -ejść*) entrance; entry; **~ciowy** entrance; **~ć** *pf.* → ***wchodzić***
wek *m* (*-u*; *-i*) food preserve; **~ować** ⟨**za-**⟩ (*-uję*) preserve
weksel *m* (*-sla*; *-sle*) bill of exchange
welon *m* (*-u*; *-y*) veil
welurowy suede
wełn|a *f* (*-y*; *G -łen*) wool; **~iany** wool(en)
Wene|cja *f* (*-i*; *0*) Venice; **≈cki** Venetian
weneryczn|y: *med.* ***choroba ~a*** venereal disease
wentyl *m* (*-a*; *-e*) *tech.* valve; *fig.* outlet
wentyla|cyjny ventilation; **~tor** *m* (*-a*; *-y*) fan; (*w murze*) ventilator
wepchnąć (się) *pf.* → ***wpychać***
werbel *m* (*-bla*; *-ble*) *mus.* drum; (*dźwięk*) drum-roll
werb|ować ⟨**z-**⟩ (*-uję*) recruit (*też mil.*); **~unek** *m* (*-nku*; *-nki*) recruitment
wersalka *f* (*-i*; *G -lek*) bed-settee
wersja *f* (*-i*; *-e*) version
wertować (*-uję*) leaf through, look through
werwa *f* (*-y*; *0*) enthusiasm, verve
weryfikować ⟨**z-**⟩ (*-uję*) verify
werżnąć się *pf.* → ***wrzynać się***
wesel|e *n* (*-a*; *G -*) wedding; (*przyjęcie*) wedding party; **~ny** wedding; **~ej** *com. adv.*, **~szy** *com. adj.* → ***wesoło, wesoły***
wesoł|o *adv.* (*pred.* ***wesół***) cheerfully; merrily; **~ość** *f* (*-ści*; *0*) cheerfulness; mirth, merriment; **~y** cheerful; merry
wes|przeć *pf.* → ***wspierać***; **~sać** *pf.* → ***wsysać***; **~tchnąć** *pf.* → ***wzdychać***; **~tchnienie** *n* (*-a*; *G -eń*) sigh
wesz *f* (*wszy*; *N*, *G wszy*) *zo.* louse
wetery|'naria *f* (*GDL -ii*; *0*) veterinary medicine; **~narz** *m* (*-a*; *-e*) *Brt.* vet(erinary surgeon), *Am.* veterinarian
wetknąć *pf.* → ***wtykać***
wetować ⟨**za-**⟩ (*-uję*) veto
we|trzeć *pf.* → ***wcierać***; **~wnątrz** *adv.* inside; ***do ~wnątrz*** inward; ***od ~wnątrz*** from the inside; ***~wnątrz-*** *w złoż.* inside; **~wnętrzny** inner; *kieszeń* inside; *med., psych., struktura itp.* internal; inward; *rynek itp.* home, domestic; ***nu-***

W

mer **~wnętrzny** *tel.* extension; **~zbrać** *pf.* → **wzbierać**; **~zgłowie** *n* (*-a*; *G -wi*) head end; (*podgłówek*) headrest

wezwa|ć *pf.* → **wzywać**; **~nie** *n* (*-a*; *G -ań*) summons *sg.*; (*monit*) demand; (*apel*) call, appeal; ***kościół pod ~niem św. Piotra*** St. Peter's Church

węch *m* (*-u*; *0*) smell; *fig.* nose

wędka *f* (*-i*; *G -dek*) angling rod; **~rski** fishing; **~rstwo** *n* (*-a*; *0*) fishing, angling; **~rz** *m* (*-a*; *-e*) angler

wędlin|a *f* (*-y*; *G -*): *zw. pl.* **~y** cured meat products *pl.*; **~iarnia** *f* (*-i*; *-e*) retailer of sausages

wędrow|ać (*-uję*) wander (***po*** *L* around); **~iec** *m* (*-wca*; *-wcy*) wanderer; **~ny** wandering; *biol.* migrating, migratory; ***ptak ~ny*** migratory bird, bird of passage

wędrówka *f* (*-i*; *G -wek*) wandering; travel; *biol.* migration

wędz|ić ⟨**u-**⟩ (*-ę*) smoke, cure; **~onka** *f* (*-i*; *G -nek*) *gastr.* smoked bacon; **~ony** smoked, cured

węgiel *m* (*-gla*; *-gle*) *chem.* coal; ***~ brunatny*** lignite, brown coal; ***~ kamienny*** anthracite, hard coal; ***~ drzewny*** charcoal; **~ny** → ***kamień***

węgieł *m* (*-gła*; *-gły*) corner

Węg|ier *m* (*-gra*; *-grzy*), **~ierka** *f* (*-i*; *G -rek*) Hungarian; ***♀ierka*** *bot.* garden plum; **♀ierski** Hungarian; ***mówić po ♀iersku*** speak Hungarian

węg|lan *m* (*-u*; *-y*) *chem.* carbonate; **~lowodór** *m chem.* hydrocarbon; **~lowy** coal; carbon

węgorz *m* (*-a*; *-e*) *zo.* eel

Węgry *pl.* (*G -gier*) Hungary

węszyć (*-ę*) sniff; *fig.* sniff about

węz|eł *m* (*-zła*; *-zły*) knot; (*transportowy*) hub; *med.*, *anat.* node; **~łowato** *adv.*: ***krótko i ~łowato*** in brief, in a nutshell; **~łowaty** knobbly; **~łowy** hub; *fig.* central, crucial

węże *pl.* → ***wąż***

wężow|nica *f* (*-y*; *G -*) *tech.* coil; **~y** serpentine

węższy *adj. comp. od* → ***wąski***

wf. *skrót pisany*: ***wychowanie fizyczne*** PE (*physical education*)

wg *skrót pisany*: ***według*** according to

wgięcie *n* (*-a*; *G -ęć*) dent

wgląd *m* (*-u*; *0*) view; insight; ***do ~u*** for inspection

wgłębienie *n* (*-a*; *G -eń*) indentation

wgniatać (*-am*) ⟨**wgnieść**⟩ dent, depress

wgry|zać się (*-am*) ⟨***~źć się***⟩ bite into; *fig.* get stuck into; (*weżreć się*) eat into

wiać (*-eję*) *v/i.* ⟨**po-**⟩ blow; F ⟨**z-**⟩ take o.s. off; ***wieje tu*** there is a draught here

wiadomo *nieos.* it is known; ***nigdy nie ~*** you never know; ***jak ~*** as is known; ***o ile mi ~*** as far as I know; **~ść** *f* (*-ści*) information; ***do twojej ~ści*** for your knowledge

wiadomy known

wiadro *n* (*-a*; *G -der*) bucket, pail

wiadukt *m* (*-u*; *-y*) *mot. Brt.* flyover, *Am.* overpass

wianek *m* (*-nka*; *-nki*) wreath, garland; *fig.* hymen

wiar|a *f* (*-y*; *G -*) belief (***w*** *A* in); faith (*też rel.*); (***w siebie*** self-)confidence; ***nie do ~y*** unbelievable; ***w dobrej wierze*** in good faith

wiarołomny unfaithful

wiarygodny reliable, dependable, credible

wiat|r *m* (*-u*, *L wietrze*; *-y*) wind; ***pod ~r*** against the wind; ***na ~r*** to the wind; **~rak** *m* (*-a*; *-i*) windmill; **~rówka** *f* (*-i*; *G -wek*) (*ubranie*) *Brt.* wind-cheater, *Am.* wind-breaker; (*broń*) airgun

wiąz *m* (*-u*; *-y*) *bot.* elm

wiąz|ać (*-żę*) bind (*też fig.*, *chem.*); *jeńca itp.* tie (up); *fig.* relate (***z*** *I* to); ***~ać się*** (***z*** *I*) be associated (with); **~anie** *n* (*-a*; *G -ań*) *sport*: binding; *chem.* bond; **~anka** *f* (*-i*; *G -nek*) bunch, bouquet; *mus.* potpourri, medley; **~ka** *f* (*-i*; *G -zek*) bundle; (*światła itp.*) beam

wiążąc|o *adv.* definitely; **~y** binding; definite

wice|- *w złoż.* vice-, deputy; **~dyrektor** deputy director *lub* manager; **~mistrz** *sport*: runner-up

wicher *m* (*-chru*; *-chry*) gale

wichrzy|ciel *m* (*-a*; *-e*), **~cielka** *f* (*-i*; *G -lek*) trouble-maker; **~ć** (*-ę*) *v/t.* ⟨**z-**⟩ *włosy* ruffle, tousle; *v/i.* make trouble; stir up

wić¹ *f* (*-ci*; *NG -ci*) *biol.* tendril; *zo.* flagellum

wić² (*-ję*) ⟨**u-**⟩ *wianek* wreathe; *gniazdo* build; *t-ko impf.* ***~ się*** wind, meander

widać (*t-ko bezok.*) can be seen; ***jak ~*** as can be seen; ***to ~ po nim*** he shows it

wide|lec *m* (*-lca*; *-lce*) fork; **~łki** *pl.* (*-łek*) *tech.* fork

W

wideo video; ***film ~*** video (film); ***wypożyczalnia ~*** video hire (shop); **~kaseta** *f* (*-y*; *G -*) video (cassette)
widły *pl.* (*-deł*) pitchfork, fork
widmo *n* (*-a*; *G -*) *Brt.* spectre, *Am.* specter; *phys.* spectrum; **~wy** spectral
wid|nieć (*-eję*) appear, be visible; **~no** *adv.*: ***robi się ~no*** it is getting light; **~nokrąg** *m* horizon; ***na ~nokręgu*** on the horizon; **~ny** *pokój* light
widoczn|ie *adv.* apparently, clearly; visibly; **~ość** *f* (*-ści*; *0*) visibility; **~y** visible
wido|k *m* (*-u*; *-i*) (***na*** *G*) view (of) (*też fig.*); (*wygląd*) appearance; (*co widać*) scene; *fig.* prospect, chance; ***na ~k*** (*G*) by the appearance (of), outwardly; ***pokój z ~kiem na morze*** a room overlooking the sea; ***na ~ku*** at sight; ***mieć na ~ku*** have in prospect; **~kówka** *f* (*-i*; *G -wek*) picture postcard; **~wisko** *n* (*-a*; *G -*) show, spectacle; *fig.* exhibition; **~wnia** *f* (*-i*; *-e*) (*ludzie*) audience, spectators *pl.*; (*pomieszczenie*) auditorium; house
widywać (*-uję*) see
widz *m* (*-a*; *-owie*) spectator, viewer; (***kinowy*** *Brt.* cinema-, *Am.* movie-)goer
widzeni|e *n* (*-a*; *G -eń*) sight, seeing; (*więźnia*) visit; ***z ~a*** by sight; ***do ~a*** goodbye; ***zezwolenie na ~e*** visiting permit; → ***punkt***
widzia|dło *n* (*-a*; *G -deł*) → ***widmo***; **~lność** *f* (*-ści*; *0*) visibility; **~lny** visible
widzieć (*-dzę*, *-i*) see; (***się*** o.s., each other); ***~ się z kimś*** → ***zobaczyć***
wiec *m* (*-u*; *-e*) rally
wiech|a *f* (*-y*; *G -*) *bud.* wreath (*used in the topping-out ceremony*); ***uroczystość zawieszenia ~y*** topping-out ceremony
wiecowy rally
wieczerza *f* (*-y*; *-e*) *lit.* supper
wieczn|ość *f* (*-ści*; *0*) eternity; **~y** eternal
wieczor|ek *m* (*-rku*; *-rki*): ***~ek taneczny*** dancing party; **~em** in the evening; at night; ***jutro ~em*** tomorrow evening; **~ny** evening, night; **~owy**: ***suknia ~owa*** evening dress
wieczór *m* (*-u*; *-czory*) evening, night; ***dobry ~*** good evening
Wiedeń *m* (*-dnia*; *0*) Vienna; **2ński** Viennese
wiedz|a *f* (*-y*; *0*) knowledge; (*uczoność*) learning, scholarship; (*wyspecjalizowana*) know-how; ***bez jego ~y*** without his knowledge; **~ieć** know (***o*** *L* about); ***o ile wiem*** as far as I know
wiedźma *f* (*-y*; *G -*) witch
wiejski rural; country; village
wiek *m* (*-u*; *0*) (***starczy*** old) age; ***dziecięcy ~*** childhood; (*pl. -i*) century; *fig.* age; **~i** *pl.* ***średnie*** the Middle Ages *pl.*
wieko *n* (*-a*; *G -*) lid; cover
wiekowy centuries-old
wiekuisty eternal
wielbiciel *m* (*-a*; *-e*), **~ka** *f* (*-i*; *G -lek*) admirer; worshipper; enthusiast, buff
wielbić (*-ę*, *-bij!*) → ***uwielbiać***
wielbłą|d *m* (*-a*; *-y*) *zo.* camel; **~dzi** camel
wiel|ce *adv.* much; **~cy** *m-os* → ***wielki***; **~e** a lot of; many, much; ***o ~e*** (by) far; ***o ~e za dużo*** far too much
Wielkanoc *f* (*-y/Wielkiejnocy*, *I -ą/Wielkąnocą*; *-e*) *rel.* Easter; ***na ~*** at Easter
wielkanocny easter
wielki big, large; *fig.* great; ***już ~ czas*** it is high time; ***Kazimierz 2*** Casimir the Great; ***nic ~ego*** nothing much
wielko|duszny magnanimous; **~lud** *m* (*-a*; *-y*) giant; **~miejski** metropolitan; **~ść** *f* (*-ści*) size; (*problemu itp.*) magnitude; (*znaczenie*) greatness; *math.*, *phys.* quantity; ***~ści grochu*** pea-sized; the size of a pea; ***jednakowej ~ści*** the same in size
wielo|barwny multicolo(u)red; **~bój** *m* (*w sporcie*) multi-discipline event; **~dniowy** lasting several days; **~dzietny** with many children; *rodzina* large
wielokropek *m* (*-pka*; *-pki*) suspension points *pl.*
wielokrotn|ie *adv.* repeatedly; **~y** repeated, multiple
wielo|milionowy million; **~narodowy** multinational; **~piętrowy** multi-stor(e)y; **~raki** multiple; **~rako** *adv.* in many different ways
wieloryb *m* (*-a*; *-y*) *zo.* whale
wielo|stopniowy multistage; **~stronny** multilateral; **~znaczny** ambiguous; **~żeństwo** *n* (*-a*; *G -stw*) polygamy
wielu *m-os* → ***wiele***
wieniec *m* (*-ńca*; *-ńce*) garland; wreath (*też na pogrzeb*)
wień|cowy *med.* coronary; **~czyć** ⟨***u-***⟩ crown

W

wieprz *m* (*-a*; *-e*) hog; **~owina** *f* (*-y*) pork; **~owy** pork

wiercić (*-cę*) drill; **~ *się*** fidget

wiern|ość *f* (*-ści*; *0*) fidelity, faithfulness; **~y 1.** faithful, **2. *~i*** *m/pl.* the faithful

wiersz *m* (*-a*; *-e*) (*utwór*) poem; (*linijka*) line; **~owy** line

wiertarka *f* (*-i*; *G -rek*) drill

wiertło *n* (*-a*; *G -teł*) drill, bit

wierzba *f* (*-y*; *G -*) *bot.*: **~ *płacząca*** weeping willow

wierzch *m* (*-u*; *-y*) top; upper side; outside; (*buta*) upper; ***na ~*** on top; ***do ~u, po ~u*** to the top; ***~em*** on horseback; **~ni** outer, top; **~ołek** *m* (*-łka*; *-łki*) summit (*też fig.*), peak; *math.* apex, vertex; **~owiec** *m* (*-wca*; *-wce*) saddle-horse; **~owy** saddle

wierzy|ciel *m* (*-a*; *-e*), **~cielka** *f* (*-i*; *G -lek*) *econ.* creditor; **~ć** (*-ę*) (***w*** *A*) believe (in); (*ufać*) trust, have faith (in); **~telność** *f* (*-ści*) *econ.* liability, claim

wiesza|ć (*-am*) hang (***na*** *A* on; ***się*** o.s.); **~k** *m* (*-a*; *-i*) hanger

wieś *f* (*wsi*; *wsie*, *wsi*) village; (*region*) country; ***na ~*** to the country; ***na wsi*** in the country

wieść[1] *f* (*-ści*) news *sg.*, information; → ***przepaść***[2]

wieść[2] lead; → ***prowadzić***

wieśnia|czka *f* (*-i*; *G -czek*) countrywoman; peasant; **~k** *m* (*-a*; *-cy*) countryman; peasant

wietrz|eć (*-eję*) ⟨***wy-***⟩ *zapach*: fade, disappear; *geol.* erode; ⟨***z-***⟩ *wino*: become stale; **~nie** *adv.*: ***jest ~nie*** it is windy; **~ny** windy; **~yć** (*-ę*) air; ⟨***z-***⟩ scent, get wind of

wiewiórka *f* (*-i*; *G -rek*) *zo.* squirrel

wieźć ⟨***po-***⟩ carry, transport; *kogoś* drive

wież|a *f* (*-y*; *-e*) tower; (*w szachach*) castle, rook; *mil.* turret; **~owiec** *m* (*-wca*; *-wce*) high-rise

więc so; ***a ~*** well; ***tak ~*** thus

więcej *adv.* (*comp. od* → ***dużo, wiele***); ***co ~*** moreover; → ***mniej***

więdnąć ⟨***z-***⟩ (*-nę*, *też zwiądł*) fade, wither

większ|ość *f* (*-ści*; *0*) majority; ***~ością głosów*** by the majority; ***stanowić ~ość*** be in the majority; **~y** *adj.* (*comp. od* → ***duży, wielki***) larger, bigger

więzić (*-żę*) keep in prison

więzie|nie *n* (*-a*; *G -eń*) prison; **~nny** prison; **~ń** *m* (*-nia*; *-niowie*) prisoner

więź *f* (*-zi*; *-zie*) bond; **~niarka** *f* (*-rki*; *G -rek*) → ***więzień***

wi'gilia *f* (*GDl -ii*; *-e*) eve; ♀ Christmas Eve

wigor *m* (*-u*; *0*) vigo(u)r

wiklina *f* (*-y*; *G -*) *bot.* oasier

wikłać ⟨***po-***⟩ (*-am*) *fig.* complicate; **~ *się*** become complicated; → ***plątać***

wikt *m* (*-u*; *0*) fare

wilcz|ur *m* (*-a*; *-y*) *zo.* Alsatian; **~y** wolfish

wilgo|ć *f* (*-ci*; *0*) humidity; damp(ness); moisture; **~tno** *adv.*, **~tny** *ściana*, *ubranie* damp; *klimat* humid; *wargi* moist

wilia *f* (*GDL -ii*; *-e*) → ***wigilia***

wilk *m* (*-a*; *-i*) *zo.* wolf; **~ *morski*** sea dog

will|a *f* (*GDL -ii*) F (semi-)detached house; villa; **~owy** residential

win|a *f* (*-y*; *G -*) fault; blame; *jur.* guilt; ***ponosić ~ę*** (***za*** *A*) be to blame (for); ***z ~y*** (*G*) because of; ***z własnej ~y*** because of one's own fault; (***nie***) ***przyznawać się do ~y*** plead (not) guilty

winda *f* (*-y*; *G -*) *Brt.* lift, *Am.* elevator

winia|k *m* (*-a*; *-i*) brandy; **~rnia** *f* (*-i*; *-e*) wine bar

wini|ć (*-ę*) (***k-o o*** *A*) blame (s.o. for); **~en** (*f* ***-nna***, *n* ***-nno***, *ż-rzecz.* ***-nne***, *m-os* ***-nni***) *pred.* guilty; ***kto temu ~en?*** who is to blame for it?; ***jestem mu ~en ...*** I owe him; → ***powinien, powinna***

winni|ca *f* (*-y*; *G -*) vineyard; **~czek** *m* (*-czka*; *-czki*) *zo.* European edible snail

winno → ***winien, powinno***

winny[1] wine; (*kwaśny*) tart; **~ *krzew*** grapevine

winn|y[2] guilty; ***uznać za ~ego*** consider guilty; → ***winien***

wino *n* (*-a*; *G -*) wine; **~branie** *n* (*-a*; *G -ań*) grape picking; **~grono** *n* (*-a*; *G -*) grape; **~rośl** *f* (*-i*; *-e*) vine

winowaj|ca *m* (*-y*; *G -ców*), **~czyni** *f* (*-i*; *-e*) culprit

winszować (*-uję*) (***k-u*** *G*) congratulate (s.o. on)

wiod|ą, ~ę → ***wieść***[2]; **~ący** leading

wiolonczela *f* (*-i*; *-e*) *mus.* cello

wiosenny spring

wiosło *n* (*-a*, *L -śle*; *G -seł*) oar; paddle; **~wać** (*-uję*) row, paddle

wiosn|a *f* (*-y*; *G -sen*) spring; ***~ą, na ~ę*** in spring

W

wioślar|ka *f* (*-i*; *G -rek*) rower; oarswoman; **~stwo** *n* (*-a*; *0*) rowing
wioślarz *m* (*-a*; *-e*) rower; oarsman
wiotki limp; frail; (*szczupły*) thin
wioz|ą, ~ę → ***wieźć***
wiór *m* (*-u*; *-y*) shaving; (*metalu*) swarf
wir *m* (*-u*; *-y*) whirl; (*wody*) eddy, whirlpool
wiraż *m* (*-u*; *-e*) sharp bend, curve
wirnik *m* (*-a*; *-i*) *tech.*, *aviat.* rotor
wirować (*-uję*) spin, whirl; (*przed oczyma*) swim; ⟨**od-**⟩ *pranie* spin-dry
wirówka *f* (*-i*; *G -wek*) spin-drier; *tech.* centrifuge
wirus *m* (*-a*; *-y*) *biol.* virus; **~owy** virus; viral
wi|sieć (*-szę*) hang (***na*** *L* on; ***nad*** *I* over); *owad itp.*: hover (***nad*** *I* over, above); **~sielec** *m* (*-lca*; *-lcy*, *-lców*) hanged person; **~siorek** *m* (*-rka*; *-rki*, *-rków*) pendant; **~szący** hanging
Wisła *f* (*-y*; *0*) the Vistula
wiśni|a *f* (*-i*; *-e*) *bot.* sour cherry; **~owy** (sour) cherry
witać (*-am*) ⟨**po-**⟩ greet; *fig.* welcome; **~** ⟨***przy-***⟩ ***się*** (***z*** *I*) greet, exchange greetings (with)
witamina *f* (*-y*; *G -*) vitamin
witraż *m* (*-a*; *-e*) stained-glass window
witryna *f* (*-y*; *G -*) shop-window; *komp.* web site; **~** ***internetowa*** *komp.* web site
wiwat: **~ *...!*** long live ...!; **~ować** (*-uję*) cheer (***na cześć k-o*** s.o.)
wiza *f* (*-y*; *G -*) visa
wizerunek *m* (*-nku*; *-nki*) picture
wiz|ja *f* (*-i*; *-e*) vision (*też RTV*); *jur.* inspection; **~jer** *m* (*-a*; *-y*) peephole; **~owy** visa
wizyt|a *f* (*-y*; *G -*) visit; ***składać ~ę*** → **~ować** (*-uję*) pay a visit; visit; **~ówka** *f* (*-i*; *G -wek*) visiting card
wjazd *m* (*-u*; *-y*) entry; entrance; ***~ na autostradę*** *Brt.* slip road, *Am.* ramp; **~owy** entry
wje|żdżać (*-am*) ⟨***~chać***⟩ (***do*** *G*) come (in), *mot.* drive (in); (***do*** *G*, ***na*** *A*) *rail.* pull (in(to)); (*najeżdżać*) (***w*** *A*) drive (into)
wkle|jać (*-am*) ⟨***~ić***⟩ paste
wklęsł|o *adv.* concavely; **~y** concave
wkład *m* (*-u*; *-y*) (*pieniężny itp.*) contribution; *fig.* input; *econ.* deposit; *tech.* inset, cartridge; ***~ do długopisu*** refill; **~ać** (*-am*) put (***do*** *G* into); insert; *ubranie itp.* put on; *nabój itp.* load; *kapitał*, *czas* invest; **~ka** *f* (*-i*; *G -dek*) inset; *tech.* cartridge; *med.* intrauterine device (*skrót*: ***IUD***)
wkoło *prp.* (a)round
wkop|ywać (*-uję*) ⟨***~ać***⟩ (***do*** *G*; ***w*** *A*) dig (into); *tyczkę* sink (into); ***~ywać się*** bury o.s.
wkra|czać (*-am*) (***do*** *G*) enter, step (in); (*na czyjś teren*) encroach; (*z interwencją*) step (in); *mil.* invade; ***~czać nielegalnie*** trespass; **~dać się** (*-am*) sneak in; *fig.* creep in; **~plać** (*-am*) put drops (in one's eyes); **~ść się** *pf.* → ***wkradać się***
wkrę|cać (*-am*) ⟨***~cić***⟩ screw in
wkręt *m* (*-u*; *-y*) screw
wkro|czyć *pf.* → ***wkraczać***; **~plić** *pf.* (*-lę*) → ***wkraplać***
wkrótce soon
wkurzony F annoyed, peeved
wkuwać (*-am*) cram, *Brt.* swot (up)
wlać *pf.* → ***wlewać***; **~ się** F get completely canned; ***wlany*** F canned, pissed
wlatywać ⟨***wlecieć***⟩ (*-uję*) → ***wpadać***
wle|c drag (***się*** o.s.); ***~c się*** *czas*: wear on; draw out, drag out; **~cieć** *pf.* → ***wlatywać***; **~piać** (*-am*) ⟨***~pić***⟩ stick in(to); F *fig.* (*klepnąć*) slap, (*wcisnąć*) give; ***~pić oczy*** (***w*** *A*) stare at
wlew *m* (*-u*; *-y*) *med.* infusion; **~ać** (*-am*) pour (in); ***~ać się*** flow in (***do*** *G* to)
wleźć *pf.* → ***włazić***
wlicz|ać (*-am*) ⟨***~yć***⟩ (***do*** *G*) include (in); *kogoś* involve
wlotowy *tech.* inlet
wład|ać (*-am*) (*I*) rule; (*językiem*) speak; (*bronią*) wield; (*nogą itp.*) be able to move; **~ca** *m* (*-y*; *G -ców*) ruler; **~czo** *adv.* imperiously; **~czy** imperious; overbearing; **~czyni** *f* (*-i*; *-e*) ruler
władz|a *f* (*-y*; *0*) power; rule, control; (*pl. -e*) authority; ***dojść do ~y*** come to power; ***stracić ~ę nad*** (*I*) lose control (over); ***stracić ~ę w*** (*I*) lose the use (of)
włam|ać się *pf.* → ***włamywać się***; **~anie** *n* (*-a*; *G -ań*) burglary; **~ywacz** *m* (*-a*; *-e*) burglar; **~ywać się** (*-uję*) break (***do*** *G* into); *Brt.* burglarize, *Am.* burgle
własno|ręczny personal; **~ściowy** *mieszkanie Brt.* owner-occupied, *Am.* condominium, co-op; **~ść** *f* (*-ści*; *0*) property; ***mieć na ~ść*** own

własn|y (one's) own; ***z ~ej woli*** of one's own free will; → ***ręka***
właści|ciel *m* (*-a*; *-e*), **~cielka** *f* (*-i*; *G -lek*) owner; proprietor; holder; **~wie** *adv.* actually, in (actual) fact; **~wość** *f* (*-ści*) property, peculiarity; (*odpowiedniość*) appropriateness; **~wy** proper; correct; appropriate
właśnie *part.* just; (*akurat*) exactly, precisely; ***no ~*** quite
właz *m* (*-u*; *-y*) *mil.* hatch; (*do kanału itp.*) manhole; **~ić** (*-żę*) climb, get
włącz|ać (*-am*) ⟨**~yć**⟩ include; *electr.* turn on, switch on; ***~ać*** ⟨***~yć***⟩ ***się*** *electr.* go on; *ktoś*: join; (*do ruchu*) pull out; → ***przyłączać***; **~nie** *adv.* inclusive
Włoch *m* (*-a*; *-si*) Italian
włochaty hairy; shaggy
Włochy *pl.* (*G Włoch*) Italy
włos *m* (*-a*; *-y*) hair; ***~y*** *pl.* hair; ***nie odstąpić ani na ~ od*** (*G*) not to budge an inch from; ***o*** (***mały***) ***~*** by a hair's breadth; ***do ~ów*** hair; **~ek** *m* (*-ska*; *-ski*) → ***włos***; **~ie** *n* (*-a*; *0*) horsehair; **~ień** *m* (*-nia/-śnia*; *-nie/-śnie*) *zo.*, *med.* trichina
włosk|i Italian; ***mówić po ~u*** speak Italian; → ***kapusta***
włoszczyzna *f* (*-y*; *G -*) mixed vegetables (*for soup*)
Włoszka *f* (*-i*; *G -szek*) Italian
włożyć *pf.* → ***wkładać***
włóczęga[1] *f* (*-i*; *G -*) wandering
włóczęga[2] *m* (*-i*; *-dzy/-i*, *-ów/-*) tramp, vagrant
włóczka *f* (*-i*; *G -czek*) yarn
włóczyć się (*-ę*) wander, roam
włókiennictwo *n* (*-a*; *G -*) textile industry
włók|nisty stringy; **~no** *n* (*-a*; *G -kien*) *Brt.* fibre, *Am.* fiber
w|mawiać (*-am*) persuade (***komuś*** s.o.); **~mieszać** *pf.* → ***mieszać***; **~montow(yw)ać** (*-*[*w*]*uję*) fit in, equip; **~mówić** *pf.* → ***wmawiać***
wmurow(yw)ać (*-*[*w*]*uję*) set into the wall, build into
wnet soon
wnęka *f* (*-i*; *G -*) bay, recess, niche
wnętrz|e *n* (*-a*; *G -*) interior, inside; *bud.* interior; ***do/od ~a*** within, inward/from within; **~ności** *pl.* (*-ci*) entrails *pl.*; *gastr.* offal
Wniebo|wstąpienie *n rel.* the Ascension; **~wzięcie** *n rel.* the Assumption
wnieść *pf.* → ***wnosić***
wnik|ać (*-am*) ⟨**~nąć**⟩ penetrate; inquire; **~liwie** *adv.* penetratingly; in depth; **~liwy** penetrating; → ***dociekliwy***
wnios|ek *m* (*-sku*; *-ski*) conclusion; (*propozycja*) motion, proposition; ***dojść do ~ku*** come to the conclusion; ***wystąpić z ~kiem, żeby*** move that; **~kodawca** *m* (*-y*; *G -ców*), **~kodawczyni** *f* (*-i*; *-ie*, *G -yń*) mover; **~kować** ⟨**wy-**⟩ (*-uję*) conclude (***z*** *G* from)
wnosić *v/t.* carry in, bring (into), get (into); *wkład* make; *skargę, protest* lodge, make; *prośbę* make; *sprawę jur.* bring; *v/i.* conclude; (***z*** *G*) deduce (from), infer (from); *jur.* (***o*** *A*) propose
wnu|czka *m* (*-i*; *G -czek*) granddaughter; **~k** *m* (*-a*; *-i*) grandson
woalka *f* (*-i*; *G -lek*) veil
wobec *prp.* (*G*) in the face (of), in view (of); ***~ czego*** consequently; ***~ tego, że*** in view of the fact that
wod|a *f* (*-y*; *G wód*) water; ***z ~y*** *gastr.* boiled
w oddali in the distance
wod|niak *m* (*-a*; *-cy*) water-sports enthusiast; **♒nik** *m* (*-a*; *0*) *znak Zodiaku:* Aquarius; ***on*(*a*) *jest spod znaku ♒nika*** he/she is (an) Aquarius; **~nisty** watery; **~nosamolot** *m* seaplane; **~ny** water
wodociąg *m* water-pipe, (*główny*) water-main; ***~i*** *pl.* waterworks *sg.*; **~owy** *woda* tap
wodo|lecznictwo *n med.* hydrotherapy; **~lot** *m naut.* hydrofoil; **~pój** *m* (*-oju*; *-oje*) watering-place; **~rost** *m* (*-u*; *-y*) *bot.* seaweed; **~rowy** hydrogen; **~spad** *m* waterfall, falls *pl.*; **~szczelny** water-tight; **~trysk** *m* (*-u*; *-i*) fountain; F *fig.* frill(s *pl.*); **~wać** (*-uję*) *v/t. naut.* launch; *v/i.* (*w astronautyce*) splash down
wodór *m* (*-doru*) *chem.* hydrogen
wodz|a *f* (*-y*; *-e*) *zw. pl.* rein; ***trzymać*** (***się***) ***na ~y*** restrain o.s., control o.s.; ***puszczać ~e*** (*D*) *fig.* give rein (to); ***pod ~ą*** (*G*) under s.o.'s command
wodz|ić (*-dzę*, *wódź!*) lead; *fig.* ***~ić za nos*** *fig.* lead by the nose; **~owie** *pl.* → ***wódz***
woj. *skrót pisany*: ***województwo*** province; ***wojewódzki*** provincial
wojaż *m* (*-u*; *-e*) *żart.*, *iron.* journey, voyage, trip

W

wojenn|y war; military; *jur.* martial; ***być na stopie ~ej*** (***z*** *I*) be on a war footing (with)
woje|woda *m* (*-y*; *G -dów*) (*chief officer in the province*); **~wódzki** provincial; **~wództwo** *n* (*-a*; *G -*) province
wojłok *m* (*-u*; *-i*) felt
wojn|a *f* (*-y*; *G -jen*) (***domowa*** civil) war; ***iść na ~ę*** go to war; ***na ~ie*** at war
wojow|ać (*-uję*) fight (***z*** *I* with; ***o*** *A* for); wage war; **~niczo** *adv.* militantly, belligerently; **~niczy** militant, belligerent; **~nik** *m* (*-a*; *-cy*) warrior
wojsk|o *n* (*-a*; *G -*) army; troops *pl.*; ***zaciągnąć się do ~a, iść do ~a*** join up; ***on po ~u*** he was in the army; **~owy 1.** military; ***służba ~owa*** military service; ***odmowa służby ~owej*** conscientious objection; ***po ~owemu*** in a military way; (*ubrany*) in uniform; **2.** *m* (*-ego*; *-i*) military man, soldier
wokalist|a *m*, **~ka** *f* vocalist
wokalny vocal
wokanda *f* (*-y*; *G -*) *jur.* (court) calendar
wokoło, wokół *prp.* (a)round
wol|a *f* (*-i*; *0*) will; ***do ~i*** at will; ***mimo ~i*** involuntarily; ***dobra ~a*** goodwill; ***z własnej ~i*** of one's own accord
wole *n* (*-a*; *G -i*) *med.* goitre; *zo.* crop
wol|eć (*-ę*, *-i*) prefer; ***wolę … niż/od …*** I prefer … to …; ***~ał(a)bym*** I would rather; **~ne** *n* (*-ego*; *-e*): ***mieć ~ne*** have a day off; ***~nego!*** just a minute!; **~niutki** very slow; **~niutko** *adv.* very slowly
wolno[1] *prp.* one can, it is allowed; ***czy ~ zapytać*** may I ask; ***nie ~ mi*** I must not; ***nikomu nie ~*** nobody is allowed to
wolno[2] *adv.* slowly; (*swobodnie*) freely; **~cłowy** duty-free; **~mularstwo** *n* (*-a*; *0*) Freemasonry; **~myśliciel** *m* free thinker; **~rynkowy**: ***cena ~rynkowa*** free-market price
wolnoś|ciowy liberation; **~ć** *f* (*-ści*; *0*) freedom, liberty; ***~ć słowa*** freedom of speech; ***na ~ci*** at liberty; free; ***wypuścić na ~ć*** set free
wolny free (***od*** *G* from); (*powolny*) slow; ***~ od opłaty*** free (of charge); ***dzień ~ od pracy*** day off, holiday; ***na ~m powietrzu*** in the open; ***na ~m ogniu*** at a simmer; ***wstęp ~*** admission free
woltomierz *m* (*-a*; *-e*) *electr.* voltmeter
woła|cz *m* (*-a*; *-e*) *gr.* the Vocative; **~ć** ⟨**za-**⟩ (*-am*) call; **~nie** *n* (*-a*; *G -ań*) call (***o pomoc*** for help)
Wołga *f* (*-i*; *0*) the Volga
woło|wina *f* (*-y*; *G -*) beef; **~wy** *gastr.* beef
woły *pl.* → ***wół***
wonny fragrant, aromatic
woń *f* (*woni*; *wonie*, *woni*) smell; ***przykra ~*** odo(u)r; ***przyjemna ~*** fragrance, aroma
woreczek *m* → ***worek***; *anat.* bladder; ***~ żółciowy*** *anat.* gall bladder
wor|ek *m* (*-rka*; *-rki*) bag; (*duży*) sac; ***~ki pod oczami*** bags under the eyes; **~y** *pl.* → ***wór***
wosk *m* (*-u*; *-i*) wax; **~owy** wax
wotum *n* (*idkl.*; *-a*; *-ów*) vote (***zaufania, nieufności*** of confidence, of no confidence); *rel.* votive offering
woz|ić (*-żę*, *woź/wóź!*) carry; transport; *kogoś* drive; **~y** *pl.* → ***wóz***
woźn|a *f* (*-ej*; *-e*) *Brt.* janitor, *Am.* caretaker; **~ica** *m* (*-y*; *-e*) coachman; **~y** *m* (*-ego*; *-i*) *Brt.* janitor, *Am.* caretaker; *jur.* court usher
wódka *f* (*-i*; *G -dek*) vodka
wódz *m* (*wodza*; *wodzowie*) leader; chief; ***~ naczelny*** commander-in-chief; → ***dowódca, przywódca***
wójt *m* (*-a*; *-owie*) chairman of the village council
wół *m* (*wołu*; *woły*) ox
wór *m* (*wora*; *wory*) sack, bag
wówczas *lit. adv.* then, at that time
wóz *m* (*wozu*; *wozy*) cart; *mot.* car; **~ek** *m* (*-zka*; *-zki*) cart; (*dziecięcy*) *Brt.* pram, *Am.* baby carriage, (*spacerowy*) *Brt.* pushchair; *Am.* stroller; ***~ek inwalidzki*** wheelchair
W.P. *skrót pisany*: ***Wielmożny Pan*** Esq.
WP *skrót pisany*: ***Wojsko Polskie*** Polish Army
wpadać (*-am*) fall; *rzeka*: flow into; *policzki*: sink; (*wbiec*) rush into; (***na*** *A*, ***w*** *A*) collide (with), bang (into); ***~ w oczy*** catch s.o.'s eye; (*zajść*) drop in (***do*** *G* on); ***~ w objęcia*** fall into s.o.'s arms; ***~ na pomysł*** hit on an idea; ***~ w złość*** fly into a rage; ***~ do rąk/w ręce*** fall into s.o.'s hands; ***~ w kłopoty*** get into trouble; → ***wpaść***
wpajać (*-am*) instil
wpakow(yw)ać (*-[w]uję*) pack, cram; ***~ się*** (*na przyjęcie*) gate crash; ***~ się w kłopoty*** get into trouble
wpaść → ***wpadać***; (***na*** *A*) bump into

W

wpatrywać się (*-uję*) (**w** *A*) stare (at)

wpędz|ać (*-am*) ⟨**~ić**⟩ (**w** *A*) drive into

wpić *pf.* → ***wpijać***

wpierw *adv.* first

wpijać (*-am*) *paznokcie* dig; **~ *się*** (*cisnąć*) cut (**w** *A* into); *kleszcz itp.*: attach o.s.; **~ (*się*) *zębami*** sink o.s. teeth (**w** *A* into)

wpis *m* (*-u*; *-y*) entry; (*opłata*) fee; **~owy** admission; **~ywać** (*-uję*) ⟨**~ać**⟩ enrol(l) (***się*** *v/i.*; **do** *A* in, for); write in

wpląt|ywać (*-uję*) ⟨**~ać**⟩ entangle, involve; ***~ywać*** ⟨**~ać**⟩ ***się*** get involved *lub* entangled (**w** *L* in)

wpła|cać (*-am*) ⟨**~cić**⟩ pay in, deposit; **~ta** *f* (*-y*; *G -*) payment, deposit

wpław *adv.* by swimming

wpły|nąć *pf.* → ***wpływać***; **~w** *m* (*-u*; *-y*) influence; *tech.* inflow; ***~wy*** *pl. econ.* receipts *pl.*, revenue; ***mieć ~wy*** have connections; **~wać** (*-am*) *okręt*: come in, make port (**do** *G* to); *zapach itp.*: waft in; *kwota*, *listy*: come in; *rzeka*: flow in (to); (***na*** *A*) have an influence (on); **~wowy** influential

wpoić *pf.* → ***wpajać***

wpół *adv.* half; **~ *do drugiej*** half past one; ***na*** **~** half-; *w złoż.* → ***pół-***; **~darmo** *adv.* dirt cheap; **~żywy** dead tired

wpraw|a *f* (*-y*; *0*) *Brt.* practice, *Am.* practise, skill, mastery; ***wyjść z ~y*** be out of practice

wprawdzie *part.* though

wprawi|ać (*-am*) ⟨**~ć**⟩ *szybę* fit, put in; *obraz* frame; make (***w podziw*** astonished); **~ać** ⟨**~ć**⟩ ***w ruch*** set in motion; **~ać** ⟨**~ć**⟩ ***się*** get practice (**w** *I* in)

wpraw|nie *adv.* skil(l)fully, skilled; **~ny** skil(l)ful, skilled

wprost *adv.* straight; *fig.* directly

wprowadz|ać (*-am*) ⟨**~ić**⟩ (**do** *G*) show (into); (*przedstawić, zaprowadzić*) introduce (to, into); ***~ać w zakłopotanie*** embarrass; ***~ić się*** move in (**do** *G* to); **~enie** *n* (*-a*; *G -eń*) introduction; ***~enie się*** move

wprzęg|ać (*-am*) ⟨ **~nąć**⟩ (*-nę*) harness

wprzód *adv. lit.* first

wpust *m* (*-u*; *-y*) *tech.* inlet; (*w drewnie*) groove; **~ *ściekowy*** drain

wpu|szczać ⟨**~ścić**⟩ let in

wpychać (*-am*) cram in, pack in; shove in; *fig.* palm off; **~ *się*** (**do** *G*) push in (to)

wracać (*-am*) return, come back (**do** *G* to); **~ *z drogi*** turn back; **~ *do zdrowia*** recover; → ***zwracać***

wrak *m* (*-a/-u*; *-i*) wreck

wrastać (*-am*) grow in

wraz (**z** *I*) *adv.* (together) with

wrażenie *n* (*-a*; *G -eń*) impression; feeling; ***odnieść*** **~** get an impression

wrażliw|ość *f* (*-ści*; *0*) sensibility; (*też tech.*) sensitivity; **~y** sensitive (**na** *A* to)

wre → ***wrzeć***

wreszcie *adv.* at last

wręcz *adv.* straight, directly; ***walka*** **~** *mil.* close combat; **~ać** (*-am*) ⟨**~yć**⟩ (*-ę*) hand in, hand over; present

wrodzony inborn; *med.* congenital

wrog|i hostile; **~o** *adv.* in a hostile manner; **~ość** *f* (*-ści*; *0*) hostility, enmity; **~owie** *pl.* → ***wróg***

wrona *f* (*-y*; *G -*) *zo.* crow

wrosnąć *pf.* → ***wrastać***

wrota *pl.* (*wrót*) gate, door (*też fig.* **do** *G* to)

wrotka *f* (*-i*; *G -tek*) (*w sporcie*) roller skate

wróbel *m* (*-bla*; *-ble*) *zo.* sparrow

wrócić *pf.* (*-cę*) → ***wracać, zwracać***

wróg *m* (*wroga*; *wrogowie*) enemy

wró|ść *pf.* → ***wrastać***; **~t** *G* → ***wrota***

wróż|ba *f* (*-y*; *G -*) omen; prediction; **~biarstwo** (*-a*; *0*) fortune-telling; **~bita** *m* (*-y*; *-ci*) fortune-teller; **~ka** *f* (*-i*; *G -ek*) fortune-teller; (*w baśni*) fairy; **~yć** ⟨**po-**⟩ (*-ę*) *v/i.* tell fortunes; read fortune (***z kart, z ręki*** from the cards, from the hand); *v/t.* predict

wryć *pf.*: *fig.* **~ *się w pamięć*** be imprinted on one's memory

wrzas|k *m* (*-u*; *-i*) shout, shriek, scream; **~kliwy** noisy, tumultuous; **~nąć** *pf.* → ***wrzeszczeć***

wrzawa *f* (*-y*; *G -*) uproar, clamo(u)r

wrzą|cy boiling; **~tek** *m* (*-tku*) boiling water (milk *etc.*)

wrzeciono *n* (*-a*; *G -*) spindle

wrze|ć boil; *fig.* seethe; *pol.* ferment; ***praca wre*** the work is in full swing; **~nie** *n* (*-a*; *0*) boiling; ferment

wrzesień *m* (*-śnia*; *-śnie*) September

wrzeszczeć (*-ę*) yell, shriek

wrześniowy September

wrzodow|y: ***choroba ~a*** *med.* chronic peptic ulcer disease

wrzos *m* (*-u*; *-y*) *bot.* heather; **~owisko** *n* (*-a*; *G -*) heath

wrzód *m* (*-rzodu*; *-rzody*) *med.* ulcer;

(*czyrak*) abscess, boil
wrzu|cać (*-am*) ⟨**~cić**⟩ throw in (**do** *G* to); *mot. bieg* engage; **~t** *m* (*-u*; *-y*) *sport*: throw(-in)
wrzynać się (*-am*) cut into
wsadz|ać (*-am*) ⟨**~ić**⟩ put (***do auta, do kieszeni***, into the car, into the pocket); *ubranie, okulary* put on; ***~ać za kraty*** lock up
wsch. *skrót pisany*: ***wschód*** E (*East*); ***wschodni*** E (*Eastern*)
wschodni Eastern
wschodzić (*-dzę*) rise, get up
wschód *m* (*-chodu*; *0*) east; (*pl. -chody*) ***~ słońca*** sunrise, sunup; ***ze wschodu*** from the east; ***na ~ od*** (*G*) east of
wsi → ***wieś***
wsiadać (*-am*) get in (**do** *G*); get on, board (***na*** *A*); ***~ na statek*** embark
wsiąkać (*-am*) seep in, soak up
wsiąść *pf.* → ***wsiadać***
wsie *pl.* → ***wieś***
wskakiwać (*-uję*) jump (on); (**do** *G*) jump (into), plunge (into)
wskaz|ać *pf.* → ***wskazywać***; **~any** shown; (*zalecany*) advisable; **~ówka** *m* (*-i*; *G -wek*) (*zegara*) hand; (*wskaźnik*) pointer; (*sugestia*) hint; → ***oznaka***; **~ujący** pointing; *anat.* index; **~ywać** (*-uję*) point (***na*** *A* at, *fig.* to)
wskaźnik *m* (*-a*; *-i*) *tech.* indicator, gauge; pointer; (***cen*** price) index; ***~ benzyny*** *mot.* fuel gauge
wskoczyć *pf.* → ***wskakiwać***
wskórać *pf.* (*-am*) accomplish, achieve
wskroś: ***na ~*** through (and through)
wskrze|szać (*-am*) ⟨**~sić**⟩ (*-szę*) raise *s.o.* from the dead
wskutek *prp.* because of
wsławi|ać się (*-am*) ⟨**~ć się**⟩ become famous (***jako*** as)
wsłuch|iwać się (*-uję*) ⟨**~ać się**⟩ listen; (***w*** *A*) listen (to)
wspak: ***na ~*** *adv.* backwards
wspaniale *adv.* magnificently
wspaniał|omyślny magnanimous; generous; **~y** magnificent; splendid, grand
wsparcie *n* (*-a*; *G -rć*) support, backing
wspiąć się *pf.* → ***wspinać się***
wspierać (*-am*) support; *fig.* back
wspina|czka *f* (*-i*; *G -czek*) mountaineering; **~ć się** (*-am*) climb
wspomag|ać help, assist; **~anie** *n* (*-a*; *0*): ***~anie kierownicy*** *mot.* power steering
wspom|inać (*-am*) ⟨**~nieć**⟩ (*-nę*, *-nij!*) (*A*) recall, remember; (***o*** *L*) mention; **~nienie** *n* (*-a*; *G -eń*) remembrance, memory; ***~nienie pośmiertne*** obituary; ***na samo ~nienie*** at the very thought; **~óc** *pf.* → ***wspomagać***
wspóln|iczka *f* (*-i*; *G -czek*), **~ik** *m* (*-a*; *-cy*) partner; *jur.* (*w zbrodni*) accomplice; **~ota** *f* (*-y*; *G-*) community; ***Ꝋota Narodów*** the Commonwealth of Nations; ***Ꝋota Niepodległych Państw*** Commonwealth of Independent States; **~y** common; mutual; ***~ymi siłami*** with combined efforts; ***~a mogiła*** mass grave; ***nie mieć nic ~ego*** (***z*** *I*) have nothing in common (with)
współczes|ność *f* (*-ści*; *0*) presence; contemporaneity; **~ny** contemporary; ***historia ~na*** contemporary history
współczu|cie *n* (*-a*; *0*) compassion; sympathy; ***złożyć wyrazy ~cia*** (*D*) offer one's condolences (to); **~ć** (*-uję*) (*D*) sympathize (with), pity; feel sorry (for); **~jąco** *adv.* with sympathy
współ|czynnik *m* (*-a*; *-i*) factor, coefficient; **~decydować** (*-uję*) have a say (***przy*** *L* in); **~działać** (*-am*) cooperate, collaborate, work together (***przy*** *L* with); **~istnienie** *n* (*-a*; *G -eń*) coexistence; **~małżonek** *m* spouse, marriage partner; **~mierny** (***do*** *G*) appropriate (to); adequate (to); **~mieszkaniec** *m* (*-ńca*; *-ńcy*), **~mieszkanka** *f* (*-i*; *G -nek*) fellow occupant; (*pokoju*) roommate **~obywatel(ka** *f*) *m* fellow citizen; **~oskarżony** *m*, ***~oskarżona*** *f* co-defendant
współprac|a *f* cooperation, collaboration; **~ować** (***przy*** *L*, ***w*** *L*) work together (on), collaborate (on), cooperate (on); **~owniczka** *f*, **~ownik** *m* co-worker, collaborator
współ|rządzić to control jointly; **~rzędna** *f* (*-ej*; *-e*) *math.* coordinate
współspraw|ca *m*, **~czyni** *f jur.* accomplice, accessory
współuczestni|ctwo *n* participation; **~czyć** (*-ę*) participate (***w*** *L* in); *jur.* aid and abet; **~czka** *f*, **~k** *m* participant
współ|udział *m* participation; involvement; *jur.* complicity; **~więzień** *m*, **~więźniarka** *f* fellow prisoner; **~właściciel(ka** *f*) *m* co-owner, joint owner; **~wyznawca** *m rel.* fellow-believer

współzawodni|ctwo *n* (*-a*; *0*) competition, rivalry; **~czka** *f* (*w sporcie*) competitor, contestant; **~czyć** (*-ę*) compete (***z*** *I* with); **~k** *m* competitor, contestant

współży|cie *n* living together; *zwł.* married life; ***trudny we ~ciu*** difficult to get along with; **~ć** live together; *biol.* live in symbiosis

wsta|wać ⟨***wstać***⟩ (*stać²*) get up, rise; stand; **~wi(a)ć** put in, insert; ***~wi(a)ć się*** (***za*** *I*) intercede (on *s.o.'s* behalf), put in a good word (for); **~wiennictwo** *n* (*-a*; *0*) intercession; **~wka** *f* (*-i*; *G -wek*) insertion; *theat.* interlude

wstąpić *pf.* (*-ę*) → ***wstępować***

wstąpienie *n* (*-a*) entry, joining; ***~ na tron*** ascension to the throne

wstążka *f* (*-i*; *G -żek*) ribbon

wstecz *adv.* back(wards); **~nictwo** *n* (*-a*; *0*) backwardness; **~ny** *jur.* retrospective; *fig.* reactionary, retrograde; ***bieg ~ny*** *mot.* reverse (gear); ***lusterko ~ne*** *mot.* rear-view mirror

wstęga *f* (*-i*; *G -*) band, ribbon

wstęp *m* (*-u*; *-y*) entry, entrance; (*do książki*) introduction (*też fig.*); ***na ~ie*** at the beginning; to begin with; **~nie** *adv.* initially; **~ny** introductory; preliminary; initial; ***słowo ~ne*** foreword; → ***egzamin***; **~ować** (*-uję*) (***do*** *G*) enter, join; (*zajść*) drop in (at); (***na*** *A*) enter; (*na tron*) ascend (to)

wstręt *m* (*-u*; *-y*) disgust, repulsion, revulsion; **~ny** disgusting, repulsive

wstrząs *m* (*-u*; *-y*) (*pojazdu itp.*) jolt; *fig.* shock (*też med.*); *geol.* tremor; **~ać** (*-am*) (*I*) shake (*też fig.*); *pojazd itp.*: jolt; ***~ać się*** (***z*** *G*) shake (with), convulse (with); **~ająco** *adv.* shockingly; **~ający** shocking; **~nąć** *pf.* → ***wstrząsać***; **~owy** shock

wstrzemięźliw|ie *adv.* temperately, abstemiously, abstinently; **~y** temperate, abstemious, abstinent

wstrzy|kiwać (*-uję*) ⟨***~knąć***⟩ *med.* inject; **~mywać** (*-uję*) ⟨***~mać***⟩ stop, hold up; *fig.* impede, inhibit; ***~mać się*** suppress, hold back (***od łez*** tears); ***~mać się od głosu*** abstain; (***z*** *I*) put off, delay

wstyd *m* (*-u*; *0*) shame; (*zakłopotanie*) embarrassment; ***~ mi*** (*G*) I am ashamed (of); ***ze ~u*** with shame *lub* embarrassment; **~liwie** *adv.* timidly; with shame; **~liwy** timid, embarrassed; → ***nieśmiały, żenujący***

wsty|dzić ⟨***za-***⟩ (*-dzę*) put to shame; ***~dzić*** ⟨***za-***⟩ ***się*** (*G*; *bezok.*) be ashamed (of; to *bezok.*); ***~dź się*** shame on you

wsu|wać (*-am*) ⟨***~nąć***⟩ (*-nę*) insert, slide in(to); (*jeść*) tuck in; ***~nąć się*** (***do*** *G*, ***pod*** *A*) slip (into, under); **~wka** *f* (*-i*; *G -wek*) (*do włosów*) hairgrip

wsyp|ywać (*-uję*) ⟨***~ać***⟩ pour (***do*** *G* into); ***~ać się*** *fig.* F get caught

wysysać (*-am*) suck into

wszakże *lit.* however, anyhow

wszcząć *pf.* → ***wszczynać***

wszczepi|ać (*-am*) ⟨***~ć***⟩ *med.* implant; *fig.* instil(l)

wszczynać (*-am*) instigate; *śledztwo, negocjacje* open; ***~ kłótnię*** brawl

wszech|mocny almighty; **~obecny** omnipresent; **~stronny** versatile; **~świat** *m* (*-a*; *-y*) universe; **~światowy** world-wide; **~władny** omnipotent

wszelk|i every, any; ***za ~ą cenę*** at any price; ***na ~i wypadek*** just in case

wszerz *adv.* across; → ***wzdłuż***

wszędzie *adv.* everywhere

wszy *pl.* → ***wesz***; **~ć** *pf.* → ***wszywać***

wszys|cy *m-os* everybody, all; **~tek** *m* (*f* **~tka**, *n* **~tko**, *pl.* **~tkie**) all; ***~tko jedno*** all the same; ***nade ~tko*** above all; ***~tkiego najlepszego!*** all the best!

wszywać (*-am*) sew in(to)

wścibski snooping; F nosy

wściec się *pf.* (*o psie, fig.*) go mad; → ***wściekać się***

wściek|ać się (*-am*) *fig.* F rage, fume, seethe; **~le** *adv.* furiously, madly; **~lizna** *f* (*-y*; *0*) *med.* rabies *sg.*; **~łość** *f* (*-ści*; *0*) rage, madness, fury; **~ły** *med.* rabid; *fig.* mad, furious

wśliz|giwać się (*-uję*) ⟨***~(g)nąć się***⟩ (*-nę*) (***do*** *G*) slip in(to)

wśród *prp.* (*G*) among, between

wt. *skrót pisany*: **wtorek** Tue(s). (*Tuesday*)

wtaczać roll (***się*** *v/i.*; ***do*** *G* into)

wtajemnicz|ać (*-am*) ⟨***~yć***⟩ let *s.o.* in (***w*** *A* on); **~ony** initiated

wtargnąć *pf.* (***do*** *G*) invade; *fig.* burst in (on)

wte|dy *adv.* then; at that time; **~m** *adv.* suddenly; abruptly; **~nczas** *adv.* → ***wtedy***

wtłaczać (*-am*) ⟨***wtłoczyć***⟩ stuff, cram;

W

~ **się** push (one's way) (**do** *G* into)
wtoczyć *pf.* → ***wtaczać***
wtor|ek *m* (*-rku*; *-rki*) Tuesday; **~kowy** Tuesday
wtór|nik *m* (*-a*; *-i*) duplicate, copy; **~ny** secondary; **~ować** *mus.*, *fig.* (*D*) accompany; **~y**: ***po ~e*** secondly
wtrąc|ać ⟨**~ić**⟩ *v/t. uwagę* throw in; ***~ić do więzienia*** put in prison; *v/i.* interject, remark; ***~ać*** ⟨**~ić**⟩ ***się*** interfere (***w*** *A*, ***do*** *A* in), *fig.* butt in
wtrys|kiwać (*-uję*) ⟨**~nąć**⟩ inject
wtyczk|a *f* (*-i*; *G -czek*) *electr.* plug; F informer, plug; **~owy** *electr.*: ***gniazd(k)o ~owe*** power point, socket outlet
wtykać (*-am*) insert, put into
wuj *m* (*-a*; *-owie*, *-ów*), **~ek** *m* (*-ka*; *-kowie*) uncle; **~enka** *f* (*-i*; *G -nek*) aunt
wulgarny vulgar; gross
wulkan *m* (*-u*; *-y*) volcano; **~iczny** volcanic; **~izować** (*-uję*) vulcanize
ww. *skrót pisany*: ***wyżej wymieniony*** above-mentioned
Wwa, W-wa *skrót pisany*: ***Warszawa*** Warsaw
wwozić ⟨***wwieźć***⟩ bring in; import (***do*** *G* into)
wy *pron.* (*GAL was*, *D wam*, *I wami*) you
wybacz|ać (*-am*) forgive; **~alny** forgivable, excusable; **~enie** *n* (*-a*; *G -eń*) forgiveness; ***nie do ~enia*** unforgivable, inexcusable; **~yć** *pf.* → ***wybaczać***
wybaw|ca *m* (*-y*; *G -ców*), **~czyni** *f* (*-i*; *-e*) rescuer; savio(u)r (*też rel.*); **~iać** (*-am*) ⟨**~ić**⟩ rescue, save (***z*** *G* from)
wybić *pf.* → ***wybijać***; (*wygubić*) eradicate; *drób itp.* kill off; (*zbić*) beat up; ***~ sobie z głowy*** get *s.th.* out of one's head; ***~ się ze snu*** be unable to fall asleep again
wybie|g *m* (*-u*; *-i*) (*drobiu*) run; (*koni*) paddock; (*dla modelek*) *Brt.* catwalk, *Am.* runway; *fig.* device, trick; **~gać** ⟨**~c**, **~gnąć**⟩ run out (***z*** *G* of); **~lać** (*-am*) ⟨**~lić**⟩ make white, whiten; *fig.* clear; → ***bielić***
wybierać (*-am*) (*dokonywać wyboru*) choose, select; (*w wyborach*) elect; *numer* dial; (*wyjmować*) take out; ***~ się*** (***do*** *G*) be going (to); ***~ się do teatru*** go to the *Brt.* theatre (*Am.* theater); ***~ się w podróż*** get ready for the journey
wybi|jać (*-am*) *dno*, *ząb*, *oko* knock out; *szybę* break, smash; *medal* strike, mint; (*obić ścianę itp.*) line (*I* with); *takt* beat; *godzinę* strike; ***~jać się*** distinguish o.s.; excel (***w*** *L* in); → ***wybić***; **~tnie** *adv.* eminently; **~tny** eminent, distinguished
wyblakły faded
wyboisty uneven, bumpy
wybor|ca *m* (*-y*; *G -ów*) voter; **~czy** electoral, election; **~ny** excellent; → ***wyśmienity***; **~owy** elite; ***strzelec ~owy*** marksman; **~y** *pl.* → ***wybór***
wybój *m* (*-boju*; *-boje*, *G -boi/-bojów*) pothole
wybór *m* (*-boru*; *-bory*) selection, choice; (*mianowanie*) appointment (***na*** *A* to); *pol.* ***wybory*** *pl.* elections *pl.* (***do parlamentu*** to Parliament); ***do wyboru*** to choose from
wybra|ć *pf.* → ***wybierać***; **~kow(yw)ać** (*-[w]uję*) sort out; ***~kowany towar*** rejects *pl.*; **~ny** elected; chosen
wybredny fastidious, choosy
wybrnąć *pf.* (***z*** *G*) work one's way out (of) (*też fig.*); *fig.* get out (***z długów*** of one's debt)
wybro- *pf.*, **wybru-** *pf.* → ***bro-***, ***bru-***
wybryk *m* (*-u*; *-i*) trick, prank; ***~ natury*** freak of nature
wybrzeż|e *n* (*-a*; *G -y*) coast; (*morza*) seaside; ***na ~e*** to the coast; ***na ~u*** on the coast
wybrzuszenie *n* (*-a*; *G -eń*) bulge
wy|brzydzać F (*-am*) (***na*** *A*) fuss (about); **~bu-** *pf.* → ***bu-***
wybuch *m* (*-u*; *-y*) explosion; (*wulkanu*) eruption (*też fig.*); (*wojny*, *epidemii*) outbreak; (*gniewu*) outburst; **~ać** (*-am*) ⟨**~nąć**⟩ explode; *wulkan*: erupt; *wojna*, *panika*: break out; burst out (***śmiechem***, ***płaczem*** laughing, crying); (*gniewem*) blow up; **~owy** explosive; *fig.* bad-tempered
wybujały → ***bujny***; tall
wyca-, **wyce-** *pf.* → ***ca-***, ***ce-***
wycena *f* (*-y*; *G -*) estimate, valuation
wychł|adzać (*-am*) ⟨**~odzić**⟩ cool down; → ***ochładzać***, ***oziębiać***
wychodn|e *n* (*-ego*; *0*) day off; F ***być na ~ym*** be just about to leave
wychodzić (***z*** *G*) go out (of), leave; (***na*** *A*) look out on (to); (***na*** *L*) profit (from); *książka*, *zdjęcie itp.*: come out, appear; *praca itp.*: work; ***~ na pierwsze miejsce*** take the lead; ***~ na wolność*** be released; ***~ z mody*** go out of

W

fashion; **~ w morze** put to sea; **nie ~ z głowy** haunt; **~ dobrze na** (*L*) profit (from); **~ na swoje** break even; → **iść, wyjść**

wychodź|ca *m* (*-y*; *G -ów*) emigrant; **~stwo** *n* (*-a*; *0*) emigration

wychowa|ć (*-am*) → **wychowywać**; **~nek** *m* (*-nka*; *-nkowie*) foster-child; (*były uczeń*) graduate; **~nie** *n* (*-a*; *0*) upbringing, education; **dobre ~nie** good manners *pl.*; **~nka** *f* (*-i*; *G -nek*) → **wychowanek**; **~wca** *m* (*-cy*; *G -ców*), **~wczyni** *f* (*-ni*; *-ie*, *-yń*) caregiver; **~wczo** *adv*. educationally; **~wczy** educational

wychowywać (*-uję*) *dziecko* bring up; *ucznia* educate; **~ się** grow up (**u** *G* with); be brought up

wychudły emaciated, drawn

wychwalać (*-am*) praise

wychyl|ać (*-am*) ⟨**~ić**⟩ *kieliszek* empty, drain; **~ać głowę z okna** put one's head out of the window; **~ać się** *wskazówka*: swing; look out (**zza** *G* from behind); **~ić się do przodu** bend *lub* lean forward

wyciąć *pf.* → **wycinać**

wyciąg *m* (*-u*; *-i*) *med. itp.* extract; (*kuchenny*, *tech.*) hood; *tech.* hoist; (*winda*) *Brt.* lift, *Am.* elevator; (*narciarski*) (ski)lift

wyciąg|ać (*-am*) ⟨**~nąć**⟩ pull out; *gumę*, *rękę itp.* stretch; *ręce*, *nogi* extend, stretch out; *fig. wnioski*, draw; *math. pierwiastek* extract; **~nąć się** stretch out

wycie *n* (*-a*; *G wyć*) howl

wyciec *pf.* → **wyciekać**

wycieczk|a *f* (*-i*; *G -czek*) outing, (*zorganizowana*, *też fig.*) excursion; trip; **~owy** excursion

wyciekać (*-am*) leak out

wycieńcz|ać (*-am*) ⟨**~yć**⟩ (*-ę*) weaken, exhaust

wyciera|czka *f* (*-i*; *G -czek*) (*przy drzwiach*) doormat; *mot.* screen wiper; **~ć** (*-am*) wipe; (*osuszyć*) dry; **~ć gumką** erase, rub out; **~ć się** dry o.s.; (*ręcznikiem*) towel o.s.; *ubranie* wear (out)

wycięcie *n* (*-a*; *G -ęć*) opening; (*ubrania*) neckline

wycin|ać (*-am*) cut (out); *drzewa* fell; **~anka** *f* (*-i*; *G -nek*) silhouette, cutout; **~ek** *m* (*-nka*; *-nki*) clipping; *med.* specimen; *math.* segment

wycis|kać ⟨**~nąć**⟩ *sok* press out, squeeze out; *ubranie* wring (out); *pieczęć* impress

wycisz|ać (*-am*) ⟨**~yć**⟩ (*-ę*) silence

wycof|ywać (*-uję*) ⟨**~ać**⟩ withdraw, pull out (**się** *v/i.*; **z** *G* from); → **cofać**

wyczek|ać *pf.* (*G*, *A*), **~iwać** (*-uję*) (**na** *A*) wait (for)

wyczerp|ać *pf.* → **wyczerpywać**; **~any** exhausted; *towar* out of stock; **~ujący** exhaustive; **~ywać** (*-ać*) exhaust; *kogoś* wear out; *zapasy* deplete; **~ywać się** get tired; *zasoby*: become depleted

wyczu|cie *n* (*-a*; *0*) sensation; (*G*); feeling (of); **~(wa)ć** (*-*[*w*]*am*) sense; feel; *zapach* smell; **~walny** perceptible

wyczyn *m* outstanding performance; **~owy** (*w sporcie*) competitive

wyć (*wyję*) howl

wyćwiczony practised, mastered

wyda|ć *pf.* → **wydawać**; **~jność** *f* (*-ści*; *0*) efficiency, effectiveness; productivity; *agr.* fertility; **~jny** efficient, effective; productive; **~lać** (*-am*) ⟨**~lić**⟩ (*-lę*) (*z kraju*) exile; (*z pracy*) dismiss; (*ze szkoły*) expel; *biol.* secrete; **~lenie** *n* (*-a*; *G -leń*) exile; dismissal; expulsion; **~nie** *n* (*-a*; *G -ań*) issuing; *print.* edition; *jur.* handing over, extradition; (*zdrada*) betrayal

wydarz|enie *n* (*-a*; *G -eń*) event; **~yć się** (*t-ko 3. os.*) occur, happen

wydat|ek *m* (*-tku*; *-tki*) expenditure; expense; **~kować** (*imp*)*pf.* (*-uję*) expend, pay; **~ny** prominent, protuberant; *fig.* considerable, significant

wydaw|ać *pieniądze* spend; *rzeczy* give out; *dokument*, *dekret* issue; *książkę* publish; *woń* give off; *dźwięk* make; *przyjęcie*, *rozkaz* give; *zbiega* give over; *sekret* reveal; *córkę* marry (**za** *A* to); *jur. wyrok* pronounce; **~ać się** seem, appear; *sekret*: be revealed, come out; get married (**za** *A* to); **~ca** *m* (*-y*; *G -ców*), **~czyni** *f* (*-i*; *-e*) publisher; **~nictwo** *n* (*-a*; *G -ctw*) publishing house

wy|dąć *pf.* → **wydymać**; **~dech** *m* (*-u*; *-y*) exhalation; **~dechowy**: **rura ~dechowa** *mot.* exhaust pipe

wydekoltowany *suknia* low-cut

wydept|ywać (*-uję*) ⟨**~ać**⟩ *trawnik* stamp on, tread; *ścieżkę* tread out

wydęty *usta* pouted

wydłub|ywać (*-uję*) ⟨**~ać**⟩ pick out

wydłuż|ać (*-am*) ⟨**~yć**⟩ extend, leng-

W

then; *okres* prolong; **~ony** elongated
wydma *f* (*-y*; *G* -) dune
wydmuch|iwać (*-uję*) ⟨**~ać**⟩ blow out
wydoby|wać ⟨**~ć**⟩ get (***z*** *A* out of); *rudę* extract, mine; *informacje* elicit; **~(wa)ć się** escape; → ***wydostawać*** (***się***); **~wczy** *przemysł* mining
wydolny efficient
wydoskonalać (*-am*) → ***doskonalić***
wydosta(wa)ć get (***z*** *A* out of); (*uzyskać*) receive, get; **~ się** come out, get out
wydra *f* (*-y*; *G -der/-*) *zo.* otter
wydrap|ywać (*-uję*) ⟨**~ać**⟩ (*usuwać*) scrape out; *słowa* scratch
wydrążony hollow
wydruk *m* (*-u*; *-i*) *komp.* printout; **~ować** (*-uję*) *komp.* print out
wydrwigrosz *m* (*-a*; *-e*) con man
wy|drzeć *pf.* → ***wydzierać***; **~dusić** *pf. fig.* squeeze out, wring out; **~dychać** (*-am*) breathe out; **~dymać** (*-am*) *policzki* puff out; *brzuch* distend; **~dział** *m* (*-u*; *-y*) uniwersytet: faculty; department, section
wydziedzicz|ać (*-am*) ⟨**~yć**⟩ disinherit
wydziel|ać (*-am*) *biol.* excrete; *promieniowanie* radiate; *chem.*, *med. itp.* emit, release; *zapach* give off; *biol.* be excreted; *chem.* be emitted; ⟨*też* **~ić**⟩ ration, divide, distribute; destine, intend (***na***, ***pod*** *A* for); **~ina** *f* (*-y*; *G* -) secretion; **~ony**: ***miasto ~one*** (*a town that is an administrative district in its own right*)
wydzierać (*-am*) tear out/away; *fig.* rescue, save; F **~ się** roar, shout; → ***wyrywać***
wydzierżawi|ać (*-am*) ⟨**~ć**⟩ rent; (*wziąć w dzierżawę*) lease
wydźwięk *m* implication(s)
wy|egz-, ~eks-, ~el-, ~em-, ~fro- *pf.* → ***egz-, eks-, el-, em-, fro-***
wyga|dać F *pf.* spill the beans; **~dany** F glib; **~dywać** F (*-uję*) blab; find fault (***na*** *A* with); **~lać** (*-am*) shave off; **~niać** → ***wypędzać***; **~rniać** (*-am*) ⟨**~rnąć**⟩ *popiół* remove; F *fig.* make *s.th.* clear *lub* plain; **~sać** (*-am*) ⟨**~snąć**⟩ go out
wy|giąć *pf.* → ***wyginać***; **~gięcie** *n* (*-a*; *G -ęć*) curvature, curve; bend; **~ginać** (*-am*) bend, bow; *w łuk* arch; **~ginąć** *pf.* die out; *zwł. biol.* become extinct
wygląd *m* (*-u*; *0*) appearance, look; **~ać** (*-am*) look (***oknem*** out of the window; ***młodo*** young; ***na artystę*** like an artist; ***na szczęśliwego*** happy); *sprawy*: stand; (***spod, zza*** *G*) appear (from behind, beneath); (*G*) look forward (to)
wygładz|ać (*-am*) ⟨**~ić**⟩ smooth out
wygłodzony famished, starving
wygł|aszać (*-am*) ⟨**~osić**⟩ *mowę* give, deliver
wygłupia|ć się (*-am*) fool about; ***nie ~j się!*** stop messing about!, (*bądź poważny*) stop joking!
wygna|ć *pf.* → ***wypędzać***; **~nie** *n* (*-a*; *G -ań*) exile; ***na ~niu*** in exile; **~niec** *m* (*-ńca*; *-ńcy*) exile
wygni|atać (*-am*) ⟨**~eść**⟩ *ciasto* knead; *pf.* crease, rumple; → ***miąć***
wygod|a *f* (*-y*; *G -gód*) comfort, convenience; ***z ~ami*** *mieszkanie* with all modern conveniences *pl.*; **~ny** comfortable; convenient; → ***dogodny***
wygo|lić *pf.* → ***wygalać***; **~nić** *pf.* → ***wypędzać***; **~spodarować** *pf.* obtain through careful management; **~tow(yw)ać** (*-[w]uję*) boil out
wygórowany exorbitant, extravagant
wygra|ć *pf.* → ***wygrywać***; **~na** *f* (*-ej*; *-e*) win, victory; ***dać za ~ną*** give up; ***łatwa ~na*** walk-over; **~ny** won
wygr|ywać (*-am*) (*A*, ***w***) win; ***~ać na loterii*** win (on) the lottery; *fig.* have good luck; **~yzać** (*-am*) ⟨**~źć**⟩ *dziurę* eat through
wygrzeb|ywać (*-uję*) ⟨**~ać**⟩ dig out; *fig.* dig up, unearth
wygrzewać się (*-am*) warm o.s., sun
wygwizd|ywać (*-uję*) ⟨**~ać**⟩ *melodię* whistle; *zwł. pf. aktora* hiss
wy|ha-, ~ho- *pf.* → ***ha-, ho-***; **~imaginowany** imaginary
wyja|dać eat up; **~ławiać** (*-am*) ⟨**~łowić**⟩ (*-ę*) exhaust, drain; *med.* sterilize; **~śniać** (*-am*) ⟨**~śnić**⟩ (*-ę*, *-nij!*) explain; ***~śniać*** ⟨***~śnić***⟩ ***się*** be explained, make clear; **~śnienie** *n* (*-a*; *G -eń*) explanation; **~wiać** (*-am*) ⟨**~wić**⟩ reveal; *skandal* expose
wyjazd *m* (*-u*; *-y*) exit, departure; (*podróż*) journey, travel
wyjąć *pf.* → ***wyjmować***
wyjąt|ek *m* (*-tku*; *-tki*) exception; ***bez ~ku*** without exception; ***z ~kiem*** (*G*) with the exception (of); ***w drodze ~ku*** → **~kowo** *adv.* exceptionally, by way of exception; **~kowy** exceptional

W

wyje|chać *pf.* → ***wyjeżdżać***; **~dnać** *pf.* obtain; **~ść** *pf.* → ***wyjadać***

wyjezdn|e: ***na ~ym*** just before leaving

wyjeżdżać (*-am*) leave, go away/out; drive (***z*** *G* out of, from; ***po zakupy*** to do the shopping); ***~ na urlop*** go on a holiday (***do*** *A* to); ***~ za granicę*** go abroad; → ***odjeżdżać***

wyj|mować (*-uję*) get out, take out; **~rzeć** *pf.* (*-ę; -y*) → ***wyglądać***

wyjś|cie *n* (*-a; G -jść*) leaving, departure; (*drzwi itp.*) exit, way out; (*na lotnisku*) gate; *fig.* solution; *tech.* output; ***~cie za mąż*** marriage; ***położenie bez ~cia*** deadlock, stalemate; **~ciowy** *drzwi itp.* exit; (*początkowy*) starting; *tech.* output; **~ć** *pf.* → ***wychodzić***; F ***nie wyszło*** it did not work out

wy|kałaczka *f* (*-i; G -czek*) toothpick; **~kantować** F *pf.* swindle; **~kańczać** (*-am*) finish; F *fig.* finish off

wykapan|y: ***~y ojciec*** the spitting image of the father

wykarmi|ać (*-am*) ⟨**~ć**⟩ feed

wykaz *m* (*-u; -y*) list; **~ywać** ⟨***~ać***⟩ (*udowodnić*) prove; (*przejawić*) show; (*ujawnić*) reveal; ***~ać się*** prove o.s.

wykidajło F *m* (*-u; -ów*) bouncer, chucker-out

wy|kipieć *pf.* boil out; **~kitować** F (*-uję*) pop off, snuff it; **~kiwać** F (*-am*) fool, con; **~kląć** *pf.* → ***wyklinać***; **~klejać** (*-am*) ⟨**~kleić**⟩ (*I*) line (with); **~klinać** (*-am*) *dziecko* curse; *grzesznika* excommunicate

wyklucz|ać (*-am*) ⟨**~yć**⟩ (*-ę*) exclude, rule out; ***~ać się*** be mutually exclusive; **~ony** excluded; ***to jest ~one*** it's out of the question

wyklu|wać (*-am*) ⟨**~ć**⟩ (*-ję*) ***się*** → ***kluć***

wykład *m* (*-u; -y*) lecture, talk

wykładać[1] (*-am*) *v/t.* lecture; (*uczyć*) teach, *zwł. Brt.* read

wykład|ać[2] (*-am*) lay out; *kołnierz* turn down; (*płytami itp.*) pave; *myśl* elucidate; **~any** *mebel* inlaid; **~nik** *m* (*-a; -i*) *math.* exponent; **~owca** *m* (*-y; G -ców*) lecturer, reader; **~owy** lecture

wykładzina *f* (*-y; G -*) lining, coating; (*na podłogę*) linoleum, *Brt.* lino; ***~ dywanowa*** fitted carpet

wykłu|wać (*-am*) ⟨**~ć**⟩ put out, gouge out

wykole|jać się (*-am*) ⟨***~ić się***⟩ (*-ję*) *pociąg*: derail; *fig.* go astray; **~jeniec** *m* (*-ńca; -ńcy*) social misfit

wykomb- *pf.* → ***komb-***

wykona|ć *pf.* → ***wykonywać***; **~lny** practicable, feasible, workable; **~nie** *n* (*-a; G -ań*) execution; production; performance; playing; *por.* ***wykonywać***; **~wca** *m* (*-y; G -ców*), **~wczyni** *f* (*-i; -e*) performer; *jur.* executor; *econ.* contractor; *por.* ***wykonywać***; **~wczy** executive

wykonywać (*-uję*) *pracę* do, execute; *rzecz* make, produce; *zamiar, zadanie, wyrok* carry out; *piosenkę, sztukę* perform; *rolę* play; *zawód* work

wykończyć *pf.* → ***wykańczać, kończyć***

wykop *m* (*-u; -y*) excavation; trench; **~ywać** (*-uję*) ⟨***~ać***⟩ *dół itp.* dig (out)

wykorzyst|ywać (*-uję*) ⟨***~ać***⟩ use; employ; → ***wyzyskiwać***

wykpi|wać (*-am*) ⟨**~ć**⟩ *v/t.* make fun of, mock

wykra|czać (*-am*) (***poza*** *A*) go beyond; (***przeciw*** *D*) infringe, contravene; **~dać** (*-am*) steal; *kogoś* kidnap, abduct; ***~dać się*** steal out *lub* away; **~jać** (*-am*) cut out; **~ść** *pf.* → ***wykradać***; **~wać** (*-am*) *pf.* → ***wykrajać***

wykre|s *m* (*-u; -y*) diagram; chart; **~ślać** (*-am*) ⟨**~ślić**⟩ cross *lub* strike out; *tech.* plot, draw; **~ślny** graphical; diagrammatic

wykrę|cać (*-am*) ⟨**~cić**⟩ *żarówkę* screw out, unscrew; *bieliznę* wring; *szyję* crick; *rękę* twist; F *numer* dial; ***~cać się*** turn; *fig.* wriggle out (***od*** *G* of); **~t** *m* (*-u; -y*) (*ustny*) excuse; dodge; **~tny** evasive

wykro|czenie *n* (*-a; G -eń*) *jur. Brt.* offence, *Am.* offense; **~czyć** *pf.* → ***wykraczać***; **~ić** *pf.* → ***wykrajać***

wykrój *m* (*-kroju; -kroje*) pattern

wykrusz|ać się (*-am*) ⟨***~yć się***⟩ crumble away (***z*** *G* from); *fig.* decrease

wykrwawić się *pf.* bleed to death

wykry|cie *n* (*-a; G -yć*) detection; uncovering, exposure; **~ć** *pf.* → ***wykrywać***; **~wacz** *m* detector; ***~wacz kłamstw*** lie detector; **~wać** (*-am*) detect; *zbrodnię* find; (*odkryć*) discover

wykrzyk|iwać (*-uję*) shout, cry out; **~nąć** *v/s.* call out, exclaim; **~nik** *m* (*-a; -i*) *print.* exclamation mark; *gr.* interjection

W

wykrzywi|ać (*-am*) ⟨**~ć**⟩ contort, distort; bend; *usta* screw out; ***z twarzą ~oną bólem*** with the face twisted with pain
wykształceni|e *n* (*-a*; *0*) education; (***zawodowe*** vocational) training; ***wyższe ~e*** higher education; ***z ~a ...*** ... by profession
wykształcony educated
wyku|ć *pf.* → ***wykuwać***; **~pywać** (*-uję*) ⟨**~pić**⟩ buy up; *zastaw*, *jeńca* redeem; *zastaw itp.* buy back; **~rzać** (*-am*) ⟨**~rzyć**⟩ smoke out
wykusz *m* (*-a*; *-e*) bay window
wykuwać (*-am*) forge; *posąg* carve, chisel; F (*w szkole*) cram
wykwalifikowany qualified, skilled
wykwintny elegant
wyla|ć *pf.* → ***wylewać***; **~nie** *n* F (*z pracy*) boot; throw-out; **~tywać** (*-uję*) *samolot*, *ptak*: fly off; *samolot kursowy*: leave; (*jako pasażer*) leave (by plane); F (*z pracy*) get the boot; *dym itp.*: go up; → ***wyskakiwać, wylecieć, wypadać***
wylądować *pf. aviat.* touch down; *astr.* (*na morzu*) splash down; (*na księżycu*) land
wyle|cieć *pf.* → ***wylatywać***; ***~cieć w powietrze*** blow up; **~czyć** *pf.* cure; heal; ***~czyć się*** recover (***z*** *G* from); **~giwać się** (*-uję*) lie around; loll; (*w łóżku*) lie in; **~w** *m* (*-u*; *-y*) (*rzeki*) flood, overflow; *med.* h(a)emorrhage; ***~w krwi do mózgu*** apoplexy, stroke; **~wać** (*-am*) *v/t.* pour out; F *kogoś z pracy* give the boot; *v/i. rzeka*: overflow; ***~wać się*** spill; **~źć** *pf.* → ***wyłazić***
wylęga|ć się (*-am*) → ***lęgnąć się***; **~nie** *n* (*-a*; *0*) incubation; hatching; **~rnia** *f* (*-i*; *-e*) *agr.* hatchery; *fig.* hotbed
wylęk|ły, ~niony frightened, scared
wylicz|ać (*-am*) ⟨**~yć**⟩ enumerate, list; (*obliczyć*) calculate, count; *sport*: count out; ***~yć się*** (***z*** *G*) account (for)
wylosow(yw)ać (*-*[*w*]*uję*) draw out
wylot *m* (*-u*; *-y*) (*otwór*) outlet, vent; (*rury*) nozzle; (*lufy*) muzzle; (*ulicy itp.*) end, exit; (*odlot*) departure; ***na ~*** through and through
wyludniony desolate, depopulated
wyład|ow(yw)ać (*-*[*w*]*uję*) unload; *naut.* land; *fig. złość* vent (***na*** *L* on); ***~ow(yw)ać się*** *electr.* run down; *fig.* take it out (***na*** *L* on); **~owanie** *n* (*-a*; *G -ań*) *electr.* discharge; **~unek** *m* (*-nku*; *-nki*) unloading
wyłam|ywać (*-uję*) ⟨**~ać**⟩ break (***się*** *v/i.*); *zamek* force; ***~ywać*** ⟨***~ać***⟩ ***się*** (***z*** *G*) *fig.* break away (from)
wyłaniać (*-am*) *komisję* form; ***~ się*** emerge, appear
wyłazić (*-żę*) (***z*** *G*) climb out (of), get out (of)
wyłącz|ać (*-am*) switch off, turn off (***się*** *v/i.*); (*pomijać*) exclude; *tech.* disengage, disconnect; ***~ać się*** go off; **~enie** *n* (*-a*; *G -eń*) switching off; (*pominięcie*) exclusion; **~nie** *adv.* exclusively; **~nik** *m* (*-a*; *-i*) switch; **~ny** exclusive, sole
wyłogi *m/pl.* (*-ów*) lapels *pl.*
wyło|m *m* (*-u*; *-y*) breach, break; **~nić** *pf.* (*-ę*) → ***wyłaniać***; **~żyć** *pf.* → ***wykładać***; ***~żyć się*** (***na*** *L*) trip up (on, over)
wyłudz|ać (*-am*) ⟨**~ić**⟩ swindle (***coś od k-o*** s.o. out of s.th.)
wyłusk|iwać (*-uję*) ⟨**~ać**⟩ → ***łuskać***
wyłuszcz|ać (*-am*) ⟨**~yć**⟩ → ***łuszczyć***; *fig.* explain, set forth
wyłysiały bald
wymaga|ć (*-am*) (*G*) require; (*potrzebować też*) need, necessitate; **~jący** *adj. szef* demanding, exacting; **~nie** *n* (*-a*; *G -ań*) *zw. pl.* demands *pl.*, requirements *pl.*; **~ny** required, needed
wymar|cie *n* (*-a*; *0*): ***być na ~ciu*** be threatened with extinction; **~ły** extinct
wymarsz *m* (*-u*; *-e*) departure, marching off
wymarzony ideal
wymawiać *słowa* pronounce; *umowę* terminate; ***~ sobie*** reproach o.s.; ***~ się*** be pronounced; → ***wykręcać się, wytykać***
wymaz|ywać (*-uję*) ⟨**~ać**⟩ (*farbą*) smear, daub; (*usuwać*) rub out
wymeldow(yw)ać (*-*[*w*]*uję*) report moving away (***się*** *v/i.*); (*w hotelu*) check out (***się*** *v/i.*)
wymian|a *f* (*-y*; *G -*) exchange (*też waluty*); (*kogoś*, *rury*) replacement; → ***wymieniać***
wymiar *m* (*-u*; *-y*) dimension (*też math.*, *phys.*); size; ***~ kary*** sentence; ***~ sprawiedliwości*** administration of justice; ***~ podatku*** assessment; ***~ godzin*** teaching load
wy|miatać (*-am*) sweep out; **~mie-**

W

ni(a)ć (*-am*) exchange; *część itp.* replace; *pieniądze* change; (*wspominać*) mention, name; **~mienialny** *waluta* convertible; **~mieniony** mentioned, named; **~mienny** replaceable; interchangeable

wymie|rać (*-am*) die out; **~rny** measurable; *math.* rational; **~rzać** (*-am*) ⟨**~rzyć**⟩ measure; *karę* (*D*) mete out (to); *podatek* assess; *sprawiedliwość* administer; (*skierować*) direct, aim (**przeciwko** *D* at); → ***mierzyć***; **~ść** *pf.* → ***wymiatać***

wymię *n* (*-ienia*; *-iona*) udder

wymi|jać (*-am*) ⟨**~nąć**⟩ pass, go past; ***~jać się*** meet and pass, cross; → **(o)*mijać***; **~jająco** *adv.* evasively; **~jający** evasive

wymiot|ować (*-uję*) ⟨**z-**⟩ vomit; **~y** *pl.* (*-ów*) vomiting

wymknąć się *pf.* → ***wymykać się***

wymogi *m/pl.* (*-ogów*) requirements *pl.*

wymontow(yw)ać (*-[w]uję*) remove, dismount

wymow|a *f* (*-y*; *0*) pronunciation; **~ny** eloquent, outspoken

wymóc *pf.* (**na** *L*) wrest (from), extort (from)

wymów|ić *pf.* → ***wymawiać***; **~ienie** *n* (*-a*) → ***wymawianie***; **~ka** *f* (*-i*; *G -wek*) excuse; (*wyrzut*) reproach

wymrzeć *pf.* → ***wymierać***

wymu|szać (*-am*) ⟨**~sić**⟩ (*-szę*) (**z** *G*) force (from, out of), extract (from); (**na** *L*) extort (from); **~szenie** *n* (*-a*; *G -eń*) extortion; extraction; **~szony** *fig.* half-hearted

wymykać się (*-am*) slip away; *fig.* slip out

wymy|sł *m* (*-u*; *-y*) invention; (*przekleństwa*) *zw. pl.* insults *pl*; **~ślać** (*-am*) ⟨**~ślić**⟩ (*-lę*) invent, make up; *t-ko impf.* (*D*) insult; **~ślny** intricate, fancy

wynagr|adzać (*-am*) ⟨**~odzić**⟩ (*-ę*) reward, award; *krzywdy itp.* compensate, recompense

wynagrodzenie *n* (*-a*; *G -eń*) payment, pay; compensation

wyna|jąć *pf.* → **(*wy*)*najmować***; **~jdywać** (*-uję*) find; → ***wynaleźć***; **~jem** *m* (*-jmu*; *0*), **~jęcie** renting; ***~jem samochodu*** car rental *lub Brt.* hire; ***biuro ~jmu samochodów*** car rental *lub Brt.* hire car rental (firm); **~jmować** (*-uję*) rent, hire; *mieszkanie* let; (*oddać wnajem*) rent out, let out; **~lazca** *m* (*-y*; *G -ców*) inventor; **~lazek** *m* (*-zku*; *-zki*) invention; **~leźć** invent; → ***wyszukać***

wynaturzenie *n* (*-a*; *G -eń*) degeneration

wynegocjować *pf.* (*-uję*) negotiate

wynieść *pf.* → ***wynosić***

wynik *m* (*-u*; *-i*) result (*też med.*); finding; (*w sporcie*) score; ***~i*** *pl. też* achievements *pl.*; **w ~u** (*G*) as a result (of); **~ać** (*-am*) ⟨**~nąć**⟩ (**z** *G*) result (from); *zw. impf.* follow, ensue

wynio|sły haughty, proud; **~śle** *adv.* haughtily, proudly

wyniszcz|ać (*-am*) ⟨**~yć**⟩ destroy; *kogoś* emaciate, weaken

wynos: ***na ~*** *Brt.* take-away, *Am.* take-out; **~ić** take *lub* carry away (**z** *G* from); carry up (**na** *A* to); *sumę, ilość* amount to; ***~ić się*** F leave; (*z dumą*) turn one's nose up; ***wynoś się!*** get away!

wynurz|ać (*-am*) ⟨**~yć**⟩ put *lub* stick out (***z wody*** of the water); ***~yć się*** emerge, appear

wyobcowany alienated (**z** *G* from)

wyobra|źnia *f* (*-i*; *0*) imagination; **~żać** ⟨**~zić**⟩ represent; ***~żać sobie*** imagine; ***~ź sobie*(, że)** just imagine (that); **~żenie** *n* (*-a*; *G -eń*) idea, notion; representation, picture

wyodrębni|ać (*-am*) ⟨**~ć**⟩ (*-ę*, *-nij!*) isolate, detach (**się** o.s.); **~(a)ć się** (*I*) differ (from), stand out (from)

wyolbrzymi|ać (*-am*)⟨~ć⟩(*-ę*) exaggerate, overestimate

wypacz|ać (*-am*) ⟨**~yć**⟩ *fig.* distort

wypad *m* (*-u*; *-y*) trip; (*w szermierce*) lunge; (*w piłce nożnej*) attack; *mil.* foray; **~ać** fall out; (*wybiec*) rush out; fall (***w niedzielę*** on Sunday); do, turn out (***dobrze, źle*** well, badly); (*nagle zaistnieć*) pop up; ***~a*(*ło*)** it is (was) proper, it is (was) in order; (***nie***) ***~a*** one should not, it is not fitting; *fig.* ***~ać na kogoś*** be s.o.'s turn; ***~ać z pamięci*** escape s.o.'s mind; **~ek** *m* (*-dku*; *-dki*) event, case; (***drogowy, przy pracy***, road, industrial) accident; ***na ~ek*** (*G*) in case (of); ***w najlepszym ~ku*** at best; ***w żadnym ~ku*** in no case, on no account; **~kowy** accident

wypal|ać (*-am*) ⟨**~ić**⟩ burn out; *cegły itp.* fire; ***~ić się*** burn out

W

wypa|row(yw)ać (-[*w*]*uję*) evaporate; *fig.* vanish **~siony** well-fed; **~ść** *pf.* → ***wypadać***; **~trywać** (-*uję*) (*G*) look out (for); **~trzyć** *pf.* catch sight of; *fig.* spot
wypch|ać, ~nąć *pf.* → ***wypychać***
wypeł|niać (-*am*) ⟨***~nić***⟩ → ***spełniać***; fill (**się** *v/i.*); *blankiet* fill in, complete; *zadanie* carry out; **~niony** full; *formularz* completed; **~zać** ⟨***~znąć***⟩ (**z** *G*) crawl out (of)
wypędz|ać (-*am*) ⟨***~ić***⟩ drive (***na pastwisko*** to the pasture); drive out; (*z kraju itp.*) expel; **~ony** expelled
wypi|ąć *pf.* → ***wypinać***; **~ć** *pf.* → ***wypijać***
wypiek *m* (-*u*; -*i*) baking; (*pieczywo*) baked product; ***~i*** *pl.* flush, blush; **~ać** (-*am*) → **piec²**
wypierać (-*am*) *konkurenta* oust; (*z miejsca*) dislodge; *phys.* displace; ***~ się*** (*G*) deny; *kogoś* disown
wypi|jać (-*am*) drink up; **~nać** (-*am*) push out; *tyłek itp.* stick out
wypis *m* (-*u*; -*y*) extract; ***~y*** *pl.* anthology; **~ywać** (-*uję*) ⟨***~ać***⟩ *czek*, *receptę* write *lub* make out; take notes (***sobie*** for o.s.); (*ze szkoły itp.*) strike off the list; (*ze szpitala*) discharge; ***~ać się*** (***z*** *G*) withdraw (from); *pióro itp.*: run out
wypitka *f* (-*i*; *G* -*tek*) drink
wypląt|ywać (-*uję*) ⟨***~ać***⟩ disentangle (**się** *v/i.*); ***~ywać*** ⟨***~ać***⟩ ***się*** *fig.* free o.s. (***z*** *G* from)
wypleni|ać (-*am*) ⟨***~ć***⟩ eradicate
wyplu|wać (-*am*) ⟨***~(ną)ć***⟩ spit out
wypła|cać (-*am*) ⟨***~cić***⟩ pay; **~calny** solvent; **~szać** *pf.* → ***płoszyć***; **~ta** *f* (-*y*; *G* -) payment, pay; ***dzień ~ty*** payday
wypłoszyć *pf.* → ***płoszyć***
wypłowiały faded
wypłuk|iwać (-*uję*) ⟨***~ać***⟩ wash out *lub* away
wypły|wać ⟨***~nąć***⟩ swim out; (*łódką*) sail out; *płyn*: flow out; → ***wynurzać się***, ***wynikać***
wypocz|ąć *pf.* → ***wypoczywać***; **~ęty** rested; **~ynek** *m* (-*nku*; -*nki*) rest; **~ynkowy** holiday; ***meble*** *pl.* ***~ynkowe*** suite; **~ywać** (-*am*) rest (***po*** *L* after)
wypo|gadzać się (-*am*) ⟨***~godzić się***⟩ clear up, brighten up; **~minać** (-*am*) ⟨***~mnieć***⟩ (-*nę*, -*nij!*) reproach (***k-u*** *A* s.o. for); **~mpow(yw)ać** (-[*w*]*uję*) pump out
wyporność *f* (-*ści*; *0*) *naut.* draught
wyposaż|ać (-*am*) ⟨***~yć***⟩ (-*ę*) fit (***w*** *A* with); equip; **~enie** *n* (-*a*; *G* -*eń*) furnishing *pl.*; (*urządzenia*) fittings *pl.*; equipment
wypowi|adać (-*am*) utter; *pracę*, *mieszkanie* give notice; *wojnę* declare; *posłuszeństwo* renounce; ***~adać się*** (***za*** *I*, ***przeciwko*** *D*) declare *lub* pronounce o.s. (for, against); **~edzenie** *n* (-*a*; *G* -*eń*) utterance; notice; declaration; **~edzieć** *pf.* → ***wypowiadać***; **~edź** *f* (-*dzi*) statement; utterance
wypożycz|alnia *f* (-*i*; -*e*) (*sprzętu itp.*) hire firm; (*książek*, *płyt*) (lending) library; **~yć** *pf.* *komuś* lend, *od kogoś* borrow; → ***pożyczać***
wypracow|anie *n* (-*a*; *G* -*ań*) essay, composition; **~(yw)ać** (-[*w*]*uję*) workout, develop
wypra|ć *pf.* → ***prać***; **~szać** (-*am*) beg for; *natręta* show the door
wyprawa *f* (-*y*; *G* -) expedition; ***~ krzyżowa*** crusade; (*ślubna*) trousseau; → ***wycieczka***
wypraw|iać (-*am*) ⟨***~ić***⟩ send (***do*** *G*, ***na*** *A* to; ***po*** *A* for); (*robić*) do; *wesele* make; *skóry* dress; **~ka** *f* (-*i*; *G* -*wek*) layette
wypręż|ać (-*am*) ⟨***~yć***⟩ (-*ę*) stretch (**się** *v/i.*); tense; **~ony** tight, taut
wypro|sić *pf.* → ***wypraszać***; **~stowywać** (-*wuję*) → ***prostować***
wyprowadz|ać (-*am*) ⟨***~ić***⟩ lead out; *auto itp.* drive out; *fig.* *wniosek* draw; *math.* *wzór* derive; *psa* walk, take out; ***~ić z równowagi*** unnerve; ***~ić się*** move out
wy|próbowany tested; **~próbow(y-w)ać** (-[*w*]*uję*) test, try out; **~próżni(a)ć** → ***opróżniać***; **~prysk** *m* (-*u*; -*i*) *med.* eczema; **~prysnąć** *pf.* dash; **~prząc** *pf.* → ***wyprzęgać***; **~przeć** *pf.* → ***wypierać***
wyprzedany sold out
wyprzeda|wać (-*ję*) ⟨***~ć***⟩ (-*am*) sell off, clear; ***~ż*** *f* (-*y*; -*e*) sale(s *pl.*)
wyprzedz|ać (-*am*) ⟨***~ić***⟩ (-*dzę*) *mot.* *Brt.* overtake, *Am.* pass; ***~ać epokę*** *fig.* be ahead of one's times
wyprzęgać (-*am*) unharness
wypukł|ość *f* (-*ści*; *0*) bulge; *tech.* convexity; **~o** *adv.* convexly; **~y** convex
wypu|szczać (-*am*) ⟨***~ścić***⟩ set free; *film*, *więźnia*, release; (*upuszczać*)

drop, let drop; *znaczek itp.* issue; *econ.* put on the market; *tech.* discharge

wypychać (*-am*) pack (up), fill (up); *zwierzę* stuff

wypyt|ywać (*-uję*) ⟨**~ać**⟩ question

wyrabiać (*-am*) make, produce; *sąd* form; *paszport* obtain; *język itp.* develop; **~ się** develop, evolve

wyrachowan|ie *n* (*-a*; *0*) deliberation, calculation; **~y** calculating, mercenary

wyra|dzać się (*-am*) degenerate; **~finowany** sophisticated; **~stać** (*-am*) grow; → ***rosnąć***

wyraz *m* (*-u*; *-y*) expression; (*słowo*) word; ***dać ~*** (*D*) voice; ***bez ~u*** expressionless, bland; ***nad ~*** decidedly; ***z ~ami szacunku*** yours faithfully; **~ić** *pf.* → ***wyrażać***; **~isty** expressive; distinct; **~iście** *adv.* expressively; distinct

wyra|źny distinct; clear; **~żać** (*-am*) express (***się*** o.s.); ***~żać się*** *też* be expressed (***w*** *L* by); **~żenie** *n* (*-a*) expression; ***~żenie zgody*** consent, approval

wy|rąbywać (*-uję*) ⟨**~rąbać**⟩ *drzewa* fell; *polanę* clear (of trees); *otwór* hack; **~re-** *pf.* → **re-**

wyręcz|ać (*-am*) ⟨**~yć**⟩ (***kogoś w*** *L*) stand in (for s.o. in); **(on) *w tych sprawach ~a się synem*** these things are done by his son

wyrob|ić (*-ę*) *pf.* → ***wyrabiać***; **~ienie** *n* (*-a*; *0*) skill; expertness; ***~ienie życiowe*** experience of life; **~y** *pl.* → ***wyrób***

wyrocznia *f* (*-i*; *G -e*) oracle

wyro|dek *m* (*-dka*; *-dki*) monster; **~dnieć** ⟨**z-**⟩ (*-eję*) degenerate; **~dny** prodigal, profligate; ***~dna matka*** uncaring mother; **~dzić się** *pf.* → ***wyradzać się***

wyrok *m* (*-u*; *-i*) *jur.* judg(e)ment, sentence, verdict; ***~ skazujący*** conviction; **~ować** ⟨**za-**⟩ (*-uję*) decide

wyros|nąć *pf.* → ***wyrastać***; **~t**: ***na ~t*** a size larger; **~tek** *m* (*-tka*; *-tki*) adolescent, teenager; *anat.* ***~tek robaczkowy*** (vermiform) appendix

wyrozumia|le *adv.* forbearingly; understandingly; **~ły** forbearing; understanding

wyrób *m* (*-robu*; *-roby*) production, manufacture; ***wyroby*** *pl. econ.* goods *pl.*, products *pl.*

wyrówn|ać *pf.* → ***wyrównywać***; **~anie** *n* (*-a*; *G -ań*) evening out; (*płaca*) additional payment; (*zadośćuczynienie*) compensation; (*w sporcie*) equalizer; **~any** balanced; *pogoda* equable; **~awczy** compensation; **~ywać** (*-uję*) *wyniki* bring into line; *wynik*, *powierzchnię* level; *dług* settle; *zaległości* make up for; (*w sporcie*) level, equalize; ***~ywać się*** balance out; level out; → ***równać***

wyróżni|ać (*-am*) ⟨**~ć**⟩ favo(u)r; (*A*) give preferential treatment (to); (*wyodrębniać*) distinguish; ***~ać się*** distinguish o.s.; **~enie** *n* (*-a*; *G -eń*) distinction; award; ***z ~eniem*** with merit *lub* distinction

wyru|gować (*-uję*) *pf.* drive out, oust; **~szać** ⟨***~szyć***⟩ set off, start out; ***~szyć w podróż*** set out on a journey

wyrwa *f* (*-y*; *G -*) gap; **~ć** *pf.* → ***wyrywać***; ***~ć się*** blurt out (***z czymś*** s.th.)

wyryw|ać (*-am*) snatch; *ząb*, *korzenie* pull out; *fig.* (***z*** *G*) arouse (from); ***~ać się*** blurt out (***z czymś*** s.th.); → ***wyrwać***; **~kowo** *adv.* randomly; **~kowy** random

wyrządz|ać (*-am*) ⟨**~ić**⟩ *szkody* cause; *krzywdę* do

wyrze|c *pf.* → ***wyrzekać***; **~czenie** *n* (*-a*; *G -eń*) sacrifice; **~czenie się** renunciation; **~kać** (*-am*) complain (***na*** *A* about); ***~kać się*** (*G*) give up, renounce

wyrznąć *pf.* → ***wyrzynać***

wyrzu|cać (*-am*) ⟨**~cić**⟩ throw out *lub* away; (*z pracy*) F give the boot, fire; **~t** *m* (*-u*; *-y*) reproach; ***~y*** *pl.* ***sumienia*** remorses *pl.*; **~tnia** *f* (*-i*; *-e*) *astr.*, *mil.* launch(ing) pad; launcher

wyrzyna|ć (*-am*) ⟨***wyrznąć***⟩ cut out; ***jemu ~ją się ząbki*** he is teething

wys. *skrót pisany*: ***wysokość***

wysadz|ać (*-am*) ⟨**~ić**⟩ blow up; (*z autobusu*) put down; (*z auta*) drop off; ***~ić na ląd*** disembark, put ashore; ***~ić w powietrze*** blow up

wyschnąć *pf.* → ***wysychać***

wysepka *f* (*-pki*; *G -pek*) → ***wyspa***; islet; ***~ na jezdni*** traffic island

wysia|ć *pf.* → ***wysiewać***; **~dać** ⟨***wysiąść***⟩ get off; disembark

wysiedl|ać (*-am*) ⟨**~ić**⟩ (*-lę*) evacuate

wysiedlenie *n* (*-a*; *G -eń*) evacuation; displacement; **~c** *m* (*-a*; *-y*) displaced person

wy|siewać (*-am*) sow; **~silać** (*-am*) ⟨***~silić***⟩ *oczy itp.* strain; ***~silać się*** exert o.s.; **~siłek** *m* (*-łku*; *-łki*) effort;

W

~skakiwać ⟨**~skoczyć**⟩ jump *lub* leap out; **~skok** *m* excess; → **wypad**; **~skokowy** alcoholic; **~skrobywać** (*-uję*) ⟨**~skrobać**⟩ scrape out; **~skubywać** (*-uję*) → **skubać**; **~słać** *pf.* → **wysyłać, wyściełać**

wysłanni|czka *f* (*-i*; *G -czek*), **~k** *m* (*-a*; *-cy*) messenger

wysławiać[1] (*-am*) extol(l)

wysł|awiać[2] (*-am*) ⟨**~owić**⟩ (**się**) express (o.s.) (in words)

wysłuch|iwać (*-uję*) ⟨**~ać**⟩ (*G*, *A*) listen (to)

wysłu|giwać się (*-uję*) (*D*) *pej.* grovel (to); (*I*) use; **~żyć się** *pf.*: **~żył się** it has seen service, it has worn out

wy|sma- *pf.* → **sma-**; **~smukły** slender

wysnu|wać (*-am*) ⟨**~ć**⟩ *wniosek* draw

wyso|ce *adv.* highly; **~ki** high; *człowiek* tall; *electr.* **~kie napięcie** high-voltage current; **~ki na 10 m** 10 *Brt.* metres high (*Am.* meters)

wysoko *adv.* highly; **~gatunkowy** high-quality; **~górski** alpine

wysokoś|ciomierz *m* (*-a*; *-e*) altimeter; **~ciowiec** *m* (*-wca*; *-wce*) high-rise; **~ć** *f* (*-ści*) height; altitude; (*na poziomem morza*) elevation; **na dużej ~ci** at a high altitude; **o ~ci ...** ... high; *kwota itp.*: **w ~ci ...** in the amount (of) ...; **nabierać ~ci** gain height

wysoko|wartościowy high-quality; **~wydajny** highly efficient; *drukarka itp.* heavy-duty

wysp|a *f* (*-y*; *G -*) island (*też fig.*), isle; **≈y Brytyjskie** *pl.* British Isles *pl.*; **≈y Normandzkie** *pl.* Channel Islands *pl.*

wyspać się *pf.* get enough sleep

wyspia|rka *f* (*-i*; *G -rek*), **~rz** *m* (*-a*; *-e*) islander

wysportowany athletic

wy|ssać *pf.* (*-ę*) → **wysysać**; **~stający** protruding, projecting; **~starać się** (**o** *A*) arrange, get

wystarcz|ać (*-am*) ⟨**~yć**⟩ be sufficient; **~yło ...** it was enough ...; **~ająco** *adv.* sufficiently; **~ający** sufficient

wystaw|a *f* (*-y*; *G -*) exhibition, display, show; (*witryna*) shop-window; **~ać** (*-ję*) protrude, jut out, stick out; (*stać*) stand (for a long time); **~ca** *m* (*-y*; *G -ców*) exhibitor

wystawi(a)ć put out; *obraz*, *towar* display; *czek* make out; *produkty itp.* offer (**na** *A* for); *wartę* post; *kandydata* put up; *theat.* stage; *pomnik* erect; *dom* build; (*narażać*) expose; (**na** *A* to); **~ na próbę** test; **~ się** (**na** *A* to) be exposed (to), risk

wystaw|ny sumptuous; **~owy** exhibition, display

wystąpi|ć *pf.* → **występować**; **~enie** *n* (*-a*; *G -eń*) appearance; presentation; speech

występ *m* (*-u*; *-y*) (*muru*) projection; *theat. itp.* appearance; **~ek** *m* (*-pku*; *-pki*) vice; *jur.* felony; **~ny** criminal; punishable; **~ować** (*-uję*) come out; (*istnieć*) occur; (*ukazać się*) appear, make an appearance (**w, na** *L* in, at); act (**jako** as); give (**z mową** a speech; **z koncertem** a concert); come out (**w obronie** *G* in support of); be (**przeciwko** *D* against); put forward (**z wnioskiem** a proposition); make (**z prośbą** a request); (*opuścić*) (**z** *A*) leave; *rzeka*: burst (**z brzegów** the banks)

wy|stosować *pf.* address; **~straszyć** *pf.* → (**prze**)**straszyć**; **~strojony** decked out; **~strzał** *m* shot

wystrze|gać się (*-am*) (*G*) be wary (of); avoid, shun; **~lać** *pf.* shoot dead; *amunicję* use up; **~lić** *pf.* (**z** *G*) fire; *astr.* launch

wystrzępiony frayed

wystu-, wysty- *pf.* → **stu-, sty-**

wysu|wać ⟨**~nąć**⟩ pull out (**się** *v/i.*); *nogę* stick out; *żądanie* make, put forward; (*proponować*) suggest, propose; → **wymykać się**

wyswo|badzać (*-am*) ⟨**~bodzić**⟩ (*-dzę*, *-bódź*) free (**się** o.s.)

wysy|chać (*-am*) dry up; **~łać** (*-am*) send; **~łka** *f* (*-i*; *G -łek*) dispatch; (*czynność*) shipping; **~pać** *pf.* → **wysypywać**; **~pisko** *n* (*-a*; *G -*) (**śmieci** refuse) dump (*Brt.* tip); **~pka** *f* (*-i*; *G -pek*) *med.* rash; **~pywać** (*-uję*) tip out; scatter (**piaskiem** sand); **~pywać się** spill; **~sać** (*-am*) suck out

wyszarp|ywać (*-uję*) ⟨**~ać, ~nąć**⟩ → **wydzierać, wyrywać**

wyszczególni|ać (*-am*) ⟨**~ć**⟩ (*-ę*, *-nij!*) list, cite; specify

wyszcze|rbiony jagged; *talerz* chipped **~rzać** *pf.* → **szczerzyć**

wysz|czo-, ~czu-, ~k-, ~l-, ~o- *pf.* → **szczo-, szczu-, szk-, szl-, szo-**

W

wyszpiegować *pf.* spy out
wyszuka|ć *pf.* find; choose, pick; **~ny** → ***wykwintny, wytworny***
wyszukiwarka *f (-i) komp.* search engine
wyszy|ć *pf.* → ***wyszywać***; **~dzać** *(-am)* ⟨***~dzić***⟩ mock, deride, ridicule
wyszynk *m (-u; 0)* liquor *Brt.* licence, *Am.* license; ***z ~iem*** selling liquor
wyszywać *(-am)* sew; *zwł.* embroider
wyście|lać *(-am)*, **~łać** *kurtkę* pad; *meble* upholster
wyścig *m (-u; -i)* race *(też fig.)*; ***~ zbrojeń*** arms race; ***~i*** *pl. też* racing; ***na ~i*** racing one another; *fig.* vying with one another; **~owiec** *m (-wca; -wcy)* racehorse; **~owy** racing, race; **~ówka** *f (-i; G -wek) (rower)* racing bike; *(łyżwa)* speed skate
wyśledzić *pf.* spy out
wyśliz|giwać się *(-uję)* ⟨***~(g)nąć się***⟩ *(-nę)* slip (***z ręki*** out of the hand; ***z sukienki*** out of the dress)
wyś|miać *pf.* → ***wyśmiewać***; **~mienicie** *adv.* exquisitely; **~mienity** exquisite; **~piewywać** *(-uję)* sing
wyświadcz|ać *(-am)* ⟨***~yć***⟩ do
wyświechtany well-worn, threadbare
wyświetl|ać *(-am)* ⟨***~ić***⟩ *(-lę) film* show; *sprawę* clear up; *(na ekranie)* display; **~acz** *m (-a; -e) komp.* display
wyświę|cać *(-am)*⟨***~cić***⟩ *(-ę) rel.* ordain
wyta|czać *pf.* → ***(wy)toczyć***; **~piać** *(-am) metal* melt; **~rty** threadbare; → ***wyświechtany***
wytchnieni|e *n (-a; 0)* rest; respite; ***bez ~a*** without intermission *lub* rest; ***chwila ~a*** breather
wytę|- *pf.* → ***tę-***; **~pienie** *n (-a; 0)* extermination; eradication; **~żać** *(-am)* ⟨***~żyć***⟩ *(-ę)* strain; ***~żać się*** exert o.s.; **~żony** intense, concentrated
wy|tknąć *pf.* → ***wytykać***; **~tłaczać** *(-am)* ⟨***~tłoczyć***⟩ press *lub* squeeze out; → ***tłoczyć***
wytłumaczenie *n (-a; G -eń)* explanation
wy|tnę, ~tnie(sz) → ***wycinać***; **~toczyć** *pf. proces* institute; → ***toczyć***; **~topić** *pf.* → ***wytapiać***; **~tra-** *pf.* → ***tra-***; **~trawny** *podróżnik* seasoned; *wino* dry; **~trącać** *(-am)* ⟨***~trącić***⟩ knock out (***z ręki*** of the hand); wake (***ze snu*** *s.o.* from the sleep); ***~trącić z równowagi*** upset *(też fig.)*; *chem.* precipitate; **~tropić** *pf.* track down
wytrwa|ć *pf.* stand, withstand; persevere (***w swoim zamiarze*** in one's intention); **~łość** *f (-ści; 0) (duchowa)* perseverance; *(fizyczna)* stamina; **~le** *adv.* persistently; **~ły** persistent
wytrych *m (-u; -y)* passkey
wytrys|k *m (-u; -i)* jet; *(nasienia)* ejaculation; **~kiwać** *(-uję)* ⟨***~kać, ~nąć***⟩ *(nasieniem)* ejaculate; → ***tryskać***
wytrzą|sać *(-am)* ⟨***~snąć, ~ść***⟩ shake out; ***~ść się*** be shaken
wytrze|ć *pf.* → ***wycierać***; **~pywać** *(-uję)* → ***trzepać***
wytrzeszczać *(-am)* ⟨***wytrzeszczyć***⟩: ***~ oczy*** goggle (***na*** *A* at)
wytrzeźwieć *pf.* sober up
wytrzyma|ć *pf.* → ***wytrzymywać*** **~łość** *f (-ści; 0)* strength, resistance *(też tech.)*; *(kogoś)* endurance, stamina; *tech.* durability; **~ły** strong; durable; (***na*** *A*) resistant (to); **~nie** *n*: ***nie do ~nia*** unbearable, unendurable
wytrzymywać *(-uję)* stand, bear, endure; *atak* withstand; *próbę* pass; *krytykę* stand up to
wytwarzać *(-am)* produce, manufacture; *fig.* create; ***~ się*** be formed; be produced
wytwo|rny refined, classy; **~rzyć** *pf.* → ***wytwarzać***
wytwór *m (-woru; -wory)* product; **~ca** *m (-y; G -ców)* producer; **~czość** *f (-ści; 0)* production; **~czy** productive; **~nia** *f (-i; -e)* factory; ***~nia filmowa*** film company; *(miejsce)* film studios *pl.*
wytycz|ać *(-am) trasę* mark out; *fig.* lay down; **~na** *f (-ej; -e)* directive, guideline; **~yć** *pf.* → ***wytyczać***
wyty|kać reproach (***komuś coś*** s.o. for s.th.); F *głowę* stick out; **~po-** *pf.* → ***typo-***
wyucz|ać *(-am)* ⟨***~yć***⟩ (***k-o*** *G*) teach (s.th. to s.o.), educate (s.o. in s.th.)
wyuzdany unrestrained, unbridled
wywa|biacz *m (-a; -e)* (***plam*** stain) remover; **~biać** *(-am)* ⟨***~bić***⟩ *plamę* remove; **~lać** *(-am)* throw out; *(z pracy)* fire; *drzwi* force; **~lczyć** *pf.* win; **~lić** *pf.* → ***wywalać***; ***~lić się*** F fall (down)
wywar *m (-u; -y)*: ***~ z mięsa*** meat stock
wyważ|ać *(-am)* ⟨***~yć***⟩ *(-ę) drzwi* force; *wieko* pry open; *tech.* balance; **~ony** balanced

W

wywąch|iwać (*-uję*) ⟨**~ać, wywęszyć**⟩ scent; *fig.* sense

wywiad *m* (*-u*; *-y*) interview; *med.* case history, anamnesis; *mil.*, *pol.* intelligence; **~owca** *m* (*-y*; *G -ców*) secret agent; (*w policji itp.*) detective; **~ówka** *f* (*-i*; *G -wek*) parents' meeting; **~ywać się** (*-uję*) enquire (**o** *A* about)

wywiąz|ywać się (*-uję*) ⟨**~ać się**⟩ (**z** *G*) result (from), ensue (from); discharge, perform (***z zadań*** one's duties)

wy|wichnąć *pf.* (*-nę*) → ***zwichnąć***; **~wiedzieć się** *pf.* → ***wywiadywać się***; **~wierać** (*-am*) *nacisk*, *wpływ* exert; *wrażenie* make; *skutek* produce

wywie|rcać (*-am*) ⟨**~rcić**⟩ bore (out), drill (out); **~szać** ⟨**~sić**⟩ (*-szę*) hang out; **~szka** *f* (*-i*; *G -szek*) sign; notice; **~ść** *pf.* → ***wywodzić***; **~trzeć** *pf.* → ***wietrzeć***; **~trznik** *m* (*-a*; *-i*) ventilator; **~źć** *pf.* → ***wywozić***

wywi|jać (*-am*) ⟨**~nąć**⟩ (*-nę*) *rękaw* roll up; (*I*) brandish (with), flourish (with); ***~nąć się*** (**z**, *fig.* **od** *G*) evade, wriggle (out of); **~kłać (się)** (*-am*) *pf.* → ***wyplątywać* (*się*)**

wy|wlekać (*-am*) ⟨***~wlec***⟩ pull out; drag out; *fig.* draw up; **~właszczać** (*-am*) ⟨***~właszczyć***⟩ (*-szczę*) expropriate; **~wnętrzać się** (*-am*) (***przed*** *I*) pour out one's heart (to); **~wnio-** *pf.* → ***wnio-***

wywo|dy *pf.* → ***wywód***; **~dzić** (*-dzę*) lead out (**z** *G* of); *fig.* derive (**z** *G* from); set forth; ***~dzić się*** (**z** *G*) be descended (from), come (from); **~łać** *pf.* → ***wywoływać***

wywoły|wacz *m* (*-a*; *-e*) *phot.* developer; **~wać** (*-uję*) call out (**do** *G* to); call (up)on (***do odpowiedzi*** for an answer); *uczucie* evoke; *panikę itp.* cause; *dyskusję* provoke; *phot.* develop; → ***powodować***

wy|wozić take away; F (*za granicę*) take abroad; (*eksportować*) export; **~wód** *m* (*-odu*; *-ody*) argument; exposition; deduction; **~wóz** *m* (*-ozu*; *0*) export; transport; → **~wózka** *f* (*-i*; *G -zek*) deportation; **~wracać** (*-am*) knock over; (*do góry nogami*) overturn; *łódź* capsize (***się*** *v/i.*); *kieszeń* turn inside out; ***~wracać się*** fall down; *coś*: overturn; **~wrotny** unbalanced; *naut.* crank(y), tender; **~wrotowy** subversive; ***działalność ~wrotowa*** subversion; **~wrócić** *pf.* → ***wywracać***; **~wróżyć** *pf.* → ***wróżyć***; **~wrzeć** *pf.* (→ *-wrzeć*) → ***wywierać***; **~zbywać się** ⟨***~zbyć się***⟩ (*G*) dispose (of), get rid (of); *nawyku* give up

wyzdrowie|ć *pf.* (*-eję*) recover; **~nie** *n* (*-a*; *G -en*) recovery

wyziewy *m/pl.* (*-ów*) fumes *pl.*

wyziębi|ać (*-am*) ⟨**~ć**⟩ chill

wyzna|ć *pf.* → ***wyznawać***; **~czać** (*-am*) ⟨***~czyć***⟩ mark; *fig.* (*określać*) name; *cenę* fix; appoint (***kogoś na kierownika*** s.o. manager); **~nie** *n* (*-a*; *G -ań*) confession (*też rel.*); ***~nie miłosne*** declaration of love; ***wolność ~nia*** freedom of worship; **~niowy** confessional; **~wać** (*-ję*) *grzech*, *winę* confess; *winę też* own up to; *rel. impf.* declare one's faith

wyznaw|ca *m* (*-y*; *G -ców*), **~czyni** *f* (*-i*; *-e*) believer (***buddyzmu, chrześcijaństwa*** of Buddhism, Christianity); worshipper; → ***zwolennik* (*-iczka*)**

wyzwa|ć *pf.* → ***wyzywać***; **~lacz** *m* (*-a*; *-e*) *phot.* shutter release; **~lać** (*-am*) free (***się*** o.s.; ***od, z*** *G* from, of), *kraj itp.* liberate; *energię* release; ***~lać się*** *też* release o.s.; **~nie** *n* (*-a*; *G -ań*) challenge

wyzwisko *n* (*-a*; *G -*) insult, abuse

wyzwol|enie *n* (*-a*; *G -eń*) liberation; **~eńczy** liberating; **~ić** *pf.* (*-lę*, *-wól!*) → ***wyzwalać***

wyzysk *m* (*-u*; *0*) exploitation; **~(iw)ać** exploit

wyzywa|ć (*-am*) challenge (***na*** *A*, ***do*** *G* to); F abuse, insult; **~jąco** *adv.* provocatively **~jący** provocative

wyż *m* (*-u*; *-e*) *meteor.* high (pressure); **~ *demograficzny*** population boom

wy|żąć *pf.* (*-żmę/-żnę*) → ***wyżymać***, ***wyżynać***; **~żebrać** *pf.* get by begging; **~żej** *adv.* (*comp. od* → ***wysoki***) higher

wyżeł *m* (*-żła*; *-żły*) *zo.* pointer

wy|żerać (*-am*) *wszystko* eat up; *dziurę itp.* eat away; **~żłabiać** *pf.* → ***żłobić***; **~żłobienie** *n* (*-a*; *G -eń*) groove; **~żowy** *meteor.* high-pressure **~żreć** *pf.* → ***wyżerać***

wyższ|ość *f* (*-ści*; *0*) superiority; ***z ~ością*** in a patronizing manner, condescendingly; **~y** *adj.* (*comp. od* → ***wysoki***) higher; ***siła ~a*** act of God

wyży|ć *pf.* survive; (***na*** *L*) live (on); **~mać** (*-am*) wring; **~na** *f* (*-y*) plateau; ***~ny*** *pl.* uplands *pl.*; *fig.* height; **~nać** *pf.* → ***żąć***; **~nny** highland

W

wyżywi|ać (*-am*) ⟨**~ć**⟩ feed; *rodzinę* keep

wyżywienie (*-a*; *0*) food; ***całodzienne ~*** full board; ***pokój z ~m*** board and lodging

wz. *skrót pisany*: ***w zastępstwie*** pp. (*by delegation to*)

wzajemn|ie *adv.* mutually, reciprocally; each other; (*dziękując*) the same to you; **~ość** *f* (*-ści*; *0*) mutuality; ***miłość bez ~ości*** unrequited love; **~y** mutual, reciprocal

wzbi|erać (*-am*) swell up; *rzeka*: rise; **~jać się** (*-am*) ⟨**~ć *się***⟩ climb; rise

wzbogac|ać (*-am*) ⟨**~ić**⟩ enrich; ***~ać*** ⟨***~ić***⟩ ***się*** get rich; **~enie** *n* (*-a*; *G -eń*) enrichment

wzbr|aniać (*-am*)⟨***~onić***⟩ prohibit, forbid; ***~aniać się*** (***przed*** *I*) shrink (from)

wzbudz|ać (*-am*) ⟨***~ić***⟩ *uczucie* wake, arouse; *tech.* induce; → ***wywoływać***; **~enie** *n* (*-a*; *0*) excitement; *tech.* induction

wzburz|ać (*-am*) ⟨***~yć***⟩ annoy, irritate; ***~ać*** ⟨***~yć***⟩ ***się*** get annoyed; → ***burzyć***; **~enie** *n* (*-a*; *G -eń*) annoyance, irritation; **~ony** annoyed; *morze* choppy

wzdąć *pf.* → ***wzdymać***

wzdęcie *n* (*-a*) *med.* flatulence

wzdłuż 1. *prp.* (*G*) along; **2.** *adv.* lengthways; ***~ i wszerz*** all over

wzdryg|ać się (*-am*) ⟨***~nąć się***⟩ (*-nę*) shudder, start

wzdy|chać (*-am*) sigh; **~mać** (*-am*) distend; *policzki* puff out; *żagiel* billow (***się*** *v/i.*)

wzejść (*-jść*) *pf.* → ***wschodzić***

wzgard|a *f* (*-y*; *0*) disdain, contempt; **~liwie** *adv.* disdainfully; **~liwy** disdainful

wzgardzić *pf.* (*I*) spurn

wzgl. *skrót pisany*: ***względnie*** or

wzgl|ąd *m* (*-lędu*; *-lędy*) respect; consideration; ***mieć na ~ędzie*** take into consideration; ***ze ~ędu*** (***na*** *A*) in view (of); ***pod tym ~ędem*** in this respect; ***~ędy*** *pl.* favo(u)rs *pl.*; grounds *pl.*, reasons *pl.*; → ***względem***

względ|em *prp.* (*G*) in relation (to); ***~em siebie*** to one another; **~nie** *adv.* relatively; or; **~ny** relative

wzgórek *m* (*-rka*; *-rki*) hill, hillock

wziąć *pf.* → ***brać***

wzię|cie *n* (*-a*; *0*) taking; popularity; ***~cie do niewoli*** capture; ***do ~cia*** to be taken; **~ty** popular, in demand

wzlatywać (*-uję*) ⟨***wzlecieć***⟩ fly up, soar (*też fig.*)

wzma|cniacz *m* (*-a*; *-e*) *tech.* amplifier; **~cniać** (*-am*) strengthen; *tech.* amplify; ***~cniać się*** get stronger; **~gać** (*-am*) intensify, strengthen, increase (***się*** *v/i.*)

wzmianka *f* (*-i*; *G -nek*) mention (***o*** *L* of)

wzmo|cnić *pf.* → ***wzmacniać***; **~cnienie** *n* (*-a*; *G -eń*) strengthening, intensification; *tech.* increase; **~żony** increased

wzmóc (się) *pf.* → ***wzmagać*** (***się***)

wznak *m*: ***na ~*** on one's back, supine

wznawiać (*-am*) *pracę* renew; *książkę* republish; *sztukę* revive; *film* rerun

wznie|cać (*-am*) ⟨***~cić***⟩ (*-cę*) *fig.* provoke, start, incite; **~sienie** *n* (*-a*; *G -eń*) hill; **~ść** *pf.* → ***wznosić***

wzniosły lofty; **~śle** *adv.* loftily

wzno|sić raise; *toast* propose; *dom*, *pomnik* build, erect; ***~sić się*** rise; **~wić** *pf.* → ***wznawiać***; **~wienie** *n* (*-a*; *G -eń*) renewal; *theat.* revival; *print.* new impression

wzor|cowy model; **~ować się** (*-uję*) (***na*** *L*) model (on); copy (after); **~owo** *adv.* perfectly; exemplarily; in a model manner; **~owy** exemplary; perfect; model; **~y** *pl.* → ***wzór***

wzorz|ec *m* (*-rca*; *-rce*) model; pattern; **~ysty** colo(u)red, colo(u)rful

wzór *m* (*-oru*; *-ory*) model; pattern; (*na tapecie*) design; *math.*, *chem.* formula

wzrastać (*-am*) grow, increase

wzrok *m* (*-u*; *0*) sight; eye(s *pl.*), look; **~owo** *adv.* visually; **~owy** visual; *anat.* optic

wzros|nąć *pf.* → ***wzrastać***; **~t** *m* (*-u*; *-y*) (*rośliny itp.*) growth; (*człowieka*) height; *fig.* increase; ***wysokiego ~tu*** tall; ***mieć … ~tu*** be … tall

wzróść *pf.* → ***wzrastać***

wzrusz|ać (*-am*) ⟨***~yć***⟩ *fig.* move, stir, touch; **~ająco** *adv.* movingly, touchingly; **~ający** moving, touching; **~enie** *n* (*-a*; *G -eń*) *fig.* emotion; **~ony** moved, touched

wzwód *m* (*-wodu*; *-wody*) *anat.* erection

wzwyż *adv.* up(wards); *sport*: ***skok ~*** high-jump

wzywać (*-am*) (***do*** *G*) call; *jur.* summon; (***kogoś do*** *G*) call (on s.o. to *bezok.*)

Z

z 1. *prp.* (*G*) from; of; at; out of; (*I*) with; of; **~ domu** from home; (*o nazwisku panieńskim*) née; ***każdy ~ nas*** each of us; ***~e srebra*** of silver; ***drżeć ~ zimna*** shake with cold; ***~ ciekawości*** out of curiosity; ***~e śmiechem*** with laughter; ***cieszyć się ~ prezentu*** be pleased with the present; ***razem ~ nami*** with us; ***~ początkiem roku*** at the beginning of the year; ***dobry ~*** good at; ***~ nazwiska*** by name; *często nie tłumaczy się*: ***~e śpiewem*** singing; ***~ nagła*** suddenly; ***zegar ~ kukułką*** cuckoo clock; **2.** *adv.* about, around, approximately; ***~ pięć*** around five

z. *skrót pisany*: ***zobacz*** see

za 1. *prp.* (*A*) *miejsce, następowanie*: behind, after; *cel*: for; with; *czas*: in; by; *funkcja*: as; (*I*) *miejsce*: behind, at; ***~ drzewo/drzewem*** behind the tree; ***walczyć ~ wolność*** fight for freedom; ***~ rok*** in a year; ***trzymać ~ rękę*** hold by the hand; ***~ stołem*** at the table; ***jeden ~ drugim*** one behind *lub* after the other; ***~ rogiem*** round the corner; ***~ gotówkę*** for cash; ***~ pomocą*** with the help; ***~ panowania Stuartów*** under the Stuarts; ***~ moich czasów*** in my day; ***przebrać się ~ …*** dress as …; ***służyć ~ …*** serve as …; ***mieć ~ …*** consider to be …, regard as …; **2.** *adv.* (+ *adv.*, *adj.*) too; ***~ ciężki*** too heavy; ***~ dużo*** too much; → ***co***

za|a- *pf.* → ***a-***; **~aferowany** preoccupied, absorbed; **~awansowany** advanced; **~ba-** *pf.* → ***ba-***; **~barwienie** *n* (*-a*; *G -eń*) coloration; *fig.* slant

zabaw|a *f* (*-y*; *G -*) play; festival; party; ***~a taneczna*** dance; ***przyjemnej/wesołej ~y!*** enjoy yourself (-selves *pl.*); ***dla ~y*** for fun; **~iać** (*-am*) → ***bawić***; **~ka** *f* (*-i*; *G -wek*) toy; *fig.* plaything; **~ny** funny, amusing

zabe- *pf.* → ***be-***

zabezpiecz|ać (*-am*) ⟨***~yć***⟩ (*-ę*) protect, safeguard (***się*** o.s.; ***od*** *G* against); (*łańcuchem itp.*, *jur.*) secure (***od*** *G*, ***przed*** *I* against); **~enie** *n* (*-a*; *G -eń*) protection; *econ.* security, cover; ***~enie na starość*** provision for one's old age; **~ony** protected

zabi|cie *n* (*-a*; *0*) killing; **~ć** *pf.* → ***zabijać***

zabie|c *pf.* → ***zabiegać***; **~g** *m* (*-u*; *-i*) *med.* procedure, operation; ***~gi*** *pl.* endeavo(u)rs *pl.*, attempts *pl.*; **~gać** ⟨**~c**⟩: ***~gać drogę*** block the way; *t-ko impf.* (**o** *A*) strive for, solicit; → ***starać się***; **~gany** F busy

zabierać (*-am*) take, bring; (**z** *I*) take (with); *czas* take; (*na kolację*) take out; (*samochodem*) pick up; ***~ głos*** take the floor; ***~ się*** get away; (**do** *G*) get down (to), be about (to); F (*I*, **z** *I*) come (with)

zabi|jać (*-am*) kill (***się*** o.s.; *też fig. czas*); *bydło* slaughter; (*gwoździami*) nail up; → ***wbijać***; F ***~jać się*** work o.s. to death

zabliźni|ać się (*-am*) ⟨***~ć się***⟩ (*-ę*, *-nij!*) (form a) scar, *med.* cicatrize

zabłą|dzić (*-ę*) *pf.*, **~kać się** *pf.* lose one's way, get lost

zabłocony F soiled; *por.* ***błocić***

zabobon *m* (*-u*; *-y*) superstition; **~ny** superstitious

zabor|ca *m* (*-y*; *G -ców*) occupant, partitioning country; **~czo** *adv.* possessively; **~czy** possessive

zabój|ca *m* (*-y*; *G -ców*), **~czyni** *f* (*-i*; *-e*) killer; **~czo** *adv.* fatally; *fig.* irresistibly; **~czy** lethal, deadly; fatal; *uśmiech itp.* irresistible; **~stwo** *n* (*-a*; *G -*) killing

zabór *m* (*-boru*; *-bory*) (*mienia itp.*) seizure; *hist.* partition, annexation

zabra|ć *pf.* → ***zabierać***; **~knąć** *pf.* → ***brakować***[1]; ***~kło nam pieniędzy*** we are short of money; **~niać** (*-am*) (*G*) prohibit, forbid; ***~nia się …*** it is prohibited to (*bezok.*), … is not allowed

zabroni|ć *pf.* → ***zabraniać, bronić***; ***~ony*** forbidden, prohibited

za|brudzony dirty; **~bryzgać** *pf.* splash

zabudow|a *f* (*-y*; *G -dów*) development; buildings *pl.*; **~ania** *pl.* buildings *pl.*; **~(yw)ać** (*-[w]uję*) build up; develop

zaburz|ać (*-am*) disturb; **~enie** *n* (*-a*; *G -eń*) disturbance

zabyt|ek *m* (*-tku*; *-tki*) (*architektonicz-*

ny) historic monument; (*przedmiot*) period piece; **~kowy** historic; period

zace- *pf.* → ***ce-***

zach. *skrót pisany*: ***zachód*** W (*west*); ***zachodni*** W (*western*)

za|chcianka *f* (*-i*; *G -nek*) whim, caprice; → ***chętka***; **~chęcać** (*-am*) ⟨***~chęcić***⟩ (*-cę*) (**do** *G*) encourage (to); **~chęta** *f* (*-y*; *G -*) incentive, encouragement; **~chlany** F blind drunk; **~chłanność** *f* (*-ści*; *0*) greed(iness); **~chłanny** greedy; **~chłysnąć się** (*-nę*) choke

zachmurz|ać się (*-am*) → ***chmurzyć się***; **~enie** *n* (*-a*; *0*) cloud; **~ony** cloudy, overcast; *fig.* gloomy, dismal

zachodni western, west

zachodnioeuropejski West European

zachodzić arrive; reach ([***aż***] ***do*** as far as); (*wstępować*) drop in (***do*** *G* on); *słońce*: set; *okoliczności*: arise; *pomyłka*: occur; *wypadek*: take place, happen; *zmiany*: take place; *oczy*: fill (***łzami*** with tears); ***~ parą*** mist *lub* steam up; → ***ciąża, głowa***

zacho|rować *pf.* fall ill; be taken ill (***na*** *A* with); **~wać** *pf.* → ***zachowywać***; **~wanie** *n* (*-a*; *G -ań*) behavio(u)r, conduct; *phys.* conservation; keeping; **~wywać** (*-wuję*) keep, retain; *dietę* keep to; *zwyczaj, miarę* preserve; *ostrożność* exercise; *pozory* keep up; ***~wać przy sobie*** keep to o.s.; ***~wywać się*** behave; (*trwać*) survive; act

zachód *m* (*-chodu*; *0*) west; ***na ~*** to the west; ***na ~ od*** west of; ***~ słońca*** sunset; F (*pl. -ody*) → ***fatyga, trud***

za|chrypły, ~chrypnięty husky, hoarse; **~chwalać** (*-am*) praise; **~chwaszczony** weedy; **~chwiać** (*I*) sway, upset; *fig.* shake

zachwy|cać (*-am*) ⟨***~cić***⟩ delight; ***~cać się*** (*I*) go into raptures (over); **~cająco** *adv.* delightfully; **~cający** delightful; **~cenie** *n* (*-a*; *G -eń*) → ***zachwyt***; ***w ~ceniu*** in rapture, enraptured; **~t** *m* (*-u*; *-y*) delight, fascination

zaciąć *pf.* → ***zacinać***

zaciąg *m* (*-u*; *-i*) recruitment; **~ać** (*-am*) ⟨***~nąć***⟩ drag, haul (***do*** *G* to); *zasłonę* draw; *pas* pull tight; *pożyczkę* raise, take out; (*mówiąc*) drawl; ***~ać*** ⟨***~nąć***⟩ ***się papierosem*** take a drag; (*do wojska itp.*) get enlisted (***do*** *G* to); *niebo*: overcast

zacie|c *pf.* → ***zaciekać***; **~k** *m* (*-u*; *-i*) water stain; **~kać** (*-am*) leak through; (*o deszczu*) come in

zaciekawi|ać *pf.* → ***ciekawić***; **~enie** *n* (*-a*; *0*) curiosity

zaciek|le *adv.* ferociously; fiercely; **~ły** ferocious; fierce

zacie|knąć *pf.* → ***zaciekać***; **~mniać** (*-am*) ⟨***~mnić***⟩ (*-ę*, *-nij!*) arken, black out

zacier *m* (*-u*; *-y*) mash; **~ać** (*-am*) smudge; *ślady, też fig.* cover up; *ręce* rub; ***~ać się*** *pamięć*: fade away; *tech.* seize up; **~ki** *pl.* (*-rek*) *type of noodles*

zacieśni|ać (*-am*) ⟨***~ć***⟩ (*-ę*, *-nij!*) *fig.* tighten (***się*** *v/i.*)

zacietrzewi|ać się (*-am*) ⟨***~ć się***⟩ (*-ę*) get worked up

zacięcie[1] *n* (*-a*; *G -ęć*) cut; *fig.* verve; (*w drewnie*) notch

zacię|cie[2] *adv.* determinedly; doggedly; **~ty** determined; dogged

zacinać (*-am*) *v/t.* cut; *drewno* notch; *zęby* clench together; *v/i. deszcz*: lash; ***~ się*** cut o.s.; *tech.* jam; → ***jąkać się***

zacis|k *m* (*-u*; *-i*) clamp; clip; *electr.* terminal; **~kać** ⟨***~nąć***⟩ press; clench; *pętlę* pull tight; ***~kać się*** get tight; ***~nąć pasa*** tighten one's belt

zacisz|e *n* (*-a*; *G -szy*) privacy; retreat; **~ny** secluded

zacny good

zacofan|ie *n* (*-a*; *0*) backwardness; **~y** backward, old-fashioned

zaczadzieć *pf.* (*-eję*) get poisoned with carbon monoxide

zacza|jać się (*-am*) ⟨***~ić się***⟩ lie in wait; **~rowany** bewitched; magic

zacząć *pf.* (*-nę*) → ***zaczynać***

zacze|kać *pf.* → ***czekać***; **~pi(a)ć** catch, hook; F *fig.* accost; ***~pić się*** (***o*** *L*) catch (on); get stuck; **~pka** *f* (*-i*; *G -pek*) provocation; ***szukać ~pki*** look for trouble; **~pny** aggressive; *mil.* offensive

zaczerwieniony reddened; *por.* ***czerwienić się***

zaczyn *m* (*-u*; *-y*) *gastr.* leaven; **~ać** (*-am*) *v/t.* start, begin (***się*** *v/i.*); *paczkę, butelkę* open; F ***~a się*** it's starting

zaćmi|enie *n* (*-a*; *G -eń*) *astr.* eclipse; **~ewać** (*-am*) ⟨***~ć***⟩ darken (***się*** *v/i.*); *astr.* obscure; *fig.* (*I*) overshadow, outshine

zad *m* (*-u*; *-y*) *zo.* rump (*też kogoś*)

zada|ć *pf.* → ***zadawać***; **~nie** *n* (*-a*; *G*

Z

-ań) problem; (*w szkole*) exercise; **~rty** snub, upturned; **~tek** *m* (*-tku*; *-tki*) down payment, deposit; ***mieć ~tki na*** have the makings of; **~tkować** (*-uję*) deposit; **~wać** *pytanie* ask; *zadanie domowe Brt.* set, *Am.* assign; *zagadkę* give; *cios* deliver; *ból* inflict; ***~wać klęskę*** defeat; → ***trud***; ***~wać się*** (***z*** *I*) go round (with)

za|dawniony *choroba* inveterate; **~dbany** tidy; neat; **~de-** *pf.* → ***de-***

zadek *m* (*-dka*; *-dki*) bottom; → ***zad***

zadłuż|enie *n* (*-a*; *G -eń*) debt; **~ony** in debt

zado|kumentować *pf. fig.* show; **~mowić się** *pf.* (*-ę*, *-ów!*) make o.s. at home; get settled

zadośćuczyni|ć *pf.* (*D*) satisfy; **~enie** *n* (*-a*; *G -eń*) satisfaction

zadowala|ć (*-am*) satisfy; ***~ć się*** (*I*) be satisfied (with); **~jąco** *adv.* satisfactorily; **~jący** satisfactory

zadowol|enie *n* (*-a*; *0*) satisfaction; **~ić** *pf.* (*-lę*, *-wól!*) → ***zadowalać***; **~ony** satisfied, pleased (***z*** *G* with); ***~ony z siebie*** complacent

zadra|pać ⟨***~pnąć***⟩ scratch; → ***drasnąć***; **~żnienia** *n/pl.* (*-ń*) frictions *pl.*; **~żniony** *stosunki* strained, tense

zadrzeć *pf.* → ***zadzierać***

zadrzewi|ać (*-am*) ⟨**~ć**⟩ (*-ę*) afforest; **~ony** wooded

zaduch *m* (*-u*; *0*) stale air, *Brt. zwł.* fug

zadufany overconfident

zaduma *f* (*-y*; *0*) deep thought; **~ny** thoughtful

zadurzony infatuated

zadusić *pf.* → ***(u)dusić***

Zaduszki *pf.* (*-szek*) *rel.* All Souls' Day

zadym|a *f* F row, racket; **~iać** (*-am*) ⟨***~ić***⟩ fill with smoke; **~ka** *f* (*-i*; *G -mek*) driving snow, snowstorm

zadysz|any breathless, short-winded; **~ka** *f* (*-i*; *G -szek*) breathlessness, shortness of breath

zadzierać (*-am*) *v/t. głowę* throw back; *spódnicę* pull up; *naskórek* tear; *ogon* raise; ***~ nosa*** look down one's nose (at), put on airs; *v/i.* (***z*** *I*) get in trouble (with); ***~ się*** pull up

zadzierzysty defiant

zadziwi|ać (*-am*) ⟨**~ć**⟩ astonish, amaze; **~ająco** *adv.* amazingly; **~ający** amazing

za|dzwo- *pf.* → ***dzwo-***; **~dźgać** (*-am*) stab (to death); **~fascynowany** fascinated; **~frapować** *pf.* (*-uję*) strike; **~frasowany** worried

zagad|ka *f* (*-i*; *G -dek*) riddle, puzzle (*też fig.*); **~kowo** *adv.* enigmatically; **~kowy** enigmatic, puzzling; **~nąć** *pf.* (*-nę*) speak (***kogoś o*** *A* to s.o. about); **~nienie** *n* (*-a*; *G -eń*) problem, question

zaga|jać (*-am*) ⟨***~ić***⟩ (*-ję*) open; **~jenie** *n* (*-a*; *G -eń*) opening

zagajnik *m* (*-a*; *-i*) copse, wood

zagalopować się *pf.* go too far

zaganiać (*-am*) drive (***do*** *G* to)

zagarn|iać (*-am*) ⟨***~ąć***⟩ *fig.* seize, grab

zagazować *pf.* (*-uję*) gas

zagę|szczać (*-am*) ⟨***~ścić***⟩ (*-szczę*) thicken; ***~ścić się*** become thicker

zagi|ęcie *n* (*-a*; *G -ęć*) bend; **~nać** (*-am*) ⟨***~ąć***⟩ bend (***się*** *v/i.*); fold; **~nąć** *pf.* → ***ginąć***; **~niony** missing

zaglądać (*-am*) (***do*** *G*) look (into); (*z wizytą*) drop in (on); consult (***do książki*** a book)

zagłada *f* (*-y*; *0*) extermination

zagłębi|ać (*-am*) ⟨**~ć**⟩ (*-ę*) immerse (***się*** o.s.); *rękę* sink; ***~ć się*** *fig.* (***w*** *L*) become absorbed (in); **~e** *n* (*-a*; *G -i*) *górnictwo*: coalfields *pl.*; **~enie** *n* (*-a*; *G -eń*) hollow

za|głodzić *pf.* (*-ę*) starve; **~główek** *m* (*-wka*; *-wki*) headrest; **~głuszać** (*-am*) → ***głuszyć***; **~gmatwany** tangled, complicated; **~gnać** *pf.* → ***zaganiać***; **~gniewany** angry; **~gnieżdżać się** (*-am*) ⟨***~gnieździć się***⟩ nest; *med.* be implanted

zagon *m* (*-u*; *-y*) field; *hist.* incursion; **~ić** *pf.* → ***zaganiać***; **~iony** exhausted

zagorzały fanatic, fervent

zagospodarow(yw)ać (*-[w]uję*) *teren* develop; ***~się*** furnish, make o.s. at home

zagotować *pf.* boil

zagra|ć *pf.* → ***grać***; **~bić** *pf.* plunder; **~dzać** (*-am*) (*płotem*) fence off; *ulicę* bar; block (***k-u drogę*** s.o.'s path)

zagrani|ca *f* (*-y*; *0*) foreign countries *pl.*; **~czny** foreign

zagraż|ać (*-am*) threaten; jeopardize, endanger ***~ać zdrowiu*** be a threat to one's health; ***~a głód*** hunger is threatening

zagroda *f* (*-y*; *G -ód*) farmstead

zagro|dzić *pf.* → ***zagradzać***; **~zić** *pf.* → ***grozić***, ***zagrażać***; **~żenie** *n* (*-a*; *G*

Z

-*eń*) threat (*G* to); ***stan ~żenia*** state of emergency; **~żony** threatened
zagry|piony F down with flu; **~wka** *f* (*w sporcie*) serve; **~zać** (*-am*) ⟨**~źć**⟩ (*I*) have a snack; *pf.* bite to death; ***~źć usta do krwi*** bite one's lips till they bleed; **~zka** *f* (*-i*; *G -zek*) snack
za|grzać *pf.* → ***zagrzewać***
Zagrzeb *m* (*-bia*; *0*) Zagreb
za|grzebywać (*-uję*) ⟨***~grzebać***⟩ bury (***się*** o.s.; *też fig.*), **~grzewać** (*-am*) *gastr.* heat, warm up; *fig.* (**do** *G*) spur on (to); ***~grzać się*** warm up, heat up
zagubion|y lost; ***rzeczy*** *pl.* ***~e*** lost property
zahacz|ać (*-am*) ⟨***~yć***⟩ (*-ę*) hook up (***się*** *v/i.*); get *s.th.* caught (***o*** *A* on); F ask (***kogoś o*** *A* to s.o. about)
zahamowa|nie *n* (*-a*; *G -ań*) braking; *psych.* inhibition; **~ć** *pf.* → ***hamować***
zahar|owany overworked; **~towany** hardened; seasoned; → ***hartować***
za|hipnotyzowany under hypnosis; **~hukany** meek, intimidated
zaimek *m* (*-mka*; *-mki*) *gr.* pronoun
za|improwizowany improvised; impromptu; **~ini-, ~ink-, ~ins-** *pf.* → ***in-***
zainteresowan|ie *n* (*-a*; *G -ań*) interest; **~y** (***w*** *L* in) interested
zaiste *przest.* indeed
zaistnieć *pf.* come into being; appear
zajad|ać (*-am*) F eat heartily, *zwł. Brt.* tuck in; **~le** *adv.* fiercely; **~ły** fierce; *zwolennik* staunch, stout
zajazd *m* (*-u*; *-y*) inn
zając *m* (*-a*; *-e*) *zo.* hare
zają|ć *pf.* (*-jmę*) → ***zajmować***; **~knąć się** *pf.* (*-nę*) stammer; ***nie ~knąć się*** (***o*** *L*) not say a word (about)
zaje|chać *pf.* → ***zajeżdżać***; **~zdnia** *f* (*-i*; *-e*) terminus, *Brt.* depot; **~żdżać** (*-am*) (***do*** *G*) arrive (to); stop (at); (***przed*** *A*) drive up (outside, in front of); ***~żdżać drogę*** *mot.* cut in
zajęcie *n* (*-a*; *G -ęć*) taking; (*siłą itp.*) capture; *jur.* seizure; (*praca*) occupation, job; (*w szkole zw. pl.*) classes *pl.*; lectures *pl.*; ***z ~m*** interested
zajęczy hare('s), *biol.* leporine; → ***warga***
zajęty busy (*też Am. tel.*), *tel. Brt.* engaged; *stół* occupied
zajmować (*-uję*) *postawę* take; *miasto* capture; *przestrzeń*, *miejsce*, *kraj* occupy; *jur.* seize; (*zużyć czas*) take up; *pokój* live in; *stanowisko* take, adopt; occupy (***się*** o.s.; *I* with); (*budzić ciekawość*) interest
zajmując|o *adv.* interestingly; fascinatingly; **~y** interesting; fascinating
zajrzeć *pf.* (*-ę*, *-y*) → ***zaglądać***
zajś|cie *n* (*-a*; *G -jść*) incident, occurrence; → ***zatarg***; **~ć** *pf.* (*-dę*) → ***zachodzić***
zakamarek *m* (*-rka*; *-rki*) *fig.* corner, spot
za|kamuflowany disguised; **~kańczać** *pf.* → ***kończyć***; **~kasywać** (*-uję*) ⟨***~kasać***⟩ (*-szę*) roll up; **~katarzony** suffering from a cold; **~katrupić** *pf.* (*-ę*) do in
zaka|z *m* (*-u*; *-y*) ban, prohibition; **~zać** *pf.* → ***zakazywać***; **~zany** prohibited, forbidden; **~zić** *pf.* (*-żę*) → ***zakażać***; **~zywać** (*-uję*) forbid, prohibit; **~kaźny** infectious; contagious; **~żać** (*-am*) *med.* infect; **~żenie** *n* (*-a*; *G -eń*) infection
zakąs|ić *pf.* (*-szę*) → ***przekąsić***; **~ka** *f* (*-i*; *G -sek*) hors d'oeuvre, appetizer; ***na ~kę*** for a starter
zakątek *m* (*-tku*; *-tki*) → ***zakamarek***
za|ki-, ~kla- *pf.* → ***ki-, kla-***; **~kląć** *pf.* → ***kląć***; ***zaklinać***; **~kle-** *pf.* → ***kle-***; **~klęcie** *n* (*-a*; *G -ęć*) spell; *fig.* magic formula
zaklinać (*-am*) bewitch; *fig.* beg, beseech; ***~ się*** swear (***na*** *A* by)
zakład *m* (*-u*; *-y*) firm, business; (*fabryka*) works *sg.*; (*instytucja*) institution; (*założenie się*) bet; ***~ pracy*** place of work; ***iść o ~*** bet; **~ać** (*-am*) *rodzinę* start; *firmę* set up, establish; *miasto* found; *okulary* put on; (*w ubraniu*) tuck; *opatrunek* apply, put on; *gaz*, *prąd* lay; ***~ać nogę na nogę*** cross legs; ***~ać, że …*** assume that …; *v/i.* ***~ać się*** (***o*** *A*) bet (on); **~ka** *f* (*-i*; *G -dek*) (*w książce*) bookmark; (*ubrania*) tuck
zakład|niczka *f* (*-i*; *G -czek*), **~nik** *m* (*-a*; *-cy*) hostage; ***wzięcie ~ników*** taking of hostages; **~owy** company; staff
zakłaman|ie *n* (*-a*; *0*) hypocrisy; **~y** hypocritical
zakłopotan|ie *n* (*-a*; *0*) embarrassment; **~y** embarrassed, perplexed
zakłóc|ać (*-am*) ⟨**~ić**⟩ disturb; **~enie** *n* (*-a*; *G -eń*) disturbance; *RTV*: static
zakoch|iwać się (*-uję*) ⟨***~ać się***⟩ fall in love (***w*** *L* with); **~any 1.** in love (***w*** *L* with), infatuated; **2.** *m* (*-ego*; *-ni*), **~ana** *f* (*-ej*; *-e*) lover
zako|do- *pf.* → ***kodo-***, **~mu-** *pf.* → ***komu-***

Z

zakon *m* (*-u*; *-y*) *rel.* order; **~nica** *f* (*-y*; *G* -) nun; **~nik** *m* (*-a*; *-cy*) monk; brother; **~ny** monastic

za|kons- *pf.* → ***kons-***; **~kończenie** *n* (*-a*; *G -eń*) ending, conclusion; (*palce itp.*) tip; **~kończyć** *pf.* → ***kończyć***; **~kopać** *pf.* → ***zakopywać***; **~kopcony** covered in soot; **~kopywać** (*-uję*) bury; **~korkowany** corked; F blocked; **~korzenić się** (*-ę*) take root; **~kotwiczać** (*-am*) ⟨***~kotwiczyć***⟩ (*-ę*) *v/t. naut.* anchor; *v/i.* drop anchor

zakra|dać się (*-am*) ⟨***~ść się***⟩ steal in, sneak in; **~plać** (*-am*) put drops in one's eye(s *pl.*); **~towany** barred; **~wać** (*-am*) (***na*** *A*) look (like)

zakres *m* (*-u*; *-y*) range, scope; ***we własnym ~ie*** on one's own

zakreśl|ać (*-am*) ⟨***~ić***⟩ (*-ę*) (*w tekście*) highlight, mark; *koło* describe

zakręc|ać (*-am*) ⟨***~ić***⟩ *włosy* curl; *kran* turn off; *zawór* screw shut; *t-ko pf.* turn (*I*; ***się*** *v/i.*); *v/i.* turn round; ***~ić się*** (***koło*** *G*) busy o.s. (about)

zakręt *m* (*-u*; *-y*) bend, curve; **~as** *m* (*-a*; *-y*) flourish; **~ka** *f* (*-i*; *G -tek*) cap, lid

za|kroplić *pf.* → ***zakraplać***; **~krwawić** bleed; **~kryć** *pf.* → ***zakrywać***

za'krystia *f* (*GDL -ii*; *-e*) *rel.* vestry, sacristy

za|krywać (*-am*) hide, conceal; *widok* block; **~krzątnąć się** *pf.* (*-nę*) → ***krzątać się***

zakrzep *m* (*-u*; *-y*) *med.* thrombus; **~ica** *f* (*-y*; *0*) *med.* thrombosis; **~ły** clotted; set

za|krzt- *pf.* → ***krzt-*** ; **~krzywiony** bent, crooked; **~księ-** *pf.* → ***księ-***

zaktualizowany updated, modernized

zakuć *pf.* → ***zakuwać***

zakulisowy *fig.* behind the scenes

zakup *m* (*-u*; *-y*) purchase, buy; ***na ~y*** shopping; ***iść po ~y*** go shopping

zakurzony dusty, covered in dust

zaku|ty F *fig.*: ***~ty łeb*** blockhead; **~wać** (*-am*): ***~wać w kajdany*** put in chains

za|kwaterow(yw)ać (*-*[*w*]*uję*) *mil.* quarter, billet; **~kwitnąć** (*-nę*) blossom, bloom; **~lać** *pf.* → ***zalewać***; **~lany** flooded; V *fig.* pissed; **~lążek** *m* (*-żka*; *-żki*) *bot.* bud; *fig.* bud, germ

zale|c *pf.* → ***zalegać***; **~cać** (*-am*) ⟨***~cić***⟩ (*-cę*) recommend; ***~cać się*** (***do*** G) woo, court; **~cenie** *n* (*-a*; *G -eń*) recommendation; *med.* order

zaledwie *part.*, *cj.* hardly, scarcely

zaleg|ać (*-am*) *v/i. geol.* occur, be found; *milczenie*: descend; *ciemność*: set in; (***z*** *I*) be behind (with), (*z opłatą*) be in arrears (with); **~łość** *f* (*-ści*; *0*) *zw. pl.* (*płatnicze*) arrears *pl.*; (*w pracy*) backlog; **~ły** outstanding, due

zale|piać (*-am*) ⟨***~pić***⟩ (*-ę*) stick down; *dziurę* seal up; **~siać** (*-am*) ⟨***~sić***⟩ (*-ę*) afforest

zaleta *f* (*-y*; *G* -) advantage, value

zalew *m* (*-u*; *-y*) flooding; *geogr.* bay; **~ać** (*-am*) *v/t.* flood; *fig.* swamp; (*uszczelniać*) seal; *v/i.* F tell stories; ***~ać robaka*** drown one's sorrows (in drink)

zależ|eć (***od*** *G*) depend (on); be dependent (on); ***~y mi na tym*** it matters much to me; ***to ~y*** it depends; **~nie** *adv.*: ***~nie od*** (*G*) depending on; **~ność** *f* (*-ści*) relationship; **~ny** dependent; *gr.* indirect

zalicz|ać (*-am*) (***do*** *G*) include (to); ***~ać się*** be included (with); (*w szkole*) pass; **~enie** *n* (*-a*; *G -eń*) (*w szkole*) pass, (*podpis*) credit; ***za ~eniem*** (***pocztowym***) cash on delivery; **~ka** *f* (*-i*; *G -ek*) advance payment; **~kowo** *adv.* as an advance payment

zalot|ny flirtatious; coy; **~y** *pl.* courtship; → ***umizgi***

zaludni|ać (*-am*) ⟨***~ć***⟩ (*-ę*, *-nij!*) populate; ***~(a)ć się*** fill in

zał. *skrót pisany*: ***załącznik*** enc. (*enclosure*)

zała|dowczy loading; **~dow(yw)ać** (*-uję*) load; **~dunek** *m* (*-nku*; *-nki*) loading; **~dunkowy** loading; **~godzić** *pf.* soothe; *karę* mitigate; *spór* settle

załama|ć *pf.* → ***załamywać***; **~ny** desolate; crestfallen; **~nie** *n* (*-a*; *G -ań*) *phys.* refraction; *fig.* breakdown, collapse

załamywać (*-uję*) bend; *papier* fold; *ręce* wring; *phys.* refract; ***~ się*** break; *sufit*, *też fig.*: collapse; *phys.* be refracted; *głos*: fail

załatwi|ać (*-am*) ⟨***~ć***⟩ (*-ę*) deal with, settle; *klienta* serve; *komuś* fix up; F ***~ć się*** (***z*** *I*) finish (with); (*w toalecie*) relieve o.s.; **~enie** *n* (*-a*; *G -eń*) completion, settling

załącz|ać (*-am*) enclose; *ukłony* send; **~enie** *n*: ***w ~eniu*** enclosed; **~nik** *m* (*-a*; *-i*) enclosure

załoga *f* (*-i*; *G -łóg*) crew; (*fabryki*) staff, workforce

Z

załom *m* (*-u*; *-y*) fold, crease
założeni|e *n* (*-a*; *G -eń*) establishment, foundation; (*teza*) assumption; **~a** *pl.* basic conceptions; ***wychodzić z ~a*** start from the assumption
założyciel *m* (*-a*; *-e*), **~ka** *f* (*-i*; *G -lek*) founder; **~ski** founding
założyć *pf.* → ***zakładać***
załzawiony runny, watery
zamach *m* (*-u*; *-y*) (***na życie*** assassination) attempt; (*ruch*) stroke, swing; ***~ stanu*** coup d'état; (***wojskowy*** military) putsch; ***za jednym ~em*** at one stroke; **~nąć się** (*-nę*) take a swing (***na*** *A* at); **~owiec** *m* (*-wca*; *-wcy*) assassin; **~owy**: ***koło ~owe*** flywheel
zama|czać *pf.* → ***moczyć***; **~low(yw)ać** (*-[w]uję*) paint over
za|martwiać się (*-am*) → ***martwić się***; **~marzać** (*-am*) → ***morzyć***; **~marzać** [-r·z-] (*-am*) *jezioro itp.*: freeze solid; → ***marznąć***; **~maskowany** masked, disguised
zamaszy|sty sweeping; *pismo* bold; **~ście** *adv.* sweepingly
zama|wiać (*-am*) order; *symfonię itp.* commission; *tel.*, *miejsce* book; **~zywać** (*-uję*) ⟨***~zać***⟩ smear, daub
zamącić *pf.* *wodę* make cloudy, cloud; *fig.* → ***zakłócić***
zamążpójście *n* (*-ą*) marriage
zamczysko *n* (*-a*; *G -*) → ***zamek***
zamek *m* (*-mku*; *-mki*) lock; (*obronny*) castle; ***~ błyskawiczny*** zip (fastener); ***~ centralny*** central locking
zameldowa|ć *pf.* → ***meldować***; **~nie** *n* (*-a*; *G -ań*) registration
zamę|czać (*-am*) → ***męczyć***; **~t** *m* (*-u*; *0*) muddle, confusion
zamężna married
zamgl|enie *n* (*-a*; *G -eń*) fog, mist; **~ony** foggy, misty
zamian: ***w ~*** (***za*** *A*) in exchange (for); **~a** *f* (*-y*; *G -*) exchange (***mieszkania*** of flats, *Am.* apartments), swap; (*jednostek*) conversion
zamiar *m* (*-u*; *-y*) intention; ***nosić się z ~em, mieć ~*** intend, plan
zamiast 1. *prp.* (*G*) instead (of); **2.** *adv.* instead of
zamiata|ć (*-am*) sweep; **~rka** *f* (*-i*; *G -rek*) *Brt.* road-sweeper, *Am.* street-sweeper
zamieć *f* (*-ci*; *-cie*) blizzard

zamiejscow|y non-local; visiting; ***rozmowa ~a*** long-distance call
zamien|iać (*-am*) ⟨***~ić***⟩ *v/t.* exchange (***na*** *A* for); *miejsca* change, swap; (*przeobrażać*) convert; ***~i(a)ć się*** turn, change (***w*** *A* into); (***na*** *A*) change, swap; **~ny** interchangeable; ***część ~na*** spare part
zamierać (*-am*) die; *fig. głos itp.*: die away; *śmiech*, *ktoś*: freeze; be paralyzed (***ze strachu*** with fear)
zamierzać (*-am*) intend, plan; ***~ się*** raise one's hand (***na*** *A* against)
zamie|rzchły ancient; *czasy* remote; **~rzenie** *n* (*-a*; *G -eń*) intention; **~rzony** intended; **~szać** *pf.* → ***mieszać***; **~szanie** *n* (*-a*; *0*) confusion; → ***zamęt***; **~szany** *fig.* involved (***w*** *A* in); **~szczać** (*-am*) → ***umieszczać***
zamieszka|ć *pf.* inhabit; occupy; settle; **~ły** occupied, inhabited; (***w*** *L*) resident (in); **~nie** *n* (*-a*; *G -ań*) living; ***miejsce ~nia*** residence, *jur.* abode
zamieszki *pl.* (*-szek*) riot, disturbance
zamieszkiwać (*-uję*) live, inhabit
za|mieścić *pf.* → ***umieścić***; **~mieść** → ***zamiatać***; **~milczeć** *pf.* pass over in silence; **~milknąć** *pf.* → ***milknąć***
zamiłowan|ie *n* (*-a*; *G -ań*) (***do*** *G*) passion (for), enthusiasm (for); ***z ~iem*** with passion; **~y** keen
zaminowany mined; → ***minować***
zamkn|ąć *pf.* → ***zamykać***; **~ięcie** *n* (*-a*; *G -ęć*) closure; closing; locking; (*zamek*) lock; (*księg*) balancing; ***w ~ięciu*** under lock and key; **~ięty** closed; *fig.* withdrawn
zamkowy castle
za|mocow(yw)ać → ***przymocowywać, mocować***; **~moczyć** *pf.* → ***moczyć***; **~montowywać** (*-uję*) → ***montować***
zamordowan|ie *n* (*-a*; *G -ań*) assassination, murdering; **~y** assassinated, murdered; → ***mordować***
zamorski overseas
zamożny affluent, prosperous
zamówi|ć *pf.* → ***zamawiać***; **~enie** *n* (*-a*; *G -eń*) order, commission
zamraczać (*-am*) daze
zamraża|ć (*-am*) freeze; **~lnik** *m* (*-a*; *-i*) freezing compartment; **~rka** *f* (*-i*; *G -rek*) freezer, deep freeze
zamrocz|enie *n* (*-a*; *G -eń*) daze; ***stan***

Z

~enia (*alkoholowego*) state of drunkenness; **~ony** dazed; (*alkoholem*) intoxicated; **~yć** (*-ę*) → ***zamraczać***
zamrozić *pf.* → ***zamrażać***
zamrzeć *pf.* → ***zamierać***
zamsz *m* (*-u*; *-e*) suede
zamulony muddy
zamurow(yw)ać (-[*w*]*uję*) wall up
zamykać (*-am*) close, shut (***się*** *v/i.*); *kogoś w pokoju itp.* lock in (***się*** *v/i.*); *mieszkanie* lock up; *ulicę* close, block; *fabrykę* close down; *komp.* quit, exit; *econ.* balance; **~ *gaz*** turn off the gas; **~ *na klucz*** lock; **~ *pochód*** bring up the rear; **~ *się w sobie*** clam up; ***zamknij się!*** shut up!
zamyś|lać (*-am*) ⟨**~*lić***⟩ (*-lę*) plan, intend; **~*lić się*** fall into thought; (***nad*** *I*) reflect (about), muse (on, about); **~lony** thoughtful, pensive
zanadto *adv.* too, exceedingly
zaniecha|ć *pf.* (*-am*) give up, abandon; **~nie** *n* (*-a*; *0*) *jur.* omission
zanieczy|szczać (*-am*) ⟨**~*ścić***⟩ (*-ę*) make dirty; *środowisko* pollute; *wodę* contaminate; **~szczenie** *n* (*-a*; *G -eń*) soiling; (***środowiska*** environmental) pollution; **~*szczenia*** *pl.* impurities *pl.*
zaniedba|ć (*-am*) → ***zaniedbywać***; **~nie** *n* (*-a*; *G -ań*) neglect, negligence; **~ny** neglected; (*brudny*) untidy; (*podniszczony*) run-down
zaniedbywać (*-uję*) neglect; **~ *się*** be negligent (***w*** *L* in); become untidy, let o.s. go
zanie|móc *pf.* fall ill; **~mówić** *pf.* become dumb (***z*** *G* with); **~pokojenie** *n* (*-a*; *G -eń*) concern, worry; → ***niepokój, niepokoić***; **~pokojony** worried, anxious; alarmed
zanie|ść → ***zanosić***; **~widzieć** *pf.* become blind
zanik *m* (*-u*; *-i*) decrease; (*zainteresowania*) waning; *med.* atrophy; **~ać** (*-am*) ⟨**~*nąć***⟩ disappear, vanish; fade, die out; *zw. impf.* decrease
zanim *cj.* before
zaniż|ać (*-am*) ⟨**~*yć***⟩ (*-ę*) lower; *liczbę* understate
zano|- *pf.* → ***no-***; **~sić** *v/t.* take; carry; cover (***śniegiem*** with snow); **~*sić się*** look like (***na deszcz*** rain); **~*sić się od płaczu*** cry uncontrollably; **~*sić się od śmiechu*** be in hysterics
zanu|dzać (*-am*) (*I*) bore (with); → ***nudzić***; **~rzać** (*-am*) ⟨**~*rzyć***⟩ (*-ę*) immerse (***w*** *I* in; ***po szyję*** to the neck; ***się*** *v/i.*); *pędzel itp.* dip; **~rzenie** *n* (*-a*; *G -eń*) immersion
zaoczn|ie *adv.* in one's absence; *jur.* in default; **~y**: ***studia ~e*** extramural studies
za|of- *pf.* → ***of-*** ; **~ogniać** (*-am*) ⟨**~*ognić***⟩ (*-ę, -nij!*) (***się***) inflame (*też fig.*); *fig.* aggravate
zaokrągl|ać (*-am*)⟨**~*ić***⟩(*-lę,-lij!*) round (***w górę, w dół*** up, down); *rogi* round off
zaokrętować *pf.* (*-uję*) embark (***się*** *v/i.*)
zaopatrywać (*-uję*) (***w*** *A*) supply (with), provide (with); (*wyposażać*) equip (with); **~ *się*** (***w*** *A*) provide o.s. (with)
zaopatrz|enie *n* (*-a*; *0*) supply; *econ.* provision; (*na ekspedycję*) provisions *pl.*; (*dostarczenie*) delivery; **~yć** *pf.* (*-ę*) → ***zaopatrywać***
za|opi- *pf.* → ***opi-***; **~orywać** (*-uję*) **~*orać***; **~ostrzać** (*-am*) *fig.* aggravate; → ***ostrzyć***; **~oszczę-** *pf.* → ***oszczę-***
zapach *m* (*-u*; *-y*) smell
zapad|ać (*-am*) *kurtyna, cisza, ciemność*: fall; *oczy*: sink in; *policzki*: sag; *wyrok*: be pronounced; **~*ać na zdrowiu*** be in poor health; **~*ać w sen*** sink into a sleep; **~*ać się*** cave in, sink; **~ły** sunken, sagged; **~*ły kąt,* ~*ła dziura*** godforsaken place
zapako- *pf.* → ***pako-***
zapala|ć (*-am*) light; *światło* turn on; *ogień* kindle; *zapałkę* strike; *silnik* start; **~*ć się*** light; catch fire; *światło, silnik*: go on; *oczy*: light up; (***do*** *G*) become enthusiastic (over); **~jący** *mil.* incendiary
zapalczyw|ie *adv.* impetuously; impulsively; **~ość** *f* (*-ści*; *0*) impetuousness; **~y** impetuous, impulsive
zapal|enie *n* (*-a*; *G -eń*) *med.* inflammation; **~eniec** *m* (*-ńca*; *-ńcy*) enthusiast; **~ić** *pf.* → ***zapalać*** **~niczka** *f* (*-i*; *G -czek*) lighter; **~nik** *m* (*-a*; *-i*) *mil.* fuse; **~ny** inflammable (*też fig.*); *med.* inflammatory; ***punkt ~ny*** hotspot; **~ony** enthusiastic, avid
zapał *m* (*-u*; *0*) fervo(u)r; zeal; enthusiasm; **~czany** match; **~ka** *f* (*-i*; *G -ek*) match
zapamięt|ać *pf.* remember; *komp.* save; **~*ać się*** (***w*** *I*) become engrossed

(in); **~ały** obsessive; → ***zagorzały, zapalony***; **~anie** *n* (*-a*; *0*) obsessiveness; ***łatwy do ~ania*** easy to remember; **~ywać** (*-uję*) → ***zapamiętać***
zapanować *pf.* → ***panować***; *fig.* prevail
zapar|- *pf.* → ***par-***; **~cie** *n* (*-a*; *G -rć*) *med.* constipation; **~ty**: ***z ~tym tchem*** with bated breath
zaparz|ać (*-am*) ⟨**~yć**⟩ brew
zapas *m* (*-u*; *-y*) supply, stock; ***w ~ie*** in reserve; ***~y*** *pl.* provisions *pl.*; *t-ko pl.* (*w sporcie*) wrestling; **~owy** reserve; replacement; *część* spare; ***wyjście ~owe*** emergency exit
zapaś|ć[1] *pf.* → ***zapadać***
zapaś|ć[2] *f* (*-ści*; *0*) *med. fig.* collapse; **~niczy** (*w sporcie*) wrestling; **~nik** *m* (*-a*; *-cy*) *sport*: wrestler
zapatrywa|ć się (*-uję*) (***na*** *A*) regard (as), view (as) ***jak się na to zapatrujesz?*** what is your opinion about it?; **~nie** *n* (*-a*; *G -ań*) view, opinion
zapatrzyć się *pf.* → ***wpatrywać się***
zapchać *pf.* → ***zapychać***
zapełni|ać (*-am*) ⟨**~ć**⟩ fill (***się*** *v/i.*)
zaperzony irritable, touchy
zapewn|e *adv.* surely; **~iać** (*-am*) ⟨**~ić**⟩ (*-ę, -nij!*) assure (***kogoś o*** *L* s.o. of); (*gwarantować*) ensure, guarantee; **~ienie** *n* (*-a*; *G -eń*) assurancc
zapę|dy *m/pl.* (*-ów*) efforts *pl.*, attempts *pl.*; **~dzać** (*-am*) ⟨**~dzić**⟩ drive (***do*** *G* to); ***~dzić się*** *fig.* go too far
zapiąć *pf.* → ***zapinać***
zapie|czętować *pf.* seal (*też fig.*); **~kać** (*-am*) ⟨**~c**⟩ *gastr.* bake (*zwł.* in a casserole); **~kanka** *f* (*-i*; *G -nek*) casserole; **~rać** (*-am*) *dech* take away; → ***zaparty***; ***~rać się*** (*G*) deny, disown
za|pięcie *n* (*-a*; *G -ęć*) (*zamek*) fastener; **~pinać** (*-am*) *guzik, bluzkę* do up; *pasy* fasten; *zamek błysk.* zip up
zapis *m* (*-u*; *-y*) (*wpis*) entry; record; (***na taśmie*** tape) recording; *jur.* bequest; → ***dźwięk***; **~ek** *m* (*-sku*; *-ski*) *zw. pl.* note; **~ywać** (*-uję*) ⟨**~ać**⟩ take down, note down; *stronę* fill with writing; *dźwięk* record; *econ.* (***na*** *A*) credit; *lek.* prescribe; *komp.* save; leave, bequeath (***w testamencie*** in one's last will); → ***wpisywać***
zapity besotted; *głos* boozy
zapla|nowany planned; → ***planować***; **~tać** (*-am*) weave
zapląt|ywać (*-uję*) ⟨**~ać**⟩ → ***plątać***; ***~ać się*** get involved (***w*** *A* in)
zaplecze *n* (*-a*; *G -y*) *mil.* back area
za|pleść *pf.* → ***zaplatać***; **~pleśniały** mo(u)ldy; **~plombowany** sealed; → ***plombować***
zapła|cenie *n* (*-a*; *0*) payment; **~cić** *pf.* → ***płacić***; *dług, rachunek* settle; **~dniać** (*-am*) *kobietę, samicę* impregnate; *jajko* fertilize; **~kany** weeping; tear-stained; **~ta** *f* (*-y*; *G* -) payment
zapłodni|ć *pf.* → ***zapładniać***; **~enie** *n* (*-a*; *G -eń*) fertilisation; ***sztuczne ~enie*** artificial insemination
zapłon *m* (*-u*; *-y*) *mot.* ignition; detonation; ***włącznik ~u*** ignition lock; **~ąć** *pf.* kindle (*też fig.*); **~owy** ignition
zapobieg|ać (*-am*)⟨***zapobiec***⟩(*D*) prevent; **~anie** *n* (*-a*; *0*) prevention; **~awczo** *adv.* preventively; **~awczy** preventive; **~liwie** *adv.* providently; **~liwy** provident; → ***przezorny, przewidujący***
zapo|cony sweated; *szyba* misted-up, fogged-up; → ***pocić się***; **~czątkow(yw)ać** (*-[w]uję*) start; **~dziać (się)** *pf.* → ***podziewać***; **~minać** (*-am*) ⟨***~mnieć***⟩ (*A*, ***o*** *L*) forget (about); **~mnienie** *n* (*-a*; *0*) oblivion; forgetfulness; ***pójść w ~mnienie*** fall into oblivion; **~moga** *f* (*-i*; *G -móg*) benefit
zapor|a *f* (*-y*; *G -pór*) barrier (*też rail.*); ***~a wodna*** dam; **~owy** *mil.* barrage
zapotrzebowa|ć *pf.* order; **~nie** *n* (*-a*; *G -ań*) *econ.* demand (***na*** *A* for)
zapowi|adać (*-am*) ⟨***~edzieć***⟩ announce; *występ* introduce; ***~adać się*** (*z wizytą*) say one is coming; ***~adać się*** (***na*** *A*) promise (to be); **~edź** *f* (*-dzi*; *-e*) announcement; (*oznaka*) sign, prognostic; ***dać na ~edzi*** put up the banns
zapozna|ny misunderstood, disregarded; **~(wa)ć** (***z*** *L*) acquaint (***z*** *I* with; ***się*** o.s.); ***~(wa)ć się*** get to know
zapożycz|ać (*-am*) ⟨**~yć**⟩ (*-ę*) (***od, z*** *G*) borrow (from); **~enie** *n* (*-a*; *G -eń*) borrowing
zapra|cowany *ktoś* overworked; *pieniądz* earned; **~cow(yw)ać** (*-[w]uję*) earn, make; ***~cow(yw)ać się*** overwork; **~gn-** *pf.* → ***pragn-***; **~szać** (*-am*) (***na*** *A*, ***do*** *G*) invite (to); **~wa** *f* (*-y*; *G* -) training, exercise; *bud.* mortar; → ***przyprawa***; **~wiać** (*-am*) ⟨**~wić**⟩ train (***się*** *v/i.*;

do *G* for); **~wiać się** practise (for)
za|pre-, ~pro- *pf.* → **pre-, pro-**
zapro|sić *pf.* → **zapraszać**; **~szenie** *n* (-*a*; *G* -*eń*) invitation; **~wadzać** (-*am*) ⟨**~wadzić**⟩ lead; *zwyczaj, modę* introduce; → **zakładać**
zaprzą|c *pf.* → **zaprzęgać**; **~tać** (-*am*) ⟨**~tnąć**⟩ (-*nę*, -*nij!*) *czas* take up; *kogoś czymś* busy (with)
zaprzecz|ać (-*am*) ⟨**~yć**⟩ (*D*) deny; *doświadczeniu, komuś* contradict; → **przeczyć**; **~enie** *n* (-*a*; *G* -*eń*) denial, contradiction
zaprze|ć *pf.* → **zapierać**; **~da(wa)ć** betray; **~paszczać** (-*am*) ⟨**~paścić**⟩ (-*szczę*) ruin; *szansę* squander; **~stawać** (-*ję*) ⟨**~stać**⟩ (*G*) stop, cease; *produkcję* discontinue
zaprzęg *m* (-*u*; -*i*) team; **~ać** (-*am*) ⟨**~nąć**⟩ (-*nę*) harness
zaprzyjaź|niać się (-*am*) ⟨**~nić się**⟩ (**z** *I*) make friends (with); **~niony** friendly
zaprzy|sięgać (-*am*) ⟨**~sięgnąć, ~siąc**⟩ *jur.* swear in; swear (**komuś/sobie** to s.o./o.s.); **~siężenie** *n* (-*a*; *G* -*eń*) swearing in
zapuchnięty swollen
zapu|sty *pl.* (-*tów*) Shrovetide, *w szer. zn.* carnival; **~puszczać** (-*am*) ⟨**~ścić**⟩ *włosy* grow; *korzenie* take; F *silnik* start; *ogród itp.* neglect; **~szczony** neglected, run-down
zapychać (-*am*) block (**się** *v/i.*)
zapylony dusty
zapyt|anie *n* (-*a*; *G* -*ań*) question; inquiry; **znak ~ania** question mark; **~ywać** (-*uję*) → **pytać**
zarabiać (-*am*) earn (**na** *L* for)
zara|dczy: **środki** *m/pl.* **~dcze** remedies *pl.*; **~dny** resourceful; **~dzać** (-*am*) ⟨**~dzić**⟩ (*D*) remedy
zarastać (-*am*) overgrow
zaraz *adv.* at once, immediately
zaraz|a *f* (-*y*; *G* -) plague, *fig.* plague, pest; **~ek** *m* (-*zka*; -*zki*) germ
zarazem *adv.* at the same time
zara|zić *pf.* → **zarażać**; **~źliwy** infectious, contagious; **~żać** (-*am*) infect; **~żać się** become infected
zardzewiały rusty; → **rdzewieć**
zare- *pf.* → **re-**
zarępcz|ać (-*am*) ⟨**~yć**⟩ (-*ę*) → **ręczyć, zapewniać**; **~yć się** become engaged (**z** *I* to); **~yny** *pl.* (-) engagement
zarob|ek *m* (-*bku*; -*bki*) earnings *pl.*, wages *pl.*; **~ić** (-*ę*) → **zarabiać**; **~kowy** working; **pracować ~kowo** work for payment; have a job
zarod|ek *m* (-*dka*; -*dki*) germ; embryo; **~nik** *m* (-*a*; -*i*) spore
zaro|snąć *pf.* → **zarastać**; **~st** *m* (-*u*; *0*) growth of hair; **~śla** *n/pl.* thicket; **~śnięty** overgrown; (*zarośnięty*) unshaven, unshaved
zarozumia|lec *m* (-*lca*; -*lcy*) show-off, boaster; **~łość** *f* (-*ści*; *0*) conceit; vanity; **~ły** conceited, vain
zarówno: **~ … jak …** both … and …
zaróżowiony rosy
zarumieniony flushed; → **rumiany, rumienić**
zaryglowany bolted; → **ryglować**
zarys *m* (-*u*; -*y*) outline; **w głównych ~ach** in broad outline
zarysow(yw)ać (-[*w*]*uję*) *arkusz* cover with drawings; *lakier* scratch; *fig.* outline; **~ się** get scratched; *fig.* stand out
zarz. *skrót pisany*: **zarząd** board
zarzą|d *m* (-*u*; -*y*) board; (*dyrekcja*) management, administration; **~dzać** (-*am*) (*I*) manage, administer; (*krajem*) govern; (*hotelem*) run; ⟨**~dzić**⟩ order; decree; **~dzenie** *n* (-*a*; *G* -*eń*) order, decree; instruction
zarzu|cać (-*am*) ⟨**~cić**⟩ *v/t. szal itp.* throw on; *sieć* cast; *dół* fill up; *rynek* flood (*I* with); (*obwiniać*) accuse (*A* of), reproach (*A* with); *palenie itp.* give up; *v/i. pojazd*: skid; **~t** *m* (-*u*; -*y*) reproach; accusation; **bez ~tu** faultless
za|rzynać (-*am*) ⟨**~rżnąć**⟩ slaughter
zasad|a *f* (-*y*; *G* -) principle; rule; basis; *chem.* base; **z ~y** on principle; **~niczo** *adv.* principally; **~niczy** principal; **ustawa ~nicza** constitution; **~owy** *chem.* basic, alkaline
zasa|dzać (-*am*) ⟨**~dzić**⟩ plant; **~dzać** ⟨**~dzić**⟩ **się** (**na** *L*) be based on; (*w zasadzce*) lie in wait; **~dzka** *f* (-*i*; *G* -*dzek*) ambush; **~lać** → **zasolić**; **~pać się** *pf.* lose one's breath
zasądz|ać (-*am*)⟨**~ić**⟩ *jur. odszkodowanie* award; (*skazać*) sentence (**na** *A* for)
zaschnięty dried (up); withered
zasępiony gloomy
zasia|ć *pf.* → **zasiewać**; **~dać** (-*am*) ⟨**zasiąść**⟩ sit down (**do** *G*, **za** *I* to); (*w komisji itp.*) sit (**w** *L* on)

Z

zasiedl|ać (*-am*) ⟨**~ić**⟩ (*-lę*) settle
zasięg *m* (*-u*; *0*) range, scope; **~ *widzenia*** visibility; ***dalekiego ~u*** long-range; ***w ~u*** within reach; **~ać** ⟨**~nąć**⟩ *rady* seek, take; *informacji* get, gather
zasi|lać (*-am*) ⟨**~lić**⟩ supply (***w*** *A* with); (*prądem*) power; (*wzmagać*) boost
zasiłek *m* (*-łku*; *-łki*) benefit, allowance; **~ *chorobowy*** sickness benefit; **~ *rodzinny*** family allowance; **~ *dla bezrobotnych*** unemployment benefit, F dole
zaska|kiwać (*-uję*) *v/t.* surprise; *v/i.* click to; **~kująco** *adv.* surprisingly; **~kujący** surprising; **~rżać** (*-am*) ⟨**~rżyć**⟩ *v/t. kogoś* sue; *wyrok* sue against, challenge; ***~rżać do sądu*** prosecute
zasko|czenie *n* (*-a*; *G -eń*) surprise; **~czony** surprised; **~czyć** *pf.* → ***zaskakiwać***
zaskórny *geol.* → ***podskórny***
zasła|bnąć *pf.* faint; **~ć** (*słać*) → ***zaściełać***; **~niać** (***się*** *v/i.*) *widok* obstruct; *twarz*, *okno* cover
zasłon|a *f* (*-y*; *G -*) curtain; (*osłona*) screen; *szermierka*: parry; **~ić** *pf.* (*-ę*) → ***zasłaniać***
zasłu|ga *f* (*-i*; *G -*) merit, credit; ***położyć ~gi*** (***dla*** *G*) make contribution (to); **~giwać** (*-uję*) (***na*** *A*) deserve, merit; be worthy (***na uwagę*** of attention); **~żenie** *adv.* deservedly; **~żony** of outstanding merit; well-deserved; **~żyć** *pf.* → ***zasługiwać***; ***~żyć się*** (*D*) render outstanding services (to)
za|słynąć *pf.* (***z*** *G*) become famous (for); **~smakować** *pf.* (***w*** *L*) take a liking (to); **~smarkany** snotty; **~smarow(yw)ać** (*-[w]uję*) smear; **~smucony** sad; → ***smucić***
zasnąć *pf.* (*-nę*) → ***zasypiać***
zasobn|ik *m* (*-a*; *-i*) container; holder; **~y** prosperous; (*obfitujący*) (***w*** *A*) abundant (in), rich (in)
zasolić *pf.* salt
za|sób *m* (*-sobu*; *-soby*) stock, reserve; ***~soby*** *pl.* resources *pl.*; ***~sób wyrazów*** vocabulary
zaspa *f* (*-y*; *G -*) snowdrift; **~ć** *pf.* oversleep; **~ny** half-asleep; (*gnuśny*) sleepy
zaspok|ajać (*-am*) ⟨**~oić**⟩ (*-ję*) *głód*, *ciekawość itp.* satisfy; *potrzeby* meet
zasrany V *fig. Brt.* shitty, crap(py)
zastać *pf.* (*stać²*) → ***zastawać***
zastanawiać (*-am*) *v/t.* puzzle; **~ *się*** (***nad*** *I*) think (about), consider
zastanowi|ć (się) *pf.* → ***zastanawiać***; **~enie** *n* (*-a*; *0*) thought, reflection
zastarzały old; *med.* inveterate
zastaw *m* (*-u*; *-y*) deposit; *econ.* security, collateral; ***dać w ~*** pawn; **~a** *f* (*-y*; *G -*) (***stołowa*** dinner) service; **~ać** (***przy*** *L*) meet (at); **~i(a)ć** block, obstruct; *pułapkę* set; (*dać w zastaw*) pawn; (*zagracać*) (*I*) clutter (with); **~ka** *f* (*-i*; *G -wek*) *anat.* valve
zastąpi|ć *pf.* (*-ę*) → ***zastępować***; ***~ć drogę*** bar s.o.'s way; **~enie** *n*: ***nie do ~enia*** irreplaceable
zastęp *m* (*-u*; *-y*) (*harcerzy*) patrol; **~y** *pl.* (*aniołów*) hosts *pl.*
zastęp|ca *m* (*-y*; *G -ów*), **~czyni** *f* (*-i*; *-e*) deputy, assistant; ***~ca dyrektora*** deputy manager; **~czo** *adv. ktoś* as a deputy; *coś* as a substitute; **~czy** substitute; ***~cza matka*** *med.* surrogate mother; **~ować** (*-uję*) *coś* substitute, replace; *kogoś* deputize (*A* for); (*czasowo*) stand in (*A* for); **~stwo** *n* (*-a*; *G -*) substitution
zastopować (*-uję*) stop
zastosowanie *n* (*-a*; *G -ań*) use, application; → ***stosować***
zastój *m* (*-toju*; *-toje*) stagnation
zastrasz|ający intimidating; **~yć** *pf.* intimidate, overawe
zastrze|gać (*-am*) ⟨**~c**⟩ *sobie prawo* reserve, *jur.* stipulate; ***~c się*** specify one's position; **~żenie** *n* (*-a*; *G -eń*) reservation; **~żony** reserved; *tel. Brt.* ex-directory, *Am.* unlisted
zastrzyk *m* (*-u*; *-i*) *med.* injection; *fig.* boost; ***dawać ~*** inject
zastyg|ać (*-am*) ⟨**~nąć**⟩ set; *fig.* be paralysed
zasu|- *pf.* → ***su-***; **~nąć** *pf.* → ***zasuwać***; **~szać** (*-am*) ⟨**~szyć**⟩ *liść* dry; **~wa** *f* (*-y*; *G -*) bolt; **~wać** *zasuwę* bolt; *firankę* draw; (*pracować*) *fig.* be on the go
zasy|chać (*-am*) → ***schnąć***; **~łać** (*-am*) send; **~pać** *pf.* → ***zasypywać***; **~piać** (*-am*) fall asleep; **~pka** *f* (*-i*; *G -pek*) *med.* dusting powder; **~pywać** (*-uję*) *dół* fill in; *ludzi* bury (alive); *fig.* shower (*I* with); → ***obsypywać***
zaszczepiać (*-am*) → ***szczepić***
zaszczy|cać (*-am*) ⟨**~cić**⟩ (*I*) hono(u)r (with); **~t** *m* (*-u*; *-y*) hono(u)r; **~ty** *pl.* hono(u)rs *pl.*; **~tny** hono(u)rable

Z

za|szeregow(yw)ać (-[*w*]*uję*) classify; *pracownika* put (***do wyższej kategorii*** in a higher income bracket); **~szkodzić** *pf.* damage, harm; → ***szkodzić***; **~szo-** *pf.* → ***szo-***; **~sztyletować** (*-uję*) stab to death; **~szywać** (*-am*) ⟨**~szyć**⟩ sew up; → ***szyć***
zaś 1. *cj.* whereas; **2.** *part.* however, yet
zaściankowy parochial
zaściełać (*-am*) *łóżko* make; → ***słać²***
zaślepi|ać (*-am*) ⟨**~ć**⟩ (*-ę*) *fig.* blind; **~enie** *n* (*-a*; *G -eń*) blindness
zaśmiec|ać (*-am*) ⟨**~ić**⟩ litter
zaśnieżony snow-covered, covered with snow
zaświadcz|ać (*-am*) ⟨**~yć**⟩ certify; **~enie** *n* (*-a*; *G -eń*) certificate
zaświecić *pf. v/t.* light; *lampę* turn on; **~ się** *lampa*: go on; *fig.* light up
zata|czać (*-am*) *krąg* describe; **~czać się** stagger, reel; **~jać** *pf.* → ***taić***; **~m-, ~n-, ~ń-** *pf.* → ***tam-, tan-, tań-***; **~piać** (*-am*) sink; *pola* flood; → ***topić***; **~rasowywać** (*-wuję*) → ***tarasować***
zatarg *m* (*-u*; *-i*) conflict, friction
za|tel-, ~tem- *pf.* → ***tel-, tem-***; **~tem** (*też* ***a ~tem***) *cj.* as a result; so; that is; **~tęchły** musty; **~tkać** *pf.*, **~tknąć** *pf.* → ***zatykać***; **~tłoczony** crowded; **~tłuc** *pf.* beat to death; **~tłuszczony** greasy; **~tłuścić** *pf.* (*-szczę*) make greasy
zato|ka *f* (*-i*; *G -*) bay; *anat.* (***czołowa*** frontal) sinus; *meteo.* ***~ka wyżowa*** ridge; **~nąć** *pf.* → ***tonąć***; **~nięcie** *n* (*-a*; *G -ęć*) drowning; *naut.* sinking; **~pić** *pf.* → ***zatapiać, topić***
zator *m* (*-u*; *-y*) traffic jam, *Brt.* tailback, *Am.* backup; *med.* embolism
zatrac|ać (*-am*) ⟨**~ić**⟩ *fig.* lose; **~ony** F damned
za|trącać (*-am*) → ***trącić²***; **~troskany** worried, concerned, anxious; **~trucie** *n* (*-a*; *G -uć*) poisoning; **~truć** *pf.* → ***zatruwać***
zatrudni|ać (*-am*) ⟨**~ć**⟩ employ; **~enie** *n* (*-a*; *G -eń*) employment; **~ony** (***w*** *L*) employed (by)
zatru|ty poisoned; **~wać** (*-am*) poison
zatrważa|ć (*-am*) → ***trwożyć***; **~jąco** *adv.* frighteningly; **~jący** frightening
zatrzask *m* (*-u*; *-i*) spring lock; (*do zapinania*) *Brt.* press-stud, snap-fastener; **~iwać** (*-uję*) shut, close (***się*** *v/i.*)
za|trząść *pf.* → ***trząść***; **~trzeć** *pf.* → ***zacierać***
zatrzym|ywać (*-uję*) ⟨**~ać**⟩ *v/t.* stop (***się*** *v/i.*); (*nie puszczać*) halt, check; *ciepło* retain, keep; *złodziej* arrest; (*zachować*) keep (***dla siebie*** for o.s.); **~ać się** come to a stop; stay (***w hotelu*** at a hotel); *mot.* pull up
zatuszow(yw)ać (-[*w*]*uję*) hush up
zatwardz|enie *n* (*-a*; *G -eń*) *med.* constipation; **~iały** inveterate
zatwierdz|ać (*-am*) ⟨**~ić**⟩ confirm, endorse; *plan itp.* approve
zaty|czka *f* (*-i*; *G -czek*) plug; **~kać** (*-am*) *zlew* block; *butelkę* cork; *uszy, dziurę* plug; ***~kać się*** get blocked; → ***wtykać***
zaufani|e *n* (*-a*; *0*) trust; confidence (***do*** *G* in); ***brak ~a*** mistrust; ***w ~u*** confidentially
zaufany trusted
zaułek *m* (*-łka*; *-łki*) lane
zautomatyzowany automated; *też fig.* mechanized
zauważ|ać ⟨**~yć**⟩ (*-ę*) notice; (*mówić*) mention
zawadia|cki spirited, flamboyant; **~ka** *m* (*-a*; *G -ów*) daredevil
zawadz|ać (*-am*) ⟨**~ić**⟩ (***o*** *A*) knock, bump (against, on); get caught (on); *t-ko impf.* be in the way
zawa|hać się *pf.* → ***wahać***
zawalać¹ *pf.* → ***walać***
zawa|lać² ⟨**~lić**⟩ *pokój* clutter (up); *drogę* block, obstruct; F mess up; ***~lić się*** collapse; **~lony** F (*pracą*) snowed under
zawał *m* (*-u*; *-y*) (***serca*** heart) attack, *med.* cardiac infarction
zawart|ość *f* (*-ści*; *0*) (*paczki*) contents *pl.*; (*książki*) content(s *pl.*); **~y** *umowa* concluded
za|ważyć *pf.* (***na*** *L*) weigh (on); **~wczasu** *adv.* in good time; **~wdzięczać** (*-am*) owe; **~wezwać** *pf.* → ***wzywać***; **~wiać** *pf.* → ***zawiewać***
zawiad|amiać (*-am*) ⟨**~omić**⟩ (***o*** *L*) inform (about), notify (about); **~omienie** *n* (*-a*; *G -eń*) notice, notification; announcement
zawiadowca *m* (*-y*; *G -ców*): **~ *stacji*** *rail.* station master
zawiany F tipsy
zawias *m* (*-u*; *-y*) hinge
zawiąz|ywać ⟨**~ać**⟩ tie; *supeł też* knot;

Z

chustę itp. put on; *oczy* blindfold; *fig. spółkę* establish, form; **~(yw)ać się** *bot. owoc*: form; *fig.* become established
zawiedziony (*m-os. -dzeni*) disappointed
zawie|ja *f* (*-ei*; *-e*, *-ei*) blizzard; **~rać** (*-am*) contain; include; *kontrakt* conclude; *znajomość* make; **~rucha** *f* (*-y*; *G -*) gale; *fig.* turmoil; **~ruszyć się** F *pf.* (*-ę*) get lost; **~sić** *pf.* (*-szę*) → **zawieszać**; **~sisty** thick
zawiesz|ać (*-am*) *v/t.* hang (*też ściany itp. I* with); *fig. obrady* suspend; *karę jur.* defer; **~ać w czynnościach** suspend from one's post; **~enie** *n* (*-a*; *G -eń*) suspension (*też mot.*); deferment; **~enie broni** cease-fire; **z ~eniem** *jur.* on probation
zawie|ść *pf. v/t.* disappoint; *nadzieje* deceive; *v/i. głos*: fail; **~ść się (na, w** *L*) become disappointed (with)
zawietrzn|y: **strona ~a** lee
zawiewać (*-am*) *drogę* cover
zawieźć *pf.* → **zawozić**
zawi|jać (*-am*) *v/t.* fold; wrap (up); *rękawy* roll up; *v/i.* **~jać do portu** put in at a port; **~kłany** → **zawiły**; **~le** *adv.* in a complex way; intricately; **~lgnąć** *pf.* (*-nę*, *też -ł*) become damp; **~ły** complex, complicated; intricate; **~nąć** *pf.* → **zawijać**; **~niątko** *n* (*-a*; *G -tek*) bundle; parcel; **~nić** *pf.* be guilty, be at fault (*I* for); **w czym on ci ~nił?** what did he do to you?; **~niony**: **nie ~niony** through no fault of one's own
zawis|ać (*-am*) *v/i.* hang; hover; **~ać w powietrzu** hover in the air; **~ły** dependent; **~nąć** *pf.* (*-nę*) → **zawisać**
zawi|stny envious, jealous; **~ść** *f* (*-ści*; *0*) envy, jealousy
za|witać *pf.* (**do** *G*) come (to), pay a visit (to); **~wlec** *pf.* drag (**się** o.s.); *chorobę* bring in; **~władnąć** *pf.* (*-nę*) (*I*) possess, seize
zawod|niczka *f* (*-i*; *G -czek*), **~nik** *m* (*-a*; *-cy*) (*w sporcie*) contestant; competitor; player; **~ny** unreliable; *nadzieje* deceptive; **~owiec** *m* (*-wca*; *-wcy*) professional, F pro; (*sport*) professional sportsman; **~owo** *adv.* professionally; **~owy** professional; **~ówka** *f* (*-i*; *G -wek*) F trade school; **~y** *m/pl.* (*-dów*) competition, contest; **~y międzynarodowe** international competition

zawodzić wail; → **zawieść**
zawojow(yw)ać (*-[w]uję*) win, conquer
zawołanie *n* call; **jak na ~** on cue; **na każde ~** at s.o.'s beck and call
zawozić drive, carry
zawód *m* (*-wodu*; *-wody*) profession, occupation; (*rozczarowanie*) disappointment; **z zawodu** by profession; **spotkał go ~** it was a disappointment to him; **sprawić ~** disappoint
zawór *m* (*-woru*, *-wory*) *tech.* valve **~ bezpieczeństwa** safety valve
zawracać *v/i.* turn back; *mot.* make a U-turn; **~ komuś w głowie** turn s.o.'s head; *v/t.* **~ głowę** (*D*) bother, hassle
za|wrotny vertiginous, dizzying; **~wrócić** *pf.* → **zawracać**; **~wrót** *m* (*-otu*; *-oty*): **~wrót głowy** dizziness, vertigo; **~wrzeć** *pf.* → **zawierać, wrzeć**; **~wstydzać** (*-am*) → **wstydzić**; **~wstydzony** ashamed
zawsze 1. *adv.* ever; **na ~** for ever; **2.** *part.* yet, after all
zawy|- *pf.* → **wy-**; **~żać** (*-am*) 〈**~żyć**〉 (*-ę*) *poziom* make too high
za|wziąć się *pf.* be determined (**że** to *bezok.*); (**na** *A*) harass; **~wzięty** fierce
zazdro|sny jealous, envious (**o** *A* of); **~ścić** 〈**po-**〉 (*-szczę*) (**k-u** *G*) envy (s.o. s.th.); **~ść** *f* (*-ści*; *0*) envy; jealousy; **~śnie** *adv.* jealously, enviously
zazębi|ać się (*-am*) 〈**~ć się**〉 (*-ę*) mesh, engage; **~ony** meshed together
zazieleni|ać (*-am*) 〈**~ć**〉 make green; **~ać się** become green
zaziębi(a)ć się *pf.* → **przeziębi(a)ć się**
zaznacz|ać (*-am*) 〈**~yć**〉 (*-ę*) mark, highlight; (*występować*) emphasize; **~ać się** be marked; (*pojawiać się*) appear
zazna|ć *pf.* → **zaznawać**; **~jamiać** (*-am*) 〈**~jomić**〉 (*-ę*) → **zapoznawać**; **~wać** (*-ję*) → **doświadczać**; **nie ~ć spokoju** have no peace
zazwyczaj *adv.* usually
zażalenie *n* (*-a*; *G -eń*) complaint, grievance
za|żarcie *adv.* vehemently; fiercely; **~żarty** vehement; fierce; **~żą-** *pf.* → **żą-**; **~żegnywać** (*-uję*) 〈**~żegnać**〉 (*zapobiec*) prevent, forestall; *kłótni*, *rebelii* head off
zażenowan|ie *n* (*-a*; *0*) embarrassment; **~y** embarrassed, ashamed
zaży|ć *pf.* → **zażywać**; **~łość** *f* (*-ści*; *0*)

closeness, intimacy; **~ły** close, intimate; **~wać** (*-am*) *lek* take; *spokoju itp.* enjoy; **~wny** corpulent

ząb *m* (*zęba*; *zęby*) (***mądrości, mleczny*** wisdom, milk) tooth; (***jadowy*** poison) fang; ***do zębów*** dental, tooth; **~ek** *m* (*-bka*; *-bki*) → ***ząb***; ***~ek czosnku*** clove of garlic; **~kować** (*-uję*) teethe, cut teeth; **~kowany** serrated

zba- *pf.* → ***ba-***

zbaczać (*-am*) turn off (***z głównej drogi*** the main road); *fig.* deviate

zbankrutowany bankrupt

zbaw|ca *m* (*-y*; *G -ców*), **~czyni** *f* (*-i*; *-e*) savio(u)r; **~iać** (*-am*) ⟨***~ić***⟩ (*-ę*) save; **≈iciel** *m* (*-a*; *-e*) *rel.* Savio(u)r

zbawien|ie *n* (*-a*; *0*) salvation, redemption; **~ny** salutary, beneficial

zbe- *pf.* → ***be-***

zbędny needless; → ***niepotrzebny***

zbić *pf.* beat up; *szybę* break; → ***zbijać***

zbiec *pf.* (→ *biegnąć*) (***z*** *G*) flee, run away (from); → ***zbiegać***

zbieg *m* **1.** (*-a*; *-owie*) fugitive, runaway; **2.** (*-u*; *i*): ***~ ulic*** junction of the streets; ***~ okoliczności*** coincidence; **~ać** (*-am*) run down (***po schodach*** the stairs); ***~ać się*** *ludzie*: gather; *materiał*: shrink; (*w czasie*) coincide; **~owisko** *n* (*-a*; *G -*) mixed lot

zbiera|cz *m* (*-a*; *-e*), **~czka** *f* (*-i*; *G -czek*) collector; **~ć** (*-am*) *fig. siły* summon; ***~ć się*** *coś*: accumulate; *ktoś*: gather, assemble; ***~ mi się na*** (*A*) I am going to …; ***~ć obfite żniwo*** *fig.* take one's toll; ⟨***na-, po-***⟩ (*do kolekcji*) collect; *agr. kwiaty* pick, (*z pola*) harvest; **~nina** *f* (*-y*; *G -*) jumble, hotchpotch; (*ludzi*) ill-assorted group

zbieżn|ość *f* (*-ści*; *0*) convergence; (*opinii itp.*) concurrence; ***~ość kół*** *mot.* toe-in; **~y** convergent; concurrent

zbijać (*-am*) *skrzynię* make; *deski* nail together; *argumenty* disprove; ***~ z tropu*** disconcert, put off; → ***zbić, bąk***

zbiorni|ca *f* (*-y*; *G -*) collecting point; **~k** *m* (*-a*; *-i*) tank; container; (*jezioro*) reservoir; **~kowiec** *m* (*-wca*; *-wce*) *naut.* tanker

zbiorow|isko *n* (*-a*; *G -*) collection; (*ludzi*) crowd; **~o** *adv.* collectively; **~y** collective; → ***układ***

zbiór *m* (*zbioru*, *zbiory*) collection; *math.* set; *zw. agr.* harvest, crop; **~ka** *f* (*-i*; *G -rek*) *mil.* roll-call, muster; (*pieniędzy*) collection

zbity beaten; ***~ z tropu*** baffled; *por.* ***zbić***

zbla|- *pf.* → ***bla-***; **~zowany** blasé

zbliż|ać (*-am*) bring nearer *lub* closer, move closer (***do*** *G* to); (***do siebie***) bring (closer) together; ***~ać się*** get closer, approach; *data też*: be forthcoming; *ludzie*: be drawn together; **~enie** *n* (*-a*; *G -eń*) approach; *phot.* close-up; (*stosunek*) intimacy; **~ony** close (***do*** *G* to); **~yć** *pf.* (*-ę*) → ***zbliżać***

zbłąkany lost, stray; → ***błądzić***

zbocz|e *n* (*-a*; *-y*) slope; **~enie** *n* (*-a*; *G -eń*) deviation, perversion; **~eniec** *m* (*-ńca*; *-ńcy*) pervert; **~yć** *pf.* → ***zbaczać***

zbolały hurt, painful (*też fig.*)

zboż|e *n* (*-a*; *G zbóż*) *bot.* cereal, grain, *Brt.* corn; **~owy** grain, cereal; ***kawa ~owa*** coffee substitute (*from barley*)

zbór *m* (*zboru*; *zbory*) (Protestant) church; (Protestant church) community

zbroczony: ***~ krwią*** bloodstained

zbrodni|a *f* (*-i*; *-e*) crime; **~arka** *f* (*-i*; *G -rek*), **~arz** *m* (*-a*; *-e*) criminal; **~czy** criminal

zbro|ić¹ ⟨***u-***⟩ (*-ę*, *zbrój!*) arm (***się*** o.s.); supply new weapons; *beton itp.* reinforce; *teren* develop

zbro|ić² *pf.* → ***broić***; **~ja** *f* (*-oi*; *-e*, *-oi/-ój*) *hist.* (suit of) armo(u)r; **~jenia** *n/pl.* (*-ń*) armament; (*betonu itp.*) reinforcement; → ***wyścig***; **~jeniowy** arms; **~jnie** *adv.* militarily; **~jny** armed; military; ***siły*** *f/pl.* ***~jne*** armed forces *pl.*; **~jony**: ***beton ~jony*** reinforced concrete

zbrzyd|nąć *pf.* → ***brzydnąć***; ***~ło mi …*** I am sick of …

zbudzić *pf.* → ***budzić***

zbulwersowany indignant

zbutwiały rotten, decayed

zby|cie *n* (*-a*; *0*) sale; **~ć** *pf.* → ***zbywać***

zbyt¹ *adv.* too, over…

zbyt² *m* (*-u*; *0*) sale; ***cena ~u*** selling price, retail price

zby|teczny superfluous; excessive; **~tek** *m* (*-tku*; *0*) excess; (*-tku*; *-tki*) luxury; opulence; ***~tki*** *pl.* → ***figiel***

zbyt|kowny luxurious, sumptuous; **~ni** excessive, exceeding; **~nio** *adv.* excessively, exceedingly

zbywać (*-am*) sell; *fig. kogoś* put off, get rid of; ***nie zbywa mu na*** (*L*) he has enough of everything

Z

zca, z-ca *skrót pisany*: **zastępca** Dep. (*deputy*)
z.d. *skrót pisany*: **z domu** née
zda|ć *pf.* → **zdawać**; *egzamin* pass; *szkoła*: (*do wyższej klasy*) be promoted; **nie ~ć** fail; F **~ć się** → **przydawać się**; **być ~nym** (**na** *A*) be at the mercy (of); depend (on); **~lny**: **~lnie kierowany** remote-controlled; *mil.* guided
zdanie *n* (*-a*; *G -ań*) sentence; (**podrzędne, główne** subordinate, main) clause; (*pogląd*) view, opinion; **moim ~m** in my view
zdarz|ać się (*-am*) ⟨**~yć się**⟩ happen, occur; **~enie** *n* (*-a*; *G -eń*) event; occurrence
zdatny fit (**do** *G* to)
zdawać (*przekazywać*) transfer, make over; *raport* hand over; **~ bagaż** *aviat.* check in; *rail.* deposit; **~ egzamin** take (*Brt.* sit) an exam(ination); **~ się** (**na** *A*) rely (on), depend (on); **zdaje się, że** it seems/appears that; → **przydawać się**
zdawkowy trivial, insignificant
zdąż|ać (*-am*) ⟨**~yć**⟩ → **dążyć, nadążać**; **nie ~yć** be late, miss *s.th.*
zdech|ły dead; **~nąć** *pf.* → **zdychać**
zdecydowanie[1] *n* (*-a*; *0*) determination; decisiveness
zdecydowan|ie[2] *adv.* decisively; **~y** determined, decisive; *por.* **decydować**
zdegustowany displeased,
zdejmować (*-uję*) remove (*też ze stanowiska*); *ubranie* take off; *słuchawkę* pick up; (*z porządku dnia*) delete
zde|ma-, ~me-, ~mo- *pf.* → **ma-, me-, mo-**; **~nerwowany** upset, irritated; **~po-** *pf.* → **po-**; **~prymowany** depressed, dejected
zderz|ać się (*-am*) (**z** *I*) collide (with), crash (into); **~ak** *m* (*-a*; *-i*) *mot.* bumper; *rail.* buffer; **~enie** *n* (*-a*; *G -eń*) collision, crash; **~yć się** *pf.* (*-ę*) → **zderzać się**
zde|terminowany determined; intent (**co do** *G* on); **~tonowany** confused, bewildered; **~wastowany** damaged; ravaged; **~ze-, ~zo-** *pf.* → **deze-, dezo-**
zdjąć *pf.* → **zdejmować**
zdjęcie *n* (*-a*; *G -ęć*) removal; *phot.* photograph, F snap(shot); *też* picture
zdła|- *pf.* → **dła-**; **~wiony** muted, choked
zdmuch|iwać (*-uję*) ⟨**~nąć**⟩ blow away
zdob|ić ⟨**o-**⟩ (*-ę*, *-ób!*) decorate; **~niczy** decorative
zdoby|cie *n* (*-a*; *G -yć*) conquest; **~ć** *pf.* → **zdobywać**; **~cz** *f* (*-y*) haul, loot; capture; **~czny** captured; **~wać** (*-am*) get, obtain; *kraj* conquer; *wiedzę* gain; *bramkę* score; *rezultat* achieve; capture; **~wca** *m* (*-y*; *G -ców*), **~wczyni** *f* (*-i*; *-nie*, *G -yń*) conqueror; (**medalu** medal) winner
zdoln|ość *f* (*-ści*) ability; *zw. pl.* **~ości** (**do** *G*) talent, gift; **~y** talented, gifted; (**do** *G*) fit (for); **~y do pracy** fit for work
zdołać *pf.* (*-am*) be able to
zdra|da *f* (*-y*; *G* -) betrayal, treachery; (*państwa*) treason; **~da małżeńska** infidelity; **~dliwy** (**-wie**) treacherous; **~dzać** (*-am*) ⟨**~dzić**⟩ (*-ę*) betray (**się** o.s.); be unfaithful (**żonę** to the wife); **~dziecki** treacherous; **~dziecko** *adv.* treacherously; **~jca** *m* (*-y*; *G -ców*), **~jczyni** *f* (*-i*; *-nie*, *G -yń*) traitor
zdrap|ywać (*-uję*) ⟨**~ać**⟩ scrape off
zdrętwiały numb; → **drętwieć**
zdrobnienie *n* (*-a*; *G -eń*) pet-name; *gr.* diminutive
zdro|je *pl.* → **zdrój**; **~jowisko** *n* (*-a*; *G* -) spa; **~jowy** spa
zdrow|ie *n* (*-a*; *0*) health; **on zapadł na ~iu** his health deteriorated; (**za**) **~ie twoje!** your health!; **na ~ie!** bless you!; **~o** *adv.* healthily; **~otny** sanitary; healthy; **~y** healthy (*też fig.*); **~y rozsądek** common sense
zdrój *m* (*-oju*; *-oje*) spring; *lit.* fount
zdrów *pred.* → **zdrowy**; **bądź ~!** farewell!, good-bye!; **cały i ~** safe and well
zdruzgotany shattered (*też fig.*)
zdrzemnąć się *pf.* (*-nę*) drowse; nod off
zdumi|enie *n* (*-a*; *0*) astonishment; **~ewać się** (*-am*) ⟨**~eć się**⟩ (*-eję*) (*I*) be astonished *lub* amazed (at); **~ewająco** *adv.* amazingly; **~ewający** astonishing, amazing; **~ony** astonished
zdun *m* (*-a*; *-i*) stove-builder
zduszony choked; → **dusić**
zdwajać (*-am*) double; → **podwajać**
zdy|- *pf.* → **dy-**; **~chać** (*-am*) die; **~szany** out of breath;
zdziecinniały infantile
zdzier|ać (*-am*) tear off *lub* down; *odzież* wear out; **~ać skórę** (*zwierzęcia*) skin; (*na kolanach itp.*) chafe the

Z

skin; F rip off; **~stwo** *n* (*-a*; *G* -) F rip-off
zdzira *f* (*-y*; *G* -) *pej.* bitch
zdziwi|ć *pf.* → ***dziwić***; **~enie** *n* (*-a*; *0*) astonishment
ze *prp.* → ***z***
zebra *m* (*-y*; *G* -) *zo.* zebra; *mot. Brt.* zebra (crossing), *Am.* crosswalk
zebra|ć *pf.* → ***zbierać***; **~nie** *n* (*-a*; *G -ań*) (***wyborcze*** election) meeting
zecernia *f* (*-i*; *-e*) *print.* composing room
zedrzeć *pf.* → ***zdzierać***
zegar *m* (*-a*; *-y*) clock; **~ek** *m* (*-rka*; *-rki*) watch; **~mistrz** *m* watchmaker; **~ynka** *f* (*-i*; *G -nek*) *tel.* speaking clock
ze|gnać *pf.* → ***zganiać***; **~jście** *n* (*-a*; *G -jść*) way down, descent; **~jść** *pf.* (*-jść*) → ***schodzić***
zelować ⟨***pod-***⟩ (*-uję*) sole
zelówka *f* (*-i*; *G -wek*) sole
ze|lżeć *pf.* (*-eję*) let up; *ból*, *wiatr*: ease; *burza*, *gniew*: die down; *gorączka*: go down; **~mdlenie** *n* (*-a*; *G -eń*) faint; **~mdlony** fainted; **~mknąć** → ***zmykać***
zemsta *f* (*-y*; *0*) revenge
zepchnąć *pf.* → ***spychać***
zepsu|cie *n* (*-a*; *0*) decay; *fig.* corruptness, depravity; ***ulegać ~ciu*** decay; → ***psuć się***; **~ty** broken; *mięso* off, bad;
zerk|ać (*-am*) ⟨**~*nąć***⟩ (*-nę*) take a glance (***na*** *A* at)
zer|o *n* (*-a*; *G* -) zero; nought; ***poniżej/powyżej ~a*** below/above zero; ***dwa ~o*** two to nil
ze|rwać *pf.* → ***zrywać***; **~rznąć, ~rżnąć** *pf.* → ***zrzynać***; **~schnąć się** *pf.* → ***zsychać się***; **~skakiwać** (*-uję*) ⟨**~*skoczyć***⟩ (***z*** *G*) jump (down); (*z roweru*) jump (off); **~skrobywać** (*-uję*) ⟨**~*skrobać***⟩ scrape off; **~słać** *pf.* (*słać*[1]) → ***zsyłać***; **~słanie** *n* (*-a*; *G -ań*) deportation
ze|spalać (*-am*) unite (***się*** *v/i.*); **~spawać** *pf. tech.* weld together; **~spolić** *pf.* (*-lę*, *-ól!*) → ***zespalać***; **~społowy** group, collective; **~spół** *m* (*-połu*; *-poły*) group (*też mus.*); team; *tech.* unit, set; *med.* syndrome
zestaw *m* (*-u*; *-y*) set; kit; **~ *stereo*** stereo; **~iać** ⟨**~*ić***⟩ put together (***z*** *I* with); **~ienie** *n* (*-a*; *G -eń*) combination, comparison; compilation (*danych*); ***w ~ieniu z*** (*I*) in comparison with
zestrzelić *pf.* shoot down
zeszlifow(yw)ać (-[*w*]*uję*) grind down *lub* off
zesz|łoroczny of the previous year; **~ły** last; ***w ~łym roku*** last *lub* previous year
zeszpecony disfigured; → ***szpecić***
zeszyt *m* (*-u*; *-y*) exercise-book; (*czasopisma*) issue
ześliz|giwać się (*-uję*) ⟨**~*(g)nąć się***⟩ (*-nę*) slide off; slip off *lub* down
ze|śrubow(yw)ać (-[*w*]*uję*) screw together; **~tknąć** *pf.* → ***stykać***; **~trzeć** *pf.* → ***ścierać***
zewnątrz: *adv.* ***na ~*** outside; ***z ~*** from the outside
ze|wnętrzny outside; external; outer; **~wrzeć** *pf.* (*-wrzeć*) → ***zwierać***; **~wsząd** *adv.* from everywhere
zez *m* (*-a*; *0*) squint; ***mieć ~a*** squint, have a squint
zezna|nie *n* (*-a*; *G -ań*) *jur.* statement; **~wać** (*-ję*) ⟨**~*ć***⟩ state, testify
zezowa|ć (*-uję*) squint, have a squint; **~ty** cross-eyed
zezw|alać (*-am*) ⟨**~*olić***⟩ (*-ę*, *-ól!*) (***na*** *A*) allow (to *bezok.*), permit; **~olenie** *n* (*-a*; *G -eń*) permission
zeżreć *pf.* → ***zżerać***
zęb|aty toothed; *tech.* cog; **~owy** dental, tooth; **~y** *pl.* → ***ząb***
ZG *skrót pisany*: ***Zarząd Główny*** head office
zgad|ywać (*-uję*) ⟨**~*nąć***⟩ (*-nę*) guess; *zagadkę* solve; **~*nij*** (have a) guess; **~ywanka** *f* (*-i*; *G -nek*) guessing game
zgadzać się (*-am*) (***na*** *A*, ***z*** *I*) agree (to, with); *rachunek*: be correct
zgaga *f* (*-i*; *G* -) *med.* heartburn
zga|lać (*-am*) shave off; **~niać** herd together; → ***odganiać***; **~rniać** (*-am*) ⟨**~*rnąć***⟩ sweep; rake together; → ***zgrabiać, odgarniać***; **~sły** *ogień* extinguished; extinct
zgęszczać (*-am*) → ***zagęszczać***
zgiąć *pf.* → ***zginać, giąć***
zgiełk *m* (*-u*; *0*) noise; din; **~liwy** noisy
zgię|cie *n* (*-a*; *G -ęć*) bend; crook; **~ty** bent
zgin|ać (*-am*) (***się***) bend; ***~ać się*** double up; **~ąć** *pf.* → ***ginąć***
zgliszcza *pl.* (-) smouldering ruins *pl.*
zgładzić *pf.* slay
zgłaszać (*-am*) *kradzież itp.* report; *wniosek* put forward, submit; *protest* lodge; *akces*, *do oclenia* declare; ***~ się***

Z

(***u, do*** *G*) report (to); (***do*** *G*) enter
zgłębiać (*-am*) fathom, penetrate
zgłodniały hungry, famished
zgło|sić *pf.* → ***zgłaszać***; **~ska** *f* (*-i*; *G -sek*) syllable; **~szenie** *n* (*-a*; *G -eń*) report; declaration; application; entry
z|głu- *pf.* → ***głu-***; **~gnębiony** harassed
zgniat|ać (*-am*) ⟨***zgnieść***⟩ squash; mash; **~anie** *n* (*-a*; *G -eń*): ***strefa ~ania*** → ***zgniot***
zgni|ć *pf.* → ***gnić***; **~lizna** (*-y*; *0*) *fig.* decadence, decay; **~ły** rotten, decayed
zgniot *m* (*-u*; *-y*): ***strefa ~u*** *mot.* crumple zone
zgod|a *f* (*-y*; *0*) agreement, consent; ***wyrazić ~ę*** (***na*** *A*) agree (to); ***dojść do ~y*** come to an agreement; ***~a!*** OK!, (*przy kupowaniu*) done; → ***~ność***; **~nie** *adv.* in harmony; ***~nie z*** according to; **~ność** *f* (*-ści*) agreement; unanimity; **~ny** agreeable; *decyzja* unanimous; (***z*** *I*) compatible (with); consistent (with); ***~ny z prawem*** lawful
zgo|dzić się *pf.* → ***zgadzać się***; **~lić** *pf.* → ***zgalać***; **~ła** *adv.* quite, completely
zgon *m* (*-u*; *-y*) death; **~ić** *pf.* → ***zganiać***
zgorsz|enie *n* (*-a*; *G -eń*) scandal, outrage; ***wywołać ~enie*** cause offence; **~ony** offended, shocked
zgorzel *f* (*-i*; *0*) *med.* gangrene
zgorzkniały embittered, bitter
zgotować *pf.* → ***gotować, przygotowywać***
zgrabi|ać (*-am*) ⟨***~ć***⟩ rake together
zgrabiały numb (with cold)
zgrabny deft, adroit; (*kształtny*) shapely; (*zręczny*) nimble
zgraja *f* (*-ai*; *-e*) (*wilków*) pack; *fig.* gang
zgrany harmonious
zgromadz|ać *pf.* → ***gromadzić***; **~enie** *n* (*-a*; *G -eń*) assembly, gathering
zgroza *f* (*-y*; *0*) horror
zgru|biały thickened, swollen; **~bienie** *n* (*-a*; *G -eń*) thickening; swelling; *gr.* augmentative; **~bny** rough; **~cho-** *pf.* → ***grucho-***
zgrupowanie *n* (*-a*; *G -ań*) group(ing)
zgry|wać (*-am*) harmonize; ***~wać się*** overact; (***na*** *A*) play; **~zać** (*-am*) bite; **~ziony** sorrowful; **~zota** *f* (*-y*; *G -*) worry, anxiety; ***~źć*** *pf.* → ***zgryzać***; **~źliwie** *adv.* caustically, bitingly; **~źliwy** caustic, biting
zgrza|ć (*-eję*) *pf.* → ***zgrzewać***; ***~łem się*** I am hot
zgrzebło *n* (*-a*; *G -beł*) curry-comb
zgrzewa|ć (*-am*) *folię* seal; *tech.* weld (together); **~rka** *f* (*-i*; *G -rek*) (*do folii*) (bag) sealer
zgrzybiały decrepit
zgrzyt *m* (*-u*; *-y*) screech, jar; *fig.* hitch; **~ać** (*-am*) screech, grate; jar; (*zębami*) grind
zgub|a *f* (*-y*; *G -*) loss; (*-y*; *0*) undoing; doom; **~ić** *pf.* → ***gubić***; **~iony** lost; *fig.* doomed; **~ny** pernicious
zgwałcenie *n* (*-a*; *G -eń*) raping, rape
zhań- *pf.* → ***hań-***
ZHP *skrót pisany*: ***Związek Harcerstwa Polskiego*** Polish Scouts Organization
ziać (*zieję*) yawn; *otchłań*: gape; ***~ stęchlizną*** have a musty smell; ***~ ogniem*** belch fire
ziar|(e)nko *n* (*-a*; *G -nek*) → ***ziarno***; (*kawy itp.*) bean; *fig.* germ, seed; **~nisty** grainy; ***kawa ~nista*** whole-bean coffee; **~no** *n* (*-a*; *G -ren*) grain; (*nasienie*) seed
ziele *n* (*-a*; *zioła*, *G ziół*) herb; **~niak** *m* (*-a*; *-i*) F greengrocer('s); **~nić** ⟨***za-***⟩ ***się*** (*-ę*) turn green; **~niec** *m* (*-ńca*; *-ńce*) green space; **~nieć** (*-eję*) look green; **~nina** *n* (*-y*; *G -*) greens *pl.*; **~ń** *f* (*-ni*; *-nie*) green
zielon|o- *w złoż.* green-; **~y** green
zielsko *n* (*-a*; *G -*) weed
ziem|ia *f* (*-i*; *0*) earth; soil, ground; land; ***Ƨia*** *astr.* (*pl. 0*) Earth; ***nad Ƨią*** above ground; **~iopłody** *m/pl.* (*-dów*) agricultural products *pl.*; produce; **~niaczany** potato; **~niak** (*-a*; *-i*) potato; **~ny** ground; ***orzeszek ~ny*** peanut; **~ski** earthly, worldly; Earth('s); *posiadłość* landed
ziew|ać (*-am*) ⟨***~nąć***⟩ (*-nę*) yawn
zięb|a *f* (*-y*; *G -*) *zo.* chaffinch; **~ić** (*-ę*) chill, cool; **~nąć** (*-nę*, *też ziąbł*) be *lub* feel cold
zięć *m* (*-cia*; *-ciowie*) son-in-law
zim|a *f* (*-y*; *G -*) winter; ***~ą*** in winter; **~niej(szy)** *adv.* (*adj.*) (*comp. od* → ***cold***) colder
zimno[1] *n* (*-a*; *0*) cold, chill
zim|no[2] *adv.* cold; *fig.* coldly; ***~no mi*** I am cold; **~ny** cold; chilly; **~orodek** *m* (*-dka*; *-dki*) *zo.* kingfisher; **~ować** ⟨***prze-***⟩ (*-uję*) winter; **~owy** winter

Z

zioł|a *pl.* → ***ziele***; **~olecznictwo** *n* phytotherapy; **~owy** herbal
ziomek *m* (*-mka*; *-mkowie*) fellow-countryman
zionąć (*im*)*pf.* (*-nę*, *-ń!*) → ***ziać***
ziółk|o *n* (*-a*; *G -łek*) *fig.* good-for-nothing; ***~a*** *pl.* herb tea; → ***ziele***
zirytowany irritated, annoyed
ziszczać (*-am*) ⟨***ziścić***⟩ (*-szczę*) realize, fulfill; ***~ się*** come true
zjad|ać (*-am*) eat up; **~liwie** *adv.* viciously; **~liwy** vicious, scathing; *med.* virulent;
zjaw|a *f* (*-y*; *G -*) apparition; phantom; **~iać się** (*-am*) ⟨***~ić się***⟩ appear; **~isko** *n* (*-a*; *G -*) phenomenon
zjazd *m* (*-u*; *-y*) (*samochodem*) downhill drive; (*spotkanie*) assembly, meeting; *sport*: downhill racing; *mot.* exit; **~owy** *narty*: downhill
zje|chać *pf.* → ***zjeżdżać***; **~d-** *pf.* → ***jed-***
zjednocz|enie *n* (*-a*; *G -eń*) unification, union; **~ony** unified, united; ***Ⓢone Królestwo*** United Kingdom; ***~yć*** *pf.* → ***jednoczyć***
zje|dnywać *pf.* → ***jednać***; **~łczały** rancid; **~ść** *pf.* → ***zjadać***; **~żdżać** (*-am*) drive down; (*na nartach*) go down; turn off (***z drogi*** the road); slip down; ***~żdżaj!*** hop it!; ***~żdżać się*** come together; arrive; **~żdżalnia** *f* (*-i*; *-e*) slide
zla|ć *pf.* → ***zlewać***; **~tywać** (*-uję*) fly down; (*spadać*) fall down; ***~tywać się*** come flying up; come together
zląc się *pf.* → ***zlęknąć się***
zlec|ać (*-am*) (***k-u A***) commission (s.o. to do s.th.); **~enie** *n* (*-a*; *G -eń*) order, commission; (***wypłaty*** payment) order; → ***polecenie***; **~eniodawca** *m* client, customer; **~ić** *pf.* (*-cę*) → ***zlecać***
zlecieć *pf.* → ***zlatywać***
zlep|ek *m* (*-pku*; *-pki*) conglomeration, aggregate; **~iać** (*-am*) ⟨***~ić***⟩ glue (***się*** together)
zlew *m* (*-u*; *-y*) (***kuchenny*** kitchen) sink; **~ać** (*-am*) pour away; ***~ać się*** run together; *dźwięki*: blend together; **~isko** *n* (*-a*) *geogr.* basin; **~ki** *m/pl.* swill, slops *pl.*; **~ozmywak** *m* (*-a*; *-i*) sink
zleźć *pf.* → ***złazić***
zlęknąć się become frightened
zli|czać ⟨***~czyć***⟩ total, add up; **~kwi-**, **~to-** *pf.* → ***likwi-***, ***lito-***; **~zywać** (*-uję*) ⟨***~ać***⟩ lick off

zlodowaciały iced up; (*też fig.*) icy
zlot *m* (*-u*; *-y*) meeting, reunion
ZLP *skrót pisany*: ***Związek Literatów Polskich*** Polish Writers' Association
zlustr-, **zluz-** *pf.* → ***lustr-***, ***luz-***
zł *skrót pisany*: ***złoty*** zloty
zła → ***zło***, ***zły***; **~go-** *pf.* → ***łago-***; **~godzenie** *n* (*-a*; *G -eń*) alleviation; moderation; *jur.* mitigation
zła|mać *pf.* → ***łamać***; **~manie** *n* (*-a*; *G -ań*) breaking; break; *med.* fracture; **~many** broken; **~zić** (*-żę*) (***z*** *G*) climb (down); *farba*: flake off
złącz|ać *pf.* → ***łączyć***; **~e** *n* (*-a*; *G -y*) *tech.* joint, connection; **~ka** *f* (*-i*; *G -czek*) *tech.* coupling
zł|e → ***zły***; **~o** *n* (*-a*; *DL złu*; *0*) (***mniejsze*** lesser) evil; → ***zły***
złoci *m-os* → ***złoty***; **~ć** ⟨***po-***⟩ (*-ę*) gild; **~sty** golden
złoczyńca *m* (*-y*; *G -ców*) lawbreaker, criminal
złodziej *m* (*-a*; *-e*), **~ka** *f* (*-i*; *G jek*) thief; (*w sklepie*) shop-lifter; ***~ka*** F *electr.* adapter; **~ski** thievish; **~stwo** *n* (*-a*; *G -*) thieving
złom *m* (*-u*; *0*) scrap metal; **~ować** (*-uję*) scrap
złorzeczyć (*-ę*) (*D*) curse
złoś|cić ⟨***roz-***⟩ (*-szczę*) make angry; irritate; ***~cić się*** get angry (***na A*** at; ***z powodu*** *G*, ***o*** *A* about); get cross (***na*** *A* with); ***~ć*** *f* (*-ści*; *0*) anger; irritation; ***na ~ć*** (*G*) in defiance (of); **~liwie** *adv.* maliciously; **~liwość** *f* (*-ści*; *0*) malice; maliciousness; **~liwy** malicious
złot|(aw)obrązowy golden brown; **~nictwo** *n* (*-a*; *0*) goldsmithery; **~nik** *m* (*-a*; *-cy*) goldsmith; **~o** *n* (*-a*; *0*) *chem.* gold; **~ówka** *f* (*-i*; *G -wek*) one zloty coin; **~y 1.** gold; golden; **2.** *m* (*-ego*; *-e*) zloty
zło|wieszczo *adv.* ominously; **~wieszczy** ominous; **~wrogi** sinister; **~wrogo** *adv.* in a sinister manner
złoż|e *n* (*-a*; *G złóż*) *geol.* deposit; **~enie** *n* submission; resignation; laying; saving; *gr.* compound; *por.* ***składać***; **~ony** composed (***z*** *G* of); complicated; **~yć** *pf.* → ***składać***
złu|dny illusory; deceptive; **~dzenie** *n* (*-a*; *G -eń*) illusion, delusion; deception; ***być do ~dzenia podobnym do kogoś*** be s.o.'s spit(ting) image

Z

zły 1. (*comp.* ***gorszy***) bad; evil; *odpowiedź też* wrong; *uczony* poor; **2. złe** *n* (*-ego*; *0*) evil; ***brać/mieć za złe*** take amiss; → ***zło***
zm. *skrót pisany*: ***zmarł(a)*** died
zma|- *pf.* → ***ma-***; **~gać się** (*-am*) (**z** *I*) struggle (with); **~gania** *n/pl.* (*-ań*) struggle
zmar|ły dead, deceased; **~n-** *pf.* → ***marn-***
zmarszcz|ka *f* (*-i*; *G -szczek*) wrinkle; **~ony** wrinkled
zmartwi|enie *n* (*-a*; *G -eń*) worry; **~ony** worried
zmartwychwsta|(wa)ć rise from the dead; **~nie** *n* (*-a*; *G -ań*) resurrection
zmarznięty [-r·z-] cold
zmaz|ywać (*-uję*) ⟨***~ać***⟩ wipe away *lub* off; *fig. winę* expiate
zmą-, zme-, zmę- *pf.* → ***mą-, me-, mę-***
zmęcz|enie *n* (*-a*; *0*) exhaustion; weariness; **~ony** tired, weary, exhausted
zmia|- *pf.* → ***mia-***; **~na** *f* (*-y*; *G -*) change; transformation; shift; (***nocna*** night) duty; ***na ~nę*** interchangeably; ***bez ~n*** unchanged; *med.* no abnormality detected (*skrót*: ***NAD***); **~tać** (*-am*) sweep away
zmiażdżenie *n* (*-a*; *G -eń*) *med.* crush
zmien|iać (*-am*) ⟨***~ić***⟩ change, alter (***się*** *v/i.*); ***~iać się*** vary; (*przy pracy*) take turns; (***w*** *A*) change over (to); **~ny 1.** changing; *tech.* alternating → ***prąd***; **2. ~na** *f* (*-ej*; *-e*) *math.* variable
zmierz|- *pf.* → ***mierz-***; **~ać** (*-am*) (***ku*** *D*, ***do*** *G*) head (for); *fig.* be driving (***do*** *G* at); → ***podążać***
zmierzch *m* (*-u*; *-y*) twilight, dusk; **~ać (się)** (*-am*) ⟨**~nąć (się)**⟩ (*-nę*, *-ł*) grow dark
zmierzwiony ruffled; matted
zmiesza|ć *pf.* → ***mieszać, peszyć***; ***~ć się*** get confused; **~nie** *n* (*-a*; *0*) confusion
zmieść *pf.* → ***zmiatać***
zmiękcz|acz *m* (*-a*; *-e*) softener; *chem.* plasticizer; **~ać** (*-am*) → ***miękczyć***
zmiłowa|ć się *pf.* (***nad*** *I*) have mercy (on); **~nie** *n* (*-a*; *0*) mercy
zmizerowany → ***mizerny***
zmniejsz|ać (*-am*) decrease, diminish (***się*** *v/i.*); reduce; *ból też* alleviate; **~enie** *n* (*-a*; *G -eń*) decrease; reduction
zmo|- *pf.* → ***mo-***; **~kły** wet
zmora *f* (*-y*; *G zmór*) nightmare (*też fig.*)
zmordowany dead tired
zmotoryzowany *mil.* motorized; with a car
zmowa *f* (*-y*; *G zmów*) conspiracy; *jur.* collusion
zmó|c *pf. sen*: overcome; *choroba*: lay low; **~wić** *pf. pacierz* say; ***~wić się*** → ***umawiać***
zmrok *m* (*-u*; *0*) darkness; → ***mrok, zmierzch***
zmurszały rotten, decayed
zmu|szać (*-am*) ⟨***~sić***⟩ (*-szę*) force (***do*** *G* to); ***~szać się*** force o.s. (***do*** *G*); **~szony** forced; ***być ~szonym*** be forced (***do*** *G* to)
zmy|ć *pf.* → ***zmywać***; **~kać** (*-am*) → ***umykać***; **~lić** *pf.* → ***mylić***
zmysł *m* (*-u*; *-y*) sense, faculty; (***do*** *G*) instinct (for); ***postradać ~y*** be out of one's mind; **~owo** *adv.* sensuously; **~owość** *f* (*-ści*; *0*) sensuousness, sensuality; **~owy** sensual, sensuous
zmyśl|ać (*-am*) ⟨***~ić***⟩ (*-ę*) make up, fib; **~ony** made-up, fictional
zmywa|ć (*-am*) wash up; **~lny** washable; **~rka** *f* (*-i*; *G -rek*) dishwasher
znachor *m* (*-a*; *-rzy*), **~ka** *f* (*-i*; *G -rek*) quack
znacz|ąco *adv.* significantly; **~ący** significant; meaningful; **~ek** *m* (*-czka*; *-czki*) (***stemplowy, pocztowy*** fiscal, postage) stamp; (*oznaka*) badge; **~enie** *n* (*-a*; *G -eń*) meaning; significance, importance; ***mieć ~enie dla*** mean for; **~ny** considerable, substantial; significant; **~ony** marked; **~yć** (*-ę*) mean; ***to ~y*** that means *lub* is (*skrót*: i.e.); → ***oznaczać***
znać (*-am*) know; ***dać ~*** (*D*) let know; ***~ po niej, że ...*** one can see that she…; ***~ się*** be acquainted; (*nawzajem*) know each other; ***~ się*** (***na*** *L*) know (about); be familiar (with)
znad *prep.* (*G*) from above; ***~ morza*** from the seaside
znajdować (*-uję*) find; ***~ się*** be; *dom, wieś*: be situated *lub* located; (*po zgubieniu*) be found; (*zjawiać się*) turn up
znajom|ość *f* (*-ści*) acquaintance; (*przedmiotu*) (*G*) familiarity (with); ***po ~ości*** through connections *pl.*; **~y** *m* (*-ego*; *-i*), **~a** *f* (*-ej*; *-e*) acquaintance
znak *m* (*-u*; *-i*) (***drogowy*** road) sign; (*oznaka*) symbol; (*przestankowy*) mark; ***~ firmowy*** logo; trademark; ***~ życia***

Z

sign of life; ***na ~*** (*G*) as a sign that; ***~i*** *pl.* ***szczególne*** distinguishing features *pl.*; ***dawać się we ~i*** (*D*) plague; (*wydarzenie*) be a heavy blow (for)
znakomi|cie *adv.* eminently, outstandingly; **~tość** *f* (*-ści*) (*ktoś*) celebrity; **~ty** eminent, outstanding
znakować ⟨**o-**⟩ (*-uję*) mark
znalaz|ca *m* (*-y*; *G -ców*), **~czyni** *f* (*-ni*; *-nie*, *-yń*) founder
znale|ziony found; ***biuro rzeczy ~zionych*** *Brt.* lost property office, *Am.* lost and found office; **~zisko** *n* (*-a*; *G* -) finding; **~źć** *pf.* → ***znajdować***; **~źne** *n* (*-ego*; *-e*) reward
zna|mienity outstanding; **~mienny** symptomatic (***dla*** *G* of); **~mię** *n* (*-mienia*; *-miona*) birthmark; (*cecha*) characteristic
znany known (***z tego, że*** from)
znaw|ca *m* (*-y*; *G -ców*), **~czyni** *f* (*-ni*; *-nie*, *-yń*) expert; ***okiem ~cy*** with an expert eye
znę|cać się (*-am*) (***nad*** *I*) abuse, maltreat; **~cić** *pf.* → ***nęcić***; **~kany** (*I*) exhausted (with)
znicz *m* (*-a*; *-e*) grave-light; (*w kościele*) sanctuary lamp; ***~ olimpijski*** the Olympic torch
zniechęc|ać (*-am*) ⟨***~ić***⟩ (*-cę*) (***do*** *G*) discourage (from); ***~ić się*** (***do*** *G*) become discouraged; **~ający** discouraging; **~enie** *n* (*-a*; *0*) discouragement
zniecierpliwi|enie *n* (*-a*; *0*) impatience; **~ony** impatient; → ***niecierpliwić***
znieczu|lać (*-am*) ⟨***~ić***⟩ (*-lę*) *med.* an(a)esthetize; (*miejscowo*) give a local an(a)esthetic; **~lający** an(a)esthetic; **~lenie** *n* (*-a*; *G -eń*) *med.* an(a)esthesia
zniedołężniały infirm, frail
zniekształc|ać (*-am*) ⟨***~ić***⟩ (*-ę*) *informacje* distort; *palce itp.* deform, disfigure
znie|nacka *adv.* suddenly; out of the blue; **~nawidzony** hated; → ***nienawidzić***; **~sienie** *n* (*-a*; *0*) *jur.* abolition; ***nie do ~sienia*** unbearable
zniesławi|ać (*-am*) ⟨***~ć***⟩ (*-ę*) slander; libel; **~enie** *n* (*-a*; *G -eń*) slander; libel;
znieść *pf.* → ***znosić***[1]
zniewa|ga *f* (*-i*; *G* -) insult; **~żać** (*-am*) ⟨***~żyć***⟩ insult
zniewieściały effeminate
znikać (*-am*) → ***niknąć***
znikąd *adv.* from nowhere
znik|nąć *pf.* → ***znikać***; **~nięcie** *n* (*-a*; *G -ęć*) disappearance; **~omy** slight, small, trivial; ***~omo krótki/mało*** very short/little
zniszcz|ały dilapidated; → ***niszczeć***; **~enie** *n* (*-a*; *G -eń*) damage; **~ony** broken, damaged
zni|we- *pf.* → ***niwe-***; **~żać** (*-am*) lower; let down, take down; ***~żać się*** go down; *teren*: drop away, slope
zniżk|a *f* (*-i*; *G -żek*) reduction; discount; **~ować** (*-uję*) *econ.* go down, sink; **~owy** reduced; *trend* downhill; ***po cenie ~owej*** at a discount price;
zno|- *pf.* → ***no-***
znosić[1] carry; *prawo* abolish, repeal; *jajka* lay; *dom* demolish; *most* wash away; *łódź* drift (***z kursu*** off the course); *zakaz* lift; *przykrość*, *ból* bear, endure; *klimat* tolerate; *kogoś* stand; ***~ się*** (***z*** *I*) get on *lub* along (with);
zno|sić[2] *pf.* *ubranie* wear out; **~śny** bearable; passable, *Brt.* not (so) bad
znowu, ~ż, znów 1. *adv.* again; once again; **2.** *part.* so
znudz|enie *n* (*-a*; *0*) boredom, dullness, tedium; ***do ~enia*** ad nauseam; ***ze ~eniem*** bored; **~ić** *pf.* bore; pall on; ***~ić się*** (*I*) be bored (with); **~ony** bored
znuż|enie *n* (*-a*; *0*) exhaustion; weariness; **~yć się** (*I*) become exhausted; → ***nużyć***
zob. *skrót pisany*: ***zobacz*** see
zobacz|enie *n*: ***do ~enia!*** good-bye!; **~yć** *pf.* (*-ę*) see; ***~yć się*** meet, see each other; ***~ymy*** we'll see
zobo|- *pf.* → ***obo-***; **~jętniały** indifferent
zobowiąz|ać *pf.* → ***zobowiązywać***; **~anie** *n* (*-a*; *G -ań*) obligation, commitment; *econ.* liability; **~ywać** (*-uję*) oblige (***do*** *G* to); ***~ywać się*** commit o.s. (***do*** *G* to)
zodiak *m* (*-u*; *0*) zodiac
zohydz|ać (*-am*) ⟨***~ić***⟩ (*-dzę*) make *s.o.* loathe *s.th.*
zoolog *m* (*-a*; *-dzy*) zoologist; **~iczny** zoological
zop-, zor- *pf.* → ***op-, or-***
zorza *f* (*-y*; *-e*, *G zórz*) dawn; ***~ polarna*** aurora, polar lights *pl.*
zosta|(wa)ć stay; remain, be (***przy*** *I* with); *t-ko pf.* become (***uszkodzonym*** damaged; ***ojcem*** a father); **~wi(a)ć** → ***pozostawiać***

Z

ZOZ *skrót pisany*: ***Zespół Opieki Zdrowotnej*** health-care centre
zra|- *pf.* → ***ra-***; **~stać się** (*-am*) *kości*: knit together; **~szać** (*-am*) spray; water
zraz *m* (*-u*; *-y*) *gastr.* steak
zrażać (*-am*) ⟨***zrazić***⟩: ***~ do siebie, ~ sobie*** (*A*) set s.o. against; prejudice against; ***nie ~ się*** (*I*) not be put off
zrąb *m* (*zrębu*; *zręby*) log framing; *pl. fig.* foundations *pl.*; **~ać** *pf. drzewo* fell; hew down
zre|- *pf.* → ***re-***; **~formowany** reformed; **~organizowany** re-organized
zresztą *adv.* incidentally
zrezygnowany resigned
zręby *pl.* → ***zrąb***
zręczn|ość *f* (*-ści*; *0*) dexterity, deftness; **~y** deft, dexterous, skil(l)ful
zro|dzić (*-ę*) → ***rodzić***; **~gowacenie** *n* (*-a*; *G -eń*) callosity; **~sić** *pf.* → ***zraszać***; **~snąć się** *pf.* → ***zrastać się***; **~st** *m* (*-u*; *-y*) *med.* adhesion; **~śnięty** grown together; knitted together
zrozpaczony despairing
zrozumi|ale *adv.* understandably; comprehensibly; **~ały** understandable; comprehensible; ***~ały sam przez się*** natural; self-evident; **~enie** *n* (*-a*; *G -eń*) understanding; comprehension; ***nie do ~enia*** beyond comprehension; ***dać do ~enia*** give to understand; hint; **~eć** *pf.* → ***rozumieć***
zróść się *pf.* → ***zrastać się***
zrówn|ać *pf.* → ***równać, zrównywać***; **~anie** *n* (*-a*; *G -ań*) equalization; parity; *astr.* equinox
zrównoważony balanced
zrównywać (*-uję*) *teren* level, even out; (***z*** *I*) equate (with); ***~ z ziemią*** raze to the ground
zróżnicowany varied, differentiated
zrujnowany ruined; → ***rujnować***
zryć *pf.* → ***ryć***
zryw *m* (*-u*; *-y*) spurt; *mot.* acceleration; → ***poryw***; **~ać** (*-am*) *v/t.* tear off *lub* down; *agr.* pick; *stosunki*, *zaręczyny* break off; *umowę* cancel, terminate; *głos* strain; *v/i.* (***z*** *I*) break up (with); part (with); (*ukochanym*) walk out (on); ***~ać się*** break; (*ruszyć*) rush off; *ptak*: fly up; *wiatr*: spring up; → ***rwać***
zrządz|ać (*-am*) ⟨***~ić***⟩ bring about
zrze|czenie (się) *n* (*-a*; *G -eń*) renunciation, relinquishment; **~kać się** (*-am*) ⟨***~c się***⟩ renounce, relinquish; *tronu, funkcji* abdicate; **~szać** (*-am*) ⟨***~szyć***⟩ bring together; unite; ***~szać się*** be associated; organize; **~szenie** *n* (*-a*; *G -eń*) association; **~szony** unionized (***w*** *L* in)
zrzę|da *m/f* (*-y*; *G -*) grumbler, fault-finder; **~dzić** (*-ę*) (***na*** *A*) grumble (at), find fault (with)
zrzu|cać (*-am*) ⟨***~cić***⟩ *v/t.* drop; *rogi, liście* shed; *ubranie*, *maskę* throw off; *winę* shift; **~t** *m* (*-u*; *-y*) *aviat.* (air)drop; **~tka** *f* (*-i*; *G -tek*) collection, *Brt.* F whip-round
zrzynać (*-am*) F copy (***od*** *G* from)
zsadz|ać (*-am*) ⟨***~ić***⟩ help down; get down
zsiad|ać (*-am*) ⟨***zsiąść***⟩ (***z*** *G*) get off; → ***wysiadać***; ***~ać się*** curdle, set; ***~łe mleko*** sour milk
zstąpić *pf.* → ***zstępować***
zstęp|ny *jur.* descending; **~ować** (*-uję*) descend (***po schodach*** down the stairs); come down
zsu|wać (*-am*) ⟨***~nąć***⟩ (***z*** *G*) slide (down); *stoły* push together; ***~nąć się*** (***z*** *G*) slide (off), slip (off)
zsy|chać się (*-am*) dry up; wither; **~łać** (*-am*) deport, expel; **~p** *m* (*-u*; *-y*): ***~p do śmieci*** (*Brt.* garbage, *Am.* rubbish) chute; **~pywać** (*-uję*) ⟨***~pać***⟩ (***do*** *G*) tip, pour off
zszy|wacz *m* (*-a*; *-e*) stapler; **~wać** (*-am*) ⟨***~ć***⟩ sew together; **~wka** *f* (*-i*; *G -wek*) staple
zubożały impoverished
zuch *m* (*-a*; *-y*) Cub; ***~!*** nice show!; **~owaty** daring, bold
zuchwa|le *adv.* audaciously; **~lstwo** *n* (*-a*; *G -*) impudence, impertinence; nerve; audacity; **~ły** bold; impudent, impertinent; audacious
zupa *f* (*-y*; *G -*) soup; ***~ w proszku*** instant soup
zupełn|ie *adv.* completely, entirely, wholly; **~y** complete, entire, whole; *por.* ***całkowity***
Zurych *m* (*-u*; *0*) Zurich
ZUS *skrót pisany*: ***Zakład Ubezpieczeń Społecznych*** state social insurance company
zuży|cie *n* use; (*paliwa itp.*) consumption; **~ć** *pf.* → ***zużywać***; *też* → **~tkow(yw)ać** (*-[w]uję*) exploit, utilize, make

Z

use of; **~ty** used; **~wać** use up; use (***na*** *A* for); ***~wać się*** wear out, become used

zw. *skrót pisany*: ***zwany*** called; ***zwyczajny*** ordinary

zwać call (***się*** o.s.)

zwal|ać pile up, heap up; (***z*** *G*) unload (off, from); *winę, obowiązek* shift; *drzewo* fell; ***~ać z nóg*** knock out; ***~ać się*** fall down; → ***walić***; **~czać** (*-am*) ⟨***~czyć***⟩ combat; fight (***się*** each other); *pf. fig.* overcome, get over; **~ić** *pf.* → ***zwalać, walić***; **~niać** (*-am*) *bieg, tempo* reduce, slow down; (*z lekcji*) dismiss, send out; *hamulec* release; *pokój* vacate; *przejście* clear; (*z wojska*) discharge; *kogoś z pracy* lay off, dismiss; *kogoś* set free; liberate (***od*** *G* from; ***się*** o.s.); *v/i.* slow down; ***~niać się*** (*z pracy*) give notice; → ***zwolnić***

zwał *m* (*-u*; *-y*) *górnictwo*: slag-heap; ***~y*** *pl. fig.* heap, pile; mountains *pl.*

zwany → ***zwać***; ***tak ~*** so-called

zwapnienie *n* (*-a*; *G -eń*) calcification

zwarcie¹ *n* (*-a*; *G -rć*) *electr.* short circuit; *sport*: clinch; *gr.* stop

zwarcie² *adv.* densely, tightly

zwariowany crazy; → ***wariować***

zwarty compact; *tłum* thick; dense, tight; *gr.* stop

zwarzyć się *pf.* (*-ę*) curdle; go sour

zważ|ać (*-am*) ⟨***~yć***⟩ (***na*** *A*) pay attention (to), allow (for); ***nie ~ając na*** notwithstanding, despite; ***~ywszy, że*** in view of the fact that; → ***ważyć***

zwątpi|ć *pf.* (***w*** *A*) doubt (in); **~enie** *n* (*-a*; *G -eń*) doubt

z|we- *pf.* → ***we-***; **~wędzić** F *pf.* pinch

zwę|glony charred; **~szyć** *pf.* scent, get wind of; **~żać** (*-am*) ⟨***~zić***⟩ (*-żę*) narrow (***się*** *v/i.*); *źrenice itp.* constrict; *suknię* take in; **~żenie** *n* (*-a*; *G -eń*) narrowing; constriction

zwia|ć *pf.* → ***zwiewać***; **~d** *m* (*-u*; *-y*) *mil.* reconnaissance; (*patrol*) scouting patrol; **~dowca** *m* (*-y*; *G -ców*) *mil.* scout

zwiastowa|ć (*-uję*) announce; *fig.* herald; **℞nie** *n* (*-a*; *G -ań*) *rel.* the Annunciation

zwiastun *m* (*-a*; *-i/-owie*) harbinger; *med.* symptom; (*-a*; *-y*) trailer (*filmu*)

związ|ać *pf.* → ***związywać***; **~ek** *m* (*-zku*; *-zki*) connection; relation; relationship; ***~ek zawodowy*** trade union; ***wstąpić w ~ki małżeńskie*** enter into the bond of marriage; ***w ~ku z*** in relation to; **~kowiec** *m* (*-wca*; *-wcy*) (trade) unionist; **~kowy** trade-union; **~ywać** (*-uję*) tie together, tie up; associate; ***~ywać się*** (***z*** *I*) associate (with), be joined together (with)

zwichn|ąć (*-nę*) sprain, wrench, dislocate; **~ięcie** *n* (*-a*; *G -ęć*) *med.* dislocation

zwiedz|ać (*-am*) visit; *miasto* see the sights, see; **~ający** *m* (*-ego*; *G -ych*), **~ająca** *f* (*-ej*; *-e*) visitor; **~anie** *n* (*-a*; *G -ań*) (*G*) visit (to); sightseeing; **~ić** *pf.* → ***zwiedzać***

zwierać (*-am*) *electr.* short-circuit; ***~ się*** clinch

zwierciadło *n* (*-a*; *G -deł*) looking-glass

zwierzać (*-am*) confide; ***~ się*** (***k-o***) unburden o.s. (to s.o.), confide (in s.o.)

zwierzątko *n* (*-a*; *G -tek*) (small) animal

zwierzchni superior; **~czka** *f* (*-i*; *G -czek*), **~k** *m* (*-a*; *-cy*) superior

zwierzenie *n* (*-a*; *G -eń*) confession

zwierzę *n* (*-ęcia*; *-ęta*, *G -rząt*) animal; **~cy** animal

zwie|rzyna *f* (*-y*; *G -*) *zbior.* animals; *hunt.*(***gruba*** big) game; (***płowa*** red) deer; **~szać** (*-am*) ⟨***~sić***⟩ droop; **~ść** *pf.* → ***zwodzić***; **~trzały** stale, flat; *geol.* eroded; **~wać** (*-am*) *v/t.* blow away; *v/i.* F clear off; **~wny** flimsy, gossamer

zwieźć *pf.* → ***zwozić***

zwiędnięty wilted; → ***więdnąć***

zwiększ|ać (*-am*) ⟨***~yć***⟩ (*-ę*) increase (***się*** *v/i.*) → ***mnożyć***

zwię|zły concise; **~źle** *adv.* concisely

zwijać (*-am*) wind up; roll up (***się*** *v/i.*); *obóz* break, strike; *interes* wind up; F ***~ się*** *fig.* → ***uwijać się***

zwil|gotnieć *pf.* (*-eję*) become damp; **~żać** (*-am*) ⟨***~żyć***⟩ (*-ę*) dampen, wet; *wargi* moisten

zwin|ąć *pf.* → ***zwijać***; **~ny** nimble, agile

zwiotczały flaccid, flabby

zwi|sać (*-am*) ⟨***~snąć***⟩ (*-nę*, *-ł*) droop, sag; **~tek** *m* (*-tka*; *-tki*) roll (***papieru*** of paper)

zwlekać (*-am*) *v/i.* (***z***) linger (with)

zwłaszcza *adv.* especially

zwłok|a *f* (*-i*; *G -*) delay; ***kara za ~ę*** *econ.* interest for late payment; ***nie cierpiący ~i*** imperative, urgent

zwłoki *pl.* (-) corpse, dead body

zwodniczy misleading
zwodz|ić (*-ę*) mislead, deceive; **~ony** → ***most***
zwolenni|czka *f* (*-i*; *G -czek*), **~k** *m* (*-a*; *-cy*) supporter; adherent
zwolni|ć *pf.* → ***zwalniać***; **~ć się** *lokal*: become vacant; (*z pracy*) give notice, leave; **~enie** *n* (*-a*; *G -eń*) reduction, slow-down; dismissal, redundancy; release; vacating; clearing; discharge; liberation; (*z obowiązku, podatku itp.*) exemption; *por.* ***zwalniać***; ***~enie lekarskie*** sick leave; *szkoła*: *Brt.* doctor's note, *Am.* doctor's excuse; **~ony** (*z pracy*) redundant, dismissed; (*z obowiązku, płacenia*) exempt; (*z lekcji*) excused
zwoł|ywać (*-uję*) 〈***~ać***〉 call together; *zebranie* call for, convene
zwozić (*-żę*) deliver, bring
zwój *m* (*zwoju*; *zwoje*) (*drutu itp.*) coil; (*papieru*) roll; (*pergaminu*) scroll
zwracać return, take back, give back; *pieniądze* repay; (*kierować*) direct (***do*** *G* to); *twarz*, *wzrok* turn (***do*** *G* to); (*wymiotować*) vomit, bring up; ***~ koszty*** reimburse; → ***uwaga***; ***~ się*** turn (***do*** *G* to, ***ku*** *D* towards); (*być opłacalnym*) pay
zwrot *m* (*-u*; *-y*) turn; (*zwrócenie*) return; repayment; (*wyrażenie*) expression; ***~ w tył*** *mil. Brt.* about-turn, *Am.* about-face; ***~ kosztów*** reimbursement; **~ka** *f* (*-i*; *G -tek*) stanza; **~nica** *f* (*-y*; *-e*, *G -*) *rail. Brt.* points, *Am.* switch; **~nik** *m* (*-a*; *-i*) *geogr.* tropic; **~nikowy** tropical; **~ność** *f* (*-ści*; *0*) *mot. Brt.* manoeuvrability, *Am.* maneuverability; **~ny** *mot. Brt.* manoeuvrable, *Am.* maneuverable; *econ.* repayable; *gr.* reflexive
zwrócić *pf.* → ***zwracać***
zwycię|ski victorious; **~sko** *adv.* victoriously; **~stwo** *n* (*-a*; *G -*) victory; **~zca** *m* (*-y*; *G -ców*) victor, (*w konkursie itp.*) winner **~żać** (*-am*) 〈***~żyć***〉 (*-ę*) *v/i.* win; *v/t.* defeat; *fig.* overcome; **~żony** defeated; overcome
zwyczaj *m* (*-u*; *-e*) habit; (***ludowy*** popular) custom; ***starym ~em*** in the traditional way; ***wejść w ~*** become a habit; **~ny** ordinary, normal; *profesor*, *członek* full; **~owo** *adv.* customarily; **~owy** customary
zwyk|le *adv.* usually; ***jak ~le*** as usual; **~ły** usual; regular; normal
zwymyślać (*-am*) *pf.* insult, abuse
zwyrodniały degenerate
zwyżk|a *f* (*-i*; *G -żek*) increase; rise; **~ować** (*-uję*) be on the increase; rise
zygzak *m* (*-a*; *-i*) zigzag; **~owaty** zigzag
zysk *m* (*-u*; *-i*) profit; *fig.* gain, benefit; **~iwać** (*-uję*) 〈***~ać***〉 (*-am*) (***na*** *L*) profit (by, from); gain (***na czasie*** time; ***na wartości*** in value); *sławę* acquire; **~owny** profitable
z.z. *skrót pisany*: ***za zgodność*** (*G*) for the correctness of
zza *prp.* (*G*) from behind, from beyond
zziajany out of breath; *pies* panting
zzielenieć *pf.* become green; turn green
zziębnięty chilled, cold
zżerać (*-am*) eat; *rdza też*: corrode
zżół|kły, ~nięty yellow; (*ze starości*) discolo(u)red
zży|ć się *pf.* → ***zżywać się***; **~mać się** (*-am*) wince (***na*** *A* at); ***~mał się na myśl*** (***o*** *L*) he was annoyed at the thought (of); **~wać się** (*-am*) (***z*** *I*) get accustomed (to), get familiar (with); (*z kimś*) get close (to)

Ź

źdźiebko F a little bit
źdźbło *n* (*-a*, *L źdźble*; *G źdźbeł*) blade
źl|e *adv.* (*comp. gorzej*) badly, poorly; (*ze złym wynikiem*) wrongly; ***~e, że ...*** it's bad that; ***~e się czuć*** feel bad; **~i** *m-os pl.* → ***zły***
źreb|ak *m* (*-a*; *-i*) *zo.* colt; **~ić** 〈***o-***〉 **się** (*-ę*) foal; **~ię** *n* (*-ęcia*; *-ęta*) foal
źrenic|a *f* (*-y*; *G -*) *anat.* pupil; ***pilnować jak ~y oka*** cherish *s.th.* like life itself
źródlan|y: ***woda ~a*** spring water
źródło *n* (*-a*; *G -deł*) (***mineralne, gorące*** mineral, thermal) spring (*też fig.*); *lit.*, *fig.* fount; **~wy** source

Ż

-ż *part.* → **-że**

żab|a *f* (-*y*; *G* -) *zo.* frog; **~i** frog('s); *fig.* froggy; **~ka** *f* (-*i*; *G* -*bek*) → **żaba**; (*drzewna*) arboreal frog, *zwł.* tree frog; *tech.* pipe wrench; *sport*: breaststroke; **~karka** *f* (-*i*; *G* -*rek*), **~karz** *m* (-*a*; -*e*) F *sport*: breaststroke swimmer

żad|en (*f* **~na**, *n/pl.* **~ne**) no, none; no one, nobody; (*z przeczeniem*) any, anybody; ***w ~en sposób*** in no way; → ***wypadek***

żag|iel *m* (-*gla*; -*gle*) *naut.* sail; **~lowiec** *m* (-*wca*; -*wce*) *naut.* sailing ship; **~lowy** sailing; **~lówka** *f* (-*i*; *G* -*wek*) *naut. Brt.* sailing boat, *Am.* sailboat

żakie|cik *m* (-*a*; -*i*) → **~t** *m* (-*u*; -*y*) jacket

żal[1] *m* (-*u*; -*e*) sorrow, regret; (*uraza*) grudge; (*skrucha*) remorse; *rel.* penitence; ***~e*** *pl.* complaints *pl.*

żal[2] *pred.*: ~(**, *że***) it is a pity (that); ***~ mi go*** I am sorry for him; ***było jej ~*** (*G*) she felt sorry (for); ***czuć ~*** (***do*** *G*) bear a grudge (against); **~ić się** (-*lę*) complain (***na*** *A* about)

żaluzja *f* (-*i*; -*e*) (*listwowa*) venetian blind; (*roleta*) *Brt.* roller blind, *Am.* roller window shade

żałob|a *f* (-*y*; *0*) mourning; ***nosić ~ę, chodzić w ~ie*** be in mourning; **~ny** mourning; ***msza ~na*** requiem (mass)

żało|sny pitiful; pathetic; **~śnie** *adv.* pitifully; pathetically; **~wać** ⟨**po-**⟩ (*G*) feel sorry (for); pity (*skąpić*) begrudge, deny; ***nie ~wać sobie*** (*G*) not deny o.s., allow o.s.; ***nie ~wać*** (*G*) not spare; ***bardzo żałuję*** I am very sorry

żar *m* (-*u*; *0*) heat; glow; *fig.* fervo(u)r

żarcie *f* (-*a*; *0*) F grub

żargon *m* (-*u*; -*y*) jargon, slang

żarliw|ie *adv.* fervently, ardently; **~y** fervent, *miłość* ardent; → ***gorliwy***

żarłoczn|ość *f* (-*ści*; *0*) gluttony (*też rel.*), greed; **~ie** *adv.* greedily; **~y** greedy

żarłok *m* (-*a*; -*i*) glutton, overeater

żaroodporny heat-resistant

żarówka *f* (-*i*; *G* -*wek*) *electr.* bulb

żart *m* (-*u*; -*y*) joke; prank, trick; ***~em, dla ~u*** for fun; ***z nim nie ma ~ów ...*** he is not to be trifled with

żarto|bliwie *adv.* jokingly; **~bliwy** joking; **~wać** ⟨**za-**⟩ (-*uję*) joke

żartowni|sia *f* (-*i*; -*e*), **~ś** *m* (-*sia*; -*sie*) joker; prankster

żarzyć się (-*ę*) glow (*też fig.*)

żąć ⟨**z-**⟩ (*żnę*) reap

żąda|ć ⟨**za-**⟩ (-*am*) demand; **~nie** *n* (-*a*; *G* -*ań*) demand; ***na ~nie*** on demand

żądło *n* (-*a*; *G* -*deł*) sting

żą|dny (*G*) craving (for); avid (for, of); ***~dny wiedzy*** thirsty for knowledge; **~dza** *f* (-*y*; *G* -) (*G*) desire (for); (*pożądanie*) lust (for); ***~dza wiedzy*** thirst for knowledge

że 1. *cj.* that; **2.** *part.*: ***ledwo ~*** hardly, scarcely; ***tyle ~*** only; → ***dlatego, mimo, omal***

-że *part.* (*wzmacniająca*) ***siadajże!*** do sit down!

żeberka *m/pl. gastr.* spare ribs *pl.*

żebra|czka *f* (-*i*; *G* -*czek*) beggar; **~ć** (-*am*) beg (***o*** *A* for); **~k** *m* (-*a*; -*cy*) beggar; **~nina** *f* (-*y*; *0*) begging

żebro *n* (-*a*; *G* -*ber*) *anat.* rib

żeby 1. *cj.* (in order) to, in order that; ***nie ~*** not that; **2.** → ***oby, chyba***

żegla|rka *f* (-*o*; *G* -*rek*) *naut.* yachtswoman; sailor; **~rski** sailing; **~rstwo** *n* (-*a*; *0*) *naut.* sailing; **~rz** *m* (-*a*; -*e*) *naut.* yachtsman; sailor

żeg|lować (-*uję*) sail; **~lowny** navigable; **~luga** *f* (-*i*; *G* -) navigation

żegnać (-*am*) ⟨**po-**⟩ *v/t.* say goodbye (**się** *v/i.*; ***z*** *I* to); ***~j!*** farewell!; ~⟨**prze-**⟩ ***cross*** (***się*** o.s.)

żel *m* (-*u*; -*e*) gel (*też chem.*)

żelatyna *f* (-*y*; *G* -) gelatine

żela|zisty *geol.* ferruginous; *woda* tasting of iron; **~zko** *n* (-*a*; *G* -*zek*) iron; **~zny** iron; **~zo** *n* (-*a*; *0*) *chem.* iron

żelbet *m* (-*u*; -*y*) reinforced concrete, ferroconcrete

żeliw|ny cast-iron; **~o** *n* (-*a*; *0*) cast iron

żeni|aczka *f* (-*i*; *G* -*czek*) marriage; **~ć** ⟨**o-**⟩ (-*ę*) marry; ***~ć*** ⟨**o-**⟩ **się** (***z*** *I*) get married (to)

żen|ować (się) ⟨**za-**⟩ (-*uję*) → ***krępować***; **~ująco** *adv.* embarrassingly, awkwardly; **~ujący** embarrassing, awkward

żeński female; *gr.* feminine
żeń-szeń *m* (*-nia*; *-nie*) *bot.* ginseng
żer *m* (*-u*; *0*) prey
żerdź *f* (*-dzi*; *-dzie*) pole
żerować (*-uję*) (*też fig.*) prey (**na** *L* on)
żeton *m* (*-u*; *-y*) token; chip; → ***szton***
żg|ać (*-am*) ⟨**~nąć**⟩ (*-nę*) stab, prick
żleb *m* (*-u*; *-y*) gully
żłob|ek *m* (*-bka*; *-bki*) day nursery; *Brt.* crèche; (*rowek*) groove; **~ić** ⟨**wy-**⟩ (*-ę*) groove; **~kowy** day nursery
żłopać (*-ię*) guzzle, swill
żłób *m* (*-łobu*; *-łoby*) manger
żmija *f* (*GDL - ii*; *-e*) viper; ***~ zygzakowata*** adder
żmudny strenuous
żniw|a *n/pl.* (-) → ***żniwo***; **~iarka** *f* (*-i*; *G -rek*) (*też maszyna*), **~iarz** *m* (*-a*; *-e*) reaper; **~ny** harvesting; **~o** *n* (*-a*; *G -*) harvest
żołąd|ek *m* (*-dka*; *-dki*) *anat.* stomach; **~kowy** stomach
żołądź *f* (F *m*) (*-ędzi*; *-ędzie*) *bot.* acorn; *anat.* glans penis
żoł|d *m* (*-u*; *zw. 0*) pay; **~dak** *m* (*-a*; *-cy*) *pej.* mercenary, soldier; **~nierski** soldier('s), military; ***po ~niersku*** like a soldier; **~nierz** *m* (*-a*; *-e*) *mil.* soldier
żona *f* (*-y*; *G -*) wife; **~ty** married
żonglować (*-uję*) (*I*) juggle (with)
żół|cić ⟨**po-**⟩ make yellow; **~ciowy** bilious; **~ć** *f anat.* bile; (*kolor*) yellow; **~knąć** ⟨**po-, z-**⟩ (*-nę*, *-ł*) turn yellow; (*ze starości*) discolo(u)r; **~taczka** *f* (*-i*; *G -czek*) *med.* jaundice; (*wirusowa*) hepatitis; **~tawo** *adv.* sallowly; **~tawy** yellowish; *skóra* sallow; **~tko** *n* (*-a*; *G -tek*) yolk
żółto *adv.* (*comp. żółciej*) yellow; **~ść** *f* (*-ści*; *0*) yellow; **~zielony** yellowish-green
żółty yellow; (*niezdrowa skóra*) sallow; (*w sygnalizacji*) amber; (*z zazdrości*) green
żółw *m* (*-wia*; *-wie*, *-wi*) *zo.* turtle; tortoise; **~i** turtle; ***~im krokiem*** at a snail's pace
żrąc|y corrosive; **~o** *adv.* corrosively
żreć ⟨**po-, ze-**⟩ F devour; eat, corrode
żubr *m* (*-a*; *-y*) *zo.* wisent, European bison
żu|chwa *f* (*-y*; *G -*) *anat.* mandible, lower jaw; **~ć** (*-ję*) chew; → ***przeżuwać***
żuk *m* (*-a*; *-i*) *zo.* beetle
żuławy *f/pl.* (*G -*) marshland
żur *m* (*-u*; *-y*) *type of Polish soup*
żuraw *m* (*-wia*; *-wie*) *zo.*, *tech.* crane; **~i** crane; **~ina** *f* (*-y*; *G -*) *bot.* cranberry
żurnal *m* (*-a/-u*; *-e*) fashion magazine, glossy
żuż|el *m* (*-żla*; *-żle*) cinders *pl.*, (*większy*) clinker; *sport*: ***wyścigi*** *m/pl.* ***na ~lu*** speedway; **~lowy** cinder; *sport*: speedway
żwaw|o *adv.* briskly; **~y** brisk
żwir *m* (*-u*; *-y*) gravel; **~ownia** *f* (*-i*; *-e*) gravel pit; **~owy** gravel
życi|e *n* (*-a*; *0*) life; ***przy ~u*** living; ***bez ~a*** lifeless; ***za mego ~a*** in my lifetime; ***powołać do ~a*** bring into life; ***wejść w ~e*** *ustawa*: come into force; ***zarabiać na ~e*** earn one's living
życio|rys *m* (*-u*; *-y*) c.v., curriculum vitae; *Am.* résumé; **~wo** *adv.* practically, realistically; **~wy** vital; F practical, realistic
życz|enie *n* (*-a*; *G -eń*) wish, desire; **~enia** *pl.* (*świąteczne itp.*) greetings *pl.*; ***pozostawiać wiele do ~enia*** leave much to be desired; ***na ~enie*** on request; **~liwie** *adv.* kindly; **~liwość** *f* (*-ści*; *0*) kindness, friendliness; **~liwy** kind, friendly; **~yć** (*-ę*) wish (***szczęścia*** (***dobrze***) ***k-u*** s.o. good luck (well)); (*sobie*) desire
żyć (*-ję*) live (**z** *I* with; **z** *G* on, by); ***niech żyje ...!*** long live ...!
Żyd *m* (*-a*; *-dzi*) Jew; **~owski** Jewish; ***po ~owsku*** like a Jew; **~ówka** *f* (*-i*; *G -wek*) Jewess
żyją|cy living, alive; **~tko** *n* (*-a*; *G -tek*) living being, creature
żyla|k *m* (*-a*; *-i*) *med.* varicose vein; **~sty** *mięso* stringy, wiry; *ramiona* sinewy
żyletka *f* (*-i*; *G -tek*) razor-blade
ży|lny venous; **~ła** *f* (*-y*; *G -*) *anat.* vein; **~łka** *f* (*-i*; *G -łek*) *anat.*, *bot.* → ***żyła***; (*wędki*) fishing-line; *fig.* ***mieć ~łkę*** (***do*** *G*) have a flair (to); **~łowaty** *mięso* → ***żylasty***
żyrafa *f* (*-y*; *G -*) *zo.* giraffe
żyrandol *m* (*-a*; *-e*) chandelier
żyro *n* (*-a*;) *econ.* endorsement **~kompas** *m* gyro compass; **~wać** (*-uję*) endorse
żyt|ni rye; **~o** *n* (*-a*; *G -*) *bot.* rye

żywcem *adv.* → ***żywiec***
żywica *f* (*-y*; *-e*) resin (*też chem.*)
żywiciel *m* (*-a*; *-e*) *biol.* host; **~ka** *f* (*-i*; *G -lek*) breadwinner
żywiczny resinous
żyw|ić (*-ę*) feed; nourish; *rodzinę* keep; *fig.* cherish; ***~ić się*** *ktoś*: live on, *zwierzę*: feed on; **~iec** *m* **1.** (*-wca*; *-wce*) *wędkowanie*: live-bait; **2.** (*-wca*; *0*) livestock on the hoof; ***~cem*** alive, living
żywienie *n* (*-a*; *0*) nourishment; feeding
żywioł *m* (*-u*; *-y*) element; **~owo** *adv.* vigorously; spontaneously; **~owy** vigorous; spontaneous; *klęska* natural
żywnoś|ciowy food; **~ć** *f* (*-ści*; *0*) food
żywo *adv.* vividly; ***na ~*** live; **~płot** *m* hedge; **~t** *m* (*-a*; *-y*) life; **~tność** *f* (*-ści*; *0*) vitality; (*urządzenia*) life; **~tny** vital
żywy living; *pred.* alive; (*ruchliwy*) lively, vivacious; *światło*, *barwa* vivid; ***handel ~m towarem*** trade in human beings; ***jak ~*** lifelike
żyzny fertile

Słownik angielsko-polski

A

A, a [eɪ] A, a; ***from A to B*** od A do B
A [eɪ] *ocena*: celujący; bardzo dobry
a [ə, *akcentowane*: eɪ], *przed samogłoską*: **an** [ən, *akcentowane*: æn] *rodzajnik nieokreślony*: jeden; na; za; ***a horse*** koń; ***not a(n)*** żaden, ani jeden; ***all of a size*** wszyscy (wszystkie) tego samego rozmiaru; ***£10 a year*** dziesięć funtów na rok; ***twice a week*** dwa razy na tydzień
a•back [ə'bæk]: ***taken ~*** zaskoczony
a•ban•don [ə'bændən] opuszczać ‹-ścić›; porzucać ‹-cić›; poniechać; **~ed**: ***be found ~ed*** *samochód itp.*: zostać znalezionym po porzuceniu
a•base [ə'beɪs] poniżać ‹-yć›; upokarzać ‹-orzyć›; **~•ment** poniżenie *n*, upokorzenie *n*
a•bashed [ə'bæʃt] speszony
ab•at•toir ['æbətwɑː] rzeźnia *f*
ab•bess ['æbɪs] przeorysza *f*
ab•bey ['æbɪ] opactwo *n*
ab•bot ['æbət] przeor *m*, opat *m*
ab•bre•vi|•ate [ə'briːvɪeɪt] skracać ‹-rócić›; **~•a•tion** [əbriːvɪ'eɪʃn] skrót *m*
ABC[1] [eɪ biː 'siː] abecadło *n*, alfabet *m*
ABC[2] [eɪ biː 'siː] *skrót*: ***American Broadcasting Company*** (*amerykańska firma telewizyjna i radiowa)*
ab•di|•cate ['æbdɪkeɪt] *prawo, władza itp.*: zrzekać ‹-ec› się; ***~cate from (the) throne*** abdykować; **~•ca•tion** [æbdɪ'keɪʃn] zrzeczenie się *n*, abdykacja *f*
ab•do•men ['æbdəmən] *anat.* brzuch *m*; **ab•dom•i•nal** [æb'dɒmɪnl] *anat.* brzuszny
ab•duct [əb'dʌkt] *kogoś* porywać ‹-rwać›
a•bet [ə'bet] → ***aid***
ab•hor [əb'hɔː] odczuwać ‹-czuć› wstręt; **~•rence** [əb'hɒrəns] wstręt *m* (***of*** do *D*); **~•rent** [əb'hɒrənt] odrażający (***to*** dla *D*); wstrętny
a•bide [ə'baɪd] *v/i.*: ***~ by the law*** *itp.* przestrzegać prawa *itp.*; *v/t.* ***I can't ~ him*** nie mogę go znieść
a•bil•i•ty [ə'bɪlətɪ] umiejętność *f*, zdolność *f*
ab•ject ['æbdʒekt] uniżony; ***in ~ poverty*** w skrajnej nędzy
ab•jure [əb'dʒʊə] odwoływać ‹-łać› publicznie
a•blaze [ə'bleɪz] w płomieniach; rozjarzony, rozświetlony (***with*** *L*)
a•ble ['eɪbl] zdolny; ***be ~ to*** móc, potrafić; **~-'bod•ied** *fizycznie* krzepki, zdrowy
ab•norm•al [æb'nɔːml] nienormalny
a•board [ə'bɔːd] na pokładzie; ***all ~!*** *naut.* wszyscy na pokład!, *rail.* proszę wsiadać!; ***~ a bus*** w autobusie; ***go ~ a train*** wsiadać ‹wsiąść› do pociągu
a•bode [ə'bəʊd] *też* ***place of ~*** miejsce zamieszkania; ***of*** *lub* ***with no fixed ~*** bez stałego miejsca zamieszkania
a•bol•ish [ə'bɒlɪʃ] obalać ‹-lić›
ab•o•li•tion [æbə'lɪʃn] obalenie *n*
A-bomb ['eɪbɒm] → ***atom(ic) bomb***
a•bom•i|•na•ble [ə'bɒmɪnəbl] odrażający, wstrętny; **~•nate** [ə'bɒmɪneɪt] czuć wstręt; **~•na•tion** [əbɒmɪ'neɪʃn] wstręt *m*, odraza *f*
ab•o•rig•i•nal [æbə'rɪdʒənl] **1.** pierwotny; **2.** aborygen(ka *f*) *m*
ab•o•rig•i•ne [æbə'rɪdʒəniː] aborygen(ka *f*) *m* (*zwł. w Australii*)
a•bort [ə'bɔːt] *med. ciążę* przerwać (*A*); *płód* usunąć (*A*); *dziecka* pozbyć się (*G*); przerwać (*też komp.*); *v/i.* dokonać aborcji; *fig.* nie powieść się; **a•bor•tion** [ə'bɔːʃn] *med.* aborcja *f*; poronienie *n*, przerwanie *n* ciąży; ***have an ~*** przerwać ciążę, dokonać aborcji; **a•bor•tive** [ə'bɔːtɪv] nieudany
a•bound [ə'baʊnd] mnożyć się; obfitować (***in*** w *A*); być wypełnionym
a•bout [ə'baʊt] **1.** *prp.* o (*L*); po (*L*); przy (*L*); ***I had no money ~ me*** nie miałem pieniędzy przy sobie; ***what ~ going to the cinema?*** może byśmy poszli do kina?; **2.** *adv.* około (*G*); w przybliżeniu; dookoła (*G*)
a•bove [ə'bʌv] **1.** *prp.* nad (*I*); ponad (*I*); *fig.* ponad; ***~ all*** ponad wszystko; **2.** *adv.* (po)wyżej (*G*); **3.** *adj.* powyższy, (wyżej) wspomniany
a•breast [ə'brest] obok siebie; ***keep ~***

of, be ~ of *fig.* być na bieżąco z (*I*)
a·bridge [əˈbrɪdʒ] skracać ⟨-rócić⟩; **aˈbridg(e)·ment** skrót *m*
a·broad [əˈbrɔːd] za granicę, za granicą; wszędzie; ***the news soon spread ~*** wieści szybko się rozniosły
a·brupt [əˈbrʌpt] nagły; stromy
ab·scess [ˈæbsɪs] ropień *m*
ab·sence [ˈæbsəns] nieobecność *f*; brak *m*
ab·sent 1. [ˈæbsənt] nieobecny; ***be ~*** być nieobecnym (***from school*** w szkole); **2.** [æbˈsent]: ***~ o.s. from school*** być nieobecnym w szkole; **~-mind·ed** [æbsəntˈmaɪndɪd] roztargniony
ab·so·lute [ˈæbsəluːt] absolutny; *chem.* czysty
ab·so·lu·tion [æbsəˈluːʃn] rozgrzeszenie *n*
ab·solve [əbˈzɒlv] grzechy odpuszczać; oczyszczać (*z winy*)
ab·sorb [əbˈsɔːb] absorbować; wchłaniać (*też fig.*); **~·ing** absorbujący
ab·stain [əbˈsteɪn] powstrzymywać ⟨-mać⟩ się (***from*** od *A*)
ab·ste·mi·ous [æbˈstiːmɪəs] wstrzemięźliwy
ab·sten·tion [əbˈstenʃn] powstrzymanie *n* się; *pol.* głos wstrzymujący się
ab·sti|·nence [ˈæbstɪnəns] abstynencja *f*; wstrzemięźliwość *f*
ab·stract 1. [ˈæbstrækt] abstrakcyjny; **2.** [ˈæbstrækt] abstrakt *m*; **3.** [æbˈstrækt] abstrahować; *najważniejsze punkty z artykułu* streszczać ⟨streścić⟩; **ab·stract·ed** [əbˈstræktɪd] zatopiony w myślach; **ab·strac·tion** [əbˈstrækʃn] abstrakcja *f*; pojęcie *n* abstrakcyjne
ab·surd [əbˈsɜːd] absurdalny; groteskowy
a·bun|·dance [əˈbʌndəns] obfitość *f*; nadmiar *m*; mnóstwo *n*; **~·dant** obfity
a·buse 1. [əˈbjuːs] znęcanie *n* się; nadużywanie *n*; nadużycie *n*; wymysły *pl.*; ***~ of drugs*** nadużywanie narkotyków; ***~ of power*** nadużycie *n* władzy; **2.** [əˈbjuːz] znęcać się; nadużywać; **a·bu·sive** [əˈbjuːsɪv] obelżywy; obraźliwy
a·but [əˈbʌt] (***-tt-***) graniczyć (***on*** z *L*)
a·byss [əˈbɪs] otchłań *f* (*też fig.*)
a/c, A/C [eɪ ˈsiː] *skrót*: ***account*** konto *m* bankowe
AC [eɪ ˈsiː] *skrót*: ***alternating current*** prąd *m* zmienny
ac·a·dem·ic [ækəˈdemɪk] **1.** nauczyciel(ka *f*) *m* akademicki (-ka); **2.** (***~ally***) akademicki; uniwersytecki; **a·cad·e·mi·cian** [əkædəˈmɪʃn] członek *m* akademii (*nauk*)
a·cad·e·my [əˈkædəmɪ] akademia *f*; ***~ of music*** wyższa szkoła muzyczna, akademia muzyczna
ac·cede [ækˈsiːd]: ***~ to*** zgadzać ⟨-dzić⟩ się na (*A*); *urząd* obejmować ⟨-jąć⟩; wstępować ⟨wstąpić⟩ na (*L*) (*tron*)
ac·cel·e|·rate [əkˈseləreɪt] przyspieszać ⟨-szyć⟩; **~·ra·tion** [ækseləˈreɪʃn] przyspieszenie *n*; **~·ra·tor** [əkˈseləreɪtə] pedał *m* gazu, gaz *m* F
ac·cent [ˈæksənt] akcent *m*; **ac·cen·tu·ate** [ækˈsentjʊeɪt] ⟨za⟩akcentować, podkreślić
ac·cept [əkˈsept] przyjmować ⟨-jąć⟩; ⟨za⟩akceptować; **acˈcep·ta·ble** (*możliwy*) do przyjęcia; **acˈcept·ance** przyjęcie *n*; akceptacja *f*
ac·cess [ˈækses] dojście *n* (***to*** do *G*); dostęp (*też komp.*); ***~ code*** *komp.* kod *m* dostępu; ***~ road*** droga *f* dojazdowa; **~ time** *komp.*, (*odtwarzacz CD*) czas *m* dostępu
ac·ces·sa·ry [əkˈsesərɪ] → ***accessory***
ac·ces|·si·ble [əkˈsesəbl] *łatwo* dostępny; **~·sion** [əkˈseʃn] objęcie *n* (*urzędu*); ***~sion to power*** przejęcie *n* władzy; ***~sion to the throne*** objęcie *n* tronu
ac·ces·so·ry [əkˈsesərɪ] *jur.* współsprawca *m* (-wczyni *f*) przestępstwa; *zw.* ***accessories*** *pl.* dodatki *pl.*, *tech.* akcesoria *pl.*
ac·ci|·dent [ˈæksɪdənt] przypadek *m*; *samochodowy* wypadek *m*; ***by ~dent*** przypadkiem; **~·den·tal** [æksɪˈdentl] przypadkowy
ac·claim [əˈkleɪm] zdobyć uznanie (***as*** jako)
ac·cla·ma·tion [ækləˈmeɪʃn] aklamacja *f*, aplauz *m*
ac·cli·ma·tize [əˈklaɪmətaɪz] ⟨za⟩aklimatyzować się; przyzwyczaić ⟨-ajać się⟩
ac·com·mo|·date [əˈkɒmədeɪt] (*w domu*) przyjmować ⟨-jąć⟩; (*w hotelu*) ⟨po⟩mieścić; wyświadczać ⟨-czyć⟩ przysługę; dostosowywać ⟨-ować⟩ się (***to*** do *G*); **~·da·tion** [əkɒməˈdeɪʃn] (*Am. zw. pl.*) miejsce *n*; zakwaterowanie *n*

ac·com·pa|·ni·ment [ə'kʌmpənɪmənt] akompaniament *m*; **~·ny** [ə'kʌmpənɪ] towarzyszyć (*też muz.*)
ac·com·plice [ə'kʌmplɪs] współsprawca *m*, współsprawczyni *f*
ac·com·plish [ə'kʌmplɪʃ] osiągać ⟨-gnąć⟩; **~ed** znakomity; **~·ment** osiągnięcie *n*; (*w pracy*) osiągnięcia *pl.*
ac·cord [ə'kɔːd] **1.** uznanie *n*; ***of one's own ~*** z własnej woli; ***with one ~*** jednogłośnie; ⚠ *nie **akord***; **2.** przyznawać ⟨-nać⟩; **~·ance**: ***in ~ance with*** zgodnie z (*L*); **~·ing**: ***~ing to*** według (*G*); zgodnie z (*L*); **~·ing·ly** stosownie, odpowiednio
ac·cost [ə'kɒst] *kogoś na ulicy* zaczepiać ⟨-pić⟩
ac·count [ə'kaʊnt] **1.** *econ.* rachunek *m*; *econ.* konto *n*; sprawozdanie *n*; ***by all ~s*** podobno; ***of no ~*** bez znaczenia; ***on no ~*** w żadnym wypadku; ***on ~ of*** w przypadku (*G*); ***take into ~, take ~ of*** brać ⟨wziąć⟩ (*A*) pod uwagę; ***turn s.th. to (good) ~*** coś dobrze wykorzystywać ⟨-stać⟩; ***keep ~s*** prowadzić księgi *pl.* rachunkowe; ***call to ~*** pociągać ⟨-gnąć⟩ do odpowiedzialności; ***give (an) ~ of s.th.*** wyjaśniać ⟨-nić⟩; ***give an ~ of s.th*** składać ⟨złożyć⟩ sprawozdanie z czegoś, opisywać ⟨-sać⟩ coś; **2.** *v/i.* ***~ for*** wyjaśniać ⟨-nić⟩; (*w liczbie*) stanowić; **ac'coun·ta·ble** odpowiedzialny; **ac'coun·tant** księgowy *m* (-wa *f*); **ac'count·ing** księgowość *f*
acct *skrót pisany*: ***account*** konto *n*
ac·cu·mu|·late [ə'kjuːmjʊleɪt] ⟨na-, z⟩gromadzić (się); **~·la·tion** [əkjuːmjʊ'leɪʃn] nagromadzenie *n*; **~·la·tor** *electr.* [ə'kjuːmjʊleɪtə] akumulator *m*
ac·cu|·ra·cy ['ækjʊrəsɪ] dokładność *f*; precyzja *f*; **~·rate** ['ækjʊrət] dokładny
ac·cu·sa·tion [ækjuː'zeɪʃn] oskarżenie *n*
ac·cu·sa·tive [ə'kjuːzətɪv] *też **~ case*** biernik *m*
ac·cuse [ə'kjuːz] oskarżać ⟨-żyć⟩; ***the ~d*** oskarżony *m* (-na *f*); **ac'cus·er** oskarżyciel(ka *f*) *m*; **ac'cus·ing** oskarżycielski
ac·cus·tom [ə'kʌstəm] przyzwyczajać (***to*** do *G*); **~ed** przyzwyczajony (***to*** do *G*), przywykły
AC/DC [eɪ siː 'diː siː] → ***bisexual***
ace [eɪs] as *m* (*też fig.*); ***have an ~ up one's sleeve***, *Am.* ***have an ~ in the hole*** *fig.* mieć asa w rękawie; ***within an ~*** o włosek
ache [eɪk] **1.** czuć ból; ***my stomach ~s*** brzuch mnie boli; **2.** *ciągły* ból *m*
a·chieve [ə'tʃiːv] osiągać ⟨-gnąć⟩; **~·ment** osiągnięcie *n*
ac·id ['æsɪd] **1.** kwaśny (*też fig.*); skwaśniały (*też fig.*); **2.** *chem.* kwas *m*; ***~ rain*** kwaśny deszcz *m*; **a·cid·i·ty** [ə'sɪdətɪ] kwasowość *f*
ac·knowl·edge [ək'nɒlɪdʒ] potwierdzać ⟨-dzić⟩ (*przyjęcie*); przyznawać ⟨-znać⟩; **ac'knowl·edg(e)·ment** potwierdzenie *n* (*przyjęcia*); przyznanie *n*
a·corn ['eɪkɔːn] żołądź *f*
a·cous·tics [ə'kuːstɪks] *pl.* akustyka *f* (*pomieszczenia*)
ac·quaint [ə'kweɪnt] zaznajamiać ⟨-jomić⟩; ***~ s.o. with s.th.*** zaznajamiać ⟨-jomić⟩ kogoś z czymś; ***be ~ed with*** znać (*A*); **~·ance** znajomość *f*; znajomy *m* (-ma *f*)
ac·quire [ə'kwaɪə] nabywać ⟨-yć⟩ (*też umiejętność*)
ac·qui·si·tion [ækwɪ'zɪʃn] nabycie *n*; nabytek *m*; *umiejętność*: przyswojenie *n*
ac·quit [ə'kwɪt] (***-tt-***) *jur.* uniewinniać ⟨-nić⟩ (***of*** z *G*); ***~ o.s. well*** dobrze się spisać; **~·tal** [ə'kwɪtl] *jur.* uniewinnienie *n*
a·cre ['eɪkə] akr *m* (*4047 m²*)
ac·rid ['ækrɪd] ostry, gryzący
ac·ro·bat ['ækrəbæt] akrobata *m* (-tka *f*); **~·ic** [ækrə'bætɪk] akrobatyczny
a·cross [ə'krɒs] **1.** *adv.* na szerokość, o szerokości; na krzyż; (*w krzyżówce*) poziomo; **2.** *prp.* w poprzek (*G*); na drugą stronę (*G*), po drugiej stronie (*G*); przez (*A*); ***come ~, run ~*** przebiegać ⟨-biec⟩
act [ækt] **1.** *v/i.* działać; funkcjonować; zachowywać ⟨-ować⟩ się; (za)grać; *v/t.* *theat.* (za)grać (*też fig.*); *sztukę* wystawiać ⟨-wić⟩; ***~ as*** funkcjonować jako; **2.** czyn *m*; uczynek *m*; postępek *m*; *jur.* ustawa *f*; *theat.* akt *m*; **'~·ing 1.** *theat.* gra *f*; aktorstwo *n*; **2.** pełniący obowiązki (*dyrektora*)
ac·tion ['ækʃn] akcja *f* (*też mil., theat.*); działanie *n*; funkcjonowanie *n*; uczynek *m*, czyn *m*; *jur.* powództwo *n*, sprawa *f* sądowa; *mil.* działania *pl.*; ***take ~*** podejmować ⟨-jąć⟩ działanie

ac·tive ['æktɪv] aktywny; czynny; ożywiony (*też econ.*); rzutki
ac·tiv·ist ['æktɪvɪst] *zwł. pol.* działacz(ka *f*) *m*
ac·tiv·i·ty [æk'tɪvətɪ] działalność *f*; działanie *n*; zajęcie *n*; **~ *hol·i·day*** czynny urlop *m*; czynne wakacje *pl.*
ac·tor ['æktə] aktor *m*; **actress** ['æktrɪs] aktorka *f*
ac·tu·al ['æktʃʊəl] faktyczny, rzeczywisty; sam; ⚠ *nie* ***aktualny***
ac·u·punc·ture ['ækjʊpʌŋktʃə] akupunktura *f*
a·cute [ə'kjuːt] (***~r, ~est***) ostry (*też med.*); przenikliwy; silny; *trudności*: zaostrzony
ad [æd] → ***advertisement***
ad·a·mant ['ædəmənt] *fig.* nieugięty
a·dapt [ə'dæpt] *v/i.* ⟨za⟩adaptować się (***to*** do *G*); dostosowywać ⟨-ować⟩ się; *v/t.* ⟨za⟩adaptować; *tekst* dostosowywać ⟨-ować⟩; *tech.* przystosowywać ⟨-ować⟩; **a·dap·ta·ble** [ə'dæptəbl] *ktoś* łatwo się przystosowujący; *coś* dające się dostosować; **ad·ap·ta·tion** [ædæp'teɪʃn] adaptacja *f*; przystosowanie *n*; **a·dapt·er, a·dapt·or** *electr.* [ə'dæptə] rozgałęziacz *m*; ⚠ *nie* ***adapter***
add [æd] *v/t.* dodawać ⟨-dać⟩; ***~ up*** ⟨z⟩sumować, podliczać ⟨-czyć⟩; *v/i.* ***~ to*** powiększać ⟨-szyć⟩; ***~ up*** *fig.* F mieć sens, zgadzać się
ad·der ['ædə] *zo.* żmija *f*
ad·dict ['ædɪkt] osoba *f* uzależniona; ***alcohol ~*** alkoholik *m* (-iczka *f*); ***drug ~*** narkoman(ka *f*) *m*; entuzjasta *m* (-tka *f*) (*sportu, filmu itp.*), fanatyk *m* (-yczka *f*); **ad·dic·ted** [ə'dɪktɪd] uzależniony (***to*** od); ***be ~ to alcohol*** *lub* ***drugs*** być uzależnionym od alkoholu *lub* narkotyków; **ad·dic·tion** [ə'dɪkʃn] uzależnienie *n*, ***alcohol ~*** alkoholizm *m*; ***drug ~*** narkomania *f*
ad·di·tion [ə'dɪʃn] dodanie *n*; dodatek *m*; *math.* dodawanie *n*; sumowanie *n*; ***in ~*** w dodatku; ***in ~ to*** oprócz (*G*); **~·al** [ə'dɪʃənl] dodatkowy
ad·dress [ə'dres] **1.** *słowa* kierować; (*do kogoś*) zwracać ⟨-rócić⟩ się do (*G*); przemawiać ⟨-mówić⟩ do (*G*); *przesyłkę* ⟨za⟩adresować (*A*); **2.** adres *m*; przemowa *f*; **~·ee** [ædre'siː] adresat(ka *f*) *m*
ad·ept ['ædept] biegły (***at, in*** w *L*)

ad·e|·qua·cy ['ædɪkwəsɪ] adekwatność *f*; dostateczność *f*; **~·quate** ['ædɪkwət] odpowiedni; dostateczny
ad·here [əd'hɪə] (***to***) przylegać ⟨-lgnąć⟩ do (*G*); ⟨za⟩stosować się do (*G*); *fig.* obstawać (przy *L*); **ad·her·ence** [əd'hɪərəns] przyleganie *n* (***to*** do *G*); *prawa* stosowanie *n* się (***to*** do *G*); *fig.* obstawanie *n* (***to*** przy *L*); **ad·her·ent** [əd'hɪərənt] stronnik *m* (-niczka *f*)
ad·he·sive [əd'hiːsɪv] **1.** klejący (się); **2.** klej *m*; **~ 'plas·ter** plaster *m*, przylepiec *m*; **~ 'tape** taśma *f* klejąca; *Am.* plaster *m*, przylepiec *m*
ad·ja·cent [ə'dʒeɪsnt] przyległy (***to*** do *G*); sąsiadujący (***to*** z *I*)
ad·jec·tive ['ædʒɪktɪv] *gr.* przymiotnik *m*
ad·join [ə'dʒɔɪn] przylegać do (*G*)
ad·journ [ə'dʒɜːn] *v/t.* odraczać ⟨-roczyć⟩; *v/i.* zostawać ⟨-stać⟩ odroczonym; **~·ment** odroczenie *n*; zawieszenie *n* (*obrad*)
ad·just [ə'dʒʌst] poprawiać ⟨-wić⟩; *tech.* ⟨wy⟩regulować; nastawiać ⟨-wić⟩; **~·a·ble** [ə'dʒʌstəbl] *tech.* nastawny; regulowany; **~·ment** regulacja *f*; nastawienie *n*
ad·min·is|·ter [əd'mɪnɪstə] zarządzać, administrować; *lekarstwo* podawać ⟨-dać⟩; ***~ter justice*** wymierzać ⟨-rzyć⟩ sprawiedliwość; **~·tra·tion** [ədmɪnɪ'streɪʃn] administracja *f*; *zwł. Am. pol.* rząd *m*; *zwł. Am.* kadencja *f* (*prezydenta*); **~·tra·tive** [əd'mɪnɪstrətɪv] administracyjny; **~·tra·tor** [əd'mɪnɪstreɪtə] administrator(ka *f*) *m*
ad·mi·ra·ble ['ædmərəbl] wspaniały, godny podziwu
ad·mi·ral ['ædmərəl] admirał *m*
ad·mi·ra·tion [ædmə'reɪʃn] podziw *m*
ad·mire [əd'maɪə] podziwiać; **ad·mir·er** [əd'maɪərə] wielbiciel(ka *f*) *m*
ad·mis|·si·ble [əd'mɪsəbl] dopuszczalny; **~·sion** [əd'mɪʃn] wstęp *m*; opłata *f* za wstęp; przyjęcie *n*; ***~sion free*** wstęp wolny
ad·mit [əd'mɪt] (***-tt-***) *v/t.* przyznawać ⟨-nać⟩ się do (*G*); wpuszczać ⟨-uścić⟩ (***to, into*** do *G*); przyjmować ⟨-jąć⟩ (***to*** do *G*); dopuszczać ⟨-uścić⟩; **~·tance** [əd'mɪtəns] wstęp *m*; przyjęcie *n*; dopuszczenie *n*; ***no ~tance*** wstęp wzbroniony

ad•mon•ish [əd'mɒnɪʃ] upominać ⟨-mnieć⟩; przestrzegać ⟨-rzec⟩ (***of, against*** przed *I*)
a•do [ə'du:] (*pl.* ***-dos***) zamieszanie *n*; ***without more*** *lub* ***further ~*** bez dalszych ceregieli
ad•o•les|•cence [ædə'lesns] okres *m* dojrzewania; **~•cent** [ædə'lesnt] **1.** nastoletni; młodociany; **2.** nastolatek *m* (-tka *f*); *jur.* młodociany *m* (-na *f*)
a•dopt [ə'dɒpt] ⟨za⟩adoptować; przyjmować ⟨przyjąć⟩; ***~ed child*** przybrane dziecko *n*; **a•dop•tion** [ə'dɒpʃn] adopcja *f*; **a'dop•tive**: ***~ child*** przybrane dziecko *n*; ***~ par•ents*** *pl.* przybrani rodzice *pl.*
a•dor•a•ble [ə'dɔ:rəbl] F cudowny, wspaniały; **ad•o•ra•tion** [ædə'reɪʃn] uwielbienie *n*, adoracja *f*; **a•dore** [ə'dɔ:] uwielbiać ⟨-bić⟩; adorować
a•dorn [ə'dɔ:n] ozdabiać ⟨ozdobić⟩; upiększać ⟨-szyć⟩; **~•ment** ozdobienie *n*; upiększenie *n*
A•dri•at•ic Sea Adriatyk *m*
a•droit [ə'drɔɪt] zręczny
ad•ult ['ædʌlt] **1.** dorosły; **2.** dorosły *m* (-sła *f*); ***~s only*** tylko dla dorosłych; **~ ed•u'ca•tion** kształcenie *n* dorosłych
a•dul•ter|•ate [ə'dʌltəreɪt] ⟨s⟩fałszować; *wino* rozcieńczać ⟨-czyć⟩, ⟨o⟩chrzcić; **~•er** [ə'dʌltərə] cudzołożnik *m*; **~•ess** [ə'dʌltərɪs] cudzołożnica *f*; **~•ous** [ə'dʌltərəs] cudzołożny; **~•y** [ə'dʌltərɪ] cudzołóstwo *n*
ad•vance [əd'vɑ:ns] **1.** *v/i.* posuwać ⟨-unąć⟩ się (*do przodu*), iść ⟨pójść⟩ do przodu (*też o czasie*); ⟨po⟩czynić postępy *pl.*; nadchodzić ⟨-dejść⟩; *v/t. pieniądze* wypłacać ⟨-cić⟩ z góry; *cenę* zwiększać ⟨-szyć⟩; *argument* przedstawiać ⟨-wić⟩; *wzrost* przyspieszać ⟨-szyć⟩; *pracownika* awansować; **2.** posuwanie *n* się; postęp *m*; zwiększenie *n*; zaliczka *f*; ***in ~*** z góry; **~d** zaawansowany; *kraj*: rozwinięty; ***~d for one's years*** dobrze rozwinięty jak na swój wiek; **~•ment** postęp *m*; awans *m*
ad•van|•tage [əd'vɑ:ntɪdʒ] korzyść *f*; zaleta *f*; (*w sporcie*) przewaga *f*; ***~tage rule*** reguła *f* przewagi; ***take ~tage of*** wykorzystywać ⟨-tać⟩; **~•ta•geous** [ædvən'teɪdʒəs] korzystny
ad•ven|•ture [əd'ventʃə] przygoda *f*; ryzykowne przedsięwzięcie *n*; **~•tur•er** [əd'ventʃərə] poszukiwacz *m* przygód; spekulant *m*; **~•tur•ess** [əd'ventʃərɪs] poszukiwaczka *f* przygód; spekulantka *f*; **~•tur•ous** [əd'ventʃərəs] śmiały; ryzykowny; *życie*: pełen przygód
ad•verb ['ædvɜ:b] przysłówek *m*
ad•ver•sa•ry ['ædvəsərɪ] przeciwnik *m* (-niczka *f*)
ad•ver|•tise ['ædvətaɪz] ⟨za⟩reklamować (się); ogłaszać ⟨-łosić⟩ (się); **~•tise•ment** [əd'vɜ:tɪsmənt] ogłoszenie *n*; reklama *f*; **~•tis•ing** ['ædvətaɪzɪŋ] **1.** reklama *f*; reklamowanie *n*; **2.** reklamowy; ***~tising agency*** agencja *f* reklamowa
ad•vice [əd'vaɪs] rada *f*; porada *f*; *econ.* zawiadomienie *n*; ***a piece of ~*** rada *f*; ***take medical ~*** zasięgać ⟨-gnąć⟩ porady lekarskiej; ***take my ~*** proszę mnie posłuchać; **~ cen•tre** *Brt.* poradnia *f*
ad•vi•sab•le [əd'vaɪzəbl] wskazany, celowy; **ad•vise** [əd'vaɪz] *v/t. komuś* ⟨po⟩radzić; *zwł. econ.* zawiadamiać ⟨-domić⟩, awizować; *v/i.* radzić się; **ad•vis•er** *zwł. Brt.*, **ad•vis•or** *Am.* [əd'vaɪzə] doradca *m*; **ad•vi•so•ry** [əd'vaɪzərɪ] doradczy
aer•i•al ['eərɪəl] **1.** powietrzny; lotniczy; **2.** antena *f*; **~ 'pho•to•graph** zdjęcie *n* z lotu ptaka *lub* lotnicze; **~ 'view** widok *m* z lotu ptaka
ae•ro... ['eərəʊ] aero...
aer•o|•bics [eə'rəʊbɪks] (*sg. w sporcie*) aerobik *m*; **~•drome** ['eərədrəʊm] *zwł. Brt.* lotnisko *n*; **~•dy•nam•ic** [eərəʊdaɪ'næmɪk] (***-ally***) aerodynamiczny; **~•dy'nam•ics** *sg.* aerodynamika *f*; **~•nau•tics** [eərə'nɔ:tɪks] *sg.* aeronautyka *f*; **~•plane** *Brt.* ['eərəpleɪn] samolot *m*; **~•sol** ['eərəsɒl] aerozol *m*
aes•thet•ic [i:s'θetɪk] estetyczny; **~s** *sg.* estetyka *f*
a•far [ə'fɑ:]: ***from ~*** z oddali
af•fair [ə'feə] sprawa *f*; F rzecz *f*, urządzenie *n*; romans *m*
af•fect [ə'fekt] mieć wpływ na (*A*), wpływać ⟨-łynąć⟩; *med.* ⟨za⟩atakować; oddziaływać na (*A*); mieć oddziaływanie na (*A*); wzruszać ⟨-szyć⟩, poruszać ⟨-szyć⟩
af•fec•tion [ə'fekʃn] uczucie *n*; **~•ate** [ə'fekʃnət] czuły; uczuciowy
af•fil•i•ate [ə'fɪlɪeɪt] stowarzyszać ⟨-szyć⟩ (*jako członek*); zrzeszać ⟨-szyć⟩;

af·fin·i·ty [ə'fınətı] podobieństwo *n*; *duchowe* pokrewieństwo *n*; sympatia *f* (***for, to*** do *G*)
af·firm [ə'fɜːm] potwierdzać ‹-dzić›; zapewniać ‹-nić›; ‹s›twierdzić, stwierdzać ‹-dzić›; **af·fir·ma·tion** [æfə'meıʃn] potwierdzenie *n*; zapewnienie *n*; stwierdzenie *n*; **af·fir·ma·tive** [ə'fɜːmətıv] **1.** twierdzący; **2.** ***answer in the ~*** odpowiadać ‹-wiedzieć› twierdząco; potwierdzać ‹-dzić›
af·fix [ə'fıks] (***to***) przyklejać ‹-leić› (do *A*); przytwierdzać ‹-dzić› (do *A*)
af·flict [ə'flıkt] dotykać ‹-tknąć›; ***~ed with*** dotknięty (*I*), cierpiący na (*A*); **af·flic·tion** [ə'flıkʃn] przypadłość *f*; nieszczęście *n*
af·flu|·ence ['æfluəns] dostatek *m*; bogactwo *n*; **'~·ent** dostatni; zamożny; **'~·ent so·ci·e·ty** społeczeństwo *n* dobrobytu
af·ford [ə'fɔːd] pozwalać sobie na (*A*); *czas* mieć; ***I cannot ~ it*** nie stać mnie na to
af·front [ə'frʌnt] **1.** znieważać ‹-żyć›; **2.** zniewaga *f*
a·float [ə'fləʊt] unosząc(y) się na wodzie, pływając(y); ***set ~*** *naut.* puszczać ‹puścić› na wodę; puszczać ‹puścić› w obieg (*plotkę*)
a·fraid [ə'freıd]: ***be ~ of*** bać się, obawiać się; ***I'm ~ she won't be coming*** obawiam się, że nie przyjdzie; ***I'm ~ I have to go now*** niestety muszę już iść
a·fresh [ə'freʃ] od nowa
Af·ric·a ['æfrıkə] Afryka *f*; **Af·ri·can** ['æfrıkən] **1.** afrykański; **2.** Afrykańczyk *m*, Afrykanka *f*; Murzyn(ka *f*) *m*
af·ter ['ɑːftə] **1.** *adv.* potem; później; **2.** *prp.* po (*L*); za (*I*); ***~ all*** przecież; mimo wszystko; ostatecznie; **3.** *cj.* gdy; po (*tym, jak*); **4.** *adj.* późniejszy; tylny; **'~·ef·fect** *med.* następstwo *n*; efekt *m*; **'~·glow** zorza *f* (*wieczorna*); **~·math** ['ɑːftəmæθ] pokłosie *n*; następstwa *pl.*; **~'noon** popołudnie *n*; ***this ~noon*** dzisiaj po południu; ***good ~noon!*** dzień dobry!; **'~·taste** posmak *m*; **'~·thought** zastanowienie *n* się; refleksja *f*; **~·ward** *Am.*, **~·wards** *Brt.* ['ɑːftəwəd(z)] później, następnie
a·gain [ə'gen] znowu, znów, ponownie; jeszcze raz; ***~ and ~, time and ~*** ciągle; ***as much ~*** drugie tyle; ***never ~*** nigdy więcej
a·gainst [ə'genst] przeciw(ko) (*D*); o (*A*); ***as ~*** w porównaniu z (*I*); ***she was ~ it*** była temu przeciwna
age [eıdʒ] **1.** wiek *m*; ***old ~*** zaawansowany wiek *m*, starość *f*; ***at the ~ of*** w wieku (*G*); ***your ~*** w twoim wieku; ***come of ~*** stać się pełnoletnim, osiągnąć pełnoletniość; ***be over ~*** przekroczyć (*właściwy*) wiek; ***be under ~*** być niepełnoletnim; ***wait for ~s*** F czekać wieki całe; **2.** postarzeć się; **~d** ['eıdʒıd] stary, w podeszłym wieku; [eıdʒd]: ***~d 20*** w wieku 20 lat; **'~·less** wieczny; wiecznie młody
a·gen·cy ['eıdʒənsı] agencja *f*; urząd *m*, biuro *n*
a·gen·da [ə'dʒendə] porządek *m* dnia; ***be on the ~*** być w programie; ⚠ *nie agenda*
a·gent ['eıdʒənt] agent(ka *f*) *m* (*też pol.*); przedstawiciel(ka *f*) *m*; ajent(ka *f*) *m*; makler *m*; środek *m*, czynnik *m*
ag·glom·er·ate [ə'glɒməreıt] skupiać ‹-pić› się
ag·gra·vate ['ægrəveıt] pogarszać ‹-szyć›; zaostrzać ‹-rzyć›; F ‹z›irytować
ag·gre·gate **1.** ['ægrıgeıt] skupiać ‹skupić› (się); ‹po›łączyć (się) (***to*** z); wynosić ‹-nieść› łącznie **2.** ['ægrıgət] łączny; globalny; **3.** ['ægrıgət] całość *f*; suma *f* ogólna
ag·gres|·sion [ə'greʃn] agresja *f*; **~·sive** [ə'gresıv] agresywny; *fig.* intensywny, energiczny; **~·sor** [ə'gresə] agresor *m*
ag·grieved [ə'griːvd] dotknięty; pokrzywdzony
a·ghast [ə'gɑːst] wstrząśnięty; przerażony
ag·ile ['ædʒaıl] zwinny, zręczny; **a·gil·i·ty** [ə'dʒılətı] zręczność *f*
ag·i|·tate ['ædʒıteıt] *v/t.* poruszać ‹-ruszyć›; *płyn* wstrząsać ‹-snąć›; *v/i.* agitować (***for*** za *I*, ***against*** przeciw *D*); **~·ta·tion** [ædʒı'teıʃn] poruszenie *n*; agitacja *f*; **~·ta·tor** ['ædʒıteıtə] agitator(ka *f*) *m*
a·glow [ə'gləʊ]: ***be ~*** jarzyć się (***with*** od *G*)
a·go [ə'gəʊ]: ***a year/month ~*** rok/miesiąc temu

ag·o·ny ['ægənɪ] *wielki* ból *m*; męczarnia *f*

a·gree [ə'griː] *v/i.* zgadzać ⟨-godzić⟩ się; uzgadniać ⟨-godnić⟩; porozumiewać ⟨-mieć⟩ się; ~ ***to*** przystawać ⟨-rzystać⟩ na (*A*); być zgodnym (***with*** z *I*); ~ ***with*** *jedzenie*: ⟨po⟩służyć (*D*); **~·a·ble** [ə'grɪəbl] zgodny; chętny; ***be ~able to*** zgadzać ⟨-godzić⟩ się na (*A*); **~·ment** [ə'griːmənt] zgoda *f*; porozumienie *n*; umowa *f*

ag·ri·cul·tur|·al [ægrɪ'kʌltʃərəl] rolniczy; **~e** ['ægrɪkʌltʃə] rolnictwo *n*

a·ground [ə'graʊnd] *naut.* na mieliźnie; ***run ~*** osiadać ⟨osiąść⟩ na mieliźnie

a·head [ə'hed] z przodu; na przedzie; naprzód; do przodu; ~ ***of*** przed (*I*); ***go ~!*** proszę bardzo!; ***straight ~*** prosto

aid [eɪd] **1.** wspierać ⟨wesprzeć⟩; *komuś* pomagać ⟨pomóc⟩ (***in*** przy *L*); ***he was accused of ~ing and abetting*** *jur.* oskarżony został o pomoc w dokonaniu przestępstwa; **2.** pomoc *f*; wsparcie *n*

AIDS, **Aids** [eɪdz] AIDS *m*; ***person with ~*** chory na AIDS

ail [eɪl] niedomagać; **'~·ment** dolegliwość *f*

aim [eɪm] **1.** *v/i.* ⟨wy⟩celować (***at*** do *G*); ~ ***at*** *fig.* dążyć do (*G*), mieć na celu; ***be ~ing to do s.th.*** mieć zamiar coś zrobić; *v/t.* ~ ***at*** *broń itp.*: celować do (*G*); kierować w stronę (*G*); **2.** cel *m* (*też fig.*); ***take ~ at*** mierzyć do (*G*); **'~·less** bezcelowy

air[1] [eə] powietrze *n*; *fig.* atmosfera *f*; wygląd *m*; ***by ~*** powietrzem, samolotem; ***in the open ~*** na powietrzu, na dworze; ***on the ~*** na wizji *lub* fonii; ***be on the ~*** *program*: być na antenie; *stacja*: nadawać; ***go off the ~*** ⟨s⟩kończyć program; *stacja*: przestawać ⟨-stać⟩ nadawać; ***give o.s. ~s, put on ~s*** zadzierać ⟨-drzeć⟩ nosa; **2.** ⟨wy⟩wietrzyć; przewietrzać ⟨-wietrzyć⟩; *fig.* przedstawiać ⟨-wić⟩; wygłaszać ⟨-głosić⟩

air[2] [eə] *mus.* aria *f*; melodia *f*

'air|·bag poduszka *f* powietrzna; **'~·base** baza *f* powietrzna; **'~·bed** materac *m* dmuchany; **'~·borne** *samolot*: lecący, w powietrzu; *mil.* powietrznodesantowy; **'~·brake** *mot.* hamulec *m* penumatyczny; **'~·bus** *aviat.* aerobus *m*, airbus *m*; **'~con·di·tioned** klimatyzowany; **'~con·di·tion·ing** klimatyzacja *f*; **'~·craft car·ri·er** *mil.* lotniskowiec *m*; **'~·field** lotnisko *n*; **'~·force** *mil.* siły *pl.* powietrzne; **'~·host·ess** *aviat.* stewardessa *f*; **'~ jack·et** kamizelka *f* ratunkowa; **'~·lift** *aviat.* most *m* powietrzny; **'~·line** *aviat.* linia *f* lotnicza; **'~·lin·er** *aviat.* samolot *m* pasażerski; **'~·mail** poczta *f* lotnicza; ***by ~mail*** pocztą lotniczą; **'~·man** (*pl.* ***-men***) *wojskowy* lotnik *m*; **'~·plane** *Am.* samolot *m*; **'~·pock·et** *aviat.* dziura *f* powietrzna; **'~ pol·lu·tion** zanieczyszczenia *pl.* powietrza; **'~·port** port *m* lotniczy, lotnisko *n*; **~ raid** nalot *m*; **~-raid pre·'cau·tions** *pl.* obrona *f* przeciwlotnicza; **~-raid-shel·ter** schron *m* przeciwlotniczy; **'~ route** *aviat.* trasa *f* przelotu; **'~·sick**: ***be ~sick*** mieć mdłości, czuć się niedobrze; **'~·space** przestrzeń *f* powietrzna; **'~·strip** *aviat.* pas startowy *lub* lądowania; **'~ ter·mi·nal** *aviat.* terminal *m* lotów; **'~·tight** hermetyczny, szczelny; **'~ traf·fic** *aviat.* ruch *m* lotniczy; **~-'traf·fic con·trol** *aviat.* kontrola *f* ruchu lotniczego; **~-'traf·fic con·trol·ler** *aviat.* kontroler *m* ruchu lotniczego; **'~·way** *aviat.* trasa *f* lotnicza; **'~·wor·thy** zdatny do lotu

air·y ['eərɪ] (***-ier, -iest***) przewiewny, przestronny

aisle [aɪl] *arch.* nawa *f* boczna; przejście *n*

a·jar [ə'dʒɑː] uchylony

a·kin [ə'kɪn] pokrewny (***to*** *D*)

a·lac·ri·ty [ə'lækrətɪ] ochota *f*; ochoczość *f*

a·larm [ə'lɑːm] **1.** alarm *m*; sygnał *m* alarmowy; urządzenie *n* alarmowe; budzik *m*; niepokój *m*; **2.** ⟨za⟩alarmować; ⟨za⟩niepokoić; **~ clock** budzik *m*

A·las·ka Alaska *f*

Al·ba·ni·a Albania *f*

al·bum ['ælbəm] album *m* (*też płytowy*)

al·bu·mi·nous [æl'bjuːmɪnəs] białkowy; zawierający białko

al·co·hol ['ælkəhɒl] alkohol *m*; **~·ic** [ælkə'hɒlɪk] **1.** alkoholowy; **2.** alkoholik *m* (-liczka *f*)

ale [eɪl] ale *m* (*piwo jasne, mocno chmielone*)

a·lert [ə'lɜːrt] **1.** czujny; **2.** stan *m* pogotowia; pogotowie *n*; ***on the ~*** w stanie gotowości; w pogotowiu; **3.** ⟨za⟩alarmować; ostrzegać ⟨-rzec⟩ (***to*** przed *I*)

alga ['ælgə] (*pl.* ***algae*** ['ældʒiː]) glon *m*, alga *f*
al·ge·bra ['ældʒɪbrə] *math.* algebra *f*
al·i·bi ['ælɪbaɪ] alibi *n*
a·li·en ['eɪljən] **1.** obcy, odmienny; cudzoziemski; **2.** cudzoziemiec *m* (-mka *f*); **~·ate** ['eɪljəneɪt] odpychać ⟨odepchnąć⟩; zrażać ⟨zrazić⟩
a·light [ə'laɪt] **1.** płonący; **2.** (***alighted*** *lub* ***alit***) *ptak*: siadać ⟨usiąść⟩; wysiadać ⟨-siąść⟩
a·lign [ə'laɪn] wyrównywać ⟨-nać⟩ (***with*** w stosunku do *G*)
a·like [ə'laɪk] **1.** *adj.* podobny; **2.** *adv.* podobnie, jednakowo
al·i·men·ta·ry [ælɪ'mentərɪ] pokarmowy; odżywczy; **~ ca·nal** przewód *m* pokarmowy
al·i·mo·ny ['ælɪmənɪ] *jur.* alimenty *pl.*
alive [ə'laɪv] żywy, żyjący; pełen życia; ***~ and kicking*** w świetnym stanie; ***be ~ with*** pełen (*G*), wypełniony (*I*)
all [ɔːl] **1.** *adj.* wszyscy *pl.* wszystkie *pl.*; cały; wszystek; **2.** *pron.* wszystko; wszystkie *pl.*, wszyscy *pl.*; **3.** *adv.* zupełnie, całkowicie; ***~ at once*** nagle; ***~ the better*** tym lepiej; ***~ but*** prawie, nieomalże; ***~ in*** *Am.* F wykończony; ***~ in ~*** ogółem; ***~ right*** w porządku; dobrze; ***for ~ that*** mimo tego; ***for ~ I know*** na ile mi wiadomo; ***at ~*** wcale, w ogóle; ***not at ~*** bynajmniej; ani trochę; nie ma za co; ***the score was two ~*** wynik był dwa dwa
all-A·mer·i·can [ɔːlə'merɪkən] ogólnoamerykański; typowo amerykański
al·lay [ə'leɪ] rozpraszać ⟨-szyć⟩; zmniejszać ⟨-szyć⟩
al·le·ga·tion [ælɪ'geɪʃn] *bezpodstawne* twierdzenie *n*
al·lege [ə'ledʒ] ⟨s⟩twierdzić; **~d** rzekomy; domniemany
al·le·giance [ə'liːdʒəns] lojalność *f*; wierność *f*
al·ler|·gic [ə'lɜːdʒɪk] alergiczny (***to*** na *A*); **~·gy** ['ælədʒɪ] alergia *f*
al·le·vi·ate [ə'liːvɪeɪt] zmniejszać ⟨-szyć⟩; ⟨z⟩łagodzić
al·ley ['ælɪ] aleja *f*; (*w parku, ogrodzie*) alejka *f*, dróżka *f*, ścieżka *f*; tor (*do gry w kręgle*) *m*
al·li|·ance [ə'laɪəns] przymierze *n*, sojusz *m*; **~ed** [ə'laɪd] sprzymierzony
al·li·ga·tor ['ælɪgeɪtə] *zo.* aligator *m*
al·lo|·cate ['æləkeɪt] przydzielać ⟨-lić⟩; ⟨wy⟩asygnować; **~·ca·tion** [ælə'keɪʃn] przydział *m*
al·lot [ə'lɒt] (***-tt-***) przeznaczać ⟨-czyć⟩; przydzielać ⟨-lić⟩; rozdzielać ⟨-lić⟩; **~·ment** przydział *m*; działka *f*
al·low [ə'laʊ] pozwalać ⟨-wolić⟩; dopuszczać ⟨-puścić⟩; dawać ⟨dać⟩; udzielać ⟨udzielić⟩; ***~ for*** uwzględniać ⟨-nić⟩ (*A*); **~·a·ble** dopuszczalny; **~·ance** (*w delegacji*) dieta *f*; zasiłek *m*; stypendium *m*; odpis *m* podatkowy; *fig.* uwzględnienie; ***make ~ance(s) for s.th.*** uwzględniać ⟨-nić⟩ coś
al·loy 1. ['ælɔɪ] stop *m*; **2.** [ə'lɔɪ] ⟨s⟩tworzyć stop
all-round ['ɔːlraʊnd] wszechstronny; **~·er** [ɔːl'raʊndə] osoba *f* wszechstronna; wszechstronny sportowiec *m*
al·lude [ə'luːd] ⟨z⟩robić aluzje *pl.* (***to*** do *G*)
al·lure [ə'ljʊə] ⟨z-, przy⟩nęcić; **~·ment** atrakcja *f*, przynęta *f*
al·lu·sion [ə'luːʒn] aluzja *f*
all-wheel 'drive *mot.* napęd *m* na wszystkie koła
al·ly 1. [ə'laɪ] sprzymierzać ⟨-rzyć⟩ się (***to, with*** z *I*); ['ælaɪ] sojusznik *m*; sprzymierzeniec *m*; ***the Allies*** *pl.* państwa sprzymierzone *pl.*, alianci *pl.*
al·might·y [ɔːl'maɪtɪ] wszechmocny; ***the*** ♀ Bóg *m* Wszechmogący
al·mond ['ɑːmənd] *bot.* migdał *m*; *attr.* migdałowy
al·most ['ɔːlməʊst] prawie, niemal
alms [ɑːmz] *pl.* jałmużna *f*
a·loft [ə'lɒft] w górę, w górze
a·lone [ə'ləʊn] **1.** *adj.* sam; **2.** *adv.* samotnie; ***let ~*** zostawiać ⟨-wić⟩ w spokoju; ***let ~ ...*** nie mówiąc już o (*L*)
a·long [ə'lɒŋ] **1.** *adv.* naprzód, w przód; ***all ~*** (przez) cały czas; ***come ~ with s.o.*** iść ⟨pójść⟩ z kimś; ***get ~*** dawać ⟨dać⟩ sobie radę; ⟨po⟩radzić sobie; być w dobrych stosunkach (***with*** z *I*); dobrze się porozumiewać ⟨-mieć⟩; ***take ~*** brać ⟨wziąć⟩ z (*I*); **2.** *prp.* wzdłuż (*G*); **~'side** obok (*G*); wzdłuż (*G*)
a·loof [ə'luːf] powściągliwy; pełen rezerwy
a·loud [ə'laʊd] na głos, głośno
al·pha·bet ['ælfəbet] alfabet *m*
al·pine ['ælpaɪn] alpejski, wysokogórski
Alps *pl.* Alpy *pl.*

al·read·y [ɔːl'redɪ] już
al·right [ɔːl'raɪt] → ***all right***
Al·sa·tian [æl'seɪʃən] *zwł. Brt.* owczarek *m* alzacki *lub* niemiecki, F wilczur *m*
al·so ['ɔːlsəʊ] też, także
al·tar ['ɔːltə] ołtarz *m*
al·ter ['ɔːltə] zmieniać ⟨-nić⟩ (się); *ubranie* przerabiać ⟨-robić⟩; **~·a·tion** [ɔːltə'reɪʃn] zmiana *f* (***to*** na *A*); przemiana *f*; przeróbka *f* (*ubrania*)
al·ter|·nate 1. ['ɔːltəneɪt] następować ⟨-tąpić⟩ na zmianę; **2.** [ɔːl'tɜːnət] naprzemienny; **~·nat·ing cur·rent** ['ɔːltəneɪtɪŋ -] prąd *m* zmienny; **~·na·tion** [ɔːltə'neɪʃn] zmiana *f*; przemiana *f*; **~·na·tive** [ɔːl'tɜːnətɪv] **1.** alternatywny; **2.** alternatywa *f*; wybór *m*
al·though [ɔːl'ðəʊ] choć, chociaż
al·ti·tude ['æltɪtjuːd] wysokość *f*; ***at an ~ of*** na wysokości (*G*)
al·to·geth·er [ɔːltə'geðə] ogólnie; ogółem; zupełnie, całkowicie
al·u·min·i·um [æljʊ'mɪnjəm] *Brt.*, **a·lu·mi·num** [ə'luːmɪnəm] *Am. chem.* aluminium *n*, glin *m*; *attr.* aluminiowy
al·ways ['ɔːlweɪz] zawsze
am [æm; *we frazie* əm] *1. os. poj. ter. od* ***be*** jestem
am, **AM** [eɪ 'em] *skrót*: ***before noon*** (*łacińskie* ***ante meridiem***) przed południem
a·mal·gam·ate [ə'mælgəmeɪt] *też econ.* ⟨po-, z⟩łączyć się; *econ.* dokonywać ⟨-nać⟩ fuzji
a·mass [ə'mæs] ⟨na-, z⟩gromadzić
am·a·teur ['æmətə] **1.** amator(ka *f*); **2.** amatorski
a·maze [ə'meɪz] zdumiewać ⟨-mieć⟩; **a'maze·ment** zdumienie *n*; **a'maz·ing** zdumiewający
am·bas·sa|·dor [æm'bæsədə] ambasador (***to*** w *L*); *fig.* przedstawiciel(ka *f*) *m*; **~·dress** [æm'bæsədrɪs] kobieta *f* ambasador; *fig.* przestawicielka *f*
am·ber ['æmbə] bursztyn *m*; bursztynowy
am·bi·gu·i·ty [æmbɪ'gjuːɪtɪ] dwuznaczność *f*; wieloznaczność *f*; niejasność *f*; **am·big·u·ous** [æm'bɪgjʊəs] dwuznaczny; wieloznaczny; niejasny
am·bi|·tion [æm'bɪʃn] ambicja *f*; **~·tious** [æm'bɪʃəs] ambitny
am·ble ['æmbl] **1.** przechadzka *f*; spokojny chód *m*; **2.** przechadzać ⟨przejść⟩ się; spokojnie iść ⟨pójść⟩;
am·bu·lance ['æmbjʊləns] karetka *f* (*pogotowia*)
am·bush ['æmbʊʃ] **1.** zasadzka *f*; ***be*** *lub* ***lie in ~ for s.o.*** czekać w zasadzce na kogoś; czatować na kogoś; **2.** wciągać ⟨-gnąć⟩ w zasadzkę
a·men [ɑː'men] *int.* amen; niech tak będzie
a·mend [ə'mend] poprawiać ⟨-wić⟩; ⟨z⟩modyfikować; *prawo* wnosić ⟨wnieść⟩ poprawki; **~·ment** poprawka *f* (*też parl., Am. do konstytucji*); modyfikacja *f*; zmiana *f*; **~s** *pl.* rekompensata *f*; ***make ~s*** ⟨z⟩rekompensować; naprawiać ⟨-wić⟩ szkody; ***make ~s to s.o. for s.th.*** wynagradzać coś komuś, rekompensować coś komuś
a·men·i·ty [ə'miːnətɪ] *często* ***amenities*** *pl.* wygody *pl.*; urządzenia *pl.* ułatwiające życie
A·mer·i·ca [ə'merɪkə] Ameryka *f*; **A·mer·i·can** [ə'merɪkən] **1.** amerykański; **~' *plan*** pełne utrzymanie *n*; **2.** Amerykanin *m* (-nka *f*)
A·mer·i·can|·is·m [ə'merɪkənɪzəm] amerykanizm *m*; **~·ize** [ə'merɪkənaɪz] ⟨z⟩amerykanizować (się)
a·mi·a·ble ['eɪmjəbl] przyjazny; miły
am·i·ca·ble ['æmɪkəbl] przyjacielski; *jur.* polubowny, ugodowy
a·mid(st) [ə'mɪd(st)] wśród (*G*); (po)między (*I*)
a·miss [ə'mɪs] źle, błędnie; ***take ~*** ⟨po⟩czuć się urażonym
am·mo·ni·a [ə'məʊnjə] amoniak *m*
am·mu·ni·tion [æmjʊ'nɪʃn] amunicja *f*
am·nes·ty ['æmnɪstɪ] **1.** amnestia *f*; **2.** ułaskawiać ⟨-wić⟩
a·mok [ə'mɒk] amok *m*; ***run ~*** dostawać ⟨-tać⟩ amoku
a·mong(st) [ə'mʌŋ(st)] (po)między
am·o·rous ['æmərəs] rozkochany (***of*** w *L*)
a·mount [ə'maʊnt] **1.** (***to***) wynosić ⟨-nieść⟩ (*A*); stanowić (*A*); sprowadzać ⟨-dzić⟩ się do (*G*); **2.** kwota *f*; liczba *f*; suma *f*
am·ple ['æmpl] (***~r, ~st***) obfity; pokaźny; dostateczny
am·pli|·fi·ca·tion [æmplɪfɪ'keɪʃn] zwiększenie *n*; *electr.* wzmocnienie *n*; **~·fi·er** *electr.* ['æmplɪfaɪə] wzmacniacz

m; **~·fy** ['æmplɪfaɪ] zwiększać ⟨-szyć⟩; *electr.* wzmacniać ⟨-nić⟩; **~·tude** ['æmplɪtjuːd] zasięg; amplituda
am·pu·tate ['æmpjʊteɪt] ⟨z⟩amputować
a·muck [ə'mʌk] → ***amok***
a·muse [ə'mjuːz] (***o.s.*** się) ⟨roz⟩bawić, zabawiać ⟨-wić⟩; **~·ment** rozrywka *f*; zabawa *f*; radość *f*; **~·ment arcade** salon *m* gier automatycznych *lub* komputerowych; **~·ment park** wesołe miasteczko *n*; **a'mus·ing** zabawny
an [æn, ən] → ***a***
an·a·bol·ic ster·oid [ænəbɒlɪk 'stɪərɔɪd] *pharm.* steryd *m* anaboliczny
a·nae·mi·a [ə'niːmjə] anemia *f*
an·aes·thet·ic [ænɪs'θetɪk] *med.* **1.** (***~ally***) znieczulający; **2.** środek *m* znieczulający
a·nal ['eɪnl] *anat.* odbytniczy; analny
a·nal·o|·gous [ə'næləgəs] analogiczny, podobny; **~·gy** [ə'nælədʒɪ] analogia *f*
an·a·lyse *zwł. Brt.*, **an·a·lyze** *Am.* ['ænəlaɪz] ⟨prze-, z⟩analizować; przeprowadzać ⟨-dzić⟩ analizę; **a·nal·y·sis** [ə'næləsɪs] (*pl.* ***-ses*** [-siːz]) analiza *f*
an·arch·y ['ænəkɪ] anarchia *f*
a·nat·o|·mize [ə'nætəmaɪz] *med.* przeprowadzać ⟨-dzić⟩ sekcję; *fig.* ⟨prze-, z⟩analizować; **~·my** [ə'nætəmɪ] anatomia *f*; analiza *f*
an·ces|·tor ['ænsestə] przodek *m*; protoplasta *m*; **~·tress** ['ænsestrɪs] protoplastka *f*
an·chor ['æŋkə] **1.** kotwica *f*; ***at~*** na kotwicy; **2.** zakotwiczać ⟨-czyć⟩
an·chor|·man ['æŋkəmæn] *Am. TV* (*pl.* ***-men***) prowadzący *m* (*wiadomości*); **'~·wom·an** *Am. TV* (*pl.* ***-women***) prowadząca *f* (*wiadomości*)
an·cho·vy ['æntʃəvɪ] sardela *f*
an·cient ['eɪnʃənt] **1.** starożytny; prastary; **2.** ***the ~s*** *pl. hist.* starożytni *pl.*
and [ænd, ənd] i; a
an·ec·dote ['ænɪkdəʊt] anegdota *f*
a·ne·mi·a [ə'niːmjə] *Am.* → ***anaemia***
an·es·thet·ic [ænɪs'θetɪk] *Am.* → ***anesthetic***
an·gel ['eɪndʒəl] anioł *m*
an·ger ['æŋgə] **1.** gniew *m* (***at*** z powodu *G*); **2.** rozgniewać
an·gi·na (pec·to·ris) [æn'dʒaɪnə('pektərɪs)] *med.* dusznica *f* bolesna, angina *f* pectoris; ⚠ *nie* ***angina***
an·gle[1] ['æŋgl] kąt *m*; róg *m*
an·gle[2] ['æŋgl] ⟨z⟩łowić; **'~r** wędkarz *m*
An·gli·can ['æŋglɪkən] **1.** anglikański; **2.** anglikanin *m* , anglikanka *f*
An·glo-Sax·on [æŋgləʊ'sæksən] **1.** anglosaski; **2.** Anglosas *m*
an·gry ['æŋgrɪ] (***-ier, -iest***) zły, rozgniewany (***at, with*** na *A*)
an·guish ['æŋgwɪʃ] cierpienie *n*
an·gu·lar ['æŋgjʊlə] kanciasty
an·i·mal ['ænɪml] **1.** zwierzę *n*; **2.** zwierzęcy; **'~ lov·er** miłośnik *m* (-niczka *f*) zwierząt
an·i|·mate ['ænɪmeɪt] ożywiać ⟨-wić⟩; pobudzać ⟨-dzić⟩; **'~·ma·ted** ożywiony; pobudzony; **~·ma·ted car'toon** film *m* animowany; **~·ma·tion** [ænɪ'meɪʃn] ożywienie *n*; pobudzenie *n*; animacja *f*; *komp.* grafika *f* animowana
an·i·mos·i·ty [ænɪ'mɒsətɪ] wrogość *f*; wrogie nastawienie *n*
an·kle ['æŋkl] *anat.* kostka
an·nals ['ænlz] *pl.* roczniki *pl.*; annały *pl.*
an·nex 1. [ə'neks] dołączać ⟨-czyć⟩; ⟨za⟩anektować; **2.** ['æneks] aneks *m*, dodatek *m*; przybudówka *f*
an·ni·ver·sa·ry [ænɪ'vɜːsərɪ] rocznica *f*
an·no·tate ['ænəʊteɪt] zaopatrywać ⟨-trzyć⟩ w adnotacje *lub* przypisy
an·nounce [ə'naʊns] ogłaszać ⟨ogłosić⟩; oświadczać ⟨-czyć⟩; *radio, TV*: zapowiadać ⟨-wiedzieć⟩; ⚠ *nie* anonsować; **~·ment** zapowiedź *f* (*też radio, TV*); ogłoszenie *n*; komunikat *m*; **an'nounc·er** spiker(ka *f*) *m*
an·noy [ə'nɔɪ] ⟨z⟩irytować; **~·ance** irytacja *f*; poirytowanie *n*; **~·ing** irytujący
an·nu·al ['ænjʊəl] **1.** roczny; coroczny; doroczny; **2.** *bot.* roślina *f* jednoroczna; rocznik *m*
an·nu·i·ty [ə'njuːɪtɪ] renta *f* (roczna)
an·nul [ə'nʌl] (***-ll-***) anulować; unieważniać ⟨-nić⟩; **~·ment** anulowanie *n*; unieważnienie *n*
an·o·dyne ['ænəʊdaɪn] *med.* **1.** uśmierzający bóle; **2.** środek *m* uśmierzający bóle
a·noint [ə'nɔɪnt] namaszczać ⟨-maścić⟩
a·nom·a·lous [ə'nɒmələs] nieprawidłowy; nieregularny
a·non·y·mous [ə'nɒnɪməs] anonimowy

an•o•rak ['ænəræk] skafander *m* (*z kapturem*); kurtka *f*
an•oth•er [ə'nʌðə] inny; jeszcze jeden
ANSI ['ænsı] *skrót*: ***American National Standards Institute*** Amerykański Urząd Norm
an•swer ['ɑːnsə] **1.** *v/t.* odpowiadać ⟨-wiedzieć⟩; *cel* spełniać ⟨-nić⟩; *problem* rozwiązywać ⟨-zać⟩; *opis* odpowiadać; *~ **the bell** lub **door*** otworzyć drzwi; *~ **the telephone*** odbierać ⟨-debrać⟩ telefon; *v/i.* odpowiadać ⟨-wiedzieć⟩; podnosić ⟨-nieść⟩ słuchawkę; *~ **back*** odpyskowywać ⟨-ować⟩, odcinać ⟨-ciąć⟩ się; *~ **for*** ponosić ⟨-nieść⟩ odpowiedzialność za (*G*); **2.** odpowiedź *f* (***to*** na *A*); **~•a•ble** ['ɑːnsərəbl] odpowiedzialny (***for*** za *A*); **~•ing machine** *tel.* ['ɑːnsərıŋ -] automatyczna sekretarka *f*
ant [ænt] *zo.* mrówka *f*
an•tag•o|•nis•m [æn'tægənızəm] antagonizm *m*; wrogość *f*; **~•nist** [æn'tægənıst] przeciwnik *m* (-niczka *f*); **~•nize** [æn'tægənaız] zrażać ⟨zrazić⟩; wzbudzać ⟨-dzić⟩ wrogość
Ant•arc•tic [æn'tɑːktık] antarktyczny
Ant•arc•tica [æn'tɑːktıkə] Antarktyda *f*
an•te•ced•ent [æntı'siːdənt] poprzedni, uprzedni
an•te•lope ['æntıləʊp] *zo.* (*pl.* ***-lopes, -lope***) antylopa *f*
an•ten•na[1] [æn'tenə] *zo.* (*pl.* ***-nae*** [-niː]) czułek *m*
an•ten•na[2] [æn'tenə] *Am.* antena *f*
an•te•ri•or [æn'tıərıə] poprzedni; wcześniejszy (***to*** niż)
an•them ['ænθəm] hymn *m*
an•ti... ['æntı] anty..., przeciw...; **~'air•craft** *mil.* przeciwlotniczy; **~•bi•ot•ic** [æntıbaı'ɒtık] *pharm.* antybiotyk *m*; **'~•bod•y** *biol.* przeciwciało *n*
an•tic•i|•pate [æn'tısıpeıt] przewidywać ⟨-widzieć⟩; oczekiwać, wyczekiwać; **~•pa•tion** [æntısı'peıʃn] oczekiwanie *n*; przewidywanie *n*; ***in ~pation*** z góry, naprzód
an•ti•clock•wise [æntı'klɒkwaız] *Brt.* w kierunku odwrotnym do ruchu wskazówek zegara
an•tics ['æntıks] *pl.* błazeństwa *pl.*, wygłupy *pl.*; ⚠ *nie **antyk***
an•ti|•dote ['æntıdəʊt] antidotum *n*, odtrutka *f*; **'~•freeze** płyn *m* nie zamarzający; **~'lock braking sys•tem** *mot.* (system) ABS *m* (*przeciwdziałający blokadzie hamulców*); **~'mis•sile** przeciwrakietowy; **~'nu•cle•ar ac•tiv•ist** działacz(ka *f*) *m* ruchu przeciw broni nuklearnej
an•tip•a•thy [æn'tıpəθı] antypatia
an•ti•quat•ed ['æntıkweıtıd] przestarzały, staroświecki; ⚠ *nie **antykwaryczny***
an•tique [æn'tiːk] **1.** antyczny; starożytny; **2.** antyk *m*, zabytek *m*; *~ **deal•er*** antykwariusz *m*; *~ **shop*** *zwł. Brt.*, *~ **store*** *Am.* sklep *m* z antykami
an•tiq•ui•ty [æn'tıkwətı] starożytność *f*
an•ti•sep•tic [æntı'septık] **1.** antyseptyczny, odkażający; **2.** środek antyseptyczny *lub* odkażający
ant•lers ['æntləz] *pl.* rogi *pl.*, poroże *n*
a•nus ['eınəs] *anat.* odbyt *m*
an•vil ['ænvıl] kowadło *n*
anx•i•e•ty [æŋ'zaıətı] lęk *m*; niepokój *m*, obawa *f*; troska *f*
anx•ious ['æŋkʃəs] zatroskany; zaniepokojony; wyczekujący; ***he is ~ about you*** niepokoi się o ciebie; ***he is ~ to do s.th.*** zależy mu, by coś zrobić
an•y ['enı] **1.** *adj. i pron.* jakiś, trochę; jakikolwiek; którykolwiek; każdy; *z przeczeniem*: żaden; ***not ~*** w ogóle; żaden; **2.** trochę, nieco; **'~•bod•y** ktokolwiek; każdy; *z przeczeniem*: nikt; **'~•how** jakkolwiek; byle jak; **'~•one** → ***anybody***; **'~•thing** cokolwiek; coś; cokolwiek; *z przeczeniem*: nic; ***~thing but*** w ogóle; wcale; ani trochę; ***~thing else?*** czy coś jeszcze?; **'~•way** → ***anyhow***; **'~•where** gdziekolwiek; gdzieś; *z przeczeniem*: nigdzie
AP [eı 'piː] *skrót*: ***Associated Press*** (*amerykańska agencja prasowa*)
a•part [ə'pɑːt] osobno, na boku; od siebie; *~ **from*** oprócz
a•part•heid [ə'pɑːtheıt] apartheid *m*, polityka *f* segregacji rasowej
a•part•ment [ə'pɑːtmənt] *Am.* mieszkanie *n*; ⚠ *nie **apartament***; *~ **building*** *zwł. Brt.*, *~ **house*** *Am.* blok *m* mieszkaniowy, kamienica *f*
ap•a|•thet•ic [æpə'θetık] (***-ally***) apatyczny, obojętny, zobojętniały; **~•thy** ['æpəθı] apatia *f*, obojętność *f*, zobojętnienie *n*

ape [eɪp] *zo.* małpa *f* człekokształtna
ap·er·ture ['æpətjʊə] otwór *m*; szczelina *f*
a·pi·a·ry ['eɪpjərɪ] pasieka *f*
a·piece [ə'piːs] za sztukę; na głowę, na osobę
a·pol·o|·gize [ə'pɒlədʒaɪz] przepraszać ⟨-prosić⟩; **~·gy** [ə'pɒlədʒɪ] przeprosiny *pl.*; ***make an ~gy (for s.th.)*** przepraszać ⟨-prosić⟩ (za coś)
ap·o·plex·y ['æpəpleksɪ] apopleksja *f*, udar *m*
a·pos·tle [ə'pɒsl] *rel.* apostoł *m* (*też fig.*)
a·pos·tro·phe [ə'pɒstrəfɪ] apostrof *m*
ap·pal(l) [ə'pɔːl] (***-ll-***) przerażać ⟨-razić⟩; trwożyć ⟨zatrważać⟩
Ap·pa·la·chians *pl.* Appalachy *pl.*
ap'pal·ling przerażający; zatrważający
ap·pa·ra·tus [æpə'reɪtəs] aparat *m*; aparatura *f*; urządzenie *n*; przyrząd *m*
ap·par·ent [ə'pærənt] pozorny; widoczny
ap·pa·ri·tion [æpə'rɪʃn] widmo *n*, zjawa *f*
ap·peal [ə'piːl] **1.** *jur.* składać ⟨złożyć⟩ odwołanie, odwoływać ⟨odwołać⟩ się; ⟨za⟩apelować (***for*** o *A*); wzywać ⟨wezwać⟩ (***to*** do *G*); **~ *to*** odwoływać ⟨odwołać⟩ się do (*G*), przemawiać ⟨-mówić⟩ do (*G*); *kogoś* pociągać (***to*** *A*), ⟨s⟩podobać się; **2.** *jur.* apelacja *f*, odwołanie *n* się; urok *m*, powab *m*; prośba *f* (***to*** do *G*, ***for*** o *A*), apel *m*; **~ *for mercy*** *jur.* prośba *f* o łaskę; ***sex* ~** seksapil *m*, atrakcyjność *f*; **~·ing** pociągający; błagalny
ap·pear [ə'pɪə] ukazywać ⟨-zać⟩ się; pojawiać ⟨-wić⟩ się; *publicznie* występować ⟨-stąpić⟩; wydawać się; **~·ance** [ə'pɪərəns] pojawienie *n* się; wygląd *m*; wystąpienie *n*; ***keep up ~ances*** zachowywać ⟨-chować⟩ pozory; ***to*** *lub* ***by all ~ances*** pozornie, na pozór
ap·pease [ə'piːz] uspokajać ⟨-koić⟩; *pragnienie itp.* zaspokajać ⟨-koić⟩
ap·pend [ə'pend] dołączać ⟨-czyć⟩, przyłączać ⟨-łączyć⟩; **~·age** [ə'pendɪdʒ] dodatek *m*; uzupełnienie *n*
ap·pen|·di·ci·tis [əpendɪ'saɪtɪs] *med.* zapalenie *n* wyrostka robaczkowego; **~·dix** [ə'pendɪks] (*pl.* ***-dixes, -dices*** [-dɪsiːz]) dodatek *m*, suplement *m*; *też* ***vermiform ~dix*** *anat.* wyrostek *m* robaczkowy, ślepa kiszka *f*
ap·pe|·tite ['æpɪtaɪt] apetyt *m*; *fig.* chęć *f*, chętka *f* (***for*** na *L*); **~·tiz·er** ['æpɪtaɪzə] przystawka *f*, zakąska *f*; aperitif *m*; **~·tiz·ing** ['æpɪtaɪzɪŋ] apetyczny, smakowity
ap·plaud [ə'plɔːd] *v/t.* oklaskiwać; *v/i.* ⟨za⟩klaskać; **ap·plause** [ə'plɔːz] aplauz *m*, brawa *pl.*
ap·ple ['æpl] jabłko *n*; **'~ cart**: ***upset s.o.'s ~cart*** F ⟨po⟩psuć komuś szyki; **~ 'pie** szarlotka *f*; ***in ~pie order*** F w porządku, jak z pudełka; **~ 'sauce** przecier *m* jabłkowy; *Am. sl.* bzdury *pl.*, banialuki *pl.*; **~ 'tree** *bot.* jabłoń *f*
ap·pli·ance [ə'plaɪəns] urządzenie *n*; przyrząd *m*
ap·plic·a·ble ['æplɪkəbl] mający zastosowanie (***to*** do *G*)
ap·pli|·cant ['æplɪkənt] kandydat(ka *f*) *m* (***for*** do *G*), aplikant(ka *f*) *m*; **~·ca·tion** [æplɪ'keɪʃn] zastosowanie *n*; podanie *n* (***to*** do *G*); ubieganie *n* się (***for*** o *A*); nałożenie *n* (*kremu*)
ap·ply [ə'plaɪ] *v/t.* (***to***) ⟨za⟩stosować (do *G*); nakładać ⟨nałożyć⟩ (na *L*); **~ *o.s. to*** przykładać ⟨-łożyć⟩ się (do *G*); *v/i.* (***to***) stosować się (do *G*), mieć zastosowanie (do *G*); zgłaszać ⟨zgłosić⟩ się (***for*** do *G*), składać ⟨złożyć⟩ podanie (***for*** na *A*)
ap·point [ə'pɔɪnt] wyznaczać ⟨-czyć⟩; mianować (***s.o. director*** kogoś *I*), powołać (***s.o. director*** kogoś na *A*); **~·ment** mianowanie *n*, nominacja *f*; stanowisko *n*; (*z lekarzem itp.*) *umówione* spotkanie *n*; termin *m* (*wizyty*); ***by ~ment*** po uzgodnieniu terminu; ***~ment book*** terminarz *m*
ap·por·tion [ə'pɔːʃn] przydzielać ⟨-dzielić⟩
ap·prais|·al [ə'preɪzl] oszacowanie *n*, ocena *f*; **~e** [ə'preɪz] oszacowywać ⟨-wać⟩, oceniać ⟨-nić⟩
ap·pre|·cia·ble [ə'priːʃəbl] znaczny, dostrzegalny; **~·ci·ate** [ə'priːʃɪeɪt] *v/t.* doceniać ⟨-nić⟩; cenić sobie; uznać ⟨-wać⟩; *v/i.* wzrastać ⟨wzrosnąc⟩ na wartości; **~·ci·a·tion** [əpriːʃɪ'eɪʃn] uznanie *n*; wzrost *m* wartości *lub* ceny; uznanie *n*, wdzięczność *f*
ap·pre|·hend [æprɪ'hend] pojmować ⟨-jąć⟩, ⟨z⟩rozumieć; ⟨za⟩aresztować;

obawiać się; **~·hen·sion** [æprɪ'henʃn] obawa *f*; aresztowanie *n*; pojmowanie *n*, zrozumienie *n*; **~·hen·sive** [æprɪ'hensɪv] pełen obaw (***for*** o *A*, ***that*** że); bojaźliwy

ap·pren·tice [ə'prentɪs] **1.** praktykant(ka *f*) *m*; terminator *m*; **2.** ⟨od⟩dawać w termin; **~·ship** praktyka *f*; termin *m*

ap·proach [ə'prəʊtʃ] **1.** *v/i.* zbliżać ⟨zbliżyć⟩ się, przybliżać ⟨przybliżyć⟩ się, nadchodzić ⟨nadejść⟩; *v/t.* zbliżać ⟨zbliżyć⟩ się do (*G*), przybliżać ⟨przybliżyć⟩ się do (*G*); podchodzić ⟨podejść⟩ do (*G*); zwracać ⟨zwrócić⟩ się do (*G*); **2.** nadejście *n*; podejście *n*; dostęp *m*; zbliżanie *n* się

ap·pro·ba·tion [æprə'beɪʃn] aprobata *f*; akceptacja *f*

ap·pro·pri·ate 1. [ə'prəʊprɪeɪt] przywłaszczać ⟨-łaścić⟩ sobie; ⟨wy⟩asygnować, przeznaczać ⟨-czyć⟩; **2.** [ə'prəʊprɪɪt] (***for, to***) właściwy (do *G*); odpowiedni (do *G*)

ap·prov|·al [ə'pruːvl] aprobata *f*; zgoda *f*; **~e** [ə'pruːv] ⟨za⟩aprobować; uznawać ⟨-nać⟩; zatwierdzać ⟨-dzić⟩; **~ed** zatwierdzony, zaaprobowany

ap·prox·i·mate [ə'prɒksɪmət] przybliżony

Apr *skrót pisany*: ***April*** kw., kwiecień *m*

a·pri·cot ['eɪprɪkɒt] morela *f*

A·pril ['eɪprəl] (*skrót*: ***Apr***) kwiecień *m*; *attr.* kwietniowy

a·pron ['eɪprən] fartuch *m*; **'~ strings** *pl.* tasiemki *pl.* fartucha; ***be tied to one's mother's ~ strings*** trzymać się maminego fartucha

apt [æpt] trafny, celny; zdatny, nadający się; zdolny; ***be ~ to do s.th.*** mieć skłonności do robienia czegoś; **ap·ti·tude** ['æptɪtjuːd] (***for***) zdatność *f* (do *G*); talent *m*; **'~ *test*** test *m* zdolności

aq·ua·plan·ing ['ækwəpleɪnɪŋ] *Brt. mot.* akwaplanacja *f*; *tech.* poślizg hydrodynamiczny *m*

a·quar·i·um [ə'kweərɪəm] (*pl.* ***-iums, -ia*** [-ɪə]) akwarium *n*

A·quar·i·us [ə'kweərɪəs] *znak Zodiaku*: Wodnik *m*; ***he/she is*** (***an***) **~** on(a) jest spod znaku Wodnika

a·quat·ic [ə'kwætɪk] wodny; **~ *plant*** *bot.* roślina *f* wodna; **~s** *sg.*: **~ *sports*** *pl.* sporty *pl.* wodne

aq·ue·duct ['ækwɪdʌkt] akwedukt *m*

aq·ui·line ['ækwɪlaɪn] *nos*: orli; **'~ *nose*** orli *lub* rzymski nos *m*

Ar·ab ['ærəb] **1.** Arab(ka *f*) *m*; **2.** *kraj* arabski; **A·ra·bi·a** [ə'reɪbjə] Arabia *f*; **Ar·a·bic** ['ærəbɪk] **1.** arabski; **2.** język *m* arabski

ar·a·ble ['ærəbl] orny; uprawny

ar·bi|·tra·ry ['ɑːbɪtrərɪ] arbitralny; przypadkowy; **~·trate** ['ɑːbɪtreɪt] rozstrzygać ⟨-gnąć⟩ w arbitrażu; ⟨s⟩pełnić rolę arbitra; **~·tra·tion** [ɑːbɪ'treɪʃn] arbitraż *m*; **~·tra·tor** ['ɑːbɪtreɪtə] arbiter *m*, rozjemca *m* (-czyni *f*)

ar·bo(u)r ['ɑːbə] altana *f*

arc [ɑːk] łuk *m* (*electr.* elektryczny); **ar·cade** [ɑː'keɪd] arkada *f*; pasaż *m*

ARC [eɪ ɑː 'siː] *skrót*: ***American Red Cross*** Amerykański Czerwony Krzyż

arch[1] [ɑːtʃ] **1.** łuk *m*; sklepienie *n*; przęsło *n* (*mostu*); **2.** wyginać ⟨-giąć⟩ (się) w łuk

arch[2] [ɑːtʃ] arcy...; arch...

arch[3] [ɑːtʃ] psotny, figlarny

ar·cha·ic [ɑː'keɪɪk] (***~ally***) archaiczny

arch|·an·gel ['ɑːkeɪndʒəl] archanioł *m*; **~·bish·op** ['ɑːtʃbɪʃəp] arcybiskup *m*

ar·cher ['ɑːtʃə] łucznik *m*, (-niczka *f*); **~·y** ['ɑːtʃərɪ] łucznictwo *n*

ar·chi|·tect ['ɑːkɪtekt] architekt *m*; **~·tec·ture** ['ɑːkɪtektʃə] architektura *f*

ar·chives ['ɑːkaɪvz] *pl.* archiwum *n*, archiwa *pl.*

'arch·way pasaż *m*, *sklepione* przejście *n*

arc·tic ['ɑːktɪk] arktyczny

ar·dent ['ɑːdənt] płonący, rozżarzony; *fig.* gorliwy, ożywiony

ar·do(u)r ['ɑːdə] żar *m*; gorliwość *f*

are [ɑː] *2. os. ter. poj. i 1., 2., 3. mn. od* **be**; *ty* jesteś, *my* jesteśmy, *wy* jesteście, *oni, one* są

ar·e·a ['eərɪə] powierzchnia *f*; obszar *m*; miejsce *n*; dziedzina *f*; rejon *m*, strefa *f*; **'~ *code*** *Am. tel.* numer *m* kierunkowy

Ar·gen|·ti·na [ɑːdʒən'tiːnə] Argentyna *f*; **~·tine** ['ɑːdʒəntaɪn] **1.** argentyński; **2.** Argentyńczyk *m*, Argentynka *f*

a·re·na [ə'riːnə] arena *f*; miejsce *n*

ar·gue ['ɑːgjuː] spierać się, ⟨po⟩sprzeczać się; argumentować, wysuwać ⟨-nąć⟩ argumenty; utrzymywać (***that*** że)

ar·gu·ment ['ɑːgjʊmənt] sprzeczka *f*,

spór *m*; argument *m*; dyskusja *f*
ar·id ['ærɪd] suchy, jałowy
Ar·ies ['eəriːz] *znak Zodiaku*: Baran *m*; ***he/she is*** (***an***) ~ on(a) jest spod znaku Barana
a·rise [ə'raɪz] (***arose, arisen***) powstawać ⟨-stać⟩, pojawiać ⟨-wić⟩ się; wynikać ⟨-knąć⟩; **a·ris·en** [ə'rɪzn] *p.p. od* ***arise***
ar·is|·toc·ra·cy [ærɪ'stɒkresɪ] arystokracja *f*; **~·to·crat** ['ærɪstəkræt] arystokrata *m* (-tka *f*)
a·rith·me·tic[1] [ə'rɪθmətɪk] *math.* arytmetyka *f*; obliczenia *pl.*, wyliczenia *pl.*
ar·ith·met·ic[2] [ærɪθ'metɪk] arytmetyczny, rachunkowy; **~ 'u·nit** *komp.* arytmometr *m*, jednostka *f* arytmetyczno-logiczna
ark [ɑːk] arka *f*
arm[1] [ɑːm] ramię *n*; ręka *f*; poręcz *f*; ***keep s.o. at ~'s length*** trzymać kogoś na dystans
arm[2] [ɑːm] ⟨u⟩zbroić (się)
ar·ma·ment ['ɑːməmənt] zbrojenie *n* się; zbrojenia *pl.*
'arm·chair fotel *m*
ar·mi·stice ['ɑːmɪstɪs] zawieszenie *n* broni
ar·mo(u)r ['ɑːmə] **1.** *mil.* pancerz *m* (*też fig., zo.*); opancerzenie *n*; wojska *pl.* pancerne; zbroja *f*; **2.** opancerzać ⟨-rzyć⟩; ***~ed 'car*** wóz *m* opancerzony, samochód *m* pancerny
'arm·pit pacha *f*
arms [ɑːmz] *pl.* broń *f*, uzbrojenie; **'~ *control*** kontrola *f* zbrojeń; **'~ *race*** wyścig *m* zbrojeń
ar·my ['ɑːmɪ] wojsko *n*, armia *f*
a·ro·ma [ə'rəʊmə] aromat *m*, woń *f*; **ar·o·mat·ic** [ærə'mætɪk] aromatyczny, wonny
a·rose [ə'rəʊz] *pret. od* ***arise***
a·round [ə'raʊnd] **1.** *adv.* dookoła, wokoło; w pobliżu; **2.** *prp.* wokół (*G*), dokoła (*G*), koło (*G*); około (*G*)
a·rouse [ə'raʊz] ⟨z⟩budzić; *fig.* pobudzać ⟨-dzić⟩; rozbudzać ⟨-dzić⟩
ar·range [ə'reɪndʒ] układać ⟨ułożyć⟩, ustawiać ⟨-wić⟩, rozmieszczać ⟨-ścić⟩, ⟨z⟩organizować, załatwiać ⟨-wić⟩; *muz.* aranżować, opracowywać ⟨-ować⟩ (*też theat.*); **~·ment** ułożenie *n*, ustawienie *n*, rozłożenie *n*; załatwienie *n*, zorganizowanie *n*; *muz.* aranżacja *f*, opracowanie *n* (*też theat.*)
ar·rears [ə'rɪəz] *pl.* zaległości *pl.*; ***be in ~ with*** zalegać z (*I*)
ar·rest [ə'rest] **1.** *jur.* aresztowanie *n*, zatrzymanie *n*; **2.** *jur.* ⟨za⟩aresztować, zatrzymywać ⟨-ymać⟩
ar·riv·al [ə'raɪvl] przybycie *n*, przyjazd *m*, przylot *m*; *fig.* przybycie *n*, nadejście *n*; ***~s*** *pl.* przyjazdy (*przyloty itp. - informacja*); **ar·rive** [ə'raɪv] przybywać ⟨-być⟩, przyjeżdżać ⟨-jechać⟩, przylatywać ⟨-lecieć⟩; *fig.* nadchodzić ⟨-dejść⟩; ***~ at*** przybywać ⟨-być⟩ do (*G*), *fig.* dochodzić ⟨dojść⟩ do (*G*)
ar·ro|·gance ['ærəgəns] arogancja *f*; **'~·gant** arogancki
ar·row ['ærəʊ] strzała *f*, strzałka *f*; **'~·head** grot *m* (*strzały*)
ar·se·nic ['ɑːsnɪk] *chem.* arsen *m*; arszenik *m*
ar·son ['ɑːsn] *jur.* podpalenie *n*
art [ɑːt] sztuka *f*
ar·ter·i·al [ɑː'tɪərɪəl] *anat.* tętniczy; **~ *road*** droga *f* przelotowa; **ar·te·ry** ['ɑːtərɪ] *anat.* tętnica *f*, arteria *f*; arteria *f* komunikacyjna
ar·ter·i·o·scle·ro·sis [ɑːtɪərɪəʊsklɪə'rəʊsɪs] *med.* stwardnienie *n* tętnic
'art·ful chytry, przemyślny
'art gal·le·ry galeria *f* sztuki
ar·thri·tis [ɑː'θraɪtɪs] *med.* artretyzm *m*
ar·ti·choke ['ɑːtɪtʃəʊk] *bot.* karczoch *m*
ar·ti·cle ['ɑːtɪkl] artykuł *m*; *gr.* rodzajnik *m*, przedimek *m*
ar·tic·u|·late **1.** [ɑː'tɪkjʊleɪt] wyraźnie mówiący; wyraźny; **2.** [ɑː'tɪkjʊlət] wymawiać ⟨-mówić⟩, ⟨wy⟩artykułować; **~·lat·ed** [ɑː'tɪkjʊleɪtɪd] przegubowy; ***~lated lorry*** *Brt. mot.* ciągnik *m lub* ciężarówka *f* z naczepą; **~·la·tion** [ɑːtɪkjʊ'leɪʃn] *wyraźna* wymowa *f*; przegub *m*
ar·ti·fi·cial [ɑːtɪ'fɪʃl] sztuczny; **~ *person*** *jur.* osoba *f* prawna
ar·til·le·ry [ɑː'tɪlərɪ] *mil.* artyleria *f*
ar·ti·san [ɑːtɪ'zæn] rzemieślnik *m*
art·ist ['ɑːtɪst] artysta *m* (*-tka f*); **ar·tis·tic** [ɑː'tɪstɪk] (***~ally***) artystyczny
'art·less naturalny, bezpretensjonalny
arts [ɑːts] *pl.* nauki *pl.* humanistyczne; ***Faculty of*** ≗, *Am.* ≗ ***Department*** wydział *m* nauk humanistycznych
as [æz] **1.** *adv.* (tak) jak, równie, tak sa-

mo jak; **2.** *cj.* gdy, kiedy; ponieważ, jako że; jako; **~ ... ~ ...** tak ... jak ...; **~ for, ~ to** co do, co się tyczy; **~ from** począwszy od; **~ it were** jak gdyby; **~ Hamlet** jako Hamlet; **~ usual** jak zwykle

as·bes·tos [æs'bestəs] azbest *m*

as·cend [ə'send] iść ⟨pójść⟩ do góry; wspinać ⟨wspiąć⟩ się (na *L*); (*na tron*) wstępować (*L*)

as·cen|·dan·cy, ~·den·cy [ə'sendənsı] przewaga *f*, dominacja *f*; **~·sion** [ə'senʃn] wznoszenie *n* się (*balonu itp.*); wschodzenie *n* (*zwł. astr.*); **℞·sion (Day)** *rel.* Wniebowstąpienie *n*; **~t** [ə'sent] wznoszenie *n* się; wspinanie *n* się; wzlot *m*

as·cet·ic [ə'setık] (**~ally**) ascetyczny

ASCII ['æskı] *skrót: komp.* **American Standard Code for Information Interchange** (kod *m*) ASCII (*standardowy kod do reprezentacji znaków alfanumerycznych*)

a·sep·tic [æ'septık] **1.** aseptyczny; **2.** środek *m* aseptyczny

ash¹ [æʃ] *bot.* jesion *m*; drewno *n* jesionowe

ash² [æʃ] *też* **~es** *pl.* popiół *m*; prochy *pl.*

a·shamed [ə'ʃeımd] zawstydzony; **be ~ of s.th.** wstydzić się (*G*)

'ash can *Am.* → **dustbin**

ash·en ['æʃn] popielaty, zszarzały

a·shore [ə'ʃɔː] na brzeg *lub* brzegu

'ash|·tray popielniczka *f*; **℞ 'Wednesday** *rel.* Popielec *m*, środa *f* popielcowa

A·sia ['eıʃə] Azja *f*; **A·sian** ['eıʃn, 'eıʒn]; **A·si·at·ic** [eıʃı'ætık] **1.** azjatycki; **2.** Azjata *m*, Azjatka *f*

a·side [ə'saıd] **1.** *adv.* na bok; na stronę; **~ from** *Am.* oprócz, z wyjątkiem; **2.** uwaga *f* na stronie *lub* marginesie

ask [ɑːsk] *v/t.* pytać (**s.th.** o *A*, **s.o. about** kogoś o *A*); prosić (**of, from s.o.** kogoś, **s.o.** (**for**) **s.th.** kogoś o coś, **that** o *A*); **~ s.o. a question** zadawać komuś pytanie; *v/i.* **~ for** prosić o (*A*); **he ~ed for it** *lub* **for trouble** sam się o to prosił; **to be had for the ~ing** do otrzymania za darmo

a·skance [ə'skæns]: **look ~ at s.o.** krzywo na kogoś ⟨po⟩patrzeć

a·skew [ə'skjuː] krzywy, przekrzywiony

a·sleep [ə'sliːp] śpiący; **be** (**fast, sound**) **~** spać (twardo); **fall ~** zasnąć

as·par·a·gus [ə'spærəgəs] *bot.* szparag *m*; asparagus *m*

as·pect ['æspekt] aspekt *m*; strona *f*; wygląd *m*; widok *m*

as·phalt ['æsfælt] **1.** asfalt *m*; **2.** ⟨wy⟩-asfaltować

as·pic ['æspık] galareta *f* (*np. z nóżek*)

as·pi|·rant [ə'spaıərənt] kandydat(ka *f*) *m*, reflektant *m*; **~·ra·tion** [æspə'reıʃn] ambicja *f*, aspiracje *pl.*

as·pire [ə'spaıə] mieć ambicję, aspirować (**to, for** do *G*)

ass [æs] *zo.* osioł *m*

as·sail [ə'seıl] napadać ⟨-paść⟩; **be ~ed with doubts** być owładniętym wątpliwościami; **as·sai·lant** [ə'seılənt] napastnik *m* (-iczka *f*)

as·sas·sin [ə'sæsın] morderca *m*, (-czyni *f*) (*zwł. z przyczyn politycznych*), zamachowiec *m*; **~·ate** *zwł. pol.* [ə'sæsıneıt] ⟨za⟩mordować, dokonywać ⟨-nać⟩ zamachu; **~·a·tion** [əsæsı'neıʃn] (*zwł.* polityczne) morderstwo *n*, zamach *m*

as·sault [ə'sɔːlt] **1.** napad *m*; napaść *f*; **2.** napadać ⟨-paść⟩

as·sem|·blage [ə'semblıdʒ] zgromadzenie *n*; zbiór *m*; *tech.* montaż; **~·ble** [ə'sembl] zbierać (się); ⟨z⟩montować; **~·bler** [ə'semblə] *komp.* (*język programowania*; *program tłumaczący na kod maszynowy*) asembler *m*; **~·bly** [ə'semblı] zgromadzenie *n*, zebranie *n*; *tech.* montaż *m*; **~·bly line** *tech.* linia *f* montażowa

as·sent [ə'sent] **1.** zgoda *f*; **2.** zgadzać ⟨-odzić⟩ się (**to** na *A*)

as·sert [ə'sɜːt] ⟨s⟩twierdzić; zapewniać ⟨-nić⟩; *autorytet* utwierdzać ⟨-dzić⟩; **~ o.s.** przebijać ⟨-bić⟩ się; **as·ser·tion** [ə'sɜːʃn] stwierdzenie *n*; zapewnienie *n*

as·sess [ə'ses] *koszty* ⟨o⟩szacować (*też fig.*); *podatku* ustalić ⟨-lać⟩ wysokość (**at** na *A*); **~·ment** oszacowanie *n* (*też fig.*); ustalenie *n* wysokości (*podatku*)

as·set ['æset] *econ.* rzecz *f* wartościowa; *fig.* zaleta *f*, plus *m*; **~s** *pl. jur.* majątek *m*; stan *m* posiadania; *econ.* aktywa *pl.*, środki *pl.* finansowe

as·sid·u·ous [ə'sıdjʊəs] skrzętny, pracowity

as·sign [ə'saın] wyznaczać ⟨-czyć⟩; przydzielać ⟨-lić⟩; przeznaczać ⟨-czyć⟩;

~·ment wyznaczenie *n*; przydział *m*; zadanie *n* (*do wykonania*); *jur.* cesja *f*, przeniesienie *n* (*własności*)
as·sim·i|·late [ə'sɪmɪleɪt] przyswajać ⟨-woić⟩; ⟨z⟩asymilować (się) (***to, with*** z *I*); **~·la·tion** [əsɪmɪ'leɪʃn] asymilacja *f*; przyswojenie *n*
as·sist [ə'sɪst] pomagać ⟨-móc⟩; wspierać ⟨wesprzeć⟩; **~·ance** pomoc *f*; wsparcie *n*; **as·sis·tant 1.** zastępca *m*, (-czyni *f*); asystent(ka *f*) *m*; pomocnik *m*, (-ica *f*); *Brt.* (***shop***) **~** ekspedient(ka *f*) *m*; **2.** pomocny; zastępujący
as·so·ci|·ate 1. [ə'səʊʃɪeɪt] zrzeszać ⟨-szyć⟩ (się), stowarzyszać ⟨-szyć⟩(się); ⟨z⟩łączyć (się); ***~ate with*** obcować z (*I*), przestawać z (*I*); **2.** [ə'səʊʃɪət] partner(ka *f*) *m*; **~·a·tion** [əsəʊsɪ'eɪʃn] stowarzyszenie *n*, towarzystwo *n*; asocjacja *f*
as·sort [ə'sɔːt] ⟨po⟩segregować, ⟨po⟩sortować; **~·ment** *econ.* (***of***) asortyment *m* (*G*), wybór *m* (*G*)
as·sume [ə'sjuːm] przyjmować ⟨-jąć⟩, zakładać ⟨założyć⟩; *władzę* przejmować ⟨-jąć⟩; **as·sump·tion** [ə'sʌmpʃn] założenie *n*, przypuszczenie *n*; przejęcie *n* (*władzy*); ***the*** **♀** *rel.* Wniebowzięcie *n* (*Matki Boskiej*)
as·sur|·ance [ə'ʃɔːrəns] pewność *f*; zapewnienie *n*; *zwł. Brt.* ubezpieczenie *n* (*na życie*); **~e** [ə'ʃɔː] upewniać ⟨-nić⟩, zapewniać ⟨-nić⟩; *zwł. Brt. czyjeś życie* ubezpieczać ⟨-czyć⟩; **~ed 1.** pewny; **2.** *zwł. Brt.* ubezpieczony *m* (-na *f*); **~·ed·ly** [ə'ʃɔːrɪdlɪ] z całkowitą pewnością
as·te·risk ['æstərɪsk] gwiazdka *f*
asth·ma ['æsmə] *med.* astma *f*, dychawica *f*
as·ton·ish [ə'stɒnɪʃ] zadziwiać ⟨-wić⟩, zdumiewać ⟨-mieć⟩; ***be ~ed*** zdumiewać ⟨-mieć⟩ się; **~·ing** zadziwiający, zdumiewający; **~·ment** zdumienie *n*
as·tound [ə'staʊnd] zdumiewać ⟨-mieć⟩
a·stray [ə'streɪ]: ***go ~*** schodzić ⟨zejść⟩ z drogi; *fig.* schodzić ⟨zejść⟩ na manowce; ***lead ~*** ⟨po⟩prowadzić na manowce
a·stride [ə'straɪd] okrakiem (***of*** na *L*)
as·trin·gent [ə'strɪndʒənt] *med.* **1.** ściągający; **2.** środek *m* ściągający
as·trol·o·gy [ə'strɒlədʒɪ] astrologia *f*
as·tro·naut ['æstrənɔːt] astronauta *m* (-tka *f*), kosmonauta *m* (-tka *f*)
as·tron·o·my [ə'strɒnəmɪ] astronomia *f*
as·tute [ə'stjuːt] bystry, sprytny
a·sun·der [ə'sʌndə] na kawałki
a·sy·lum [ə'saɪləm] azyl *m*; ***right of ~*** prawo *n* azylu; **~ *seek·er*** azylant(ka *f*) *m*
at [æt] *prp. miejsce*: przy (*L*), na (*L*), w (*L*); *kierunek*: na (*L*), w (*A*), do (*G*); *zajęcie*: przy (*L*); *czas*: o; *okres*: w; *cena*: po; **~ *the baker's*** u piekarza, w piekarni; **~ *the door*** przy drzwiach; **~ *school*** w szkole, na zajęciach; **~ *10 pounds*** po 10 funtów; **~ *the age of*** w wieku (*G*); **~ *8 o'clock*** o ósmej
ate [et] *pret. od* ***eat***
Ath·ens *pl.* Ateny *pl.*
a·the·is·m ['eɪθɪɪzəm] ateizm *m*
ath|·lete ['æθliːt] (*zwł.* lekko)atleta *m*; **~·let·ic** [æθ'letɪk] (***-ally***) atletyczny; **~'let·ics** *sg. lub pl.* (*zwł.* lekka) atletyka *f*
At·lan·tic [ət'læntɪk] **1.** *też* **~ *Ocean*** Ocean *m* Atlantycki, Atlantyk *m*; **2.** atlantycki
ATM [eɪ tiː 'em] *Am. skrót*: ***automatic teller machine → cash dispenser***
at·mo|·sphere ['ætməsfɪə] atmosfera *f* (*też fig.*); **~·spher·ic** [ætməs'ferɪk] (***-ally***) atmosferyczny
at·oll ['ætɒl] atol *m*
at·om ['ætəm] atom *m* (*też fig.*); **'~ *bomb*** bomba *f* atomowa
a·tom·ic [ə'tɒmɪk] (***~ally***) atomowy, jądrowy, nuklearny; **~ *'age*** era *f* nuklearna, okres *m* panowania atomu; **~ *'bomb*** bomba *f* atomowa; **~ *'en·er·gy*** energia *f* nuklearna *lub* jądrowa; **~ *'pile*** reaktor *m* atomowy, stos *m* atomowy; **~ *'pow·er*** energia *f* atomowa; **~-*'pow·ered*** zasilany energią nuklearną *lub* jądrową; **~ *'waste*** odpady *pl.* radioaktywne
at·om|·ize ['ætəmaɪz] rozbijać ⟨-bić⟩ w drobne cząstki; *płyn, proszek* rozpylać ⟨-lić⟩; **'~·iz·er** rozpylacz *m*, atomizer *m*
a·tone [ə'təʊn]: **~ *for*** odpokutowywać ⟨-wać⟩ za *A*; **~·ment** odpokutowanie *n*, zadośćuczynienie *n*
a·tro|·cious [ə'trəʊʃəs] okropny, odrażający; **~c·i·ty** [ə'trɒsətɪ] okrucieństwo *n*, czyn *m* nieludzki

at·tach [ə'tætʃ] *v/t.* (***to***) przytwierdzać ⟨-dzić⟩ (do *G*), przyklejać ⟨-leić⟩ (do *G*), przymocowywać ⟨-wać⟩ (do *G*); *znaczenie* przywiązywać ⟨-zać⟩ (do *G*); ***be ~ed to*** *fig.* być przywiązanym do (*G*); **~·ment** przytwierdzenie *n* (do *G*), przywiązanie *n* (do *G*)

at·tack [ə'tæk] **1.** ⟨za⟩atakować, napadać ⟨-paść⟩; **2.** *też med.* atak *m*, napad *m*

at·tempt [ə'tempt] **1.** usiłować, ⟨s⟩próbować; **2.** próba *f*; ***an ~ on s.o.'s life*** zamach *m* na kogoś

at·tend [ə'tend] *v/t. chorego* doglądać ⟨-dnąć⟩, pielęgnować; *lekarz*: zajmować ⟨zająć⟩ się; (*do szkoły itp.*) uczęszczać (*G*), chodzić ⟨pójść⟩ (*G*); (*na zajęcia*) uczęszczać (*A*); *fig.* towarzyszyć; *v/i.* być obecnym; **~ *to*** (*w sklepie*) obsługiwać ⟨obsłużyć⟩ (*A*), ***are you being ~ed to?*** czy jest pan(i) obsługiwany (-na)?; **~ *to*** załatwiać ⟨-wić⟩ (*A*); **~·ance** opieka *f*, pielęgnacja *f*; obecność *f*; obecni *pl.*, publiczność *f*; liczba *f* obecnych, frekwencja *f*; **~·ant** pomocnik *m* (-ica *f*); osoba *f* dozorująca; pracownik *m* stacji benzynowej

at·ten|·tion [ə'tenʃn] uwaga (*też fig.*); troska *f*; ***~tion!*** *mil.* baczność!; **~·tive** [ə'tentɪv] uważny, gorliwy, troskliwy

at·tic ['ætɪk] strych *m*, poddasze *n*

at·ti·tude ['ætɪtjuːd] postawa *f*

at·tor·ney [ə'tɜːnɪ] *jur.* pełnomocnik *m*; *Am. jur.* adwokat *m*, obrońca *m*; ***power of ~*** pełnomocnictwo *n*; **≗ 'Gen·e·ral** *Brt. jur.* Prokurator *m* Generalny; *Am. jur.* Minister *m* Sprawiedliwości

at·tract [ə'trækt] przyciągać ⟨przyciągnąć⟩; *uwagę* skupiać ⟨-pić⟩; *fig.* pociągać, ⟨z⟩nęcić; **at·trac·tion** [ə'trækʃn] urok *m*, atrakcyjność *f*; atrakcja *f*; przyciąganie *n*; **at·trac·tive** [ə'træktɪv] atrakcyjny

at·trib·ute[1] [ə'trɪbjuːt] przypisywać ⟨-sać⟩

at·tri·bute[2] ['ætrɪbjuːt] cecha *f*; atrybut *m*

at·tune [ə'tjuːn]: **~ *to*** *fig.* dostrajać ⟨-troić⟩ się do (*G*), dostosowywać ⟨-sować⟩ się do (*G*)

au·ber·gine ['əʊbəʒiːn] *bot.* bakłażan *m*

au·burn ['ɔːbən] *włosy*: kasztanowy

auc|·tion ['ɔːkʃn] **1.** aukcja *f*, przetarg *m*; **2.** *zw.* ***~tion off*** licytować, wystawiać na aukcji *lub* przetargu; **~·tio·neer** [ɔːkʃə'nɪə] licytator(ka *f*) *m*

au·da|·cious [ɔː'deɪʃəs] śmiały, zuchwały; **~c·i·ty** [ɔː'dæsətɪ] śmiałość *f*, zuchwałość *f*

au·di·ble ['ɔːdəbl] słyszalny

au·di·ence ['ɔːdjəns] publiczność *f*, widownia *f*; widzowie *pl.*, słuchacze *pl.*; audiencja *f*

au·di·o... ['ɔːdɪəʊ] audio...; **'~ cassette** kaseta *f* audio *lub* magnetofonowa; **~-vis·u·al**: ***~visual 'aids*** *pl.* pomoce *pl.* audiowizualne

au·dit ['ɔːdɪt] *econ.* **1.** rewizja *f* ksiąg; **2.** dokonywać ⟨-nać⟩ rewizji ksiąg

au·di·tion [ɔː'dɪʃn] *mus.*, *theat.* przesłuchanie *n*; ⚠ *nie* ***audycja***

au·di·tor ['ɔːdɪtə] *econ.* rewident *m*, audytor *m*

au·di·to·ri·um [ɔːdɪ'tɔːrɪəm] widownia *f.*; *Am.* sala *f* zebrań *lub* koncertowa

Aug *skrót pisany*: ***August*** sierp., sierpień *m*

au·ger ['ɔːgə] *tech.* wiertło *n* kręte; świder *m* ziemny

Au·gust ['ɔːgəst] (*skrót*: ***Aug***) sierpień *m*; *attr.* sierpniowy

aunt [ɑːnt] ciotka *f*; **~·ie**, **~·y** ['ɑːntɪ] ciocia *f*

au pair (girl) [əʊ 'peə gɜːl] *Brt.* (*młoda cudzoziemka poznająca angielski zamieszkując z rodziną angielską w zamian za swą pomoc*)

aus·pic·es ['ɔːspɪsɪz] *pl.*: ***under the ~ of*** pod auspicjami (*G*)

aus·tere [ɒ'stɪə] oschły, surowy

Aus·tra·li·a [ɒ'streɪljə] Australia *f*; **Aus·tra·li·an** [ɒ'streɪljən] **1.** australijski; **2.** Australijczyk *m* (-jka *f*)

Aus·tri·a ['ɒstrɪə] Austria *f*; **Aus·tri·an** ['ɒstrɪən] **1.** austriacki; **2.** Austriak *m* (-aczka *f*)

au·then·tic [ɔː'θentɪk] (***~ally***) autentyczny; prawdziwy

au·thor ['ɔːθə] autor(ka *f*) *m*; pisarz *m*, pisarka *f*; **~·ess** ['ɔːθərɪs] autorka *f*; pisarka *f*

au·thor·i|·ta·tive [ɔː'θɒrɪtətɪv] autorytatywny, władczy, apodyktyczny; miarodajny; **~·ty** [ɔː'θɒrətɪ] autorytet *m*; znaczenie *n*; zaświadczenie *n*, pozwo-

lenie *n*; wpływ *m* (***over*** na *A*); *zw.* ***authorities*** *pl.* władze *pl.*, urząd *m*
au·thor·ize ['ɔːθəraɪz] autoryzować, upoważniać ⟨-nić⟩
'au·thor·ship autorstwo *n*
au·to ['ɔːtəʊ] *Am.* (*pl.* ***-tos***) auto *n*, samochód *m*
au·to... ['ɔːtəʊ] auto..., samo...
au·to·bi·og·ra·phy [ɔːtəbaɪ'ɒgrəfɪ] autobiografia *f*
au·to·graph ['ɔːtəgrɑːf] autograf *m*
au·to·mat ['ɔːtəmæt] *TM Am.* zautomatyzowana restauracja *f*
au·to·mate ['ɔːtəmeɪt] ⟨z⟩automatyzować
au·to·mat·ic [ɔːtə'mætɪk] **1.** (***~ally***) automatyczny; **2.** (*broń itp.*) automat *m*; **~ tel·ler ma·chine** *Am.* (*skrót*: ***ATM***) → ***cash dispenser***
au·to·ma·tion [ɔːtə'meɪʃn] automatyzacja *f*
au·tom·a·ton [ɔː'tɒmətən] *fig.* (*pl.* ***-ta*** [-tə], ***-tons***) automat *m*, robot *m*
au·to·mo·bile ['ɔːtəməbiːl] *zwł. Am.* auto *n*, samochód *m*
au·ton·o·my [ɔː'tɒnəmɪ] autonomia *f*
'au·to·tel·ler *Am.* → ***cash dispenser***
au·tumn ['ɔːtəm] jesień *f*; **au·tum·nal** [ɔː'tʌmnəl] jesienny
aux·il·i·a·ry [ɔːg'zɪljərɪ] pomocniczy
a·vail [ə'veɪl]: ***to no ~*** bezskutecznie, daremnie; **a'vai·la·ble** dostępny, osiągalny; wolny; *econ.* do nabycia
av·a·lanche ['ævəlɑːnʃ] lawina *f*
av·a|·rice ['ævərɪs] skąpstwo *n*; **~·ricious** [ævə'rɪʃəs] skąpy
Ave *skrót pisany*: ***Avenue*** aleja
a·venge [ə'vendʒ] ⟨ze-, po⟩mścić; **a'veng·er** mściciel
av·e·nue ['ævənjuː] aleja *f*; bulwar *m*
av·e·rage ['ævərɪdʒ] **1.** przeciętna *f*, średnia *f*; **2.** przeciętny, średni
a·verse [ə'vɜːs] niechętny; **a·ver·sion** [ə'vɜːʃn] niechęć *f*, awersja *f*
a·vert [ə'vɜːt] *nieszczęściu* zapobiegać ⟨-biec⟩, *oczy* odwracać ⟨-wrócić⟩
a·vi·a·ry ['eɪvɪərɪ] ptaszarnia *f*
a·vi·a|·tion [eɪvɪ'eɪʃn] *aviat.* lotnictwo *n*; **~·tor** ['eɪvɪeɪtə] lotnik *m*
av·id ['ævɪd] entuzjastyczny; żądny
av·o·ca·do [ævə'kɑːdəʊ] *bot.* awokado *n*
a·void [ə'vɔɪd] unikać ⟨-knąć⟩ (*G*); wymijać; **~·ance** unikanie *n*
a·vow·al [ə'vaʊəl] przyznanie *n* się
AWACS ['eɪwæks] *skrót*: ***Airborne Warning and Control System*** (system *m*) AWACS (*lotniczy system kontroli radarowej*)
a·wait [ə'weɪt] oczekiwać na (*A*)
a·wake [ə'weɪk] **1.** nie śpiący; ***be ~*** nie spać; **2.** *też* **a·wak·en** [ə'weɪkən] (***awoke*** *lub* ***awoken, awoken*** *lub* ***awaked***) *v/t.* ⟨z⟩budzić; *v/i.* ⟨z⟩budzić się; **a·wak·en·ing** [ə'weɪkənɪŋ] *też fig.* obudzenie *n*, przebudzenie *n*
a·ward [ə'wɔːd] **1.** nagroda *f*; odznaczenie *n*, wyróżnienie *n*; **2.** nagradzać ⟨-grodzić⟩, *odznaczenie itp.* przyznawać ⟨-znać⟩
a·ware [ə'weə]: ***be ~ of s.th.*** zdawać sobie sprawę z czegoś, uświadamiać sobie coś; ***become ~ of s.th.*** zdać sobie sprawę z czegoś, uświadomić sobie coś
a·way [ə'weɪ] **1.** *adv.* z dala, w oddaleniu; nieobecny; ***far ~*** daleko; ***5 kilometres ~*** w odległości 5 km; **2.** *adj.* (*w sporcie*) na wyjeździe; ***~ match*** mecz *m* na wyjeździe
awe [ɔː] **1.** cześć *f*, głębokie poważanie *n*; **2.** wzbudzać ⟨-dzić⟩ głębokie poważanie *lub* cześć
aw·ful ['ɔːfl] (***~ly***) straszny, okropny
awk·ward ['ɔːkwəd] niezręczny, niezdarny; niewygodny, nieporęczny; niedogodny
aw·ning ['ɔːnɪŋ] (*nad sklepem*) markiza *f*, daszek *m*
a·woke [ə'wəuk] *pret. od* ***awake*** 2; *też* **a·wok·en** [ə'wəʊkən] *p.p. od* ***awake*** 2
A.W.O.L. [eɪ dʌbljuː əʊ 'el, 'eɪwɒl] *skrót*: ***absent without leave*** nieobecny nieusprawiedliwiony
a·wry [ə'raɪ] krzywy, skośny; ***be ~*** leżeć krzywo
ax(e) [æks] topór *m*, siekiera *f*
ax·is ['æksɪs] (*pl.* ***-es*** [-siːz]) oś *f*
ax·le ['æksl] *tech.* oś *f*
ay(e) [aɪ] *parl.* głos *m* za
A-Z [eɪ tə 'zed] *Brt.* plan *m* miasta
az·ure ['æʒə] lazurowy

B

B, **b** [biː] b *n*; *mus*. H, h

b *skrót pisany*: ***born*** ur., urodzony

BA [biː 'eɪ] **1.** *skrót*: ***Bachelor of Arts*** (*niższy stopień naukowy*) licencjat *m*, bakalaureat *m*; **2.** ***British Airways*** (*brytyjskie linie lotnicze*)

bab•ble ['bæbl] **1.** ⟨za⟩bełkotać; ⟨po⟩-paplać; *dziecko*: ⟨za⟩gaworzyć; *potok*: ⟨za⟩szemrać; **2.** bełkot *m*; paplanina *f*; gaworzenie *n*; szemranie *n*

babe [beɪb] dziecinka *f*, dziecko *n*; *Am*. F dziewczyna *f*

ba•boon [bə'buːn] *zo*. pawian *m*

ba•by ['beɪbɪ] **1.** niemowlę *n*, dziecko *n*; osesek *m*; *Am*. F dziewczyna *f*; **2.** dziecięcy, dla dzieci; mały; '**~ boom** wyż *m* demograficzny; '**~ bug•gy** *Am*., '**~ carriage** *Am*. wózek *m* dla dziecka; **~•hood** ['beɪbɪhʊd] dzieciństwo *n*; **~•ish** ['beɪbɪɪʃ] *pej*. dziecinny; **~-mind•er** ['beɪbɪmaɪndə] *Brt*. opiekun(ka *f*) *m* (do) dzieci (*zwykle do południa*); '**~-sit** (***-tt, -sat***) opiekować się dzieckiem; '**~-sit•ter** opiekun(ka *f*) *m* (do) dzieci (*zwykle po południu*)

bach•e•lor ['bætʃələ] kawaler *m*; *univ*. bakałarz *m*, licencjat *m* (*posiadacz niższego stopnia naukowego*)

back [bæk] **1.** plecy *pl*., grzbiet *m*; tył *m*; tylna *lub* odwrotna strona *f*; oparcie *n*; *sport*: obrońca *m*; **2.** *adj*. tylny; grzbietowy; *opłata*: zaległy; *podwórko*: za domem; *czasopismo*: nieaktualny; ***be ~*** wrócić; **3.** *adv*. do tyłu, w tył; **4.** *v/t*. ⟨wy⟩cofać; wspierać ⟨wesprzeć⟩; *też* ***~ up*** popierać ⟨poprzeć⟩; ***~ up*** *komp*. (z)robić kopię bezpieczeństwa z (*G*); *v/i*. *często* ***~ up*** cofać ⟨wycofywać⟩ się; *mot*. cofać się; ***~ in****(**to a parking space**)* ⟨za⟩parkować tyłem; ***~ up*** *komp*. ⟨z⟩robić kopię bezpieczeństwa; '**~•ache** ból(e *pl*.) *m* pleców; '**~•bite** (***-bit, bitten***) obgadywać ⟨-gadać⟩ (*za plecami*); '**~•bone** kręgosłup *m*; *fig*. kościec *m*; '**~-break•ing** *praca*: morderczy, wykańczający '**~•chat** *Brt*. pyskowanie *n*; '**~•comb** *włosy* ⟨na⟩tapirować; **~ 'door** tylne drzwi *pl*., *fig*. ukryty, nieoficjalny; '**~•er** sponsor(ka *f*) *m*, inwestor(ka *f*) *m*; **~'fire** *mot*. zapłon *m* przedwczesny; '**~•ground** tło *n*; *fig*. sytuacja *f*; '**~•hand** *sport*: bekhend *m*; '**~•ing** wsparcie *n*, pomoc *f*; **~ 'number** stary numer (*czasopisma*) *m*; '**~•pack** duży plecak *m*; '**~•pack•er** turysta *m* (-tka *f*) pieszy (-sza) (*z plecakiem*); '**~•pack•ing** turystyka *f* piesza (*z plecakiem*); **~ 'seat** siedzenie *n lub* miejsce *n* z tyłu; '**~•side** tyłek *m*; '**~•space (key)** *komp*. *itp*.: klawisz *m* Backspace (*cofania lub kasowania*); '**~ stairs** *pl*. tylne schody *pl*.; **~ street** boczna uliczka *f*; '**~•stroke** *sport*: styl *m* grzbietowy; '**~ talk** *Am*. pyskowanie *n*; '**~•track** *fig*. wycofywać ⟨-fać⟩ się; '**~•up** wsparcie *n*, pomoc *f*; *komp*. *itp*.: kopia *f* zapasowa *lub* bezpieczeństwa; *Am*. *mot*. nagromadzenie *n*, zatkanie *n* się; **~•ward** ['bækwəd] **1.** *adj*. wsteczny; zmierzający do tyłu; zacofany; **2.** *adv*. (*też* '**~•wards**) do tyłu, w tył; **~'yard** *Brt*. (*z tyłu domu*) podwórko *n*; *Am*. (*z tyłu domu*) ogród *m*

ba•con ['beɪkən] boczek *m*, bekon *m*

bac•te•ri•a [bæk'tɪərɪə] *biol*. *pl*. bakterie *pl*.

bad [bæd] (***worse, worst***) zły, niedobry; niewłaściwy, niepoprawny; niegrzeczny; ***go ~*** ⟨ze⟩psuć się; ***he is in a ~ way*** źle mu idzie, niedobrze z nim; (***-ly***) ***he is ~ly off*** źle mu się powodzi; ***~ly wounded*** ciężko ranny; ***want ~ly*** F bardzo chcieć

bade [beɪd] *pret*. *od* ***bid*** 1

badge [bædʒ] odznaka *f*, plakietka *f*

bad•ger ['bædʒə] **1.** *zo*. borsuk *m*; **2.** ⟨u⟩dręczyć

bad•min•ton ['bædmɪntən] badminton *m*, kometka *f*

bad-'tempered o przykrym usposobieniu

baf•fle ['bæfl] zdumiewać ⟨-mieć⟩; *plan itp*. ⟨po⟩krzyżować, udaremniać ⟨-nić⟩

bag [bæg] **1.** worek *m*; torba *f*; torebka *f* (*damska, z cukrem*); ***~ and baggage*** ze wszystkimi rzeczami, z całym dobytkiem; **2.** (***-gg-***) ⟨za⟩pakować do worka

lub worków; *hunt.* upolować; *też* **~ *out*** wybrzuszać ⟨-szyć⟩ się
bag·gage ['bægɪdʒ] *zwł. Am.* bagaż *m*; '**~ car** *Am. rail.* wagon *m* bagażowy; '**~ check** *Am.* kwit *m* na bagaż; '**~ claim** *aviat.* odbiór *m* bagażu; '**~ room** *Am.* przechowalnia *f* bagażu
bag·gy ['bægɪ] F (***-ier, -iest***) wypchany; *spodnie*: workowaty
'bag·pipes *pl.* dudy *pl.*, F kobza *m*
bail [baɪl] *jur.* **1.** kaucja *f*; ***be out on ~*** być zwolnionym za kaucją; ***go** lub **stand ~ for s.o.*** (za)płacić kaucję za kogoś; **2. ~ *out*** zwalniać ⟨zwolnić⟩ za kaucją; *Am. aviat.* → ***bale²***
bai·liff ['beɪlɪf] *Brt. zwł. jur.* urzędnik *m* sądowy (*rodzaj komornika*)
bait [beɪt] **1.** przynęta *f* (*też fig.*); **2.** zakładać przynętę na (*A*); *fig.* ⟨z⟩nęcić (*A*)
bake [beɪk] ⟨u⟩piec; wypiekać ⟨-piec⟩; *cegły* wypalać ⟨-lić⟩; suszyć (*w piecu*); ***~d 'beans*** *pl. puszkowana* fasolka *f* po bretońsku; **~d po'ta·toes** *pl.* pieczone ziemniaki *pl.* (*w piekarniku*); **'bak·er** piekarz *m*; **bak·er·y** ['beɪkərɪ] piekarnia *f*; **'bak·ing-pow·der** proszek *m* do pieczenia
bal·ance ['bæləns] **1.** waga *f*; równowaga *f* (*też econ.*); *econ.* bilans *m*; *econ.* saldo *n*, stan *m* konta; *econ.* reszta *f*, pozostałość *f*; ***keep one's ~*** utrzymywać ⟨-mać⟩ równowagę; ***lose one's ~*** ⟨s⟩tracić równowagę (*też fig.*); ***~ of payments*** *econ.* bilans *m* płatniczy; ***~ of power*** *pol.* równowaga *f* sił; ***~ of trade*** *econ.* bilans *m* handlowy; **2.** *v/t.* utrzymywać ⟨-mać⟩ w równowadze, ⟨z⟩balansować; *konta itp.* utrzymywać ⟨-mać⟩ w równowadze, uzgadniać; *v/i.* utrzymywać ⟨-mać⟩ się w równowadze; '**~ sheet** *econ.* zestawienie *n* bilansowe, bilans *m*
bal·co·ny ['bælkənɪ] balkon *m* (*też theat.*)
bald [bɔːld] łysy
bale¹ [beɪl] *econ.* bela *f*
bale² [beɪl] *Brt. aviat.*: **~ *out*** wyskakiwać ⟨-skoczyć⟩ (*ze spadochronem*)
bale·ful ['beɪlfl] złowrogi, złowieszczy
balk [bɔːk] **1.** belka *f*; **2.** wzdragać się, lękać się
Bal·kans *pl.* Bałkany *pl.*
ball¹ [bɔːl] **1.** kula *f*; piłka *f*; *anat.* kłąb *m*; kłębek *m*; bryła *f*; ***keep the ~ rolling*** podtrzymywać ⟨-trzymać⟩ rozmowę; ***play ~*** F iść na rękę
ball² [bɔːl] bal *m*
bal·lad ['bæləd] ballada *f*
bal·last ['bæləst] **1.** balast *m*; **2.** obciążać ⟨-żyć⟩ balastem
ball 'bear·ing *tech.* łożysko *n* kulkowe
bal·let ['bæleɪ] balet *m*
bal·lis·tics [bə'lɪstɪks] *mil., phys., sg.* balistyka *f*
bal·loon [bə'luːn] **1.** balon *m*; dymek (*w komiksie*); **2.** wydymać ⟨-dąć⟩ się (*jak balon*)
bal·lot ['bælət] **1.** głos *m*, kartka *f* z głosem; głosowanie *n* (*zwł. tajne*); **2.** ⟨za⟩głosować (***for*** na *A*), wybierać ⟨-brać⟩ (*A*) (*zwł. w tajnym głosowaniu*); '**~ box** urna *f* wyborcza; '**~ pa·per** kartka *f* z głosem
'ball·point, **~ 'pen** długopis *m*
'ball·room sala *f* balowa
balls [bɔːlz] V *pl.* jaja *pl.*(*jądra*)
balm [bɑːm] balsam *m* (*też fig.*)
balm·y ['bɑːmɪ] (***-ier, -iest***) łagodny
ba·lo·ney [bə'ləʊnɪ] *Am. sl.* bzdury *pl.*, brednie *pl.*
Bal·tic Sea Bałtyk *m*
bal·us·trade [bælə'streɪd] balustrada *f*
bam·boo [bæm'buː] *bot.* (*pl.* ***-oos***) bambus *m*; pęd *m* bambusa; *attr.* bambusowy
bam·boo·zle [bæm'buːzl] F oszukiwać ⟨-szukać⟩, ⟨o-, wy⟩kantować
ban [bæn] **1.** *oficjalny* zakaz *m*; *rel.* klątwa *f*, interdykt *m*; **2.** (***-nn-***) zakazywać ⟨-zać⟩
ba·nal [bə'nɑːl] banalny; nieistotny
ba·na·na [bə'nɑːnə] *bot.* banan *m*; *attr.* bananowy
band [bænd] **1.** taśma *f*, wstęga *f*; opaska *f*; *kryminalna* banda *f*; kapela *f muzyczna*, grupa *f*, orkiestra *f* (*do tańca*); pasmo *n* (*częstotliwości*); **2. ~ *together*** skupiać ⟨-pić⟩ się, zbierać ⟨zebrać⟩ się razem
ban·dage ['bændɪdʒ] **1.** bandaż *m*; opatrunek *m*; opaska *f*; *Am.* przylepiec *m*, plaster *m*; **2.** ⟨za-, o⟩bandażować
'Band-Aid *TM Am.* przylepiec *m*, plaster *m*
b & b, **B & B** [biː ənd 'biː] *skrót*: ***bed and breakfast*** nocleg ze śniadaniem
ban·dit ['bændɪt] bandyta *m*

'band|·lead·er *mus.* kierownik *m* orkiestry (*zwł. jazzowej*), bandleader *m*; **'~·mas·ter** dyrygent *m*
ban·dy ['bændɪ] (**-ier, -iest**) krzywy; **~-'legged** krzywonogi
bang [bæŋ] **1.** *silne* uderzenie *n*, walnięcie *n*; wrzawa *f*; *zw.* **~s** *pl.* grzywka; **2.** uderzać ⟨-rzyć⟩, walić ⟨walnąć⟩; V ⟨po-, wy⟩dupczyć; **~ (away)** walić ⟨walnąć⟩
ban·gle ['bæŋgl] bransoletka *f* (*na ramię, nogę*)
ban·ish ['bænɪʃ] wypędzać ⟨-pędzić⟩ z kraju, skazywać ⟨-zać⟩ na banicję; **'~·ment** banicja *f*, wygnanie *n*
ban·is·ter ['bænɪstə] *też* **~s** *pl.* poręcz *f*, bariera *f*
ban·jo ['bændʒəʊ] *mus.* (*pl.* **-jos, joes**) bandżo *n*
bank[1] [bæŋk] **1.** *econ.* bank *m* (*też krwi itp.*); **2.** *v/t. pieniądze* wpłacać ⟨-cić⟩ do banku; *v/i.* mieć konto bankowe (**with** w *L*)
bank[2] [bæŋk] brzeg *m*; *ziemna* skarpa *f*, nasyp *m*; nagromadzenie *n* (*chmur, piasku*)
'bank| ac·count konto *n* bankowe; **'~ bill** *Am.* → ***bank note***; **'~·book** książeczka *f* oszczędnościowa; **'~ code** *też* ***~ sorting code*** *econ.* numer *m* banku; **'~·er** bankier *m*, bankowiec *m*; **'~·er's card** karta *f* bankowa; **~ 'hol·i·day** *Brt.* święto *n* państwowe (*gdy banki są nieczynne*); **'~·ing** bankowość *f*; bankowy; **'~ note** banknot *m*; **'~ rate** bankowa stopa *f*
bank·rupt ['bæŋkrʌpt] *jur.* **1.** dłużnik *m* niewypłacalny, bankrut *m*; **2.** ⟨z⟩bankrutować; *kogoś* doprowadzać ⟨-dzić⟩ do bankructwa; **~·cy** ['bæŋkrʌptsɪ] upadłość *f*, bankructwo *n*
ban·ner ['bænə] transparent *m*
banns [bænz] *pl.* zapowiedzi *pl.*
ban·quet ['bæŋkwɪt] bankiet *m*
ban·ter ['bæntə] przekomarzać się
bap|·tis·m ['bæptɪzəm] chrzest *m*; **~·tize** [bæp'taɪz] ⟨o⟩chrzcić
bar [bɑː] **1.** sztaba *f*; zasuwa *f*, rygiel *m*; poprzeczka *f*; zapora *f*, bariera *f*; *fig.* przeszkoda *f*; bar *m*, lokal *m*; kontuar *m*; gruba kreska *f*; *jur.* sąd *m*; *jur.* ława *f* oskarżonych; *jur.* adwokatura *f*; *mus.* kreska *f* taktowa, takt *m*; ***a ~ of chocolate*** tabliczka *f* czekolady, baton *m* czekoladowy; ***a ~ of soap*** kostka *f* mydła; **~s** *pl.* kraty *pl.*; **2.** zamykać ⟨-knąć⟩ na zasuwę, ⟨za⟩ryglować; ⟨za⟩tarasować, zagradzać ⟨-dzić⟩; zabraniać ⟨-bronić⟩
barb [bɑːb] kolec *m*, zadzior *m*
bar·bar·i·an [bɑː'beərɪən] **1.** barbarzyński; **2.** barbarzyńca *m*
bar·be·cue ['bɑːbɪkjuː] **1.** grill *m*; barbecue *n*; przyjęcie *n* z grillem; **2.** ⟨u⟩piec na grillu
barbed wire [bɑːbd 'waɪə] drut *m* kolczasty
bar·ber ['bɑːbə] fryzjer *m* (*męski*)
'bar code kod *m* paskowy
bare [beə] **1.** (**~r, ~st**) goły, nagi; bosy; nieosłonięty; **2.** obnażać ⟨-żyć⟩; odsłaniać ⟨-słonić⟩; **'~·faced** bezwstydny, bezczelny; **'~·foot, ~'footed** bosą stopą, na bosaka; **~'head·ed** z gołą głową; **'~·ly** ledwie, ledwo
bar·gain ['bɑːgɪn] **1.** interes *m*, transakcja *f*; okazja *f* (*kupna*); ***a*** (***dead***) **~** świetna okazja *f*; ***make a ~*** dochodzić ⟨dojść⟩ do porozumienia; ***it's a ~!*** zgoda!; ***into the ~*** w dodatku; **2.** ⟨wy-, u⟩targować się; **'~ sale** wyprzedaż *f* po obniżonych cenach
barge [bɑːdʒ] **1.** barka *f*; **2. ~ *in*** wpychać ⟨wepchnąć⟩ się, wtrącać ⟨wtrącić⟩ się
bark[1] [bɑːk] kora *f*
bark[2] [bɑːk] **1.** ⟨za⟩szczekać; ***~ up the wrong tree*** F kierować *coś* pod niewłaściwym adresem; **2.** szczekanie *n*
bar·ley ['bɑːlɪ] *bot.* jęczmień *m*
barn [bɑːn] stodoła *f*, obora *f*
ba·rom·e·ter [bə'rɒmɪtə] barometr *m*
bar·on ['bærən] baron *m*; **~·ess** ['bærənɪs] baronowa *f*
bar·racks ['bærəks] *sg., mil.* koszary *pl.*, *pej.* kamienica *f*; ⚠ *nie* ***baraki***
bar·rage ['bærɑːʒ] zapora *f*; *mil.* ogień *m* zaporowy; potok *m* (*słów*)
bar·rel ['bærəl] beczka *f*, baryłka *f*; lufa *f*; *tech.* bęben *m*, tuleja *f*; **'~ or·gan** *mus.* katarynka *f*
bar·ren ['bærən] jałowy, niepłodny
bar·ri·cade ['bærɪkeɪd] **1.** barykada *f*; **2.** ⟨za⟩barykadować (się)
bar·ri·er ['bærɪə] bariera *f*, przegroda *f* (*też fig.*); ogrodzenie *n*
bar·ris·ter ['bærɪstə] *Brt. jur.* adwokat *m* (-ka *f*) (*uprawniony do występowania przed sądami wyższej instancji*)
bar·row ['bærəʊ] taczka *f*; wózek *m*

bar·ter ['bɑːtə] **1.** handel *m* wymienny; *econ. attr.* barterowy; **2.** prowadzić handel wymienny, wymieniać ⟨-nić⟩ się (*for* na *A*)
base[1] [beɪs] (*~r, -est*) podły, nikczemny
base[2] [beɪs] **1.** podstawa *f*; baza *f*; fundament *m*; *mil.* stanowisko *n*, pozycja; *mil.* baza; **2.** opierać ⟨-przeć⟩ się (*on* na *L*), bazować
base[3] [beɪs] *chem.* zasada *f*
'base|·ball (*w sporcie*) baseball *m*; **'~·board** *Am.* listwa przypodłogowa; **'~·less** bezpodstawny; **'~·line** (*w tenisie itp.*) linia *f* główna; **'~·ment** suterena *f*, przyziemie *n*
bash·ful ['bæʃfl] wstydliwy, płochliwy
ba·sic[1] ['beɪsɪk] **1.** podstawowy, zasadniczy; **2.** *~s pl.* podstawy *pl.*
ba·sic[2] ['beɪsɪk] *chem.* zasadowy, alkaliczny
BA·SIC ['beɪsɪk] *komp.* (*język programowania*) BASIC *m*
ba·sic·al·ly ['beɪsɪkəlɪ] zasadniczo
ba·sin ['beɪsn] misa *f*, miska *f*; miednica *f*; zbiornik *m*; *sportowy* basen *m*; *geogr.* dorzecze *n*, zlewisko *n*;
ba·sis ['beɪsɪs] (*pl. -ses* [-siːz]) podstawa *f*, baza *f*; zasada *f*
bask [bɑːsk] grzać ⟨pogrzać⟩ się; *fig.* pławić się
bas·ket ['bɑːskɪt] kosz(yk) *m*; **'~·ball** *sport*: koszykówka *f*
Basle Bazylea *f*
bass[1] [beɪs] *mus.* bas *m*; *attr.* basowy
bass[2] [bæs] *zo.* (*pl.* ***bass, basses***) okoń *m*
bas·tard ['bɑːstəd] bękart *m*, bastard *m*; F świnia *f*, gnój *m*
baste[1] [beɪst] *pieczeń* polewać ⟨-lać⟩ tłuszczem
baste[2] [beɪst] ⟨przy⟩fastrygować
bat[1] [bæt] *zo.* nietoperz *m*; ***as blind as a ~*** ślepy jak kret; ***be** lub **have ~s in the belfry*** F mieć nierówno pod sufitem
bat[2] [bæt] (*w baseballu, krykiecie*) kij *m*; *Brt.* (*w ping-pongu*) rakietka *f*
batch [bætʃ] partia *f*; grupa *f*; wsad *m*; **~ 'file** *komp.* plik *m* typu batch, plik *m* wsadowy
bate [beɪt]: ***with ~d breath*** z zapartym tchem
bath [bɑːθ] **1.** (*pl.* ***baths*** [bɑːðz]) wanna *f*; kąpiel *f* (*w wannie*); ***have a ~*** *Brt.*, ***take a ~*** *Am.* ⟨wy⟩kąpać się, brać ⟨wziąć⟩ kąpiel; *~s pl.* kąpielisko *n*, pływalnia *f*; uzdrowisko *n*; **2.** *Brt. v/t. dziecko itp.* ⟨wy⟩kąpać; *v/i.* ⟨wy⟩kąpać się, brać ⟨wziąć⟩ kąpiel
bathe [beɪð] *v/t. dziecko, zwł. Am.* ⟨wy⟩kąpać; *ranę* obmywać ⟨-myć⟩; *v/i.* ⟨wy⟩kąpać się, ⟨po⟩pływać; *zwł. Am.* ⟨wy⟩kąpać się, brać ⟨wziąć⟩ kąpiel
bath·ing ['beɪðɪŋ] kąpiel *f*; *attr.* kąpielowy, do kąpieli; **'~ cos·tume**, **'~ suit** → ***swimsuit***
'bath|·robe płaszcz *m* kąpielowy; *Am.* szlafrok *m*; **'~·room** łazienka *f*; **'~·tub** wanna *f*
bat·on ['bætən] pałeczka *f*; *mus.* batuta *f*; pałka *f* (policyjna); ⚠ *nie* ***baton***
bat·tal·i·on [bə'tæljən] *mil.* batalion *m*
bat·ten ['bætn] listwa *f*; łata *f*
bat·ter[1] ['bætə] walić, ⟨po⟩bić; *żonę, dziecko* ⟨z⟩maltretować; ⟨po⟩giąć; ***~ down, ~ in*** *drzwi* wyłamywać ⟨-mać⟩
bat·ter[2] ['bætə] *gastr.* ciasto *n* (*na naleśniki*); panier *m*, panierka *f*
bat·ter[3] ['bætə] (*w baseballu, krykiecie*) gracz *m* przy piłce
bat·ter·y ['bætərɪ] *mil.* bateria *f*; *electr.* bateria *f*, akumulator *m*; *jur.* pobicie *n*, naruszenie *n* nietykalności cielesnej; ***assault and ~*** *jur.* napad z pobiciem; **'~ charg·er** *electr.* ładowarka *f* do baterii *lub* akumulatorów; **'~-op·e·rat·ed** na baterie
bat·tle ['bætl] **1.** bitwa *f* (***of*** pod *I*), *fig.* walka *f* (***for*** o *A*); **2.** walczyć; **'~·field**, **'~·ground** pole *m* bitwy; **~·ments** ['bætlmənts] *pl.* blanki *pl.*; **'~·ship** *mil.* pancernik *m*
baulk [bɔːk] → ***balk***
Ba·va·ri·a [bə'veərɪə] Bawaria *f*; **Ba·var·i·an** [bə'veərɪən] **1.** bawarski; **2.** Bawarczyk *m*, Bawarka *f*
bawd·y ['bɔːdɪ] (***-ier, -iest***) sprośny
bawl [bɔːl] ryczeć ⟨ryknąć⟩, wrzeszczeć ⟨wrzasnąć⟩
bay[1] [beɪ] zatoka *f*; *arch.* wykusz
bay[2] [beɪ] *bot.* też ***~ tree*** laur *m*, drzewo *n* laurowe, wawrzyn *m*
bay[3] [beɪ] **1.** ryczeć ⟨ryknąć⟩; *psy*: ujadać; **2.** ***hold** lub **keep at ~*** *kogoś* trzymać w szachu, trzymać na dystans
bay[4] [beɪ] **1.** gniady, kasztanowaty; **2.** kasztanek *m*, gniady *m*
bay·o·net ['beɪənɪt] *mil.* bagnet *m*
bay·ou ['baɪuː] *Am.* leniwy dopływ *m*

bay 'win•dow wykusz *m*
ba•zaar [bə'zɑː] bazar *m*, targ *m*
BBC [biː biː 'siː] *skrót*: ***British Broadcasting Corporation*** BBC *n* (*brytyjska radiofonia*)
BC [biː 'siː] *skrót*: ***before Christ*** p.n.e., przed naszą erą, przed narodzeniem Chrystusa
be [biː] (***was*** *lub* ***were, been***) być; istnieć; znajdować się; stawać się; ***he wants to ~ ...*** chce zostać ...; ***how much are the shoes?*** ile kosztują te buty?; ***that's five pounds*** (kosztuje) pięć funtów; ***she is reading*** właśnie czyta; ***there is*** jest; ***there are*** są; ***there isn't*** nie ma
B/E *skrót pisany*: ***bill of exchange*** *econ.* weksel *m*
beach [biːtʃ] plaża *f*; **'~ ball** piłka *f* plażowa; **'~ bug•gy** buggy *m* (*pojazd do jazdy po wydmach dla przyjemności*); **'~•wear** strój *m* plażowy
bea•con ['biːkən] światło *n* sygnalne; *naut.* latarnia *n* kierunkowa
bead [biːd] paciorek *m*, koralik *m*, kulka *f* (*naszyjnika*); **~*s*** *pl. rel.* różaniec *m*; korale *pl.*; **'~•y** (***-ier, -iest***) oczy jak koraliki *lub* paciorki
beak [biːk] dziób *m*; dzióbek *m* (*dzbanka*)
bea•ker ['biːkə] kubek *m*, kubeczek *m*
beam [biːm] **1.** belka *f*, dźwigar *m*; promień *m*; wiązka *f* (*światła, promieni*); **2.** promieniować, wysyłać wiązkę (*światła, promieni*); promienieć, rozpromienić się
bean [biːn] *bot.* fasolka *f*; ziarno (*fasoli*) *n*; ***be full of ~s*** F być pełnym wigoru
bear[1] [beə] *zo.* niedźwiedź *m*
bear[2] [beə] (***bore, borne*** *lub w str. biernej urodzić się*: ***born***) dźwigać, nieść; wydawać ⟨-dać⟩ na świat, ⟨u⟩rodzić; *zwłaszcza z przeczeniem*: znosić ⟨znieść⟩, wytrzymywać ⟨-mać⟩; ***~ out*** potwierdzać ⟨-dzić⟩; **~•a•ble** ['beərəbl] do zniesienia, znośny
beard [bɪəd] broda *f*; *bot.* wąs *m* kłosa; **'~•ed** brodaty
bear•er ['beərə] okaziciel(ka *f*) *m* (*dokumentu*); *econ.* posiadacz(ka *f*) *m*; doręczyciel(ka *f*) *m*
bear•ing ['beərɪŋ] podpora *f*; postawa *f*; *fig.* związek *m*, odniesienie *n*; namiar *m*; sytuacja *f*, położenie *n*; ***take one's ~s*** brać ⟨wziąć⟩ namiar; ***lose one's ~s*** stracić kierunek
beast [biːst] *dzikie* zwierzę *n*; bestia *f*; ***~ of 'prey*** drapieżnik *m*; **'~•ly** obrzydliwy, wstrętny
beat [biːt] **1.** (***beat, beaten*** *lub* ***beat***) ⟨po⟩bić; uderzać ⟨-rzyć⟩; ubijać ⟨ubić⟩; pokonywać ⟨-nać⟩; przewyższać ⟨-szyć⟩; ***~ it!*** F wynocha!; ***that ~s all!*** to już szczyty!; ***that ~s me*** to za trudne dla mnie; ***~ about the bush*** obwijać w bawełnę; ***~ down*** *econ. cenę* zniżać ⟨-niżyć⟩; ***~ up*** *kogoś* pobić doszczętnie; **2.** uderzenie *n*; *mus.* rytm *m*, takt *m*; (*w jazzie*): beat *m*, rytmika *f*; runda *f*; obchód *m*; **3.** (***dead***) ~ F całkiem wykończony; **~•en** ['biːtn] *p.p. od* **beat** 1; ***off the ~en track*** niezwykły
beau•ti•cian [bjuː'tɪʃn] (*zawód*) kosmetyczka *f*
beau•ti•ful ['bjuːtəfl] piękny; ***the ~ people*** *pl.* wyższe warstwy *pl.*
beaut•y ['bjuːtɪ] piękno *n*; ***Sleeping*** ♀ Śpiąca Królewna *f*; **'~ par•lo(u)r**, **'~ salon** salon *m* kosmetyczny
bea•ver ['biːvə] *zo.* bóbr
be•came [bɪ'keɪm] *pret. od* **become**
be•cause [bɪ'kɒz] ponieważ; ***~ of*** z powodu (*G*)
beck•on ['bekən] przywoływać ⟨-łać⟩, skinąć na (*A*); ⚠ *nie* ***bekon***
be•come [bɪ'kʌm] (***-came, -come***) *v/i.* stawać się; *v/t. komuś* pasować, być do twarzy; **be'com•ing** pasujący, twarzowy; stosowny
bed [bed] **1.** łóżko *n*, tapczan *m*; legowisko *n* (*zwierzęcia*); *agr.* grzęda *f*, klomb *m*; dno *n*, (*rzeki*) koryto *n*; ściółka *f*; ***~ and breakfast*** pokój *m* ze śniadaniem; **2.** (***-dd-***): ***~ down*** ⟨przy⟩szykować sobie spanie; **'~•clothes** *pl.* bielizna *f* pościelowa; **'~•ding** posłanie *n*, pościel *f*
bed•lam ['bedləm] *fig.* dom *m* wariatów
'bed|•rid•den przykuty do łóżka; **'~•room** sypialnia *f*; **'~•side**: ***at the ~side*** przy łóżku (*chorego*); **~•side 'lamp** lampka *f* na stoliczku nocnym; **'~•sit** F, **~-'sit•ter, ~-'sit•ting room** *Brt.* kawalerka *f*; **'~•spread** narzuta *f* na łóżko; **'~•stead** łóżko *n* (*bez materacy*); **'~•time** czas zaśnięcia *lub* zasypiania
bee [biː] **1.** *zo.* pszczoła *f*; ***have a ~ in***

one's bonnet F mieć bzika; *attr.* pszczeli
beech [biːtʃ] *bot.* buk *m*; *attr.* bukowy; **'~·nut** bukiew *f* (*orzeszek buka*)
beef [biːf] wołowina *f*; **'~·bur·ger** *gastr. zwł. Brt.* hamburger *m* (*z wołowiny*); **~ 'tea** bulion *m*; **'~·y** (**-*ier*, -*iest***) F muskularny
'bee|·hive ul *m*; **'~keep·er** pszczelarz *m*, pasiecznik *m*; **'~·line**: ***make a ~line for*** F iść ⟨pójść⟩ jak po sznurku *lub* prosto do (*G*)
been [biːn, bɪn] *p.p. od* **be**
beep·er ['biːpə] *Am.* → ***bleeper***
beer [bɪə] piwo *n*
beet [biːt] *bot.* burak *m*; *Am.* burak *m* ćwikłowy
bee·tle ['biːtl] *zo.* żuk *m*, chrząszcz *m*
'beet·root *bot. Brt.* burak *m* ćwikłowy
be·fore [bɪ'fɔː] **1.** *adv.* (*w czasie*) przedtem, poprzednio, wcześniej; (*w przestrzeni*) przed, z przodu, na przedzie; **2.** *cj.* zanim, nim; **3.** *prp.* przed (*I*); **~·hand** wcześniej, uprzednio
be·friend [bɪ'frend] okazywać ⟨-zać⟩ przyjaźń, ⟨po⟩traktować jak przyjaciela
beg [beg] (**-*gg*-**) *v/t.* wypraszać ⟨-rosić⟩ (***from s.o.*** kogoś); upraszać ⟨uprosić⟩; wyżebrać; *v/i.* żebrać
be·gan [bɪ'gæn] *pret. od* ***begin***
be·get [bɪ'get] (**-*tt*-**; **-*got*, -*gotten***) ⟨s⟩płodzić
beg·gar ['begə] **1.** żebrak *m*, (-aczka *f*); F facet *m*, chłop *m*; **2.** ***it ~s all description*** nie da się opisać
be·gin [bɪ'gɪn] (**-*nn*-**; ***began, begun***) zaczynać ⟨-cząć⟩ (się), rozpoczynać⟨-cząć⟩ (się); **~·ner** początkujący *m* (-ca *f*); **~·ning** początek *m*, rozpoczęcie *n*
be·got [bɪ'gɒt] *pret. od* ***beget***; **~·ten** [bɪ'gɒtn] *p.p. od* ***beget***
be·grudge [bɪ'grʌdʒ] ⟨po⟩żałować, ⟨po⟩skąpić
be·guile [bɪ'gaɪl] łudzić, zwodzić ⟨zwieść⟩, ⟨o⟩mamić
be·gun [bɪ'gʌn] *p.p. od* ***begin***
be·half [bɪ'hɑːf]: ***on*** (*Am. też* ***in***) **~ *of*** w imieniu (*G*), na rzecz (*G*)
be·have [bɪ'heɪv] zachowywać ⟨-wać⟩ się
be·hav·io(u)r [bɪ'heɪvjə] zachowanie *n*, postępowanie *n*; **~·al** [bɪ'heɪvjərəl] *psych.* behawioralny
be·head [bɪ'hed] ścinać ⟨ściąć⟩ (głowę)
be·hind [bɪ'haɪnd] **1.** *adv.* z tyłu, w tyle; ***be ~ with*** zalegać z (*I*), opóźniać się (*I*); **2.** *prp.* za (*I*), z tyłu (*G*), poza (*I*); **3.** F tyłek *m*, pupa *f*
beige [beɪʒ] beż *m*; *attr.* beżowy
be·ing ['biːɪŋ] byt *m*, bycie *n*; istnienie *n*, stworzenie *n*; istota *f*, natura *f*
Belarus Białoruś *f*
be·lat·ed [bɪ'leɪtɪd] opóźniony
belch [beltʃ] **1.** F bekać ⟨beknąć⟩; ***she ~ed*** odbiło jej się, F beknęła; *też* **~ *out*** buchać ⟨-chnąć⟩ (*dymem itp.*), zionąć; **2.** odbicie *n* się, F beknięcie *n*
bel·fry ['belfrɪ] dzwonnica *f*
Bel·gium ['beldʒəm] Belgia *f*; **Bel·gian** ['beldʒən] **1.** belgijski; **2.** Belg(ijka *f*) *m*
Bel·grade Belgrad *m*
be·lief [bɪ'liːf] przekonanie *n*, wiara *f* (***in*** w *A*)
be·lie·va·ble [bɪ'liːvəbl] możliwy do uwierzenia, wiarygodny
be·lieve [bɪ'liːv] ⟨u⟩wierzyć (***in*** w *A*); sądzić (***that*** że), uważać; ***I couldn't ~ my eyes*** (***ears***) nie mogłem uwierzyć własnym oczom (uszom); **be'liev·er** *rel.* wierzący *m* (-ca *f*), wyznawca *m* (-czyni *f*)
be·lit·tle [bɪ'lɪtl] *fig.* pomniejszać ⟨-szyć⟩
bell [bel] dzwon *m*; dzwonek *m* (*do drzwi*); **'~·boy**, **'~·hop** *Am. hotelowy* boy *m*, goniec *m* hotelowy
-bel·lied [belɪd] (o *dużym itp.* brzuchu)
bel·lig·er·ent [bɪ'lɪdʒərənt] wojowniczy, bojowy, napastliwy
bel·low ['beləʊ] **1.** ⟨za⟩ryczeć; **2.** ryk *m*
bel·lows ['beləʊz] *pl.*, *sg.* miech *m*, *zw. pl.*
bel·ly ['belɪ] **1.** brzuch *m*; **2.** **~ *out*** wybrzuszać ⟨-szyć⟩ (się); **'~·ache** ból *m* brzucha
be·long [bɪ'lɒŋ] należeć; **~ *to*** należeć do (*G*); być na właściwym miejscu; **~·ings** *pl.* mienie *n*, rzeczy *pl.*
be·loved [bɪ'lʌvɪd] **1.** ukochany, umiłowany; **2.** ukochany *m* (-na *f*)
be·low [bɪ'ləʊ] **1.** *adv.* poniżej (*G*); **2.** pod (*I*), poniżej (*G*)
belt [belt] **1.** pas *m*; pasek *m*; strefa *f*, pas *m*; *tech.* taśma *f*; **2.** *też* **~ *up*** zapinać ⟨zapiąć⟩ pasek; **~ *up*** *mot.* zapinać ⟨zapiąć⟩ pas(y *pl.*) bezpieczeństwa; **'~·ed**

z paskiem, na pasek; '**~·way** *Am*. obwodnica *f*
be·moan [bɪ'məʊn] opłakiwać
bench [bentʃ] ławka *f*, ława *f*; warsztat *m*, stół *m* roboczy; ława *f* sędziowska, sąd *m*
bend [bend] **1.** zakręt *m*; zgięcie *n*, zagięcie *n*; ***drive s.o. round the ~*** F doprowadzać ⟨-dzić⟩ *kogoś* do obłędu; **2.** (***bent***) zginać ⟨zgiąć⟩ (się), wyginać ⟨wygiąć⟩ (się); *wysiłki* zwracać ⟨-cić⟩ (***to, on*** na *A*)
be·neath [bɪ'ni:θ] → ***below***
ben·e·dic·tion [benɪ'dɪkʃn] błogosławieństwo *n*
ben·e·fac·tor ['benɪfæktə] dobroczyńca *m*
be·nef·i·cent [bɪ'nefɪsnt] dobroczynny, zbawienny
ben·e·fi·cial [benɪ'fɪʃl] korzystny, pożyteczny
ben·e·fit ['benɪfɪt] **1.** korzyść *f*; zysk *m*; pożytek *m*; impreza *f* dobroczynna; *socjalne* świadczenie *n*, zapomoga *f*; *chorobowy* zasiłek; **2.** przynosić ⟨-nieść⟩ korzyść; ***~ by, ~ from*** odnosić ⟨odnieść⟩ korzyść z (*G*)
be·nev·o|·lence [bɪ'nevələns] życzliwość *f*, dobrodziejstwo *n*; **~·lent** życzliwy, dobroczynny
be·nign [bɪ'naɪn] *med.* łagodny, niezłośliwy
bent [bent] **1.** *pret. i p.p. od* ***bend*** 2; **2.** *fig.* skłonność *f*, upodobanie *n*, predyspozycja *f*
ben·zene ['benzi:n] *chem.* benzen *m*
be·queath [bɪ'kwi:ð] *jur.* pozostawiać ⟨-wić⟩ w spadku
be·quest [bɪ'kwest] *jur.* spadek *m*, spuścizna *f*
be·reave [bɪ'ri:v] (***bereaved*** *lub* ***bereft***) pozbawiać ⟨-wić⟩, osierocać ⟨cić⟩
be·reft [bɪ'reft] *pret. i p.p. od* ***bereave***
be·ret ['bereɪ] beret *m*
Ber·lin Berlin *m*
Bern Berno *n*
ber·ry ['berɪ] *bot.* jagoda *f*
berth [bɜ:θ] **1.** *naut.* miejsce *n* cumowania; *naut.* koja *f*; *rail.* miejsce *n* leżące, kuszetka *f*; **2.** ⟨przy⟩cumować, ⟨przy⟩bijać
be·seech [bɪ'si:tʃ] (***besought*** *lub* ***beseeched***) błagać
be·set [bɪ'set] (***-tt-***; ***beset***) dotykać ⟨dotknąć⟩, prześladować; ***~ with difficulties*** prześladowany przez trudności
be·side [bɪ'saɪd] *prp.* obok; przy; ***be ~ o.s.*** nie posiadać się (***with*** z *G*); ***be ~ the point, ~ the question*** nie mieć nic do rzeczy; **~s** [bɪ'saɪdz] **1.** *adv.* oprócz tego, poza tym; **2.** *prp.* poza (*I*), oprócz (*G*)
be·siege [bɪ'si:dʒ] oblegać ⟨oblec⟩
be·smear [bɪ'smɪə] obsmarowywać ⟨-ować⟩
be·sought [bɪ'sɔ:t] *pret. i p.p. od* ***beseech***
be·spat·ter [bɪ'spætə] opryskiwać ⟨-kać⟩
best [best] **1.** *adj.* (*sup. od* ***good*** 1) najlepszy; ***~ before ...*** należy spożyć (zużyć) do ...; **2.** (*sup. od* ***well***[1]) najlepiej; **3.** najlepszy *m*; ***all the ~!*** wszystkiego najlepszego!; ***to the ~ of...*** najlepiej jak...; ***make the ~ of*** wykorzystywać ⟨-stać⟩ (*A*) jak najlepiej; ***at ~*** w najlepszym wypadku; ***be at one's ~*** być w najlepszej formie; **~ be'fore date, ~ 'by date** okres *m* przydatności do spożycia
bes·ti·al ['bestjəl] zwierzęcy, bestialski
best 'man (*pl.* ***-men***) drużba *m*
be·stow [bɪ'stəʊ] obdarzać ⟨-rzyć⟩, nadawać ⟨nadać⟩
bet [bet] **1.** zakład *m*; ***make a ~*** założyć się; **2.** (***-tt-***; ***bet*** *lub* ***betted***) zakładać ⟨założyć⟩ się; ***you ~!*** F no pewnie!, jeszcze jak!
Bethlehem Betlejem *m*
be·tray [bɪ'treɪ] zdradzać ⟨-dzić⟩ (*też fig.*); zawodzić ⟨-wieść⟩; **~·al** [bɪ'treɪəl] zdrada *f*; **~·er** zdrajca *m* (-czyni *f*)
bet·ter ['betə] **1.** *adj.* (*comp. od* ***good*** 1) lepszy; ***he is ~*** lepiej mu; **2.** ***get the ~ of*** brać ⟨wziąć⟩ górę nad (*I*); **3.** *adv.* (*comp. od* ***well***[1]) lepiej; bardziej; ***so much the ~*** tym lepiej; ***you had ~*** (*Am.* F ***you ~***) ***go*** lepiej już idź; **4.** *v/t.* polepszać ⟨-szyć⟩; *v/i.* polepszać ⟨-szyć⟩ się
be·tween [bɪ'twi:n] **1.** *adv.* pośrodku; ***few and far ~*** F co jakiś czas, sporadyczny; **2.** *prp.* pomiędzy (*I*), między (*I*); spośród (*G*); ***~ you and me*** tylko między nami
bev·el ['bevl] ukos *m*, skośna krawędź *f*
bev·er·age ['bevərɪdʒ] napój *m*
bev·y ['bevɪ] *zo.* stadko *n* (*przepiórek*);

gromadka *f* (*dziewcząt*)
be·ware [bɪ'weə] (***of***) wystrzegać się (*G*); strzec się (*G*); ~ ***of the dog!*** uwaga zły pies!
be·wil·der [bɪ'wɪldə] oszałamiać ⟨-łomić⟩; zbijać ⟨zbić⟩ z tropu; **~·ment konsternacja** *f*
be·witch [bɪ'wɪtʃ] oczarowywać ⟨-ować⟩, urzekać ⟨urzec⟩
be·yond [bɪ'jɒnd] **1.** *adv.* dalej; więcej; powyżej; **2.** *prp.* poza (*I*), za (*I*); ~ ***remedy*** nie do naprawienia
bi... [baɪ] bi..., dwu...
bi·as ['baɪəs] uprzedzenie *n*; skłonność *f*, przychylność *f*; **'~(s)ed** uprzedzony; *jur.* stronniczy
bi·ath|·lete [baɪ'æθliːt] (*w sporcie*) biatlonista *m* (-tka *f*); **~·lon** [baɪ'æθlən] (*w sporcie*) biatlon *m*
bib [bɪb] śliniaczek *m*; góra *f* (*fartucha*)
Bi·ble ['baɪbl] Biblia *f* (*też fig.*)
bib·li·cal ['bɪblɪkl] biblijny
bib·li·og·ra·phy [bɪblɪ'ɒgrəfɪ] bibliografia *f*
bi·car·bon·ate [baɪ'kɑːbənɪt] *też* ~ ***of soda*** soda *f* oczyszczona, *tech.* wodorowęglan *m* sodu
bi·cen|·te·na·ry [baɪsen'tiːnərɪ], **~·ten·ni·al** [baɪsen'tenɪəl] *Am.* dwustulecie *n*
bi·ceps ['baɪseps] *anat.* biceps *m*, mięsień *m* dwugłowy
bick·er ['bɪkə] ⟨po⟩kłócić się, ⟨po⟩żreć się
bi·cy·cle ['baɪsɪkl] rower *m*
bid [bɪd] **1.** (***-dd-***; ***bid*** *lub* ***bade, bid*** *lub* ***bidden***) (*na licytacji*) zgłaszać ⟨zgłosić⟩ ofertę *lub* cenę; (*w kartach*) ⟨za⟩licytować; **2.** *econ.* oferta *f*, cena *f*; (*w kartach*) (*odzywka*) *f*; **~·den** ['bɪdn] *p.p. od* ***bid*** 1
bi·en·ni·al [baɪ'enɪəl] *roślina*: dwuletni; (*odbywający się*) co dwa lata; **~·ly** co dwa lata
bier [bɪə] mary *pl.*
big [bɪg] (***-gg-***) duży, wielki; gruby; ***talk*** ~ przechwalać się, chełpić się
big·a·my ['bɪgəmɪ] bigamia *f*
big|'busi·ness wielki interes *m*; **'~·head** F mądrala *m/f*; ~ **'shot** *osoba*: gruba ryba *f*
bike [baɪk] F rower *m*; motorower *m*; motor *m*; **'bik·er** rowerzysta *m*; motorowerzysta *m*; motocyklista *m*
bi·lat·er·al [baɪ'lætərəl] dwustronny
bile [baɪl] *anat.* żółć (*też fig.*)
bi·lin·gual [baɪ'lɪŋgwəl] dwujęzyczny; ~ **'sec·re·ta·ry** sekretarka *f* władająca obcym językiem
bill[1] [bɪl] dziób *m*
bill[2] [bɪl] faktura *f*; rachunek *m*; *econ.* weksel; *pol.* projekt *m* ustawy; *jur.* powództwo; afisz *m*, plakat *m*; *Am.* banknot *m*; ~ ***of de'liv·er·y*** *econ.* pokwitowanie *n* dostawy; ~ ***of ex'change*** *econ.* weksel *m*; ~ ***of 'sale*** *jur.* akt *m* kupna-sprzedaży; **'~·board** *Am.* tablica *f* reklamowa, billboard *m*; **'~·fold** *Am.* portfel *m*
bil·li·ards ['bɪljədz] *sg.* bilard *m*
bil·li·on ['bɪljən] miliard *m*
bil·low ['bɪləʊ] **1.** kłąb *m*; **2.** *też* ~ ***out*** wybrzuszać ⟨-szyć⟩ się; kłębić się
bil·ly goat ['bɪlɪgəʊt] *zo.* kozioł *m*
bin [bɪn] (duży) pojemnik *m* na śmieci
bi·na·ry ['baɪnərɪ] *math.*, *phys. itp.* binarny, dwójkowy; ~ **'code** *komp.* kod *m* binarny; ~ **'num·ber** liczba *f* w zapisie dwójkowym
bind [baɪnd] (***bound***) *v/t.* ⟨za-, przy-, ob-, z⟩wiązywać ⟨-zać⟩; zobowiązywać ⟨-zać⟩; *książkę* oprawiać ⟨-wić⟩; *v/i.* wiązać; **'~·er** introligator *m*; segregator *m*, skoroszyt *m*; **'~·ing 1.** wiążący; zobowiązujący; **2.** oprawa *f*
bin·go ['bɪŋgəʊ] (*gra*) bingo *n*
bi·noc·u·lars [bɪ'nɒkjʊləz] *pl.* lornetka *f*
bi·o·chem·is·try [baɪəʊ'kemɪstrɪ] biochemia *f*
bi·o·de·gra·da·ble [baɪəʊdɪ'greɪdəbl] podlegający biodegradacji
bi·og·ra|·pher [baɪ'ɒgrəfə] biograf *m*; **~·phy** biografia *f*
bi·o·log·i·cal [baɪəʊ'lɒdʒɪkl] biologiczny; **bi·ol·o·gist** [baɪ'ɒlədʒɪst] biolog *m*; **bi·ol·o·gy** [baɪ'ɒlədʒɪ] biologia *f*
bi·o·rhyth·m ['baɪəʊrɪðəm] biorytm *m*
bi·o·tope ['baɪəʊtəʊp] biotop *m*
bi·ped ['baɪped] *zo.* dwónóg *m*, zwierzę *n* dwunożne
birch [bɜːtʃ] *bot.* brzoza *f*; *attr.* brzozowy
bird [bɜːd] ptak *m*; *attr.* ptasi; **'~·cage** klatka *f* na ptaki; ~ **of 'pas·sage** ptak *m* przelotny *lub* wędrowny; ~ **of 'prey** ptak *m* drapieżny; ~ **'sanc·tu·a·ry** rezerwat *m* ptaków; **'~·seed** pokarm *m* dla ptaków

bird's-eye 'view widok *m* z lotu ptaka

bi·ro ['baɪrəʊ] *TM Brt.* (*pl.* ***-ros***) długopis *m*

birth [bɜːθ] urodziny *pl.*; narodziny *pl.*; **'~ cer·tif·i·cate** metryka *f* (*urodzenia*); **'~ con·trol** antykoncepcja *f*; **~ con·trol 'pill** pigułka *f* antykoncepcyjna; **'~·day** urodziny *pl.*; *attr.* urodzinowy; **'~·mark** znamię *n* wrodzone; **'~·place** miejsce *n* urodzenia; **'~ rate** przyrost *m* naturalny

bis·cuit ['bɪskɪt] ciastko *n*, herbatnik *m*

bi·sex·u·al [baɪ'sekʃʊəl] obupłciowy, dwupłciowy; biseksualny

bish·op ['bɪʃəp] biskup *m*; (*w szachach*) goniec *m*, laufer *m*; **~·ric** ['bɪʃəprɪk] biskupstwo *n*

bi·son ['baɪsn] *zo.* bizon *m*; żubr *m*

bit [bɪt] **1.** kawałek *m*, odrobina *f*; wiertło *n*, świder *m*; wędzidło *n*; łopatka *f*, bródka *f* (*klucza*); *komp.* bit *m*; ***a ~*** trochę; ***a little ~*** odrobina; **2.** *pret. od* ***bite*** 2

bitch [bɪtʃ] *zo.* suka *f*; *pej.* dziwka *f*

'bit den·si·ty *komp.* gęstość *f* zapisu cyfrowego

bite [baɪt] **1.** ugryzienie *n*, ukąszenie *n*; kęs *m*, kąsek *m*; *tech.* chwyt *m*, zaciśnięcie *n* (*śruby itp.*); ***have a ~*** przekąsić coś; **2.** (***bit, bitten***) ⟨u⟩gryźć; kąsać ⟨ukąsić⟩ (*też o owadach, zimnie*); *paznokcie* gryźć ⟨obgryzać⟩; *pieprz*: ⟨za⟩piec; *dym*: ⟨za⟩szczypać; *tech.* chwytać ⟨chwycić⟩; *śrubę* zaciskać (się)

bit·ten ['bɪtn] *p.p. od* ***bite*** 2

bit·ter ['bɪtə] gorzki; *fig.* zgorzkniały

bit·ters ['bɪtəz] *pl.* (*lecznicza*) nalewka *f* gorzka

biz [bɪz] F → ***business***

black [blæk] **1.** czarny; ciemny; mroczny; ***have s.th. in ~ and white*** mieć coś czarno na białym; ***be ~ and blue*** być posiniaczonym; ***beat s.o. ~ and blue*** posiniaczyć kogoś; **2.** ⟨po⟩czernić; ***~ out*** chwilowo ⟨u⟩tracić przytomność; *okna* zaciemniać ⟨-nić⟩; **3.** czerń *f*, czarny kolor *m*; *człowiek*: czarnoskóry *m*, czarny *m*; **'~·ber·ry** *bot.* jeżyna *f*; **'~·bird** *zo.* kos *m*; **'~·board** tablica *f* (szkolna); **~ 'box** *aviat.* czarna skrzynka *f*; **~'cur·rant** *bot.* czarna porzeczka *f*; **'~·en** *v/t.* ⟨za⟩czernić; *fig.* oczerniać ⟨-nić⟩; *v/i.* ⟨s⟩czernieć; **~ 'eye** podbite oko *n*; **'~·head** *med.* zaskórnik *m*, wągier *m*; **~ 'ice** gołoledź *f*; **'~·ing** czarna pasta *f* do butów, czernidło *n*; **'~·leg** *Brt.* łamistrajk *m*; **'~·mail 1.** szantaż *m*; **2.** ⟨za⟩szantażować; **'~·mail·er** szantażysta *m* (-tka *f*); **~ 'mar·ket** czarny rynek *m*; **'~·ness** czerń *f*; **'~·out** zaciemnienie *n*; brak *m* energii (*prądu itp.*); **~ 'pud·ding** *gastr.* kaszanka *f*; **~ ' Sea** Morze Czarne; **~ 'sheep** (*pl.* ***-sheep***) *fig.* czarna owca *f*; **'~·smith** kowal *m*

blad·der ['blædə] *anat.* pęcherz *m* moczowy

blade [bleɪd] *bot.* źdźbło; łopatka *f* (*ramienia*); ostrze *n*, brzeszczot *m*; klinga *f*; łopata *f* (*śmigła*)

blame [bleɪm] **1.** wina *f*; odpowiedzialność *f*; **2.** obwiniać ⟨-nić⟩; ***be to ~ for*** ponosić ⟨-nieść⟩ winę za (*A*); **'~·less** bez winy, niewinny

blanch [blɑːntʃ] ⟨wy⟩bielić; *gastr.* ⟨z⟩blanszować; ⟨z⟩blednąć

blanc·mange [blə'mɒnʒ] *gastr.* budyń *m*

blank [blæŋk] **1.** pusty, czysty; nie zapełniony, nie wypełniony, nie zapisany; *econ.* in blanko, na okaziciela; **2.** puste miejsce *n*; luka *f*; formularz *m*, blankiet *m*, druk *m*; *los na loterii*: pusty; **~ 'car·tridge** ślepy nabój *m*; **~ 'cheque** (*Am.* ***'check***) *econ.* czek *m* na okaziciela

blan·ket ['blæŋkɪt] **1.** koc *m*; **2.** przykrywać ⟨-ryć⟩

blare [bleə] *radio*: ⟨za⟩ryczeć; *trąba*: ⟨za⟩grzmieć

blas|·pheme [blæs'fiːm] ⟨z⟩bluźnić; **~·phe·my** ['blæsfəmɪ] bluźnierstwo *n*

blast [blɑːst] **1.** (*wiatru*) podmuch *m*; wybuch *m*; fala *f* wybuchu; dźwięk *m* (*instrumentu dętego*); **2.** wysadzać ⟨-dzić⟩; *fig.* ⟨z⟩niszczyć, ⟨z⟩niweczyć; ***~ off*** (***into space***) wystrzelić w przestrzeń kosmiczną; *rakieta*: ⟨wy⟩startować; ***~!*** cholera!; ***~ you!*** szlag by cię trafił!; ***~ed*** cholerny; **'~ fur·nace** *tech.* wielki piec *m*; **'~-off** start *m* (*rakiety*)

bla·tant ['bleɪtənt] rażący; bezczelny

blaze [bleɪz] **1.** płomień *m*, ogień *m*; jaskrawe światło *n*, blask *m*; *fig.* wybuch *m*; **2.** ⟨s⟩płonąć, ⟨s⟩palić (się); błyszczeć ⟨błysnąć⟩; wybuchać ⟨-nąć⟩ płomieniami

blaz·er ['bleɪzə] blezer *m*

bla·zon ['bleɪzn] herb *m*

bleach [bliːtʃ] ⟨wy⟩bielić

bleak [bliːk] odludny, ogołocony, srogi; *fig.* ponury, posępny

blear·y ['blɪərɪ] (***-ier, iest***) mglisty, niewyraźny

bleat [bliːt] **1.** ⟨za⟩beczeć; **2.** beczenie *n*, bek *m*

bled [bled] *pret. i p.p. od* ***bleed***

bleed [bliːd] (***bled***) *v/i.* krwawić; *v/t. krew* puszczać ⟨puścić⟩; *fig.* F wyzyskiwać ⟨-skać⟩, ⟨wy⟩żyłować; **'~·ing 1.** *med.* krwawienie *n*, *med.* puszczanie *n* krwi; **2.** *sl.* cholerny, pieprzony

bleep [bliːp] **1.** krótki sygnał *m* (*jak w telefonie*), brzęk *n*; **2.** wzywać ⟨wezwać⟩ sygnałem (*pagera itp.*); **'~·er** *Brt.* F brzęczyk *m* (*w urządzeniu przyzywającym*)

blem·ish ['blemɪʃ] **1.** skaza *f* (*na urodzie*); brak *m*, skaza *f*; **2.** ⟨o⟩szpecić

blend [blend] **1.** ⟨z⟩mieszać (się); *wina* kupażować; **2.** mieszanka *f*; **'~·er** mikser *m*, malakser *m*

bless [bles] (***blessed*** *lub* ***blest***) ⟨po⟩błogosławić; ***be ~ed with*** być obdarzonym (*I*); (***God***) ***~ you!*** na zdrowie!; ***~ me, ~ my heart, ~my soul*** F Boże mój!; **'~·ed** błogosławiony, szczęśliwy; F przeklęty, cholerny; **'~·ing** błogosławieństwo *n*

blest [blest] *pret. i p.p. od* ***bless***

blew [bluː] *pret. od* ***blow***

blight [blaɪt] *bot.* rdza *f* zbożowa

blind [blaɪnd] **1.** niewidomy, ślepy (*fig.* ***to*** na *A*); *zakręt*: niewidoczny; **2.** żaluzja *f*, roleta *f*; ***the ~*** *pl.* niewidomi *pl.*, ślepi *pl.*; **3.** oślepiać ⟨-pić⟩; *fig.* zaślepiać ⟨-pić⟩, ⟨u⟩czynić ślepym (***to*** na *I*, wobec *G*); **~ 'al·ley** ślepa ulica *f*; **'~·ers** *pl. Am.* klapki *pl.* na oczy; **'~·fold 1.** z zawiązanymi oczyma; **2.** zawiązywać ⟨-zać⟩ oczy; **3.** przepaska *f* na oczy; **'~·ly** *fig.* ślepo, na ślepo; **'~·worm** *zo.* padalec *m*

blink [blɪŋk] **1.** mrugnięcie *n*; **2.** ⟨za⟩mrugać; ⟨za⟩migać; **'~·ers** *pl.* klapki *pl.* na oczy

bliss [blɪs] szczęśliwość *f*, rozkosz *f*

blis·ter ['blɪstə] **1.** *med.*, *tech.* pęcherz *m*; bąbel *m*; **2.** wywoływać ⟨-łać⟩ pęcherze; pokrywać ⟨-ryć⟩ (się) pęcherzami

blitz [blɪts] silny nalot *m* lotniczy; bombardowanie *n*; **2.** mocno ⟨z⟩bombardować

bliz·zard ['blɪzəd] zamieć *f* śnieżna

bloat|·ed ['bləʊtɪd] nadmuchany, wydęty; *fig.* nadęty, odęty; **'~·er** *gastr.* wędzony śledź *m lub* makrela *f*

blob [blɒb] kleks *m*

block [blɒk] **1.** blok *m*; klocek *m*; kloc *m*; blok, (pod)zespół; *tech.* blok budowlany, cegła *f*; *zwł. Am.* kwartał *m* (*domów*), działka *f*; korek; zator; *tech.* zatkanie *n* się; **~** (***of flats***) *Brt. mieszkaniowy* blok *m*; **2.** *też* **~ *up*** zatykać ⟨-kać⟩, zapychać ⟨-chać⟩; ⟨za⟩blokować

block·ade [blɒ'keɪd] **1.** blokada *f*; **2.** ⟨za⟩blokować

block|·bust·er ['blɒkbʌstə] F szlagier *m*, hit *m*; **'~·head** F dureń *m*; **~ 'let·ters** *pl.* drukowane litery *pl. lub* pismo *n*

bloke [bləʊk] *Brt.* F facet *m*

blond [blɒnd] **1.** blondyn *m*; **2.** *adj.* blond; **~e** [blɒnd] **1.** blondynka *f*; **2.** *adj.* blond

blood [blʌd] krew; ***in cold ~*** z zimną krwią; **'~ bank** *med.* bank *m* krwi; **'~·cur·dling** ['blʌdkɜːdlɪŋ] mrożący krew w żyłach; **'~ do·nor** *med.* dawca *m* krwi; **'~ group** *med.* grupa *f* krwi; **'~·hound** *zo.* ogar *m*; **'~ pres·sure** *med.* ciśnienie *n* krwi; **'~·shed** rozlew *m* krwi; **'~·shot** nabiegły krwią; **'~·thirst·y** żądny krwi, krwiożerczy; **'~ ves·sel** *anat.* naczynie *n* krwionośne; **'~·y** (***-ier, -iest***) krwawy; *Brt.* F cholerny, pieprzony

bloom [bluːm] **1.** *poet.* kwiat *m*, kwiecie *n*; *fig.* rozkwit *m*; **2.** kwitnąć ⟨rozkwitać⟩; *fig.* kwitnąć, promienować

blos·som ['blɒsəm] **1.** kwiat *m*; **2.** kwitnąć ⟨rozkwitać⟩

blot [blɒt] **1.** kleks *m*; *fig.* skaza *f*, plama *f*; **2.** (***-tt-***) ⟨s-, po⟩plamić (się); osuszać ⟨-szyć⟩ (bibułą)

blotch [blɒtʃ] kleks *m*; plama *f lub* przebarwienie *n* na skórze; **'~·y** (***-ier, -iest***) *skóra*: plamisty

blot|·ter ['blɒtə] suszka *f*; **'~·ting pa·per** bibuła *f*

blouse [blaʊz] bluzka *f*

blow[1] [bləʊ] uderzenie *n*, cios *m*

blow[2] [bləʊ] (***blew, blown***) *v/i.* ⟨po⟩wiać, ⟨za⟩dąć; dmuchać ⟨-chnąć⟩; ⟨za⟩sapać; przedziurawiać ⟨-wić⟩ dętkę; *electr. bezpiecznik*: przepalać ⟨-lić⟩ się;

~ ***up*** wylatywać ⟨-lecieć⟩ w powietrze; *v/t.* ~ ***one's nose*** wydmuchiwać ⟨-chać⟩ nos; ~ ***one's top*** F dostawać ⟨dostać⟩ szału; ~ ***out*** zdmuchiwać ⟨-chnąć⟩; ~ ***up*** wysadzać ⟨-dzić⟩; *fotografię* powiększać ⟨-szyć⟩; '**~-dry** *włosy* ⟨wy⟩suszyć; '**~·fly** *zo.* (*mucha*) plujka *f*; **~n** [bləʊn] *p.p. od* ***blow***[2]; '**~·pipe** *tech.* palnik *m*, dmuchawka *f*; '**~-up** *phot.* powiększenie *n*

blud·geon ['blʌdʒən] pałka *f*

blue [bluː] **1.** niebieski, błękitny; melancholijny; **2.** błękit *m*, *kolor:* niebieski *m*; ***out of the*** ~ jak grom z jasnego nieba, nagle; '**~·ber·ry** *bot.* borówka *f* wysoka *lub* amerykańska; '**~·bot·tle** *zo.* (mucha) plujka *f*; **~-'col·lar work·er** pracownik *m* fizyczny

blues [bluːz] *pl. lub sg. mus.* blues *m* (*też fig.*); ***have the*** ~ F mieć chandrę

bluff[1] [blʌf] urwisko *n*, stromy brzeg *m*

bluff[2] [blʌf] **1.** blef *m*; **2.** ⟨za⟩blefować

blu·ish ['bluːɪʃ] niebieskawy

blun·der ['blʌndə] **1.** błąd *m*, F byk *m*; **2.** F strzelić byka, zrobić (*duży*) błąd; ⟨s⟩fuszerować, ⟨s⟩partaczyć

blunt [blʌnt] tępy; *fig.* bezceremonialny; '**~·ly** bez ceregieli *lub* ceremonii

blur [blɜː] (***-rr-***) *v/t.* zamazywać ⟨-zać⟩; *phot. TV* zniekształcać ⟨-cić⟩; *znaczenie* zamazywać ⟨-zać⟩; *v/i.* zamazywać ⟨-zać⟩się; *wspomnienia* zacierać ⟨zatrzeć⟩ się

blurt [blɜːt]: ~ ***out*** wyrzucać ⟨-cić⟩ z siebie

blush [blʌʃ] **1.** rumieniec *m*; zaczerwienienie *n* się; **2.** ⟨za⟩czerwienić się, ⟨za⟩rumienić się

blus·ter ['blʌstə] *wiatr:* ⟨za⟩huczeć; *fig.* wydzierać ⟨wydrzeć⟩ się; wychwalać się

Blvd *skrót pisany:* ***Boulevard*** bulwar

BMI [biː em 'waɪ] *skrót:* ***Body Mass Index*** wskaźnik masy ciała

BMX [biː em 'eks] *skrót:* ***bicycle motocross*** kros *m* rowerowy; rower *m* BMX; ~ **bike** rower *m* BMX

BO[biː 'əʊ] *skrót* → ***body odo(u)r***

boar [bɔː] *zo.* dzik *m*; knur *m*

board [bɔːd] **1.** deska *f*; tablica *f*; tektura *f*, karton *m*; plansza *f* (*do gry*); stół *m* konferencyjny; utrzymanie *n*, wyżywienie *n*; komisja *f*; zarząd *m*, dyrekcja *f*; (*w sporcie*) deska *f* (*surfingowa*); *naut.* burta *f*; **2.** *v/t.* wykładać ⟨wyłożyć⟩ deskami, ⟨o⟩szalować, ⟨o⟩deskować; wchodzić ⟨wejść⟩ na pokład (*G*); ⟨za⟩kwaterować, utrzymywać ⟨-mać⟩; ~ ***a train*** wsiadać ⟨wsiąść⟩ do pociągu; *v/i.* stołować się, mieszkać; '**~·er** gość *m* (*w pensjonacie itp.*), stołownik *m*; mieszkaniec *m* (-nka *f*) internatu; '**~ game** gra *f* planszowa; '**~·ing card** *aviat.* karta *f* wstępu (*do samolotu*); '**~·ing house** pensjonat *m*; '**~·ing school** internat *m*; ~ **of 'di·rec·tors** *econ.* dyrekcja *f*, rada *f* nadzorcza; **⁓ of 'Trade** *Brt.* Ministerstwo *n* Handlu, *Am.* Izba *f* Handlowa; '**~·walk** *zwł. Am.* promenada *f* nad brzegiem

boast [bəʊst] **1.** przechwałki *pl.*, chełpliwość *f*; **2.** *v/i.* (***of, about***) chwalić się (*I*), przechwalać się (*I*); *v/t.* szczycić się, być dumnym z (*G*)

boat [bəʊt] łódź *f*, łódka *f*; szalupa *f*; statek *m*

bob [bɒb] **1.** dygnięcie *n*, dyg *m*; krótka fryzura *f*; *Brt. hist.* F szyling *m*; **2.** (***-bb-***) *v/t. włosy:* krótko obcinać ⟨obciąć⟩; *v/i.* dygać ⟨-gnąć⟩

bob·bin ['bɒbɪn] szpula *f*, szpulka *f*; *electr.* cewka *f*

bob·by ['bɒbɪ] *Brt.* F *policjant:* bobby *m*

bob·sleigh ['bɒbsleɪ] *sport:* bobslej *m*

bode [bəʊd] *pret. od* ***bide***

bod·ice ['bɒdɪs] stanik *m*; góra *f* (*sukni*)

bod·i·ly ['bɒdɪlɪ] cieleśnie

bod·y ['bɒdɪ] ciało *n*; zwłoki *pl.*; korpus *m*; organizacja *f*, stowarzyszenie *n*; gromada *f*, grupa *f*, ciało *n*; główna część *f*; *wodny* zbiornik *m*; *mot.* karoseria *f*, nadwozie *n*; '**~·guard** ochrona *f*, F ochroniarz *m*; '**~ o·do(u)r** (*skrót:* ***BO***) nieprzyjemny zapach *m* ciała; '**~ stock·ing** *ubiór:* body *n*; '**~·work** *mot.* karoseria *f*, nadwozie *n*

Boer ['bɔː] Bur *m*; *attr.* burski

bog [bɒg] bagno *n*, mokradło *n*

bo·gus ['bəʊgəs] fałszywy, podrabiany

boil[1] [bɔɪl] *med.* czyrak *m*, ropień *m*

boil[2] [bɔɪl] **1.** *v/t.* ⟨za-, u⟩gotować; *v/i.* ⟨za-, u⟩gotować się; ⟨za⟩wrzeć, ⟨za⟩kipieć; **2.** gotowanie *n* się, wrzenie *n*; '**~·er** bojler *m*, kocioł *m*; '**~·er suit** kombinezon *m*; '**~·ing point** punkt *m lub* temperatura *f* wrzenia; *fig.* punkt *m* krytyczny

bois·ter·ous ['bɔɪstərəs] hałaśliwy, łobuzerski, wrzaskliwy

bold [bəʊld] dzielny, śmiały; bezczelny; *kolory*: krzykliwy, rażący; *print.* wytłuszczony, pogrubiony; ***as ~ as brass*** F bezczelny na całego

bol·ster ['bəʊlstə] **1.** wałek *m* (*na tapczanie*); **2.** ~ ***up*** podtrzymywać ⟨-mać⟩

bolt [bəʊlt] **1.** śruba *f*, sworzeń *m*; rygiel *m*; uderzenie *n* błyskawicy, błyskawica *f*; ***make a ~ for*** rzucić się do (*G*); **2.** *adv.* sztywno wyprostowany; **3.** ⟨za⟩ryglować, zamykać ⟨-knąć⟩; F *jedzenie* pochłaniać ⟨-łonąć⟩; *v/i.* uciekać ⟨uciec⟩, ⟨s⟩płoszyć się; *koń*: ponosić ⟨ponieść⟩

bomb [bɒm] **1.** bomba *f*; ***the ~*** bomba *f* atomowa; **2.** ⟨z⟩bombardować; **'~·er** *aviat.* bombowiec *m*

bom·bard [bɒm'bɑːd] ⟨z⟩bombardować

bomb|·proof ['bɒmpruːf] zabezpieczony przed bombami *lub* bombardowaniem; **'~·shell** bomba *f*; *fig.* zupełne zaskoczenie *n*

bond [bɒnd] wiązanie *n* (*też chem.*), więź *f*; *econ.* obligacja *f*, zobowiązanie *n* zapłaty; ***in ~*** w składzie wolnocłowym, pod zamknięciem celnym; **~·age** ['bɒndɪdʒ] niewola *f*, poddaństwo *n*

bonds [bɔndz] *pl.* więzy *pl.* (*przyjaźni*)

bone [bəʊn] kość *f*, ość *f*; ***bones*** *pl.* kości *pl.*, szczątki *pl.*; ***~ of contention*** kość *f* niezgody; ***have a ~ to pick with s.o.*** mieć z kimś do pomówienia; ***make no ~ about s.th.*** nie obwijać czegoś w bawełnę, nie robić tajemnicy z czegoś; **2.** usuwać ⟨-nąć⟩ kości *lub* ości

bon·fire ['bɒnfaɪə] ognisko *n*

bonk [bɒŋk] *Brt. sl.* (*mieć stosunek płciowy*) pieprzyć (się)

bon·net ['bɒnɪt] czepek *m*; *mot.* maska

bon·ny ['bɒnɪ] *zwł. Szkoc.* (***-ier, -iest***) śliczny, urodziwy; *dziecko*: zdrowe

bo·nus ['bəʊnəs] *econ.* premia *f*, gratyfikacja *f*

bon·y ['bəʊnɪ] (***-ier, -iest***) kościsty, ościsty

boo [buː] *int.* uu!; *theat.* ***~ off the stage***, (*w piłce nożnej*) ***~ off the park*** *kogoś* wygwizdać

boobs [buːbz] F *pl.* cycki *pl.*, cyce *pl.*

boo·by ['buːbɪ] F przygłup

book [bʊk] **1.** książka *f*, księga *f*; zeszyt *m*; wykaz *m*, lista *f*; ⟨za⟩rejestrować; ⟨za⟩księgować; *bilet* ⟨za⟩rezerwować; (*w sporcie*) dawać ⟨dać⟩ ostrzeżenie; ***~ in*** *zwł. Brt.* ⟨za⟩meldować się; ***~ in at*** zatrzymywać ⟨-mać⟩ się w (*L*); ***~ed up*** zarezerwowany, zajęty, wykupiony; **'~·case** biblioteczka *f*; **'~·ing** rezerwacja *f*; *sport*: ostrzeżenie *n*; **'~·ing clerk** pracownik *m* (-nica *f*) działu rezerwacji; **'~·ing of·fice** (*dział firmy*) rezerwacja *f*; kasa *f* (*biletowa*); **'~·keep·er** księgowy *m* (-wa *f*); **'~·keep·ing** księgowość *f*; **~·let** ['bʊklɪt] broszura *f*; **'~·mark(·er)** zakładka *f*; **'~·sell·er** księgarz *m*; **'~·shelf** (*pl.* ***-shelves***) regał *m* *lub* półka *f* na książki; **'~·shop**, *zwł. Brt.*, **'~·store** *Am.* księgarnia *f*

boom¹ [buːm] **1.** *econ.* boom *m*, prosperity *f*, świetność *f* gospodarcza, dobra koniunktura *f*; **2.** osiągać ⟨-gnąć⟩ okres boomu

boom² [buːm] *naut.* bom *m*; wysięgnik *m* (*też mikrofonowy itp.*)

boom³ [buːm] ⟨za⟩huczeć, ⟨za⟩buczeć

boor [bʊə] cham(ka *f*) *m*, chamidło *n*; **~·ish** ['bʊərɪʃ] chamowaty, chamski

boost [buːst] **1.** zwiększać ⟨-szyć⟩, wzmagać ⟨wzmóc⟩; *napięcie prądu* wzmacniać ⟨-mocnić⟩; *fig.* pokrzepiać ⟨-pić⟩, dodawać ⟨dodać⟩ odwagi; **2.** pokrzepienie *n*; wzmocnienie *n*, zwiększenie *n*

boot¹ [buːt] but *m* (wysoki); *Brt. mot.* bagażnik *m*; **~·ee** ['buːtiː] but *m* (*zakrywający kostkę*); ⚠ *nie* ***but***

boot² [buːt]: **~** (***up***) *komp.* uruchamiać ⟨-chomić⟩ system

boot³ [buːt]: ***to ~*** w dodatku, na dodatek

booth [buːð] budka *f*; stragan *m*; kabina *f*

'boot·lace sznurowadło *n*

boot·y ['buːtɪ] łup *m*

booze [buːz] F **1.** popijać ⟨popić⟩; **2.** popijawa *f*, pijatyka *f*; alkohol *m*, F wóda *f*

bor·der ['bɔːdə] **1.** obramowanie *n*, ramka *f*; lamówka *f*; granica *f*; rabat(k)a *f*; **2.** ogradzać ⟨ogrodzić⟩, opasywać ⟨-sać⟩, obramowywać ⟨-mować⟩; graniczyć (***on*** z *I*)

bore¹ [bɔː] **1.** średnica *f* otworu; *tech.* kaliber *m*; *mil.* przewód *m* lufy; **2.** wiercić, rozwiercać

bore² [bɔː] **1.** nudziarz *m* (-ara *f*); *zwł. Brt.* nudziarstwo *n*; **2.** nudzić, zanudzać ⟨-dzić⟩; ***be ~d*** nudzić się

bore³ [bɔː] *pret. od* ***bear***

bore·dom ['bɔːdəm] nuda *f*
bor·ing ['bɔːrɪŋ] nudny
born [bɔːn] *p.p. od* ***bear***[2] urodzony
borne [bɔːn] *p.p. od* ***bear***[2] znosić
bo·rough ['bʌrə] dzielnica *f* (*miejska*); okręg *m* miejski (*Brt. wyborczy*)
bor·row ['bɒrəʊ] *od kogoś* pożyczać ⟨-czyć⟩, wypożyczać ⟨-czyć⟩
Bos·ni·a and Hercegovina Bośnia i Hercegowina
bos·om ['bʊzəm] piersi *pl.*; *fig.* łono *m*
boss [bɒs] F **1.** boss *m*, szef(owa *f*) *m*; **2.** *v/t.* rozkazywać ⟨-zać⟩; *v/i.* ***~ about, ~ around*** szarogęsić się, panoszyć się; **'~·y** F (***-ier, -iest***) apodyktyczny, despotyczny
bo·tan·i·cal [bə'tænɪkl] botaniczny;
bot·a·ny ['bɒtənɪ] botanika *f*
botch [bɒtʃ] F **1.** *też* ***~-up*** knot *m*; chałtura *f*; **2.** ⟨s⟩knocić, ⟨s⟩paprać
both [bəʊθ] oba, obie, obaj, oboje; ***~ ... and ...*** zarówno ..., jak i ..., tak ..., jak ...
both·er ['bɒðə] **1.** kłopot *m*, przykrość *f*, nieprzyjemność *f*; **2.** *v/t.* kłopotać; niepokoić; przeszkadzać; *v/i.* naprzykrzać ⟨-rzyć⟩ się, sprawiać ⟨-wić⟩ kłopot; ***don't ~!*** nie sprawiaj sobie kłopotu!, nie zawracaj sobie głowy!
bot·tle ['bɒtl] **1.** butelka *f*, flaszka *f*; **2.** ⟨za⟩butelkować; **'~ bank** *Brt.* pojemnik *m* na szkło; **'~·neck** *fig.* wąskie gardło *n*
bot·tom ['bɒtəm] dno *n*; spód *m*; dół *m*; F siedzenie *n*, pupa *f*; ***be at the ~ of*** znajdować się na *lub* w dole (*G*); ***get to the ~ of s.th.*** docierać ⟨-trzeć⟩ do sedna sprawy
bough [baʊ] konar *m*, gałąź *f*
bought [bɔːt] *pret. i p.p. od* ***buy***
boul·der ['bəʊldə] głaz *m*, otoczak *m*
bounce [baʊns] **1.** odbijać ⟨-bić⟩ (się); podskakiwać ⟨-koczyć⟩, skakać ⟨skoczyć⟩; odskakiwać ⟨-koczyć⟩; F *czek*: nie mieć pokrycia, wrócić; **2.** odbicie się; podskok *m*, odskok *m*, skok *m*; **'bounc·ing** energiczny, *dziecko*: dziarski
bound[1] [baʊnd] **1.** *pret. i p.p. od* ***bind***; **2.** w drodze (***for*** do *G*), do (*G*)
bound[2] [baʊnd]: *zw.* ***~s*** granica *f*, limit *m*
bound[3] [baʊnd] **1.** skok *m*, podskok *m*; **2.** odbijać ⟨-bić⟩ (się); podskakiwać ⟨-koczyć⟩, skakać ⟨-koczyć⟩
bound·a·ry ['baʊndərɪ] granica *f*
'bound·less bezgraniczny
boun|·te·ous ['baʊntɪəs], **~·ti·ful** ['baʊntɪfl] szczodrobliwy, hojny, szczodry
boun·ty ['baʊntɪ] szczodrobliwość *f*, hojność *f*, szczodrość *f*; premia *f*, nagroda *f*
bou·quet [bʊ'keɪ] bukiet *m* (*też wina*)
bout [baʊt] *boks*: starcie *n*, walka *f*
bou·tique [buː'tiːk] butik *m*, boutique *m*
bow[1] [baʊ] **1.** ukłon *m*, skłon *m*; **2.** *v/i.* kłaniać ⟨ukłonić⟩ się, skłaniać ⟨-łonić⟩ się (***to*** przed *I*); *fig.* chylić się, skłaniać się (***to*** przed *I*); *v/t.* wyginać ⟨-giąć⟩, ⟨wy⟩giąć
bow[2] [baʊ] *naut.* dziób *m*
bow[3] [bəʊ] łuk *m*; *muz.* smyczek *m*; kokarda *f*
bow·els ['baʊəlz] *anat. pl.* jelita *pl.*, kiszki *pl.*
bowl[1] [bəʊl] miska *f* (*też klozetowa*), miseczka *f*; donica *f*; cukiernica *f*; miednica *f*; główka *f* (*fajki*); czarka *f* (*łyżki*)
bowl[2] [bəʊl] **1.** (*w grze w kręgle*) kula *f*; (*w grze w krykieta*) piłka *f*; **2.** rzucać ⟨-cić⟩ kulą *lub* piłką
bow-leg·ged ['bəʊlegd] krzywonogi, o kabłąkowatych nogach
'bowl·er gracz *m* w kręgle, kręglarz *m*; (*w grze w krykieta*) (*gracz rzucający piłkę*); **~ 'hat** melonik *m*
'bowl·ing (gra w) kręgle *pl.*
box[1] [bɒks] pudełko *n*, pudło *n*; karton *m*; kaseta *f*, szkatułka *f*; puszka *f*; skrzynka *f* (*pocztowa*); obudowa *f* (*maszynowa*); (*dla konia*) boks *m*; *Brt.* budka *f* (*telefoniczna*); *theat.* loża *f*; *jur.* ława *f* (*przysięgłych, oskarżonych*); (*dla samochodów*) koperta *f*
box[2] [bɒks] **1.** *sport*: boks; F ***~ s.o.'s ears*** natrzeć komuś uszu; **2.** F ***a ~ on the ear*** palnięcie *n* w ucho; **'~·er** bokser *m*; **'~·ing** boks *m*, boksowanie *n*; **'Ꞩ·ing Day** *Brt.* drugi dzień Bożego Narodzenia
box[3] [bɒks] *bot.* bukszpan *m*; *attr.* bukszpanowy
'box| num·ber numer *m* oferty (*w gazecie*); numer *m* skrzynki pocztowej; **'~ of·fice** kasa *f* teatralna
boy [bɔɪ] chłopiec *m*
boy·cott ['bɔɪkɒt] **1.** ⟨z⟩bojkotować; **2.** bojkot *m*

B

'boy|·friend chłopiec *m*, sympatia *f*, przyjaciel *m*; **~·hood** ['bɔɪhʊd] chłopięctwo *n*; **'~·ish** chłopięcy; **'~ scout** skaut *m*, harcerz *m*
BPhil [biː 'fɪl] *skrót*: ***Bachelor of Philosophy*** (*niższy stopień naukowy*) licencjat *m*
BR [biː 'ɑː] *skrót*: ***British Rail*** (*brytyjskie koleje*)
bra [brɑː] stanik *m*, biustonosz *m*
brace [breɪs] **1.** *tech.* wspornik *m*, podpora *f*; aparat *m* korekcyjny (*na zęby*); nawias *m* kwadratowy; **2.** *tech.* usztywniać ⟨-nić⟩, wzmacniać ⟨wzmocnić⟩
brace·let ['breɪslɪt] bransoletka *f*
brac·es ['breɪsɪz] *pl. Brt.* szelki *pl.*
brack·et ['brækɪt] *tech.* wspornik *m*, podpora *f*; nawias *m*; *podatkowy* przedział *m*; ***lower income ~*** grupa *f* w przedziale o niższych dochodach
brack·ish ['brækɪʃ] słonawy
brag [bræg] (***-gg-***) chwalić się, przechwalać się (***about, of*** o *L*); **~·gart** ['brægət] samochwał *m*, pyszałek *m*
braid [breɪd] **1.** *zwł. Am.* warkocz *m*; galon *m*; **2.** *zwł. Am.* ⟨za⟩pleść, zaplatać ⟨zapleść⟩; obszywać ⟨-szyć⟩ galonem
brain [breɪn] *anat.* mózg *m*; *często* ***~s*** *fig.* umysł *m*, głowa *f*; **'~s trust** *Brt.*, **'~ trust** *Am.* grupa *f* ekspertów; **'~·wash** *komuś* ⟨z⟩robić pranie mózgu; **'~·wash·ing** pranie *n* mózgu; **'~wave** olśnienie *n*, oświecenie *n*; **'~·y** (***-ier, -iest***) F niegłupi, rozgarnięty
brake [breɪk] **1.** *tech.* hamulec *m*; **2.** ⟨za⟩hamować; **'~·light** *mot.* światło *n* hamowania
bram·ble ['bræmbl] *bot.* jeżyna *f*
bran [bræn] otręby *pl.*
branch [brɑːntʃ] **1.** gałąź *f*, konar *m*; dziedzina *f*; specjalizacja *f*; filia *f*, oddział *m*; **2.** rozgałęziać ⟨-zić⟩ się
brand [brænd] **1.** *econ.* marka *f*, gatunek *m*, rodzaj *m*; znak *m* towarowy; piętno *n*; **2.** ⟨na⟩piętnować; ⟨o⟩znakować
bran·dish ['brændɪʃ] wymachiwać, wywijać
'brand| name *econ.* znak *m* towarowy; nazwa *f* firmowa; **~'new** nowy jak spod igły
bran·dy ['brændɪ] brandy *n*, winiak *m*, koniak *m*
brass [brɑːs] mosiądz *m*; *mus.* instrumenty *pl.* dęte blaszane, F blacha *f*; F bezczelność *f*; **~ 'band** orkiestra *f* dęta
bras·sière ['bræsɪə] biustonosz *m*, stanik *m*
brat [bræt] *pej.* bachor *m*
Bratislava Bratysława *f*
brave [breɪv] **1.** (***-er, -est***) odważny, dzielny, nieustraszony; **2.** stawić czoło, przeciwstawiać się odważnie; **brav·er·y** ['breɪvərɪ] odwaga *f*, śmiałość *f*, nieustraszoność *f*
brawl [brɔːl] **1.** bijatyka *f*; bójka *f*; **2.** wszczynać ⟨-cząć⟩ bójkę
brawn·y ['brɔːnɪ] (***-ier, -iest***) muskularny, atletyczny
bray [breɪ] **1.** ryk *m* (*osła*); **2.** ⟨za⟩ryczeć; *samochody*: hałasować
bra·zen ['breɪzn] bezwstydny, bezczelny
Bra·zil [brə'zɪl] Brazylia *f*; **Bra·zil·ian** [brə'zɪljən] **1.** brazylijski; **2.** Brazylijczyk *m* (-jka *f*)
breach [briːtʃ] **1.** wyłom *m*, luka *f*; *fig.* naruszenie *n*, zerwanie *n*; *mil.* przerwanie *n* (*frontu*); **2.** przerywać ⟨-rwać⟩ (front), dokonywać ⟨-nać⟩ wyłomu
bread [bred] chleb *m*; ***brown ~*** razowiec *m*; ***know which side one's ~ is buttered*** F wiedzieć, z czego można wyciągnąć korzyść
breadth [bredθ] szerokość *f*
break [breɪk] **1.** złamanie *n*; luka *f*; przerwa *f* (*Brt. też w szkole*), pauza *f*; zmiana *f*, przemiana *f*; świt *m*; ***bad ~*** F pech *m*; ***lucky ~*** F szczęście *n*, pomyślność *f*; ***give s.o. a ~*** F dawać ⟨dać⟩ komuś szansę; ***take a ~*** ⟨z⟩robić przerwę; ***without a ~*** bez przerwy; **2.** (***broke, broken***) *v/t.* ⟨z-, po-, ob-, wy⟩łamać; ⟨s-, po⟩tłuc; ⟨z⟩niszczyć, ⟨ze⟩psuć; *zwierzę* oswoić, obłaskawiać ⟨-wić⟩, *konia* ujeżdżać ⟨ujeździć⟩ (*też* ***~ in***); *prawo* naruszać ⟨-szyć⟩, *przepisy, szyfr itp.* ⟨z⟩łamać; *złą wiadomość* przekazywać ⟨-zać⟩; *v/i.* ⟨z-, po-, ob-, wy⟩łamać się; ⟨s-, po⟩tłuc się; ⟨z⟩niszczyć się, ⟨ze⟩psuć się; *pogoda*: zmieniać ⟨-nić⟩ się nagle; zalewać ⟨-lać⟩ się; ***~ away*** uciekać ⟨uciec⟩; odrywać ⟨oderwać⟩ się; ***~ down*** załamywać ⟨-mać⟩ (się); *drzwi* wyważać ⟨-żyć⟩; (*do domu*) włamywać ⟨-mać⟩ się; ⟨ze⟩psuć (się); *mot.* mieć awarię; *chemikalia* rozkładać ⟨rozłożyć⟩; ***~ in*** (*do domu*) włamywać ⟨-mać⟩ się; wtrącać ⟨wtrącić⟩ się; przyuczać ⟨-czyć⟩; ***~ off*** zrywać ⟨zerwać⟩;

przerywać ⟨-rwać⟩; odłamywać ⟨-mać⟩ (się); ~ ***out*** wybuchać ⟨-chnąć⟩; *skóra*: pokrywać ⟨-kryć⟩ się; uciekać ⟨uciec⟩ (***of*** z *G*); ~ ***through*** przebijać ⟨-bić⟩ się; dokonywać ⟨-nać⟩ wyłomu; ~ ***up*** rozbijać ⟨-bić⟩ (się); zakańczać ⟨-kończyć⟩; *małżeństwo itp.*: rozstawać ⟨-stać⟩ się; *Brt.* zaczynać ⟨-cząć⟩ wakacje; **'~·a·ble** łamliwy, kruchy; **~·age** ['breɪkɪdʒ] stłuczenie *n*, szkoda *f*, zniszczenie *n*; **'~·a·way** rozdzielenie *n*, separacja *f*, odłączenie *n*; *attr.* frakcyjny

'break·down załamanie *n* się (*też fig.*); *tech.* awaria *f*, uszkodzenie *n*, defekt *m*; ***nervous ~*** załamanie *n* nerwowe; **'~ lor·ry** *Brt. mot.* pojazd *m* pomocy drogowej; **'~ ser·vice** *mot.* pomoc *f* drogowa; **'~ truck** *Brt. mot.* pojazd *m* pomocy drogowej

break·fast ['brekfəst] śniadanie *f*; ***have ~*** → ***have***; ⟨z⟩jeść śniadanie

'break|·through *fig.* przełom *m*, wyłom *m*; **'~·up** rozpad *m*, dezintegracja *f*

breast [brest] pierś *f*; *fig.* serce *n*; ***make a clean ~ of s.th.*** wyznawać ⟨-nać⟩ coś; **'~·stroke** (*w sporcie*) styl *m* klasyczny

breath [breθ] oddech *m*, dech *m*; ***be out of ~*** być bez tchu; ***waste one's ~*** mówić na próżno

breath·a|·lyse *Brt.*, **~·lyze** *Am.* ['breθəlaɪz] F dmuchać ⟨dmuchnąć⟩ w balonik; **'~·lys·er** *Brt.*; **'♀·lyz·er** *Am. TM* miernik *m* zawartości alkoholu we krwi, alkomat *m*, F balonik *m*

breathe [bri:ð] oddychać ⟨odetchnąć⟩

'breath|·less bez tchu, zadyszany; **'~·tak·ing** zapierający dech

bred [bred] *pret. i p.p. od* ***breed***

breech·es ['brɪtʃɪz] *pl.* bryczesy *pl.*

breed [bri:d] **1.** rasa *f*, odmiana *f*; **2.** (***bred***) *v/t. rośliny, zwierzęta* hodować; *v/i.* rozmnażać ⟨-nożyć⟩ się; **'~·er** hodowca *m*; zwierzę *n* hodowlane; *phys.* reaktor *m* powielający; **'~·ing** rozmnażanie *n*; hodowla *f*; chów *m*

breeze [bri:z] wietrzyk *m*, bryza *f*

breth·ren ['breðrən] *zwł. rel., pl.* bracia *pl.*, *przest.* brać *f*

brew [bru:] *piwo* warzyć (się); *herbatę* parzyć (się), zaparzać (się); **'~·er** piwowar *m*; **~·er·y** ['bruərɪ] browar *m*

bri·ar ['braɪə] → ***brier***

bribe [braɪb] **1.** łapówka *f*; **2.** dawać ⟨dać⟩ łapówkę, przekupywać ⟨-pić⟩; **brib·er·y** ['braɪbərɪ] przekupstwo *n*, łapownictwo *n*

brick [brɪk] **1.** cegła *f*; *Brt.* klocek *m*; **'~·lay·er** murarz *m*; **'~·yard** cegielnia *f*

brid·al ['braɪdl] ślubny, małżeński, zaślubiony

bride [braɪd] panna *f* młoda; **~·groom** ['braɪdgrum] pan *m* młody; **~s·maid** ['braɪdzmeɪd] druhna *f*

bridge [brɪdʒ] **1.** most *m*, pomost *m*; *naut.*, *med.* mostek *m*; brydż *m*; **2.** kłaść ⟨położyć⟩ most nad (*I*); *fig.* pokonywać ⟨-nać⟩, przerzucić pomost nad (*I*)

bri·dle ['braɪdl] **1.** uzda *f*; **2.** zakładać ⟨założyć⟩ uzdę; *fig.* ⟨o⟩kiełznać; **'~ path** ścieżka *f* do jazdy konnej

brief [bri:f] **1.** zwięzły, krótki; **2.** ⟨po⟩instruować, ⟨po⟩informować; **'~·case** aktówka *f*

briefs [bri:fs] *pl.* majtki *pl.*, *męskie* slipy *pl.*, *damskie* figi *pl.*

bri·er ['braɪə] *bot.* dzika róża *f*, szypszyna *f*

bri·gade [brɪ'geɪd] *mil.* brygada

bright [braɪt] jasny, jaskrawy; błyszczący; żywy, pogodny; bystry; **~·en** ['braɪtn] *v/t. też* ***~en up*** rozjaśniać ⟨-śnić⟩; ożywiać ⟨-wić⟩; *v/i. też* ***~en up*** rozpogadzać ⟨-godzić⟩ się, rozjaśniać ⟨-śnić⟩ się; **'~·ness** jasność *f*; jaskrawość *f*; żywość *f*; pogoda *f*; bystrość *f*

bril|·liance, ~·lian·cy ['brɪljəns, -jənsɪ] blask *m*, połysk *m*; *fig.* błyskotliwość *f*, lotność *f*; **'~·liant 1.** błyszczący; połyskujący; błyskotliwy, lotny; **2.** brylant *m*

brim [brɪm] **1.** brzeg *f*, krawędź *f*; rondo *n*; **2.** (***-mm-***) napełniać ⟨-nić⟩ po brzegi *lub* do pełna; **~·ful(l)** ['brɪmful] pełny, napełniony po brzegi

brine [braɪn] solanka *f*

bring [brɪŋ] (***brought***) przyprowadzać ⟨-dzić⟩, przynosić ⟨-nieść⟩, przywozić ⟨-wieźć⟩; *kogoś* skłaniać ⟨skłonić⟩ (***to do s.th.*** aby coś zrobił); *coś* doprowadzać (***to*** do *G*); ~ ***about*** ⟨s⟩powodować, wywoływać ⟨-łać⟩; ~ ***back*** zwracać ⟨zwrócić⟩; oddawać ⟨oddać⟩; ~ ***forth*** wydawać ⟨wydać⟩; ~ ***off*** wykonywać ⟨-nać⟩; ~ ***on*** ⟨s⟩powodować; ~ ***out*** *produkt* wypuszczać ⟨-uścić⟩; *cechy* wywoływać ⟨-łać⟩, wyzwalać ⟨-wolić⟩; ~ ***round*** ⟨o⟩cucić; przekonywać ⟨-nać⟩; ~ ***up*** wychowywać ⟨-wać⟩; dawać dobre wyniki; wspominać⟨wspomnieć⟩; *zwł. Brt. jedzenie* zwracać ⟨zwrócić⟩

brink [brɪŋk] brzeg *f*; krawędź (*też fig.*)

brisk [brɪsk] energiczny, dynamiczny; *powietrze*: świeży

bris•tle ['brɪsl] **1.** szczecina *f*; szczeciniasty zarost *m*; **2.** *też* ~ ***up*** ⟨z-, na⟩jeżyć się, ⟨na⟩stroszyć się; być najeżonym; tętnić; **'bris•tly** (*-er, -iest*) szczeciniasty

Brit [brɪt] F Angol *m*

Brit•ain ['brɪtn] Brytania *f*

Brit•ish ['brɪtɪʃ] brytyjski; ***the*** ~ *pl.* Brytyjczycy *pl.*; **'~ Isles** *pl.* Wyspy Brytyjskie *pl.*

Brit•on ['brɪtn] Brytyjczyk *m* (-jka *f*)

brit•tle ['brɪtl] kruchy, łamliwy, delikatny

broach [brəʊtʃ] *temat* poruszać ⟨-szyć⟩, omawiać ⟨-mówić⟩

broad [brɔːd] szeroki; *dzień*: biały; *mrugnięcie itp.*: wyraźny; *dowcip*: rubaszny; ogólny; rozległy, szeroki; liberalny; **'~•cast 1.** (***-cast*** *lub* ***-casted***) nadawać⟨-dać⟩,⟨wy⟩emitować,przekazywać ⟨-zać⟩; **2.** (*w telewizji, radiu*) program *m*, audycja *f*; **'~•cast•er** spiker(ka *f*) *m*; **~•en** ['brɔːdn] rozszerzać ⟨-rzyć⟩ (się), poszerzać; ⟨-rzyć⟩ (się); **'~ jump** *Am.* (*w sporcie*) skok *m* w dal; **~'mind•ed** tolerancyjny, liberalny

bro•cade [brə'keɪd] brokat *m*

bro•chure ['brəʊʃə] broszura *f*, prospekt *m*, folder *m*

brogue [brəʊg] *mocny skórzany* but *m*; dialekt *m* (*zwł. irlandzki*)

broil [brɔɪl] *zwł. Am.* → ***grill*** 1

broke [brəʊk] **1.** *pret. od* ***break***; **2.** F bez grosza przy duszy, goły; **bro•ken** ['brəʊkən] **1.** *p.p. od* ***break***; **2.** złamany, stłuczony; zepsuty; rozbity (*też fig.*); *angielski itp.*: łamany; **brok•en'heart•ed**: ***be*** ~ mieć złamane serce

bro•ker ['brəʊkə] *econ.* makler *m*, broker *m*, agent *m*

bron•chi•tis [brɒŋ'kaɪtɪs] *med.* zapalenie *n* oskrzeli, bronchit *m*

bronze [brɒnz] **1.** (*metal*) brąz *m*; **2.** z brązu; w kolorze brązu, brązowy

brooch [brəʊtʃ] broszka *f*

brood [bruːd] **1.** wylęg *m*, lęg *m*; *attr.* lęgowy; **2.** wysiadywać (*jaja*) (*też fig.*)

brook [brʊk] strumień *m*

broom [bruːm, brʊm] miotła *f*; **'~•stick** kij *m* do miotły

Bros. [brɒs] *skrót*: ***brothers*** bracia *pl.* (*w nazwach firm*)

broth [brɒθ] bulion *m*, rosół *m*

broth•el ['brɒθl] burdel *m*, dom *m* publiczny

broth•er ['brʌðə] brat *m*; **~(*s*) *and sister*(*s*)** rodzeństwo *n*; **~•hood** *rel.* ['brʌðəhʊd] braterstwo *n*; **~-in-law** ['brʌðərɪnlɔː] (*pl.* ***brothers-in-law***) szwagier *m*; **'~•ly 1.** *adj.* braterski; **2.** *adv.* po bratersku

brought [brɔːt] *pret. i p.p. od* ***bring***

brow [braʊ] brew *f*; czoło *n*; grzbiet *m* (*wzgórza*); **'~•beat** (***browbeat, browbeaten***) zastraszać ⟨-szyć⟩, onieśmielać ⟨-lić⟩

brown [braʊn] **1.** brązowy; **2.** *kolor*: brąz *m*; **3.** ⟨z⟩brązowieć; ⟨pod-, przy⟩rumienić

browse [braʊz] przeglądać ⟨-dnąć⟩, ⟨po⟩szperać; *zwierzę*: ⟨po⟩skubać (*trawę*), paść się

bruise [bruːz] **1.** siniak *m*; obicie *n*; **2.** ⟨po⟩siniaczyć; *owoce* ⟨po⟩obijać

brunch [brʌntʃ] (*późne obfite śniadanie*)

brush [brʌʃ] **1.** szczotka *f*, szczoteczka *f*; pędzel *m*; *lisia* kita *f*, ogon *m*; scysja *f*, zwada *f*; otarcie *n* się; zarośla *pl.*; **2.** ⟨wy⟩szczotkować; zamiatać ⟨-mieść⟩; ocierać ⟨otrzeć⟩ się; ~ ***against*** ocierać ⟨otrzeć⟩ się o (*A*); ~ ***away***, ~ ***off*** odrzucać ⟨-cić⟩; odsuwać ⟨-sunąć⟩ na bok; ~ ***aside***, ~ ***away*** ⟨z⟩ignorować; ~ ***up*** *znajomość języka* ⟨pod⟩szlifować, odświeżać ⟨-żyć⟩; ***give one's English a*** ~ ***up*** podszlifować swój angielski; **'~•wood** chrust *m*, zarośla *pl.*

brusque [bruːsk] szorstki, opryskliwy

Brus•sels Bruksela *f*

Brus•sels sprouts [brʌsl'spraʊts] *bot. pl.* brukselka *f*

bru•tal ['bruːtl] brutalny; **~•i•ty** [bruː'tælətɪ] brutalność *f*

brute [bruːt] **1.** brutalny; **2.** zwierzę *n*, zwierz *m*, *fig.* F bydlę *n*, bydlak *m*

BS [biː 'es] *Brt. skrót*: ***British Standard*** Norma *f* Brytyjska; *Am.* → ***BSc***

BSc [biː es 'siː] *Brt. skrót*: ***Bachelor of Science*** licencjat *m* (*nauk przyrodniczych*)

BST [biː es 'tiː] *Brt. skrót*: ***British***

Summer Time czas letni w Wielkiej Brytanii

BT [biː 'tiː] *skrót*: ***British Telecom*** Brytyjski Telecom (*brytyjska firma telekomunikacyjna*)

BTA [biː tiː 'eɪ] *skrót*: ***British Tourist Authority*** (*brytyjski urząd ds. turystyki*)

bub·ble ['bʌbl] **1.** bańka *f*, pęcherzyk *m*; **2.** musować; ⟨za⟩kipieć; ⟨za⟩wrzeć, ⟨za⟩kipieć (*też fig.*)

buck[1] [bʌk] **1.** (*pl.* ***buck***, ***bucks***) kozioł *m* (*antylopy*, *jelenia*); **2.** *v/i.* brykać ⟨bryknąć⟩, podskakiwać ⟨-koczyć⟩

buck[2] [bʌk] *Am.* (*dolar*) F dolec *m*, zielony *m*

buck·et ['bʌkɪt] kubeł *m*, wiadro *n*, ceber *m*; *tech.* czerpak *m*

buck·le ['bʌkl] **1.** klamra *f*; sprzączka *f*, zapinka *f*; **2.** *też* ~ ***up*** zapinać ⟨-piąć⟩ (*na klamrę lub sprzączkę*); ~ ***on*** przypinać ⟨-piąć⟩ (się)

'buck·skin zamsz *m*, ircha *f*

bud [bʌd] **1.** *bot.* pączek *m*, pąk *m*; *fig.* pączek *m*, zarodek *m*; **2.** (***-dd-***) puszczać ⟨puścić⟩ pączki

Bu·da·pest Budapeszt *m*

bud·dy ['bʌdɪ] *Am.* F koleś *m*, facet *m*

budge [bʌdʒ] *v/i.* ruszać ⟨ruszyć⟩ się (*z miejsca*); *v/t.* ruszać ⟨ruszyć⟩ (*z miejsca*)

bud·ger·i·gar ['bʌdʒərɪgɑː] *zo.* papużka *f* falista

bud·get ['bʌdʒɪt] budżet *m*, *parl.* plan *m* budżetowy

bud·gie ['bʌdʒɪ] *zo.* F → ***budgerigar***

buff [bʌf] F *w złożeniach*: entuzjasta *m* (-tka *f*) (*G*), znawca *m* (-czyni *f*) (*G*)

buf·fa·lo ['bʌfələʊ] (*pl.* ***-loes, -los***) bawół *m*; (*w USA*) bizon *m*

buff·er ['bʌfə] *tech.* bufor *m*; zderzak *m*

buf·fet[1] ['bʌfɪt] uderzać ⟨-rzyć⟩ o (*A*) *lub* w (*A*); ~ ***about*** obijać ⟨obić⟩ (się)

buf·fet[2] ['bʌfɪt] bufet *m*; kredens *m*

bug [bʌg] **1.** *zo.* pluskwa *f*; *Am. zo.* owad *m*, robak *m*; F (*ukryty mikrofon*) pluskwa *f*; *komp.* F (*błąd w programie*) pluskwa *f*; **2.** (***-gg-***) F zakładać ⟨-łożyć⟩ pluskwę (*podsłuch*); F wnerwiać ⟨-wić⟩; **'~·ging de·vice** F pluskwa *f*; urządzenie *n* podsłuchowe; **'~·ging op·e·ration** akcja *f* założenia podsłuchu

bug·gy ['bʌgɪ] *mot.* buggy *m* (*pojazd do jazdy po wydmach dla rozrywki*); *Am.* wózek *m* dziecięcy

bu·gle ['bjuːgl] trąbka *f* sygnałowa, sygnałówka *f*

build [bɪld] **1.** (***built***) ⟨z⟩budować; **2.** budowa *f* (*ciała*), figura *f*; **'~·er** budowniczy *m*, F budowlaniec *m*

build·ing ['bɪldɪŋ] budowa *f*, budowanie *n*; budynek *m*; *attr.* budowlany, ... budowy; **'~ site** plac *m* budowy

built [bɪlt] *pret. i p.p. od* ***build*** 1; **~-'in** wbudowany; **~-'up**: ***~-up area*** teren *m lub* obszar *m* zabudowany

bulb [bʌlb] *bot.* cebulka *f*, bulwa *f*; *electr.* żarówka *f*

Bul·gar·i·a Bułgaria *f*

bulge [bʌldʒ] **1.** wybrzuszenie *n*, wypukłość *f*; **2.** wybrzuszać ⟨-szyć⟩ (się); wypychać ⟨-pchać⟩

bulk [bʌlk] duża ilość *f*, masa *f*; większość *f*; *econ.* towar *m* masowy; ***in ~*** *econ.* luzem, w całości; **'~·y** (***-ier, -iest***) zajmujący wiele miejsca; mało poręczny

bull [bʊl] *zo.* byk *m*, samiec *m* (*słonia*); **'~·dog** *zo.* buldog *m*

bull|·doze ['bʊldəʊz] ⟨z⟩niwelować; *fig.* ⟨z⟩równać; **'~·doz·er** *tech.* buldożer *m*, spycharka *f*

bul·let ['bʊlɪt] nabój *m*, kula *f*

bul·le·tin ['bʊlɪtɪn] biuletyn *m*; **'~board** tablica *f* ogłoszeń

'bul·let-proof kuloodporny

bul·lion ['bʊljən] sztaby *pl.* kruszcu (*złota, srebra*)

bul·lock ['bʊlək] *zo.* wół *m*

'bull's-eye: ***hit the ~*** trafić w dziesiątkę

bul·ly ['bʊlɪ] **1.** (*osoba znęcająca się nad słabszymi*); **2.** ⟨s⟩tyranizować

bul·wark ['bʊlwək] przedmurze *n* (*też fig.*); szaniec *m*; *naut.* nadburcie *n*

bum[1] [bʌm] *Am.* F **1.** włóczęga *m*, tramp *m*; nierób *m*, obibok *m*; **2.** włóczyć się; obijać się

bum[2] [bʌm] *Brt.* F zadek *m*, tyłek *m*

'bum·ble·bee *zo.* trzmiel *m*

bump [bʌmp] **1.** uderzenie *n*, stuknięcie *n*; guz *m* (*na kolanie itp.*); nierówność *f*, wybój *m*; **2.** *v/t.* uderzyć, stuknąć; *v/i.* podskakiwać; ~ ***into*** natykać ⟨-knąć⟩ się na (*A*)

'bump·er zderzak *m*; **~-to-'~** zderzak do zderzaka, zderzak w zderzak

'bump·y (***-ier, -est***) wyboisty

bun [bʌn] słodka bułka *f*; kok *m* (*na głowie*)
bunch [bʌntʃ] wiązka *f*, pęk *m*; wiązanka *f*, bukiet *m*; F paczka *f*, grupa *f*; ***a ~ of grapes*** kiść *f* winogron; ***~ of keys*** pęk *m* kluczy
bun·dle ['bʌndl] **1.** tłumok *m*, tobół *m*; wiązka *f* (*drew*); pakunek *m*; **2.** *v/t. lub* ***~ up*** ⟨z⟩wiązać razem
bun·ga·low ['bʌŋgələʊ] bungalow *m*, domek *m* parterowy
bun·gee [bən'dʒiː] lin(k)a *f* elastyczna; ***~ jumping*** (*skoki z bardzo dużej wysokości na elastycznej linie*)
bun·gle ['bʌŋgl] **1.** partanina *f*; **2.** ⟨s⟩partaczyć, ⟨s⟩paprać
bunk [bʌŋk] koja *f*; **'~ bed** łóżko *n* piętrowe
bun·ny ['bʌnɪ] króliczek *m*
buoy [bɔɪ] *naut.* **1.** boja *f*; **2.** ***~ up*** *fig.* wspierać ⟨wesprzeć⟩ duchowo
bur·den ['bɜːdn] **1.** ciężar *m*; obciążenie *n*; **2.** obciążać ⟨-żyć⟩, obarczać ⟨-czyć⟩ brzemieniem
bu·reau ['bjʊərəʊ] (*pl.* ***-reaux*** [-rəʊz], ***-reaus***) *Brt.* sekretarzyk *m*, biurko *n*; *Am.* komoda *f*, komódka *f* (*zwł. z lustrem*); biuro *n*, urząd *m*
bu·reauc·ra·cy [bjʊə'rɒkrəsɪ] biurokracja *f*
burg·er ['bɜːgə] *gastr.* hamburger *m*
bur|·glar ['bɜːglə] włamywacz *m* (-ka *f*); **~·glar·ize** ['bɜːgləraɪz] *Am.* → ***burgle***; **~·glar·y** ['bɜːglərɪ] włamanie *n*; **~·gle** ['bɜːgl] włamywać ⟨-mać⟩ się do (*G*)
bur·i·al ['berɪəl] pogrzeb *m*, pochówek *m*
bur·ly ['bɜːlɪ] (***-ier, -iest***) krzepki, zwalisty
burn [bɜːn] **1.** *med.* oparzenie *n*; przypalenie *n*; **2.** (***burnt*** *lub* ***burned***) ⟨po-, s⟩parzyć; ***~ down*** spalić (się); ***~ up*** spalić (się); rozpalać ⟨-lić⟩ (się); **'~·ing** płonący (*też fig.*)
burnt [bɜːnt] *pret. i p.p. od* **burn** 2
burp [bɜːp] F beknąć; ***she ~ed*** odbiło jej się, beknęła; ***he ~ed the baby*** sprawił, że dziecku odbiło się
bur·row ['bʌrəʊ] **1.** nora *f*; **2.** ⟨wy-, za⟩grzebać (się)
burst [bɜːst] **1.** pękanie *n*; pęknięcie *n*; rozrywanie *n* się; *fig.* wybuch *m*; **2.** (***burst***) *v/i.* pękać ⟨-knąć⟩; rozrywać ⟨-zerwać⟩ się; eksplodować; ***~ in on*** *lub* ***upon*** wpadać ⟨wpaść⟩ na (*A*); ***~ into tears*** wybuchać ⟨-nąć⟩ płaczem; ***~ out of*** *fig.* wypadać ⟨-paść⟩ z (*G*); *v/t.* przebijać ⟨-bić⟩
bur·y ['berɪ] *kogoś* ⟨po⟩grzebać, pochować; *coś* zakopywać ⟨-pać⟩
bus [bʌs] (*pl.* ***-es, -ses***) autobus *m*; **'~ driv·er** kierowca *m* autobusu
bush [bʊʃ] krzak *m*, krzew *m*
bush·el ['bʊʃl] buszel *m* (*Brt. 36,37 l, Am. 35,24 l*)
'bush·y (***-ier, -iest***) krzaczasty
busi·ness ['bɪznɪs] sprawa *f*; zadanie *n*; interes *m*, biznes *m*; działalność *f*; transakcja *f* handlowa; interesy *pl.*; przedsiębiorstwo *n*, firma *f*; branża *f*; *attr.* służbowy, handlowy, gospodarczy; ***~ of the day*** porządek *m* dnia; ***on ~*** służbowo; ***you have no ~ doing*** (*lub* ***to do***) ***that*** nie masz żadnego prawa tak robić; ***that's none of your ~*** to nie twoja sprawa; → ***mind*** 2; **'~ hours** *pl.* godziny *pl.* pracy; **'~·like** rzeczowy; **'~·man** (*pl.* ***-men***) biznesmen *m*; **'~ trip** podróż *f* służbowa; **'~·wom·an** (*pl.* ***-women***) kobieta *f* interesu, bizneswoman *f*
'bus stop przystanek *m* autobusowy
bust[1] [bʌst] biust *m*
bust[2] [bʌst] F: ***go ~*** ⟨s⟩plajtować
bus·tle ['bʌsl] **1.** ożywienie *n*, krzątanina *f*; **2.** ***~ about*** krzątać się, uwijać się
bus·y ['bɪzɪ] **1.** (***-ier, -iest***) zajęty (*też* ***at*** *I*); *ulica*: ruchliwy; *dzień*: pracowity *Am. tel.* zajęty; **2.** ***~ o.s. with*** zajmować się (*I*); **'~·bod·y** wścibski *m* (-ka *f*); **'~ sig·nal** *Am. tel.* sygnał *m* zajęty
but [bʌt, bət] **1.** *cj.* ale, lecz; ależ, jednak; ***~ then*** z drugiej strony; ***he could not ~ laugh*** musiał się wówczas roześmiać; **2.** *prp.* oprócz, prócz, poza; ***all ~ him*** wszyscy oprócz niego; ***the last ~ one*** przedostatni; ***nothing ~*** wyłącznie, jedynie; ***~ for*** gdyby nie; **3.** *adv.* tylko, dopiero; ***all ~*** prawie
butch·er ['bʊtʃə] **1.** rzeźnik *m*; **2.** ⟨za⟩szlachtować, zarzynać ⟨zarżnąć⟩ (*też fig.*)
but·ler ['bʌtlə] kamerdyner *m*
butt[1] [bʌt] **1.** kolba *f* (*broni*); uchwyt *m*; niedopałek *m*, F pet *m*; uderzenie *n* głową; **2.** uderzać ⟨-rzyć⟩ głową; ***~ in*** F ⟨w⟩mieszać się (***on*** do *G*)
butt[2] [bʌt] beczka *f*, baryłka *f*
but·ter ['bʌtə] **1.** masło *n*; **2.** ⟨po⟩sma-

rować masłem; '~·**cup** *bot.* jaskier *m*; '~·**fly** *zo.* motyl *m*
but·tocks ['bʌtəks] *pl.* pośladki *pl.*, F *lub zo.* zad *m*
but·ton ['bʌtn] **1.** guzik *m*; przycisk *m*; plakietka *f*, znaczek *m* (*z nazwiskiem*); **2.** *zw.* ~ ***up*** zapinać ⟨-piąć⟩ na guziki; '~·**hole** dziurka *f* (*od guzika*)
but·tress ['bʌtrɪs] *arch.* przypora *f*; ***flying*** ~ łuk *m* przyporowy
bux·om ['bʌksəm] dorodny, postawny
buy [baɪ] **1.** kupno *n*, nabytek *m*; **2.** (***bought***) *v/t.* kupować ⟨kupić⟩ (***of, from*** od *G*, z *G*, ***at*** u *G*), nabywać ⟨nabyć⟩; ~ ***out*** *lub* ***up*** wykupywać ⟨wykupić⟩; '~·**er** nabywca *m*, kupujący *m* (-ca *f*)
buzz [bʌz] **1.** brzęczenie *n*; szmer *m* (*głosów*); **2.** *v/i.* ⟨za⟩brzęczeć, ⟨za⟩-szemrać; ~ ***off!*** *Brt.* F odwal się!
buz·zard ['bʌzəd] *zo.* myszołów *m*
buzz·er ['bʌzə] *electr.* brzęczyk *m*
by [baɪ] **1.** *prp. przestrzeń*: przy (*L*), u (*G*), obok (*G*); *czas*: do (*G*), aż do (*G*) (***be back by 9.30*** wróć do 9.30); *pora dnia*: za (*G*), w ciągu (*G*) (~ ***day*** w ciągu dnia); *przyczyna*: przez (*A*) (***done*** ~ ***Mary*** zrobione przez Mary); *środek transportu*: ~ ***bus*** autobusem; ~ ***rail*** koleją; ~ ***letter*** listownie; na (*A*) (~ ***the dozen*** na tuziny); na (*L*), według (*G*) (~ ***my watch*** na moim zegarku *lub* według mojego zegarka); z (~ ***nature*** z natury); *autor*: (napisane) przez (*G*) (***a play*** ~ ***Osborne*** sztuka Osborne'a); *porównania wielkości*: o (*A*) (~ ***an inch*** o cal); *math.* (pomnożone) przez (*A*), razy (***2*** ~ ***4*** 2 razy 4); *math.* (*podzielone*) przez (*A*) (***2*** ~ ***4*** 2 przez 4); **2.** *adv.* obok (*G*), w pobliżu (*G*) (***go*** ~ przechodzić obok (*G*), *czas*: przelatywać); na bok (***put*** ~ odłożyć na bok); ~ ***and large*** ogólnie, generalnie
by... [baɪ] uboczny, boczny
bye [baɪ] *int.* F: ~-'**bye** do widzenia!, cześć!
'**by**|-**e·lec·tion** wybory *pl.* uzupełniające; '~·**gone 1.** miniony, były; **2.** ***let*** ~***gones be*** ~***gones*** co było, to było; '~·**pass 1.** obwodnica *f*; *med.* bypass *m*, połączenie *n* omijające; **2.** omijać ⟨ominąć⟩; unikać ⟨-knąć⟩; '~-**prod·uct** produkt *m* uboczny; '~·**road** boczna droga *f*; '~·**stand·er** przechodzeń *m*, świadek *m*
byte [baɪt] *komp.* bajt *m*
'**by**|·**way** boczna droga *f*; '~·**word** symbol *m*, uosobienie *n*; ***be a*** ~***word for*** uosabiać (*A*)

C

C *skrót pisany*: ***Celsius*** C, Celsjusza; ***centigrade*** w skali stustopniowej *lub* Celsjusza
c *skrót pisany*: ***cent***(***s***) cent *m lub pl.*; ***century*** w., wiek(u); ***circa*** ca., ok., około; ***cubic*** sześcienny
cab [kæb] taksówka *f*; kabina *f* (*ciężarówki, dźwigu*); *rail.* przedział *m* maszynisty, budka *f* maszynisty; dorożka *f*
cab·a·ret ['kæbəreɪ] kabaret *m*
cab·bage ['kæbɪdʒ] *bot.* kapusta *f*
cab·in ['kæbɪn] *naut.*, *aviat.* kabina *f*; *naut.* kajuta *f*; chata *f*
cab·i·net ['kæbɪnɪt] szafka *f*, witryna *f*, gablota *f*; *pol.* gabinet *m*; '~-**mak·er** stolarz *m*; '~ **meet·ing** spotkanie *n* gabinetu
ca·ble ['keɪbl] **1.** *electr.* kabel *m*, przewód *m*; **2.** ⟨za-, prze⟩telegrafować; *pieniądze* przesyłać ⟨-słać⟩ telegraficznie; *TV* połączyć kablem; '~ **car** wagon (*kolejki linowej*) *m*; '~·**gram** telegram *m* (*zagraniczny*); '~ **rail·way** kolej *m* linowa; ~ '**tel·e·vi·sion**, ~ **TV** [- tiː 'viː] telewizja *f* kablowa
'**cab**|**rank**, '~·**stand** postój *m* taksówek *lub* dorożek
cack·le ['kækl] **1.** gdakanie *n*; *ludzki* rechot *m*; **2.** ⟨za⟩gdakać; ⟨za⟩rechotać
cac·tus ['kæktəs] *bot.* (*pl.* ***-tuses, -ti*** ['kæktaɪ]) kaktus *m*
CAD [siː eɪ 'diː, kæd] *skrót*: ***computer-aided design*** CAD (*projektowanie wspomagane komputerowo*)
ca·dence ['keɪdəns] *mus.* kadencja *f*; rytm *m* (*mowy*)

C

ca·det [kə'det] *mil.* kadet *m*
caf·é, caf·e ['kæfeɪ] kawiarnia *f*, kafejka *f*
caf·e·te·ri·a [kæfɪ'tɪərɪə] bar *m* samoobsługowy; bufet *m*; stołówka *f*
cage [keɪdʒ] **1.** klatka *f*; kabina *f* (*windy*); **2.** zamykać ⟨-knąć⟩ w klatce
Cai·ro Kair *m*
cake [keɪk] **1.** ciasto *n*, ciastko *n*, tort *m*; tabliczka *f* (*czekolady*), kostka *f* (*mydła*); **2.** **~*d with mud*** oblepiony błotem
CAL [kæl] *skrót*: ***computer-aided*** *lub* ***-assisted learning*** CAL (*nauczanie wspomagane komputerowo*)
ca·lam·i·ty [kə'læmɪtɪ] katastrofa *f*, klęska *f*, zguba *f*
cal·cu|·late ['kælkjʊleɪt] *v/t.* liczyć, ⟨ob-, wy⟩liczyć, kalkulować; *Am.* F przypuszczać ⟨-puścić⟩, sądzić; *v/i.* **~*late on*** liczyć na (*A*); **~·la·tion** [kælkjʊ'leɪʃn] obliczenie *n*, wyliczenie *n*, kalkulacja *f* (*też fig.*, *econ.*); namysł *m*; **~·la·tor** ['kælkjʊleɪtə] kalkulator *m*
cal·en·dar ['kælɪndə] kalendarz *m*
calf[1] [kɑːf] (*pl.* ***calves*** [kɑːvz]) łydka *f*
calf[2] [kɑːf] (*pl.* ***calves*** [kɑːvz]) cielę *n*; **'~·skin** skóra *f* cielęca
cal·i·bre *zwł. Brt.*, **cal·i·ber** *Am.* ['kælɪbə] kaliber *m*
Cal·i·for·nia Kalifornia *f*
call [kɔːl] **1.** wołanie *n*; *tel.* rozmowa *f*; głos *m*; wezwanie *n* (***to*** do *G*); powołanie *n* (***for*** na *A*); *krótka* wizyta *f* (***on s.o.*** u kogoś); *econ.* popyt *m*, zapotrzebowanie *n* (***for*** na *A*); potrzeba *f*; ***on ~*** na żądanie; ***be on ~*** *lekarz*: być dostępnym na wezwanie; ***make a ~*** ⟨za⟩dzwonić; składać ⟨złożyć⟩ wizytę (***on s.o.*** komuś); **2.** *v/t.* ⟨za⟩wołać, wzywać ⟨wezwać⟩; *tel.* ⟨za⟩dzwonić do (*G*); nazywać ⟨nazwać⟩; powoływać ⟨-łać⟩ (***to*** na *A*); *uwagę* ⟨s⟩kierować; ***be called*** nazywać się; ***~ s.o. names*** przezywać ⟨-zwać⟩ kogoś; *v/i.* wołać, wzywać ⟨wezwać⟩; *tel.* ⟨za⟩dzwonić; przybywać ⟨-być⟩ w odwiedziny (***on s.o.*** do kogoś, ***at s.o.'s*** [***house***] do czyjegoś domu); ***~ at a port*** zawijać ⟨zawinąć⟩ do portu; ***~ collect*** *Am. tel.* ⟨za⟩dzwonić na koszt odbiorcy; ***~ for*** wymagać, domagać się; *pomoc* wzywać ⟨wezwać⟩; *paczkę* zgłaszać ⟨zgłosić⟩ się po (*A*); ***~ on*** zwracać się do *kogoś* (***for*** o *A*), wzywać *kogoś* (***to do s.th.*** aby coś zrobił); ***~ on s.o.*** odwiedzać ⟨-wiedzić⟩ kogoś; **'~ box** *Brt.* budka *f* telefoniczna; **'~·er** telefonujący *m* (-ca *f*), rozmówca *m* (-czyni *f*); gość *m*; **'~ girl** (*prostytutka wzywana telefonicznie*) call girl *f*; **'~-in** *Am.* → ***phone-in***; **'~·ing** powołanie *n*; zawód *m*
cal·lous ['kæləs] *skóra*: zgrubiały; *fig.* gruboskórny
calm [kɑːm] **1.** spokojny; **2.** spokój *m*; cisza *f*; **3.** *często* ***~ down*** uspokajać ⟨-koić⟩ się
cal·o·rie ['kælərɪ] kaloria *f*; ***rich*** *lub* ***high in ~s*** *pred.* wysokokaloryczny; ***low in ~s*** *pred.* niskokaloryczny; → ***high-calorie, low-calorie***; **'~-conscious** zwracający uwagę na ilość kalorii
calve [kɑːv] ⟨o⟩cielić się
calves [kɑːvz] *pl. od* ***calf***[2]
CAM [siː eɪ 'em, kæm] *skrót*: ***computer-aided manufacture*** (*produkcja wspomagana komputerowo*)
cam·cor·der ['kæmkɔːdə] (*kamera wideo zintegrowana z urządzeniem nagrywającym*) kamkorder *m*
came [keɪm] *pret. od* ***come***
cam·el ['kæml] *zo.* wielbłąd *m*
cam·e·o ['kæmɪəʊ] (*pl.* ***-os***) kamea *f*; *theat.*, *film*: krótka scenka *f* (*dla znanego aktora*)
cam·e·ra ['kæmərə] kamera *f*; aparat *m* fotograficzny
cam·o·mile ['kæməmaɪl] *bot.* rumianek *m*; *attr.* rumiankowy
cam·ou·flage ['kæmʊflɑːʒ] **1.** kamuflaż *m*; **2.** ⟨za⟩maskować
camp [kæmp] **1.** obóz *m*; **2.** obozować; ***~ out*** biwakować
cam·paign [kæm'peɪn] **1.** *mil.*, *fig.* kampania *f*; *pol.* walka *f* wyborcza; **2.** *fig.* prowadzić ⟨przeprowadzić⟩ kampanię (***for*** za *I*, ***against*** przeciwko *D*)
camp| 'bed *Brt.*, **~ 'cot** *Am.* łóżko *n* składane *lub* polowe; **'~er (van)** samochód *m* kempingowy; **'~·ground**, **'~·site** kemping *m*, pole *n* namiotowe
cam·pus ['kæmpəs] campus *m*, miasteczko *n* uniwersyteckie
can[1] [kæn, kən] *v/aux.* (*pret.* ***could***; *z przeczeniem*: ***cannot, can't***) móc; potrafić, umieć
can[2] [kæn, kən] **1.** puszka *f*; konserwa *f* (*w puszce*); kanister *m*; blaszanka *f*; **2.**

C

(-*nn*-) ⟨za⟩puszkować, ⟨za⟩konserwować
Can·a·da ['kænədə] Kanada *f*; **Ca·na·di·an** [kə'neɪdjən] **1.** kanadyjski; **2.** Kanadyjczyk *m* (-jka *f*)
ca·nal [kə'næl] kanał *m* (*też anat.*)
ca·nar·y [kə'neərɪ] *zo.* kanarek *m*
can·cel ['kænsl] (*zwł. Brt.* **-ll-** , *Am.* **-l-**) odwoływać ⟨-łać⟩; anulować, unieważniać ⟨-nić⟩; odmawiać ⟨odmówić⟩; ⟨s⟩kasować; ***be ~(l)ed*** nie odbywać ⟨odbyć⟩ się
can·cer ['kænsə] *med.* rak *m*; ♋ *znak Zodiaku*: Rak *m*; ***he/she is (a)*** ♋ on(a) jest spod znaku Raka; **~·ous** ['kænsərəs] rakowaty, rakowy
can·did ['kændɪd] szczery, otwarty
can·di·date ['kændɪdət] kandydat *m* (-ka *f*) (***for*** na *A*), ubiegający *m* się (-ca *f*) (***for*** o *A*)
can·died ['kændɪd] kandyzowany
can·dle ['kændl] świeca *f*; świeczka *f*; ***burn the ~ at both ends*** łapać wiele srok za ogon na raz; **'~·stick** lichtarz *m*, świecznik *m*
can·do(u)r ['kændə] szczerość *f*, otwartość *f*
C&W [siː ənd 'dʌbljuː] *skrót*: ***country and western*** (muzyka) country
can·dy ['kændɪ] **1.** cukier *m* gruboskrystaliczny; *Am.* słodycze *pl.*; **2.** kandyzować; **'~floss** *Brt.* wata *f* cukrowa; **'~ store** sklep *m* ze słodyczami
cane [keɪn] *bot.* trzcina *f*
ca·nine ['keɪnaɪn] psi
canned [kænd] puszkowy, puszkowany; konserwowy, konserwowany; **~ 'fruit** konserwowane owoce *pl.*
can·ne·ry ['kænərɪ] *zwł. Am.* fabryka *f* konserw
can·ni·bal ['kænɪbl] kanibal *m*
can·non ['kænən] armata *f*, działo *n*; *mil.* lotnicze działko *f* szybkostrzelne
can·not ['kænɒt] → ***can***[1]
can·ny ['kænɪ] (***-ier, -iest***) przebiegły, sprytny
ca·noe [kə'nuː] **1.** kanoe *n*, canoe *n*, kajak *m*; **2.** pływać w kajaku *lub* kanoe
can·on ['kænən] kanon *m*
'can o·pen·er *Am.* otwieracz *m* do konserw
can·o·py ['kænəpɪ] baldachim *m*
cant [kænt] żargon *m*; frazesy *pl.*
can't [kɑːnt] *zamiast* ***cannot*** → ***can***[1]
can·tan·ker·ous [kæn'tæŋkərəs] zrzędliwy, gderliwy
can·teen [kæn'tiːn] *zwł. Brt.* stołówka; *mil.* kantyna *f*; *mil.* manierka; zestaw *pl.* sztućców
can·ter ['kæntə] **1.** kłus *m*; **2.** kłusować, iść kłusem
can·vas ['kænvəs] brezent *m*, płótno *n* żeglarskie; płótno *n*, obraz *m* na płótnie; *naut.* żagle *pl.*
can·vass ['kænvəs] **1.** *pol.* kampania *f* wyborcza; *econ.* akcja *f* reklamowa; akwizycja *f*; werbowanie *n*; **2.** *v/t. opinię* ⟨z⟩badać; ⟨z⟩werbować; *pol. głosy* zdobywać ⟨-być⟩; *v/i. pol.* ⟨prze⟩prowadzić kampanię wyborczą
can·yon ['kænjən] kanion *m*
cap [kæp] **1.** czapka *f*; *kąpielowy, pielęgniarski* czepek *m*; nasadka *f*; kapsel *m*, nakrętka *f*; **2.** (***-pp-***) nakrywać ⟨-ryć⟩, przykrywać ⟨-ryć⟩; *fig.* ⟨u⟩koronować; przewyższać ⟨-szyć⟩, przebijać ⟨-bić⟩
ca·pa|·bil·i·ty [keɪpə'bɪlətɪ] zdolność *f*; **~·ble** ['keɪpəbl] zdolny (***of*** do *G*); ***be ~ble of doing s.th.*** móc *lub* potrafić coś zrobić
ca·pac·i·ty [kə'pæsətɪ] pojemność *f*; możliwość *f*, zdolność *f*, zdatność *f*; *tech.* wydajność *f*, przepustowość *f*; ***in my ~ as*** w ramach moich obowiązków jako, jako
cape[1] [keɪp] przylądek *m*, cypel *m*
cape[2] [keɪp] peleryna *f*
Cape Town Kapsztad *m*
ca·per ['keɪpə] **1.** *bot.* kapar *m*; psota *f*, figlarny podskok *m* **2.** podskakiwać (*z radości*)
ca·pil·la·ry [kə'pɪlərɪ] *anat.* naczynie *n* włosowate
cap·i·tal ['kæpɪtl] **1.** stolica *f*; wersalik *m*, wielka litera *f*; **2.** główny, podstawowy, zasadniczy; *econ.* kapitałowy, inwestycyjny; *jur. przestępstwo*: karany śmiercią; **~ 'crime** przestępstwo *n* zagrożone karą śmierci
cap·i·tal|·is·m ['kæpɪtəlɪzəm] kapitalizm *m*; **~·ist** ['kæpɪtəlɪst] kapitalistyczny; **~·ize** ['kæpɪtəlaɪz] *econ.* ⟨z⟩kapitalizować, ⟨z⟩gromadzić kapitał; zaopatrywać ⟨-trzyć⟩ w kapitał; ***~ize on*** odcinać ⟨-ciąć⟩ kupony od (*G*)
cap·i·tal|'let·ter *print.* wielka litera *f*,

wersalik *m*; ~ **'pun·ish·ment** *jur.* kara *f* śmierci

ca·pit·u·late [kə'pɪtjʊleɪt] ⟨s⟩kapitulować (*to* przed *I*)

ca·pri·cious [kə'prɪʃəs] kapryśny

Cap·ri·corn ['kæprɪkɔːn] *znak Zodiaku*: Koziorożec *m*; ***he/she is (a)*** ~ on(a) jest spod znaku Koziorożca

cap·size [kæp'saɪz] przewracać ⟨-wrócić⟩ (się) do góry dnem

cap·sule ['kæpsjuːl] *pharm.* kapsułka *f*; *astr.* kapsuła *f*; kabina *f* (*statku kosmicznego*)

cap·tain ['kæptɪn] kapitan *m*; dowódca *m*

cap·tion ['kæpʃn] podpis *m* (*pod rysunkiem, zdjęciem*); napis *m* (*na filmie*)

cap|·ti·vate ['kæptɪveɪt] *fig.* porywać ⟨porwać⟩, urzekać ⟨urzec⟩; **~·tive** ['kæptɪv] **1.** pojmany, schwytany; zniewolony; *balon*: na uwięzi; ***hold ~tive*** pojmować ⟨pojmać⟩ do niewoli; **2.** jeniec *m*; **~·tiv·i·ty** [kæp'tɪvətɪ] niewola *f*

cap·ture ['kæptʃə] **1.** pojmanie *n*, schwytanie *n*, ujęcie *n*; **2.** pojmować ⟨-jąć⟩, schwytać, pojmować ⟨pojąć⟩; *naut.* ⟨s⟩kaperować

car [kɑː] samochód *m*, auto *n*; *tramwajowy, kolejowy* wagon *m*; gondola *f*, kosz *m*; kabina *f* (*windy*); ***by*** ~ samochodem

car·a·mel ['kærəmel] (*cukier*) karmel *m*, cukier *m* palony; (*cukierek*) karmelek *m*

car·a·van ['kærəvæn] karawana *f*; *Brt.* przyczepa *f* kempingowa; ⚠ *nie* ***karawan***; **'~ site** pole *n* kempingowe (*dla przyczep*)

car·a·way ['kærəweɪ] *bot.* kminek *m*

car·bine ['kɑːbaɪn] *mil.* karabin *m*

car·bo·hy·drate [kɑːbəʊ'haɪdreɪt] *chem.* węglowodan *m*

'car bomb bomba *f* w samochodzie

car·bon ['kɑːbən] *chem.* węgiel *m*; ~ **'cop·y** kopia *f*, przebitka *f*; **'~ (paper)** kalka *f* (*maszynowa*)

car·bu·ret·(t)or [kɑːbə'retə] *tech.* gaźnik *m*

car·case *Brt.*, **car·cass** ['kɑːkəs] tusza *f* (*zwierzęcia*); resztki *pl.*

car·cin·o·genic [kɑːsɪnə'dʒenɪk] *med.* rakotwórczy

card [kɑːd] karta *f*; *pocztowa* kartka *f*; ***play ~s*** grać w karty; ***have a ~ up one's sleeve*** *fig.* trzymać asa w rękawie; **'~·board** tektura *f*, karton *m*; **'~·board box** pudełko *n* z tektury

car·di·ac ['kɑːdɪæk] *med.* sercowy; ~ **'pace·mak·er** *med.* stymulator *m* serca

car·di·gan ['kɑːdɪgən] *rozpinany* sweter *m*

car·di·nal ['kɑːdɪnl] **1.** główny; zasadniczy; kardynalny; szkarłatny; **2.** *rel.* kardynał *m*; ~ **'num·ber** *math.* liczba *f* kardynalna; liczebnik *m* główny

'card|·in·dex kartoteka *f*; **'~ phone** automat *m* telefoniczny na karty; **'~-sharp·er** szuler *m*, kanciarz *m*

'car dump złomowisko *n* samochodów, F szrot *m*

care [keə] **1.** troska *f*; ostrożność *f*; opieka *f*, nadzór *m*; ***medical ~*** opieka *f* medyczna; ***take ~ of*** ⟨za⟩troszczyć się o (*A*); uważać na (*A*); ***with ~!*** ostrożnie!; **2.** mieć ochotę; ~ ***about*** ⟨za⟩troszczyć się o (*A*); ~ ***for*** lubić; opiekować się; mieć ochotę; ***I don't ~*** F nie obchodzi mnie to; ***I couldn't ~ less*** wszystko mi jedno

ca·reer [kə'rɪə] **1.** kariera *f*; działalność *f* zawodowa; **2.** zawodowy; **3.** ⟨po⟩gnać, ⟨po⟩mknąć

ca'reers| ad·vice *Brt.* poradnictwo *n* zawodowe; ~ **ad·vi·sor** *Brt.* doradca *m* w sprawach zawodu; ~ **guid·ance** *Brt.* poradnictwo *n* zawodowe; ~ **of·fice** *Brt.* biuro *m* porad zawodowych; ~ **of·fic·er** *Brt.* doradca *m* w sprawach zawodu

'care|·free beztroski; **'~·ful** staranny; troskliwy, uważny; dokładny, skrupulatny; ***be ~ful!*** uważaj!; **'~·less** niedbały, niestaranny; nieostrożny, lekkomyślny

ca·ress [kə'res] **1.** pieszczota *f*; **2.** ⟨po⟩pieścić

'care|·tak·er dozorca *m* (-czyni *f*); **'~·worn** zatroskany, udręczony

'car|·fare *Am.* opłata *f* za przejazd (*autobusem*); **'~ fer·ry** prom *m* samochodowy

car·go ['kɑːgəʊ] (*pl.* ***-goes,*** *Am. też* ***-gos***) ładunek *m*, *econ.* fracht *m*

'car hire *Brt.* wynajem *m* samochodów

Car·ib·be·an Sea Morze Karaibskie *n*

car·i·ca|·ture ['kærɪkətjʊə] **1.** karykatura *f*; **2.** ⟨s⟩karykaturować; **~·tur·ist**

['kærɪkətjʊərɪst] karykaturzysta *m* (-tka *f*)

car·ies ['keəri:z] *med.* *też* ***dental ~*** próchnica *m*

'car me·chan·ic mechanik *m* samochodowy

car·mine ['kɑ:maɪn] **1.** karminowy; **2.** karmin *m*

car·na·tion [kɑ:'neɪʃn] *bot.* goździk *m*; ⚠ *nie* ***karnacja***

car·ni·val ['kɑ:nɪvl] karnawał *m*

car·niv·o·rous [kɑ:'nɪvərəs] mięsożerny

car·ol ['kærəl] kolęda *f*

carp [kɑ:p] *zo.* (*pl.* ***carp*** *lub* **-s**) karp *m*

'car park *zwł. Brt.* parking *m* samochodowy

car·pen·ter ['kɑ:pɪntə] cieśla *m*, stolarz *m*

car·pet ['kɑ:pɪt] **1.** dywan *m*; wykładzina *f*; ***sweep s.th. under the ~*** tuszować coś, kryć coś w tajemnicy; **2.** wykładać ⟨wyłożyć⟩ dywanem

'car| phone telefon *m* w samochodzie; **'~ pool** (*grupa ludzi korzystająca przy dojazdach do pracy z jednego prywatnego samochodu*); **'~ pool(·ing) ser·vice** bank *m* przewozów; **'~·port** wiata *f* na samochód (*w funkcji garażu*); **'~ rent·al** *Am.* wynajem *m* samochodów; **'~ re·pair shop** warsztat *m* naprawy samochodów

car·riage ['kærɪdʒ] transport *m*, przewóz *m*; koszt *m* transportu; powóz *m*; *Brt. rail.* wagon *m* osobowy; postawa *f*; **'~·way** *Brt. mot.* jezdnia *f* (*o jednym kierunku ruchu*); pas *m* ruchu

car·ri·er ['kærɪə] przewoźnik *m*, spedytor *m*; bagażnik *m* rowerowy; *mil.* lotniskowiec *m*; **'~ bag** *Brt.* torba *f* (*na zakupy*)

car·ri·on ['kærɪən] padlina *f*, ścierwo *n*

car·rot ['kærət] *bot.* marchew *f*, marchewka *f*

car·ry ['kærɪ] *v/t.* nosić ⟨zanieść⟩; *ciężar* dźwigać; przewozić ⟨przewieźć⟩, ⟨prze⟩transportować; mieć *lub* nosić (*przy sobie*); *chorobę* przenosić ⟨-nieść⟩; *wniosek* przyjmować ⟨-jąć⟩, uchwalać ⟨-lić⟩; *korzyść* przynosić ⟨-nieść⟩; *artykuł* zamieszczać ⟨-mieścić⟩; *v/i. głos*: nieść się; *działo*: nieść; ***be carried*** zostawać ⟨-stać⟩ przyjętym *lub* uchwalonym; ***~ the day*** wygrywać ⟨-grać⟩; ***~ s.th. too far*** przesadzać ⟨-dzić⟩ z czymś; ***get carried away*** *fig.* dawać ⟨dać⟩ się ponieść; ***~ forward, over*** *econ.* sumę na następną stronę przenieść; ***~ on*** kontynuować; *biznes itp.* prowadzić; ***~ out, ~ through*** wykonywać ⟨-nać⟩, przeprowadzać ⟨-dzić⟩; **'~·cot** *Brt.* (*torba do noszenia dziecka*) nosidło *n*

cart [kɑ:t] **1.** wózek *m*; wóz *m*; *Am.* wózek *m* na zakupy; ***put the ~ before the horse*** odwracać kota ogonem; **2.** przewozić ⟨-wieźć⟩ (*wozem, wózkiem*)

car·ti·lage ['kɑ:tɪlɪdʒ] *ant.* chrząstka *f*

car·ton ['kɑ:tən] karton *m*

car·toon [kɑ:'tu:n] karykatura *f*; film *m* rysunkowy; **~·ist** [kɑ:'tu:nɪst] karykaturzysta *m* (-tka *f*)

car·tridge ['kɑ:trɪdʒ] *mil.* nabój *m* (*też do pióra*); *phot.* kaseta; pojemnik *m* (*z tonerem lub tuszem*); wkładka *f* gramofonowa

'cart·wheel: ***turn ~s*** ⟨z⟩robić gwiazdę

carve [kɑ:v] *mięso* ⟨po⟩kroić; ⟨wy⟩rzeźbić; wycinać ⟨-ciąć⟩; **'carv·er** snycerz *m*; rzeźbiarz *m*; nóż *m* do krojenia; **'carv·ing** snycerka *f*, rzeźbiarstwo *n*

'car wash myjnia *f* samochodów

cas·cade [kæ'skeɪd] kaskada *f*

case[1] [keɪs] **1.** pudełko *n*, pudło *n*; skrzynia *f*; futerał *m*, pokrowiec *m*; kaseta *f*; gablota *f*, witryna *f*; skrzynka *f* (*wina*); powłoczka *f*; *tech.* obudowa *f*; **2.** wkładać ⟨włożyć⟩ do pokrowca; *tech.* obudowywać ⟨-wać⟩, umieszczać ⟨umieścić⟩ w osłonie

case[2] [keɪs] przypadek (*też med., gr.*); *jur.* sprawa *f* (*sądowa*); stan *m*, sytuacja *f*; ***in ~ of*** w przypadku (*G*), w razie (*G*)

case·ment ['keɪsmənt] skrzydło *n* okienne; **~ 'win·dow** okno *n* skrzynkowe

cash [kæʃ] **1.** gotówka *f*; zapłata *f* gotówką; ***~ on delivery*** płatne gotówką przy odbiorze; **2.** *czek itp.* ⟨z⟩realizować; **'~·book** księga *f* kasowa; **'~ desk** (*w domu towarowym itp.*) kasa *f*; **'~ di·spens·er** *zwł. Brt.* bankomat *m*; **~·ier** [kæ'ʃɪə] kasjer(ka *f*) *m*; **'~·less** bezgotówkowy; **'~ ma·chine**, **'~·point** *Brt.* → ***~ dispenser***, **'~ re·gis·ter** kasa *f* rejestrująca

cas·ing ['keɪsɪŋ] obudowa *f*, osłona *f*; powłoka *f* (*kabla*)

C

cask [kɑːsk] beczka *f*, baryłka *f*
cas·ket ['kɑːskɪt] pudełko *n*, kasetka *f*; *Am.* trumna *f*
cas·se·role ['kæsərəʊl] naczynie *n* do zapiekanek; zapiekanka *f*
cas·sette [kə'set] kaseta *f*; **~ deck** magnetofon *m* kasetowy (*bez wzmacniacza*); **~ play·er** odtwarzacz *m* kasetowy; **~ ra·di·o**, **~ re·cord·er** magnetofon *m* kasetowy
cas·sock ['kæsək] *rel.* sutanna *f*
cast [kɑːst] **1.** rzut *m*; *tech.* odlew *m*; *theat.* obsada *f*; (*w wędkarstwie*) rzut *m*; *med.* opatrunek *m* gipsowy, gips *m*; typ *m*, rodzaj *m*; odcień *m*; **2.** (***cast***) *v/t.* *zarzucać* ⟨-cić⟩, rzucać ⟨-cić⟩; *zo. skórę itp.* zrzucać ⟨-cić⟩; *zęby itp.* gubić; *pol.* rzucać ⟨-cić⟩ oddawać ⟨-dać⟩; ⟨u⟩kształtować; *tech.* odlewać ⟨-lać⟩; *też* ***~ up*** podliczać ⟨-czyć⟩, dodawać ⟨-dać⟩; *theat.* obsadzać ⟨-dzić⟩ w (*L*) (*sztuce itp.*); obsadzać w roli (*G*); ***~ lots*** rzucać ⟨rzucić⟩ losy (***for*** o *A*); ***~ away*** odrzucać ⟨-cić⟩; ***~ down*** przygnębiać ⟨-bić⟩; ***~ off*** *ubrania* pozbywać ⟨-być⟩ się; *przyjaciela itp.* odrzucać ⟨-cić⟩; *oczko* spuszczać ⟨spuścić⟩; *v/i.* ***~ about for, ~ around for*** szukać (*A*); *fig.* rozglądać się za (*I*)
cas·ta·net [kæstə'net] *mus.* kastaniet *m*
cast·a·way ['kɑːstəweɪ] *naut.* rozbitek *m*
caste [kɑːst] kasta *f* (*też fig.*)
cast·er ['kɑːstə] kółko *n* jezdne (*pod meblem*); *Brt.* dozownik *m* do cukru; *Brt.* solniczka *f*
cast·i·gate ['kæstɪgeɪt] surowo ⟨u⟩karać; ⟨s⟩krytykować
cast| **'i·ron** żeliwo *n*, lane żelazo *n*; **~-'i·ron** żeliwny; *fig.* żelazny
cas·tle ['kɑːsl] (*rycerski*) zamek *m*; (*w szachach*) wieża *f*
cast·or ['kɑːstə] → ***caster***
cast·or oil [kɑːstə 'ɔɪl] olej *m* rycynowy
cas·trate [kæ'streɪt] ⟨wy⟩kastrować
cas·u·al ['kæʒʊəl] przypadkowy, niezamierzony; dorywczy; *ubranie, etc.*: swobodny, nieformalny; **~ 'wear** ubranie *n* codzienne
cas·u·al·ty ['kæʒʊəltɪ] nieszczęście *n*; ofiara *f*; ***casualties*** *pl.* ofiary *pl.*, *mil.* straty *pl.* w ludziach; **'~ (department)** (*w szpitalu*) oddział *m* urazowy; **'~ ward** (*w szpitalu*) stacja *f* pogotowia ratunkowego
cat [kæt] *zo.* kot *m*
cat·a·logue *zwł. Brt.*, **cat·a·log** *Am.* ['kætəlɒg] **1.** katalog *m*, spis *m*; **2.** ⟨s⟩katalogować
cat·a·lyt·ic con·ver·ter [kætəlɪtɪc kən'vɜːtə] *mot.* katalizator *m*
cat·a·pult ['kætəpʌlt] katapulta *f*; *Brt.* proca *f*
cat·a·ract ['kætərækt] katarakta *f*; *med.* katarakta *f*, zaćma *f*
ca·tarrh [kə'tɑː] *med.* katar *m*
ca·tas·tro·phe [kə'tæstrəfɪ] katastrofa *f*
catch [kætʃ] **1.** złapanie *n*, schwytanie *n*, pojmanie *n*; połów *m*, zdobycz *f*; zaczep *m*; zatrzask *m*; zaparcie *n* (*tchu*); *fig.* haczyk *m*; pułapka *f*; **2.** (***caught***) *v/t.* ⟨s⟩chwytać, ⟨z⟩łapać; pojmować ⟨-jąć⟩, ujmować ⟨-jąć⟩; zaskakiwać ⟨-koczyć⟩, ⟨z⟩łapać; *pociąg itp.* ⟨z⟩łapać, zdążyć na (*A*); pojmować ⟨-jąć⟩, ⟨z⟩łapać; zarażać ⟨-razić⟩ się, *chorobę itp.* ⟨z⟩łapać; *atmosferę itp.* chwytać ⟨uchwycić⟩; ***~ (a) cold*** przeziębiać ⟨-bić⟩ się; ***~ the eye*** wpadać ⟨wpaść⟩ w oko; ***~ s.o.'s eye*** przyciągać ⟨-gnąć⟩ czyjeś oko; ***~ s.o. up*** doganiać ⟨dogonić⟩ kogoś; ***be caught up in*** być zaplątanym w (*A*); *v/i.* złapać się, zaczepiać ⟨-pić⟩ się; ⟨z⟩łapać; sczepiać ⟨-pić⟩ się; *zamek itp.*: zatrzaskiwać ⟨-snąć⟩ się; ***~ up with*** doganiać ⟨dogonić⟩; **'~·er** osoba *f* łapiąca (*zwł. w sporcie*); **'~·ing** zaraźliwy; **'~·word** hasło *n*, hasło *n* słownikowe; **'~·y** (***-ier, -iest***) *melodia*: chwytliwy
cat·e·chis·m ['kætɪkɪzəm] *rel.* katechizm *m*
cat·e·go·ry ['kætɪgərɪ] kategoria *f*
ca·ter ['keɪtə] zaopatrywać (***for*** w); *fig.* ⟨za⟩troszczyć się o (*A*)
cat·er·pil·lar ['kætəpɪlə] *zo.* gąsienica *f* (*też tech.*); *TM* pojazd *m* gąsienicowy; **~ 'trac·tor** *TM* ciągnik *m* gąsienicowy
cat·gut ['kætgʌt] *med.* katgut *m*, nić *f* chirurgiczna
ca·the·dral [kə'θiːdrəl] katedra *f*
Cath·o·lic ['kæθəlɪk] *rel.* **1.** katolicki; **2.** katolik *m* (-iczka *f*)
cat·kin ['kætkɪn] *bot.* bazia *f* (*wierzby*)
cat·tle ['kætl] bydło *n*
Cau·ca·sus Kaukaz *m*

caught [kɔːt] *pret. i p.p. od* ***catch*** 2
ca(u)l·dron ['kɔːldrən] kocioł *m*
cau·li·flow·er ['kɒlɪflaʊə] *bot.* kalafior *m*
cause [kɔːz] **1.** przyczyna *f*, powód *m*; sprawa *f*; **2.** ⟨s⟩powodować, być przyczyną; sprawiać ⟨-wić⟩; **'~·less** bezpodstawny
cau·tion ['kɔːʃn] **1.** ostrożność *f*, przezorność *f*; ostrzeżenie *n*; ⚠ *nie* ***kaucja***; **2.** ostrzegać ⟨ostrzec⟩; udzielać ⟨-ić⟩ ostrzeżenia; *jur.* pouczać ⟨-czyć⟩
cau·tious ['kɔːʃəs] ostrożny, przezorny
cav·al·ry ['kævlrɪ] *mil.* kawaleria *f*
cave [keɪv] **1.** jaskinia *f*; **2.** *v/i.*: **~ *in*** zapadać ⟨-paść⟩ się
cav·ern ['kævən] jaskinia *f*, jama *f*
cav·i·ty ['kævətɪ] dziura *f*; *med.* ubytek *m* (*w zębie*), F dziura *f*
caw [kɔː] **1.** krakać; **2.** krakanie *n*
CB [siː 'biː] *skrót*: ***Citizens' Band*** radio *n* CB, CB *n*
CBS [siː biː 'es] *skrót*: ***Columbia Broadcasting System*** (*amerykańska firma fonograficzna, radiowa i TV*)
CD [siː 'diː] *skrót*: ***compact disc*** płyta *f* kompaktowa, kompakt *m*, CD *n*; **CD 'play·er** odtwarzacz *m* płyt kompaktowych; **CD-ROM** [siː diː 'rɒm] *skrót*: ***compact disc read-only memory*** CD-ROM *m*
cease [siːs] (za)przestawać, przerywać ⟨-rwać⟩; *spłaty itp.* zawieszać ⟨zawiesić⟩; **'~-fire** zawieszenie *n* broni, zaprzestanie *n* ognia; **'~·less** nieustanny
cei·ling ['siːlɪŋ] sufit *m*, strop *m*; *econ.*, *techn.* pułap *m*; *econ.* górna granica *f*
cel·e|·brate ['selɪbreɪt] celebrować, świętować ⟨święcić⟩, czcić; **'~·brat·ed** znany, sławny (***for*** z *G*); **~·bra·tion** [selɪ'breɪʃn] świętowanie *n*, obchody *pl.*
ce·leb·ri·ty [sɪ'lebrətɪ] (*osoba*) sława *f*
cel·e·riac [sə'lerɪæk] *bot.* seler *m* korzeniowy
cel·e·ry ['selərɪ] *bot.* seler *m* naciowy
ce·les·ti·al [sɪ'lestjəl] niebiański, niebieski
cel·i·ba·cy ['selɪbəsɪ] celibat *m*
cell [sel] komórka *f*; *electr. też* ogniwo *n*
cel·lar ['selər] piwnica *f*
cel|·list ['tʃelɪst] *mus.* wiolonczelista *m* (-tka *f*); **~·lo** ['tʃeləʊ] *mus.* (*pl.* ***-los***) wiolonczela *f*
cel·lo·phane ['seləʊfeɪn] *TM* celofan *m*
cel·lu·lar ['seljʊlə] komórkowy; **~ 'phone** telefon *m* komórkowy
Cel·tic ['keltɪk] celtycki
ce·ment [sɪ'ment] **1.** cement *m*; klej *m*, kit *n*; **2.** ⟨s⟩cementować (*też fig.*); ⟨s⟩kleić
cem·e·tery ['semɪtrɪ] cmentarz *m*
cen·sor ['sensə] **1.** cenzor *m* (-ka *f*); **2.** ⟨o⟩cenzurować; **'~·ship** cenzura *f*
cen·sure ['senʃə] **1.** krytyka *f*, nagana *f*; ⚠ *nie* ***cenzura, cenzurka***; **2.** ⟨s⟩krytykować; ⟨z⟩ganić
cen·sus ['sensəs] spis *m* ludności; ⚠ *nie* ***cenzus***
cent [sent] cent *m* (*1/100 jednostki pieniężnej USA, etc.*); ***per* ~** procent *n*
cen·te·na·ry [sen'tiːnərɪ] stulecie *n*, setna rocznica *f*
cen·ten·ni·al [sen'tenjəl] **1.** stuletni; **2.** *Am.* → ***centenary***
cen·ti|·grade ['sentɪgreɪd]: ***10 degrees ~grade*** 10 stopni Celsjusza; **'~·me·tre**, *Brt.*; **'~·me·ter** *Am.* centymetr; **~pede** ['sentɪpiːd] *zo.* stonoga *f*
cen·tral ['sentrəl] centralny; główny; środkowy; ⚠ *nie* ***centrala***; **~ 'heating** ogrzewanie *n* centralne; **~·ize** ['sentrəlaɪz] ⟨s⟩centralizować; **~ 'locking** *mot.* zamek *m* centralny; **~ res·er'va·tion** *Brt.* pas *m* dzielący (*jezdnie na autostradzie*)
cen·tre *Brt.*; **cen·ter** *Am.* ['sentə] **1.** centrum *n*; środek *m*; ośrodek *m*; (*w piłce nożnej*) centra *f*, dośrodkowanie *n*; **2.** skupiać ⟨-pić⟩ (się); centrować, dośrodkowywać ⟨dośrodkować⟩; **~ 'back** (*w piłce nożnej*) stoper *m*; **~ 'for·ward** (*w piłkce nożnej*) środkowy napastnik *m*; **~ of 'grav·i·ty** *phys.* punkt *m* ciężkości
cen·tu·ry ['sentʃʊrɪ] wiek *m*, stulecie *n*
ce·ram·ics [sɪ'ræmɪks] *pl.* ceramika *f*, wyroby *pl.* ceramiczne
ce·re·al ['sɪərɪəl] **1.** zbożowy; **2.** zboże *n*, roślina *f* zbożowa; płatki *pl.* zbożowe; produkty *pl.* zbożowe (*na śniadanie*)
cer·e·bral ['serɪbrəl] *anat.* mózgowy
cer·e·mo|·ni·al [serɪ'məʊnjəl] **1.** ceremonialny, uroczysty; **2.** ceremonia *f*, uroczystość *f*; **~·ni·ous** [serɪ'məʊnjəs] ceremonialny, sztywny; **~·ny** ['serɪmənɪ] ceremonia *f*, uroczystość *f*; ceremoniał *m*

cer·tain ['sɜːtn] pewien, pewny; pewny, niejaki; niezawodny, pewny; **'~·ly** z pewnością, na pewno, niewątpliwie; (*w odpowiedzi*) oczywiście, naturalnie; **'~·ty** pewność *f*, przeświadczenie *n*; fakt *m* pewny

cer·tif·i·cate [sə'tɪfɪkət] świadectwo *n*; zaświadczenie *n*, metryka *f*; ***~ of (good) conduct*** zaświadczenie *n* moralności; ***General ♀ of Education advanced level*** (***A level***) *Brt. szkoła*: *jakby*: matura *f*, świadectwo *n* dojrzałości; ***General ♀ of Education ordinary level*** (***O level***) *Brt. hist. jakby*: mała matura *f*; ***medical ~*** świadectwo *n* lekarskie

cer·ti·fy ['sɜːtɪfaɪ] zaświadczać ⟨-czyć⟩; poświadczać ⟨-czyć⟩

cer·ti·tude ['sɜːtɪtjuːd] pewność *f*

CET [siː iː 'tiː] *skrót*: ***Central European Time*** czas *m* środkowoeuropejski

cf (*łacińskie* ***confer***) *skrót pisany*: ***compare*** por., porównaj

chafe [tʃeɪf] *v/t.* ocierać ⟨otrzeć⟩; *v/i.* trzeć; ocierać

chaff [tʃɑːf] sieczka *f*, plewy *pl.*

chaf·finch ['tʃæfɪntʃ] *zo.* zięba *f*

chag·rin ['ʃægrɪn] **1.** rozgoryczenie *n*, żal *m*, frustracja *f*; **2.** rozgoryczać ⟨-czyć⟩, ⟨s⟩frustrować

chain [tʃeɪn] **1.** łańcuch *m*; *fig.* okowy *pl.*, pęta *pl.*; sieć *f* (*sklepów itp.*); **2.** przykuwać ⟨-kuć⟩ łańcuchem; wziąć na łańcuch; **~ re'ac·tion** reakcja *f* łańcuchowa; **'~-smok·er**: ***she/he is a ~-smoker*** pali jednego (*papierosa*) za drugim; **'~-smok·ing** palenie *n* jednego (*papierosa*) za drugim; **'~ store** sklep *m* firmowy

chair [tʃeə] krzesło *n*, fotel *m*; katedra *f*; przewodniczenie *n*; przewodniczący *m* (-ca *f*); ***be in the ~*** przewodniczyć; **'~ lift** wyciąg *m* krzesełkowy; **'~·man** (*pl.* ***-men***) przewodniczący *m*; kierujący *m* dyskusją; **'~·man·ship** przewodniczenie *n*; **'~·wom·an** (*pl.* ***-women***) przewodnicząca *f*; kierująca *f* dyskusją

chal·ice ['tʃælɪs] *mszalny* kielich *m*

chalk [tʃɔːk] **1.** kreda *f*; **2.** ⟨na⟩pisać kredą; zaznaczać ⟨-czyć⟩ kredą

chal|·lenge ['tʃælɪndʒ] **1.** wyzwanie *n*; kwestionowanie *n*; **2.** wyzywać ⟨-zwać⟩, rzucać ⟨-cić⟩ wyzwanie; ⟨za⟩kwestionować; **'~·len·ger** (*w sporcie*) pretendent *m*; ubiegający *m* (-ca *f*) się o tytuł

cham·ber ['tʃeɪmbə] *tech.* komora *f*; *parl.* izba *f*; *hist.* komnata *f*, sala *f*; **'~·maid** pokojówka *f*; **~ of 'com·merce** izba *f* handlowa

cham·ois ['ʃæmwɑː] *zo.* kozica *f*

cham·ois (leath·er) ['ʃæmɪ (leðə)] zamsz *m*

champ [tʃæmp] F → ***champion*** (*sport*)

cham·pagne [ʃæm'peɪn] szampan *m*

cham·pi·on ['tʃæmpjən] bojownik *m* (-iczka *f*) (***of*** o *A*), orędownik *m* (-iczka *f*); (*w sporcie*) mistrz(yni *f*) *m*; **'~·ship** mistrzostwa *pl.*

chance [tʃɑːns] **1.** przypadek *m*; okazja *f*, (korzystna) sposobność *f*; perspektywa *f*, możliwość *f*; ryzyko *n*; ***by ~*** przypadkiem; ***take a ~*** podejmować ⟨-djąć⟩ ryzyko; ***take no ~s*** nie ⟨za⟩ryzykować; **2.** przypadkowy; **2.** F ⟨za⟩ryzykować

chan·cel·lor ['tʃɑːnsələ] kanclerz *m*; *Brt.* rektor *m* (*honorowy uczelni*)

chan·de·lier [ʃændə'lɪə] kandelabr *m*, żyrandol *m*

change [tʃeɪndʒ] **1.** zmiana *f*, przemiana *f*, wymiana *f*, zamiana *f*; drobne *pl.* (pieniądze); reszta *f* (*z zapłaty*); ***for a ~*** dla odmiany; ***~ for the better*** (***worse***) *zmiana* na lepsze (gorsze); **2.** *v/t.* zmieniać ⟨-nić⟩, wymieniać ⟨-nić⟩ (***for*** na *A*); zamieniać ⟨-nić⟩; *tech. mot.* zmieniać ⟨-nić⟩ (*biegi*); **~ *over*** zmieniać ⟨-nić⟩, przechodzić ⟨przejść⟩ (***to*** na *A*); ***~ trains*** przesiadać się; *v/i.* zmieniać ⟨-nić⟩ się; ulegać ⟨ulec⟩ zmianie; zamieniać ⟨-nić⟩ się; **'~·a·ble** zmienny; **'~ ma·chine** automat *m* rozmieniający pieniądze; **'~·o·ver** zmiana *f*, przejście *n*

'chang·ing room (*w sporcie*) przebieralnia *f*, szatnia *f*

chan·nel ['tʃænl] **1.** kanał *m* (*też fig.*); *TV itp.* kanał *m*, program *m*; kanał *m*, sposób *m*, droga *f*; **2.** (*zwł. Brt.* ***-ll-***, *Am.* ***-l-***) *fig.* ⟨s⟩kierować; **♀ ' Is·lands** *pl.* Wyspy Normandzkie *pl.*; **♀ 'Tun·nel** tunel *m* pod kanałem La Manche

chant [tʃɑːnt] **1.** (*gregoriański itp.*) śpiew *m*; zaśpiew *m*; zawodzenie *n*, skandowanie *n*; **2.** ⟨za⟩śpiewać; *tłum itp.*: zawodzić, skandować

cha·os ['keɪɒs] chaos *m*

chap[1] [tʃæp] pęknięcie *n*

chap[2] [tʃæp] F facet *m*, gość *m*

chap·el ['tʃæpl] kaplica *f*

chap•lain ['tʃæplɪn] kapelan *m*
chap•ter ['tʃæptə] rozdział; *rel.* kapituła *f*
char [tʃɑː] (**-*rr*-**) zwęglać ⟨-lić⟩
char•ac•ter ['kærəktə] charakter *m*; reputacja *f*; (*drukarski, pisma itp.*) znak *m*, litera *f*; postać (*literacka itp.*) *f*; *theat.* rola *f*; **~•is•tic** [kærəktə'rɪstɪk] **1.** (**-*ally***) charakterystyczny (***of*** dla *G*); **2.** cecha *f* charakterystyczna; **~•ize** ['kærəktəraɪz] ⟨s⟩charakteryzować
char•coal ['tʃɑːkəʊl] węgiel *m* drzewny
charge [tʃɑːdʒ] **1.** *v/t. akumulator, broń itp.* ⟨na⟩ładować; zlecać ⟨-cić⟩; obciążać ⟨-żyć⟩; obwiniać ⟨-nić⟩, zarzucać ⟨-cić⟩ (*też jur.*); pobierać ⟨pobrać⟩, naliczać ⟨-czyć⟩ (***for*** za *A*); *mil.* ⟨za⟩atakować, szturmować; **~ *s.o. with s.th.*** *econ.* zapisywać ⟨-sać⟩ coś na czyjś rachunek; *v/i.* **~ *at s.o.*** ⟨za⟩atakować kogoś, rzucać ⟨-cić⟩ się na kogoś; **2.** (*baterii, palny*) ładunek *m*; zlecenie *n*; odpowiedzialność *f*; zarzut *m* (*też jur.*), oskarżenie *n*; opłata *f*; atak *m*, szturm *m*; **~*s*** *pl.* koszty *pl.*, opłaty *pl.*, wydatki *pl.*; podopieczny *m* (-na *f*); ***free of ~*** bezpłatny; ***be in ~ of*** ponosić ⟨-nieść⟩ odpowiedzialność za (*A*), kierować; ***take ~ of*** przejmować ⟨-jąć⟩ kierownictwo (*G*)
char•i•ot ['tʃærɪət] *poet. lub hist.* rydwan *m*
cha•ris•ma [kə'rɪzmə] charyzmat *m*
char•i•ta•ble ['tʃærɪtəbl] dobroczynny
char•i•ty ['tʃærətɪ] dobroczynność *f*; pobłażliwość *f*, wyrozumiałość; instytucja *f* dobroczynna
char•la•tan ['ʃɑːlətən] szarlatan(ka *f*) *m*; znachor *m*
charm [tʃɑːm] **1.** czar *m*, urok *m*; wdzięk *m*, urok *m*; talizman *m*, amulet *m*; **2.** ⟨o⟩czarować; **'~•ing** czarujący
chart [tʃɑːt] mapa *f* (*morza, nieba, pogody*); diagram *m*, wykres *m*; **~*s*** *pl.* lista *f* przebojów
char•ter ['tʃɑːtə] **1.** statut *m*; *hist.* karta *f*, edykt *m*; czarter *m*; **2.** ⟨wy⟩czarterować, wynajmować ⟨-jąć⟩; **'~ flight** lot *m* czarterowy
char•wom•an ['tʃɑːwʊmən] (*pl.* **-*women***) sprzątaczka *f*
chase [tʃeɪs] **1.** pościg *m*, pogoń *f*; **2.** ścigać, gonić; ⟨po⟩pędzić, ⟨po⟩gnać
chas•m ['kæzəm] otchłań *f*, czeluść *f*, przepaść *f*
chaste [tʃeɪst] czysty, cnotliwy
chas•tise [tʃæ'staɪz] ⟨u⟩karać (*bijąc*)
chas•ti•ty ['tʃæstətɪ] *płciowa* czystość *f*; cnotliwość *f*
chat [tʃæt] **1.** pogawędka *f*, pogaduszka *f*; gadanina *f*; **2.** ⟨po⟩gawędzić (*sobie*); **'~ show** *Brt. TV* talk-show *m*; **~-show 'host** prezenter(ka *f*) *m* talk-show
chat•tels ['tʃætlz] *pl. zw.*: ***goods and ~*** dobytek *m*, majątek *m* ruchomy
chat•ter ['tʃætə] **1.** paplać; *małpa, ptak itp.*: ⟨za⟩skrzeczeć; *zęby itp.*: ⟨za⟩szczękać; **2.** paplanina *f*; skrzeczenie *n*; szczękanie *n*; **'~•box** F gaduła *m*, *f*, papla *m*, *f*
chat•ty ['tʃætɪ] (**-*ier*, -*iest***) gadatliwy
chauf•feur ['ʃəʊfə] szofer *m*, kierowca *m*
chau|•vinism ['ʃəʊvɪnɪzm] szowinizm *m*
chau•vin•ist ['ʃəʊvɪnɪst] szowinista *m* (-tka *f*); F ***male ~ pig*** męska szowinistyczna świnia *f*, męski szowinista *m*
cheap [tʃiːp] tani (*też fig.*); *fig.* podły; **'~•en** spadać ⟨spaść⟩ w cenie, zmniejszać ⟨-szyć⟩ wartość; *fig.* poniżać ⟨-żyć⟩ się
cheat [tʃiːt] **1.** oszust(ka *f*) *m*; szalbierz *m*; oszustwo *n*; **2.** oszukiwać ⟨-kać⟩
check [tʃek] **1.** sprawdzanie *n*, kontrola *f*; ograniczenie *n*, powstrzymanie *n*; odcinek *m* kontrolny, pokwitowanie *n*, kwit *m*; *Am.* żeton *m* (*do szatni, etc.*), numerek *m*; *Am.* czek *m*; *Am.* ptaszek *m*, znaczek *m* (*na pozycji listy*); *Am.* paragon *m*, wydruk *m* kasowy; (*w szachach*) szach *m*; kratka *f* (*na materiale*), materiał *m* w kratkę; ***keep s.th. in ~*** powstrzymywać ⟨-mać⟩ coś; **2.** *v/i.* zatrzymywać ⟨-mać⟩ się (*nagle*); **~ *in*** ⟨za⟩meldować się (*w hotelu itp.*) (***at*** w *L*); *aviat.* zgłaszać ⟨zgłosić⟩ się do odprawy; **~ *out*** ⟨wy⟩meldować się (*z hotelu itp.*); **~ *up*** (***on***) F sprawdzać ⟨-dzić⟩, ⟨z⟩weryfikować; *v/t.* sprawdzać ⟨-dzić⟩, ⟨s⟩kontrolować; zatrzymywać ⟨-mać⟩, wstrzymywać ⟨-mać⟩, ⟨za⟩hamować; *Am.* zaznaczać ⟨-czyć⟩ (*na liście*); *Am.* zostawiać ⟨-wić⟩ (*w szatni itp.*); (*w szachach* ⟨za⟩szachować; **'~ card** *Am.* gwarancyjna karta *f* czekowa (*określająca wysokość pokrycia czeku*); **~ed** [tʃekt]

C

kratkowany, w kratkę; **~·ers** *Am.* ['tʃekəz] *sg.* warcaby *pl.*; **'~-in** zameldowanie *n* się; *aviat.* odprawa *f*; **'~-in coun·ter** *aviat.*, **'~-in desk** *aviat.* miejsce *n* odpraw; **'~·ing ac·count** *Am. econ.* rachunek czekowy *m*, *jakby*: rachunek *m* oszczędnościowo-rozliczeniowy; **'~·list** lista *f* kontrolna; **'~·mate** **1.** (*w szachach*) szach-mat *m*; **2.** dawać ⟨dać⟩ mata; **'~-out** wymeldowanie *n* się (*z hotelu*); **'~-out coun·ter** kasa *f* (*zwł. w supermarkecie*); **'~·point** punkt *m* kontrolny; **'~·room** *Am.* garderoba *f*, szatnia *f*; przechowalnia *f* bagażu; **'~·up** sprawdzenie *n*, kontrola *f*; *med.* kontrola *f* lekarska

cheek [tʃiːk] policzek *m*; F czelność *f*; bezczelność; **'~·y** F (***-ier, -iest***) bezczelny

cheer [tʃɪə] **1.** wiwat *m*, aplauz *m*; otucha *f*, pociecha *f*; ***three ~s!*** trzy razy hura!; ***~s!*** na zdrowie!; *2. v/t.* wiwatować na cześć; *też* ***~ on*** kibicować; *też* ***~ up*** pocieszać ⟨-szyć⟩ dodawać ⟨dodać⟩ otuchy; *v/i.* wiwatować; cieszyć się; *też* ***~ up*** rozchmurzać ⟨-rzyć⟩ się; ***~ up!*** głowa do góry!; **'~·ful** wesoły, radosny, pogodny

cheer·i·o [tʃɪərɪ'əʊ] *int. Brt.* cześć!

'cheer|·lead·er organizator *m* wiwatów (*zwykle dziewczyna*); **'~·less** ponury; **~·y** ['tʃɪərɪ] (***-ier, -iest***) radosny

cheese [tʃiːz] ser *m*

chee·tah ['tʃiːtə] gepard *m*

chef [ʃef] szef *m* kuchni; ⚠ *nie* ***szef***

chem·i·cal ['kemɪkl] **1.** chemiczny; **2.** chemikalia *pl.*, środek *m* chemiczny

chem|·ist ['kemɪst] chemik *m* (-miczka *f*); aptekarz *m* (-arka *f*); pracownik *m* (-ica *f*) *lub* właściciel(ka *f*) *m* drogerii; **~·is·try** ['kemɪstrɪ] chemia *f*; **'~·ist's shop** apteka *f*; drogeria *f*

chem·o·ther·a·py [kiːməʊ'θerəpɪ] *med.* chemioterapia *f*

cheque [tʃek] *Brt. econ.* (*Am.* ***check***) czek *m*; ***crossed ~*** czek *m* zakreślony; **'~ ac·count** konto *n* czekowe; **'~ card** *Brt.* karta *f* czekowa (*określająca wysokość pokrycia czeku*)

cher·ry ['tʃerɪ] *bot.* wiśnia *f*; czereśnia *f*

chess [tʃes] szachy *pl.*; ***a game of ~*** partia *f* szachów; **'~·board** szachownica *f*; **'~·man** (*pl.* ***-men***) bierka *f* szachowa; **'~ piece** figura *f*

chest [tʃest] *anat.* klatka *f* piersiowa, piersi *pl.*; skrzynia *f*, kufer *m*; ***get s.th. off one's ~*** zrzucić ten ciężar z serca

chest·nut ['tʃesnʌt] **1.** *bot.* kasztan *m*, kasztanowiec *m*; **2.** kasztanowy

chest of drawers [tʃest əv 'drɔːz] komoda *f*

chew [tʃuː] żuć, przeżuć ⟨-żuwać⟩; **'~·ing gum** guma *f* do żucia

chick [tʃɪk] pisklę *n*; F (*dziewczyna*) laska *f*

chick·en ['tʃɪkɪn] kurczę *n*, kurczak *m*; **~'heart·ed** tchórzliwy, strachliwy; **~ pox** ['tʃɪkɪnpɒks] *med.* ospa *f* wietrzna

chic·o·ry ['tʃɪkərɪ] *bot.* cykoria *f*

chief [tʃiːf] **1.** główny, naczelny, najważniejszy; **2.** kierownik *m* (-iczka *f*), szef(owa *f*) *m*; naczelnik *m*; wódz *m*; **'~·ly** głównie

chil·blain ['tʃɪlbleɪn] odmrożenie *n*

child [tʃaɪld] (*pl.* ***children***) dziecko *n*; ***from a ~*** od dziecka, od okresu dzieciństwa; ***with ~*** ciężarny; **'~ a·buse** znęcanie *n* się nad dziećmi; **~ 'ben·e·fit** *Brt.* zasiłek *f* rodzinny; **'~·birth** poród *m*; **~·hood** ['tʃaɪldhʊd] dzieciństwo *n*; **'~·ish** *fig.* dziecinny; **'~·like** dziecinny; dziecięcy; **'~·mind·er** opiekun(ka *f*) *m* do dzieci (*zwykle do południa, we własnym domu*)

chil·dren ['tʃɪldrən] *pl. od* ***child***

chill [tʃɪl] **1.** chłodny (*też fig.*); **2.** chłód *m* (*też fig.*); przeziębienie *n*; **3.** ⟨s⟩chłodzić, schładzać ⟨-dzić⟩; ⟨o⟩ziębić się; **'~·y** (***-ier, -iest***) chłodny (*też fig.*)

chime [tʃaɪm] **1.** kurant *m*; dźwięk *m lub* bicie *n* dzwonu; **2.** ⟨za⟩dzwonić

chim·ney ['tʃɪmnɪ] komin *m*; **'~-sweep** kominiarz *m*

chimp [tʃɪmp], **chim·pan·zee** [tʃɪmpən'ziː] *zo.* szympans *m*

chin [tʃɪn] broda *f*, podbródek *m*; ***~ up!*** głowa do góry!

chi·na ['tʃaɪnə] porcelana *f*

Chi·na ['tʃaɪnə] Chiny *pl.*; **Chi·nese** [tʃaɪ'niːz] **1.** chiński; **2.** Chińczyk *m*, Chinka *f*; język *m* chiński; ***the ~*** Chińczycy

chink [tʃɪŋk] szczelina *f*; *fig.* słaby punkt *m*; brzęczenie *n*

chip [tʃɪp] **1.** wiór *m*, drzazga *f*; okruch *m*, odłamek *m*; szczerba *f*, wyszczerbienie *n*; żeton *m*, szton *m*; *komp.* płytka *f* półprzewodnika, F kość *f*; **2.** (**-*pp*-**) *v/t.* wyszczerbiać ⟨-bić⟩; ⟨wy⟩strugać; *v/i.* wyszczerbiać ⟨-bić⟩ się

chips [tʃɪps] *pl. Brt.* frytki *pl.*; *Am.* chipsy *pl.*, chrupki *pl.*

chi·rop·o·dist [kɪ'rɒpədɪst] specjalista *m* (-tka *f*) od chorób stóp; pedikurzysta *m* (-ka *f*)

chirp [tʃɜːp] ćwierkać; *owady*: cykać, brzęczeć

chis·el ['tʃɪzl] **1.** dłuto *n*; **2.** (*zwł. Brt.* **-*ll*-**, *Am.* **-*l*-**) ⟨wy⟩dłutować

chit-chat ['tʃɪttʃæt] pogaduszki *pl.*

chiv·al·rous ['ʃɪvlrəs] rycerski

chive [tʃaɪv(z)] (**-*s*** *pl.*) *bot.* szczypior *m*, F szczypiorek *m*

chlo·ri·nate ['klɔːrɪneɪt] chlorować; **chlo·rine** ['klɔːriːn] *chem.* chlor *m*

chlor·o·form ['klɒrəfɔːm] *chem.*, *med.* **1.** chloroform *m*; **2.** ⟨za⟩stosować chloroform

choc·o·late ['tʃɒkələt] czekolada *f*, czekoladka *f*, pralinka *f*; '**~*s*** *pl.* czekoladki *pl.*

choice [tʃɔɪs] **1.** wybór *m*; rzecz *f* wybrana, osoba *f* wybrana; **2.** pierwszej jakości; najlepszy; dobrany

choir ['kwaɪə] chór *m*

choke [tʃəʊk] **1.** ⟨za⟩dławić (się), dusić (się); **~ *back*** *gniew itp.* ⟨z⟩dusić, *łzy itp.* ⟨po⟩wstrzymywać; **~ *down*** *słowa* powstrzymywać; *też* **~ *up*** zatykać (się); **2.** *mot.* zasysacz *m*, F ssanie *n*

choose [tʃuːz] (***chose, chosen***) wybierać ⟨wybrać⟩; postanawiać ⟨postanowić⟩ (***to do s.th.*** coś zrobić)

chop [tʃɒp] **1.** cios *m*; *gastr.* kotlet *m*; **2.** (**-*pp*-**) *v/t.* ⟨po⟩rąbać, ⟨po⟩siekać; **~ *down*** ⟨z⟩rąbać; *v/i.* rąbać; '**~·per** tasak *m*; F helikopter *m*; '**~·py** wzburzony; '**~·stick** pałeczka *f* (*do jedzenia*)

cho·ral ['kɔːrəl] chóralny

cho·rale [kɒ'rɑːl] chorał *m*

chord [kɔːd] *mus.* akord *m*

chore [tʃɔː] nieprzyjemna *lub* ciężka praca *f*; **~*s*** praca *f* domowa

cho·rus ['kɔːrəs] chór *m*; refren *m*; zespół *m* (*tancerzy lub śpiewaków*), zespół *m* towarzyszący

chose [tʃəʊz] *pret. od* ***choose***; **cho·sen** ['tʃəʊzn] *p.p. od* ***choose***

Christ [kraɪst] Chrystus *m*

chris·ten ['krɪsn] ⟨o⟩chrzcić; '**~·ing** chrzest *m*; *attr.* chrzestny

Chris·tian ['krɪstʃən] **1.** chrześcijański; **2.** chrześcijanin *m* (-anka *f*); **Chris·ti·an·i·ty** [krɪstɪ'ænətɪ] chrześcijaństwo *n*

'Christian name imię *n*

Christ·mas ['krɪsməs] Boże Narodzenie *n*; ***at*** **~** na Boże Narodzenie, w ciągu Bożego Narodzenia; *attr.* bożonarodzeniowy; **~ 'Day** pierwszy dzień *m* Bożego Narodzenia; **~ 'Eve** wigilia *f* Bożego Narodzenia

chrome [krəʊm] *chem.* (*pierwiastek*) chrom *m*; **chro·mi·um** ['krəʊmjəm] (*pierwiastek*) chrom *m*

chron·ic ['krɒnɪk] (**~*ally***) chroniczny, przewlekły

chron·i·cle ['krɒnɪkl] kronika *f*

chron·o·log·i·cal [krɒnə'lɒdʒɪkl] (**~*ally***) chronologiczny; **chro·nol·o·gy** [krə'nɒlədʒɪ] chronologia *f*

chub·by ['tʃʌbɪ] F (**-*ier*, -*est***) pyzaty, pucołowaty

chuck [tʃʌk] F **1.** rzucać ⟨-cić⟩; **~ *out*** wyrzucać ⟨-cić⟩; **~ *up*** *pracę itp.* rzucać ⟨-cić⟩; **2.** uchwyt *m* (*wiertła itp.*)

chuck·le ['tʃʌkl] **1.** ⟨za⟩chichotać; **2.** chichot *m*

chum [tʃʌm] kumpel F *m* (-ka *f*), przyjaciel *m* (-ciółka *f*); '**~·my** F (**-*ier*, -*iest***) zaprzyjaźniony

chump [tʃʌmp] głuptas *m*

chunk [tʃʌnk] kawał *m*, bryła *f*

Chun·nel ['tʃʌnl] F → ***Channel Tunnel***

church [tʃɜːtʃ] kościół *m*; *attr.* kościelny; '**~ ser·vice** nabożeństwo *n*; '**~·yard** cmentarz *m* (*przy kościele*)

churl·ish ['tʃɜːlɪʃ] arogancki, grubiański

churn [tʃɜːn] **1.** maselnica *f*; *Brt.* bańka *f lub* kanka *f* na mleko; **2.** ⟨z⟩robić masło (*w maselnicy*); *fig.* wzburzać ⟨-rzyć⟩ się

chute [ʃuːt] zjeżdżalnia *f*; zsyp *m* (*na śmieci*); *tech.* rynna *f* zsypowa; F spadochron *m*; próg *m* wodny

CIA [siː aɪ 'eɪ] *skrót*: ***Central Intelligence Agency*** CIA, Centralna Agencja *f* Wywiadowcza (*w USA*)

CID [siː aɪ 'diː] *skrót*: ***Criminal Investigation Department*** (*wydział policji kryminalnej w Wielkiej Brytanii*)

ci·der ['saɪdə] (*Am.* ***hard*** **~**) jabłecznik *m*, wino *n* jabłkowe; (*Am.* ***sweet*** **~**) sok *m* jabłkowy

C

cif [siː aɪ 'ef] *skrót*: ***cost, insurance, freight*** koszt, ubezpieczenie i fracht
ci·gar [sɪ'gɑː] cygaro *n*
cig·a·rette, cig·a·ret [sɪgə'ret] *Am.* papieros *m*
cinch [sɪntʃ] F (*łatwa rzecz*) małe piwo *n*, pestka *f*
cin·der ['sɪndə] żużel *m*; **~s** *pl.* popiół *m*
Cin·de·rel·la [sɪndə'relə] Kopciuszek *m*
'cin·der track (*w sporcie*) tor *m* żużlowy; żużel *m*
cin·e|·cam·e·ra ['sɪnɪkæmərə] kamera *f* filmowa (*na wąski film*); **'~·film** (wąska) taśma *f* filmowa
cin·e·ma ['sɪnəmə] *Brt.* kino *n*; kino *n*, film *m*, sztuka *f* filmowa
cin·na·mon ['sɪnəmən] cynamon *m*
ci·pher ['saɪfə] szyfr *m*, zero *n* (*też fig.*)
cir·cle ['sɜːkl] **1.** krąg *m*, koło *n*; *theat.* balkon *m*; *fig.* krąg *m*
cir·cuit ['sɜːkɪt] obieg *m*, okrążenie *n*; *electr.* obwód *m*, układ *m*; objazd *m*; *sport*: runda *f* spotkań; ***short ~*** *electr.* zwarcie *n*
cir·cu·i·tous [sə'kjuːɪtəs] okrężny
cir·cu·lar ['sɜːkjʊlə] **1.** kołowy, kolisty; okrężny; **2.** okólnik *m*, nota *f*; druk *m* reklamowy
cir·cu|·late ['sɜːkjʊleɪt] *v/i.* krążyć, wchodzić ⟨wejść⟩ w obieg; *v/t.* wprowadzać ⟨-dzić⟩ w obieg, rozprowadzać⟨-dzić⟩; **'~·lat·ing li·bra·ry** wypożyczalnia *f*; **~·la·tion** [sɜːkjʊ'leɪʃn] obieg *m*, krążenie *n* (*też anat.*); cyrkulacja *f*; *econ.* krążenie *n*; nakład *m* (*czasopisma*)
cir·cum·fer·ence [sə'kʌmfərəns] obwód *m*
cir·cum·nav·i·gate [sɜːkəm'nævɪgeɪt] okrążać ⟨-żyć⟩
cir·cum·scribe ['sɜːkəmskraɪb] *math.* opisywać ⟨-sać⟩; *fig.* ograniczać ⟨-czyć⟩
cir·cum·spect ['sɜːkəmspekt] ostrożny, przezorny
cir·cum·stance ['sɜːkəmstəns] okoliczność *f*; warunek *m*; **~s** *pl.* okoliczności *pl.*; ***in*** *lub* ***under no ~s*** w żadnym wypadku; ***in*** *lub* ***under the ~s*** w tej sytuacji
cir·cum·stan·tial [sɜːkəm'stænʃl] pośredni; szczegółowy; **~ evidence** dowody *pl.* poszlakowe
cir·cus ['sɜːkəs] cyrk *m*; *Brt.* plac *m*
CIS [siː aɪ 'es] *skrót*: ***Commonwealth of Independent States*** WNP, Wspólnota Niepodległych Państw
cis·tern ['sɪstən] cysterna *f*, zbiornik *m*; spłuczka *f*
ci·ta·tion [saɪ'teɪʃn] *jur.* wezwanie *n*; cytat *m*; **cite** [saɪt] *jur.* wzywać ⟨wezwać⟩, pozywać ⟨pozwać⟩; ⟨za⟩cytować
cit·i·zen ['sɪtɪzn] obywatel(ka *f*) *m*; **'~·ship** obywatelstwo *n*
cit·y ['sɪtɪ] **1.** (duże) miasto *n*; ***the* ♀** City *n*; **2.** miejski; **~ 'cen·tre** *Brt.* centrum *n* miasta; **~ 'coun·cil·(l)or** *Am.* rajca *m* (-jczyni *f*); **~ 'hall** ratusz *m*; *zwł. Am.* zarząd *m* miasta; **~ 'slick·er** *często pej.* mieszczuch *m*; **~ 'va·grant** włóczęga *m*, tramp *m*
civ·ic ['sɪvɪk] obywatelski; miejski; **'~s** wychowanie *n* obywatelskie
civ·il ['sɪvl] cywilny (*też jur.*); obywatelski; społeczny; uprzejmy; ⚠ *nie* ***cywil***;
ci·vil·i·an [sɪ'vɪljən] cywil *m*
ci·vil·i·ty [sɪ'vɪlətɪ] uprzejmość *f*
civ·i·li|·za·tion [sɪvɪlaɪ'zeɪʃn] cywilizacja *f*; **~ze** ['sɪvɪlaɪz] ⟨u⟩cywilizować
civ·il 'rights *pl.* prawa *pl.* obywatelskie; **~ rights 'ac·tiv·ist** działacz(ka *f*) *m* ruchu obywatelskiego; **~ rights 'move·ment** ruch *m* obywatelski
civ·il| 'ser·vant urzędnik *m* (-iczka *f*) państwowy (-a); **~ 'ser·vice** administracja *f* państwowa; **~ 'war** wojna *f* domowa
CJD [siː dʒeɪ' diː] *skrót*: ***Creutzfeld(t)--Jakob disease*** choroba *f* Creutzfelda-Jakoba
clad [klæd] **1.** *pret. i p.p. od* ***clothe***; **2.** odziany, przyodziany
claim [kleɪm] **1.** żądanie *n*, roszczenie *n*; pretensja *f*; reklamacja *f*, zażalenie *n*; prawo *n*; *Am.* działka *f* górnicza; twierdzenie *n*; **2.** ⟨za⟩żądać, domagać się; twierdzić
clair·voy·ant [kleə'vɔɪənt] jasnowidz *m*
clam·ber ['klæmbə] ⟨wy⟩gramolić się, ⟨wy⟩leźć
clam·my ['klæmɪ] (***-ier, -iest***) lepki, kleisty
clam·o(u)r ['klæmə] **1.** wrzawa *f*, zgiełk *m*, larum *n*; **2.** domagać się (***for*** o *G*)
clamp [klæmp] *tech.* zacisk *m*, klamra *f*; *mot.* (*klamra blokująca*) klema *f*
clan [klæn] klan *m*

clan·des·tine [klæn'destɪn] potajemny, tajny
clang [klæŋ] ⟨za⟩dźwięczeć, ⟨za⟩brzęczeć
clank [klæŋk] **1.** brzęczenie *n*, łoskot *m*; **2.** ⟨za⟩brzęczeć, ⟨za⟩łoskotać
clap [klæp] **1.** łoskot *m*, grzmot *m*; aplauz *m*; klepnięcie *n*; **2.** (***-pp-***) ⟨za⟩klaskać; klepnąć
clar·et ['klærət] czerwone wino *n*
clar·i·fy ['klærɪfaɪ] *v/t.* wyjaśniać ⟨-śnić⟩, ⟨wy⟩tłumaczyć; *v/i.* tłumaczyć się; *tłuszcz itp.*: ⟨wy⟩klarować się
clar·i·net [klærɪ'net] *muz.* klarnet *m*
clar·i·ty ['klærətɪ] jasność *f*
clash [klæʃ] **1.** zderzenie *n*; konflikt *m*; starcie *n*; szczęk *m*; **2.** zderzyć się; ścierać się; kolidować; nie pasować (***with*** do *G*)
clasp [klɑːsp] **1.** obejma *f*, klamra *f*; zatrzask *m*, zapięcie *n*; **2.** obejmować ⟨objąć⟩, ściskać ⟨ścisnąć⟩; zamykać ⟨zamknąć⟩; **'~ knife** (*pl.* ***-knives***) nóż *m* składany
class [klɑːs] **1.** klasa *f*; kurs *m*, zajęcia *pl.* (***in*** z *G*); *Am.* rocznik *m* (*absolwentów*); **2.** ⟨s-, za⟩klasyfikować
clas|·sic ['klæsɪk] **1.** klasyk *m*; **2.** (***-ally***) klasyczny; **'~·si·cal** klasyczny
clas·si|·fi·ca·tion [klæsɪfɪ'keɪʃn] klasyfikacja *f*; **~·fied** ['klæsɪfaɪd] zaklasyfikowany; *mil.*, *pol.* poufny; **~·fied 'ad** drobne ogłoszenie *n*; **~·fy** ['klæsɪfaɪ] ⟨za⟩klasyfikować, ⟨po⟩grupować
'class|·mate kolega *m* (-żanka *f*) z klasy; **'~·room** klasa *f*, pomieszczenie *n* szkolne
clat·ter ['klætə] **1.** stukot *m*, stukanie *n*; łomot *m*; **2.** ⟨za⟩stukać; ⟨za⟩łomotać
clause [klɔːz] *jur.* klauzula *f*, paragraf *m*; *gr.* zdanie *n* (składowe)
claw [klɔː] **1.** szpon *m*, pazur *m*; kleszcz *m* (*raka*); **2.** ⟨za-, po⟩drapać
clay [kleɪ] glina *f*, ił *m*
clean [kliːn] **1.** *adj.* czysty; porządny, równy; (*bez narkotyków*) *sl.* czysty; **2.** zupełnie, całkowicie, całkiem; **3.** ⟨wy⟩czyścić, oczyszczać, ⟨wy⟩sprzątać; **~ out** ⟨wy⟩czyścić; **~ up** gruntownie ⟨wy⟩czyścić; ⟨u⟩porządkować; **'~·er** sprzątaczka *f*; osoba *f* myjąca (*okna itp.*); środek *m* czyszczący; **~s** *pl.* pralnia *f* (*chemiczna*); ***take to the ~ers*** zanosić ⟨-nieść⟩ do pralni; F oskubać (*z pieniędzy*); **'~·ing**: ***do the ~ing*** sprzątać; → ***spring-cleaning***; **~·li·ness** ['klenlɪnɪs] czystość *f*, porządek *m*; **~·ly 1.** ['kliːnlɪ] *adv.* porządnie; **2.** ['klenlɪ] *adj.* (***-ier, -iest***) czysty, porządny
cleanse [klenz] ⟨o⟩czyścić, oczyszczać ⟨oczyścić⟩; **'cleans·er** środek *m* czyszczący
clear [klɪə] **1.** jasny; czysty; klarowny, przezroczysty; wyraźny; wolny (***of*** od *G*); *econ.* netto; **2.** *v/t.* oczyszczać ⟨oczyścić⟩; ⟨z⟩robić jasnym; usuwać ⟨usunąć⟩, sprzątać ⟨-tnąć⟩ (*też* **~ *away***); *las* ⟨wy⟩karczować; zaaprobować, udzielać ⟨-lić⟩ zezwolenia na (*A*); *przeszkodę itp.* pokonywać ⟨-nać⟩; *econ.* dokonywać ⟨-nać⟩ odprawy celnej; *dług* ⟨u⟩regulować; (*w sporcie*) wybijać ⟨-bić⟩ (*piłkę itp.*); *jur.* uniewinniać ⟨-nnić⟩; *v/i.* oczyszczać ⟨oczyścić⟩ się; *niebo itp.*: przejaśniać ⟨-śnić⟩ się; *fig.* rozchmurzać ⟨-rzyć⟩ się; przerzedzać ⟨-dzić⟩ się; **~ *out*** ⟨u-, s⟩przątać; F zmywać się; **~ *up*** ⟨z⟩robić porządek; uporać się; *zagadkę* rozwiązywać ⟨-zać⟩; *pogoda*: przejaśniać ⟨-śnić⟩ się; **~·ance** ['klɪərəns] oczyszczenie *n*; usunięcie *n*; *tech.* prześwit *m*, odstęp *m*; zwolnienie *n*; odprawa *f*; **'~·ance sale** wyprzedaż *f* (*likwidacyjna*); **~·ing** ['klɪə'rɪŋ] polana *f*
cleave [kliːv] (***cleaved*** *lub* ***cleft*** *lub* ***clove, cleaved*** *lub* ***cleft*** *lub* ***cloven***) rozszczepiać ⟨-pić⟩; **'cleav·er** tasak *m*
clef [klef] *mus.* klucz *m*
cleft [kleft] **1.** rozszczepienie *n*, szczelina *f*, szpara *f*; **2.** *pret. i p.p. od* ***cleave***
clem|·en·cy ['klemənsɪ] łaska *f*; pobłażliwość *f*, wyrozumiałość *f*; **'~·ent** łagodny
clench [klentʃ] *wargi*, *pięść itp.* zaciskać ⟨-snąć⟩
cler·gy ['klɜːdʒɪ] kler *m*, duchowieństwo *n*; **'~·man** (*pl.* ***-men***) duchowny *m*
clerk [klɑːk] urzędnik *m* (-iczka *f*); *Am.* sprzedawca *m* (-czyni *f*)
clev·er ['klevə] roztropny, mądry; sprytny
click [klɪk] **1.** pstryknięcie *n*, szczęknięcie *n*, stuknięcie *n*; *komp.* kliknięcie *n*; mlaśnięcie *n* (*językiem*); **2.** *v/i.*: **~ *shut*** zamknąć się ze szczękiem; *v/t.* pstrykać ⟨-knąć⟩, szczękać ⟨szczęknąć⟩, stukać ⟨-knąć⟩; *komp.* kliknąć na (*A*)

C

cli·ent ['klaɪənt] klient(ka *f*) *m*
cliff [klɪf] klif *m*
cli·mate ['klaɪmɪt] klimat *m* (*też fig.*)
cli·max ['klaɪmæks] punkt *m* kulminacyjny; klimaks *m*; szczytowanie *n*, orgazm *m*
climb [klaɪm] *v/i.* wspinać ⟨wspiąć⟩ się; iść ⟨pójść⟩ w górę; wchodzić ⟨wejść⟩, ⟨po⟩leźć; ***go ~ing*** uprawiać wspinaczkę; *v/t.* wspinać ⟨wspiąć⟩ się po (*I*); wchodzić ⟨wejść⟩ na (*A*) *lub* po (*I*); **'~·er** alpinista *m* (-tka *f*); *bot.* roślina *f* pnąca
clinch [klɪntʃ] **1.** *tech.* zaciskać ⟨-snąć⟩; (*w boksie*) wchodzić ⟨wejść⟩ w zwarcie, klinczować; rozstrzygać ⟨-gnąć⟩; ***that ~ed*** to było rozstrzygające; **2.** *tech.* zaciśnięcie; (*w boksie*) zwarcie *n*, klincz *m*
cling [klɪŋ] (***clung***) (***to***) przylegać ⟨-lec⟩ (do *G*); przytulać ⟨-lić⟩ się, przywrzeć ⟨-wierać⟩ (do *G*); **'~·film** samoprzylegająca folia *f* (*do żywności*)
clin|·ic ['klɪnɪk] klinika *f*; **'~·i·cal** kliniczny
clink [klɪŋk] **1.** brzęk *m*; **2.** ⟨za⟩brzęczeć, ⟨za⟩dzwonić (*łańcuchem*)
clip¹ [klɪp] **1.** (***-pp-***) przycinać ⟨-ciąć⟩, *owcę itp.* ⟨przy⟩strzyc; **2.** cięcie *n*, nacięcie *n*; *wideo itp.*: klip *m lub* clip *m*; urywek *m* (*filmu*)
clip² [klɪp] **1.** klamra *f*, spinacz *m*; zacisk *m*; klips *m*; magazynek *m* (*do broni*); **2.** (***-pp-***) spinać ⟨spiąć⟩; zaciskać ⟨zacisnąć⟩
clip|·per ['klɪpə]: (***a pair of***) ***~pers*** *pl.* nożyce *pl.*, sekator *m*; cążki *pl.*, obcinarka *f*; maszynka *f* do włosów; **'~·pings** *pl.* wycinki *pl.*; skrawki *pl.*, obcinki *pl.*
clit·o·ris ['klɪtərɪs] *anat.* łechtaczka *f*
cloak [kləʊk] **1.** peleryna *f*; **2.** *fig.* okrywać ⟨-ryć⟩; **'~·room** garderoba *f*; *Brt.* toaleta *f*
clock [klɒk] **1.** *ścienny, wieżowy* zegar *m*; ***9 o'~*** 9 godzina; licznik *m*; **2.** (*w sporcie*): ⟨z⟩mierzyć (czas); ***~ in, ~ on*** podbijać ⟨-bić⟩ kartę (*przychodząc*); ***~ out, ~ off*** podbijać ⟨-bić⟩ kartę (*wychodząc*); **~·wise** ['klɒkwaɪz] zgodnie z ruchem wskazówek zegara; **'~·work** werk *m*, mechanizm *m* zegarowy; ***like ~work*** jak w zegarku
clod [klɒd] gruda *f*, bryła *f*
clog [klɒg] **1.** chodak *m*, drewniak *m*; kłoda *f* (*też fig.*); **2.** (***-gg-***) *też* ***~ up*** zatykać ⟨zatkać⟩
clois·ter ['klɔɪstə] krużganek *m*; klasztor *m*
close 1. [kləʊs] *adj.* zamknięty; bliski; *tłumaczenie itp.*: dokładny; gęsty, ścisły, zwarty; *dzień itp.*: duszny; *przyjaciel itp.*: serdeczny, bliski; ***keep a ~ watch on*** dobrze pilnować (*A*); **2.** [kləʊs] *adv.* ściśle; dokładnie; blisko; gęsto; ***~ by*** tuż obok, w pobliżu; **3.** [kləʊz] koniec *m*, zakończenie *n*; zamknięcie *n*; ***come*** *lub* ***draw to a ~*** zbliżać się do końca; [kləʊs] *Brt.* mała zamknięta uliczka; **4.** [kləʊz] *v/t.* zamykać ⟨-knąć⟩; ⟨s-, za⟩kończyć; *v/i.* zamykać ⟨-knąć⟩ się; ⟨s-, za⟩kończyć się; ***~ down*** *program TV itp.* ⟨s-, za⟩kończyć (się); *fabrykę itp.* zamykać ⟨-knąć⟩ (się); ***~ in*** okrążać ⟨-żyć⟩; *fig.* nadchodzić ⟨nadejść⟩; ***~ up*** zamykać ⟨-knąć⟩ (się); *szeregi* zwierać ⟨zewrzeć⟩; **~d** zamknięty
clos·et ['klɒzɪt] szafa *f* ścienna; ⚠ *nie* ***klozet***
close-up ['kləʊsʌp] *phot.*, *film.* powiększenie *n*
clos·ing| date ['kləʊzɪŋdeɪt] termin *m* ostateczny, ostatni dzień *m*; **'~ time** godzina *f* zamknięcia;
clot [klɒt] **1.** bryła *f*, grudka *f*; ***~ of blood*** *med.* skrzep *m*; **2.** (***-tt-***) ⟨s⟩krzepnąć
cloth [klɒθ] (*pl.* ***cloths*** [klɒθs, klɒðz]) tkanina *f*, sukno *n*; ścierka *f*, ściereczka *f*; szmatka *f*; **'~·bound** oprawny w płótno
clothe [kləʊð] (***clothed*** *lub* ***clad***) ubierać ⟨ubrać⟩
clothes [kləʊðz] *pl.* ubranie *n*, ubrania *pl.*, odzież *f*; (*uprana bielizna*) pranie *n*; **'~ bas·ket** kosz *m* na pranie; **'~ horse** suszarka *f do rozwieszenia bielizny*; **'~ line** sznur *m* na bieliznę; **'~ peg** *Brt.*, **'~·pin** *Am.* klamerka *f* (*do bielizny*)
cloth·ing ['kləʊðɪŋ] ubranie *n*, odzież *f*
cloud [klaʊd] **1.** chmura *f*, obłok *m*; zachmurzenie *n*; *fig.* cień *m*; **2.** ⟨za⟩chmurzyć (się) (*też fig.*); **'~·burst** oberwanie *n* chmury; **'~·less** bezchmurny; **'~·y** (***-ier, -iest***) zachmurzony
clout [klaʊt] F cios *m*, F walnięcie *n*; *fig.* siła *f* przebicia, wpływ *m*;
clove¹ [kləʊv] *bot.*, *gastr.* goździk; ***a ~ of garlic*** ząbek *m* czosnku

clove² [kləʊv] *pret. od* ***cleave***; **clo•ven** ['kləʊvn] *pret. od* ***cleave***; **clo•ven 'hoof** (*pl.* ***- hoofs, - hooves***) *zo.* racica *f*
clo•ver ['kləʊvə] *bot.* koniczyna *f*
clown [klaʊn] klown *m*, *klaun m*
club [klʌb] **1.** pałka *f*, kij *m*; *sport*: kij *m*; klub *m*; **~s** *pl.* trefle *pl.*; **2.** (**-bb-**) obijać ⟨obić⟩ pałką; **'~•foot** (*pl.* ***-feet***) zdeformowana stopa *f*
cluck [klʌk] **1.** ⟨za⟩gdakać; **2.** gdakanie *n*
clue [kluː] wskazówka *f*, klucz *m*; (*w krzyżówce*) określenie *n*
clump [klʌmp] **1.** grupa *f*, kępa *f*; bryłka *f*, grud(k)a *f*; **2.** ciężko chodzić ⟨iść⟩
clum•sy ['klʌmzɪ] (***-ier, -iest***) niezgrabny, niezręczny
clung [klʌŋ] *pret. i p.p. od* ***cling***
clus•ter ['klʌstə] **1.** skupisko *n*, grupa *f*; *bot.* grono *n*, kiść *f*; **2.** skupiać ⟨-pić⟩ się
clutch [klʌtʃ] **1.** uścisk *m*; *tech.* sprzęgło *n*; *fig.* szpon *m*; **2.** ściskać ⟨ścisnąć⟩ (*mocno*)
CNN [siː en 'en] *skrót*: ***Cable News Network*** (*amerykańska telewizja kablowa, nadająca wiadomości ze świata*)
c/o [siː 'əʊ] *skrót*: ***care of*** na adres, pod adresem
Co¹ [kəʊ] *skrót*: ***company*** *econ.* spółka *f*
Co² *skrót pisany*: ***County*** *Brt.* hrabstwo *n*; *Am.* okręg *m* (*wyborczy*)
coach [kəʊtʃ] **1.** autobus *m* (*turystyczny*), autokar *m*; *Brt. rail.* wagon *m* osobowy; powóz *m*; *sport*: trener(ka *f*) *m*; korepetytor(ka *f*) *m*; **2.** *sport*: trenować; dawać ⟨dać⟩ korepetycje; **'~•man** (*pl.* ***-men***) trener *m*
co•ag•u•late [kəʊ'ægjʊleɪt] ⟨s⟩koagulować, ⟨s⟩krzepnąć
coal [kəʊl] węgiel *m*; ***carry ~s to Newcastle*** wozić drewno do lasu
co•a•li•tion [kəʊə'lɪʃn] *pol.* koalicja *f*; przymierze *n*
'coal|•mine, '~•pit kopalnia *f*
coarse [kɔːs] (***-r, -st***) gruby, chropowaty; surowy; grubiański
coast [kəʊst] **1.** brzeg *m*; **2.** *naut.* płynąć wzdłuż wybrzeża; jechać rozpędem (*samochodem, rowerem itp.*); *Am.* ślizgać się; **'~•guard** straż *f* przybrzeżna; **'~•line** linia *f* brzegowa
coat [kəʊt] **1.** płaszcz *m*; *zo.* sierść *f*; warstwa *f*, powłoka *f* (*farby itp.*); **2.** powlekać ⟨powlec⟩, pokrywać ⟨pokryć⟩, nakładać ⟨nałożyć⟩ powłokę; **'~ hang•er** → ***hanger***; **'~•ing** powłoka *f*; tkanina *f* płaszczowa
coat of 'arms herb *m*
coax [kəʊks] namawiać ⟨namówić⟩ (***into*** do *G*), przekonywać ⟨-nać⟩
cob [kɒb] kolba *f* (*kukurydzy*)
cob•bled ['kɒbld] wybrukowany
cob•bler ['kɒblə] szewc *m*
cob•web ['kɒbweb] pajęczyna *f*
co•caine [kəʊ'keɪn] kokaina *f*
cock [kɒk] **1.** *zo.* kogut *m*; V kutas *m*; zawór *m*, kurek *m*; **2.** naciągać ⟨naciągnąć⟩; ***~ one's ears*** nastawiać ⟨-wić⟩ uszu
cock•a•too [kɒkə'tuː] *zo.* kakadu *n*
cock•chaf•er ['kɒktʃeɪfə] *zo.* chrabąszcz *m*
cock'eyed F stuknięty; zezowaty
Cock•ney ['kɒknɪ] (*rodowity londyńczyk; dialekt Londynu*) cockney *m*
'cock•pit kokpit *m*
cock•roach ['kɒkrəʊtʃ] *zo.* karaluch *m*
cock'sure F pewny swego, arogancki
'cock•tail koktajl *m* alkoholowy
cock•y ['kɒkɪ] F (***-ier, -iest***) zarozumiały, zadufany
co•co ['kəʊkəʊ] *bot.* (*pl.* ***-cos***) palma *f* kokosowa
co•coa ['kəʊkəʊ] *gastr.* kakao *n*
co•co•nut ['kəʊkənʌt] *bot.* kokos *m*
co•coon [kə'kuːn] kokon *m*
cod [kɒd] *zo.* dorsz *m*, wątłusz *m*
COD [siː əʊ 'diː] *skrót*: ***cash*** (*Am.* ***collect***) ***on delivery*** za zaliczeniem pocztowym
cod•dle ['kɒdl] rozpieszczać ⟨rozpieścić⟩
code [kəʊd] **1.** kod *m*; **2.** ⟨za⟩szyfrować, ⟨za⟩kodować
'cod•fish *zo.* → ***cod***
cod•ing ['kəʊdɪŋ] kodowanie *n*
cod-liv•er 'oil tran *m* (*z wątroby dorsza*)
co•ed•u•ca•tion [kəʊedjuː'keɪʃn] koedukacja *f*
co•ex•ist [kəʊɪg'zɪst] koegzystować, współżyć, współistnieć; **~•ence** koegzystencja *f*, współżycie *n*, współistnienie *n*
C of E [siː əv 'iː] *skrót*: ***Church of England*** Kościół *lub* kościół anglikański
cof•fee ['kɒfɪ] kawa *f*; **'~ bar** *Brt.* ka-

C

wiarnia *f*, bar *m* kawowy; **'~ bean** ziarno *n* kawy; **'~ pot** dzbanek *m do* kawy; **'~ set** serwis *m* do kawy; **'~ shop** *zwł. Am.* → ***coffee bar***; **'~ ta•ble** ława *f*, stolik *m*

cof•fin ['kɒfɪn] trumna *f*

cog [kɒg] *tech.* ząb *m* (*zębatki*); **'~•wheel** *tech.* zębatka *f*, koło *n* zębate

co•her|•ence, ~•en•cy [kəʊ'hɪərəns, -rənsɪ] spójność *f*, koherencja *f*; **~•ent** spójny, koherentny

co•he|•sion [kəʊ'hiːʒn] zwartość *f*, spójność *f*; **~•sive** [kəʊ'hiːsɪv] zwarty, spójny

coif•fure [kwɑː'fjʊə] fryzura *f*

coil [kɔɪl] **1.** *też* **~ *up*** zwijać ⟨zwinąć⟩ (się); **2.** *tech.* zwój *m*, krąg *m*; spirala *f*

coin [kɔɪn] **1.** moneta *f*; **2.** ⟨u⟩kuć

co•in|•cide [kəʊɪn'saɪd] nakładać ⟨-łożyć⟩ się, zbiegać ⟨zbiec⟩ się; **~•ci•dence** [kəʊ'ɪnsɪdəns] zbieg *m* okoliczności, przypadek *m*

'coin-op•e•rat•ed: **~ (*petrol*,** *Am.* ***gas*****) *pump*** automatyczny dystrybutor paliwa *m* na monety

coke [kəʊk] koks *m* (*też sl. kokaina*)

Coke *TM* [kəʊk] coca-cola *f*, koka-kola *f*

cold [kəʊld] **1.** zimny, chłodny; oziębły; **2.** chłód *m*, zimno *n*; przeziębienie *n*; ***catch*** (***a***) **~** przeziębić się; ***have a* ~** być przeziębionym; **~-'blood•ed** zimnokrwisty; **~-'heart•ed** o twardym sercu; **'~•ness** zimno *n*; **~ 'war** *pol.* zimna wojna *f*

cole•slaw ['kəʊlslɔː] *gastr.* surówka *f* z kapusty

col•ic ['kɒlɪk] *med.* kolka *f*

col•lab•o|•rate [kə'læbəreɪt] współpracować; **~•ra•tion** [kəlæbə'reɪʃn] współpraca *f*; ***in* ~*ration with*** wraz z (*I*)

col|•lapse [kə'læps] **1.** zawalać ⟨-lić⟩ się; rozpadać ⟨-paść⟩ się; załamać ⟨-mywać⟩ się; runąć; składać ⟨złożyć⟩ się; *fig.* rozpadać ⟨-paść⟩ się; załamać ⟨-mywać⟩ się; **2.** zawalenie *n* się, rozpad *m*, upadek *m*; **~'lap•si•ble** składany, rozkładany

col•lar ['kɒlə] **1.** kołnierz *m*; obroża *f*; *rel.* koloratka *f*; **2.** ⟨z⟩łapać, ⟨s⟩chwytać, F capnąć; **'~-bone** *anat.* obojczyk *m*

col•league ['kɒliːg] kolega *m*, koleżanka *f*

col|•lect [kə'lekt] *v/t.* zbierać ⟨zebrać⟩; kolekcjonować; odbierać ⟨odebrać⟩; *pieniądze itp.* pobierać ⟨pobrać⟩; *v/i.* zbierać ⟨zebrać⟩ się; **~'lect•ed** zebrany; *fig.* opanowany; **~'lec•tion** zbieranie *n*; zbiór *m*; kolekcja *f*; *econ.* inkaso *n*; *rel.* kolekta *f*; odbiór *m*; **~'lec•tive** zbiorowy, wspólny; **~'lec•tive•ly** zbiorowo, wspólnie; **~'lec•tor** kolekcjoner(ka *f*) *m*; inkasent(ka *f*) *m*; *rail.* kontroler(ka *f*) *m*; *electr.* kolektor *m*

col•lege ['kɒlɪdʒ] koledż *m*; wyższa szkoła *f*; szkoła *f* pomaturalna

col•lide [kə'laɪd] zderzać ⟨-rzyć⟩ się

col•lie•ry ['kɒljərɪ] kopalnia *f* węgla

col•li•sion [kə'lɪʒn] zderzenie *n*, kolizja *f*; → ***head-on* ~, *rear-end* ~**

col•lo•qui•al [kə'ləʊkwɪəl] potoczny

co•lon ['kəʊlən] dwukropek *m*; *anat.* okrężnica *f*

colo•nel ['kɜːnl] *mil.* pułkownik *m*

co•lo•ni•al•is•m [kə'ləʊnjəlɪzəm] kolonializm *m*

col•o|•nize ['kɒlənaɪz] ⟨s⟩kolonizować, zasiedlać ⟨-dlić⟩; **~•ny** ['kɒlənɪ] kolonia *f*

co•los•sal [kə'lɒsl] kolosalny

col•o(u)r ['kʌlə] **1.** kolor *m*, barwa *f*; **~s** *pl. mil.* sztandar *m*, barwy *pl.*.; *naut.* bandera *m*; ***what* ~ *is ...?*** jakiego koloru jest ...?; ***with flying* ~*s*** triumfalnie, z wielkim sukcesem; **2.** *v/t.* ⟨za⟩barwić; ⟨za⟩farbować; *fig.* koloryzować; *v/i.* ⟨za⟩barwić się; ⟨za⟩czerwienić się; **'~ bar** segregacja *f* rasowa; **'~-blind** ślepy na kolory; **'~ed** kolorowy; **'~•fast** o trwałych kolorach; **'~ film** *phot.* film *m* kolorowy; **'~•ful** kolorowy; *fig.* barwny; **~•ing** ['kʌlərɪŋ] barwnik *m*; cera *f*, karnacja *f*; **'~•less** bezbarwny; **'~ line** segregacja *f* rasowa; **'~ set** telewizor *m* kolorowy; **'~ tel•e•vi•sion** telewizja *f* kolorowa

colt [kəʊlt] źrebię *n*, źrebak *m*

col•umn ['kɒləm] kolumna *f* (*też mil.*); *print.* szpalta *f*; felieton *m*; **~•ist** ['kɒləmnɪst] felietonista *m* (-tka *f*)

comb [kəʊm] **1.** grzebień *m*; **2.** *v/t.* ⟨wy-, roz⟩czesać

com|•bat ['kɒmbæt] **1.** walka *f*; ***single* ~*bat*** pojedynek *m*; *attr.* bojowy; **2.** (***-tt-***, *Am. też* ***-t-***) zwalczać ⟨-czyć⟩; **~•ba•tant** ['kɒmbətənt] walczący *m* (-ca *f*), żołnierz *m*; ⚠ *nie* ***kombatant***

com|·bi·na·tion [kɒmbɪˈneɪʃn] połączenie *n*, kombinacja *f*; **~·bine** [kəmˈbaɪn] **1.** łączyć (się), ⟨z⟩wiązać (się), zespalać ⟨zespolić⟩ (się); **2.** *econ.* koncern *m*; *agr. też* ***~bine harvester*** kombajn *m*

com·bus|·ti·ble [kəmˈbʌstəbl] **1.** łatwopalny; **2.** materiał *m* łatwopalny; **~·tion** [kəmˈbʌstʃən] spalanie *n*

come [kʌm] (***came, come***) przychodzić ⟨przyjść⟩, przyjeżdżać ⟨przyjechać⟩; ***to ~*** nadchodzący, w przyszłości; ***~ and go*** przychodzić i odchodzić; ***~ to see*** odwiedzać; ***~ about*** stać się, wydarzyć się; ***~ across*** natrafiać ⟨-fić⟩ na (*A*); ***~ along*** iść; nadchodzić ⟨-dejść⟩; ***~ apart*** rozpadać ⟨-paść⟩ się; ***~ away*** odchodzić ⟨-dejść⟩; ***~ back*** wracać ⟨wrócić⟩, powracać ⟨-wrócić⟩; ***~ by*** natrafiać ⟨-fić⟩ na (*A*); ***~ down*** schodzić ⟨zejść⟩; *cena*: spadać ⟨spaść⟩; runąć; ***~ down with*** F zachorować na (*A*); ***~ for*** przychodzić ⟨przyjść⟩ po (*A*); ⟨za⟩atakować (*A*); ***~ forwards*** zgłaszać ⟨zgłosić⟩ się; ***~ from*** pochodzić z (*G*); ***~ home*** przychodzić *lub* przyjeżdżać do domu; ***~ in*** wchodzić ⟨wejść⟩ do (*G*); *informacja*: nadchodzić ⟨nadejść⟩; *pociąg*: nadjeżdżać ⟨nadjechać⟩; ***~ in!*** proszę wejść!; ***~ loose*** obluzować się, poluzować się; ***~ off*** odpadać ⟨odpaść⟩, odrywać ⟨oderwać⟩ się; przechodzić ⟨przejść⟩; wypadać ⟨wypaść⟩; ***~ on!*** daj spokój!; dalej!; no już!; ***~ out*** *książka, sumowanie itp.*: wychodzić; *plama*: schodzić ⟨zejść⟩; ujawniać ⟨ujawnić⟩ się; ***~ over*** przyjeżdżać ⟨-jechać⟩, przychodzić ⟨przyjść⟩, przybywać ⟨przybyć⟩; ***~ round*** przyjeżdżać ⟨-jechać⟩, przychodzić ⟨przyjść⟩, przybywać ⟨przybyć⟩; przychodzić ⟨przyjść⟩ do siebie; ***~ through*** przechodzić ⟨przejść⟩; docierać ⟨dotrzeć⟩, *wiadomość itp.*: zostać ujawnionym; ***~ to*** wynosić ⟨-nieść⟩; dochodzić ⟨dojść⟩ do siebie; ***~ up to*** być równym, dorównywać ⟨-wnać⟩, odpowiadać; **ˈ~·back** powrót *m*, comeback *m*

co·me·di·an [kəˈmiːdjən] komik *m*

com·e·dy [ˈkɒmədɪ] komedia *f*

come·ly [ˈkʌmlɪ] (***-ier, -iest***) atrakcyjny, dobrze wyglądający

com·fort [ˈkʌmfət] **1.** wygoda *f*, komfort *m*; pociecha *f*, otucha *f*; **2.** pocieszać ⟨-szyć⟩, dodawać ⟨-dać⟩ otuchy; **ˈcom·for·ta·ble** wygodny; spokojny; nieskrępowany; dobrze sytuowany; ***be ~able*** być spokojnym; czuć się wygodnie; *chory itp.*: być w dobrym stanie; **ˈ~·er** pocieszyciel(ka *f*) *m*; *zwł. Brt.* smoczek *m*; *Am.* kołdra *f* (*pikowana*); szalik *m* wełniany; **ˈ~·less** niepocieszony, nieukojony; **ˈ~ sta·tion** *Am.* toaleta *f* publiczna

com·ic [ˈkɒmɪk] (***~ally***) komiczny

com·i·cal [ˈkɒmɪkl] komiczny

com·ics [ˈkɒmɪks] *pl.* komiks *m*

com·ma [ˈkɒmə] przecinek *m*

com·mand [kəˈmɑːnd] **1.** rozkaz *m*, komenda *f*; kierownictwo *n*; *mil.* dowództwo *n*, komenda *f*; **2.** rozkazywać ⟨-zać⟩; *mil.* dowodzić, komenderować; *poparcie itp.* uzyskiwać ⟨-skać⟩; panować nad (*I*) (*terenem itp.*); dysponować (*zasobami itp.*); **~·er** *mil.* dowódca *m*, dowodzący *m* (-ca *f*); **~·er in chief** *mil.* [kəmɑːndərɪnˈtʃiːf] (*pl.* ***commanders in chief***) głównodowodzący *m*, wódz *m* naczelny; **~·ment** *rel.* przykazanie *n*; **~ mod·ule** (*w astronautyce*) człon *m* dowodzenia, kabina *f* załogi

com·man·do [kəˈmɑːndəʊ] *mil.* (*pl.* ***-dos, -does***) jednostka *f* do zadań specjalnych; żołnierz *m* jednostki do zadań specjalnych, F komandos *m*

com·mem·o|·rate [kəˈmeməreɪt] upamiętniać ⟨upamiętnić⟩, ⟨u⟩czcić (*pamięć*); **~·ra·tion** [kəmeməˈreɪʃn] uczczenie *n* (*pamięci*); ***in ~ration of*** dla uczczenia pamięci (*G*); **~·ra·tive** [kəˈmemərətɪv] upamiętniający, pamiątkowy

com|·ment [ˈkɒment] **1.** komentarz *m* (***on*** o *L*), uwaga *f* (o *L*); ***no ~ment!*** bez komentarza!; **2.** *v/i.* ***~ment on*** ⟨s⟩komentować (*A*); *v/t.* zauważać ⟨-żyć⟩ (***that*** że); **~·men·ta·ry** [ˈkɒməntərɪ] komentarz *m* (***on*** o *L*); **~·men·t-a·tor** [ˈkɒmənteɪtə] komentator *m* (-ka *f*); *radio, TV*: sprawozdawca *m*, reporter(ka *f*) *m*

com·merce [ˈkɒmɜːs] handel *m*

com·mer·cial [kəˈmɜːʃl] **1.** handlowy, komercyjny; **2.** *radio, TV*: reklama *f*; **~ ˈart** sztuka *f* użytkowa; **~ ˈart·ist** grafik *m* użytkowy; **~·ize** [kəˈmɜːʃəlaɪz] ⟨s⟩komercjalizować; **~ ˈtel·e·vi·sion**

telewizja *f* komercyjna *lub* prywatna; ~ **'trav·el·ler** → ***sales representative***

com·mis·e|·rate [kə'mɪzəreɪt]: ***~rate with*** współczuć (*D*); **~·ra·tion** [kəmɪzə'reɪʃn] współczucie *n* (***for*** dla *G*), wyrazy *pl.* współczucia

com·mis·sion [kə'mɪʃn] **1.** zlecenie *n*, zamówienie *n*; *econ.* prowizja *f*; komisja *f*; *jur.* popełnienie *n* (*wykroczenia itp.*); **2.** zlecać ⟨-cić⟩, zamawiać ⟨-mówić⟩; **~·er** pełnomocnik *m*; komisarz *m*

com·mit [kə'mɪt] (*-tt-*) *wykroczenie itp.* popełniać ⟨-nić⟩; powierzać ⟨-rzyć⟩, przeznaczać ⟨-czyć⟩; angażować (się); *kogoś* umieszczać; ~ ***o.s.*** zobowiązywać się (***to*** do *G*); **~·ment** zobowiązanie *n*; zaangażowanie *n*, poświęcenie *n*; **~·tal** [kə'mɪtl] *jur.* uwięzienie *n*, przekazanie *n*; **~·tee** [kə'mɪtɪ] komitet *m*

com·mod·i·ty [kə'mɒdətɪ] *econ.* artykuł *m* handlowy; produkt *m*

com·mon ['kɒmən] **1.** wspólny; zwykły, zwyczajny, pospolity; powszechny, ogólny; *zwł. Brt.* pospolity, gminny; **2.** wspólna ziemia *f*; ***in*** ~ wspólnie, razem (***with*** z *I*); **'~·er** człowiek *m* z gminu, F pospolitak *m*; ~ **'law** (*niepisane*) prawo *n* zwyczajowe; ☊ **'Mar·ket** *econ. pol.* Wspólny Rynek *m*; **'~·place 1.** banał *m*; **2.** zwykły, pospolity, powszedni; **'~s**: ***the*** ☊***s***, *lub* ***the House of*** ☊***s*** *Brt. parl.* Izba *f* Gmin; ~ **'sense** zdrowy rozsądek *m*; **'~·wealth**: ***the*** ☊***wealth*** (***of Nations***) Wspólnota *f* Narodów; ***the*** ☊***wealth of Independent States*** Wspólnota *f* Niepodległych Państw

com·mo·tion [kə'məʊʃn] zamieszanie *n*

com·mu·nal ['kɒmjʊnl] wspólny; ogólnodostępny

com·mune ['kɒmjuːn] komuna *f*; wspólnota *f*; gmina *f*

com·mu·ni|·cate [kə'mjuːnɪkeɪt] *v/t.* przekazywać ⟨-zać⟩, komunikować; *v/i.* porozumiewać ⟨-mieć⟩ się (***with*** z *I*); komunikować się; *pokoje itp.*: być połączonym; **~·ca·tion** [kəmjuːnɪ'keɪʃn] porozumiewanie *n* się, komunikowanie *n* się; komunikacja *f*; przekazanie *n*

com·mu·ni·ca·tions [kəmjuːnɪ'keɪʃnz] *pl.* połączenia *pl.*; komunikacja *f*, telekomunikacja *f*; *attr.* (tele)komunikacyjny; ~ **sat·el·lite** satelita *m* telekomunikacyjny

com·mu·ni·ca·tive [kə'mjuːnɪkətɪv] komunikatywny, rozmowny

Com·mu·nion [kə'mjuːnjən] *rel.* *też* ***Holy*** ~ Komunia *f* (*Święta*)

com·mu|·nis·m ['kɒmjʊnɪzəm] komunizm *m*; **'~·nist 1.** komunista *m* (-tka *f*); **2.** komunistyczny

com·mu·ni·ty [kə'mjuːnətɪ] wspólnota *f*; społeczność *f*, społeczeństwo *n*

com|·mute [kə'mjuːt] *rail.* dojeżdżać ⟨-jechać⟩ (*do pracy*); *jur.* ⟨z⟩łagodzić karę; **~'mut·er** dojeżdżający *m* (-ca *f*) do pracy; **~'mut·er train** pociąg *m* dla dojeżdżających do pracy

com·pact 1. ['kɒmpækt] puderniczka *f*; *Am.* niewielki samochód *m*, compact *m*; **2.** [kəm'pækt] *adj.* zwarty; niewielki; lapidarny; ~ **car** [kɒmpækt 'kɑː] *Am.* niewielki samochód *m*, compact *m*; ~ **disc,** ~ **disk** [kɒmpækt 'dɪsk] (*skrót*: ***CD***) kompakt *m*, płyta *f* kompaktowa, CD *n*; ~ **'disk play·er** odtwarzacz *m* kompaktowy

com·pan·ion [kəm'pænjən] towarzysz(ka *f*) *m*; dama *f* do towarzystwa; encyklopedia *f*, podręcznik *m*; **~·ship** towarzystwo *n*

com·pa·ny ['kʌmpənɪ] towarzystwo *n*; *econ.* firma *f*, spółka *f*; *mil.* kompania *f*; *theat.* zespół; ***keep s.o.*** ~ dotrzymywać komuś towarzystwa

com|·pa·ra·ble ['kɒmpərəbl] porównywalny, zbliżony; **~·par·a·tive** [kəm'pærətɪv] **1.** porównawczy; względny; **2.** *też* ***~parative degree*** *gr.* stopień *m* wyższy; **~·pare** [kəm'peə] **1.** *v/t.* porównywać ⟨-wnać⟩; ***~pared with*** w porównaniu z (*I*); *v/i.* wypadać ⟨-paść⟩ w porównaniu; **2.** ***beyond ~pare, without ~pare*** nie do opisania; **~·pa·ri·son** [kəm'pærɪsn] porównanie *n*

com·part·ment [kəm'pɑːtmənt] przegródka *f*; *rail.* przedział *m*; komora *f*; schowek *m*

com·pass ['kʌmpəs] kompas *m*; ***a pair of ~es*** *pl.* cyrkiel *m*

com·pas·sion [kəm'pæʃn] współczucie *n*; **~·ate** [kəm'pæʃənət] współczujący; *urlop itp.*: okolicznościowy

com·pat·i·ble [kəm'pætəbl] zgodny; ***be*** ~ (***with***) odpowiadać (*D*), *komp., radio*: być kompatybilnym (z *I*)

com·pat·ri·ot [kəm'pætrɪət] rodak *m* (-aczka *f*)

com·pel [kəm'pel] (**-ll-**) nakłaniać ⟨-łonić⟩, zmuszać ⟨-sić⟩; **~·ling** nieodparty, ważny

com·pen|·sate ['kɒmpenseɪt] wynagradzać ⟨-grodzić⟩, rekompensować; stanowić kompensatę; wypłacać⟨-cić⟩ rekompensatę; **~·sa·tion** [kɒmpen'seɪʃn] rekompensata *f*; kompensata *f*, *jur.* wynagrodzenie *n*, odszkodowanie *n*

com·pere ['kɒmpeə] *Brt.* konferansjer *m*, prezenter(ka *f*) *m*

com·pete [kəm'pi:t] współzawodniczyć (***for*** o *A*), konkurować (***for*** o *A*); (*w sporcie*) brać ⟨wziąć⟩ udział

com·pe|·tence ['kɒmpɪtəns] fachowość *f*, kompetencje *pl.*, kwalifikacje *pl.*; znajomość *f* (*języka obcego itp.*); **'~·tent** fachowy, kompetentny

com·pe·ti·tion [kɒmpɪ'tɪʃn] zawody *pl.*, konkurs *m*; rywalizacja *f*, współzawodnictwo *n*; konkurencja *f*

com·pet·i|·tive [kəm'petətɪv] konkurencyjny; **~·tor** [kəm'petɪtə] współzawodniczący *m* (-ca *f*), konkurent(ka *f*) *m*

com·pile [kəm'paɪl] ⟨s⟩kompilować, opracowywać ⟨-wać⟩, zbierać ⟨zebrać⟩

com·pla|·cence, ~·cen·cy [kəm'pleɪsns, -snsɪ] samozadowolenie *n*; **~·cent** [kəm'pleɪsnt] zadowolony z siebie, pełen samozadowolenia

com·plain [kəm'pleɪn] ⟨po⟩skarżyć się (***about*** o *L*, ***to*** *D*), składać ⟨złożyć⟩ skargę *lub* zażalenie (***of*** na *A*); **~t** skarga *f*; zażalenie *n*; *med.* dolegliwość *f*

com·ple|·ment **1.** ['kɒmplɪmənt] uzupełnienie *n*, dopełnienie *n*; ⚠ *nie* ***komplement***; **2.** ['kɒmplɪment] uzupełniać ⟨-nić⟩; **~·men·ta·ry** [kɒmplɪ'mentərɪ] uzupełniający, dopełniający; wzajemnie się dopełniający

com|·plete [kəm'pli:t] **1.** całkowity, kompletny; cały, zupełny; skończony; **2.** ⟨u-, za⟩kończyć; uzupełniać ⟨-nić⟩; *formularz itp.* wypełniać ⟨-nić⟩; **~·ple·tion** [kəm'pli:ʃn] zakończenie *n*, uzupełnienie *n*

com·plex ['kɒmpleks] **1.** złożony, skomplikowany; **2.** kompleks *m* (*też psych.*)

com·plex·ion [kəm'plekʃn] cera *f*, karnacja *f*; *fig.* odmiana *f*

com·plex·i·ty [kəm'pleksətɪ] złożoność *f*, skomplikowanie *n*

com·pli|·ance [kəm'plaɪəns] zgodność *f*; stosowność *f*; uległość *f*; ***in ~ance with*** zgodnie z (*I*); **~·ant** uległy, ustępliwy

com·pli|·cate ['kɒmplɪkeɪt] ⟨s⟩komplikować; **'~·cat·ed** skomplikowany; **~·ca·tion** [kɒmplɪ'keɪʃn] komplikacja *f*, problem *m*; *med.* powikłanie *n*

com·plic·i·ty [kəm'plɪsətɪ] *jur.* współudział (***in*** w *L*)

com·pli|·ment **1.** ['kɒmplɪmənt] komplement *m*; ***~ments*** *pl.* pozdrowienia *pl.*; **2.** ['kɒmplɪment] *v/t.* prawić komplementy; ⟨po⟩gratulować; **~·men·ta·ry** [kɒmplɪ'mentərɪ] gratisowy, bezpłatny, okazowy

com·ply [kəm'plaɪ] zgadzać ⟨-zgodzić⟩ się (***with*** z *I*); ⟨za⟩stosować się (do *G*) (*umowy itp.*)

com·po·nent [kəm'pəʊnənt] składnik *m*, część *f* składowa; *tech. electr.* podzespół *m*

com|·pose [kəm'pəʊz] składać ⟨złożyć⟩; *mus.* ⟨s⟩komponować; ***be ~posed of*** składać się z (*G*); ***~pose o.s.*** uspokajać ⟨-koić⟩ się; **~'posed** spokojny, opanowany; **~'pos·er** *mus.* kompozytor(ka *f*) *m*; **~·po·si·tion** [kɒmpə'zɪʃn] skład *m*; *mus.* kompozycja *f*, utwór *m*; *ped.* wypracowanie *n*; **~·posure** [kəm'pəʊʒə] opanowanie *n*, samokontrola *f*

com·pound[1] ['kɒmpaʊnd] *ogrodzony* teren *m*; obóz *m* dla jeńców *lub* więźniów; (*w zoo*) wybieg *m*

com·pound[2] **1.** ['kɒmpaʊnd] *chem.* związek *m*; *gr.* złożenie *n*; **2.** ['kɒmpaʊnd] złożony; **~ *interest*** *econ.* procent *m* składany; **3.** [kəm'paʊnd] *v/t.* składać ⟨złożyć⟩; zwiększać ⟨-szyć⟩, *zwł.* pogarszać ⟨pogorszyć⟩

com·pre·hend [kɒmprɪ'hend] ⟨z⟩rozumieć, pojmować ⟨pojąć⟩

com·pre·hen|·si·ble [kɒmprɪ'hensəbl] zrozumiały; **~·sion** [kɒmprɪ'henʃn] zrozumienie *n*, pojmowanie *n*; ***past ~sion*** nie do zrozumienia; **~·sive** [kɒmprɪ'hensɪv] **1.** ogólny; wszechstronny; zupełny; **2.** *też Brt.* średnia szkoła *f* ogólnokształcąca (*nie stosująca selekcji*)

com|·press [kəm'pres] ściskać ⟨ścisnąć⟩, sprężać ⟨-żyć⟩; ***~pressed air***

sprężone powietrze *n*; **~·pres·sion** [kəm'preʃn] *phys.* ściskanie *n*; *tech.* sprężanie *n*
com·prise [kəm'praɪz] zawierać ⟨zawrzeć⟩, obejmować ⟨objąć⟩; ***be ~d of*** składać się z (*G*)
com·pro·mise ['kɒmprəmaɪz] **1.** kompromis *m*; **2.** *v/t.* dochodzić ⟨dojść⟩ do porozumienia; ⟨s⟩kompromitować; *zasady itp.* zdradzać ⟨-dzić⟩; *v/i.* zawierać ⟨zawrzeć⟩ kompromis
com·pul|·sion [kəm'pʌlʃn] przymus *m*; *psych.* natręctwo; **~·sive** [kəm'pʌlsɪv] przymusowy; *psych.* nałogowy, poddany natręctwu; **~·so·ry** [kəm'pʌlsərɪ] obowiązkowy, obligatoryjny
com·punc·tion [kəm'pʌŋkʃn] skrupuły *pl.*, obiekcje *pl.*
com·pute [kəm'pjuːt] ⟨wy-, po⟩liczyć
com·put·er [kəm'pjuːtə] komputer *m*; **~-'aid·ed** wspomagany komputerowo; **~-con'trolled** sterowany komputerowo; **~ game** gra *f* komputerowa; **~ 'graph·ics** *pl.* grafika *f* komputerowa; **~·ize** [kəm'pjuːtəraɪz] ⟨s⟩komputeryzować (się); **~ pre'dic·tion** prognoza *f* komputerowa *lub* przewidywanie *n* komputerowe; **~ 'sci·ence** informatyka *f*; **~ 'sci·en·tist** informatyk *m*; **~ 'vi·rus** wirus *m* komputerowy
com·rade ['kɒmreɪd] towarzysz(ka *f*) *m*
con[1] [kɒn] *skrót:* → ***contra***
con[2] [kɒn] F (***-nn-***) oszwabiać ⟨-bić⟩, nabierać ⟨nabrać⟩
con·ceal [kən'siːl] ukrywać ⟨ukryć⟩, skrywać ⟨skryć⟩
con·cede [kən'siːd] przyznawać ⟨-znać⟩; przyznawać ⟨-znać⟩ rację; uznawać ⟨uznać⟩; ustępować ⟨ustąpić⟩
con·ceit [kən'siːt] zarozumiałość *f*; **~·ed** zarozumiały
con·cei|·va·ble [kən'siːvəbl] wyobrażalny; do pomyślenia; **~ve** [kən'siːv] *v/i.* zachodzić ⟨zajść⟩ w ciążę; *v/t. dziecko* począć; obmyślać ⟨-lić⟩
con·cen·trate ['kɒnsəntreɪt] ⟨s⟩koncentrować (się)
con·cept ['kɒnsept] pojęcie *n*
con·cep·tion [kən'sepʃn] pojęcie *n*, koncepcja *f*; *biol.* poczęcie *n*
con·cern [kən'sɜːn] **1.** sprawa *f*, rzecz *f*; zagadnienie *n*; zmartwienie *n*, niepokój *m*, troska *f*; *econ.* przedsiębiorstwo *n*, biznes *m*; **2.** dotyczyć (*G*); ⟨z⟩martwić, ⟨za⟩niepokoić; **~ed** zaniepokojony, zatroskany; zamieszany (***in*** w *L*); **~·ing** *prp.* odnośnie (*G*), dotyczący (*G*)
con·cert ['kɒnsət] *mus.* koncert *m*; koncertowy; **'~ hall** sala *f* koncertowa
con·ces·sion [kən'seʃn] ustępstwo *n*; koncesja *f*; ulga *f*, zwolnienie *n*
con·cil·i·a·to·ry [kən'sɪlɪətərɪ] pojednawczy, ugodowy
con·cise [kən'saɪs] zwięzły, krótki; **~·ness** zwięzłość *f*
con·clude [kən'kluːd] ⟨s-, za⟩kończyć, ⟨s⟩finalizować; *umowę itp.* zawierać ⟨zawrzeć⟩; wnioskować, dochodzić ⟨dojść⟩ do wniosku; ***to be ~d*** ciąg dalszy nastąpi
con·clu|·sion [kən'kluːʒn] wniosek *m*, konkluzja *f*; zakończenie *n*; podsumowanie *n*; zawarcie *n*; **~·sive** [kən'kluːsɪv] ostateczny, nieodparty
con|·coct [kən'kɒkt] ⟨s⟩preparować (*też fig.*); przygotowywać ⟨-tować⟩; **~·coc·tion** [kən'kɒkʃn] mikstura *f*; *fig.* mieszanina *f*
con·crete[1] ['kɒŋkriːt] konkretny
con·crete[2] ['kɒŋkriːt] **1.** beton *m*; *attr.* betonowy; **2.** ⟨za⟩betonować
con·cur [kən'kɜː] (***-rr-***) zgadzać ⟨-zgodzić⟩ się; współdziałać; zbiegać ⟨zbiec⟩ się; **~·rence** [kən'kʌrəns] zgodność *f*; zbieżność *f*; współdziałanie *n*; ⚠ *nie* ***konkurencja***
con·cus·sion [kən'kʌʃn] *med.* wstrząs *m* (*zwł. mózgu*)
con|·demn [kən'dem] potępiać ⟨-pić⟩; *jur.* skazywać ⟨-zać⟩; *budynek itp.* uznawać ⟨uznać⟩ za zagrożony; ***~demn to death*** skazywać na śmierć; **~·dem·na·tion** [kɒndem'neɪʃn] potępienie *n*; skazanie *n*
con|·den·sa·tion [kɒnden'seɪʃn] kondensacja *f*, skraplanie *n*; skroplona para *f*; zaparowanie *n*; **~·dense** [kən'dens] ⟨s⟩kondensować, skraplać ⟨-skroplić⟩; **~·densed 'milk** *słodzone* mleko *n* skondensowane; **~'dens·er** *tech.* kondensator *m*; skraplacz *m*
con·de·scend [kɒndɪ'send] zniżać ⟨zniżyć⟩ się; **~·ing** łaskawy, protekcjonalny
con·di·ment ['kɒndɪmənt] przyprawa *f*
con·di·tion [kən'dɪʃn] **1.** warunek *m*; stan *m*; kondycja *f*, forma *f*; *med.* dolegliwość *f*, schorzenie *n*; ***~s*** *pl.* warun-

ki *pl.*, okoliczności *pl.*, sytuacja *f*; ***on ~ that*** pod warunkiem że; ***be out of ~*** nie mieć kondycji; **2.** ⟨u⟩warunkować; ⟨na⟩uczyć; utrzymywać ⟨-mać⟩ w dobrej formie; **~·al** [kən'dɪʃənl] **1.** warunkowy; ***be ~al on*** *lub* ***upon*** być uzależnionym od (*G*); **2.** *też* ***~al clause*** *gr.* zdanie *n* warunkowe; *też* ***~al mood*** *gr.* tryb *m* warunkowy

con·do ['kɒndəʊ] *Am.* → ***condominium***

con|·dole [kən'dəʊl]: ***~dole with*** składać kondolencje (*D*); **~'do·lence** *zw. pl.* kondolencje *pl.*

con·dom ['kɒndəm] kondom *m*, prezerwatywa *f*

con·do·min·i·um [kɒndə'mɪnɪəm] *Am. jakby*: mieszkanie *m* własnościowe; *jakby*: budynek *m* z mieszkaniami własnościowymi

con·done [kən'dəʊn] wybaczać ⟨-czyć⟩, godzić się na (*A*)

con·du·cive [kən'dju:sɪv] sprzyjający (***to*** *D*), prowadzący (***to*** do *G*)

con|·duct 1. ['kɒndʌkt] prowadzenie *n*; zachowanie *n* (się) **2.** [kən'dʌkt] prowadzić; kierować; zachowywać się; *phys.* przewodzić; *mus.* dyrygować; ***~ducted tour*** wycieczka *f* z przewodnikiem; **~·duc·tor** [kən'dʌktə] przewodnik *m*); (*w autobusie, tramwaju, Am. też pociągu*) konduktor(ka *f*) *m*; *mus.* dyrygent *m*; *phys.* przewodnik *m*; *electr.* piorunochron *m*, odgromnik *m*

cone [kəʊn] stożek *m*; wafel *m* (*na lody*), rożek *m*; *bot.* szyszka *f*

con·fec·tion [kən'fekʃn] wyrób *m* cukierniczy; ⚠ *nie* ***konfekcja***; **~·er** [kən'fekʃnə] cukiernik *m*; **~·e·ry** [kən'fekʃnərɪ] słodycze *pl.*, wyroby *pl.* cukiernicze; cukiernia *f*; ⚠ *nie* ***konfekcyjny***

con·fed·e|·ra·cy [kən'fedərəsɪ] konfederacja *f*; ***the* 2*·ra·cy*** *Am. hist.* Konfederacja Południa; **~·rate 1.** [kən'fedərət] skonfederowany, konfederacyjny; **2.** [kən'fedərət] konfederat *m*; **3.** [kən'fedəreɪt] konfederować (się); **~·ra·tion** [kənfedə'reɪʃn] konfederacja *f*

con·fer [kən'fɜ:] (***-tt-***) *v/t. tytuł itp.* nadawać ⟨-dać⟩; *v/i.* naradzać ⟨-dzić⟩ się

con·fe·rence ['kɒnfərəns] konferencja *f*

con|·fess [kən'fes] wyznawać ⟨-znać⟩; przyznawać się; spowiadać się; **~·fes·sion** [kən'feʃən] wyznanie *n*; przyznanie *n* się; *rel.* spowiedź *f*; **~·fes·sion·al** [kən'feʃənl] *rel.* konfesjonał *m*; **~·fes·sor** [kən'fesə] *rel.* spowiednik *m*

con·fide [kən'faɪd]: ***~ s.th. to s.o.*** wyznawać coś komuś; ***~ in s.o.*** ufać komuś, zawierzyć komuś

con·fi·dence ['kɒnfɪdəns] zaufanie *n*; przekonanie *n*, wiara *f* (w siebie); **'~ man** (*pl.* ***-men***) → ***conman***; **'~ trick** szwindel *m*, oszustwo *n*

con·fi|·dent ['kɒnfɪdənt] ufny; pełen ufności; przekonany, pewny; ***be ~dent of*** być pewnym (*G*); **~·den·tial** [kɒnfɪ'denʃl] poufny, zaufany

con·fine [kən'faɪn] ograniczać ⟨-czyć⟩; ⟨u⟩więzić, odosobniać ⟨-nić⟩; ***be ~d to*** być odosobnionym w (*L*), być przykutym do (*G*; *łóżka itp.*); **~·ment** zamknięcie *n*; odosobnienie *n*; poród *m*

con|·firm [kən'fɜ:m] potwierdzać ⟨-dzić⟩, zatwierdzać; ***be ~firmed*** *rel.* być bierzmowanym; *rel.* otrzymywać ⟨-mać⟩ konfirmację; **~·fir·ma·tion** [kɒnfə'meɪʃn] potwierdzenie *n*, zatwierdzenie *n*; *rel.* bierzmowanie *n*; *rel.* konfirmacja *f*

con·fis|·cate ['kɒnfɪskeɪt] ⟨s⟩konfiskować; **~·ca·tion** [kɒnfɪ'skeɪʃn] konfiskata *f*

con·flict 1. ['kɒnflɪkt] konflikt *m*; **2.** [kən'flɪkt] wchodzić ⟨wejść⟩ w konflikt; kolidować; **~·ing** [kən'flɪktɪŋ] kolidujący, sprzeczny

con·form [kən'fɔ:m] dostosowywać ⟨-wać⟩ się; być zgodnym (***to*** z *I*), zachowywać ⟨-wać⟩ się konformistycznie

con·found [kən'faʊnd] zmieszać, wprawiać ⟨-wić⟩ w zakłopotanie

con|·front [kən'frʌnt] stawać ⟨stanąć⟩ przed (*I*); natykać się na (*A*); stawiać czoło (*D*); ⟨s⟩konfrontować; **~·front·ation** [kɒnfrʌn'teɪʃn] konfrontacja *f*

con|·fuse [kən'fju:z] zmieszać, wprawiać ⟨-wić⟩ w zakłopotanie; pomieszać, pomylić; **~·fused** zmieszany; pomieszany; **~·fu·sion** [kən'fju:ʒn] zmieszanie *n*, zamieszanie *n*; pomieszanie *n*

con·geal [kən'dʒi:l] ⟨s⟩krzepnąć; ⟨z⟩gęstnieć

con|·gest·ed [kən'dʒestɪd] zatłoczony; zapchany; **~·ges·tion** [kən'dʒestʃən] *med.* przekrwienie *n*; *też* ***traffic ~gestion*** zator *m* drogowy

con·grat·u|·late [kən'grætjuleɪt] ⟨po⟩gratulować; **~·la·tion** [kəngrætjʊ'leɪʃn] gratulacje *pl.*; ***~lations!*** moje gratulacje!

con·gre|·gate ['kɒŋgrɪgeɪt] zbierać (się); **~·ga·tion** [kɒŋgrɪ'geɪʃn] *rel.* zebranie *n*; wierni *pl.*; kongregacja *f*

con·gress ['kɒŋgres] kongres *m*; ⩍ *Am. parl.* Kongres *m*; **'⩍·man** (*pl.* ***-men***) *Am. parl.* kongresman *m*; **'⩍·wom·an** (*pl.* ***-women***) *Am. parl.* kobieta *f* kongresman

con|·ic ['kɒnɪk] *zwł. tech.*, **'~·i·cal** stożkowy

co·ni·fer ['kɒnɪfə] *bot.* drzewo *n* szpilkowe *lub* iglaste

con·jec·ture [kən'dʒektʃə] **1.** przypuszczenie *n*, domysł *m*; **2.** przypuszczać, wysuwać ⟨-sunąć⟩ przypuszczenie

con·ju·gal ['kɒndʒʊgl] małżeński

con·ju|·gate ['kɒndʒʊgeɪt] *gr.* odmieniać ⟨-nić⟩, koniugować; **~·ga·tion** [kɒndʒʊ'geɪʃn] *gr.* koniugacja *f*

con·junc·tion [kən'dʒʌŋkʃn] związek; *gr.* spójnik *m*; ***in ~ with*** wraz z (*I*)

con·junc·ti·vi·tis [kəndʒʌŋktɪ'vaɪtɪs] *med.* zapalenie *n* spojówek

con|·jure ['kʌndʒə] wyczarowywać ⟨-ować⟩; *diabła itp.* wywoływać ⟨-łać⟩; robić sztuczki magiczne; ***~jure up*** wyczarowywać ⟨-ować⟩, wywoływać⟨-łać⟩ (*też fig.*); [kən'dʒʊə] *przest.* błagać; **~·jur·er** ['kʌndʒərə] *zwł. Brt.* sztukmistrz *m*, iluzjonista *m*; **~·jur·ing trick** ['kʌndʒərɪŋ -] sztuczka *f* magiczna; **~·jur·or** ['kʌndʒərə] → ***conjurer***

con·man ['kɒnmæn] (*pl.* ***-men***) hochsztapler *m*, oszust *m*

con|·nect [kə'nekt] ⟨po⟩łączyć; *electr.* przyłączać ⟨-czyć⟩, podłączać ⟨-czyć⟩; *rail.*, *aviat itp.* mieć połączenie (***with*** z *I*); **~'nect·ed** połączony; spójny; **~·nec·tion**, **~·nex·ion** *Brt.* [kə'nekʃn] połączenie *n* (*też aviat.*, *rail.*); przyłączenie *n*, podłączenie *n* (*też electr.*, *tel.*); spójność *f*; *zwł.* ***~nections*** *pl.* stosunki *pl.*, związki *pl.*; krewni *pl.*

con·quer ['kɒŋkə] zdobywać ⟨-być⟩, pokonywać ⟨-nać⟩; **~·or** ['kɒŋkərə] zdobywca *m* (-wczyni *f*)

con·quest ['kɒŋkwest] podbój *m* (*też fig.*)

con·science ['kɒnʃəns] sumienie *n*

con·sci·en·tious [kɒnʃɪ'enʃəs] sumienny, staranny; **~·ness** sumienność *f*, staranność *f*; **~ ob'jec·tor** (*odmawiający pełnienia służby wojskowej ze względu na przekonania*)

con·scious ['kɒnʃəs] świadomy; przytomny; ***be ~ of*** zdawać sobie sprawę z (*I*); **'~·ness** świadomość *f*

con|·script **1.** *mil.* [kən'skrɪpt] powoływać ⟨-łać⟩; **2.** ['kɒnskrɪpt] poborowy *m*; **~·scrip·tion** [kən'skrɪpʃn] *mil.* pobór *m*

con·se|·crate ['kɒnsɪkreɪt] *rel.* poświęcać; **~·cra·tion** [kɒnsɪ'kreɪʃn] *rel.* poświęcenie *n*

con·sec·u·tive [kən'sekjʊtɪv] kolejny

con·sent [kən'sent] **1.** zgoda *f*; **2.** zgadzać się (***to*** na *A*)

con·se|·quence ['kɒnsɪkwəns] skutek *m*, konsekwencja *f*; znaczenie *n*; ***in ~quence of*** wskutek (*G*); **'~·quent·ly** w rezultacie, wreszcie; ⚠ *nie* ***konsekwentnie***

con·ser·va|·tion [kɒnsə'veɪʃn] konserwacja *f*; ochrona *f*; ochrona *f* przyrody; ***~tion area*** rezerwat *m* przyrody; **~·tion·ist** [kɒnsə'veɪʃnɪst] ekolog *m*; **~·tive** [kən'sɜːvətɪv] **1.** konserwatywny, zachowawczy; **2.** ***⩍tive*** konserwatysta *m* (-stka *f*); **~·to·ry** [kɒn'sɜːvətrɪ] szklarnia *f*, cieplarnia *f*; **con·serve** [kən'sɜːv] zachowywać ⟨-wać⟩, oszczędzać; utrzymywać ⟨-mać⟩, *owoce itp.* ⟨za⟩konserwować

con·sid|·er [kən'sɪdə] *v/t.* rozważać ⟨-żyć⟩; rozpatrywać ⟨-trzyć⟩; zastanawiać ⟨-nowić⟩ się; uważać; brać ⟨wziąć⟩ pod uwagę; *v/i.* zastanawiać ⟨-nowić⟩ się'; **~·e·ra·ble** [kən'sɪdərəbl] znaczny; **~·e·ra·bly** [kən'sɪdərəblɪ] znacznie; **~·er·ate** [kən'sɪdərət] taktowny, grzeczny; **~·e·ra·tion** [kənsɪdə'reɪʃn] wzgląd *m*; rozwaga *f*; rozważanie *n*; zapłata *f*, rekompensata *f*; ***take into ~eration*** brać ⟨wziąć⟩ pod uwagę; ***under ~eration*** rozważany; **~·er·ing** [kən'sɪdərɪŋ] zważywszy (że)

con·sign [kən'saɪn] *econ.* przesyłać ⟨-słać⟩; **~·ment** *econ.* przesyłka *f*, partia *f*

con·sist [kən'sɪst]: ***~ in*** polegać na (*L*); ***~ of*** składać się z (*G*)

con·sis|·tence, ~·ten·cy [kən'sɪstəns, -tənsɪ] konsystencja *f*, spoistość *f*; konsekwencja *f*, spójność *f*; **~·tent** [kən'sɪs-

tənt] konsekwentny, spójny; zgodny (***with*** z *I*); stały
con|·so·la·tion [kɒnsə'leɪʃn] pociecha *f*; **~·sole** [kən'səʊl] pocieszać ⟨-szyć⟩
con·sol·i·date [kən'sɒlɪdeɪt] ⟨s⟩konsolidować; wzmacniać ⟨wzmocnić⟩
con·so·nant ['kɒnsənənt] *gr.* spółgłoska *f*
con·spic·u·ous [kən'spɪkjʊəs] *dobrze* widoczny, rzucający się w oczy
con|·spi·ra·cy [kən'spɪrəsɪ] konspiracja *f*; spisek *m*, zmowa *f*; **~·spi·ra·tor** [kən'spɪrətə] konspirator(ka *f*) *m*; spiskowiec *m*; **~·spire** [kən'spaɪə] zmawiać ⟨zmówić⟩ się, spiskować, konspirować
con·sta·ble ['kʌnstəbl] *Brt.* posterunkowy *m*
con·stant ['kɒnstənt] stały; niezmienny
con·ster·na·tion [kɒnstə'neɪʃn] konsternacja *f*, zakłopotanie *n*
con·sti|·pat·ed ['kɒnstɪpeɪtɪd] *med.*: ***be ~pated*** cierpieć na zatwardzenie; **~·pa·tion** [kɒnstɪ'peɪʃn] *med.* zatwardzenie *n*
con·sti·tu|·en·cy [kən'stɪtjʊənsɪ] okręg *m* wyborczy; **~·ent** część *f* składowa, składnik *m*; wyborca *m*
con·sti·tute ['kɒnstɪtjuːt] (u)stanowić; ⟨u⟩konstytuować; (u)stanowić, ⟨u⟩tworzyć
con·sti·tu·tion [kɒnstɪ'tjuːʃn] *pol.* konstytucja *f*; statut *m*; ustanowienie *n*, ukonstytuowanie *n*; skład *m*; kondycja *f* (*fizyczna*); **~·al** [kɒnstɪ'tjuːʃənl] konstytucyjny; *prawo itp.*: statutowy
con·strained [kən'streɪnd] wymuszony, nienaturalny
con|·strict [kən'strɪkt] zaciskać⟨-snąć⟩, ściskać ⟨-snąć⟩; **~·stric·tion** [kən'strɪkʃn] zaciśnięcie *n*, ściśnięcie *n*
con|·struct [kən'strʌkt] ⟨z⟩budować; ⟨s⟩konstruować; **~·struc·tion** [kən'strʌkʃn] konstrukcja *f*; budowa *f*; (*w przemyśle)* budownictwo *n*; ***under ~struction*** w trakcie budowy; **~'struc·tion site** plac *m* budowy; **~·struc·tive** [kən'strʌktɪv] konstruktywny; **~·struc·tor** [kən'strʌktə] konstruktor *m*, budowniczy *m*
con·sul ['kɒnsəl] konsul *m*; **con·su·late** ['kɒnsjʊlət] konsulat *m*; **con·su·late 'gen·e·ral** (*pl.* ***-s general***) konsulat *m* generalny; **con·sul 'gen·e·ral** (*pl.* ***-s general***) konsul *m* generalny
con·sult [kən'sʌlt] *v/t. coś* ⟨s⟩konsultować, zasięgnąć porady; ⟨po⟩radzić się; (*w książce*) sprawdzać ⟨-dzić⟩; *v/i.* udzielać ⟨-lić⟩ konsultacji; konsultować się (***with*** z *I*)
con·sul|·tant [kən'sʌltənt] konsultant(ka *f*) *m*; *Brt.* specjalista (*lekarz*) *m* (-tka *f*); **~·ta·tion** [kɒnsl'teɪʃn] konsultacja *f*; porada *f*; narada *f*
con·sult·ing [kən'sʌltɪŋ] udzielający konsultacji; *lekarz, adwokat itp.* z praktyką (*prywatną*); **~ hours** *pl.* godziny *pl.* przyjęć; **~ room** gabinet *m*
con|·sume [kən'sjuːm] *v/t.* ⟨s⟩konsumować, spożywać ⟨-żyć⟩; *paliwo itp.* zużywać ⟨-żyć⟩, *prąd itp.* pobierać ⟨pobrać⟩; ⟨s⟩trawić (*przez pożar, też fig.*); **~'sum·er** *econ.* konsument(ka *f*) *m*; **~'sum·er so·ci·e·ty** społeczeństwo *n* konsumpcyjne
con·sum·mate 1. [kən'sʌmɪt] doskonały, wyśmienity; **2.** ['kɒnsəmeɪt] *wysiłki* ukoronować, zakończyć; *małżeństwo* skonsumować
con·sump·tion [kən'sʌmpʃn] zużycie *n* (*paliwa*), pobór *m* (*prądu*); *przest. med.* suchoty *pl.*, gruźlica *f*
cont *skrót pisany*: ***continued*** cd., ciąg dalszy
con·tact ['kɒntækt] **1.** kontakt *m*; styczność *m*, zetknięcie *n* się; osoba *f* kontaktowa; *med.* osoba *f* stykająca się z chorym; ***make ~s*** nawiązywać ⟨-zać⟩ kontakty; **2.** ⟨s⟩kontaktować się z (*I*); **'~ lens** szkło *f* kontaktowe
con·ta·gious [kən'teɪdʒəs] *med.* zakaźny; zaraźliwy (*też fig*)
con·tain [kən'teɪn] zawierać; *fig.* powstrzymywać ⟨-mać⟩, trzymać na wodzy; **~·er** pojemnik *m*; *econ.* kontener *m*; **~·er·ize** [kən'teɪnəraɪz] *econ.* ⟨s⟩konteneryzować
con·tam·i|·nate [kən'tæmɪneɪt] zanieczyszczać ⟨-czyścić⟩; skażać ⟨skazić⟩; **~·na·tion** [kəntæmɪ'neɪʃn] skażenie *n*; zanieczyszczenie *n*
contd *skrót pisany*: ***continued*** cd., ciąg dalszy
con·tem|·plate ['kɒntempleɪt] rozważać ⟨-żyć⟩; rozmyślać o (*L*); kontemplować; **~·pla·tion** [kɒntem'pleɪʃn] rozmyślanie *n*; kontemplacja *f*; **~·pla·tive** [kən'templətɪv, 'kɒntempleɪtɪv] kontemplacyjny, medytacyjny

C

con·tem·po·ra·ry [kən'tempərərɪ] **1.** współczesny; **2.** współczesny *m* (-na *f*)

con|·tempt [kən'tempt] pogarda *f*, wzgarda *f*; **~·temp·ti·ble** [kən'temptəbl] zasługujący na pogardę; **~·temp·tu·ous** [kən'temptʃʊəs] pogardliwy, lekceważący

con·tend [kən'tend] *v/t.* ⟨s⟩twierdzić, utrzymywać (***that*** że); *v/i.* walczyć (***for*** o *A*, ***with*** z *I*); rywalizować (***for*** o *A*); **~·er** *zwł. sport*: zawodnik *m* (-iczka *f*); rywal(ka *f*) *m*

con·tent¹ ['kɒntent] zawartość *f*; *książki itp.*: treść *f*; **~*s*** zawartość *f*; (***table of***) **~*s*** spis *m* treści

con·tent² [kən'tent] **1.** zadowolony; **2.** zadowalać ⟨-wolić⟩; **~ *o.s.*** zadowalać się, poprzestawać na (*I*); **~·ed** zadowolony; **~·ment** zadowolenie *n*

con|·test 1. ['kɒntest] współzawodnictwo *n*, rywalizacja *f*; konkurs *m*; **2.** [kən'test] rywalizować o (*A*), ubiegać się o (*A*); *też jur.* ⟨za⟩kwestionować, podawać ⟨-dać⟩ w wątpliwość; **~·tes·tant** [kən'testənt] rywal(ka *f*) *m*, konkurent(ka *f*) *m*; *jur.* strona *f* w sporze

con·text ['kɒntekst] kontekst *m*

con·ti|·nent ['kɒntɪnənt] kontynent *m*; ***the* 2*nent*** *Br.* Europa *f* (*bez Wlk. Brytanii*); **~·nen·tal** [kɒntɪ'nentl] kontynentalny

con·tin·gen|·cy [kən'tɪndʒənsɪ] ewentualność *f*, możliwość *f*; **~t 1.** ***be* ~*t on*** zależeć od (*G*); **2.** kontyngent *m*

con·tin|·u·al [kən'tɪnjʊəl] bezustanny, nieustający; **~·u·a·tion** [kəntɪnjʊ'eɪʃn] kontynuacja *f*; przedłużenie *n*; ciąg *m* dalszy; **~·ue** [kən'tɪnjuː] *v/t.* ciągnąć *coś* dalej, kontynuować; ***to be* ~*ued*** ciąg dalszy nastąpi; *v/i.* ciągnąć się dalej, trwać dalej; trwać nadal, utrzymywać się; **con·ti·nu·i·ty** [kɒntɪ'njuːətɪ] ciągłość *f*; **~·u·ous** [kən'tɪnjʊəs] nieprzerwany; **~·u·ous 'form** *gr.* forma *f* czasu ciągłego

con|·tort [kən'tɔːt] wykręcać (się), wykrzywiać (się), wyginać (się); **~·tor·tion** [kən'tɔːʃn] wygięcie *n* się, wykręcenie *n* się

con·tour ['kɒntʊə] kontur *m*; **~*s*** *pl.* zarys *m*; **con·tra** ['kɒntrə] przeciw, przeciwko

con·tra·band ['kɒntrəbænd] *econ.* kontrabanda *f*

con·tra·cep|·tion [kɒntrə'sepʃn] *med.* antykoncepcja *f*; zapobieganie *n* ciąży; **~·tive** [kɒntrə'septɪv] *med.* środek *m* antykoncepcyjny

con|·tract 1. ['kɒntrækt] kontrakt *m*, umowa *f*; **2.** [kən'trækt] ściągać (się), kurczyć (się); **~·trac·tion** [kən'trækʃn] skurcz *m*, skurczenie *n*; zwężenie *n*; **~·trac·tor** [kən'træktə]: ***building* ~*tractor*** przedsiębiorca *m* budowlany

con·tra|·dict [kɒntrə'dɪkt] zaprzeczać ⟨-czyć⟩ (*D*), zadawać ⟨zadać⟩ kłam; **~·dic·tion** [kɒntrə'dɪkʃn] sprzeczność *f*; zaprzeczenie *n*; **~·dic·to·ry** [kɒntrə'dɪktərɪ] sprzeczny

con·tra·ry ['kɒntrərɪ] **1.** przeciwstawny; **~ *to*** niezgodnie z (*I*), wbrew (*D*); **2.** przeciwieństwo *n*; ***on the* ~** przeciwnie

con·trast 1. ['kɒntrɑːst] kontrast *m*, przeciwstawienie *n*; **2.** [kən'trɑːst] *v/t.* przeciwstawiać ⟨-wić⟩, porównywać ⟨-nać⟩; *v/i.* odróżniać się (***with*** od *G*), stać w sprzeczności (***with*** z *I*)

con|·trib·ute [kən'trɪbjuːt] wnosić ⟨wnieść⟩ udział (***to*** do *G*), wpłacać ⟨-cić⟩; przyczyniać ⟨-nić⟩ się; pisywać ⟨pisać⟩; **~·tri·bu·tion** [kɒntrɪ'bjuːʃn] wkład *m*, udział *m*; przyczynek *m*; **~·trib·u·tor** [kən'trɪbjʊtə] ofiarodawca *m* (-czyni *f*); (*w czasopiśmie*) współpracownik *m* (-iczka *f*); **~·trib·u·to·ry** [kən'trɪbjʊtərɪ] przyczyniający się; **~*tributory cause*** przyczyna *f* sprawcza

con·trite ['kɒntraɪt] skruszony

con·trive [kən'traɪv] wymyślać ⟨-lić⟩; zdołać (zrobić), doprowadzć do (*G*)

con·trol [kən'trəʊl] **1.** panowanie *n*, władza *f*; kontrola *f*, sprawdzanie *n*; *tech.* regulator *m*, przełącznik *m*; **~*s*** *tech.* urządzenia *pl.* sterujące; ***bring*** (***get***) **~** opanować, wziąć pod kontrolę; ***have*** (***keep***) ***under* ~** kontrolować; ***get out of* ~** wymykać ⟨wymknąć⟩ się spod kontroli; ***lose* ~ *of*** stracić kontrolę nad (*I*); **2.** (***-ll-***) kontrolować; sprawdzać ⟨-dzić⟩; opanowywać ⟨-wać⟩; panować nad (*I*), sprawować władzę nad (*I*); *econ.* regulować, kontrolować; *tech.* regulować, sterować; **~ desk** *electr.* pulpit *m* sterowniczy; **~ pan·el** *electr.* tablica *m* sterownicza; **~ tow·er** *aviat.* wieża *f* kontroli lotów

con·tro·ver|·sial [kɒntrə'vɜːʃl] kontrowersyjny; **~·sy** ['kɒntrəvɜːsɪ] kon-

trowersja *f*; zatarg *m*
con·tuse [kən'tju:z] *med.* kontuzjować, stłuc
con·va|·lesce [kɒnvə'les] odzyskiwać ⟨-skać⟩ zdrowie, powracać ⟨-rócić⟩ do zdrowia; **~·les·cence** [kɒnvə'lesns] rekonwalescencja *f*, zdrowienie *n*; **~'les·cent 1.** zdrowiejący; zdrowotny; **2.** rekonwalescent(ka *f*) *m*
con·vene [kən'vi:n] *zebranie itp.* zwoływać ⟨-łać⟩; zbierać ⟨zebrać⟩ się
con·ve·ni|·ence [kən'vi:njəns] wygoda *f*, dogodność *f*; *Brt.* toaleta *f* (*publiczna*); ***all*** (***modern***) ***~ences*** z wszelkimi wygodami; ***at your earliest ~ence*** możliwie jak najszybciej; **~·ent** wygodny, dogodny
con·vent ['kɒnvənt] klasztor *m* (*żeński*)
con·ven·tion [kən'venʃn] konwencja *f*; zjazd *m*; umowa *f*; **~·al** [kən'venʃənl] konwencjonalny, umowny
con·verge [kən'vɜ:dʒ] zbiegać ⟨zbiec⟩ się
con·ver·sa·tion [kɒnvə'seɪʃn] rozmowa *f*, konwersacja *f*; **~·al** [kɒnvə'seɪʃənl] potoczny; konwersacyjny; ***~al English*** potoczny angielski
con·verse [kən'vɜ:s] rozmawiać, rozprawiać
con·ver·sion [kən'vɜ:ʃn] konwersja *f*, przeliczenie *n*; przekształcenie *n*; przebudowa *f*; *rel.* nawrócenie *n*; *econ.* przeliczenie *n*, wymiana *f*; **~ ta·ble** tabela *f* przeliczeniowa
con|·vert [kən'vɜ:t] przeliczać ⟨-czyć⟩, wymieniać ⟨-nić⟩; przekształcać ⟨-cić⟩ (***into*** w *A*); *rel.* nawracać ⟨-wrócić⟩ (się); *math.* przeliczać ⟨-czyć⟩; **~'vert·er** *electr.* przetwornica *f*, przetwornik *m*; **~'ver·ti·ble 1.** zamienny; *econ.* wymienialny; **2.** *mot.* kabriolet *m*
con·vey [kən'veɪ] przewozić ⟨przewieźć⟩, ⟨prze⟩transportować; przekazywać ⟨-zać⟩; **~·ance** transport *m*, przewóz *m*; środek *m* transportu; przekazanie *n*; **~·er belt** przenośnik *m* transportowy
con|·vict 1. ['kɒnvɪkt] skazaniec *m*; więzień *m*, więźniarka *f*; **2.** [kən'vɪkt] *jur.* (***of***) uznawać ⟨-znać⟩ winnym (*G*), skazywać (na *A*); **~·vic·tion** [kən'vɪkʃn] *jur.* skazanie *n*; przekonanie *n*
con·vince [kən'vɪns] przekonywać ⟨-nać⟩
con·voy ['kɒnvɔɪ] **1.** konwój *m* (*też naut.*), eskorta *f*; **2.** konwojować, eskortować
con·vul|·sion [kən'vʌlʃn] *med. zw. pl.* konwulsje *pl.*, drgawki *pl.*; **~·sive** [kən'vʌlsɪv] konwulsyjny
coo [ku:] ⟨za⟩gruchać
cook [kʊk] **1.** kucharz *m* (-arka *f*); **2.** ⟨u⟩gotować (się); F *sprawozdanie itp.* ⟨s⟩fałszować; **~ *up*** F wymyślać ⟨-lić⟩; **'~·book** *Am.* książka *f* kucharska; **'~·er** *Brt.* kuchenka *f*; **~·e·ry** ['kʊkərɪ] kucharstwo *n*; **'~·e·ry book** *Brt.* książka *f* kucharska; **~·ie** ['kʊkɪ] *Am.* ciastko *n*, herbatnik *m*; **'~·ing** gotowanie (*umiejętność*) *n*; **~·y** ['kʊkɪ] *Am.* → ***cookie***
cool [ku:l] **1.** chłodny; *fig.* zimny, opanowany; obojętny; F świetny, kapitalny; **2.** chłód *m*, zimno *n*; F opanowanie *n*, spokój *m*; **3.** ⟨o⟩chłodzić (się); studzić (się); **~ *down,* ~ *off*** uspokajać ⟨-koić⟩ się
coon [ku:n] *zo.* F szop pracz *m*
coop [ku:p] **1.** klatka *f* (*dla królików itp.*); **2. ~ *up,* ~ *in*** wtłaczać ⟨-łoczyć⟩
co-op ['kəʊɒp] F spółdzielnia *f*, sklep *m* spółdzielczy
co·op·e|·rate [kəʊ'ɒpəreɪt] współpracować; kooperować; pomagać ⟨pomóc⟩; **~·ra·tion** [kəʊɒpə'reɪʃn] współpraca *f*; pomoc *f*; kooperacja *f*; **~·ra·tive** [kəʊ'ɒpərətɪv] **1.** wspólny; pomocny; *econ.* spółdzielczy; **2.** *też* ***~rative society*** spółdzielnia *f*; *też* ***~rative store*** sklep *m* spółdzielczy
co·or·di|·nate 1. [kəʊ'ɔ:dɪneɪt] ⟨s⟩koordynować; **2.** [kəʊ'ɔ:dɪnət] równorzędny; **~·na·tion** [kəʊɔ:dɪ'neɪʃn] koordynacja *f*
cop [kɒp] F (*policjant*) glina *m* F
cope [kəʊp]: **~ *with*** dawać sobie radę z (*I*), radzić sobie z (*I*)
Co·pen·ha·gen Kopenhaga *f*
cop·i·er ['kɒpɪə] kopiarka *f*
co·pi·ous ['kəʊpjəs] obfity, duży
cop·per¹ ['kɒpə] **1.** *min.* miedź *f*; **2.** miedziany
cop·per² ['kɒpə] F (*policjant*) gliniarz *m*
cop·pice ['kɒpɪs], **copse** [kɒps] zagajnik *m*
cop·y ['kɒpɪ] **1.** kopia *f*; odpis *m*; reprodukcja *f*; egzemplarz *m* (*książki*); numer *m* (*czasopisma*); *print.* materiał *m*

do druku; ***fair*** **~** czystopis *m*; **2.** ⟨s⟩kopiować; przepisywać ⟨-sać⟩, sporządzać ⟨-dzić⟩ odpis; naśladować; **'~·book** notatnik *m*; **'~·ing** kopiujący; **'~·right** prawo *n* autorskie, copyright *m*

cor·al ['kɒrəl] *zo.* koral *m*; *attr.* koralowy

cord [kɔːd] **1.** sznur *m* (*też electr.*), linka *f*; sztruks; (***a pair of***) **~*s*** sztruksy *pl.*; **2.** zawiązywać ⟨-wiązać⟩ sznurem

cor·di·al[1] ['kɔːdjəl] sok *m* (skoncentrowany); *med.* lek wzmacniający

cor·di·al[2] ['kɔːdjəl] kordialny; **~·i·ty** [kɔːdɪ'ælətɪ] kordialność *f*

'cord·less bezprzewodowy; **'~ phone** telefon bezprzewodowy

cor·don ['kɔːdn] **1.** kordon *m*; **2.** **~ *off*** odgradzać ⟨-rodzić⟩ kordonem

cor·du·roy ['kɔːdərɔɪ] sztruks *m*; (***a pair of***) **~*s*** (*spodnie*) sztruksy *pl.*

core [kɔː] **1.** rdzeń *m*; jądro *n*; ogryzek *m*; *fig.* sedno *n*; **'~ time** *Brt.* (*okres, gdy większość pracujących w nienormowanym czasie pracy znajduje się w miejscu pracy*)

cork [kɔːk] **1.** korek *m*; **2.** *też* **~ *up*** ⟨za⟩korkować; **'~·screw** korkociąg *m*

corn[1] [kɔːn] **1.** zboże *n*; ziarno *n*; *też* ***Indian*** **~** *Am.* kukurydza *f*; **2.** ⟨za⟩peklować

corn[2] [kɔːn] *med.* odcisk *m*

cor·ner ['kɔːnə] **1.** róg *m*; kąt *m*; *zwł. mot.* zakręt *m*; (*w piłce nożnej*) rzut *m* rożny, róg *m* F; *fig.* ciężka sytuacja *f*; **2.** rożny; **3.** przypierać ⟨-przeć⟩ do muru; **'~ed** ...rożny; **'~ kick** (*w piłce nożnej*) rzut *m* rożny, róg *m* F; **'~ shop** *Brt.* sklep *m* na rogu

cor·net ['kɔːnɪt] *mus.* kornet *m*; *Brt.* rożek *m* (*na lody*)

'corn·flakes *pl.* płatki *pl.* kukurydziane

cor·nice ['kɔːnɪs] *arch.* gzyms *m*

cor·o·na·ry ['kɒrənərɪ] **1.** *anat.* wieńcowy; **2.** *med.* zakrzepica *f* tętnicy wieńcowej; F zawał *m* serca

cor·o·na·tion [kɒrə'neɪʃn] koronacja *f*

cor·o·ner ['kɒrənə] *jur.* koroner *m* (*urzędnik badający przyczynę nagłego zgonu nie z przyczyn naturalnych*); **~'s 'in·quest** śledztwo *n* (*przeprowadzone przez koronera*)

cor·o·net ['kɒrənɪt] (mała) korona *f*

cor·po·ral ['kɔːpərəl] *mil.* kapral *m*

cor·po·ral 'pun·ish·ment kara *f* cielesna

cor·po|·rate ['kɔːpərət] zbiorowy; korporacyjny; dotyczący firmy; **~·ra·tion** [kɔːpə'reɪʃn] *jur.* korporacja *f*; władze *pl.* miasta; osoba *f* prawna; spółka *f*, *Am. też* spółka *f* akcyjna

corps [kɔː] (*pl.* ***corps*** [kɔːz]) korpus *m*

corpse [kɔːps] zwłoki *pl.*

cor·pu·lent ['kɔːpjʊlənt] korpulentny

cor·ral [kə'rɑːl, *Am.* kə'ræl] **1.** korral *m*, zagroda; **2.** *bydło* zaganiać ⟨-gonić⟩ do korralu

cor|·rect [kə'rekt] **1.** poprawny, prawidłowy; *też czas*: dokładny; **2.** poprawiać ⟨-wić⟩, ⟨s⟩korygować; **~·rec·tion** [kə'rekʃn] poprawa *f*, poprawka *f*

cor·re|·spond [kɒrɪ'spɒnd] (***with, to***) odpowiadać (*D*); zgadzać się (z *I*); korespondować (***with*** z *I*); **~'spon·dence** odpowiedniość *f*; korespondencja *f*; **~'spon·dence course** kurs *m* korespondencyjny; **~'spon·dent** **1.** odpowiadający; **2.** korespondent(ka *f*) *m*; **~'spon·ding** odpowiadający

cor·ri·dor ['kɒrɪdɔː] korytarz *m*

cor·rob·o·rate [kə'rɒbəreɪt] potwierdzać ⟨-dzić⟩, podtrzymywać ⟨-mać⟩

cor|·rode [kə'rəʊd] *chem.*, *tech.* ⟨s⟩korodować, ⟨za⟩rdzewieć; **~·ro·sion** [kə'rəʊʒn] *chem.*, *tech.* korozja *f*, rdza *f*; **~·ro·sive** [kə'rəʊsɪv] korodujący, korozyjny; *fig.* niszczący

cor·ru·gated ['kɒrʊgeɪtɪd] falisty; **'~ i·ron** blacha *f* falista

cor|·rupt [kə'rʌpt] **1.** skorumpowany; przekupny; *moralnie* zepsuty; **2.** ⟨s⟩korumpować; przekupić; *moralnie* ⟨ze⟩psuć, ⟨z⟩demoralizować; **~'rupt·i·ble** przekupny, sprzedajny; **~·ruption** [kə'rʌpʃn] korupcja *f*; sprzedajność *f*; *moralne* zepsucie *n*

cor·set ['kɔːsɪt] gorset *m*

cos|·met·ic [kɒz'metɪk] **1.** (***-ally***) kosmetyczny; **2.** kosmetyk *m*; **~·me·t·i·cian** [kɒzmə'tɪʃn] kosmetyczka *f*

cos·mo·naut ['kɒzmənɔːt] *astr.* kosmonauta *m*

cos·mo·pol·i·tan [kɒzmə'pɒlɪtən] **1.** kosmopolityczny; **2.** kosmopolita *m*, obywatel *m* świata

cost [kɒst] **1.** koszt *m*, koszty *pl.*; cena *f*; **2.** (***cost***) kosztować; **'~·ly** (***-ier, -iest***) drogi, kosztowny; **~ of 'liv·ing** koszty *pl.* utrzymania

cos·tume ['kɒstjuːm] ubiór *m*, strój *m*;

'~ **jew·el(·le)ry** sztuczna biżuteria *f*
co·sy ['kəʊzɪ] **1.** (**-*ier*, -*iest***) przytulny; **2.** → ***egg cosy, tea cosy***
cot [kɒt] łóżko *n* polowe; *Brt.* łóżeczko *n* dziecięce
cot·tage ['kɒtɪdʒ] chata *f*, chałupa *f*; *Am.* dom *m* letniskowy, dacza *f* F; ~ **'cheese** biały ser *m*
cot·ton ['kɒtn] **1.** bawełna *f*; przędza *f* bawełniana; *Am.* wata *f*; **2.** bawełniany; '~·**wood** *bot.* topola *f* kanadyjska; ~ **'wool** *Brt.* wata *f*
couch [kaʊtʃ] sofa *f*, leżanka *f*
cou·chette [kuː'ʃet] *rail.* kuszetka *f*, miejsce *n* do leżenia; *też* ~ ***coach*** wagon *m* z miejscami do leżenia
cou·gar ['kuːgə] *zo.* (*pl.* **-*gars*, -*gar***) kuguar *m*, puma *f*
cough [kɒf] **1.** kaszel *m*; **2.** ⟨za⟩kaszleć
could [kʊd] *pret. od* ***can***[1]
coun·cil ['kaʊnsl] rada *f*; '~ **house** *Brt. jakby*: mieszkanie *n* kwaterunkowe
coun·cil·(l)or ['kaʊnsələ] radny *m* (-na *f*), członek *m* (-kini *f*) rady
coun|·sel ['kaʊnsl] **1.** rada *f*, porada *f*; *Brt. jur.* adwokat *m*, obrońca *m*; ~***sel for the defense*** (*Am.* ***for the defence***) obrońca *m*; ~***sel for the prosecution*** oskarżyciel *m*; **2.** (*zwł. Brt.* **-*ll-***, *Am.* **-*l-***) doradzać ⟨-dzić⟩, ⟨po⟩radzić; udzielać ⟨-lić⟩ rady; ~***se(l)ling centre*** poradnia *f*; ~·**sel·(l)or** ['kaʊnsələ] doradca *m*); *zwł. Am. jur.* adwokat *m*, obrońca *m*
count[1] [kaʊnt] hrabia *m* (*nie brytyjski*)
count[2] [kaʊnt] **1.** liczenie *n*, przeliczanie *n*; *jur.* punkt *m* (*oskarżenia*), zarzut *m*; **2.** *v/t.* ⟨po⟩liczyć, wyliczać ⟨-czyć⟩, obliczać ⟨-czyć⟩; ⟨po⟩rachować; liczyć do (*G*) (~ ***ten*** do dziesięciu); *fig.* uważać za (*A*); *v/i.* ⟨po⟩liczyć; liczyć się, mieć znaczenie; ~ ***down*** pieniądze podliczać ⟨-czyć⟩, odliczać wstecz (*przed startem rakiety*), wyczekiwać; ~ ***on*** liczyć na (*A*); spodziewać się; '~·**down** odliczanie *n* wstecz (*przed startem rakiety*); wyczekiwanie *n*
coun·te·nance ['kaʊntɪnəns] wyraz *m* twarzy, oblicze *n*; poparcie *n*
count·er[1] ['kaʊntə] *tech.* licznik *m*; pionek *m*
coun·ter[2] ['kaʊntə] lada *f*, kontuar *m*; okienko *n*
coun·ter[3] ['kaʊntə] **1.** przeciw, wbrew, na przekór; **2.** przeciwstawiać się, odparowywać ⟨-ować⟩, ⟨za⟩reagować
coun·ter·act [kaʊntər'ækt] przeciwdziałać; ⟨z⟩neutralizować
coun·ter·bal·ance 1. ['kaʊntəbæləns] przeciwwaga *f*; **2.** [kaʊntə'bæləns] ⟨z⟩równoważyć
coun·ter·clock·wise [kaʊntə'klɒkwaɪz] *Am.* → ***anticlockwise***
coun·ter·es·pi·o·nage ['kaʊntər'espɪənɑːʒ] kontrwywiad *m*
coun·ter·feit ['kaʊntəfɪt] **1.** fałszywy, sfałszowany; **2.** fałszerstwo *n*; **3.** *pieniądze, podpis itp.* ⟨s⟩fałszować; ~ **'mon·ey** fałszywe pieniądze *pl.*
coun·ter·foil ['kaʊntəfɔɪl] odcinek *m* (*kontrolny*), talon *m*
coun·ter·mand [kaʊntə'mɑːnd] *rozkaz, zamówienie itp.* odwoływać ⟨-łać⟩, ⟨z⟩anulować
coun·ter·pane ['kaʊntəpeɪn] narzuta *f*; → ***bedspread***
coun·ter·part ['kaʊntəpɑːt] odpowiednik *m*; kopia *f*, duplikat *m*
coun·ter·sign ['kaʊntəsaɪn] kontrasygnować
coun·tess ['kaʊntɪs] hrabina *f*
'count·less niezliczony
coun·try ['kʌntrɪ] **1.** kraj *m*, państwo *n*; wieś *f*; ***in the*** ~ na wsi; **2.** wiejski; '~·**man** (*pl.* **-*men***) wieśniak *m*; *też* ***fellow*** ~***man*** rodak *m*; '~ **road** droga *f* wiejska; '~·**side** wieś *f*; tereny *pl.* wiejskie; '~·**wom·an** (*pl.* **-*women***) wieśniaczka *f*; *też* ***fellow*** ~***woman*** rodaczka *f*
coun·ty ['kaʊntɪ] hrabstwo *n*; ~ **'seat** *Am.* siedziba *f* władz hrabstwa; ~ **'town** *Brt.* siedziba *f* władz hrabstwa
coup [kuː] znakomite posunięcie *n*; zamach *m* stanu, pucz *m*
cou·ple ['kʌpl] **1.** para *f*; ***a*** ~ ***of*** F trochę, kilka; **2.** ⟨z-, po⟩łączyć; *tech.* sprzęgać ⟨-gnąć⟩; *zo.* parzyć się
coup·ling ['kʌplɪŋ] *tech.* sprzęg *m*; łącznik *m*
cou·pon ['kuːpɒn] odcinek *m*, kupon *m*; talon *m*
cour·age ['kʌrɪdʒ] odwaga *f*; **cou·ra·geous** [kə'reɪdʒəs] odważny, śmiały
cou·ri·er ['kʊrɪə] kurier *m*; pilot *m* (*wycieczki*); *attr.* kurierski
course [kɔːs] *naut.*, *aviat.*, *fig.* kurs *m*; (*w sporcie*) tor *m* wyścigowy, bieżnia

C

f, pole *n* golfowe; bieg *m*, przebieg *m*; ciąg *m*; seria *f*, cykl *m*; kurs *m*, zajęcia *pl*.; ***of ~*** oczywiście; ***in the ~ of events*** normalnym biegiem rzeczy; ***in due ~*** we właściwym czasie *lub* trybie;

court [kɔːt] **1.** dwór *m* (*króla itp.*); dziedziniec *m*; (*w nazwach*) plac *m*; (*w sporcie*): kort *m* tenisowy; *jur*. sąd *m*, trybunał *m*; **2.** zalecać się do (*G*); starać się o (*A*)

cour·te|·ous ['kɜːtjəs] uprzejmy; **~·sy** ['kɜːtɪsɪ] uprzejmość *f*; ***by ~sy of*** przez grzeczność (*G*), dzięki uprzejmości (*G*)

'court|·house *jur*. gmach *m* sądu; **~·ier** ['kɔːtjə] dworzanin *m*; **'~·ly** dworski; **~ 'mar·tial** (*pl*. ***courts martial, court martials***) *jur*. sąd *m* wojenny; **~-'mar·tial** (*zwł. Brt*. ***-ll-*** , *Am*. ***-l-***) oddawać ⟨-dać⟩ pod sąd wojenny; **'~·room** *jur*. sala *f* rozpraw; **'~·ship** zalecanie *n* się; **'~·yard** podwórze *n*

cous·in ['kʌzn] kuzyn(ka *f*) *m*

cove [kəʊv] zatoczka *f*

cov·er ['kʌvə] **1.** pokrywa *f*, wieko *n*; pokrowiec *m*; okładka *f*, obwoluta *f*; powłoczka *f*, kapa *f*; schronienie *n*; *fig*. maska *f*, przykrywka *f*; nakrycie *n* stołowe; ubezpieczenie *n*; ***take ~*** schronić się; ***under plain ~*** jako zwykła przesyłka; ***under separate ~*** jako osobna przesyłka; **2.** przykrywać ⟨-ryć⟩, zakrywać ⟨-ryć⟩, pokrywać ⟨-ryć⟩; przebywać ⟨-być⟩, pokonywać ⟨-nać⟩; *obszar* zajmować ⟨-jąć⟩; rozciągać się na (*L*); *tematem* zajmować się (*I*); *przepis* ujmować ⟨ująć⟩; *econ*. pokrywać ⟨-ryć⟩; *econ*. ubezpieczać ⟨-czyć⟩; *TV*, *radio*, *prasa*: ⟨z⟩relacjonować, omawiać ⟨-mówić⟩; (*w sporcie*) *przeciwnika* kryć; ***~ up*** zakrywać ⟨-ryć⟩; okrywać ⟨-ryć⟩ się; *fig*. ⟨za⟩tuszować; ***~ up for s.o.*** kryć kogoś; **~·age** ['kʌvərɪdʒ] relacja *f* (***of*** z *G*), sprawozdanie *n*; **'~ girl** cover girl *f* (*zdjęcie atrakcyjnej dziewczyny na okładce czasopisma*); **~·ing** ['kʌvərɪŋ] pokrywa *f*, przykrywa *f*; warstwa *f*; **'~ sto·ry** relacja *f* tytułowa

cow[1] [kaʊ] *zo*. krowa *f* (*też fig*.)

cow[2] [kaʊ] zastraszać ⟨-szyć⟩

cow·ard ['kaʊəd] tchórz *m*; *attr*. tchórzliwy; **~·ice** ['kaʊədɪs] tchórzostwo *n*; **'~·ly** tchórzliwy

cow·boy ['kaʊbɔɪ] kowboj *m*

cow·er ['kaʊə] ⟨s⟩kulić się

'cow|·herd pastuch *m*; **'~·hide** skóra *f* bydlęca; **'~·house** obora *f*

cowl [kaʊl] habit *m* (*z kapturem*); kaptur *m*; *tech*. nasada *f* kominowa

'cow|·shed obora *f*; **'~·slip** *bot*. pierwiosnek *m*; *Am*. knieć *f* błotna

cox [kɒks], **~·swain** ['kɒksən, 'kɒksweɪn] sternik *m*

coy [kɔɪ] płochliwy, nieśmiały

coy·ote ['kɔɪəʊt] *zo*. kojot *m*

co·zy ['kəʊzɪ] *Am*. (***-ier, -iest***) → ***cosy***

CPU [siː piː 'juː] *skrót*: ***central processing unit*** *komp*. jednostka *f* centralna

crab [kræb] *zo*. krab *m*

crack [kræk] **1.** szczelina *f*, pęknięcie *n*; rysa *f*, zarysowanie *n*; trzask *m*, huk *m*; uderzenie *n*; **2.** *v/i*. pękać ⟨-knąć⟩, ⟨za⟩rysować się; *głos*: ⟨za⟩łamać się; *też* ***~ up*** *fig*. załamywać ⟨-mać⟩ się; ***get ~ing*** F brać ⟨wziąć⟩ się ostro do roboty; *v/t*. trzaskać ⟨-snąć⟩ (*batem*, *palcami*); ⟨s⟩tłuc, rozbijać ⟨-bić⟩, ⟨z⟩łamać; *orzech* łupać; *szyfr* F ⟨z⟩łamać; ***~ a joke*** F opowiadać kawał; **'~·er** krakers *m*; (*papierowy rulon z małą petardą w środku*); **~·le** ['krækl] trzaskać

Cracow Kraków *m*

cra·dle ['kreɪdl] **1.** kołyska *f*; **2.** kołysać, ⟨u⟩tulić

craft[1] [krɑːft] (*pl*. ***craft***) *naut*. statek *m*; *aviat*. samolot *m*; *astr*. pojazd *m* kosmiczny

craft[2] [krɑːft] rzemiosło *n*; umiejętność *f*, biegłość *f*; *fig*. sztuka *f*; podstęp *m*; **'~s·man** (*pl*. ***-men***) rzemieślnik *m*; **'~·y** (***-ier, -iest***) przebiegły, podstępny

crag [kræg] grań *f*, ostry występ *m* skalny

cram [kræm] (***-mm-***) wpychać ⟨wepchnąć⟩, wtykać ⟨wetknąć⟩; F wkuwać ⟨wkuć⟩, kuć (***for*** do *G*)

cramp [kræmp] **1.** *med*. kurcz *m*; *tech*. klamra *f*, zwora *f*; *fig*. więzy *pl*.; **2.** ⟨za⟩hamować, wstrzymywać ⟨-mać⟩

cran·ber·ry ['krænbərɪ] *bot*. żurawina *f*

crane[1] [kreɪn] *tech*. żuraw *m*, dźwig *m*

crane[2] [kreɪn] **1.** *zo*. żuraw *m*; **2.** ***~ forward, ~ out one's neck*** wyciągać ⟨-gnąć⟩ szyję

crank [kræŋk] **1.** *tech*. korba *f*; *tech*. wahacz *m*; F szajbus *m*; **2.** obracać ⟨-rócić⟩ korbą; **'~·shaft** wał *m* korbowy; **'~·y** (***-ier, -iest***) F szajbnięty; *Am*. marudny

cran·ny ['krænɪ] szczelina *f*

crap ['kræp] gówno *n*, bzdury *fpl*
crape [kreɪp] krepa *f*
crap·py ['kræpɪ] *sl.* (**-ier, -iest**) gówniany
craps [kræps] *Am. pl.* (*rodzaj gry w kości*)
crash [kræʃ] **1.** trzask *m*, grzmot *m*; *mot.* zderzenie *n*, katastrofa *f*; *aviat.* katastrofa *f*, runięcie *n*; *econ.* krach *m* (*na giełdzie*), załamanie *n*; **2.** *v/t.* rozbijać ⟨-bić⟩ (*mot.* ***into*** o *A*); *aviat.* rozbijać ⟨-bić⟩ przy lądowaniu; *v/i. zwł. mot.* rozbijać ⟨-bić⟩ się, zderzać ⟨-rzyć⟩ się; *zwł. econ.* załamywać ⟨-mać⟩ się; wjeżdżać ⟨wjechać⟩, wpadać ⟨wpaść⟩ (***against, into*** w *A*); *mot.*, *aviat.* ulegać ⟨ulec⟩ katastrofie; **3.** intensywny, przyspieszony; **'~ bar·ri·er** bariera *f* ochronna; **'~ course** kurs *m* przyspieszony *lub* intensywny; **'~ di·et** intensywna dieta *f* (*odchudzająca*); **'~ hel·met** kask *m*; **'~-land** *aviat.* ⟨wy⟩lądować awaryjnie; **~'land·ing** *aviat.* awaryjne lądowanie *n*
crate [kreɪt] skrzynka *f*, kontener *m*
cra·ter ['kreɪtə] krater *m*; lej *m*
crave [kreɪv] mieć wielką ochotę (***for, after*** na *A*), mieć zachcianki; **'crav·ing** wielka ochota *f*, zachcianka *f*
craw·fish ['krɔːfɪʃ] *zo.* (*pl.* **-fish, -fishes**) → ***crayfish***
crawl [krɔːl] **1.** pełzanie *n*; *dziecko*: raczkowanie *n*; (*w sporcie*) kraul *m*; **2.** ⟨po⟩pełznąć, ⟨po⟩czołgać się, *dziecko*: raczkować; pływać kraulem; roić się (***with*** od *G*); ***it makes one's flesh ~*** dostaje się gęsiej skórki od tego
cray·fish ['kreɪfɪʃ] *zo.* (*pl.* **-fish, -fishes**) rak *m*, langusta *f*
cray·on ['kreɪən] kredka *f* (*do rysowania*)
craze [kreɪz] *też fig.* szał *m*, szaleństwo *n*; ***be the ~*** być w modzie; **'cra·zy** (**-ier, -iest**) zwariowany (***about*** na punkcie *G*)
creak [kriːk] ⟨za⟩skrzypieć
cream [kriːm] **1.** śmietan(k)a *f*; krem *m*; elita *f*, śmietanka *f*; **2.** kremowy, koloru kremowego; **~·e·ry** ['kriːmərɪ] mleczarnia *f*; **'~·y** (**-ier, -iest**) kremowy; śmietankowy; ze śmietanką
crease [kriːs] **1.** fałda *f*, zmarszczka *f*; (*w spodniach*) kant *m*; **2.** miąć (się), ⟨z-, po⟩gnieść (się); fałdować się, marszczyć się
cre|·ate [kriː'eɪt] ⟨s⟩tworzyć; **~·a·tion** [kriː'eɪʃn] tworzenie *n*; stworzenie *n* (*też* świata); **~'a·tive** twórczy; **~'a·tor** twórca *m*; stwórca *m*
crea·ture ['kriːtʃə] stworzenie *n*
crèche [kreɪʃ] żłobek *m*; *Am.* żłobek *lub* żłóbek *m*, szopka (*bożonarodzeniowa*)
cre·dence ['kriːdns]: ***give ~ to*** dawać wiarę w (*A*)
cre·den·tials [krɪ'denʃlz] *pl.* referencje *pl.*; listy *pl.* uwierzytelniające; dokumenty *pl.* tożsamości
cred·i·ble ['kredəbl] wiarygodny
cred|·it ['kredɪt] **1.** wiara *f*, zaufanie *n*; uznanie *n*; (*w szkole*) zaliczenie *n*; *econ.* kredyt *m*; ***~it*** (***side***) *econ.* strona „ma"; ***on ~it*** *econ.* na kredyt; *attr.* kredytowy; **2.** ⟨u⟩wierzyć, ⟨za⟩ufać; *econ.* zapisywać ⟨-sać⟩ (***to*** na dobro *G*); ***~it s.o. with s.th.*** przypisywać ⟨-sać⟩ coś komuś; **'~·i·ta·ble** chlubny (***to*** dla *G*); **'~it card** *econ.* karta *f* kredytowa; **'~·i·tor** *econ.* wierzyciel *m*; **~·u·lous** ['kredjʊləs] łatwowierny
creed [kriːd] wiara *f*, wyznanie *n*
creek [kriːk] *Brt.* zatoczka *f*; *Am.* strumień *m*, potok *m*
creep [kriːp] (***crept***) pełzać, ⟨po⟩pełznąć; skradać się; *roślina*: piąć się; ***~ in*** wkradać ⟨-raść⟩ się, zakradać ⟨-raść⟩ się; ***it makes my flesh ~*** dostaję gęsiej skórki od tego; **'~·er** *bot.* roślina *f* rozłogowa; **~s** *pl.*: F ***the sight gave me the ~s*** ten widok przyprawił mnie o gęsią skórkę
cre·mate [krɪ'meɪt] ⟨s⟩kremować, poddawać ⟨-dać⟩ kremacji
crept [krept] *pret. i p.p. od* ***creep***
cres·cent ['kresnt] półksiężyc *m*
cress [kres] *bot.* rzeżucha *f*
crest [krest] *zo.* grzebień *m*, czub *m*; szczyt *m* (*górski*); wierzchołek *m*; pęk *m* piór, kita *f*; ***family ~*** herb *m* rodzinny; **'~·fal·len** przybity
cre·vasse [krɪ'væs] szczelina *f* (*lodowcowa*)
crev·ice ['krevɪs] szczelina *f*, pęknięcie *n*
crew[1] [kruː] obsada *f*, załoga *f*
crew[2] [kruː] *pret. od* ***crow*** 2
crib [krɪb] **1.** żłób *m*; *Am.* łóżeczko *n* dla dziecka; *zwł. Brt.* żłóbek *m*, *Boże Narodzenie*: szopka *f*; F (*w szkole*) ściąga *f*; **2.** (**-bb-**) F odpisywać ⟨-sać⟩, ściągać ⟨-gnąć⟩

C

crick [krɪk]: ***a ~ in one's back (neck)*** strzyknięcie *n* w plecach (*karku*)
crick·et[1] ['krɪkɪt] *zo.* świerszcz *m*
crick·et[2] ['krɪkɪt] (*w sporcie*) krykiet *m*
crime [kraɪm] *jur.* przestępstwo *n*, zbrodnia *f*, występek *m*; **'~ nov·el** (*powieść*) kryminał *m*
crim·i·nal ['krɪmɪnl] **1.** kryminalny, przestępczy, zbrodniczy; **2.** przestępca *m* (-czyni *f*), zbrodniarz *m* (-arka *f*), kryminalista *m* (-ka *f*)
crimp [krɪmp] *zwł. włosy* podkręcać ⟨-ręcić⟩
crim·son ['krɪmzn] karmazynowy
cringe [krɪndʒ] ⟨s⟩kulić się
crin·kle ['krɪŋkl] **1.** zagięcie *n*; zmarszczka *f*; **2.** ⟨po⟩miąć (się); ⟨z⟩marszczyć (się)
crip·ple ['krɪpl] **1.** kulawy *m* (-wa *f*), kaleka *m/f*; **2.** okulawiać ⟨-wić⟩; okaleczać ⟨-czyć⟩ (*też fig.*)
cri·sis ['kraɪsɪs] (*pl.* ***-ses*** [-siːz]) kryzys *m*
crisp [krɪsp] *chleb*: chrupiący; *warzywo*: kruchy, świeży; *powietrze*: świeży, ostry; *włosy*: kędzierzawy; **'~·bread** chleb *m* chrupki
crisps [krɪsps] *pl.*, *też* ***potato ~*** *Brt.* chrupki *pl.* (*ziemniaczane*)
criss-cross ['krɪskrɒs] **1.** kratkowany wzór *m*; **2.** krzyżować (się)
cri·te·ri·on [kraɪ'tɪərɪən](*pl.* ***-ria*** [-rɪə], ***-rions***) kryterium *n*
crit|·ic ['krɪtɪk] krytyk *m*; **~·i·cal** ['krɪtɪkl] krytyczny; **~·i·cis·m** ['krɪtɪsɪzəm] krytyka *f*; **~·i·cize** ['krɪtɪsaɪz] ⟨s⟩krytykować
cri·tique [krɪ'tiːk] krytyka *f*, omówienie *n*
croak [krəʊk] ⟨za⟩rechotać; ⟨za⟩skrzeczeć; ⟨za⟩chrypieć
Cro·a·tia Chorwacja *f*
cro·chet ['krəʊʃeɪ] **1.** szydełkowanie *n*; **2.** szydełkować
crock·e·ry ['krɒkərɪ] *niemetalowe* naczynia *pl.* stołowe
croc·o·dile ['krɒkədaɪl] *zo.* krokodyl *m*
cro·ny ['krəʊnɪ] F kumpel(ka *f*) *m*
crook [krʊk] **1.** zagięcie *n*, zgięcie *n*, zakrzywienie *n*; F oszust *m*; **2.** zakrzywiać ⟨-wić⟩(się), zaginać ⟨-giąć⟩ (się); **~·ed** ['krʊkɪd] zagięty, krzywy; F nieuczciwy, oszukańczy
croon [kruːn] ⟨za⟩nucić; śpiewać ckliwie; **'~·er** śpiewak *m* (-waczka *f*) (*ckliwych utworów*)
crop [krɒp] **1.** zbiór *m*, plon *m*; *zo.* wole *n*; krótka fryzura *f*; **2.** (***-pp-***) *trawę itp.* skubać; *włosy* przycinać ⟨-ciąć⟩ (*krótko*)
cross [krɒs] **1.** krzyż *m* (*też fig. ciężar*), krzyżyk *m*; skrzyżowanie *n*; *biol.* krzyżówka *f*; (*w piłce nożnej*) podanie *n* w poprzek; **2.** zły, rozzłoszczony; **3.** ⟨s⟩krzyżować (się); *ulicę* przecinać ⟨-ciąć⟩, przechodzić ⟨przejść⟩; *plan* ⟨po⟩krzyżować; *biol.* ⟨s⟩krzyżować; ***~ off, ~ out*** przekreślać ⟨-lić⟩, skreślać ⟨-lić⟩; ***~ o.s.*** ⟨prze⟩żegnać się; ***~ one's arms*** ⟨s⟩krzyżować ramiona; ***~ one's legs*** zakładać ⟨założyć⟩ nogę na nogę; ***keep one's fingers ~ed*** trzymać kciuki; **'~·bar** (*w sporcie*) poprzeczka *f*; **'~·breed** mieszaniec *m*; **~-'coun·try** przełajowy; ***~-country skiing*** narciarstwo *n* biegowe; **~-ex·am·i'na·tion** przesłuchiwanie *n* w formie pytań krzyżowych; **~-ex'am·ine** zadawać ⟨-dać⟩ pytania krzyżowe; **'~-eyed**: ***be ~-eyed*** zezować, mieć zeza; **'~·ing** skrzyżowanie *n*; przejazd *m* (*przez tory itp.*); *Brt.* przejście *n* dla pieszych; *naut.* przeprawa *f*; **'~·road** *Am.* droga *f* poprzeczna; **'~·roads** *pl. lub sg.* skrzyżowanie *n*; *fig.* rozstaje *pl.*, punkt *m* przełomowy; **'~-sec·tion** przekrój *m* poprzeczny; **'~·walk** *Am.* przejście *n* dla pieszych; **'~·wise** poprzecznie, w poprzek; **'~·word (puz·zle)** krzyżówka *f*
crotch [krɒtʃ] *anat.* krocze *n* (*też spodni*)
crouch [kraʊtʃ] **1.** kucać ⟨kucnąć⟩, przykucać ⟨-kucnąć⟩; **2.** przysiad *m*, kucnięcie *n*
crow [krəʊ] **1.** *zo.* wrona; **2.** (***crowed*** *lub* ***crew, crowed***) ⟨za⟩krakać
'crow·bar łom *m*
crowd [kraʊd] **1.** tłum *m*; masa *f*; **2.** tłoczyć się; *ulice* zatłaczać ⟨-tłoczyć⟩; **'~·ed** zatłoczony, przepełniony
crown [kraʊn] **1.** korona *f*; *med.* koronka *f*; **2.** ⟨u⟩koronować; nakładać ⟨nałożyć⟩ koronkę (*na ząb*); *fig.* ⟨s⟩koronować, ⟨u⟩wieńczyć
cru·cial ['kruːʃl] krytyczny, decydujący
cru·ci|·fix ['kruːsɪfɪks] krucyfiks *m*; **~·fix·ion** [kruːsɪ'fɪkʃn] ukrzyżowanie *n*; **~·fy** ['kruːsɪfaɪ] ⟨u⟩krzyżować

crude [kruːd] surowy, nieprzetworzony; *fig.* prymitywny; ~ (**'oil**) ropa *f* naftowa
cru•el [krʊəl] (*-ll-*) okrutny; **'~•ty** okrucieństwo *n*; ***~ty to animals*** (***children***) okrucieństwo *n* wobec zwierząt (dzieci); ***society for the prevention of ~ty to animals*** towarzystwo *n* zapobiegania okrucieństwu wobec zwierząt
cru•et ['kruːɪt] komplet *m* do przypraw; pojemnik *m* na ocet *lub* oliwę
cruise [kruːz] **1.** rejs *m*; wycieczka *f* morska; **2.** krążyć; odbywać ⟨-być⟩ rejs; *aviat.*, *mot.* lecieć *lub* jechać z prędkością podróżną; ~ **'mis•sile** *mil.* rakietowy pocisk *m* manewrujący, F rakieta *f* cruise; **'cruis•er** *mil. naut.* krążownik *m*; jacht *m* motorowy; *Am. policyjny* wóz *m* patrolowy
crumb [krʌm] okruch *m*, okruszek *m*
crum•ble ['krʌmbl] *v/t.* ⟨po⟩kruszyć; *v/i.* rozpadać ⟨-paść⟩ się
crum•ple ['krʌmpl] zgniatać ⟨zgnieść⟩, ⟨z⟩miąć (się); załamywać ⟨-mać⟩ (się); **'~ zone** *mot.* strefa *f* zgniecenia
crunch [krʌntʃ] ⟨za⟩chrzęścić; ⟨s⟩chrupać
cru•sade [kruː'seɪd] wyprawa *f* krzyżowa
crush [krʌʃ] **1.** tłok *m*, ścisk *m*; ***have a ~ on s.o.*** ⟨s⟩tracić głowę dla kogoś; **2.** *Brt.* sok *m* (*ze świeżych owoców*); ***orange ~*** sok ze świeżych pomarańczy; **3.** *v/t.* rozgniatać ⟨-nieść⟩, ⟨z⟩miażdżyć (*też fig.*); *tech.* rozdrabniać ⟨-drobnić⟩, ⟨s⟩kruszyć; *fig.* ⟨z⟩miażdżyć, ⟨z⟩dławić; *v/i.* tłoczyć się; **'~ bar•ri•er** bariera *f* ochronna
crust [krʌst] skórka *f* (*chleba*); skorupa *f*
crus•ta•cean [krʌ'steɪʃn] *zo.* skorupiak *m*
crust•y ['krʌstɪ] (*-ier, -iest*) chrupiący
crutch [krʌtʃ] kula *f*, szczudło *n*
cry [kraɪ] **1.** krzyk *m*, okrzyk *m*; głos *m* (*ptaka itp.*); płacz *m*; **2.** ⟨za⟩płakać; krzyczeć ⟨krzyknąć⟩; ⟨za⟩wołać (***for*** o *A*); wydawać ⟨-dać⟩ głos
crypt [krɪpt] krypta *f*
crys•tal ['krɪstl] kryształ *m*; *Am.* szkiełko *n* zegarka; *attr.* kryształowy; **~•line** ['krɪstəlaɪn] krystaliczny; **~•lize** ['krɪstəlaɪz] ⟨s⟩krystalizować
CST [siː es 'tiː] *skrót*: ***Central Standard Time*** (*amerykański czas standardowy*)
ct(s) *skrót pisany*: ***cent(s)*** *pl.* cent *m*
cu *skrót pisany*: ***cubic*** sześcienny
cub [kʌb] młode *n* (*drapieżnika*); *jakby*: zuch *m*
cube [kjuːb] kostka *f*; *math.* sześcian *m*; *math.* sześcian *m*, trzecia potęga *f*; *phot.* kostka *f* lampy błyskowej; ~ **'root** *math.* pierwiastek *m* sześcienny *lub* trzeciego stopnia; **'cu•bic** (***~ally***), **'cu•bi•cal** sześcienny; trzeciego stopnia
cu•bi•cle ['kjuːbɪkl] kabina *f*
cuck•oo ['kʊkuː] *zo.* (*pl.* ***-oos***) kukułka *f*
cu•cum•ber ['kjuːkʌmbə] ogórek *m*; (***as***) ***cool as ~*** F niezwykle spokojny
cud [kʌd] (*u przeżuwaczy*) miazga *f* pokarmowa; ***chew the ~*** rozmyślać, dumać
cud•dle ['kʌdl] *v/t.* przytulać ⟨-tulić⟩do siebie, tulić; *v/i.* ~ ***up*** przytulać ⟨-tulić⟩ się (***to*** do *G*)
cud•gel ['kʌdʒəl] **1.** pałka *f*; **2.** (*zwł. Brt.* ***-ll-*** , *Am.* ***-l-***) ⟨po⟩bić
cue[1] [kjuː] *theat.* replika *f*; *fig.* sygnał *m*, hasło *n*; rada *f*, wskazówka *f*
cue[2] [kjuː] *bilard*: kij *m* bilardowy
cuff[1] [kʌf] mankiet *m* (*Am. też u spodni*)
cuff[2] [kʌf] **1.** klaps *m*; **2.** dawać ⟨dać⟩ klapsa
'cuff link spinka *f* do mankietów
cui•sine [kwiː'ziːn] (*sztuka gotowania*) kuchnia *f*
cul•mi•nate ['kʌlmɪneɪt] ⟨za⟩kończyć się
cu•lottes [kjuː'lɒts] *pl.* spódnica *f*, *damskie* spodnie *pl.*
cul•prit ['kʌlprɪt] winowajca *m* (-jczyni *f*)
cul•ti|•vate ['kʌltɪveɪt] *agr.* uprawiać ⟨-wić⟩; kultywować, pielęgnować; **'~•vat•ed** *agr.* uprawny; *fig.* kulturalny; **~•va•tion** [kʌltɪ'veɪʃn] *agr.* uprawa *f*, uprawianie *n*; *fig.* kultywowanie *n*
cul•tu•ral ['kʌltʃərəl] kulturalny
cul•ture ['kʌltʃə] kultura *f*; hodowla *f*; **'~d** kulturalny
cum•ber•some ['kʌmbəsəm] niezręczny, nieporęczny
cu•mu•la•tive ['kjuːmjʊlətɪv] kumulujący się; kumulacyjny
cun•ning ['kʌnɪŋ] **1.** przebiegły, sprytny; **2.** przebiegłość *f*, spryt *m*
cup [kʌp] **1.** filiżanka *f*; *sport*: puchar *m*;

kielich *m*; miseczka *f*; **2.** (**-pp-**) *dłoń* składać ⟨złożyć⟩; ujmować ⟨ująć⟩; ***she ~ped her chin in her hand*** objęła dłonią brodę; **~·board** ['kʌbəd] kredens *m*, szafka *f*; **'~·board bed** łóżko *n* składane; **'~ fi·nal** *sport*: finał *m* rozgrywek pucharowych

cu·po·la ['kjuːpələ] kopuła *f*

'cup| tie (*w sporcie*) rozgrywka *f* eliminacyjna (*w zawodach pucharowych*); **'~ win·ner** (*w sporcie*) zwycięzca *m* w zawodach pucharowych

cur [kɜː] *ostry* kundel *m*; *fig*. łotr *m*

cu·ra·ble ['kjʊərəbl] uleczalny

cu·rate ['kjʊərət] wikary *m* (*w kościele anglikańskim*)

curb [kɜːb] **1.** wędzidło *n* (*też fig.*); *zwł. Am.* → ***kerb***(***stone***); **2.** okiełznywać ⟨-znać⟩

curd [kɜːd] *też* ***~s*** *pl.* zsiadłe mleko *n*; twaróg *n*

cur·dle ['kɜːdl] *v/t. mleko* ⟨s⟩powodować zsiadanie się; *v/i.* zsiadać ⟨zsiąść⟩ się; ***the sight made my blood ~*** na ten widok krew zastygła mi w żyłach

cure [kjʊə] **1.** *med.* lekarstwo *n* (***for*** na *A*), środek *m*; kuracja *f*; **2.** *med.* ⟨wy⟩leczyć; ⟨za⟩konserwować; ⟨u⟩wędzić; ⟨wy⟩suszyć

cur·few ['kɜːfjuː] *mil.* godzina *f* policyjna

cu·ri·o ['kjʊərɪəʊ] (*pl.* **-*os***) kuriozum *n*, osobliwość *f*

cu·ri|·os·i·ty [kjʊərɪ'ɒsətɪ] ciekawość *f*; osobliwość *f*; **~·ous** ['kjʊərɪəs] ciekawy, ciekawski; żądny wiedzy; dziwny, osobliwy

curl [kɜːl] **1.** lok *m*; **2.** *v/t. włosy* podkręcać ⟨-ręcić⟩; *v/i.* kręcić się; zwijać się; **'~·er** lokówka *f*; **'~·y** (**-*ier*, -*iest***) kręcony; skręcony; zakręcany

cur·rant ['kʌrənt] *bot.* czarna *lub* czerwona porzeczka *f*; rodzynka *f*

cur·ren|·cy ['kʌrənsɪ] *econ.* waluta *f*; ***foreign ~cy*** dewizy *pl.*; **'~t 1.** *miesiąc itp.*: bieżący; obecny, aktualny; *pogląd*: powszechny; ***~t events*** bieżące wydarzenia *pl.*; **2.** prąd *m*, nurt *m* (*oba też fig.*); *electr.* prąd *m* (*elektryczny*); **'~t account** *Brt. econ.* rachunek *m* bieżący

cur·ric·u·lum [kə'rɪkjʊləm] (*pl.* **-*la*** [-lə], **-*lums***) program *m* zajęć; **~ vi·tae** [- 'vaɪtiː] życiorys *m*

cur·ry[1] ['kʌrɪ] curry *n*

cur·ry[2] ['kʌrɪ] czesać *konia* zgrzebłem

curse [kɜːs] **1.** klątwa *f*; przekleństwo *n*; **2.** wyklinać ⟨-kląć⟩; klnąć, przeklinać ⟨-kląć⟩; **curs·ed** ['kɜːsɪd] przeklęty

cur·sor ['kɜːsə] *komp.* kursor *m*

cur·so·ry ['kɜːsərɪ] pobieżny, powierzchowny

curt [kɜːt] zwięzły; zdawkowy

cur·tail [kɜː'teɪl] skracać ⟨-rócić⟩; *prawa* ograniczać ⟨-czyć⟩

cur·tain ['kɜːtn] **1.** zasłona *f*, firanka *f*; kurtyna *n*; ***draw the ~s*** zasuwać *lub* odsuwać zasłony; **2.** **~ *off*** oddzielać ⟨-lić⟩ zasłoną

curt·s(e)y ['kɜːtsɪ] **1.** dygnięcie *n*; **2.** dygać ⟨dygnąć⟩ (***to*** przed *I*)

cur·va·ture ['kɜːvətʃə] krzywizna *f*, zakrzywienie *n*

curve [kɜːv] **1.** krzywa *f*; zagięcie *n*; łuk *m*, zakręt *m*; **2.** wyginać ⟨-giąć⟩ się (*w łuk*)

cush·ion ['kʊʃn] **1.** poduszka *f*; **2.** ⟨z⟩amortyzować; *uderzenie* osłabiać ⟨-bić⟩

cuss [kʌs] *sl.* **1.** przekleństwo *n*; **2.** przeklinać ⟨-kląć⟩

cus·tard ['kʌstəd] *zwł. Brt.* sos *m* waniliowy (*do deserów*)

cus·to·dy ['kʌstədɪ] *jur.* opieka *f*, nadzór *m*; areszt *m*

cus·tom ['kʌstəm] zwyczaj *m*, obyczaj *m*; **'~·a·ry** zwyczajowy, tradycyjny; zwykły, zwyczajny; **~-'built** zrobiony na życzenie *lub* zamówienie; **'~·er** klient(ka *f*) *m*; **'~ house** urząd *m* celny; **~-'made** zrobiony na życzenie *lub* zamówienie

cus·toms ['kʌstəmz] *pl.* cło *n*; **'~ clearance** odprawa *f* celna; **'~ of·fi·cer**, **'~ of·fi·cial** celnik *m* (-iczka *f*)

cut [kʌt] (***cut***) **1.** *v/t.* ⟨po⟩kroić, obcinać ⟨-ciąć⟩, przycinać ⟨-ciąć⟩; *cenę* obniżać ⟨-niżyć⟩; *karty* przełożyć; *v/i.* ciąć; **~ *one's finger*** skaleczyć się w palec; **~ *s.o. dead*** umyślnie kogoś nie dostrzegać; **2.** skaleczenie *n*; cięcie *n*; **'~·back** *roślinę* przycinać ⟨-ciąć⟩; *wydatki* ograniczyć

cute [kjuːt] F (***~r, ~st***) sprytny, zmyślny; *Am.* fajny

cu·ti·cle ['kjuːtɪkl] skórka *f* (*paznokcia*)

cut·le·ry ['kʌtlərɪ] sztućce *pl.*

cut·let ['kʌtlɪt] *gastr.* kotlet *m*; sznycel *m*

cut|-'price, ~-'rate *econ.* obniżony,

przeceniony; '~•**ter** krajarka *f*, przecinarka *f*; szlifierz *m* (*diamentów, szkła*); *tech*. frez *m*, nóż *m*; *film*: ; *naut*. kuter *m*; '~•**throat 1.** morderca *m* (-czyni *f*); **2.** morderczy, bezlitosny; '~•**ting 1.** tnący; *tech*. skrawający; **2.** cięcie *n*, wycinanie *n*; *bot*. sadzonka *f*; *zwł*. *Brt*. wycinek *m*; '~•**tings** *pl*. wycinki *pl*.; wióry *pl*.

Cy•ber•space ['saıbəspeıs] → ***virtual reality***

cy•cle¹ ['saıkl] cykl *m*; obieg *m*

cy•cle² ['saıkl] rower *m*; *attr*. rowerowy; '~ **path** ścieżka *f* dla rowerów; '**cy•cling** cyklistyka *f*, jazda *m* na rowerze; kolarstwo *n*; '**cy•clist** rowerzysta *m* (-stka *f*), cyklista *m*; kolarz *m*

cy•clone ['saıkləʊn] cyklon *m*; obszar *m* niskiego ciśnienia

cyl•in•der ['sılındə] cylinder *m*, *tech*. *też* walec *m*

cyn|•ic ['sınık] cynik *m*; '~•**i•cal** cyniczny

cy•press ['saıprıs] *bot*. cyprys *m*

Cy•prus Cypr *m*

cyst [sıst] *med*. cysta *f*

czar [zɑː] → ***tsar***

Czech [tʃek] **1.** czeski; ~ ***Republic*** Czechy *pl*., Republika *f* Czeska; **2.** Czech *m*; Czeszka *f*; *ling*. język *m* czeski

D

D, d [diː] D, d *n*

d *skrót pisany*: ***died*** zm., zmarł(a)

DA [diː 'eı] *skrót*: ***District Attorney*** *Am*. prokurator *m* okręgowy

dab [dæb] **1.** pacnięcie *n*, pryśnięcie *n*, maźnięcie *n*; odrobina *f*; **2.** (***-bb-***) wycierać ⟨wytrzeć⟩; *krem itp*. nakładać ⟨-łożyć⟩

dab•ble ['dæbl] opryskiwać ⟨-skać⟩; ~ ***at***, ~ ***in*** imać się (*po amatorsku*) (*G*.)

dachs•hund ['dækshʊnd] *zo*. jamnik *m*

dad [dæd] F, ~•**dy** ['dædı] tatuś *m*

dad•dy long•legs [dædı 'lɒŋlegz] (*pl*. ***daddy longlegs***) koziułka *f*, komarnica *f*; *Am*. kosarz *m*

daf•fo•dil ['dæfədıl] *bot*. żonkil *m*

daft [dɑːft] F głupi

dag•ger ['dægə] sztylet *m*; ***be at ~s drawn with s.o.*** *fig*. być z kimś na noże

dai•ly ['deılı] **1.** dzienny, codzienny; ***the ~ grind*** *lub* ***rut*** codzienny mozół *m*; **2.** dziennik *m*; pomoc *f* domowa

dain•ty ['deıntı] **1.** (***-ier, -iest***) delikatny, filigranowy; **2.** przysmak *m*

dair•y ['deərı] mleczarnia *f*; *attr*. mleczarski, mleczny

dai•sy ['deızı] *bot*. stokrotka *f*

dale [deıl] *dial*. *lub poet*. dolina *f*, kotlina *f*

dal•ly ['dælı]: ~ ***about*** guzdrać się

Dal•ma•tian [dæl'meıʃn] *zo*. dalmatyńczyk *m*

dam [dæm] **1.** tama *f*, zapora *f*; **2.** (***-mm-***) *też* ~ ***up*** ⟨za⟩tamować, stawiać ⟨postawić⟩ tamę

dam•age ['dæmıdʒ] **1.** szkoda *f*, uszkodzenie *n*; ~***s*** *pl*. *jur*. odszkodowanie; **2.** uszkadzać ⟨-kodzić⟩

dam•ask ['dæməsk] adamaszek *m*

damn [dæm] **1.** potępiać ⟨-tępić⟩; ~ (***it***)***!*** F cholera!, niech to szlag (trafi)!; **2.** *adj i adv*. F → ***damned***; **3.** ***I don't care a ~*** F mało mnie to obchodzi; ~•**a•tion** [dæm'neıʃn] *rel*. potępienie *n*; ~**ed** F [dæmd] cholerny; '~•**ing** potępiający; obciążający

damp [dæmp] **1.** wilgotny; **2.** wilgoć *f*; **3.** *też*; '~•**en** nawilżać ⟨-lżyć⟩; ⟨z⟩dławić; wygaszać ⟨-gasić⟩; '~•**ness** wilgotność *f*, wilgoć *f*

dance [dɑːns] **1.** taniec *m*; **2.** ⟨za⟩t…
czyć; '**danc•er** tancerz *m* (-rk…
'**danc•ing** tańczenie *n*; taniec …
taneczny

dan•de•li•on ['dændılaıən…
szek *m* lekarski; F mlec…
wiec *m*

dan•druff ['dændrʌf…

Dane [deın] Duńcz…

dan•ger ['deınd…
n; ***be out of*** …
grożenia; '~…
~•**ous** ['de…
'~ **zone** strefa …

dan•gle ['dæŋgl] …

Da•nish ['deɪnɪʃ] **1.** duński; **2.** *ling.* język *m* duński

dank [dæŋk] wilgotny

Dan•ube Dunaj *m*

dare [deə] *v/i.* mieć śmiałość, ważyć się; ***I ~ say*** sądzę, że; wprawdzie; ***how ~ you!*** jak śmiesz! *v/t.* *czemuś* stawić czoło; *kogoś* ⟨s⟩prowokować (***to do s.th.*** aby coś zrobił); **'~•dev•il** śmiałek *m*, chojrak *m*; *attr.* wyzywająco śmiały; **dar•ing** ['deərɪŋ] **1.** śmiały, wyzywający; **2.** śmiałość *f*

dark [dɑːk] **1.** ciemny; mroczny; ciemnoskóry; *fig.* ponury; tajemniczy; **2.** ciemność *f*; zmrok *m*; ***before*** (***after***) **~** przed zmrokiem (po zmroku); ***keep s.o. in the ~ about s.th.*** nie wyjawiać ⟨-wić⟩ czegoś komuś; **'**♀ **Ag•es** *pl.* Średniowiecze *n*; **'~•en** ściemniać (się); **'~•ness** ciemność *f*, zmrok *m*; **'~•room** *phot.* ciemnia *f*

dar•ling ['dɑːlɪŋ] **1.** kochanie *n*; **2.** kochany, ukochany

darn [dɑːn] ⟨za⟩cerować

dart [dɑːt] **1.** strzałka *f*; skok *m*; **~s** *sg.* (*gra*) strzałki *pl.*; **2.** *v/t.* rzucać ⟨-cić⟩; *v/i.* rzucać ⟨-cić⟩ się; **'~•board** tarcza *f* (*do gry w strzałki*)

dash [dæʃ] **1.** uderzenie *n*; łoskot *m* (*fal*); odrobina *f*, szczypta *f* (*soli*), domieszka *m* (*koloru*); *print.* myślnik *m*, pauza *f*; (*w sporcie*) sprint *m*; *fig.* szyk *m*; ***make a ~ for*** rzucać ⟨-cić⟩ się do (*G*); **2.** *v/t.* rzucać, ciskać; *nadzieje* unicestwiać ⟨-wić⟩; *v/i.* uderzać ⟨-rzyć⟩ (***against*** o *A*); **~ *off*** *list* naskrobać; **'~•board** *mot.* deska *f* rozdzielcza; **'~•ing** pełen fantazji

da•ta ['deɪtə] *pl.*, *sg.* dane *pl.* (*też komp.*); ⚠ *nie* ***data***; **'~ bank**, **'~•base** baza *f* danych; **~ 'cap•ture** pozyskiwanie *n* danych; **~ 'car•ri•er** nośnik *m* danych; **~ 'in•put** wprowadzanie *n* danych; **~ 'me•di•um** nośnik *m* danych; **~ 'mem-o•ry** pamięć *f* danych; **~ 'out•put** wy-
rowadzanie *n* danych; **~ 'pro•ces-
•ing** przetwarzanie *n* danych;
pro'tec•tion zabezpieczanie *n* da-
h; **~ 'stor•age** przechowywanie *n*
ch; **~ 'trans•fer** transfer *m* *lub*
yłanie *n* danych; **~ 'typ•ist** osoba
wadzająca dane

eɪt] *bot.* daktyl *m*

eɪt] data *f*; dzień *m*; termin *m*; randka *f*; *Am.* F dziewczyna *f*, chłopak *m*; ***out of ~*** przeterminowany; ***up to ~*** nowoczesny, aktualny; **2.** datować; ustalać ⟨-lić⟩ datę; ⟨po⟩starzeć; *Am.* F iść ⟨pójść⟩ na randkę z (*I*), chodzić z (*I*); **'dat•ed** przestarzały

da•tive ['deɪtɪv] *gr.* *też* ***~ case*** celownik *m*

daub [dɔːb] ⟨za⟩smarować

daugh•ter ['dɔːtə] córka; **~•in-law** ['dɔːtərɪnlɔː] (*pl.* ***daughters-in-law***) synowa *f*

daunt [dɔːnt] onieśmielać ⟨-lić⟩; zniechęcać ⟨-cić⟩

daw [dɔː] *zo.* → ***jackdaw***

daw•dle ['dɔːdl] mitrężyć, guzdrać się

dawn [dɔːn] **1.** świt *m* (*też fig.*); ***at ~*** o świcie; **2.** ⟨za⟩świtać; **~ *on*** *fig. komuś* ⟨za⟩świtać

day [deɪ] dzień *m*; doba *f*; *często* ***~s*** *pl.* czas *m* życia; ***any ~*** kiedykolwiek; ***these ~s*** obecnie; ***the other ~*** niedawno; ***the ~ after tomorrow*** pojutrze; ***open all ~*** otwarty całą dobę; ***let's call it a ~!*** koniec na dzisiaj!; **'~•break** świt *m*; **'~ care cen•tre** (*Am.* **cen•ter**) → ***day nursery***; **'~•dream 1.** marzenie *n*, mrzonka *f*; **2.** (***dreamed*** *lub* ***dreamt***) marzyć, śnić na jawie; **'~•dream•er** marzyciel(ka *f*) *m*; **'~•light** światło *n* dzienne; ***in broad ~light*** w biały dzień; **'~ nur•se•ry** żłobek *m*; **~ 'off** (*pl.* ***days off***) dzień *m* wolnego, wolny dzień *m*; **~ re'turn** *Brt.* bilet *m* powrotny na jeden dzień; **'~•time**: ***in the ~time*** w ciągu dnia, za dnia

daze [deɪz] **1.** oszałamiać ⟨oszołomić⟩; **2.** ***in a ~*** oszołomiony, w stanie oszołomienia

DC [diː 'siː] *skrót*: ***direct current*** prąd *m* stały; ***District of Columbia*** Dystrykt *m* Kolumbii

DD [diː 'diː] *skrót*: ***double density*** podwójna gęstość *f* (*zapisu dyskietek komp.*)

dead [ded] **1.** martwy, nieżywy; *zwierzę*: zdechły, *ryba*: śnięty, *roślina*: zwiędły; obojętny (***to*** na *A*); *ręka*: zdrętwiały, bez czucia; *bateria*: wyładowany; nieczynny; *farba itp.*: matowy, bez połysku; *econ.* bez obrotów; *econ.* martwy, nie procentujący; **2.** *adv.* całkiem, zupełnie; od razu, bezpośrednio; **~ *slow*** *mot.* krok za krokiem; **~ *tired*** śmiertelnie zmęczony; **3.** ***the ~*** *pl.* martwi *pl.*, zmarli *pl.*; ***in the ~ of winter*** (***night***) w samym środku zimy (nocy); **~ 'bar·gain** niebywała okazja *m*, gratka; **~ 'centre**, (*Am.* **'cen·ter**) sam środek *m*; **'~·en** ⟨z⟩amortyzować, osłabiać ⟨-bić⟩; ⟨wy⟩tłumić; **~ 'end** ślepa ulica *f* (*też fig.*); **~ 'heat** *sport*: nierozstrzygnięty bieg *m*; **'~·line** termin ostateczny *m*; **'~·lock** *fig.* pat *m*, impas *m*; **'~·locked** w impasie; **~ 'loss** *econ.* czysta strata *f*; **'~·ly** (***-ier, -iest***) śmiertelny

deaf [def] **1.** głuchy; ***~-mute***, *pej.* ***~-and dumb*** głuchoniemy; **2.** ***the ~*** *pl.* głusi *pl.*; **'~·en** osłabiać ⟨-bić⟩, zagłuszyć

deal [diːl] **1.** F interes *m*, transakcja *f*; postępowanie *n*; ***it's a ~!*** zgoda!; ***a good ~*** dużo, wiele; ***a great ~*** bardzo dużo, bardzo wiele; **2.** (***dealt***) *v/t.* rozdawać ⟨-dać⟩ (*też karty*); *uderzenie* wymierzać ⟨-rzyć⟩; *v/i.* handlować; *sl.* handlować narkotykami; *karty*: rozdawać ⟨-dać⟩; **~ *with*** zajmować się; poradzić sobie z (*I*); *econ.* mieć interesy z (*I*); **'~·er** *econ.* dealer *m* (*też narkotyków*), handlarz *m* (-rka *f*); **'~·ing** postępowanie *n*; *econ.* transakcja; **'~·ings** *pl.* stosunki *pl.* handlowe; interesy *pl.*; **~t** [delt] *pret. i p.p. od* ***deal*** 2

dean [diːn] dziekan *m*

dear [dɪə] **1.** *coś* drogi, kosztowny; *ktoś* drogi, szanowny; ♀ ***Sir***, (*w listach*) Szanowny Panie; **2.** kochany *m* (-na *f*); kochanie *n*; ***my dear*** mój drogi *m*, moja droga *f*; **3.** (***oh***), ***~!, ~!, ~ me!*** F o Boże!; **'~·ly** gorąco, całym sercem; drogo

death [deθ] śmierć *f*; wypadek *m* śmiertelny, zgon *m*; **'~·bed** łoże *n* śmierci; **'~ cer·tif·i·cate** świadectwo *n* zgonu; **'~·ly** (***-ier, -iest***) śmiertelny; **'~ war·rant** *jur.* wyrok *m* śmierci

de·bar [dɪ'bɑː] (***-rr-***): **~ *from doing s.th.*** kogoś powstrzymywać ⟨-mać⟩ przed zrobieniem czegoś

de·base [dɪ'beɪs] ⟨z⟩degradować; ⟨z⟩dewaluować, ⟨z⟩deprecjonować

de·ba·ta·ble [dɪ'beɪtəbl] dyskusyjny; **de·bate** [dɪ'beɪt] **1.** dyskusja *f*, debata *f*; **2.** debatować (nad *I*), dyskutować

deb·it *econ.* ['debɪt] **1.** debet *m*; strona "winien" **~ *and credit*** przychód i rozchód; **2.** *kogoś, konto* obciążać ⟨-żyć⟩

deb·ris ['debriː] szczątki *pl.*, pozostałości *pl.*

debt [det] dług *m*; wierzytelność *f*; ***be in ~*** mieć dług; ***be out of ~*** nie mieć długu; **'~·or** dłużnik *m* (-iczka *f*), wierzyciel(ka *f*) *m*

de·bug [diː'bʌg] *tech.* (***-gg-***) usuwać ⟨usunąć⟩ usterki (*zwł. programu*)

de·but ['deɪbjuː] debiut *m*

Dec *skrót pisany*: ***December*** grudz., grudzień *m*

dec·ade ['dekeɪd] dekada *f*, dziesięciolecie *n*

dec·a·dent ['dekədənt] dekadencki

de·caf·fein·at·ed [diː'kæfɪneɪtɪd] bezkofeinowy

de·camp [dɪ'kæmp] F nawiewać ⟨-wiać⟩

de·cant [dɪ'kænt] przelewać ⟨-lać⟩; **~·er** karafka *f*

de·cath|·lete [dɪ'kæθliːt] (*w sporcie*) dziesięcioboista *m*; **~·lon** [dɪ'kæθlɒn] (*w sporcie*) dziesięciobój *m*

de·cay [dɪ'keɪ] **1.** *v/i.* ⟨ze⟩psuć się, ⟨z⟩gnić; rozkładać ⟨-łożyć⟩ się; upadać ⟨upaść⟩; *v/t.* rozkładać ⟨-łożyć⟩; **2.** rozkład *m*, rozpad *m*; upadek *m*

de·cease [dɪ'siːs] *zwł. jur.* śmierć *f*, zgon *m*; **~d** *zwł. jur.* **1.** ***the ~d*** zmarły *m* (-ła *f*), zmarli *pl.*; **2.** zmarły

de·ceit [dɪ'siːt] oszustwo *n*; fałsz *m*; **~·ful** oszukańczy; fałszywy

de·ceive [dɪ'siːv] oszukiwać ⟨-kać⟩; **de'ceiv·er** oszust(ka *f*) *m*

De·cem·ber [dɪ'sembə] (*skrót*: ***Dec***) grudzień *m*

de·cen|·cy ['diːsnsɪ] przyzwoitość *f*; uczciwość *f*; **'~t** przyzwoity; uczciwy

de·cep|·tion [dɪ'sepʃn] oszustwo *n*; **~·tive**: ***be ~tive*** być podstępnym *lub* zwodniczym

de·cide [dɪ'saɪd] ⟨z⟩decydować się; ⟨za⟩decydować; rozstrzygać ⟨-gnąć⟩; **de'cid·ed** zdecydowany; wyraźny

dec·i·mal ['desɪml] **1.** dziesiętny; **2.** *też* **~ *fraction*** ułamek *m* dziesiętny

de·ci·pher [dɪ'saɪfə] odcyfrować; odszyfrować

de·ci|·sion [dɪ'sɪʒn] decyzja *f*; postanowienie *n*; stanowczość *f*; ***make*** (***reach, come to***) ***a ~sion*** podejmować ⟨-djąć⟩ decyzję; **~·sive** [dɪ'saɪsɪv] decydujący; zdecydowany

deck [dek] **1.** *naut.* pokład *m*; piętro *n* (*autobusu itp.*); *Am.* talia *f*; *tech.* deck *m*; **2.** **~ *out*** ⟨wy⟩stroić (się); **'~·chair** leżak *m*

dec·la·ra·tion [deklə'reɪʃn] deklaracja *f*; oświadczenie *n*; wypowiedzenie *n*; deklaracja *f* celna
de·clare [dɪ'kleə] zadeklarować, ogłaszać ⟨ogłosić⟩; zgłaszać ⟨zgłosić⟩ do oclenia; *wojnę* wypowiadać ⟨-wiedzieć⟩
de·clen·sion [dɪ'klenʃn] deklinacja *f*
de·cline [dɪ'klaɪn] **1.** odmawiać ⟨-mówić⟩, odmawiać ⟨-mówić⟩ przyjęcia; zmniejszać ⟨-szyć⟩ (się); chylić się do upadku; *ceny* spadać ⟨spaść⟩; *gr.* deklinować; **2.** upadek *m*; spadek *m*
de·cliv·i·ty [dɪ'klɪvətɪ] stok *m*, zbocze *n*
de·clutch [diː'klʌtʃ] *mot.* wyłączać ⟨-czyć⟩ sprzęgło
de·code [diː'kəʊd] dekodować
de·com·pose [diːkəm'pəʊz] rozkładać ⟨-łożyć⟩ (się)
de·con·tam·i|·nate [diːkən'tæmɪneɪt] odkażać ⟨odkazić⟩; **~'na·tion** odkażenie *n*; dekontaminacja *f*
dec·o|·rate ['dekəreɪt] ⟨u⟩dekorować, ozdabiać ⟨-dobić⟩; odnawiać ⟨-nowić⟩, ⟨od-, wy⟩malować, ⟨wy⟩tapetować; nadawać ⟨-dać⟩ odznaczenie; **~·ra·tion** [dekə'reɪʃn] dekoracja *f*; odnowienie *n*, wymalowanie *n*, wytapetowanie *n*; odznaczenie *n*; **~·ra·tive** ['dekərətɪv] dekoracyjny, ozdobny; **~·ra·tor** ['dekəreɪtə] dekorator *m*; malarz *m*, tapeciarz *m*
dec·o·rous ['dekərəs] przywoity; **de·co·rum** [dɪ'kɔːrəm] przywoitość *f*
de·coy 1. ['diːkɔɪ] przynęta *f*; **2.** [dɪ'kɔɪ] ⟨z⟩wabić (***into*** do *G*)
de·crease 1. ['diːkriːs] spadek *m*, zmniejszenie *n* się; **2.** [diː'kriːs] spadać ⟨spaść⟩, zmniejszać ⟨-szyć⟩ się
de·cree [dɪ'kriː] **1.** dekret *m*, rozporządzenie *n*; *zwł. Am. jur.* decyzja *f*, wyrok *m*; **2.** nakazywać ⟨-zać⟩
ded·i|·cate ['dedɪkeɪt] ⟨za⟩dedykować; **'~·cat·ed** wyspecjalizowany; **~·ca·tion** [dedɪ'keɪʃn] dedykacja *f*
de·duce [dɪ'djuːs] ⟨wy⟩dedukować; ⟨wy⟩wnioskować
de·duct [dɪ'dʌkt] odejmować ⟨-jąć⟩; *kwotę itp.* potrącać ⟨-cić⟩ (***from*** z *G*), odliczać ⟨-czyć⟩; **~·i·ble**: ***~ible from tax*** podlegający odpisaniu od podatku; **de·duc·tion** [dɪ'dʌkʃn] potrącenie *n* (*kwoty itp.*); odliczenie *n*, odpis *m*; wniosek *m*
deed [diːd] czyn *m*, uczynek *m*; wyczyn *m* (*bohaterski*); *jur.* dokument *m* (*prawny*)
deep [diːp] **1.** głęboki (*też fig.*); **2.** głębokość *f*; **'~·en** pogłębiać ⟨-bić⟩ (się) (*też fig.*); **~-'freeze 1.** (***-froze, -frozen***) zamrażać ⟨-mrozić⟩; **2.** zamrażarka *f*; **~-'fro·zen** zamrożony; **~-'fry** ⟨u⟩smażyć (*jak we frytkownicy*); **'~·ness** głębia *f*, głębokość *f*
deer [dɪə] *zo.* (*pl.* ***deer***) jeleń *m*, sarna *f*; zwierzyna *f* płowa
de·face [dɪ'feɪs] ⟨o⟩szpecić; zacierać ⟨zatrzeć⟩
def·a·ma·tion [defə'meɪʃn] zniesławienie *n*
de·fault [dɪ'fɔːlt] **1.** *jur.* niestawienie się (*przed sądem*); (*w sporcie*) niestawiennictwo *n*; *econ.* zwłoka; *komp. domyślna* wartość *f lub* nastawienie *n* domyślne; *attr., komp.* domyślny, standardowy; **2.** *econ.* nie wywiązywać ⟨-wiązać⟩ się ze zobowiązania; *jur.* nie stawiać ⟨-wić⟩ się (przed sądem); (*w sporcie*) nie stawić się
de·feat [dɪ'fiːt] **1.** porażka *f*, klęska *f*; **2.** pobić; pokonywać ⟨-nać⟩; ⟨z⟩niweczyć
de·fect [dɪ'fekt] defekt *m*, wada *f*; **de'fec·tive** wadliwy
de·fence *Brt.*, **de·fense** *Am.* [dɪ'fens] obrona *f*; ***witness for the ~*** świadek *m* obrony; **~·less** bezbronny
de·fend [dɪ'fend] (***from, against***) bronić (się) (przed *I*); (*w sporcie*) ⟨o⟩bronić; **de'fen·dant** *jur.* pozwany *m* (-na *f*); oskarżony *m* (-na *f*); **de'fend·er** obrońca *m*
de·fen·sive [dɪ'fensɪv] **1.** defensywa *f*; ***on the ~*** w defensywie; **2.** defensywny, obronny
de·fer [dɪ'fɜː] (***-rr-***) odkładać ⟨-łożyć⟩, odraczać ⟨-roczyć⟩
de·fi|·ance [dɪ'faɪəns] wyzwanie *n*, bunt *m*; ***in ~ance of*** wbrew (*D*); **~·ant** wyzywający, buntowniczy
de·fi·cien|·cy [dɪ'fɪʃnsɪ] brak *m*, niedostatek *m*; niedobór *m*; **~t** brakujący, niedostateczny; ***~t in*** ubogi w (*A*), o niewystarczającej ilości (*G*)
def·i·cit ['defɪsɪt] *econ.* deficyt *m*, niedobór *m*
de·file[1] ['diːfaɪl] wąwóz *m*, przesmyk *m*
de·file[2] [dɪ'faɪl] ⟨z⟩bezcześcić, ⟨s⟩kalać
de·fine [dɪ'faɪn] ⟨z⟩definiować, określać ⟨-lić⟩; wyjaśniać ⟨-nić⟩; **def·i·nite**

['defɪnɪt] określony; jasny, sprecyzowany; **def·i·ni·tion** [defɪ'nɪʃn] definicja *f*; (*w TV, filmie*) rozdzielczość *f*; **de·fin·itive** [dɪ'fɪnɪtɪv] ostateczny, rozstrzygający; wzorcowy
de·flect [dɪ'flekt] *v/t.* odbijać ⟨-bić⟩; *v/i.* zbaczać ⟨zboczyć⟩, zmieniać ⟨-nić⟩ kierunek
de·form [dɪ'fɔːm] ⟨z⟩deformować, zniekształcać ⟨-cić⟩; **~ed** zdeformowany, zniekształcony; **de·for·mi·ty** [dɪ'fɔːmətɪ] deformacja *f*, zniekształcenie *n*
de·fraud [dɪ'frɔːd] ⟨z⟩defraudować (***of*** na *A*), sprzeniewierzać ⟨-rzyć⟩
de·frost [diː'frɒst] rozmrażać ⟨-rozić⟩ (się)
deft [deft] zręczny, zgrabny, zdolny
de·fy [dɪ'faɪ] wyzywać ⟨-zwać⟩; przeciwstawiać ⟨-wić⟩ się (*D*); wzywać ⟨wezwać⟩
de·gen·e·rate 1. [dɪ'dʒenəreɪt] ⟨z⟩degenerować się, ⟨z⟩wyrodnieć; **2.** [dɪ'dʒenərət] zdegenerowany, zwyrodniały; **3.** degenerat *m*
deg·ra·da·tion [degrə'deɪʃn] poniżenie *n*; **de·grade** [dɪ'greɪd] *v/t.* poniżać ⟨-żyć⟩
de·gree [dɪ'griː] stopień *m* (*też naukowy*); ***by ~s*** stopniowo; ***take one's ~*** otrzymywać ⟨-mać⟩ stopień naukowy (***in*** w zakresie *G*)
de·hy·drat·ed [diː'haɪdreɪtɪd] odwodniony, suszony
de·i·fy ['diːɪfaɪ] ubóstwiać ⟨-wić⟩, deifikować
deign [deɪn] być łaskawym, raczyć
de·i·ty ['diːɪtɪ] bóstwo *n*
de·jec|·ted [dɪ'dʒektɪd] przygnębiony, przygaszony; **~·tion** [dɪ'dʒekʃn] przygnębienie *n*
de·lay [dɪ'leɪ] **1.** zwłoka *f*; *rail itp.* opóźnienie *n*; okres *m* opóźnienia; **2.** zwlekać ⟨-wlec⟩; opóźniać ⟨-nić⟩; odłożyć ⟨odkładać⟩
del·e|·gate 1. ['delɪgeɪt] *kogoś* ⟨od⟩delegować; *uprawnienia itp.* przekazywać ⟨-zać⟩, delegować; **2.** ['delɪgət] delegat *m*, wysłannik *m* (-iczka *f*); **~·ga·tion** [delɪ'geɪʃn] delegacja *f*; przekazanie *n*
de·lete [dɪ'liːt] wymazywać ⟨-zać⟩; *komp.* ⟨s⟩kasować
de·lib·e|·rate [dɪ'lɪbərət] umyślny; rozważny; **~·ra·tion** [dɪlɪbə'reɪʃn] zastanowienie *n*, rozwaga *f*; ***with ~·ra·tion*** z namaszczeniem
del·i|·ca·cy ['delɪkəsɪ] delikatność *f*; subtelność *f*; smakołyk *m*, przysmak *m*; **~·cate** ['delɪkət] delikatny; subtelny; **~·ca·tes·sen** [delɪkə'tesn] delikatesy *pl.*
de·li·cious [dɪ'lɪʃəs] smakowity
de·light [dɪ'laɪt] **1.** zachwyt *m*, przyjemność *f*; **2.** *v/t.* zabawiać; *v/i.* znajdować wielką przyjemność (***in*** w *L*); **~·ful** zachwycający
de·lin·quen|·cy [dɪ'lɪŋkwənsɪ] przestępczość *f*; **~t 1.** winny przewinienia; **2.** przestępca *m* → ***juvenile delinquent***
de·lir·i|·ous [dɪ'lɪrɪəs] *med.* majaczący; **~·um** [dɪ'lɪrɪəm] majaczenie *n*; delirium *n*
de·liv·er [dɪ'lɪvə] dostarczać ⟨-czyć⟩; *listy itp.* doręczać ⟨-czyć⟩; *cios itp.* wymierzać ⟨-czyć⟩; *wykład itp.* wygłaszać ⟨-głosić⟩; uwalniać ⟨-wolnić⟩; *med. dziecko itp.* odbierać ⟨odebrać⟩; **~·ance** [dɪ'lɪvərəns] oswobodzenie *n*; **~·er** [dɪ'lɪvərə] oswobodziciel(ka *f*) *m*; **~·y** [dɪ'lɪvərɪ] dostarczenie *n*; doręczenie *n* (*poczty itp.*); wygłoszenie *n* (*mowy itp.*); odczyt *m*, referat *m*; *med.* poród *m*; **~·y van** furgonetka *f* dostawcza
dell [del] dolina *f*
de·lude [dɪ'luːd] łudzić
del·uge ['deljuːdʒ] potop *m*, *fig.* zalew *m*
de·lu·sion [dɪ'luːʒn] ułuda *f*, złudzenie *n*
de·mand [dɪ'mɑːnd] **1.** żądanie *n*; zapotrzebowanie *n*, popyt *m* (***for*** na *A*); obciążenie *n*; ***in ~*** na żądanie, w razie potrzeby; **2.** ⟨za⟩żądać, domagać się; wymagać; **~·ing** wymagający
de·men·ted [dɪ'mentɪd] obłąkany; *med.* otępiały
dem·i... ['demɪ] pół..., demi...
de·mil·i·ta·rize [diː'mɪlɪtəraɪz] ⟨z⟩demilitaryzować
dem·o ['deməʊ] F (*pl.* **-os**) demo *n* (*wersja demonstracyjna*), demonstracja *f* (*uliczna*)
de·mo·bi·lize [diː'məʊbɪlaɪz] ⟨z⟩demobilizować
de·moc·ra·cy [dɪ'mɒkrəsɪ] demokracja *f*
dem·o·crat ['deməkræt] demokrata *m*

(-tka *f*); **~·ic** [demə'krætɪk] demokratyczny
de·mol·ish [dɪ'mɒlɪʃ] ⟨z⟩burzyć; ⟨z⟩niszczyć, obalać ⟨-lić⟩; F *jedzenie* pochłaniać ⟨-łonąć⟩; **dem·o·li·tion** [demə'lɪʃn] (z)burzenie *n*; zniszczenie *n*, obalenie *n*
de·mon ['diːmən] demon *m*; czart *m*
dem·on|·strate ['demənstreɪt] ⟨za⟩demonstrować; wykazywać ⟨-zać⟩; dowodzić ⟨-wieść⟩; **~·stra·tion** [demən'streɪʃn] demonstracja *f*; dowód *m*; pokaz *m*; manifestacja *f*; **~·stra·tive** [dɪ'mɒnstrətɪv] *gr.* wskazujący; ***be ~strative*** być wylewnym; **~·stra·tor** ['demənstreɪtə] demonstrator(ka *f*) *m*
de·mor·al·ize [dɪ'mɒrəlaɪz] ⟨z⟩demoralizować; zniechęcać ⟨-cić⟩
de·mote [diː'məʊt] ⟨z⟩degradować
de·mure [dɪ'mjʊə] potulny, nieśmiały
den [den] jaskinia *f*, legowisko *n*; *fig.* własny kąt *m*
de·ni·al [dɪ'naɪəl] zaprzeczenie *n*; odmowa *f*; wyparcie *n* się; ***official ~*** dementi *n*
den·ims ['denɪmz] *pl.* dżinsy *pl.*
Den·mark ['denmɑːk] Dania *f*
de·nom·i·na·tion [dɪnɒmɪ'neɪʃn] *rel.* wyznanie *n*
de·note [dɪ'nəʊt] oznaczać, znaczyć
de·nounce [dɪ'naʊns] *kogoś* ⟨za⟩denuncjować; *coś* potępiać ⟨-pić⟩
dense [dens] (***-r, -st***) gęsty; *fig.* ciemny, przygłupi; **den·si·ty** ['densətɪ] gęstość *f*
dent [dent] **1.** wgniecenie *n*; **2.** wgniatać ⟨wgnieść⟩
den·tal ['dentl] zębny, nazębny; **~ 'plaque** osad *m* nazębny; **~ 'plate** proteza *f*; **~ 'sur·geon** dentysta *m* (-tka *f*), stomatolog *m*
den·tist ['dentɪst] dentysta *m* (-tka *f*), stomatolog *m*
den·tures ['dentʃəz] *med. pl.* proteza *f* dentystyczna
de·nun·ci·a|·tion [dɪnʌnsɪ'eɪʃn] potępienie *n*; denuncjacja *f*; **~·tor** [dɪ'nʌnsɪeɪtə] denuncjator(ka *f*) *m*
de·ny [dɪ'naɪ] zaprzeczać ⟨-czyć⟩; ⟨z⟩dementować; odmawiać ⟨-mówić⟩; wypierać ⟨-przeć⟩ się
de·o·do·rant [diː'əʊdərənt] dezodorant *m*
dep *skrót pisany*: ***depart*** odjeżdżać; ***departure*** odj., odjazd *m*
de·part [dɪ'pɑːt] odjeżdżać ⟨-jechać⟩; odejść ⟨odchodzić⟩ (***from*** od *G*), odstępować ⟨-stąpić⟩
de·part·ment [dɪ'pɑːtmənt] dział *m*; wydział *m*; *univ.* *też* zakład *m*, instytut *m*; *pol.* ministerstwo *n*; **ℒ of De'fense,** *też* ***Defence*** *Am.* Ministerstwo *n* Obrony; **ℒ of the En'vi·ron·ment** *Brt.* Ministerstwo *n* Ochrony Środowiska; **ℒ of the In'te·ri·or** *Am.* Ministerstwo *n* Spraw Wewnętrznych; **ℒ of 'State**, *też* ***State*** ℒ *Am. pol.* Departament *m* Stanu, Ministerstwo *n* Spraw Zagranicznych; **~ store** dom *m* towarowy
de·par·ture [dɪ'pɑːtʃə] *też rail.* odjazd *m*, *aviat.* odlot *m*; odejście *n* (od tematu); ***~s*** *pl.* odjazdy *pl.* (*w rozkładzie jazdy*); **~ gate** *aviat.* przejście *n* do samolotu; **~ lounge** *aviat.* hala *f* odlotów
de·pend [dɪ'pend]: **~ *on*** polegać na (*L*); liczyć na (*A*); zależeć od (*G*); ***that ~s*** to zależy
de·pen|·da·ble [dɪ'pendəbl] godny zaufania; **~·dant** osoba *f* na czyimś utrzymaniu; **~·dence** zależność *f*; zaufanie *n*; **~·dent 1.** zależny (***on*** od *G*); **2.** → ***dependant***
de·plor|·a·ble [dɪ'plɔːrəbl] godny pożałowania; **~e** [dɪ'plɔː] ubolewać nad (*I*)
de·pop·u·late [diː'pɒpjʊleɪt] wyludniać ⟨-nić⟩
de·port [dɪ'pɔːt] deportować, wywozić ⟨-wieźć⟩; usuwać ⟨usunąć⟩
de·pose [dɪ'pəʊz] usuwać ⟨-nąć⟩ z urzędu; *jur.* zaświadczać ⟨-czyć⟩
de·pos|·it [dɪ'pɒzɪt] **1.** składać ⟨złożyć⟩; ⟨z⟩deponować; *geol., chem.* osadzać ⟨-dzić⟩ (się); *econ.* *zaliczkę* uiszczać ⟨uiścić⟩; **2.** *chem.* osad *m*; *geol.* *też* złoże *n*; depozyt *m*; *econ.* wpłata *f*; kaucja *f*; ***make a ~it*** wpłacać ⟨-cić⟩ zaliczkę *lub* zadatek; **~it ac·count** *zwł. Brt.* rachunek *m* lokat okresowych; **~·i·tor** deponent(ka *f*) *m*
dep·ot ['depəʊ] skład *m*, magazyn *m*; *Am.* ['diːpəʊ] dworzec *m*
de·prave [dɪ'preɪv] *etycznie* ⟨z⟩deprawować
de·pre·ci·ate [dɪ'priːʃɪeɪt] ⟨z⟩deprecjonować, obniżać ⟨-żyć⟩ wartość
de·press [dɪ'pres] naciskać ⟨-cisnąć⟩; przygnębiać ⟨-bić⟩; ⟨z⟩tłumić, przygłu-

szać ⟨-szyć⟩; **~ed** w depresji; przygnębiony; *econ. rynek*: osłabiony; **~ed ar·e·a** obszar dotknięty depresją; **~·ing** deprymujący, przygnębiający; **de·pression** [dɪ'preʃn] depresja *f* (*też econ.*); przygnębienie *n*; obniżenie *n*; *meteor.* niskie ciśnienie *n*, obszar *m* niskiego ciśnienia

de·prive [dɪ'praɪv]: **~ *s.o. of s.th.*** pozbawiać ⟨-wić⟩ kogoś czegoś; **~d** nieuprzywilejowany

dept, **Dept** *skrót pisany*: ***Department*** dział, wydział

depth [depθ] głębokość *f*, głębia *f*

dep·u|·ta·tion [depjʊ'teɪʃn] delegacja *f*; **~·tize** ['depjʊtaɪz]: ***~tize for s.o.*** zastępować ⟨-stąpić⟩ kogoś; **~·ty** ['depjʊtɪ] zastępca *m* (-czyni *f*); *pol.* poseł *m* (-słanka *f*); *też* ***~ty sheriff*** zastępca *m* (-czyni *f*) szeryfa

de·rail [dɪ'reɪl] wykolejać; ***be ~ed*** wykoleić się

de·ranged [dɪ'reɪndʒd] obłąkany

der·e·lict ['derəlɪkt] opuszczony

de·ride [dɪ'raɪd] ⟨wy⟩szydzić; **de·ri·sion** [dɪ'rɪʒn] szyderstwo *n*; **de·ri·sive** [dɪ'raɪsɪv] szyderczy

de·rive [dɪ'raɪv] pochodzić (***from*** z *A*); wywodzić się (***from*** z *A*); ***~ pleasure from*** znajdować ⟨znaleźć⟩ przyjemność w (*L*)

der·ma·tol·o·gist [dɜːmə'tɒlədʒɪst] *med.* dermatolog *m*

de·rog·a·to·ry [dɪ'rɒgətərɪ] poniżający, uwłaczający, przynoszący ujmę

der·rick ['derɪk] *tech.* żuraw *m* masztowy; *naut.* żuraw *m* ładunkowy; wieża *f* wiertnicza

de·scend [dɪ'send] obniżać ⟨-żyć⟩ się, zniżać ⟨-żyć⟩ się; schodzić ⟨zejść⟩; *aviat.* wytracać ⟨-cić⟩ wysokość, schodzić ⟨zejść⟩ w dół; pochodzić, wywodzić się (***from*** z *G*); ***~ on*** zwalać ⟨-lić⟩ się na (*A*), ⟨za⟩atakować, napadać ⟨-paść⟩; **de'scen·dant** potomek *m*

de·scent [dɪ'sent] obniżanie *n* się; zniżanie *n* się; schodzenie *n*; *aviat.* wytracanie *n* wysokości; pochodzenie *n*; najście *n*, desant *m*

de·scribe [dɪ'skraɪb] opisywać ⟨-sać⟩

de·scrip|·tion [dɪ'skrɪpʃn] opis *m*; rodzaj *m*; **~·tive** [dɪ'skrɪptɪv] opisowy; obrazowy

des·e·crate ['desɪkreɪt] ⟨z⟩bezcześcić, ⟨s⟩profanować

de·seg·re|·gate [diː'segrɪgeɪt] znosić ⟨-nieść⟩ segregację rasową; **~·ga·tion** [diːsegrɪ'geɪʃn] znoszenie segregacji rasowej

des·ert[1] ['dezət] pustynia *f*; *attr.* pustynny

de·sert[2] [dɪ'zɜːt] *v/t.* opuszczać ⟨opuścić⟩, porzucać ⟨-cić⟩; *v/i. mil.* ⟨z⟩dezerterować; **~·er** *mil.* dezerter *m*; **de·ser·tion** [dɪ'zɜːʃn] (*jur. też złośliwe*) porzucenie *n*; dezercja *f*

de·serve [dɪ'zɜːv] zasługiwać ⟨-służyć⟩ na (*A*); **de·serv·ed·ly** [dɪ'zɜːvɪdlɪ] zasłużenie; **de·serv·ing** zasłużony

de·sign [dɪ'zaɪn] **1.** projekt *m*, plan *m*; *tech.* projekt *m*, rysunek *m* techniczny; wzór *m*, deseń *m*; zamiar *m*; **2.** ⟨za⟩projektować, ⟨za⟩planować; zamyślać ⟨-ślić⟩

des·ig·nate ['dezɪgneɪt] wyznaczać ⟨-czyć⟩

de·sign·er [dɪ'zaɪnə] konstruktor(ka *f*) *m*; projektant(ka *f*) *m*

de·sir|·a·ble [dɪ'zaɪərəbl] pożądany; **~e** [dɪ'zaɪə] **1.** chęć *f*, zamiar *m*; pożądanie *n* (***for*** *G*), chętka *f*; **2.** ⟨za⟩pragnąć, ⟨za⟩życzyć sobie; pożądać, mieć chęć

de·sist [dɪ'zɪst] zaprzestawać ⟨-tać⟩

desk [desk] biurko *n*; ławka *f*; recepcja *f*; punkt *m* informacyjny; **~·top com'put·er** komputer *m* biurkowy; **~·top 'pub·lish·ing** (*skrót*: ***DTP***) *komp.* DTP *n*, mała poligrafia *f*

des·o·late ['desələt] wyludniony, opuszczony

de·spair [dɪ'speə] **1.** rozpacz *f*; **2.** ⟨s⟩tracić nadzieję (***of*** na *A*); **~·ing** [dɪ'speərɪŋ] zrozpaczony

de·spatch [dɪ'spætʃ] → ***dispatch***

des·per|·ate ['despərət] zdesperowany; desperacki; F rozpaczliwy, beznadziejny; **~·a·tion** [despə'reɪʃn] desperacja *f*

des·pic·a·ble [dɪ'spɪkəbl] zasługujący na pogardę, nikczemny

de·spise [dɪ'spaɪz] ⟨po⟩gardzić, ⟨z⟩lekceważyć

de·spite [dɪ'spaɪt] (po)mimo (*G*)

de·spon·dent [dɪ'spɒndənt] pozbawiony nadziei, przygnębiony

des·pot 'despɒt] despota *m* (-tka *f*)

des·sert [dɪ'zɜːt] deser *m*

D

des|·ti·na·tion [destɪ'neɪʃn] przeznaczenie *n*, miejsce *n* przeznaczenia; **~·tined** ['destɪnd] przeznaczony; zdążający (***for*** do *G*); **~·ti·ny** ['destɪnɪ] przeznaczenie *n*
des·ti·tute ['destɪtjuːt] bez środków do życia
de·stroy [dɪ'strɔɪ] ⟨z⟩niszczyć; *zwierzęta* uśmiercać ⟨-cić⟩; **~·er** niszczyciel(ka *f*) *m*; *mil. naut.* niszczyciel *m*
de·struc|·tion [dɪ'strʌkʃn] zniszczenie *n*; **~·tive** [dɪ'strʌktɪv] niszczycielski, destruktywny
de·tach [dɪ'tætʃ] odczepiać ⟨-pić⟩, odłączać ⟨-czyć⟩; **~ed** oddzielny, osobny; *ktoś*: pełen dystansu; ***~ed house*** dom(ek) *m* wolnostojący; **~·ment** dystans *m*; *mil.* oddział *m* (*wydzielony*)
de·tail ['diːteɪl] **1.** szczegół *m*, detal *m*; *mil.* oddział *m* (*wydzielony*); ***in ~*** szczegółowo; **2.** wyszczególniać ⟨-nić⟩; *mil.* odkomenderować; **~ed** szczegółowy
de·tain [dɪ'teɪn] zatrzymywać ⟨-mać⟩; *jur.* ⟨za⟩aresztować
de·tect [dɪ'tekt] wykrywać ⟨-ryć⟩; wyczuwać ⟨-czuć⟩; **de·tec·tion** [dɪ'tekʃn] wykrycie *n*; **de·tec·tive** [dɪ'tektɪv] detektyw *m*, wywiadowca *m*; **de'tec·tive nov·el, de'tec·tive sto·ry** powieść *f* detektywistyczna
de·ten·tion [dɪ'tenʃn] zatrzymanie *n*; areszt *m*
de·ter [dɪ'tɜː] (***-rr-***) odstraszać ⟨-szyć⟩ (***from*** od *G*)
de·ter·gent [dɪ'tɜːdʒənt] detergent *m*; proszek *m* do prania; środek *m* do prania; *attr.* detergentowy
de·te·ri·o·rate [dɪ'tɪərɪəreɪt] podupadać ⟨-paść⟩; pogarszać ⟨-gorszyć⟩ się
de·ter|·mi·na·tion [dɪtɜːmɪ'neɪʃn] zdecydowanie *n*, stanowczość *f*; determinacja *f*; stwierdzenie *n*, ustalenie *n*; **~·mine** [dɪ'tɜːmɪn] postanawiać ⟨-nowić⟩, ⟨z⟩decydować się na (*A*); stwierdzać ⟨-dzić⟩, określać ⟨-lić⟩, ustalać ⟨-lić⟩; **~·mined** zdeterminowany, zdecydowany
de·ter|·rence [dɪ'terəns] odstraszanie *n*; **~·rent 1.** odstraszający; **2.** środek *m* odstraszający
de·test [dɪ'test] nie cierpieć
de·throne [dɪ'θrəʊn] ⟨z⟩detronizować
de·to·nate ['detəneɪt] *v/t.* ⟨z⟩detonować; **2.** wybuchać ⟨-chnąć⟩, eksplodować
de·tour ['diːtʊə] objazd *m*
de·tract [dɪ'trækt]: **~ *from*** zmniejszać ⟨-szyć⟩ (*A*)
de·tri·ment ['detrɪmənt] szkoda *f*, uszczerbek *m*
deuce [djuːs] (*w kartach*) dwa, dwójka *f*; (*w tenisie*) równowaga *f*
de·val·u|·a·tion [diːvælju'eɪʃn] dewaluacja *f*; **~e** [diː'] ⟨z⟩dewaluować
dev·a|·state ['devəsteɪt] ⟨z⟩dewastować, ⟨z⟩niszczyć; **'~·stat·ing** niszczycielski
de·vel·op [dɪ'veləp] rozwijać (się); *phot.* wywoływać ⟨-łać⟩; *teren budowlany* zagospodarowywać ⟨-ować⟩, rozbudowywać ⟨-ować⟩; *stare miasto*: dokonywać ⟨-konać⟩ sanacji; **~·er** *phot.* wywoływacz *m*; przedsiębiorca *m* budowlany; **~·ing** rozwijający (się); **~·ing 'coun·try, ~·ing 'na·tion** kraj *m* rozwijający się; **~·ment** rozwój *m*; zagospodarowanie *n*, sanacja *f*
de·vi|·ate ['diːvɪeɪt] zbaczać ⟨zboczyć⟩ (***from*** z *G*), odchodzić (***from*** od *G*); **~·a·tion** [diːvɪ'eɪʃn] zboczenie *n*; dewiacja *f*
de·vice [dɪ'vaɪs] urządzenie *n*, przyrząd *m*; plan *m*, pomysł *m*; *literacki* chwyt *m*; ***leave s.o. to his own ~s*** pozostawić kogoś samego
dev·il ['devl] czart *m*, diabeł *m*; **'~·ish** diabelski
de·vi·ous ['diːvjəs] *coś*: kręty; *ktoś*: pokrętny; ***~ route*** droga *f* okrężna
de·vise [dɪ'vaɪz] wymyślić
de·void [dɪ'vɔɪd]: **~ *of*** pozbawiony (*G*)
de·vote [dɪ'vəʊt] poświęcać ⟨-cić⟩; **de'vot·ed** poświęcony; oddany; **de·vo·tee** [devəʊ'tiː] wielbiciel(ka *f*) *m*; wyznawca *m* (-czyni *f*); **de·vo·tion** [dɪ'vəʊʃn] poświęcenie *n*; ofiarność *f*; oddanie *n*
de·vour [dɪ'vaʊə] pożerać ⟨-żreć⟩
de·vout [dɪ'vaʊt] pobożny; *nadzieja*: gorący
dew [djuː] rosa *f*; **'~·drop** kropla *f* rosy; **'~·y** (***-ier, -iest***) wilgotny
dex|·ter·i·ty [dek'sterətɪ] zręczność *f*, sprawność *f*; **~·ter·ous, ~·trous** ['dekstrəs] zręczny, sprawny
di·ag·|nose ['daɪəgnəʊz] ⟨z⟩diagnozować, stawiać ⟨postawić⟩ diagno-

zę; **~·no·sis** [daɪəg'nəʊsɪs] (*pl.* ***-ses*** [-siːz]) diagnoza *f*
di·ag·o·nal [daɪ'ægənl] **1.** przekątny, ukośny; **2.** przekątna *f*
di·a·gram ['daɪəgræm] diagram *m*, wykres *m*
di·al ['daɪəl] **1.** cyferblat *m*; *tel.* tarcza *f* (*telefonu*); *tech.* skala *f*; **2.** (*zwł. Brt.* ***-ll-***, *Am.* ***-l-***) *tel.* nakręcać ⟨-cić⟩, wybierać ⟨-brać⟩; ***~ direct*** wybierać bezpośredni numer (***to*** do *G*); ***direct~(l)ing*** bezpośrednie połączenie *n*
di·a·lect ['daɪəlekt] dialekt *m*
'di·al·ling code *Brt. tel.* numer *m* kierunkowy
di·a·logue *Brt.*, **di·a·log** *Am.* ['daɪəlɒg] dialog *m*, rozmowa *f*
di·am·e·ter [daɪ'æmɪtə] średnica *f*; ***in ~*** średnicy
di·a·mond ['daɪəmənd] diament *m*, brylant *m*; romb *m*; (*w kartach*) karo *n*
di·a·per ['daɪəpə] *Am.* pielucha *f*, pieluszka *f*
di·a·phragm ['daɪəfræm] *anat.* przepona *f*; *opt.* przesłona *f*; *tel.* membrana *f*
di·ar·rh(o)e·a [daɪə'rɪə] *med.* biegunka *f*
di·a·ry ['daɪərɪ] pamiętnik *m*; kalendarzyk *m* kieszonkowy
dice [daɪs] **1.** *pl. od* ***die***[2]; kostka *f* do gry; kości (*gra*) *pl.*; **2.** *gastr.* ⟨po⟩kroić w kostkę; ⟨za-, po⟩grać w kości
dick [dɪk] *Am. sl.* (*prywatny detektyw*) glina *m*
dick·y·bird ['dɪkɪbɜːd] F ptaszek *m*; słówko *n*
dic|·tate [dɪk'teɪt] ⟨po⟩dyktować (*też fig.*); **~·ta·tion** [dɪk'teɪʃn] dyktowanie *n*; (*w szkole*) dyktando *n*
dic·ta·tor [dɪk'teɪtə] dyktator(ka *f*) *m*; **~·ship** dyktatura *f*
dic·tion ['dɪkʃn] wymowa *f*; styl *m*
dic·tion·a·ry ['dɪkʃnrɪ] słownik *m*
did [dɪd] *pret. od* → ***do***
die[1] [daɪ] umierać ⟨umrzeć⟩, ⟨z⟩ginąć; *zwierzęta*: zdychać ⟨zdechnąć⟩; ⟨u⟩schnąć; zamierać ⟨-mrzeć⟩, przestawać ⟨-stać⟩ pracować; ***~ of hunger*** (***thirst***) umierać ⟨umrzeć⟩ z głodu *lub* pragnienia; ***~ away*** *wiatr, dźwięk*: zanikać ⟨-niknąć⟩; ***~ down*** zamierać ⟨-mrzeć⟩; niknąć; ***~ out*** wymierać ⟨-mrzeć⟩ (*też fig.*)
die[2] [daɪ] *Am.* (*pl.* ***dice***) kostka *f*
di·et ['daɪət] **1.** dieta *f*; odżywianie *n* się; ***be on a ~*** być na diecie; **2.** być na diecie
dif·fer ['dɪfə] różnić się; być odmiennego zdania (***with, from*** od *G*);
dif·fe|·rence ['dɪfrəns] różnica *f*; różnica *f* zdań; **'~·rent** różny, odmienny (***from*** od *G*); różniący się; **~·ren·ti·ate** [dɪfə'renʃɪeɪt] rozróżniać, odróżniać
dif·fi|·cult ['dɪfɪkəlt] trudny; **'~·cul·ty** trudność *f*
dif·fi|·dence ['dɪfɪdəns] nieśmiałość *f*, rezerwa *f*; **'~·dent** nieśmiały, pełen rezerwy
dif|·fuse 1. *fig.* [dɪ'fjuːz] rozpraszać ⟨-proszyć⟩; promieniować; **2.** [dɪ'fjuːs] rozproszony; *fig.* chaotyczny; **~·fu·sion** [dɪ'fjuːʒn] *chem., phys.* rozproszenie *n*
dig [dɪg] **1.** (***-gg-***; ***dug***) kopać; ***~*** (***up***) wykopywać ⟨-pać⟩; ***~*** (***up*** *lub* ***out***) wykopywać ⟨-pać⟩; wygrzebywać ⟨-grzebać⟩ (*też fig.*); ***~ s.o. in the ribs*** szturchać ⟨-chnąć⟩ kogoś (*łokciem*); **2.** F szturchaniec *n*; ***~s*** *pl. Brt.* F (*wynajęte mieszkanie*) chata *f*
di·gest 1. [dɪ'dʒest] ⟨s⟩trawić; ***~ well*** być lekkostrawnym; **2.** ['daɪdʒest] wyciąg *m*, przegląd *m*; **~·i·ble** [dɪ'dʒestəbl] strawny; **di·ges·tion** [dɪ'dʒestʃən] trawienie *n*; **di·ges·tive** [dɪ'dʒestɪv] trawienny
dig·ger ['dɪgə] poszukiwacz(ka *f*) *m* złota
di·git ['dɪdʒɪt] cyfra *f*; palec *m*; ***three-~ number*** liczba trzycyfrowa
di·gi·tal ['dɪdʒɪtl] cyfrowy; **~ 'clock**, **~ 'watch** zegar(ek) *m* cyfrowy
dig·ni|·fied ['dɪgnɪfaɪd] dystyngowany; pełen godności *lub* dostojeństwa; **~·ta·ry** ['dɪgnɪtərɪ] dygnitarz *m*; **~·ty** ['dɪgnɪtɪ] godność *f*; dostojeństwo *n*
di·gress [daɪ'gres] ⟨z⟩robić dygresję
dike[1] [daɪk] grobla *f*, wał *m*; rów *m*
dike[2] [daɪk] *sl.* lesbijka *f*
di·lap·i·dat·ed [dɪ'læpɪdeɪtɪd] zrujnowany, zdemolowany
di·late [daɪ'leɪt] rozszerzać ⟨-rzyć⟩ (się); **dil·a·to·ry** ['dɪlətərɪ] opieszały
dil·i|·gence ['dɪlɪdʒəns] pilność *f*; **'~·gent** pilny
di·lute [daɪ'ljuːt] **1.** rozcieńczać ⟨-czyć⟩, rozrzedzać ⟨-dzić⟩; **2.** rozcieńczony, rozrzedzony

D

D

dim [dɪm] **1.** (**-*mm-***) ciemny; niewyraźny; *wzrok*: słaby; *światło*: nikły; *Brt*. tępy; **2.** przyciemniać ⟨-mnić⟩ (się); stawać ⟨stać⟩ się niewyraźnym; ~ ***one's headlights*** *Am. mot.* włączać ⟨-czyć⟩ światła mijania
dime [daɪm] *Am*. dziesięciocentówka *f*
di•men•sion [dɪ'menʃn] wymiar *m*; aspekt *m*; ~***s*** *pl. też* wymiary *pl*.; ~**•al** [dɪ'menʃənl]: ***three-~al*** trójwymiarowy
di•min•ish [dɪ'mɪnɪʃ] zmniejszać ⟨-szyć⟩ (się)
di•min•u•tive [dɪ'mɪnjʊtɪv] malutki, maluśki
dim•ple ['dɪmpl] dołek *m*
din [dɪn] hałas *m*, wrzawa *f*
dine [daɪn] ⟨z⟩jeść (*obiad*); ~ ***in*** *lub* ***out*** jeść w domu *lub* na mieście; **'din•er** (*w restauracji*) gość *m*; *Am. rail.* wagon *m* restauracyjny; *Am*. restauracja *f*
din•ghy ['dɪŋgɪ] *naut*. ponton *m*
din•gy ['dɪndʒɪ] (***-ier, -iest***) brudny
'din•ing| car *rail*. wagon *m* restauracyjny; **'~ room** jadalnia *f*; restauracja *f*
din•ner ['dɪnə] obiad *m*; *obfita* kolacja *f*; przyjęcie *n*; **'~ jack•et** smoking *m*; **'~ par•ty** przyjęcie *n*; **'~ ser•vice**, **'~ set** serwis *m* stołowy; **'~•time** obiad *m*
di•no ['daɪnəʊ] *zo. skrót*: **di•no•saur** ['daɪnəʊsɔː] dinozaur *m*
dip [dɪp] **1.** *v/t*. (**-*pp-***) zanurzać ⟨-rzyć⟩; ~ ***one's headlights*** *Brt. mot.* włączać ⟨-czyć⟩ światła mijania; *v/i*. zanurzyć ⟨-rzać⟩ się; opadać ⟨opaść⟩, spadać ⟨spaść⟩; **2.** zanurzenie *n*; nachylenie *n*, pochylenie *n*; F *krótka* kąpiel *f*; sos *m*, dip *m*
diph•ther•i•a [dɪf'θɪərɪə] *med*. dyfteryt *m*, błonica *f*
di•plo•ma [dɪ'pləʊmə] dyplom *m*, zaświadczenie *n* ukończenia
di•plo•ma•cy [dɪ'pləʊməsɪ] dyplomacja *f*
dip•lo•mat ['dɪpləmæt] dyplomata *m*; ~**•ic** [dɪplə'mætɪk] (***-ally***) dyplomatyczny
dip•per ['dɪpə] chochla *f*, czerpak *m*
dire ['daɪə] (***-r, -st***) okropny, skrajny
di•rect [dɪ'rekt] **1.** *adj*. bezpośredni; szczery; **2.** *adv*. bezpośrednio; szczerze; **3.** ⟨s⟩kierować; ⟨po⟩kierować; nakazywać ⟨-zać⟩; ⟨wy⟩reżyserować; *list* ⟨za⟩adresować; ~ **'cur•rent** *electr*. prąd *m* stały; ~ **'train** pociąg *m* bezpośredni
di•rec•tion [dɪ'rekʃn] kierunek *m*; kierownictwo *n*; reżyseria *f*; ~***s*** *pl*. wskazówki *pl*.; ~***s for use*** instrukcja *f* obsługi; ⚠ *nie* ***dyrekcja***; ~ **find•er** namiernik *m*; ~ **in•di•ca•tor** kierunkowskaz *m*, migacz *m*
di•rec•tive [dɪ'rektɪv] dyrektywa *f*, zarządzenie *n*
di•rect•ly [dɪ'rektlɪ] **1.** *adv*. bezpośrednio; **2.** *cj*. od razu, natychmiast
di•rec•tor [dɪ'rektə] dyrektor(ka *f*) *m*; reżyser *m* (*filmowy itp*.)
di•rec•to•ry [dɪ'rektərɪ] książka *f* z adresami; ***telephone*** ~ książka *f* telefoniczna; *komp*. katalog *m*
dirt [dɜːt] brud *m*; *zbita* ziemia *f*; ~ **'cheap** F tani jak barszcz; **'~•y 1.** (***-ier, -iest***) brudny (*też fig*.), zabrudzony; **2.** ⟨za-, u⟩brudzić
dis•a•bil•i•ty [dɪsə'bɪlətɪ] kalectwo *n*; inwalidztwo *n*, niezdolność *f* do pracy
dis•a•bled [dɪs'eɪbld] **1.** niezdolny do pracy; *mil*. będący inwalidą w wyniku działań wojennych; kaleki, upośledzony; **2.** ***the*** ~ *pl*. inwalidzi *pl*.
dis•ad•van|•tage [dɪsəd'vɑːntɪdʒ] wada *f*; strona *f* ujemna; ~**•ta•geous** [dɪsædvɑːn'teɪdʒəs] ujemny, niekorzystny, niepomyślny
dis•a•gree [dɪsə'griː] nie zgadzać się, różnić się; *jedzenie*: szkodzić; ~**•a•ble** nieprzyjemny, przykry; ~**•ment** niezgoda *f*; rozbieżność *f*, niezgodność *f*; różnica *f* poglądów
dis•ap•pear [dɪsə'pɪə] znikać ⟨-knąć⟩; ~**•ance** [dɪsə'pɪərəns] zniknięcie *n*
dis•ap•point [dɪsə'pɔɪnt] *kogoś* rozczarowywać ⟨-ować⟩; *plan itp*. ⟨po⟩krzyżować; ~**•ing** rozczarowujący; ~**•ment** rozczarowanie *n*
dis•ap•prov|•al [dɪsə'pruːvl] dezaprobata *f*; ~**e** [dɪsə'pruːv] nie ⟨za⟩aprobować, nie pochwalać ⟨-lić⟩
dis|•arm [dɪs'ɑːm] rozbrajać ⟨-broić⟩ (się) (*też fig., mil., pol*.); ~**•ar•ma•ment** [dɪs'ɑːməmənt] *mil*., *pol*. rozbrojenie *n*
dis•ar•range [dɪsə'reɪndʒ] ⟨z⟩robić bałagan, ⟨po⟩rozpraszać, ⟨po⟩rozstawiać
dis•ar•ray [dɪsə'reɪ] nieporządek *m*
di•sas•ter [dɪ'zɑːstə] katastrofa *f* (*też fig*.); klęska *f* (*żywiołowa*); ~ **ar•e•a** obszar *m* klęski żywiołowej

di·sas·trous [dɪ'zɑːstrəs] katastrofalny
dis·be|·lief [dɪsbɪ'liːf] niedowierzanie *n*, niewiara *f*; wątpliwość (***in*** względem *G*); **~·lieve** [dɪsbɪ'liːv] nie wierzyć, nie dowierzać, wątpić w (*A*)
disc [dɪsk] *Brt.* tarcza *f*, krążek *m*; dysk *m*; płyta *f* (*gramofonowa*); (*okrągły wskaźnik czasu parkowania*); *anat.* chrząstka *f* międzykręgowa, F dysk *m*; *komp.* → ***disk***; ***slipped ~*** wypadnięcie *n* dysku
dis·card [dɪ'skɑːd] odrzucać ⟨-cić⟩; pozbywać ⟨-zbyć⟩ się; *karty* dokładać
di·scern [dɪ'sɜːn] dostrzegać ⟨-rzec⟩; rozróżniać ⟨-nić⟩; **~·ing** wybredny, wyrobiony; **~·ment** wybredność *f*, znawstwo *n*
dis·charge [dɪs'tʃɑːdʒ] **1.** *v/t.* zwalniać ⟨zwolnić⟩; rozładowywać ⟨-ować⟩; *baterię itp.* wyładowywać ⟨-ować⟩; ⟨wy⟩strzelić z (*G*) (*broni itp.*); wypływać ⟨-łynąć⟩, wylewać ⟨-lać⟩; ⟨wy⟩emitować; *obowiązek* spełniać ⟨-nić⟩; *gniew itp.* wyładowywać ⟨-ować⟩ (***on*** na *I*); *dług itp.* spłacać ⟨-cić⟩; *med.* wydzielać ⟨-lić⟩; *v/i. electr.* wyładowywać ⟨-ować⟩ się; *rzeka itp.*: wpływać, wpadać; *med.* ropieć; **2.** zwolnienie *n*; rozładunek *m* (*statku*); wystrzał *m* (*z broni*); *med.* wydzielina *f*, wydalina *f*; emisja *f*; *electr.* wyładowanie *n*; spełnienie *n* (*obowiązku*)
di·sci·ple [dɪ'saɪpl] uczeń *m* (-ennica *f*); *rel.* apostoł *m*
dis·ci·pline ['dɪsɪplɪn] **1.** dyscyplina *f*; **2.** wprowadzać ⟨-dzić⟩ dyscyplinę; ***well ~d*** zdyscyplinowany; ***badly ~d*** niezdyscyplinowany
'disc jock·ey dyskdżokej *m*
dis·claim [dɪs'kleɪm] zrzekać ⟨zrzec⟩ się; *jur.* wypierać ⟨-przeć⟩ się
dis|·close [dɪs'kləʊz] odsłaniać ⟨-łonić⟩, ujawniać ⟨-nić⟩; **~·clo·sure** [dɪs'kləʊʒə] odsłonięcie *n*, ujawnienie *n*
dis·co ['dɪskəʊ] F (*pl.* ***-cos***) disco *n*
dis·col·o(u)r [dɪs'kʌlə] zmieniać ⟨-nić⟩ barwę, odbarwiać ⟨-wić⟩ się
dis·com·fort [dɪs'kʌmfət] **1.** niewygoda *f*; dyskomfort *m*; zażenowanie *n*
dis·con·cert [dɪskən'sɜːt] zbijać ⟨-bić⟩ z tropu, ⟨z⟩deprymować
dis·con·nect [dɪskə'nekt] rozłączać ⟨-czyć⟩, odłączać ⟨-czyć⟩ (*też electr., tech.*); *prąd, gaz, telefon* wyłączać ⟨-czyć⟩; *tel. rozmowę* przerywać ⟨-rwać⟩; **~·ed** rozłączony
dis·con·so·late [dɪs'kɒnsələt] niepocieszony
dis·con·tent [dɪskən'tent] niezadowolenie *n*; **~·ed** niezadowolony
dis·con·tin·ue [dɪskən'tɪnjuː] przerywać ⟨-rwać⟩, zaprzestawać ⟨-stać⟩
dis·cord ['dɪskɔːd] niezgoda *f*; *mus.* dysonans *m*; **~·ant** [dɪ'skɔːdənt] niezgodny; *mus.* dysonansowy, nieharmonijny
dis·co·theque ['dɪskətek] dyskoteka *f*
dis·count ['dɪskaʊnt] *econ.* dyskonto *n*; *econ.* rabat *m*, bonifikata *f*;
dis·cour·age [dɪ'skʌrɪdʒ] zniechęcać ⟨-cić⟩, odradzać ⟨-dzić⟩; **~·ment** zniechęcanie *n*, odradzanie *n*
dis·course 1. ['dɪskɔːs] dyskusja *f*, dysputa *f*; wykład *m*, wywód *m*; dyskurs *m*; **2.** [dɪ'skɔːs] rozprawiać (***on*** o *L*)
dis·cour·te|·ous [dɪs'kɜːtjəs] niegrzeczny; **~·sy** [dɪs'kɜːtəsɪ] niegrzeczność *f*
dis·cov|·er [dɪ'skʌvə] odkrywać ⟨-ryć⟩, odnajdować ⟨-naleźć⟩; **~·e·ry** [dɪ'skʌvərɪ] odkrycie *n*
'disc park·ing *mot.* (*miejsce parkowania dla kierowców z wykupionym specjalnym krążkiem*)
dis·cred·it [dɪs'kredɪt] **1.** kompromitacja *f*, niesława *f*, hańba *f*; **2.** poddawać ⟨-dać⟩ w wątpliwość; ⟨z⟩dyskredytować; podważać ⟨-żyć⟩
di·screet [dɪ'skriːt] dyskretny; ostrożny, rozważny
di·screp·an·cy [dɪ'skrepənsɪ] rozbieżność *f*, rozdźwięk *m*
di·scre·tion [dɪ'skreʃn] dyskrecja *f*; (własne) uznanie *n*
di·scrim·i|·nate [dɪ'skrɪmɪneɪt] rozróżniać ⟨-nić⟩, odróżniać ⟨-nić⟩; ***~nate against*** ⟨z⟩dyskryminować (*A*); **~·nat·ing** wyrobiony; **~·na·tion** [dɪskrɪmɪ'neɪʃn] dyskryminacja *f*
dis·cus ['dɪskəs] (*w sporcie*) dysk *m*
di·scuss [dɪ'skʌs] ⟨prze⟩dyskutować, omawiać ⟨omówić⟩; **di·scus·sion** [dɪ'skʌʃn] dyskusja *f*; omówienie *n*
'dis·cus| throw *sport*: rzut *m* dyskiem; **'~ throw·er** dyskobol *m*
dis·ease [dɪ'ziːz] choroba *f*; **~d** chory
dis·em·bark [dɪsɪm'bɑːk] *v/i.* wysiadać ⟨-siąść⟩; *v/t.* wysadzać ⟨-dzić⟩, wyładowywać ⟨-ować⟩

D

D

dis·en·chant·ed [dɪsɪn'tʃɑːntɪd] rozczarowany; ***be ~ with*** nie łudzić się więcej (*I*)
dis·en·gage [dɪsɪn'geɪdʒ] rozłączać ⟨-czyć⟩; *sprzęgło* zwalniać ⟨zwolnić⟩
dis·en·tan·gle [dɪsɪn'tæŋgl] rozplątywać ⟨-tać⟩; wyplątywać ⟨-tać⟩ (się)
dis·fa·vo(u)r [dɪs'feɪvə] niechęć *f*; niełaska *f*
dis·fig·ure [dɪs'fɪgə] ⟨o⟩szpecić, zeszpecać ⟨-cić⟩
dis·grace [dɪs'greɪs] **1.** hańba *f*; niełaska *f*; **2.** sprowadzać ⟨-dzić⟩ hańbę na (*A*), przynosić *komuś* hańbę; **~·ful** haniebny
dis·guise [dɪs'gaɪz] **1.** przebierać ⟨-brać⟩ się (***as*** za *A*); *głos* zmieniać ⟨-nić⟩; *coś* ukrywać ⟨ukryć⟩; **2.** przebranie *n*; przemiana *f*, zmiana *f*; ukrycie *n*; ***in ~*** w przebraniu (*też fig.*); ***in the ~ of*** w przebraniu (*G*)
dis·gust [dɪs'gʌst] **1.** obrzydzenie *n*, wstręt *m*; **~·ing** obrzydliwy
dish [dɪʃ] **1.** talerz *m*; półmisek *m*; potrawa *f*, danie *n*; ***the ~es*** *pl. brudne* naczynia *pl.*; ***wash*** *lub* ***do the ~es*** ⟨z⟩myć naczynia; **2. ~ *out*** F nakładać ⟨-łożyć⟩; *często* **~ *up*** *potrawy* nakładać ⟨-łożyć⟩; F *fakty*: podpicować; **'~·cloth** ścierka *f* do naczyń
dis·heart·en [dɪs'hɑːtn] zniechęcać ⟨-cić⟩
di·shev·el(l)ed [dɪ'ʃevld] rozczochrany, potargany
dis·hon·est [dɪs'ɒnɪst] nieuczciwy; **~·y** nieuczciwość *f*
dis·hon|·o(u)r [dɪs'ɒnə] **1.** hańba *f*; **2.** hańbić; *econ. weksla* nie honorować; **~·o(u)·ra·ble** [dɪs'ɒnərəbl] niehonorowy; haniebny
'dish|·wash·er zmywarka *f* do naczyń; **'~·wa·ter** pomyje *pl.*
dis·il·lu·sion [dɪsɪ'luːʒn] **1.** rozczarowanie *n*, zawód *m*; **2.** rozczarowywać ⟨-ować⟩, pozbawiać ⟨-wić⟩ złudzeń
dis·in·clined [dɪsɪn'klaɪnd] oporny, niechętny
dis·in|·fect [dɪsɪn'fekt] ⟨z⟩dezynfekować; **~'fec·tant** środek *m* dezynfekujący
dis·in·her·it [dɪsɪn'herɪt] wydziedziczać ⟨-czyć⟩
dis·in·te·grate [dɪs'ɪntɪgreɪt] rozpadać ⟨-aść⟩ (się)
dis·in·terest·ed [dɪs'ɪntrəstɪd] obiektywny, bezstronny; obojętny, niezainteresowany
disk [dɪsk] *zwł. Am.* → *Brt.* ***disc***; *komp.* dysk *m*, dyskietka *f*; **'~ drive** *komp.* napęd *m lub* stacja *f* dyskietek
disk·ette [dɪ'sket, 'dɪsket] *komp.* dyskietka *f*
dis·like [dɪs'laɪk] **1.** niechęć *f*, awersja *f*; (***of, for*** do *G*); ***take a ~ to*** odczuwać ⟨-czuć⟩ niechęć do (*G*); **2.** nie lubić; ***he ~s this*** nie podoba mu się to
dis·lo·cate ['dɪsləkeɪt] *med.* zwichnąć
dis·loy·al [dɪs'lɔɪəl] nielojalny
dis·mal ['dɪzməl] ponury, przygnębiający
dis·man·tle [dɪs'mæntl] *tech.* rozbierać ⟨rozebrać⟩, ⟨z⟩demontować, rozmontowywać ⟨-ować⟩
dis·may [dɪs'meɪ] **1.** niepokój *m*, zaniepokojenie *n*, konsternacja *f*; ***in ~, with ~*** z przerażenia; ***to my ~*** ku mojej konsternacji; **2.** *v/t.* przestraszyć się
dis·miss [dɪs'mɪs] *v/t.* odprawiać ⟨-wić⟩, zwalniać ⟨zwolnić⟩; odrzucać ⟨-cić⟩; odstępować ⟨-tąpić⟩ (*od tematu*); *jur. skargę* oddalać ⟨-lić⟩; **~·al** [dɪs'mɪsl] zwolnienie *n*; *jur.* oddalenie *n*
dis·mount [dɪs'maʊnt] *v/t.* zsiadać ⟨zsiąść⟩ (***from*** z *konia*, *roweru itp.*); *v/t.* ⟨z⟩demontować; rozbierać ⟨-zebrać⟩
dis·o·be·di|·ence [dɪsə'biːdjəns] nieposłuszeństwo *n*; **~·ent** nieposłuszny
dis·o·bey [dɪsə'beɪ] nie ⟨po⟩słuchać, być nieposłusznym
dis·or·der [dɪs'ɔːdə] nieporządek *m*, bałagan *m*; wzburzenie *n*, zamieszki *pl.*; *med.* dolegliwość *f*; **~·ly** nieporządny; niespokojny; buntowniczy
dis·or·gan·ize [dɪs'ɔːgənaɪz] ⟨z⟩dezorganizować
dis·own [dɪs'əʊn] nie uznawać; wypierać się
di·spar·age [dɪ'spærɪdʒ] ⟨z⟩dyskredytować, poniżać ⟨-żyć⟩
di·spar·i·ty [dɪ'spærətɪ] nierówność; **~ *of*** *lub* ***in age*** różnica *f* wieku
dis·pas·sion·ate [dɪ'spæʃnət] beznamiętny; obiektywny
di·spatch [dɪ'spætʃ] **1.** wysyłka *f*, przesyłka *f*; sprawność *f*, szybkość *f*; depesza *f*, doniesienie *n*; **2.** wysyłać ⟨-słać⟩, nadawać ⟨-dać⟩, ⟨wy⟩ekspediować

di·spel [dɪ'spel] (**-ll-**) rozwiewać ⟨-zwiać⟩, rozpraszać ⟨-proszyć⟩ (*też fig.*)
di·spen·sa|·ble [dɪ'spensəbl] zbyteczny, zbędny; **~·ry** [dɪ'spensərɪ] *szkolna, szpitalna* apteka *f*
dis·pen·sa·tion [dɪspen'seɪʃn] dyspensa *f*, zwolnienie *n*; *jur.* wymierzanie *n*
di·spense [dɪ'spens] wydawać ⟨-dać⟩; *sprawiedliwość* wymierzać ⟨-rzyć⟩; *~ **with*** obywać się bez (*G*); stawać się zbytecznym; **di'spens·er** automat *m*, maszyna *f* (*do znaczków itp.*); rolka *f* (*do taśmy samoprzylepnej*)
di·sperse [dɪ'spɜːs] rozpraszać (się)
di·spir·it·ed [dɪ'spɪrɪtɪd] przygnębiony, przybity
dis·place [dɪs'pleɪs] przemieszczać ⟨-eścić⟩; *kogoś* wysiedlać ⟨-dlić⟩, wypierać ⟨-przeć⟩
di·splay [dɪ'spleɪ] **1.** pokaz *m*; demonstracja *f*; *komp.* monitor *m*; *econ.* wystawa *f*, ekspozycja *f*; ***be on ~*** być wystawionym; **2.** pokazywać ⟨-zać⟩, ⟨za⟩demonstrować; wystawiać ⟨-wić⟩; wyświetlać ⟨-lić⟩
dis|·please [dɪs'pliːz] ⟨z⟩denerwować, ⟨z⟩irytować; **~'pleased** zdenerwowany, zirytowany; niezadowolony; **~·plea·sure** [dɪs'pleʒə] zdenerwowanie *n*, zirytowanie *n*; niezadowolenie *n*
dis|·po·sa·ble [dɪ'spəʊzəbl] *pojemnik itp.*: jednorazowy; **~·pos·al** [dɪ'spəʊzl] oczyszczanie *n*, wywóz *m* (*śmieci*); usuwanie *n*; rozmieszczenie *n* (*wojsk*); ***at s.o.'s ~posal*** do czyjejś dyspozycji; **~·pose** [dɪ'spəʊz] *v/t.* rozmieszczać ⟨-mieścić⟩, ⟨u⟩lokować; usposabiać ⟨-bić⟩; ***~pose of*** pozbywać ⟨-być⟩ się, usuwać ⟨-unąć⟩; dawać ⟨dać⟩ sobie radę; *econ.* odstępować ⟨-tąpić⟩; **~·posed** skłonny, chętny; **~·po·si·tion** [dɪspə'zɪʃn] usposobienie *n*; ⚠ *nie* ***dyspozycja***
dis·pos·sess [dɪspə'zes] pozbawiać ⟨-wić⟩; wywłaszczać ⟨-czyć⟩
dis·pro·por·tion·ate [dɪsprə'pɔːʃnət] nieproporcjonalny
dis·prove [dɪs'pruːv] obalać ⟨-lić⟩
di·spute [dɪ'spjuːt] **1.** kontrowersja *f*; polemika *f*, dysputa *f*; spór *m*; **2.** spierać się (o *A*); ⟨za⟩kwestionować
dis·qual·i·fy [dɪs'kwɒlɪfaɪ] ⟨z⟩dyskwalifikować; uznawać ⟨-nać⟩ za niezdolnego (***from*** do *G*)
dis·re·gard [dɪsrɪ'gɑːd] **1.** ignorowanie *n*, lekceważenie *n*; **2.** ⟨z⟩ignorować, ⟨z⟩lekceważyć
dis|·rep·u·ta·ble [dɪs'repjʊtəbl] naganny, o złej reputacji; **~·re·pute** [dɪsrɪ'pjuːt] zła reputacja *f*
dis·re·spect [dɪsrɪ'spekt] nieuprzejmość *f*, brak *m* respektu; **~·ful** nieuprzejmy
dis·rupt [dɪs'rʌpt] przerywać ⟨-rwać⟩
dis·sat·is|·fac·tion ['dɪssætɪs'fækʃn] niezadowolenie *n*; **~·fied** [dɪs'sætɪsfaɪd] niezadowolony (***with*** z *G*)
dis·sect [dɪ'sekt] rozcinać ⟨-ciąć⟩, ⟨wy-, s⟩preparować; ⟨z⟩analizować
dis·sen|·sion [dɪ'senʃn] niezgoda *f*; różnica *f* zdań; niejednomyślność *f*; **~t** [dɪ'sent] **1.** różnica *f* zdań; rozbieżność *f* poglądów; protest *m*; **2.** nie zgadzać się, być innego zdania (***from*** od *G*); **~t·er** *rel.* dysydent *m*, odszczepieniec *m*; osoba *f* o odmiennych poglądach
dis·si·dent ['dɪsɪdənt] osoba *f* o odmiennych poglądach; *pol.* dysydent *m*
dis·sim·i·lar [dɪ'sɪmɪlə] niepodobny (***to*** do *G*), odmienny (***to*** od *G*)
dis·sim·u·la·tion [dɪsɪmjʊ'leɪʃn] obłuda *f*, udawanie *n*
dis·si|·pate ['dɪsɪpeɪt] rozpraszać ⟨-roszyć⟩; ⟨s⟩trwonić; **'~·pat·ed** hulaszczy, rozwiązły
dis·so·ci·ate [dɪ'səʊʃɪeɪt] rozdzielać ⟨-lić⟩; ***~ o.s.*** odseparowywać ⟨-ować⟩ się, odcinać ⟨odciąć⟩ się
dis·so|·lute ['dɪsəluːt] → ***dissipated***; **~·lu·tion** [dɪsə'luːʃn] rozkład *m*, rozpad *m*
dis·solve [dɪ'zɒlv] rozpuszczać ⟨-uścić⟩ (się)
dis·suade [dɪ'sweɪd] wyperswadować (***s.o. from*** komuś *A*); odwodzić ⟨-wieść⟩ (***s.o. from*** kogoś *od G*)
dis·tance ['dɪstəns] **1.** odległość *f*; oddalenie *n*; dystans *m*; *fig.* odstęp *m*; ***at a ~*** z odległości; ***keep s.o. at a ~*** trzymać kogoś na dystans; **2.** odseparowywać ⟨-ować⟩ się, trzymać się na dystans; **'~ race** (*w sporcie*) bieg *m* długodystansowy; **'~ run·ner** biegacz *m* na długie dystanse
dis·tant [dɪs'tənt] dległy; chłodny, dystansujący się
dis·taste [dɪs'teɪst] niesmak *m*, niechęć

D

f, awersja *f*; **~·ful** nieprzyjemny, antypatyczny; ***be ~ful to s.o.*** być przykrym dla kogoś
dis·tem·per [dɪ'stempə] *zo.* nosówka *f*
dis·tend [dɪ'stend] rozszerzać (się); nadymać ⟨-dąć⟩ (się)
dis·til(l) [dɪ'stɪl] (***-ll-***) ⟨wy⟩destylować
dis|·tinct [dɪ'stɪŋkt] wyraźny; różny, odmienny; **~·tinc·tion** [dɪ'stɪŋkʃn] różnica *f*; odróżnienie *n*, wyróżnienie *n*; rozróżnienie *n*; **~·tinc·tive** [dɪ'stɪŋktɪv] wyróżniający się; odrębny
dis·tin·guish [dɪ'stɪŋgwɪʃ] rozróżniać ⟨-nić⟩; **~ *o.s.*** wyróżniać ⟨-nić⟩ się; **~ed** wyróżniający się; wybitny; znakomity
dis·tort [dɪ'stɔːt] zniekształcać ⟨-cić⟩; wykrzywiać ⟨-wić⟩
dis·tract [dɪ'strækt] rozpraszać ⟨-roszyć⟩; *uwagę* odrywać ⟨oderwać⟩; **~·ed** roztargniony, przejęty (***by, with*** *I*), zaniepokojony; **dis·trac·tion** [dɪ'strækʃn] rozproszenie *n*; zaniepokojenie *n*
dis·traught [dɪ'strɔːt] → ***distracted***
dis·tress [dɪ'stres] **1.** cierpienie *n*; troska *f*; trudna sytuacja *f*; niebezpieczeństwo *n*, stan *m* zagrożenia; **2.** ⟨s⟩powodować cierpienie; ⟨za⟩niepokoić się; **~ed** dotknięty nieszczęściem; bez środków do życia; **~ed ar·e·a** obszar *m* dotknięty klęską; **~·ing** niepokojący
dis|·trib·ute [dɪ'strɪbjuːt] rozprowadzać ⟨-dzić⟩, rozdzielać ⟨-lić⟩; *econ.* dystrybuować; *filmy* rozpowszechniać ⟨-nić⟩; **~·tri·bu·tion** [dɪstrɪ'bjuːʃn] rozdział *m*, rozprowadzenie *n*; dystrybucja *f*; rozpowszechnianie *n*
dis·trict ['dɪstrɪkt] dystrykt *m*, okręg *m*; dzielnica *f*
dis·trust [dɪs'trʌst] **1.** nieufność *f*, niedowierzanie *n*; **2.** nie ufać, nie mieć zaufania; niedowierzać; **~·ful** nieufny, niedowierzający
dis·turb [dɪ'stɜːb] zakłócać ⟨-cić⟩; niepokoić; przeszkadzać ⟨-szkodzić⟩; poruszać ⟨-szyć⟩; **~·ance** [dɪ'stɜːbəns] zakłócenie *n*, naruszenie *n*; niepokój *m*; ***~ances*** *pl.* zamieszki *pl.*, rozruchy *pl.*; ***~ance of the peace*** *jur.* naruszenie *n* spokoju; ***cause a ~ance*** spowodować naruszenie spokoju; **~ed** [dɪ'stɜːbd] niespokojny; niezrównoważony
dis·used [dɪs'juːzd] *maszyna*: nie będący w użyciu, *kopalnia*: nie eksploatowany
ditch [dɪtʃ] rów *m*
Div *skrót pisany*: ***division*** *sportowa* liga *f*
di·van [dɪ'væn, 'daɪvæn] kanapa *f*, sofa *f*; ⚠ *nie* ***dywan***; **~ bed** sofa *f*
dive [daɪv] **1.** (***dived*** *lub Am. też* ***dove, dived***) ⟨za⟩nurkować (*też aviat.*); (*z trampoliny*) skakać ⟨skoczyć⟩; skakać ⟨skoczyć⟩ do wody (*na głowę*); rzucać ⟨-cić⟩ się po (*A*); **2.** skok *m* (*do wody*); zanurkowanie *n*; (*w piłce nożnej*) (*upadek mający wymusić rzut karny*); *aviat.* lot *m* nurkowy; F knajpa *f*, speluna *f*; **'div·er** nurek *m*; (*w sporcie*) skoczek *m* (*do wody*)
di·verge [daɪ'vɜːdʒ] rozchodzić się; **di·ver·gence** [daɪ'vɜːdʒəns] rozbieżność *f*; **di'ver·gent** rozbieżny
di·verse [daɪ'vɜːs] różny; różnoraki, różnorodny; **di·ver·si·fy** [daɪ'vɜːsɪfaɪ] ⟨z⟩różnicować; **di·ver·sion** [daɪ'vɜːʃn] rozrywka *f*; objazd *m*; **di·ver·si·ty** [daɪ'vɜːsətɪ] różnorodność *f*, zróżnicowanie *n*
di·vert [daɪ'vɜːt] *uwagę* odwracać ⟨-rócić⟩; *kogoś* zabawiać ⟨-wić⟩; *w ruchu ulicznym* zmieniać ⟨-nić⟩ kierunek
di·vide [dɪ'vaɪd] **1.** *v/t.* ⟨po⟩dzielić (*też math.*), rozdzielać ⟨-lić⟩, oddzielać ⟨-lić⟩ (***by*** przez *A*); *v/i.* ⟨po⟩dzielić się; *math.* dzielić się (***by*** przez *A*); **2.** *geogr.* wododział *m*; **di'vid·ed** podzielony; ***~ highway*** *Am.* autostrada *f*
div·i·dend ['dɪvɪdend] *econ.* dywidenda *f*
di·vid·ers [dɪ'vaɪdəz] *pl.*: ***a pair of ~*** (*jeden*) cyrkiel *m* traserski, przenośnik *m*
di·vine [dɪ'vaɪn] (***-r, -st***) boski; **~ 'ser·vice** nabożeństwo *n*
div·ing ['daɪvɪŋ] nurkowanie *n*; (*w sporcie*) skoki *pl.* do wody; **'~·board** trampolina *f*; **'~·suit** skafander *m* do nurkowania
di·vin·i·ty [dɪ'vɪnətɪ] boskość *f*; bóstwo *n*; teologia *f*
di·vis·i·ble [dɪ'vɪzəbl] podzielny; **di·vi·sion** [dɪ'vɪʒn] podział *m*; dział *m*; *mil.* dywizja *f*; *math.* dzielenie *n*; *sport*: liga *f*
di·vorce [dɪ'vɔːs] **1.** rozwód *m*; ***get a ~*** rozwodzić ⟨-wieść⟩ się (***from*** z); **2.** *jur.* brać ⟨wziąć⟩ rozwód z (*I*); ***get ~d*** rozwodzić ⟨-wieść⟩ się; **di·vor·cee** [dɪvɔː'siː] rozwodnik *m* (-wódka *f*)

DIY *zwł. Brt.* [diː aɪ 'waɪ] → ***do-it-yourself***; **~ store** sklep *m* z materiałami dla majsterkowiczów

diz·zy ['dɪzɪ] (***-ier, -iest***) cierpiący na zawroty głowy; zawrotny

DJ [diː 'dʒeɪ] *skrót:* ***disc jockey*** dyskdżokej *m*

do [duː] (***did, done***) *v/t.* ⟨z⟩robić; ⟨u⟩czynić; przygotowywać ⟨-ować⟩; *pokój* ⟨wy⟩sprzątać; *naczynia* ⟨wy⟩myć; *odcinek drogi* przebywać ⟨-być⟩; ***~ you know him ~? no, I don't*** znasz go? nie; ***what can I ~ for you?*** czym mogę służyć?; ***~ London*** F zaliczać ⟨-czyć⟩ Londyn; ***have one's hair done*** zrobić sobie fryzurę; ***have done reading*** skończyć czytać; *v/i.* ⟨z⟩robić; ⟨po⟩radzić sobie, dawać ⟨dać⟩ sobie radę; wystarczać ⟨-czyć⟩; dziać się; ***that will ~*** wystarczy; ***how ~ you ~?*** dzień dobry (*przy przedstawianiu*); ***~ be quick*** pospiesz się w miarę możności; ***~ you like Guildford? I ~*** czy podoba się Panu (Pani) Guildford? owszem; ***she works hard, doesn't she?*** ciężko pracuje, nieprawda?; ***~ well*** dobrze sobie ⟨po⟩radzić; ***~ away with*** *Am.* ⟨z⟩likwidować, usuwać ⟨-unąć⟩; ***I'm done in*** F jestem wykończony (-na); ***~ up*** *ubranie itp.* zapinać ⟨-piąć⟩; *dom itp.* ⟨wy⟩remontować; *paczkę itp.* ⟨za⟩pakować; ***~ o.s. up*** ⟨wy⟩stroić się; ***I could ~ with ...*** przydałby się ...; ***~ without*** obywać ⟨obyć⟩ się bez (*G*)

doc[1] [dɒk] F → (*lekarz*) ***doctor***

doc[2] [dɒk] *skrót:* ***document*** dokument *m*

do·cile ['dəʊsaɪl] potulny, uległy

dock[1] [dɒk] przycinać ⟨-ciąć⟩; *pensję* ⟨z⟩redukować, *pieniądze* potrącać ⟨-cić⟩

dock[2] [dɒk] **1.** *naut.* dok *m*; nabrzeże *n*; *jur.* ława *f* oskarżonych; **2.** *v/t. naut.* ⟨za⟩dokować, *statek* wprowadzać ⟨-dzić⟩ do doku; ⟨po⟩łączyć na orbicie; **'~·er** doker *m*; robotnik *m* portowy; **'~·ing** dokowanie *n*; połączenie *n*; **'~·yard** *naut.* stocznia *f*

doc·tor ['dɒktə] doktor *m*; lekarz *m* (-rka *f*); **~·al** ['dɒktərəl] doktorski

doc·trine ['dɒktrɪn] doktryna *f*, nauka *f*

doc·u·ment 1. ['dɒkjʊmənt] dokument *m*; **2.** ['dɒkjʊment] ⟨u⟩dokumentować

doc·u·men·ta·ry [dɒkjʊ'mentrɪ] **1.** dokumentalny; dokumentowy; **2.** film *m* dokumentalny

dodge [dɒdʒ] unikać ⟨-knąć⟩, uskakiwać ⟨uskoczyć⟩ przed (*I*); F uchylać ⟨-lić⟩ się przed (*I*); **'dodg·er**: ***tax dodger*** osoba *f* uchylająca się od płacenia podatków; ***draft dodger*** *Am.* osoba *f* odmawiająca przyjęcia karty poborowej; → ***fare dodger***

doe [dəʊ] *zo.* łania *f*; królica *f*; zajęczyca *f*

dog [dɒg] **1.** *zo.* pies *m*; **2.** (***-gg-***) chodzić krok w krok; prześladować; **'~-eared** *książka*: z oślimi uszami; **~·ged** ['dɒgɪd] uparty, zaparty

dog|·ma ['dɒgmə] dogmat *m*; prawda *f* wiary; **~·mat·ic** [dɒg'mætɪk] (***-ally***) dogmatyczny

dog-'tired F skonany, wykończony

do-it-your·self [duːɪtjɔː'self] **1.** majsterkowanie *n*; **2.** *attr.* dla majsterkowiczów; **~·er** majsterkowicz *m*

dole [dəʊl] **1.** datek *m*; *Brt.* F zasiłek *m* (*dla bezrobotnych*); ***go*** *lub* ***be on the ~*** *Brt.* F być na zasiłku; **2. *~ out*** wydzielać ⟨-lić⟩ skąpo

dole·ful ['dəʊlfl] żałosny

doll [dɒl] lalka *f*

dol·lar ['dɒlə] dolar *m*

dol·phin ['dɒlfɪn] *zo.* delfin *m*

dome [dəʊm] kopuła *f*

do·mes·tic [də'mestɪk] **1.** (***~ally***) domowy; rodzinny; krajowy, rodzimy; *polityka itp.*: wewnętrzny; **2.** członek *m* rodziny; **~ 'an·i·mal** zwierzę *n* domowe *lub* udomowione; **do·mes·ti·cate** [də'mestɪkeɪt] udomawiać ⟨-mowić⟩; **~ 'flight** *aviat.* lot *m* krajowy; **~ 'market** rynek *m* wewnętrzny *lub* krajowy; **~ 'trade** handel *m* wewnętrzny; **~ 'vi·o·lence** przemoc *f* w obrębie rodziny (*wobec żony i dzieci*)

dom·i·cile ['dɒmɪsaɪl] miejsce *n* zamieszkania

dom·i|·nant ['dɒmɪnənt] dominujący, panujący; **~·nate** ['dɒmɪneɪt] ⟨z⟩dominować; **~·na·tion** [dɒmɪ'neɪʃn] dominacja *f*; **~·neer·ing** [dɒmɪ'nɪərɪŋ] apodyktyczny

do·nate [dəʊ'neɪt] ofiarowywać ⟨-ować⟩, przekazywać ⟨-zać⟩ (w darze); **do·na·tion** [dəʊ'neɪʃn] darowizna *f*, donacja *f*

done [dʌn] **1.** *p.p. od* ***do***; **2.** *adj.* zrobio-

ny, wykonany; gotowy; *gastr.* przyrządzony → ***well-done***
don·key ['dɒŋkɪ] *zo.* osioł *m*
do·nor ['dəʊnə] *med*, dawca *m* (*zwł. krwi, organu*)
don't [dəʊnt] *zamiast*: ***do not*** → ***do***; *zamiast*: *Am*. F ***does not*** (*she don't*) → ***do***
doom [du:m] **1.** przeznaczenie *n*, *zły* los *m*; **2.** skazywać ⟨-zać⟩ (*na zgubę*); **~s·day** ['du:mzdeɪ]: ***till ~sday*** po wieczność, na zawsze
door [dɔ:] drzwi *pl*., drzwiczki *pl*.; brama *f*, furtka *f*; ***next ~*** obok, w sąsiedztwie; **'~·bell** dzwonek *m* do drzwi; **'~ han·dle** klamka *f*; **'~·keep·er** odźwierny *m*; **'~·knob** gałka *f* (*do drzwi*); **'~·mat** wycieraczka *f*; **'~·step** próg *m*; **'~·way** wejście *n*, drzwi *pl.*
dope [dəʊp] **1.** F narkotyk *m*; środek *m* odurzający; (*w sporcie*) środek *m* dopingujący; *sl*. dureń *m*; **2.** F ⟨z⟩narkotyzować; (*w sporcie*) podawać ⟨-dać⟩ środek dopingujący; **'~ test** kontrola *f* antydopingowa
dor·mant ['dɔ:mənt] *zw. fig.* uśpiony, nieaktywny; *wulkan*: drzemiący
dor·mer (win·dow) ['dɔ:mə (-)] okno *n* mansardowe
dor·mi·to·ry ['dɔ:mətrɪ] sypialnia *f*; *zwł. Am.* akademik *m*, dom *m* akademicki
dor·mo·bile ['dɒ:məbi:l] *TM* wóz *m* kempingowy
dor·mouse ['dɔ:maʊs] *zo.* (*pl.* ***-mice***) suseł *m*
DOS [dɒs] *skrót*: ***disk operating system*** DOS *m*, dyskowy system *m* operacyjny
dose [dəʊs] **1.** dawka *f*; doza *f*; **2.** dawkować; *lekarstwo* podawać ⟨-dać⟩ (*w dużych ilościach*)
dot [dɒt] **1.** punkt *m*, kropka *f*; plama *f*; ***on the ~*** F (*punktualnie*) co do sekundy; **2.** (***-tt-***) ⟨wy-, za⟩kropkować; rozrzucić ⟨-cać⟩; *czymś* zarzucać ⟨-cić⟩; ***~ted line*** kropkowana linia *f*
dote [dəʊt]: ***~ on*** bezgranicznie uwielbiać (*A*), świata nie widzieć poza (*I*); **dot·ing** ['dəʊtɪŋ] rozkochany
doub·le ['dʌbl] **1.** podwójny; dwu...; **2.** *adv*. podwójnie; **3.** sobowtór *m*; (*w filmie itp.*) dubler *m*; **4.** podwajać ⟨-woić⟩ (się); (*w filmie itp.*) dublować; *też* ***~ up*** składać się na dwoje; składać ⟨złożyć⟩; ***~ back*** zawracać ⟨-rócić⟩; ***~ up with*** zwijać ⟨-zwinąć⟩ się z (*G*), skręcać ⟨-ręcić⟩ się (*G*); **~-'breast·ed** *marynarka*: dwurzędowy; **~-'check** dokładnie sprawdzać ⟨-dzić⟩; **~ 'chin** podbródek *m*; **~-'cross** *v/t*. oszukiwać ⟨-kać⟩; **~-'deal·ing 1.** oszukańczy, krętacki; **2.** krętacz *m*, oszust(ka *f*) *m*; **~-'deck·er** autobus *m* dwupoziomowy, F piętrus *m*; **~ Dutch** *Brt*. F nierozumiałe słowa *pl*., chińszczyzna *f*; **~-'edged** dwusieczny, obosieczny; **~-'en·try** *econ*. podwójny zapis *m*; **~ 'fea·ture** *filmowy* seans *m* z dwoma filmami pełnometrażowymi; **~-'park** *mot*. ⟨za⟩parkować w drugim rzędzie; **~-'quick** F w przyspieszonym tempie; **'~s** *sg*. (*zwł. w tenisie*) debel *m*; **~-'sid·ed** dwustronny
doubt [daʊt] **1.** *v/i*. wątpić w (*A*); *v/t*. ⟨z⟩wątpić w (*A*); mieć wątpliwości co do (*G*); nie wierzyć (*D*); **2.** wątpliwość *f*, zwątpienie *n*; **'~·ful** wątpliwy, niepewny; **'~·less** niewątpliwie, bez wątpliwości
douche [du:ʃ] **1.** irygacja *f*; przemywanie *n*; tusz *m*, irygator *m*; **2.** *v/t*. przemywać ⟨-myć⟩; *v/i*. ⟨za⟩stosować irygację
dough [dəʊ] ciasto *n*; **'~·nut** *jakby*: pączek *m* (*do jedzenia*)
dove[1] [dʌv] *zo*. gołąb *m* (*mały, o długim ogonie*)
dove[2] [dəʊv] *Am. pret. od* ***dive*** 1
dow·dy ['daʊdɪ] nieelegancki, niegustowny
dow·el ['daʊəl] *tech*. kołek *m*
down[1] [daʊn] puch *m*, meszek *m*
down[2] [daʊn] **1.** *adv*. w dół, do dołu, na dół; **2.** *prp*. w dół (*G*); ***~ the river*** w dół rzeki; **3.** *adj*. przygnębiony, przybity; skierowany w dół; ***~ platform*** peron *m* dla odjeżdżających (*np. z Londynu*); ***~ train*** pociąg *m* (*odjeżdzający z Londynu*); **4.** *v/t*. *kogoś* powalić, obalać ⟨-lić⟩; *samolot* zestrzelać ⟨-lić⟩; F *napój* wychylać ⟨-lić⟩ duszkiem; ***~ tools*** przerywać ⟨-rwać⟩ pracę (*przy strajku*); **'~·cast** przybity, przygnębiony; **'~·fall** ulewa *f*; *fig*. upadek *m*; **~'heart·ed** przybity, przygnębiony; **~'hill 1.** *adv*. w dół (*zbocza*); **2.** *adj*. biegnący w dół zbocza; (*w narciarstwie*) zjazdowy; **3.** stok *m*, zbocze *n*; (*w narciarstwie*) zjazd *m*; **~ 'pay·ment** *econ*. zapłata *f* z góry; **'~·pour** ulewa *f*; **'~·right 1.** *adv*. zupeł-

nie, całkowicie; **2.** całkowity, zupełny; bezpośredni
downs [daʊnz] *pl.* pogórze *n* (*trawiaste, z wapieni*)
down|'stairs na dół; na dole; na parterze; **~'stream** w dole (*rzeki*); w dół (*rzeki*); **~-to-'earth** realistyczny, chodzący po ziemi; **~'town** *Am.* **1.** *adv.* w centrum; do centrum; **2.** *adj.* w centrum; **'~·town** *Am.* centrum *n*, śródmieście *n*; **~·ward(s)** ['daʊnwəd(z)] w dół, do dołu
down·y ['daʊnɪ] (**-ier, -iest**) puchaty, pokryty meszkiem
dow·ry ['daʊərɪ] posag *m*
doz. *skrót pisany*: ***dozen*** tuzin *m*
doze [dəʊz] **1.** ⟨po⟩drzemać; **2.** drzemka *f*
doz·en ['dʌzn] tuzin *m*
Dr *skrót pisany*: ***Doctor*** dr, doktor
drab [dræb] szary; ponury
draft [drɑːft] **1.** szkic *m*; projekt *m*; *econ.* trata *f*; *econ.* przekaz *m* bankowy; *Am. mil.* pobór *m*; **2.** ⟨na⟩szkicować; *list itp.* sporządzać ⟨-dzić⟩ pierwszą wersję; *Am. mil.* przeprowadzać ⟨-dzić⟩ pobór; **~·ee** [drɑːf'tiː] *Am. mil.* poborowy *m*; **'~s·man** *Am.* (*pl.* **-men**), **'~s·wom·an** (*pl.* **-women**) → ***draughtsman, draughtswoman***; **'~·y** *Am.* (**-ier, -iest**) → ***draughty***
drag [dræg] **1.** ciągnięcie *n*, wleczenie *n*; *fig.* przeszkoda *f*; F nudziarstwo *n*, nuda *f*; **2.** (**-gg-**) *v/t.* ⟨za⟩ciągnąć, ⟨za-, po⟩wlec; *v/i.* ciągnąć się, wlec się; *też* **~ *behind*** wlec się z tyłu, zostawać ⟨-tać⟩ z tyłu; **~ *on*** wlec się, ciągnąć się; **'~ lift** wyciąg *m* (*narciarski*)
drag·on ['drægən] smok *m*; **'~·fly** *zo.* ważka *f*
drain [dreɪn] **1.** ściek *m*, kratka *f* ściekowa; dren *m*; **2.** *v/t.* odprowadzać ⟨-dzić⟩ ścieki; ⟨z⟩drenować; odwadniać ⟨-wodnić⟩; opróżniać ⟨-nić⟩; odcedzać ⟨-dzić⟩; *fig. energię* wyczerpywać ⟨-pać⟩; *v/i.* **~ *away*** odprowadzać ⟨-dzić⟩, odpływać ⟨łynąć⟩; **~ *off*** odcedzać ⟨-dzić⟩; ociec; **~·age** ['dreɪnɪdʒ] drenaż *m*; odwadnianie *n*; odprowadzanie *n*; system *m* odwadniający; **'~·pipe** rura *f* spustowa *lub* odpływowa
drake [dreɪk] *zo.* kaczor *m*
dram [dræm] F łyczek *m*, kieliszeczek *m* (*alkoholu*)
dra·ma ['drɑːmə] dramat *m*; **dra·mat·ic** [drə'mætɪk] dramatyczny; **dram·a·tist** ['dræmətɪst] dramaturg *m*; **dram·a·t·ize** ['dræmətaɪz] ⟨u⟩dramatyzować
drank [dræŋk] *pret. od* ***drink*** **2.**
drape [dreɪp] **1.** ⟨u⟩drapować; **2.** *zw.* **~s** *pl. Am.* zasłony *pl.*; **drap·er·y** *Brt.* ['dreɪpərɪ] artykuły *pl.* tekstylne
dras·tic ['dræstɪk] (**~*ally***) drastyczny
draught [drɑːft] (*Am.* ***draft***) przeciąg *m*, przewiew *m*; ciąg *m*; zanurzenie *n* (*statku*); ***beer on ~, ~ beer*** piwo *n* beczkowe, piwo *n* z beczki; **~s** *sg. Brt.* warcaby *pl.*; **'~s·man** (*pl.* **-men**) *Brt. tech.* kreślarz *m*; **'~s·wom·an** (*pl.* **-women**) *Brt. tech.* kreślarka *f*; **'~·y** (**-ier, -iest**) *Brt.* pełen przeciągów
draw [drɔː] **1.** (***drew, drawn***) *v/t.* ⟨po-, za⟩ciągnąć, wyciągać ⟨-gnąć⟩; *zasłony itp.* zaciągać ⟨-gnąć⟩; *oddech* wciągać ⟨-gnąć⟩; *fig. tłumy* przyciągać ⟨-gnąć⟩; ⟨na⟩rysować; *gotówkę* podejmować ⟨-djąć⟩; *czek* wystawiać ⟨-wić⟩; *v/i.* rysować; *komin*: ciągnąć; *herbata*: naciągać ⟨-gnąć⟩; (*w sporcie*) ⟨z⟩remisować; **~ *back*** cofać ⟨-fnąć⟩ się; **~ *near*** przysuwać ⟨-sunąć⟩ się; **~ *out*** *pieniądze* podejmować ⟨-djąć⟩; *fig.* ciągnąć się, przeciągać ⟨-gnąć⟩ się; **~ *up*** *tekst, listę itp.* przygotowywać ⟨-ować⟩; *pensję* pobierać ⟨-brać⟩; *samochód* zatrzymywać ⟨-mać⟩ się; podjeżdżać ⟨-jechać⟩; **2.** ciągnięcie *n*; (*na loterii*) losowanie *n*, ciągnienie *n*; (*w sporcie*) remis *m*; atrakcja *f*; **'~·back** wada *f*; **'~·bridge** most *m* zwodzony
draw·er¹ [drɔː] szuflada *f*
draw·er² ['drɔːə] rysownik *m*; *econ.* wystawca *m* (*czeku itp.*)
'draw·ing rysunek *m*; ciągnienie *n*, losowanie *n*; **'~ board** deska *f* kreślarska; rajzbret *m*; **'~ pin** *Brt.* pinezka *f*; pluskiewka *f*; **'~ room** → ***living room***; salon *m*
drawl [drɔːl] **1.** zaciągać (*przy mówieniu*); **2.** zaciąganie *n*
drawn [drɔːn] **1.** *p.p. od* ***draw*** 1; **2.** *adj.* (*w sporcie*) remisowy, nierozstrzygnięty; *twarz*: wyciągnięty
dread [dred] **1.** przerażenie *n*, strach *m*; **2.** bać się; **'~·ful** straszliwy, przerażający
dream [driːm] **1.** sen *m*, marzenie *n*; **2.** (***dreamed*** *lub* ***dreamt***) śnić, marzyć;

'**~·er** marzyciel(ka *f*) *m*; **~t** [dremt] *pret. i p.p. od* **dream** 2; **~·y** (**-*ier*, -*iest***) marzycielski, rozmarzony
drear·y ['drɪərɪ] (**-*ier*, -*iest***) ponury; nudny
dredge [dredʒ] **1.** pogłębiarka *f*; **2.** pogłębiać ⟨-bić⟩; '**dredg·er** pogłębiarka *f*
dregs [dregz] *pl.* fusy *pl.*; *fig.* męty *pl.*
drench [drentʃ] przemoczyć
dress [dres] **1.** ubranie *n*; suknia *f*, sukienka *f*; ⚠ *nie* **dres**; **2.** ubierać ⟨ubrać⟩ (się); ozdabiać ⟨-dobić⟩, przystrajać ⟨-roić⟩; poprawiać ⟨-wić⟩; *sałatkę* przybierać ⟨-brać⟩, *sałatę* przyprawiać ⟨-wić⟩; *drób* sprawiać ⟨-wić⟩; *ranę* opatrywać ⟨-trzyć⟩; *włosy* ⟨u⟩czesać; ***get ~ed*** ubrać się; **~ *down*** *kogoś* ⟨z⟩łajać; **~ *up*** ubierać ⟨-ubrać⟩ się (ładnie); przebierać ⟨-brać⟩ się; '**~ cir·cle** *theat.* pierwszy balkon *m*; '**~ de·sign·er** projektant(ka *f*) *m* mody; '**~·er** toaletka *f*; kredens *m*
'**dress·ing** ubieranie *n* (się); *med.* opatrunek *m*; sos *m* sałatkowy; *Am.* nadzienie *n*; **~ 'down** łajanie *n*; '**~ gown** szlafrok *m*; płaszcz *m* kąpielowy; '**~ room** garderoba *f*, szatnia *f*; '**~ ta·ble** toaletka *f*
'**dress·mak·er** krawiec *m* (-cowa *f*) (*dla kobiet*)
drew [druː] *pret. od* **draw** 1
drib·ble ['drɪbl] sączyć się; ⟨po⟩ciec kroplami; ślinić się; (*w piłce nożnej*) dryblować
dried [draɪd] suszony, wysuszony
dri·er ['draɪə] → ***dryer***
drift [drɪft] **1.** prąd *m*, dryf *m*; zaspa *f*; sterta *f*, kupa *f*; *fig.* przesuwanie *n* się; **2.** ⟨z⟩dryfować, przesuwać ⟨-sunąć⟩ się; znosić ⟨znieść⟩, nanosić ⟨nanieść⟩; gromadzić (się)
drill [drɪl] **1.** *tech.* wiertarka *f*; wiertło *n*, świder *m*; *mil.* dryl *m* (*też fig.*), musztra *f*; **2.** ⟨na⟩wiercić; *mil.*, *fig.* musztrować; '**~·ing site** *tech.* teren *m* wiertniczy
drink [drɪŋk] **1.** napój *m*; **2.** (***drank, drunk***) ⟨wy⟩pić; **~ *to s.o.*** pić za kogoś; **~-'driv·ing** *Brt.* prowadzenie *n* samochodu w stanie nietrzeźwym; '**~·er** pijąca osoba *f*; '**~s ma·chine** automat *m* z napojami
drip [drɪp] **1.** kapanie *n*; *med.* kroplówka *f*; **2.** (**-*pp*-**) ⟨na⟩kapać; ociekać ⟨-ciec⟩; **~-'dry** nie wymagający prasowania; '**~·ping** tłuszcz *m* z pieczeni
driv|e [draɪv] **1.** jazda *f*; przejażdżka *f*; droga *f* dojazdowa; *prywatna* droga *f* *tech.* napęd *m*; *komp.* napęd *m*, stacja *f*; *psych.* popęd *m*; *fig.* kampania *f*, akcja *f*; *fig.* energia *f*, wigor *m*; *mot.* ***left-hand ~e*** lewostronny układ *m* kierowniczy; **2.** (***drove, driven***) *v/t.* ⟨po⟩jechać (*autem*), *auto itp.* prowadzić, ⟨po⟩kierować; ⟨po⟩jechać, ⟨za⟩wieźć (*samochodem*); doprowadzać ⟨-wić⟩ (*do szału itp.*); *bydło itp.* pędzić; *tech.* napędzać ⟨-dzić⟩; wbijać ⟨wbić⟩; ***~e off*** odjeżdżać ⟨-jechać⟩; ***what are you ~ing at?*** F o co ci chodzi?
'**drive-in 1.** auto...; dla zmotoryzowanych (*nie wysiadających z samochodu*); **~ *cinema***, *Am.* **~ *motion-picture theater*** kino *n* dla zmotoryzowanych; **2.** kino *n* dla zmotoryzowanych; restauracja *f* dla zmotoryzowanych; *bankowy itp.* punkt *m* obsługi dla zmotoryzowanych
driv·el ['drɪvl] **1.** (*zwł. Brt.* **-*ll*-**, *Am.* **-*l*-**) brednie *pl.*, banialuki *pl.*; **2.** pleść brednie
driv·en ['drɪvn] *p.p. od* **drive** 2
driv·er ['draɪvə] *mot.* kierowca *m*; maszynista *m* (*lokomotywy*); *komp.* drajwer *m*, sterownik *m*; '**~'s li·cense** *Am.* prawo *n* jazdy
driv·ing ['draɪvɪŋ] *tech.* napędowy, napędzający; *mot.* **~ *school*** szkoła *f* nauki jazdy; '**~ li·cence** *Brt.* prawo *n* jazdy; '**~ test** egzamin *m* na prawo jazdy
driz·zle ['drɪzl] **1.** mżawka *f*, kapuśniak *m*; **2.** mżyć
drone [drəʊn] **1.** *zo.* truteń *m* (*też fig.*); **2.** ⟨za⟩brzęczeć, bzyczeć ⟨bzykać⟩
droop [druːp] opadać ⟨-paść⟩
drop [drɒp] **1.** kropla *f*; spadek *m*, upadek *m*; zmniejszanie *n* się; cukierek *m*; ***fruit ~s*** *pl.* drops *m*, *zw. pl.*; **2.** (**-*pp*-**) *v/t.* kapać; upuszczać ⟨-uścić⟩, spuszczać ⟨-uścić⟩; *temat itp.* zarzucać ⟨-cić⟩, zaniechać; **~ *s.o. a postcard*** F naskrobać kartkę do kogoś; *pasażera itp.* wysadzać ⟨-dzić⟩; *v/i.* kapać; spadać ⟨-aść⟩; opadać ⟨-aść⟩; **~ *in*** wpadać ⟨-aść⟩ (*z wizytą*); **~ *off*** spadać ⟨-aść⟩; F zdrzemnąć się; **~ *out*** wypadać ⟨-aść⟩; wysiadać ⟨-siąść⟩ (***of*** z *G*); *też* **~ *out of school*** (***university***) rzucać

⟨-cić⟩ szkołę (uniwersytet); **'~-out** odszczepieniec *m*, outsider *m*; (*osoba, która porzuciła szkołę*)

drought [draʊt] susza *f*

drove [drəʊv] *pret. od* ***drive*** 2

drown [draʊn] *v/t.* ⟨u⟩topić; zatapiać ⟨-topić⟩; *fig.* zagłuszać ⟨-szyć⟩; *v/i.* ⟨u⟩tonąć, ⟨u⟩topić się

drow·sy ['draʊzɪ] (***-ier, -iest***) senny

drudge [drʌdʒ] harować; **drudg·e·ry** ['drʌdʒərɪ] harówka *f*

drug [drʌg] **1.** lekarstwo *n*, środek *m* farmaceutyczny; narkotyk *m*; ***be on ~s*** brać narkotyki; ***be off ~s*** nie brać narkotyków; **2.** (***-gg-***) podawać ⟨-dać⟩ lekarstwo *lub* narkotyk; dodawać ⟨-dać⟩ narkotyk *lub* środek odurzający do (*G*); *fig.* znieczulać ⟨-lić⟩, zobojętniać ⟨-nić⟩; **'~ a·buse** nadużywanie *n* narkotyków; **'~ ad·dict** narkoman(ka *f*) *m*; ***be a ~ addict*** brać narkotyki; **~·gist** ['drʌgɪst] *Am.* aptekarz *m* (-arka *f*); właściciel(ka *f*) (*drugstore'u*); **'~·store** *Am.* drugstore *m*, *jakby*: apteka *f*, drogeria *f*; **'~ vic·tim** ofiara *f* zażywania narkotyków

drum [drʌm] **1.** *mus.* bęben(ek) *m*; *anat.* bębenek *m*; **~s** *pl.* perkusja *f*; **2.** (***-mm-***) ⟨za-, po⟩bębnić; **'~·mer** *mus.* perkusista *m* (-tka *f*)

drunk [drʌŋk] **1.** *p.p. od* ***drink*** 2; **2.** *adj.* pijany; ***get ~*** upijać ⟨upić⟩ się; **3.** pijany *m*; pijak *m* (-aczka *f*); **~·ard** ['drʌŋkəd] pijak *m* (-aczka *f*); **'~·en** pijany; **~·en 'driv·ing** (*Am. też* ***drunk driving***) jazda po pijanemu (*samochodem*)

dry [draɪ] **1.** (***-ier, -iest***) suchy; wyschnięty; *wino*: wytrawny; bezdeszczowy; **2.** ⟨wy⟩suszyć; *też* ***~ up*** wysychać ⟨-schnąć⟩; **~-'clean** ⟨wy⟩czyścić chemicznie; **~ 'clean·er's** pralnia *f* chemiczna; **'~·er** (*też* ***drier***) suszarka *f*; **'~ goods** *pl. Am.* pasmanteria *f*

DTP [diː tiː 'piː] *skrót*: ***desktop publishing*** *komp.* DTP *n*, mała poligrafia *f*

du·al ['djuːəl] podwójny; **~ 'car·riage·way** *Brt.* droga *f* szybkiego ruchu

dub [dʌb] (***-bb-***) (*w filmie*) podkładać ⟨-dłożyć⟩ dubbing

du·bi·ous ['djuːbjəs] wątpliwy

duch·ess ['dʌtʃɪs] księżna *f*

duck [dʌk] **1.** *zo.* kaczka *f*; ***my ~s*** F *Brt.* mój skarbie; **2.** uchylić (się); skrywać ⟨-ryć⟩ (się); **'~·ling** *zo.* kaczątko *n*

due [djuː] **1.** planowy; oczekiwany, spodziewany; należny; *econ.* przypadający do zapłaty; ***~ to*** z powodu (*G*); ***be ~ to*** być spowodowanym (*I*); **2.** *adv.* bezpośrednio, prosto; dokładnie; ***~ north*** dokładnie na północ

du·el ['djuːəl] pojedynek *m*

dues [djuːz] *pl.* należności *pl.*, opłaty *pl.*

du·et [djuː'et] *mus.* duet *m*

dug [dʌg] *pret. i p.p. od* ***dig*** 1

duke [djuːk] książę *m*

dull [dʌl] **1.** *kolor*: matowy; *dźwięk*: głuchy; *słuch*: przytępiony; *wzrok*: przygaszony; zachmurzony; nudny; tępy (*też fig.*); *econ.* mało aktywny, martwy; **2.** przytępić ⟨-tępiać⟩, osłabiać ⟨-bić⟩; stępiać ⟨-pić⟩

du·ly ['djuːlɪ] *adv.* należycie, właściwie; punktualnie, na czas

dumb [dʌm] niemy; *zwł. Am.* F durny; **dum(b)'found·ed** oniemiały

dum·my ['dʌmɪ] atrapa *f*, makieta *f*; manekin *m* (*też do testów*); *Brt.* smoczek *m*; (*w brydżu*) dziadek *m*

dump [dʌmp] **1.** *v/t.* rzucać ⟨-cić⟩, ⟨z-, wy⟩rzucać ⟨-cić⟩; porzucać ⟨-cić⟩; *śmieci* wysypywać ⟨-pać⟩; *nieczystości* pozbywać się, zrzucać; *econ. cenę* obniżać dumpingowo; **2.** wysypisko *n*; hałda *f*, zwał *m*; usypisko *n*; skład *m*; **'~·ing** *econ.* dumping *m*

dune [djuːn] wydma *f*

dung [dʌŋ] **1.** obornik *m*, gnój *f*; **2.** nawozić ⟨-wieźć⟩ (*obornikiem*)

dun·ga·rees [dʌŋgə'riːz] *pl. Brt.* (***a pair of ~***) spodnie *pl.* robocze, kombinzeon *m*; (*spodnie*) rybaczki *pl.*

dun·geon ['dʌndʒən] loch *m*

dupe [djuːp] oszukiwać ⟨-kać⟩

du·plex ['djuːpleks] podwójny; **'~ (a·part·ment)** *Am.* mieszkanie *n* dwupoziomowe; **'~ (house)** *Am.* dom bliźniak

du·pli·cate **1.** ['djuːplɪkət] podwójny; ***~ key*** drugi klucz *m*, duplikat *m*; **2.** ['djuːplɪkət] duplikat *m*, kopia *f*, odpis *m*; **3.** ['djuːplɪkeɪt] ⟨z⟩duplikować, ⟨s⟩kopiować, wykonywać ⟨-nać⟩ odpis

du·plic·i·ty [djuː'plɪsətɪ] dwulicowość *f*, obłuda *f*

dur·a·ble ['djʊərəbl] wytrzymały, trwa-

ły; do trwałego użytku; **du·ra·tion** [djʊəˈreɪʃn] okres *m*, czas *m* trwania
du·ress [djʊəˈres] przymus *m*
dur·ing [ˈdjʊərɪŋ] *prp.* podczas (*G*)
dusk [dʌsk] zmierzch *m*; **ˈ~·y** (***-ier, -iest***) mroczny (*też fig.*)
dust [dʌst] **1.** kurz *m*; pył *m*; **2.** *v/t.* odkurzać ⟨-rzyć⟩; posypywać ⟨-pać⟩; ⟨przy⟩pudrować; *tech.* opylać ⟨-lić⟩; *v/i.* ścierać ⟨zetrzeć⟩ kurz; ⟨przy⟩pudrować się; **ˈ~·bin** *Brt.* kubeł *m* *lub* kosz *m* na śmieci; **ˈ~·bin lin·er** jednorazowy worek *m* (*do kubła na śmieci*); **ˈ~·cart** *Brt.* śmieciarka *f*; **ˈ~·er** ścierka *f* (*do kurzu*); (*w szkole*) gąbka *f* do tablicy; **ˈ~ cov·er**, **ˈ~ jack·et** obwoluta *f*; **ˈ~·man** (*pl.* ***-men***) *Brt.* śmieciarz *m*; **ˈ~·pan** śmietniczka *f*; **ˈ~·y** (***-ier, -iest***) zakurzony, zapylony
Dutch [dʌtʃ] **1.** *adj.* holenderski; **2.** *adv.* ***go ~*** ⟨za⟩płacić składkowo; **2.** *ling.* holenderski; ***the ~*** *pl.* Holendrzy *pl.*; **ˈ~·man** (*pl.* ***-men***) Holender *m*; **ˈ~·wo·m·an** (*pl.* ***-women***) Holenderka *f*
du·ty [ˈdjuːtɪ] obowiązek *m*, powinność *f*; *econ.* cło *n*; podatek *m*; ***on ~*** dyżurny; ***be on ~*** mieć dyżur *lub* służbę; ***be off ~*** być po dyżurze *lub* służbie; **~-ˈfree** bezcłowy
dwarf [dwɔːf] **1.** (*pl.* ***dwarfs*** [dwɔːfs], ***dwarves*** [dwɔːvz]) karzeł *m*; krasnal *m*, krasnoludek *m*; **2.** pomniejszać ⟨-szyć⟩, ⟨z⟩robić małym
dwell [dwel] (***dwelt*** *lub* ***dwelled***) mieszkać; *fig.* rozpamiętywać; **ˈ~·ing** mieszkanie *n*
dwelt [dwelt] *pret. i p.p. od* ***dwell***
dwin·dle [ˈdwɪndl] ⟨s⟩kurczyć się
dye [daɪ] **1.** farba *f*; barwnik *m*; ***of the deepest ~*** najgorszego rodzaju; **2.** ⟨za⟩farbować
dy·ing [ˈdaɪɪŋ] **1.** umierający; **2.** umieranie *n*
dyke [daɪk] → ***dike***[1, 2]
dy·nam·ic [daɪˈnæmɪk] dynamiczny; **~s** *zw. sg.* dynamika *f*
dy·na·mite [ˈdaɪnəmaɪt] **1.** dynamit *m*; **2.** wysadzać ⟨-dzić⟩ dynamitem
dys·en·te·ry [ˈdɪsntrɪ] *med.* czerwonka *f*, dyzenteria *f*
dys·pep·si·a [dɪsˈpepsɪə] *med.* niestrawność *f*

E

E, e [iː] E, e *n*
E *skrót pisany:* ***east*** wsch., wschodni; ***east(ern)*** wschodni
each [iːtʃ] każdy; ***~ other*** siebie *lub* się nawzajem, wzajemnie; na osobę, na sztukę
ea·ger [ˈiːgə] chętny; gorliwy; **ˈ~·ness** gorliwość *f*
ea·gle [ˈiːgl] *zo.* orzeł *m*; **~-ˈeyed** o ostrym wzroku, sokolooki
ear [ɪə] *anat.* ucho *n* (*też igielne, naczynia*); kłos *m*; ***keep an ~ to the ground*** słuchać co piszczy w trawie, mieć uszy otwarte; **ˈ~·ache** ból *m* ucha; **ˈ~·drum** *ant.* bębenek *m* uszny; **~ed**: ***pink-eared*** o różowych uszach
earl [ɜːl] *angielski* hrabia *m*
ˈear·lobe płatek *m* ucha
ear·ly [ˈɜːlɪ] wczesny; początkowy; ***as ~ as May*** już w maju; ***as ~ as possible*** najszybciej *lub* najwcześniej jak można; **~ ˈbird** ranny ptaszek *m*; **~ ˈwarn·ing sys·tem** system *m* wczesnego ostrzegania
ˈear·mark **1.** oznaczenie *n*, cecha *f*; **2.** oznaczać ⟨-czyć⟩; ⟨wy⟩asygnować (***for*** na *A*), alokować
earn [ɜːn] zarabiać ⟨-robić⟩; przynosić ⟨-nieść⟩
ear·nest [ˈɜːnɪst] **1.** poważny, zasadniczy; **2.** zadatek *m*; ***in ~*** na serio, na poważnie
earn·ings [ˈɜːnɪŋz] *pl.* wpływy *pl.*
ˈear|·phones *pl.* słuchawki *pl.*; **ˈ~·piece** *tel.* słuchawka *f*; **ˈ~·ring** kolczyk *m*; **ˈ~·shot**: ***within*** (***out of***) ***~shot*** w zasięgu (poza zasięgiem) słuchu
earth [ɜːθ] **1.** ziemia *f*; Ziemia *f*; ląd *m*; **2.** *v/t. electr.* uziemiać ⟨-mić⟩; **~·en** [ˈɜːθn] gliniany; **ˈ~·en·ware** wyroby *pl.* gliniane; **ˈ~·ly** ziemski, doczesny; F możliwy; **ˈ~·quake** trzęsienie *n* ziemi; **ˈ~·worm** *zo.* dżdżownica *f*
ease [iːz] **1.** łatwość *f*; spokój *m*; beztro-

ska *f*; lekkość *f*; ***at (one's) ~*** spokojny, w spokoju; swobodny; ***be** lub **feel ill at ~*** nie czuć się swobodnie; **2.** *v/t.* ⟨z⟩łagodzić; ⟨o⟩słabnąć; *v/i. zwł.* ***~ off, ~ up*** ⟨z⟩łagodnieć, ⟨ze⟩lżeć; ⟨o⟩słabnąć

ea•sel ['iːzl] sztalugi *pl.*

east [iːst] **1.** wschód *m*; **2.** *adj.* wschodni; **3.** *adv.* na wschód

Eas•ter ['iːstə] Wielkanoc *f*; *attr.* wielkanocny; **~ 'bun•ny** króliczek *m* wielkanocny; **'~ egg** jajko *n* wielkanocne, pisanka *f*

eas•ter•ly ['iːstəlɪ] wschodni; **east•ern** ['iːstən] wschodni; **east•ward(s)** ['iːstwəd(z)] wschodni; na wschód

eas•y ['iːzɪ] (***-ier, -iest***) łatwy; nieskrępowany; beztroski; ***go ~, take it ~*** nie kłopotać się; ***take it ~!*** nie przejmuj się!; **~ 'chair** fotel *m*; **~'go•ing** swobodny, nieskrępowany

eat [iːt] (***ate, eaten***) ⟨z⟩jeść; *rdza itp.*: zżerać ⟨zeżreć⟩; ***~ out*** jeść na mieście *lub* poza domem; ***~ up*** zjeść; **'~•a•ble** jadalny; **~•en** ['iːtn] *p.p. od* ***eat*** 1; **'~•er**: ***he is a slow ~er*** wolno je

eaves [iːvz] *pl.* okap *m*; **'~•drop** (***-pp-***) podsłuchiwać ⟨-chać⟩

ebb [eb] **1.** odpływ *m*; **2.** cofać ⟨-fnąć⟩ się; odpływać ⟨-łynąć⟩; ***~ away*** uchodzić ⟨ujść⟩, uciekać ⟨uciec⟩; **~ 'tide** odpływ *m*

eb•o•ny ['ebənɪ] heban *m*

ec *skrót pisany*: ***Eurocheque*** *Brt.* euroczek *m*

EC [iː 'siː] *skrót*: ***European Community*** Wspólnota *f* Europejska

ec•cen•tric [ɪk'sentrɪk] **1.** (***~ally***) ekscentryczny; **2.** ekscentryk *m* (-yczka *f*), oryginał *m*

ec•cle•si•as|•tic [ɪkliːzɪ'æstɪk] (***-ally***), **~•ti•cal** kościelny

ech•o ['ekəʊ] **1.** (*pl.**-oes***) echo *n*; **2.** *v/t.* powtarzać ⟨-tórzyć⟩; *fig. v/i.* odbijać ⟨-bić⟩ się, powtarzać ⟨-tórzyć⟩ jak echo

e•clipse *astr.* [ɪ'klɪps] zaćmienie *n* (*księżyca, słońca*)

e•co•cide ['iːkəsaɪd] niszczenie *n* przyrody

e•co•lo•gi•cal [iːkə'lɒdʒɪkl] ekologiczny

e•col•o|•gist [iː'kɒlədʒɪst] ekolog *m*; **~•gy** [iː'kɒlədʒɪ] ekologia *f*

ec•o•nom|•ic [iːkə'nɒmɪk] (***-ally***) ekonomiczny; gospodarczy; ***~ic growth*** rozwój *m* gospodarczy; **~•i•cal** ekonomiczny, gospodarczy; oszczędny; **~•ics** *sg.* ekonomia *f*, ekonomika *f*; gospodarka *f*

e•con•o|•mist [ɪ'kɒnəmɪst] ekonomista *m* (-tka *f*); **~•mize** [ɪ'kɒnəmaɪz] oszczędzać ⟨-dzić⟩; **~•my** [ɪ'kɒnəmɪ] **1.** gospodarka *f*; ekonomia *f*, ekonomika *f*; oszczędność *f*; **2.** dający oszczędności

e•co•sys•tem ['iːkəʊsɪstəm] ekosystem *m*

ec•sta|•sy ['ekstəsɪ] ekstaza *f*; **~t•ic** [ɪk'stætɪk] ekstatyczny

ECU ['ekjuː, eɪ'kuː] *skrót*: ***European Currency Unit*** ecu *n*

ed. [ed] *skrót*: ***edited*** red., redakcja *f*, redagował; ***edition*** wyd., wydanie *f*; ***editor*** red., redaktor *m*

ed•dy ['edɪ] **1.** wir *m*, zamęt *m*; **2.** ⟨za⟩wirować

edge [edʒ] **1.** brzeg *m*, skraj *m*; krawędź *f*, ostrze *n*; ***be on ~*** być poirytowanym; ***have the ~ over*** mieć przewagę nad (*I*); **2.** obszywać ⟨-szyć⟩; ⟨za-, na⟩ostrzyć; przysuwać (się); **~•ways** ['edʒweɪz], **~•wise** ['edʒwaɪz] bokiem, na boku

edg•ing ['edʒɪŋ] obramowanie *n*; obszycie *n*

edg•y ['edʒɪ] (***-ier, -iest***) ostry; F zirytowany

ed•i•ble ['edɪbl] jadalny

e•dict ['iːdɪkt] edykt *m*

ed•i•fice ['edɪfɪs] budynek *m*

Ed•in•burgh Edynburg *m*

ed•it ['edɪt] *tekst* ⟨z⟩redagować; *komp.* ⟨wy⟩edytować, ⟨na⟩pisać; *czasopisma* być wydawcą, wydawać; *film* ⟨z⟩montować; **e•di•tion** [ɪ'dɪʃn] wydanie *n*; **ed•i•tor** ['edɪtə] wydawca *m*; redaktor(ka *f*) *m*; **ed•i•to•ri•al** [edɪ'tɔːrɪəl] **1.** artykuł *m* wstępny; **2.** redakcyjny

EDP [iː diː 'piː] *skrót*: ***electronic data processing*** elektroniczne przetwarzanie *n* danych

ed•u|•cate ['edʒʊkeɪt] ⟨wy⟩kształcić; ⟨wy⟩edukować; **'~•cat•ed** wykształcony; **~•ca•tion** [edʒʊ'keɪʃn] wykształcenie *n*, edukacja *f*; kształcenie *n*, wychowanie *n*; ***Ministry of* ~*cation*** Ministerstwo *n* Oświaty; **~•ca•tion•al** [edʒʊ'keɪʃənl] edukacyjny; oświatowy

eel [iːl] *zo.* węgorz *m*

E

ef·fect [ɪ'fekt] rezultat *m*, skutek *m*; wynik *m*; wpływ *m*; efekt *m*; wrażenie *n*; **~s** *pl.*, *econ.* walory *pl.*; majątek *m* ruchomy; ***be in ~*** być w mocy; ***in ~*** faktycznie; ***take ~*** wchodzić ⟨wejść⟩ w życie; **ef'fec·tive** efektywny, skuteczny; faktyczny, realny; działający
ef·fem·i·nate [ɪ'femɪnət] zniewieściały
ef·fer|·vesce [efə'ves] musować; **~·vescent** [efə'vesnt] musujący
ef·fi·cien|·cy [ɪ'fɪʃənsɪ] skuteczność *f*; sprawność *f*; wydajność; ***~cy measure*** *econ.* środek *m* zwiększenia wydajności; **~t** skuteczny, sprawny; wydajny
ef·flu·ent ['efluənt] wyciek *m*; ścieki *pl.*
ef·fort ['efət] wysiłek *m*; staranie *n* (***at*** o *A*); ***without ~*** → **'~·less** bez wysiłku
ef·fron·te·ry [ɪ'frʌntərɪ] zuchwałość *f*, bezczelność *f*
ef·fu·sive [ɪ'fjuːsɪv] wylewny
EFTA ['eftə] *skrót*: ***European Free Trade Association*** EFTA, Europejskie Stowarzyszenie *n* Wolnego Handlu
e.g. [iː 'dʒiː] *skrót*: ***for example*** (*łacińskie* ***exempli gratia***) np., na przykład
egg[1] [eg] jajko; ***put all one's ~s in one basket*** postawić wszystko na jedną kartę
egg[2] [eg]: ***~ on*** podpuszczać ⟨-puścić⟩, podbechtywać ⟨-bechtać⟩
'egg| co·sy osłona *f* dla jaj; **'~·cup** kieliszek *m* dla jaj; **'~·head** (*intelektualista*) jajogłowy *m* (-wa *f*); **'~·plant** *bot.*, *zwł. Am.* bakłażan *m*; **'~·shell** skorupka *f* jajka; **'~ tim·er** minutnik *m*
e·go·is|·m ['egəʊɪzəm] egoizm *m*, samolubstwo *n*; **~t** ['egəʊɪst] egoista *m* (-tka *f*), samolub *m*
E·gypt ['iːdʒɪpt] Egipt *m*; **E·gyp·tian** [ɪ'dʒɪpʃn] **1.** egipski; **2.** Egipcjanin *m* (-anka *f*)
ei·der·down ['aɪdədaʊn] puch *m* (*edredona*); kołdra *f* puchowa
eight [eɪt] **1.** osiem; **2.** ósemka *f*; **eigh·teen** [eɪ'tiːn] osiemnaście; **eigh·teenth** [eɪ'tiːnθ] osiemnasty; **'~·fold** ośmiokrotny; **eighth** [eɪtθ] **1.** ósmy; **2.** jedna ósma; **'eighth·ly** po ósme; **eigh·ti·eth** ['eɪtɪɪθ] osiemdziesiąty; **'eigh·ty 1.** osiemdziesiąt; **2.** osiemdziesiątka *f*
Ei·re ['eərə] (*irlandzka nazwa Irlandii*)
ei·ther ['aɪðə, 'iːðə] którykolwiek, jakikolwiek (z dwóch); jeden (z dwóch); oba, obydwa; ***~ ... or ...*** albo ... albo ...; ***not ~*** też nie (*po zdaniu przeczącym*)
e·jac·u·late [ɪ'dʒækjʊleɪt] *v/t. physiol.* tryskać ⟨-snąć⟩ (*nasieniem*); wykrzyknąć; *v/i.* wytrysnąć, mieć wytrysk
e·ject [ɪ'dʒekt] ⟨wy⟩eksmitować; *tech.* wyrzucać ⟨-cić⟩, wypychać ⟨-pchnąć⟩
eke [iːk]: ***~ out*** *dochody* uzupełniać ⟨-nić⟩; *pieniądze* oszczędzać ⟨-dzić⟩; ***~ out a living*** ledwo zarabiać na życie
e·lab·o·rate 1. [ɪ'læbərət] skomplikowany, złożony; **2.** [ɪ'læbəreɪt] opracowywać ⟨-wać⟩, uzupełniać ⟨-nić⟩, ⟨s⟩konkretyzować
e·lapse [ɪ'læps] upływać ⟨-łynąć⟩, przechodzić ⟨przejść⟩
e·las|·tic [ɪ'læstɪk] **1.** (***-ally***) elastyczny, rozciągliwy: **2.** guma *f*, gumka *f*; **~·ti·ci·ty** [elæ'stɪsətɪ] elastyczność *f*
e·lat·ed [ɪ'leɪtɪd] zachwycony
Elbe Łaba *f*
el·bow ['elbəʊ] **1.** łokieć *m*; ostry zakręt *m*; *tech.* kolanko *n*; ***at one's ~*** pod ręką; **2.** *drogę* ⟨u⟩torować łokciami; ***~ one's way through*** przepychać ⟨-pchnąć⟩ się przez (*A*)
el·der[1] ['eldə] **1.** starszy; **2.** starszy *m*; **~s** starszyzna *f*; **'~·ly** starszy
el·der[2] *bot.* ['eldə] czarny bez *m*
el·dest ['eldɪst] najstarszy
e·lect [ɪ'lekt] **1.** elekt, wybrany; **2.** wybierać ⟨-brać⟩
e·lec|·tion [ɪ'lekʃn] **1.** wybory *pl.*; **2.** *pol.* wyborczy; **~·tor** [ɪ'lektə] wyborca *m*, *Am. pol.*, *hist.* elektor *m*; **~·to·ral** [ɪ'lektərəl] wyborczy; ***~toral college*** *Am. pol.* kolegium elektorskie; **~·to·rate** [ɪ'lektərət] *pol.* elektorat *m*
e·lec·tric [ɪ'lektrɪk] (***~ally***) elektryczny, elektro...
e·lec·tri·cal [ɪ'lektrɪkl] elektryczny, elektro...; **~ en·gi'neer** inżynier *m* elektryk; elektrotechnik *m*; **~ en·gi'neer·ing** elektrotechnika *f*
e·lec·tric 'chair krzesło *n* elektryczne
el·ec·tri·cian [ɪlek'trɪʃn] elektryk *m*
e·lec·tri·ci·ty [ɪlek'trɪsətɪ] elektryczność *f*
e·lec·tric 'ra·zor *elektryczna* maszynka *f* do golenia
e·lec·tri·fy [ɪ'lektrɪfaɪ] ⟨z⟩elektryzować (*też fig.*); ⟨z⟩elektryfikować
e·lec·tro·cute [ɪ'lektrəkjuːt] porażać

⟨-razić⟩ *kogoś* śmiertelnie prądem; wykonywać ⟨-nać⟩ *na kimś* wyrok śmierci na krześle elektrycznym
e·lec·tron [ɪ'lektrɒn] elektron *m*
el·ec·tron·ic [ɪlek'trɒnɪk] (*~**ally***) elektroniczny; ~ **'da·ta pro·ces·sing** elektroniczne przetwarzanie *n* danych
el·ec·tron·ics [ɪlek'trɒnɪks] *sg.* elektronika *f*
el·e|·gance ['elɪgəns] elegancja *f*; **'~·gant** elegancki, wytworny
el·e|·ment ['elɪmənt] element *m*; składnik *m*; *chem.* pierwiastek *m*; ***~ments*** *pl.* elementy *pl.*, podstawy *pl.*; żywioły *pl.*; **~·men·tal** [elɪ'mentl] elementarny; istotny
el·e·men·ta·ry [elɪ'mentərɪ] elementarny, początkowy; ~ **school** *Am.* szkoła *f* podstawowa
el·e·phant ['elɪfənt] *zo.* słoń
el·e|·vate ['elɪveɪt] podnosić ⟨-nieść⟩, podwyższać ⟨-szyć⟩; dawać ⟨dać⟩ awans; **'~·vat·ed** podniesiony, podwyższony; *fig.* wyniosły; **~·va·tion** [elɪ'veɪʃn] podniesienie *n*, podwyższenie *n*; wyniosłość *f*; awans *m*; wysokość *f*, wzniesienie *n*; **~·va·tor** *tech.* ['elɪveɪtə] *Am.* winda *f*; dźwig *m*
e·lev·en [ɪ'levn] **1.** jedenaście; **2.** jedenastka *f*; **~th** [ɪ'levnθ] **1.** jedenasty; **2.** jedna jedenasta
elf [elf] (*pl.* ***elves***) elf *m*
e·li·cit [ɪ'lɪsɪt] wydobywać ⟨-być⟩ (***from*** od *G*); wydostawać ⟨-tać⟩
el·i·gi·ble ['elɪdʒəbl] nadający się do (*G*) *lub* na (*A*); uprawniony (***for*** do *G*); wolny
e·lim·i|·nate [ɪ'lɪmɪneɪt] ⟨wy⟩eliminować; usuwać ⟨usunąć⟩; **~·na·tion** [ɪlɪmɪ'neɪʃn] eliminacja *f*; wyeliminowanie *n*; usunięcie *n*
é·lite [eɪ'liːt] elita *f*
elk [elk] *zo.* łoś *m*; *Am.* wapiti *n*
el·lipse [ɪ'lɪps] *math.* elipsa *f*
elm [elm] *bot.* wiąz *m*
e·lon·gate ['iːlɒŋgeɪt] wydłużać ⟨-żyć⟩
e·lope [ɪ'ləʊp] uciekać ⟨-ciec⟩ (*z ukochanym lub ukochaną*)
e·lo|·quence ['eləkwəns] elokwencja *f*, łatwość *f* wysławiania się; **'~·quent** elokwentny
else [els] jeszcze; inny; **~'where** gdzie indziej
e·lude [ɪ'luːd] umykać ⟨-knąć⟩ (*przebiegle*) (*D*), unikać ⟨-knąć⟩ (*przebiegle*); nie przychodzić do głowy, umykać
e·lu·sive [ɪ'luːsɪv] nieuchwytny
elves [elvz] *pl. od* ***elf***
e·ma·ci·ated [ɪ'meɪʃɪeɪtɪd] wychudzony, wymizerowany
em·a|·nate ['eməneɪt] wydobywać się, pochodzić (***from*** z *G*); promieniować, emanować; **~·na·tion** [emə'neɪʃn] emanacja *f*; wydzielanie *n* się
e·man·ci|·pate [ɪ'mænsɪpeɪt] ⟨wy⟩-emancypować; **~·pa·tion** [ɪmænsɪ'peɪʃn] emancypacja *f*
em·balm [ɪm'bɑːm] ⟨za⟩balsamować
em·bank·ment [ɪm'bæŋkmənt] nasyp *m*, wał *m*; nabrzeże *n*
em·bar·go [em'bɑːgəʊ] (*pl.* ***-goes***) embargo *n*, ograniczenie *n*
em·bark [ɪm'bɑːk] *nat.*, *aviat.* ⟨za⟩ładować; przyjmować ⟨-jąć⟩ na pokład; *naut.* (*na statek*) wsiadać ⟨wsiąść⟩; ~ ***on*** przedsiębrać ⟨-sięwziąć⟩ (*A*), podejmować ⟨-djąć⟩ (*A*)
em·bar·rass [ɪm'bærəs] ⟨za⟩kłopotać, wprawiać ⟨-wić⟩ w zakłopotanie; **~·ing** kłopotliwy, kłopoczący; **~·ment** zakłopotanie *n*, konsternacja *f*
em·bas·sy ['embəsɪ] *pol.* ambasada *f*
em·bed [ɪm'bed] (***-dd-***) osadzać ⟨-dzić⟩, zakleszczać ⟨-czyć⟩
em·bel·lish [ɪm'belɪʃ] upiększać ⟨-szyć⟩ (*też fig.*)
em·bers ['embəz] *pl.* żar *m*
em·bez·zle [ɪm'bezl] sprzeniewierzać ⟨-rzyć⟩,⟨z⟩defraudować; **~·ment** sprzeniewierzenie *n*, defraudacja *f*
em·bit·ter [ɪm'bɪtə]: ***be ~ed*** być zgorzkniałym *lub* rozgoryczonym
em·blem ['embləm] emblemat *m*
em·bod·y [ɪm'bɒdɪ] ucieleśniać ⟨-nić⟩; zawierać ⟨-wrzeć⟩; włączać ⟨-czyć⟩
em·bo·lis·m ['embəlɪzəm] *med.* embolia *f*, zator *m*
em·brace [ɪm'breɪs] **1.** obejmować ⟨objąć⟩ (się), ⟨przy⟩tulić (się); uścisk *m*, obejmowanie *n* się
em·broi·der [ɪm'brɔɪdə] ⟨wy⟩haftować; *fig.* upiększać ⟨-szyć⟩, ubarwiać ⟨-wić⟩; **~·y** [ɪm'brɔɪdərɪ] haft *m*; *fig.* upiększanie *n*
em·broil [ɪm'brɔɪl] wciągać ⟨-gnąć⟩ (*w kłopoty itp.*), wplątywać ⟨-tać⟩
e·mend [ɪ'mend] poprawiać ⟨-wić⟩, wnosić ⟨wnieść⟩ poprawki

E

em•e•rald ['emərəld] **1.** szmaragd *m*; **2.** szmaragdowy

e•merge [ɪ'mɜːdʒ] wyłaniać ⟨-łonić⟩ się; ukazywać ⟨-zać⟩ się; wychodzić ⟨wyjść⟩ na jaw

e•mer•gen•cy [ɪ'mɜːdʒənsɪ] stan *m* wyjątkowy; wypadek *m*; awaria *f*; *pol.* ***state of* ~** stan *m* wyjątkowy; **~ brake** ręczny hamulec *m*; hamulec *m* bezpieczeństwa; **~ call** wezwanie *n* w razie nagłego wypadku; **~ exit** wyjście *n* bezpieczeństwa; **~ land•ing** lądowanie *n* awaryjne; **~ num•ber** numer *m* pogotowia (*ratunkowego, policji itp.*); **~ room** *Am.* izba *m* przyjęć (*na ostrym dyżurze*)

em•i|•grant ['emɪgrənt] emigrant(ka *f*) *m*; **~•grate** ['emɪgreɪt] ⟨wy⟩emigrować; **~•gra•tion** [emɪ'greɪʃn] emigracja *f*

em•i|•nence ['emɪnəns]; sława *f*; **℮*nence*** *rel.* Eminencja *f*; **'~•nent** sławny; wybitny; **'~•nent•ly** wybitnie; bardzo

e•mis•sion [ɪ'mɪʃn] emisja *f*, promieniowanie *n*; **~-'free** nie wydzielający spalin

e•mit [ɪ'mɪt] ⟨wy⟩emitować, ⟨wy⟩promieniować; wydzielać ⟨-lić⟩

e•mo•tion [ɪ'məʊʃn] (***-tt-***) uczucie *n*, emocja *f*; **~•al** [ɪ'məʊʃənl] uczuciowy, emocjonalny; wzruszony; wzruszający; **~•al•ly** [ɪ'məʊʃnəlɪ] uczuciowo, emocjonalnie; wzruszająco; ***~ally disturbed*** mający zaburzenia emocjonalne; **~•less** nieczuły

em•pe•ror ['empərə] cesarz *m*, imperator *m*

em•pha|•sis ['emfəsɪs] (*pl.* ***-ses*** [-siːz]) nacisk *m*; **~•size** ['emfəsaɪz] podkreślać ⟨-lić⟩, ⟨za⟩akcentować; **~t•ic** [ɪm'fætɪk] (***-ally***) stanowczy, dobitny; wyraźny

em•pire ['empaɪə] cesarstwo *n*, imperium *n*

em•pir•i•cal [em'pɪrɪkl] empiryczny

em•ploy [ɪm'plɔɪ] **1.** zatrudniać ⟨-nić⟩; ⟨za⟩stosować, używać ⟨-żyć⟩; **2.** zatrudnienie *n*; ***in the* ~ *of*** zatrudniony u (*G*); **~•ee** [emplɔɪ'iː] pracownik *m* (-ica *f*); **~•er** [ɪm'plɔɪə] pracodawca *m*); **~•ment** [ɪm'plɔɪmənt] zatrudnienie *n*, praca *f*, użycie *n*; **~•ment ad** ogłoszenie *n* o możliwości zatrudnienia; **~•ment of•fice** urząd *m* zatrudnienia

em•pow•er [ɪm'paʊə] upoważniać ⟨-nić⟩, uprawniać ⟨-nić⟩

em•press ['emprɪs] cesarzowa *f*

emp|•ti•ness ['emptɪnɪs] pustka *f* (*też fig.*); **'~•ty 1.** (***-ier, -iest***) pusty (*też fig.*); **2.** opróżniać ⟨-nić⟩ (się); wysypywać ⟨-pać⟩; *rzeka*: uchodzić (***into*** do *G*)

em•u•late ['emjʊleɪt] naśladować; *komp.* emulować

e•mul•sion [ɪ'mʌlʃn] emulsja *f*

en•a•ble [ɪ'neɪbl] umożliwiać ⟨-wić⟩, dawać ⟨dać⟩ możność

en•act [ɪ'nækt] *prawo* ustanawiać ⟨-nowić⟩; nadawać ⟨-dać⟩ moc prawną

e•nam•el [ɪ'næml] **1.** emalia *f*; *anat.* szkliwo *n*; lakier *m*; lakier *m* do paznokci; **2.** (*zwł. Brt.* ***-ll-***, *Am.* ***-l-***) ⟨po⟩emaliować; ⟨po⟩lakierować; szklić

en•am•o(u)red [ɪ'næməd]: **~ *of*** rozkochany w (*L*)

en•camp•ment [ɪn'kæmpmənt] *zwł. mil.* obóz *m*

en•cased [ɪn'keɪst]: **~ *in*** oprawny w (*A*), osadzony w (*A*), pokryty (*I*)

en•chant [ɪn'tʃɑːnt] oczarowywać ⟨-ować⟩; **~•ing** czarujący; **~•ment** oczarowanie *n*, czar *m*

en•cir•cle [ɪn'sɜːkl] okrążać ⟨-żyć⟩; otaczać ⟨otoczyć⟩; obejmować ⟨objąć⟩

encl *skrót pisany*: ***enclosed, enclosure*** zał., załącznik(i *pl.*) *m*

en•close [ɪn'kləʊz] otaczać ⟨otoczyć⟩; załączać ⟨-czyć⟩ (*do listu*); **en•clo•sure** [ɪn'kləʊʒə] zagroda *f*, ogrodzone miejsce *n*; załącznik *m*

en•code [en'kəʊd] ⟨za⟩kodować

en•com•pass [ɪn'kʌmpəs] obejmować ⟨-bjąć⟩

en•coun•ter [ɪn'kaʊntə] **1.** spotkanie *n*; potyczka *f*; **2.** spotykać ⟨-tkać⟩, napotykać ⟨-tkać⟩; natrafiać ⟨-fić⟩ na (*A*), napotykać ⟨-tkać⟩ na (*A*)

en•cour•age [ɪn'kʌrɪdʒ] zachęcać ⟨-cić⟩; popierać ⟨-przeć⟩; **~•ment** zachęta *f*, poparcie *n*

en•cour•ag•ing [ɪn'kʌrɪdʒɪŋ] zachęcający

en•croach [ɪn'krəʊtʃ] (***on***) *prawo, teren* naruszać; wkraczać ⟨-roczyć⟩, (*na teren*) wdzierać ⟨wedrzeć⟩ się; *czas* zabierać ⟨-brać⟩; **~•ment** naruszenie *n*; wkroczenie *n*, wtargnięcie *n*

en•cum|•ber [ɪn'kʌmbə] obarczać ⟨-czyć⟩, obciążać ⟨-żyć⟩; ⟨za⟩hamować; **~·brance** [ɪn'kʌmbrəns] obciążenie *n*; przeszkoda *f*

en·cy·clo·p(a)e·di·a [ensaɪklə'piːdjə] encyklopedia *f*

end [end] **1.** koniec *m*, zakończenie *n*; cel *m*; ***no ~ of*** bez liku; ***at the ~ of May*** pod koniec maja; ***in the ~*** w końcu, wreszcie; ***on ~*** bez przerwy; ***stand on ~*** *włosy*: stawać ⟨-nąć⟩ dęba; ***to no ~*** na próżno; ***go off the deep ~*** ⟨s⟩tracić cierpliwość; ***make*** (***both***) ***~s meet*** ⟨z⟩wiązać koniec z końcem; **2.** ⟨s⟩kończyć (się), ⟨za⟩kończyć (się)

en·dan·ger [ɪn'deɪndʒə] narażać ⟨-razić⟩, zagrażać ⟨-rozić⟩

en·dear [ɪn'dɪə] zdobywać ⟨-być⟩ popularność (***to s.o.*** wśród kogoś), przysparzać ⟨-porzyć⟩ popularności; **~·ing** [ɪn'dɪərɪŋ] ujmujący, urzekający; **~·ment**: ***words*** *pl.* ***of ~ment, ~ments*** *pl.* czułe słówka *pl.*, czułości *pl.*

en·deav·o(u)r [ɪn'devə] **1.** staranie *n*, usiłowanie *n*; **2.** ⟨po⟩starać się, dokładać ⟨-łożyć⟩ starań

end·ing ['endɪŋ] zakończenie *n*, koniec *m*; *gr.* końcówka *f*

en·dive ['endɪv, 'endaɪv] *pot.* cykoria *f*, endywia *f*

'end·less nie kończący się, nieskończony, niezmierzony; *tech.* bez końca

en·dorse [ɪn'dɔːs] *econ. czek* ⟨za⟩indosować, żyrować; umieszczać ⟨-eścić⟩ adnotację (***on*** na *odwrocie*); ⟨za⟩akceptować; **~·ment** adnotacja *f*, uwaga *f*; *econ.* indosowanie *n*

en·dow [ɪn'daʊ] *fig.* wyposażać ⟨-żyć⟩, obdarowywać ⟨-ować⟩; dotować; ***~ s.o. with s.th.*** obdarzać ⟨-rzyć⟩ kogoś czymś; **~·ment** dotacja *f*; ***~ments*** *pl.* talenty *pl.*, możliwości *pl.*

en·dur|·ance [ɪn'djʊərəns] wytrzymałość *f*; ***beyond ~ance, past ~ance*** nie do zniesienia; **~e** [ɪn'djʊə] wytrzymywać ⟨-mać⟩, znosić ⟨znieść⟩

'end us·er użytkownik *m* końcowy, odbiorca *m*

en·e·my ['enəmɪ] **1.** wróg *m*, nieprzyjaciel *m*; **2.** wrogi, nieprzyjacielski

en·er·get·ic [enə'dʒetɪk] (***~ally***) energiczny

en·er·gy ['enədʒɪ] energia *f* (*też elektryczna*); **'~ cri·sis** kryzys *m* energetyczny; **'~-sav·ing** oszczędność *f* energii; **'~ sup·ply** dostawa *f* energii

en·fold [ɪn'fəʊld] otaczać ⟨-toczyć⟩ ramieniem; zawierać ⟨-wrzeć⟩

en·force [ɪn'fɔːs] wymuszać ⟨-musić⟩, ⟨wy⟩egzekwować; *prawo* wprowadzać ⟨-dzić⟩ w życie, nadawać ⟨-dać⟩ moc; **~·ment** *econ.*, *jur.* narzucenie *n*; wprowadzenie *n* w życie

en·fran·chise [ɪn'fræntʃaɪz] *komuś* nadawać ⟨-dać⟩ prawo wyborcze

en·gage [ɪn'geɪdʒ] *v/t.* ⟨za⟩angażować, zatrudniać ⟨-nić⟩; *uwagę* przyciągać ⟨-gnąć⟩; *tech.* zaczepiać ⟨-pić⟩, sprzęgać ⟨-gnąć⟩; *mot.* włączać ⟨-czyć⟩ sprzęgło; *v/i. tech.* sczepiać ⟨-pić⟩ (się); ***~ in*** ⟨za⟩angażować się w (*L*); zajmować ⟨-jąć⟩ się (*I*); **~d** zaręczony (***to*** z *I*); *toaleta*: *Brt.* zajęta; ***~d tone*** *lub* ***signal*** *Brt. tel.* zajęty sygnał *m*; **~·ment** zaręczyny *pl.*; umowa *f*, zobowiązanie *n*; *mil.* potyczka *f*, starcie *n*; *tech.* włączenie *n*, zaczepienie *n*

en·gag·ing [ɪn'geɪdʒɪŋ] zajmujący; *uśmiech*: uroczy

en·gine ['endʒɪn] silnik *m*; *rail.* lokomotywa *f*; **'~ driv·er** *Brt. rail.* maszynista *m*

en·gi·neer [endʒɪ'nɪə] **1.** inżynier *m*, technik *m*, mechanik *m*; *Am. rail.* maszynista *m*; *mil.* saper *m*; **2.** ⟨wy⟩budować, ⟨za⟩projektować; *fig.* ukartować, ⟨u⟩knuć; **~·ing** [endʒɪ'nɪərɪŋ] inżynieria *f*; technika *f*

Eng·land Anglia *f*

En·glish ['ɪŋglɪʃ] **1.** angielski; **2.** *ling.* angielski (*język*); ***the ~*** *pl.* Anglicy *pl.*; ***in plain ~*** prosto; **'~ Chan·nel** Kanał La Manche; **'~·man** (*pl.* ***-men***) Anglik *m*; **'~·wom·an** (*pl.* ***-women***) Angielka *f*

en·grave [ɪn'greɪv] ⟨wy⟩grawerować; rytować; *fig.* wyryć, zapadać ⟨-paść⟩; **en'grav·er** grawer *m*; rytownik *m*; **en'grav·ing** rycina *f*, sztych *m*; drzeworyt *m*

en·grossed [ɪn'grəʊst]: ***~ in*** pochłonięty (*I*)

en·hance [ɪn'hɑːns] wzmacniać ⟨-mocnić⟩, zwiększać ⟨-szyć⟩

e·nig·ma [ɪ'nɪgmə] zagadka *f*; **en·ig·mat·ic** [enɪg'mætɪk] (***~ally***) enigmatyczny, zagadkowy

en·joy [ɪn'dʒɔɪ] cieszyć się (*I*); lubić; ***did you ~ it?*** podobało ci się to?; ***~ o.s.*** bawić się; ***~ yourself!*** baw się dobrze!;

E

I ~ my dinner obiad mi odpowiada; **~·a·ble** miły, przyjemny; **~·ment** przyjemność *f*

en·large [ɪn'lɑːdʒ] powiększać ⟨-szyć⟩ (się); *phot.* powiększać ⟨-szyć⟩; **~ *on*** uszczegóławiać ⟨-łowić⟩ (*A*); rozprawiać nad (*I*); **~·ment** powiększenie *n* (*też phot.*)

en·light·en [ɪn'laɪtn] oświecać ⟨-cić⟩; **~·ment** oświecenie *n*

en·list [ɪn'lɪst] *mil. v/t.* ⟨z⟩werbować; *v/i.* wstępować ⟨wstąpić⟩ do wojska

en·liv·en [ɪn'laɪvn] ożywiać ⟨-wić⟩

en·mi·ty ['enmətɪ] wrogość *f*

en·no·ble [ɪ'nəʊbl] nobilitować

e·nor|·mi·ty [ɪ'nɔːmətɪ] ogrom *m*; potworność *f*, **~·mous** [ɪ'nɒːməs] ogromny

e·nough [ɪ'nʌf] wystarczający

en·quire [ɪn'kwaɪə], **en·qui·ry** [ɪn'kwaɪərɪ] → ***inquire, inquiry***

en·rage [ɪn'reɪdʒ] rozwścieczać ⟨-czyć⟩; **~d** rozwścieczony

en·rap·ture [ɪn'ræptʃə] wprawiać ⟨-wić⟩ w zachwyt; **~d** zachwycony

en·rich [ɪn'rɪtʃ] wzbogacać ⟨-cić⟩

en·rol(l) [ɪn'rəʊl] (***-ll-***) zapisywać ⟨-sać⟩ (się) (***for, in*** na *A*); (*na uniwersytet*) wstępować ⟨-tąpić⟩ (***at*** na *A*)

en·sign ['ensaɪn] *naut. zwł.* flaga *f*, bandera *f*; ['ensn] *Am.* podporucznik *m* marynarki

en·sue [ɪn'sjuː] następować ⟨-tąpić⟩

en·sure [ɪn'ʃʊə] zapewniać ⟨-nić⟩

en·tail [ɪn'teɪl] pociągać za sobą, wymagać

en·tan·gle [ɪn'tæŋgl] wplątywać ⟨-tać⟩

en·ter ['entə] *v/t.* wchodzić ⟨wejść⟩ do (*G*); wjeżdżać ⟨wjechać⟩ do (*G*); *naut.*, wpływać ⟨-łynąć⟩; wstępować ⟨-tąpić⟩ do (*G*); *nazwiska*, *dane* wprowadzać ⟨-dzić⟩; (*w sporcie*) przystępować ⟨-tąpić⟩ (***for*** do *G*); *v/i.* wchodzić ⟨wejść⟩; wjeżdżać ⟨wjechać⟩; *naut.*, wpływać ⟨-łynąć⟩ do portu; *theat.* wchodzić; zgłaszać ⟨-łosić⟩ się (***for*** do *G*) (*też w sporcie*); **'~ key** klawisz *m* Enter

en·ter|·prise ['entəpraɪz] przedsięwzięcie *n*; *econ.* przedsiębiorstwo *n*; przedsiębiorczość *f*; **'~·pris·ing** przedsiębiorczy

en·ter·tain [entə'teɪn] zabawiać ⟨-wić⟩; przyjmować ⟨-jąć⟩ (gości); **~·er** artysta *m* (-tka *f*) estradowy (-wa); **~·ment** rozrywka *f*; widowisko *n*; przyjmowanie *n* gości

en·thral(l) *fig.* [ɪn'θrɔːl] (***-ll-***) oczarowywać ⟨-wać⟩; ⟨za⟩fascynować

en·throne [ɪn'θrəʊn] intronizować

en·thu·si·as|·m [ɪn'θjuːzɪæzəm] entuzjazm *m*; **~t** [ɪn'θjuːzɪæst] entuzjasta *m* (-tka *f*); **~·tic** [ɪnθjuːzɪ'æstɪk] (***-ally***) entuzjastyczny

en·tice [ɪn'taɪs] ⟨z⟩nęcić, ⟨z⟩wabić; **~·ment** atrakcja *f*, powab *m*

en·tire [ɪn'taɪə] cały; niepodzielny, całkowity; **~·ly** całkowicie; w zupełności

en·ti·tle [ɪn'taɪtl] uprawniać ⟨-nić⟩ (***to*** do *G*)

en·ti·ty ['entətɪ] jednostka *f*

en·trails ['entreɪlz] *anat. pl.* wnętrzności *pl.*

en·trance ['entrəns] wejście *n*; pojawienie *n* się; wstęp *m*; ***make an ~*** zjawiać się; **'~ ex·am·(i·na·tion)** egzamin *m* wstępny; **'~ fee** opłata *f* za wejście; opłata *f* za wstęp

en·treat [ɪn'triːt] błagać; **en'trea·ty** błaganie *n*

en·trench [ɪn'trentʃ] *mil.* okopywać ⟨-pać⟩ się

en·trust [ɪn'trʌst] powierzać ⟨-rzyć⟩ (***s.th. to s.o.*** coś komuś)

en·try ['entrɪ] wejście *n*; wjazd *m*; wstęp *m* (***to*** do *G*); wjazd *m*, wlot *m*; (*w słowniku*) hasło *n*; (*w spisie*) pozycja *f*; (*w sporcie*) udział *m*; ***bookeeping by double*** (***single***) ***~*** *econ.* podwójna (pojedyncza) księgowość *f*; ***no ~!*** wstęp wzbroniony; *mot.* brak wjazdu!; **'~ permit** pozwolenie *n* na wjazd; **'~·phone** domofon *m*; **'~ vi·sa** wiza *f* wjazdowa

en·twine [ɪn'twaɪn] oplatać ⟨-pleść⟩, splatać ⟨-pleść⟩

e·nu·me·rate [ɪ'njuːməreɪt] wyliczać ⟨-czyć⟩

en·vel·op [ɪn'veləp] owijać ⟨owinąć⟩, otaczać ⟨otoczyć⟩

en·ve·lope ['envələʊp] koperta *f*

en·vi|·a·ble ['envɪəbl] godny zazdrości; **'~·ous** zazdrosny

en·vi·ron·ment [ɪn'vaɪərənmənt] otoczenie *n*; środowisko *n*; środowisko *n* naturalne

en·vi·ron·men·tal [ɪnvaɪərən'mentl] środowiskowy; **~·ist** [ɪnvaɪərən'mentəlɪst] ekolog *m*; **~ 'law** prawo *n* ochrony środowiska; **~ pol'lu·tion** zanie-

czyszczanie *n* środowiska
en•vi•ron•ment 'friend•ly przyjazny dla środowiska
en•vi•rons ['envɪrənz] *pl.* okolice *pl.*
en•vis•age [ɪn'vɪzɪdʒ] przewidywać ⟨-idzieć⟩
en•voy ['envɔɪ] wysłannik *m* (-niczka *f*)
en•vy ['envɪ] **1.** zazdrość *f*; **2.** ⟨po⟩zazdrościć
ep•ic ['epɪk] **1.** epicki; **2.** epos *m*, epopeja *f*
ep•i•dem•ic [epɪ'demɪk] **1.** (**~*ally***) epidemiczny; **~ *disease*** → ***disease***; **2.** epidemia *f*, zaraza *f*
ep•i•der•mis [epɪ'dɜːmɪs] naskórek *m*
ep•i•lep•sy ['epɪlepsɪ] epilepsja *f*
ep•i•logue *zwł. Brt.*, **ep•i•log** *Am.* ['epɪlɒg] epilog *m*, posłowie *n*
e•pis•co•pal [ɪ'pɪskəpl] *rel.* biskupi
ep•i•sode ['epɪsəʊd] epizod *m*
ep•i•taph ['epɪtɑːf] epitafium *n*
e•poch ['iːpɒk] epoka *f*
eq•ua•ble ['ekwəbl] łagodny (*też klimat*)
e•qual ['iːkwəl] **1.** równy; jednakowy; ***be* ~ *to*** *fig.* móc podołać (*D*); **~ *rights*** *pl.* ***for women*** równe prawa *pl.* dla kobiet; **2.** równy *m*; **3.** (*zwł. Brt.* ***-ll-***, *Am.* ***-l-***) równać się z (*I*); **~•i•ty** [iː'kwɒlətɪ] równość *f*; **~•i•za•tion** [iːkwəlaɪ'zeɪʃn] wyrównywanie *n*; **~•ize** ['iːkwəlaɪz] wyrównywać ⟨-nać⟩, zrównywać ⟨-nać⟩; **'~•iz•er** gol *m* wyrównujący; *tech.* urządzenie *n* wyrównawcze
eq•ua•nim•i•ty [iːkwə'nɪmətɪ] równowaga *f*, opanowanie *n*
e•qua•tion [ɪ'kweɪʒn] *math.* równanie *n*
e•qua•tor [ɪ'kweɪtə] równik *m*
e•qui•lib•ri•um [iːkwɪ'lɪbrɪəm] równowaga *f*
e•quip [ɪ'kwɪp] (***-pp-***) wyposażać ⟨-żyć⟩; **~•ment** sprzęt *m*, wyposażenie *n*
e•quiv•a•lent [ɪ'kwɪvələnt] **1.** ekwiwalentny, równoważny; **2.** ekwiwalent *m*, odpowiednik *m*
e•ra ['ɪərə] era *f*
e•rad•i•cate [ɪ'rædɪkeɪt] wykorzeniać ⟨-nić⟩
e•rase [ɪ'reɪz] wymazywać ⟨-zać⟩; ⟨s⟩kasować (*też zapis magnetyczny*); *fig.* zmazywać ⟨-zać⟩; **e'ras•er** gumka *f*
e•rect [ɪ'rekt] **1.** wyprostowany; **2.** stawiać ⟨postawić⟩; *budynek* wznosić ⟨wznieść⟩; *maszynę itp.* ⟨z⟩montować;
e•rec•tion [ɪ'rekʃn] wznoszenie *n*; *physiol.* erekcja *f*, wzwód *m*
er•mine ['ɜːmɪn] *zo.* gronostaj *m*; *ubiór*: gronostaje *pl.*
e•rode [ɪ'rəʊd] *geol.* ⟨z⟩erodować;
e•ro•sion [ɪ'rəʊʒn] *geol.* erozja *f*
e•rot•ic [ɪ'rɒtɪk] (**~*ally***) erotyczny
err [ɜː] ⟨po⟩mylić (się)
er•rand ['erənd] zlecenie *n*, polecenie *n*; ***go on an* ~, *run an* ~** załatwiać sprawy; **'~ boy** chłopiec *m* na posyłki
er•rat•ic [ɪ'rætɪk] zmienny; *ruchy*: nieskoordynowany
er•ro•ne•ous [ɪ'rəʊnjəs] błędny
er•ror ['erə] błąd *m* (*też komp.*); **~*s excepted*** z zastrzeżeniem błędów; **'~ mes•sage** *komp.* komunikat *m* o błędzie
e•rupt [ɪ'rʌpt] *wulkan itp.*: wybuchać ⟨-chnąć⟩; *ząb*: wyrzynać ⟨-rżnąć⟩ się;
e•rup•tion [ɪ'rʌpʃn] wybuch *m* (*wulkanu*); *med.* wyrzynanie *n* się (*zęba*)
ESA [iː es 'eɪ] *skrót*: ***European Space Agency*** Europejska Agencja *f* Przestrzeni Kosmicznej
es•ca|•late ['eskəleɪt] nasilać ⟨-lić⟩ (się); doprowadzać ⟨-dzić⟩ do eskalacji; **~•la•tion** [eskə'leɪʃn] eskalacja *f*
es•ca•la•tor ['eskəleɪtə] schody *pl.* ruchome
es•ca•lope ['eskələʊp] *gastr.* kotlet *m*, eskalopek *m* (*zwł. cielęcy*)
es•cape [ɪ'skeɪp] **1.** uciekać ⟨uciec⟩; zbiec; *gaz*: ulatniać ⟨-lotnić⟩ się; *woda itp.*: przeciekać ⟨-ciec⟩; unikać ⟨-knąć⟩; *komuś* umykać ⟨umknąć⟩; **2.** ucieczka *f*; ulatnianie *n* się; przeciek *m*; ***have a narrow* ~** ledwie ujść cało; **~ chute** *aviat.* ślizg *m* ratunkowy; **~ key** *komp.* klawisz *m* Escape
es•cort 1. ['eskɔːt] *mil.* eskorta *f*; obstawa *f*; konwój *m*; osoba *f* towarzysząca; **2.** [ɪ'skɔːt] *mil.* eskortować; *aviat.*, *naut.* konwojować; towarzyszyć
es•cutch•eon [ɪ'skʌtʃən] tarcza *f* herbowa
esp. *skrót pisany*: ***especially*** zwł., zwłaszcza
es•pe•cial [ɪ'speʃl] szczególny; **~•ly** szczególnie
es•pi•o•nage [espɪə'nɑːʒ] szpiegostwo *n*
es•pla•nade [esplə'neɪd] promenada *f* (*zwł. nad brzegiem*)

E

es·say ['eseɪ] esej *m*; wypracowanie *n*

es·sence ['esns] istota *f*; esencja *f*

es·sen·tial [ɪ'senʃl] **1.** istotny; niezbędny; **2.** *zw.* **~s** *pl.* najistotniejsze rzeczy *pl.*; **~·ly** zasadniczo, właściwie

es·tab·lish [ɪ'stæblɪʃ] ustanawiać ⟨-nowić⟩; zakładać ⟨założyć⟩; **~ *o.s.*** osiedlać ⟨-lić⟩ się; obejmować ⟨objąć⟩ stanowisko; ustalać ⟨-lić⟩; **~·ment** założenie *n*, ustanowienie *n*; *econ.* przedsiębiorstwo *n*, firma *f*; ***the* ℒ*ment*** establishment *m*, warstwa *f* panująca

es·tate [ɪ'steɪt] posiadłość *f*, majątek *m* (*ziemski*); *jur.* majątek *m*, mienie *n*; ***housing* ~** *Brt.* osiedle *n* mieszkaniowe; ***industrial* ~** dzielnica *f* przemysłowa; ***real* ~** nieruchomości *pl.*; **~ a·gent** *Brt.* pośrednik *m* w handlu nieruchomościami; **~ car** *Brt. mot.* kombi *n*

es·teem [ɪ'stiːm] **1.** szacunek *m*, poważanie *n* (***with*** wśród *G*); **2.** poważać, darzyć szacunkiem

es·thet·ic(s) [es'θetɪk(s)] *Am.* → ***aesthetic(s)***

es·ti|·mate 1. ['estɪmeɪt] oceniać ⟨-nić⟩, ⟨o⟩szacować; **2.** ['estɪmɪt] oszacowanie *n*; kosztorys *m*; **~·ma·tion** [estɪ'meɪʃn] zdanie *n*; oszacowanie *n*

Es·to·nia Estonia *f*

es·trange [ɪ'streɪndʒ] zrażać ⟨zrazić⟩

es·tu·a·ry ['estjʊərɪ] ujście *n*

etch [etʃ] rytować; wytrawiać ⟨-wić⟩; *fig.* ⟨wy⟩ryć; **'~·ing** rycina *f*; miedzioryt *m*

e·ter|·nal [ɪ'tɜːnl] wieczny; **~·ni·ty** [ɪ'tɜːnətɪ] wieczność *f*

e·ther ['iːθə] eter *m*; **e·the·re·al** [iː'θɪərɪəl] eteryczny (*też fig.*)

eth|·i·cal ['eθɪkl] etyczny; **~·ics** ['eθɪks] *sg.* etyka *f*

EU [iː 'juː] *skrót*: ***European Union*** Unia *f* Europejska

Eu·ro... ['jʊərəʊ] Euro..., europejski; **'~·cheque** *Brt.* euroczek *m*

Eu·rope ['jʊərəp] Europa *f*; **Eu·ro·pe·an** [jʊərə'piːən] europejski *m*; **Eu·ro·pe·an Com'mu·ni·ty** (*skrót*: ***EC***) Wspólnota *f* Europejska

e·vac·u·ate [ɪ'vækjʊeɪt] ewakuować, dokonywać ⟨-nać⟩ ewakuacji

e·vade [ɪ'veɪd] unikać ⟨-knąć⟩; uchylać ⟨-lić⟩ się od (*G*); uchodzić ⟨ujść⟩ przed (*I*)

e·val·u·ate [ɪ'væljʊeɪt] oceniać ⟨-nić⟩; ⟨o⟩szacować

e·vap·o|·rate [ɪ'væpəreɪt] parować; odparowywać ⟨-ować⟩; znikać ⟨-knąć⟩; ***~rated milk*** mleko *n* skondensowane (*niesłodzone*); **~·ra·tion** [ɪvæpə'reɪʃn] parowanie *n*; odparowanie *n*

e·va|·sion [ɪ'veɪʒn] unikanie *n*, uchylanie się *n*; wymówka *f*; **~·sive** [ɪ'veɪsɪv] wymijający; ***be ~sive*** unikać ⟨-knąć⟩

eve [iːv] przeddzień *m*; wigilia *f*; ***on the ~ of*** w przededniu (*G*)

e·ven ['iːvn] **1.** *adj.* równy; gładki; *liczba*: parzysty; regularny, równomierny; ***get ~ with s.o.*** odpłacać się komuś; **2.** *adv.* nawet; ***not ~*** nawet nie; ***~ though, ~ if*** nawet jeśli; **3.** ***~ out*** zrównywać ⟨-wnać⟩, wyrównywać ⟨-wnać⟩ (się)

eve·ning ['iːvnɪŋ] wieczór *m*; ***in the ~*** wieczorem; **'~ class·es** *pl.* kurs *m* wieczorowy; **'~ dress** strój *m* wieczorowy; smoking *m*, frak *m*, suknia *f* wieczorowa

e·ven·song ['iːvnsɒŋ] nabożeństwo *n* wieczorne (*w kościele anglikańskim*)

e·vent [ɪ'vent] zdarzenie *n*, wydarzenie *n*; (*w sporcie*) konkurencja *f*, dyscyplina *f*; ***at all ~s*** w każdym razie; ***in the ~ of*** w przypadku (*G*); **~·ful** obfitujący w wydarzenia

e·ven·tu·al [ɪ'ventʃʊəl] ostateczny; ⚠ *nie* ***ewentualny***; **~·ly** ostatecznie

ev·er ['evə] zawsze; kiedykolwiek; ***~ after, ~ since*** od tego czasu; ***~ so*** F bardzo; ***for ~*** na zawsze; ***Yours ~, ..., ℒ yours ...*** (*w liście*) Pozdrowienia, Twój; Pański; ***have you ~ been to Poland?*** czy byłeś kiedyś w Polsce?; **'~·green 1.** wiecznozielony; zimozielony; nie do zdarcia, *zwł.* zawsze przyjemny do słuchania; **2.** roślina *f* zimozielona; **~'last·ing** wieczny; **~'more**: (***for***) **~** na zawsze

ev·ery ['evrɪ] każdy; wszyscy *pl.*, wszystkie *pl.*; ***~ now and then*** od czasu do czasu; ***~ one of them*** każdy z nich; ***~ other day*** co drugi dzień; **'~·bod·y** każdy; **'~·day** codziennie; **'~·one** każdy, wszyscy *pl.*; **'~·thing** wszystko; **'~·where** wszędzie

e·vict [ɪ'vɪkt] *jur.* ⟨wy⟩eksmitować; *majątek* odzyskiwać ⟨-kać⟩

ev·i|·dence ['evɪdəns] dowód *m*, dowody *pl.*; zeznania *pl.*; ***give ~ence*** świadczyć; **'~·dent** oczywisty

e·vil ['iːvl] **1.** (*zwł. Brt.* **-ll-**, *Am.* **-l-**) zły, niedobry; paskudny; **2.** zło *n*; **~-'mind·ed** złośliwy
e·voke [ɪ'vəʊk] wywoływać ⟨-łać⟩
ev·o·lu·tion [iːvə'luːʃn] ewolucja *f*, rozwój *m*
e·volve [ɪ'vɒlv] rozwijać ⟨-winąć⟩ się
ewe [juː] *zo.* (*samica*) owca *f*
ex [eks] *prp. econ.* loco, loko; **~ *works*** loco fabryka
ex... [eks] eks..., były ...
ex·act [ɪg'zækt] **1.** dokładny, ścisły; **2.** wymuszać ⟨-musić⟩, ⟨wy⟩egzekwować; **~·ing** wymagający; uciążliwy; **~·ly** dokładnie; (*w odpowiedzi*) właśnie (tak); **~·ness** dokładność *f*
ex·ag·ge|·rate [ɪg'zædʒəreɪt] przesadzać ⟨-dzić⟩; **~·ra·tion** [ɪgzædʒə'reɪʃn] przesada *f*
ex·am [ɪg'zæm] F egzamin *m*
ex·am|·i·na·tion [ɪgzæmɪ'neɪʃn] egzamin *m*; badanie *n*; *jur.* przesłuchanie *n*, śledztwo *n*; **~·ine** [ɪg'zæmɪn] badać; sprawdzać ⟨-dzić⟩; *szkoła itp.*: ⟨prze⟩egzaminować (***in, on*** w zakresie *G*); *jur.* przesłuchiwać ⟨-chać⟩, przeprowadzać ⟨-dzić⟩ śledztwo;
ex·am·ple [ɪg'zɑːmpl] przykład *m*; wzorzec *m*, wzór *m*; ***for ~*** dla przykładu, na przykład
ex·as·pe|·rate [ɪg'zæspəreɪt] doprowadzać ⟨-dzić⟩ do rozpaczy; **~·rat·ing** doprowadzający do rozpaczy
ex·ca·vate ['ekskəveɪt] *v/t.* wykopywać ⟨-pać⟩; *v/i.* prowadzić wykopaliska
ex·ceed [ɪk'siːd] przekraczać ⟨-roczyć⟩; przewyższać ⟨-szyć⟩; **~·ing** nadmierny; **~·ing·ly** nadmiernie
ex·cel [ɪk'sel] *v/t.* przewyższać ⟨-szyć⟩; *wyobrażenie itp.* przechodzić ⟨-ejść⟩; *v/i.* wyróżniać ⟨-nić⟩ się, celować; **~·lence** ['eksələns] doskonałość *f*, świetność *f*; **Ex·cel·lency** ['eksələnsɪ] ekscelencja *f/m*; **ex·cel·lent** ['eksələnt] doskonały, świetny
ex·cept [ɪk'sept] **1.** wykluczać ⟨-czyć⟩, wyłączyć ⟨-czać⟩; **2.** *prp.* oprócz, poza; **~ *for*** z wyjątkiem (*G*); **~·ing** z wyjątkiem, wyłączając
ex·cep·tion [ɪk'sepʃn] wyjątek *m*; uraza *f* (***to do*** *G*); ***make an ~*** robić wyjątek; ***take ~ to*** obruszać ⟨-szyć⟩ się na (*A*); ***without ~*** bez wyjątku; **~·al** [ɪk'sepʃənl] wyjątkowy; **~·al·ly** [ɪk'sepʃnəlɪ] wyjątkowo
ex·cerpt ['eksɜːpt] wyjątek *m*; urywek *m*
ex·cess [ɪk'ses] nadmiar *m*, nadwyżka *f*; dopłata *f*; **~ 'bag·gage** *aviat.* bagaż *m* dodatkowy; **~ 'fare** dopłata *f* za przejazd; **ex'ces·sive** nadmierny; **~ 'lug·gage** → ***excess baggage***; **~ 'post·age** dopłata *f*
ex·change [ɪks'tʃeɪndʒ] **1.** wymieniać ⟨-nić⟩ (***for*** za); **2.** wymiana *f* (*też pieniędzy*); ***bill of ~*** weksel *m*; giełda *f*; kantor *m* wymiany walut; centrala *f* telefoniczna; ***foreign ~(s*** *pl.*) dewizy *pl.*; ***rate of ~*** → ***exchange rate***; **~ of·fice** kantor *m* wymiany walut; **~ pu·pil** uczeń *m* (*uczennica f*) w ramach programu wymiany; **~ rate** kurs *m* wymiany; **~ stu·dent** student *m* (*studentka f*) w ramach programu wymiany; *Am.* uczeń *m* (*uczennica f*) w ramach programu wymiany
Ex·cheq·uer [ɪks'tʃekə]: ***Chancellor of the ~*** *Brt.* Minister Skarbu
ex·cise [ek'saɪz] akcyza *f*, opłata *f* akcyzowa
ex·ci·ta·ble [ɪk'saɪtəbl] łatwo się irytujący *lub* ekscytujący
ex·cite [ɪk'saɪt] ⟨pod⟩ekscytować; podniecać ⟨-cić⟩; pobudzać ⟨-dzić⟩; **ex'cit·ed** podekscytowany; podniecony; **ex'citement** ekscytacja *f*; podniecenie *n*; **ex'cit·ing** ekscytujący; podniecający
ex·claim [ɪk'skleɪm] wykrzykiwać ⟨-nąć⟩
ex·cla·ma·tion [eksklə'meɪʃn] wykrzyknięcie *n*, okrzyk *m*; **~ mark** *Brt.*, **~ point** *Am.* wykrzyknik *m*
ex·clude [ɪk'skluːd] wyłączać ⟨-czyć⟩; wykluczać ⟨-czyć⟩
ex·clu|·sion [ɪk'skluːʒn] wyłączenie *n*, wykluczenie *n*; **~·sive** [ɪk'skluːsɪv] wyłączny; ekskluzywny; ***~sive of*** z wyłączeniem (*G*)
ex·com·mu·ni|·cate [ekskə'mjuːnɪkeɪt] *rel.* ekskomunikować; **~·ca·tion** [ekskəmjuːnɪ'keɪʃn] *rel.* ekskomunika *f*
ex·cre·ment ['ekskrɪmənt] *physiol.* ekskrementy *pl.*, odchody *pl.*
ex·crete [ek'skriːt] *physiol.* wydzielać ⟨-lić⟩
ex·cur·sion [ɪk'skɜːʃn] wycieczka *f*, wyprawa *f*

ex·cu·sa·ble [ɪk'skjuːzəbl] wybaczalny, do wybaczenia; **ex·cuse 1.** [ɪk'skjuːz] ⟨wy⟩tłumaczyć; usprawiedliwiać ⟨-wić⟩; wybaczać ⟨-czyć⟩; przepraszać ⟨-rosić⟩; zwalniać ⟨zwolnić⟩ (***from*** z *I*); ~ ***me*** przepraszam; **2.** [ɪk'skjuːs] usprawiedliwienie *n*, wytłumaczenie *n*; wymówka *f*
ex-di·rec·to·ry num·ber [eksdɪ'rektərɪ -] *Brt. tel.* numer *m* zastrzeżony
ex·e|·cute ['eksɪkjuːt] wykonywać ⟨-nać⟩; *skazańca* ⟨s⟩tracić; przeprowadzać ⟨-dzić⟩; **~·cu·tion** [eksɪ'kjuːʃn] wykonanie *n*; egzekucja *f*, stracenie *n*; *jur.* egzekucja *f* sądowa; ***put*** *lub* ***carry a plan into ~cution*** realizować *lub* wprowadzać w życie plan; **~·cu·tion·er** [eksɪ'kjuːʃnə] kat *m*
ex·ec·u·tive [ɪg'zekjʊtɪv] **1.** wykonawczy; *econ.* kierowniczy, dyrektorski; **2.** *pol.* egzekutywa *f*, organ *m* wykonawczy; *econ.* dyrektor *m*, kierownik *m*
ex·em·pla·ry [ɪg'zemplərɪ] przykładowy, wzorcowy
ex·em·pli·fy [ɪg'zemplɪfaɪ] służyć jako przykład, stanowić przykład; egzemplifikować
ex·empt [ɪg'zempt] **1.** wolny, zwolniony; **2.** uwalniać ⟨uwolnić⟩, zwalniać ⟨zwolnić⟩
ex·er·cise ['eksəsaɪz] **1.** ćwiczenie *n* (*też w szkole*); ćwiczenia *pl.* fizyczne, ruch *m*; *mil.* manewry *pl.*, ćwiczenia *pl.*; ***do one's ~s*** gimnastykować się; ***take ~*** zażywać ruchu, ruszać się; **2.** ćwiczyć; ruszać się; ⟨s⟩korzystać z (*G*); *mil.* przeprowadzać ⟨-dzić⟩ manewry; **'~ book** zeszyt *m*
ex·ert [ɪg'zɜːt] *wpływ itp.* wywierać ⟨wywrzeć⟩; ~ ***o.s.*** wysilać ⟨-lić⟩ się; **ex·er·tion** [ɪg'zɜːʃn] wywieranie *n* (*wpływu*); wysiłek *m*, trud *m*
ex·hale [eks'heɪl] wydychać; *dym* wydmuchiwać ⟨-chać⟩, wypuszczać ⟨-puścić⟩
ex·haust [ɪg'zɔːst] **1.** wyczerpywać ⟨-pać⟩; **2.** *tech.* rura *f* wydechowa; *też* ~ ***fumes*** *pl.* spaliny *pl.*; **~·ed** wyczerpany; zmęczony; **ex·haus·tion** [ɪg'zɔːstʃən] wyczerpanie *n*; **ex·haus·tive** wyczerpujący; **~ pipe** rura *f* wydechowa
ex·hib·it [ɪg'zɪbɪt] **1.** wystawiać ⟨-wić⟩; *fig.* ukazywać ⟨-zać⟩; ⟨za⟩demonstrować; **2.** eksponat *m*; *jur.* dowód *m* rzeczowy; **ex·hi·bi·tion** [eksɪ'bɪʃn] wystawa *f*; demonstracja *f*
ex·hil·a·rat·ing [ɪg'zɪləreɪtɪŋ] radosny; *wiatr itp.*: odświeżający
ex·hort [ɪg'zɔːt] nawoływać
ex·ile ['eksaɪl] **1.** wygnanie *n*; emigracja *f*; emigrant(ka *f*) *m*, wygnaniec *m*; ***in ~*** na emigracji *lub* wygnaniu; **2.** skazywać ⟨-zać⟩ na wygnanie
ex·ist [ɪg'zɪst] istnieć; egzystować, żyć; **~·ence** istnienie *n*; egzystencja *f*; **~·ent** istniejący
ex·it ['eksɪt] **1.** wyjście *n*; zjazd *m* (*z drogi*); **2.** *theat.* wychodzić
ex·o·dus ['eksədəs] exodus *m*; ***general ~*** ogólna ucieczka *f*
ex·on·e·rate [ɪg'zɒnəreɪt] uwalniać ⟨uwolnić⟩, zwalniać ⟨zwolnić⟩
ex·or·bi·tant [ɪg'zɔːbɪtənt] wygórowany, nadmierny
ex·or·cize ['eksɔːsaɪz] wypędzać ⟨-dzić⟩ (***from*** z *G*); egzorcyzmować; uwalniać ⟨-wolnić⟩ (***of*** od *G*)
ex·ot·ic [ɪg'zɒtɪk] (***~ally***) egzotyczny
ex·pand [ɪk'spænd] rozszerzać ⟨-rzyć⟩ (się); omawiać ⟨-mówić⟩ szczegółowo; *econ.* powiększać ⟨-szyć⟩ (się), rozszerzać ⟨-rzyć⟩ (się); **ex·panse** [ɪk'spæns] przestrzeń *f*, przestwór *m*; **ex·pan·sion** [ɪk'spænʃn] ekspansja *f*; rozszerzanie *n* się; **ex·pan·sive** [ɪk'spænsɪv] ekspansywny
ex·pat·ri·ate [eks'pætrɪeɪt] **1.** emigrant(ka *f*) *m*; **2.** *kogoś* skazywać ⟨-zać⟩ na wygnanie; *kogoś* pozbawiać ⟨-wić⟩ obywatelstwa
ex·pect [ɪk'spekt] spodziewać się; oczekiwać, przypuszczać; ***be ~ing*** (***a baby***) spodziewać się dziecka; **ex·pec·tant** pełen oczekiwania; ~ ***mother*** przyszła matka *f*; **ex·pec·ta·tion** [ekspek'teɪʃn] oczekiwanie *n*; nadzieja *f*
ex·pe·dient [ɪk'spiːdjənt] **1.** celowy; **2.** sposób *m*, środek *m* (*zwł. doraźny*)
ex·pe·di|·tion [ekspɪ'dɪʃn] ekspedycja *f*, wyprawa *f*; **~·tious** [ekspɪ'dɪʃəs] szybki
ex·pel [ɪk'spel] (**-ll-**) (***from***) usuwać ⟨-sunąć⟩ (z *G*); wydalać ⟨-lić⟩ (z *G*); wyrzucać ⟨-cić⟩ (z *G*)
ex·pen·di·ture [ɪk'spendɪtʃə] wydatek *m*; *econ.* koszty *pl.*, wydatki *pl.*
ex·pense [ɪk'spens] wydatek *m*; ***at the ~ of*** na koszt (*G*); **ex'pen·ses** koszty

pl., wydatki *pl*.; **ex'pen·sive** drogi
ex·pe·ri·ence [ɪk'spɪərɪəns] **1.** doświadczenie *n*; przeżycie *n*; **2.** doświadczać ⟨-czyć⟩, przeżywać ⟨-żyć⟩; **~d** doświadczony
ex·per·i|·ment 1. [ɪk'sperɪmənt] doświadczenie *n*; **2.** [ɪk'sperɪment] eksperymentować; **~·men·tal** [eksperɪ'mentl] eksperymentalny
ex·pert ['ekspɜːt] **1.** specjalistyczny; doświadczony; *komp*. ekspercki; **2.** ekspert *m*; specjalista *m* (-tka *f*)
ex·pi·ra·tion [ekspɪ'reɪʃn] upłynięcie *n*, koniec *m*; wygaśnięcie *n*; **ex·pire** [ɪk'spaɪə] upływać ⟨-łynąć⟩, ⟨s⟩kończyć się; wygasać ⟨-snąć⟩
ex·plain [ɪk'spleɪn] wyjaśniać ⟨-nić⟩; **ex·pla·na·tion** [eksplə'neɪʃn] wyjaśnienie *n*
ex·pli·cit [ɪk'splɪsɪt] jasny; wyraźny; (***sexually***) **~** *film itp*.: (*pokazujący seks bez ogródek*)
ex·plode [ɪk'spləʊd] wybuchać ⟨-chnąć⟩, eksplodować; *bombę itp*. ⟨z⟩detonować; *fig*. wybuchać ⟨-chnąć⟩; *fig*. *teorię itp*. obalać ⟨-lić⟩; *fig*. rozwijać ⟨-winąć⟩ się gwałtownie
ex·ploit 1. ['eksplɔɪt] wyczyn *m* (*bohaterski*); **2.** [ɪk'splɔɪt] ⟨wy⟩eksploatować; **ex·ploi·ta·tion** [eksplɔɪ'teɪʃn] eksploatacja *f*, wykorzystywanie *n*
ex·plo·ra·tion [eksplə'reɪʃn] badanie *n*, eksploracja *f*; **ex·plore** [ɪk'splɔː] ⟨z⟩badać, eksplorować; **ex·plor·er** [ɪk'splɔːrə] eksplorator *m*, badacz(ka *f*) *m*
ex·plo|·sion [ɪk'spləʊʒn] eksplozja *f*, wybuch *m*; *fig*. wybuch *m*; *fig*. gwałtowny rozwój *m*; **~·sive** [ɪk'spləʊsɪv] **1.** wybuchowy (*też fig*.); rozwijający się gwałtownie; **2.** środek *m* wybuchowy
ex·po·nent [ek'spəʊnənt] *math*. wykładnik *m*, eksponent *m*
ex·port 1. [ɪk'spɔːt] ⟨wy⟩eksportować; **2.** ['ekspɔːt] eksport *m*; artykuł *m* eksportowy; **ex·por·ta·tion** [ekspɔː'teɪʃn] eksport *m*; **ex·port·er** [ɪk'spɔːtə] eksporter *m*
ex·pose [ɪk'spəʊz] odsłaniać ⟨-łonić⟩; wystawiać ⟨-wić⟩; *phot*. naświetlać ⟨-lić⟩; *towary* ⟨wy⟩eksponować; *kogoś* ⟨z⟩demaskować; *coś* wyjawiać ⟨-wić⟩; **ex·po·si·tion** [ekspə'zɪʃn] ekspozycja *f*; przedstawienie *n*
ex·po·sure [ɪk'spəʊʒə] odsłonięcie *n*; wystawienie *n* (*na czynniki zewnętrzne*) (**to** na *A*); *phot*. naświetlanie *n*; *phot*. klatka *f*; ***die of* ~** umrzeć z zimna; **~ me·ter** *phot*. światłomierz *m*
ex·press [ɪk'spres] **1.** jawny, wyraźny; ekspresowy; **2.** ekspres *m*; ***go by* ~** jechać ekspresem **3.** *adv*. ekpresem; **4.** wyrażać ⟨-razić⟩; **ex·pres·sion** [ɪk'spreʃn] wyrażenie *n*; **ex'pres·sion·less** bez wyrazu; **ex·pres·sive** [ɪk'spresɪv] wyrazisty; ***be* ~ *of*** *coś* wyrażać ⟨-razić⟩; **ex·press 'let·ter** *Brt*. przesyłka *f* ekspresowa; **ex·press·ly** wyraźnie, jawnie; ekspres *m*; **ex·press·way** *zwł. Am*. droga *f* szybkiego ruchu
ex·pro·pri·ate *jur*. [eks'prəʊprɪeɪt] wywłaszczać ⟨-czyć⟩, ⟨s⟩konfiskować
ex·pul·sion [ɪk'spʌlʃn] (***from***) wypędzenie (z *G*), wydalenie (z *G*)
ex·pur·gate ['ekspɜːgeɪt] ⟨o⟩czyścić, usuwać ⟨usunąć⟩
ex·qui·site ['ekskwɪzɪt] wyborny; znakomity; wspaniały
ex·tant [ek'stænt] wciąż istniejący *lub* żyjący
ex·tend [ɪk'stend] *v/i*. rozciągać ⟨-nąć⟩ się; ciągnąć się; *v/t*. przedłużać ⟨-żyć⟩; *fabrykę* powiększać ⟨-szyć⟩; rozciągać ⟨-gnąć⟩; *rękę itp*. wyciągać ⟨-gnąć⟩; *podziękowania itp*. ⟨s⟩kierować; **~·ed 'fam·i·ly** wielopokoleniowa rodzina *f*
ex·ten|·sion [ɪk'stenʃn] przedłużenie *n*; powiększenie *n*; rozszerzenie *n*; *arch*. przybudówka *f*, rozbudowa *f*; *tel*. wewnętrzny (*numer*) *m*; telefon *m* wewnętrzny; *też* **~*sion lead*** (*Am*. ***cord***) *electr*. przedłużacz *m*; **~·sive** rozległy, obszerny
ex·tent [ɪk'stent] rozciągłość *f*; rozmiar *m*; zakres *m*; stopień *m*; ***to some* ~, *to a certain* ~** w pewnym stopniu; ***to such an* ~ *that*** do tego stopnia, że
ex·ten·u·ate [ek'stenjʊeɪt] ⟨z⟩łagodzić, zmniejszać ⟨-szyć⟩; ***extenuating circumstances*** *pl. jur*. okoliczności *pl*. łagodzące
ex·te·ri·or [ek'stɪərɪə] **1.** zewnętrzny; **2.** strona *f* zewnętrzna; powierzchowność *f*
ex·ter·mi·nate [ek'stɜːmɪneɪt] eksterminować; ⟨wy⟩tępić, ⟨wy⟩niszczyć
ex·ter·nal [ek'stɜːnl] zewnętrzny
ex·tinct [ɪk'stɪŋkt] wymarły; wygasły;

E

ex·tinc·tion [ɪk'stɪŋkʃn] wymarcie *n*; wyginięcie *n*; wygaśnięcie *n*
ex·tin·guish [ɪk'stɪŋgwɪʃ] ⟨u⟩gasić; *fig.* zagasić; ⟨wy⟩niszczyć; **~·er** gaśnica *f*
ex·tort [ɪk'stɔːt] wymuszać ⟨-sić⟩
ex·tra ['ekstrə] **1.** *adj.* dodatkowy, ekstra; ***be ~*** być osobno liczonym; **2.** *adv.* ekstra, osobno; ***charge ~ for*** liczyć dodatkowo za (*A*); **3.** dopłata *f*; coś *n* ekstra; *zwł. mot.* dodatek *m*; *theat.*, (*w filmie*) statysta *m* (-tka *f*)
ex·tract 1. ['ekstrækt] ekstrakt *m*, wyciąg *m*; wyciąg *m*, wypis *m*; fragment *m*; **2.** [ɪk'strækt] wyciągać ⟨-gnąć⟩; *ząb itp.* usuwać ⟨-unąć⟩; uzyskiwać ⟨-skać⟩; *fig.* wydobywać ⟨-być⟩; *chem.* ekstrahować; **ex·trac·tion** [ɪk'strækʃn] wyciąganie *n*; ekstrakcja *f*, usuwanie *n*; ekstrahowanie *n*; wydobywanie *n*; pochodzenie *n*
ex·tra|·dite ['ekstrədaɪt] dokonywać ⟨-nać⟩ ekstradycji, wydalać ⟨-lić⟩; **~·di·tion** [ekstrə'dɪʃn] ekstradycja *f*, wydalenie *n*
extra·or·di·na·ry [ɪk'strɔːdnrɪ] nadzwyczajny; niezwykły
ex·tra 'pay dodatek *m* (pieniężny)
ex·tra·ter·res·tri·al [ekstrətə'restrɪəl] pozaziemski
ex·tra 'time *sport*: dogrywka *f*
ex·trav·a|·gance [ɪk'strævəgəns] rozrzutność *f*, marnotrastwo *n*; ekstrawagancja *f*, ekscentryczność *f*; **~·gant** rozrzutny, marnotrawny; ekstrawagancki, ekscentryczny
ex·treme [ɪk'striːm] **1.** skrajny; ekstremalny; najdalszy; największy; ***~ right*** skrajnie prawicowy; ***~ right wing*** skrajne skrzydło *n* prawicowe; **2.** skrajność *f*, krańcowość *f*; ostateczność *f*; **~·ly** skrajnie, ekstremalnie; krańcowo
ex·trem|·is·m [ɪk'striːmɪzm] *zwł. pol.* ekstremizm *m*; **~·ist** [ɪk'striːmɪst] ekstremista *m* (-tka *f*)
ex·trem·i·ties [ɪk'stremətɪz] *pl.* skrajności *pl.*; kończyny *pl.*
ex·trem·i·ty [ɪk'stremətɪ] skrajność *f*; ostateczność *f*; sytuacja *f* krytyczna
ex·tri·cate ['ekstrɪkeɪt] wyplątywać ⟨-tać⟩; oswobadzać ⟨-bodzić⟩
ex·tro·vert ['ekstrəʊvɜːt] ekstrawertyk *m* (-yczka *f*)
ex·u·be|·rance [ɪg'zjuːbərəns] euforia *f*; bujność *f*; **~·rant** euforyczny, pełen euforii; bujny
ex·ult [ɪg'zʌlt] radować się (***at*** *I*)
eye [aɪ] oko *n*; oczko *n* (*na ziemniaku itp.*); ucho *n* (*igły*); uszko *n* (*w haftce*); ***see ~ to ~ with s.o.*** zgadzać się z kimś całkowicie; ***be up to the ~s in work*** mieć roboty po uszy; ***with an ~ to s.th.*** ze względu na coś; **2.** ⟨z⟩mierzyć wzrokiem; przypatrywać się (*D*); **'~·ball** gałka *f* oczna; **'~·brow** brew *f*; **'~-catching** chwytający oko; **~d** ...oczny; **'~ doctor** F okulista *m* (-tka *f*); **'~·glass·es** *pl.*, *też* ***a pair of ~glasses*** okulary *pl.*; **'~·lash** rzęsa *f*; **'~·lid** powieka *f*; **'~·lin·er** ołówek *m* do brwi; **'~-o·pen·er**: ***that was an ~opener to me*** to mi całkowicie oczy otworzyło; **'~ shad·ow** cień *m* do powiek; **'~·sight** wzrok *m*; **'~·sore** F okropieństwo *n*; ***be an ~sore*** kłuć w oczy; **'~ spe·cial·ist** okulista *m* (-tka *f*); **'~·strain** zmęczenie *n* oczu; **'~·wit·ness** naoczny świadek *m*

F

F, [ef] F, f *n*
F *skrót pisany*: ***Fahrenheit*** F, Fahrenheita (*skala termometru*)
FA [ef 'eɪ] *Brt. skrót*: ***Football Association*** Związek *m* Piłki Nożnej
fa·ble ['feɪbl] bajka *f*; legenda *f*
fab|·ric ['fæbrɪk] materiał *m*, tkanina *f*; struktura *f*; materia *f*; ⚠ *nie* ***fabryka***; **~·ri·cate** ['fæbrɪkeɪt] ⟨s⟩fabrykować (*też fig.*)
fab·u·lous ['fæbjʊləs] kapitalny; bajeczny; bajkowy
fa·cade, fa·çade [fə'sɑːd] *arch.* fasada *f*
face [feɪs] **1.** twarz *f*; mina *f*; powierzchnia *f*; cyferblat *m*, tarcza *f*; front *m*, strona *f lub* ściana *f* przednia; ***~ to ~ with*** oko w oko z (*I*); ***save*** *lub* ***lose one's ~*** zachować *lub* stracić twarz; ***on the ~ of it*** na pierwszy rzut oka;

pull a long **~** zrobić cierpką minę; ***have the ~ to do s.th.*** mieć czelność coś zrobić; **2.** *v/t.* zwracać ⟨-rócić⟩ się przodem do (*G*); wychodzić na (*A*); stawiać ⟨-wić⟩ czoło (*D*); stawać ⟨stanąć⟩ wobec (*G*); *arch.* licować, okładać; *v/i.* **~ *about*** obracać ⟨-rócić⟩ się (*w tył*); **'~•cloth** ściereczka *f* do mycia twarzy; **~d**: ***stony-~d*** o kamiennej twarzy; **'~ flan•nel** *Brt.* → ***facecloth***; **~-lift** lifting *m*, face lifting *m*; *fig.* renowacja *f*, odnowienie *n*

fa•ce•tious [fə'siːʃəs] zabawny; dowcipny

fa•cial ['feɪʃl] **1.** *wyraz, rysy itp.*: twarzy; do twarzy; **2.** zabieg *m* kosmetyczny twarzy

fa•cile ['fæsaɪl] płytki; pusty

fa•cil•i•tate [fə'sɪlɪteɪt] ułatwiać ⟨-wić⟩

fa•cil•i•ty [fə'sɪlətɪ] łatwość *f*; łatwość *f* uczenia się; prostota *f*; opcja *f*, funkcja *f*; ***facilities*** *pl.* udogodnienia *pl.*, urządzenia *pl.*

fac•ing ['feɪsɪŋ] *tech.* okładzina *f*; lamówka *f* (*przy ubraniu*)

fact [fækt] fakt *m*; rzeczywistość *f*; ***in ~*** faktycznie, w rzeczywistości; **~*s*** *pl.*, *jur.* okoliczności *pl.*;

fac•tion ['fækʃn] *zwł. pol.* frakcja *f*, odłam *m*

fac•ti•tious [fæk'tɪʃəs] sztuczny

fac•tor ['fæktə] czynnik *m*; element *m*; *math.* współczynnik *m*

fac•to•ry ['fæktrɪ] fabryka *f*

fac•ul•ty ['fækəltɪ] zdolność *f*, umiejętność *f*; *fig.* dar *m*; *univ.* wydział *m*; *Am.* grono *n* nauczycielskie

fad [fæd] przelotna moda *f*

fade [feɪd] ⟨z⟩blaknąć; ⟨s⟩płowieć; ⟨z⟩więdnąć; niknąć, znikać; **~ *in*** *film itp.* rozjaśniać ⟨-nić⟩, wzmacniać ⟨-mocnić⟩; **~ *out*** ściemniać ⟨-nić⟩, wygaszać ⟨-gasić⟩; ***~d jeans*** *pl.* sprane dżinsy *pl.*

fag¹ [fæg] F męczarnia *f*, mordęga *f*; *Brt.* kot *m* (*uczeń, którym wysługują się starsi*)

fag² [fæg] *sl.*, *Brt.* (*papieros*) fajka *f*; *Am.* pedał *m*; **'~ end** *Brt.* F (*niedopałek*) pet *m*

fail [feɪl] **1.** *v/i.* zawodzić ⟨-wieść⟩; nie powodzić się; nie udać się; nie zdać (*egzaminu*); *biznes itp.*: załamywać się; pogarszać się; ***he ~ed*** nie udało mu się; **~ *to do s.th.*** nie zrobić czegoś, zaniedbać zrobienie czegoś; *v/t. kogoś* zawodzić ⟨-wieść⟩; (*na egzaminie*) *kogoś* oblewać ⟨-blać⟩; **2.** ***without ~*** na pewno, z pewnością; **~•ure** ['feɪljə] niepowodzenie *n*; fiasko *n*, porażka *f*; niedomoga *f*; nieurodzaj *m*; ***be a ~ure*** *ktoś*: nie mieć szczęścia

faint [feɪnt] **1.** słaby, nikły; **2.** ⟨ze⟩mdleć, ⟨za⟩słabnąć (***with*** od *G*); **3.** omdlenie *n*, zasłabnięcie *n*; **~-'heart•ed** małego serca; strachliwy

fair¹ [feə] uczciwy; szczery; sprawiedliwy; prawidłowy; niezły; spory; *skóra, włosy*: jasny; *pogoda*: ładny; *wiatr*: sprzyjający; ***play ~*** grać fair; *fig.* postępować ⟨-tąpić⟩ fair

fair² [feə] jarmark *m*, targ *m*; święto *n* ludowe; targi *pl.*

fair 'game gra *f* fair

'fair•ground wesołe miasteczko *n*

'fair|•ly sprawiedliwie; dość, prawie; **'~•ness** sprawiedliwość *f*; **~ 'play** fair play *f*

fai•ry ['feərɪ] wróżka *f*; elf *m*; *sl. Brt. pedał m*; **'~•land** kraina *f* czarów; **'~ sto•ry**, **'~ tale** baśń *f*, bajka *f*

faith [feɪθ] wiara *f*; zaufanie *n*; **'~•ful** wierny; ***Yours ~ly*** (*w liście*) Z poważaniem; **'~•less** niewierny

fake [feɪk] **1.** falsyfikat *m*; oszust(ka *f*) *m*; **2.** ⟨s⟩fałszować; podrabiać ⟨-robić⟩; symulować; **3.** podrabiany, sfałszowany

fal•con ['fɔːlkən] sokół *m*

fall [fɔːl] **1.** upadek *m* (*też fig.*); spadek *m*, zmniejszenie *n* się; opad *m*, opady *pl.*; *Am.* jesień *f*; *zw.* **~*s*** *pl.* wodospad *m*; **2.** (***fell, fallen***) upadać ⟨upaść⟩; spadać ⟨spaść⟩; *deszcz itp.*: padać, spadać ⟨spaść⟩; *wiatr, teren itp.*: opadać ⟨opaść⟩; *noc itp.*: zapadać ⟨zapaść⟩; *miasto itp.*: padać ⟨paść⟩; **~ *ill*, ~ *sick*** zachorować; **~ *in love with*** zakochać się w (*L*); **~ *short of*** *oczekiwań* nie spełniać ⟨-łnić⟩; **~ *back*** cofać ⟨-fnąć⟩ się; **~ *back on*** uciekać się do (*G*); **~ *for*** łapać się na (*A*); F zakochiwać ⟨-chać⟩ się w (*L*); **~ *off*** *popyt itp.*: spadać ⟨spaść⟩; zmniejszać ⟨-szyć⟩ się; **~ *on*** rzucać ⟨-cić⟩ się na (*A*); **~ *out*** ⟨po⟩sprzeczać się (***with*** z *I*); **~ *through*** nie dochodzić ⟨dojść⟩ do skutku; **~ *to*** zabrać się do (*G*); brać ⟨wziąć⟩ się do jedzenia

fal•la•cious [fə'leɪʃəs] błędny

fal•la•cy ['fæləsɪ] błąd *m*

F

fall·en ['fɔːlən] *p.p. od* ***fall*** 2
'fall guy *Am.* F kozioł *m* ofiarny
fal·li·ble ['fæləbl] omylny
fal·ling 'star gwiazda *f* spadająca
'fall·out opad *m* radioaktywny
fal·low ['fæləʊ] *zo.* jałowy; *agr.* jałowy, wyjałowiony
false [fɔːls] fałszywy; sztuczny; **~·hood** ['fɔːlshʊd], **'~·ness** fałsz *m*; **~ 'start** falstart *m*
fal·si|·fi·ca·tion [fɔːlsɪfɪ'keɪʃn] fałszerstwo *n*; **~·fy** ['fɔːlsɪfaɪ] ⟨s⟩fałszować, podrobić ⟨-rabiać⟩; **~·ty** ['fɔːlsɪtɪ] fałsz *m*
fal·ter ['fɔːltə] *v/i.* ⟨za⟩chwiać się; *głos* załamywać ⟨-mać⟩ się; ⟨za⟩wahać się; załamywać ⟨-mać⟩ się; *v/t. słowa* ⟨wy⟩bąkać
fame [feɪm] rozgłos *m*, sława *f*; **~d** słynny (***for*** ze względu na *A*)
fa·mil·i·ar [fə'mɪljə] znany; znajomy, bliski; poufały; **~·i·ty** [fəmɪlɪ'ærətɪ] znajomość *f*; obeznanie *n*; poufałość *f*; **~·ize** [fə'mɪljəraɪz] zaznajamiać ⟨-jomić⟩ się
fam·i·ly ['fæməlɪ] **1.** rodzina *f*; **2.** rodzinny; domowy; ***be in the ~ way*** F być w odmiennym stanie; **~ al'low·ance** → ***child allowance***; **'~ name** nazwisko *n* (*rodowe*); **~ 'plan·ning** planowanie *n* rodziny; **~ 'tree** drzewo *n* genealogiczne
fam|·ine ['fæmɪn] głód *m*; brak *m*; **'~·ished** wygłodzony; ***I'm ~ished*** F strasznie głodny jestem
fa·mous ['feɪməs] słynny, znany
fan¹ [fæn] **1.** wentylator *m*; wachlarz *m*; **2.** (***-nn-***) wachlować (się); *fig.* podsycać ⟨-cić⟩
fan² [fæn] kibic *m*, fan(ka *f*) *m*
fa·nat|·ic [fə'nætɪk] fanatyk *m* (-yczka *f*); **~·i·cal** [fə'nætɪkl] fanatyczny
'fan belt *tech.* pas klinowy
fan·ci·er ['fænsɪə] miłośnik *m* (-niczka *f*) (*zwierząt itp.*)
fan·ci·ful ['fænsɪfl] wymyślny; fantastyczny
fan·cy ['fænsɪ] **1.** fantazja *f*; upodobanie *n*, pociąg *m*; **2.** wymyślny; *cena itp.*: fantastyczny; **3.** mieć ochotę na (*A*); wyobrażać ⟨-razić⟩ sobie; ***I really ~ her*** naprawdę mi się podoba; **~ *that!*** no pomyśl tylko!; **~ 'ball** bal *m* kostiumowy; **~ 'dress** kostium *m*, przebranie *n*; **~-'free** całkiem wolny; **~ 'goods** *pl.* upominki *pl.*; **'~·work** haft *m*; wyszywanie *n*
fang [fæŋ] kieł *m*
'fan mail listy *pl.* od fanów
fan|·tas·tic [fæn'tæstɪk] (***-ally***) fantastyczny; **~·ta·sy** ['fæntəsɪ] fantazja *f*; wyobraźnia *f*; (literatura) fantasy *f*
far [fɑː] (***farther***, ***further***; ***farthest***, ***furthest***) **1.** *adj.* daleki, odległy; oddalony; **2.** *adv.* daleko; znacznie; ***as ~ as*** (aż) do; na ile; ***in so ~ as*** na ile; ***so ~*** dotąd; **~·a·way** ['fɑːrəweɪ] oddalony; odległy
fare [feə] **1.** opłata *f* za przejazd; pasażer(ka *f*) *m*; wyżywienie *n*, strawa *f*; **2.** radzić sobie; ***she ~d well*** dobrze jej poszło; **'~ dodg·er** pasażer(ka *f*) *m* na gapę; **~'well 1.** *int.* żegnaj!; **2.** pożegnanie *n*
far'fetched *fig.* przesadny, naciągany
farm [fɑːm] **1.** gospodarstwo *n* (*rolne*); ferma *f*; ***chicken ~*** ferma *f* kurza; **2.** uprawiać; **'~·er** rolnik *m*, gospodarz *m*; farmer *m*; **'~·hand** robotnik *m* rolny; **'~·house** budynek *m* wiejski; dom *m* (*w gospodarstwie*); **'~·ing 1.** rolny; wiejski; **2.** rolnictwo *n*; gospodarka *f* rolna; hodowla *f*; **'~·stead** budynek *m* wiejski; zabudowania *pl.* gospodarcze; **'~·yard** podwórze *n* (*w gospodarstwie rolnym*)
far|-off [fɑːr'ɒf] daleki, odległy; **~ 'right** *pol.* skrajnie prawicowy; **~'sight·ed** *zwł. Am.* dalekowzroczny
far|·ther ['fɑːðə] *comp. od* ***far***; **~·thest** ['fɑːðɪst] *sup. od* ***far***
fas·ci|·nate ['fæsɪneɪt] ⟨za⟩fascynować; **'~·nat·ing** fascynujący; **~·na·tion** [fæsɪ'neɪʃn] fascynacja *f*, zafascynowanie *n*
fas·cis|·m ['fæʃɪzəm] *pol.* faszyzm *m*; **~t** ['fæʃɪst] *pol.* faszysta *m* (-tka *f*)
fash·ion ['fæʃn] **1.** moda *f*; sposób *m*; ***be in ~*** być modnym; ***out of ~*** niemodny; **2.** ⟨u⟩kształtować; ⟨u⟩formować; **~·a·ble** ['fæʃnəbl] modny; **'~ pa·rade**, **'~ show** pokaz *m* mody
fast¹ [fɑːst] **1.** post *m*; **2.** pościć
fast² [fɑːst] szybki; trwały; mocno przymocowany; ***be ~*** *zegar*: spieszyć się; **'~·back** coupé *n*, fastback *m*; **~ 'breed·er, ~ breed·er re'ac·tor** *phys.* reaktor *m* powielający prędki

fas·ten ['fɑːsn] zapinać ‹-piąć› (się); umocowywać ‹-wać›, przymocowywać ‹-wać›; *spojrzenie itp.* ‹s›kierować (***on*** na *A*); '**~·er** zamknięcie *n*
'**fast**| **food** dania *pl.* na szybko; **~-food** '**res·tau·rant** bar *m lub* restauracja *f* szybkiej obsługi
fas·tid·i·ous [fə'stɪdɪəs] wybredny
'**fast lane** *mot.* pas *m* szybkiego ruchu
fat [fæt] **1.** (**-*tt*-**) tłusty; otyły; gruby; **2.** tłuszcz *m*; ***low in ~*** o niskiej zawartości tłuszczu
fa·tal ['feɪtl] śmiertelny; zgubny (***to*** dla *G*); ⚠ *nie* ***fatalny***; **~·i·ty** [fə'tælətɪ] wypadek *m* śmiertelny; ofiara *f*
fate [feɪt] los *m*; przeznaczenie *n*
fa·ther ['fɑːðə] ojciec *m*; ♀ '**Christ·mas** *zwł. Brt. jakby*: Św. Mikołaj; '**~·hood** ojcostwo *n*; **~-in-law** ['fɑːðərɪnlɔː] (*pl.* ***fathers-in-law***) teść *m*; '**~·less** bez ojca; '**~·ly** ojcowski
fath·om ['fæðəm] **1.** *naut.* sążeń *m*; **2.** *naut.* sondować; *fig.* zgłębiać ‹-bić›; '**~·less** bezdenny
fa·tigue [fə'tiːg] **1.** zmęczenie *n*; **2.** ‹z›męczyć
fat|**·ten** ['fætn] ‹u›tuczyć; '**~·ty** (**-*ier*, -*iest***) tłusty; otłuszczony
fau·cet ['fɔːsɪt] *Am.* kurek *m*, kran *m*
fault [fɔːlt] błąd *m*; wina *f*; skaza *f*; wada *f*; ***find ~ with*** ‹s›krytykować (*A*); ***be at ~*** ponosić winę; '**~·less** bezbłędny; '**~·y** (**-*ier*, -*iest***) wadliwy, błędny
fa·vo(u)r ['feɪvə] **1.** uznanie *n*; przychylność *f*; faworyzowanie *n*; przysługa *f*; ***be in ~ of*** popierać (*A*); ***in ~ of*** na korzyść (*G*); ***do s.o. a ~*** wyświadczyć komuś przysługę; **2.** popierać ‹-przeć›; faworyzować; sprzyjać; wyróżniać ‹-nić›; **fa·vo(u)·ra·ble** ['feɪvərəbl] przychylny; sprzyjający; **fa·vo(u)·rite** ['feɪvərɪt] **1.** faworyt(ka *f*) *m*, ulubieniec *m* (-ica *f*); **2.** ulubiony
fawn[1] [fɔːn] **1.** *zo.* jelonek *m*; **2.** płowy
fawn[2] [fɔːn]: ***~ on*** *pies*: łasić się do (*G*); schlebiać ‹-bić› (*D*)
fax [fæks] **1.** faks *m*; **2.** ‹prze›faksować; ***~ s.th.*** (***through***) ***to s.o.*** przefaksować coś do kogoś; '**~** (**ma·chine**) faks *m*, telefaks *m*
FBI [ef biː 'aɪ] *skrót*: ***Federal Bureau of Investigation*** FBI *n* (*federalny urząd śledczy w USA*)
fear [fɪə] **1.** strach *m* (***of*** przed *I*); lęk *m*; obawa *f*; **2.** bać się; lękać się; obawiać się (***for*** o *A*); '**~·ful** lękliwy; bojaźliwy; '**~·less** nieustraszony
fea·si·ble ['fiːzəbl] możliwy do wykonania, wykonalny
feast [fiːst] **1.** *rel.* święto *n*, dzień *m* świąteczny; uczta *f* (*też fig.*); **2.** *v/t.* podejmować ‹-djąć› uroczyście; *v/i.* cieszyć się
feat [fiːt] wyczyn *m* (*bohaterski*)
fea·ther ['feðə] **1.** pióro *n*; *też* **~*s*** upierzenie *n*; ***birds of a ~ flock together*** swój ciągnie do swego; ***that is a ~ in his cap*** to dla niego powód do dumy; **2.** wyściełać ‹-ścielić› piórami, przystrajać ‹-roić› w pióra; **~ 'bed** materac *m* puchowy, piernat *m*; '**~·bed** (**-*dd*-**) ‹po›traktować ulgowo; '**~·brained** F o ptasim móżdżku; '**~ed** upierzony; '**~·weight** (*w sporcie*) waga *f* piórkowa; zawodnik *m* (-niczka *f*) wagi piórkowej; **~·y** ['feðərɪ] upierzony; lekki jak piórko
fea·ture ['fiːtʃə] **1.** rysa *f* (*twarzy*); *charakterystyczna* cecha *f*; *gazeta*, *TV*: reportaż *m* specjalny; film *m* pełnometrażowy; **2.** przedstawiać ‹-wić›, pokazywać ‹-zać›; pokazywać w głównej roli; '**~ film** film *m* fabularny; '**~s** *pl.* rysy *pl.* twarzy
Feb *skrót pisany*: ***February*** luty *m*
Feb·ru·a·ry ['februərɪ] (*skrót*: ***Feb***) luty *m*
fed [fed] *pret i p.p. od* ***feed*** 2
fed·e·ral ['fedərəl] *pol.* federalny; ♀ **Bu·reau of In·ves·ti'ga·tion** (*skrót*: ***FBI***) FBI *n*, federalny urząd *m* śledczy (*w USA*); ♀ **Re·pub·lic of 'Ger·man·y** Federalna Republika Niemiec (*skrót*: ***RFN***)
fed·e·ra·tion [fedə'reɪʃn] *pol.* federacja *f*; stowarzyszenie *n*, związek *m*; *sport*: zrzeszenie *n*
fee [fiː] opłata *f*; honorarium *n*; składka *f* (*członkowska*); opłata *f* za wstęp
fee·ble ['fiːbl] (**-*r*, -*st***) wątły, mizerny
feed [fiːd] **1.** pokarm *m*; karma *f*, pasza *f*; *tech.* zasilanie *n*, podawanie *n*; **2.** (***fed***) *v/t.* ‹na›karmić, żywić; *tech.* zasilać ‹-lić›, podawać ‹-dać›; *komp.* wprowadzać ‹-dzić›, podawać ‹-dać›; ***be fed up with s.th.*** mieć serdecznie dość czegoś; ***well fed*** dobrze odżywio-

F

ny; *v/i.* żywić się, odżywiać się; jeść; **'~·back** *electr.*, (*w cybernetyce*) feedback *m*, sprzężenie *n* zwrotne; reakcja *f* (**to** na *A*); **'~·er** *tech.* zasilacz *m*, podajnik *m*; ***be a noisy ~er*** jeść głośno; **'~·er road** droga *f* łącząca; **'~·ing bot·tle** butelka *f* z pokarmem (*dla dzieci*)
feel [fiːl] **1.** (***felt***) czuć (się); odczuwać ⟨-czuć⟩; dotykać ⟨-tknąć⟩, macać; sądzić; ***he feels sorry for you*** żal mu ciebie; ***I ~ hot*** gorąco mi; ***~ like s.th.*** mieć ochotę na coś; **2.** uczucie *n* (*przy dotyku*); dotyk *m*; **'~·er** *zo.* czułek *m*; **'~·ing** uczucie *n*, odczucie *n*
feet [fiːt] *pl. od* ***foot*** 1
feign [feɪn] *chorobę, zainteresowanie itp.* udawać ⟨udać⟩
feint [feɪnt] zwód *m*
fell [fel] **1.** *pret. od* ***fall*** 2; **2.** zwalać ⟨-lić⟩; ścinać ⟨ściąć⟩
fel·low ['feləʊ] **1.** towarzysz(ka *f*) *m*, kolega *m*; F facet *m*, gość *m*; drugi *m* z pary; ***old ~*** stary *m*; **2.** współ...; **~ 'be·ing** bliźni *m*; **~ 'cit·i·zen** współobywatel(ka *f*) *m*; **~ 'coun·try·man** (*pl.* ***-men***) rodak *m*), **'~·ship** koleżeństwo *n*; związek *m*; **~ 'trav·el·(l)er** współtowarzysz(ka *f*) *m*
fel·o·ny ['felənɪ] *jur.* przestępstwo *n*, zbrodnia *f*
felt¹ [felt] *pret. i p.p. od* ***feel*** 1
felt² [felt] filc *m*; **'~ pen**, **'~ tip, ~-tip(ped) 'pen** mazak *m*, flamaster *m*
fe·male ['fiːmeɪl] **1.** żeński; **2.** *pej.* kobieta *f*; *zo.* samica *f*
fem·i|·nine ['femɪnɪn] kobiecy; żeński; **~·nis·m** ['femɪnɪzəm] feminizm *m*; **~·nist** ['femɪnɪst] feminista *m* (-tka *f*)
fen [fen] tereny *pl.* podmokłe
fence [fens] **1.** płot *m*; *sl.* paser *m*; **2.** *v/t.* ***~ in*** ogradzać ⟨-rodzić⟩; ***~ off*** odgradzać ⟨-rodzić⟩; *v/i.* fechtować; (*w sporcie*) uprawiać szermierkę; **'fenc·er** (*w sporcie*) szermierz *m*; **'fenc·ing** ogrodzenie *n*; *sport*: szermierka *f*; *attr.* szermierczy
fend [fend]: ***~ off*** odparowywać ⟨-ować⟩; ***~ for o.s.*** radzić sobie samemu; **'~·er** ochraniacz *m*; *Am. mot.* błotnik *m*; osłona *f* (*przy kominku*)
fen·nel ['fenl] *bot.* koper *m* włoski
fer|·ment 1. ['fɜːment] ferment *m*, wzburzenie *n*; **2.** [fə'ment] ⟨s⟩fermentować; **~·men·ta·tion** [fɜːmen'teɪʃn] fermentacja *f*
fern [fɜːn] *bot.* paproć *f*
fe·ro|·cious [fə'rəʊʃəs] zaciekły; dziki; *fig.* wielki; **~·ci·ty** [fə'rɒsətɪ] zaciekłość *f*; dzikość *f*
fer·ret ['ferɪt] **1.** *zo.* fretka *f*; *fig.* szperacz *m*; **2.** węszyć, myszkować; ***~ out*** wywęszyć, wymyszkować
fer·ry ['ferɪ] **1.** prom *m*; **2.** przewozić ⟨-wieźć⟩; **'~·boat** prom *m*; **'~·man** (*pl.* ***-men***) przewoźnik *m*
fer|·tile ['fɜːtaɪl] żyzny; płodny; **~·til·i·ty** [fə'tɪlətɪ] żyzność *f*; płodność *f*; **~·ti·lize** ['fɜːtɪlaɪz] zapładniać ⟨-łodnić⟩; nawozić ⟨-wieźć⟩; **'~·ti·liz·er** nawóz *m* (*zwł. sztuczny*)
fer·vent ['fɜːvənt] żarliwy
fer·vo(u)r ['fɜːvə] zapał *m*
fes·ter ['festə] jątrzyć się, zaogniać ⟨-nić⟩ się
fes|·ti·val ['festəvl] festiwal *m*; święto *n*; **~·tive** ['festɪv] świąteczny; **~·tiv·i·ties** [fe'stɪvətɪ] *pl.* uroczystości *pl.*
fes·toon [fe'stuːn] girlanda *f*
fetch [fetʃ] przynosić ⟨-nieść⟩; *ceny* osiągać ⟨-gnąć⟩; **'~·ing** F niebrzydki
fete, fęte [feɪt] festyn *m*; ***village ~*** odpust *m*
fet·id ['fetɪd] cuchnący
fet·ter ['fetə] **1.** *też* ***~s*** *pl.* okowy *pl.*, pęta *pl.*; **2.** ⟨s⟩pętać
feud [fjuːd] zwada *f*; **~·al** ['fjuːdl] feudalny; **·dal·is·m** ['fjuːdəlɪzəm] feudalizm *m*
fe·ver ['fiːvə] gorączka *f*; **~·ish** ['fiːvərɪʃ] rozpalony; *fig.* rozgorączkowany, gorączkowy
few [fjuː] niewiele, niewielu; ***a ~*** kilka, kilku; ***no ~er than*** nie mniej niż; ***quite a ~, a good ~*** dość dużo
fi·an·cé [fɪ'ɑ̃ːŋseɪ] narzeczony *m*; **~e** [fɪ'ɑ̃ːŋseɪ] narzeczona *f*
fib [fɪb] **1.** kłamstewko *n*, bujda *f*; **2.** (***-bb-***) bujać
fi·bre *Brt.*, **fi·ber** *Am.* ['faɪbə] włókno *n*; **'~·glass** włókno *n* szklane; **fi·brous** ['faɪbrəs] włóknisty
fick·le ['fɪkl] zmienny, niestały; **'~·ness** zmienność *f*, niestałość *f*
fic·tion ['fɪkʃn] fikcja *f*; (*proza*) literatura *f* piękna, beletrystyka *f*; **~·al** ['fɪkʃnl] fikcyjny; beletrystyczny
fic·ti·tious [fɪk'tɪʃəs] fikcyjny, nieprawdziwy
fid·dle ['fɪdl] **1.** skrzypki *pl.*; ***play first***

(**second**) ~ *fig.* grać pierwsze (drugie) skrzypce; ***as fit as a ~*** zdrów jak ryba; **2.** *mus.* ⟨za⟩grać na skrzypcach; *też* ***~ about*** *lub* ***around*** (***with***) zabawiać się (*I*); **'~r** skrzypek *m* (-paczka *f*); **'~•sticks** *int.* bzdury!

fi•del•i•ty [fɪ'delətɪ] wierność *f*

fid•get ['fɪdʒɪt] F wiercić się; bawić się; **'~•y** nerwowy, wiercący się

field [fiːld] pole *n*; *sport*: boisko *n*; obszar *m* (*zainteresowań*); dziedzina *f*; **'~ e•vents** *pl.* (*w sporcie*) lekka atletyka *f*; **'~ glass•es** *pl.*, *też* ***a pair of ~glasses*** lornetka *f* polowa; **'~ mar•shal** *mil.* feldmarszałek *m*; **'~ sports** *pl.* sport *m* na powietrzu; **'~•work** praca *f* terenowa, zajęcia *pl.* terenowe; badania *pl.* terenowe

fiend [fiːnd] szatan *m*, diabeł *m*; F fanatyk *m* (-tyczka *f*); **'~•ish** szatański, diabelski

fierce [fɪəs] (**-r, -st**) zażarty; zaciekły; dziki; **'~•ness** zażartość *f*; zaciekłość *f*; dzikość *f*

fi•er•y ['faɪərɪ] (**-ier, -iest**) ognisty; zapalczywy

fif|•teen [fɪf'tiːn] **1.** piętnaście; **2.** piętnastka *f*; **~•teenth** [fɪf'tiːnθ] piętnasty; **~th** [fɪfθ] **1.** piąty; **2.** jedna *f* piąta; **'~th•ly** po piąte; **~•ti•eth** ['fɪftɪɪθ] pięćdziesiąty; **~•ty** ['fɪftɪ] **1.** pięćdziesiąt; **2.** pięćdziesiątka *f*; **~•ty-'fif•ty** F fifty-fifty, po pół

fig [fɪg] *bot.* figa *f*

fight [faɪt] **1.** walka *f* (*też mil., sport*); starcie *n*; kłótnia *f*, awantura *f*; **2.** (**fought**) *v/t.* bić się z (*I*) *lub* przeciw (*D*); walczyć z (*I*) *lub* przeciw (*D*); *walkę, pojedynek itp.*⟨s⟩toczyć, brać ⟨wziąć⟩ udział w (*L*) walce, pojedynku itp.; *grypę itp.* zwalczać ⟨-czyć⟩; *v/i.* bić się, walczyć; **'~•er** walczący *f* (-ca *f*); bojownik *m* (-iczka *f*); (*w sporcie*) bokser *m*; *też* ***~er plane*** *mil. myśliwski* samolot *m*; **'~•ing** walka *f*

fig•u•ra•tive ['fɪgjʊrətɪv] przenośny

fig•ure ['fɪgə] **1.** figura *f*, kształt *m*; postać *f*; cyfra *f*; liczba *f*; cena *f*; rycina *f*, rysunek *m*; ***be good at ~s*** dobrze liczyć; **2.** *v/t.* wyobrażać ⟨-razić⟩ (sobie); przedstawiać ⟨-wić⟩; *Am.* F sądzić; ***~ out problem*** rozwiązywać ⟨-zać⟩; pojmować ⟨-jąć⟩; ***~ up*** podliczać ⟨-czyć⟩; *v/i.* figurować, pojawiać ⟨-wić⟩ się; ***~ on*** *zwł. Am.* liczyć się z (*I*); **'~ skat•er** *sport*: łyżwiarz *m* (-wiarka *f*) figurowy (-a); **'~ skat•ing** (*w sporcie*) łyżwiarstwo *n* figurowe

fil•a•ment ['fɪləmənt] *electr.* włókno *n*

filch [fɪltʃ] F podwędzić, zwinąć

file[1] [faɪl] **1.** kartoteka *f*; akta *pl.*; teczka *f*; *komp.* plik *m*, zbiór *m*; rząd *m*; *mil.* szereg *m*; ***on ~*** w aktach; **2.** *v/t. listy itp.* wciągać ⟨-nąć⟩ do akt; wciągać ⟨-gnąć⟩ do ewidencji; *podanie, powództwo* wnosić ⟨wnieść⟩; *v/i.* iść ⟨pójść⟩ jeden za drugim

file[2] [faɪl] **1.** pilnik *m*; **2.** ⟨s⟩piłować (*pilnikiem*)

'file| man•age•ment *komp.* zarządzanie *n* plikami; **'~ pro•tec•tion** *komp.* ochrona *f* plików

fi•li•al ['fɪljəl]: ***~ love*** miłość *f* dzieci

fil•ing ['faɪlɪŋ] wprowadzanie *n* do ewidencji; **'~ cab•i•net** szafka *f* na akta

fill [fɪl] **1.** napełniać ⟨-nić⟩ (się), zapełniać ⟨-nić⟩ (się), wypełniać ⟨-nić⟩(się); *ząb* wypełniać ⟨-nić⟩, ⟨za⟩plombować; ***~ in*** zastępować ⟨-tąpić⟩; *formularz* wypełniać ⟨-nić⟩ (*Am. też* ***~ out***); ***~ up*** napełniać ⟨-nić⟩ (się), wypełniać ⟨-nić⟩ (się); ***~ her up!*** F *mot.* proszę do pełna!; **2.** wypełnienie *n*, napełnienie *n*; ***eat one's ~*** najeść się do syta

fil•let *Brt.*, **fil•et** *Am.* ['fɪlɪt] filet *m*

fill•ing ['fɪlɪŋ] wypełnienie *n*; *med.* wypełnienie *n*, plomba *f*; **'~ sta•tion** stacja *f* benzynowa

fil•ly ['fɪlɪ] *zo. młoda* klacz *f*

film [fɪlm] **1.** warstwa *f*; błona *f*; *phot. zwł. Brt.* film *m kinowy*; folia *f*; zmętnienie *n* (*oka*); mgiełka *f*; ***make*** *lub* ***shoot a ~*** ⟨na⟩kręcić film; **2.** ⟨s⟩filmować; **'~ star** *zwł. Brt.* gwiazda *f* filmowa

fil•ter ['fɪltə] **1.** filtr *m*; **2.** ⟨prze⟩filtrować; **'~ tip** filtr *m* (*papierosa*); **~-'tipped**: ***~tipped cigarette*** papieros *m* z filtrem

filth [fɪlθ] brud *m*; **'~•y** (**-ier, -iest**) brudny; *fig.* plugawy

fin [fɪn] *zo.* płetwa *f* (*Am. też płetwonurka*)

fi•nal ['faɪnl] **1.** końcowy; finałowy; ostateczny; **2.** (*w sporcie*) finał *m*; *zw.* **~s** *pl.* egzaminy *pl.* końcowe; **~ dis'pos•al** ostateczne usuwanie *n* (*odpadów radioaktywnych*); **~•ist** ['faɪnəlɪst] (*w spor-*

F

cie) finalista *m* (-tka *f*); '**~·ly** ostatecznie; w końcu; **~ 'whis·tle** *sport*: gwizdek *m* końcowy
fi·nance [faɪ'næns] **1.** nauka *f* o finansach; **~*s*** *pl.* finanse *pl.*; **2.** ⟨s⟩finansować; **fi·nan·cial** [faɪ'nænʃl] finansowy; **fi·nan·cier** [faɪ'nænsɪə] finansista *m*
finch [fɪntʃ] *zo.* zięba *f*
find [faɪnd] **1.** (***found***) znajdować ⟨znaleźć⟩; odnajdować ⟨odnaleźć⟩; *pieniądze itp.* zdobywać ⟨-być⟩; stwierdzać ⟨-dzić⟩; *jur.* uznawać (*kogoś za* (*nie*)*winnego*); ***be found*** występować; **~ *out*** stwierdzać ⟨-dzić⟩; odkrywać ⟨-ryć⟩; dowiadywać ⟨-wiedzieć⟩ się; **2.** znalezisko *n*; odkrycie *n*; '**~·ings** *pl.* znalezisko *n*; *jur.* wnioski *pl.*
fine[1] [faɪn] **1.** *adj.* (***-r, -st***) świetny; wspaniały; znakomity; delikatny; cienki; drobny; subtelny; ***I'm ~*** świetnie mi idzie; świetnie się czuję; **2.** *adv.* F świetnie, znakomicie; drobno
fine[2] [faɪn] **1.** grzywna *f*, kara *f* pieniężna; **2.** nakładać ⟨-łożyć⟩ grzywnę
fin·ger ['fɪŋgə] **1.** palec *m* (*u ręki*); → ***cross*** 2; **2.** dotykać ⟨-tknąć⟩ palcami, obmacywać ⟨-cać⟩; '**~·nail** paznokieć *m*; '**~·print** odcisk *m* palca; '**~·tip** koniec *m* palca
fin·i·cky ['fɪnɪkɪ] pedantyczny; wybredny
fin·ish ['fɪnɪʃ] **1.** ⟨za-, s⟩kończyć (się); wykańczać ⟨-kończyć⟩; *też* **~ *off*** dokończyć, skończyć; *też* **~ *off*, ~ *up*** skończyć (*jeść, pić*); **2.** koniec *m*, zakończenie *n*; końcówka *f*; (*w sporcie*) finisz *m*, meta *f*; wykończenie *n*; '**~·ing line** meta *f*
Fin·land ['fɪnlənd] Finlandia *f*; **Finn** [fɪn] Fin(ka *f*) *m*; **'Finn·ish 1.** fiński; **2.** *ling.* język *m* fiński
fir [fɜː] *też* **~ *tree*** jodła *f*; '**~ cone** szyszka *f* jodły
fire ['faɪə] **1.** ogień *m* (*też mil.*); pożar *m*; ***be on ~*** palić się; ***catch ~*** zapalić się, zająć się ogniem; ***set on ~, set ~ to*** podpalać ⟨-lić⟩; **2.** *v/t.* podpalać ⟨-lić⟩; *fig.* rozpalać ⟨-lić⟩; *cegły itp.* wypalać ⟨-lić⟩; wystrzeliwać ⟨-lić⟩; strzelać ⟨-lić⟩ z (*I*); F *pracownika itp.* wylewać ⟨-lać⟩; *v/i.* strzelać ⟨-lić⟩; **~ a·larm** ['faɪərəlɑːm] alarm *m* pożarowy; **~·arms** ['faɪərɑːmz] *pl.* broń *f* palna; '**~ bri·gade** *Brt.* straż *f* pożarna; '**~·bug** F podpalacz(ka *f*) *m*; '**~·crack·er** petarda *f*; '**~ de·part·ment** *Am.* straż *f* pożarna; **~ en·gine** ['faɪərendʒɪn] wóz *m* strażacki; **~ es·cape** ['faɪərɪskeɪp] wyjście *n* pożarowe, schody *pl.* pożarowe; **~ ex·tin·guish·er** ['faɪərɪkstɪŋgwɪʃə] gaśnica *f*; '**~ fight·er** strażak *m*; '**~·guard** osłona *f* przy kominku; '**~ hydrant** *Brt.* hydrant *m* przeciwpożarowy; '**~·man** (*pl.* ***-men***) strażak *m*; '**~·place** kominek *m*; '**~·plug** *Am.* hydrant *m* przeciwpożarowy; '**~·proof** ognioodporny, ogniotrwały; '**~-raising** *Brt.* podpalenie *n*; '**~·screen** *Am.* osłona *f* przy kominku; '**~·side** kominek *m*; '**~ sta·tion** remiza *f* straży pożarnej; '**~ truck** *Am.* wóz *m* strażacki; '**~·wood** drewno *n* na podpałkę; '**~·works** *pl.* fajerwerk *n*
fir·ing squad ['faɪərɪŋskwɒd] *mil.* pluton *m* egzekucyjny
firm[1] [fɜːm] twardy; mocny; *podstawa itp.*: solidny; *przekonanie*: niewzruszony; *oferta itp.*: wiążący; *głos itp.*: stanowczy
firm[2] [fɜːm] firma *f*
first [fɜːst] **1.** *adj.* pierwszy; najlepszy; **2.** *adv.* po pierwsze; najpierw; **~ *of all*** przede wszystkim; **3.** pierwszy *m* (-sza *f*); *mot.* jedynka *f*, pierwszy bieg *m*; ***at ~*** najpierw; ***from the ~*** od początku; **~ 'aid** pierwsza pomoc *f*; **~ 'aid box, ~ 'aid kit** apteczka *f*; '**~·born** pierworodny; **~ 'class** (*w pociągu itp.*) pierwsza klasa; **~-'class** znakomity, pierwszorzędny; **~ 'floor** *Brt.* pierwsze piętro *n*, *Am.* parter *m*; → ***second hand***; **~'hand** z pierwszej ręki; **~ 'leg** (*w sporcie*) pierwszy mecz *m*; '**~·ly** po pierwsze; '**~ name** imię *n*; **~-'rate** pierwszorzędny
firth [fɜːθ] odnoga *f* morska, fiord *m*
fish [fɪʃ] **1.** (*pl.* ***fish, fishes***) ryba *f*; **2.** łowić ryby; wędkować; '**~·bone** ość *f*
fish|·er·man ['fɪʃəmən] (*pl.* ***-men***) rybak *m*; **~·e·ry** ['fɪʃərɪ] rybołówstwo *n*; łowisko *n*
fish| 'fin·ger *zwł. Brt.* paluszek *m* rybny; '**~·hook** haczyk *m*
'fish·ing rybołówstwo *n*, wędkowanie *n*; '**~ line** linka *f* wędkarska, żyłka *f*; '**~ rod** wędka *f*; '**~ tack·le** sprzęt *m* wędkarski
'fish|·mon·ger *zwł. Brt.* handlarz *m* ryb;

~ 'stick *zwł. Am.* paluszek *m* rybny; **'~·y** (**-ier, -iest**) śliski, podejrzany
fis·sion ['fɪʃn] rozszczepienie *n*
fis·sure ['fɪʃə] szczelina *f*, pęknięcie *n*
fist [fɪst] pięść *f*
fit[1] [fɪt] **1.** (**-tt-**) odpowiedni; zdatny; przydatny; stosowny; (*w sporcie*) w dobrej kondycji; ***keep ~*** utrzymywać dobrą kondycję; **2.** (**-tt-**; ***fitted***, *Am. też* ***fit***) *v/t.* pasować na (*G*); pasować do (*G*); odpowiadać; dopasowywać ⟨-wać⟩; *tech.* ⟨za⟩montować; przytwierdzać ⟨-dzić⟩; czynić zdatnym (***for, to*** do *G*); ***~ in*** kogoś przyjmować ⟨-jąć⟩; robić miejsce (dla *kogoś*, na *coś*); *też* ***~ on*** przymierzać ⟨-rzyć⟩; *też* ***~ out*** wyposażać ⟨-żyć⟩ (***with*** w *A*), ⟨za⟩montować; *też* ***~ up*** zakładać ⟨założyć⟩, ⟨za⟩montować; przerabiać ⟨-robić⟩; *v/i.* pasować; *ubranie*: leżeć; **3.** ***be a beautiful ~*** pięknie leżeć
fit[2] [fɪt] atak *m*, napad *m*
'fit|·ful niespokojny, *sen itp.* przerywany; **'~·ness** zdatność *f*; (*w sporcie*) dobra kondycja *f*; **'~·ness cen·tre** (*Am.* **cen·ter**) siłownia *f*; **'~·ted** wyposażony; wbudowany; ***~ted carpet*** wykładzina *f* dywanowa; ***~ted kitchen*** zabudowana kuchnia *f*; **'~·ter** monter *m*; **'~·ting 1.** stosowny, właściwy; **2.** montaż *m*, instalacja *f*; ***~tings*** *pl.* wyposażenie *n*; armatura *f*
five [faɪv] **1.** pięć; **2.** piątka *f*
fix [fɪks] **1.** przymocowywać ⟨-ować⟩, przytwierdzać ⟨-dzić⟩ (***to*** do *G*); *cenę* ustalać ⟨-lić⟩, wyznaczać ⟨-czyć⟩; *oczy* wlepiać (***on*** w *A*); *bilety itp.* załatwiać ⟨-wić⟩; *zdjęcie* utrwalać ⟨-lić⟩; naprawiać ⟨-wić⟩; *zwł. Am. jedzenie* robić; *rezultaty* ⟨s⟩preparować; **2.** F trudna sytuacja *f*; **~ed** przytwierdzony, przymocowany; niewzruszony; **'~·ings** *pl. Am. gastr.* dodatki *pl.* (*do głównego dania*); **~·ture** ['fɪkstʃə] element *m* osprzętu; ***lighting ~ture*** oprawa *f* świetlna
fizz [fɪz] musować; perkotać, syczeć
fl *skrót pisany*: ***floor*** piętro
flab·ber·gast ['flæbəgɑːst] F zdumiewać ⟨-mieć⟩; ***be ~ed*** osłupieć
flab·by ['flæbɪ] (**-ier, -iest**) zwiotczały
flac·cid ['flæksɪd] sflaczały, zwiotczały
flag[1] [flæg] **1.** flaga *f*, sztandar *m*; **2.** (**-gg-**) oflagowywać ⟨-ować⟩; ***~ down*** zatrzymywać ⟨-mać⟩ (*taksówkę*)
flag[2] [flæg] **1.** płyta *f* (*kamienna lub chodnikowa*); **2.** wykładać (*płytami*)
flag[3] [flæg] ⟨o⟩słabnąć
'flag|·pole, '~·staff maszt *m* flagowy; **'~·stone** płyta *f* (*chodnikowa*)
flake [fleɪk] **1.** płatek *m*; **2.** *zw.* ***~ off*** łuszczyć się, złuszczać ⟨-czyć⟩ się; **'flak·y** (**-ier, -iest**) łuszczący się; **~ 'pas·try** ciasto *n* francuskie
flame [fleɪm] **1.** płomień *m* (*też fig.*); ***be in ~s*** stanąć w płomieniach; **2.** płonąć, rozpłomieniać ⟨-nić⟩ się
flam·ma·ble ['flæməbl] *Am. i tech.* → ***inflammable***
flan [flæn] tarta *f*
flank [flæŋk] **1.** bok *m*; *mil.* flanka *f*; **2.** otaczać ⟨otoczyć⟩
flan·nel ['flænl] flanela *f*; myjka *f*; ***~s*** *pl.* spodnie *pl.* flanelowe
flap [flæp] **1.** klapa *f*; (*w ubraniu*) patka *f*; płachta *f* (*namiotu*); uderzenie *n* (*skrzydeł*); **2.** (**-pp-**) ⟨za⟩łopotać (*skrzydłami*)
flare [fleə] **1.** ⟨za⟩migotać; *nozdrza*: rozszerzać się; ***~ up*** wybuchać ⟨-chnąć⟩; **2.** sygnał *m* świetlny; rakieta *f* świetlna
flash [flæʃ] **1.** błysk *m*, rozbłysk *m*; wiadomość *f* z ostatniej chwili; *phot.* F flesz *m*; *zwł. Am.* F latarka *f*; ***like a ~*** jak błyskawica; ***in a ~*** migiem; ***a ~ of lightning*** rozbłysk *m* błyskawicy; **2.** błyskać ⟨-snąć⟩, rozbłyskać ⟨-snąć⟩; przesyłać ⟨-słać⟩; ⟨po⟩mknąć; **'~·back** (*w filmie*) retrospekcja *f*; **~ 'freeze** *Am.* (***-froze, frozen***) → ***quick-freeze***; **'~·light** *phot.* lampa *f* błyskowa, flesz *m*; *zwł. Am.* latarka *f*; **'~·y** (**-ier, -iest**) krzykliwy, jaskrawy
flask [flɑːsk] piersiówka *f*; termos *m*
flat[1] [flæt] **1.** (**-tt-**) płaski, równy; *mot. dętka*: bez powietrza; *bateria*: wyładowany; zwietrzały, bez gazu; *econ.* apatyczny; *econ.* jednolity; **2.** *adv.* ***fall ~*** zawodzić ⟨-wieść⟩; ***sing ~*** ⟨za⟩śpiewać za nisko; **3.** płaska powierzchnia; płask *m*; równina *f*; *zwł. Am. mot.* F (*dętka bez powietrza*) guma *f*
flat[2] [flæt] *zwł. Brt.* mieszkanie *n*
flat|-'foot·ed z płaskostopiem; **'~·mate** *Brt.* współmieszkaniec *m*; **~·ten** ['flætn] spłaszczać ⟨-czyć⟩; przywierać ⟨-wrzeć⟩; *też* ***~ten out*** wyrównywać ⟨-wnać⟩ (*nad ziemią*)
flat·ter ['flætə] pochlebiać ⟨-bić⟩ (*D*);

F

~·er ['flætərə] pochlebca *m*; **~·y** ['flætərı] pochlebstwo *n*
fla·vo(u)r ['fleıvə] **1.** smak *m*, aromat *m*; *wina* bukiet *m*; przyprawa *f*; **2.** przyprawiać ⟨-wić⟩; **~·ing** ['fleıvərıŋ] przyprawa *f*, aromat *m*
flaw [flɔː] skaza *f*; wada *f*; *tech. też* defekt *m*; **'~·less** nieskazitelny, nienaganny
flax [flæks] *bot. roślina*: len *m*
flea [fliː] *zo.* pchła *f*; **'~ mar·ket** pchli targ *m*
fleck [flek] plama *f*, plamka *f*
fled [fled] *pret. i p.p. od* ***flee***
fledg|ed [fledʒd] opierzony; **~(e)·ling** ['fledʒlıŋ] pisklę *n*; *fig.* żółtodziób *m*
flee [fliː] uciekać
fleece [fliːs] runo *n*, wełna *f*
fleet [fliːt] *naut.* flota *f*
'Fleet Street *fig.* prasa *f* brytyjska (*zwł. londyńska*)
flesh [fleʃ] ciało *n*; mięso *n* (*zwierzęcia*); miąższ *m* (*owocu*); **'~·y** (***-ier, -iest***) korpulentny
flew [fluː] *pret. od* ***fly***[3]
flex[1] [fleks] *zwł. anat.* zginać ⟨zgiąć⟩
flex[2] [fleks] *zwł. Brt. electr.* przedłużacz *m*, sznur *m*
flex·i·ble ['fleksəbl] elastyczny; giętki (*też fig.*); **~ *working hours*** ruchomy czas *m* pracy
flex·i·time *Brt.* ['fleksıtaım]; **flex·time** *Am.* ['flekstaım] ruchomy czas *m* pracy
flick [flık] **1.** strzepywać ⟨-pnąć⟩; machać ⟨-chnąć⟩; trzepać ⟨-pnąć⟩; **2.** strzepnięcie *n*; machnięcie *n*; trzepnięcie *n*
flick·er ['flıkə] **1.** ⟨za⟩migotać; **2.** migotanie *n*
fli·er ['flaıə] *aviat.* lotnik *m*; *reklamowy* folder *m*, ulotka *f*
flight [flaıt] lot *m*; ucieczka *f*; stado *n* (*ptaków*); ***put to ~*** zmuszać ⟨-sić⟩ do ucieczki; ***take*** (***to***) **~** rzucać ⟨-cić⟩ się do ucieczki; **'~ at·tend·ant** steward(essa *f*) *m*; **'~·less** nielotny; **'~ re·cord·er** *aviat.* rejestrator *m* przebiegu lotu, F czarna skrzynka *f*; **'~·y** (***-ier, -iest***) niestały, chimeryczny
flim·sy ['flımzı] (***-ier, -iest***) wątły, mizerny; cienki; *fig.* kiepski
flinch [flıntʃ] wzdrygać ⟨-gnąć⟩ się; cofać ⟨-fnąć⟩ się (***from*** przed *I*)
fling [flıŋ] **1.** (***flung***) rzucać, cisnąć ⟨-skać⟩; **~ *o.s.*** rzucać ⟨-cić⟩ się; **~ *open*** *lub* ***to*** *okno itp.* otwierać ⟨-worzyć⟩ *lub* zamykać ⟨-mknąć⟩ z rozmachem; **2.** ***have a ~*** ⟨za⟩bawić się; ***have a ~ at*** flirtować z
flint [flınt] krzemień *m*; kamień *m* (*do zapalniczki*)
flip [flıp] (***-pp-***) przerzucać ⟨-cić⟩, przewracać ⟨-rócić⟩; *monetę* rzucać ⟨-cić⟩
flip·pant ['flıpənt] bezceremonialny, niepoważny
flip·per ['flıpə] *zo.* płetwa *f* (*foki itp.*, *też pływaka*)
flirt [flɜːt] **1.** ⟨po⟩flirtować; **2.** ***be a ~*** chętnie flirtować; **flir·ta·tion** [flɜː'teıʃn] flirt *m*
flit [flıt] (***-tt-***) przelatywać ⟨-lecieć⟩, przemykać ⟨-mknąć⟩
float [fləʊt] **1.** *v/i.* pływać, unosić się; *też econ.* być w obiegu; *v/t.* spływać, przepływać; spławiać ⟨-wić⟩; *naut.* ⟨z⟩wodować; *econ.* puszczać w obieg; *econ.* upłynniać ⟨-nić⟩kurs walut; **2.** pływak *m*; spławik *m*; **'~·ing 1.** pływający, unoszący się (*na wodzie*); *econ. pieniądz itp.*: w obiegu; *kurs*: płynny, zmienny; *kapitał*: obrotowy; **2.** kurs *m* zmienny; **~·ing 'vot·er** *pol.* niestały wyborca
flock [flɒk] **1.** stado *n* (*zwł. owiec i kóz*); trzoda *f* (*też rel.*); tłum *m*; **2.** *fig.* pchać się
floe [fləʊ] kra *f*
flog [flɒg] (***-gg-***) biczować, chłostać; **'~·ging** biczowanie *n*, chłosta *f*
flood [flʌd] **1.** *też* ***~-tide*** zalew (*też fig.*); powódź *f*, wylew *m*; **2.** wylewać ⟨-lać⟩, zalewać ⟨lać⟩; **'~·gate** śluza *f*; **'~·lights** *pl. electr.* reflektor *m*
floor [flɔː] **1.** podłoga *f*; strop *m*; piętro *n*, kondygnacja *f*; parkiet (*do tańczenia*); dno *n*; → ***first floor, second floor***; ***take the ~*** zabierać ⟨-brać⟩ głos; **2.** kłaść podłogę; powalić na podłogę; F pokonać; **'~·board** deska *f* (*na podłodze*); **'~ cloth** ścierka *f* do podłogi; **~·ing** ['flɔːrıŋ] materiał *m* na podłogę; **'~ lamp** *Am.* lampa *f* stojąca; **'~ lead·er** *Am.* przewodniczący *m* klubu partyjnego; **'~ show** występ *m* w klubie nocnym; **'~·walk·er** *zwł. Am.* → ***shopwalker***
flop [flɒp] **1.** (***-pp-***) padać ⟨paść⟩, upadać ⟨upaść⟩; F ⟨z⟩robić klapę *lub* plajtę; **2.** F klapa *f*; plajta *f*; klapnięcie *n*;

'~·py, ~·py 'disk *komp.* dyskietka *f*
Flor·ence Florencja *f*
flor·id ['flɒrɪd] czerwony, rumiany
Flor·i·da Floryda *f*
flor·ist ['flɒrɪst] kwiaciarz *m* (-arka *f*)
floun·der[1] ['flaʊndə] *zo.* (*pl.* ***flounder, flounders***) flądra *f*, płastuga *f*
floun·der[2] ['flaʊndə] rzucać ⟨-cić⟩ się, trzepotać się; *fig.* plątać się
flour ['flaʊə] mąka *f*
flour·ish ['flʌrɪʃ] **1.** ozdobny gest *m*; ozdobnik *m*; *mus.* tusz *m*; **2.** *v/i.* rozwijać ⟨-winąć⟩ się, rozkwitać ⟨-tnąć⟩; *v/t.* wymachiwać
flow [fləʊ] **1.** ⟨po⟩płynąć, ⟨po-, wy⟩ciec; ⟨po⟩toczyć się; wzbierać ⟨wezbrać⟩; **2.** strumień *m*; wypływ *m*, wyciek *m*; przypływ *m*
flow·er ['flaʊə] **1.** kwiat *m* (*też fig*); **2.** kwitnąć, rozkwitać ⟨-tnąć⟩; **'~·bed** klomb *m*; **'~·pot** doniczka *f*
flown [fləʊn] *p.p. od* ***fly***[3]
fl. oz. *skrót pisany*: ***fluid ounce*** (*jednostka objętości*: *Brt.* 28,4 *cm*³, *Am.* 29,57 *cm*³)
fluc·tu|·ate ['flʌktʃʊeɪt] podlegać fluktuacji, zmieniać ⟨-nić⟩ się; **~·a·tion** [flʌktʃʊ'eɪʃn] fluktuacja *f*
flu [flu:] F grypa *f*
flue [flu:] przewód *m* kominowy
flu·en|·cy ['flu:ənsɪ] biegłość *f*; płynność *f*; potoczystość *f*; **'~t** biegły; płynny; potoczysty; *mówca*: wymowny
fluff [flʌf] **1.** puch *m*; włoski *pl.*, meszek *m*; **2.** *pióra* ⟨na⟩stroszyć; **'~·y** (***-ier, -iest***) puszysty
flu·id ['flu:ɪd] **1.** płynny; ciekły; **2.** płyn *m*; ciecz *f*
flung [flʌŋ] *pret. i p.p. od* ***fling*** 1
flunk [flʌŋk] *Am.* F *egzamin* oblewać ⟨-lać⟩
flu·o·res·cent [flʊə'resnt] fluorescencyjny; jarzeniowy
flu·o·ride ['flɔ:raɪd] *chem.* fluorek *m*
flu·o·rine ['flɔ:ri:n] *chem.* fluor *m*
flur·ry ['flʌrɪ] zawieja *f*; *fig.* poruszenie *n*, niepokój *m*
flush [flʌʃ] **1.** spłukanie *n* (*wodą*); zaczerwienienie *n*, wypieki *pl.*; **2.** *v/t.* *też* ~ ***out*** przepłukiwać ⟨-kać⟩; ~ ***down*** spłukiwać ⟨-kać⟩; ~ ***the toilet*** spuszczać ⟨spuścić⟩ wodę; *v/i.* zaczerwieniać ⟨-nić⟩ się; spuszczać ⟨spuścić⟩ wodę
flus·ter ['flʌstə] **1.** denerwować (się); **2.** zdenerwowanie *n*
flute [flu:t] *mus.* **1.** flet *m*; **2.** ⟨za⟩grać na flecie
flut·ter ['flʌtə] **1.** ⟨za⟩trzepotać; **2.** trzepot *m*; *fig.* podniecenie *n*
flux [flʌks] *fig.* zmiana *f*, zmienianie *n* się
fly[1] [flaɪ] *zo.* mucha *f*
fly[2] [flaɪ] rozporek *m*;
fly[3] [flaɪ] (***flew, flown***) *v/i.* latać; lecieć; fruwać; uciekać ⟨-ciec⟩; *czas*: płynąć; ~ ***at*** rzucać się na (*A*); ~ ***into a passion*** *lub* ***rage*** wpadać ⟨-paść⟩ w pasję *lub* szał; *v/t.* pilotować; ⟨prze⟩transportować; *latawca* puszczać; **'~·er** → ***flier***
'fly·ing latający; **~'sau·cer** latający spodek *m*; **'~ squad** lotna brygada *f* (*policji*)
'fly|·o·ver *Brt.* estakada *f* (*dróg, kolejowa*); **'~·weight** *boks*: waga *f* musza; **'~·wheel** koło *n* zamachowe
FM [ef 'em] *skrót*: ***frequency modulation*** FM, UKF *m*, fale *pl.* utrakrótkie
foal [fəʊl] *zo.* źrebak *m*
foam [fəʊm] **1.** piana *f*; **2.** pienić się; ~ **'rub·ber** guma *f* piankowa, F pianka *f*; **'~·y** pienisty; spieniony
fo·cus ['fəʊkəs] **1.** (*pl.* ***-cuses, -ci*** [-saɪ]) ognisko *n* (*opt.*, *też fig.*); centrum *n*; *phot.* ostrość *f*; **2.** *opt.*, *phot.* nastawiać ⟨-wić⟩ ostrość; *fig.* skupiać ⟨-pić⟩ się (***on*** na *L*)
fod·der ['fɒdə] karma *f*, pasza *f*
foe [fəʊ] *poet.* wróg *m*, nieprzyjaciel *m*
fog [fɒg] mgła *f*; **'~·gy** (***-ier, -iest***) zamglony; *figt.* mglisty
foi·ble ['fɔɪbl] *fig.* słabość *f*
foil[1] [fɔɪl] folia *f*; *fig.* tło *n*
foil[2] [fɔɪl] ⟨po⟩krzyżować, udaremniać ⟨-nić⟩
foil[3] [fɔɪl] (*w szermierce*) floret *m*
fold[1] [fəʊld] **1.** fałda *f*; zagięcie *n*; **2.** składać ⟨złożyć⟩, zaginać ⟨-giąć⟩; *ramiona itp.* zakładać ⟨założyć⟩; zawijać ⟨-winąć⟩; *często* ~ ***up*** składać ⟨złożyć⟩ się; ⟨za⟩kończyć się
fold[2] [fəʊld] okólnik *m*, zagroda *f*; *rel.* trzoda *f*, owczarnia *n*
'fold·er skoroszyt *m*, teczka *f*; folder *m*; broszura *f*
'fold·ing składany; **'~ bed** łóżko *n* składane *lub* polowe; **'~ bi·cy·cle** rower *m* składany, F składak *m*; **'~ boat** łódź *f* składana; **'~ chair** krzesło *n* składane;

'~ **door(s** *pl.*) drzwi *pl.* składane
fo•li•age ['fəʊlɪɪdʒ] liście *pl.*, listowie *f*
folk [fəʊk] *pl.* ludzie *pl.*; **~s** *pl.* F ludziska *pl.*; *attr.* ludowy; '**~•lore** folklor *m*; '~ **mu•sic** muzyka *f* ludowa; '~ **song** pieśń *f* ludowa
fol•low ['fɒləʊ] podążać ⟨-żyć⟩ za (*D*); iść ⟨pójść⟩ za (*I*); następować ⟨-tąpić⟩ po (*D*); śledzić; ~ ***through*** *plan itp.* przeprowadzać ⟨-dzić⟩ do końca; ~ ***up*** (za)stosować się do (*G*), *sugestię itp.* rozwijać ⟨-winąć⟩; ***as ~s*** jak następuje; '**~•er** zwolennik *m* (-iczka *f*); '**~•ing 1.** uznanie *n*; zwolennicy *pl.*; ***the ~ing*** *osoby*: następujący *pl.*, *coś*: co następuje; **2.** następujący; następny; **3.** bezpośrednio po (*L*)
fol•ly ['fɒlɪ] szaleństwo *n*
fond [fɒnd] czuły; naiwny; ***be ~ of*** lubić (*A*)
fon•dle ['fɒndl] pieścić
'**fond•ness** czułość *f*
font [fɒnt] chrzcielnica *f*; *komp.* czcionka *f*
food [fuːd] jedzenie *n*; pożywienie *n*; żywność *f*
fool [fuːl] **1.** głupiec *m*, dureń *m*; ***make a ~ of s.o.*** robić z kogoś durnia; ***make a ~ of o.s.*** robić z siebie durnia; **2.** oszukiwać ⟨-kać⟩; wyłudzać ⟨-dzić⟩; *też* ~ ***about,*** ~ ***around*** wygłupiać się; '**~•har•dy** ryzykowny, brawurowy; '**~•ish** głupi, durny; '**~•ish•ness** głupota *f*; '**~•proof** bezpieczny, nie do zepsucia
foot [fʊt] **1.** (*pl.* ***feet***) stopa *f*; (*pl.* F *też* ***foot***, *skrót*: ***ft***) stopa *f* (*=30,48 cm*); podstawa *f*; podnóże *n*; ***on ~*** pieszo; **2.** F *rachunek* pokrywać ⟨-ryć⟩; ~ ***it*** iść ⟨pójść⟩ piechotą
'**foot•ball** piłka *f* nożna (*też gra*); *Am.* futbol *m*; '**foot•bal•ler** piłkarz *m*; *Am.* futbolista *m*; '~ **hoo•li•gan** pseudokibic *m*; '~ **play•er** piłkarz *m* (-arka *f*)
'**foot|•bridge** kładka *f* dla pieszych; '**~•fall** (*odgłos*) krok *m*; '**~•hold** mocne oparcie *n* (*dla stóp*)
'**foot•ing** oparcie *n*, podstawa *f*; ***be on a friendly ~ with s.o.*** mieć dobre stosunki z kimś; ***lose one's ~*** ⟨s⟩tracić oparcie *lub* równowagę
'**foot|•lights** *pl. theat.* światła *pl.* rampy; '**~•loose** nieskrępowany; ***~loose and fancy-free*** swobodny jak ptak; '**~•path** ścieżka *f*; '**~•print** odcisk *m* (*stopy*); ***~prints*** ślady *pl.*; '**~•sore** otarcie *n*; '**~•step** krok *m*; '**~•wear** obuwie *n*
fop [fɒp] strojniś *m*, elegancik *m*
for [fɔː, fə] **1.** *prp.* dla (*G*); *wymiana, przyczyna, cena, cel*: za (*I*); *tęsknić itp.*: za (*I*); *cel, przeznaczenie, kierunek*: do (*G*); *czekać, mieć nadzieję itp.*: na (*A*); *posyłać itp.* po (*A*); *popierać*: za (*I*); *okres czasu*: ~ ***three days*** przez trzy dni, od trzech dni; ~ ***tomorrow*** na jutro; *odległość*: ***I walked ~ a mile*** przeszedłem milę; ***I ~ one*** ja na przykład; ~ ***sure*** na pewno, z pewnością; ***it is hard ~ him to do it*** ciężko jest mu to zrobić; **2.** *cj.* ponieważ
for•age ['fɒrɪdʒ] ⟨po⟩szukiwać; *też* ~ ***about*** szperać (***in*** w *L*)
for•ay ['fɒreɪ] *mil.* wypad *m*; *fig.* wycieczka; ~ ***into politics*** w dziedzinę polityki
for•bad(e) [fə'bæd] *pret. od* ***forbid***
for•bear ['fɔːbeə] → ***forebear***
for•bid [fə'bɪd] (***-dd-***; ***-bade*** *lub* ***-bad*** [-bæd], ***-bidden*** *lub* ***-bid***) zabraniać ⟨-ronić⟩; zakazywać ⟨-zać⟩; **~•ding** odpychający, przerażający
force [fɔːs] **1.** siła *f*; przemoc *f*; ***the*** (***police***) ~ policja *f*; (***armed***) ***~s*** siły *pl.* zbrojne; ***by ~*** siłą, przemocą; ***come*** *lub* ***put into ~*** wchodzić *lub* wprowadzać w życie; **2.** *kogoś* zmuszać ⟨-musić⟩; *coś* wymuszać ⟨-music⟩; wpychać ⟨wepchnąć⟩ (*na siłę*); włamywać ⟨-mać⟩, wyłamywać ⟨-mać⟩; ~ ***s.th. on s.o.*** wmuszać ⟨-sić⟩ coś komuś; ~ ***o.s. on s.o.*** narzucać ⟨-cić⟩ się komuś; ~ ***open*** otwierać ⟨-worzyć⟩ siłą; **~d** wymuszony; przymusowy; **~d 'land•ing** *aviat.* lądowanie *n* awaryjne; '**~•ful** energiczny, silny; mocny, dobitny
for•ceps ['fɔːseps] *med.* kleszcze *pl.*, szczypce *pl.*
for•ci•ble ['fɔːsəbl] dokonany siłą *lub* przemocą; potężny, dobitny
ford [fɔːd] **1.** bród *m*; **2.** przeprawiać ⟨-wić⟩ się w bród
fore [fɔː] **1.** przedni; dziobowy; **2.** przednia część *f*; ***come to the ~*** wyróżniać ⟨-nić⟩ się; **~•arm** ['fɔːrɑːm] przedramię *n*; '**~•bear**: *zw.* ***~bears*** przodkowie *pl.*; **~•bod•ing** [fɔː'bəʊdɪŋ] (*złe*) prze-

czucie *n*; '~·**cast 1.** (***-cast** lub **-casted***) przewidywać ⟨-widzieć⟩; prognozować; **2.** prognoza *f*; '~·**fa·ther** przodek *m*; '~·**fin·ger** palec *m* wskazujący; '~·**foot** (*pl.* ***feet***) *zo.* przednia łapa *f*; ~·**gone con'clu·sion** sprawa *f* z góry przesądzona; '~·**ground** pierwszy plan *m*; '~·**hand 1.** (*w sporcie*) forhend *m*; **2.** (*w sporcie*) z forhendu; ~·**head** ['fɒrɪd] czoło *m*

for·eign ['fɒrən] zagraniczny; cudzoziemski; obcy; ~ **af'fairs** *pl.* sprawy *pl.* zagraniczne; ~ **'aid** pomoc *f* z zagranicy; '~·**er** cudzoziemiec *m* (-mka *f*); ~ **'lan·guage** język *m* obcy; ~ **'min·is·ter** *pol.* minister *m* spraw zagranicznych; '♀ **Of·fice** *Brt. pol.* Ministerstwo *m* Spraw Zagranicznych; ~ **'pol·i·cy** polityka *f* zagraniczna; ♀ **'Sec·re·ta·ry** *Brt. pol.* minister *m* spraw zagranicznych; ~ **'trade** *econ.* handel *m* zagraniczny; ~ **'work·er** pracownik *m* cudzoziemski, gastarbeiter *m*

fore|'knowl·edge uprzednia wiedza *f*; '~·**leg** *zo.* noga *f* przednia; '~·**man** (*pl.* ***-men***) brygadzista *m*; *jur.* przewodniczący *m* (*ławy przysięgłych*); '~·**most** naczelny, najważniejszy; '~·**name** imię *n*

fo·ren·sic [fə'rensɪk] sądowy; ~ **'medi·cine** medycyna *f* sądowa

'fore|·run·ner prekursor *m*, poprzednik *m*; ~**'see** (***-saw, -seen***) przewidywać ⟨-widzieć⟩; ~**'shad·ow** zapowiadać ⟨-wiedzieć⟩; '~·**sight** *fig.* przenikliwość *f*, dalekowzroczność *f*

for·est ['fɒrɪst] las *m* (*też fig.*)

fore·stall [fɔː'stɔːl] uprzedzać ⟨-dzić⟩, ubiegać ⟨ubiec⟩

for·est|·er ['fɒrɪstə] leśniczy *m*; ~·**ry** ['fɒrɪstrɪ] leśnictwo *n*

'fore|·taste przedsmak *m*; ~**'tell** (***-told***) przepowiadać ⟨-wiedzieć⟩; '~·**thought** przezorność *f*, roztropność *f*

for·ev·er, for ev·er [fə'revə] na zawsze

'fore|·wom·an (*pl.* ***-women***) brygadzistka *f*; '~·**word** przedmowa *f*

for·feit ['fɔːfɪt] ⟨u-, s⟩tracić; być ⟨zostać⟩ pozbawionym

forge [fɔːdʒ] **1.** kuźnia *f*; **2.** ⟨s⟩fałszować; **'forg·er** fałszerz *m*; **·ge·ry** ['fɔːdʒərɪ] fałszerstwo *n*, falsyfikat *m*; **'for·ge·ry-proof** trudny do sfałszowania

for·get [fə'get] (***-got, gotten***) zapominać ⟨-mnieć⟩; ~·**ful** zapominalski; ~**-me-not** *bot.* niezapominajka *f*

for·give [fə'gɪv] (***-gave, -given***) wybaczać ⟨-czyć⟩, przebaczać ⟨-czyć⟩; ~·**ness** wybaczenie *n*, przebaczenie *n*; **for·'giv·ing** wyrozumiały

fork [fɔːk] **1.** widelec *m*; widły *pl.*; rozwidlenie *n*; **2.** rozwidlać ⟨-lić⟩ (się); ~**ed** rozwidlony; ~·**lift 'truck** wózek *m* widłowy

form [fɔːm] **1.** forma *f*, kształt *m*; formularz *m*; *zwł. Brt.* klasa *f*; formalności *pl.*; kondycja *f*; ***in great*** ~ w wielkiej formie; **2.** ⟨u⟩kształtować (się); ⟨u⟩formować (się); ⟨u⟩tworzyć (się); ustawiać ⟨-wić⟩ (się)

for|m·al ['fɔːml] formalny; oficjalny; uroczysty; ~·**mal·i·ty** [fɔː'mælətɪ] formalność *f*, oficjalność *f*; uroczystość *f*

for·mat ['fɔːmæt] **1.** format *m*; forma *f*; **2.** (***-tt-***) *komp.* ⟨z⟩formatować

for·ma|·tion [fɔː'meɪʃn] tworzenie *n*, utworzenie *n*; formacja *f*, szyk *m*; ~·**tive** ['fɔːmətɪv] tworzący, kształtujący; ~***tive years*** *pl.* okres *m* rozwoju osobowości

'for·mat·ting *komp.* formatowanie *n*

for·mer ['fɔːmə] **1.** były; wcześniejszy; **2.** ***the*** ~ pierwszy (*z wymienionych*); '~·**ly** uprzednio, wcześniej

for·mi·da·ble ['fɔːmɪdəbl] straszny; wzbudzający respekt; *pytanie itp.*: trudny

'form| mas·ter wychowawca *m* (*klasy*); '~ **mis·tress** wychowawczyni *f* (*klasy*); '~ **teach·er** wychowawca *m* (-czyni *f*) (*klasy*)

for·mu|·la ['fɔːmjʊlə] *chem., math.* wzór *m*; formuła *f*; recepta *f*; ~·**late** ['fɔːmjʊleɪt] ⟨s⟩formułować

for|·sake [fə'seɪk] (***-sook, -saken***) porzucać ⟨-cić⟩, opuszczać ⟨-uścić⟩; ~·**sak·en** [fə'seɪkən] *p.p. od* ***forsake***; ~·**sook** [fə'sʊk] *pret. od* ***forsake***; ~·**swear** [fɔː'sweə] (***-swore, -sworn***) wyrzekać ⟨-rzec⟩ się pod przysięgą

fort [fɔːt] *mil.* fort *m*, twierdza *f*

forth [fɔːθ] naprzód; dalej; ***and so*** ~ i tak dalej; ~**'com·ing** nadchodzący; przychylny; *książka*: mający się ukazać; ***be*** ~***coming*** pojawiać się

for·ti·eth ['fɔːtɪɪθ] czterdziesty

for·ti|·fi·ca·tion [fɔːrtɪfɪ'keɪʃn] *mil.* fortyfikacja *f*; ~·**fy** ['fɔːtɪfaɪ] *mil.* ⟨u⟩fortyfikować; *fig.* wzmacniać ⟨-moc-

F

nić⟩; **~·tude** ['fɔːtɪtjuːd] hart *m* (ducha), męstwo *n*
fort·night ['fɔːtnaɪt] czternaście dni *pl.*, dwa tygodnie *pl.*
for·tress ['fɔːtrɪs] *mil.* forteca *f*
for·tu·i·tous [fɔː'tjuːɪtəs] nieprzewidziany, przypadkowy
for·tu·nate ['fɔːtʃnət] szczęśliwy; pomyślny; ***be ~*** mieć szczęście; '**~·ly** na szczęście
for·tune ['fɔːtʃn] fortuna *f*, majątek *m*; szczęście *n*; los *m*, pomyślność *f*; '**~-tell·er** wróżbita *m*, wróżka *f*
for·ty ['fɔːtɪ] **1.** czterdzieści; ***have ~ winks*** F uciąć ⟨-cinać⟩ sobie drzemkę; **2.** czterdziestka *f*
for·ward ['fɔːwəd] **1.** *adv.* naprzód, wprzód; **2.** *adj.* przedni; zdążający do przodu; zaawansowany; obcesowy; **3.** (*w piłce nożnej*) napastnik *m*; **4.** przesyłać ⟨-słać⟩, wysyłać ⟨-słać⟩; ⟨wy⟩ekspediować; wspierać⟨wesprzeć⟩, popierać ⟨-przeć⟩; '**~·ing a·gent** spedytor *m*
fos·sil ['fɒsl] **1.** *geol.* skamielina *f*; *fig.* żywy relikt *m*; **2.** *adj.* kopalny; *paliwo*: z surowców kopalnych
fos·ter|-child ['fɒstətʃaɪld] (*pl.* ***-children***) wychowanek *m*; przybrane dziecko *n*; '**~-par·ents** *pl.* przybrani rodzice *pl.*
fought [fɔːt] *pret. i p.p. od* ***fight*** 2
foul [faʊl] **1.** okropny; *jedzenie*: cuchnący; *powietrze*, *jedzenie*: nieświeży; zanieczyszczony; *język*: plugawy; (*w sporcie*) nieprawidłowy; **2.** (*w sporcie*) faul *m*; ***vicious ~*** złośliwy faul *m*; **3.** (*w sporcie*) ⟨s⟩faulować; ⟨s⟩plugawić, ⟨za⟩brudzić
found[1] [faʊnd] *pret. i p.p. od* ***find*** 1
found[2] [faʊnd] zakładać ⟨założyć⟩; ⟨u⟩fundować
found[3] [faʊnd] *tech.* odlewać ⟨odlać⟩
foun·da·tion [faʊn'deɪʃn] *arch.* fundament *m*, podłoże *n*; założenie *n*; fundacja *f*; podstawa *f*
found·er[1] ['faʊndə] założyciel(ka *f*) *m*; fundator(ka *f*) *m*
foun·der[2] ['faʊndə] *naut.* ⟨za⟩tonąć
found·ling ['faʊndlɪŋ] podrzutek *m*
foun·dry ['faʊndrɪ] odlewnia *f*
foun·tain ['faʊntɪn] fontanna *f*; '**~ pen** pióro *n* wieczne
four [fɔː] **1.** cztery; **2.** czwórka *f* (*też w łodzi*); ***on all ~s*** na czworakach
'**four|star** *Brt.* F (*benzyna*) super; **~-star 'pet·rol** *Brt.* benzyna *f* super; **~-stroke 'en·gine** silnik *m* czterosuwowy
four|·teen [fɔː'tiːn] **1.** czternaście; **2.** czternastka *f*; **~·teenth** [fɔː'tiːnθ] czternasty; **~th** [fɔːθ] **1.** czwarty; **2.** jedna *f* czwarta; '**~th·ly** po czwarte
four-wheel 'drive *mot.* napęd *m* na cztery koła
fowl [faʊl] ptak *m*; drób *m*, ptactwo *n* (*domowe*)
fox [fɒks] *zo.* lis *m*; '**~·glove** *bot.* naparstnica *f*; '**~·y** (***-ier, -iest***) przebiegły, chytry
frac·tion ['frækʃn] ułamek *m* (*też math.*)
frac·ture ['fræktʃə] **1.** złamanie *n* (*zwł. kości*), pęknięcie; **2.** łamać (się); pękać
fra·gile ['frædʒaɪl] kruchy, łamliwy
frag·ment ['frægmənt] fragment *m*, kawałek *m*; urywek *m*
fra|·grance ['freɪgrəns] woń *f*, zapach *m*; '**~·grant** wonny, pachnący
frail [freɪl] kruchy; delikatny; *fig.* słaby; '**~·ty** kruchość *f*, delikatność *f*; słabość *f*
frame [freɪm] **1.** rama *f*, ramka *f*; oprawka *f* (*do okularów*); budowa *f* (*ciała*); *film*: kadr *m*; ***~ of mind*** usposobienie *n*, nastrój *m*; **2.** oprawiać ⟨-wić⟩; obramowywać ⟨-wać⟩; ⟨s⟩formułować; *też* ***~ up*** F *kogoś* wplątywać ⟨-tać⟩; '**~-up** F ukartowana gra *f*; intryga *f*; '**~·work** *tech.* szkielet *m* konstrukcji; *fig.* struktura *f*, system *m*, ramy *pl.*
franc [fræŋk] frank *m*
France [frɑːns] Francja *f*
fran·chise ['fræntʃaɪz] *pol.* prawo *n* wyborcze; koncesja *f*
frank [fræŋk] **1.** szczery, otwarty; **2.** *Brt.* ⟨o⟩frankować (*maszynowo*)
frank·fur·ter ['fræŋkfɜːtə] parówka *f*
'**frank·ness** szczerość *f*, otwartość *f*
fran·tic ['fræntɪk] (***~ally***) gorączkowy, rozgorączkowany; hektyczny
fra·ter|·nal [frə'tɜːnl] braterski; **~·ni·ty** [frə'tɜːnətɪ] braterstwo *n*; bractwo *n*; *Am. univ.* związek *m*
fraud [frɔːd] oszustwo *n*; F oszust(ka *f*) *m*; **~·u·lent** ['frɔːdjʊlənt] oszukańczy
fray [freɪ] ⟨po-, wy⟩strzępić (się)
freak [friːk] *też* ***~ of nature*** wybryk *m* (natury); dziwoląg *m*; potworek *m*; fanatyk *m* (-tyczka *f*); *attr.* dziwaczny; ***film ~*** maniak *m* (-aczka *f*) na punkcie filmów

freck·le ['frekl] pieg *m*; '**~d** piegowaty
free [friː] **1.** (**-r, -st**) wolny, swobodny; darmowy, bezpłatny; **~ *and easy*** beztroski; ***set*** **~** uwalniać ⟨uwolnić⟩; **2.** (***freed***) uwalniać ⟨uwolnić⟩, oswobadzać ⟨-bodzić⟩; **~·dom** ['friːdəm] wolność *f*, swoboda *f*; **~ 'fares** *pl.* przejazd *m* bezpłatny; **~·lance** ['friːlɑːns] *pisarz*: niezależny; '**♀·ma·son** mason *m*; **~ 'skat·ing** (*w łyżwiarstwie*) jazda *f* dowolna; '**~·style** (*w sporcie*) styl *m* dowolny; **~ 'time** czas *m* wolny; **~ 'trade** wolny handel *m*; **~ trade 'ar·e·a** strefa *f* wolnego handlu; '**~·way** *Am.* droga *f* szybkiego ruchu; **~'wheel** jechać na wolnym biegu
freeze [friːz] **1.** (***froze, frozen***) *v/i.* zamarzać ⟨-marznąć⟩; ⟨za⟩krzepnąć; *v/t.* zamrażać ⟨-mrozić⟩ (*też ceny itp.*); **2.** mróz *m*; *econ.*, *pol.* zamrożenie *n*; ***wage* ~, ~ *on wages*** zamrożenie *n* płac; **~-'dried** liofilizowany; **~-'dry** liofilizować
'**freez·er** zamrażalnik *m*; (*też* ***deep freeze***) zamrażarka *f*
freeze-frame stop-klatka *f*
'**freez·ing** lodowaty; '**~ com·part·ment** zamrażalnik *m*; '**~ point** punkt *m* zamarzania
freight [freɪt] **1.** fracht *m*; ładunek *m*; *Am. attr.* towarowy; **2.** przesyłać ⟨-słać⟩ frachtem; ⟨za⟩frachtować; '**~ car** *Am. rail* wagon *m* towarowy; '**~·er** frachtowiec *m*; samolot *m* frachtowy; '**~ train** *Am.* pociąg *m* towarowy
French [frentʃ] **1.** francuski; **2.** *ling.* język *m* francuski; ***the*** **~** *pl.* Francuzi *pl.*; **~ 'doors** *pl. Am.* → ***French windows***; **~ 'fries** *pl. zwł. Am.* frytki *pl.*; '**~·man** (*pl.* ***-men***) Francuz *m*; **~ 'window(s** *pl.*) drzwi *pl.* balkonowe *lub* przeszklone; '**~·wom·an** (*pl.* ***-women***) Francuzka *f*
fren|·zied ['frenzɪd] rozgorączkowany; szalony; rozszalały; **~·zy** ['frenzɪ] podniecenie *n*; rozgorączkowanie *n*; szaleństwo *n*
fre·quen|·cy ['friːkwənsɪ] częstotliwość *f* (*też electr.*); **~t 1.** ['friːkwənt] częsty; **2.** [frɪ'kwent] uczęszczać, odwiedzać ⟨-dzić⟩
fresh [freʃ] świeży; rześki; nowy; F obcesowy, chamski; **~·en** ['freʃn] *wiatr*: przybierać ⟨-brać⟩ na sile; **~*en*** (***o.s.***) ***up*** odświeżać ⟨-żyć⟩ się; '**~·man** (*pl.* ***-men***) *univ.* student(ka *f*) *m* pierwszego roku; '**~·ness** świeżość *f*; **~ 'water** słodka woda *f*; '**~·wa·ter** słodkowodny
fret [fret] zamartwiać się; '**~·ful** kapryśny, płaczliwy, przykry
FRG [ef ɑː 'dʒiː] *skrót*: ***Federal Republic of Germany*** RFN *f*
Fri *skrót pisany*: ***Friday*** piątek *m*
fri·ar ['fraɪə] mnich *m*
fric·tion ['frɪkʃn] tarcie *n* (*też fig.*)
Fri·day ['fraɪdɪ] (*skrót*: ***Fri***) piątek *m*; ***on*** **~** w piątek; ***on*** **~*s*** co piątek
fridge [frɪdʒ] F lodówka *f*
friend [frend] przyjaciel *m* (*przyjaciółka f*); znajomy *m* (-ma *f*); ***make*** **~*s*** ***with*** ⟨za⟩przyjaźnić się z (*I*), zawierać ⟨-wrzeć⟩ przyjaźń z (*I*); '**~·ly 1.** przyjacielski; przyjazny; **2.** *zwł. Brt.* (*w sporcie*) spotkanie *n* towarzyskie; '**~·ship** przyjaźń *f*
fries [fraɪz] *zwł. Am. pl.* F frytki *pl.*
frig·ate ['frɪgɪt] *naut.* fregata *f*
fright [fraɪt] przerażenie *n*; ***look a*** **~** F okropnie wyglądać; **~·en** ['fraɪtn] wystraszyć ⟨-szać⟩; ***be*** **~*ened*** wystraszyć się; '**~·ful** przerażający, straszliwy
fri·gid ['frɪdʒɪd] *psych.* oziębły; zimny
frill [frɪl] falbanka *f*; dodatek *m*
fringe [frɪndʒ] **1.** frędzle *pl.*; brzeg *m*, skraj *m*; grzywka *f*; **2.** otaczać ⟨otoczyć⟩, obramowywać ⟨-mować⟩; '**~ ben·e·fits** *pl.* świadczenia *pl.* dodatkowe; '**~ e·vent** impreza *f* dodatkowa; '**~ group** grupa *f* marginesowa
frisk [frɪsk] skakać, brykać; F *kogoś* przeszukiwać ⟨-kać⟩; '**~·y** (***-ier, -iest***) żywotny, dziarski
frit·ter ['frɪtə]: **~ *away*** ⟨z⟩marnować
fri·vol·i·ty [frɪ'vɒlətɪ] brak *m* powagi; lekkomyślność *f*; **friv·o·lous** ['frɪvələs] niepoważny; lekkomyślny
friz·zle ['frɪzl] *gastr.* F przypalać się; ⟨za⟩skwierczeć
frizz·y ['frɪzɪ] (***-ier, -iest***) *włosy*: kręcony
fro [frəʊ]: ***to and*** **~** tam i z powrotem
frock [frɒk] sukienka *f*; habit *m*
frog [frɒg] żaba *f*; '**~·man** (*pl.* ***-men***) płetwonurek *m*
frol·ic ['frɒlɪk] **1.** zabawa *f*; figle *pl.*; **2.** (**-*ck*-**) brykać, ⟨po⟩skakać; '**~·some** rozbrykany, figlarny
from [frɒm, frəm] z; od (*G*); ***from ... to***

... od *lub* z ... do ...; ***where are you ~?*** skąd jesteś?
front [frʌnt] **1.** przód *m*; front *m* (*też mil.*); fasada *f*; ***at the ~, in ~*** z przodu, na przedzie; ***in ~ of*** *w przestrzeni*: przed (*I*); ***be in ~*** być na przedzie; **2.** przedni; **3.** *też* ***~ on, to(wards)*** wychodzić przodem na (*A*); **~•age** ['frʌntɪdʒ] elewacja *f*, fronton *m*; **'~ cov•er** strona *f* tytułowa; **~ 'door** przednie drzwi *pl.*; **~ 'en•trance** przednie wejście *n*
fron•tier ['frʌntɪə] granica *f* (*państwowa*); *Am. hist.* pogranicze *n* (*Dzikiego Zachodu*); *attr.* graniczny, przygraniczny
'front|-page F *wiadomości*: najnowszy; **~-wheel 'drive** *mot.* napęd *m* na przednie koła
frost [frɒst] **1.** mróz *m*; *też* ***hoar ~, white ~*** szron *m*; **2.** oszraniać ‹-ronić›, pokrywać ‹pokryć› szronem; *szkło* ‹za›matować; *gastr.*, *zwł. Am.* ‹po›lukrować, posypywać ‹-pać› cukrem pudrem; ***~ed glass*** matowe *lub* mleczne szkło *n*; **'~•bite** odmrożenie *n*; **'~•bitten** odmrożony; **'~•y** (***-ier, -iest***) mroźny (*też fig.*); zaszroniony, oszroniony
froth [frɒθ] **1.** piana *f*; **2.**‹s›pienić (się); ‹po›toczyć pianę; **'~•y** (***-ier, -iest***) spieniony, pienisty
frown [fraʊn] **1.** zmarszczenie *n* brwi; ***with a ~*** ze zmarszczonymi brwiami; **2.** ‹z›marszczyć brew; **~ (*up*)*on s.th.*** ‹s›krzywić się na coś
froze [frəʊz] *pret. od* ***freeze*** 1; **fro•zen** ['frəʊzn] **1.** *p.p. od* ***freeze*** 1; **2.** *adj.* zamarznięty; zamrożony; mrożony; **fro•zen 'foods** *pl.* mrożonki *pl.*
fru•gal ['fruːgl] oszczędny; skromny
fruit [fruːt] owoc *m*; owoce *pl.*; **~•er•er** ['fruːtərə] sklep *m* z owocami; handlarz *m* owocami; **'~•ful** owocny; **'~•less** bezowocny; **'~ juice** sok *m* owocowy; **'~•y** (***-ier, -iest***) owocowy; *głos*: donośny
frus|•trate [frʌ'streɪt] ‹s›frustrować; udaremniać ‹-mnić›, uniemożliwiać ‹-wić›; **~•tra•tion** [frʌ'streɪʃn] frustracja *f*; uniemożliwienie *n*, udaremnienie *n*
fry [fraɪ] ‹u›smażyć; ***fried eggs*** *pl.* jajka *pl.* sadzone; ***fried potatoes*** *pl.* smażone ziemniaki *pl.*; **~•ing pan** ['fraɪɪŋ -] patelnia *f*
ft *skrót pisany*: ***foot*** stopa *f lub pl.* (*30,48 cm*)
fuch•sia ['fjuːʃə] *bot.* fuksja *f*
fuck [fʌk] V pierdolić (się), jebać; ***~ off!*** odpierdol się!; **'~•ing** V pierdolony; ***~ing hell!*** kurwa (jego) mać!
fudge [fʌdʒ] (*cukierek*) krówka *f*
fu•el [fjʊəl] **1.** paliwo *n*; opał *m*; **2.** (*zwł. Brt.* ***-ll-***, *Am.* ***-l-***) *mot.*, *aviat.* ‹za›tankować; **'~ in•jec•tion** *mot.* wtrysk *m* paliwa
fu•gi•tive ['fjuːdʒɪtɪv] **1.** przelotny, ulotny; **2.** uciekinier(ka *f*) *m*
ful•fil *Brt.*, **full•fill** *Am.* [fʊl'fɪl] (***-ll-***) wypełniać ‹-nić›, spełniać ‹-nić›; wykonywać ‹-nać›; **ful'fil(l)•ment** spełnienie *n*, wypełnienie *n*; wykonanie *n*
full [fʊl] **1.** pełny; **~ *of*** pełen (*G*); **~ (*up*)** wypełniony; F najedzony, napchany; ***house ~!*** *theat.* wolnych miejsc brak; **~ *of o.s.*** zarozumiały; **2.** *adv.* całkiem, zupełnie; **3.** ***in ~*** cały, w całości; ***write out in ~*** *zdanie itp.* zapisać całe; **~ 'board** pełne wyżywienie *n*; **~ 'dress** strój *m* wieczorowy; *attr.* wyjściowy; **~-'fledged** *Am.* → ***fully-fledged***; **~-'grown** dorosły; **~-'length** w całej postaci; *suknia*: długi; *film*: pełnometrażowy; **~ 'moon** pełnia *f*; **~ 'stop** *ling.* kropka *f*; **~ 'time** (*w sporcie*) koniec *m* gry; **~-'time** w pełnym wymiarze; **~-time 'job** praca *f* na pełen etat
ful•ly ['fʊlɪ] w pełni; całkowicie; **~-'fledged** opierzony; *fig.* samodzielny, wykwalifikowany; **~-'grown** *Brt.* → ***full-grown***
fum•ble ['fʌmbl] ‹po›szukać po omacku; zabawiać ‹-wić› się (*I*); nieczysto zatrzymywać ‹-mać› piłkę
fume [fjuːm] być wściekłym; wściekać się
fumes [fjuːmz] *pl.* wyziewy *pl.*; spaliny *pl.*; opary *pl.*
fun [fʌn] radość *f*, zabawa *f*; ***for ~*** dla zabawy; ***make ~ of*** śmiać się z (*G*); ***have ~!*** baw(cie) się dobrze!
func•tion ['fʌŋkʃn] **1.** funkcja *f* (*też math.*); funkcjonowanie *n*; zadanie *n*; uroczystość *f*; **2.** funkcjonować; działać; **~•a•ry** ['fʌŋkʃnərɪ] funkcjonariusz(ka *f*) *m*; **'~ key** *komp.* klawisz *m* funkcyjny
fund [fʌnd] fundusz *m*; kapitał *m*; rezerwa *f*

fun·da·men·tal [fʌndə'mentl] **1.** fundamentalny; podstawowy; **2.** **~s** *pl.* podstawy *pl.*; podstawowe zasady *pl.*; **~·ist** [fʌndə'mentəlɪst] fundamentalista *m*

fu·ne·ral ['fjuːnərəl] pogrzeb *m*; *attr.* pogrzebowy

'fun·fair ['fʌnfeə] wesołe miasteczko *n*

fun·gus ['fʌŋgəs] *bot.* (*pl.* **-gi** [-gaɪ], **-guses**) grzyb *m*

fu·nic·u·lar [fjuː'nɪkjʊlə] *też* **~ railway** kolejka *f* linowa

funk·y ['fʌŋkɪ] *zwł. Am.* F super (*o używanym przedmiocie*); *muz.* muzyka *f* funky

fun·nel ['fʌnl] lejek *m*; *naut.*, *rail.* komin *m* (*metalowy*)

fun·nies ['fʌnɪz] *Am.* F *pl.* komiks *m*

fun·ny ['fʌnɪ] (**-ier, -iest**) śmieszny, komiczny, zabawny; dziwny

fur [fɜː] futro *n*, sierść *f*; (*na języku*) nalot *m*; (*w czajniku*) kamień *m*

fu·ri·ous ['fjʊərɪəs] wściekły

furl [fɜːl] zwijać ⟨-winąć⟩; *parasol* składać ⟨złożyć⟩

fur·nace ['fɜːnɪs] piec *m*

fur·nish ['fɜːnɪʃ] ⟨u⟩meblować; zaopatrywać ⟨-trzyć⟩ (**with** w *A*); dostarczać ⟨-czyć⟩;

fur·ni·ture ['fɜːnɪtʃə] meble *pl.*; **a piece of ~** mebel *m*; **sectional ~** meble *pl.* w segmentach

furred [fɜːd] obłożony nalotem

fur·ri·er ['fʌrɪə] kuśnierz *m*

fur·row ['fʌrəʊ] **1.** bruzda *f*; rowek *m*; **2.** ⟨z⟩marszczyć; pomarszczyć

fur·ry ['fɜːrɪ] futrzany; puszysty

fur·ther ['fɜːðə] **1.** *comp. od* **far**; **2.** *fig.* dalej; **3.** wspierać ⟨wesprzeć⟩; **~ ed·u'ca·tion** *Brt.* edukacja *f* dla dorosłych; **~'more** *fig.* dodatkowo, poza tym; **'~·most** najdalszy

fur·thest ['fɜːðɪst] *sup. od* **far**

fur·tive ['fɜːtɪv] skryty

fu·ry ['fjʊərɪ] wściekłość *f*, furia *f*

fuse [fjuːz] **1.** *electr.* bezpiecznik *m*; lont *m*; **2.** *electr.* przepalać (się); ⟨s⟩topić (się); **'~ box** *electr.* skrzynka *f* bezpiecznikowa

fu·se·lage *aviat.* ['fjuːzɪlɑːʒ] kadłub *n*

fu·sion ['fjuːʒn] fuzja *f*, połączenie *n*; **nuclear ~** synteza *f* jądrowa

fuss [fʌs] **1.** zamieszanie *n*; histeria *f*; **2.** ⟨z⟩robić zamieszanie; niepotrzebnie się podniecać; **'~·y** (**-ier, -iest**) wybredny; przeładowany, przepełniony; rozgorączkowany, rozemocjonowany

fus·ty ['fʌstɪ] (**-ier, -iest**) zatęchły, zastały; *fig.* zaśniedziały

fu·tile ['fjuːtaɪl] daremny, nadaremny

fu·ture ['fjuːtʃə] **1.** przyszły; **2.** przyszłość *f*; *gr.* czas *m* przyszły; **in (the) ~** w przyszłości

fuzz[1] [fʌz] puszek *m*, meszek *m*

fuzz[2] [fʌz]: **the ~** *sg.*, *pl.* (*policja*) gliny *pl.*

fuzz·y ['fʌzɪ] F (**-ier, -iest**) nieostry, rozmyty; kędzierzawy; pokryty meszkiem

G

G, g [dʒiː] G, g *n*

gab [gæb] F gadanina *f*, trajkotanie *n*; **have the gift of the ~** mieć dar wymowy

gab·ar·dine ['gæbədiːn] gabardyna *f*

gab·ble ['gæbl] **1.** gadanina *f*, trajkotanie *n*; **2.** gadać, ⟨po⟩trajkotać

gab·er·dine ['gæbədiːn] *hist.* chałat *m* (*Żydów*); → **gabardine**

ga·ble ['geɪbl] *arch.* szczyt *m*

gad [gæd] F (**-dd-**): **~ about** włóczyć się

gad·fly ['gædflaɪ] *zo.* giez *m*

gad·get ['gædʒɪt] *tech.* urządzenie *n*, aparat *m*; *często pej.* zabawka *f* mechaniczna, gadżet *m*

gag [gæg] **1.** knebel (*też fig.*); F gag *m*; **2.** (**-gg-**) ⟨za⟩kneblować; *fig.* zamykać ⟨-mknąć⟩ usta

gage [geɪdʒ] *Am.* → **gauge**

gai·e·ty ['geɪətɪ] wesołość *f*, radość *f*

gai·ly ['geɪlɪ] *adv. od* **gay** 1

gain [geɪn] **1.** zyskiwać ⟨-skać⟩; odnosić ⟨-nieść⟩ korzyść; *wagę, szybkość* zwiększać; doganiać ⟨-gonić⟩; *zegarek*: spieszyć się; **~ 5 pounds** przybierać ⟨-brać⟩ pięć funtów; **~ in** zdobywać (*A*); **2.** zysk *m*, korzyść *f*; wzrost *m*, zwiększenie *n*

gait [geɪt] chód *m*; krok *m*
gai·ter ['geɪtə] kamasz *m*
gal [gæl] F dziewczyna *f*
ga·la ['gɑːlə] gala *f*; pokaz *m*, zawody *pl.*; *attr.* galowy
gal·ax·y ['gæləksɪ] *astr.* galaktyka *f*; ***the*** ≈ Droga *f* Mleczna
gale [geɪl] burza *f*, sztorm *m*
gall[1] [gɔːl] bezczelność *f*, czelność *f*
gall[2] [gɔːl] otarcie *n*, nadżerka *f*
gall[3] [gɔːl] ⟨roz⟩drażnić
gal|·lant ['gælənt] uprzejmy, grzeczny; odważny; **~·lan·try** ['gæləntrɪ] galanteria *f*, kultura *f*; odwaga *f*
'gall blad·der *anat.* woreczek *m* żółciowy
gal·le·ry ['gælərɪ] galeria *f*; empora *f*, balkon *m*
gal|·ley ['gælɪ] *naut.* kambuz *m*; *naut.* galera *f*; *też* ~ ***proof*** *print.* odbitka *f* szczotkowa
gal·lon ['gælən] galon *m* (*Brt. 4,55 l, Am. 3,79 l*)
gal·lop ['gæləp] **1.** galop *m*; **2.** ⟨po⟩galopować; puścić galopem
gal·lows ['gæləʊz] *sg.* szubienica *f*; **'~ hu·mo(u)r** wisielczy humor *m*
ga·lore [gə'lɔː] w bród
gam·ble ['gæmbl] **1.** ⟨za⟩grać hazardowo; stawiać ⟨postawić⟩, ⟨za⟩ryzykować; **2.** gra *f* hazardowa; **'~r** hazardzista *m* (-tka *f*)
gam·bol ['gæmbl] **1.** skok *m*; **2.** (*zwł. Brt.* **-ll-**, *Am.* **-l-**) brykać, hasać
game [geɪm] gra *f*; mecz *m*; *hunt.* dzika zwierzyna *f*; dziczyzna *f*; **~*s*** *pl.* igrzyska *pl.*; *szkolne* zajęcia *pl.* sportowe; **'~·keep·er** leśniczy *m*; **'~ park** rezerwat *m* zwierząt; **'~ re·serve** rezerwat *m* zwierząt
gam·mon ['gæmən] *zwł. Brt.* szynka *f* wędzona
gan·der ['gændə] *zo.* gąsior *m*
gang [gæŋ] **1.** brygada *f* robocza, ekipa *f*; gang *m*, banda *f*; grupa *f*; **2.** ~ ***up*** F współdziałać; spiskować
gang·ster ['gæŋstə] gangster *m*
'gang| war, ~ war·fare [gæŋ'wɔːfeə] wojna *f* między gangami
gang·way ['gæŋweɪ] *naut.* trap *m*; *aviat.* przejście *n*
gaol [dʒeɪl], **'~·bird**, **'~·er** → ***jail*** *itp.*
gap [gæp] przerwa *f*; luka *f*; dziura *f*; przełęcz *f*
gape [geɪp] ziać; otwierać się; gapić się
gar·age ['gærɑːʒ] **1.** garaż *m*; warsztat *m* samochodowy; **2.** trzymać w garażu; wprowadzać ⟨-dzić⟩ do garażu
gar·bage ['gɑːbɪdʒ] *zwł. Am.* śmieci *pl.*; **'~ bag** *Am.* worek *m* na śmieci; **'~ can** *Am.* pojemnik *m* na śmieci, kubeł *m* na śmieci; **'~ truck** *Am.* śmieciarka *f*
gar·den ['gɑːdn] ogród *m*; **'~·er** ogrodnik *m*; **'~·ing** ogrodnictwo *n*
gar·gle ['gɑːgl] ⟨wy⟩płukać gardło
gar·ish ['geərɪʃ] jaskrawy, rażący
gar·land ['gɑːlənd] wieniec *m*, girlanda *f*
gar·lic ['gɑːlɪk] *bot.* czosnek *m*
gar·ment ['gɑːmənt] ubranie *n*
gar·nish ['gɑːnɪʃ] *gastr.* ⟨u⟩garnirować, przybierać ⟨-brać⟩
gar·ret ['gærət] pokój *m* na poddaszu
gar·ri·son ['gærɪsn] *mil.* garnizon *m*
gar·ter ['gɑːtə] podwiązka
gas [gæs] gaz; *Am.* F benzyna *f*; **~·e·ous** ['gæsjəs] gazowy
gash [gæʃ] *głębokie* cięcie *n*, nacięcie *n*
gas·ket ['gæskɪt] *tech.* uszczelnienie *n*, uszczelka *f*
'gas me·ter licznik *m* gazu
gas·o·lene, gas·o·line ['gæsəliːn] *Am.* benzyna *f*, etylina *f*; **'~ pump** dystrybutor *m* benzyny
gasp [gɑːsp] **1.** westchnięcie *n*, dyszenie *n*; **2.** ⟨z⟩łapać powietrze; ~ ***for breath*** łapać powietrze (*z trudem*)
'gas| sta·tion *Am.* stacja *f* benzynowa; **'~ stove** kuchnia *f* gazowa; **'~·works** *sg.* gazownia *f*
gate [geɪt] brama *f*, bramka *f*; furtka *f*; szlaban *m*; *aviat.* przejście *n* do samolotu; **'~·crash** F wchodzić ⟨wejść⟩ bez zaproszenia; **'~·post** słupek *m*; **'~·way** przejście *m*, przejazd *m*; wjazd *m*; **'~·way drug**
gath·er ['gæðə] *v/t.* zbierać ⟨zebrać⟩; ⟨z⟩gromadzić (*zwł. informację*); *materiał itp.* zbierać ⟨zebrać⟩, ⟨z⟩marszczyć; *fig.* ⟨wy⟩wnioskować, sądzić (***from*** z *I*); ~ ***speed*** nabierać ⟨-brać⟩ prędkości; *v/i.* zbierać ⟨zebrać⟩ się; ⟨z⟩gromadzić się; **~·ing** ['gæðərɪŋ] zebranie *n*, zgromadzenie *n*
GATT [gæt] *skrót*: ***General Agreement on Tariffs and Trade*** GATT *m*, Układ Ogólny w Sprawie Ceł i Handlu

gau·dy ['gɔːdɪ] (***-ier, -iest***) krzykliwy, krzyczący
gauge [geɪdʒ] **1.** miara *f*, skala *f*; *tech.* przyrząd *m* pomiarowy, wskaźnik *m*; *tech.* grubość *f* (*blachy lub drutu*); *rail.* szerokość *f* toru; **2.** *tech.* ⟨z⟩mierzyć, dokonywać ⟨-nać⟩ pomiaru
gaunt [gɔːnt] wynędzniały; ponury
gaunt·let ['gɔːntlɪt] rękawica *f* ochronna
gauze [gɔːz] gaza *f*; *Am.* bandaż *m*
gave [geɪv] *pret. od* ***give***
gav·el ['gævl] młotek *m* (*licytatora, sędziego itp.*)
gaw·ky ['gɔːkɪ] (***-ier, -iest***) niezgrabny
gay [geɪ] **1.** wesoły; *kolor itp.*:. żywy; radosny; F homoseksualny, dla homoseksualistów; **2.** F homoseksualista *m*, gej *m*
gaze [geɪz] **1.** *uporczywy* wzrok *m*, spojrzenie *n*; ⚠ *nie* ***gaza***; **2.** wpatrywać się (***at*** w *A*)
ga·zette [gə'zet] dziennik *m* urzędowy
ga·zelle [gə'zel] *zo.* (*pl.* ***-zelles, -zelle***) gazela *f*
GB [dʒiː 'biː] *skrót*: ***Great Britain*** Wielka Brytania *f*
gear [gɪə] *tech.* koło *n* zębate, tryb *m*; *mot.* bieg *m*; *zwł. w złożeniach* sprzęt *m*, urządzenie *n*; F strój *m*, ubranie *n*; ***change*** (*zwł. Am.* ***shift***) **~(*s*)** zmieniać bieg(i); ***change*** (*zwł. Am.* ***shift***) ***into second*** **~** wrzucić ⟨-cać⟩ drugi bieg; **'~·box** *mot.* skrzynia *f* biegów; **'~ lever** *Brt. mot.*, **'~ shift** *Am.*, **'~ stick** *Brt. mot.* drążek *m* zmiany biegów
geese [giːs] *pl. od* ***goose***
Gei·ger count·er ['gaɪgə -] *phys.* licznik *m* Geigera-Müllera
geld·ing ['geldɪŋ] *zo.* wałach *m*
gem [dʒem] klejnot *m*, kamień *m* szlachetny
Gem·i·ni ['dʒemɪnaɪ] *astr.* Bliźnięta *pl.*; ***he/she is*** (***a***) **~** on(a) jest spod znaku Bliźniąt
gen·der ['dʒendə] *gr.* rodzaj *m*
gene [dʒiːn] *biol.* gen *m*
gen·e·ral ['dʒenərəl] **1.** ogólny; generalny; **2.** generał *m*; ***in*** **~** ogólnie rzecz biorąc; **~ de'liv·er·y**: (***in care of***) **~*delivery*** *Am.* poste restante *n*; **~ e'lection** *Brt.* wybory *pl.* do parlamentu; **~ize** ['dʒenərəlaɪz] uogólniać ⟨-nić⟩; **'~ly** ogólnie, w ogólności; **~ prac'ti·tion·er** (*skrót*: ***GP***) lekarz *m* ogólny
gen·e|·rate ['dʒenəreɪt] wytwarzać ⟨-worzyć⟩; ⟨s⟩powodować; ⟨wy⟩generować; **~·ra·tion** [dʒenə'reɪʃn] wytwarzanie *n*; generowanie *n*; generacja *f*, pokolenie *n*; **~·ra·tor** ['dʒenəreɪtə] generator *m*; *Am. mot.* prądnica *f*
gen·e|·ros·i·ty [dʒenə'rɒsətɪ] hojność *f*, szczodrobliwość *f*; **~·rous** ['dʒenərəs] hojny, szczodrobliwy
ge·net·ic [dʒɪ'netɪk] (***~ally***) genetyczny; **~ 'code** kod *m* genetyczny; **~ engin'eer·ing** inżynieria *f* genetyczna; **~s** *sg.* genetyka *f*
ge·ni·al ['dʒiːnjəl] przyjazny; ⚠ *nie* ***genialny***
gen·i·tive ['dʒenɪtɪv] *gr. też* **~ *case*** dopełniacz *m*
ge·ni·us ['dʒiːnjəs] geniusz *m*
gent [dʒent] F dżentelmen *m*; **~s** *sg. Brt.* F (*ubikacja*) dla panów
gen·tle ['dʒentl] (***-r, -st***) delikatny; łagodny; **'~·man** (*pl.* ***-men***) dżentelmen *m*; **'~·man·ly** po dżentelmeńsku; **'~·ness** delikatność *f*; łagodność *f*
gen·try ['dʒentrɪ] *Brt.* wyższa warstwa *f*; *jakby*: ziemiaństwo *n*
gen·u·ine ['dʒenjʊɪn] prawdziwy
ge·og·ra·phy [dʒɪ'ɒgrəfɪ] geografia *f*
ge·ol·o·gy [dʒɪ'ɒlədʒɪ] geologia *f*
ge·om·e·try [dʒɪ'ɒmətrɪ] geometria *f*
Geor·gia Gruzja *f*
germ [dʒɜːm] *biol.* zarodek *m*, zalążek *m*; *bot.* kiełek *m*; *med.* zarazek *m*, bakteria *f*
Ger·man ['dʒɜːmən] **1.** niemiecki; **2.** Niemiec *m* (-mka *f*); *ling.* język *m* niemiecki; **~ 'shep·herd** *zwł. Am.* owczarek *m* niemiecki, wilczur *m*; **'German·y** Niemcy *pl.*
ger·mi·nate ['dʒɜːmɪneɪt] ⟨za⟩kiełkować
ger·und ['dʒerənd] *gr.* rzeczownik *m* odsłowny
ges·tic·u·late [dʒe'stɪkjʊleɪt] gestykulować
ges·ture ['dʒestʃə] gest *m*
get [get] (***-tt-***; ***got, got*** *lub* ***gotten***) *v/t.* otrzymywać ⟨-mać⟩; dostawać ⟨-tać⟩; zdobywać, ⟨-być⟩; uzyskiwać ⟨-kać⟩; przynosić ⟨-nieść⟩, sprowadzać ⟨-dzić⟩; załatwiać ⟨-wić⟩; F ⟨z⟩łapać; F ⟨z⟩rozumieć, ⟨s⟩chwytać; wydostawać ⟨-tać⟩; *kogoś* nakłaniać (***to do***

G

do zrobienia); *tel.* połączyć się z (*I*); **~ one's hair cut** obcinać ⟨-ciąć⟩ sobie włosy; **~ going** uruchamiać ⟨-chomić⟩, *fig.* nabierać ⟨-brać⟩ rozpędu; **~ s.th. by heart** nauczyć się czegoś na pamięć; **~ s.th. ready** przygotować coś; **have got** mieć; **have got to** musieć; *v/i.* docierać, dostawać się, przyjeżdżać; *z p.p. lub adj.* stawać się; **~ tired** zmęczyć się; **~ going** uruchamiać ⟨-chomić⟩ się, działać; **~ home** jechać do domu; **~ ready** przygotowywać ⟨-wać⟩ się; **~ to know s.th.** poznawać ⟨-nać⟩ coś; **~ about** ruszać się (*z miejsca na miejsce*); *pogłoska itp.*: rozchodzić ⟨-zejść⟩ się; **~ ahead of** wyprzedzać ⟨-dzić⟩ (*A*); **~ along** iść naprzód; dawać sobie radę (**with** z *I*); być w dobrych stosunkach (**with** z *I*); **~ at** zbliżać się do (*G*), dosięgnąć ⟨-gać⟩; **what is she getting at?** o co jej chodzi?; **~ away** uciekać ⟨-ciec⟩; odchodzić ⟨odejść⟩; **~ away with** wychodzić ⟨wyjść⟩ obronną ręką z (*G*); **~ back** wracać ⟨wrócić⟩; *coś* odzyskiwać ⟨-kać⟩; **~ in** wchodzić ⟨wejść⟩, dostawać się (do *G*); wsiadać ⟨wsiąść⟩ do (*G*); **~ off** wysiadać ⟨-siąść⟩ z (*G*); wychodzić ⟨wyjść⟩ obronną ręką (**with** z *G*); *coś* zdejmować ⟨zdjąć⟩; **~ on** wsiadać ⟨wsiąść⟩; → **get along**; **~ out** wychodzić ⟨wyjść⟩ (**of** z *G*); wysiadać ⟨-siąść⟩ (**of** z *G*); wydostawać ⟨-tać⟩ się; **~ over s.th.** dochodzić ⟨dojść⟩ do siebie po (*L*); **~ to** dochodzić ⟨dojść⟩ do (*G*); **~ together** zbierać ⟨zebrać⟩ się; **~ up** wstawać ⟨-tać⟩; **'~·a·way** ucieczka *f*, zbiegnięcie *n*; **~ car** samochód *m* dla uciekających; **'~·up** *dziwaczne* ubranie *n*

gey·ser ['gaɪzə] gejzer *m*; ['giːzə] *Brt.* przepływowy grzejnik *m* wody

ghast·ly ['gɑːstlɪ] (**-ier, -iest**) okropny, straszny; *wygląd itp.*: upiorny

gher·kin ['gɜːkɪn] ogórek *m* konserwowy, korniszon *m*

ghost [gəʊst] duch *m*; **'~·ly** (**-ier, -iest**) upiorny

GI [dʒiː 'aɪ] (*żołnierz amerykański*)

gi·ant ['dʒaɪənt] **1.** gigant *m*; olbrzym *m*; **2.** gigantyczny

gib·ber·ish ['dʒɪbərɪʃ] bełkot *m*

gib·bet ['dʒɪbɪt] szubienica *f*

gibe [dʒaɪb] **1.** szydzić, drwić (**at** z *G*); **2.** szyderstwo *n*

gib·lets ['dʒɪblɪts] *pl.* podroby *pl.* drobiowe

gid|·di·ness ['gɪdɪnɪs] *med.* zawroty *pl.* głowy; **~·dy** ['gɪdɪ] (**-ier, -iest**) *wysokość itp.*: przyprawiający o zawrót głowy; **I feel ~dy** w głowie mi się kręci

gift [gɪft] dar *m*; talent *m*; **'~·ed** utalentowany

gig [gɪg] *mus.* F występ *m*, koncert *m*

gi·gan·tic [dʒaɪ'gæntɪk] (**~ally**) gigantyczny, olbrzymi

gig·gle ['gɪgl] **1.** ⟨za⟩chichotać; **2.** chichot *m*

gild [gɪld] pozłacać, złocić

gill [gɪl] *zo.* skrzele *n*; *bot.* blaszka *f*

gim·mick ['gɪmɪk] F sztuczka *f*, trik *m*

gin [dʒɪn] dżin *m*, jałowcówka *f*

gin·ger ['dʒɪndʒə] **1.** imbir *m*; **2.** rudy, czerwony; **'~·bread** piernik *m*; **'~·ly** ostrożnie

gip·sy ['dʒɪpsɪ] Cygan(ka *f*) *m*

gi·raffe [dʒɪ'rɑːf] *zo.* (*pl.* **-raffes, -raffe**) żyrafa *f*

gir·der ['gɜːdə] *tech.* dźwigar *m*

gir·dle ['gɜːdl] pas *m* elastyczny

girl [gɜːl] dziewczyna *f*, dziewczynka *f*; **'~·friend** dziewczyna *f*, sympatia *f*; **~ 'guide** *Brt.* harcerka *f*; **~·hood** ['gɜːlhʊd] lata *pl.* dziewczęce; młodość *f*; **'~·ish** dziewczęcy; **~ 'scout** *Am.* harcerka *f*

gi·ro ['dʒaɪrəʊ] *Brt.* pocztowy system *m* przelewowy; **'~ ac·count** *Brt.* pocztowy rachunek *m* rozliczeniowy; **'~ cheque** *Brt.* czek *m* przelewowy

girth [gɜːθ] obwód *m*; popręg *m*

gist [dʒɪst] sedno *n*, jądro *n*

give [gɪv] (**gave, given**) dawać ⟨dać⟩; *jako podarek* ⟨po⟩darować; *tytuł, prawo itp.* nadawać ⟨-dać⟩; *życie*, *pomoc* ofiarowywać ⟨-ować⟩; *pracę domową* zadawać ⟨-dać⟩; *pomoc*, *odpowiedź itp.* udzielać ⟨-lić⟩; *dotację itp.* przyznawać ⟨-nać⟩; *wykład* wygłaszać ⟨-łosić⟩; *radość* przysparzać ⟨-porzyć⟩; *sztukę* wystawiać ⟨-wić⟩; *pozdrowienia* przekazywać ⟨-zać⟩; **~ her my love** przekaż jej moje serdeczne pozdrowienia; **~ birth to** wydawać ⟨-dać⟩ (*A*) na świat; **~ s.o. to understand that** dać komuś do zrozumienia, że; **~ way** ustępować ⟨-tąpić⟩, *Brt. mot.* ustąpić pierwszeństwa przejazdu; **~ away** oddawać ⟨-dać⟩; rozdawać ⟨-dać⟩; *kogoś* zdradzać ⟨-dzić⟩; ~ ***back*** zwracać ⟨zwrócić⟩; ~ ***in*** *podanie itp*. składać ⟨złożyć⟩; *pracę, itp*. oddawać ⟨-dać⟩; poddawać ⟨-dać⟩ się; ustępować ⟨-tąpić⟩; ~ ***off*** *zapach itp*. wydzielać ⟨-lić⟩; wydobywać ⟨-być⟩ się; ~ ***on*(*to*)** wychodzić na (*A*); ~ ***out*** rozdawać ⟨-dać⟩; wydawać ⟨-dać⟩; kończyć się; wyczerpywać ⟨-pać⟩ się; *zwł. Brt*. ogłaszać ⟨-łosić⟩; *silnik itp*.: F nawalać ⟨-lić⟩; ~ ***up*** ⟨z⟩rezygnować, rzucać ⟨-cić⟩; poddawać ⟨-dać⟩ się; przestawać ⟨-tać⟩; *kogoś* wydawać ⟨-dać⟩; ~ ***o.s. up*** oddawać się (***to the police*** w ręce policji); **~-and-take** [gɪvən'teɪk] wzajemne ustępstwa *pl*., kompromis *m*; **giv•en** ['gɪvn] **1.** *p.p. od* ***give***; **2.** ***be*** ~ ***to*** mieć skłonności do (*G*); **'giv•en name** *zwł. Am*. imię *n*

gla•cial ['gleɪsjəl] lodowcowy; *fig*. lodowaty

gla•ci•er ['glæsjə] lodowiec *m*

glad [glæd] (***-dd-***) szczęśliwy, zadowolony; ***be*** ~ ***of*** być wdzięcznym za (*A*); **'~•ly** za radością, z przyjemnością

glam•o(u)r ['glæmə] urok *m*, splendor *m*, świetność *f*; **~•ous** ['glæmərəs] świetny, urokliwy, czarujący

glance [glɑːns] **1.** spojrzenie *n*, rzut *m* okiem (***at*** na *A*); ***at a*** ~ od razu; **2.** rzucać ⟨-cić⟩ okiem, spojrzeć (***at*** na *A*)

gland [glænd] *anat*. gruczoł *m*

glare [gleə] **1.** ⟨za⟩świecić jaskrawo, oślepiać ⟨-pić⟩; być bardzo widocznym; ~ ***at s.o.*** wpatrywać się ze wściekłością w kogoś; **2.** jaskrawe światło *n*; wściekłe spojrzenie *n*

glass [glɑːs] **1.** szkło *n*; szklanka *f*; kieliszek *m*; lornetka *f*; *Brt*. F lustro *n*; *Brt*. barometr *m*; (***a pair of***) **~*es*** *pl*. okulary *pl*.; **2.** szklany, ze szkład; **3.** ~ ***in*** *lub* ***up*** ⟨o⟩szklić; **'~ case** witryna *f*, gablota *f*; **'~•ful** szklanka *f*, kieliszek *m* (*miara*); **'~•house** szklarnia *f*; **'~•ware** wyroby *pl*. ze szkła; **'~•y** (***-ier, -iest***) szklany, zaszklony, szklisty

glaz|e [gleɪz] **1.** *v/t*. ⟨o⟩szklić; glazurować; *v/i. też* ***~e over*** *oczy*: szklić się; **2.** glazura *f*, szkliwo *n*; **~ier** ['gleɪzjə] szklarz *m*

gleam [gliːm] **1.** blask *m*, odblask *m*; **2.** błyszczeć ⟨błysnąć⟩

glean [gliːn] *v/t*. ⟨z⟩gromadzić; *v/i*. zbierać ⟨zebrać⟩ kłosy

glee [gliː] radość *f*; **'~•ful** radosny, szczęśliwy

glen [glen] (głęboka)dolina *f*

glib [glɪb] (***-bb-***) wymowny, wygadany; natychmiastowy

glide [glaɪd] **1.** ⟨po⟩szybować; sunąć, ślizgać się; **2.** *aviat*. szybowanie *n*, lot *m* ślizgowy; ślizg *m*; **'glid•er** *aviat*. szybowiec *m*; **'glid•ing** *aviat*. szybownictwo *n*

glim•mer ['glɪmə] **1.** ⟨za⟩migotać; **2.** migotanie *n*

glimpse [glɪmps] **1.** ujrzeć na chwilę; **2.** przelotne spojrzenie *n*

glint [glɪnt] **1.** ⟨za⟩skrzyć się; **2.** skrzenie *n* się; iskierka *f*

glis•ten ['glɪsn] ⟨za⟩skrzyć się

glit•ter ['glɪtə] **1.** ⟨za⟩skrzyć się; ⟨za⟩migotać; **2.** skrzenie *n* się; migotanie *n*

gloat [gləʊt]: ~ ***over*** upajać się, cieszyć się (*złośliwie lub ukradkiem*) (*A*); **'~•ing** cieszący się, zadowolony

glo•bal ['gləʊbl] globalny, światowy, ogólnoświatowy; ~ **'warm•ing** ogrzewanie *n* atmosfery ziemskiej

globe [gləʊb] kula *f*; kula *f* ziemska; globus *m*

gloom [gluːm] mrok *m*; ciemność *f*; ponurość *f*, przygnębienie *n*; **'~•y** (***-ier, -iest***) mroczny; ponury, przygnębiający

glo|•ri•fy ['glɔːrɪfaɪ] gloryfikować, sławić; **~•ri•ous** ['glɔːrɪəs] wspaniały, znakomity; **~•ry** ['glɔːrɪ] chwała *f*, świetność *f*

gloss [glɒs] **1.** połysk *m*; *ling*. glosa *f*; **2.** ~ ***over*** przemykać się nad (*I*)

glos•sa•ry ['glɒsərɪ] słowniczek *m*

gloss•y ['glɒsɪ] (***-ier, -iest***) połyskliwy, błyszczący

glove [glʌv] rękawiczka *f*; ***it fits like a*** ~ leży jak ulał; **'~ com•part•ment** *mot*. schowek *m*

glow [gləʊ] **1.** żarzyć się; *fig*. promieniować, płonąć; **2.** żar *m*; promieniowanie *n*, płonięcie *n*

glow•er ['glaʊə] patrzeć się ze złością

'glow-worm *zo*. świetlik *m*

glu•cose ['gluːkəʊs] glukoza *f*

glue [gluː] **1.** klej *m*; **2.** ⟨s⟩kleić

glum [glʌm] (***-mm-***) przygnębiony

glut•ton ['glʌtn]: *fig*. ***be a*** ~ ***for s.th.*** strasznie coś lubić; **'~•ous** żarłoczny

GMT [dʒiː em 'tiː] *skrót*: ***Greenwich***

G

Mean Time ['grenɪdʒ -] czas *m* Greenwich
gnarled [nɑːld] sękaty; powykrzywiany
gnash [næʃ] zgrzytać (*I*)
gnat [næt] *zo.* komar *m*
gnaw [nɔː] gryźć, wygryzać ⟨-ryźć⟩; *fig.* trapić
gnome [nəʊm] gnom *m*; krasnal *m* ogrodowy
go [gəʊ] **1.** (***went, gone***) iść ⟨pójść⟩, ⟨po⟩jechać (***to*** do *G*); odchodzić ⟨odejść⟩, odjeżdżać ⟨-jechać⟩; *ulica*: ⟨po⟩prowadzić (***to*** do *G*), rozciągać się; *autobus*: kursować, jeździć; *tech.* poruszać się, funkcjonować; *czas itp.*: przechodzić ⟨przejść⟩, upływać ⟨-łynąć⟩; *kapelusz*: pasować (***with*** do *G*); wchodzić ⟨wejść⟩; *żarówka itp.*: zepsuć się, nie działać; (*do szkoły*) uczęszczać; *praca itp.*: iść ⟨pójść⟩, wypadać; stawać się (***~ mad***; ***~ blind***); ***be ~ing to do s.th.*** zabierać się do zrobienia czegoś, mieć coś zrobić; ***~ shares*** ⟨po⟩dzielić się; ***~ swimming*** iść popływać; ***it is ~ing to rain*** będzie padało; ***I must be ~ing*** muszę już iść; ***~ for a walk*** iść na spacer; ***~ to bed*** iść do łóżka; ***~ to school*** chodzić do szkoły; ***~ to see*** iść z wizytą; ***let ~*** puszczać ⟨puścić⟩; ***~ after*** iść za (*I*); starać się o (*A*); ***~ ahead*** udawać ⟨udać⟩ się naprzód; iść ⟨pójść⟩ naprzód; ***~ ahead with*** zaczynać ⟨-cząć⟩ (*A*), przystępować ⟨-tąpić⟩ do (*G*); ***~ at*** zabierać ⟨-brać⟩ się do (*G*); ***~ away*** odchodzić ⟨odejść⟩, odjeżdżać ⟨-jechać⟩; ***~ between*** pośredniczyć między (*I*); ***~ by*** przejeżdżać ⟨-jechać⟩, przechodzić ⟨-ejść⟩; upływać ⟨-łynąć⟩; *fig.* kierować się, powodować się; ***~ down*** spadać ⟨-paść⟩; zachodzić ⟨zajść⟩; ***~ for*** udawać ⟨-dać⟩ się po (*A*); stosować się do (*G*); ***~ in*** wchodzić ⟨wejść⟩; ***~ in for an examination*** przystępować ⟨-tąpić⟩ do egzaminu; ***~ off*** wybuchać ⟨-chnąć⟩; uruchamiać ⟨-chomić⟩ się; ***~ on*** kontynuować (***doing*** robienie); nadal robić; mieć miejsce, dziać się; ***~ out*** wychodzić ⟨wyjść⟩; chodzić (***with*** z *I*); *światło*: ⟨z⟩gasnąć; ***~ through*** przechodzić (przez *A*), doświadczać; zużyć, wyczerpać; ***~ up*** wznosić ⟨-nieść⟩ się; iść ⟨pójść⟩ do góry; ***~ without*** obywać ⟨-być⟩ się; **2.** (*pl.* ***goes***) F witalność *f*, dynamizm *m*; *zwł. Brt.* F próba *f*; ***it's my ~*** *zwł. Brt.* F teraz moja kolej; ***on the ~*** w ruchu; ***in one ~*** za jednym razem; ***have a ~ at*** *Brt.* F spróbować (*G*)
goad [gəʊd] *fig.* podjudzać ⟨-dzić⟩
'go-a·head¹: ***get the ~*** otrzymywać ⟨-mać⟩ zielone światło; ***give s.o. the ~*** zapalać ⟨-lić⟩ komuś zielone światło
'go-a·head² F postępowy, przodujący
goal [gəʊl] cel *m* (*też fig.*); (*w sporcie*) bramka *f*; ***score a ~*** zdobywać ⟨-być⟩ bramkę; ***consolation ~*** bramka *f* honorowa; ***own ~*** bramka *f* samobójcza; **'~ ·area** *sport*: pole *n* bramkowe; **~·ie**, F ['gəʊlɪ], **'~·keep·er** *sport*: bramkarz *m*; **'~kick** (*w piłce nożnej*) wybicie *n* piłki od bramki; **'~ line** (*w sporcie*) linia *f* bramkowa; **'~·post** (*w sporcie*) słupek *m*
goat [gəʊt] *zo.* koza *f*; kozioł *m*
gob·ble ['gɒbl]: *zw.* ***~ up*** pochłaniać ⟨-łonąć⟩
'go-be·tween pośrednik *m* (-iczka *f*)
gob·lin ['gɒblɪn] chochlik *m*, diablik *m*
god [gɒd], *rel.* ♀ Bóg *m*; *fig.* bożek *m*; **'~·child** (*pl.* ***-children***) chrześniak *m*; **~·dess** ['gɒdɪs] bogini *f*; **'~·fa·ther** ojciec *m* chrzestny (*też fig.*); **'~·for·sak·en** *pej.* zapomniany, porzucony; **'~·less** bezbożny; **'~·like** podobny bogom; **'~·moth·er** matka *f* chrzestna; **'~·pa·rent** rodzic *m* chrzestny; **'~·send** dar *m* niebios
gog·gle ['gɒgl] gapić się; **'~ box** *Brt.* F *TV* telewizja *f*; **'~s** *pl.* gogle *pl.*
go·ings-on [gəʊɪŋz'ɒn] F *pl.* wydarzenia *pl.*
gold [gəʊld] **1.** złoto *n*; **2.** złoty; **~·en** *zw. fig.* ['gəʊldən] złoty, złocisty; **'~·finch** *zo.* szczygieł *m*; **'~·fish** *zo.* złota rybka *f*; **'~·smith** złotnik *m*
golf [gɒlf] **1.** golf *m*; *attr.* golfowy; **2.** ⟨za-, po⟩grać w golfa; **'~ club** kij *m* golfowy; klub *m* golfowy; **'~ course**, **'~ links** *pl. lub sg.* pole *n* golfowe
gon·do·la ['gɒndələ] gondola *f*
gone [gɒn] **1.** *p.p. od* **go** 1; **2.** *adj.* miniony; zużyty; F martwy; F upity
good [gʊd] **1.** (***better, best***) dobry; grzeczny; ***~ at*** dobry w (*L*); ***real ~*** F naprawdę dobry; **2.** dobro *n*; dobroć *f*; ***for ~*** na dobre; **~·by(e)** [gʊd'baɪ] **1.** ***wish s.o. ~bye, say ~bye to s.o.*** mówić ⟨powiedzieć⟩ komuś do widzenia; **2.** *int.* do widzenia!; ♀ **'Fri·day** Wielki

Piątek *m*; **~-'hu·mo(u)red** dobrze usposobiony; dobroduszny; **~-'look·ing** przystojny, atrakcyjny; **~-'natured** o dobrym usposobieniu; **'~·ness** dobro; ***thank ~ness!*** dzięki Bogu!; **(*my*) *~ness!*, *~ness gracious!*** Boże mój!; ***for ~ness' sake*** na litość Boską!; ***~ness knows*** Bóg jeden wie

goods [gʊdz] *econ.*, *pl.* towary *pl.*

good'will dobra wola *f*; *econ.* wartość *f* przedsiębiorstwa

good·y ['gʊdɪ] F cukierek *m*

goose [guːs] *zo.* (*pl.* ***geese***) gęś *f*

goose·ber·ry ['gʊzbərɪ] *bot.* agrest *m*

goose|·flesh ['guːsfleʃ], **'~pim·ples** *pl.* gęsia skórka *f*

GOP [dʒiː əʊ 'piː] *skrót*: ***Grand Old Party*** Partia Republikańska (*w USA*)

go·pher ['gəʊfə] *zo.* suseł *m* amerykański; wiewiórka *f ziemna*

gore [gɔː] brać na rogi

gorge [gɔːdʒ] **1.** wąwóz *m*; gardziel *f*; **2.** pochłaniać ⟨-łonąć⟩, napychać ⟨-pchać⟩ (się)

gor·geous ['gɔːdʒəs] wspaniały

go·ril·la [gə'rɪlə] *zo.* goryl *m*

gor·y ['gɔːrɪ] F (***-ier, -iest***) zakrwawiony; *fig.* krwawy

gosh [gɒʃ]: *int.* F ***by ~*** o Boże!

gos·ling ['gɒzlɪŋ] *zo.* gąsiątko *n*

go-slow [gəʊ'sləʊ] *Brt. econ.* strajk *m* włoski (*w którym pracownicy pracują bardzo mało wydajnie*)

Gos·pel ['gɒspəl] *rel.* ewangelia *f*

gos·sa·mer ['gɒsəmə] nić *f* pajęcza, pajęczyna *f*; *attr.* bardzo cienki

gos·sip ['gɒsɪp] **1.** plotka *f*; plotkarz *m* (-arka *f*); **2.** ⟨po⟩plotkować; **'~·y** plotkarski; *ktoś* rozplotkowany

got [gɒt] *pret. i p.p. od* ***get***

Goth·ic ['gɒθɪk] **1.** gotyk *m*; **2.** *adj.* gotycki; **~ *novel*** powieść *f* gotycka

got·ten ['gɒtn] *Am. p.p. od* ***get***

gourd [gʊəd] *bot.* tykwa *f*

gout [gaʊt] *med.* gościec *m*

gov·ern ['gʌvn] *v/t.* rządzić; kierować; *v/i.* sprawować władzę; **'~·ess** guwernantka *f*; **'~·ment** rząd *m*; rządzenie *n*; *attr.* rządowy; **~or** ['gʌvənə] gubernator *m*; zarządca *m*; F *ojciec*, *szef*: stary *m*

gown [gaʊn] suknia *f*; toga *f*; szlafrok *m*

GP [dʒiː 'piː] *skrót*: ***general practitioner*** *jakby*: lekarz *m* (-arka *f*) ogólny (-a), internista *m* (-tka *f*)

GPO *Brt.* [dʒiː piː 'əʊ] *skrót*: ***General Post Office*** poczta *f* główna

grab [græb] **1.** (***-bb-***) ⟨s⟩chwytać, ⟨z⟩łapać; **2.** złapanie *n*, schwytanie *n*; *tech.* chwytak *m*

grace [greɪs] **1.** gracja *f*, wdzięk *m*; przyzwoitość *f*; *econ. ulga f*, prolongata *f*; *rel.* łaska *f* ; *rel.* modlitwa *f* (*przy stole*); **2.** zaszczycać ⟨-cić⟩; **'~·ful** wdzięczny; pełen wdzięku; **'~·less** niewdzięczny

gra·cious ['greɪʃəs] łaskawy; miłosierny

gra·da·tion [grə'deɪʃn] stopniowanie *n*

grade [greɪd] **1.** ranga *f*; jakość *f*; gatunek *m*; → ***gradient***; *Am.* klasa (*w systemie edukacyjnym*) *f*; *zwł. Am.* stopień *m*, ocena *f*; **2.** ⟨po⟩sortować; oceniać ⟨-nić⟩; **'~ cross·ing** *Am.* jednopoziomowy przejazd *m* kolejowy; **'~ school** *Am.* szkoła *f* podstawowa

gra·di·ent ['greɪdjənt] *rail. itp.* nachylenie *n*, pochylenie *n*

grad·u|·al ['grædʒʊəl] stopniowy; **'~·al·ly** stopniowo; **~·ate 1.** ['grædʒʊət] *univ.* absolwent(ka *f*) *m* (*szkoły wyższej*); *Am.* absolwent(ka *f*) *m*; **2.** ['grædjʊeɪt] skalować; stopniować; *univ.* studiować (***from*** na *L*); otrzymywać ⟨-mać⟩ dyplom uniwersytecki (***from*** na *L*); *Am.* ⟨s⟩kończyć; **~·a·tion** [grædʒʊ'eɪʃn] podziałka *f*, skala *f*; *univ.* nadawanie *n* stopnia naukowego; *Am.* zakończenie *n*

graf·fi·ti [grə'fiːtɪ] *pl.* graffiti *pl.*, bazgroły *pl.* na ścianach

graft [grɑːft] **1.** *med.* przeszczep *m*; *agr.* szczep *m*; **2.** *med.* przeszczepiać ⟨-pić⟩, ⟨prze⟩transplantować; *agr.* ⟨za⟩szczepić

grain [greɪn] ziarno *n*; zboże *n*; ziarenko *n*; (*w drewnie*) włókno *n*; rysunek *m* słojów; ***go against the ~*** *fig.* postępować ⟨-tąpić⟩ niezgodnie z zasadami

gram [græm] gram *m*

gram·mar ['græmə] gramatyka *f*; **'~ school** *Brt. jakby*: liceum *n* (*ogólnokształcące*); *Am. jakby*: szkoła *f* podstawowa

gram·mat·i·cal [grə'mætɪkl] gramatyczny

gramme [græm] gram *m*

gra·na·ry ['grænərɪ] spichlerz *m*

grand [grænd] **1.** *fig.* wspaniały, znakomity; wyniosły; dostojny; ♀ ***Old Party*** Partia *f* Republikańska (*USA*); (*pl.* ***grand***) F (*tysiąc dolarów lub funtów*) patyk *m*

grand|·child ['græntʃaɪld] (*pl.* ***-children***) wnuk *m*; **~·daugh·ter** ['grændɔːtə] wnuczka *f*

gran·deur ['grændʒə] wzniosłość *f*, dostojeństwo *n*; wielkość *f*

grand·fa·ther ['grændfɑːðə] dziadek *m*

gran·di·ose ['grændɪəʊs] wspaniały

grand|·moth·er ['grænmʌðə] babcia *f*; **~·par·ents** ['grænpeərənts] *pl.* dziadkowie *pl.*; **~·son** ['grænsʌn] wnuk *m*

grand·stand ['grændstænd] (*w sporcie*) trybuna *f* (*główna*)

gran·ny ['grænɪ] F babcia *f*

grant [grɑːnt] **1.** przyznawać ⟨-znać⟩; uznawać ⟨-nać⟩; *pozwolenia* udzielać ⟨-lić⟩; nadawać ⟨-dać⟩; *prośbę* spełniać ⟨-nić⟩; ***take s.th. for ~ed*** uznawać coś za oczywiste; **2.** stypendium *n*; grant *m*; dotacja *f*

gran|·u·lat·ed ['grænjʊleɪtɪd] granulowany; ***~ulated sugar*** cukier *m* kryształ; **~·ule** ['grænjuːl] granulka *f*, ziarno *n*

grape [greɪp] winogrono *n*; winorośl *f*; **'~·fruit** grapefruit *lub* grejpfrut *m*; **'~·vine** winorośl *f*

graph [græf] graf *m*, wykres *m*; **~·ic** ['græfɪk] (***-ally***) graficzny; *opis* plastyczny; ***~ic arts*** *pl.* grafika *f*; ***~ic artist*** artysta *m* grafik; **'·ics** *pl.* grafika *f*

grap·ple ['græpl]: **~** ***with*** walczyć z (*I*), *fig.* borykać się z (*I*)

grasp [grɑːsp] **1.** ⟨s⟩chwytać, ⟨z⟩łapać; *fig.* ⟨z⟩rozumieć, ⟨z⟩łapać; **2.** uchwyt *m*; zasięg *m*; *fig.* pojmowanie *n*

grass [grɑːs] trawa *f*; *sl.* (*marihuana*) trawka *f*; **~·hop·per** ['grɑːshɒpə] *zo.* pasikonik *m*; **~ 'wid·ow** słomiana wdowa *f*; **~ 'wid·ow·er** słomiany wdowiec *m*; **'gras·sy** (***-ier, -iest***) trawiasty

grate [greɪt] **1.** krata *f*; *kominowy* ruszt *m*; **2.** ⟨u⟩trzeć; ⟨za⟩zgrzytać, ⟨za⟩skrzypieć; **~ *on s.o.'s nerves*** działać komuś na nerwy

grate·ful ['greɪtfl] wdzięczny

grat·er ['greɪtə] tarka *f*

grat·i|·fi·ca·tion [grætɪfɪ'keɪʃn] wynagrodzenie *n*, gratyfikacja *f*; satysfakcja *f*; **~·fy** ['grætɪfaɪ] dawać ⟨dać⟩ satysfakcję; ⟨u⟩cieszyć

grat·ing[1] ['greɪtɪŋ] zgrzytający, zgrzytliwy

grat·ing[2] ['greɪtɪŋ] krata *f*, okratowanie *n*

grat·i·tude ['grætɪtjuːd] wdzięczność *f*

gra·tu·i|·tous [grə'tjuːɪtəs] zbędny, niepotrzebny; dobrowolony; **~·ty** [grə'tjuːətɪ] napiwek *m*

grave[1] [greɪv] (***-r, -st***) poważny; stateczny

grave[2] [greɪv] grób *m*; **'~·dig·ger** grabarz *m*

grav·el ['grævl] **1.** żwir *m*; **2.** (*zwł. Brt.* ***-ll-***) ⟨po⟩żwirować

'grave|·stone nagrobek *m*, kamień *m* nagrobny; **'~·yard** cmentarz *m*

grav·i·ta·tion [grævɪ'teɪʃn] *phys.* grawitacja *f*, siła *f* ciężkości

grav·i·ty ['grævətɪ] siła *f* ciężkości; powaga *f*

gra·vy ['greɪvɪ] sos *m* (*z pieczeni*)

gray [greɪ] *zwł. Am.* → ***grey***

graze[1] [greɪz] *v/t.* pasać ⟨paść⟩; *v/i.* paść się

graze[2] [greɪz] **1.** ocierać ⟨otrzeć⟩ (się); **2.** otarcie *n*

grease 1. [griːs] tłuszcz *m*; *tech.* smar *m*; **2.** [griːz] natłuszczać ⟨-łuścić⟩; *tech.* ⟨na⟩smarować

greas·y ['griːzɪ] (***-ier, -iest***) tłusty, zatłuszczony; zabrudzony smarem

great [greɪt] wielki; F wspaniały, super; pra...

Great Brit·ain [greɪt'brɪtn] Wielka Brytania *f*

Great 'Dane *zo.* dog *m*

great|-'grand·child prawnuk *m*; **~-'grand·par·ents** *pl.* pradziadkowie *pl.*

'great|·ly wielce, bardzo; **'~·ness** wielkość *f*

Greece [griːs] Grecja *f*

greed [griːd] chciwość *f*, zachłanność *f*; **'~·y** (***-ier, -iest***) chciwy; zachłanny (***for*** na *A*)

Greek [griːk] **1.** grecki; **2.** Grek *m*, Greczynka *f*; *ling.* język *m* grecki

green [griːn] **1.** zielony; *fig.* zielony, niedojrzały; **2.** zieleń *f*; teren *m* zielony; **~s** *pl.* warzywa *pl.* (*zielone*); **~ belt** *zwł. Brt.* pas *m* zieleni; **~ 'card** *Am.* zielona karta *f* (*pozwalająca pracować*); **'~·gro·cer** *zwł. Brt.* sprzedawca *m*

(-czyni *f*) warzyw i owoców; sklep *m* warzywny; **'~·horn** żółtodziób *m*; **'~·house** cieplarnia *f*, szklarnia *f*; **'~·house ef·fect** efekt *m* cieplarniany; **'~·ish** zielonawy, zielonkawy
Green·land Grenlandia *f*
greet [gri:t] ⟨po⟩witać; **'~·ing** powitanie *n*; pozdrowienie *n*; ***~ings*** *pl.* pozdrowienia *pl.*
gre·nade *mil.* [grɪ'neɪd] granat *m*
grew [gru:] *pret. od* ***grow***
grey [greɪ] **1.** szary; popielaty; *włosy*: siwy; szpakowaty; **2.** szarość *f*; szary *lub* popielaty kolor *m*; **3.** ⟨z⟩szarzeć; ⟨po⟩-siwieć; **'~·hound** *zo.* chart *m*
grid [grɪd] krata *f*; *electr. itp.* sieć *f*; *kartograficzna* siatka *f*; **'~·i·ron** ruszt *m*
grief [gri:f] zmartwienie *n*
griev|·ance ['gri:vns] skarga *f*; zażalenie *n*; **~e** [gri:v] *v/t.* martwić; *v/i.* ⟨z⟩martwić się; ***~e for*** żałować (*G*); **~·ous** ['gri:vəs] poważny
grill [grɪl] **1.** ⟨u⟩piec na grillu; **2.** grill *m*; ruszt *m*; pieczeń *f* z grilla
grim [grɪm] (***-mm-***) ponury; zacięty; F okropny
gri·mace [grɪ'meɪs] **1.** grymas *m*; **2.** ⟨z⟩robić grymas
grime [graɪm] brud *m*; **'grim·y** (***-ier, -iest***) zabrudzony
grin [grɪn] **1.** uśmiech *m* (*szyderczy*); **2.** (***-nn-***) uśmiechać ⟨-chnąć⟩ się (*szyderczo*)
grind [graɪnd] **1.** (***ground***) *v/t.* ⟨ze⟩mleć *lub* ⟨z⟩mielić; rozdrabniać ⟨-drobnić⟩; *noże itp.* ⟨na⟩ostrzyć; *soczewkę* ⟨o⟩szlifować; ***~ one's teeth*** ⟨za⟩zgrzytać zębami; *v/i.* harować; wkuwać ⟨-kuć⟩; **2.** harówka *f*; ***the daily ~*** codzienny znój *m*; **'~·er** szlifierz *m*; *tech.* szlifierka *f*; młynek *m*; **'~·stone** kamień *m* do ostrzenia
grip [grɪp] **1.** (***-pp-***) ⟨s⟩chwytać, ⟨z⟩łapać (*też fig.*); **2.** uścisk *m*; uchwyt *m*; rękojeść *f*; torba *f* podróżna; *fig.* władza *f*, moc *f*; ***come to ~s*** (***with s.th.***) zmierzyć się (z *I*)
gripes [graɪps] *pl.* kolka *f* (*jelitowa*)
gris·ly ['grɪzlɪ] (***-ier, -iest***) koszmarny, makabryczny
gris·tle ['grɪsl] chrząstka *f*
grit [grɪt] **1.** grys *m*, żwir *m*; *fig.* determinacja *f*; **2.** (***-tt-***): ***~ one's teeth*** zaciskać ⟨-snąć⟩ zęby
griz·zly (**bear**) *zo.* ['grɪzlɪ (-)] *niedźwiedź*: grizzly *m*
groan [grəʊn] **1.** jęczeć ⟨jęknąć⟩; **2.** jęk *m*
gro·cer ['grəʊsə] handlarz *m* (-rka *f*) artykułami spożywczymi; **~·ies** ['grəʊsərɪz] *pl.* artykuły *pl.* spożywcze; **~·y** ['grəʊsərɪ] sklep *m* z artykułami spożywczymi
grog·gy ['grɒgɪ] F (***-ier, -iest***) zamroczony, oszołomiony
groin *anat.* [grɔɪn] pachwina *f*
groom [grʊm] **1.** pan *m* młody; stajenny *m*; koniuszy *m*; **2.** *konie* oporządzać ⟨-dzić⟩, doglądać; ***well-groomed*** wypielęgnowany, zadbany
groove [gru:v] rowek *m*; żłobek *m*; bruzda *f*; **'groov·y** *sl.* (***-ier, -iest***) *przest.* bombowy, fajowy
grope [grəʊp] ⟨po⟩szukać (po omacku); *sl. dziewczynę* obmacywać ⟨-cać⟩
gross [grəʊs] **1.** *econ.* brutto; gruby, zwalisty; toporny; rażący; ordynarny; **2.** (*12 tuzinów*) gros *m*
gro·tesque [grəʊ'tesk] groteskowy
ground¹ [graʊnd] **1.** *pret. i p.p. od* ***grind*** 1; **2.** mielony; ***~ meat*** *mięso n* mielone
ground² [graʊnd] **1.** ziemia *f*; ląd *m*; teren *m*, miejsce *n*; (*w sporcie*) boisko *n*; tło *n*; *Am. electr.* uziemienie *n*; *fig.* motyw *m*, powód *m*; ***~s*** *pl.* osad *m*, fusy *pl.*; działka *f* (*gruntu*), teren *m*, park *m*; ***on the ~(s) of*** na podstawie (*G*); ***hold*** *lub* ***stand one's ~*** dotrzymywać ⟨-mać⟩ pola; **2.** *naut.* osiadać ⟨osiąść⟩ na mieliźnie; *Am. electr.* uziemiać ⟨-mić⟩; *fig.* opierać ⟨oprzeć⟩ się, polegać ⟨-lec⟩; **'~ crew** *aviat.* personel *m* naziemny; **~ 'floor** *zwł. Brt.* parter *m*; **'~ forc·es** *pl. mil.* siły *pl.* lądowe; **'~·hog** *zo.* świstak *m* amerykański; **'~·ing** *Am. electr.* uziemienie *n*; podstawy *pl.*; **'~·less** bezpodstawny; **'~·nut** *Brt. bot.* orzeszek *m* ziemny; **'~s·man** (*pl.* ***-men***) (*w sporcie*) dozorca *m* obiektu sportowego; **'~ staff** *Brt. aviat.* personel *m* naziemny; **'~ sta·tion** (*w astronautyce*) stacja *f* naziemna; **'~·work** *fig.* fundament *m*
group [gru:p] **1.** grupa *f*; **2.** ⟨z⟩grupować (się)
group·ie ['gru:pɪ] F *natrętna* fanka *f*
group·ing ['gru:pɪŋ] zgrupowanie *n*
grove [grəʊv] gaj *m*, zagajnik *m*

grov·el ['grɒvl] (*zwł. Brt.* **-ll-**, *Am.* **-l-**) płaszczyć się, upokarzać ⟨-korzyć⟩ się
grow [grəʊ] (***grew, grown***) *v/i.* ⟨wy-, u⟩rosnąć; wzrastać ⟨-rosnąć⟩; **~ *up*** dorastać ⟨-rosnąć⟩; *v/t. bot.* ⟨wy⟩hodować; uprawiać; **~ *a beard*** zapuszczać ⟨-puścić⟩ brodę; **'~·er** hodowca *m*
growl [graʊl] ⟨za⟩warczeć
grown [grəʊn] **1.** *p.p. od* ***grow***; **2.** *adj.* dorosły; **~-up 1.** [grəʊn'ʌp] dorosły; **2.** ['grəʊnʌp] F dorosły *m* (-ła *f*)
growth [grəʊθ] wzrost *m*, rozrost *m*; *fig.* przyrost *m*; *med.* narośl *f*
grub [grʌb] **1.** *zo.* larwa *f*; F żarcie *n*; **2.** (**-*bb*-**) ⟨wy⟩ryć, ⟨wy⟩grzebać; **'~·by** (***-ier, -iest***) zabrudzony
grudge [grʌdʒ] **1.** ⟨po⟩żałować (***s.o. s.th.*** komuś czegoś); **2.** żal *m*, uraza *f*; **'grudg·ing·ly** niechętnie
gru·el [grʊəl] kleik *m*, papka *f* (*z owsa*)
gruff [grʌf] szorstki, opryskliwy
grum·ble ['grʌmbl] **1.** marudzić, narzekać; **2.** marudzenie *n*, narzekanie *n*; **'~r** *fig.* maruda *m lub f*
grump·y ['grʌmpɪ] F (***-ier, -iest***) marudny
grun·gy ['grʌndʒɪ] *Am. sl.* (***-ier, -iest***) zaniedbany; cuchnący; paskudny
grunt [grʌnt] **1.** chrząkać ⟨-knąć⟩; zrzędzić; **2.** chrząkanie *n*; zrzędzenie *n*
Gt *skrót pisany*: ***Great*** (*Gt Britain*)
guar·an|·tee [gærən'tiː] **1.** gwarancja *f*; *fig.* pewność *f*; **2.** ⟨za⟩gwarantować; ⟨po⟩ręczyć za (*A*); **~·tor** [gærən'tɔː] gwarant *m*, poręczyciel *m*; **~·ty** ['gærəntɪ] *jur.* gwarancja *f*, poręka *f*
guard [gɑːd] **1.** strażnik *m*, wartownik *m*; straż *f*, warta *f*; *Brt. rail.* konduktor(ka *f*) *m*; osłona *f*; garda *f*; ***be on*** **~** trzymać straż; ***be on*** (***off***) ***one's*** **~** (nie) mieć się na baczności; **2.** *v/t.* ⟨o⟩chronić, ⟨u⟩strzec (***from*** przed *I*); *v/i.* ⟨u⟩chronić się, wystrzegać się; **'~·ed** ostrożny; **~·i·an** ['gɑːdjən] *jur.* kurator(ka *f*) *m*, opiekun(ka *f*) *m*; **'~·i·an·ship** *jur.* kuratela *f*, ochrona *f*
gue(r)·ril·la [gə'rɪlə] *mil.* partyzant(ka *f*) *m*; **~ 'war·fare** partyzantka *f*
guess [ges] **1.** zgadywać ⟨-dnąć⟩, odgadywać ⟨-dnąć⟩; *Am.* sądzić, mniemać; **2.** odgadnięcie *n*; **'~·work** zgadywanka *f*, domysły *pl.*
guest [gest] gość *m*; **'~·house** pensjonat *m*; **'~·room** pokój *m* gościnny
guf·faw [gʌ'fɔː] **1.** *głośny, nieprzyjemny* śmiech *m*; **2.** *głośno, nieprzyjemnie* roześmiać (się)
guid·ance ['gaɪdns] prowadzenie *n*, kierowanie *n*
guide [gaɪd] **1.** przewodnik *m* (-niczka *f*); (*książka*) przewodnik *m* (***to*** po *L*); → ***girl guide***; **2.** ⟨po⟩prowadzić; oprowadzać ⟨-dzić⟩; kierować (się); **'~ book** (*książka*) przewodnik *m*; **~d 'tour** wycieczka *f* z przewodnikiem, oprowadzanie *n*; **'~·lines** *pl.* wytyczne *pl.* (***on*** w sprawie *G*)
guild [gɪld] *hist.* cech *m*
guile·less ['gaɪllɪs] prostoduszny, ufny
guilt [gɪlt] wina *f*; **'~·less** niewinny; **'~·y** (***-ier, -iest***) winny; czujący się winnym
guin·ea pig ['gɪnɪ -] *zo.* świnka *f* morska
guise [gaɪz] *fig.* przebranie *n*, płaszczyk *m*
gui·tar [gɪ'tɑː] *mus.* gitara *f*
gulch [gʌlʃ] *zwł. Am.* głęboki wąwóz *m*
gulf [gʌlf] zatoka *f*; *fig.* przepaść *f*
gull [gʌl] *zo.* mewa *f*
gul·let ['gʌlɪt] *anat.* przełyk *m*; gardło *n*
gulp [gʌlp] **1.** *duży* łyk *m*; **2.** *często* **~ *down*** łykać ⟨-knąć⟩ *szybko*
gum[1] [gʌm] *anat.*: *zw.* **~*s*** *pl.* dziąsła *pl.*
gum[2] [gʌm] **1.** guma *f*; klej *m*; guma *f* do żucia; żelatynka *f*; **2.** (**-*mm*-**) ⟨s⟩kleić
gun [gʌn] **1.** karabin *m*, strzelba *f*; działo *n*; pistolet *m*, rewolwer *m*; **2.** (**-*nn*-**): **~ *down*** zastrzelić; **'~·fight** *zwł. Am.* strzelanina *f*; **'~·fire** ogień *m* (*z broni palnej*; **'~ li·cence** (*Am.*; **li·cense**) zezwolenie *n* na broń; **'~·man** (*pl.* ***-men***) rewolwerowiec *m*; **'~·point**: ***at*** **~ *point*** pod groźbą użycia broni; **'~·pow·der** proch *m* strzelniczy; **'~·run·ner** przemytnik *m* broni; **'~·run·ning** przemyt *m* broni; **'~·shot** strzał *m*; ***within*** (***out of***) **~*shot*** w zasięgu (poza zasięgiem) strzału
gur·gle ['gɜːgl] **1.** gaworzyć; ⟨za⟩gulgotać; **2.** gaworzenie *n*; gulgotanie *n*
gush [gʌʃ] **1.** tryskać ⟨trysnąć⟩ (***from*** z *G*); **2.** nagły wypływ *m*; wytrysk *m* (*też fig.*)
gust [gʌst] poryw *m* (*wiatru*), podmuch *m*
guts [gʌts] F *pl.* wnętrzności *pl.*; *fig.* odwaga *f*

gut·ter ['gʌtə] rynsztok *m* (*też fig.*); rynna *f*
guy [gaɪ] F facet *m*, gość *m*
guz·zle ['gʌzl] ⟨po⟩żreć; pochłaniać ⟨-łonąć⟩
gym [dʒɪm] F ośrodek *m* odnowy biologicznej; fitness center *m*; → ***gymnasium***; → ***gymnastics***; **~·na·sium** [dʒɪm'neɪzjəm] hala *f* sportowa; ⚠ *nie gimnazjum*; **~·nast** ['dʒɪmnæst] gimnastyk *m* (-tyczka *f*); **~·nas·tics** [dʒɪm'næstɪks] gimnastyka *f*
gy·n(a)e·col·o|·gist [gaɪnɪ'kɒlədʒɪst] ginekolog *m*; **~·gy** [gaɪnɪ'kɒlədʒɪ] ginekologia *f*
gyp·sy ['dʒɪpsɪ] *zwł. Am.* → ***gipsy***
gy·rate [dʒaɪə'reɪt] ⟨za⟩kręcić się, ⟨za⟩wirować

H

H, h [eɪtʃ] H, h *n*
hab·er·dash·er ['hæbədæʃə] *Brt.* sprzedawca *m* artykułów pasmanteryjnych; *Am.* sprzedawca *m* odzieży męskiej; **~·y** ['hæbədæʃərɪ] *Brt.* pasmanteria *f*, *Am.* odzież *f* męska; *Am.* sklep *m* z odzieżą męską
hab·it ['hæbɪt] przywyczajenie *n*, zwyczaj *m*; habit *m*; ***drink has become a ~ with him*** uzależnił się od alkoholu
ha·bit·u·al [hə'bɪtjʊəl] zwyczajowy; nałogowy
hack¹ [hæk] ⟨po⟩rąbać
hack² [hæk] pismak *m*
hack³ [hæk] szkapa *f*
hack·er ['hækə] *komp.* haker *m*, maniak *m* komputerowy
hack·neyed ['hæknɪd] wytarty, wyświechtany
had [hæd] *pret. i p.p. od* ***have***
had·dock ['hædək] *zo.* (*pl.* ***-dock***) *ryba*: łupacz *m*
h(a)e·mor·rhage ['hemərɪdʒ] *med.* krwawienie *n*, krwotok *m*
hag [hæg] *fig.* jędza *f*, sekutnica *f*
hag·gard ['hægəd] wymizerowany, wynędzniały
hag·gle ['hægl] targować się
Hague: ***the ~*** Haga *f*
hail [heɪl] **1.** grad *m*; **2.** *grad*: padać; **'~·stone** (*kulka*) grad *m*; **'~·storm** burza *f* gradowa
hair [heə] *pojedynczy* włos *m*; *zbior.* włosy *pl.*; **'~·breadth** → ***hair's breadth***; **'~·brush** szczotka *f* do włosów; **'~·cut** strzyżenie *n*, obcięcie *n* włosów; **~·do** (*pl.* ***-dos***) F fryzura *f*; **'~·dress·er** fryzjer(ka *f*) *m*; **'~·dri·er**, **'~·dry·er** suszarka *f* do włosów; **'~·grip** *Brt.* klamra *f* do włosów; **'~·less** bezwłosy; **'~·pin** spinka *f* do włosów; **~·pin 'bend** ostry zakręt *m*; **~-rais·ing** ['heəreɪzɪŋ] podnoszący włosy na głowie; **'~'s breadth**: ***by a ~'s breadth*** o włos; **'~ slide** spinka *f* do włosów; **'~-split·ting** rozszczepianie *n* włosa; **'~·spray** lakier *m* do włosów; **'~·style** fryzura *f*; **'~ styl·ist** fryzjer(ka *f*) *m* damski (*-a*); **'~·y** (***-ier, -iest***) włochaty, owłosiony
half 1. [hɑːf] (*pl.* ***halves*** [hɑːvz]) połowa *f*; ***go halves*** ⟨po⟩dzielić się po połowie; **2.** pół; ***~ an hour*** pół godziny; ***~ a pound*** pół funta; ***~ past ten*** (w)pół do jedenastej; ***~ way up*** w połowie wysokości; **'~-breed** mieszaniec *m*; **'~-broth·er** brat *m* przyrodni; **'~-caste** mieszaniec *m*; **~-'heart·ed** bez przekonania; **~ 'time** *sport*: przerwa *f*; **~ time 'score** (*w sporcie*) rezultat *m* do przerwy; **~'way** w pół, w połowie; **~·way 'line linia** *f* środkowa; **~-'wit·ted** niedorozwinięty
hal·i·but ['hælɪbət] *zo.* (*pl.* ***-buts, but***) halibut *m*
hall [hɔːl] sala *f*, hala *f*; dwór *m*; przedpokój *m*, korytarz *m*; *univ.* ***~ of residence*** dom *m* akademicki
Hal·low·e'en [hæləʊ'iːn] dzień *m* przed dniem Wszystkich Świętych
hal·lu·ci·na·tion [həluːsɪ'neɪʃn] halucynacja *f*
'hall·way *zwł. Am.* przedpokój *m*, korytarz *m*
ha·lo ['heɪləʊ] (*pl.* ***-loes, los***) aureola *f* (*też astr.*)
halt [hɔːlt] **1.** zatrzymanie *n* się; **2.** zatrzymywać ⟨-mać⟩ (się)
hal·ter ['hɔːltə] stryczek *m*

halve [hɑːv] przepoławiać ⟨-łowić⟩; **~s** [hɑːvz] *pl. od* ***half*** 1
ham [hæm] szynka *f*; ***~ and eggs*** jajecznica *f* na szynce
ham·burg·er ['hæmbɜːgə] *gastr.* hamburger *m*; *Am.* mięso *n* mielone
ham·let ['hæmlɪt] *mała* wioska *f*
ham·mer ['hæmə] **1.** młotek *m*, młot *m*; **2.** walić (*młotkiem*); wbijać ⟨-bić⟩
ham·mock ['hæmək] hamak *m*
ham·per[1] ['hæmpə] kosz(yk) *m* z przykrywą
ham·per[2] ['hæmpə] przeszkadzać ⟨-kodzić⟩
ham·ster ['hæmstə] *zo.* chomik *m*
hand [hænd] **1.** ręka *f* (*też fig.*); pismo *n*; wskazówka *f* (*zegara*); *często w złoż.* pracownik *m*, robotnik *m*; ręka *f* (*karty trzymane przez gracza w jednym rozdaniu*); ***~ in glove*** w zmowie, ręka w rękę; ***change ~s*** przechodzić ⟨przejść⟩ z rąk do rąk; ***give*** *lub* ***lend a ~*** pomóc *komuś* (***with*** w *L*); ***shake ~s with s.o.*** ⟨u⟩ścisnąć komuś rękę; ***at ~*** pod ręką; ***at first ~*** z pierwszej ręki; ***by ~*** ręcznie; ***on the one ~*** z jednej strony; ***on the other ~*** z drugiej strony; ***on the right ~*** z prawej strony; ***~s off!*** ręce przy sobie!; **2.** wręczać ⟨-czyć⟩, dawać ⟨dać⟩, podawać ⟨-dać⟩; ***~ around*** rozdawać ⟨-dać⟩; ***~ down*** przekazywać ⟨-zać⟩; ***~ in*** *test itp.* oddawać ⟨-dać⟩; *sprawozdanie* składać ⟨złożyć⟩; ***~ on*** przekazywać ⟨-zać⟩; ***~ out*** rozdzielać ⟨-lić⟩, rozdawać ⟨-dać⟩; ***~ over*** przekazywać ⟨-zać⟩; ***~ up*** przekazywać ⟨-zać⟩; **'~·bag** torebka *f*; **'~·ball** piłka *f* ręczna; (*w piłce nożnej*) zagranie *n* ręką; **'~·bill** ulotka *f*; **'~·brake** *tech.* hamulec *m* ręczny; **'~·cuffs** *pl.* kajdanki *pl.*; **'~·ful** garść *f*, garstka *f*; F żywe srebro *n*
hand·i·cap ['hændɪkæp] **1.** ułomność *f*, *med. też* upośledzenie *n*; przeszkoda *f*; *sport*: handicap *m*, wyrównanie *n*; → ***mental***; → ***physical***; **2.** (**-pp-**) utrudniać ⟨-nić⟩; **'~ped 1.** upośledzony; niepełnosprawny; → ***mental***; → ***physical***; **2.** ***the ~ped*** *pl. med.* niepełnosprawni *pl.*
hand·ker·chief ['hæŋkətʃɪf] (*pl.* ***-chiefs***) chusteczka *f*, chustka *f*
han·dle ['hændl] **1.** uchwyt *m*, rączka *f*; rękojeść *f*; klamka *f*; ***fly off the ~*** F wściec się; **2.** dotykać ⟨-tknąć⟩ (*G*); obchodzić się z (*I*); ⟨po⟩radzić sobie z (*I*); prowadzić; handlować; **'~·bar(s** *pl.*) kierownica *f* (*roweru*)
'hand| lug·gage bagaż *m* ręczny; **~'made** ręcznie zrobione; **'~·out** datek *m*, darowizna *f*; konspekt *m*, tekst *m*; **'~·rail** poręcz *f*; **'~·shake** uścisnięcie *n* dłoni
hand·some ['hænsəm] (***-er, -est***) przystojny; *suma*: pokaźny
'hand|·writ·ing pismo *n*; **~'writ·ten** napisany ręcznie; **'~·y** (***-ier, -iest***) poręczny; przydatny; dogodnie położony; ***come in ~y*** przydawać ⟨-dać⟩ się
hang [hæŋ] (***hung***) *v/i.* wisieć; zwisać; *v/t.* wieszać, zawieszać ⟨-sić⟩; zwieszać ⟨-sić⟩; *tapetę* przyklejać ⟨-leić⟩; (*pret. i p.p.* ***hanged***) *kogoś* wieszać ⟨powiesić⟩; ***~ o.s.*** powiesić się; ***~ about, ~ around*** kręcić się, snuć się; ***~ on*** uczepiać ⟨-pić⟩ się; *tel.* nie odkładać słuchawki; ***~ up*** *tel.* rozłączać ⟨-czyć⟩ się; ***she hung up on me*** rozłączyła się ze mną
han·gar ['hæŋə] *aviat.* hangar *m*
hang·er ['hæŋə] wieszak *m*
hang|·glid·er ['hæŋglaɪdə] lotnia *f*; **'~ glid·ing** lotniarstwo *n*
hang·ing ['hæŋɪŋ] **1.** wiszący; **2.** wieszanie *n*; **'~s** *pl.* draperia *f*
'hang·man (*pl.* ***-men***) kat *m*
'hang·o·ver kociokwik *m*, kac *m*
han·ker ['hæŋkə] F tęsknić (***after, for*** do *G*)
han|·kie, **~·ky** ['hæŋkɪ] F chustka *f*
hap·haz·ard [hæp'hæzəd] przypadkowy
hap·pen ['hæpən] zdarzać ⟨-rzyć⟩ się, wydarzać ⟨-rzyć⟩ się; ***~ to*** stać się (*D*), przytrafiać (*D*) się; ***he ~ed to be at home*** akurat był w domu; **~·ing** ['hæpnɪŋ] wydarzenie *n*; happening *m*
hap·pi|·ly ['hæpɪlɪ] szczęśliwie; **'~·ness** szczęście *n*
hap·py ['hæpɪ] (***-ier, -iest***) szczęśliwy; zadowolony; **~-go-'luck·y** beztroski
ha·rangue [hə'ræŋ] **1.** pouczenie *n*, kazanie *n*; **2.** pouczać ⟨-czyć⟩
har·ass ['hærəs] nękać, dręczyć; szykanować; **'~·ment** nękanie *n*; dręczenie *n*; szykany *pl.*; → ***sexual harassment***
har·bo(u)r ['hɑːbə] **1.** port *m*; przystań *f*; schronienie *n*; **2.** ofiarowywać

⟨-ować⟩ schronienie; *urazę itp.* żywić

hard [hɑːd] **1.** *adj.* twardy; *zadanie itp.*: trudny; silny; *życie*: ciężki; *zima, osoba itp.*: surowy; *pracodawca*: stanowczy; *dowód*: niezbity; *trunek*: mocny; *narkotyk*: niebezpieczny; *~ of hearing* niedosłyszący; *be ~ up* F być w ciężkiej sytuacji finansowej, odczuwać brak; **2.** *adv.* mocno; ciężko; ostro; **'~·back** książka *f* w twardej oprawie; **~-'boiled** ugotowany na twardo; *fig.* twardy, mało sentymentalny; **~ 'cash** gotówka *f*; **~ 'core** trzon *m*; *mus.* hardcore *m*; **~-'core** hard core; *pornografia*: *ostry*; **'~·cov·er** *print.* **1.** oprawny, oprawiony; **2.** twarda oprawa *f*; dzieło *n* oprawne; **~ 'disk** *komp.* twardy dysk *m*; **~·en** ['hɑːdn] ⟨s⟩twardnieć; utwardzać ⟨-dzić⟩; hartować; **'~ hat** kask *m*; **~'head·ed** wyrachowany; *zwł. Am.* twardogłowy; **~-'heart·ed** o twardym sercu, bezwzględny; **~ 'la·bo(u)r** *jur.* ciężkie roboty *pl.*; **~ 'line** *zwł. pol.* twardy kurs *m*; **~-'line** *zwł. pol.* twardy, dogmatyczny; **'~·ly** prawie (nie); ledwo, ledwie; **'~·ness** twardość *f*; **'~·ship** trudność *f*; **~ 'shoul·der** *Brt. mot.* pobocze *n* utwardzone; **'~·top** *mot.* dach *m* sztywny (*czasem zdejmowany*; *też typ samochodu*); **'~·ware** *komp.* sprzęt *m* komputerowy; wyroby *pl.* metalowe; towary *pl.* żelazne

har·dy ['hɑːdɪ] (*-ier, -iest*) mocny, wytrzymały; *roślina*: zimotrwały

hare [heə] *zo.* zając *m*; **'~·bell** *bot.* dzwonek *m*; **'~·brained** *osoba, plan*: zbzikowany; **~'lip** *anat.* warga *f* zajęcza

harm [hɑːm] **1.** szkoda *f*, krzywda *f*; **2.** ⟨s⟩krzywdzić, wyrządzać krzywdę; ⟨z⟩ranić; **'~·ful** szkodliwy; **'~·less** nieszkodliwy

har·mo|·ni·ous [hɑː'məʊnjəs] harmonijny; **~·nize** ['hɑːmənaɪz] harmonizować; współbrzmieć; **~·ny** ['hɑːmənɪ] harmonia *f*

har·ness ['hɑːnɪs] **1.** uprząż *f*; *die in ~ fig.* umrzeć w kieracie; **2.** zaprzęgać ⟨-rząc⟩ (*też fig.*); wykorzystywać ⟨-tać⟩ (*to* do *G*)

harp [hɑːp] **1.** *mus.* harfa *f*; **2.** *mus.* ⟨za⟩grać na harfie; *~ on* (*about*) *fig.* ględzić o (*L*)

har·poon [hɑː'puːn] **1.** harpun *m*; **2.** wbijać ⟨wbić⟩ harpun

har·row ['hærəʊ] *agr.* **1.** brona *f*; **2.** ⟨po⟩bronować

har·row·ing ['hærəʊɪŋ] wstrząsający, przygniatający

harsh [hɑːʃ] ostry; surowy

hart [hɑːt] *zo.* (*pl.* ***harts, hart***) jeleń *m*

har·vest ['hɑːvɪst] **1.** żniwo *n*, *zw.* żniwa *pl.*; plon *m*, zbiory *pl.*; **2.** zbierać ⟨zebrać⟩; **'~·er** kombajn *m* żniwny

has [hæz] *on, ona, ono* ma

hash[1] [hæʃ] *gastr.* (*mięso krojone z warzywami w sosie*); *make a ~ of s.th. fig.* spartaczyć coś

hash[2] [hæʃ] F haszysz *m*

hash 'browns *pl. Am.* przysmażane kartofle *pl.*

hash·ish ['hæʃiːʃ] haszysz *m*

hasp [hɑːsp] klamra *f* zamka

haste [heɪst] pośpiech *m*; **has·ten** ['heɪsn] *kogoś* popędzać ⟨-dzić⟩; spieszyć się; *coś* przyspieszać ⟨-szyć⟩; **'hast·y** (*-ier, -iest*) pospieszny; pochopny

hat [hæt] kapelusz *m*

hatch[1] [hætʃ] *też ~ out* wykluwać ⟨-luć⟩ się, wylęgać ⟨-lęgnąć⟩ się

hatch[2] [hætʃ] właz *m*; okienko *n*; **'~·back** (*typ samochodu i nadwozia*) hatchback *m*

hatch·et ['hætʃɪt] topór *m*; *bury the ~* zakopać topór wojenny

'hatch·way właz *m*, luk *m*

hate [heɪt] **1.** nienawiść *f*; **2.** ⟨z⟩nienawidzić; **'~·ful** okropny; pełen nienawiści; **ha·tred** ['heɪtrɪd] nienawiść *f*

haugh·ty ['hɔːtɪ] wyniosły

haul [hɔːl] **1.** ciągnąć, wyciągać ⟨-gnąć⟩; ⟨za⟩wlec; ⟨za⟩holować; ⟨prze⟩transportować, ⟨prze⟩wozić; **2.** ciągnienie *n*; połów *m*; łup *m*; transport *m*, przewóz *m*; **~·age** ['hɔːlɪdʒ] transport *m*, przewóz *m*; **~·er** ['hɔːlə] *Am.*, **~·i·er** ['hɔːljə] *Brt.* przewoźnik *m*

haunch [hɔːntʃ] pośladek *m*, biodro *n*; udo *n*

haunt [hɔːnt] **1.** nawiedzać ⟨-dzić⟩; często odwiedzać; prześladować; **2.** często odwiedzane miejsce *n*; kryjówka *f*; **'~·ing** dojmujący, dotkliwy

have [hæv] (***had***) *v/t.* mieć, posiadać; otrzymywać ⟨-mać⟩, dostawać ⟨-tać⟩; ⟨z⟩jeść, pić; *~ breakfast* ⟨z⟩jeść śniadanie; *~ a cup of tea* wypić filiżankę herbaty; *przed bezok.*: *musieć*; *I ~ to*

H

go now muszę już iść; *z dopełnieniem i p.p.*: *kazać komuś coś* (*sobie*) *zrobić*; ***I had my hair cut*** obciąłem sobie włosy; **~ *back*** dostawać ⟨-tać⟩ z powrotem; *ubranie*: **~ *on*** mieć na sobie; *v/aux*. ***I ~ not finished yet*** jeszcze nie skończyłem; **~ *you had your breakfast yet?*** czy już zjadłeś śniadanie?; ***I ~ come*** przyszedłem

ha·ven ['heɪvn] przystań *m* (*zwł. fig.*)

hav·oc ['hævək] zniszczenie *n*, spustoszenie *n*; ***play ~ with*** ⟨z⟩niszczyć, ⟨s⟩pustoszyć, *fig.* wprowadzać ⟨-dzić ⟩zamęt

Ha·wai·i [hə'waiː] Hawaje *pl.*; **~·an** [hə'waɪən] **1.** hawajski; **2.** Hawajczyk *m* (-jka *f*); *ling.* język *m* hawajski

hawk[1] [hɔːk] *zo.* jastrząb *m* (*też fig.*)

hawk[2] [hɔːk] prowadzić sprzedaż domokrążną *lub* uliczną; **'~·er** domokrążca *m*; sprzedawca *m* uliczny; kolporter *m* (*subskrypcji prasy*)

haw·thorn ['hɔːθɔːn] *bot.* głóg *m*

hay [heɪ] siano *n*; **'~ fe·ver** katar *m* sienny; **'~·loft** stryszek *m* na siano; **'~·rick**, **'~·stack** stóg *m* siana

haz·ard ['hæzəd] zagrożenie *n*, niebezpieczeństwo *n*; **'~·ous** niebezpieczny, zagrażający życiu; **~·ous 'waste** niebezpieczne odpady *pl.*

haze [heɪz] mgła *f*

ha·zel ['heɪzl] **1.** *bot.* leszczyna *f*; **2.** orzechowy, brązowy; **'~·nut** orzech *m* laskowy

haz·y ['heɪzɪ] (**-*ier*, -*iest***) mglisty (*też fig.*); zamglony

H-bomb ['eɪtʃbɒm] bomba *f* wodorowa

HD *skrót*: ***Hard Disk***

he [hiː] **1.** *pron.* on; **2.** *zo.* samiec *m*; **3.** *adj.*: *w złoż.* ***he-goat*** kozioł *m*

head [hed] **1.** głowa *f*; kierownik *m* (-niczka *f*), dyrektor(ka *f*) *m*; prowadzący *m* (-ca *f*); góra *f*, część *f* górna; reszka *f*; nagłówek *m*; głowica *f* (*w magnetofonie itp.*); łeb *m* (*śruby itp.*); główka *f* (*młotka, gwoździa itp.*); ***20 pounds a ~ lub per ~*** po 20 funtów na głowę *lub* na osobę; ***40 ~ pl.* (*of cattle*)** 40 sztuk *pl.* (bydła); ***~s or tails*** orzeł czy reszka?; ***at the ~ of*** na przedzie (*G*); ***~ over heels*** bez opamiętania; po uszy; ***bury one's ~ in the sand*** ⟨s⟩chować głowę w piasek; ***get it into one's ~ that...*** wbić sobie do głowy, że...; ***lose one's ~*** ⟨s⟩tracić głowę *lub* nerwy; **2.** główny, naczelny; najważniejszy; **3.** *v/t.* stać na czele; prowadzić; kierować; (*w piłce nożnej*) odbijać ⟨-bić⟩ głową; *v/i.* (***for***) kierować się (do *G*); *fig.* zmierzać (do *G*); trzymać kurs (na *A*); **'~·ache** ból *m* głowy; **'~·band** opaska *f* na głowę; **'~·dress** przybranie *n* głowy; **'~·er** odbicie *n* głową, F główka *f*; **~'first** głową wprzód; *fig.* bez opamiętania; **'~·gear** nakrycie *n* głowy; **'~·ing** nagłówek *m*, tytuł *m*; **~·land** ['hedlənd] przylądek *m*; **'~·light** *mot.* reflektor *m*; **'~·line** nagłówek *m*; ***news ~lines*** *pl. TV*, *radio*: skrót *m* najważniejszych wiadomości; **'~·long** głową naprzód; na łeb na szyję; **~'mas·ter** dyrektor *m* szkoły; **~'mis·tress** dyrektorka *f* szkoły; **~-'on** frontalny; czołowy; ***~on collision*** zderzenie czołowe; **'~·phones** *pl.* słuchawki *pl.*; **'~·quar·ters** *pl.* (*skrót*: ***HQ***) kwatera *f* główna; centrala *f*; **'~·rest** *Am.*, **'~ re·straint** *Brt. mot.* zagłówek *m*; **'~·set** słuchawki *pl.*; **~ 'start** (*w sporcie*) przewaga *f*, fory *pl.*; **'~·strong** zawzięty, uparty; **~ 'teach·er** → ***headmaster***, → ***headmistress***; → *Am.* ***principal***; **'~·wa·ters** dopływy *pl.* w górnym biegu rzeki; **'~·way** *fig.* postęp(y *pl.*) *m*; ***make ~way*** iść ⟨pójść⟩ naprzód; **'~·word** (*w słowniku*) hasło *n*; **'~·y** (**-*ier*, -*iest***) uderzający do głowy

heal [hiːl] ⟨wy⟩leczyć; ***~ over, ~ up*** ⟨za⟩goić się

health [helθ] zdrowie *n*; **'~ cer·tif·i·cate** świadectwo *n* zdrowia; **'~ club** ośrodek *m* odnowy biologicznej; **'~ food** zdrowa żywność *f*; **'~ food shop** *Brt.*, **'~ food store** *zwł. Am.* sklep *m* ze zdrową żywnością; **'~·ful** zdrowy; dobrze wpływający na zdrowie; **'~ in·su·rance** ubezpieczenie *f* na wypadek choroby; **'~ re·sort** kurort *m*; **'~ ser·vice** służba *f* zdrowia; **'~·y** (**-*ier*, -*iest***) zdrowy

heap [hiːp] **1.** kupa *f*, sterta *f*; stos *m*; **2.** *też* ***~ up*** składać ⟨złożyć⟩ na stos *lub* stertę; *fig. też* nagromadzać ⟨gromadzić⟩

hear [hɪə] (***heard***) ⟨u⟩słyszeć; ⟨wy⟩słuchać (*G*); ⟨po⟩słuchać; *świadka* przesłuchiwać ⟨-chać⟩; *jur.* sądzić; **~d** [hɜːd] *pret. i p.p. od* ***hear***; **~·er** ['hɪərə] słuchacz(ka *f*) *m*; **~·ing** ['hɪərɪŋ] słuch *m*; słyszalność *f*; *jur.* przesłuchanie *n*, rozprawa *f*; ***within* (*out of*) *~ing*** w zasięgu

(poza zasięgiem) słuchu; **'~·ing aid** aparat *m* słuchowy; **'~·say** pogłoska *f*; ***by ~say*** według pogłosek
hearse [hɜːs] karawan *m*
heart [hɑːt] *anat.* serce *n* (*też fig.*); centrum *n*, środek *m*; *gry w karty*: kier(y *pl.*) *m*; ***lose ~*** ⟨s⟩tracić serce; ***take ~*** nabierać ⟨-brać⟩ otuchy; ***take s.th. to ~*** brać ⟨wziąć⟩ coś do serca; ***with a heavy ~*** z ciężkim sercem; ***by ~*** na pamięć; **'~·ache** ból *m* serca; **'~ at·tack** atak *m* serca, zawał *m*; **'~·beat** bicie *n* serca; **'~·break** zawód *m* sercowy; rozczarowanie *n*; **'~·break·ing** rozdzierający serce; **'~·brok·en**: ***be ~broken*** mieć złamane serce; **'~·burn** zgaga *f*; **~en** ['hɑːtn] dodawać ⟨-dać⟩ otuchy; **'~ failure** *med.* niewydolność *f* serca; **'~·felt** z głębi serca, z wnętrza
hearth [hɑːθ] palenisko *n*, *fig.* ognisko *n* domowe
'heart|·less bez serca; **'~·rend·ing** rozdzierający serce; **'~ trans·plant** przeszczep *m lub* transplantacja *f* serca; **'~·y** (***-ier, -iest***) serdeczny; zdrowy
heat [hiːt] **1.** ciepło *n* (*też tech.*); upał *m*, gorąco *n*; zapał *m*; *zo.* ruja *f*; (*w sporcie*) bieg *m*; ***preliminary ~*** bieg *m* eliminacyjny; **2.** *v/t.* ogrzewać ⟨-rzać⟩; *też* ***~ up*** ⟨o⟩grzać, podgrzewać ⟨-rzać⟩; *v/i.* ogrzewać ⟨-rzać⟩ się (*też fig.*); **'~·ed** ogrzewany; podgrzewany; *rozmowa*: roznamiętniony, gorący; **'~·er** grzejnik *m*, grzałka *f*; podgrzewacz *m*, bojler *m*
heath [hiːθ] wrzosowisko *n*
hea·then ['hiːðn] **1.** poganin *m* (-anka *f*); **2.** pogański
heath·er ['heðə] *bot.* wrzosiec *m*, wrzos *m*
'heat|·ing ogrzewanie; *attr.* grzejny, grzewczy; **'~·proof, '~-re·sis·tant, '~-re·sist·ing** żaroodporny; **'~ shield** (*w astronautykce*) osłona *f* termiczna; **'~·stroke** *med.* porażenie *n* słoneczne; **'~ wave** fala *f* gorąca
heave [hiːv] (***heaved***, *zwł. naut.* ***hove***) *v/t.* dźwigać ⟨-gnąć⟩; miotać ⟨-tnąć⟩; *kotwicę* podnosić ⟨-nieść⟩; *westchnienie* wydawać ⟨-dać⟩; *v/i.* podnosić ⟨-nieść⟩ się; dźwigać ⟨-gnąć⟩ się
heav·en ['hevn] niebo *n*; **'~·ly** niebiański
heav·y ['hevɪ] (***-ier, -iest***) ciężki; *deszcz*, *opady*, *ruch*: silny; *palacz itp.*: nałogowy; *narzut*, *podatek itp.*: wysoki; *jedzenie*: ciężkostrawny; **~ 'cur·rent** *electr.* prąd *m* o dużym natężeniu; **~-'du·ty** *tech.* przewidziany do pracy o dużym obciążeniu; wytrzymały; **~-'hand·ed** surowy; mało taktowny; grubo ciosany; **'~·weight** (*w boksie*) waga *f* ciężka, zawodnik *m* wagi ciężkiej
He·brew ['hiːbruː] **1.** hebrajski; **2.** Hebrajczyk *m* (-jka *f*); *ling.* język *m* hebrajski
Heb·ri·des *pl.* Hebrydy *pl.*
heck·le ['hekl] *mówcy* przeszkadzać ⟨-kodzić⟩ (*uwagami*)
hec·tic ['hektɪk] (***~ally***) rozgorączkowany, gorączkowy
hedge [hedʒ] **1.** żywopłot *m*; **2.** *v/t.* *też* ***~ in*** ogradzać ⟨-rodzić⟩; *v/i. fig.* odpowiadać ⟨-wiedzieć⟩ wymijająco; **'~·hog** *zo.* jeż *m*; *Am.* jeżozwierz *m*; **'~·row** żywopłot *m*
heed [hiːd] **1.** brać ⟨wziąć⟩ pod uwagę; **2.** ***give*** *lub* ***pay ~ to, take ~ of*** zważać na; **'~·less**: ***be ~less of*** nie zważać na (*A*), nie mieć względu na (*A*)
heel [hiːl] **1.** *anat.* pięta *f* (*też w skarpecie itp.*); obcas *m*; ***down at ~*** wytarty, starty; *fig.* niechlujny, zaniedbany; **2.** dorabiać ⟨-robić⟩ obcasy do (*G*)
hef·ty ['heftɪ] (***-ier, -iest***) zwalisty; mocny, *uderzenie*: silny; *cena itp.*: wielki
heif·er ['hefə] *zo.* jałówka *f*
height [haɪt] wysokość *f*; *fig.* szczyt *m*, maksimum *n*; **~·en** ['haɪtn] podwyższać ⟨-szyć⟩; zwiększać ⟨-szyć⟩; wzmacniać ⟨-mocnić⟩
heir [eə] spadkobierca *m*, dziedzic *m*, następca *m*; ***~ to the throne*** następca *m* tronu; **~·ess** ['eərɪs] spadkobierczyni *f*, następczyni *f*; **~·loom** ['eəluːm] pamiątka *f* rodzinna
held [held] *pret. i p.p. od* ***hold*** 1
hel·i|·cop·ter *aviat.* ['helɪkɒptə] helikopter *m*, śmigłowiec *m*; **'~·port** *aviat.* lądowisko *n* helikopterów
hell [hel] **1.** piekło *n*; *attr.* piekielny; ***what the ~ ...?*** co u diabła ...?; ***raise ~*** F ⟨z⟩robić karczemną awanturę; **2.** *int.* F cholera!, szlag by to!; **~-'bent**: ***he is ~-bent on s.th.*** strasznie mu zależy na czymś; **'~·ish** piekielny
hel·lo [hə'ləʊ] *int.* cześć!
helm [helm] *naut.* ster *m*; ⚠ *nie* ***hełm***
hel·met ['helmɪt] hełm *m*; kask *m*

helms•man ['helmzmən] *naut.* (*pl.* ***-men***) sternik *m*
help [help] **1.** pomoc *f*; pomoc *f* domowa; ***a call*** *lub* ***cry for ~*** wołanie *n* o pomoc; **2.** pomagać ⟨-móc⟩; ***~ o.s.*** obsługiwać ⟨-łużyć⟩ się, poczęstować się; ***I cannot ~ it*** nie mogę nic na to poradzić; ***I could not ~ laughing*** nie mogłem się powstrzymać od śmiechu; **'~•er** pomocnik *m* (-ica *f*); **'~•ful** pomocny; użyteczny; **'~•ing** porcja *f*; **'~•less** bezradny; **'~•less•ness** bezradność *f*; **'~ men•u** *komp.* menu *n* pomocy
hel•ter-skel•ter [heltə'skeltə] **1.** *adv.* na łeb na szyję; **2.** *adj.* pospiesznie; **3.** *Brt.* zjeżdżalnia *f*
helve [helv] stylisko *n* (*topora*)
Hel•ve•tian [hel'viːʃjən] szwajcarski
hem [hem] **1.** obręb *m*, obwódka *f*; **2.** (***-mm-***) obrębiać ⟨-bić⟩; ***~ in*** zamykać ⟨-mknąć⟩
hem•i•sphere ['hemɪsfɪə] półkula *f*
'hem•line brzeg *m*
hem•lock ['hemlɒk] *bot.* cykuta *f*
hemp [hemp] *bot.* konopie *pl.*
'hem•stitch mereżka *f*
hen [hen] *zo.* kura *f* (*też samica różnych ptaków*); kwoka *f*
hence [hens] stąd, dlatego; ***a week ~*** za tydzień; **~'forth**, **~'for•ward** od teraz, odtąd
'hen|house kurnik *m*; **'~ pecked husband** mąż *m* pod pantoflem
her [hɜː, hə] jej, niej; nią; niej
her•ald ['herəld] **1.** *hist.* herold *m*; **2.** zapowiadać ⟨-wiedzieć⟩, zwiastować; **~•ry** ['herəldrɪ] heraldyka *f*
herb [hɜːb] *bot.* ziele *n*; **~•a•ceous** *bot.* [hɜː'beɪʃəs] ziołowy, zielny; **~•al** ['hɜːbəl] ziołowy; roślinny
her•bi•vore ['hɜːbɪvɔː] *zo.* roślinożerca
herd [hɜːd] **1.** stado *n* (*też fig.*); **2.** *v/t.* bydło spędzać ⟨-dzić⟩; *v/i. też* ***~ together*** skupiać ⟨-pić⟩ się; **~s•man** ['hɜːdzmən] (*pl.* ***-men***) pastuch *m*
here [hɪə] tu, tutaj; ***~ you are*** proszę (*przy dawaniu czegoś*); ***~'s to you!*** za pana (panią)!
here|•a•bout(s) ['hɪərəbaʊt(s)] gdzieś tu(taj), w pobliżu; **~•af•ter** [hɪər'ɑːftə] **1.** odtąd; **2.** zaświaty *pl.*; **~'by** niniejszym; przez to
he•red•i|•ta•ry [hɪ'redɪtərɪ] dziedziczny; **~•ty** [hɪ'redɪtɪ] dziedziczność *f*
here|•in [hɪər'ɪn] tu, tutaj, w niniejszym; **~•of** [hɪər'ɒv] niniejszego, tego
her•e|•sy ['herəsɪ] herezja *f*; **~•tic** ['herətɪk] heretyk *m* (-yczka *f*)
here|•up•on [hɪərə'pɒn] wówczas, wobec tego; **~'with** w załączeniu, z niniejszym
her•i•tage ['herɪtɪdʒ] dziedzictwo *n*
her•mit ['hɜːmɪt] *rel.* pustelnik (-ica *f*) *m*
he•ro ['hɪərəʊ] (*pl.* ***-roes***) bohater *m*; **~•ic** [hɪ'rəʊɪk] (***-ally***) bohaterski
her•o•in ['herəʊɪn] heroina *f*
her•o|•ine ['herəʊɪn] bohaterka *f*; **~•is•m** ['herəʊɪzəm] bohaterstwo *n*
her•on ['herən] *zo.* (*pl.* ***-ons, -on***) czapla *f*
her•ring ['herɪŋ] *zo.* (*pl.* ***-rings, -ring***) śledź *m*
hers [hɜːz] jej
her•self [hɜː'self] się, sobie, siebie; sama; ***by ~*** przez siebie, bez pomocy
hes•i|•tant ['hezɪtənt] niezdecydowany, niepewny; **~•tate** ['hezɪteɪt] wahać się, zastanawiać się; **~•ta•tion** [hezɪ'teɪʃn] wahanie *n*, niepewność *f*, brak *m* zdecydowania; ***without ~tation*** bez zawahania
hew [hjuː] (***hewed, hewed*** *lub* ***hewn***) ⟨po⟩rąbać, ⟨po⟩ciosać; ***~ down*** zrąbywać ⟨-bać⟩; **~n** [hjuːn] *p.p. od* ***hew***
hey [heɪ] *int.* F hej!, halo!
hey•day ['heɪdeɪ] szczyt *m*, okres *m* rozkwitu
hi [haɪ] *int.* F halo! cześć!
hi•ber•nate ['haɪbəneɪt] *zo.* zapadać ⟨-paść⟩ w sen zimowy
hic|•cup, ~•cough ['hɪkʌp] **1.** czkawka *f*; **2.** czkać
hid [hɪd] *pret. od* ***hide***[1]; **~•den** ['hɪdn] *p.p. od* ***hide***[1]
hide[1] [haɪd] (***hid, hidden***) ⟨s⟩chować się, ⟨s⟩kryć się; *coś* ukrywać ⟨-ryć⟩
hide[2] [haɪd] skóra *f* (zwierzęca)
hide|-and-seek [haɪdn'siːk] zabawa *f* w chowanego; **'~•a•way** F kryjówka *f*
hid•e•ous ['hɪdɪəs] okropny; ohydny, obrzydliwy
'hide•out kryjówka *f*
hid•ing[1] ['haɪdɪŋ] F lanie *n*, baty *pl.*
hid•ing[2] ['haɪdɪŋ]: ***be in ~*** ukrywać się; ***go into ~*** skryć się; **'~ place** kryjówka *f*
hi-fi ['haɪfaɪ] hi-fi *n*; sprzęt *m* hi-fi

H

high [haɪ] **1.** wysoki; *nadzieja*: duży; *mięso*: skruszały; F (*pijany*) zalany; F na haju (*narkotycznym*); ***be in ~ spirits*** być w świetnym humorze; **2.** *meteor.* wysokie ciśnienie *n*, wysoki poziom *m*; *Am.* F szkoła *f* średnia; **'~·brow** F **1.** intelektualista *m* (-tka *f*); **2.** intelektualny, przeintelektualizowany; **~-'cal·o·rie** o dużej kaloryczności; **~-'class** pierwszej klasy; **~·er ed·u'ca·tion** wyższe wykształcenie *n*; **~ fi'del·i·ty** hi-fi *n*, audiofilska jakość *f* (*dźwięku*); **~-'grade** wysokiej jakości; **~-'hand·ed** władczy, despotyczny; **~-'heeled** na wysokich obcasach; **'~ jump** (*w sporcie*) skok *m* wzwyż; **'~ jump·er** (*w sporcie*) skoczek *m* wzwyż; **~·land** ['haɪlənd] wyżyna *f*, pogórze *n*; **'~·light 1.** główna atrakcja *f*; punkt *m* kulminacyjny; **2.** podkreślać ⟨-lić⟩, uwypuklać ⟨-lić⟩; **'~·ly** wysoko; *fig.* dodatnio, pochlebnie; ***think ~ly of*** myśleć dobrze o (*L*); **~·ly-'strung** napięty, nerwowy; **'~·ness** *zw. fig.* wysokość *f*; **ℒ*ness*** (*tytuł*) Wysokość *f*; **~-'pitched** *ton*: ostry; *dach*: stromy; **~-'pow·ered** *tech.* o dużej mocy; *fig.* dynamiczny; **~-'pres·sure** *meteor.*, *tech.* wysokie ciśnienie *n*; **'~ rise** wysokościowiec *m*; **'~ road** *zwł. Brt.* droga *f* główna; **'~ school** *Am.* szkoła *f* średnia; **~ 'sea·son** szczyt *m* sezonu; **~ so'ci·e·ty** socjeta *f*, elita *f*; **'~ street** *Brt.* droga *f* główna; **~-'strung** → ***highly-strung***; **~ 'tea** *Brt.* wczesna kolacja *f*; **~ tech** [haɪ 'tek]: *też* ***hi-tech*** → **~ tech'nol·o·gy** najnowocześniejsza technologia *f*; *attr.* najnowocześniejszy; **~-'ten·sion** *electr.* wysokie napięcie *n*; **~ 'tide** przypływ *m*; **~ 'time**: ***it is ~time*** najwyższy czas; **~ 'wa·ter** wysoka woda *f* (*pływu*); **'~·way** *zwł. Am.* droga *f* główna, autostrada *f*; **ℒ·way 'Code** *Brt.* kodeks drogowy

hi·jack ['haɪdʒæk] **1.** *samolot*, *kogoś* porywać ⟨-rwać⟩; *transport* napadać ⟨-paść⟩; **2.** porwanie *n*; napad *m*; **'~·er** porywacz(ka *f*) *m*; rabuś *m*

hike [haɪk] **1.** wędrować; **2.** wędrówka *f*; **'hik·er** turysta *m* (-tka *f*); **'hik·ing** wycieczki *pl.*

hi·lar·i|·ous [hɪ'leərɪəs] przekomiczny, prześmieszny; **~·ty** [hɪ'lærətɪ] ogromna wesołość *f*

hill [hɪl] wzgórze *n*; **~·bil·ly** *Am.* ['hɪlbɪlɪ] nieokrzesany wieśniak *m* (*z górskich rejonów USA*); **~ music** (*odmiana muzyki country*); **~·ock** ['hɪlək] pagórek *m*; **'~·side** zbocze *n*, stok *m*; **'~·top** szczyt *m* wzgórza; **'~·y** (***-ier, -iest***) pagórkowaty

hilt [hɪlt] rękojeść *f*

him [hɪm] mu, jemu; go, jego; niego; nim; **~'self** [hɜː'self] się, sobie, siebie; sam; ***by ~self*** samodzielnie, bez pomocy

Hi·ma·la·ya Himalaje *pl.*

hind[1] [haɪnd] *zo.* (*pl.* ***hinds, hind***) łania *f*

hind[2] [haɪnd] tylny, zadni

hin·der ['hɪndə] przeszkadzać ⟨-kodzić⟩ (***from*** w *L*); utrudniać ⟨-nić⟩

hind·most ['haɪndməʊst] ostatni; najdalszy

hin·drance ['hɪndrəns] przeszkoda *f*, utrudnienie *n*

Hin·du [hɪn'duː] **1.** Hindus *m*; **2.** *adj.* hinduski; **~·is·m** ['hɪnduːɪzəm] hinduizm

hinge [hɪndʒ] **1.** zawias *m*; **2.** **~ *on*** *fig.* zależeć od (*G*)

hint [hɪnt] **1.** aluzja *f*; sugestia *f*; wskazówka *f*, rada *f*; ***take a ~*** ⟨z⟩rozumieć sugestię; **2.** ⟨za⟩sugerować, ⟨z⟩robić aluzję; dawać ⟨dać⟩ do zrozumienia

hip [hɪp] *anat.* biodro *n*

hip·po ['hɪpəʊ] *zo.* F (*pl.* ***-pos***) hipcio *m*; **~·pot·a·mus** [hɪpə'pɒtəməs] *zo.* (*pl.* ***-muses, -mi*** [-maɪ]) hipopotam *m*

hire ['haɪə] **1.** *Brt. auto itp.* wynajmować ⟨-jąć⟩, *samolot*: ⟨wy⟩czarterować; *kogoś* zatrudniać ⟨-nić⟩, ⟨za⟩angażować, najmować ⟨-jąć⟩; **~ *out*** *Brt.* wynajmować ⟨-jąć⟩; **2.** wynajęcie *n*; najem *m*; ***for ~*** do wynajęcia; *taksówka*: wolny; **~ 'car** wynajęty samochód *m*; **~ 'purchase**: ***on ~purchase*** *Brt. econ.* na raty

his [hɪz] jego

hiss [hɪs] **1.** syczeć ⟨syknąć⟩; *kot*: prychać ⟨-chnąć⟩; wysyczeć; **2.** syk *m*; prychnięcie *n*

his|·to·ri·an [hɪ'stɔːrɪən] historyk *m* (-yczka *f*); **~·tor·ic** [hɪ'stɒrɪk] (***-ally***) historyczny, epokowy; **~·tor·i·cal** historyczny, odnoszący się do historii; ***~torical novel*** powieść historyczna; **~·to·ry** ['hɪstərɪ] historia *f*; ***~tory of civilization*** historia kultury *lub* cywili-

H

zacji; ***contemporary ~tory*** historia *f* najnowsza

hit [hɪt] **1.** (**-*tt-***; ***hit***) uderzać ⟨-rzyć⟩; trafiać ⟨-fić⟩ (*też fig.*); *mot. itp. kogoś* potrącać ⟨-cić⟩, *coś* wjeżdżać ⟨-jechać⟩ w (*A*); ***~ it off with*** zaskarbić sobie sympatię (*G*); ***~ on*** natrafiać ⟨-fić⟩ na (*A*); **2.** uderzenie *n*; *fig.* trafienie *n*; (*piosenka, książka itp.*) hit *m*

hit-and-'run *kierowca*: zbiegły z miejsca wypadku; ***~ offence*** (*Am.* ***offense***) zbiegnięcie z miejsca wypadku

hitch [hɪtʃ] **1.** przytwierdzać ⟨-dzić⟩, przyczepiać ⟨-pić⟩, zaczepiać ⟨-pić⟩ (***to*** do *G*); ***~ up*** podciągać ⟨-gnąć⟩; ***~ a ride*** *lub* ***lift*** ⟨z⟩łapać okazję; F → ***hitchhike***; **2.** pociągnięcie *n*; trudność *f*, problem *m*; ***without a ~*** bez problemów; **'~·hike** ⟨po⟩jechać (auto)stopem; **'~·hik·er** autostopowicz(ka *f*) *m*

hi-tech [haɪ'tek] → ***high tech***

HIV [eɪtʃ aɪ 'viː]: ***~ carrier*** nosiciel(ka *f*) *m* wirusa HIV; ***~ negative*** (***positive***) o ujemnym (dodatnim) wyniku testu na nosicielstwo HIV

hive [haɪv] ul *m*, rój *m*

HM [eɪtʃ 'em] *skrót*: ***His/Her Majesty*** Jego/Jej Królewska Mość

HMS ['eɪtʃ em es] *skrót*: ***His/Her Majesty's Ship*** okręt Jego/Jej Królewskiej Mości

hoard [hɔːd] **1.** skarb *m*; **2.** *też* ***~ up*** ⟨na-, z⟩gromadzić

hoard·ing ['hɔːdɪŋ] ogrodzenie *n* (*na budowie*); *Brt.* billboard *m*

hoar·frost ['hɔːfrɔst] szron *m*

hoarse [hɔːs] (***-r, -st***) ochrypły, zachrypnięty

hoax [həʊks] **1.** fałszywy alarm *m*; *głupi* kawał *m*; **2.** *kogoś* nabierać ⟨-brać⟩

hob·ble ['hɒbl] ⟨po⟩kuśtykać

hob·by ['hɒbɪ] hobby *n*, konik *m*, zainteresowania *pl.*; **'~·horse** konik *m*

hob·gob·lin ['hɒbgɒblɪn] kobold *m*, gnom *m*

ho·bo ['həʊbəʊ] *Am.* F (*pl.* ***-boes, -bos***) włóczęga *m*

hock[1] [hɒk] (*białe wino reńskie*) riesling *m*

hock[2] [hɒk] staw *m* skokowy (*konia*)

hock·ey ['hɒkɪ] *zwł. Brt.* hokej *m* (*na trawie*); *zwł. Am.* hokej *m* (*na lodzie*)

hoe [həʊ] *agr.* **1.** motyka *f*, graca *f*; **2.** okopywać ⟨-pać⟩ motyką, ⟨wy⟩gracować

hog [hɒg] świnia *f*

hoist [hɔɪst] **1.** podnosić ⟨-nieść⟩, wciągać ⟨-gnąć⟩; **2.** wyciąg *m*; podnośnik *m*

hold [həʊld] **1.** (***held***) trzymać; podtrzymywać ⟨-mać⟩, podpierać ⟨-deprzeć⟩; *ciężar* dźwigać; powstrzymywać ⟨-mać⟩, wstrzymywać ⟨-mać⟩ (***from*** przed *I*); *wybory, spotkanie* odbywać ⟨-być⟩; *pozycję, stanowisko* mieć, posiadać; *urząd* piastować; *miejsce* zajmować; (*w sporcie*) *mistrzostwo* utrzymywać ⟨-mać⟩; *rekord świata* utrzymywać, być zdobywcą; zawierać; utrzymywać, być zdania (***that*** że); mieć *kogoś* za (*A*); *uwagę* przykuwać ⟨-kuć⟩; być aktualnym, mieć ważność; obowiązywać; *pogoda, szczęście*: utrzymywać ⟨-mać⟩ się; ***~ one's ground, ~ one's own*** nie ulegać ⟨-lec⟩, nie poddawać ⟨-dać⟩ się; ***~ the line*** *tel.* nie rozłączać ⟨-czyć⟩ się; ***~ responsible*** czynić odpowiedzialnym; ***~ still*** nie ruszać się; ***~ s.th. against s.o.*** mieć coś przeciwko komuś; ***~ back*** powstrzymywać ⟨-mać⟩ (się), *fig.* nie wyjawiać; ***~ on*** trzymać się (***to*** *G*) mocno; zatrzymywać ⟨-mać⟩; *tel.* pozostawać ⟨-tać⟩ przy aparacie; ***~ out*** wyciągać ⟨-gnąć⟩; wytrzymywać ⟨-mać⟩; *zapasy*: wystarczać ⟨-czyć⟩; ***~ up*** unosić ⟨unieść⟩; wstrzymywać ⟨-mać⟩; *bank, kogoś* napadać ⟨-paść⟩ na (*A*); przedstawiać ⟨-wić⟩ (***as*** jako *przykład*); wspierać ⟨wesprzeć⟩, podtrzymywać ⟨-mać⟩; **2.** chwyt *m*; uchwyt *m*; władanie *n*, władza *f*; *naut.* ładownia *f*; ***catch*** (***get, take***) ***~ of s.th.*** chwycić (*A*); złapać za (*A*); **'~·er** oprawka *f*, uchwyt *m*; posiadacz *m*, okaziciel *m* (*zwł. econ.*); **'~·ing** udziały *pl.*, własność *f*; **'~ com·pa·ny** holding *m*, przedsiębiorstwo *n* holdingowe; **'~·up** zator *m*, korek *m*; napad *m* rabunkowy

hole [həʊl] **1.** dziura *f* (*też fig.*), otwór *m*; **2.** ⟨po⟩dziurawić, przedziurawiać ⟨-wić⟩

hol·i·day ['hɒlədɪ] święto *n*; dzień *m* wolny; *zwł. Brt. zw.* ***~s*** wakacje *pl.*, urlop *m*; ***be on ~*** być na wakacjach *lub* urlopie; **'~ home** dom *m* wczasowy; **'~·mak·er** urlopowicz(ka *f*) *m*

hol·i·ness ['həʊlɪnɪs] świętość *f*; ***His ~***

(*papież*) Jego Świątobliwość

Hol·land Holandia *f*

hol·ler ['hɒlə] *Am.* F wrzeszczeć ⟨wrzasnąć⟩

hol·low ['hɒləʊ] **1.** pusty, wydrążony; zapadnięty; głuchy; **2.** zagłębienie *n*, dziura *f*; **3.** *~ out* wydrążać ⟨-żyć⟩

hol·ly ['hɒlɪ] *bot.* ostrokrzew *m*

hol·o·caust ['hɒləkɔːst] zagłada *f*, eksterminacja *f*; *hist.* ***the*** ≈ holocaust *m*

hol·ster ['həʊlstə] kabura *f*

ho·ly ['həʊlɪ] (***-ier, -iest***) święty; ~ **'wa·ter** woda *f* święcona; '≈ **Week** Wielki Tydzień *m*

home [həʊm] **1.** dom *m*; mieszkanie *n*; kraj *m* ojczysty, ojczyzna *f*; ***at ~*** w domu; w kraju; ***make oneself at ~*** czuć się jak u siebie w domu; ***at ~ and abroad*** w kraju i za granicą; **2.** domowy; krajowy; ojczysty; (*w sporcie*) miejscowy; **3.** *adv.* w domu; do domu; *fig.* w celu *lub* dziesiątce; ***strike ~*** trafiać ⟨-fić⟩ w sedno; ~ **ad'dress** adres *m* prywatny; ~ **'com·put·er** komputer *m* domowy; '~**·less** bezdomny; '~**·ly** (***-ier, -iest***) zwykły, prosty; *Am.* nieatrakcyjny; ~**'made** domowego wyrobu; ~ **'mar·ket** rynek *m* wewnętrzny *lub* krajowy; '≈ **Of·fice** *Brt. pol.* Ministerstwo *n* Spraw Wewnętrznych; ≈ **'Sec·ret·a·ry** Minister *n* Spraw Wewnętrznych; '~**·sick**: ***be ~sick*** cierpieć na nostalgię; '~**·sick·ness** nostalgia *f*; ~ **'team** (*w sporcie*) drużyna *f* miejscowa; ~**·ward** ['həʊmwəd] **1.** *adj.* powrotny (*w stronę domu*); **2.** *adv. Am.* w stronę domu; do domu; '~**·wards** w stronę domu; do domu; '~**·work** zadanie *n* domowe; ***do one's ~work*** ⟨z⟩robić zadanie domowe (*też fig.*)

hom·i·cide ['hɒmɪsaɪd] *jur.* zabójstwo *n*; zabójca *m* (-czyni *f*); '~ **squad** wydział *m* zabójstw

ho·mo·ge·ne·ous [hɒmə'dʒiːnjəs] homogeniczny, jednolity

ho·mo·sex·u·al [hɒməʊ'sekʃʊəl] **1.** homoseksualny; **2.** homoseksualista *m* (-tka *f*)

hone [həʊn] *tech.* ⟨na-, wy⟩ostrzyć

hon|·est ['ɒnɪst] uczciwy; szczery; '~**·es·ty** uczciwość *f*; szczerość *f*

hon·ey ['hʌnɪ] miód *m*; *Am.* kochanie *n*, skarb *m*; ~**·comb** ['hʌnɪkəʊm] plaster *m* miodu; ~**ed** ['hʌnɪd] słodki (*jak miód*); '~**·moon 1.** miesiąc *m* miodowy; podróż *f* poślubna; **2.** ***be ~mooning*** być w podróży poślubnej

honk [hɒŋk] *mot.* ⟨za⟩trąbić

hon·ky-tonk ['hɒŋkɪtɒŋk] *Am.* spelunа *f*

hon·or·ar·y ['ɒnərərɪ] honorowy

hon·o(u)r ['ɒnə] **1.** honor *m*; zaszczyt *m*; ~**s** *pl.* wyróżnienie *n*; ***Your*** ≈ Wysoki Sądzie; **2.** zaszczycać ⟨-cić⟩; *econ. czek itp.* honorować, uznawać ⟨-nać⟩; ~**·a·ble** ['ɒnərəbl] honorowy; szanowany; szanowny

hood [hʊd] kaptur *m*; *mot.* dach *m* opuszczany; *mot. Am.* maska *f*; *tech.* pokrywa *f*, osłona *f*

hood·lum ['huːdləm] *sl.* chuligan *m*, zbir *m*

hood·wink ['hʊdwɪŋk] *kogoś* nabierać ⟨-brać⟩

hoof [huːf] (*pl.* ***hoofs*** [huːfs], ***hooves*** [huːvz]) kopyto *m*

hook [hʊk] **1.** hak *m*; haczyk *m*; ***by ~ or by crook*** F nie przebierając w środkach; **2.** przyczepiać ⟨-pić⟩ na haczyk, zahaczać ⟨-czyć⟩; ⟨z⟩łapać na haczyk (*też fig.*); ~**ed** [hʊkt] haczykowaty; zakrzywiony; F uzależniony (***on*** od *G*) (*też fig.*); '~**·y**: ***play ~y*** *zwł. Am.* F wagarować

hoo·li·gan ['huːlɪgən] chuligan *m*; ~**·is·m** ['huːlɪgənɪzəm] chuligaństwo *n*

hoop [huːp] obręcz *f*, opaska *f*

hoot [huːt] **1.** pohukiwanie *n* (*sowy*); *mot.* klakson *m*, sygnał *m* dźwiękowy; *drwiący* okrzyk *m*; **2.** *v/i.* ⟨za⟩wyć; *mot.* ⟨za⟩trąbić; *sowa*: ⟨za⟩huczeć; *v/t.* ⟨za⟩trąbić (*I*)

Hoo·ver ['huːvə] *Brt. TM* **1.** odkurzacz *m*; **2.** *zw.* ≈ odkurzać ⟨-rzyć⟩

hooves [huːvz] *pl. od* ***hoof***

hop[1] [hɒp] **1.** (***-pp-***) skakać ⟨skoczyć⟩, podskakiwać ⟨-skoczyć⟩; przeskakiwać przez (*A*); ***be ~ping mad*** F być w furii; **2.** podskok *m*

hop[2] [hɒp] *bot.* chmiel *m*; ~**s** chmiel *m* (*szyszki*)

hope [həʊp] **1.** nadzieja *f*; **2.** mieć nadzieję; spodziewać się, wyczekiwać; ***~ for the best*** być dobrej myśli; ***I ~ so, let's ~ so*** *odpowiadając* mam nadzieję; ***I*** (***sincerely***) ***~ so*** mam nadzieję; '~**·ful**: ***be ~ful that*** mieć nadzieję, że; '~**·ful·ly** z nadzieją, wyczekująco; ma-

m(y) nadzieję (że); '~·**less** beznadziejny; rozpaczliwy
hop·scotch ['hɒpskɒtʃ] gra *f* w klasy
ho·ri·zon [hə'raɪzn] horyzont *m*
hor·i·zon·tal [hɒrɪ'zɒntl] horyzontalny, poziomy
hor·mone ['hɔːməʊn] *biol.* hormon *m*
horn [hɔːn] róg *m*; *mot.* klakson *m*; ~**s** *pl.* poroże *n*
hor·net ['hɔːnɪt] *zo.* szerszeń *m*
horn·y ['hɔːnɪ] (**-*ier*, -*iest***) rogaty; V *mężczyzna*: podniecony, rozochocony
hor·o·scope ['hɒrəskəʊp] horoskop *m*
hor|·ri·ble ['hɒrəbl] straszny, przerażający, okropny; ~·**rid** ['hɒrɪd] *zwł. Brt.* straszny, okropny; ~·**rif·ic** [hɒ'rɪfɪk] (**-*ally***) okropny, przerażający; ~·**ri·fy** ['hɒrɪfaɪ] przerażać ⟨-razić⟩; ~·**ror** ['hɒrə] przerażanie *n*; potworność *f*; F postrach *m*; '~·**ror film** horror *m*
horse [hɔːs] *zo.* koń *m*; (*w sporcie*) kozioł *m*, koń *m*; ***wild ~s couldn't drag me there*** szóstką wołów by mnie tam nie zaciągnęli; '~·**back**: ***on ~back*** wierzchem, konno; ~ '**chest·nut** *bot.* kasztanowiec *m*; '~·**hair** końskie włosie *n*; '~·**man** (*pl.* **-*men***) jeździec *m*; '~·**pow·er** *phys.* koń *m* mechaniczny; (*jednostka anglosaska*) koń parowy (*1,0139 KM*); '~ **race** gonitwa *f* konna; '~ **rac·ing** wyścigi *pl.* konne; '~·**rad·ish** *bot.* chrzan *m*; '~·**shoe** podkowa *f*; '~·**wom·an** (*pl.* **-*women***) *f*, amazonka *f*
hor·ti·cul·ture ['hɔːtɪkʌltʃə] ogrodnictwo *n*
hose[1] [həʊz] wąż *m*; szlauch *m*
hose[2] [həʊz] rajstopy *pl.*
ho·sier·y ['həʊzjərɪ] wyroby *pl.* pończosznicze
hos·pice ['hɒspɪs] hospicjum *n*
hos·pi·ta·ble ['hɒspɪtəbl] gościnny
hos·pi·tal ['hɒspɪtl] szpital *m*; ***in*** (*Am.* ***in the***) ~ w szpitalu
hos·pi·tal·i·ty [hɒspɪ'tælətɪ] gościnność *f*
hos·pi·tal·ize ['hɒspɪtəlaɪz] hospitalizować, umieszczać ⟨umieścić⟩ w szpitalu
host[1] [həʊst] **1.** gospodarz *m*; *biol.* żywiciel *m*; *radio*, *TV*: gospodarz *m* programu. prowadzący *m* program; ***your ~ was...*** audycję prowadził...; **2.** *radio*, *TV*: F *audycję* ⟨po⟩prowadzić
host[2] [həʊst] zastęp *m*, rzesza *f*
host[3] [həʊst] *rel. często* ♀ hostia *f*
hos·tage ['hɒstɪdʒ] zakładnik *m* (-niczka *f*); ***take s.o. ~*** brać ⟨wziąć⟩ kogoś jako zakładnika
hos·tel ['hɒstl] *zwł. Brt.* dom *m* (*studencki*); *zw.* ***youth ~*** schronisko *n* młodzieżowe
host·ess ['həʊstɪs] gospodyni *f*; *aviat.* stewardessa *f*; hostessa *f*
hos|·tile ['hɒstaɪl] wrogi; nieprzyjazny (***to*** wobec *G*); ~·**til·i·ty** [hɒ'stɪlətɪ] wrogość *f* (***to*** wobec *G*)
hot [hɒt] (**-*tt*-**) gorący; *przyprawa*: ostry; *temperament*: zapalczywy; *wiadomości*: najnowszy; ***she is ~*** gorąco jej; ***it's ~*** gorąco (jest); '~·**bed** rozsadnik *m* (*też fig.*), *fig.* siedlisko *n*
hotch·potch ['hɒtʃpɒtʃ] miszmasz *m*
hot 'dog hot dog *m* (*bułka z parówką na gorąco*)
ho·tel [həʊ'tel] hotel *m*
'**hot|·head** zapalczywy człowiek *m*; '~·**house** inspekt *m*; '~ **line** *pol.* gorąca linia *f*; '~ **spot** *zwł. pol.* punkt *m* zapalny; ~-'**wa·ter bot·tle** termofor *m*
hound [haʊnd] *zo.* pies *m* myśliwski
hour ['aʊə] godzina *f*; ~***s*** *pl.* godziny *pl.* (pracy); '~·**ly** **1.** *adj.* cogodzinny; godzinny; **2.** *adv.* co godzinę, na godzinę
house **1.** [haʊs] dom *m*; budynek *m*; *theat.* widownia *f*, publika *f*; **2.** [haʊz] ⟨z⟩mieścić, pomieścić; dawać ⟨dać⟩ mieszkanie; '~·**bound** *fig.* nie mogący wyjść z domu; '~·**break·ing** włamanie *n*; '~·**hold** gospodarstwo *n* domowe; dom *m*; rodzina *f*; '~ **hus·band** domator *m*; mężczyzna *m* prowadzący dom; '~·**keep·er** gosposia *f*; '~·**keep·ing** gospodarstwo *n*, gospodarowanie *n*; '~·**maid** pokojówka *f*; służąca *f*; '~·**man** (*pl.* **-*men***) lekarz *m* stażysta; '~·**warm·ing** (**par·ty**) parapetówa *f*, oblewanie *n* nowego domu; '~·**wife** (*pl.* **-*wives***) gospodyni *f* domowa; ~·**work** prace *pl.* domowe
hous·ing ['haʊzɪŋ] budownictwo *n* mieszkaniowe; gospodarka *f* mieszkaniowa; *attr.* mieszkaniowy; '~ **de·vel·op·ment**, *Am.*; '~ **es·tate** *Brt.* dzielnica *f* mieszkaniowa
hove [həʊv] *pret. i p.p. od* ***heave*** 2
hov·er ['hɒvə] unosić się (*w powietrzu*); zawisnąć (*w powietrzu*); kręcić się; *fig.*

być zawieszonym; '~·**craft** (*pl.* **-craft, -crafts**) poduszkowiec *m*
how [haʊ] jak; ~ ***are you?*** jak się masz?; ~ ***about...?*** a co z ...?; ~ ***do you do?*** *przy przedstawianiu* dzień dobry!; ~ ***much water?*** ile wody?; ~ ***many spoons?*** ile łyżeczek?
how·dy ['haʊdɪ] *Am. int.* F cześć!, siemanko!
how·ev·er [haʊ'evə] **1.** *adv.* jakkolwiek; **2.** jednak(że)
howl [haʊl] **1.** ⟨za⟩wyć; *wiatr, dziecko*: zawodzić; **2.** wycie *n*; zawodzenie *n*; '~·**er** F błąd *m*, byk *m*
HP [eɪtʃ 'piː] *skrót*: ***horsepower*** KM, koń *m* mechaniczny; *skrót*: ***hire purchase*** *Brt.* kupno *n* na raty
HQ [eɪtʃ 'kjuː] *skrót*: ***headquarters*** kwatera *f* główna
hr (*pl.* ***hrs***) *skrót pisany*: ***hour*** godz., godzina *f*
HRH [eɪtʃ ɑː(r) 'eɪtʃ] *skrót*: ***His/Her Royal Highness*** Jego/Jej Królewska Wysokość
hub [hʌb] piasta *f*; *fig.* ośrodek *m*, centrum *n*
hub·bub ['hʌbʌb] tumult *m*, rwetes *m*
hub·by ['hʌbɪ] F mężuś *m*
huck·le·ber·ry ['hʌklberɪ] *bot.* jagoda *f* amerykańska
huck·ster ['hʌkstə] domokrążca *m*, kramarz *m*
hud·dle ['hʌdl]: ~ ***together*** tulić (się); ~***d up*** pozwijany
hue[1] [hjuː] barwa *f*, kolor *m*; odcień *m*
hue[2] [hjuː]: ~ ***and cry*** *fig.* wrzawa *f* protestów
huff [hʌf]: ***in a*** ~ rozsierdzony
hug [hʌg] **1.** (**-gg-**) obejmować ⟨-bjąć⟩ (się); przytulać ⟨-lić⟩ się; **2.** objęcie *n*, uścisk *m*
huge [hjuːdʒ] wielki, ogromny
hulk [hʌlk] zawalidroga *m/f*; moloch *m*; kolos *m*
hull [hʌl] **1.** *bot.* łuska *f*, łupina *f*, szypułka *f*; *naut.* kadłub *m*; **2.** ⟨ob⟩łuskać, *truskawki* obierać ⟨-brać⟩
hul·la·ba·loo ['hʌləbə'luː] (*pl.* **-loos**) wrzawa *f*, zgiełk *m*
hul·lo [hə'ləʊ] *int.* halo!, hej!
hum [hʌm] (**-mm-**) ⟨za⟩mruczeć, ⟨za⟩nucić
hu·man ['hjuːmən] **1.** ludzki; **2.** *też* ~ ***being*** człowiek *m*; ~**e** [hjuː'meɪn] ludzki, humanitarny; ~·**i·tar·i·an** [hjuːmænɪ'teərɪən] humanitarny; ~·**i·ty** [hjuː'mænətɪ] ludzkość *f*; humanitaryzm *m*; ***humanities*** *pl.* nauki *pl.* humanistyczne; '~·**ly**: ~***ly possible*** w ludzkiej mocy; ~ '**rights** *pl.* prawa *pl.* człowieka
hum·ble ['hʌmbl] **1.** (**-r, -st**) pokorny; skromny; uniżony; **2.** poniżać ⟨-żyć⟩; '~·**ness** uniżoność *f*; pokora *f*; skromność *f*
hum·drum ['hʌmdrʌm] monotonny, jednostajny
hu·mid ['hjuːmɪd] wilgotny; ~·**i·ty** [hjuː'mɪdətɪ] wilgotność *f*
hu·mil·i|·ate [hjuː'mɪlɪeɪt] poniżać ⟨-żyć⟩, upokarzać ⟨-korzyć⟩; ~·**a·tion** [hjuːmɪlɪ'eɪʃn] poniżenie *n*, upokorzenie *n*; ~·**ty** [hjuː'mɪlətɪ] pokora *f*
hum·ming·bird ['hʌmɪŋbɜːd] *zo.* koliber *m*
hu·mor·ous ['hjuːmərəs] humorystyczny, zabawny
hu·mo(u)r ['hjuːmə] **1.** humor *m*; komizm *m*; **2.** udobruchać; spełniać ⟨-nić⟩ (zachcianki)
hump [hʌmp] wybrzuszenie *n*; garb *m*; '~·**back(ed)** → ***hunchbacked***
hunch [hʌntʃ] **1.** → ***hump***; kawał *m*; przeczucie *n*; **2.** *też* ~ ***up*** krzywić się; ~ ***one's shoulders*** ⟨z⟩garbić się; '~·**back** garbus *m*; '~·**backed** garbaty
hun·dred ['hʌndrəd] **1.** sto; **2.** setka *f*; ~**th** ['hʌndrədθ] **1.** setny; **2.** jedna *f* setna; '~·**weight** *jakby*: cetnar (*=50,8 kg*)
hung [hʌŋ] *pret. i p.p. od* **hang**[1]
Hun·ga·ri·an [hʌŋ'geərɪən] **1.** węgierski; **2.** Węgier(ka *f*) *m*; *ling.* język *m* węgierski; **Hun·ga·ry** ['hʌŋgərɪ] Węgry *pl.*
hun·ger ['hʌŋgə] **1.** głód, łaknienie *n*; **2.** *fig.* łaknąć; '~ **strike** strajk *m* głodowy
hun·gry ['hʌŋgrɪ] (**-ier, -iest**) głodny
hunk [hʌŋk] kawał *m*
hunt [hʌnt] **1.** polować na (*A*); poszukiwać ⟨-kać⟩, ⟨wy⟩tropić; ~ ***out***, ~ ***up*** wytropić (*A*); **2.** polowanie *n* (*też fig.*); tropienie *n*, poszukiwanie *n*; '~·**er** myśliwy *m*; '~·**ing** myślistwo *n*; '~·**ing ground** teren *m* łowiecki
hur·dle ['hɜːdl] *sport*: płotek *m* (*też fig.*); przeszkoda *f* (*też fig.*); '~**r** (*w sporcie*) płotkarz *m* (-rka *f*); '~ **race** (*w sporcie*) bieg *m* przez płotki

hurl [hɜːl] miotać ⟨-tnąć⟩; **~ *abuse at s.o.*** obrzucać ⟨-cić⟩ kogoś wyzwiskami
hur|·rah [hʊˈrɑː] *int.*, **~·ray** *int.* [hʊˈreɪ] hurra!
hur·ri·cane [ˈhʌrɪkən] huragan *m*, orkan *m*
hur·ried [ˈhʌrɪd] pospieszny
hur·ry [ˈhʌrɪ] **1.** *v/t.* przyspieszać ⟨-szyć⟩; *często* **~ *up*** *kogoś* poganiać ⟨-gonić⟩, popędzać ⟨-dzić⟩; zwiększyć ⟨-szać⟩ tempo; *v/i.* ⟨po⟩śpieszyć się; **~ (*up*)** śpieszyć się; **~ *up!*** pośpiesz się!; **2.** pośpiech *m*; ***be in a* ~** śpieszyć się
hurt [hɜːt] (***hurt***) ⟨z⟩ranić (*też fig.*); boleć; ⟨s⟩krzywdzić; **ˈ~·ful** bolesny
hus·band [ˈhʌzbənd] mąż *m*
hush [hʌʃ] **1.** *int.* cicho!; **2.** cisza *f*; **3.** uciszać ⟨-szyć⟩; **~ *up*** ⟨za⟩tuszować; **ˈ~ mon·ey** pieniądze *pl.* (*na zatuszowanie czegoś*)
husk [hʌsk] *bot.* **1.** łuska *f*, plewa *f*, łupina *f*; **2.** ⟨ob⟩łuskać
ˈhus·ky (***-ier, -iest***) ochrypły; F silny, mocarny
hus·sy [ˈhʌsɪ] dziwka *f*
hus·tle [ˈhʌsl] **1.** *kogoś* poganiać ⟨-gonić⟩, popędzać ⟨-dzić⟩; wypychać ⟨-pchnąć⟩; nakłaniać ⟨-łonić⟩; spieszyć się; **2. ~ *and bustle*** wrzawa *f*, zamęt *m*, ruch *m*
hut [hʌt] chata *f*
hutch [hʌtʃ] klatka *f* (*zwł. dla królików*)
hy·a·cinth [ˈhaɪəsɪnθ] *bot.* hiacynt *m*
hy·ae·na [haɪˈiːnə] *zo.* hiena *f*
hy·brid [ˈhaɪbrɪd] *biol.* hybryda *f*, mieszaniec *m*
hy·drant [ˈhaɪdrənt] hydrant *m*
hy·draul·ic [haɪˈdrɔːlɪk] (***~ally***) hydrauliczny; **~s** *sg.* hydraulika *f*
hy·dro... [ˈhaɪdrə] hydro..., wodno...; **~ˈcar·bon** węglowodór *m*; **~·chlor·ic ac·id** [haɪdrəklɒrɪk ˈæsɪd] kwas *m* solny; **ˈ~·foil** *naut.* wodolot *m*; **~·gen** [ˈhaɪdrədʒən] wodór *m*; **ˈ~·gen bomb** bomba *f* wodorowa; **ˈ~·plane** *aviat.* hydroplan *m*; *naut.* ślizgacz *m*; **ˈ~·plan·ing** *Am. mot.* akwaplaning *n*
hy·e·na [haɪˈiːnə] *zo.* hiena *f*
hy·giene [ˈhaɪdʒiːn] higiena *f*; **hy·gien·ic** [haɪˈdʒiːnɪk] (***~ally***) higieniczny
hymn [hɪm] *kościelny* hymn *m*
hype [haɪp] F **1.** *też* **~ *up*** nakręcać ⟨-cić⟩ reklamę; **2.** *nadmierna* reklama *f*; ***media* ~** wrzawa *f* (*w gazetach*)
hy·per... [ˈhaɪpə] hiper..., ponad..., nad...; **ˈ~·mar·ket** *Brt.* (*duży supersam*) hipermarket *m*; **~ˈsen·si·tive** nadpobudliwy (***to*** na *A*)
hy·phen [ˈhaɪfn] łącznik *m*, tiret *n*; **~·ate** [ˈhaɪfəneɪt] wstawiać ⟨-wić⟩ łączniki
hyp·no·tize [ˈhɪpnətaɪz] ⟨za⟩hipnotyzować
hy·po·chon·dri·ac [haɪpəˈkɒndrɪæk] hipochondryk *m*
hy·poc·ri·sy [hɪˈpɒkrəsɪ] hipokryzja *f*, obłuda *f*; **hyp·o·crite** [ˈhɪpəkrɪt] hipokryta *m* (-tka *f*), obłudnik *m* (-ica *f*); **hyp·o·crit·i·cal** [hɪpəˈkrɪtɪkl] obłudny
hy·poth·e·sis [haɪˈpɒθɪsɪs] (*pl.* ***-ses*** [-siːz]) hipoteza *f*
hys|·te·ri·a [hɪˈstɪərɪə] *med.* histeria *f*; **~·ter·i·cal** [hɪˈsterɪkl] histeryczny, rozhisteryzowany; **~·ter·ics** [hɪˈsterɪks] *pl.* histeria *f*; ***go into ~terics*** dostawać ⟨-tać⟩ histerii; pękać ze śmiechu

I

I, i [aɪ] I, i *n*
I [aɪ] ja
IC [aɪ ˈsiː] *skrót*: ***integrated circuit*** obwód *m* zintegrowany
ice [aɪs] **1.** lód *m*; **2.** *napoje itp.* ⟨s⟩chłodzić w lodzie; *gastr.* ⟨po⟩lukrować; ***~d over*** *jezioro itp.*: zamarznięty; ***~d up*** *ulica itp.*: oblodzony; **ˈ~ age** epoka *f* lodowcowa; **~·berg** [ˈaɪsbɜːg] góra *f* lodowa; **ˈ~·bound** przymarznięty; **~ ˈcream** lody *pl.*; **~-cream ˈpar·lo(u)r** lodziarnia *f*; **ˈ~ cube** kostka *f* lodu; **ˈ~ floe** kra *f*; **~d** mrożony; schłodzony; **ˈ~ hock·ey** (*w sporcie*) hokej *m* na lodzie; **ˈ~ lol·ly** *Brt.* lody *pl.* na patyku; **ˈ~ rink** *sztuczne* lodowisko *n*; **ˈ~ skate** łyżwa *f*; **ˈ~-skate** jeździć ⟨jechać⟩ na łyżwach; **ˈ~ show** rewia *f* na lodzie

i·ci·cle ['aɪsɪkl] sopel *m* (*lodu*)
ic·ing ['aɪsɪŋ] lukier *m*
i·con ['aɪkɒn] ikona *f* (*też komp.*)
i·cy ['aɪsɪ] (***-ier, -iest***) lodowaty; oblodzony
ID [aɪ 'diː] *skrót*: ***identity*** tożsamość *f*; ***ID card*** dowód *m* tożsamości
i·dea [aɪ'dɪə] pomysł *m*; pojęcie *n*; idea *f*, pogląd *m*; zamiar *m*; ***have no ~*** nie mieć pojęcia
i·deal [aɪ'dɪəl] **1.** idealny; **2.** ideał *m*; **~·is·m** [aɪ'dɪəlɪzəm] idealizm *m*; **~·ize** [aɪ'dɪəlaɪz] ⟨wy⟩idealizować
i·den·ti·cal [aɪ'dentɪkl] identyczny (***to, with*** z *I*); **~ 'twins** *pl.* bliźnięta *pl.* jednojajowe
i·den·ti·fi·ca·tion [aɪdentɪfɪ'keɪʃn] identyfikacja *f*; **~ (pa·pers** *pl.*) dowód *m* tożsamości
i·den·ti·fy [aɪ'dentɪfaɪ] ⟨z⟩identyfikować; ***~ o.s.*** zidentyfikować się
i·den·ti·kit pic·ture [aɪ'dentɪkɪt -] portret *m* pamięciowy (*przestępcy*)
i·den·ti·ty [aɪ'dentətɪ] tożsamość *f*; **~ card** dowód *m* tożsamości
i·de|·o·log·i·cal [aɪdɪə'lɒdʒɪkl] ideologiczny; **~·ol·ogy** [aɪdɪ'ɒlədʒɪ] ideologia *f*
id·i|·om ['ɪdɪəm] idiom *m*, idiomatyzm *m*; **~·o·mat·ic** [ɪdɪə'mætɪk] idiomatyczny
id·i·ot ['ɪdɪət] idiota *m* (-tka *f*) (*też med.*); **~·ic** [ɪdɪ'ɒtɪk] idiotyczny
i·dle ['aɪdl] **1.** (***-r, -st***) bezczynny; bezproduktywny; próżniaczy; czczy, bezzasadny; *econ. pieniądze*: nieproduktywny, *wydajność*: niewykorzystany; *tech.* jałowy, nieobciążony; **2.** spędzać ⟨-dzić⟩ nieproduktywnie czas; chodzić ⟨iść⟩ na jałowym biegu; ***~ away*** *czas* ⟨z⟩marnować
i·dol ['aɪdl] idol *m*; bożek *m*; **~·ize** ['aɪdəlaɪz] ubóstwiać ⟨-wić⟩
i·dyl·lic [aɪ'dɪlɪk] (***~ally***) idylliczny
i.e. [aɪ 'iː] *skrót*: ***that is to say*** (*łacińskie* ***id est***) tj., to jest
if [ɪf] jeżeli, jeśli; gdyby; czy; ***~ I were you*** gdybym był na twoim miejscu
ig·loo ['ɪgluː] (*pl.* ***-loos***) iglo *n*
ig·nite [ɪg'naɪt] zapalać ⟨-lić⟩ (się); *mot.* zapalać ⟨-lić⟩; **ig·ni·tion** [ɪg'nɪʃən] *tech.* zapłon; **~ key** kluczyk *m* zapłonu
ig·no·min·i·ous [ɪgnə'mɪnɪəs] haniebny, nikczemny
ig·no·rance ['ɪgnərəns] niewiedza *f*, ignorancja *f*; **'ig·no·rant**: ***be ~ of s.th.*** nie wiedzieć o czymś, nie mieć pojęcia o czymś; **ig·nore** [ɪg'nɔː] ⟨z⟩ignorować; pomijać ⟨-minąć⟩
ill [ɪl] **1.** (***worse, worst***) chory; zły, niedobry; ***fall ~, be taken ~*** zachorować; **2. *~s*** *pl.* problemy *pl.*; zło *n*; **~-ad'vised** nierozważny; **~-'bred** niewychowany
il·le·gal [ɪ'liːgl] nielegalny, bezprawny; ***~ parking*** niewłaściwe parkowanie *n*
il·le·gi·ble [ɪ'ledʒəbl] nieczytelny
il·le·git·i·mate [ɪlɪ'dʒɪtɪmət] nieślubny; bezprawny
ill|-'fat·ed fatalny; nieszczęśliwy; **~-'hu·mo(u)red** w złym humorze
il·li·cit [ɪ'lɪsɪt] zakazany, nielegalny
il·lit·e·rate [ɪ'lɪtərət] niepiśmienny
ill|-'man·nered niewychowany; **~-'na·tured** złośliwy
'ill·ness choroba *f*
ill|-'tem·pered w złym humorze; **~-'timed** w złą porę; **~-'treat** źle traktować; maltretować
il·lu·mi|·nate [ɪ'ljuːmɪneɪt] oświetlać ⟨-lić⟩, iluminować; oświecać ⟨-cić⟩; **~·nat·ing** pouczający; **~·na·tion** [ɪljuːmɪ'neɪʃn] oświetlenie *n*; ***~nations*** *pl.* iluminacja *f*
il·lu|·sion [ɪ'luːʒn] iluzja *f*, złudzenie *n*; **~·sive** [ɪ'luːsɪv], **~·so·ry** [ɪ'luːsərɪ] złudny, iluzoryczny
il·lus|·trate ['ɪləstreɪt] ⟨z⟩ilustrować; ⟨z⟩obrazować; **~·tra·tion** [ɪlə'streɪʃn] ilustracja *f*; obrazowanie *n*; **~·tra·tive** ['ɪləstrətɪv] ilustracyjny; obrazujący
il·lus·tri·ous [ɪ'lʌstrɪəs] znamienity
ill 'will wrogość *f*, nieprzyjazne uczucie *n*
im·age ['ɪmɪdʒ] wizerunek *m*, obraz *m*; odbicie *n*; metafora *f*, porównanie *n*; **im·ag·e·ry** ['ɪmɪdʒərɪ] symbolika *f*
i·ma·gi·na|·ble [ɪ'mædʒɪnəbl] wyobrażalny; **~·ry** [ɪ'mædʒɪnərɪ] urojony, zmyślony; **~·tion** [ɪmædʒɪ'neɪʃn] wyobraźnia *f*; **~·tive** [ɪ'mædʒɪnətɪv] o dużej wyobraźni, pełen fantazji, pomysłowy; **i·ma·gine** [ɪ'mædʒɪn] wyobrażać ⟨-razić⟩ sobie; sądzić
im·bal·ance [ɪm'bæləns] brak *m* równowagi

I

im·be·cile ['ɪmbɪsiːl] imbecyl *m*, kretyn(ka *f*) *m*
IMF [aɪ em 'ef] *skrót*: ***International Monetary Fund*** MFW, Międzynarodowy Fundusz *m* Walutowy
im·i|·tate ['ɪmɪteɪt] naśladować, imitować; **~·ta·tion** [ɪmɪ'teɪʃn] **1.** imitacja *f*, naśladownictwo *n*; naśladowanie *n*; **2.** sztuczny; ***~tation leather*** imitacja *f* skóry
im·mac·u·late [ɪ'mækjʊlət] *rel.* niepokalany; nieskazitelny
im·ma·te·ri·al [ɪmə'tɪərɪəl] nieistotny, bez znaczenia (***to*** dla *G*)
im·ma·ture [ɪmə'tjʊə] niedojrzały
im·mea·su·ra·ble [ɪ'meʒərəbl] niezmierzony, nieprzejrzany
im·me·di·ate [ɪ'miːdjət] bezpośredni; natychmiastowy, bezzwłoczny; *przyszłość, rodzina*: najbliższy; **~·ly** bezpośrednio; natychmiastowo, bezzwłocznie
im·mense [ɪ'mens] ogromny
im·merse [ɪ'mɜːs] zanurzać ⟨-rzyć⟩; ~ ***o.s.*** in zagłębiać ⟨-bić⟩ się w (*L*); **im·mer·sion** [ɪ'mɜːʃn] zanurzenie *n*; **im'mer·sion heat·er** grzałka *f* (*nurkowa*)
im·mi|·grant ['ɪmɪgrənt] imigrant(ka *f*) *m*; **~·grate** ['ɪmɪgreɪt] imigrować (***into*** do *G*); **~·gra·tion** [ɪmɪ'greɪʃn] imigracja *f*
im·mi·nent ['ɪmɪnənt] zagrażający, nadchodzący; ~ ***danger*** bezpośrednie zagrożenie
im·mo·bile [ɪ'məʊbaɪl] nieruchomy
im·mod·e·rate [ɪ'mɒdərət] nieumiarkowany
im·mod·est [ɪ'mɒdɪst] nieskromny
im·mor·al [ɪ'mɒrəl] niemoralny
im·mor·tal [ɪ'mɔːtl] **1.** nieśmiertelny; **2.** człowiek *m* nieśmiertelny; **~·i·ty** [ɪmɔː'tælətɪ] nieśmiertelność
im·mo·va·ble [ɪ'muːvəbl] nieruchomy, *fig.* niewzruszony
im·mune [ɪ'mjuːn] odporny (***to*** na *A*); nie podlegający; **im·mu·ni·ty** [ɪ'mjuːnətɪ] odporność *f*; niepodleganie *n*; immunitet *m*; **im·mu·nize** ['ɪmjuːnaɪz] immunizować, ⟨u⟩czynić odpornym (***against*** na *A*)
imp [ɪmp] chochlik *m*, diabełek *m*
im·pact ['ɪmpækt] zderzenie *n*, uderzenie *n*; *fig.* wpływ *m* (***on*** na *A*)
im·pair [ɪm'peə] osłabiać ⟨-bić⟩, pogarszać ⟨-gorszyć⟩
im·part [ɪm'pɑːt] (***to***) przekazywać ⟨-zać⟩ (*D*); nadawać (*D*)
im·par|·tial [ɪm'pɑːʃl] obiektywny, bezstronny; **~·ti·al·i·ty** [ɪmpɑːʃɪ'ælətɪ] obiektywność *f*, bezstronność *f*
im·pass·a·ble [ɪm'pɑːsəbl] nieprzejezdny, nie do przejścia
im·passe [æm'pɑːs] *fig.* impas *m*, ślepa uliczka *f*
im·pas·sioned [ɪm'pæʃnd] namiętny, żarliwy
im·pas·sive [ɪm'pæsɪv] beznamiętny, obojętny, bierny
im·pa|·tience [ɪm'peɪʃns] niecierpliwość *f*; **~·tient** niecierpliwy
im·peach [ɪm'piːtʃ] *jur.* pociągać ⟨-gnąć⟩ do odpowiedzialności (***for, of, with*** za *A*), oskarżać ⟨-rżyć⟩ (***for, of, with*** o *A*); ⟨za⟩kwestionować
im·pec·ca·ble [ɪm'pekəbl] nienaganny, bez zarzutu
im·pede [ɪm'piːd] przeszkadzać ⟨-kodzić⟩, utrudniać ⟨-nić⟩
im·ped·i·ment [ɪm'pedɪmənt] przeszkoda *f*; trudność *f* (***to*** przy *L*)
im·pel [ɪm'pel] (***-ll-***) nakłaniać ⟨-łonić⟩
im·pend·ing [ɪm'pendɪŋ] zagrażający, bliski
im·pen·e·tra·ble [ɪm'penɪtrəbl] niedostępny, nieprzenikniony (*też fig.*)
im·per·a·tive [ɪm'perətɪv] **1.** imperatywny; nakazujący; *gr.* rozkazujący; **2.** *też* ~ ***mood*** *gr.* tryb *m* rozkazujący
im·per·cep·ti·ble [ɪmpə'septəbl] niedostrzegalny, niezauważalny
im·per·fect [ɪm'pɜːfɪkt] **1.** niedoskonały, nienajlepszy; **2.** *też* ~ ***tense*** *gr.* czas przeszły niedokonany
im·pe·ri·al·is|·m [ɪm'pɪərɪəlɪzəm] *pol.* imperializm *m*; **~t** [ɪm'pɪərɪəlɪst] *pol.* imperialista *m*
im·per·il [ɪm'perəl] (*zwł. Brt.* ***-ll-***, *Am.* ***-l-***) narażać ⟨-razić⟩
im·pe·ri·ous [ɪm'pɪərɪəs] władczy
im·per·me·a·ble [ɪm'pɜːmjəbl] nieprzepuszczalny
im·per·son·al [ɪm'pɜːsnl] bezosobowy
im·per·so·nate [ɪm'pɜːsəneɪt] podawać ⟨-dać⟩ się za (*A*); naśladować; *theat. itp.* odgrywać ⟨-degrać⟩
im·per·ti|·nence [ɪm'pɜːtɪnəns] bez-

czelność *f*, tupet *m*; **~·nent** impertynencki, bezczelny
im·per·tur·ba·ble [ɪmpəˈtɜːbəbl] niewzruszony
im·per·vi·ous [ɪmˈpɜːvjəs] nieprzepuszczalny; *fig.* niepodatny (***to*** na *A*)
im·pe·tu·ous [ɪmˈpetjʊəs] porywczy, impulsywny
im·pe·tus [ˈɪmpɪtəs] rozpęd *m*, impet *m*
im·pi·e·ty [ɪmˈpaɪətɪ] bezbożność *f*; nieposzanowanie
im·pinge [ɪmˈpɪndʒ]: ~ ***on*** wpływać na (*A*), mieć wpływ na (*A*)
im·pi·ous [ˈɪmpɪəs] bezbożny; nie szanujący
im·plac·a·ble [ɪmˈplækəbl] nieubłagany, nieustępliwy
im·plant [ɪmˈplɑːnt] *med.* wszczepiać ⟨-pić⟩; *fig.* zaszczepiać ⟨-pić⟩
im·ple·ment 1. [ˈɪmplɪmənt] narzędzie *n*; **2.** [ˈɪmplɪment] wprowadzać ⟨-dzić⟩ do użytku
im·pli|·cate [ˈɪmplɪkeɪt] wplątywać ⟨-tać⟩ (***in*** do *G*), ⟨u⟩wikłać; **~·ca·tion** [ɪmplɪˈkeɪʃn] wplątanie *n*, uwikłanie *n*, wmieszanie *n*
im·pli·cit [ɪmˈplɪsɪt] domniemany, nie powiedziany otwarcie
im·plore [ɪmˈplɔː] ⟨u⟩błagać
im·ply [ɪmˈplaɪ] ⟨za⟩sugerować, dawać ⟨dać⟩ do zrozumienia; oznaczać; implikować
im·po·lite [ɪmpəˈlaɪt] nieuprzejmy
im·pol·i·tic [ɪmˈpɒlɪtɪk] niezręczny; nierozsądny
im·port 1. [ɪmˈpɔːt] importować, wwozić ⟨wwieźć⟩; **2.** [ˈɪmpɔːt] import *m*; **~*s*** *pl.* towary *pl.* importowane
im·por|·tance [ɪmˈpɔːtəns] ważność *f*, *duże* znaczenie *n*; **~·tant** ważny, *dużo* znaczący
im·por|·ta·tion [ɪmpɔːˈteɪʃn] → ***import*** 2; **~·ter** [ɪmˈpɔːtə] importer *m*
im·pose [ɪmˈpəʊz] nakładać ⟨nałożyć⟩, narzucać ⟨-cić⟩ (***on s.o.*** na kogoś); ~ ***o.s. on s.o.*** narzucać ⟨-cić⟩ się komuś; **imˈpos·ing** imponujący, robiący *duże* wrażenie
im·pos·si|·bil·i·ty [ɪmpɒsəˈbɪlətɪ] niemożliwość *f*; **~·ble** [ɪmˈpɒsəbl] niemożliwy
im·pos·tor *Brt.*, **im·pos·ter** *Am.* [ɪmˈpɒstə] oszust(ka *f*) *m*, szalbierz *m*
im·po|·tence [ˈɪmpətəns] niemożność *f*, niemoc *f*; nieudolność *f*; *med.* impotencja *f*; **ˈ~·tent** bezsilny, bezradny;
im·pov·e·rish [ɪmˈpɒvərɪʃ] zubażać ⟨-bożyć⟩
im·prac·ti·ca·ble [ɪmˈpræktɪkəbl] niewykonalny
im·prac·ti·cal [ɪmˈpræktɪkl] niepraktyczny, mało praktyczny
im·preg·na·ble [ɪmˈpregnəbl] *zamek itp.*: nie do zdobycia; niezbity
im·preg·nate [ˈɪmpregneɪt] ⟨za⟩impregnować; zapładniać ⟨-łodnić⟩
im·press [ɪmˈpres] *komuś* ⟨za⟩imponować; wywierać ⟨-wrzeć⟩ wrażenie; uzmysławiać ⟨-łowić⟩; *coś* odciskać ⟨-cisnąć⟩; **im·pres·sion** [ɪmˈpreʃn] wrażenie *n*; odcisk *m*; ***be under the ~ that*** mieć wrażenie, że; **im·pres·sive** [ɪmˈpresɪv] imponujący
im·print 1. [ɪmˈprɪnt] odciskać ⟨-snąć⟩; ~ ***s.th. on s.o.'s memory*** utrwalić coś w czyjejś pamięci; **2.** [ˈɪmprɪnt] odcisk *m*; *print.* nazwa *f* (*wydawnictwa*), metryczka *f*
im·pris·on [ɪmˈprɪzn] ⟨u⟩więzić; **~·ment** uwięzienie *n*
im·prob·a·ble [ɪmˈprɒbəbl] nieprawdopodobny
im·prop·er [ɪmˈprɒpə] niewłaściwy, niestosowny
im·pro·pri·e·ty [ɪmprəˈpraɪətɪ] niewłaściwość *f*, niestosowność *f*
im·prove [ɪmˈpruːv] polepszać ⟨-szyć⟩ (się), ulepszać ⟨-szyć⟩ (się); *wartość itp.* zwiększać ⟨-szyć⟩ (się); ~ ***on*** osiągać lepszy wynik od (*G*); poprawić wynik (*G*); **~·ment** polepszenie *n*, ulepszenie *n*; postęp *m* (***on*** względem *G*)
im·pro·vise [ˈɪmprəvaɪz] ⟨za⟩improwizować
im·pru·dent [ɪmˈpruːdənt] nieroztropny, nierozważny
im·pu|·dence [ˈɪmpjʊdəns] czelność *f*, zuchwałość *f*; **ˈ~·dent** zuchwały
im·pulse [ˈɪmpʌls] impuls *m* (*też fig.*); bodziec *m*; **im·pul·sive** [ɪmˈpʌlsɪv] impulsywny, zapalczywy
im·pu·ni·ty [ɪmˈpjuːnətɪ]: ***with ~*** bezkarnie
im·pure [ɪmˈpjʊə] nieczysty (*też rel., fig.*); zanieczyszczony
im·pute [ɪmˈpjuːt]: ~ ***s.th. to s.o.*** przypisywać ⟨-sać⟩ coś komuś
in¹ [ɪn] **1.** *prp. przestrzeń:* (*miejsce*) w (*L*),

na (*L*); ~ ***London*** w Londynie, ~ ***the street*** na ulicy; *ruch*: do (*G*); ***put it*** ~ ***your pocket*** włóż to do kieszeni; *czas*: w (*L*), w ciągu (*G*), w czasie (*G*), za (*G*); ~ ***1999*** w 1999 roku; ~ ***two hours*** za dwie godziny; ~ ***the morning*** rano; *stan*, *sposób*: po (*D*); na (*D*): ~ ***pencil*** ołówkiem; ~ ***writing*** na piśmie; ~ ***Polish*** po polsku; *stan*, *okoliczności*: przy (*L*), podczas (*G*); ~ ***crossing the street*** przechodząc przez ulicę; *materiał*: w (*A*), na; ***dressed*** ~ ***jeans*** (***blue***) ubrany w dżinsy (na niebiesko); *liczba*, *proporcja*: na (*A*), z (*G*); ***one*** ~ ***ten*** jeden na dziesięciu; ***three*** ~ ***all*** łącznie trzech; ***have confidence*** ~ ufać (*D*); ~ ***defence of*** w obronie (*G*); ~ ***my opinion*** w moim przekonaniu; **2.** *adv*. wewnątrz (*G*), do wewnątrz (*G*); w domu; w pracy; w modzie; **3.** *adj*. F modny

in[2] *skrót pisany*: ***inch***(***es***) cal *m* (*2,54 cm*)

in·a·bil·i·ty [ɪnə'bɪlətɪ] niezdolność *f*

in·ac·ces·si·ble [ɪnæk'sesəbl] niedostępny (***to*** dla *G*)

in·ac·cu·rate [ɪn'ækjʊrət] niedokładny

in·ac|·tive [ɪn'æktɪv] nieaktywny, bierny; ~**·tiv·i·ty** [ɪnæk'tɪvətɪ] bierność *f*, nieaktywność *f*

in·ad·e·quate [ɪn'ædɪkwət] niedostateczny; nieodpowiedni; nieadekwatny

in·ad·mis·si·ble [ɪnəd'mɪsəbl] niedopuszczalny, nie do przyjęcia

in·ad·ver·tent [ɪnəd'vɜːtənt] (~***ly***) nieumyślny, nierozmyślny

in·an·i·mate [ɪn'ænɪmət] nieożywiony

in·ap·pro·pri·ate [ɪnə'prəʊprɪət] nieodpowiedni, niestosowny; niezdatny (***for*** dla *G*, ***to*** do *G*)

in·apt [ɪn'æpt] nieodpowiedni, niestosowny

in·ar·tic·u·late [ɪnɑː'tɪkjʊlət] niewyraźny, niezrozumiały; nie potrafiący się wysłowić

in·at·ten·tive [ɪnə'tentɪv] nieuważny

in·au·di·ble [ɪn'ɔːdəbl] niesłyszalny

in·au·gu|·ral [ɪ'nɔːgjʊrəl] inauguracyjny; ~**·rate** [ɪ'nɔːgjʊreɪt] *kogoś* (*na stanowisko*) wprowadzać ⟨-dzić⟩ uroczyście; ⟨za⟩inaugurować, otwierać ⟨-worzyć⟩; rozpoczynać ⟨-cząć⟩; ~**·ra·tion** [ɪnɔːgjʊ'reɪʃn] inauguracja *f*; wprowadzenie *n*; otwarcie *n*; rozpoczęcie *n*; ***Ωration Day*** *Am*. dzień wprowadzenia prezydenta USA na urząd (*20 stycznia*)

in·born [ɪn'bɔːn] wrodzony

Inc [ɪŋk] *skrót*: ***Incorporated*** posiadający osobowość prawną

in·cal·cu·la·ble [ɪn'kælkjʊləbl] nieobliczalny

in·can·des·cent [ɪnkæn'desnt] żarzący się; ~ ***lamp*** lampa *f* żarowa

in·ca·pa·ble [ɪn'keɪpəbl] niezdolny (***of*** do *G*), nie będący w stanie (***of doing s.th.*** zrobić czegoś)

in·ca·pa·ci|·tate [ɪnkə'pæsɪteɪt] ⟨u⟩czynić niezdatnym *lub* niezdolnym; ~**·ty** [ɪnkə'pæsətɪ] niezdolność *f*, niezdatność *f*

in·car·nate [ɪn'kɑːnət] wcielony, ucieleśniony

in·cau·tious [ɪn'kɔːʃəs] nieostrożny

in·cen·di·a·ry [ɪn'sendjərɪ] zapalający, *fig*. zapalczywy

in·cense[1] ['ɪnsens] kadzidło *n*

in·cense[2] [ɪn'sens] rozwścieczać ⟨-czyć⟩

in·cen·tive [ɪn'sentɪv] bodziec *m*, podnieta *f*, zachęta *f*

in·ces·sant [ɪn'sesnt] nieprzerwany, ustawiczny

in·cest ['ɪnsest] kazirodztwo *n*

inch [ɪntʃ] **1.** cal *m* (*=2,54 cm*) (*też fig*.); ***by*** ~***es***, ~ ***by*** ~ stopniowa, krok za krokiem; ***every*** ~ w każdym calu; **2.** posuwać się krok po kroku

in·ci|·dence ['ɪnsɪdəns] rozmiar *m*, zasięg *m*, zakres *m* (*występowania*); '~**·dent** incydent *m*, zajście *n*; ~**·den·tal** [ɪnsɪ'dentl] uboczny, marginesowy; ~**'den·tal·ly** na marginesie, nawiasem mówiąc

in·cin·e|·rate [ɪn'sɪnəreɪt] spalać ⟨-lić⟩ (*na popiół*); ~**·ra·tor** piec *m* do spalania śmieci

in·cise [ɪn'saɪz] nacinać ⟨-ciąć⟩, ⟨wy⟩ryć; **in·ci·sion** [ɪn'sɪʒn] nacięcie *n*; **in·ci·sive** [ɪn'saɪsɪv] ostry, cięty; **in·ci·sor** [ɪn'saɪzə] *anat*. siekacz *m*

in·cite [ɪn'saɪt] podżegać, podburzać ⟨-rzyć⟩; ~**·ment** podżeganie *n*, podburzanie *n*

incl *skrót pisany*: ***including, inclusive*** wł., włącznie

in·clem·ent [ɪn'klemənt] zły, *pogoda*: burzliwy

in·cli·na·tion [ɪnklɪ'neɪʃn] pochyłość *f*,

spadek *m*; *fig.* inklinacja *f*, skłonność *f*, upodobanie *n*; **in•cline** [ɪn'klaɪn] **1.** *v/i.* pochylać⟨-lić⟩się, nachylać⟨-lić⟩się (***to, towards*** w stronę *G*); *fig.* skłaniać ⟨-łonić⟩ się (***to, towards*** do *G*); *v/t.* nachylać; *fig.* nakłaniać ⟨-łonić⟩; **2.** zbocze *n*

in•close [ɪn'kləʊz], **in•clos•ure** [ɪn'kləʊʒə] → ***enclose, enclosure***

in•clude [ɪn'kluːd] włączać ⟨-czyć⟩; zawierać ⟨-wrzeć⟩, obejmować ⟨objąć⟩; ***tax ~d*** włącznie z podatkiem; **in'cluding** łącznie z (*I*); **in•clu•sion** [ɪn'kluːʒn] włączenie *n*; wliczenie *n*; **in•clu•sive** [ɪn'kluːsɪv] łączny, obejmujący (*wszystko*); włącznie (***of*** z *I*); ryczałtowy; ***be ~ of*** obejmować łącznie (*A*)

in•co•her•ent [ɪnkəʊ'hɪərənt] niespójny, niejasny

in•come ['ɪnkʌm] *econ.* dochód *m*, przychód *m*; **'~ tax** *econ.* podatek *m* dochodowy

in•com•ing ['ɪnkʌmɪŋ] nadchodzący; nowy, następujący; przybywający; ***~ mail*** poczta przychodząca

in•com•mu•ni•ca•tive [ɪnkə'mjuːnɪkətɪv] niekomunikatywny, mało rozmowny

in•com•pa•ra•ble [ɪn'kɒmpərəbl] nieporównany; nie do porównania

in•com•pat•i•ble [ɪnkəm'pætəbl] niedobrany, nieprzystający; niekompatybilny

in•com•pe|•tence [ɪn'kɒmpɪtəns] niekompetencja *f*, niefachowość *f*; **~•tent** niekompetentny, niefachowy

in•com•plete [ɪnkəm'pliːt] niekompletny; niedokończony

in•com•pre•hen|•si•ble [ɪnkɒmprɪ'hensəbl] niezrozumiały, niejasny; **~•sion** [ɪnkɒmprɪ'henʃn] niezrozumienie *n*

in•con•cel•va•ble [ɪnkən'siːvəbl] nie do pomyślenia, nie do pojęcia

in•con•clu•sive [ɪnkən'kluːsɪv] nieprzekonujący; bezowocny, nie zakończony pomyślnie; nie rozstrzygający

in•con•gru•ous [ɪn'kɒŋgrʊəs] nie na miejscu; nie pasujący (***to, with*** do *G*); niespójny

in•con•se•quen•tial [ɪnkɒnsɪ'kwenʃl] mało znaczący, nieważny

in•con•sid|•e•ra•ble [ɪnkən'sɪdərəbl] nieznaczny; **~•er•ate** [ɪnkən'sɪdərət] nieczuły, bezwzględny

in•con•sis•tent [ɪnkən'sɪstənt] niespójny, niekonsekwentny

in•con•so•la•ble [ɪnkən'səʊləbl] niepocieszony

in•con•spic•u•ous [ɪnkən'spɪkjʊəs] niepozorny

in•con•stant [ɪn'kɒnstənt] niestały, zmienny

in•con•ti•nent [ɪn'kɒntɪnənt] *med.* nie mogący utrzymać odchodów

in•con•ve•ni|•ence [ɪnkən'viːnjəns] **1.** niedogodność *f*; niewygoda *f*, kłopot *m*; **2.** sprawiać *komuś* kłopot; przysparzać kłopotów; **~•ent** niewygodny; niedogodny

in•cor•po|•rate [ɪn'kɔːpəreɪt] ⟨po-, z⟩łączyć się; włączać ⟨-czyć⟩, obejmować ⟨objąć⟩; uwzględniać ⟨-nić⟩; *econ.*, *jur.* ⟨za⟩rejestrować; nadawać ⟨-dać⟩ osobowość prawną; **~•rat•ed 'com•pa•ny** *Am.* spółka *f* o osobowości prawnej; **~•ra•tion** [ɪnkɔːpə'reɪʃn] złączenie *n* (się); objęcie *n*; włączenie *n*; uwzględnienie *n*; rejestracja *f* (*firmy*); *Am.* nadanie *n* osobowości prawnej

in•cor•rect [ɪnkə'rekt] nieprawidłowy, niewłaściwy

in•cor•ri•gi•ble [ɪn'kɒrɪdʒəbl] niepoprawny

in•cor•rup•ti•ble [ɪnkə'rʌptəbl] nieprzekupny

in•crease 1. [ɪn'kriːs] wzrastać ⟨-rosnąć⟩; zwiększać ⟨-szyć⟩ (się); powiększać ⟨-szyć⟩ (się); **2.** ['ɪnkriːs] wzrost *m*; zwiększenie *n*; powiększenie *n*; podwyżka *f*; **in•creas•ing•ly** [ɪn'kriːsɪŋlɪ] wzrastająco, w coraz większym stopniu; ***~ difficult*** coraz trudniejszy

in•cred•i•ble [ɪn'kredəbl] niewiarygodny

in•cre•du•li•ty [ɪnkrɪ'djuːlətɪ] niedowierzanie *n*; **in•cred•u•lous** [ɪn'kredjʊləs] niedowierzający, sceptyczny

in•crim•i•nate [ɪn'krɪmɪneɪt] obwiniać ⟨-nić⟩

in•cu|•bate ['ɪnkjʊbeɪt] wysiadywać; wylęgać się; **'~•ba•tor** inkubator *m*; *agr.* wylęgarka *f*

in•cur [ɪn'kɜː] (***-rr-***) wywoływać ⟨-łać⟩; *koszty, szkody* ponosić ⟨-nieść⟩

in•cu•ra•ble [ɪn'kjʊərəbl] nieuleczalny

in•cu•ri•ous [ɪn'kjʊərɪəs] mało dociekliwy, mało ciekawy

I

in·cur·sion [ɪn'kɜːʃn] wtargnięcie *n*, najście *n*
in·debt·ed [ɪn'detɪd] zobowiązany; wdzięczny
in·de·cent [ɪn'diːsnt] nieprzyzwoity; *jur.* lubieżny; niemoralny; ~ ***assault*** *jur.* czyn *m* lubieżny
in·de·ci|·sion [ɪndɪ'sɪʒn] niezdecydowanie *n*; **~·sive** [ɪndɪ'saɪsɪv] niezdecydowany; nie rozstrzygnięty, nie rozstrzygający
in·deed [ɪn'diːd] **1.** *adv.* rzeczywiście, faktycznie, naprawdę; ***thank you very much ~!*** serdecznie dziękuję; **2.** *int.* doprawdy?, naprawdę?
in·de·fat·i·ga·ble [ɪndɪ'fætɪgəbl] niestrudzony, niezmordowany
in·de·fen·si·ble [ɪndɪ'fensəbl] niewybaczalny
in·de·fi·na·ble [ɪndɪ'faɪnəbl] nieokreślony, nie ustalony
in·def·i·nite [ɪn'defɪnət] nieograniczony; niejasny; **~·ly** nieograniczenie *n*
in·del·i·ble [ɪn'delɪbl] nie do usunięcia, nie do zmazania (*też fig.*)
in·del·i·cate [ɪn'delɪkət] mało taktowny, nietaktowny; niedelikatny
in·dem·ni|·fy [ɪn'demnɪfaɪ] wynagradzać ⟨-rodzić⟩ straty (***for, against*** za *A*); zabezpieczać ⟨-czyć⟩ (***for***, za *A*); **~·ty** [ɪn'demnətɪ] wynagrodzenie *n* strat; zabezpieczenie *n*
in·dent [ɪn'dent] wgniatać ⟨-gnieść⟩; *print. wiersz* wcinać ⟨wciąć⟩
in·de·pen|·dence [ɪndɪ'pendəns] niepodległość *f*, niezależność *f*; ***ℒdence Day*** *Am.* Dzień Niepodległości (*4 lipca*); **~·dent** niepodległy; niezależny
in·de·scri·ba·ble [ɪndɪ'skraɪbəbl] nieopisany, nie do opisania
in·de·struc·ti·ble [ɪndɪ'strʌktəbl] niezniszczalny; niespożyty
in·de·ter·mi·nate [ɪndɪ'tɜːmɪnət] nieokreślony; niejasny
in·dex ['ɪndeks] (*pl.* ***-dexes, -dices*** [-dɪsiːz]) indeks *m*, skorowidz *m*, wykaz *m*; wskaźnik *m*; ***cost of living ~*** wskaźnik *m* kosztów utrzymania; **'~ card** karta *f* kartotekowa; **'~ fin·ger** palec *m* wskazujący
In·di·a ['ɪndjə] Indie *pl.*; **In·di·an** ['ɪndjən] **1.** indyjski, hinduski; indiański; **2.** Hindus(ka *f*) *m*; *też* ***American ~*** Indianin *m* (-anka *f*)
In·di·an| 'corn *bot.* kukurydza *f*; **'~ file**: ***in ~ file*** gęsiego; **~ 'sum·mer** babie lato *n*
in·di·a 'rub·ber kauczuk *m* (*naturalny*)
in·di|·cate ['ɪndɪkeɪt] wskazywać ⟨-zać⟩ (*też tech.*); *mot.* wskazywać ⟨-zać⟩ (*kierunek ruchu*); *fig.* ⟨za⟩sygnalizować; **~·ca·tion** [ɪndɪ'keɪʃn] wskazywanie *n*; wskazanie *n*; oznaka *f*; zasygnalizowanie *n*; **in·dic·a·tive** [ɪn'dɪkətɪv] *też* ***~cative mood*** *gr.* tryb *m* oznajmujący; **~·cator** ['ɪndɪkeɪtə] *tech.* wskaźnik *m*; *mot.* kierunkowskaz *m*, migacz *m*
in·di·ces ['ɪndɪsiːz] *pl. od* ***index***
in·dict [ɪn'daɪt] *jur.* oskarżać ⟨-żyć⟩ (***for*** o *A*); **~·ment** oskarżenie *n*, stan *m* oskarżenia
in·dif·fer|·ence [ɪn'dɪfrəns] obojętność *f*; **~·ent** obojętny (***to*** wobec *G*)
in·di·gent ['ɪndɪdʒənt] ubogi
in·di·ges|·ti·ble [ɪndɪ'dʒestəbl] niestrawny; **~·tion** [ɪndɪ'dʒestʃən] niestrawność *f*
in·dig|·nant [ɪn'dɪgnənt] oburzony (***about, at, over*** na *A*); **~·na·tion** [ɪndɪg'neɪʃn] oburzenie *n* (***about, at, over*** na *A*); **~·ni·ty** [ɪn'dɪgnətɪ] upokorzenie *n*
in·di·rect [ɪndɪ'rekt] pośredni; okrężny; ***by ~ means*** *fig.* pośrednimi środkami
in·dis|·creet [ɪndɪ'skriːt] niedyskretny; nierozważny; **~·cre·tion** [ɪndɪ'skreʃn] niedyskrecja *f*; nierozwaga *f*
in·dis·crim·i·nate [ɪndɪ'skrɪmɪnət] niewybredny, bezkrytyczny; jak popadnie, na oślep
in·di·spen·sa·ble [ɪndɪ'spensəbl] nieodzowny
in·dis|·posed [ɪndɪ'spəʊzd] niedysponowany; **~·po·si·tion** [ɪndɪspə'zɪʃn] niedyspozycja *f*; niechęć *f* (***to*** do *G*)
in·dis·pu·ta·ble [ɪndɪ'spjuːtəbl] bezsporny
in·dis·tinct [ɪndɪ'stɪŋkt] niewyraźny
in·dis·tin·guish·a·ble [ɪndɪ'stɪŋgwɪʃəbl] nie do odróżnienia (***from*** od *G*)
in·di·vid·u·al [ɪndɪ'vɪdjʊəl] **1.** indywidualny; jednostkowy; poszczególny; pojedynczy; **2.** jednostka *f*; osoba *f*; osobnik *m*; **~·is·m** [ɪndɪ'vɪdjʊəlɪzəm] indywidualizm *m*; **~·ist** [ɪndɪ'vɪdjʊəlɪst] indywidualista *m* (-tka *f*); **~·i·ty** [ɪndɪvɪdjʊ'ælətɪ] indywidualność *f*; **~·ly**

[ɪndɪ'vɪdjʊəlɪ] indywiudalnie; pojedynczno

in·di·vis·i·ble [ɪndɪ'vɪzəbl] niepodzielny

in·dom·i·ta·ble [ɪn'dɒmɪtəbl] nieposkromiony

In·do·ne·sia Indonezja *f*

in·door ['ɪndɔː] wewnętrzny; domowy; *basen*: kryty; *sport*: halowy; **~s** [ɪn'dɔːz] wewnątrz; w domu; (*w sporcie*) w hali; do wnętrza, do środka

in·dorse [ɪn'dɔːs] → ***endorse***

in·duce [ɪn'djuːs] *kogoś* namawiać ⟨-mówić⟩, nakłaniać ⟨-łonić⟩; *coś* wywoływać ⟨-łać⟩, ⟨s⟩powodować; **~·ment** bodziec *m*, zachęta *f*

in·duct [ɪn'dʌkt] wprowadzać ⟨-dzić⟩ (na stanowisko); **in·duc·tion** [ɪn'dʌkʃn] wprowadzenie *n* na stanowisko; *electr.* indukcja *f*

in·dulge [ɪn'dʌldʒ] *komuś, sobie* pobłażać; spełniać ⟨-nić⟩ zachcianki; zaspokajać ⟨-koić⟩; **~ *in s.th.*** pozwalać sobie na (*A*), oddawać się (*D*); **in·dul·gence** [ɪn'dʌldʒəns] pobłażanie *n* (sobie); pobłażliwość *f*; słabość *f*; ekstrawagancja *f*, luksus *m*; **in'dul·gent** pobłażliwy, wyrozumiały

in·dus·tri·al [ɪn'dʌstrɪəl] przemysłowy; industrialny; **~ 'ar·e·a** region *m* przemysłowy, zagłębie *n* przemysłowe; **~·ist** [ɪn'dʌstrɪəlɪst] *econ.* przemysłowiec *m*; **~·ize** [ɪn'dʌstrɪəlaɪz] *econ.* uprzemysławiać ⟨-łowić⟩, ⟨z⟩industrializować

in·dus·tri·ous [ɪn'dʌstrɪəs] pracowity, skrzętny

in·dus·try ['ɪndəstrɪ] *econ.* przemysł *m*; gałąź *f* przemysłu; pracowitość *f*

in·ed·i·ble [ɪn'edɪbl] niejadalny

in·ef·fec|·tive [ɪnɪ'fektɪv], **~·tu·al** [ɪnɪ'fektʃʊəl] bezskuteczny, nieskuteczny; nieefektywny

in·ef·fi·cient [ɪnɪ'fɪʃnt] niesprawny, nieskuteczny; nieudolny

in·el·e·gant [ɪn'elɪgənt] mało elegancki

in·eli·gi·ble [ɪn'elɪdʒəbl] niezdatny, nieodpowiedni; nie spełniający warunków

in·ept [ɪ'nept] niezręczny; niedorzeczny, nierozsądny

in·e·qual·i·ty [ɪnɪ'kwɒlətɪ] nierówność *f*

in·ert [ɪ'nɜːt] *phys.* bezwładny; inercyjny, nieaktywny; **in·er·tia** [ɪ'nɜːʃjə] inercja *f*, bezwład *m* (*też fig.*)

in·es·ca·pa·ble [ɪnɪ'skeɪpəbl] nieunikniony

in·es·sen·tial [ɪnɪ'senʃl] niepotrzebny, zbyteczny

in·es·ti·ma·ble [ɪn'estɪməbl] nieoszacowany, bezcenny

in·ev·i·ta·ble [ɪn'evɪtəbl] nieunikniony, nieuchronny

in·ex·act [ɪnɪg'zækt] niedokładny

in·ex·cu·sa·ble [ɪnɪ'skjuːzəbl] niewybaczalny

in·ex·haus·ti·ble [ɪnɪg'zɔːstəbl] niewyczerpany

in·ex·o·ra·ble [ɪn'eksərəbl] nieubłagany, nieprzejednany

in·ex·pe·di·ent [ɪnɪk'spiːdjənt] niecelowy, niepraktyczny

in·ex·pen·sive [ɪnɪk'spensɪv] niedrogi

in·ex·pe·ri·ence [ɪnɪk'spɪərɪəns] niedoświadczenie *n*, brak *m* doświadczenia; **~d** niedoświadczony

in·ex·pert [ɪn'ekspɜːt] nieudolny; niedoświadczony

in·ex·plic·a·ble [ɪnɪk'splɪkəbl] niepojęty, niewytłumaczalny

in·ex·pres|·si·ble [ɪnɪk'spresəbl] niewyrażalny, niewysłowiony, nieopisany; **~·sive** [ɪnɪk'spresɪv] beznamiętny, bez emocji

in·ex·tri·ca·ble [ɪn'ekstrɪkəbl] nieunikniony; zaplątany, zawiły

in·fal·li·ble [ɪn'fæləbl] nieomylny

in·fa|·mous ['ɪnfəməs] haniebny; niesławny; **'~·my** hańba *f*; niesława *f*, zła sława *f*

in·fan|·cy ['ɪnfənsɪ] wczesne dzieciństwo *n*; ***in its ~cy*** *fig.* w powijakach; **'~t** dziecko *n*, niemowlę *n*

in·fan·tile ['ɪnfəntaɪl] dziecinny; dziecięcy, niemowlęcy

in·fan·try ['ɪnfəntrɪ] *mil.* piechota *f*

in·fat·u·at·ed [ɪn'fætjʊeɪtɪd] zakochany, zadurzony (***with*** w *L*)

in·fect [ɪn'fekt] *med. kogoś* zarażać ⟨-razić⟩ (*też fig.*); *coś* zakażać ⟨-kazić⟩; **in·fec·tion** [ɪn'fekʃn] *med.* zakażenie *n*; zarażenie *n*; **in·fec·tious** [ɪn'fekʃəs] *med.* zakaźny; zaraźliwy (*też fig.*)

in·fer [ɪn'fɜː] (***-rr-***) ⟨wy⟩wnioskować (***from*** z *G*); wyciągać ⟨-gnąć⟩ wnioski;

I

~·ence ['ɪnfərəns] wniosek *m*; wnioskowanie *n*
in·fe·ri·or [ɪn'fɪərɪə] **1.** podległy (**to** *D*), niższy (**to** wobec *G*); pośledniejszy, gorszy (**to** w stosunku do *G*); mniej wart (**to** od *G*); ***be ~ to s.o.*** podlegać komuś (*służbowo*); **2.** podwładny *m* (-na *f*); **~·i·ty** [ɪnfɪərɪ'ɒrətɪ] niższość *f*; podrzędność *f*; **~·i·ty com·plex** kompleks *m* niższości
in·fer|·nal [ɪn'fɜːnl] piekielny; **~·no** [ɪn'fɜːnəʊ] (*pl.* ***-nos***) piekło *n*
in·fer·tile [ɪn'fɜːtaɪl] niepłodny
in·fest [ɪn'fest] zakażać ‹-kazić›; ***be ~ed with*** być zaatakowanym przez (*A*)
in·fi·del·i·ty [ɪnfɪ'delətɪ] niewierność *f*, zdrada *f*
in·fil·trate ['ɪnfɪltreɪt] przesączać ‹-czyć› się przez (*A*); przenikać przez (*A*); *pol.* infiltrować
in·fi·nite ['ɪnfɪnət] nieskończony
in·fin·i·tive [ɪn'fɪnətɪv] *gr.* bezokolicznik *m*
in·fin·i·ty [ɪn'fɪnətɪ] nieskończoność *f*
in·firm [ɪn'fɜːm] słaby, niesprawny, wątły; **in·fir·ma·ry** [ɪn'fɜːmərɪ] szpital *m*; (*w szkole*) izolatka *f*; **in·fir·mi·ty** [ɪn'fɜːmətɪ] słabość *f*, niesprawność *f*, wątłość *f*
in·flame [ɪn'fleɪm] rozpalać ‹-lić› (*zw. fig.*) zapalać ‹-lić›; ‹s›powodować stan zapalny; ***become ~d*** *med.* zaognić się
in·flam·ma|·ble [ɪn'flæməbl] palny; zapalny; łatwopalny; **~·tion** [ɪnflə'meɪʃn] *med.* zapalenie *n*; **~·to·ry** [ɪn'flæmətərɪ] *med.* zapalny; *fig.* wzburzający
in·flate [ɪn'fleɪt] nadmuchiwać ‹-chać›, nadymać ‹-dąć› (*też fig.*); ‹na›pompować (powietrze); *econ. cenę* zawyżać ‹-żyć›; **in·fla·tion** *econ.* [ɪn'fleɪʃn] inflacja *f*
in·flect [ɪn'flekt] *gr.* odmieniać ‹-nić›; **in·flec·tion** [ɪn'flekʃn] *gr.* fleksja *f*, odmiana *f*
in·flex|·i·ble [ɪn'fleksəbl] sztywny (*też fig.*); nieelastyczny; **~·ion** *Brt. gr.* [ɪn'flekʃn] → ***inflection***
in·flict [ɪn'flɪkt] (**on**) *krzywdę* wyrządzać ‹-dzić›; *rany* zadawać ‹-dać›; *cierpienie* ‹s›powodować; *karę* wymierzać ‹-rzyć›; ***~ s.th. on s.o.*** narzucać coś komuś; **in·flic·tion** [ɪn'flɪkʃn] narzucenie *n*, spowodowanie *n*
in·flu|·ence ['ɪnflʊəns] **1.** wpływ *m*; **2.** wpływać ‹-łynąć› na (*A*); **~·en·tial** [ɪnflʊ'enʃl] wpływowy
in·flux ['ɪnflʌks] napływ *m*, przypływ *m*, dopływ *m*
in·form [ɪn'fɔːm] ‹po›informować, zawiadamiać ‹-domić› (**of** o *L*); ***~ against*** *lub* ***on s.o.*** donosić ‹-nieść› na kogoś, ‹za›denuncjować kogoś
in·for·mal [ɪn'fɔːml] nieoficjalny; nieformalny; **~·i·ty** [ɪnfɔː'mælətɪ] nieoficjalność *f*; nieformalność *f*;
in·for·ma|·tion [ɪnfə'meɪʃn] informacja *f*; **~·tion (su·per·)'high·way** *komp.* autostrada *f* informatyczna; **~·tive** [ɪn'fɔːmətɪv] informacyjny, pouczający, kształcący
in·form·er [ɪn'fɔːmə] donosiciel(ka *f*) *m*; informator(ka *f*) *m*
in·fra·struc·ture ['ɪnfrəstrʌktʃə] infrastruktura *f*
in·fre·quent [ɪn'friːkwənt] rzadki, nieczęsty
in·fringe [ɪn'frɪndʒ] *też* ***~ on*** prawa, porozumienia naruszać ‹-szyć› (*A*), ‹z›łamać (*A*)
in·fu·ri·ate [ɪn'fjʊərɪeɪt] rozwścieczać ‹-czyć›
in·fuse [ɪn'fjuːz] *herbatę* zaparzać ‹-rzyć›; **in·fu·sion** [ɪn'fjuːʒn] napar *m*; *med.* wlew *m*, infuzja *f*
in·ge|·ni·ous [ɪn'dʒiːnjəs] zmyślny, sprytny, pomysłowy; **~·nu·i·ty** [ɪndʒɪ'njuːətɪ] zmyślność *f*, sprytność *f*, pomysłowość *f*
in·gen·u·ous [ɪn'dʒenjʊəs] prostoduszny
in·got ['ɪŋgət] sztabka *f* (*złota itp.*), sztaba *f*
in·gra·ti·ate [ɪn'greɪʃɪeɪt]: ***~ o.s. with s.o.*** łasić się do kogoś, nadskakiwać komuś
in·grat·i·tude [ɪn'grætɪtjuːd] niewdzięczność *f*
in·gre·di·ent [ɪn'griːdjənt] składnik *m*
in·grow·ing ['ɪngrəʊɪŋ] wrastający
in·hab|·it [ɪn'hæbɪt] zamieszkiwać ‹-szkać›; **~·it·a·ble** zdatny do zamieszkania; **~·i·tant** mieszkaniec *m*
in·hale [ɪn'heɪl] wdychać; zaciągać ‹-gnąć› się (*D*); *med.* wziewać
in·her·ent [ɪn'hɪərənt] (**in**) wrodzony; swoisty dla (*G*), właściwy dla (*G*); nieodłączny (od *G*)
in·her|·it [ɪn'herɪt] ‹o›dziedziczyć

(**from** *po L*); **~·i·tance** dziedzictwo *n*, spadek *m*
in·hib·it [ɪn'hɪbɪt] ⟨za⟩hamować (*też psych.*), wstrzymywać ⟨-mać⟩ (**from** przed *I*); **~·ed** *psych.* zahamowany; **in·hi·bi·tion** [ɪnhɪ'bɪʃn] zahamowanie *n*
in·hos·pi·ta·ble [ɪn'hɒspɪtəbl] niegościnny; nieprzyjazny
in·hu·man [ɪn'hjuːmən] nieludzki; **~e** [ɪnhjuː'meɪn] niehumanitarny, nieludzki
in·im·i·cal [ɪ'nɪmɪkl] wrogi, nieprzyjazny (**to** *D*)
in·im·i·ta·ble [ɪ'nɪmɪtəbl] nie do podrobienia
i·ni|·tial [ɪ'nɪʃl] **1.** początkowy, wstępny; **2.** inicjał *m*; **~·tial·ly** [ɪ'nɪʃəlɪ] początkowo; **~·ti·ate** [ɪ'nɪʃɪeɪt] zaczynać ⟨-cząć⟩, zapoczątkowywać ⟨-wać⟩, ⟨za⟩inicjować; wprowadzać ⟨-dzić⟩ (**into** do *G*); **~·ti·a·tion** [ɪnɪʃɪ'eɪʃn] zapoczątkowanie *n*; wprowadzenie *n*; **~·tiative** [ɪ'nɪʃɪətɪv] inicjatywa *f*; ***take the ~tiative*** podejmować ⟨-djąć⟩ inicjatywę; ***on one's own ~tiative*** z własnej inicjatywy
in·ject [ɪn'dʒekt] *med.* wstrzykiwać ⟨-knąć⟩; **in·jec·tion** [ɪn'dʒekʃn] *med.* wstrzyknięcie *n*, iniekcja *f*, zastrzyk *m*
in·ju·di·cious [ɪndʒuː'dɪʃəs] nierozsądny
in·junc·tion [ɪn'dʒʌnkʃn] *jur.* nakaz *m* sądowy
in·jure ['ɪndʒə] ⟨z⟩ranić; wyrządzać ⟨-dzić⟩ krzywdę (*D*); szkodzić (*D*); **'~d** zraniony, ranny; skrzywdzony, urażony; **in·ju·ri·ous** [ɪn'dʒʊərɪəs] szkodliwy; ***be ~ to*** ⟨za⟩szkodzić (*D*); ***be ~ to health*** szkodzić zdrowiu; **in·ju·ry** ['ɪndʒərɪ] *med.* zranienie *n*, obrażenie *n*; szkoda *f*; **'in·ju·ry time** *Brt.* (*zwł. w piłce nożnej*) doliczony czas *m* (*gry*)
in·jus·tice [ɪn'dʒʌstɪs] niesprawiedliwość *f*
ink [ɪŋk] **1.** tusz *m*, atrament *m*; **2. ~jet** ['ɪŋkdʒet] *drukarka*: atramentowy
ink·ling ['ɪŋklɪŋ] pojęcie *n*
'ink|·pad poduszka *f* do tuszu; **'~·y** (**-ier, -iest**) atramentowy; poplamiony atramentem
in·laid ['ɪnleɪd] inkrustowany; **~ work** inkrustacja *f*
in·land 1. *adj.* ['ɪnlənd] lądowy, śródlądowy; krajowy; **2.** *adv.* [ɪn'lænd] w głąb kraju *lub* lądu; **♀ 'Rev·e·nue** *Brt.* urząd *m* skarbowy, fiskus *m*
in·lay ['ɪnleɪ] inkrustacja *f*; *med.* wypełnienie *n*, plomba
in·let ['ɪnlet] zatoczka *f*; *tech.* wlot *m*
in·mate ['ɪnmeɪt] współwięzień *m*; pacjent *m*
in·most ['ɪnməʊst] wewnętrzny, najgłębszy
inn [ɪn] gospoda *f*, zajazd *m*; *hist.* karczma *f*
in·nate [ɪ'neɪt] wrodzony
in·ner ['ɪnə] wewnętrzny; skryty; **'~·most** → ***inmost***
in·nings ['ɪnɪŋz] (*pl.* ***innings***) (*w krykiecie, baseballu*) runda *f*
'inn·keep·er właściciel(ka *f*) gospody *lub* zajazdu; *hist.* karczmarz *m*
in·no|·cence ['ɪnəsns] niewinność *f*; naiwność *f*; **'~·cent** niewinny; naiwny
in·noc·u·ous [ɪ'nɒkjʊəs] nieszkodliwy
in·no·va·tion [ɪnəʊ'veɪʃn] innowacja *f*, nowatorski pomysł *m*
in·nu·en·do [ɪnjuː'endəʊ] (*pl.* ***-does, -dos***) aluzja *f*, insynuacja *f*
in·nu·me·ra·ble [ɪ'njuːmərəbl] niezliczony
i·noc·u|·late [ɪ'nɒkjʊleɪt] *med.* ⟨za⟩szczepić; **~·la·tion** [ɪnɒkjʊ'leɪʃn] *med.* szczepienie *n*, zaszczepienie *n*
in·of·fen·sive [ɪnə'fensɪv] nieszkodliwy
in·op·e·ra·ble [ɪn'ɒpərəbl] *med.* nieoperacyjny, nie nadający się do operowania; *plan*: nie dający się przeprowadzić
in·op·por·tune [ɪn'ɒpətjuːn] niefortunny, nie na miejscu, niestosowny
in·or·di·nate [ɪ'nɔːdɪnət] nieumiarkowany, niepohamowany; nadmierny, przesadny
'in-pa·tient *med.* pacjent(ka *f*) *m* hospitalizowany (-na)
in·put ['ɪnpʊt] wejście *n* (*też komp.*); wkład *m* (*pracy*); *komp.* dane *pl.* wejściowe, wprowadzanie *n* (*danych*)
in·quest ['ɪnkwest] *jur.* dochodzenie *n* sądowe; → ***coroner's inquest***
in·quire [ɪn'kwaɪə] ⟨za-, s⟩pytać (o *A*); **~ *into*** ⟨z⟩badać; **in·quir·ing** [ɪn'kwaɪrɪŋ] dociekliwy, badawczy; **in·quir·y** [ɪn'kwaɪrɪ] dowiadywanie *n* się; badanie *n*, dochodzenie *n*
in·qui·si·tion [ɪnkwɪ'zɪʃn] przesłucha-

I

nie *n*, śledztwo *n*; ♀ *rel. hist.* Inkwizycja;
in·quis·i·tive [ɪn'kwɪzətɪv] badawczy, dociekliwy
in·roads ['ɪnrəʊdz] (***in, into, on***) najazd *m* (na *A*); ***make ~ into one's savings*** naruszać ⟨-szyć⟩ oszczędności
in·sane [ɪn'seɪn] szalony, pomylony
in·san·i·ta·ry [ɪn'sænɪtərɪ] niehigieniczny
in·san·i·ty [ɪn'sænətɪ] szaleństwo *n*, wariactwo *n*
in·sa·tia·ble [ɪn'seɪʃjəbl] niezaspokojony, nienasycony
in·scrip·tion [ɪn'skrɪpʃn] napis *m*; dedykacja *f*
in·scru·ta·ble [ɪn'skruːtəbl] niezbadany, nieprzenikniony
in·sect ['ɪnsekt] *zo.* owad *m*; **in·sec·ti·cide** [ɪn'sektɪsaɪd] środek *m* owadobójczy, insektycyd *m*
in·se·cure [ɪnsɪ'kjʊə] niepewny, niestabilny
in·sen·si·ble [ɪn'sensəbl] nieczuły, niewrażliwy (***to*** na *A*); nieprzytomny; nieświadomy
in·sen·si·tive [ɪn'sensətɪv] nieczuły, niewrażliwy
in·sep·a·ra·ble [ɪn'sepərəbl] nieodłączny, nierozłączny
in·ser|t 1. [ɪn'sɜːt] wstawiać ⟨-wić⟩, wkładać ⟨włożyć⟩; umieszczać ⟨-eścić⟩; **2.** ['ɪnsɜːt] wkładka *f* (*do gazety*); **~·tion** [ɪn'sɜːʃn] wstawienie *n*, zamieszczenie *n*; umieszczenie *n*; wstawka *f*, dopisek *m*; ogłoszenie *n*; **'~t key** *komp.* klawisz *m* "Insert" (*wstawiania*)
in·shore [ɪn'ʃɔː] przy *lub* do brzegu; przybrzeżny
in·side 1. [ɪn'saɪd] wnętrze *n*, ***turn ~ out*** wywrócić do góry nogami, przenicować; **2.** ['ɪnsaɪd] *adj.* wewnętrzny; poufny; **3.** [ɪn'saɪd] *adv.* do wewnątrz *lub* środka; w środku, wewnątrz; ***~ of*** wewnątrz, w środku (*czegoś*) **4.** [ɪn'saɪd] *prp.* w ciągu (*G*); wewnątrz (*G*); **insid·er** [ɪn'saɪdə] osoba zaangażowana (*przy czymś*)
in·sid·i·ous [ɪn'sɪdɪəs] podstępny, skrycie działający
in·sight ['ɪnsaɪt] wgląd *m*, intuicja *f*
in·sig·ni·a [ɪn'sɪgnɪə] *pl.* insygnia *pl.*; atrybuty *pl.*, oznaki *pl.*
in·sig·nif·i·cant [ɪnsɪg'nɪfɪkənt] nieważki, nieważny, bez znaczenia
in·sin·cere [ɪnsɪn'sɪə] nieszczery
in·sin·u|·ate [ɪn'sɪnjʊeɪt] insynuować, imputować; **~·a·tion** [ɪnsɪnjʊ'eɪʃn] insynuacja *f*
in·sip·id [ɪn'sɪpɪd] bez smaku *lub* zapachu, mdły
in·sist [ɪn'sɪst] nalegać, upierać się (***on*** przy *D*); **in·sis·tence** [ɪn'sɪstəns] natarczywość *f*, uporczywość *f*; **in'sistent** uporczywy, natarczywy
in·sole ['ɪnsəʊl] podeszwa *f* wewnętrzna, brandzel *m*
in·so·lent ['ɪnsələnt] bezczelny
in·sol·u·ble [ɪn'sɒljʊbl] nierozpuszczalny
in·sol·vent [ɪn'sɒlvənt] niewypłacalny; w stanie upadłości, zbankrutowany
in·som·ni·a [ɪn'sɒmnɪə] bezsenność *f*
in·spect [ɪn'spekt] sprawdzać ⟨-dzić⟩, ⟨s⟩kontrolować; ⟨z⟩robić przegląd; **inspec·tion** [ɪn'spekʃn] sprawdzenie *n*; kontrola *f*; przegląd *m*; inspekcja *f*; **in'spec·tor** kontroler(ka *f*) *m*; inspektor *m*; *Brt.* wizytator(ka *f*) *m*
in·spi·ra·tion [ɪnspə'reɪʃn] inspiracja *f*, natchnienie *n*; **in·spire** [ɪn'spaɪə] ⟨za⟩inspirować, natchnąć; *otuchy* dodawać
in·stall [ɪn'stɔːl] *tech.* ⟨za⟩instalować, zakładać ⟨założyć⟩; (*na urząd*) wprowadzać ⟨-dzić⟩; **in·stal·la·tion** [ɪnstə'leɪʃn] *tech.* instalacja *f*, założenie *n*; wprowadzenie *n* (*na urząd*)
in·stal·ment *Brt.*, **in·stall·ment** *Am.* [ɪn'stɔːlmənt] *econ.* rata *f*, spłata *f* częściowa; kolejna część *f* (*książki*); odcinek *m* (*audycji radiowej lub telewizyjnej*)
in'stall·ment plan *Am.*: ***buy on the ~*** kupować ⟨-pić⟩ na raty
in·stance ['ɪnstəns] przykład *m*; przypadek *m*; *jur.* instancja *f*; ***for ~*** na przykład
in·stant ['ɪnstənt] **1.** moment *m*, chwila *f*; **2.** natychmiastowy; *kawa itp.*: rozpuszczalny; **~·a·ne·ous** [ɪnstən'teɪnjəs] natychmiastowy; **~ 'cam·e·ra** *phot.* polaroid *m TM*; **~ 'cof·fee** kawa *f* rozpuszczalna, neska *f*; **'~·ly** natychmiastowo, od razu
in·stead [ɪn'sted] zamiast tego; ***~ of*** zamiast (*G*)
'in·step podbicie *n*
in·sti|·gate ['ɪnstɪgeɪt] wszczynać ⟨-cząć⟩, ⟨za⟩inicjować; podburzać

⟨-rzyć⟩, podżegać; '**~·ga·tor** podżegacz(ka *f*) *m*
in·stil *Brt.*, **in·still** *Am.* [ɪn'stɪl] (**-ll-**) *przekonania* wpajać ⟨wpoić⟩; *strach* wzbudzać ⟨-dzić⟩
in·stinct ['ɪnstɪŋkt] instynkt *m*; **in·stinc·tive** [ɪn'stɪŋktɪv] instynktowny
in·sti|·tute ['ɪnstɪtjuːt] instytut *m*; **~·tu·tion** [ɪnstɪ'tjuːʃn] instytucja *f*, organizacja *f*; zakład *m*
in·struct [ɪn'strʌkt] nauczać ⟨-czyć⟩; ⟨wy⟩szkolić; ⟨po⟩instruować; ⟨po⟩informować; pouczać ⟨-czyć⟩; **in·struc·tion** [ɪn'strʌkʃn] nauczanie *n*, szkolenie *n*; instruktaż *n*; *komp.* rozkaz *m*; **~s** *pl.* ***for use*** instrukcja *f* użytkowania; ***operating ~s*** *pl.* instrukcja *f* obsługi; **in·struc·tive** [ɪn'strʌktɪv] pouczający, kształcący; **in'struc·tor** instruktor *m*; **in'struc·tress** instruktorka *f*
in·stru|·ment ['ɪnstrʊmənt] instrument *m*; narzędzie *n* (*też fig.*); **~·men·tal** [ɪnstrʊ'mentl] *mus.* instrumentalny; (bardzo) pomocny; ***be ~mental in*** przyczyniać ⟨-nić⟩ się znacząco do (*G*)
in·sub·or·di|·nate [ɪnsə'bɔːdənət] niesubordynowany, niezdyscyplinowany; **~·na·tion** [ɪnsəbɔːdɪ'neɪʃn] niesubordynacja *f*, brak *m* dyscypliny
in·suf·fe·ra·ble [ɪn'sʌfərəbl] nie do wytrzymania
in·suf·fi·cient [ɪnsə'fɪʃnt] niewystarczający, niedostateczny
in·su·lar ['ɪnsjʊlə] wyspiarski; *fig.* odizolowany
in·su|·late ['ɪnsjʊleɪt] ⟨za⟩izolować; **~·la·tion** [ɪnsjʊ'leɪʃn] izolacja *f*
in·sult 1. ['ɪnsʌlt] obelga *f*, zniewaga *f*; **2.** [ɪn'sʌlt] ⟨ze⟩lżyć, znieważać ⟨-żyć⟩
in·sur|·ance [ɪn'ʃɔːrəns] ubezpieczenie *n*; **~ance com·pa·ny** firma *f* ubezpieczeniowa; **~ance pol·i·cy** polisa *f* ubezpieczeniowa; **~e** [ɪn'ʃɔː] ubezpieczać ⟨-czyć⟩ (***against*** przeciwko *D*); **~ed**: ***the ~ed*** ubezpieczony *m* (-na *f*)
in·sur·gent [ɪn'sɜːdʒənt] **1.** powstańczy; **2.** powstaniec *m*
in·sur·moun·ta·ble [ɪnsə'maʊntəbl] niepokonany
in·sur·rec·tion [ɪnsə'rekʃn] powstanie *n*
in·tact [ɪn'tækt] nietknięty; nienaruszony
'in·take *tech.* wlot *m*; miejsce *n* poboru; pobór *m*; spożycie *n*, zużycie *n*; nabór *m*
in·te·gral ['ɪntɪgrəl] integralny, cały
in·te|·grate ['ɪntɪgreɪt] ⟨z⟩integrować (się); scalać ⟨-lić⟩, ⟨z-, po⟩łączyć w całość; ***~grated circuit*** układ *m* scalony; **~·gra·tion** [ɪntɪ'greɪʃn] integracja *f*; scalenie *n*
in·teg·ri·ty [ɪn'tegrətɪ] integralność *f*; prawość *f*
in·tel|·lect ['ɪntəlekt] intelekt *m*, inteligencja *f*; **~·lec·tual** [ɪntə'lektjʊəl] **1.** intelektualny; **2.** intelektualista *m* (-tka *f*)
in·tel·li|·gence [ɪn'telɪdʒəns] inteligencja *f*; *mil.* wywiad *m*; **~·gent** inteligentny
in·tel·li·gi·ble [ɪn'telɪdʒəbl] zrozumiały (***to*** dla *G*)
in·tem·per·ate [ɪn'tempərət] nieumiarkowany
in·tend [ɪn'tend] zamierzać, planować, mieć zamiar; ***~ed for*** przeznaczony dla (*G*)
in·tense [ɪn'tens] intensywny, silny
in·ten·si|·fy [ɪn'tensɪfaɪ] ⟨z⟩intensyfikować; stawać się silniejszym; **~·ty** [ɪn'tensətɪ] intensywność *f*
in·ten·sive [ɪn'tensɪv] intensywny; **~ 'care u·nit** oddział *m* intensywnej terapii
in·tent [ɪn'tent] **1.** zdeterminowany; ***~ on doing s.th.*** zdecydowany na zrobienie czegoś; skoncentrowany; **2.** intencja *f*; **in·ten·tion** [ɪn'tenʃn] zamiar *m*; *jur.* intencja *f*, cel *m*; **in·ten·tion·al** [ɪn'tenʃənl] celowy, intencjonalny
in·ter [ɪn'tɜː] (**-rr-**) ⟨po⟩chować, ⟨po⟩grzebać
in·ter... ['ɪntə] inter..., między...
in·ter·act [ɪntər'ækt] współdziałać, wzajemnie oddziaływać; wchodzić ⟨wejść⟩ w interakcje
in·ter·cede [ɪntə'siːd] wstawiać ⟨-wić⟩ się (***with*** u *G*, ***for*** za *A*)
in·ter|·cept [ɪntə'sept] przechwytywać ⟨-wycić⟩; **~·cep·tion** [ɪntə'sepʃn] przechwycenie *n*
in·ter·ces·sion [ɪntə'seʃn] wstawiennictwo *n*
in·ter·change 1. [ɪntə'tʃeɪndʒ] wymieniać ⟨-nić⟩ (się); **2.** ['ɪntətʃeɪndʒ] wy-

I

miana *f*; *mot.* (*na autostradzie*) skrzyżowanie *n*
in·ter·com ['ɪntəkɒm] interkom *m*; domofon *m*
in·ter·course ['ɪntəkɔːs] stosunek *m*; ***sexual*** ~ stosunek *m* płciowy
in·terest ['ɪntrɪst] **1.** zainteresowanie *n*; interes *m*; korzyść *f*; znaczenie *n*, ważność *f*; *econ.* udział *m*; *econ.* odsetki *pl.*, procent *m*; ***take an ~ in*** zainteresować się (*D*); **2.** ⟨za⟩interesować się; **'~·ed** zainteresowany; ***be ~ed in*** interesować się (*D*); **'~·ing** interesujący; **'~ rate** *econ.* stopa *f* procentowa
in·ter·face ['ɪntəfeɪs] *komp.* interface *m lub* interfejs *m*
in·ter|·fere [ɪntə'fɪə] ⟨w⟩mieszać się, wtrącać ⟨-cić⟩ się (***with*** do *G*); ingerować; przeszkadzać; **~·fer·ence** [ɪntə'fɪərəns] wtrącanie *n* się; przeszkadzanie *n*; ingerencja *f*; *tech.* interferencja *f*
in·te·ri·or [ɪn'tɪərɪə] **1.** wewnętrzny; **2.** wnętrze *n*; wnętrze kraju; *pol.* sprawy *pl.* wewnętrzne; → ***Department of the*** ♀; ~ **'dec·o·ra·tor** architekt *m* wnętrz
in·ter|·ject [ɪntə'dʒekt] wykrzyknąć ⟨-rzyczeć⟩; **~·jec·tion** [ɪntə'dʒekʃn] wykrzyknięcie *n*; wtrącenie *n*; *ling.* wykrzyknik *m*
in·ter·lace [ɪntə'leɪs] przeplatać ⟨-leść⟩ (się)
in·ter·lock [ɪntə'lɒk] sczepiać ⟨-pić⟩ (się), łączyć (się)
in·ter·lop·er ['ɪntələʊpə] intruz *m*, natręt *m*
in·ter·lude ['ɪntəluːd] interludium *n*, intermedium *n*; przerwa *f* (*też fig.*), antrakt *m*
in·ter·me·di|·a·ry [ɪntə'miːdjərɪ] pośrednik *m* (-niczka *f*); **~·ate** [ɪntə'miːdjət] pośredni
in·ter·ment [ɪn'tɜːmənt] pochówek *m*, pogrzebanie *n*
in·ter·mi·na·ble [ɪn'tɜːmɪnəbl] niekończący się
in·ter·mis·sion [ɪntə'mɪʃn] przerwa *f* (*też Am. theat.*)
in·ter·mit·tent [ɪntə'mɪtənt] przerywany, periodyczny; ~ ***fever*** *med.* gorączka *f* przerywana
in·tern[1] [ɪn'tɜːn] internować
in·tern[2] ['ɪntɜːn] *Am.* lekarz *m* (-arka *f*) stażysta (-tka)
in·ter·nal [ɪn'tɜːnl] wewnętrzny; krajowy; **~-com'bus·tion en·gine** silnik *m* spalinowy
in·ter·na·tion·al [ɪntə'næʃənl] **1.** międzynarodowy; **2.** (*w sporcie*) spotkanie *n* międzypaństwowe; ~ **'call** *tel.* rozmowa *f* międzynarodowa; ~ **'law** *jur.* prawo *n* międzynarodowe
in·ter|·pret [ɪn'tɜːprɪt] ⟨z⟩interpretować; wyjaśniać ⟨-nić⟩, ⟨wy⟩tłumaczyć; ⟨prze⟩tłumaczyć (*ustnie*); **~·pre·tation** [ɪntɜːprɪ'teɪʃn] interpretacja *f*; wytłumaczenie *n*; **~·pret·er** [ɪn'tɜːprɪtə] tłumacz *m* (*tekstów ustnych*)
in·ter·ro|·gate [ɪn'terəgeɪt] przesłuchiwać ⟨-chać⟩, indagować; **~·ga·tion** [ɪnterə'geɪʃn] przesłuchanie *n*; wypytywanie *n* się; **~'ga·tion mark** → ***question mark***
in·ter·rog·a·tive [ɪntə'rɒgətɪv] *gr.* pytajny
in·ter|·rupt [ɪntə'rʌpt] przerywać ⟨-rwać⟩; **~·rup·tion** [ɪntə'rʌpʃn] przerwanie *n*
in·ter|·sect [ɪntə'sekt] przecinać ⟨-ciąć⟩ się; **~·sec·tion** [ɪntə'sekʃn] przecięcie *n*; miejsce *n* przecięcia; skrzyżowanie *n*
in·ter·sperse [ɪntə'spɜːs] rozsiewać ⟨-siać⟩, rozrzucić ⟨-cać⟩ (***among*** pomiędzy *A*); przeplatać się (*o okresach pogody*)
in·ter·state [ɪntə'steɪt] *Am.* międzystanowy; ~ ***highway*** autostrada *f* (*łącząca kilka stanów*)
in·ter·twine [ɪntə'twaɪn] ⟨s⟩platać (się)
in·ter·val ['ɪntəvl] przerwa *f*; odstęp *m* (czasu); interwał *m* (*też mus.*); *Brt.* antrakt *m*; ***at ~s of 5 inches, at 5-inch ~s*** co 5 cali; ***sunny*** ~ przejaśnienie *n*
in·ter|·vene [ɪntə'viːn] ⟨za⟩interweniować, ⟨za⟩ingerować; stawać ⟨stanąć⟩ na przeszkodzie; **~·ven·tion** [ɪntə'venʃn] interwencja *f*, ingerencja *f*
in·ter·view ['ɪntəvjuː] **1.** wywiad *m*; rozmowa *f* (*zwł. kwalifikacyjna*); **2.** przeprowadzać ⟨-dzić⟩ wywiad *lub* rozmowę; **~·ee** [ɪntəvjuː'iː] osoba *f*, z którą przeprowadza się wywiad *lub* rozmowę; **~·er** ['ɪntəvjuːə] osoba *f* przeprowadzająca wywiad *lub* rozmowę
in·ter·weave [ɪntə'wiːv] (***-wove, -woven***) przeplatać ⟨-leść⟩ (się)
in·tes·tate [ɪn'testeɪt] *jur.*: ***die*** ~ um-

rzeć bez pozostawienia testamentu
in•tes•tine [ɪn'testɪn] *anat.* jelito *n*; **~s** *pl.* wnętrzności *pl.*; ***large ~*** jelito *n* grube; ***small ~*** jelito *n* cienkie
in•ti•ma•cy ['ɪntɪməsɪ] poufałość *f*, bliskość *f*; stosunek *m* intymny
in•ti•mate ['ɪntɪmət] **1.** intymny; *przyjaciel:* bliski; kameralny; *wiedza:* gruntowny; **2.** powiernik *m* (-nica *f*), zausznik *m* (-iczka *f*)
in•tim•i|•date [ɪn'tɪmɪdeɪt] zastraszać ⟨-szyć⟩; **~•da•tion** [ɪntɪmɪ'deɪʃn] zastraszenie *n*
in•to ['ɪntʊ, 'ɪntə] do (*G*); w (*L*); *rozbić itp.* na (*A*); ***three ~ six is two*** sześć (*dzielone*) przez trzy to dwa
in•tol•e•ra•ble [ɪn'tɒlərəbl] nie do wytrzymania, nie do zniesienia
in•tol•e|•rance [ɪn'tɒlərəns] nietolerancja *f*, brak *m* tolerancji (***of*** na *A*); **~•rant** nietolerancyjny, nie tolerujący
in•to•na•tion [ɪntəʊ'neɪʃn] *mus.*, *gr.* intonacja *f*
in•tox•i|•cat•ed [ɪn'tɒksɪkeɪtɪd] nietrzeźwy; ***be ~cated*** być w stanie upojenia alkoholowego; **~•ca•tion** [ɪntɒksɪ'keɪʃn] nietrzeźwość *f*, rausz *m*; stan *m* upojenia alkoholowego; oszołomienie *n*, podniecenie *n* (*też fig.*)
in•trac•ta•ble [ɪn'træktəbl] nie do rozwiązania; nieustępliwy
in•tran•si•tive [ɪn'trænsətɪv] *gr.* nieprzechodni
in•tra•ve•nous [ɪntrə'viːnəs] *med.* dożylny
'in tray: ***in the ~*** w poczcie przychodzącej
in•trep•id [ɪn'trepɪd] nieustraszony, nieulękły
in•tri•cate ['ɪntrɪkət] zawiły, skomplikowany
in•trigue [ɪn'triːg] **1.** intryga *f*; **2.** ⟨za⟩intrygować, ⟨z⟩fascynować
in•tro|•duce [ɪntrə'djuːs] wprowadzać ⟨-dzić⟩ (***to*** do *G*); *kogoś* przedstawiać; **~•duc•tion** [ɪntrə'dʌkʃn] wprowadzenie *n*, przedstawienie *n*; ***letter of ~duction*** list *m* polecający; **~•duc•to•ry** [ɪntrə'dʌktərɪ] wstępny
in•tro•spec|•tion [ɪntrəʊ'spekʃn] introspekcja *f*, samoobserwacja *f*; **~•tive** [ɪntrəʊ'spektɪv] introspekcyjny
in•tro•vert ['ɪntrəʊvɜːt] *psych.* introwertyk *m* (-yczka *f*); **'~•ed** introwertyczny, introwersyjny, zamknięty w sobie
in•trude [ɪn'truːd] wtrącać ⟨-cić⟩ (się), przeszkadzać ⟨-kodzić⟩ (***on s.o.*** komuś); ***am I intruding?*** czy przeszkadzam?; **in'trud•er** intruz *m*, natręt *m*; **in•tru•sion** [ɪn'truːʒn] najście *n*, wtargnięcie *n*; **in•tru•sive** [ɪn'truːsɪv] natrętny, niepożądany
in•tu•i|•tion [ɪntjuː'ɪʃn] intuicja *f*; **~•tive** [ɪn'tjuːɪtɪv] intuicyjny
in•un•date ['ɪnʌndeɪt] zalewać ⟨-lać⟩, zatapiać ⟨-topić⟩
in•vade [ɪn'veɪd] naruszać ⟨-szyć⟩, zakłócać ⟨-cić⟩; *mil.* najeżdżać ⟨-jechać⟩ na (*A*), dokonywać ⟨-nać⟩ inwazji (*G*); *fig.* nachodzić ⟨najść⟩, nękać; **~r** najeźdźca *m*
in•va•lid[1] ['ɪnvəlɪd] **1.** niesprawny, ułomny; **2.** inwalida *m* (-dka *f*); kaleka *m*/*f*
in•val•id[2] [ɪn'vælɪd] *jur.* nieprawomocny, nie posiadający mocy prawnej
in•val•u•a•ble [ɪn'væljʊəbl] nieoceniony
in•var•i•a|•ble [ɪn'veərɪəbl] niezmienny; **~•bly** niezmiennie; zawsze
in•va•sion [ɪn'veɪʒn] inwazja *f* (*też mil.*), wtargnięcie *n*, najazd *m*
in•vec•tive [ɪn'vektɪv] inwektywa *f*, obelga *f*
in•vent [ɪn'vent] wynajdywać ⟨-naleźć⟩; zmyślać ⟨-lić⟩; **in•ven•tion** [ɪn'venʃn] wynalazek *m*; **in•ven•tive** [ɪn'ventɪv] pomysłowy, pełen inwencji; **in•ven•tor** [ɪn'ventə] wynalazca *m*; **in•ven•tory** ['ɪnvəntrɪ] spis *m*, inwentarz *m*
in•verse [ɪn'vɜːs] **1.** odwrotny; **2.** odwrotność *f*, **in•ver•sion** [ɪn'vɜːʃn] odwrócenie *n*, inwersja *f*
in•vert [ɪn'vɜːt] odwracać ⟨-rócić⟩; **~•ed 'com•mas** *pl.* cudzysłów *m*
in•ver•te•brate [ɪn'vɜːtɪbrət] *zo.* **1.** bezkręgowy; **2.** bezkręgowiec *m*
in•vest [ɪn'vest] ⟨za⟩inwestować
in•ves•ti|•gate [ɪn'vestɪgeɪt] ⟨z⟩badać; ⟨po⟩prowadzić dochodzenie (***into*** w sprawie *G*); **~•ga•tion** [ɪnvestɪ'geɪʃn] dochodzenie *n*; **~•ga•tor** [ɪn'vestɪgeɪtə]: ***private ~gator*** prywatny detektyw *m*
in•vest•ment [ɪn'vestmənt] *econ.* inwestycja *f*; inwestowanie *n*; lokata *f*, nakład *m*; **in'ves•tor** *econ.* inwestor *m*

in•vet•e•rate [ɪn'vetərət] niepoprawny; uporczywy; zagorzały
in•vid•i•ous [ɪn'vɪdɪəs] krzywdzący; *zadanie*: niewdzięczny
in•vig•o•rate [ɪn'vɪgəreɪt] ożywiać ⟨-wić⟩, orzeźwiać ⟨-wić⟩
in•vin•ci•ble [ɪn'vɪnsəbl] niepokonany, niezwyciężony
in•vis•i•ble [ɪn'vɪzəbl] niewidzialny
in•vi•ta•tion [ɪnvɪ'teɪʃn] zaproszenie *n*; wezwanie *n*; **in•vite** [ɪn'vaɪt] zapraszać ⟨-rosić⟩; poprosić o (*A*); zachęcać do (*G*); **in'vit•ing** wabiący, kuszący
in•voice ['ɪnvɔɪs] *econ*. **1.** faktura *f*; **2.** wystawiać ⟨-wić⟩ fakturę; ⟨za⟩fakturować
in•voke [ɪn'vəʊk] wzywać; powoływać się na (*A*); przywoływać ⟨-łać⟩; błagać o (*A*)
in•vol•un•ta•ry [ɪn'vɒləntərɪ] mimowolny
in•volve [ɪn'vɒlv] *kogoś* uwikływać ⟨-kłać⟩, wplątywać ⟨-tać⟩ (***in*** w *L*); dotyczyć (*G*), tyczyć się (*G*); obejmować ⟨objąć⟩; odnosić się do (*G*); **~d** zawiły; ***be ~d with s.o.*** być związanym z kimś; **~•ment** wplątanie *n*, uwikłanie *n*; wmieszanie *n*; zaangażowanie *n*
in•vul•ne•ra•ble [ɪn'vʌlnərəbl] nie do zranienia; *fig* odporny
in•ward ['ɪnwəd] **1.** wewnętrzny, intymny; **2.** *adv*.: *zw*. **~s** do środka, do wewnątrz
I/O [aɪ 'əʊ] *skrót*: ***input/output*** *komp*. wejście/wyjście (*danych*)
IOC [aɪ əʊ 'siː] *skrót*: ***International Olympic Committee*** MKOl, Międzynarodowy Komitet *m* Olimpijski
i•o•dine ['aɪədiːn] *chem*. jod *m*; jodyna *f*
i•on ['aɪən] *phys*. jon *m*
IOU [aɪ əʊ 'juː] *skrót*: ***I owe you*** skrypt *m* dłużny
IQ [aɪ 'kjuː] *skrót*: ***intelligence quotient*** IQ, iloraz *m* inteligencji
IRA [aɪ ɑːr 'eɪ] *skrót*: ***Irish Republican Army*** IRA, Irlandzka Armia *f* Republikańska
I•ran [ɪ'rɑːn] Iran *m*; **I•ra•ni•an** [ɪ'reɪnjən] **1.** irański; **2.** Irańczyk *m* (*Iranka f*); *ling*. język *m* irański
I•raq [ɪ'rɑːk] Irak *m*; **I•ra•qi** [ɪ'rɑːkɪ] **1.** iracki; **2.** Irakijczyk *m* (-jka *f*)
i•ras•ci•ble [ɪ'ræsəbl] drażliwy, porywczy
i•rate [aɪ'reɪt] rozjątrzony
Ire•land ['aɪələnd] Irlandia *f*
ir•i•des•cent [ɪrɪ'desnt] opalizujący
i•ris ['aɪərɪs] *anat*. tęczówka *f*; *bot*. irys *m*, kosaciec *m*
I•rish ['aɪərɪʃ] irlandzki; ***the ~*** *pl*. Irlandczycy *pl*.; **'~•man** (*pl*. ***-men***) Irlandczyk *m*; **'~•wom•an** (*pl*. ***-women***) Irlandka *f*
irk•some ['ɜːksəm] drażniący
i•ron ['aɪən] **1.** żelazo *ni*; żelazko *n*; ***strike while the ~ is hot*** kuć żelazo, póki gorące; **2.** żelazny; **3.** ⟨u-, wy⟩prasować; **~ *out*** rozprasowywać ⟨-ować⟩; *fig*. rozwiązywać ⟨-zać⟩; **♀ 'Cur•tain** *pol. hist*. żelazna kurtyna *f*
i•ron•ic [aɪ'rɒnɪk] (***~ally***), **i•ron•i•cal** [aɪ'rɒnɪkl] ironiczny
'i•ron•ing board deska *f* do prasowania
i•ron|'lung *med*. sztuczne płuca *pl*.; **~•mon•ger** *Brt*. ['aɪənmʌŋgə] handlarz *m* (-arka *f*) towarami żelaznymi, właściciel(ka *f*) *m* sklepu z towarami żelaznymi; **'~•works** *sg*. huta *f* żelaza
i•ron•y ['aɪərənɪ] ironia *f*
ir•ra•tion•al [ɪ'ræʃənl] irracjonalny, mało racjonalny
ir•rec•on•ci•la•ble [ɪ'rekənsaɪləbl] nie do pogodzenia; nieprzejednany
ir•re•cov•e•ra•ble [ɪrɪ'kʌvərəbl] nie do odzyskania; niepowetowany
ir•reg•u•lar [ɪ'regjʊlə] nieprawidłowy; nieregularny
ir•rel•e•vant [ɪ'reləvənt] nieistotny (***to*** dla *G*)
ir•rep•a•ra•ble [ɪ'repərəbl] nie do naprawienia; niepowetowany
ir•re•place•a•ble [ɪrɪ'pleɪsəbl] niezastąpiony
ir•re•pres•si•ble [ɪrɪ'presəbl] niepowstrzymany, niepohamowany, niekontrolowany
ir•re•proa•cha•ble [ɪrɪ'prəʊtʃəbl] nienaganny, bez zarzutu
ir•re•sis•ti•ble [ɪrɪ'zɪstəbl] nieodparty; fascynujący
ir•res•o•lute [ɪ'rezəluːt] niezdecydowany, niepewny
ir•re•spec•tive [ɪrɪ'spektɪv]: **~ *of*** niezależnie od (*G*), bez względu na (*A*)
ir•re•spon•si•ble [ɪrɪ'spɒnsəbl] nieodpowiedzialny; lekkomyślny
ir•re•trie•va•ble [ɪrɪ'triːvəbl] nie do odzyskania

ir·rev·e·rent [ɪ'revərənt] bez szacunku, lekceważący
ir·rev·o·ca·ble [ɪ'revəkəbl] nie do odwołania, nieodwołalny
ir·ri|·gate ['ɪrɪgeɪt] nawadniać ⟨-wodnić⟩, ⟨z⟩irygować; **~·ga·tion** [ɪrɪ'geɪʃn] nawodnienie *n*, irygacja *f* (*też med.*)
ir·ri|·ta·ble ['ɪrɪtəbl] drażliwy; **~·tant** ['ɪrɪtənt] środek *m* drażniący; **~·tate** ['ɪrɪteɪt] ⟨roz⟩drażnić; *med.* ⟨po⟩drażnić; **'~·tat·ing** drażniący; irytujący; **~·ta·tion** [ɪrɪ'teɪʃn] irytacja *f*, rozdrażnienie *n*; podrażnienie *n*; gniew *m* (***at*** na *A*)
is [ɪz] *on*, *ona*, *ono* jest
ISBN [aɪ es biː 'en] *skrót*: ***International Standard Book Number*** ISBN, Międzynarodowy Standardowy Numer *m* Książki
Is·lam ['ɪzlɑːm] islam *m*
is·land ['aɪlənd] wyspa *f*; *też* ***traffic ~*** (*na ulicy*) wysepka *f*; **'~·er** wyspiarz *m*
isle [aɪl] *poet.* wyspa *f*, ostrów *m*
i·so|·late ['aɪsəleɪt] izolować; *kogoś* odizolowywać ⟨-wać⟩; *coś* wyizolowywać ⟨-wać⟩; **'~·lat·ed** osamotniony, odosobniony; ⚠ *nie* ***izolowany***; **~·lation** [aɪsə'leɪʃn] izolacja *f*, odseparowanie *n*; **~'la·tion ward** *med.* izolatka *f*
Is·rael ['ɪzreɪəl] Izrael *m*; **Is·rae·li** [ɪz'reɪlɪ] **1.** izraelski; *hist.* izraelicki; **2.** Izraelczyk (-ka *f*), *hist.* Izraelita *m* (-tka *f*)
is·sue ['ɪʃuː] **1.** zagadnienie *n*; sporna kwestia *f*; numer *m* (*czasopisma*); wydanie *n* (*czasopisma*); *jur.* spór *m*, zagadnienie *n*; potomstwo *n*; ***be at ~*** być przedmiotem sporu; ***point at ~*** kwestia *f* sporna; ***die without ~*** umrzeć bez potomstwa; **2.** *v/t. czasopismo*, *dokument* wydawać ⟨-dać⟩; *banknoty* ⟨wy⟩emitować; *v/i.* wynikać ⟨-knąć⟩; wypływać ⟨-łynąć⟩
it [ɪt] to; ono, jego, jemu
I·tal·i·an [ɪ'tæljən] **1.** włoski; **2.** Włoch *m*, Włoszka *f*; *ling.* język *m* włoski
i·tal·ics [ɪ'tælɪks] *print.* kursywa *f*
It·a·ly ['ɪtəlɪ] Włochy *pl.*
itch [ɪtʃ] **1.** swędzenie *n*; **2.** ⟨za⟩swędzieć; ***I ~ all over*** wszędzie mnie swędzi; ***be ~ing for s.th.*** F strasznie czegoś chcieć; ***be ~ing to do s.th.*** F mieć chęć coś zrobić; **'~·y** swędzący
i·tem ['aɪtəm] punkt *m* (*porządku dziennego*), (*na liście*) pozycja *f*; przedmiot *m*, rzecz *f*; wiadomość *f*; *prasowa* informacja *f*; *jur.* klauzula *f*, paragraf *m*; **~·ize** ['aɪtəmaɪz] wyszczególniać ⟨-nić⟩, wyliczać ⟨-czyć⟩
i·tin·e·ra·ry [aɪ'tɪnərərɪ] trasa *f* podróży, marszruta *f*, droga *f*
its [ɪts] jego
it's [ɪts] *skrót*: ***it is***; ***it has***
it·self [ɪt'self] się, sobie, siebie; ***by ~*** sam, bez pomocy; ***in ~*** samo w sobie
ITV [aɪ tiː 'viː] *skrót*: ***Independent Television*** ITV (*niezależna brytyjska komercyjna stacja TV*)
I've [aɪv] *skrót*: ***I have***
i·vo·ry ['aɪvərɪ] kość *f* słoniowa
i·vy ['aɪvɪ] *bot.* bluszcz *m*

J

J, **j** [dʒeɪ] J, j *n*
J *skrót pisany*: ***joule*(*s*)** J, dżul *m lub* joule *m*
jab [dʒæb] **1.** (***-bb-***) żgać ⟨żgnąć⟩, dźgać ⟨dźgnąć⟩; **2.** dźgnięcie *n*, żgnięcie *n*, pchnięcie *n*
jab·ber ['dʒæbə] paplać, trajkotać
jack [dʒæk] **1.** *tech.* podnośnik *m*; walet *m* (*w kartach*)
jack·al ['dʒækɔːl] *zo.* szakal *m*
jack|·ass ['dʒækæs] *zo.* osioł *m* (*też fig.*); **'~·boots** *pl.* wysokie buty *pl.* wojskowe; **'~·daw** *zo.* kawka *f*
jack·et ['dʒækɪt] marynarka *f*; kurtka *f*; żakiet *m*; *tech.* płaszcz *m*, osłona *f*; obwoluta *f*; *Am.* koperta *f* (*płyty*); ***~ potatoes*** *pl.*, ***potatoes*** (***boiled***) ***in their ~s*** *pl. Brt.* ziemniaki *pl.* w mundurkach
jack| knife ['dʒæknaɪf] **1.** (*pl.* ***-knives***) scyzoryk *m*; **2.** składać ⟨złożyć⟩ się (*jak scyzoryk*); **~-of-'all-trades** majster-klepka *m*; **'~·pot** główna wygrana *f*; ***hit the ~pot*** wygrać główną wy-

graną; *fig.* wygrać główny los na loterii, zgarnąć pulę
jag [dʒæg] szczerba *f*, wyszczerbienie *n*; **~·ged** ['dʒægɪd] wyszczerbiony; poszarpany
jag·u·ar ['dʒægjʊə] *zo.* jaguar *m*
jail [dʒeɪl] **1.** więzienie *n*; **2.** ⟨u⟩więzić; **'~·bird** F wyrokowiec *m*, kryminalista *m* (-tka *f*); **'~·er** strażnik *m* (-niczka *f*) więzienny (-a); **'~·house** *Am.* więzienie *n*
jam[1] [dʒæm] dżem *m*
jam[2] [dʒæm] **1.** (**-mm-**) *v/t.* ściskać ⟨-snąć⟩, wciskać ⟨-snąć⟩, wtłaczać ⟨-łoczyć⟩; *też ludzi* wpychać ⟨wepchnąć⟩; *też* **~ up** ⟨za⟩blokować, zatykać ⟨-tkać⟩; *radio* zagłuszać ⟨-szyć⟩; **~ on the brakes** *mot.* nagle zahamować; *v/i.* wtłaczać ⟨-łoczyć⟩ się, wpychać ⟨wepchać⟩ się; *tech.* zakleszczać ⟨-czyć⟩ się, ⟨za⟩blokować się; **2.** tłok *m*, ścisk *m*; *tech.* blokada *f*, zakleszczenie *n*; zator *m*; **traffic ~** korek *m*; **be in a ~** F mieć kłopoty
Ja·mai·ca [dʒə'meɪkə] Jamajka *f*; **Jamai·can** [dʒə'meɪkən] **1.** *adj.* jamajski; **2.** Jamajczyk *m* (-jka *f*)
jamb [dʒæm] ościeże *n*
jam·bo·ree [dʒæmbə'riː] *mus.* jamboree *n*; mityng *m*
Jan *skrót pisany*: **January** stycz., styczeń *m*
jan·gle ['dʒæŋgl] ⟨za⟩brzęczeć; *fig.* zgrzytać ⟨-tnąć⟩
jan·i·tor ['dʒænɪtə] *Am.* dozorca *m* (-czyni *f*); (*w szkole*) woźny *m* (-na *f*)
Jan·u·a·ry ['dʒænjʊərɪ] (*skrót*: **Jan**) styczeń *m*; *attr.* styczniowy
Ja·pan [dʒə'pæn] Japonia *f*; **Jap·a·nese** [dʒæpə'niːz] **1.** japoński; **2.** Japończyk *m* (-onka *f*); *ling.* język *m* japoński; **the ~** *pl.* Japończycy *pl.*
jar[1] [dʒɑː] słój *m*, słoik *m*;
jar[2] [dʒɑː] (**-rr-**): **~ on** *barwa*: być krzykliwym; *zapach*: drażnić
jar·gon ['dʒɑːgən] żargon *m*, odmiana *f* środowiskowa
jaun·dice ['dʒɔːndɪs] *med.* żółtaczka *f*
jaunt [dʒɔːnt] **1.** wycieczka *f*, eskapada *f*; **2.** wyjeżdżać ⟨-jechać⟩ na wycieczkę
jaun·ty ['dʒɔːntɪ] (**-ier, -iest**) rzutki, żwawy
jav·e·lin ['dʒævlɪn] (*w sporcie*) oszczep *m*; **~ (throw), throwing the ~** rzut *m* oszczepem; **~ thrower** oszczepnik *m* (-niczka *f*)
jaw [dʒɔː] *anat.*, *tech.* szczęka *f*, **lower (upper) ~** dolna (górna) szczęka *f*; **~s** *pl. zo.* pysk *m*, zęby *pl.*; **'~·bone** *anat.* kość *f* szczękowa
jay [dʒeɪ] *zo.* sójka *f*; **'~·walk** nieprawidłowo przechodzić ⟨przejść⟩ przez jezdnię; **'~·walk·er** osoba *f* nieprawidłowo przechodząca przez jezdnię
jazz [dʒæz] *mus.* jazz *m*
jeal·ous ['dʒeləs] zawistny (**of** o *A*); zazdrosny; **'~·y** zawiść *f*; zazdrość *f*
jeans [dʒiːnz] *pl.* dżinsy *pl.*
jeep [dʒiːp] *TM* dżip *m*, jeep *m*
jeer [dʒɪə] **1.** (**at**) wyśmiewać ⟨-miać⟩ się (z *A*); drwić (z *A*); szydzić (z *A*); **2.** szyderstwo *n*; drwina *f*
jel·lied ['dʒelɪd] w galarecie
jel·ly ['dʒelɪ] galareta *f*; galaretka *f*; **'~ ba·by** *Brt.* F cukierek *m* z żelatyny, żelatynka *f*; **'~ bean** cukierek *m* z żelatyny, żelatynka *f*; **'~·fish** *zo.* (*pl.* **-fish, -fishes**) meduza *f*
jeop·ar|·dize ['dʒepədaɪz] zagrażać ⟨-rozić⟩; narażać ⟨-razić⟩ na niebezpieczeństwo; **'~·dy** niebezpieczeństwo *n*, zagrożenie *n*
jerk [dʒɜːk] **1.** szarpać ⟨-pnąć⟩ (się); wzdrygnąć się; **2.** szarpnięcie *n*; *med.* odruch *m*; **'~·y** (**-ier, -iest**) szarpany; nierówny; trzęsący
Je·rusa·lem Jerozolima *f*
jer·sey ['dʒɜːzɪ] pulower *m*
jest [dʒest] **1.** żart *m*; **2.** ⟨za⟩żartować; **'~·er** *hist.* trefniś *m*, wesołek *m*
jet [dʒet] **1.** strumień *m*, struga *f*; *tech.* dysza *f*, rozpylacz *m*; *aviat.* odrzutowiec *m*; **2.** (**-tt-**) wytryskać ⟨-snąć⟩, tryskać ⟨-snąć⟩ strumieniem (**from** z *G*); *aviat.* F latać odrzutowcami; **~ 'en·gine** silnik *m* odrzutowy; **'~ lag** (*zaburzenia organizmu spowodowane nagłą zmianą rytmu dobowego po długiej podróży samolotem*); **'~ plane** odrzutowiec *m*; **~-pro'pelled** odrzutowy; napędzany silnikiem odrzutowym; **~ pro'pul·sion** napęd *m* odrzutowy; **'~ set** elita *f* towarzyska, high life *m*; **'~-set·ter** członek *m* elity towarzyskiej
jet·ty ['dʒetɪ] *naut.* nabrzeże *n*; pomost *m*, pirs *m*
Jew [dʒuː] Żyd *m*
jew·el ['dʒuːəl] klejnot *m*, kamień *m*

szlachetny; **'jew·eler** *Am.*, **'jew·el·ler** *Brt.* jubiler *m*; **jew·el·lery** *Brt.*, **jewelry** *Am.* ['dʒuːəlrɪ] biżuteria *f*
Jew|·ess ['dʒuːɪs] Żydówka *f*; **'~·ish** żydowski
jif·fy ['dʒɪfɪ]: ***in a ~*** za chwileczkę
jig·saw ['dʒɪgsɔː] *tech.* wyrzynarka *f*, F piła *f* włosowa, laubzega *f*; → ***saw***; **'~ puz·zle** puzzle *m*, układanka *f*
jilt [dʒɪlt] porzucać ⟨-cić⟩
jin·gle ['dʒɪŋgl] **1.** podzwaniać, dzwonić; **2.** podzwanianie *n*, pobrzękiwanie *n*; melodyjka *f*
jit·ters ['dʒɪtəz] F *pl.*: ***the ~*** zdenerwowanie *n*, trema *f*
Jnr *skrót pisany*: ***Junior*** jr., junior; młodszy
job [dʒɒb] **1.** praca *f*; zajęcie *n*; miejsce *n* pracy; trudne zadanie *n*; *komp.* zadanie *n*; *też* ***~ work*** praca *f* na akord; ***by the ~*** na akord; ***out of a ~*** bez pracy; **2.** ***~ around*** szukać pracy; **'~ ad, ~ ad'ver·tise·ment** ogłoszenie *n* o pracy; **'~·ber** *Brt.* makler *m*; spekulant *m* giełdowy; **'~ cen·tre** *Brt.* urząd *m* zatrudnienia; **'~ hop·ping** *Am.* częste zmiany *pl.* miejsca pracy; **'~·hunt·ing** poszukiwanie *n* pracy; **'~·less** bez pracy, bezrobotny; **'~·shar·ing** dzielenie *n* się etatem, podział *m* etatu (*między pracowników niepełnoetatowych*)
jock·ey ['dʒɒkɪ] dżokej *m*
jog [dʒɒg] **1.** potrącać ⟨-cić⟩; ***~ along, ~ on*** ⟨po⟩truchtać; biegać, biec; (*w sporcie*) uprawiać jogging; **2.** potrącenie *n*; bieg *m*; przebieżka *f*; **'~·ger** (*w sporcie*) osoba *f* uprawiająca jogging; **'~·ging** jogging *m*
join [dʒɔɪn] **1.** *v/t.* ⟨z-, po⟩łączyć; dołączać ⟨-czyć⟩, przyłączać ⟨-czyć⟩; dołączać ⟨-czyć⟩ się do (*G*), przyłączać ⟨-czyć⟩ się do (*G*); wstępować ⟨-tąpić⟩ do (*G*); łączyć się z (*I*); *v/i.* dołączać ⟨-czyć⟩, przyłączać ⟨-czyć⟩; łączyć się; ***~ in*** brać ⟨wziąć⟩ udział, przyłączać ⟨-czyć⟩; **2.** miejsce *n* złączenia; złączenie *n*; **'~·er** stolarz *m*
joint [dʒɔɪnt] **1.** miejsce *n* złączenia, połączenie *n*, spoina *f*; *anat.* staw *m*; *tech.* złącze *n*; *bot.* kolanko *n*; *Brt. gastr.* pieczeń *f*; *sl.* knajpa *f*, speluna *f*; *sl.* skręt *m* (*marihuany itp.*); ***out of ~*** zwichnięty; *fig.* wypaść z kolein; **2.** połączony; łączny; wspólny; współ...; **'~·ed** przegubowy; ruchomy; **~-'stock com·pa·ny** *Brt.* spółka *f* akcyjna; **~ 'ven·ture** *econ.* joint venture
joke [dʒəʊk] **1.** dowcip *m*, kawał *m*; żart *m*; ***practical ~*** kawał *m*, figiel *m*; ***play a ~ on s.o.*** zrobić komuś kawał; **2.** ⟨za⟩żartować; dowcipkować; **'jok·er** dowcipniś *m*, kawalarz *m*; (*w kartach*) dżoker *m*, joker *m*
jol·ly ['dʒɒlɪ] **1.** *adj.* (**-ier, -iest**) wesoły, radosny; **2.** *adv. Brt.* F okropnie, bardzo; ***~ good*** znakomicie
jolt [dʒəʊlt] **1.** potrząsnąć; trząść; *fig.* wstrząsnąć; **2.** trzęsienie *n*, wstrząsanie *n*; *fig.* szok *m*
jos·tle ['dʒɒsl] popychać ⟨-chnąć⟩, szarpać ⟨-pnąć⟩
jot [dʒɒt] **1.** ***not a ~*** ani krztyny; **2.** (**-*tt*-**): ***~ down*** ⟨za⟩notować
joule [dʒuːl] *phys.* dżul *m*
jour·nal ['dʒɜːnl] dziennik *m*; czasopismo *n*; **~·is·m** ['dʒɜːnəlɪzəm] dziennikarstwo *n*; **~·ist** ['dʒɜːnəlɪst] dziennikarz *m* (-arka *f*)
jour·ney ['dʒɜːnɪ] **1.** podróż *f*; **2.** podróżować; **'~·man** (*pl.* ***-men***) towarzysz(ka *f*) *m* podróży
joy [dʒɔɪ] radość *f*; ***for ~*** dla przyjemności; **'~·ful** radosny; rozradowany; **'~·less** ponury, smutny; **'~·ride** (***-rode, -ridden***) jeździć ⟨jechać⟩ skradzionym po to samochodem; **'~·stick** *aviat.* drążek sterowy; *komp.* joystick *m*, dżojstik *m*
Jr → ***Jnr***
jub·i·lant ['dʒuːbɪlənt] rozradowany, radosny
ju·bi·lee ['dʒuːbɪliː] jubileusz *m*
Ju·da·ism ['dʒuːdeɪɪzəm] *rel.* judaizm *m*
judge [dʒʌdʒ] **1.** *jur.* sędzia *m* (-ina *f*) (*też fig.*); juror *m* (-ka *f*); znawca *m* (-czyni *f*); **2.** *jur.* orzekać ⟨orzec⟩; wydawać ⟨-dać⟩ sąd
judg(e)·ment ['dʒʌdʒmənt] *jur.* orzeczenie *n*, wyrok *m*; sąd *m*, pogląd *m*; *rel.* dzień *m* sądu, sąd *m*; ***the Last ♀*** Sąd *m* Ostateczny; **'♀ Day**, *lub* ***Day of ♀*** dzień *m* Sądu Ostatecznego
ju·di·cial [dʒuː'dɪʃl] *jur.* sądowy; sędziowski
ju·di·cia·ry [dʒuː'dɪʃɪərɪ] *jur.* sądownictwo *n*; sędziowie *pl.*
ju·di·cious [dʒuː'dɪʃəs] rozumny, rozsądny
ju·do ['dʒuːdəʊ] judo *n* *lub* dżudo *n*

J

jug [dʒʌg] dzbanek *m*, dzban *m*
jug·gle ['dʒʌgl] żonglować (*I*); dopasować, dostosować; '**~r** żongler *m* (-ka *f*)
juice [dʒuːs] sok *m*; *sl. mot.* benzyna *f*; **juic·y** ['dʒuːsɪ] (**-ier, -iest**) soczysty; F pikantny
juke·box ['dʒuːkbɒks] szafa *f* grająca
Jul *skrót pisany*: **July** lipiec *m*
Ju·ly [dʒuː'laɪ] (*skrót*: **Jul**) lipiec *m*
jum·ble ['dʒʌmbl] **1.** *też* **~ together, ~ up** ⟨z-, po⟩mieszać; ⟨po⟩rozrzucać; **2.** mieszanina *f*, mieszanka *f*; '**~ sale** *Brt.* wyprzedaż *f* (*rzeczy używanych*)
jum·bo ['dʒʌmbəʊ] **1.** ogromny, potężny; **2.** (*pl.* **-bos**) F → **colossal**; '**~ jet** jumbo jet *m* (*wielki odrzutowiec pasażerski*); '**~-sized** ogromny
jump [dʒʌmp] **1.** *v/i.* skakać ⟨skoczyć⟩; podskakiwać ⟨-koczyć⟩; **~ at** rzucać się na (*A*); **~ at the chance** korzystać skwapliwie z okazji; **~ to conclusions** przedwcześnie wyciągać ⟨-gnąć⟩ wnioski; *v/t.* przeskakiwać ⟨-koczyć⟩; **~ the queue** *Brt.* wpychać ⟨wepchnąć⟩ się do kolejki; **~ the lights** przejeżdżać ⟨-jechać⟩ przez skrzyżowanie na czerwonym świetle; **2.** skok *m*; **high** (**long**) **~** (*w sporcie*) skok *m* wzwyż (w dal)
'**jump·er**[1] (*w sporcie*) skoczek *m*
'**jump·er**[2] *Brt.* pulower *m*; *Am.* fartuch *m*
'**jump|·ing jack** pajac *m*; '**~·y** (**-ier, -iest**) nerwowy
Jun *skrót pisany*: **June** czerwiec *m*; → **Jnr**
junc|·tion ['dʒʌŋkʃn] skrzyżowanie *n*; *rail.* punkt *m* węzłowy; **~·ture** ['dʒʌŋktʃə]: **at this ~ture** w tym momencie
June [dʒuːn] (*skrót*: **Jun**) czerwiec *m*
jun·gle ['dʒʌŋgl] dżungla *f*
ju·ni·or ['dʒuːnjə] **1.** junior; młodszy; podwładny; (*w sporcie*) w kategorii juniorów; **2.** junior *m*; młodszy *m*; podwładny *m*; **~ 'high (school)** *Am.* (*ostatnie klasy szkoły średniej*); '**~ school** *Brt.* szkoła *f* podstawowa (*dla dzieci od 7 do 11 roku życia*)
junk[1] [dʒʌŋk] *naut.* dżonka *f*
junk[2] [dʒʌŋk] F rupiecie *pl.*, graty *pl.*; odpadki *pl.*; *sl.* heroina *f*; '**~ food** złe jedzenie *n* (*wysokokaloryczne o niskiej wartości odżywczej*); **~·ie, ~·y** ['dʒʌŋkɪ] *sl.* narkoman(ka *f*) *m*, ćpun(ka *f*) *m*; '**~·yard** *Am.* złomowisko *n*; **auto ~yard** złomowisko *n* samochodów, F szrot *m*
jur·is·dic·tion ['dʒʊərɪs'dɪkʃn] jurysdykcja *f*; kompetencja *f lub* właściwość *f* sądu
ju·ris·pru·dence ['dʒʊərɪs'pruːdəns] prawoznawstwo *f*
ju·ror ['dʒʊərə] *jur.* członek *m* sądu przysięgłych
ju·ry ['dʒʊərɪ] *jur.* sąd *m* przysięgłych; jury *n*; '**~·man** (*pl.* **-men**) *jur.* członek *m* sądu przysięgłych; '**~·wom·an** (*pl.* **-women**) *jur.* członkini *f* sądu przysięgłych
just [dʒʌst] **1.** *adj.* sprawiedliwy, słuszny; zasłużony; **2.** *adv.* właśnie; zaledwie; tylko, jedynie; po prostu; **~ about** w przybliżeniu, prawie; **~ like that** po prostu tak; **~ now** właśnie teraz; dopiero co
jus·tice ['dʒʌstɪs] sprawiedliwość *f*; *jur.* sędzia *m*; **≈ of the Peace** sędzia *m* pokoju; **court of ~** (*budynek*) sąd *m*
jus·ti|·fi·ca·tion [dʒʌstɪfɪ'keɪʃn] usprawiedliwienie *n*; uzasadnienie *n*; **~·fy** ['dʒʌstɪfaɪ] usprawiedliwiać ⟨-wić⟩
just·ly ['dʒʌstlɪ] słusznie; sprawiedliwie
jut [dʒʌt] (**-tt-**): **~ out** wystawać, sterczeć
ju·ve·nile ['dʒuːvənaɪl] **1.** młodociany; nieletni; **2.** młodociany *m* (-na *f*); nieletni *m* (-nia *f*); **~ 'court** *jur.* sąd *m* dla nieletnich; **~ de'lin·quen·cy** *jur.* przestępczość *f* nieletnich; **~ de'lin·quent** młodociany przestępca *m*

K

K, k [keɪ] K, k *n*
kan·ga·roo [kæŋgə'ruː] *zo.* kangur *m*
ka·ra·te [kə'rɑːtɪ] karate *n*
KB [keɪ 'biː] *skrót*: **kilobyte** KB, kilobajt *m*
keel [kiːl] **1.** kil *m*, stępka *f*; **2. ~ over** przewracać ⟨-rócić⟩ się
keen [kiːn] ostry (*też fig.*); *zimno*: przenikliwy; zapalony, gorliwy; **be ~ on s.th.** bardzo się czymś interesować; palić się do czegoś
keep [kiːp] **1.** (**kept**) trzymać; mieć;

zatrzymywać ⟨-mać⟩; przechowywać ⟨-wać⟩; *obietnicę, słowa* dotrzymywać ⟨-mać⟩; *porządek, pracę, rodzinę* utrzymywać; *dziennik, sklep* prowadzić; *zwierzęta* hodować; dochowywać ⟨-wać⟩ (*sekretu*); powstrzymywać ⟨-ymać⟩ (***from*** przed *D*); ~ ***early hours*** wcześnie chodzić spać; ~ ***one's temper*** panować nad sobą; ~ ***s.o. company*** dotrzymywać ⟨-mać⟩ komuś towarzystwa; ~ ***s.th. from s.o.*** trzymać coś w sekrecie przed kimś; ~ ***time*** dobrze pokazywać czas; trzymać rytm *lub* takt; *v/i.* trzymać się; *z ger.* wciąż, ciągle; ~ ***going*** idź dalej; ~ ***smiling*** zawsze się uśmiechaj!; ~ (***on***) ***talking*** nadal mówić; ~ (***on***) ***trying*** próbuj dalej; ~ ***s.o. waiting*** kazać komuś czekać; ~ ***away*** trzymać się z daleka (***from*** od *G*); ~ ***back*** wstrzymywać ⟨-mać⟩ się (*też fig.*); ~ ***from doing s.th.*** nie robić czegoś; ~ ***in*** *ucznia* zatrzymywać ⟨-mać⟩; ~ ***off*** trzymać (się) z daleka; ~ ***off!*** wstęp wzbroniony!; ~ ***on*** *ubranie* nadal nosić; *światło* zostawiać ⟨-wić⟩ zapalone; nadal (***doing s.th.*** robić coś); ~ ***out*** trzymać z daleka; ~ ***out!*** Wstęp wzbroniony!; ~ ***to*** trzymać się (*G*); ~ ***up*** zachowywać ⟨-wać⟩, utrzymywać ⟨-mać⟩; ~ ***it up*** tylko tak dalej; ~ ***up with*** dotrzymywać kroku (*D*); ~ ***up with the Joneses*** nie odstawać od sąsiadów; **2.** utrzymanie *n*, koszty *pl.* utrzymania; ***for ~s*** F na zawsze

'keep|·er dozorca *m*; opiekun(ka *f*) *m*; *zwł. w złożeniach* właściciel(ka *f*) *m*; **'~·ing** nadzór *m*, dozór *m*; ***be in*** (***out of***) ***~ing with ...*** (nie) pasować do (*G*); **~·sake** ['kiːpseɪk] pamiątka *f*

keg [keg] beczułka *f*

ken·nel ['kenl] buda *f*; **~s** *sg.* schronisko *n* dla psów

kept [kept] *pret. i p.p. od* ***keep*** 1

kerb [kɜːb], **'~·stone** krawężnik *m*

ker·chief ['kɜːtʃɪf] chustka *f* (*na głowę itp.*)

ker·nel ['kɜːnl] jądro *n* (*też fig.*)

ket·tle ['ketl] czajnik *m*; **'~·drum** *mus.* kocioł *m*

key [kiː] **1.** klucz *m* (*też fig.*); klawisz *m*; *mus.* tonacja *f*; *attr.* kluczowy; **2.** dostosowywać ⟨-wać⟩ (***to*** do *G*); *komp.* wpisywać ⟨-sać⟩, wprowadzać ⟨-dzić⟩; ***~ed up*** spięty; **'~·board** klawiatura *f*; **'~·hole** dziurka *f* od klucza; **'~·man** (*pl.* ***-men***) kluczowa figura *f*; **'~·note** *mus.* tonika *f*, dźwięk centralny; *fig.* zasadnicza myśl *f*; **'~ ring** kółko *n* na klucze; **'~·stone** *arch.* zwornik *m*; *fig.* filar *m*; **'~ word** wyraz *m* kluczowy

kick [kɪk] **1.** kopać ⟨-pnąć⟩; (*w sporcie*) strzelać ⟨-lić⟩; *koń*: wierzgać ⟨-gnąć⟩; ~ ***off*** rozpoczynać ⟨-cząć⟩ grę; ~ ***out*** F wyrzucić, wykopać; ~ ***up*** wybijać ⟨-bić⟩ kopnięciem; ~ ***up a fuss*** *lub* ***row*** F wszcząć awanturę; **2.** kopnięcie *n*, kopniak *m*; wierzgnięcie *n*; (*w piłce nożnej*) rzut *m*, strzał *m*; ***free ~*** rzut *m* wolny; ***for ~s*** F dla draki; ***they get a ~ out of it*** strasznie ich to bawi; **'~·off** (*w piłce nożnej*) początek *m* gry

kid[1] [kɪd] koźlę *m*; skóra *f* koźlęcia; F dzieciak *m*; ~ ***brother*** F młodszy brat *m*

kid[2] [kɪd] (***-dd-***) *v/t. kogoś* naciągać ⟨-gnąć⟩; ~ ***s.o.*** oszukiwać ⟨-kać⟩ kogoś; *v/i.* ⟨za⟩żartować, robić żarty; ***he is only ~ding*** on tylko żartuje; ***no ~ding!*** słowo honoru!

kid 'gloves *pl.* rękawiczki *pl.* z koźlej skóry (*też fig.*)

kid·nap ['kɪdnæp] (***-pp-***, *Am. też* ***-p-***) porywać ⟨-rwać⟩; **'kid·nap·(p)er** porywacz *m* (-ka *f*); **'kid·nap·(p)ing** porwanie *m*, kidnaperstwo *n*

kid·ney ['kɪdnɪ] *anat.* nerka *f*; **'~ bean** fasola *f*; **'~ ma·chine** *med.* sztuczna nerka *f*

Kiev Kijów *m*

kill [kɪl] zabijać ⟨-bić⟩, uśmiercać ⟨-cić⟩ (*też fig.*); *humor, nastrój* zwarzyć; *szanse* unicestwiać ⟨-wić⟩; ***be ~ed in an accident*** zostać zabitym w wypadku; ~ ***time*** zabijać ⟨-bić⟩ czas; **'~·er** zabójca *m* (-czyni *n*); **'~·ing** morderczy

kiln [kɪln] piec *m* (*do wypalania*)

ki·lo ['kiːləʊ] F (*pl.* ***-los***) kilo *n*

kil·o|·gram(me) ['kɪləgræm] kilogram *m*; **'~·me·tre** *Brt.*, **'~·me·ter** *Am.* kilometr *m*

kilt [kɪlt] kilt *m*, spódniczka *f* szkocka

kin [kɪn] krewny

kind[1] [kaɪnd] uprzejmy, miły; grzeczny, życzliwy; serdeczny

kind[2] [kaɪnd] rodzaj *m*, typ *m*; gatunek *m*; odmiana *f*; ***all ~s of*** wszyscy, wszystkie; ***nothing of the ~*** nic w tym rodzaju; ~ ***of*** F jakby; ***in ~*** w naturze; ***this ~ of*** tego rodzaju

K

kin·der·gar·ten ['kındəgɑːtn] przedszkole *n*
kind-'heart·ed dobry, o dobrym sercu
kin·dle ['kındl] rozpalać ⟨-lić⟩, zapalać ⟨-lić⟩ (się); *fig. zainteresowanie itp.* rozbudzać ⟨-dzić⟩
kind|·ly ['kaındlı] **1.** *adj.* (**-*ier*, -*iest***) przyjazny, przyjacielski; **2.** *adv.* uprzejmie; przyjaźnie, przyjacielsko; **'~·ness** uprzejmość *f*, serdeczność *f*, życzliwość *f*
kin·dred ['kındrıd] pokrewny; **~ *spirits*** *pl.* pokrewne dusze *pl.*
king [kıŋ] król *m* (*też fig. w szachach, grach*); **~·dom** ['kıŋdəm] królestwo *n* (*też rel.*); ***animal* (*vegetable*) *~dom*** królestwo *n* zwierząt (roślin); **'~·ly** (**-*ier*, -*iest***) królewski; **'~-size(d)** ogromny
kink [kıŋk] zapętlenie *n*, załamanie *n*; *fig.* dziwactwo *n*, perwersja *f*; **'~·y** (**-*ier*, -*iest***) dziwaczny, osobliwy; perwersyjny
ki·osk ['kiːɒsk] kiosk *m*; *Brt.* budka *f* telefoniczna
kip·per ['kıpə] śledź *m* wędzony
kiss [kıs] **1.** pocałunek *m*, całus *m*; **2.** ⟨po⟩całować
kit [kıt] ekwipunek *m*; *Brt.* wyposażenie *n*; zestaw *m* (*przyborów*), komplet *m*; zestaw *m* (*do sklejenia*); → ***first-aid kit***; **'~ bag** worek *m* na wyposażenie
kitch·en ['kıtʃın] kuchnia *f*; *attr.* kuchenny; **~·ette** [kıtʃı'net] kuchenka *f*, wnęka *f* kuchenna; **~ 'gar·den** ogród *m* warzywny
kite [kaıt] latawiec *m*; *zo.* kania *f*; ***fly a ~*** puszczać latawiec
kit·ten ['kıtn] kociak *m*, kocię *n*
knack [næk] umiejętność *f*, zdolność *f*; talent *m*
knave [neıv] łotr *m*, niegodziwiec *m*; (*w kartach*) *Brt.* walet *m*
knead [niːd] miesić; rozrabiać ⟨-robić⟩, gnieść
knee [niː] kolano *n*; *tech.* kolanko *n*; **'~·cap** *anat.* rzepka *f* (kolana); **~-'deep** po kolana; na głębokość kolan; **'~ joint** *anat.* połączenie *n* kolankowo-stawowe
kneel [niːl] (***knelt***, *Am. też* ***kneeled***) klękać ⟨-nąć⟩; uklęknąć (***to*** przed *I*)
'knee-length sukienka do kolan
knell [nel] dzwon *m* żałobny
knelt [nelt] *pret. i p.p. od* ***kneel***
knew [njuː] *pret. od* ***know***
knick·er·bock·ers ['nıkəbɒkəz] *pl.* pludry *pl.*, pumpy *pl.*
knick·ers ['nıkəz] *Brt.* F *pl.* figi *pl.*
knick-knack ['nıknæk] drobiazg *m*, błahostka *f*, bibelot *m*
knife [naıf] **1.** (*pl.* ***knives*** [naıvz]) nóż *m*; **2.** dźgać ⟨-gnąć⟩ *nożem*
knight [naıt] **1.** rycerz *m*; (*w szachach*) skoczek *m*, konik *m*; **2.** pasować na rycerza; nadawać ⟨-dać⟩ tytuł rycerski; **~·hood** ['naıthʊd] tytuł *m lub* stan *m* rycerski
knit [nıt] (**-*tt*-**; ***knit*** *lub* ***knitted***) *v/t.* ⟨z⟩robić na drutach; *też* **~ *together*** związywać ⟨-zać⟩, zespalać ⟨-polić⟩ (się); **~ *one's brows*** ⟨z⟩marszczyć brwi; *v/i.* ⟨z⟩robić na drutach; zespalać ⟨-polić⟩ się; *kości*: zrastać się; **'~·ting** robótka *f* na drutach; robienie *n* na drutach; **'~·ting nee·dle** drut *m* (*do robót dzianych*); **'~·wear** dzianina *f*, wyroby *pl.* z dzianiny
knives [naıvz] *pl. od* ***knife*** 1
knob [nɒb] pokrętło *n*, gałka *f*; kulka *f* (*masła itp.*)
knock [nɒk] **1.** stukać ⟨-knąć⟩, pukać ⟨-knąć⟩; uderzać ⟨-rzyć⟩; **~ *at the door*** pukać do drzwi; **~ *about*, ~ *around*** obijać ⟨-bić⟩, ⟨s⟩tłuc; F włóczyć się, wędrować; F walać się; **~ *down*** *budynek itp.* ⟨z⟩burzyć; *przechodnia* potrącić, przejechać; *cenę* zbijać ⟨zbić⟩, obniżać ⟨-żyć⟩ ***be ~ed down*** zostać przejechanym; **~ *off*** *cenę* spuszczać ⟨-puścić⟩; F dawać sobie spokój (z *I*); F wyprodukować, wypuścić ⟨-puszczać⟩; F (*ukraść, zabić*) rąbnąć; *v/i* skończyć pracę; **~ *out*** powalić; pozbawiać ⟨-wić⟩ przytomności; *fajkę* wytrząsać ⟨-snąć⟩; (*w boksie*) ⟨z⟩nokautować; ⟨wy⟩eliminować; *fig.* F zwalać ⟨-lić⟩ z nóg; **~ *over*** przewracać ⟨-rócić⟩, powalić; ***be ~ed over*** zostać przejechanym; **2.** uderzenie *n*; pukanie *n*, stukanie *n*; ***there is a ~*** (***at*** [*Am.* ***on***] ***the door***) ktoś stuka; **'~·er** kołatka *f*; **~-'kneed** o krzywych nogach; z krzywymi nogami; **'~·out** *boks*: nokaut *m*
knoll [nəʊl] pagórek *m*
knot [nɒt] **1.** węzeł *m*, supeł *m*; sęk *m*; *naut.* węzeł *m*; **2.** (**-*tt*-**) wiązać, zawiązy-

K

wać ⟨-zać⟩; '**~·ty** (**-ier, -iest**) węzłowaty, węźlasty; *fig.* skomplikowany
know [nəʊ] (**knew, known**) wiedzieć; znać; poznać; umieć **~ how to do s.th.** umieć coś zrobić; rozpoznawać ⟨-nać⟩; zapoznawać się (z *I*); **~ French** umieć po francusku; **~ one's way around** orientować się w (*L*); **~ all about it** dobrze się znać na czymś; **get to ~** poznawać ⟨-nać⟩; zapoznać się z (*I*); **~ one's business, ~ the ropes, ~ a thing or two, ~ what's what** F orientować się w czymś; **you ~** no wiesz; '**~-how** know-how *m*, wiedza *f* wyspecjalizowana, technologia *f*; '**~·ing** zorientowany, znający się na rzeczy; porozumiewawczy; '**~·ing·ly** świadomie, umyślnie; porozumiewawczo
knowl·edge ['nɒlɪdʒ] wiedza *f*, znajomość *f*; **to my ~** o ile wiem; **have a good ~ of** dobrze znać (*A*), dobrze się znać na (*L*); '**~·a·ble**: **be very ~able about** dobrze się znać na (*L*)
known [nəʊn] *p.p. od* **know**
knuck·le ['nʌkl] **1.** kostka *f* (*ręki*); **2. ~ down to work** zabierać ⟨-brać⟩ się ostro do pracy
KO [keɪ 'əʊ] *skrót*: **knockout** F nokaut *m*
Ko·re·a Korea *f*
Krem·lin ['kremlɪn]: **the ~** Kreml *m*

L

L, l [el] L, l *n*
L [el] *skrót*: **learner** (**driver**) *Brt. mot.* nauka *f* jazdy; **large** (**size**) duży
l *skrót pisany*: **left** lewy, lewo; **line** linia *f*; **litre**(**s**) l, litr *m*
£ *skrót pisany*: **pound**(**s**) **sterling** GBP, funt *m* szterling
lab [læb] F laboratorium *n*
la·bel ['leɪbl] **1.** etykieta *f*, etykietka *f*; metka *f*; nalepka *f*; znak *m* wytwórni; **on the X ~** na płytach wytwórni X; **2.** (*zwł. Brt.* **-ll-**, *Am.* **-l-**) etykietować, metkować; oznaczać ⟨-czyć⟩ etykietką *lub* metką; *fig.* określać ⟨-lić⟩, nadawać ⟨-dać⟩ miano
la·bor·a·to·ry [lə'bɒrətərɪ] laboratorium *n*; **~ as'sis·tant** laborant(ka *f*) *m*
la·bo·ri·ous [lə'bɔːrɪəs] żmudny, ciężki
la·bor u·ni·on ['leɪbə -] *Am.* związek *m* zawodowy
la·bo(u)r ['leɪbə] **1.** *ciężka* praca *f*; trud *m*, wysiłek *m*; robocizna *f*; pracownicy *pl.* najemni, siła *f* robocza; *med.* poród *m*; **Labour** *pol.* Partia *f* Pracy; *attr.* laburzystowski; **2.** *ciężko* pracować; trudzić się; męczyć się, mozolić się; rozwodzić się (nad *I*); '**~ed** wysilony; **~·er** ['leɪbərə] robotnik *m* (-nica *f*); '**labour ex·change** → **job centre**; '**La·bour Par·ty** *pol.* Partia *f* Pracy
lace [leɪs] **1.** koronka *f*; sznurowadło *n*; **2. ~ up** ⟨za⟩sznurować; **~d with brandy** z dodatkiem brandy
la·ce·rate ['læsəreɪt] poszarpać, rozdzierać ⟨-zedrzeć⟩; *fig.* ⟨z⟩ranić
lack [læk] **1.** (**of**) brak *m*; niedostatek *m*; ⚠ *nie* **lak**; **2.** *v/t.* nie mieć; **he ~s money** brak mu pieniędzy; *v/i.* **be ~ing** brakować; **he is ~ing in courage** brakuje mu odwagi; **~·lus·tre** *Brt.*, **~·lus·ter** *Am.* ['læklʌstə] bezbarwny, bez wyrazu
la·con·ic [lə'kɒnɪk] (**~ally**) lakoniczny
lac·quer ['lækə] **1.** lakier *m* (*też do włosów*); **2.** ⟨po⟩lakierować
lad [læd] chłopiec *m*, chłopak *m*
lad·der ['lædə] drabina *f*; *Brt.* oczko *n* (*w rajstopach*); '**~·proof** z nielecącymi oczkami
la·den ['leɪdn] obładowany, objuczony
la·dle ['leɪdl] chochla *f*
la·dy ['leɪdɪ] pani *f*; dama *f*; ♀ lady *f*; **~ doctor** lekarka *f*, kobieta *f* lekarz; **Ladies**('), *Am.* **Ladies' room** toaleta damska; '**~·bird** *Brt.*, '**~·bug** *Am.* biedronka *f*; '**~·like** wytworny; jak dama
lag [læg] **1.** (**-gg-**): *zw.* **~ behind** zostawać ⟨-tać⟩ w tyle; **2.** → **time lag**
la·ger ['lɑːgə] piwo *n* jasne pełne
la·goon [lə'guːn] laguna *f*
laid [leɪd] *pret. i p.p. od* **lay**[3]
lain [leɪn] *p.p. od* **lie**[2]
lair [leə] legowisko *n*, łoże *n*; kryjówka *f*
la·i·ty ['leɪətɪ] laikat *m*
lake [leɪk] jezioro *n*
lamb [læm] **1.** jagnię *n*; *rel.* baranek *m*;

attr. mięso *n* z jagnięcia; **2.** *owca:* ⟨o⟩-kocić się
lame [leɪm] **1.** kulawy; *fig.* kulejący; **2.** kuleć, utykać
la·ment [lə'ment] **1.** lamentować, rozpaczać, biadać; **2.** lament *m*, biadanie *n*; **lam·en·ta·ble** ['læməntəbl] opłakany, tragiczny; żałosny; **lam·en·ta·tion** [læmən'teɪʃn] opłakiwanie *n*, biadanie *n*
lam·i·nat·ed ['læmɪneɪtɪd] laminowany; (wielo)warstwowy, laminatowy; **~ 'glass** szkło *n* wielowarstwowe
lamp [læmp] lampa *f*; latarnia *f* (*uliczna*); **'~·post** słup *m* latarni (*ulicznej*); **'~·shade** abażur *m*, klosz *m*
lance [lɑːns] lanca *f*
land [lænd] **1.** ziemia *f*; ląd *m*; *agr.* ziemia *f*, grunt *m*; ląd *m*, strona *f* świata; ***by ~*** lądem; **2.** ⟨wy⟩lądować; *ładunek* wyładowywać ⟨-ować⟩; *ludzi* wysadzać ⟨-dzić⟩ na ląd; **'~ a·gent** *Brt.* zarządca *m* majątku; **'~·ed** wyładowany; posiadający ziemię; ***~ed gentry*** ziemiaństwo *n*
land·ing ['lændɪŋ] lądowanie *n*; wyładunek *m*; podest *m*, podest *m*; **'~ field** *aviat.* lądowisko *n*; **'~ gear** *aviat.* podwozie *n* samolotu; **'~ stage** przystań *f*, miejsce *n* cumowania; **'~ strip** *aviat.* lądowisko *n*
land|·la·dy ['lænleɪdɪ] właścicielka *f*; gospodyni *f*; **~·lord** ['lænlɔːd] właściciel *m*; gospodarz *m*; **~·lub·ber** ['lændlʌbə] *naut. pej.* szczur *m* lądowy; **~·mark** ['lændmɑːk] punkt *m* charakterystyczny *lub* orientacyjny; *fig.* kamień *m* milowy; **~·own·er** ['lændəʊnə] właściciel(ka *f*) *m* ziemski (*-a*); **~scape** ['lænskeɪp] krajobraz *m*; **~·slide** ['lændslaɪd] obsunięcie *n* się ziemi; osuwisko *n*; ***a ~slide victory*** *pol.* przygniatające zwycięstwo *n*; **~·slip** ['lændslɪp] osuwisko *n*
lane [leɪn] dróżka *f* (*polna*); uliczka *f*, alejka *f*; *aviat.* droga *f* powietrzna, trasa *f* lotnicza; (*w sporcie*) tor *m*; *mot.* pas *m* (*ruchu*); ***change ~s*** zmieniać ⟨-nić⟩ pas ruchu; ***get in ~*** *mot.* włączać ⟨-czyć⟩ się do ruchu
lan·guage ['læŋgwɪdʒ] język *m*; **'~ la·bor·a·to·ry** laboratorium *n* językowe
lan·guid ['læŋgwɪd] rozleniwiony; anemiczny, wątły
lank [læŋk] *włosy:* jak strąki, w strąkach; **'~·y** (**-ier, -iest**) tyczkowaty; szczudłowaty
lan·tern ['læntən] latarnia *f*
lap[1] [læp] łono *n* (*też fig.*), podołek *m*, kolana *pl.*
lap[2] [læp] **1.** (*w sporcie*) okrążenie *n*, etap *m*; ***~of hono(u)r*** runda *f* honorowa; **2.** (**-pp-**) (*w sporcie*) wykonać okrążenie; *przeciwnika* zdublować
lap[3] [læp] (**-pp-**): *v/t.* ***~ up*** wychłeptywać ⟨-tać⟩; *v/i.* chlupać ⟨-pnąć⟩, pluskać
la·pel [lə'pel] klapa *f* (*marynarki itp.*)
Lapland Laponia *f*
lapse [læps] **1.** upłynięcie *n* (*terminu, praw itp.*); błąd *m*, lapsus *m*; *jur.* wygaśnięcie *n*; ***he had a ~ of memory*** zawiodła go pamięć; **2.** upływać ⟨-łynąć⟩, wygasać ⟨-snąć⟩; *jur.* ulegać ⟨ulec⟩ przedawnieniu
lar·ce·ny ['lɑːsənɪ] *jur.* kradzież *f*, zabór *f* (*mienia*)
larch [lɑːtʃ] *bot.* modrzew *m*
lard [lɑːd] **1.** smalec *m*; **2.** *mięso* ⟨na⟩-szpikować; **lar·der** ['lɑːdə] spiżarnia *f*
large [lɑːdʒ] (**-r, -st**) duży, wielki; znaczny; ***at ~*** na wolności; ogół, wszyscy; **'~·ly** w dużej mierze; **~-'mind·ed** tolerancyjny, wielkoduszny; **'~·ness** wielkość *f*; znaczenie *n*
lar·i·at ['lærɪət] *zwł. Am.* lasso *n*
lark[1] [lɑːk] *zo.* skowronek *m*
lark[2] [lɑːk] F kawał *m*, szpas *m*
lar·va ['lɑːvə] *zo.* (*pl.* **-vae** [-viː]) larwa *f*
lar·yn·gi·tis [lærɪn'dʒaɪtɪs] *med.* zapalenie *n* krtani
lar·ynx ['lærɪŋks] *anat.* (*pl.* ***-ynges*** [lə'rɪndʒiːz], ***-ynxes***) krtań *f*
las·civ·i·ous [lə'sɪvɪəs] lubieżny, rozpustny
la·ser ['leɪzə] *phys.* laser *m*; **'~ beam** wiązka *f* lasera; **'~ print·er** drukarka *f* laserowa; **'~ tech·nol·o·gy** technika *f* laserowa
lash [læʃ] **1.** bicz *m*; uderzenie *n* (*biczem*); rzęsa *f*; **2.** biczować, chłostać (*też o wietrze*); ***~ out*** ⟨wy⟩smagać
lass [læs], **~·ie** ['læsɪ] dziewczyna *f*, dziewczę *n*
las·so [læ'suː] (*pl.* ***-sos, -soes***) lasso *n*
last[1] [lɑːst] **1.** *adj.* ostatni; ***~ but one*** przedostatni; ***~ night*** ostatniej *lub* poprzedniej nocy; **2.** *adv.* ostatnio, ostatnim razem; ***~ but not least*** wreszcie;

należy wspomnieć; **3.** ostatni *m*, końcowy *m*; ***at ~*** wreszcie; ***to the ~*** do końca
last² [lɑːst] trwać; wystarczać ⟨-czyć⟩
last³ [lɑːst] kopyto *n* szewskie
'last·ing trwały, stały
'last·ly wreszcie, w końcu
latch [lætʃ] **1.** zatrzask *m*; (*przy drzwiach*) haczyk *m*, zasuwa *f*; **2.** zatrzaskiwać ⟨-snąć⟩; **'~·key** klucz *m* do zamka
late [leɪt] (**-*r***, **-*st***) **1.** *adj*. późny; spóźniony; niedawny, były; zmarły; **2.** *adv*. późno; do późna; ***be ~*** spóźniać się; *pociąg itp*.: mieć opóźnienie; ***as ~ as*** dopiero; ***~r on*** później; **3.** ***of ~*** ostatnio; **'~·ly** ostatnio, niedawno
lath [lɑːθ] listwa *f*
lathe [leɪð] *tech*. tokarka *f*
la·ther ['lɑːðə] **1.** piana *f*; **2.** *v/t*. namydlać ⟨-lić⟩; *v/i*. ⟨s⟩pienić się
Lat·in ['lætɪn] **1.** *ling*. łaciński; latynoski; **2.** *ling*. łacina *f*; **~ A'mer·i·ca** Ameryka *f* Łacińska; **~ A'mer·i·can 1.** latynoamerykański; **2.** Latynos *m*
lat·i·tude ['lætɪtjuːd] *geogr*. szerokość *f* (*geograficzna*)
lat·ter ['lætə] drugi, ostatni (*z dwóch*)
lat·tice ['lætɪs] kratownica *f*; krata *f*
Lat·via Łotwa *f*
lau·da·ble ['lɔːdəbl] chwalebny, godny pochwały; przynoszący zaszczyt
laugh [lɑːf] **1.** śmiać się (***at*** z *G*); ***~ at s.o.*** śmiać się z kogoś, wyśmiewać kogoś; **2.** śmiech *m*; dowcip *m*; **'~·a·ble** śmieszny; **~·ter** ['lɑːftə] śmiech *m*
launch¹ [lɔːntʃ] **1.** *statek* ⟨z⟩wodować; *pocisk* wyrzucać ⟨-cić⟩; *rakietę* wystrzeliwać ⟨-lić⟩; *projekt itp*. zaczynać ⟨-cząć⟩, rozpoczynać ⟨-cząć⟩; **2.** *naut*. szalupa *f*; start *m*, wystrzelenie *n*; zaczęcie *n*
launch² [lɔːntʃ] *naut*. barkas *m*
'launch·ing → ***launch¹***; **'~ pad** *też* ***launch pad*** płyta *f* wyrzutni; **'~ site** płyta *f* startowa
laun·der ['lɔːndə] ⟨wy⟩prać; F *pieniądze* prać
laun|·d(e)rette [lɔːn'dret] *Brt*., **~·dromat** ['lɔːndrəmæt] *TM zwł. Am*. pralnia *f* samoobsługowa; **~·dry** ['lɔːndrɪ] (*rzeczy prane*) pranie *n*
laur·el ['lɒrəl] *bot*. laur *m*, drzewo *n* laurowe, wawrzyn *m*; *attr*. laurowy
la·va ['lɑːvə] lawa *f*
lav·a·to·ry ['lævətərɪ] toaleta *f*, ubikacja *f*; ***public ~*** toaleta *f* publiczna
lav·en·der ['lævəndə] *bot*. lawenda *f*; *attr*. lawendowy
lav·ish ['lævɪʃ] **1.** szczodrobliwy; *nadmiernie* hojny, ***be ~ with s.th.*** nie żałować czegoś; **2. *~ s.th. on s.o.*** nie szczędzić komuś czegoś, obsypywać kogoś czymś
law [lɔː] prawo *n*; ustawa *f*; przepis(y *pl*.) *m*; reguła *f*; F gliniarze *pl*., glina *m*; ***~ and order*** prawo i porządek; **~-a·bid·ing** ['lɔːəbaɪdɪŋ] praworządny; **'~·court** sąd *m*; **'~·ful** legalny, zgodny z prawem; **'~·less** nielegalny, niezgodny z prawem
lawn [lɔːn] trawnik *m*; **'~·mow·er** kosiarka *f* (*do trawników*)
'law·suit proces *m* sądowy
law·yer ['lɔːjə] *jur*. prawnik *m* (-iczka *f*), adwokat *m*
lax [læks] rozluźniony; nie rygorystyczny, mało skrupulatny
lax·a·tive ['læksətɪv] *med*. **1.** rozwalniający; **2.** środek *m* rozwalniający
lay¹ [leɪ] *pret. od* ***lie²***
lay² [leɪ] *rel*. świecki, laicki
lay³ [leɪ] (***laid***) *v/t*. kłaść ⟨położyć⟩; wykładać ⟨wyłożyć⟩ (***with s.th.*** czymś); *stół* nakrywać ⟨-ryć⟩; *jaja* składać ⟨złożyć⟩; przedkładać ⟨-łożyć⟩ (***before*** przed *A*); *winę* składać ⟨złożyć⟩; *v/i*. *kura*: nieść się; ***~ aside*** odkładać ⟨-łożyć⟩; ***~ off*** *econ. pracowników* zwalniać ⟨zwolnić⟩ (*zwł. okresowo*); przestawać ⟨-stać⟩; F odczepić się, zostawić w spokoju; ***~ s.th. open*** coś otwierać ⟨-worzyć⟩; ***~ out*** rozkładać ⟨-złożyć⟩; *ogród itp*. ⟨za⟩projektować; *print*. ⟨z⟩robić skład; ***~ up*** odkładać ⟨-łożyć⟩; ***be laid up*** być przykutym do łóżka; **'~-by** (*pl*. ***-bys***) *Brt. mot*. zatoka *f* (*do parkowania lub zatrzymywania się*); **'~·er** warstwa *f*; *bot*. odkład *m*
'lay·man (*pl*. ***-men***) laik *m*
'lay|-off *econ*. zwolnienie *n* (*zwł. przejściowe*); **'~·out** układ *m*; rozkład *m*; *print*. projekt *m* graficzny
la·zy ['leɪzɪ] (***-ier, -iest***) leniwy
lb *skrót pisany*: ***pound*** (*łacińskie* ***libra***) funt (*453,59 g*)
LCD [el siː 'diː] *skrót*: ***liquid crystal display*** wyświetlacz *m* ciekłokrystaliczny
lead¹ [liːd] **1.** (***led***) *v/t*. ⟨za-, po⟩prowa-

dzić; ⟨po⟩kierować; skłaniać ⟨skłonić⟩ (***to do*** do zrobienia); *v/i.* prowadzić (*też w sporcie*); kierować; ~ ***off*** rozpoczynać ⟨-cząć⟩; ~ ***on*** *kogoś* nabierać ⟨-brać⟩; ~ ***to*** *fig.* ⟨do⟩prowadzić do (*G*); ~ ***up to*** *fig.* ⟨do⟩prowadzić do (*G*); **2.** prowadzenie *n* (*też w sporcie i fig.*), kierownictwo *n*; przewodnictwo *n*; czołowa pozycja *f*; przykład *m*, wzór *m*; przewaga *f*; *theat.* czołowa rola *f*; smycz *f*; sugestia *f*, trop *m*; ***be in the*** ~ prowadzić; ***take the*** ~ wychodzić ⟨wyjść⟩ na prowadzenie, obejmować ⟨objąć⟩ prowadzenie

lead² [led] *chem.* ołów *m*; *naut.* sonda *f*, ołowianka *f*; **~•ed** ['ledɪd] *okno*: gomółkowy; *benzyna*: ołowiowy, etylizowany; **~•en** ['ledn] ołowiany (*też fig.*)

lead•er ['liːdə] przywódca *m* (-dczyni *f*); lider *m*; *Brt.* artykuł *m* wiodący; **'~•ship** przewodnictwo *m*, prowadzenie *n*

lead-free ['ledfriː] bezołowiowy

lead•ing ['liːdɪŋ] prowadzący; główny, przewodni

leaf [liːf] (*pl.* ***leaves*** [liːvz]) liść *m*; skrzydło *n* (*drzwi itp.*); (*składana część blatu*); **2.** ~ ***through*** kartkować, przekartkowywać ⟨-ować⟩; **~•let** ['liːflɪt] ulotka *f*, folder *m*, prospekt *m*

league [liːɡ] liga *f*, związek *m*

leak [liːk] **1.** *woda*: przeciekać ⟨-ciec⟩; wyciekać ⟨-ciec⟩; *gaz*: ulatniać ⟨-lotnić⟩ się; *zbiornik*: przepuszczać ⟨-uścić⟩ *ciecz*, *gaz*; ~ ***out*** wyciekać ⟨-ciec⟩; *fig.* przedostawać ⟨-stać⟩ się; **2.** przeciek *m* (*też fig.*), wyciek *m*, ulatnianie *n* się; **~•age** ['liːkɪdʒ] wyciek *m*; **'~•y** (***-ier, -iest***) nieszczelny, przeciekający

lean¹ [liːn] (***leant*** *lub* ***leaned***) wychylać ⟨-lić⟩ się; pochylać ⟨-lić⟩ się; ~ ***on*** opierać ⟨oprzeć⟩ się na (*L*)

lean² [liːn] **1.** chudy (*też fig.*), szczupły; **2.** chude mięso *n*

leant [lent] *pret. i p.p. od* ***lean¹***

leap [liːp] **1.** (***leapt*** *lub* ***leaped***) skakać ⟨skoczyć⟩; ~ ***at*** *fig.* rzucać się na (*A*); **2.** skok *m*; **'~•frog**: ***play ~frog*** skakać jeden przez drugiego; **~t** [lept] *pret. i p.p. od* ***leap*** 1; **'~ year** rok *m* przestępny

learn [lɜːn] (***learned*** *lub* ***learnt***) ⟨na⟩uczyć się (*G*); dowiadywać ⟨-wiedzieć⟩ się; **~•ed** ['lɜːnɪd] uczony; **'~•er** uczący się *m*, ucząca się *f*; ***~er driver*** *Brt.* (*osoba ucząca się prowadzić samochód*); **'~•ing** wiedza *f*, uczoność *f*; **~t** [lɜːnt] *pret. i p.p. od* ***learn***

lease [liːs] **1.** wynajem *m*, najem *m*, dzierżawa *f*; umowa *f* dzierżawy; **2.** najmować ⟨-jąć⟩, wynajmować ⟨-jąć⟩; ⟨wy⟩dzierżawić; brać ⟨wziąć⟩ w leasing; udzielać ⟨-lić⟩ leasingu; ~ ***out*** wydzierżawiać ⟨-wić⟩

leash [liːʃ] smycz *f*

least [liːst] **1.** *adj.* (*sup. od* ***little*** 1) najmniejszy; **2.** *adv.* (*sup. od* ***little*** 2) najmniej; ~ ***of all*** szczególnie zaś; **3.** ***at*** ~ przynajmniej; ***to say the*** ~ mówiąc oględnie

leath•er ['leðə] **1.** skóra *f*; **2.** skórzany, ze skóry

leave [liːv] **1.** (***left***) *v/t.* ⟨po⟩zostawiać ⟨-wić⟩; porzucać ⟨-cić⟩; odjeżdżać ⟨-jechać⟩, odejść ⟨odchodzić⟩; wyjeżdżać ⟨-jechać⟩ (***for*** do *G*); wychodzić (z *G*); zwalniać się z (*G*); ***be left*** być zostawionym *lub* porzuconym; *v/i.* odchodzić ⟨odejść⟩; wyjeżdżać ⟨-jechać⟩; ~ ***alone*** zostawiać ⟨-wić⟩ w spokoju; ~ ***behind*** zostawiać ⟨-wić⟩; ~ ***on*** pozostawiać ⟨-wić⟩; ~ ***out*** pomijać ⟨-minąć⟩; wykluczać ⟨-czyć⟩; ⟨od⟩izolować; **2.** urlop *m*; przepustka *f*, zwolnienie *n*; ***on*** ~ w czasie urlopu *lub* przepustki; pozwolenie *n*, zgoda *f*

leav•en ['levn] zakwas *m*, zaczyn *m*

leaves [liːvz] *pl. od* ***leaf*** 1; listowie *n*

leav•ings ['liːvɪŋz] *pl.* pozostałości *pl.*, resztki *pl.*

lech•er•ous ['letʃərəs] lubieżny

lec|•ture ['lektʃə] **1.** *univ.* wykład *m*; referat *m*; *fig.* kazanie *n*; ⚠ *nie* ***lektura***; **2.** *v/i. univ.* wykładać, wygłaszać wykłady; *v/t. komuś* prawić kazanie; **~•tur•er** ['lektʃərə] wykładowca *m*; *univ.* docent *m*; mówca *m*

led [led] *pret. i p.p. od* ***lead¹***

ledge [ledʒ] parapet *m*, półka *f*

leech [liːtʃ] *zo.* pijawka *f*

leek [liːk] *bot.* por *m*

leer [lɪə] **1.** lubieżne spojrzenie *n*, lubieżny uśmiech *m*; **2.** lubieżnie się uśmiechać *lub* patrzeć (***at*** na *A*)

left¹ [left] *pret. i p.p. od* ***leave*** 1

left² [left] **1.** *adj.* lewy; lewostronny; **2.** *adv.* na lewo, w lewo; ***turn*** ~ iść na lewo; **3.** lewa strona *f*; lewica *f* (*też pol.*); (*w boksie*) lewa *f*; ***on the*** ~ z/po lewej; ***to the*** ~ na lewo, w lewo; ***keep to the*** ~

trzymać się lewej; jechać po lewej; **~-'hand** lewostronny; **~-hand 'drive** *mot.* z lewostronnym układem kierowniczym; **~-'hand·ed** leworęczny; dla leworęcznych
left|'lug·gage of·fice *Brt. rail.* przechowalnia bagażu; **'~·o·vers** *pl.* resztki *pl.*; **~-'wing** *pol.* lewicowy, na lewicy
leg [leg] noga *f*; *barani* udziec *m*; *math.* ramię *n* (*cyrkla*); ***pull s.o.'s ~*** F naciągać kogoś; ***stretch one's ~s*** rozprostowywać ⟨-ować⟩ nogi
leg·a·cy ['legəsɪ] spadek *m*, dziedzictwo *n*
le·gal ['liːgl] legalny, prawny, zgodny z prawem
le·ga·tion [lɪ'geɪʃn] misja *f* poselska, legacja *f*
le·gend ['ledʒənd] legenda *f* (*też fig.*); **le·gen·da·ry** ['ledʒəndərɪ] legendarny
le·gi·ble ['ledʒəbl] czytelny
le·gis·la|·tion [ledʒɪs'leɪʃn] legislacja *f*, ustawodawstwo *n*, prawodawstwo *n*; **~·tive** ['ledʒɪslətɪv] *pol.* **1.** legislacyjny, ustawodawczy; **2.** legislatywa *f*, władza *f* ustawodawcza; **~·tor** ['ledʒɪsleɪtə] ustawodawca *m*
le·git·i·mate [lɪ'dʒɪtɪmət] prawowity, legalny
lei·sure ['leʒə] czas *m* wolny; odpoczynek *m*; ***at ~*** bez pośpiechu; **'~ cen·tre** *Am.* ośrodek *m* rekreacyjny; *Brt.* ośrodek *m* sportowy; **'~·ly** niespieszny; **'~ time** czas *m* wolny; **~time ac'tiv·i·ties** *pl.* rekreacja *f*; **'~·wear** ubranie *n* nieformalne
lem·on ['lemən] *bot.* cytryna *f*; *attr.* cytrynowy; **~·ade** [lemə'neɪd] lemoniada *f*
lend [lend] (***lent***) *komuś* pożyczać ⟨-czyć⟩
length [leŋθ] długość *f*; odcinek *m*; czas *m* trwania; ***at ~*** wreszcie; **~·en** ['leŋθən] wydłużać ⟨-żyć⟩ (się); przedłużać ⟨-żyć⟩ (się); **'~·ways, '~·wise** na długość; wzdłuż; **'~·y** (***-ier, -iest***) *zbyt* długi
le·ni·ent ['liːnjənt] wyrozumiały, łagodny; pobłażliwy
lens [lenz] *anat., phot., phys.* soczewka *f*; *phot.* obiektyw *m*
lent [lent] *pret. i p.p. od* ***lend***
Lent [lent] *rel.* wielki post *m*
len·til ['lentɪl] *bot.* soczewica *f*
Le·o ['liːəʊ] *znak Zodiaku*: Lew *m*; ***he/she is (a) ~*** on(a) jest spod znaku Lwa
leop·ard ['lepəd] *zo.* leopard *m*; **~·ess** ['lepədes] *zo.* leopard *m* samica
le·o·tard ['liːəʊtɑːd] *gimnastyczny* trykot *m*
lep·ro·sy ['leprəsɪ] *med.* trąd *m*
les·bi·an ['lezbɪən] **1.** lesbijski; **2.** lesbijka *f*
less [les] **1.** *adj. i adv.* (*comp. od* ***little*** 1, 2) mniejszy; **2.** *prp.* mniej o (*A*), odjąć (*A*), minus (*A*)
less·en ['lesn] zmniejszać (się)
less·er ['lesə] mniejszy, pomniejszy
les·son ['lesn] lekcja *f*; *fig.* nauka *f*; ***~s*** *pl.* zajęcia *pl.*
let [let] (***let***) dawać, pozwalać; *zwł. Brt.* wynajmować ⟨-jąć⟩; ***~ alone*** zostawiać ⟨-wić⟩ w spokoju; ***~ down*** obniżać ⟨-żyć⟩, spuszczać ⟨-uścić⟩; *Am. ubrania* przedłużać ⟨-żyć⟩; zawodzić ⟨-wieść⟩; ***~ go*** puszczać ⟨puścić⟩; ***~ o.s. go*** zaniedbywać ⟨-bać⟩ się; F odpuszczać ⟨-uścić⟩ sobie; ***~'s go!*** chodźmy!; ***~ in*** wpuszczać ⟨-uścić⟩; ***~ s.o. in for s.th.*** dopuścić kogoś do czegoś
le·thal ['liːθl] śmiertelny, zabójczy, śmiercionośny
leth·ar·gy ['leθədʒɪ] letarg *m*
let·ter ['letə] litera *f*; *print.* czcionka *f*; list *m*, pismo *n*; **'~·box** *zwł. Brt.* skrzynka *f* na listy; **'~ car·ri·er** *Am.* listonosz(ka *f*) *m*, *pocztowy* (*-a*) doręczyciel(ka *f*) *m*
let·tuce ['letɪs] *bot.* sałata *f*
leu·k(a)e·mia [luː'kiːmɪə] *med.* białaczka *f*
lev·el ['levl] **1.** *adj.* poziomy; równy; ***be ~ with*** być na równej wysokości z (*N*); ***do one's ~ best*** F robić, co w czyjejś mocy; **2.** poziom *m* (*też fig.*); poziomica *f*; warstwa *f*; ***sea ~*** poziom *m* morza; ***on the ~*** F na poziomie; **3.** (*zwł. Brt.* ***-ll-***, *Am.* ***-l-***) równać, zrównywać ⟨-nać⟩; ***~ at*** *broń* ⟨s⟩kierować na (*A*); *oskarżenie* wymierzyć; **4.** *adv.*: ***~ with*** na wysokości (*G*); **~ 'cross·ing** *Brt.* jednopoziomowy przejazd *m* kolejowy; **~-'head·ed** zrównoważony
le·ver ['liːvə] dźwignia *f*
lev·y ['levɪ] **1.** podatek *m*, pobór *m* podatku; **2.** *podatki* nakładać ⟨-łożyć⟩, pobierać ⟨-brać⟩
lewd [ljuːd] obleśny, lubieżny

L

li•a•bil•i•ty [laɪə'bɪlətɪ] *econ.*, *jur.* odpowiedzialność *f*, zobowiązanie *n*; *econ.* ***liabilities*** *pl.* pasywa *pl.*, należności *pl.*; obciążenie *n* (***to*** dla *G*), ciężar *m* (***to*** dla *G*)

li•a•ble ['laɪəbl] *econ.*, *jur.* odpowiedzialny; ***be ~ for*** odpowiadać za (*A*); ***be ~ to*** być podatnym na (*A*)

li•ar ['laɪə] kłamca *m*

li•bel ['laɪbl] *jur.* **1.** (*na piśmie*) zniesławienie *n*, oszczerstwo *n*, potwarz *f*; **2.** (*zwł. Brt.* **-ll-**, *Am.* **-l-**) (*na piśmie*) zniesławiać ⟨-wić⟩

lib•e•ral ['lɪbərəl] **1.** liberalny (*też pol.*); tolerancyjny; szczodry, hojny; **2.** *pol.* liberał *m*

lib•e|•rate ['lɪbəreɪt] oswobadzać ⟨-bodzić⟩; **~•ra•tion** [lɪbə'reɪʃn] oswobodzenie *n*; **~•ra•tor** ['lɪbəreɪtə] oswobodziciel *m*

lib•er•ty ['lɪbətɪ] wolność *f*; ***take liberties with s.o.*** pozwalać sobie za dużo z kimś; ***take the ~ of*** pozwolić sobie na (*A*); ***at ~*** na wolności

Li•bra ['laɪbrə] *znak Zodiaku*: Waga *f*; ***he/she is*** (***a***) ***~*** on(a) jest spod znaku Wagi

L

li•brar•i•an [laɪ'breərɪən] bibliotekarz *m* (-arka *f*); **li•bra•ry** ['laɪbrərɪ] biblioteka *f*

lice [laɪs] *pl. od* ***louse***

li•cence *Brt.*, **li•cense** *Am.* ['laɪsəns] koncesja *f*, licencja *f*; zezwolenie *n*, pozwolenie *n*; **'li•cense plate** *Am. mot.* tablica *f* rejestracyjna

li•cense *Brt.*, **li•cence** *Am.* ['laɪsəns] udzielać ⟨-lić⟩ licencji *lub* koncesji; *urzędowo* zezwalać ⟨-wolić⟩

li•chen ['laɪkən] *bot.* porost *m*

lick [lɪk] **1.** liźnięcie *n*, polizanie *n*; lizawka *f* (*solna*); **2.** ⟨po⟩lizać, oblizywać ⟨-zać⟩; wylizywać ⟨-zać⟩; F pokonywać ⟨-nać⟩, przezwyciężać ⟨-żyć⟩

lic•o•rice ['lɪkərɪs] → ***liquorice***

lid [lɪd] **1.** pokrywka *f*; wieczko *n*; powieka *f*

lie¹ [laɪ] **1.** ⟨s⟩kłamać, okłamywać ⟨-mać⟩; ***~ to s.o.*** okłamywać ⟨-mać⟩ kogoś; **2.** kłamstwo *n*; ***tell a ~, tell ~s*** mówić kłamstwa; ***give the ~ to s.o.*** zadawać kłam komuś

lie² [laɪ] **1.** (***lay, lain***) leżeć; ***let sleeping dogs ~*** nie budzić licha; ***~ behind*** *fig.* leżeć u podstaw; ***~ down*** kłaść ⟨położyć⟩ się; **2.** położenie *n*, miejsce *n*; **'~-down** *Brt.* F drzemka; ***go for a ~-down*** *fig.* iść przyłożyć głowę do poduszki; **'~-in** *zwł.*: *Brt.* F ***have a ~-in*** długo nie wstawać z łóżka

lieu [ljuː]: ***in ~ of*** w miejsce (*G*)

lieu•ten•ant [lef'tenənt, *Am.* luː'tenənt] porucznik *m*

life [laɪf] (*pl.* ***lives*** [laɪvz]) życie *n*; *jur.* dożywocie *n*; ***all her ~*** przez jej całe życie; ***for ~*** na całe życie; *zwł. jur.* dożywotnio; **'~ as•sur•ance** ubezpieczenie *n* na życie; **'~ belt** pas *m* ratunkowy; koło *n* ratunkowe; **'~•boat** łódź *f* ratunkowa; **'~buoy** koło *n* ratunkowe; **'~•guard** (*na basenie*) ratownik *m*; **~ im'pris•on•ment** *jur.* kara *f* dożywotniego więzienia; **~ in•sur•ance** ubezpieczenie *n* na życie; **'~ jack•et** kamizelka *f* ratunkowa; **'~•less** bez życia; niemrawy; martwy; **'~•like** realistyczny; jak żywy; **'~•long** na całe życie; **'~ pre•serv•er** *zwł. Am.* kamizelka *f* ratunkowa; koło *n* ratunkowe; **~ 'sen•tence** *jur.* wyrok *m* dożywotniego więzienia; **'~•time** okres *m* życia; życie *n*

lift [lɪft] **1.** *v/t.* podnosić ⟨-nieść⟩; unosić ⟨unieść⟩; *zakaz itp.* znosić ⟨znieść⟩; *wzrok* unieść; F podprowadzić, zwędzić; *v/i.* unosić ⟨unieść⟩ się, podnosić ⟨-nieść⟩ się (*też o mgle*); ***~ off*** *rakieta*: ⟨wy⟩startować; *samolot*: unosić ⟨-nieść⟩ się w powietrze; **2.** podniesienie *n*; *aviat.* siła *f* nośna; *phys.* wypór *m*, siła *f* wyporu; *Brt.* winda *f*, dźwig *m*; ***give s.o. a ~*** podrzucać ⟨-cić⟩ kogoś (*samochodem*); F podnosić ⟨-nieść⟩ kogoś na duchu; **'~-off** start *m*; wzniesienie *n się* (*rakiety*, *samolotu*)

lig•a•ment ['lɪgəmənt] *anat.* wiązadło *n*

light¹ [laɪt] **1.** światło *n* (*też fig.*); oświetlenie *n*; blask *m* (*świecy*); ogień *m* (*dla papierosa*); *Brt. zw.* ***~s*** *pl. drogowe* światła *pl.*; ***have you got a ~, can you give me a ~?*** czy ma pan ogień?; **2.** (***lit*** *lub* ***lighted***) *v/t.* oświetlać ⟨-lić⟩; *też* ***~ up*** zapalać ⟨-lić⟩; *v/i.* zapalać ⟨-lić⟩ się; ***~ up*** *oczy itp.*: rozjarzać ⟨-rzyć⟩ się; **3.** jasny

light² [laɪt] lekki (*też fig.*); ***make ~ of*** coś lekko ⟨po⟩traktować (*A*), umniejszać ⟨-szyć⟩ (*A*)

light•en¹ ['laɪtn] rozjaśniać ⟨-nić⟩ (się), przejaśniać ⟨-nić⟩ (się)

light·en² ['laɪtn] zmniejszać ⟨-szyć⟩ (się)
'light·er zapalniczka *f*
light|-'head·ed lekkomyślny, niefrasobliwy; oszołomiony; **~-'heart·ed** beztroski; **'~·house** latarnia *f* morska; **'~·ing** oświetlenie *n*; **'~·ness** lekkość *f*
light·ning ['laɪtnɪŋ] błyskawica *f*; ***like ~*** jak błyskawica; **'~ con·duc·tor** *Brt.*, **'~ rod** *Am. electr* piorunochron *m*, odgromnik *m*
'light·weight *sport*: waga *f* lekka
like¹ [laɪk] **1.** *v/t.* ⟨po⟩lubić; ***I ~ it*** podoba mi się to; ***I ~ her*** lubię ją; ***how do you ~ it?*** jak ci się to podoba?; ***I should*** *lub* ***would ~ to know*** chciałbym wiedzieć; *v/i.* chcieć; (***just***) ***as you ~*** (tak) jak chcesz; ***if you ~*** jeżeli chcesz; **2.** ***~s*** *pl.* ***and dislikes*** *pl.* sympatie *pl.* i antypatie *pl.*
like² [laɪk] **1.** jak; ***~ that*** tak; ***feel ~*** mieć ochotę; ***what does it look ~?*** jak to wygląda?; ***what is he ~?*** jaki on jest?; ***that is just ~ him!*** to podobne do niego!; **2.** podobny; ***the ~ of him*** ktoś podobny do niego; ***the ~s of you*** ludzie podobni do was
like|·li·hood ['laɪklɪhʊd] prawdopodobieństwo *n*; **'~·ly 1.** *adj.* (***-ier, -iest***) prawdopodobny; **2.** *adv.* prawdopodobnie; ***not ~ly!*** z pewnością nie!
like|·ness ['laɪknɪs] podobieństwo *n*; **'~·wise** podobnie
lik·ing ['laɪkɪŋ] sympatia *f*
li·lac ['laɪlək] **1.** lila; **2.** *bot.* bez *m*
lil·y ['lɪlɪ] *bot.* lilia *f*; ***~ of the valley*** konwalia *f*
limb [lɪm] kończyna *f*, członek *m*; konar *m*
lime¹ [laɪm] wapno *n*
lime² [laɪm] *bot.* limona *f*
'lime·light światła *pl.* rampy; *fig.* centrum *n* uwagi
lim·it ['lɪmɪt] **1.** granica *f*; ***within ~s*** w pewnych granicach; ***off ~s*** *Am.* wstęp wzbroniony (***to*** do *G*); ***that is the ~!*** F to już szczyty!
lim·i·ta·tion [lɪmɪ'teɪʃn] ograniczenie *n*; *fig.* granica *f*
'lim·it|·ed ograniczony; ***~ed liability company*** *Brt.* spółka z ograniczoną odpowiedzialnością; **'~·less** nieograniczony; bezgraniczny
limp¹ [lɪmp] **1.** utykać, kuśtykać; **2.** utykanie *n*, kuśtykanie *n*
limp² [lɪmp] wiotki, zwiotczały
line¹ [laɪn] **1.** linia *f* (*też fig.*); kreska *f*; zmarszczka *f*; sznur *m*, linka *f*, żyłka *f* (*przy wędce, etc.*); kabel *m*, przewód *m*; *zwł. Am.* kolejka *f*, ogonek *m*; *autobusowa, telefoniczna itp.* linia *f*; rząd *m*, szereg *m*; branża *f*, dziedzina *f*, specjalność *f*; wiersz *m* (*tekstu*); *tel.* połączenie *n*; *fig.* granica *f*; *fig.* kurs *m*; ***~s*** *pl. theat.* rola *f*, kwestia *f*; ***the ~*** równik *m*; ***draw the ~*** ustalać ⟨-lić⟩ granice (***at s.th.*** czegoś); ***the ~ is busy*** *lub* ***engaged*** *tel.* linia jest zajęta; ***hold the ~*** *tel.* proszę nie odkładać słuchawki; ***stand in ~*** *Am.* stać w kolejce (***for*** za *I*); **2.** ⟨po⟩liniować; *twarz* ⟨z⟩marszczyć; *drzewa*: ⟨u⟩tworzyć szpaler, *ludzie*: wypełniać (*szeregami*); ***~ up*** ustawiać (się) w szeregu; (*w sporcie*) ustawiać ⟨-wić⟩ się; *zwł. Am.* stawać ⟨stanąć⟩ w kolejce (***for*** za *I*)
line² [laɪn] *ubranie* podbijać ⟨-bić⟩; wykładać ⟨wyłożyć⟩, wyściełać ⟨-lić⟩
lin·e·ar ['lɪnɪə] linearny, liniowy
lin·en ['lɪnɪn] **1.** *materiał*: len *m*; *pościelowa itp.* bielizna *f*; **2.** lniany; **'~ clos·et** *Am.*, **'~ cup·board** (*szafka*) bieliźniarka *f*
lin·er ['laɪnə] liniowiec *m*; samolot *m* kursowy; → ***eyeliner***
lines|·man ['laɪnzmən] (*pl.* ***-men***) (*w sporcie*) sędzia *m* liniowy; **'~·wom·an** (*pl.* ***-women***) (*w sporcie*) kobieta-sędzia *m* liniowy
'line·up (*w sporcie*) skład *m*; *zwł. Am.* rząd *m* ludzi
lin·ger ['lɪŋgə] zatrzymywać ⟨-mać⟩ się, zwlekać; ***~ on*** utrzymywać się, trwać; *fig.* wegetować
lin·ge·rie ['lɛ̃:nʒəri:] bielizna *f* damska
lin·i·ment ['lɪnɪmənt] *pharm.* środek *m* do nacierania, mazidło *n*
lin·ing ['laɪnɪŋ] wyściółka *f*; podszewka *f*, podpinka *f*; *tech.* okładzina *f*
link [lɪŋk] **1.** ogniwo *n* (*łańcucha też fig.*); spinka *f* (*do mankietów*); połączenie *n*; zależność *f*; **2.** *też* ***~ up*** ⟨po⟩łączyć się
links [lɪŋks] → ***golf links***
'link·up połączenie *n*
lin·seed ['lɪnsi:d] *bot.* siemię *n* lniane; **~ 'oil** olej *m* lniany
li·on ['laɪən] *zo.* lew *m*; **~·ess** *zo.* ['laɪənes] lwica *f*
lip [lɪp] *anat.* warga *f*; brzeg *m* (*filiżanki*

L

itp.); *sl.* czelność *f*; '**~·stick** szminka *f* (*do ust*)
liq·ue·fy ['lɪkwɪfaɪ] skraplać ⟨-roplić⟩ (się)
liq·uid ['lɪkwɪd] **1.** ciecz *f*; **2.** ciekły
liq·ui·date ['lɪkwɪdeɪt] ⟨z⟩likwidować; *dług* spłacać ⟨-cić⟩
liq·uid|·ize ['lɪkwɪdaɪz] ⟨z⟩miksować; rozdrabniać⟨-robnić⟩;'**~·iz·er** mikser *m*
liq·uor ['lɪkə] *zwł. Am.* silny napój alkoholowy; *Brt.* napój *m* alkoholowy, alkohol *m*; ⚠ *nie* ***likier***
liq·uo·rice ['lɪkərɪs] lukrecja *f*
Lis·bon Lizbona *f*
lisp [lɪsp] **1.** ⟨za⟩seplenić; **2.** seplenienie *n*
list [lɪst] **1.** lista *f*, spis *m*; **2.** umieszczać ⟨umieścić⟩ na liście; wypisywać ⟨-sać⟩
lis·ten ['lɪsn] słuchać; **~** ***in*** ⟨wy⟩słuchać w radio (***to s.th.*** czegoś); **~** ***in*** *rozmowę telefoniczną* podsłuchiwać ⟨-chać⟩; **~** ***to*** ⟨po-, wy⟩słuchać (*G*); '**~·er** słuchacz(ka *f*) *m*
'**list·less** bierny, apatyczny
lit [lɪt] *pret. i p.p. od* ***light***[1]
lit·e·ral ['lɪtərəl] dosłowny, literalny
lit·e·ra|·ry ['lɪtərərɪ] literacki; **~·ture** ['lɪtərətʃə] literatura *f*
lithe [laɪð] gibki, sprężysty
Lith·u·a·nia Litwa *f*
li·tre *Brt.*, **li·ter** *Am.* ['liːtə] litr *m*
lit·ter ['lɪtə] **1.** (*zwł. papier)* śmieci *pl.*; podściółka *f*; *zo.* miot *m*; lektyka *f*; **2.** zaśmiecać ⟨-cić⟩; ***be ~ed with*** być zaśmieconym (*I*); '**~ bas·ket**, '**~ bin** kosz *m* na śmieci
lit·tle ['lɪtl] **1.** *adj.* (***less, least***) mały; ***the ~ ones*** *pl.* mali *pl.*; **2.** *adv.* (***less, least***) mało, niewiele; **3.** (za) mało; ***a ~*** trochę, nieco; ***~ by ~*** po trochę, stopniowo;
live[1] [lɪv] żyć (*też* ***with*** z *I*); mieszkać; **~** ***to see*** dożyć; **~** ***on*** trwać; utrzymywać się z (*I*); **~** ***up to*** spełniać ⟨-nić⟩, *reputacji* sprostać
live[2] [laɪv] **1.** *adj.* żywy, żyjący; *electr.* pod napięciem; *amunicja*: uzbrojony; *transmisja*: na żywo; **2.** *adv.* na żywo, bezpośrednio
live|·li·hood ['laɪvlɪhʊd] środki *pl.* utrzymania; '**~·li·ness** żywość *f*, dynamizm *m*; '**~·ly** (***-ier, -iest***) żywy, żwawy, dynamiczny
liv·er ['lɪvə] *anat.* wątroba *f*; *gastr.* wątróbka *f*
liv·e·ry ['lɪvərɪ] liberia *n*
lives [laɪvz] *pl. od* ***life***
'**live·stock** inwentarz *m* żywy
liv·id ['lɪvɪd] siny; F rozwścieczony
liv·ing ['lɪvɪŋ] **1.** żywy, żyjący; ***the ~ image of*** dokładna podobizna *f* (*G*); **2.** środki *pl.* utrzymania; ***the ~*** *pl.* żywi *pl.*; ***standard of ~*** stopa *f* życiowa; ***earn*** *lub* ***make a ~*** zarabiać ⟨-robić⟩ na utrzymanie; '**~ room** salon *m*, pokój *m* dzienny
liz·ard ['lɪzəd] *zo.* jaszczurka *f*
load [ləʊd] **1.** ładunek *m*, obciążenie *n*; *fig.* ciężar *m*; **2.** obciążać ⟨-żyć⟩; *broń* ⟨za⟩ładować; ***~ a camera*** włożyć film do aparatu; *też* ***~ up*** załadowywać ⟨-ować⟩
loaf[1] [ləʊf] (*pl.* ***loaves*** [ləʊvz]) bochenek *m*
loaf[2] [ləʊf] *też* ***~ about, ~ around*** F próżnować; '**~·er** próżniak *m*
loam [ləʊm] glina *f* , ił *m*; '**~·y** (***-ier, -iest***) gliniasty, ilasty
loan [ləʊn] **1.** pożyczka *f*; *bankowy* kredyt *m*; wypożyczenie *n*; ***on ~*** wypożyczony; **2.** *zwł. Am. komuś* pożyczać ⟨-czyć⟩, wypożyczać ⟨-czyć⟩; udzielać ⟨-lić⟩ pożyczki; '**~ shark** *econ.* lichwiarz *m* (-arka *f*)
loath [ləʊθ]: ***be ~ to do s.th.*** nie chcieć zrobić czegoś
loathe [ləʊð] nienawidzić (*G*), nie cierpieć (*G*); '**loath·ing** obrzydzenie *n*, awersja *f*
loaves [ləʊvz] *pl. od* ***loaf***[1]
lob [lɒb] *zwł.* (*w tenisie*) lob *m*
lob·by ['lɒbɪ] **1.** przedsionek *m*, westybul *m*; *theat.* foyer *n*; kuluary *pl.*; *pol.* lobby *n*, grupa *f* nacisku; **2.** *pol.* wywierać ⟨-rzeć⟩ nacisk
lobe [ləʊb] *anat.*, *bot.* płat *m*, płatek *m*; → ***earlobe***
lob·ster ['lɒbstə] *zo.* homar *m*
lo·cal ['ləʊkl] **1.** lokalny, miejscowy; **2.** miejscowy *m* (-wa *f*); *Brt.* F stała knajpa *f* (*do której stale się chodzi)*; ⚠ *nie* ***lokal***; **~ 'call** *tel.* rozmowa *f* miejscowa; **~ e'lec·tions** *pl.* wybory *pl.* komunalne *lub* do władz miejscowych; **~ 'gov·ern·ment** samorząd *m* terytorialny; '**~ time** czas *m* miejscowy; **~ 'traf·fic** ruch *m* (*uliczny*) miejscowy
lo·cate [ləʊ'keɪt] ⟨z⟩lokalizować, umiejscawiać ⟨-owić⟩; ***be ~d*** być położonym,

znajdować się; **lo•ca•tion** [ləʊ'keɪʃn] lokalizacja *f*, umiejscowienie *n*; miejsce (***for*** na *A*); *filmowy*: plener *m*; ***on ~*** w plenerze, poza studiem
loch [lɒk] jezioro *n*
lock[1] [lɒk] **1.** zamek *m* (*do drzwi, broni*); śluza *f*, komora *f* śluzowa; zamknięcie *n*; **2.** *v/t.* zamykać ‹-mknąć› (*na klucz*) (*też* ***~ up***); trzymać *kogoś* w uścisku; *tech.* unieruchamiać ‹-chomić›, ‹za›-blokować; *v/i.* zamykać ‹-knąć› się (na klucz); *mot. kierownica*: ‹za›blokować się; ***~ away*** zamykać ‹-mknąć›; ***~ in*** zamykać ‹-mknąć› (*w środku*); ***~ out*** ‹za›stosować lokaut; ***~ up*** zamykać ‹-mknąć›; ‹u›więzić
lock[2] [lɒk] lok *m*
lock•er ['lɒkə] szafka *f* (*w szatni*); schowek *m* bagażu; **'~•room** *zwł.* (*w sporcie*) szatnia *f*, kabina *f* w szatni
lock•et ['lɒkɪt] medalion *m*
'lock|•out lokaut *m*; **'~•smith** ślusarz *m*; **'~•up** cela *f* w areszcie
lo•co•mo|•tion [ləʊkə'məʊʃn] zdolność *f* poruszania się, lokomocja *f*; **~•tive** ['ləʊkəməʊtɪv] lokomocyjny
lo•cust ['ləʊkəst] *zo.* szarańcza *f*
lodge [lɒdʒ] **1.** budka *f* stróża, stróżówka *f*; domek *m* (*myśliwski, narciarski*); altanka *f*; loża *f* (*masońska*); **2.** *v/i.* przebywać, ‹za›mieszkać; *kul itp.*:utkwić; *v/t.* ‹prze›nocować; *zażalenie itp.* składać ‹złożyć›; **'lodg•er** lokator(ka *f*) *m*; **'lodg•ing** zamieszkanie *n*, mieszkanie *n*; ***~s*** *pl. zwł.* pokój *m* umeblowany
loft [lɒft] strych *m*, poddasze *n*; empora *f*; *Am.* piętro *n* w budynku niemieszkalnym; **'~•y** (***-ier, -iest***) wysoki; wzniosły; wyniosły
log [lɒg] kłoda *f*; ***sleep like a ~*** spać jak kamień; **'~•book** *naut., aviat.* dziennik *m* okrętowy; *aviat.* dziennik *m* pokładowy; *mot.* książka *f* jazd; **~ 'cab•in** chata *f* zrębowa
log•ger•heads ['lɒgəhedz]: ***be at ~*** nie zgadzać się (***with*** z *I*)
lo•gic ['lɒdʒɪk] logika *f*; **'~•al** logiczny
loin [lɔɪn] *gastr.* polędwica *f*; ***~s*** *pl. anat.* lędźwie *pl.*
loi•ter ['lɔɪtə] pętać się, pałętać się; kręcić się
loll [lɒl] rozwalać ‹-lić› się, uwalić się; ***~ out*** zwieszać ‹-sić› się
lol•li•pop ['lɒlɪpɒp] lizak *m*; *zwł. Brt.* lody *pl.* na patyku; ***~ man, ~ woman, ~ lady*** *Brt.* (*osoba, pomagająca dzieciom przechodzić przez ulicę*)
Lon•don Londyn *m*
lone|•li•ness ['ləʊnlɪnɪs] samotność *f*; **'~•ly** (***-ier, -iest***), **'~•some** samotny
long[1] [lɒŋ] **1.** *adj.* długi; *odległość*: duży; **2.** *adv.* długo; ***as*** *lub* ***so ~ as*** jeżeli tylko; ***~ ago*** dawno temu; ***so ~!*** F cześć!; **3.** ***for ~*** na długo; ***take ~*** długo trwać *lub* wymagać dużo czasu
long[2] [lɒŋ] ‹za›tęsknić (***for*** za *I*)
long-'dis•tance długodystansowy; zamiejscowy; **~ 'call** rozmowa *f* zamiejscowa; **~ 'run•ner** długodystansowiec
lon•gev•i•ty [lɒn'dʒevətɪ] długowieczność *f*
'long•hand pismo *n* ręczne
long•ing ['lɒŋɪŋ] **1.** tęskniący; **2.** tęsknota *f*
lon•gi•tude ['lɒndʒɪtjuːd] *geogr.* długość *f*
'long| jump (*w sporcie*) skok *m* w dal; **~-life 'milk** *zwł. Brt.* mleko *n* o przedłużonej trwałości; **~-'play•er**, **~-play•ing 'rec•ord** płyta *f* długogrająca; **~-'range** *mil., aviat.* o dalekim zasięgu; długofalowy; **~•shore•man** ['lɒŋʃɔːmən] *zwł. Am.* (*pl.* ***-men***) doker *m*; **~'sight•ed** *zwł. Brt. fig.* dalekowzroczny; ***be ~sighted*** być dalekowidzem; **~-'stand•ing** dawny; **~-'term** długoterminowy; **~ 'wave** *radiowe* długie fale *pl.*; **~'wind•ed** rozwlekły, nużący
loo [luː] *Brt.* F ubikacja *f*
look [lʊk] **1.** ‹po›patrzeć (***at*** na *A*); wyglądać (***happy*** na szczęśliwego; ***good*** dobrze); *okno*: wychodzić (***onto a street*** na ulicę), *dom*: być skierowanym (***west*** na zachód); ***~ here!*** posłuchaj!; ***~ like*** wyglądać jak; ***it ~s as if*** wygląda, jakby; ***~ after*** ‹za›troszczyć się o (*A*), zajmować ‹-jąć› się (*I*); ***~ ahead*** patrzeć naprzód, *fig.* spoglądać w przyszłość; ***~ around*** rozglądać ‹-zejrzeć› się; ***~ at*** ‹po›patrzeć na (*A*); ***~ back*** oglądać ‹obejrzeć› się; *fig.* spoglądać ‹spojrzeć› za siebie; ***~ down on*** patrzeć z góry na (*A*); ***~ for*** ‹po›-szukać (*G*); ***~ forward to*** wyczekiwać (*A*); ***~ in*** F wpadać ‹wpaść› z wizytą (***on s.o.*** do kogoś); ***~ onto*** wychodzić na (*A*); ***~ out*** wyglądać (***of*** z *G*); uważać; wypatrywać, wyszukiwać ‹-kać›;

L

*~ **over*** *coś* przeglądać ⟨przejrzeć⟩; *kogoś* ⟨z⟩lustrować; *~ **round*** rozglądać ⟨-zejrzeć⟩ się; *~ **through*** *coś* przeglądać ⟨przejrzeć⟩; *~ **up*** podnosić ⟨-ieść⟩ wzrok na (*A*); *coś* ⟨po⟩szukać (*G*); *kogoś* odwiedzać ⟨-dzić⟩; **2.** spojrzenie *n*; wygląd *m*; (***good***) ***~s*** *pl.* uroda *f*; ***have a ~ at s.th.*** popatrzeć na coś; ***I don't like the ~ of it*** nie podoba mi się to; **'~·ing glass** lustro *n*; **'~·out** punkt *m* obserwacyjny; *naut.* wachta *f*; obserwator(ka *f*) *m*; *fig.* F perspektywa *f*; ***be on the ~out for*** rozglądać się za (*I*); ***that's his ~out*** *Brt.* F to jego sprawa

loom[1] [luːm] krosno *n*

loom[2] [luːm] *też* *~ **up*** wyłaniać ⟨-łonić⟩ się

loop [luːp] **1.** pętla *f* (*też naut., komp.*); *med. domaciczna* spirala *f*; **2.** owijać ⟨-winąć⟩ (się) dookoła, obwiązywać ⟨-zać⟩ dookoła; **'~·hole** otwór *m*; *mil.* otwór *m* strzelniczy; *fig.* furtka *f*; ***a ~hole in the law*** luka *f* prawna

loose [luːs] **1.** (***-r, -st***) luźny; ruszający się; *włosy*: rozpuszczony; wolny; ***let ~*** puszczać wolno; **2.** ***be on the ~*** znajdować się na wolności; **loos·en** ['luːsn] rozluźnić ⟨-niać⟩ (się) (*też fig.*); *~ **up*** (*w sporcie*) rozgrzewać ⟨-rzać⟩ się

loot [luːt] **1.** łup *m*; **2.** ⟨z⟩łupić, ⟨s⟩plądrować

lop [lɒp] (***-pp-***) obcinać ⟨-ciąć⟩; *~ **off*** obciosywać ⟨-sać⟩; **~-'sid·ed** krzywy

loq·ua·cious [ləʊ'kweɪʃəs] gadatliwy

lord [lɔːd] pan *m*; władca *m*; *Brt.* lord *m*, par *m*; ***the* ♀** Pan *m* Bóg; ***the ♀'s Supper*** Wieczerza *f* Pańska; ***House of ♀s*** *Brt.* Izba *f* Parów *lub* Lordów; **♀ 'Mayor** *Brt.* lord *m* burmistrz

lor·ry ['lɒrɪ] *Brt.* ciężarówka *f*

lose [luːz] (***lost***) ⟨s-, u⟩tracić; ⟨z⟩gubić; przegrywać ⟨-rać⟩; *zegarek*: późnić ⟨spóźniać⟩ się; *~ **o.s.*** ⟨z⟩gubić się; **'los·er** przegrywający *m* (-ca *f*); nieudacznik *m*, ofiara *f*

loss [lɒs] strata *f*, utrata *f*; zguba *f*; ***at a ~*** *econ.* ze stratą; ***be at a ~*** nie umieć znaleźć

lost [lɒst] **1.** *pret. i p.p. od* ***lose***; **2.** *adj.* zagubiony; zaginiony; ***be ~*** zgubić się, pogubić się; ***be ~ in thought*** zatopić się w myślach; ***get ~*** ⟨z⟩gubić się; ***get ~!*** *sl.* spadaj!; **~-and-'found (office)** *Am.*, **~ 'prop·er·ty of·fice** *Brt.* biuro *n* rzeczy znalezionych

lot [lɒt] los *m*; parcela *f*, działka *f*; *econ.* partia *f*; zestaw *m*, grupa *f*; ⚠ *nie* ***lot***; ***the ~*** wszystko; ***a ~ of*** F, ***~s of*** F dużo; ***a bad ~*** F niegodziwiec *m*; ***cast*** *lub* ***draw ~s*** rzucać ⟨-cić⟩ *lub* ⟨po⟩ciągnąć losy

loth [ləʊθ] → ***loath***

lo·tion ['ləʊʃn] płyn *m* (*kosmetyczny*)

lot·te·ry ['lɒtərɪ] loteria *f*

loud [laʊd] **1.** *adj.* głośny; *fig. barwy* krzykliwy; **2.** *adv.* głośno; **~'speak·er** głośnik *m*

lounge [laʊndʒ] **1.** pokój *m* dzienny; salon *m*; (*w hotelu*) hall *m*; *aviat.* hala przylotów *lub* odlotów; **2.** ***~ about, ~ around*** leniuchować; **'~ suit** *Brt.* garnitur *m*

louse [laʊs] *zo.* (*pl.* ***lice*** [laɪs]) wesz *f*; **lou·sy** ['laʊzɪ] (***-ier, -iest***) zawszony (*też fig.*); F podły, nędzny

lout [laʊt] ordynus *m*

lov·a·ble ['lʌvəbl] uroczy

love [lʌv] **1.** miłość *f* (***of, for, to, towards*** do *G*); kochany *m* (-na *f*), skarb *m*; zamiłowanie *n*, pasja *f*; (*w tenisie*) zero *n*; ***be in ~ with s.o.*** kochać kogoś; ***fall in ~ with s.o.*** zakochać się w kimś; ***make ~ with s.o.*** kochać się z kimś; ***give my ~ to her*** proszę ją serdecznie pozdrowić ode mnie; ***send one's ~ to*** *kogoś* przekazać ⟨-zywać⟩ pozdrowienia; ***~ from*** serdeczne pozdrowienia od (*G*); **2.** ⟨po⟩kochać; **'~ af·fair** romans *m*; **'~·ly** (***-ier, -iest***) uroczy; wspaniały; **'lov·er** kochanek *m*; ukochany *m* (-na *f*); miłośnik *m* (-iczka *f*); ***~s*** *pl.* zakochani *pl.*

lov·ing ['lʌvɪŋ] kochający, pełen miłości

low [ləʊ] **1.** *adj.* niski (*też fig.*); głęboki (*też fig.*); cichy; przygnębiony; **2.** *adv.* nisko; cicho; **3.** *meteor.* niż *m*, obszar *m* niskiego ciśnienia; *fig.* niski poziom *m*; **'~·brow** F **1.** osoba *f* o niewyszukanych gustach; **2.** o niewyszukanym guście; **~-'cal·o·rie** niskokaloryczny; **~-e'mis·sion** o niskiej zawartości szkodliwych związków

low·er ['ləʊə] **1.** niższy; głębszy; dolny; **2.** obniżać ⟨-żyć⟩; opuszczać ⟨-puścić⟩; *oczy itp.* spuszczać ⟨-puścić⟩; *fig.* zniżać ⟨-żyć⟩

low|-'fat o niskiej zawartości tłuszczu;

~·land ['ləʊlənd] nizina *f*; '**~·ly** (**-*ier*, -*iest***) niski; **~-'necked** *suknia*: głęboko wycięty; **~-'pitched** *mus*. głęboki, niski; **~-'pres·sure** *meteor*. niskie ciśnienie *n*; '**~-rise** *zwł. Am*. niski (*budynek*); **~-'spir·it·ed** przygnębiony

loy·al ['lɔɪəl] lojalny; '**~·ty** lojalność *f*

loz·enge ['lɒzɪndʒ] romb *m*; pastylka *f* (do ssania)

LP [el'piː] *skrót*: ***long-player, long-playing record*** LP *n*, płyta *f* długogrająca

Ltd *skrót pisany*: ***limited*** z o.o., z ograniczoną odpowiedzialnością

lu·bri|·cant ['luːbrɪkənt] środek do smarowania; smar *m*; **~·cate** ['luːbrɪkeɪt] ⟨na⟩smarować; **~·ca·tion** [luːbrɪ'keɪʃn] smarowanie *n*

lu·cid ['luːsɪd] klarowny

luck [lʌk] szczęście *n*; *pomyślny* los *m*; ***bad ~, hard ~, ill ~*** pech *m*; ***good ~*** szczęście *n*; ***good ~ !*** powodzenia!; ***be in ~*** mieć szczęście, ***be out of ~*** nie mieć szczęścia; **~·i·ly** ['lʌkɪlɪ] na szczęście; '**~·y** (**-*ier*, -*iest***) szczęśliwy, pomyślny; ***be ~y*** mieć szczęście; ***~y day*** szczęśliwy *lub* pomyślny dzień *m*; ***~y fellow*** szczęściarz *m*

lu·cra·tive ['luːkrətɪv] lukratywny, intratny

lu·di·crous ['luːdɪkrəs] śmieszny

lug [lʌg] (**-*gg-***) ⟨za⟩taszczyć, ⟨za⟩tachać

luge [luːʒ] (*w sporcie*) sanki *pl*. sportowe; saneczkarstwo *n*

lug·gage ['lʌgɪdʒ] *zwł. Brt*. bagaż *m*; '**~ car·ri·er** bagażowy *m*; '**~ rack** *zwł. Brt*. półka *m* na bagaż; '**~ van** *Brt*. wagon *m* bagażowy

luke·warm ['luːkwɔːm] letni (*też fig*.)

lull [lʌl] **1.** uciszać ⟨-szyć⟩; *burza*: uspokajać ⟨-koić⟩ się; *zw*. ***~ to sleep*** ⟨u⟩kołysać do snu; **2.** okres *m* uspokojenia się (*też fig*.)

lul·la·by ['lʌləbaɪ] kołysanka *f*

lum·ba·go [lʌm'beɪgəʊ] *med*. postrzał *m*, lumbago *n*

lum·ber[1] ['lʌmbə] ⟨po⟩wlec się (*z wysiłkiem lub głośno*); ⟨po⟩telepać się

lum·ber[2] ['lʌmbə] **1.** *zwł. Am*. drewno *n* budowlane; tarcica *f*; *zwł. Brt*. rupiecie *pl*.; **2.** *v/t*.: ***~ s.o. with s.th.*** *Brt*. F obładować kogoś czymś; '**~·jack** *Am*. drwal *m*; '**~ mill** *Am*. tartak *m*; '**~-room** *zwł. Brt*. graciarnia *f*; '**~·yard** *Am*. skład *m* drzewny

lu·mi·na·ry *fig*. ['luːmɪnərɪ] luminarz *m*, koryfeusz *m*

lu·mi·nous ['luːmɪnəs] świecący; **~ di's·play** tarcza *f* świecąca; **~ 'paint** fosforyzująca farba *f*

lump [lʌmp] **1.** gruda *f*, bryła *f*; kawał *m*; *med*. guz *m*; kostka *f*, kawałek *m* (*cukru*); ⚠ *nie* ***lump***; ***in the ~*** ryczałtem (*też econ*.); **2.** *v/t*. ***~ together*** *fig*. połączyć; *v/i*. *Am*. zbijać ⟨zbić⟩ się w grudy; **~ 'sug·ar** cukier *m* w kostkach; **~ 'sum** suma *f* ryczałtowa; '**~·y** (**-*ier*, -*iest***) grudowaty, bryłowaty

lu·na·cy ['luːnəsɪ] szaleństwo *n*

lu·nar ['luːnə] księżycowy, lunarny; **~ 'mod·ule** (*w astronautyce*) lądownik *m* księżycowy

lu·na·tic ['luːnətɪk] **1.** szalony; *fig*. szaleńczy, wariacki; **2.** wariat(ka *f*) *m*, szaleniec *m* (*też fig*.); ⚠ *nie* ***lunatyk***

lunch [lʌntʃ], *dawniej* **lun·cheon** ['lʌntʃən] **1.** lunch *m*; **2.** ⟨z⟩jeść lunch; '**lunch hour**, '**lunch time** pora *f* lunchu *lub* obiadowa

lung [lʌŋ] *anat*. płuco *n*; ***the ~s*** *pl*. płuca *pl*.

lunge [lʌndʒ] rzucać ⟨-cić⟩ się (***at*** na *A*)

lurch [lɜːtʃ] **1.** zataczać się; *samochód*: szarpać ⟨-pnąć⟩; **2.** ***leave in the ~*** zostawiać ⟨-wić⟩ na łasce losu

lure [lʊə] **1.** przynęta *f*; *fig*. pokusa *f*; **2.** ⟨z⟩nęcić, ⟨z⟩wabić

lu·rid ['lʊərɪd] *kolor*: krzykliwy; odrażający, koszmarny

lurk [lɜːk] ⟨za⟩czaić się; ***~ about, ~ around*** czatować

lus·cious ['lʌʃəs] apetyczny (*też dziewczyna*)

lush [lʌʃ] bujny; *fig*. pełen przepychu

lust [lʌst] **1.** żądza *f*; **2.** ***~ after, ~ for*** pożądać (*G*)

lus·|tre *Brt*., **~·ter** *Am*. ['lʌstə] połysk *m*, blask *m*; **~·trous** ['lʌstrəs] błyszczący, połyskliwy

lust·y ['lʌstɪ] (**-*ier*, -*iest***) dziarski, witalny

lute [luːt] *mus*. lutnia *f*

Lu·ther·an ['luːθərən] **1.** *adj*. luterański; **2.** luteranin *m* (-anka *f*)

lux·u|·ri·ant [lʌg'ʒʊərɪənt] bujny; **~·ri·ate** [lʌg'ʒʊərɪeɪt] upajać się; **~·ri·ous** [lʌg'ʒʊərɪəs] luksusowy; **~·ry** ['lʌkʃərɪ] luksus *m*; komfort *m*; *attr*. luksusowy

L

LV [el 'viː] *Brt. skrót*: ***lunch(eon) voucher*** bon *m* obiadowy
lye [laɪ] *chem.* ług *m*
ly·ing ['laɪɪŋ] **1.** *pret. i p.p. od* ***lie***[1] *i* ***lie***[2]; **2.** *adj.* kłamliwy, oszczerczy
lymph [lɪmf] *med.* limfa *f*
lynch [lɪntʃ] ⟨z⟩linczować; **'~ law** prawo *n* linczu
lynx [lɪŋks] *zo.* ryś *m*
lyr|·ic ['lɪrɪk] **1.** *adj.* liryczny; **2.** liryka *f*; ***~ics*** *pl.* słowa *pl.* (*piosenki*); **'~·i·cal** liryczny, nastrojowy

M

M, m [em] M, m *n*
M [em] *skrót*: *Brt.* autostrada *f*; ***medium (size)*** o średnich rozmiarach
m *skrót pisany*: ***metre*** m, metr *m*; ***mile*** mila (*1,6 km*); ***married*** zam., zamężny; żon., żonaty; ***male, masculine*** męski
ma [mɑː] F mamusia *f*
MA [em 'eɪ] *skrót*: ***Master of Arts*** magister *m* nauk humanistycznych
ma'am [mæm] → ***madam***
mac [mæk] *Brt.* F → ***mackintosh***
ma·cad·am [mə'kædəm] *Am.* → ***tarmac***
mac·a·ro·ni [mækə'rəʊnɪ] *sg.* makaron *m* rurki
ma·chine [mə'ʃiːn] **1.** maszyna *f*; **2.** obrabiać ⟨-robić⟩ maszynowo; ⟨u⟩szyć na maszynie; **~·gun** karabin *m* maszynowy; **~-made** wytworzony maszynowo; **~-'read·a·ble** *komp.* mogący być przetwarzany komputerowo
ma·chin|·e·ry [mə'ʃiːnərɪ] maszyneria *f*; maszyny *pl.*; **~·ist** [mə'ʃiːnɪst] maszynista *m*; operator *m* obrabiarek
mach·o ['mætʃəʊ] *pej.* (*pl.* ***-os***) macho *m*, stuprocentowy mężczyzna *m*
mack [mæk] *Brt.* F → ***mackintosh***
mack·e·rel ['mækrəl] *zo.* (*pl.* ***mackerel*** *lub* ***mackerels***) makrela *f*
mack·in·tosh ['mækɪntɒʃ] *zwł. Brt.* płaszcz *m* przeciwdeszczowy
mac·ro... ['mækrəʊ] makro...
mad [mæd] szalony, zwariowany; *vet.* wściekły, chory na wściekliznę; *zwł. Am.* rozwścieczony; ***be ~ about s.th.*** mieć bzika na punkcie czegoś, szaleć za czymś; ***drive s.o. ~*** doprowadzać ⟨-dzić⟩ kogoś do szaleństwa; ***go ~*** oszaleć; ***like ~*** jak szalony
mad·am ['mædəm] pani *f*
'mad|·cap szalony; **~·den** ['mædn] rozwścieczać ⟨-czyć⟩; **~·den·ing** ['mædnɪŋ] rozwścieczający
made [meɪd] *pret. i p.p. od* ***make*** 1; ***~ of gold*** zrobione ze złota
'mad|·house *fig.* F dom *m* wariatów; **'~·ly** jak szalony; F nieprawdopodobnie, szalenie; **'~·man** (*pl.* ***-men***) szaleniec *m*, wariat *m*; **'~·ness** szaleństwo *n*, wariactwo *n*; **'~·wom·an** (*pl.* ***-women***) wariatka *f*
Ma·drid Madryt *m*
mag·a·zine [mægə'ziːn] magazyn *m*, pismo *n*; magazynek *m* (*broni, aparatu itp.*); magazyn *m*, skład *m*
mag·got ['mægət] *zo.* czerw *m*, robak *m*
Ma·gi ['meɪdʒaɪ] *pl.*: ***the (three) ~*** Trzej Królowie *pl.*
ma·gic ['mædʒɪk] **1.** magia *f*, czary *pl.*; czar *m*; sztuczka *f* (*iluzjonisty*); **2.** (***~ally***) *też* ***~al*** magiczny, czarodziejski; **magi·cian** [mə'dʒɪʃn] czarodziej *m*; magik *m*, iluzjonista *m*
ma·gis·trate ['mædʒɪstreɪt] sędzia *m* pokoju, sędzia *m* policyjny; ⚠ *nie* ***magistrat***
mag|·na·nim·i·ty [mægnə'nɪmətɪ] wspaniałomyślność *f*; **~·nan·i·mous** [mæg'nænɪməs] wspaniałomyślny
mag·net ['mægnɪt] magnes *m*; **~·ic** [mæg'netɪk] (***~ally***) magnetyczny
mag·nif·i·cent [mæg'nɪfɪsnt] wspaniały
mag·ni·fy ['mægnɪfaɪ] powiększać ⟨-szyć⟩; **'~·ing glass** szkło *n* powiększające, lupa *f*
mag·ni·tude ['mægnɪtjuːd] wielkość *f*, rozmiar *m*
mag·pie ['mægpaɪ] *zo.* sroka *f*
ma·hog·a·ny [mə'hɒgənɪ] mahoń *m*; *attr.* mahoniowy
maid [meɪd] pokojówka *f*; pomoc *f* domowa; ***old ~*** *przest.* stara panna *f*; ***~ of***

M

all work *zwł. fig.* dziewczyna *f* do wszystkiego; ~ ***of hono(u)r*** dama *f* dworu; *zwł. Am.* druhna *f*

maid·en ['meɪdn] panna *f*; dziewica *f*; *attr.* panieński; dziewiczy; '~ **name** nazwisko *n* panieńskie

mail [meɪl] **1.** poczta *f*; ***by*** ~ *zwł. Am.* pocztą; **2.** *zwł. Am.* wysyłać ⟨-słać⟩ pocztą; *list* wrzucać ⟨-cić⟩; '~·**bag** torba *f* pocztowa; '~·**box** *Am.* skrzynka *f* pocztowa; '~ **car·ri·er** *Am.*, '~·**man** (*pl.* **-men**) *Am.* listonosz(ka *f*) *m*, doręczyciel(ka *f*) *m* poczty; ~ '**or·der** zamówienie *n* pocztowe; ~**-or·der 'firm**, ~**-or·der 'house** dom *m* sprzedaży wysyłkowej

maim [meɪm] okaleczać ⟨-czyć⟩

Main Men *m*

main [meɪn] **1.** główny, najważniejszy; **2.** *zw.* ~***s*** *gazowa, elektryczna itp.* sieć *f*; *gazowa, elektryczna itp.* magistrala *f*; ***in the*** ~ przeważnie, na ogół; '~·**frame** *komp.* duży system *m* komputerowy, duży komputer *m* o wielkiej mocy; ~·**land** ['meɪnlənd] ląd *m* stały; '~·**ly** głównie; ~ '**mem·o·ry** *komp.* pamięć *f* główna *lub* operacyjna; ~ '**men·u** *komp.* menu *n* główne; ~ '**road** droga *f* główna; '~·**spring** sprężyna *f* napędowa; *fig.* spiritus movens *m*; '~·**stay** *fig.* podstawa *f*; podpora *f*; '~ **street** *Am.* ulica *f* główna

main·tain [meɪn'teɪn] utrzymywać; ⟨s⟩twierdzić; zapewniać ⟨-nić⟩; ⟨za⟩konserwować; *życie* podtrzymywać ⟨-mać⟩

main·te·nance ['meɪntənəns] utrzymanie *n*; utrzymywanie *n* w dobrym stanie; konserwacja *f*; *jur.* alimenty *pl.*

maize [meɪz] *zwł. Brt.* kukurydza *f*

ma·jes|·tic [mə'dʒestɪk] (**-*ally***) majestatyczny; ~·**ty** ['mædʒəstɪ] majestat *m*

ma·jor ['meɪdʒə] **1.** większy; *fig.* ważny; *jur.* pełnoletni; ***C*** ~ *mus.* C-dur; **2.** *mil.* major *m*; *jur.* osoba *f* pełnoletnia; *Am. univ.* główna specjalizacja *f*; *mus.* dur; ~ '**gen·e·ral** *mil.* generał *m* dywizji; ~·**i·ty** [mə'dʒɒrətɪ] większość *f*; *jur.* pełnoletność *f*; *attr.* większościowy; większością; ***be in the*** ~***ity*** stanowić większość; ~ '**league** *Am.* (*w baseballu*) pierwsza liga *f*; ~ '**road** droga *f* główna

make [meɪk] **1.** (***made***) ⟨z⟩robić; ⟨u⟩czynić; wytwarzać ⟨-worzyć⟩; wyrabiać ⟨-robić⟩, ⟨wy⟩produkować; *obiad* przyrządzić ⟨-dzać⟩; *pieniądze* zarabiać ⟨-robić⟩; *zysk, rezultat* osiągać⟨-gnąć⟩; *mowę* wygłaszać ⟨-łosić⟩; *odległość* pokonywać ⟨-nać⟩; *sumę* stanowić; *podróż* odbywać ⟨-być⟩; *czas* ustalać ⟨-lić⟩; mianować, ustanawiać ⟨-nowić⟩; ~ ***s.o. do s.th.*** nakłaniać ⟨-łonić⟩ *lub* zmuszać ⟨-sić⟩ kogoś do zrobienia czegoś; ~ ***it*** zdążyć; mieć szczęście; ~ ***do with s.th.*** zadowalać ⟨-wolić⟩ się czymś; ***what do you*** ~ ***of it?*** co o tym sądzisz?; ***will you*** ~ ***one of the party?*** dołączysz się do imprezy?; ~ ***the bed*** ⟨po⟩ścielić łóżko; ~ ***believe*** udawać; ~ ***friends with s.o.*** zaprzyjaźnić się z kimś; ~ ***good*** naprawiać ⟨-wić⟩, wyrównywać ⟨-nać⟩; dobrze ⟨z⟩robić; ~ ***haste*** ⟨po⟩spieszyć się; ~ ***way*** robić miejsce; ~ ***for*** ⟨s⟩kierować się do (*G*); ułatwiać ⟨-wić⟩ (*A*); ~ ***into*** przerabiać ⟨-robić⟩ w (*A*); ~ ***off*** ulatniać ⟨ulotnić⟩ się; ~ ***out*** *czek* wypisywać ⟨-sać⟩, *rachunek, dokument* sporządzać ⟨-dzić⟩, *formularz* wypełniać ⟨-nić⟩; ⟨z⟩rozumieć, pojmować ⟨-jąć⟩; udawać; ~ ***over*** przekazywać ⟨-zać⟩; przerabiać ⟨-robić⟩; ~ ***up*** sporządzać ⟨-dzić⟩, wykonywać ⟨-nać⟩; zestawiać ⟨-wić⟩; składać się; wynagradzać ⟨-rodzić⟩, ⟨z⟩rekompensować; zmyślać ⟨-lić⟩; nakładać ⟨-łożyć⟩ makijaż, ⟨u⟩malować się; ~ ***it up*** ⟨po⟩godzić się (***with*** z *I*); ~ ***up one's mind*** zdecydować się; ***be made up of*** być zrobionym z (*I*); ~ ***up for*** nadrabiać ⟨-robić⟩ braki; **2.** marka *f*; '~**-be·lieve** iluzja *f*, pozory *pl.*; '~**r** wytwórca *m*; **Ꝛr** *Bóg*: Twórca *m*; '~·**shift 1.** prowizorka *f*; **2.** prowizoryczny, improwizowany; '~**-up** makijaż *m*; charakteryzacja *f*; szminka *f*, kosmetyki *pl.*; skład *m*, struktura *f*

mak·ing ['meɪkɪŋ] produkcja *f*; powstawanie *n*, tworzenie *n* się; ***in the*** ~ w trakcie powstawania; ***have the*** ~***s of*** mieć zadatki (*G*)

mal·ad·just·ed [mælə'dʒʌstɪd] źle przystosowany, niedostosowany

mal·ad·min·i·stra·tion [mælədmɪnɪ'streɪʃn] złe zarządzanie *n*, *pol.* niegospodarność *f*

mal·con·tent ['mælkəntent] **1.** niezadowolony; **2.** malkontent *m*

male [meɪl] **1.** męski; samczy; płci męskiej; **2.** mężczyzna *m*; *zo.* samiec *m*;

M

~ **'nurse** pielęgniarz *m*
mal•for•ma•tion [mælfɔː'meɪʃn] deformacja *f* (*zwł. wrodzona*)
mal•ice ['mælɪs] złośliwość *f*; *jur*. zła wola *f*
ma•li•cious [mə'lɪʃəs] złośliwy; *jur*. uczyniony w złej woli
ma•lign [mə'laɪn] **1.** *adj*. szkodliwy; **2.** ⟨o⟩szkalować; **ma•lig•nant** [mə'lɪgnənt] złośliwy (*też med.*)
mall [mɔːl, mæl] *Am*. centrum *n* handlowe
mal•le•a•ble ['mælɪəbl] *tech*. kowalny, ciągliwy; *fig*. plastyczny, podatny na wpływy
mal•let ['mælɪt] pobijak *m*; młotek *m* drewniany; (w grze w polo itp.) młotek *m*
mal•nu•tri•tion [mælnjuː'trɪʃn] złe odżywianie *n*, niedożywienie *n*
mal•o•dor•ous [mæl'əʊdərəs] o nieprzyjemnym zapachu
mal•prac•tice [mæl'præktɪs] zaniedbanie *n*; *med*. błąd *m* w sztuce lekarskiej
malt [mɔːlt] słód *m*; *attr*. słodowy
mal•treat [mæl'triːt] maltretować, znęcać się nad (*I*)
mam•mal ['mæml] *zo*. ssak *m*
mam•moth ['mæməθ] **1.** *zo*. mamut *m*; **2.** olbrzymi, kolosalny
mam•my ['mæmɪ] F mamusia *f*
man [mæn, *w złożeniach wymowa* -mən] (*pl*. ***men*** [mæn]) mężczyzna *m*; człowiek *m*; ludzkość *f*; F mąż *m*; F ukochany *m*, facet *m*; (*w szachach*) figura *f*; (*w grze w warcaby*) pionek *m*; ***the ~ in*** (*Am. też* ***on***) ***the street*** szary człowiek *m*; **2.** [mæn] (***-nn-***) *statek itp*. obsadzać ⟨-dzić⟩ załogą
man•age ['mænɪdʒ] *v/t. firmą* ⟨po⟩kierować (*I*); zarządzać (*I*); dawać sobie radę z (*I*); zdołać, podołać (***to do*** zrobić); umieć się obchodzić z (*I*); *v/i*. ⟨po⟩radzić sobie (***with*** z *I*, ***without*** bez *G*); dawać ⟨dać⟩ sobie radę; **'~•a•ble** możliwy do wykonania; **'~•ment** zarządzanie *n*, kierowanie *n*; *econ*. kierownictwo *n*, dyrekcja *f*
man•ag•er ['mænɪdʒə] kierownik *m* (-czka *f*), dyrektor(ka *f*) *m*; menedżer *m*; *sport*: trener *m*; **~•ess** [mænɪdʒə'res] kierowniczka *f*, dyrektorka *f*; kobieta menedżer *f*; (*w sporcie*) trenerka *f*
man•a•ge•ri•al [mænə'dʒɪərɪəl] *econ*. kierowniczy; ~ ***position*** kierownicze stanowisko; ~ ***staff*** kadra *f* kierownicza
man•ag•ing ['mænɪdʒɪŋ] *econ*. zarządzający, kierujący; ~ **di'rector** naczelny dyrektor *m*
man|•date ['mændeɪt] *pol*. mandat *m*; zadanie *n*, zlecenie *n*; **~•da•to•ry** ['mændətərɪ] obowiązkowy, obligatoryjny
mane [meɪn] grzywa *f*
ma•neu•ver [mə'nuːvə] *Am*. → ***manoeuvre***
man•ful ['mænfʊl] męski, mężny
mange [meɪndʒ] *vet*. świerzb *m*
manger ['meɪndʒə] żłób *m*
man•gle ['mæŋgl] **1.** magiel *m*; **2.** ⟨wy⟩maglować; ⟨z⟩deformować
mang•y ['meɪndʒɪ] (***-ier, -iest***) *vet*. chory na świerzb; *fig*. wyliniały
'man•hood wiek *m* męski, męskość *n*
ma•ni•a ['meɪnjə] mania *f*, ***have a ~ for*** być maniakiem na punkcie (*G*); **~c** ['meɪnɪæk] maniak *m*, szaleniec *m*; *fig*. fanatyk *m*
man•i•cure ['mænɪkjʊə] manicure *n*
man•i•fest ['mænɪfest] **1.** oczywisty, jawny; **2.** *v/t*. ⟨za⟩manifestować
man•i•fold ['mænɪfəʊld] różnorodny, różnoraki
ma•nip•u|•late [mə'nɪpjʊleɪt] manipulować (*I*); **~•la•tion** [mənɪpjʊ'leɪʃn] manipulacja *f*
man| 'jack F: ***every ~ jack*** każdy z osobna; **~'kind** ludzkość *f*; **'~•ly** (***-ier, -iest***) męski; **~-'made** sztuczny, wytworzony przez człowieka; ***~-made fibre*** (*Am*. ***fiber***) sztuczne włókno *n*
man•ner ['mænə] sposób *m*; styl *m*; postawa *f*; sposób *m* zachowania; (***good***) ***~s*** *pl. dobre* maniery *pl*.; zwyczaje *pl*.
ma•noeu•vre *Brt*., **ma•neu•ver** *Am*. [mə'nuːvə] **1.** manewr *m* (*też fig.*); **2.** manewrować (*też fig.*)
man•or ['mænə] posiadłość *f* ziemska; **'~ house** dwór *m*
'man•pow•er siła *f* robocza; personel *m*, kadra *f*
man•sion ['mænʃn] rezydencja *f*
'man•slaugh•ter *jur*. nieumyślne zabójstwo *n*
man•tel|•piece ['mæntlpiːs], **'~•shelf** (*pl*. ***-shelves***) gzyms *m* kominka

man·u·al ['mænjʊəl] **1.** ręczny; fizyczny; **2.** podręcznik *m*
man·u·fac|·ture [mænjʊ'fæktʃə] **1.** wytwarzać ⟨-worzyć⟩, ⟨wy⟩produkować; **2.** produkcja *f*, wytwórstwo *n*, wytwarzanie *n*; **~tures** *pl.* produkty *pl.*; **~·tur·er** [mænjʊ'fæktʃərə] wytwórca *m*, producent *m*; **~·tur·ing** [mænjʊ'fæktʃərɪŋ] przemysł *m* (*wytwórczy*); wytwarzanie *n*; *attr.* wytwórczy
ma·nure [mə'njʊə] **1.** obornik *m*, gnój *m*, mierzwa *f*; **2.** nawozić ⟨-wieźć⟩
man·u·script ['mænjʊskrɪpt] rękopis *m*; manuskrypt *m*
man·y ['menɪ] **1.** (***more, most***) wiele, wielu; **~ *a*** niejeden; **~ *times*** często; ***as* ~** równie często; **2.** wiele; ***a good* ~** dużo; ***a great* ~** bardzo dużo
map [mæp] **1.** mapa *f*, plan *m* (*miasta*); **2.** (**-*pp*-**) sporządzać ⟨-dzić⟩ mapę *lub* plan, nanosić ⟨-nieść⟩ na mapę *lub* plan; **~ *out*** *fig.* ⟨za⟩planować
ma·ple ['meɪpl] *bot.* klon *m*
mar [mɑː] (**-*rr*-**) ⟨ze⟩szpecić; ⟨ze⟩psuć, ⟨z⟩niszczyć
Mar *skrót pisany*: ***March*** marzec *m*
mar·a·thon ['mærəθn] **1.** *też* **~ *race*** maraton *m*, wyścig maratoński; **2.** maratoński; *fig.* forsowny
ma·raud [mə'rɔːd] ⟨s⟩plądrować
mar·ble ['mɑːbl] **1.** marmur *m*; kulka *f* (do gry); **2.** marmurowy
march [mɑːtʃ] **1.** ⟨po⟩maszerować; *fig.* iść ⟨pójść⟩ naprzód; ⟨wy⟩prowadzić; **2.** marsz *m*; *fig.* postęp *m*; (*demonstracja*) pochód *m*; ***the* ~ *of time*** bieg *m* czasu
March [mɑːtʃ] (*skrót*: ***Mar***) marzec *m*
'march·ing or·ders *pl.*: ***give s.o. his/her* ~** *Brt.* F posłać kogoś na zieloną trawkę
mare [meə] *zo.* klacz *f*, kobyła *f*
mar·ga·rine [mɑːdʒə'riːn], **marge** *Brt.* [mɑːdʒ] F margaryna *f*
mar·gin ['mɑːdʒɪn] margines *m* (*też fig.*); brzeg *m*, krawędź *f*; *fig.* dopuszczalny zakres *m*; rozpiętość *f*; *econ.* marża *f*; ***by a wide* ~** dużą przewagą; **'~·al** marginesowy; **~*al note*** notatka *f* na marginesie
mar·i·hua·na, mar·i·jua·na [mærjuː'ɑːnə] marihuana *f*
ma·ri·na [mə'riːnə] przystań *f* jachtowa
ma·rine [mə'riːn] **1.** *mil.* żołnierz *m* piechoty morskiej; ***merchant* ~** marynarka *f* handlowa; **2.** *adj.* morski
mar·i·ner ['mærɪnə] marynarz *m*
mar·i·tal ['mærɪtl] małżeński; **~ 'status** stan *m* cywilny
mar·i·time ['mærɪtaɪm] morski; żeglugowy
mark[1] [mɑːk] *econ.* marka *f*
mark[2] [mɑːk] **1.** znak *m*; plama *f*; ślad *m*; oznaka *f*; znamię *n*; cel *m*; cecha *f*, oznaczenie *n*; (*w szkole*) ocena *f*, stopień *m*; (*w sporcie*) linia startowa; *fig.* poziom *m*, jakość *f*, norma; *tech.* oznaczenie *n*; ***be up to the* ~** być na (odpowiednim) poziomie; *zdrowotnie* czuć się dobrze; ***be wide of the* ~** chybić celu, być chybionym; *fig.* nie być trafnym; ***hit the* ~** trafić (*do celu*); *fig.* trafić w dziesiątkę; ***miss the* ~** nie trafić (*do celu*), spudłować (*też fig.*); ⚠ *nie* ***marka***; **2.** zostawiać ⟨-wić⟩ ślady; ⟨po⟩plamić; oznaczać ⟨-czyć⟩; zaznaczać ⟨-czyć⟩; cechować; oznaczać ⟨-czyć⟩; upamiętniać ⟨-nić⟩; *towar* ⟨o⟩znakować; *cenę* ustalać ⟨-lić⟩; (*w szkole*) sprawdzać ⟨-dzić⟩, oceniać ⟨-nić⟩; (*w sporcie*) *zawodnika* kryć; **~ *my words*** zważaj na moje słowa; ***to* ~ *the occasion*** w celu uświetnienia tej okazji; **~ *time*** iść w miejscu; *fig.* dreptać w miejscu; **~ *down*** odnotowywać ⟨-ować⟩; *cenę* obniżać ⟨-żyć⟩; **~ *out*** *linią* oznaczać ⟨-czyć⟩ (*I*); *kogoś* wyróżniać ⟨-nić⟩, wyznaczać ⟨-czyć⟩ (***for*** do *G*); **~ *up*** *cenę* podwyższać ⟨-szyć⟩; **~ed** wyraźny, dobitny; **'~·er** marker *m*, pisak *m*; zakładka *f*; znacznik *m*
mar·ket ['mɑːkɪt] **1.** rynek *m*; targ *m*; hala *f* targowa; *econ.* zbyt *m*; *econ.* popyt *m* (***for*** na *A*); ***on the* ~** na rynku, w handlu; ***put on the* ~** wprowadzać ⟨-dzić⟩ na rynek *lub* do handlu; *attr.* rynkowy; **2.** *v/t.* wprowadzać ⟨-dzić⟩na rynek *lub* do handlu; zbywać ⟨-być⟩, sprzedawać ⟨-dać⟩; **~·a·ble** *econ.* nadający się do sprzedaży rynkowej; łatwo zbywalny; **~ 'gar·den** *Brt. econ.* zakład *m* ogrodniczy; **'~·ing** *econ.* marketing *m*
'mark·ing znak *m*, plama *f*; oznaczanie *n*, *zo.* cechowanie *n*; (*w sporcie*) krycie *n*
'marks·man (*pl.* ***-men***) dobry strzelec *m*; **'~·ship** umiejętność *f* strzelania
mar·ma·lade ['mɑːməleɪd] marmola-

M

da *f* (*zwł. z cytrusów*)

mar·mot ['mɑːmət] *zo.* świstak *m*

ma·roon [mə'ruːn] **1.** *adj.* bordo (*idkl.*); **2.** wyrzucać na ląd (*na wyspę*)

mar·quee [mɑː'kiː] duży namiot *m* (*używany na festynach itp.*)

mar·quis ['mɑːkwɪs] markiz *m*

mar·riage ['mærɪdʒ] małżeństwo (***to*** z *I*); ślub *m*; ***civil ~*** ślub *m* cywilny; **'mar·ria·gea·ble** zdolny do zawarcia małżeństwa; **'~ cer·tif·i·cate** akt *m* ślubu

mar·ried ['mærɪd] *ktoś*: *mężczyzna*: żonaty, *kobieta*: zamężna; *coś*: ślubny, małżeński; ***~ couple*** małżeństwo *n*; ***~ life*** życie *n* małżeńskie

mar·row ['mærəʊ] *anat.* szpik *m* (*też fig.*); *fig.* sedno *n*; *też* ***vegetable ~*** *Brt. bot.* kabaczek *m*

mar·ry ['mærɪ] *v/t. para*: brać ⟨wziąć⟩ ślub; *mężczyzna*: ⟨o⟩żenić się z (*I*), *kobieta*: wychodzić ⟨wyjść⟩ za mąż za (*A*); ***be married*** mieć ślub (***to*** z *I*); ***get married*** *mężczyzna*: ⟨o⟩żenić się (***to*** z *I*), *kobieta*: wychodzić ⟨wyjść⟩ za mąż (***to*** za *A*); *v/i.* dawać ⟨dać⟩ ślub

marsh [mɑːʃ] mokradło *n*, moczary *pl.*

mar·shal ['mɑːʃl] **1.** *mil.* marszałek *m*; *Am.* naczelnik *m* (*okręgu policyjnego*); **2.** (*zwł. Brt.* ***-ll-***, *Am.* ***-l-***) ⟨z⟩organizować, układać ⟨ułożyć⟩; ⟨za⟩prowadzić, ⟨po⟩kierować

marsh·y ['mɑːʃɪ] podmokły, bagnisty

mar·ten ['mɑːtɪn] *zo.* kuna *f*

mar·tial ['mɑːʃl] wojskowy, wojenny; **~ 'arts** *pl.* wschodnie sztuki walki *pl.*; **~ 'law** prawo *n* wojenne; stan *m* wyjątkowy, stan *m* wojenny

mar·tyr ['mɑːtə] męczennik *m* (-ica *f*)

mar·vel ['mɑːvl] **1.** cud *m*; **2.** zadziwiać ⟨-wić⟩ się; **~·(l)ous** ['mɑːvələs] cudowny

mar·zi·pan [mɑːzɪ'pæn] marcepan *m*

mas·ca·ra [mæ'skɑːrə] tusz *m* do rzęs

mas·cot ['mæskət] maskotka *f*

mas·cu·line ['mæskjʊlɪn] męski; rodzaju męskiego

mash [mæʃ] **1.** ugniatać ⟨-nieść⟩; **2.** *Brt.* F purée *n* ziemniaczane; mieszanka *f* pastewna; **~ed po'ta·toes** *pl.* purée *n* ziemniaczane

mask [mɑːsk] **1.** maska *f*; **2.** ⟨za⟩maskować; *fig.* zakryć ⟨-ywać⟩; **~ed** zamaskowany; ***~ed ball*** bal *m* maskowy

ma·son ['meɪsn] murarz *m*; kamieniarz *m*; *zw.* ≈ wolnomularz *m*, mason *m* (-ka *f*); **~·ry** ['meɪsnrɪ] murarka *f*; kamieniarka *f*

masque [mɑːsk] *theat. hist.*: maska *f*

mas·que·rade [mæskə'reɪd] **1.** maskarada *f* (*też fig.*); przebranie *n*; **2.** *fig.* przebierać się (***as*** jako)

mass [mæs] **1.** masa *f* (*też fiz.*); kawał *m*; ogrom *m*; wielka ilość *f*; ***the ~es*** *pl.* szerokie masy *pl.*; **2.** zbierać ⟨zebrać⟩ się, ⟨z⟩gromadzić się; **3.** masowy

Mass [mæs] msza *f*

mas·sa·cre ['mæsəkə] **1.** masakra *f*; **2.** ⟨z⟩masakrować

mas·sage ['mæsɑːʒ] **1.** masaż *m*; **2.** ⟨roz-, po⟩masować

mas|·seur [mæ'sɜː] masażysta *m*; **~·seuse** [mæ'sɜːz] masażystka *f*

mas·sif ['mæsiːf] masyw *m* (*górski*)

mas·sive ['mæsɪv] masywny; rozległy

mass|'me·di·a *pl.* mass media *pl.*; **~-pro'duce** ⟨wy⟩produkować masowo; **~ pro'duc·tion** produkcja *f* masowa

mast [mɑːst] *naut.* maszt *m*

mas·ter ['mɑːstə] **1.** mistrz *m*; pan *m*; *zwł. Brt.* nauczyciel *m*; oryginał *m*; kapitan *m*; *univ.* magister *m*; ***≈ of Arts*** (*skrót*: ***MA***) magister *m* nauk humanistycznych; ***~ of ceremonies*** konferansjer *m*; **2.** mistrzowski, główny; ***~ copy*** oryginał *m*; ***~ tape*** *tech.* kopia-matka *f*; **3.** opanowywać ⟨-wać⟩; **'~ key** klucz *m* uniwersalny; **'~·ly** mistrzowski; **'~·piece** arcydzieło *n*; **~·y** ['mɑːstərɪ] opanowanie *n*, panowanie *n*

mas·tur·bate ['mæstəbeɪt] masturbować (się), onanizować (się)

Masuria Mazury *pl.*

mat[1] [mæt] **1.** mata *f*, podstawka *f*; **2.** (***-tt-***) sklejać ⟨-leić⟩ się; ⟨s⟩filcować się

mat[2] [mæt] matowy

match[1] [mætʃ] zapałka *f*

match[2] [mætʃ] **1.** para *f*, odpowiednik *m*; *w sporcie* mecz *m*, walka *f* (*bokserska*); *ktoś*: *dobra* partia *f*; ożenek *m*; ***be a ~ for s.o.*** dorównywać komuś; ***be no ~ for s.o.*** nie móc się równać z kimś; ***find*** *lub* ***meet one's ~*** spotkać sobie równego; **2.** *v/t.* dorównywać ⟨-nać⟩ (*D*); zestawiać ⟨-wić⟩, przeciwstawiać ⟨-wić⟩; dopasowywać ⟨-ować⟩, dobierać ⟨-brać⟩; *v/i.* pasować (*do siebie*), odpowiadać sobie; ***gloves to ~*** pasujące rękawiczki

'match·box pudełko *n* od zapałek
'match|·less nie do pary, niedopasowany; **'~·mak·er** swat(ka *f*) *m*; **~'point** (*w tenisie*) meczbol *m*
mate[1] [meɪt] → ***checkmate***
mate[2] [meɪt] **1.** towarzysz *m* (*pracy*); kolega *m*; partner *m* (*w parze zwierząt*); *naut.* oficer *m* pokładowy; **2.** parzyć (się), kojarzyć (się) (*w pary*)
ma·te·ri·al [mə'tɪərɪəl] **1.** materiał *m*; tworzywo *n*; ***writing ~s*** *pl.* materiały *pl.* piśmienne; **2.** materialny; materiałowy; znaczny, poważny
ma·ter·nal [mə'tɜːnl] matczyny, macierzyński; ze strony matki
ma·ter·ni·ty [mə'tɜːnətɪ] **1.** macierzyństwo *n*; **2.** położniczy; **~ *dress*** sukienka *f* ciążowa; **~ leave** urlop *m* macierzyński; **~ ward** oddział *m* położniczy
math [mæθ] *Am.* F matematyka *f*
math·e|·ma·ti·cian [mæθəmə'tɪʃn] matematyk *m* (-yczka *f*); **~·mat·ics** [mæθə'mætɪks] *zw. sg.* matematyka *f*
maths [mæθs] *Brt.* F matematyka *f*
mat·i·née ['mætɪneɪ] *theat. itp.* przedstawienie *n* popołudniowe
ma·tric·u·late [mə'trɪkjʊleɪt] immatrykulować (się)
mat·ri·mo|·ni·al [mætrɪ'məʊnjəl] małżeński; matrymonialny; **~·ny** ['mætrɪmənɪ] małżeństwo *n*, stan *m* małżeński
ma·trix *tech.* ['meɪtrɪks] (*pl.* ***-trices*** [-trɪsiːz], ***-trixes***) matryca *f*
ma·tron ['meɪtrən] *Brt.* siostra *f* przełożona; *Brt. jakby*: pielęgniarka *f* szkolna (*zajmująca się też opieką nad dziećmi*)
mat·ter ['mætə] **1.** materia *f* (*też phys.*), substancja *f*; sprawa *f*, kwestia *f*; przedmiot *m*; *med.* ropa *f*; ***printed ~*** *pocztowy* druk *m*; ***what's the ~ (with you)?*** co się z tobą dzieje?; ***no ~ who*** nieważne kto; ***for that ~*** jeśli o to chodzi; ***a ~ of course*** rzecz *f* oczywista; ***a ~ of fact*** fakt *m*; ***as a ~ of fact*** właściwie; ***a ~ of form*** zagadnienie *n* formalne; ***a ~ of time*** kwestia *f* czasu; **2.** mieć znaczenie (***to*** dla *G*); ***it doesn't ~*** nie szkodzi; **~-of-'fact** rzeczowy, praktyczny
mat·tress ['mætrɪs] materac *m*
ma·ture [mə'tjʊə] **1.** (***-r, -st***) dojrzały (*też fig.*); **2.** dojrzewać ⟨-rzeć⟩; **ma·tu·ri·ty** [mə'tjʊərətɪ] dojrzałość *f* (*też fig.*)
maud·lin ['mɔːdlɪn] ckliwy, rzewny
maul [mɔːl] ⟨po⟩kiereszować; *fig.* dobierać się do (*G*)
Maun·dy Thurs·day ['mɔːndɪ -] Wielki Czwartek *m*
mauve [məʊv] wrzosowy, jasnoliliowy
mawk·ish ['mɔːkɪʃ] czułostkowy, sentymentalny
max·i... ['mæksɪ] maksi...
max·im ['mæksɪm] maksyma *f*
max·i·mum ['mæksɪməm] **1.** (*pl.* ***-ma*** [-mə]) maksimum *n*; **2.** maksymalny, największy
May [meɪ] maj *m*
may [meɪ] *v/aux.* (*pret.* ***might***) móc
may·be ['meɪbiː] może
'May|-bee·tle *zo.*, **'~-bug** *zo.* chrabąszcz *m* majowy
'May Day 1 Maja; **mayday** (*międzynarodowe wołanie o pomoc, słowny odpowiednik SOS*)
may·on·naise [meɪə'neɪz] majonez *m*
mayor [meə] burmistrz *m*; ⚠ *nie* ***major***
'may·pole (*gałązka*) gaik *m*
maze [meɪz] labirynt *m* (*też fig.*)
Mazovia Mazowsze *n*
MB [em 'biː] *skrót*: ***megabyte*** MB, megabajt *m*
MCA [em siː 'eɪ] *Skrót*: ***maximum credible accident***
MD [em 'diː] *skrót*: ***Doctor of Medicine*** (*łacińskie* ***medicinae doctor***) dr n. med., doktor *m* nauk medycznych
me [miː] mnie, mi; F ja
mead·ow ['medəʊ] łąka *f*
mea·gre *Brt.*, **mea·ger** *Am.* ['miːgə] skąpy, niewielki
meal[1] [miːl] posiłek *m*; danie *n*
meal[2] [miːl] mąka *f* (*zwł. na paszę*)
mean[1] [miːn] skąpy, chytry; podły; nędzny
mean[2] [miːn] (***meant***) znaczyć; oznaczać; mieć na myśli; przywiązywać wagę; zamierzać, mieć zamiar (***to do s.th.*** zrobić coś); ***be ~t for*** być przeznaczonym dla (*G*); **~ *well*** (***ill***) mieć dobre (złe) intencje
mean[3] [miːn] **1.** średnia *f*, przeciętna *f*; środek *m*; **2.** średni, przeciętny
'mean·ing 1. znaczenie *n*, sens *m*; **2.** znaczący; **'~·ful** znaczący, sensowny; **'~·less** bez znaczenia, bezsensowny
means [miːnz] (*pl.* ***means***) środek *m*, środki *pl.*; środki *pl.* pieniężne; środki *pl.* do życia; ***by all ~*** ależ oczywiście; ***by***

M

no ~ w żaden sposób; ***by ~ of*** za pomocą (*G*)
meant [ment] *pret. i p.p. od* ***mean²***
'mean|·time *też* ***in the ~time*** tymczasem; **'~·while** tymczasem
mea·sles ['mi:zlz] *med. sg.* odra *f*; ***German ~*** różyczka *f*
mea·su·ra·ble ['meʒərəbl] mierzalny, wymierny
mea·sure ['meʒə] **1.** miara *f* (*też fig.*); rozmiar *m*, wymiar *m*; *mus.* takt *m*; krok *m*, środek *m*; ***beyond ~*** ponad miarę; ***in a great ~*** w dużej mierze; ***take ~s*** przedsiębrać ⟨-sięwziąć⟩ kroki; **2.** ⟨z-, po⟩mierzyć, dokonywać ⟨-nać⟩ pomiaru; ***~ up to*** znaleźć się na wysokości (*G*), spełniać oczekiwania (*G*); **~d** wymierzony; miarowy; ostrożny; **'~·ment** wymiar *m*; pomiar *m*; ***leg ~ment*** długość *f* nogawki
meas·ur·ing ['meʒərɪŋ] pomiarowy; **'~ tape** → ***tape measure***
meat [mi:t] mięso *n*; ***cold ~s*** *pl.* wędliny *pl.*; **' ~·ball** klops *m*
me·chan|·ic [mɪ'kænɪk] mechanik *m*; **~·i·cal** mechaniczny; **~·ics** *phys. zw. sg.* mechanika *f*
mech·a|·nis·m ['mekənɪzəm] mechanizm *m*; **~·nize** ['mekənaɪz] ⟨z⟩mechanizować
med·al ['medl] medal *m*; order *m*; **~·(l)ist** ['medlɪst] (*w sporcie*) medalista *m* (-tka *f*)
med·dle ['medl] ⟨w⟩mieszać się (***with, in*** do *A*); **'~·some** ciekawski
me·di·a ['mi:djə] *sg., pl.* media *pl.*, środki *pl.* masowego przekazu
med·i·ae·val [medɪ'i:vl] → ***medieval***
me·di·an ['mi:djn] *też* ***~ strip*** *Am.* (*na autostradzie*) pas *m* zieleni
me·di|·ate ['mi:dɪeɪt] pośredniczyć, być mediatorem; **~·a·tion** [mi:dɪ'eɪʃn] pośredniczenie *n*, mediacja *f*; **~·a·tor** ['mi:dɪeɪtə] mediator *m* (-ka *f*), rozjemca *m*
med·i·cal ['medɪkl] **1.** medyczny; **2.** badanie *n* lekarskie; **~ cer'tif·i·cate** zaświadczenie *n* lekarskie
med·i·cated ['medɪkeɪtɪd] leczniczy; ***~ soap*** mydło *n* lecznicze
me·di·ci·nal [me'dɪsɪnl] leczniczy, zdrowotny
medi·cine ['medsɪn] medycyna *f*; lekarstwo *n*
med·i·e·val [medɪ'i:vl] średniowieczny
me·di·o·cre [mi:dɪ'əʊkə] przeciętny
med·i|·tate ['medɪteɪt] *v/i.* medytować (***on*** nad *I*); rozmyślać (***on*** o *I*); **~·ta·tion** [medɪ'teɪʃn] medytacja *f*; rozmyślanie *n*; **~·ta·tive** ['medɪtətɪv] medytacyjny
Med·i·ter·ra·ne·an [medɪtə'reɪnjən] śródziemnomorski; ***~ Sea*** Morze Śródziemne
me·di·um ['mi:djəm] **1.** (*pl.* ***-dia*** [-djə], ***-diums***) środek *m*; środek *m* przekazu; środowisko *n*, ośrodek *m*; medium *n*; **2.** średni; pośredni; *gastr.* nie wysmażony
med·ley ['medlɪ] mieszanka; *mus.* potpourri *n*, wiązanka *f*, składanka *f*
meek [mi:k] potulny, uległy; **'~·ness** potulność *f*, uległość *f*
meet [mi:t] (***met***) *v/t.* spotykać ⟨-tkać⟩, spotkać ⟨-tykać⟩ się z (*I*); poznawać ⟨-nać⟩; wychodzić na spotkanie (*G*), wyjeżdżać na spotkanie (*G*); *oczekiwania, życzenia itp.* spełniać ⟨-nić⟩; *potrzeby itp.* zaspokajać ⟨-koić⟩; spłacać ⟨-cić⟩, pokrywać ⟨-ryć⟩; *terminu* dotrzymywać; *v/i.* spotykać ⟨-tkać⟩ się; poznawać się; zbierać ⟨zebrać⟩ się; schodzić ⟨zejść⟩ się; ***~ with*** napotykać ⟨-tkać⟩; spotykać ⟨-tkać⟩ się z (*I*); **'~·ing** spotkanie *n*; zebranie *n*, konferencja *f*; **'~ing place** miejsce *n* spotkania, miejsce *n* zebrania
mel·an·chol·y ['melənkəlɪ] **1.** melancholia *f*; **2.** melancholijny
mel·low ['meləʊ] **1.** łagodny; dojrzały (*też fig.*); *światło, kolor itp.*: ciepły
me·lo·di·ous [mɪ'ləʊdjəs] melodyjny
mel·o·dra·mat·ic [meləʊdrə'mætɪk] melodramatyczny
mel·o·dy ['melədɪ] melodia *f*
mel·on ['melən] *bot.* melon *m*
melt [melt] ⟨s⟩topnieć; ⟨s⟩topić (się); roztapiać ⟨-topić⟩ (się); ***~ down*** przetapiać ⟨-topić⟩
mem·ber ['membə] członek *m*; *anat.* członek *m* (*ciała*); ***♀ of Parliament*** *Brt. parl.* poseł *m* (-słanka *f*) do parlamentu; **'~·ship** członkostwo *n*
mem·brane ['membreɪn] błona *f*; membrana *f*
mem·o ['meməʊ] (*pl.* ***-os***) notka *f* służbowa, okólnik *m*
mem·oirs ['memwɑ:z] *pl.* pamiętniki *pl.*

M

mem·o·ra·ble ['memərəbl] pamiętny
me·mo·ri·al [mɪ'mɔːrɪəl] pomnik *m*, statua *f*; *attr.* pamiątkowy, upamiętniający
mem·o·rize ['meməraɪz] ⟨wy-, na⟩-uczyć się na pamięć
mem·o·ry ['memərɪ] pamięć *f* (*też komp.*); ***in ~ of*** ku pamięci (*G*); wspomnienie *n*; **~ ca'pac·i·ty** *komp.* pojemność *f* pamięci
men [men] *pl. od* ***man*** 1
men·ace ['menəs] **1.** zagrażać ⟨-rozić⟩; grozić; **2.** zagrożenie *n*; groźba *f*
mend [mend] **1.** *v/t.* naprawiać ⟨-wić⟩; ⟨z⟩reperować; ⟨za⟩cerować, zaszyć ⟨-ywać⟩; **~ *one's ways*** poprawiać ⟨-wić⟩ się; *v/i.* poprawiać ⟨-wić⟩ się; **2.** cera *f*, zaszyte miejsce *n*; ***on the ~*** dochodzący do siebie
men·di·cant ['mendɪkənt] **1.** żebrzący; **2.** zakonnik *m* żebrzący
me·ni·al ['miːnjəl] *praca*: podrzędny
men·in·gi·tis [menɪn'dʒaɪtɪs] *med.* zapalenie *n* opon mózgowych
men·o·pause ['menəʊpɔːz] menopauza *f*
men·stru|·ate ['menstrʊeɪt] miesiączkować, mieć miesiączkę; **~·a·tion** [menstrʊ'eɪʃn] menstruacja *f*, miesiączka *f*
men·tal ['mentl] umysłowy, mentalny; psychiczny; **~ a'rith·me·tic** rachunek *m* pamięciowy; **~ 'hand·i·cap** upośledzenie *n* umysłowe; **~ 'hos·pi·tal** szpital *m* psychiatryczny; **~·i·ty** [men'tælətɪ] mentalność *f*; **~·ly** ['mentəlɪ] umysłowo; ***~ly handicapped*** upośledzony umysłowo; ***~ly ill*** chory umysłowo;
men·tion ['menʃn] **1.** wspominać ⟨-mnieć⟩; ***don't ~ it!*** nie ma za co!, proszę bardzo!; **2.** wspomnienie *n*
men·u ['menjuː] menu *n* (*też komp.*), karta *f*
MEP [em iː 'piː] *skrót*: ***Member of the European Parliament*** poseł do Parlamentu Europejskiego
mer·can·tile ['mɜːkəntaɪl] handlowy, kupiecki; merkantylny
mer·ce·na·ry ['mɜːsɪnərɪ] **1.** najemnik *m*; **2.** najemniczy
mer·chan·dise ['mɜːtʃəndaɪz] towar(y *pl.*) *m*
mer·chant ['mɜːtʃənt] **1.** kupiec *m*; **2.** handlowy
mer·ci|·ful ['mɜːsɪfl] litościwy, miłosierny; **'~·less** bezlitosny, niemiłosierny
mer·cu·ry ['mɜːkjʊrɪ] *chem.* rtęć *f*
mer·cy ['mɜːsɪ] litość *f*, miłosierdzie *n*
mere [mɪə] (***-r, -st***), **'~·ly** tylko, jedynie
merge [mɜːdʒ] ⟨po⟩łączyć (***into, with*** z *I*) (się); *econ.* dokonywać fuzji; **'merg·er** *econ.* fuzja *f*
me·rid·i·an [mə'rɪdɪən] *geogr.* południk *m*; *fig.* szczyt *m*
mer·it ['merɪt] **1.** zasługa *f*; wartość *f*; zaleta *f*; **2.** zasługiwać ⟨-służyć⟩
mer·maid ['mɜːmeɪd] syrena *f*
mer·ri·ment ['merɪmənt] wesołość *f*
mer·ry ['merɪ] (***-ier, -iest***) wesoły; ***℞ Christmas!*** Wesołych Świąt!; **'~-go--round** karuzela *f*
mesh [meʃ] **1.** oko *n*, oczko *f*; *fig. często* ***~es*** *pl.* siatka *f*; ***be in ~es*** *tech.* zazębiać ⟨-bić⟩ się; **2.** zazębiać ⟨-bić⟩ się; *fig.* pasować (***with*** do *G*)
mess [mes] **1.** bałagan *m*, nieporządek *m* (*też fig.*); brud *m*; paskudztwo *m*; łajno *n*; *mil.* kantyna *f*, kasyno *n*; (*na statku*) mesa *f*; ***make a ~ of*** F ⟨s⟩knocić (*A*); *plany* pokręcić (*A*); **2.** ***~ about, ~ around*** F obijać się; wygłupiać się (***with*** z *I*); ***~ up*** zrobić bałagan; F ⟨s⟩knocić; *plany* pokręcić
mes·sage ['mesɪdʒ] wiadomość *f*; informacja *f*; (*filmu itp.*) przesłanie *n*; ***can I take a ~?*** czy może coś powtórzyć? ***get the ~*** F ⟨po⟩kapować się
mes·sen·ger ['mesɪndʒə] posłaniec *m*
mess·y ['mesɪ] (***-ier, -iest***) pobrudzony, zapaskudzony; *fig.* pogmatwany
met [met] *pret. i p.p. od* ***meet***
me·tab·o·lis·m [me'tæbəlɪzəm] *physiol.* metabolizm *m*
met·al ['metl] metal *m*; **me·tal·lic** [mɪ'tælɪk] (***~ally***) metaliczny; metalowy
met·a·mor·pho·sis [metə'mɔːfəsɪs] metamorfoza *f*, przekształcenie *n*
met·a·phor ['metəfə] metafora *f*
me·tas·ta·sis [mə'tæstəsɪs] *med.* (*pl.* ***-ses*** [-siːz]) metastaza *f*, przerzut *m*
me·te·or ['miːtɪəː] meteor *m*
me·te·or·o·log·i·cal [miːtjərə'lɒdʒɪkl] meteorologiczny; pogodowy, synoptyczny; **~ 'of·fice** *lub* F ***met office*** stacja *f* meteorologiczna
me·te·o·rol·o·gy [miːtjə'rɒlədʒɪ] meteorologia *f*

M

me·ter ['miːtə] *tech.* miernik *m*, przyrząd *m* pomiarowy; ⚠ *Brt. nie* ***metr***
meth·od ['meθəd] metoda *f*; **me·thod·i·cal** [mɪ'θɒdɪkl] metodyczny
me·tic·u·lous [mɪ'tɪkjʊləs] drobiazgowy, skrupulatny
me·tre, *Brt.*, **me·ter** *Am.* ['miːtə] metr *m*
met·ric ['metrɪk] (*~ally*) metryczny; **'~ sys·tem** system *m* metryczny
met·ro·pol·i·tan [metrə'pɒlɪtən] wielkomiejski, metropolitalny, stołeczny
met·tle ['metl]: ***show one's ~*** wykazać się owagę; ***try s.o.'s ~*** podawać ⟨-dać⟩ kogoś próbie
Mex·i·can ['meksɪkən] **1.** meksykański; **2.** Meksykanin *m* (-anka *f*)
Mex·i·co ['meksɪkəʊ] Meksyk *m*
mi·aow [miː'aʊ] ⟨za⟩miauczeć
mice [maɪs] *pl. od* ***mouse***
mi·cro... ['maɪkrəʊ] mikro...
mi·cro|·chip ['maɪkrəʊtʃɪp] układ *m* scalony; **~·com'put·er** mikrokomputer *m*
mi·cro·phone ['maɪkrəfəʊn] mikrofon *m*
mi·cro·pro·ces·sor [maɪkrəʊ'prəʊsesə] mikroprocesor *m*
mi·cro·scope ['maɪkrəskəʊp] mikroskop *m*
mi·cro·wave ['maɪkrəweɪv] mikrofala *f*; *attr.* mikrofalowy; → **~ 'ov·en** kuchenka *f* mikrofalowa
mid [mɪd] środkowy; **~'air**: ***in ~air*** w powietrzu; **'~·day 1.** południe *n*; **2.** południowy
mid·dle ['mɪdl] **1.** środkowy; **2.** środek *m*; **~-'aged** w średnim wieku; **♀ 'Ag·es** średniowiecze *n*; **~ 'class**(**·es** *pl.*) klasa *f* średnia; **'~·man** (*pl.* ***-men***) *econ.* pośrednik *m*; **~ 'name** drugie imię *n*; **~-'sized** o średnim rozmiarze; **'~·weight** (*w boksie*) waga *f* średnia
mid·dling ['mɪdlɪŋ] F średni, przeciętny
'mid·field *zwł.* (*w piłce nożnej*) środek boiska *m*; **'~·er**, **~ 'play·er** (*w piłce nożnej*) pomocnik *m*
midge [mɪdʒ] *zo.* komar *m*
midg·et ['mɪdʒɪt] karzeł *m* (-rlica *f*), liliput *m*
'mid|·night północ *f*; ***at ~night*** o północy; **~st** [mɪdst]: ***in the ~st of*** w środku (*G*); **'~·sum·mer** środek *m* lata; *astr.* przesilenie *n* letnie; **~'way** w połowie drogi; **'~·wife** (*pl.* ***-wives***) położna *f*; **~'win·ter** środek *m* zimy; *astr.* przesilenie *n* zimowe
might [maɪt] **1.** *pret. od* ***may***; **2.** moc *f*, siła *f*; potęga *f*; **' ~ ·y** (***-ier, -iest***) potężny
mi·grate [maɪ'greɪt] migrować (*też zo.*); ⟨wy⟩wędrować; **mi·gra·tion** [maɪ'greɪʃn] migracja *f*; wędrówka *f*; **mi·gra·to·ry** ['maɪgrətərɪ] wędrowny (*też zo.*); migracyjny
mike [maɪk] F mikrofon *m*
Mi·lan Mediolan *m*
mild [maɪld] łagodny
mil·dew ['mɪldjuː] *bot.* pleśń *f*
'mild·ness łagodność *f*
mile [maɪl] mila *f* (*1,6 km*)
mile·age ['maɪlɪdʒ] odległość *f lub* długość *f* w milach; *też* ***~ allowance*** zwrot *m* kosztów podróży
'mile·stone kamień *m* milowy (*też fig.*)
mil·i·tant ['mɪlɪtənt] bojowy, wojowniczy
mil·i·ta·ry ['mɪlɪtərɪ] **1.** militarny; wojskowy; **2.** ***the ~*** wojsko *n*; **~ 'gov·ern·ment** rząd *m* wojskowy; **~ po'lice** (*skrót*: ***MP***) żandarmeria *f lub* policja *f* wojskowa
mi·li·tia [mɪ'lɪʃə] straż *f* miejska
milk [mɪlk] **1.** mleko; *attr.* mleczny, z mleka; ***it's no use crying over spilt ~*** co się stało, to się nie odstanie; **2.** *v/t.* ⟨wy⟩doić; *v/i.* dawać ⟨dać⟩ mleko; **~·man** (*pl.* ***-men***) mleczarz *m*); **~ 'pow·der** mleko *n* w proszku; **~ 'shake** koktajl *m* mleczny; **'~·sop** maminsynek *m*; **'~ tooth** (*pl.* ***- teeth***) ząb *m* mleczny; **'~·y** (***-ier, -iest***) mleczny; **♀·y 'Way** *astr.* Droga *f* Mleczna
mill [mɪl] **1.** młyn *m*; młynek *m*; fabryka *f*, wytwórnia *f*; **2.** ⟨z⟩mielić *lub* ⟨ze⟩mleć; *metal* frezować; *monety* ⟨wy⟩tłoczyć; ***~ about, ~ around*** kotłować się
mil·le·pede ['mɪlɪpiːd] *zo.* → ***millipede***
'mill·er młynarz *m*
mil·let ['mɪlɪt] *bot.* proso *n*
mil·li·ner ['mɪlɪnə] modystka *f*
mil·lion ['mɪljən] milion *m*; **~·aire** [mɪljə'neə] milioner *m*; **~th** ['mɪljənθ] **1.** milionowy; **2.** jedna *f* milionowa
mil·li·pede ['mɪlɪpiːd] *zo.* stonoga *f*
'mill·stone kamień *m* młyński
milt [mɪlt] mlecz *m*
mime [maɪm] **1.** pantomima *f*; mim *m*;

M

migi *pl.*; **2.** pokazywać ⟨-zać⟩ na migi
mim·ic ['mɪmɪk] **1.** mimiczny; **2.** mimik *m*; imitator *m*; **3.** (**-ck-**) imitować, naśladować; **~·ry** ['mɪmɪkrɪ] mimikra *f*
mince [mɪns] **1.** *v/t.* ⟨po⟩siekać, ⟨z⟩mielić *lub* ⟨ze⟩mleć; ***he doesn't ~ matters*** *lub* ***his words*** mówi prosto z mostu; *v/i.* ⟨po⟩dreptać; **2.** *też* ***~d meat*** mięso *n* siekane; **'~·meat** *słodkie* nadzienie *n* do ciasta; **~ 'pie** ciasto *n* nadziewane bakaliami; **'minc·er** maszynka *f* do mięsa
mind [maɪnd] **1.** umysł *m*; rozum *m*; myśli *pl.*, głowa *f*; duch *m*; zdanie *n*; ***be out of one's ~*** nie być przy zdrowych zmysłach; ***bear*** *lub* ***keep in ~*** ⟨za⟩pamiętać, nie zapominać ⟨-mnieć⟩; ***change one's ~*** zmieniać ⟨-nić⟩ zdanie; ***come into sb's ~*** przychodzić ⟨-yjść⟩ komuś do głowy; ***give s.o. a piece of one's ~*** wygarnąć komuś; ***have a ~ to*** mieć chęć zrobić (*A*); ***have a half ~ to*** nie mieć zbytnio chęci zrobić (*A*); ***lose one's ~*** postradać zmysły; ***make up one's ~*** zdecydować się; ***to my ~*** według mnie; **2.** uważać (na *A*); mieć *coś* przeciwko (*D*), sprzeciwiać ⟨-wić⟩ się; ⟨za⟩troszczyć się o (*A*); ***~ the step!*** uwaga, stopień!; ***~ your own business!*** zajmij się swoimi sprawami!; ***do you ~ if I smoke?, do you ~ my smoking?*** czy będzie panu przeszkadzało, jak zapalę?; ***would you ~ opening the window?*** czy mógłby pan otworzyć okno?; ***would you ~ coming*** czy mógłby pan przyjechać?; **~ (*you*)** proszę zauważyć; ***never ~!*** nie szkodzi!; ***I don't ~*** wszystko mi jedno; **'~·less** bezmyślny; ***~less of s.th.*** nie zważając na coś
mine[1] [maɪn] mój, moje; ***that's ~*** to moje
mine[2] [maɪn] **1.** kopalnia *f* (*też fig.*); *mil.* mina *f*; **2.** wydobywać ⟨-być⟩ (***for*** *A*), ⟨wy⟩eksploatować; *mil.* zaminowywać ⟨-ować⟩; **'min·er** górnik *m*
min·e·ral ['mɪnərəl] minerał *m*; *attr.* mineralny; ***~s*** *pl. Brt. słodkie* napoje *pl. gazowane*; **'~ oil** olej *m* mineralny; **'~ wa·ter** woda *f* mineralna
min·gle ['mɪŋgl] ⟨wy⟩mieszać (się); wmieszać się (***with*** do *G*)
min·i... ['mɪnɪ] mini...; → ***miniskirt***
min·i·a·ture ['mɪnətʃə] **1.** miniatura *f*; **2.** miniaturowy; **~ 'cam·e·ra** fotograficzny aparat *m* miniaturowy
min·i|·mize ['mɪnɪmaɪz] ⟨z⟩minimalizować; zmniejszać ⟨-szyć⟩, pomniejszać ⟨-szyć⟩, ⟨z⟩bagatelizować; **~·mum** ['mɪnɪməm] (*pl.* ***-ma*** [-mə], ***-mums***) **1.** minimum *n*; **2.** minimalny
min·ing ['maɪnɪŋ] górnictwo *n*; górniczy
min·i·on ['mɪnjən] *pej. fig.* sługus *m*, fagas *m*
'min·i·skirt minispódniczka *f*
min·is·ter ['mɪnɪstə] minister *m*; *rel.* duchowny *m*
min·is·try ['mɪnɪstrɪ] ministerstwo *n*; *rel.* urząd *m* duchowny
mink [mɪŋk] *zo.* (*pl.* ***mink***) norka *f*
mi·nor ['maɪnə] **1.** mniejszy, *fig.* nieznaczny, drobny; *jur.* niepełnoletni; ***A ~*** *mus.* a-moll *n*; ***~ key*** *mus.* tonacja *f* molowa; **2.** *jur.* niepełnoletni *m* (-nia *f*); *Am. univ.* specjalizacja *f* dodatkowa; *mus.* moll; **~·i·ty** [maɪ'nɒrətɪ] mniejszość *f*; *jur.* niepełnoletniość *f*
min·ster ['mɪnstə] kościół *m* opacki
mint[1] [mɪnt] **1.** mennica *f*; **2.** bić
mint[2] [mɪnt] *bot.* mięta *f*
min·u·et [mɪnjʊ'et] *mus.* menuet *m*
mi·nus ['maɪnəs] **1.** *prp.* odjąć; poniżej; F bez (*G*); **2.** *adj.* minusowy, ujemny; **3.** minus *m* (*też fig.*)
min·ute[1] ['mɪnɪt] minuta *f*; ***in a ~*** za chwilę; ***just a ~!*** chwileczkę!; ***~s*** *pl.* protokół *m*
mi·nute[2] mały, maleński; drobiazgowy [maɪ'njuːt]
mir·a·cle ['mɪrəkl] cud *m*
mi·rac·u·lous [mɪ'rækjʊləs] cudowny; **~·ly** cudownie
mi·rage ['mɪrɑːʒ] miraż *m*, fatamorgana *f*
mire ['maɪə] szlam *m*; ***drag through the ~*** *fig.* obsmarowywać
mir·ror ['mɪrə] **1.** lustro *n*, zwierciadło *n*; **2.** odzwierciedlać ⟨-lić⟩
mirth [mɜːθ] wesołość *f*
mis... [mɪs] niewłaściwie ..., źle ...
mis·ad'ven·ture niepowodzenie *n*; *jur. Brt.* nieszczęśliwy wypadek *m*
mis·an|·thrope ['mɪzənθrəʊp], **~·thro·pist** [mɪ'zænθrəpɪst] mizantrop *m*
mis·ap'ply źle ⟨za⟩stosować
mis·ap·pre'hend źle ⟨z⟩rozumieć

mis·ap'pro·pri·ate sprzeniewierzać ⟨-rzyć⟩
mis·be'have niewłaściwie się zachowywać ⟨-wać⟩
mis'cal·cu·late przeliczyć się; źle obliczyć
mis'car|·riage *med.* poronienie *n*; błąd *m*, pomyłka *f*; **~riage of justice** *jur.* błąd *m* sądowy; **~·ry** *med.* poronić; popełniać ⟨-nić⟩ błąd
mis·cel·la|·ne·ous [mɪsɪ'leɪnjəs] różnoraki, różnorodny; **~·ny** [mɪ'selənɪ] różnorodność *f*; różnorakość *f*; zbiór *m*
mis·chief ['mɪstʃɪf] figlowanie *n*, dokazywanie *n*; figlarność *f*, psotliwość *f*; szkoda *f*; **'~-mak·er** figlarz *m*, psotnik *m* (-nica *f*)
mis·chie·vous ['mɪstʃɪvəs] figlarny, psotliwy; szelmowski
mis·con'ceive źle ⟨z⟩rozumieć, źle pojmować ⟨-jąć⟩
mis·con·duct 1. [mɪs'kɒndʌkt] złe zachowanie *n*; niewłaściwe prowadzenie się; **2.** [mɪskən'dʌkt] źle prowadzić; **~ o.s.** źle się prowadzić
mis·con·strue [mɪskən'stru:] źle ⟨z⟩inerpretować
mis'deed zły czyn *m*, nieprawość *f*
mis·de·mea·no(u)r [mɪsdɪ'mi:nə] *jur.* wykroczenie *n*, występek *m*
mis·di'rect źle ⟨s⟩kierować; *list itp.* źle ⟨za⟩adresować
mise-en-scène [mi:zɑ̃:n'seɪn] *theat.* inscenizacja *f*
mi·ser ['maɪzə] skąpiec *m*
mis·e·ra·ble ['mɪzərəbl] żałosny, nieszczęsny; nędzny
'mi·ser·ly skąpy; *fig.* nędzny
mis·e·ry ['mɪzərɪ] niedola *f*, nieszczęście *n*; ubóstwo *n*
mis'fire *broń* zawodzić ⟨-wieść⟩; *mot.* nie zapalać ⟨-lić⟩; *fig.* nawalać ⟨-lić⟩
'mis·fit człowiek *m* niedostosowany
mis'for·tune nieszczęście *n*
mis'giv·ing obawa *f*, niepokój *m*
mis'guided mylny, opaczny
mis·hap ['mɪshæp] nieszczęście *n*; **without ~** bez wypadku
mis·in'form źle ⟨po⟩informować
mis·in'ter·pret źle ⟨z⟩interpretować, mylnie ⟨wy⟩tłumaczyć
mis'lay (**-*laid***) zagubić, podziać
mis'lead zwodzić ⟨zwieść⟩
mis'man·age źle zarządzać

mis'place kłaść ⟨położyć⟩ na niewłaściwym miejscu; **~*d*** *fig.* nie na miejscu, niestosowny
mis·print 1. [mɪs'prɪnt] źle ⟨wy⟩drukować; **2.** ['mɪsprɪnt] omyłka *f* w druku
mis'read (**-*read*** [-red]) źle odczytywać ⟨-tać⟩
mis·rep·re'sent błędnie przedstawiać ⟨-wić⟩, przekręcać ⟨-cić⟩
miss[1] [mɪs] **1.** *v/t.* chybiać ⟨-bić⟩ (*G*), nie trafiać ⟨-fić⟩ do (*G*); opuszczać ⟨opuścić⟩; spóźniać ⟨-nić⟩ się na (*A*); tęsknić za (*I*); *też* **~ *out*** pomijać ⟨-minąć⟩; *v/i.* chybiać ⟨-bić⟩, spóźniać ⟨-nić⟩ się; **~ *out on*** ⟨s⟩tracić na (*L*); **2.** chybienie *n*, niecelny strzał *m*
miss[2] [mɪs] (*z następującym nazwiskiem* ♀) panna *f*
mis'shap·en zniekształcony
mis·sile ['mɪsaɪl, *Am.* 'mɪsəl] pocisk *m*; *mil.* pocisk *m* rakietowy, rakieta *f*; *attr.* rakietowy
'miss·ing brakujący; ***be ~*** brakować; (*mil. też* **~ *in action***) zaginiony; ***be ~*** *mil.* zaginąć
mis·sion ['mɪʃn] misja *f* (*też pol., rel.*); *mil.* zadanie *n*; *aviat., mil.* lot *m*; posłannictwo *n*; **~·a·ry** ['mɪʃənrɪ] **1.** misjonarz *m* (-arka *f*); **2.** *adj.* misyjny
Mis·sis·sip·pi Missisipi *n*
mis'spell (**-*spelt*** *lub* **-*spelled***) źle (na)pisać
mis'spend (**-*spent***) rozrzutnie wydawać ⟨-dać⟩
mist [mɪst] **1.** (lekka *lub* drobna) mgła *f*; **2. ~ *over*** zaparowywać ⟨-ować⟩; zachodzić ⟨zajść⟩ mgłą; **~ *up*** zaparowywać ⟨-ować⟩
mis|'take 1. (**-*took*, -*taken***) wziąć (*kogoś* ***for*** za *A*); ⟨po⟩mylić (się); źle ⟨z⟩rozumieć; **2.** pomyłka *f*, błąd *m*; ***by ~take*** przez pomyłkę, pomyłkowo; **~'tak·en** pomyłkowy, błędny
mis·ter ['mɪstə] (*używa się jedynie jako skrótu przed nazwiskiem*) → **Mr**
mis·tle·toe ['mɪsltəʊ] *bot.* jemioła *f*
mis·tress ['mɪstrɪs] pani *f*; *zwł. Brt.* nauczycielka *f*; ukochana *f*, kochanka *f*
mis'trust 1. nie ufać (*D*), nie wierzyć (*D*); **2.** nieufność *f* (***of*** wobec *G*); **~·ful** nieufny
mist·y ['mɪstɪ] (**-*ier*, -*iest***) zamglony
mis·un·der'stand (**-*stood***) źle ⟨z⟩rozumieć; **~·ing** nieporozumienie *n*;

M

niezrozumienie *n*
mis•use 1. [mɪs'juːz] niewłaściwie używać ⟨-żyć⟩; nadużywać ⟨-żyć⟩; **2.** [mɪs'juːs] niewłaściwe użycie *n*; nadużycie
mite [maɪt] *zo.* roztocz *m*; *Brt.* F berbeć *m*; ***a ~*** F trochę, nieco
mi•tre *Brt.*, **mi•ter** *Am.* ['maɪtə] mitra *f*, infuła *f*
mitt [mɪt] (*w baseballu*) rękawica *f* (*do łapania piłki*); *sl.* łapa *f*; → ***mitten***
mit•ten ['mɪtn] rękawiczka *f* (*z jednym palcem*)
mix [mɪks] **1.** ⟨z-, wy⟩mieszać (się); ⟨z⟩miksować (się); *drink itp.* ⟨z⟩robić; zadawać się (***with*** z *I*); ***~ well*** mieć łatwość nawiązywania kontaktów; ***~ up*** ⟨z⟩mieszać; ⟨po⟩mieszać; *kogoś* pomylić (***with*** z *I*); ***be ~ed up*** być wmieszanym (***in*** w *L*); być zmieszanym; **2.** mieszanka *f*; **~ed** wymieszany; zmieszany; pomieszany; **'~•er** mikser *m*; *tech.* mieszarka *f*, mieszadło *n*; ***concrete ~er*** betoniarka *f*; ***be a bad ~er*** źle nawiązywać kontakty towarszyskie; **~•ture** ['mɪkstʃə] mieszanka *f*
MO [em 'əʊ] *skrót*: ***money order*** przekaz *m* pieniężny, polecenie *n* wypłaty
moan [məʊn] **1.** jęczenie *n*, jęk *m*; **2.** ⟨za⟩jęczeć
moat [məʊt] fosa *f*
mob [mɒb] **1.** motłoch *m*, tłum *m*; zgraja *f*; **2.** (***-bb-***) otaczać ⟨otoczyć⟩, osaczać ⟨-czyć⟩
mo•bile ['məʊbaɪl] **1.** ruchomy, mobilny; przewoźny; *mil.* zmotoryzowany; **2.** → ***mobile telephone***; **~ 'home** przyczepa *f* mieszkalna; **~ 'tel•e•phone**, **~ 'phone** telefon *m* komórkowy, F komórka *f*
mo•bil•ize ['məʊbɪlaɪz] ⟨z⟩mobilizować; *mil.* przeprowadzać ⟨-dzić⟩ mobilizację
moc•ca•sin ['mɒkəsɪn] mokasyn *m*
mock [mɒk] **1.** *v/t.* naśmiewać się z (*A*); przedrzeźniać (*G*); *v/i.* ***~ at*** naśmiewać się z (*A*); **2.** niby-, quasi-; pseudo-; **~•e•ry** ['mɒkərɪ] kpina *f*, kpiny *pl.*; **'~•ing•bird** *zo.* przedrzeźniacz *m*
mod cons [mɒd 'kɒnz] *Brt.* F *pl.*: ***with all ~*** ze wszelkimi wygodami
mode [məʊd] tryb *m* (*pracy*, *życia*); sposób *m*; *tech.* mod *m*
mod•el ['mɒdl] **1.** model *m*; wzór *m*, wzorzec *m*; model(ka *f*) *m*; **2.** modelowy; wzorcowy; idealny; **3.** *v/t.* (*zwł. Brt.* ***-ll-***, *Am.* ***-l-***) ⟨wy⟩modelować, ⟨u⟩formować; budować model (*G*); *ubranie itp.* ⟨za⟩prezentować; *v/i.* pracować jako model(ka); pozować
mo•dem ['məʊdem] *komp.* modem *m*
mod•e|•rate 1. ['mɒdərət] umiarkowany; *rozmiar, zdolności*: przeciętny; **2.** ['mɒdəreɪt] ⟨z⟩łagodzić; ⟨ze⟩lżeć; **~•ra•tion** [mɒdə'reɪʃn] umiarkowanie *n*, złagodzenie *n*
mod•ern ['mɒdən] współczesny, nowy; nowoczesny **~•ize** ['mɒdənaɪz] ⟨z⟩modernizować
mod|•est ['mɒdɪst] skromny; **'~•es•ty** skromność *f*
mod•i|•fi•ca•tion [mɒdɪfɪ'keɪʃn] modyfikacja *f*; **~•fy** ['mɒdɪfaɪ] ⟨z⟩modyfikować
mod•u•late ['mɒdjʊleɪt] ⟨z⟩modulować
mod•ule ['mɒdjuːl] *tech.* moduł *m*; (*w astronautyce*) człon *m*
moist [mɔɪst] wilgotny; **~•en** ['mɔɪsn] *v/t.* zwilżać ⟨-żyć⟩; *v/i.* ⟨z⟩wilgotnieć; **mois•ture** ['mɔɪstʃə] wilgoć *m*
mo•lar ['məʊlə] *anat.* ząb *m* trzonowy
mo•las•ses [mə'læsɪz] *Am. sg.* melasa *m*, syrop *m*
mole[1] [məʊl] *zo.* kret *m*
mole[2] [məʊl] pieprzyk *m*; myszka *f*
mole[3] [məʊl] molo *n*
mol•e•cule ['mɒlɪkjuːl] molekuła *f*
'mole•hill kretowisko *n*; ***make a mountain out of a ~*** robić z igły widły
mo•lest [məʊ'lest] napastować
mol•li•fy ['mɒlɪfaɪ] ⟨u⟩łagodzić, uspokajać ⟨-koić⟩ się
mol•ly•cod•dle ['mɒlɪkɒdl] F *dziecko* rozpuszczać ⟨-puścić⟩
mol•ten ['məʊltən] stopiony, roztopiony
mom [mɒm] F mamusia *f*
mo•ment ['məʊmənt] moment *m*, chwila *f*; znaczenie *n*; *phys.* moment *m*; **mo•men•ta•ry** ['məʊməntərɪ] chwilowy; **mo•men•tous** [məʊ'mentəs] znaczący, doniosły; **mo•men•tum** [məʊ'mentəm] (*pl.* ***-ta*** [-tə], ***-tums***) *phys.* moment *m*; rozmach *m*, impet *m*
Mon *skrót pisany*: ***Monday*** pon., poniedziałek *m*
mon|•arch ['mɒnək] monarcha *m*; **'~•ar•chy** monarchia *f*

M

mon·as·tery ['mɒnəstrɪ] klasztor *m*
Mon·day ['mʌndɪ] poniedziałek *m*
mon·e·ta·ry ['mʌnɪtərɪ] monetarny; pieniężny; walutowy
mon·ey ['mʌnɪ] pieniądze *pl.*; *attr.* pieniężny; '**~·box** *Brt.* skarbonka *f*; '**~·chang·er** właściciel(ka *f*) *m* kantoru wymiany pieniędzy; *zwł. Am.* automat *m* do rozmieniania pieniędzy; '**~ or·der** przekaz *m* pieniężny
mon·ger ['mʌŋgə] *w złożeniach* handlarz *m*, kupiec *m*
mon·grel ['mʌŋgrəl] kundel *m*
mon·i·tor ['mɒnɪtə] **1.** monitor *m*; wskaźnik *m* kontrolny, ekran *m* kontrolny; **2.** monitorować; nadzorować; wsłuchiwać się w (*A*)
monk [mʌŋk] mnich *m*
mon·key ['mʌŋkɪ] **1.** *ogoniasta* małpa *f*; F psotnik *m*; ***make a ~ (out) of s.o.*** ⟨z⟩robić sobie żarty z kogoś; **2.** ***~ about, ~ around*** F wydurniać się; '**~ wrench** klucz *m* nastawny; ***throw a ~ wrench into s.th.*** *Am.* wsadzać kij w szprychy; '**~ busi·ness** ciemne interesy *pl.*
mon·o ['mɒnəʊ] **1.** (*pl.* ***-os***) *dźwięk* mono *n*; **2.** mono...
mon·o... ['mɒnəʊ] mono..., pojedynczy
mon·o·logue *zwł. Brt.*, **mon·o·log** *Am.* ['mɒnəlɒg] monolog *m*
mo·nop·o|·lize [mə'nɒpəlaɪz] ⟨z⟩monopolizować; ⟨z⟩dominować; **~·ly** monopol *m* (***of*** na *A*)
mo·not·o|·nous [mə'nɒtənəs] monotonny; **~·ny** monotonia *f*
mon·soon [mɒn'suːn] monsun *m*
mon·ster ['mɒnstə] monstrum *n*, potwór *m*; *attr.* monstrualny
mon|·stros·i·ty [mɒn'strɒsətɪ] monstrualność *f*; monstrum *n*; **~·strous** ['mɒnstrəs] powtorny, monstrualny
Montenegro Czarnogóra *f*
month [mʌnθ] miesiąc *m*; '**~·ly 1.** miesięczny; **2.** miesięcznik *m*; F *zwł. Am.* miesiączka *f*
mon·u·ment ['mɒnjʊmənt] pomnik *m*, monument *m*; **~·al** [mɒnjʊ'mentl] monumentalny
moo [muː] ⟨za⟩ryczeć
mood [muːd] nastrój *m*, humor *m*; ***be in a good (bad) ~*** być w dobrym (złym) nastroju; '**~·y** (***-ier, -iest***) humorzasty
moon [muːn] **1.** księżyc *m*; ***once in a blue ~*** F od wielkiego dzwonu; **2.** ***~ about, ~ around*** F pętać się; F dumać; '**~·light** światło *n* księżycowe; '**~·lit** oświetlony księżycem; '**~·shine** *sl.* samogon *m*; '**~·struck** F trzepnięty
moor[1] [mʊə] wrzosowisko *n*
moor[2] [mʊə] *naut.* ⟨za-, przy⟩cumować; **~·ing** ['mʊərɪŋz] *naut.* cumowisko *n*; ***~ings*** *pl.* cumy *pl.*, liny *pl.* cumownicze
moose [muːs] (*pl.* ***moose***) *północnoamerykański* łoś *m*
mop [mɒp] **1.** zmywak *m*, myjka *f*; grzywa *f*, kudły *pl.*; **2.** (***-pp-***) *też* ***~ up*** ścierać ⟨zetrzeć⟩, zmywać ⟨zmyć⟩
mope [məʊp] mieć chandrę, być w depresji
mo·ped ['məʊped] *Brt.* moped *m*
mor·al ['mɒrəl] **1.** moralny, prawy; **2.** morał *m*, nauka *f*; ***~s*** *pl.* moralność *f*; **mo·rale** [mɒ'rɑːl] morale *n*; **mor·al·ize** ['mɒrəlaɪz] moralizować (***about, on*** na temat *G*)
mor·bid ['mɔːbɪd] chorobliwy
more [mɔː] **1.** *adj.* więcej; jeszcze (*więcej*); ***some ~ tea*** jeszcze trochę herbaty; **2.** *adv.* bardziej; jeszcze (*trochę*); ***~ and ~*** coraz bardziej; ***~ or less*** mniej lub bardziej; ***once ~*** jeszcze raz; ***the ~ so because*** tym bardziej, że; *przy tworzeniu comp.* ***~ important*** ważniejszy; ***~ often*** częściej; **3.** więcej (***of*** *G*, ***than*** niż); ***a little ~*** trochę więcej *lub* bardziej
mo·rel [mɒ'rel] *bot.* smardz *m*
more·o·ver [mɔː'rəʊvə] ponadto, poza tym
morgue [mɔːg] kostnica *f*
morn·ing ['mɔːnɪŋ] rano *n*, poranek *m*; ***good ~!*** dzień dobry!; ***in the ~*** rano, ranem; przed południem; ***tomorrow ~*** jutro rano
mo·rose [mə'rəʊs] ponury
mor|·phi·a ['mɔːfjə], **~·phine** ['mɔːfiːn] morfina *f*
mor·sel ['mɔːsl] kąsek *m*; ***a ~ of*** odrobina (*G*)
mor·tal ['mɔːrtl] **1.** śmiertelny; **2.** śmiertelnik *m*; **~·i·ty** [mɔː'tælətɪ] śmiertelność *f*
mor·tar[1] ['mɔːtə] zaprawa *f* murarska
mor·tar[2] ['mɔːtə] moździerz *m*
mort·gage ['mɔːgɪdʒ] hipoteka *f*; dług *m* hipoteczny; wpis *m* hipoteczny; **2.** obciążać ⟨-żyć⟩ hipotekę

mor·ti·cian [mɔːˈtɪʃn] *Am.* przedsiębiorca *m* pogrzebowy

mor·ti|·fi·ca·tion [mɔːtɪfɪˈkeɪʃn] wstyd *n*; umartwianie *n* się; **~·fy** [ˈmɔːtɪfaɪ] zawstydzać ⟨-dzić⟩; umartwiać ⟨-twić⟩ się

mor·tu·a·ry [ˈmɔːtjʊərɪ] kostnica *f*

mo·sa·ic [məˈzeɪɪk] mozaika *f*; *attr.* mozaikowy

Mos·cow Moskwa *f*

Mos·lem [ˈmɒzləm] → ***Muslim***

mosque [mɒsk] meczet *m*

mos·qui·to [məˈskiːtəʊ] *zo.* (*pl.* ***-to(e)s***) moskit *m*

moss [mɒs] *bot.* mech *m*; **ˈ~·y** *bot.* (***-ier, -iest***) omszały

most [məʊst] **1.** *adj.* najwięcej; większość; **~ *people*** *pl.* większość ludzi *pl.*; **2.** *adv.* najwięcej; **~ *of all*** najwięcej; *przed adj.* najbardziej; *też przy tworzeniu sup.* ***the ~ important*** najważniejszy; **3.** ***at*** (***the***) **~** co najwyżej; ***make the ~ of s.th.*** wykorzystywać ⟨-tać⟩ coś do maksimum; **ˈ~·ly** przeważnie, głównie

MOT [em əʊ ˈtiː] *Brt.* F *też* **~ *test*** *jakby*: kontrola *f* sprawności pojazdu

mo·tel [məʊˈtel] motel *m*

moth [mɒθ] *zo.* ćma *f*; mól *m*; **ˈ~-eat·en** zżarty przez mole

moth·er [ˈmʌðə] **1.** matka *f*; *attr.* ojczysty, rodzimy; krajowy; **2.** matkować (*D*); **ˈ~coun·try** ojczyzna *f*; **ˈ~·hood** macierzyństwo *n*; **~-in-law** [ˈmʌðərɪnlɔː] (*pl.* ***mothers-in-law***) teściowa *f*; **ˈ~·ly** matczyny; macierzyński; **~-of-pearl** [mʌðərəvˈpɜːl] macica *f* perłowa; **~ ˈtongue** język *m* ojczysty

mo·tif [məʊˈtiːf] (*w sztuce, muzyce*) motyw *m*; deseń *m*

mo·tion [ˈməʊʃn] **1.** ruch *m*; *parl.* wniosek *m*; ***put*** *lub* ***set in* ~** wprawić w ruch; *fig.* nadawać *czemuś* bieg; **2.** *v/t.* skinąć na (*A*); wzywać ⟨wezwać⟩ gestem (*G*); *v/i.* skinąć, kiwnąć; **ˈ~·less** nieruchomy; **~ ˈpic·ture** *Am.* film *m*

mo·ti|·vate [ˈməʊtɪveɪt] nakłaniać ⟨-łonić⟩, zachęcać ⟨-cić⟩; ⟨s⟩powodować; **~·va·tion** [məʊtɪˈveɪʃn] motywacja *f*, pobudka *f*

mo·tive [ˈməʊtɪv] **1.** motyw *m*, pobudka *f*; **2.** napędowy (*też fig.*)

mot·ley [ˈmɒtlɪ] pstrokaty, różnoraki

mo·to·cross [ˈməʊtəʊkrɒs] (*w sporcie*) motokros *m*

mo·tor [ˈməʊtə] motor *m*, silnik *m*; siła *f* napędowa; *attr.* motoryzacyjny; **ˈ~·bike** *Brt.* F motorower *m*; **ˈ~·boat** motorówka *f*; **~·cade** [ˈməʊtəkeɪd] kolumna *f* samochodów; **ˈ~·car** *Brt.* samochód *m*; **ˈ~car·a·van** *Brt.* samochód *m* mieszkalny; **ˈ~·cy·cle** motocykl *m*; **ˈ~·cyc·list** motocyklista *m*; **ˈ~ home** *Am.* samochód *m* mieszkalny; **~·ing** [ˈməʊtərɪŋ] jazda *f* samochodem; ***school of ~ing*** szkoła *f* nauki jazdy; *attr.* samochodowy; **~·ist** [ˈməʊtərɪst] kierowca *m*; **~·ize** [ˈməʊtəraɪz] ⟨z⟩motoryzować; **ˈ~ launch** motorówka *f*; **ˈ~·way** *Brt.* autostrada *f*

mot·tled [ˈmɒtld] cętkowany

mo(u)ld[1] [məʊld] pleśń *f*; próchnica *f*

mo(u)ld[2] [məʊld] **1.** *tech.* forma *f* odlewnicza; **2.** *tech.* odlewać ⟨-lać⟩

mo(u)l·der [ˈməʊldə] *też* **~ *away*** rozkładać ⟨-łożyć⟩ się

mo(u)ld·y [ˈməʊldɪ] (***-ier, -iest***) zapleśniały, spleśniały; stęchły, zatęchły

mo(u)lt [məʊlt] pierzyć się; *włosy* ⟨s⟩tracić

mound [maʊnd] wzgórek *m*; kopiec *m*

mount [maʊnt] **1.** *v/t.* dosiadać (-siąść) (*G*), *konia* wsiąść na (*A*); ⟨z⟩montować (*też fig.*); zamontowywać ⟨-ować⟩; wspinać ⟨-piąć⟩ się; *obraz itp.* oprawiać ⟨-wić⟩; *kamień szlachetny* oprawiać ⟨-wić⟩; ***~ed police*** policja *f* konna; *v/i.* dosiadać ⟨-siąść⟩ konia; wzrastać ⟨-rosnąć⟩; **~ *up*** ⟨na⟩gromadzić się; **2.** zawieszenie *n*, podstawa *f*; oprawa *f*; wierzchowiec *m*; (*w nazwach*) góra *f*

moun·tain [ˈmaʊntɪn] **1.** góra *f*; **2.** górski; **ˈ~ bike** rower *m* górski

moun·tain|·eer [maʊntɪˈnɪə] alpinista *m* (-tka *f*); **~·eer·ing** [maʊntɪˈnɪərɪŋ] alpinistyka *f*

moun·tain·ous [ˈmaʊntɪnəs] górzysty

mourn [mɔːn] opłakiwać ⟨-kać⟩ (***for, over*** *A*), żałować; **ˈ~·er** żałobnik *m* (-nica *f*); **ˈ~·ful** żałobny; **ˈ~·ing** żałoba *f*

mouse [maʊs] (*pl.* ***mice*** [maɪs]) mysz *f*; (*pl. też* ***mouses***) *komp.* mysz *f*

mous·tache [məˈstɑːʃ] *też* ***mustache*** wąsy *pl.*

mouth [maʊθ] (*pl.* ***mouths*** [maʊðz]) usta *pl.*; pysk *m* (*zwierzęcia*); ujście *n* (*rzeki*); otwór *m* (*pojemnika*); **ˈ~·ful** kęs *m*; **ˈ~ ·or·gan** *ustna* harmonijka *f*, F organki *pl.*; **ˈ~·piece** ustnik *m*; *fig.*

M

rzecznik *m* (-czka *f*); '**~·wash** płyn *m* do ust
mo·va·ble ['muːvəbl] ruchomy
move [muːv] **1.** *v/t.* ruszać ⟨-szyć⟩; poruszać ⟨-szyć⟩; przesuwać ⟨-unąć⟩; (*w szachach*) ⟨z⟩robić ruch (*D*); *parl.* stawiać ⟨postawić⟩ wniosek; wzruszać ⟨-szyć⟩; **~ *house*** przeprowadzać ⟨-dzić⟩ się; **~ *heaven and earth*** poruszyć niebo i ziemię; *v/i.* ruszać ⟨-szyć⟩ się; poruszać ⟨-szyć⟩ się; przesuwać ⟨-unąć⟩ się; przeprowadzać ⟨-dzić⟩ się, przenosić ⟨-nieść⟩ się (***to*** do *G*); (*w szachach*) robić ruch; **~ *away*** wyprowadzać ⟨-dzić⟩ się; **~ *in*** wprowadzać ⟨-dzić⟩ się; **~ *on*** iść ⟨pójść⟩ dalej; **~ *out*** wyprowadzać ⟨-dzić⟩ się; **2.** ruch *m*; *fig.* posunięcie *n*, krok *m*; (*w szachach*) ruch *m*, posunięcie *n*; przeprowadzka *f*; ***on the ~*** w ruchu; ***get a ~ on!*** F ruszaj się!; '**~·a·ble** → ***movable***; '**~·ment** ruch (*też fig.*); *mus.* część *f*; *tech.* mechanizm *m*
mov·ie ['muːvɪ] *zwł. Am.* film *m*; kino *n*; *attr.* filmowy, kinowy; '**~ cam·e·ra** kamera *f* filmowa; '**~ star** *Am.* gwiazda *f* filmowa; '**~ thea·ter** *Am.* kino *n*
mov·ing ['muːvɪŋ] ruszający się, ruchomy; *fig.* wzruszający; **~ 'stair·case** ruchome schody *pl.*; '**~ van** *Am.* samochód *m* do przeprowadzek
mow [məʊ] (***mowed, mowed*** *lub* ***mown***) ⟨s⟩kosić; '**~·er** kosiarka *f*; **~n** [məʊn] *p.p. od* ***mow***
MP [em 'piː] *skrót*: ***Member of Parliament*** *Brt.* poseł *m* (-słanka *f*); ***military police*** żandarmeria *f* wojskowa
mph *skrót pisany*: ***miles per hour*** mile na godzinę
Mr ['mɪstə] *skrót*: ***Mister*** pan *m*
Mrs ['mɪsɪz] *skrót*: ***Mistress*** pani *f*
MS *pl.* ***MSS*** *skrót pisany*: ***manuscript*** rękopis *m*
Ms [mɪz, məz] pani *f* (*neutralnie*)
Mt *skrót pisany*: ***Mount*** góra *f*
much [mʌtʃ] **1.** *adj.* (***more, most***) dużo; **2.** *adv.* bardzo; *w złożeniach* dużo; *przed comp.* znacznie; ***very ~*** bardzo; ***I thought as ~*** tak właśnie myślałem; **3.** ***nothing ~*** nic szczególnego; ***make ~ of*** wiele sobie robić z (*G*); ***think ~ of*** mieć dobrą opinię o (*L*); ***I am not ~ of a dancer*** F nie tańczę najlepiej
muck [mʌk] F łajno *n*, gnój *m*; paskudztwo *n*, brud *m*
mu·cus ['mjuːkəs] śluz *m*
mud [mʌd] błoto *n*; brud *m* (*też fig.*)
mud·dle ['mʌdl] **1.** rozgardiasz *m*; ***be in a ~*** być skołowanym; **2.** *też* **~ *up*** *kogoś* skołować; *coś* namieszać; **~ *through*** F przebrnąć przez (*A*)
mud|·dy ['mʌdɪ] (***-ier, -iest***) zabłocony; błotnisty, bagnisty; '**~·guard** błotnik *m*
mues·li ['mjuːzlɪ] muesli *n* (*śniadaniowa mieszanka zbożowa*)
muff [mʌf] mufka *f*
muf·fin ['mʌfɪn] bułeczka *f* (*jedzona na gorąco*)
muf·fle ['mʌfl] *dźwięk* ⟨s⟩tłumić; *często* **~ *up*** obwijać ⟨-inąć⟩, otulać ⟨-lić⟩; '**~r** (gruby) szalik *m*; *mot.* tłumik *m*
mug[1] [mʌg] kubek *m*, kufel *m*; *sl.* ryj *m*, morda *f*
mug[2] [mʌg] (***-gg-***) (*zwł. na ulicy*) napadać ⟨-paść⟩, ⟨z⟩rabować; '**~·ger** F rabuś *m*, napastnik *m*; '**~·ging** F rabunek *m*, napaść *m*
mug·gy ['mʌgɪ] parny, duszny
mul·ber·ry ['mʌlbərɪ] *bot.* morwa *f*
mule [mjuːl] *zo.* muł *m*
mulled [mʌld]: **~ *wine*** wino *n* grzane
mul·li·on ['mʌljən] *arch.* słupek *m* okienny
mul·ti... ['mʌltɪ] multi..., wielo...
mul·ti|·far·i·ous [mʌltɪ'feərɪəs] różnoraki, różnorodny; **~·lat·e·ral** [mʌltɪ'lætərəl] wielostronny
mul·ti·ple ['mʌltɪpl] **1.** wielokrotny; **2.** *math.* wielokrotność *f*; **~ '*store*** *też* F ***multiple*** *zwł. Brt.* sklep *m* firmowy
mul·ti·pli·ca·tion [mʌltɪplɪ'keɪʃn] powielanie *n*; *math.* mnożenie *n*; **~ *table*** tabliczka *f* mnożenia
mul·ti·pli·ci·ty [mʌltɪ'plɪsətɪ] wielokrotność *f*; wielość *f*
mul·ti·ply ['mʌltɪplaɪ] powielać ⟨-lić⟩; rozmnażać ⟨-nożyć⟩ (się); *math.* ⟨po⟩mnożyć (***by*** przez *A*)
mul·ti|'pur·pose wielofunkcyjny; **~'sto·rey** *Brt.* wielopiętrowy; **~-sto·rey 'car park** *Brt.* parking *m* wielopiętrowy
mul·ti|·tude ['mʌltɪtjuːd] wielość *f*, mnogość *f*; **~·tu·di·nous** [mʌltɪ'tjuːdɪnəs] mnogi, liczny
mum[1] [mʌm] *Brt.* F mamusia *f*
mum[2] [mʌm] **1.** *int.*: ***~'s the word*** ani słowa o tym!, buzia na kłódkę; **2.** *adj.*: ***keep ~*** trzymać język za zębami

M

mum·ble ['mʌmbl] ⟨za-, wy⟩mamrotać
mum·mi·fy['mʌmɪfaɪ]⟨z⟩mumifikować
mum·my[1] ['mʌmɪ] mumia *f*
mum·my[2] ['mʌmɪ] *Brt.* F mamusia *f*
mumps [mʌmps] *med.* świnka *f*, nagminne zapalenie *n* przyusznicy
munch [mʌntʃ] ⟨z⟩żuć z chrzęstem, ⟨s⟩chrupać
mun·dane [mʌn'deɪn] przyziemny
Mu·nich Monachium *n*
mu·ni·ci·pal [mjuː'nɪsɪpl] miejski; komunalny; ~ ***council*** rada *f* miejska; **~·i·ty** [mjuːnɪsɪ'pæləti] gmina *f* miejska
mu·ral ['mjʊərəl] **1.** malowidło *n* ścienne; **2.** ścienny
mur·der ['mɜːdə] **1.** morderstwo *n*; **2.** ⟨za⟩mordować; *fig.* wykończyć ⟨-kańczać⟩; **~·er** ['mɜːdərə] morderca *m* (-czyni *f*); **~·ess** ['mɜːdərɪs] morderczyni *f*; **~·ous** ['mɜːdərəs] morderczy
murk·y ['mɜːkɪ] (***-ier, -iest***) mroczny, nieprzejrzysty
murmur ['mɜːmə] **1.** szmer *m*; szemranie *n*; **2.** szemrać, ⟨wy⟩mamrotać
mus|·cle ['mʌsl] mięsień *m*, muskuł *m*; **'~·cle-bound**: ***be ~cle-bound*** być nadmiernie umięśnionym; **~·cu·lar** ['mʌskjʊlə] muskularny, umięśniony
muse[1] [mjuːz] ⟨za⟩dumać (się), ⟨po⟩medytować (***on, over*** nad *I*)
muse[2] [mjuːz] *też* ♀ muza *f*
mu·se·um [mjuː'zɪəm] muzeum *n*
mush [mʌʃ] bryja *f*, breja *f*; *Am.* zupa *f* z kukurydzy
mush·room ['mʌʃrʊm] **1.** *bot.* grzyb *m*, *zwł.* pieczarka *f*; *attr.* grzybowy, pieczarkowy; **2.** *fig.* wyrastać ⟨-rosnąć⟩jak grzyby po deszczu
mu·sic ['mjuːzɪk] muzyka *f*; nuty *pl.*; ***it was put*** *lub* ***set to ~*** napisano do niego muzykę
'mu·sic·al **1.** muzyczny; muzykalny; melodyjny; **2.** musical *m*; **'~ box** *zwł. Brt.* pozytywka *f*; **~ 'in·stru·ment** instrument *m* muzyczny
'mu·sic| box *zwł. Am.* pozytywka *f*; **'~ cen·tre** (*Am.*; **cen·ter**) sprzęt *m* stereo, wieża *f* stereo; **'~ hall** *Brt.* teatr *m* rewiowy, music-hall *m*
mu·si·cian [mjuː'zɪʃn] muzyk *m*
'mu·sic stand pulpit *m*
musk [mʌsk] piżmo *n*; **'~ ox** (*pl.* ***- oxen***) wół *m* piżmowy, piżmowół *m*; **'~·rat** szczur *m* piżmowy, piżmak *m*
Mus·lim ['mʊslɪm] **1.** muzułmanin *m* (-anka *f*); **2.** muzułmański
mus·quash ['mʌskwɒʃ] szczur *m* piżmowy, piżmak *m*; futro *n* z piżmaków
mus·sel ['mʌsl] małż *m*, *zwł.* omułek *m*
must[1] [mʌst] **1.** *v/aux.* musieć; ***you must not*** (F ***mustn't***) nie wolno ci; **2.** konieczność *f*
must[2] [mʌst] moszcz *m*
mus·tache [mə'stɑːʃ] *Am.* wąsy *pl.*
mus·tard ['mʌstəd] musztarda *f*; *bot.* gorczyca *f*
mus·ter ['mʌstə] **1.** ~ ***up*** *siłę itp.* zbierać ⟨zebrać⟩; zdobywać ⟨-być⟩ się na (*A*) *odwagę*; **2.** ***pass ~*** *fig.* ⟨u⟩czynić zadość wymogom
must·y ['mʌstɪ] (***-ier, -iest***) zatęchły; stęchły
mu·ta·tion [mjuː'teɪʃn] mutacja *f* (*też bot.*)
mute [mjuːt] **1.** niemy; **2.** niemy *m*; niema *f*; *mus.* tłumik *m*
mu·ti·late ['mjuːtɪleɪt] okaleczać ⟨-czyć⟩, zniekształcać ⟨-cić⟩
mu·ti|·neer [mjuːtɪ'nɪə] rebeliant *m*, buntownik *m*; **~·nous** ['mjuːtɪnəs] rebeliancki, buntowniczy; **~·ny** ['mjuːtɪnɪ] rebelia *f*, bunt *m*
mut·ter ['mʌtə] **1.** ⟨wy⟩mamrotać; **2.** mamrotanie *n*, szemranie *n*
mut·ton ['mʌtn] *gastr.* baranina; ***leg of ~*** udziec *m* barani; **~ 'chop** kotlet *m* barani
mu·tu·al ['mjuːtʃʊəl] wzajemny, obopólny; wspólny
muz·zle ['mʌzl] **1.** *zo.* pysk *m*, morda *f*; wylot *m* (*lufy*); kaganiec *m*; **2.** zakładać ⟨założyć⟩ kaganiec (*D*); *fig.* zamykać ⟨-mknąć⟩ usta
my [maɪ] mój
myrrh [mɜː] *bot.* mirra *f*, mira *f*
myr·tle ['mɜːtl] *bot.* mirt *m*
my·self [maɪ'self] ja, mnie; się, sobie; ja sam; ***by ~*** samotnie
mys·te|·ri·ous [mɪ'stɪərɪəs] tajemniczy, zagadkowy; **~·ry** ['mɪstərɪ] tajemnica *f*; zagadka *f*; *rel.* misterium *n*; ***~ry tour*** podróż *f* w nieznane
mys|·tic ['mɪstɪk] **1.** mistyk *m* (-yczka *f*); **2.** *adj.* mistyczny; **'~·tic·al** mistyczny; **~·ti·fy** ['mɪstɪfaɪ] zwodzić ⟨zwieść⟩; oszałamiać ⟨oszołomić⟩
myth [mɪθ] mit *m*
my·thol·o·gy [mɪ'θɒlədʒɪ] mitologia *f*

N

N, n [en] N, n *n*
N *skrót pisany*: ***north*** płn., północ(ny); ***northern*** północny
nab [næb] F (***-bb-***) ⟨z⟩łapać, ⟨s⟩chwytać
na·dir ['neɪdɪə] *astr.* nadir *m*, *fig.* najniższy poziom *m*
nag¹ [næg] **1.** (***-gg-***) ⟨za-, u⟩dręczyć; zrzędzić (***at*** na *A*); **2.** F zrzęda *m/f*
nag² [næg] F szkapa *f*, chabeta *f*
nail [neɪl] **1.** *tech.* gwóźdź *m*; paznokieć *m*; **2.** przybijać ⟨-bić⟩ gwoździami (***to*** do *G*); '**~ pol·ish** lakier *m* do paznokci; '**~ scis·sors** *pl.* nożyczki *pl.* do paznokci; '**~ var·nish** lakier *m* do paznokci
na·ive, na·ïve [naɪ'iːv] naiwny; **na·iv·eté** [naɪ'iːvəti], **na·ive·ty** [naɪ'iːvɪti] naiwność *f*
na·ked ['neɪkɪd] nagi; odsłonięty; *fig.* nieosłonięty; '**~·ness** nagość *f*
name [neɪm] **1.** nazwa *f*; imię *n*; nazwisko *n*; ***by ~*** z imienia; ***by the ~ of ...*** imieniem ...; ***what's your ~?*** jak się pan(i) nazywa?; ***call s.o. ~s*** przezywać ⟨-zwać⟩ kogoś; **2.** nazywać ⟨-zwać⟩; dawać ⟨dać⟩ imię; dawać ⟨dać⟩ na imię; wymieniać ⟨-nić⟩ z imienia; '**~·less** bezimienny; nieznany; '**~·ly** mianowicie; '**~·plate** tabliczka *f* z nazwiskiem *lub* nazwą; '**~·sake** imiennik *m* (-iczka *f*); '**~-tag** (*na ubraniu*) naszywka *f* z nazwiskiem
nan·ny ['nænɪ] niania *f*; '**~ goat** *zo.* koza *f*
nap [næp]: **1.** drzemka *f*; ***have*** *lub* ***take a ~*** ucinać ⟨uciąć⟩ sobie drzemkę **2.** (***-pp-***) ucinać ⟨uciąć⟩ sobie drzemkę
nape [neɪp]: *zw.* ***~ of the neck*** kark *m*
nap·kin ['næpkɪn] serwetka *f*; *Brt.* → ***nappy***
Na·ples Neapol *m*
nap·py *Brt.* F pielucha *f*
nar·co·sis [nɑː'kəʊsɪs] *med.* (*pl.* ***-ses*** [-siːz]) narkoza *f*
nar·cot·ic [nɑː'kɒtɪk] **1.** (***~ally***) narkotyczny *m*; ***~ addiction*** uzależnienie n narkotyczne; **2.** narkotyk *m*; środek *m* odurzający; ***~s*** *pl.* narkotyki *pl.*; ***~s squad*** wydział służb *pl.* antynarkotykowych
nar|·rate [nə'reɪt] opowiadać ⟨-wiedzieć⟩; ⟨po⟩informować; **~·ra·tion** [nə'reɪʃn] narracja *f*; **~·ra·tive** ['nærətɪv] **1.** narracja *f*; relacja *f* (***of*** z *G*); **2.** narracyjny; **~·ra·tor** [nə'reɪtə] narrator(ka *f*) *m*
nar·row ['nærəʊ] **1.** wąski; nieznaczny; dokładny; *fig.* ograniczony; **2.** zwężać ⟨zwęzić⟩ (się); zmniejszać ⟨-szyć⟩ ;(się); ograniczać ⟨-czyć⟩; '**~·ly** ledwo; **~-'mind·ed** ograniczony; o wąskich horyzontach; '**~·ness** ograniczenie *n*
NASA ['næsə] *skrót*: ***National Aeronautics and Space Administration*** NASA *f*
na·sal [neɪzl] nosowy
nas·ty ['nɑːstɪ] (***-ier, -iest***) paskudny; *charakter itp.*: okropny; złośliwy, niedobry; *człowiek, zachowanie*: agresywny; *umysł*: plugawy
na·tal ['neɪtl] urodzeniowy
na·tion ['neɪʃn] naród *m*; państwo *n*
na·tion·al ['næʃənl] **1.** narodowy; państwowy; **2.** obywatel(ka *f*) *m* (*danego państwa*); **~ 'an·them** hymn *m* państwowy
na·tion·al|·i·ty [næʃə'nælətɪ] narodowość *f*; obywatelstwo *f*; **~·ize** ['næʃnəlaɪz] ⟨z⟩nacjonalizować, upaństwawiać ⟨-wowić⟩
na·tion·al| 'park park *m* narodowy; **~ 'team** (*w sporcie*) reprezentacja *f* kraju
'na·tion-wide ogólnokrajowy
na·tive ['neɪtɪv] **1.** rodzimy, ojczysty; krajowy, miejscowy; wrodzony; **2.** krajowiec *m*, tubylec *m*; **~ 'lan·guage** język *m* rodzimy *lub* ojczysty; **~ 'speak·er** rodzimy użytkownik (*języka*) *m*
Na·tiv·i·ty [nə'tɪvətɪ] narodzenie *n* Chrystusa; opowieść *f* o narodzeniu Chrystusa; jasełka *pl.*
NATO ['neɪtəʊ] *skrót*: ***North Atlantic Treaty Organization*** NATO *n*, Pakt *m* Północnoatlantycki
nat·u·ral ['nætʃrəl] naturalny, przyrodzony; urodzony, zawołany; przyrodniczy; **~ 'gas** gaz *m* ziemny; **~·ize** ['nætʃrəlaɪz] naturalizować (się); nada-

wać ⟨-dać⟩ obywatelstwo; '**~·ly** naturalnie; z natury; **~ re'sourc·es** *pl.* bogactwa *pl.* naturalne; **~ 'sci·ence** nauka *f* przyrodnicza

na·ture ['neɪtʃə] przyroda *f*, natura *f*; '**~ con·ser·va·tion** ochrona *f* przyrody; '**~ re·serve** rezerwat *m* przyrodniczy; '**~ trail** szlak *m* przyrodoznawczy

naugh·ty ['nɔːtɪ] (***-ier, -iest***) niegrzeczny; *dowcip*: nieprzystojny

nau·se|·a ['nɔːsjə] nudności *pl.*, mdłości *pl.*; **~·ate** ['nɔːsɪeɪt]: ***~ate s.o.*** doprowadzać ⟨-dzić⟩ kogoś do mdłości, przyprawiać ⟨-wić⟩ kogoś o mdłości; '**~·ating** przyprawiający o mdłości

nau·ti·cal ['nɔːtɪkl] morski, żeglarski

na·val ['neɪvl] morski; okrętowy; '**~ base** baza *f* morska; '**~ of·fi·cer** oficer *m* marynarki wojennej; '**~ pow·er** potęga *f* morska

nave [neɪv] *arch.* nawa *f* główna

na·vel ['neɪvl] *anat.* pępek *m*

nav·i|·ga·ble ['nævɪgəbl] żeglowny; **~·gate** ['nævɪgeɪt] *naut.* ⟨po⟩żeglować, pływać; nawigować; *fig.* pilotować; **~·ga·tion** [nævɪ'geɪʃən] *naut.*, *aviat.* nawigacja *f*; pływanie *n*; *fig.* pilotowanie *n*; **~·ga·tor** ['nævɪgeɪtə] *naut.*, *aviat.* nawigator *m*

na·vy ['neɪvɪ] marynarka *f* wojenna; **~ 'blue** *kolor*: granat *m*

nay *parl.* [neɪ] głos *m* przeciw

NBC [en biː 'siː] *skrót*: ***National Broadcasting Company*** (*amerykańska firma radiowa i TV*)

NE *skrót pisany*: ***northeast*** płn.-wsch., północny wschód; ***northeast(ern)*** płn.--wsch, północno-wschodni

near [nɪə] **1.** *adj.* bliski, niedaleki; *brzeg*: bliższy; ***it was a ~ miss*** ledwie brakowało (*do zderzenia itp.*); **2.** *adv.* blisko, niedaleko (*też* ***~ at hand***); prawie, nieomal; **3.** *prp.* w pobliżu (*G*); **4.** zbliżać ⟨-żyć⟩ się; **~·by 1.** *adj.* ['nɪəbaɪ] bliski, pobliski; **2.** [nɪə'baɪ] w pobliżu, blisko; '**~·ly** prawie, blisko; **~ 'sight·ed** *zwł. Am.* krótkowzroczny

neat [niːt] porządny; schludny; *rozwiązanie*: zgrabny; *wódka itp.*: czysty

neb·u·lous ['nebjʊləs] mglisty, mętny

ne·ces|·sar·i·ly ['nesəsərəlɪ] nieodzownie, koniecznie; ***not ~ sarily*** niekoniecznie; **~·sa·ry** ['nesəsərɪ] nieodzowny, konieczny

ne·ces·si|·tate [nɪ'sesɪteɪt] wymagać (*G*), stwarzać ⟨stworzyć⟩ konieczność (*G*); **~·ty** [nɪ'sesətɪ] konieczność *f*, potrzeba *f*

neck [nek] **1.** szyja *f*; szyjka *f*; kołnierzyk *m*; → ***neckline***; ***~ and ~*** F łeb w łeb; ***be up to one's ~ in debt*** F być po uszy w długach; **2.** F pieścić się

neck·er·chief ['nekətʃɪf] (*pl.* ***-chiefs, -chieves***) apaszka *f*

neck|·lace ['neklɪs] naszyjnik *m*; **~·let** ['neklɪt] naszyjnik *m*; '**~·line** wycięcie *n* (*ubrania*); '**~·tie** *zwł. Am.* krawat *m*

née [neɪ]: ***~ Smith*** z domu Smith

need [niːd] **1.** potrzeba *f*; brak *m*; bieda *f*; ***be in ~ of s.th.*** potrzebować czegoś; ***in ~*** w potrzebie; ***be in ~ of help*** potrzebować pomocy; **2.** *v/t.* potrzebować (*G*); *v/aux.* potrzebować (*G*), musieć; ***it ~s to be done*** trzeba to zrobić

nee·dle ['niːdl] **1.** igła *f* (*też świerka itp.*); **2.** F *komuś* dawać się we znaki

'**need·less** niepotrzebny, zbyteczny

'**nee·dle|·wom·an** (*pl.* ***-women***) szwaczka *f*; '**~·work** robótki *pl.* ręczne

'**need·y** (***-ier, -iest***) potrzebujący, ubogi

ne·ga·tion [nɪ'geɪʃn] przeczenie *n*, negacja *f*; **neg·a·tive** ['negətɪv] **1.** negatywny; odmowny; przeczący; **2.** przeczenie *n*; *phot.* negatyw *m*; ***answer in the ~*** odpowiadać odmownie

ne·glect [nɪ'glekt] **1.** zaniedbywać ⟨-dbać⟩; zapominać ⟨-mnieć⟩ (***doing, to do*** zrobić); **2.** zaniedbanie *n*, niedbalstwo *n*

neg·li·gence ['neglɪdʒənts] zaniedbanie *n*, nieuwaga *f*; **neg·li·gent** ['neglɪdʒənt] niedbały

neg·li·gi·ble ['neglɪdʒəbl] bez znaczenia

ne·go·ti|·ate [nɪ'gəʊʃɪeɪt] ⟨wy⟩negocjować; ⟨po⟩prowadzić rozmowy, rokować; F *przeszkodę* pokonywać ⟨-nać⟩; *czek* ⟨z⟩realizować; **~·a·tion** [nɪgəʊʃɪ'eɪʃn] negocjacje *pl.*; rokowania *pl.*; **~·a·tor** [nɪ'gəʊʃɪeɪtə] negocjator *m* (-ka *f*)

neigh [neɪ] **1.** ⟨za⟩rżeć; **2.** rżenie *n*

neigh·bo(u)r ['neɪbə] sąsiad(ka *f*); *rel.* bliźni *m*; '**~·hood** sąsiedztwo *n*; najbliższa okolica *f*; **~·ing** ['neɪbərɪŋ] sąsiedni, sąsiadujący; '**~·ly** życzliwy, przychylny

nei·ther ['naɪðə, 'niːðə] **1.** *adj.*, *pron.* żaden (z dwóch); **2.** ***~ ...nor...*** ani ... ani ...

N

ne·on ['niːən] *chem.* neon *m*; **'~ lamp** lampa *f* neonowa; **'~ sign** neon *m*

neph·ew ['nevjuː] siostrzeniec *m*, bratanek *m*

nerd [nɜːd] F ćwok *m*, żłób *m*

nerve [nɜːv] nerw *m*; odwaga *f*, śmiałość *f*; F czelność *f*; ***get on s.o.'s ~s*** działać komuś na nerwy; ***he lost his ~*** nerwy go poniosły; ***you've got a ~!*** ty to masz tupet!; **'~·less** mało odważny

ner·vous ['nɜːvəs] nerwowy; **'~·ness** nerwowość *f*

nest [nest] **1.** gniazdo *n*; **2.** gnieździć się

nes·tle ['nesl] ⟨przy⟩tulić się (***against, on*** do *G*); *też* **~ *down*** ⟨u⟩mościć się (***in*** w *L*)

net¹ [net] **1.** sieć *f*, siatka *f*; **~ *curtain*** firanka *f*; **2.** (***-tt-***) ⟨z⟩łowić *lub* ⟨s⟩chwytać siecią

net² [net] **1.** netto; na czysto; **2.** (***-tt-***) przynosić ⟨-nieść⟩ na czysto *lub* netto

Neth·er·lands ['neðələndz] *pl.* Holandia *pl.*

net·tle ['netl] *bot.* **1.** pokrzywa *f*; **2.** ⟨po⟩kłócić się

'net·work sieć *f* (*połączeń, komputerowa itp.*)

neu|·ro·sis [njʊə'rəʊsɪs] *med.* (*pl.* ***-ses*** [-siːz]) neuroza *f*, nerwica *f*; **~·rot·ic** [njʊə'rɒtɪk] neurotyk *m* (-yczka *f*)

neu·ter ['njuːtə] **1.** *gr.* nijaki; bezpłciowy; **2.** *gr.* rodzaj *m* nijaki; **3.** ⟨wy⟩trzebić, ⟨wy⟩kastrować

neu·tral ['njuːtrəl] **1.** neutralny; obojętny; *electr.* zerowy; *mot.* jałowy; **2.** osoba *f* neutralna; państwo neutralne; *też* **~ *gear*** bieg *m* jałowy; **~·i·ty** [njuː'trælətɪ] neutralność *f*; **~·ize** ['njuːtrəlaɪz] ⟨z⟩neutralizować

neu·tron ['njuːtrɒn] *phys.* neutron *m*

nev·er ['nevə] nigdy; **~-'end·ing** nie kończący się; **~·the'less** pomimo to

new [njuː] nowy; *ziemniaki itp.*: młody; ***it's ~ to me*** to dla mnie nowość; **'~·born** nowo narodzony; **'~·com·er** przybysz *m*; nowy *m* (-wa *f*) ; nowy pracownik *m*; **'~·ly** nowo

New Or·leans Nowy Orlean *m*

news [njuːz] *sg.* wiadomości *pl.*, informacje *pl.*; **'~·a·gent** sprzedawca *m* (-czyni *f*) czasopism; **'~·boy** roznosiciel *m* gazet; **'~ bul·le·tin** skrót *m* wiadomości; **'~·cast** (*w radio, TV*) wiadomości *pl.*, dziennik *m*; **'~·cast·er** (*w radio, TV*) spiker(ka *f*) *m* (*prezentujący wiadomości w radio i w TV*); **'~·deal·er** → *Am.* ***newsagent***; **'~·flash** *TV*, (*w radio*) wiadomości *pl.* z ostatniej chwili; **'~·let·ter** biuletyn *m*; **~·mon·ger** ['njuːzmʌŋgə]; **~·pa·per** ['njuːspeɪpə] gazeta *f*, dziennik *m*; *attr.* gazetowy; **'~·print** papier *m* gazetowy; **'~·read·er** *zwł. Brt.* → ***newscaster***; **'~·reel** kronika *f* filmowa; **'~·room** redakcja *f* dziennika; **'~·stand** kiosk *m*, stoisko *n* z gazetami; **'~·ven·dor** *zwł. Brt.* sprzedawca (-czyni *f*) gazet

new 'year nowy rok; ***New Year's Day*** Nowy Rok *m*; ***New Year's Eve*** Sylwester *m*

New York Nowy Jork *m*

New Zea·land Nowa Zelandia *f*

next [nekst] **1.** *adj.* następny; sąsiedni; (***the***) **~ *day*** następnego dnia; **~ *door*** sąsiedni; **~ *but one*** przedostatni; **~ *to*** obok (*G*); **~ *to nothing*** tyle co nic; **2.** *adv.* następnie; później; **3.** następny *m*; **~ -'door** obok (*G*); **~ of 'kin** najbliższy krewny

NHS [en eɪtʃ 'es] *Brt. skrót*: ***National Health Service*** Państwowa Służba *f* Zdrowia

nib·ble ['nɪbl] skubać ⟨-bnąć⟩ (***at*** *A*), ⟨wy⟩skubać

nice [naɪs] (***-r, -st***) miły; przyjacielski; przyjemny; subtelny; **'~·ly** miło; przyjemnie; **ni·ce·ty** ['naɪsətɪ] subtelność *f*

niche [nɪtʃ] nisza *f*

nick [nɪk] **1.** zadraśnięcie *n*, zadrapanie *n*; ***in the ~ of time*** w ostatnim momencie; **2.** zadrasnąć (się); *Brt.* F (*ukraść*) gwizdnąć; *Brt.* F przymykać ⟨-mknąć⟩

nick·el ['nɪkl] **1.** *chem.* nikiel *m*; *Am.* moneta *m* pięciocentowa; **2.** (*zwł. Brt.* ***-ll-*** , *Am.* ***-l-***) ⟨po⟩niklować; **~-'plate** ⟨po⟩niklować

nick-nack ['nɪknæk] → ***knick-knack***

nick·name ['nɪkneɪm] **1.** przezwisko *n*, przydomek *m*; **2.** przezywać ⟨-zwać⟩, nadawać ⟨-dać⟩ przydomek

niece [niːs] siostrzenica *f*, bratanica *f*

nig·gard ['nɪgəd] skąpiec *m*; **'~·ly** skąpy, mało szczodry

night [naɪt] noc *f*; *późny* wieczór *m*; *attr.* nocny; ***at ~ , by ~ , in the ~*** nocą, w nocy; **'~·cap** kieliszek *m* przed zaśnięciem; **'~·club** klub *m* nocny; **'~·dress** koszula *f* nocna; **'~·fall**: ***at***

~fall o zmroku; **~·ie** F ['naɪtɪ] koszula *f* nocna
nigh·tin·gale ['naɪtɪŋgeɪl] *zo.* słowik *m*
'night|·ly nocny, wieczorny; co noc, co wieczór; **~·mare** ['naɪtmeə] koszmar *m* (*też fig.*); **'~ school** szkoła *f* wieczorowa; **'~ shift** zmiana *f* nocna; **'~·shirt** (*męska)* koszula *f* nocna; **'~·time**: ***in the ~time, at ~time*** nocą; **~ 'watch-man** (*pl.* ***-men***) stróż *m* nocny; **' ~y** F → ***nightdress***
nil [nɪl] nic *n*, zero *n*; ***our team won two to ~*** *lub* ***by two goals to ~*** (***2-0***) nasz zespół wygrał dwa do zera (2-0)
nim·ble ['nɪmbl] (***-r, -st***) gibki; lotny
nine [naɪn] **1.** dziewięć; **~ *to five*** zwykłe godziny pracy (*od 9 do 17*); ***a ~-to-five job*** etat *m* o unormowanym czasie pracy; **2.** dziewiątka *f*; **'~·pins** kręgle *pl.*; **~·teen** [naɪn'tiːn] **1.** dziewiętnaście; **2.** dziewiętnastka *f*; **~·teenth** [naɪn'tiːnθ] dziewiętnasty; **~·ti·eth** ['naɪntɪɪθ] dziewięćdziesiąty; **~·ty** ['naɪntɪ] **1.** dziewięćdziesiąt; **2.** dziewięćdziesiątka *f*
nin·ny ['nɪnɪ] F głupiec *m*
ninth [naɪnθ] **1.** dziewiąty; **2.** jedna dziewiąta; **'~·ly** po dziewiąte
nip[1] [nɪp] **1.** (***-pp-***) szczypać ⟨-pnąć⟩; *rośliny* ścinać (*mróz*); F wyskakiwać ⟨-koczyć⟩; **~ *in the bud*** *fig.* ⟨z⟩niszczyć w zarodku; **2.** uszczypnięcie *n*; ***there's a ~ in the air today*** zimno już dzisiaj
nip[2] [nɪp] łyk *m* (*whisky itp.*)
nip·per ['nɪpə]: (***a pair of***) **~*s*** *pl.* szczypce *pl.*
nip·ple ['nɪpl] *anat.* sutek *m*; *Am.* smoczek *m* (*na butelkę*)
ni·tre *Brt.*, **ni·ter** *Am.* ['naɪtə] *chem.* saletra *f*
ni·tro·gen ['naɪtrədʒən] *chem.* azot *m*
no [nəʊ] **1.** *adv.* nie; **2.** *adj.* żaden; **~ *one*** nikt, żaden; ***in ~ time*** błyskawicznie
No., no. *skrót pisany*: ***number*** (*łacińskie* ***numero***) nr, numer
no·bil·i·ty [nəʊ'bɪlətɪ] szlachta *f*; szlachetność *f*
no·ble ['nəʊbl] (***-r, -st***) szlachetny; szlachecki; *budynek*: wyniosły; **'~·man** (*pl.* ***-men***) szlachcic *m*; **'~·wom·an** (*pl.* ***-women***) szlachcianka *f*
no·bod·y ['nəʊbədɪ] **1.** nikt; **2.** *fig.* nikt *m*
no-'cal·o·rie di·et dieta *f* niskokaloryczna
noc·tur·nal [nɒk'tɜːnl] nocny
nod [nɒd] **1.** (***-dd-***) kiwać ⟨-wnąć⟩; kłaniać ⟨ukłonić⟩ się; **~ *off*** odkłaniać ⟨-łonić⟩ się; ***have a ~ding acquaintance*** znać kogoś z widzenia; **2.** skinięcie *n* głową; ukłon *m*
node [nəʊd] węzeł *m* (*też med.*)
noise [nɔɪz] **1.** hałas *m*; dźwięk *m*; **2.** **~ *about*** (***abroad, around***) nagłaśniać ⟨-łośnić⟩; **'~·less** bezdźwięczny
nois·y ['nɔɪzɪ] (***-ier, -iest***) głośny
no·mad ['nəʊmæd] nomada *m*
nom·i|·nal ['nɒmɪnl] nominalny; ***~nal value*** *econ.* wartość *f* nominalna; **~·nate** ['nɒmɪneɪt] nominować, wyznaczać ⟨-czyć⟩; **~·na·tion** [nɒmɪ'neɪʃn] nominacja *f*
nom·i·na·tive ['nɒmɪnətɪv] *gr. też* **~ *case*** mianownik *m*
nom·i·nee [nɒmɪ'niː] kandydat(ka *f*) *m*
non... [nɒn] nie...
non·al·co'hol·ic bezalkoholowy
non·a'ligned *pol.* neutralny
non·com·mis·sioned 'of·fi·cer *mil.* podoficer *m*
non·com·mit·tal [nɒnkə'mɪtl] wymijający
non·con'duc·tor *electr.* nieprzewodnik *m*
non·de·script ['nɒndɪskrɪpt] nijaki, bez wyrazu
none [nʌn] **1.** *pron.* żaden (*zw. jako pl.*); nikt; nic; **~ *but*** tylko; **2.** *adv.* **~ *the...*** wcale nie...; ***I'm ~ the wiser*** nie jestem ani trochę mądrzejszy
non·en·ti·ty [nɒ'nentətɪ] osoba *f* bez znaczenia, miernota *f*
none·the'less mimo to
non·ex'ist|·ence brak *m* istnienia, nieistnienie *n*; **~·ent** nieistniejący
non'fic·tion książki *pl.* popularnonaukowe
non'flam·ma·ble, non·in'flam·ma·ble niepalny, ogniotrwały
non·in·ter'fer·ence, non·in·ter'ven·tion *pol.* nieinterweniowanie *n*
non-'i·ron non-iron, nie wymagający prasowania
no-'non·sense rzeczowy, realistyczny
non·par·ti·san [nɒnpɑːtɪ'zæn] *pol.* niezależny
non'pay·ment niezapłacenie *n*
non'plus (***-ss-***) ⟨s⟩konsternować
non·pol'lut·ing nie zanieczyszczający

N

non'prof·it *Am.*, **non-'prof·it-making** *Brt.* nie obliczony na zysk
non'res·i·dent 1. zamiejscowy; *pacjent*: ambulatoryjny; **2.** osoba *f* zamiejscowa
non·re'turn·a·ble bezzwrotny; **~ bot·tle** butelka *f* bez kaucji
non·sense ['nɒnsəns] nonsens *m*, bzdura *f*
non-'skid przeciwślizgowy
non'smok|·er osoba *f* niepaląca, niepalący *m* (-ca *f*); *Brt. rail.* wagon *m* dla niepalących; **~·ing** dla niepalących
non'stick *jakby*: teflonowy
non'stop bez zatrzymania; nie zatrzymujący się; bezpośredni; **~ *flight*** przelot *m* bezpośredni
non'u·ni·on niezrzeszony, nie należący do związków zawodowych
non'vi·o|·lence postawa *f* powstrzymania się od przemocy; **~·lent** powstrzymujący się od przemocy
noo·dles ['nu:dl] *pl.* makaron *m*
nook [nʊk] zakątek *m*, zakamarek *m*
noon [nu:n] południe *n*; ***at* ~** w południe
noose [nu:s] pętla *f*
nope F [nəʊp] nie
nor [nɔ:] → ***neither***; też nie
norm [nɔ:m] norma *f*; **nor·mal** ['nɔ:ml] normalny; **nor·mal·ize** ['nɔ:məlaɪz] ⟨z⟩normalizować (się)
north [nɔ:θ] **1.** północ *f*; **2.** *adj.* północny; **3.** *adv.* na północ; **~'east 1.** północny wschód; **2.** *adj.* północno-wschodni; **3.** *adv.* na północny wschód; **~'east·ern** północno-wschodni
nor·ther·ly ['nɔ:ðəlɪ], **nor·thern** ['nɔ:ðn] północny
North 'Pole biegun *m* północny
north|·ward(s) ['nɔ:θwəd(z)] *adv.* północny, na północ; **~'west 1.** północny zachód; **2.** *adj.* północno-zachodni; **3.** *adv.* na północny zachód; **~'west·ern** północno-zachodni
Nor·way ['nɔ:weɪ] Norwegia *f*
Nor·we·gian [nɔ:'wi:dʒən] **1.** norweski; **2.** Norweg *m* (-weżka *f*); *ling.* język *m* norweski
nos. *skrót pisany*: ***numbers*** liczby *pl.*, numery *pl.*
nose [nəʊz] **1.** *anat.* nos *m*; *aviat.* nos *m*, dziób *m*; **2.** jechać ostrożnie (*samochodem*); *też* **~ *about*, ~ *around*** *fig.* F węszyć, myszkować; **'~·bleed** krwotok *m* z nosa; **'~·cone** stożek *m* ochronny rakiety; **'~·dive** *aviat.* nurkowanie *n*
nose·gay ['nəʊzgeɪ] bukiecik *m* (*przy ubraniu*)
nos·ey ['nəʊzɪ] → ***nosy***
nos·tal·gia [nɒ'stældʒɪə] nostalgia *f*
nos·tril ['nɒstrəl] dziurka *f* od nosa, nozdrze *n*
nos·y ['nəʊzɪ] F (***-ier, -iest***) wścibski; **~ 'park·er** *Brt.* F wścibska osoba *f*
not [nɒt] nie; **~ *a*** żaden
no·ta·ble ['nəʊtəbl] godny uwagi
no·ta·ry ['nəʊtərɪ]: *zw.* **~ *public*** notariusz *m*
notch [nɒtʃ] **1.** nacięcie *n*, karb *m*; *Am. geol.* przełęcz *f*; **2.** nacinać ⟨-ciąć⟩, wycinać ⟨-ciąć⟩
note [nəʊt] (*zw.* **~*s*** *pl.*) notatka *f*, uwaga *f*; przypis *m*; nota *f* dyplomatyczna; list *m*; banknot *m*, weksel *m*; *mus.* nuta *f*; *fig.* ton *m*; ***take* ~*s* (*of*)** zanotowywać ⟨-ować⟩ (*A*); **'~·book** notes *m*; *komp.* notebook *m*, komputer *m* przenośny
not·ed ['nəʊtɪd] znany, notowany (***for*** z *G*)
'note|·pa·per papier *m* listowy; **'~·wor·thy** znaczący
noth·ing ['nʌθɪŋ] nic; **~ *but*** nic prócz; **~ *much*** F nic wielkiego; ***for* ~** za nic; na nic; ***to say* ~ *of*** nie mówiąc już o (*L*); ***there is* ~ *like*** nie ma to jak
no·tice ['nəʊtɪs] **1.** zawiadomienie *n*; obwieszczenie *n*; ogłoszenie *n*, informacja *f*; wymówienie *n*, wypowiedzenie *n*; uwaga *f*, recenzja *f*; ***give*** *lub* ***hand in one's* ~** składać ⟨złożyć⟩ wymówienie; ***give s.o.* ~** dawać ⟨dać⟩ komuś wypowiedzenie; ***give s.o.* (*his*, *etc.*) ~** wypowiedzieć komuś (*np. pokój*); ***at six months'* ~** za sześciomiesięcznym wypowiedzeniem; ***take* (*no*) ~ *of*** zwracać uwagę (nie zwracać uwagi) na (*A*); ***at short* ~** na krótki termin; ***until further* ~** do odwołania; ***without* ~** bezzwłocznie; **2.** zauważać ⟨-żyć⟩, spostrzegać ⟨-rzec⟩; zwracać uwagę na (*A*); ⚠ *nie* ***notować***; **'~·a·ble** zauważalny; godny uwagi; **'~ board** tablica *f* ogłoszeń
no·ti·fy ['nəʊtɪfaɪ] zawiadamiać ⟨-domić⟩, podawać ⟨-dać⟩ do wiadomości; ogłaszać ⟨-łosić⟩
no·tion ['nəʊʃn] pojęcie *n*; idea *f*
no·tions ['nəʊʃnz] *pl. zwł. Am.* pasmanteria *f*

N

no·to·ri·ous [nəʊ'tɔːrɪəs] notoryczny, o złej sławie (**for** z powodu *G*)
not·with·stand·ing [nɒtwɪθ'stændɪŋ] jednak; pomimo
nought [nɔːt] *Brt.*: **0.4** (**~ point four**) 0,4 (zero przecinek cztery)
noun [naʊn] rzeczownik *m*
nour·ish ['nʌrɪʃ] żywić; karmić; odżywiać ⟨-wić⟩; **'~·ing** pożywny; **'~·ment** pokarm *m*
Nov *skrót pisany*: **November** listopad *m*
nov·el ['nɒvl] **1.** powieść *f*; ⚠ *nie* **nowela** ; **2.** nowatorski; **~·ist** ['nɒvəlɪst] powieściopisarz *m* (-arka *f*); **no·vel·la** [nəʊ'velə] (*pl.* **-las, -le** [-liː]) nowela *f*; **~·ty** ['nɒvltɪ] nowatorstwo *n*; nowość *f*
No·vem·ber [nəʊ'vembə] (*skrót*: **Nov**) listopad *m*
nov·ice ['nɒvɪs] nowicjusz(ka *f*) *m* (*też rel.*)
now [naʊ] **1.** *adv.* teraz, obecnie; **~ and again,** (**every**) **~ and then** od czasu do czasu; **by ~** teraz; **from ~** (**on**) od dzisiaj; **just ~** właśnie w tej chwili; przed chwilą; **2.** *cj. też* **~ that** teraz, gdy
now·a·days ['naʊədeɪz] obecnie
no·where ['nəʊweə] nigdzie
nox·ious ['nɒkʃəs] szkodliwy
noz·zle ['nɒzl] *tech.* wylot *m*; dysza *f*
NSPCC *Brt.* [en es piː siː 'siː] *skrót*: **National Society for the Prevention of Cruelty to Children** (*stowarzyszenie ochrony dzieci przed okrucieństwem*)
nu·ance ['njuːɑːns] niuans *m*
nub [nʌb] sedno *n*
nu·cle·ar ['njuːklɪə] nuklearny, jądrowy; atomowy; **~ 'en·er·gy** energia *f* nuklearna; **~ 'fam·i·ly** (*rodzina złożona tylko z rodziców i dzieci*); **~ 'fis·sion** rozszczepienie *n* jądra; **~-'free** pozbawiony broni nuklearnej; **~ 'fu·sion** synteza *f* jądrowa; **~ 'phys·ics** fizyka *f* nuklearna; **~ 'pow·er** potęga *f* atomowa; **~-'pow·ered** o napędzie atomowym; **~ 'pow·er plant** elektrownia *f* jądrowa; **~ re'ac·tor** reaktor *m* atomowy; **~ 'war** wojna *f* nuklearna; **~ 'war·head** głowica *f* jądrowa; **~ 'waste** odpady *pl.* radioaktywne; **~ 'weap·ons** *pl.* broń *f* jądrowa
nu·cle·us ['njuːklɪəs] (*pl.* **-clei** [-klɪaɪ]) jądro *n* (*też fig.*)
nude [njuːd] **1.** nagi; **2.** akt *m* (*sztuki*)
nudge [nʌdʒ] **1.** *kogoś* trącać ⟨-cić⟩, *kogoś* szturchnąć ⟨-chać⟩; 2. szturchnięcie *n*
nug·get ['nʌgɪt] bryłka *f* (*zwł. złota*)
nui·sance ['njuːsns] przykrość *f*; rzecz *f lub* osoba *f* dokuczliwa; **what a ~!** co za utrapienie!; **be a ~ to s.o.** naprzykrzać się komuś; **make a ~ of o.s.** działać komuś na nerwy
nukes [njuːks] F broń *f* jądrowa
null [nʌl] *zwł. jur.*: **~ and void** nieważny, bez mocy prawnej
numb [nʌm] **1.** odrętwiały, zdrętwiały; skostniały (**with** z *I*); *fig.* odrętwiały (**with** pod wpływem *G*); **2.** ⟨s⟩powodować zdrętwienie
num·ber ['nʌmbə] **1.** liczba *f*; ilość *f*; cyfra *f*; numer *m*; *ling.* liczba *f*; **a ~ of** kilka; **sorry, wrong ~** *tel.* pomyłka; **2.** ⟨po⟩numerować; wynosić ⟨-nieść⟩, liczyć; wyliczać ⟨-czyć⟩; policzyć; **'~·less** niezliczony; **'~·plate** *zwł. Brt. mot.* tablica *f* rejestracyjna
nu·me·ral ['njuːmərəl] cyfra *f*; *ling.* liczebnik *m*
nu·me·rous ['njuːmərəs] liczny
nun [nʌn] zakonnica *f*; **~·ne·ry** ['nʌnərɪ] klasztor *m* żeński
nurse [nɜːs] **1.** siostra *f*; pielęgniarka *f*, → **male nurse**; *też* **wet ~** mamka *f*; opiekunka *f* do dzieci; **2.** pielęgnować; piastować, niańczyć; karmić piersią; pracować jako pielęgniarka; **~ s.o. back to health** otaczać ⟨otoczyć⟩ kogoś opieką do powrotu do zdrowia
nur·se·ry ['nɜːsərɪ] żłobek *m*; *przest.* pokój *m* dziecięcy; *agr.* szkółka *f*; **'~ rhyme** piosenka *f* dziecięca, wierszyk *m* dziecięcy; **'~ school** przedszkole *n*; **'~ slope** ośla łączka *f* (*dla narciarzy*)
nurs·ing ['nɜːsɪŋ] pielęgniarstwo *n*; opiekowanie *n* się; **'~ bot·tle** butelka *f* dla niemowląt; **'~ home** dom *m* opieki (*dla starszych*); *Brt.* prywatna klinika *f*
nut [nʌt] *bot.* orzech *m*; *tech.* nakrętka *f*; F dureń *m*; F łeb *m*; **be off one's ~** F dostać świra; **'~·crack·er(s** *pl.*) dziadek *m* do orzechów; **~·meg** ['nʌtmeg] *bot.* gałka *f* muszkatołowa
nu·tri·ent ['njuːtrɪənt] **1.** substancja *f* odżywcza; **2.** odżywczy
nu·tri|·tion [njuː'trɪʃn] odżywianie *n* się; **~·tious** [njuː'trɪʃəs] odżywczy; **~·tive** ['njuːtrɪtɪv] odżywczy

N

'nut|•shell skorupka *f* orzecha; (***to put it***) ***in a ~shell*** F w skrócie, jednym słowem; **~•ty** ['nʌtɪ] (***-ier, -iest***) orzechowy; *sl.* kopnięty

NW *skrót pisany*: ***northwest*** płn.-zach., północny-zachód; ***northwest***(***ern***) płn.-zach., północno-zachodni

NY *skrót pisany*: ***New York*** Nowy Jork

NYC *skrót pisany*: ***New York City*** (*miasto*) Nowy Jork

ny•lon ['naɪlɒn] nylon *m*; *attr.* nylonowy; ***~s*** *pl.* pończochy *pl.* nylonowe

nymph [nɪmf] nimfa *f*

O

O, o [əʊ] O, o *n*

o [əʊ] (*cyfra, też przy czytaniu numerów*) zero *n*

oaf [əʊf] gamoń *m*; fajtłapa *m*

oak [əʊk] dąb *m*

oar [ɔː] wiosło *n*; **~s•man** ['ɔːzmən] (*pl.* ***-men***) (*w sporcie*) wioślarz *m*; **'~s•wom•an** (*pl.* ***-women***) (*w sporcie*) wioślarka *f*

OAS [əʊ eɪ 'es] *skrót*: ***Organization of American States*** Organizacja *f* Państw Ameryki

o•a•sis [əʊ'eɪsɪs] (*pl.* ***-ses*** [-siːz]) oaza *f* (*też fig.*)

oath [əʊθ] (*pl.* ***oaths*** [əʊðz]) przysięga *f*; przekleństwo *n*; ***be on*** *lub* ***under ~*** być pod przysięgą; ***take the ~*** składać ⟨złożyć⟩ przysięgę

oat•meal ['əʊtmiːl] płatki *pl.* owsiane

oats [əʊts] *pl. bot.* owies *m*; ***sow one's wild ~*** wyszumieć się za młodu

o•be•di|•ence [ə'biːdjəns] posłuszeństwo *n*; **~•ent** posłuszny

o•bese [əʊ'biːs] otyły; **o•bes•i•ty** [əʊ'biːsətɪ] otyłość *f*

o•bey [ə'beɪ] być posłusznym (*D*), słuchać (*G*); *rozkazowi* podporządkowywać ⟨-wać⟩ się

o•bit•u•a•ry [ə'bɪtjʊərɪ] *też* ***~ notice*** nekrolog *m*; wspomnienie *n* pośmiertne

ob•ject 1. ['ɒbdʒɪkt] obiekt *m*, przedmiot *m*; cel *m*; *gr.* dopełnienie *n*; **2.** [əb'dʒekt] sprzeciwiać ⟨-wić⟩ się; mieć obiekcje; ⟨za⟩protestować

ob•jec|•tion [əb'dʒekʃn] sprzeciw *m* (***to*** wobec *G*); sprzeciw *m* (*też jur.*); **~•tio•na•ble** niewłaściwy, naganny

ob•jec•tive [əb'dʒektɪv] **1.** obiektywny; **2.** cel *m*; (*w mikroskopie*) obiektyw *m*

ob•li•ga•tion [ɒblɪ'geɪʃn] zobowiązanie *n*; ***be under an ~ to s.o.*** (***to do s.th.***) być zobowiązanym wobec kogoś (coś zrobić); **ob•lig•a•to•ry** [ə'blɪgətərɪ] obowiązkowy, obligatoryjny

o•blige [ə'blaɪdʒ] zobowiązywać ⟨-zać⟩ (się); ***~ s.o.*** wyświadczać ⟨-czyć⟩ komuś przysługę (*D*); ***much ~d*** wielce zobowiązany; **o'blig•ing** uczynny

o•blique [ə'bliːk] skośny, ukośny; *fig.* pośredni

o•blit•er•ate [ə'blɪtəreɪt] unicestwiać ⟨-wić⟩; przesłaniać ⟨-łonić⟩, zasłaniać ⟨-łonić⟩

o•bliv•i|•on [ə'blɪvɪən] zapomnienie *n*; stan *m* nieświadomości; **~•ous** [ə'blɪvɪəs]: ***be ~ous of*** *lub* ***to s.th.*** być nieświadomym czegoś

ob•long ['ɒblɒŋ] prostokątny

ob•nox•ious [əb'nɒkʃəs] obmierzły, okropny

ob•scene [əb'siːn] obsceniczny, nieprzyzwoity (*też fig.*)

ob•scure [əb'skjʊə] **1.** ciemny; niewyraźny, słabo widoczny; *fig.* ciemny, niejasny; ponury; nieznany; ⚠ *nie* ***obskurny***; **2.** zaciemniać ⟨-nić⟩; zasłaniać ⟨-łonić⟩; **ob•scu•ri•ty** [əb'skjʊərətɪ] niejasność *f*; zapomnienie *n*

ob•se•quies ['ɒbsɪkwɪz] *pl.* uroczystości *pl.* żałobne

ob•ser|•va•ble [əb'zɜːvəbl] zauważalny, dostrzegalny; **~•vance** [əb'zɜːvns] przestrzeganie *n*; **~•vant** [əb'zɜːvnt] spostrzegawczy; **~•va•tion** [ɒbzə'veɪʃn] obserwacja *f*; uwaga *f* (***on*** w sprawie *G*); **~•va•to•ry** [əb'zɜːvətrɪ] obserwatorium *n*

ob•serve [əb'zɜːv] ⟨za⟩obserwować; zauważyć, spostrzec; przestrzegać, stosować się do (*G*); **ob'serv•er** obserwator(ka *f*) *m*

ob•sess [əb'ses]: ***be ~ed by*** *lub* ***with*** mieć obsesję na punkcie czegoś; **ob•ses•sion** [əb'seʃn] obsesja *f*; idée fixe *f*; **ob•ses•sive** [əb'sesɪv] obsesyjny
ob•so•lete ['ɒbsəliːt] przestarzały
ob•sta•cle ['ɒbstəkl] przeszkoda *f*
ob•sti•nate ['ɒbstɪnət] uparty
ob•struct [əb'strʌkt] przeszkadzać ⟨-kodzić⟩; utrudniać ⟨-nić⟩; ⟨za⟩blokować, ⟨za⟩tarasować; **ob•struc•tion** [əb'strʌkʃn] przeszkoda *f*; zablokowanie *n*, zatarasowanie *n*; ⚠ *nie* ***obstrukcja*** (*w znaczeniu*: *zatwardzenie*); **ob•struc•tive** [əb'strʌktɪv] przeszkadzający, stwarzający trudności
ob•tain [əb'teɪn] uzyskiwać ⟨-kać⟩, otrzymywać ⟨-mać⟩; stosować się, obowiązywać; **~•a•ble** osiągalny
ob•tru•sive [əb'truːsɪv] natrętny, nieznośny
ob•tuse [əb'tjuːs] *kąt*: rozwarty
ob•vi•ous ['ɒbvɪəs] oczywisty, niewątpliwy
oc•ca•sion [ə'keɪʒn] okazja *f*, sposobność *f*; sytuacja *f*; powód *m*; ***on the ~ of*** przy okazji (*G*); **~•al** [ə'keɪʒənl] okazjonalny, okolicznościowy, przypadkowy
Oc•ci|•dent ['ɒksɪdənt] Zachód *m*; **2•den•tal** [ɒksɪ'dentl] okcydentalny, zachodni
oc•cu|•pant ['ɒkjupənt] lokator(ka *f*) *m*, mieszkaniec *m* (-nka *f*); pasażer(ka *f*) *m*; **~•pa•tion** [ɒkju'peɪʃn] zawód *m*; zajęcie *n*; *mil.*, *pol.* okupacja *f*, zajęcie *n*; **~•py** ['ɒkjupaɪ] zajmować ⟨-jąć⟩; *mil.*, *pol.* okupować; ***be occupied*** być zajętym, być zamieszkanym
oc•cur [ə'kɜː] (***-rr-***) zdarzać ⟨-rzyć⟩ się, wydarzać ⟨-rzyć⟩ się; występować; ***it ~red to me that*** przyszło mi do głowy, że; **~•rence** [ə'kʌrəns] występowanie *n*, pojawienie *n* się; wydarzenie *n*
o•cean ['əuʃn] ocean *m*
o'clock [ə'klɒk] godzina (*przy podawaniu czasu*); (***at***) ***five ~*** o piątej (*godzinie*)
Oct *skrót pisany*: ***October*** październik *m*
Oc•to•ber [ɒk'təubə] (*skrót*: ***Oct***) październik *m*
oc•u|•lar ['ɒkjulə] oczny; **~•list** ['ɒkjulɪst] okulista *m* (-tka *f*)

OD [əu 'diː] F *v/i.*: ***~ on heroin*** przedawkować heroinę
odd [ɒd] dziwny, osobliwy; nieparzysty; *rękawiczka itp.*: nie do pary, pojedynczy; dodatkowy; doraźny; ***30 ~*** ponad 30, trzydzieści kilka; ***~ jobs*** *pl.* doraźne zajęcia *pl.*
odds [ɒdz] *pl.* szanse *pl.*; ***the ~ are 10 to 1*** szanse są jak jeden do dziesięciu; ***the ~ are that*** bardzo prawdopodobne, że; ***against all ~*** wbrew oczekiwaniom; ***be at ~*** kłócić się (***with*** z *I*); ***~ and ends*** różności *pl.*, różne różności *pl.*; **~-'on** najprawdopodobniejszy
ode [əud] oda *f*
Oder Odra *f*
o•do(u)r ['əudə] nieprzyjemny zapach *m*
of [ɒv, əv] *prp. odpowiada dopełniaczowi* ***the leg ~ the table*** noga stołu; ***the works ~ Swift*** dzieła Swifta; z (*G*); ***~ wood*** z drewna; ***proud ~*** dumny z; ***your letter ~...*** pański list z...; na (*A*); ***die ~*** umrzeć na; o (*L*); ***speak ~*** mówić o; ***think ~*** myśleć o; ze strony (*G*); ***how kind ~ you*** jak miło z twojej strony; ***five minutes ~ twelve*** *Am.* za pięć dwunasta
off [ɒf] **1.** *adv.* z, od, w; z dala; od strony; spoza; w odległości; ***3 miles ~*** trzy mile od; ***I must be ~*** muszę już iść; ***~ with you!*** zabieraj się!; ***be ~*** być odwołanym; ***10% ~*** *econ.* 10% rabatu; ***~ and on*** czasami, od czasu do czasu; ***take a day ~*** wziąć dzień wolnego; ***s.o. is well*** (***badly***) ***~*** komuś się dobrze (źle) powodzi; **2.** *prp.* od (*G*); z (*G*); *naut.* tuż przy (*L*) (*brzegu*); ***be ~ duty*** nie być na służbie, nie mieć dyżuru; ***be ~ smoking*** przestać palić; **3.** *adj. światło*: wyłączony, zgaszony; *pokrętło*: zakręcony; *jedzenie*: nieświeży; wolny (*od pracy*); poza sezonem; *dzień*: niedobry
of•fal ['ɒfl] *Brt. gastr.* podroby *pl.*, podróbki *pl.*
of•fence *Brt.*, **of•fense** *Am.* [ə'fens] obraza *f* zniewaga *f*; *jur.* wykroczenie *n*, przestępstwo *n*; ***take ~*** obrażać ⟨-razić⟩ się (***at*** na *A*)
of•fend [ə'fend] obrażać ⟨-razić⟩, znieważać ⟨-żyć⟩; wykraczać ⟨-roczyć⟩ (***against*** przeciw(ko) *D*), naruszać; **~•er** przestępca *m* (-czyni *f*); ***first ~er***

O

jur. przestępca *m* (-czyni *f*) dotychczas nie karany (-a)
of·fen·sive [ə'fensɪv] **1.** obraźliwy; *zapach*: okropny; *działania*: ofensywny, zaczepny; **2.** ofensywa *f*
of·fer ['ɒfə] **1.** *v/t.* ⟨za⟩proponować, ⟨za⟩oferować (*też econ.*); *modlitwę* ⟨za⟩ofiarować; *opór* stawiać; ⟨za⟩proponować (***to do s.th.*** zrobienie czegoś); **2.** oferta *f*, propozycja *f*
off·hand [ɒf'hænd] bezceremonialny; bez przygotowania, improwizowany
of·fice ['ɒfɪs] biuro *n*; urząd *m*; kancelaria *f*; *zw.* ♀ *zwł. Brt.* ministerstwo *n*; stanowisko *n*, urząd *m*; **'~ hours** *pl.* godziny *pl.* urzędowania
of·fi·cer ['ɒfɪsə] oficer *m*; urzędnik *m* (-iczka *f*), funkcjonariusz *m*
of·fi·cial [ə'fɪʃl] **1.** urzędnik *m* (-iczka *f*), funkcjonariusz *m*; **2.** oficjalny, urzędowy, służbowy
of·fi·ci·ate [ə'fɪʃɪeɪt] urzędować
of·fi·cious [ə'fɪʃəs] nadgorliwy, namolny
'off|-licence *Brt.* sklep *m* z alkoholem; **'~·line** *komp.* autonomiczny, rozłączny; **~-'peak** *electr.* pozaszczytowy; ***~-peak hours*** *pl.* okres *m* poza godzinami szczytu; **'~ sea·son 1.** *adj.* poza okresem szczytu; **2.** okres *m* poza szczytem; **'~·set** ⟨z⟩rekompensować, kompensować; **'~·shoot** *bot.* pęd *m* boczny, odrośl *m*; **~'shore** przybrzeżny; **~'side** (*w sporcie*) ofsajd, spalony; ***~side position*** spalony; ***~side trap*** pułapka *f* ofsajdowa; **'~·spring** potomek *m*, potomstwo *n*; **~-the-'rec·ord** nieoficjalny
of·ten ['ɒfn] często
oh [əʊ] *int.* och, ach
oil [ɔɪl] **1.** oliwa *f*, olej *m*; ropa *f* naftowa; **2.** ⟨na⟩smarować; ⟨na⟩oleić, ⟨na⟩oliwić; **'~ change** *mot.* zmiana *f* oleju; **'~·cloth** cerata *f*; **'~·field** pole *n* naftowe; **'~ paint·ing** obraz *m* olejny; *olejne* malarstwo *n*; **'~ plat·form** → ***oil rig***; **'~ pol·lu·tion** zanieczyszczenie *n wody* olejami *lub* ropą naftową; **'~-pro·duc·ing coun·try** kraj-producent *m* ropy naftowej; **'~ re·fin·e·ry** rafineria *f* ropy naftowej; **'~ ·rig** platforma *f* wiertnicza; **'~·skin** tkanina *f* nieprzemakalna; ***~skins*** *pl.* ubranie *n* sztormowe; **'~ slick** plama *f* ropy naftowej; **'~ well** szyb *m* naftowy; **'~·y** (***-ier, -iest***) oleisty, tłusty; *fig.* brudny, nieczysty
oint·ment ['ɔɪntmənt] maść *f*
OK, o·kay [əʊ'keɪ] **1.** *adj. i int.* OK, okay; w porządku; dobra; **2.** wyrażać ⟨-razić⟩ zgodę; **3.** zgoda *f*
old [əʊld] **1.** stary; **2.** ***the*** **~** *pl.* starzy *pl.*; **~ 'age** wiek *m* podeszły, starość *f*; **~ age 'pen·sion** renta *f*, emerytura *f*; **~ age 'pen·sion·er** rencista *m* (-tka *f*), emeryt(ka *f*) *m*; **~-'fash·ioned** przestarzały; **'~·ish** starawy; **~ 'peo·ple's home** dom *m* starości
ol·ive ['ɒlɪv] *bot.* oliwka *f*; zieleń *f* oliwkowa
O·lym·pic Games [əlɪmpɪk 'geɪmz] *pl.* Igrzyska *pl.* Olimpijskie
om·i·nous ['ɒmɪnəs] złowieszczy
o·mis·sion [əʊ'mɪʃn] pominięcie *n*, opuszczenie *n*; zaniechanie *n*
o·mit [ə'mɪt] (***-tt-***) pomijać ⟨-minąć⟩, opuszczać ⟨-puścić⟩; **~ *to do s.th.*** nie zrobić czegoś
om·nip·o·tent [ɒm'nɪpətənt] wszechmocny
om·nis·ci·ent [ɒm'nɪsɪənt] wszechwiedzący
on [ɒn] **1.** *prp.* na (*A lub L*); **~ *the table*** na stole; w (*L*); **~ *TV*** w telewizji; *okres czasu*: w (*A*); **~ *Sunday*** w niedzielę; *leżący, znajdujący się*: w (*L*); **~ *the committee*** w komisji; według (*G*); **~ *this model*** według tego modelu; z (*G*); ***live* ~ *s.th.*** żyć z kogoś; **~ *his arrival*** (zaraz) po jego przybyciu; **~ *duty*** na służbie; **~ *the street*** *Am.* na ulicy; **~ *the train*** *Am.* w pociągu; **~ *hearing it*** po usłyszeniu tego; ***have you any money* ~ *you?*** masz przy sobie jakieś pieniądze?; **2.** *adj. i adv. światło, urządzenie*: włączony; *pokrętło*: otwarty; ***have a coat* ~** mieć na sobie płaszcz; ***keep one's hat* ~** być w nakryciu głowy; ***and so* ~** i tak dalej; ***from this day* ~** od dzisiaj; ***be* ~** *theat.*, *TV* być granym, być w repertuarze; być transmitowanym (*w radio*); ***what's* ~*?*** co się dzieje?
once [wʌns] **1.** raz; jednokrotnie; **~ *again*, ~ *more*** jeszcze raz; **~ *in a while*** od czasu do czasu; **~ *and for all*** raz na zawsze; ***not* ~** ani razu; ***at* ~** od razu, natychmiast; jednocześnie; ***all at* ~** nagle; ***for* ~** choć raz; ***this* ~** ten jeden raz; **2.** skoro tylko

one [wʌn] **1.** *adj.* jeden; pewien; **~ *day*** pewnego dnia; **~ *Smith*** jakiś Smith; **2.** *pron.* jeden *m*; ten *m*; ***which ~?*** który?, która?, które?; **~'s** swój; **~ *should do ~'s duty*** należy wykonywać swoje obowiązki; **~ *another*** siebie, sobie; **3.** **~ *by ~*, ~ *after ~*, ~ *after another*** jeden za drugim; ***I for ~*** ja na przykład; ***the little ~s*** *pl.* mali *pl.*; **~'self** się; siebie; sobie; (***all***) ***by ~self*** całkiem sam; ***to ~self*** dla siebie; **~-'sid•ed** jednostronny; **'~•time** były; **~-track 'mind**: ***have a one-track mind*** mieć w głowie tylko jedno; **~-'two** (*w piłce nożnej*) podwójne podanie *n*; **~-'way** jednokierunkowy; w jedną stronę; **~-way 'street** ulica *f* jednokierunkowa; **~-way 'tick•et** bilet *m* w jedną stronę; **~-way 'traf•fic** ruch *m* jednokierunkowy

on•ion ['ʌnjən] *bot.* cebula *f*

'on|•line *komp.* bezpośredni; **'~•look•er** widz *m*, przechodzień *m*

on•ly ['əʊnlɪ] **1.** *adj.* jedyny; **2.** *adv.* tylko, jedynie; **~ *yesterday*** dopiero wczoraj; **3.** *cj.* F tylko, jedynie

'on|•rush napływ *m*, przypływ *m*; napór *m*; **'~•set** *zimy* początek *m*; wybuch *m* (*choroby*); **~•slaught** ['ɒnslɔːt] szturm *m*

on•to ['ɒntʊ, 'ɒntə] na (*L*)

on•ward(s) ['ɒnwəd(z)] naprzód, wprzód; ***from now ~*** od dzisiaj

ooze [uːz] *v/i.* sączyć się; przesączać ⟨-czyć⟩ się; **~ *away*** *fig.* zanikać ⟨-knąć⟩; *v/t.* wydzielać; *fig.* promieniować

o•paque [əʊ'peɪk] (***-r, -st***) nieprzezroczysty; *fig.* niejasny

OPEC ['əʊpek] *skrót*: ***Organization of Petroleum Exporting Countries*** OPEC *f/m*, Organizacja *f* Krajów Eksportujących Ropę Naftową

o•pen ['əʊpən] **1.** otwarty (*też fig.*); dostępny, wolny; *fig.* dostępny, przystępny (***to*** dla *G*); **~ *all day*** otwarty całą dobę; ***in the ~ air*** na dworze; **2.** (*w golfie, tenisie*) zawody *pl.* open; ***in the ~*** na dworze; ***come out into the ~*** *fig.* wychodzić ⟨wyjść⟩ na jaw; **3.** *v/t.* otwierać ⟨-worzyć⟩ (się); rozpoczynać ⟨-cząć⟩ (się); **~ *into*** wychodzić na (*A*); **~ *onto*** wychodzić na (*A*); **~-'air** na wolnym powietrzu; *basen*: otwarty; **~-'end•ed** *dyskusja*: płynny; **~•er** ['əʊpnə] otwieracz *m*; **~-'eyed** zadziwiony; **~-'hand•ed** szczodry, hojny; **~•ing** ['əʊpnɪŋ] otwarcie *n*; *econ.* wakat *m*, wolne miejsce *n* (*pracy*); możliwość *f*; **~-'mind•ed** otwarty, przystępny; bez uprzedzeń

op•e•ra ['ɒpərə] opera *f*; **'~ glass•es** *pl.* lornetka *f* operowa; **'~ house** opera *f*, budynek *m* operowy

op•e•rate ['ɒpəreɪt] *v/i.* działać; *tech. maszyna, urządzenie*: pracować, chodzić; *med.* operować (***on s.o.*** kogoś); *v/t. tech. urządzenie* obsługiwać; posługiwać się (*I*); *firmę* prowadzić

'op•e•rat•ing| room *Am.* sala *f* operacyjna; **'~ sys•tem** system *m* operacyjny; **'~ thea•tre** *Brt.* sala *f* operacyjna

op•e•ra|•tion [ɒpə'reɪʃn] operacja *f*; funkcjonowanie *n*, działanie *n* (*maszyny, firmy*); *tech.* obsługa *f*; ***in ~tion*** w działaniu; działający; **~•tive** ['ɒpərətɪv] skuteczny, operatywny; czynny, działający; *med.* operacyjny, chirurgiczny; **~•tor** ['ɒpəreɪtə] *tech.* operator *m*; *tel.* telefonista *m* (-tka *f*)

o•pin•ion [ə'pɪnjən] opinia *f*, zdanie *n*; mniemanie *n* (***on*** o *L*); ***in my ~*** moim zdaniem

op•po•nent [ə'pəʊnənt] przeciwnik *m* (-iczka *f*)

op•por|•tune ['ɒpətjuːn] dogodny; na czasie, we właściwym czasie; **~•tu•ni•ty** [ɒpə'tjuːnətɪ] sposobność *f*

op•pose [ə'pəʊz] przeciwstawiać ⟨-wić⟩ się (*D*), sprzeciwiać ⟨-wić⟩ się (*D*); **op•posed** przeciwny; ***be ~ to*** sprzeciwiać się (*D*); **op•po•site** ['ɒpəzɪt] **1.** przeciwieństwo *n*; **2.** *adj.* przeciwny; naprzeciwko; przeciwległy; **3.** *adv.* naprzeciwko; **4.** *prp.* naprzeciw; **op•po•si•tion** [ɒpə'zɪʃn] opozycja *f* (*też parl.*); opór *m*; przeciwstawianie *n* się

op•press [ə'pres] uciskać, ciemiężyć; **op•pres•sion** [ə'preʃn] ucisk *m*, ciemiężenie *n*; **op•pres•sive** [ə'presɪv] uciskający; uciążliwy; przygnębiający

op•tic ['ɒptɪk] optyczny; wzrokowy; **'op•ti•cal** optyczny; **op•ti•cian** [ɒp'tɪʃn] optyk *m* (-yczka *f*)

op•ti|•mis•m ['ɒptɪmɪzəm] optymizm *m*; **~•mist** ['ɒptɪmɪst] optymista *m* (-tka *f*); **~'mist•ic** (***-ally***) optymistyczny

op•tion ['ɒpʃn] wybór *m*; *econ.* opcja *f*, prawo *n* zakupu; *mot.* wyposażenie *n*

O

dodatkowe; **~·al** ['ɒpʃnl] nie obowiązkowy, wariantowy; *tech.* opcjonalny
or [ɔː] lub, albo; **~ *else*** bo inaczej
o·ral ['ɔːrəl] ustny; oralny
or·ange ['ɒrɪndʒ] **1.** *bot.* pomarańcza *f*; **2.** pomarańczowy; **~·ade** [ɒrɪndʒ'eɪd] oranżada *f*
o·ra·tion [ɔː'reɪʃn] przemowa *f*, oracja *f*; **or·a·tor** ['ɒrətə] mówca *m* (-czyni *f*), orator *m*
or·bit ['ɔːbɪt] **1.** orbita *f*; ***get*** *lub* ***put into ~*** umieszczać ⟨umieścić⟩ na orbicie; **2.** *v/t. Ziemię itp.* okrążać ⟨-żyć⟩; *v/t.* orbitować, krążyć po orbicie
or·chard ['ɔːtʃəd] sad *m*
or·ches·tra ['ɔːkɪstrə] *mus.* orkiestra *f*; *Am. theat.* parter *m*
or·chid ['ɔːkɪd] *bot.* orchidea *f*, storczyk *m*
or·dain [ɔː'deɪn]: **~ *s.o.* (*priest*)** wyświęcać ⟨-cić⟩ kogoś na księdza
or·deal [ɔː'diːl] udręka *f*, ciężkie przejście *n*
or·der ['ɔːdə] **1.** porządek *m* (*też parl.*); rząd *m* (*też biol.*); rozkaz *m*; *econ.* zamówienie *n*; *rel. itp.* zakon *m*; kolejność *f*; **~ *to pay*** *econ.* polecenie *n* zapłaty; ***in ~ to*** aby; ***out of ~*** nie w porządku; zepsuty; ***make to ~*** ⟨z⟩robić na zamówienie; **2.** *v/t. komuś* rozkazywać ⟨-zać⟩ (***to do s.th.*** coś zrobić); *coś* polecać ⟨-cić⟩; *med. komuś coś* zalecać ⟨-cić⟩; *econ.* zamawiać ⟨-mówić⟩ (*też w restauracji*); *fig.* ⟨u⟩porządkować; *v/i.* (*w restauracji*) zamawiać ⟨-mówić⟩; **'~·ly 1.** uporządkowany; *fig.* spokojny; **2.** *med.* sanitariusz(ka *f*) *m*
or·di·nal ['ɔːdɪnl] *math. też* **~ *number*** *math.* liczba *f* porządkowa
or·di·nary ['ɔːdnrɪ] zwyczajny, zwykły; ⚠ *nie* ***ordynarny***
ore [ɔː] ruda *f*
or·gan ['ɔːgən] *anat.* organ *m*, narząd *m* (*też fig.*); *mus.* organy *pl.*; **'~ grind·er** kataryniarz *m*; **~·ic** [ɔː'gænɪk] (***-ally***) organiczny; **~·is·m** ['ɔːgənɪzəm] organizm *m*; **~·i·za·tion** [ɔːgənaɪ'zeɪʃn] organizacja *f*; **~·ize** ['ɔːgənaɪz] ⟨z⟩organizować; *zwł. Am.* organizować się; **'~·iz·er** organizator(ka *f*) *m*
or·gas·m ['ɔːgæzəm] orgazm *m*, szczytowanie *m*
o·ri|·ent ['ɔːrɪənt] **1.** ♀ Wschód *m*, Orient *m*; **2.** orientować; zapoznawać ⟨-nać⟩; **~·en·tal** [ɔːrɪ'entl] **1.** orientalny, wschodni; **2.** ♀ człowiek *m* Wschodu; **~·en·tate** ['ɔːrɪənteɪt] → ***orient***
or·i·gin ['ɒrɪdʒɪn] pochodzenie *n*; początek *m*
o·rig·i·nal [ə'rɪdʒənl] **1.** oryginalny; początkowy; **2.** oryginał *m*; **~·i·ty** [ərɪdʒə'nælətɪ] oryginalność *f*; **~·ly** [ə'rɪdʒənəlɪ] pierwotnie; oryginalnie
o·rig·i·nate [ə'rɪdʒəneɪt] *v/t.* dawać ⟨dać⟩ początek, zapoczątkowywać ⟨-ować⟩; *v/i.* brać ⟨wziąć⟩ początek, pochodzić
Ork·neys *pl.* Orkady *pl.*
or·na|·ment 1. ['ɔːnəmənt] ornament *m* (*też fig.*), ozdoba *f*; **2.** ['ɔːnəment] ozdabiać ⟨-dobić⟩; **~·men·tal** [ɔːnə'mentl] ozdobny, ornamentalny
or·nate [ɔː'neɪt] *fig. styl itp.* przeładowany, ciężki
or·phan ['ɔːfn] **1.** sierota *m/f*; **2. *be ~ed*** być osieroconym; **~·age** ['ɔːfənɪdʒ] sierociniec *m*
or·tho·dox ['ɔːθədɒks] ortodoksyjny
os·cil·late ['ɒsɪleɪt] *phys.* oscylować; *fig.* wahać się (***between*** między *I*)
os·ten·si·ble [ɒ'stensəbl] pozorny, rzekomy
os·ten·ta|·tion [ɒstən'teɪʃn] ostentacja *f*, demonstracja *f*; **~·tious** [ɒstən'teɪʃəs] ostentacyjny, demonstracyjny
os·tra·cize ['ɒstrəsaɪz] ostracyzować
os·trich ['ɒstrɪtʃ] *zo.* struś *m*
oth·er ['ʌðə] inny; ***the ~ day*** niedawno; ***every ~ day*** co drugi dzień; **'~·wise** inaczej; poza tym; w przeciwnym razie
ot·ter ['ɒtə] *zo.* wydra *f*
ought [ɔːt] *v/aux. ja*: powinienem, *ty*: powinieneś *itp.* (***to do*** zrobić); ***she ~ to have done it*** powinna była to zrobić
ounce [aʊns] uncja *f* (*28,35 g*)
our ['aʊə] nasz; **~s** ['aʊəz] nasz; **~·selves** [aʊə'selvz] się, sobie, siebie; my sami; ***by ~*** przez siebie, bez pomocy
oust [aʊst] wysiedlać ⟨-lić⟩, usuwać ⟨-sunąć⟩
out [aʊt] **1.** *adv. adj.* na zewnątrz, poza; na powietrzu, na powietrze; (*w sporcie*) na aut, na aucie; F niemodny; wygasły; rozkwitły; ***way ~*** wyjście *n*; **~ *of*** z (*G*); poza (*zasięgiem*); bez (*oddechu*); (*zrobiony*) z (*G*); ***be ~ of ...*** już ... nie mieć;

in nine ~ of ten cases na dziewięć przypadków z dziesięciu; **2.** *prp.* F przez (*A*); **3.** F wydawać ⟨-dać⟩
out|'bal·ance przeważać ⟨-żyć⟩; **~'bid** (*-dd-*; *-bid*) przelicytowywać ⟨-ować⟩; **~·board 'mo·tor** silnik *m* burtowy; **'~·break** wybuch *m* (*choroby itp.*); **'~·build·ing** dobudówka *f*; **'~·burst** wybuch *m* (*uczuć*); **'~·cast 1.** odrzucać ⟨-cić⟩; **2.** wyrzutek *m*; **'~·come** wynik *m*, rezultat *m*; **'~·cry** protest *m*, dezaprobata *f*; **~'dat·ed** przestarzały; **~'distance** prześcigać ⟨-gnąć⟩, zdystansować; **~'do** (***-did, -done***) przewyższać ⟨-szyć⟩, wyprzedzać ⟨-dzić⟩; **'~·door** *adj.* na dworze, na świeżym powietrzu; **~'doors** *adv.* na dwór
out·er ['aʊtə] zewnętrzny; **'~·most** najdalszy; **~ 'space** kosmos *m*, przestrzeń *f* kosmiczna
'out|·fit ubiór *m*, strój *m*; ekwipunek *m*; F zespół *m*, grupa *f*; **'~·fit·ter** dostawca *m*; ***sports ~fitters*** *pl.* artykuły *pl.* sportowe; **~'go·ing** wychodzący; **'~·go·ings** *pl. zwł. Brt.* wydatki *pl.*; **~'grow** (***-grew, -grown***) wyrastać ⟨-rosnąć⟩ z (*G*) *ubrania*); przerastać ⟨-rosnąć⟩; **'~·house** przybudówka *f*
out·ing ['aʊtɪŋ] wycieczka *f*
out|'land·ish dziwaczny; **~'last** przetrwać; przeżyć; **'~·law** *hist.* banita *m*; **'~·lay** *pl.* wydatki *pl.*; **'~·let** ujście *n*, wylot *m*; sklep *m*; *fig.* wentyl *m*; **'~·line 1.** zarys *m*; kontur *m*; szkic *m*; **2.** zarysowywać ⟨-ować⟩, ⟨za-, na⟩szkicować; **~'live** przeżywać ⟨-żyć⟩; **'~·look** widok *m*, perspektywa *f*; punkt *m* widzenia; **'~·ly·ing** oddalony, odległy; **~'num·ber** *kogoś liczebnie* przewyższać ⟨-szyć⟩; **~-of-'date** przestarzały; **~-of-the-'way** niedostępny; odległy; **'~·pa·tient** *ambulatoryjny* (*-a*) pacjent(ka *f*) *m*; **'~·post** placówka *f*; **'~·pour·ing** ulewa *f*; **'~·put** *econ.* wydajność *f*; moc *f* wyjściowa; produkcja *f*; *komp.* dane *pl.* wyjściowe; **'~·rage 1.** pogwałcenie *n*; gwałt *m*; przestępstwo *n*; zamach *m*; oburzenie *n*; **2.** zadawać ⟨-dać⟩ gwałt; wzburzać ⟨-rzyć⟩; **~·rageous** [aʊt'reɪdʒəs] skandaliczny, oburzający; horrendalny; **~·right 1.** *adj.* ['aʊtraɪt] całkowity; wyraźny, jawny; **2.** [aʊt'raɪt] *adv.* całkowicie; wyraźnie, jawnie; wprost; **~'run** (***-nn-***; ***-ran, -run***) prześcigać ⟨-gnąć⟩; *fig.* przekraczać ⟨-roczyć⟩; **'~·set** początek *m*; **~'shine** (***-shone***) przewyższać ⟨-szyć⟩; przyćmiewać ⟨-mić⟩; **~'side 1.** zewnętrzna strona *f*; (*w sporcie*) napastnik *m* na skrzydle; ***at the*** (***very***) ***~side*** najdalej; najwyżej; ***left*** (***right***) **~** lewo-(prawo-)-skrzydłowy *m*; **2.** *adj.* zewnętrzny; **3.** *adv.* na zewnątrz; **4.** poza (*I*); za (*I*); pod (*I*); **~'sid·er** outsider *m*, autsajder *m*; osoba *f* postronna; **'~·size 1.** duży rozmiar *m*; **2.** o dużych rozmiarach; **'~·skirts** *pl.* przedmieścia *pl.*, peryferie *pl.*; **~'smart** → ***outwit***; **~'spo·ken** szczery, otwarty; **~'spread** rozciągnięty; **~'stand** wybitny; *econ. rachunek*: zaległy; *sprawa*: nie załatwiony; **~'stay** przebywać dłużej niż; → ***welcome*** 4; **~'stretched** rozpostarty; **~'strip**(***-pp-***) prześcigać ⟨-gnąć⟩; *fig.* zostawić w tyle; **'~tray**: ***in the ~tray*** w poczcie wychodzącej; **~'vote** przegłosowywać ⟨-ować⟩
out·ward ['aʊtwəd] **1.** zewnętrzny; **2.** *adv.*: *zw.* ***~s*** na zewnątrz; **'~·ly** zewnętrznie, na zewnątrz
out|'weigh *fig.* przeważać ⟨-żyć⟩; **~'wit** (***-tt-***) przechytrzać ⟨-rzyć⟩; **~'worn** zużyty, przestarzały
o·val ['əʊvl] **1.** owalny; **2.** owal *m*
o·va·tion [əʊ'veɪʃn] owacja *f*; ***give s.o. a standing ~*** oklaskiwać kogoś na stojąco
ov·en ['ʌvn] piec *m*; piekarnik *m*; **~-'read·y** gotowy do pieczenia
o·ver ['əʊvə] **1.** *prp.* nad (*I*), ponad (*I*); na (*L*); przez (*A*); po drugiej stronie (*G*); podczas (*G*); **2.** *adv.* na drugą stronę (*G*); więcej; zbytnio; ***~ here*** tutaj; (***all***) ***~ again*** jeszcze raz; ***all ~*** od nowa, od początku; ***~ and above*** oprócz (*G*); ***~ and ~*** (***again***) ciągle, nieustannie
o·ver|·act [əʊvər'ækt] przesadzać ⟨-dzić⟩ (*w grze*); **~·age** [əʊvər'eɪdʒ] ponad wymagany wiek; **~·all 1.** [əʊvər'ɔːl] całkowity, ogólny; **2.** ['əʊvərɔːl] *Brt.* fartuch *m*, kitel *m*; *Am.* kombinezon *m* roboczy; ***~s*** *pl. Brt.* kombinezon *m* roboczy; *Am.* spodnie *pl.* robocze; **~·awe** [əʊvər'ɔː] onieśmielać ⟨-lić⟩; **~'balance** ⟨s⟩tracić równowagę; **~'bearing** despotyczny; **'~·board** *naut.* za burtą, za burtę; **~'cast** zachmurzony;

O

~'charge przeciążać ⟨-żyć⟩ (*też electr.*); za dużo ⟨po⟩liczyć; **'~·coat** płaszcz *m*; **~'come** (**-*came, -come***) przezwyciężać ⟨-żyć⟩; ***be ~come with emotion*** być ogarniętym uczuciem; **~'crowd·ed** zatłoczony; **~'do** (**-*did, -done***) przesadzać ⟨-dzić⟩; *gastr.* smażyć *lub* gotować za długo; ***overdone*** *też* zbytnio wysmażony; **'~·dose** przedawkowanie *n*, nadmierna dawka *f*; **'~·draft** *econ.* przekroczenie *n* (*konta*); **~'draw** *econ. konto* przekraczać ⟨-roczyć⟩ (***by*** o *A*); **~'dress** ubierać ⟨ubrać⟩ się nadmiernie oficjalnie; ***~dressed*** ubrany oficjalnie; **'~·drive** *mot.* overdrive *m*, nadbieg *m*; **~'due** zaległy, przeterminowany; spóźniony; **~·eat** [əʊvər'iːt] (**-*ate, -eaten***) ⟨prze⟩jeść się; **~·es·ti·mate** [əʊvər'estɪmeɪt] przeceniać ⟨-nić⟩, zbyt wysoko ⟨o⟩szacować; **~·ex·pose** *phot.* [əʊvərɪk'spəʊz] prześwietlać ⟨-lić⟩; **~·flow 1.** [əʊvə'fləʊ] *v/t.* przepełniać ⟨-nić⟩; *v/i.* przelewać ⟨-lać⟩ się; **2.** ['əʊvəfləʊ] przelew *m*; przelewanie *n* się; **~'grown** zarosły, zarośnięty; **~'hang** (**-*hung***) *v/t.* nawisać nad; *v/i.* wystawać; **~'haul** przeglądać, poddawać generalnemu remontowi; **~'head 1.** *adv.* na górze; **2.** *adj.* górny; *econ.* ogólny; (*w sporcie*) (po)nad głową; ***~head kick*** strzał *m* przewrotką; **'~·head(s** *pl. Brt.*) *Am. econ.* koszty *pl.* bieżące; **~'hear** (**-*heard***) podsłuchiwać ⟨-chać⟩; **~'heat·ed** przegrzany; **~'joyed** nadzwyczaj zadowolony; **'~kill** *mil.* możliwość *f* wielokrotnego unicestwienia; *fig.* przesada *f* (***of*** z *I*); **~'lap** (**-*pp-***) nakładać ⟨-łożyć⟩ się; zachodzić na siebie; **~'leaf** na odwrocie strony; **~'load** przeciążać ⟨-żyć⟩ (*też electr.*); **~'look** wychodzić na (*A*); przeoczyć; nie dostrzegać ⟨-rzec⟩; **~'night 1.** przez noc; ***stay ~night*** pozostawać ⟨-tać⟩ na noc; **2.** podróżny; na noc; ***~night bag*** torba *f* podróżna; **'~pass** *zwł. Am.* kładka *f* (*nad ulicą*); **~'pay** (**-*paid***) przepłacać ⟨-cić⟩; **~'pop·u·lat·ed** przeludniony; **~'pow·er** pokonywać, obezwładniać ⟨-nić⟩ (*też fig.*); **~'rate** przeceniać ⟨-nić⟩, oceniać ⟨-nić⟩ zbyt wysoko; **~'reach**: ***~reach o.s.*** przeliczyć się, przerachować się; **~·re'act** przesadnie ⟨za⟩reagować; **~·re'ac·tion** przesadna reakcja *f*; **~'ride** (**-*rode, -ridden***) odsuwać ⟨-unąć⟩ na bok, anulować; **~'rule** unieważniać ⟨-nić⟩, uchylać ⟨-lić⟩; **~'run** (**-*nn-*; -*ran, -run***) ogarniać ⟨-nąć⟩; przekraczać ⟨-roczyć⟩ (ustalony czas); *sygnał* przejeżdżać ⟨-jechać⟩; ***be ~run with*** być ogarniętym (*D*); **~'seas 1.** *adj.* zagraniczny; zamorski; **2.** *adv.* za granicę; za granicą; **~'see** (**-*saw, -seen***) nadzorować; **'~·seer** nadzorca *m*; **~'shad·ow** przyćmiewać ⟨-mić⟩; rzucać ⟨-cić⟩ cień na (*A*); **'~·sight** niedopatrzenie *n*; **~'size(d)** dużego rozmiaru; **~'sleep** (**-*slept***) zaspać; **~'staffed** o nadmiernym zatrudnieniu; **~'state** wyolbrzymiać ⟨-mić⟩; przesadzać ⟨-dzić⟩; **~'state·ment** przesada *f*; wyolbrzymienie *n*; **~'stay** przebywać dłużej niż; → ***welcome*** 4; **~'step** *fig.* przekraczać ⟨-roczyć⟩; **~'take** (**-*took, -taken***) mijać ⟨minąć⟩ wyprzedzać ⟨-dzić⟩; *fig.* zaskakiwać ⟨-skoczyć⟩; **~'tax** nakładać ⟨nałożyć⟩ zbyt wysoki podatek; *fig.* naruszać ⟨-szyć⟩; **~·throw 1.** [əʊvə'θrəʊ] (**-*threw, -thrown***) *rząd itp.* obalać ⟨-lić⟩; **2.** ['əʊvəθrəʊ] obalenie *f*, przewrót *m*; **'~·time** *econ.* praca *f* nadliczbowa, F nadgodziny *pl.*; *Am.* (*w sporcie*) dogrywka *f*; ***be on ~time, do ~time, work ~time*** pracować w nadgodzinach

o·ver·ture ['əʊvətjʊə] *mus.* uwertura *f*

o·ver|'turn przewracać ⟨-rócić⟩; *rząd* obalać ⟨-lić⟩; *naut.* wywracać ⟨-rócić⟩ się; *jur.* anulować; **'~·view** *fig.* zarys *m*; **~·weight 1.** ['əʊvəweɪt] nadwaga *f*; **2.** [əʊvə'weɪt] z nadwagą; zbyt ciężki (***by*** o *A*); ***be five pounds ~weight*** mieć pięć funtów nadwagi; **~'whelm** przytłaczać ⟨-łoczyć⟩; zakrywać⟨-ryć⟩; **~'whelm·ing** przytłaczający; **~'work** nadmiernie pracować, przepracowywać ⟨-ować⟩ się; **~'wrought** przewrażliwiony

owe [əʊ] *komuś coś* być winnym, być dłużnym; *coś* zawdzięczać

ow·ing ['əʊɪŋ]: **~ *to*** dzięki (*D*), na skutek (*G*)

owl [aʊl] *zo.* sowa *f*

own [əʊn] **1.** własny; ***my ~*** mój (*własny*); (***all***) ***on one's ~*** sam; **2.** posiadać; przyznawać się (***to*** do *G*)

own·er ['əʊnə] właściciel(ka *f*) *m*; posiadacz(ka *f*) *m*; **~-'oc·cu·pied** *zwł. Brt.* zajmowany przez właściciela;

O

'~•**ship** własność *f*, posiadanie *n*
ox [ɒks] *zo.* (*pl.* ***oxen*** ['ɒksn]) wół *m*
Ox•ford Oksford *m*
ox•ide ['ɒksaɪd] *chem.* tlenek *m*; **ox•i•dize** *chem.* ['ɒksɪdaɪz] utleniać ⟨-nić⟩ (się)
ox•y•gen ['ɒksɪdʒən] *chem.* tlen *m*
oy•ster ['ɔɪstə] *zo.* ostryga *f*
oz *skrót pisany*: ***ounce***(***s*** *pl.*) uncja *f* (uncje *pl.*) (*28,35 g*)
o•zone ['əʊzəʊn] *chem.* ozon *m*; '~**-friend•ly** nie niszczący warstwy ozonu; '~ **hole** dziura *f* ozonowa; '~ **lay•er** warstwa *f* ozonu; '~ **lev•els** *pl.* poziom *m* zawartości ozonu; '~ **shield** osłona *f* ozonowa

P

P, p [piː] P, p *n*
p[1] *Brt.* [piː] *skrót*: ***penny*** (***pence*** *pl.*) pens(y *pl.*) *m*
p[2] (*pl.* ***pp***) *skrót pisany*: ***page*** s., str., strona *f*
pace [peɪs] **1.** tempo *n*, szybkość *f*; krok *m*; chód *m* (*konia*); **2.** *v/t.* chodzić po (*L*) (*pokoju itp.*); *też* ~ ***out*** ⟨z-, wy⟩mierzyć (*krokami*); *v/i.* kroczyć, chodzić; ~ ***up and down*** chodzić tam i z powrotem; '~•**mak•er** *med.* stymulator *m*; → '~•**set•ter** *Am.* (*w sporcie*) zając *m* (*zawodnik nadający tempo*)
Pa•cif•ic [pə'sɪfɪk] *też* ~ ***Ocean*** Pacyfik *m*, Ocean *m* Spokojny
pac•i|•fi•er ['pæsɪfaɪə] *Am.* smoczek *m*; ~•**fist** ['pæsɪfɪst] pacyfista *m* (-tka *f*); ~•**fy** ['pæsɪfaɪ] uspokajać ⟨-koić⟩
pack [pæk] **1.** paczka *f*, pakunek *m*; *Am.* paczka *f* (*papierosów*); stado *n*, wataha *f* (*wilków*); sfora *f*, zgraja *f* (*psów*); grupa *f*; *med. kosmetyczny* okład *m*; *med.* tampon *m*; talia *f* (*kart*); ***a*** ~ ***of lies*** stek *m* kłamstw; **2.** *v/t. też* ~ ***up*** ⟨s-, za⟩pakować; upychać ⟨upchać⟩; opakowywać ⟨-ować⟩; ~ ***off*** F odsyłać ⟨odesłać⟩; *v/i.* ⟨s-, za⟩pakować się; wpychać ⟨wepchnąć⟩ się (***into*** do *G*); ~ ***up*** zapakować się; ***send s.o.*** ~***ing*** odsyłać ⟨odesłać⟩ kogoś
pack•age ['pækɪdʒ] paczka *f*, pakiet *m*; ***software*** ~ *komp.* pakiet *m* oprogramowania; '~ **deal** F transakcja *f* wiązana; '~**hol•i•day** wczasy *pl.* zorganizowane; '~ **tour** wycieczka *f* zorganizowana *f*
'**pack•er** pakowacz(ka *f*) *m*; *Am.* producent *m* konserw
pack•et ['pækɪt] paczka *f*, pakiet *m*
'**pack•ing** opakowywanie *n*; opakowanie *n*
pact [pækt] pakt *m*, układ *m*
pad [pæd] **1.** poduszka *f* (*do ubrania, pieczątek*); (*w sporcie*) ochraniacz *m*; blok *m* (*papieru*); *zo.* poduszeczka *f*; płyta *f* (*wyrzutni*); tampon *m*; *Am.* podpaska *f*; **2.** (***-dd-***) wyściełać ⟨-elić⟩, watować; '~•**ding** wyściółka *f*, obicie *n*, watowanie *n*
pad•dle ['pædl] **1.** wiosło *n*; *naut.* łopatka *f* ; **2.** wiosłować; brodzić; '~ **wheel** *naut.* koło *n* łopatkowe
pad•dock ['pædək] padok *m*, wybieg *m*
pad•lock ['pædlɒk] kłódka *f*
pa•gan ['peɪgən] **1.** poganin *m* (-anka *f*); **2.** pogański
page[1] [peɪdʒ] **1.** strona *f*; **2.** numerować strony
page[2] [peɪdʒ] **1.** boy *m* hotelowy; **2.** wzywać ⟨wezwać⟩
pag•eant ['pædʒənt] widowisko *n* historyczne
pa•gin•ate ['pædʒɪneɪt] numerować strony
paid [peɪd] *pret. i p.p. od* ***pay*** 1
pail [peɪl] wiadro *n*, kubeł *m*
pain [peɪn] **1.** ból *m*; problem *m*; ~***s*** *pl.* starania *pl.*, fatyga *f*; ***be in*** (***great***) ~ mieć silne bóle; ***be a*** ~ (***in the neck***) F strasznie się naprzykrzać; ***take*** ~***s*** trudzić się; **2.** *zwł. fig.* czuć ból; boleć; '~•**ful** bolesny; '~•**kill•er** środek *m* uśmierzający ból; '~•**less** bezbolesny; ~**s•tak•ing** ['peɪnzteɪkɪŋ] drobiazgowy
paint [peɪnt] **1.** farba *f*; **2.** ⟨po⟩malować; *samochód itp.* ⟨po⟩lakierować; '~•**box** pudełko *n* na farby; '~•**brush** pędzel *m* malarski; '~•**er** malarz *m* (-arka *f*); '~•**ing** malowanie *n*; obraz *m*, malowidło *n*
pair [peə] **1.** para *f*; ***a*** ~ ***of*** para (*G*); ***a*** ~ ***of***

P

scissors nożyczki, para nożyc; **2.** *v/i. zo.* parzyć się; *też* ~ ***off,*** ~ ***up*** ⟨u⟩tworzyć parę; *v/t.* ~ ***off,*** ~ ***up*** dobierać ⟨-brać⟩ parami; ~ ***off*** tworzyć parę z (*G*)
pa·ja·ma(s) [pə'dʒɑːmə(z)] *Am.* → ***pyjama(s)***
pal [pæl] kolega *m*, koleżanka *f*, F kumpel *m*, kumpelka *f*
pal·ace ['pælɪs] pałac *m*
pal·a·ta·ble ['pælətəbl] do przełknięcia (*też fig.*)
pal·ate ['pælɪt] *anat.* podniebienie; *fig.* smak *m*
pale[1] [peɪl] **1.** (***-r, -st***) blady; *kolor:* jasny; **2.** ⟨z⟩blednąć; rozjaśniać ⟨-nić⟩ (się)
pale[2] [peɪl] pal *m*; *fig.* granica *f*
'pale·ness bladość *f*
Pal·es·tine Palestyna *f*
Pal·e·stin·i·an [pælə'stɪnɪən] **1.** palestyński; **2.** Palestyńczyk (-tynka *f*)
pal·ings ['peɪlɪŋz] częstokół *m*; pale *pl.*
pal·i·sade [pælɪ'seɪd] palisada *f*; *zwł. Am.* strome skały *pl.*
pal·let ['pælɪt] *tech.* paleta *f*
pal|·lid ['pælɪd] blady; **'~·lor** bladość *f*
palm[1] [pɑːm] *bot. też* ~ ***tree*** palma *f*
palm[2] [pɑːm] **1.** dłoń *f*; **2.** ⟨s⟩chować w dłoni; ~ ***s.th. off on s.o.*** opychać ⟨-chnąć⟩ coś komuś
pal·pa·ble ['pælpəbl] wyczuwalny, namacalny
pal·pi|·tate ['pælpɪteɪt] *med. serce:* kołatać; **~·ta·tions** [pælpɪ'teɪʃnz] *pl.* palpitacje *pl.*, kołatanie *n*
pal·sy ['pɔːlzɪ] *med.* porażenie *n*
pal·try ['pɔːltrɪ] (***-ier, -iest***) marny, nędzny
pam·per ['pæmpə] dogadzać ⟨-godzić⟩; *dziecko itp.* rozpieszczać ⟨-pieścić⟩
pam·phlet ['pæmflɪt] broszura *f*; ⚠ *nie* ***pamflet***
pan [pæn] patelnia *f*
pan·a·ce·a [pænə'sɪə] panaceum *m*
pan·cake ['pæŋkeɪk] naleśnik *m*
pan·da ['pændə] *zo.* panda *f*; **'~ car** *Brt.* samochód *m* policyjny
pan·de·mo·ni·um [pændɪ'məʊnjəm] pandemonium *n*, zamieszanie *n*, chaos *m*
pan·der ['pændə] schlebiać (*gustom*)
pane [peɪn] szyba *f*
pan·el ['pænl] **1.** tafla *f*, płyta *f*, płycina *f*; *electr.*, *tech.* tablica *f* (*rozdzielcza*); *jur.* lista *f* sędziów przysięgłych; panel *m*, grupa *f* (*ekspertów*); **2.** (*zwł. Brt.* ***-ll-***, *Am.* ***-l-***) wykładać ⟨-łożyć⟩ boazerią
pang [pæŋ] ukłucie *n* (bólu); **~s** *pl.* ***of hunger*** skurcze *pl.* głodowe; **~s** *pl.* ***of conscience*** wyrzuty *pl.* sumienia
'pan·han|·dle *Am.* żebrać; **'~·dler** żebrak *m* (-aczka *f*)
pan·ic ['pænɪk] **1.** paniczny; **2.** panika *f*; **3.** (***-ck-***) panikować; wpadać ⟨wpaść⟩ w panikę
pan·sy ['pænzɪ] *bot.* bratek *m*, fiołek *m* trójbarwny; F pedał *m*
pant [pænt] dyszeć; ziajać
pan·ther ['pænθə] *zo.* (*pl.* ***-thers, -ther***) pantera *f*; *Am.* puma *f*; *Am.* jaguar *m*
pan·ties ['pæntɪz] *pl.* majtki *pl.*, *kobiece* figi *pl.*
pan·to·mime ['pæntəmaɪm] *Brt.* F jasełka *pl.*; *theat.* pantomima *f*
pan·try ['pæntrɪ] spiżarnia *f*; *naut.* pentra *f*
pants [pænts] *pl. Brt.* majtki *pl.*; *zwł. Am.* spodnie *pl.*
'pant·suit *Am.* spodnium *m*
pan·ty| hose ['pæntɪhəʊz] *zwł. Am.* rajstopy *pl.*
pap [pæp] bryja *f*, ciapka *f*
pa·pal ['peɪpl] papieski
pa·per ['peɪpə] **1.** papier *m*; gazeta *f*, czasopismo *n*; praca *f* (pisemna *lub* semestralna); referat *m*; tapeta *f*; **~s** *pl.* papiery *pl.*, dowody *pl.* tożsamości; **2.** ⟨wy⟩tapetować; **'~·back** książka *f* w miękkich okładkach; **'~ bag** torba *f* papierowa; **'~·boy** gazeciarz *m*; **'~ clip** wycinek *m* prasowy; **'~ cup** kubek *m* papierowy; **'~·girl** gazeciarka *f*; **'~·hang·er** tapeciarz *m*; **'~ knife** (*pl.* ***knives***) *Brt.* nóż *m* do papieru; **'~ mon·ey** pieniądz *m* papierowy; **'~·weight** przycisk *m* do papieru
par [pɑː] *econ.* wartość *f* nominalna, nominał *m*; parytet *m* kurs *m* wymian; ***at*** ~ na równi; według parytetu; ***on a*** ~ ***with*** na równi z (*I*)
par·a·ble ['pærəbl] przypowieść *f*
par·a|·chute ['pærəʃuːt] spadochron *m*; **'~·chut·ist** spadochroniarz *m* (-arka *f*)
pa·rade [pə'reɪd] **1.** parada *f*; pochód *m*; *fig.* pokaz *m*; ***make a*** ~ ***of*** *fig.* robić pokaz z (*G*); **2.** iść w pochodzie (***through*** przez *A*); *mil.* ⟨prze⟩defilować; ⟨po⟩prowadzić w paradzie; *fig.* ⟨za⟩prezentować (się)

P

par·a·dise ['pærədaɪs] raj *m*
par·a·glid|·er ['pærəglaɪdə] paralotnia *m*; lotniarz *m*; **'~·ing** lotniarstwo *n*
par·a·gon ['pærəgən] wzór *m*, wzorzec *m*
par·a·graph ['pærəgrɑːf] akapit *m*; paragraf *m*; notka *f* (*prasowa*)
par·al·lel ['pærəlel] **1.** równoległy (***to, with*** do *G*, z *I*); **2.** *math.* prosta *f* równoległa, równoległa *f* (*też fig.*); ***without ~*** bez analogii; *geogr.* równoleżnik *m*; **3.** (*zwł. Brt.* ***-ll-*** , *Am.* ***-l-***) odpowiadać (*D*), być podobnym do (*G*)
par·a·lyse *Brt.*, **par·a·lyze** *Am.* ['pærəlaɪz] *med.* ⟨s⟩paraliżować (*też fig.*); **pa·ral·y·sis** [pə'rælɪsɪs] (*pl.* ***-ses*** [-siːz]) *med.* paraliż *m* (*też fig.*)
par·a·mount ['pærəmaʊnt] nadrzędny, najważniejszy; ***of ~ importance*** najwyższego znaczenia
par·a·pet ['pærəpɪt] bariera *f*, balustrada *f*
par·a·pher·na·li·a [pærəfə'neɪljə] *pl.* parafernalia *pl.*, rzeczy *pl.* osobiste; *Brt.* zabiegi *pl.*, zachody *pl.*
par·a·site ['pærəsaɪt] pasożyt *m*
par·a·troop|·er ['pærətruːpə] *mil.* spadochroniarz *m*; **'~s** *pl.* wojska *pl.* spadochronowe
par·boil ['pɑːbɔɪl] obgotowywać ⟨-ować⟩
par·cel ['pɑːsl] **1.** paczka *f*; parcela *f*, działka *f*; **2.** (*zwł. Brt.* ***-ll-*** , *Am.* ***-l-***): ***~ out*** rozdzielać ⟨-lić⟩, rozparcelowywać ⟨-ować⟩; ***~ up*** zapakowywać ⟨-ować⟩ (*jako paczkę*)
parch [pɑːtʃ] wysychać ⟨-schnąć⟩; wysuszać ⟨-szyć⟩
parch·ment ['pɑːtʃmənt] pergamin *m*
par·don ['pɑːdn] **1.** *jur.* ułaskawienie *n*, darowanie *n* kary; ***I beg your ~!*** przepraszam!; *też* ***~?*** F słucham?; **2.** wybaczać ⟨-czyć⟩; darować; *jur.* ułaskawiać ⟨-wić⟩; ***~ me*** → ***I beg your ~***; *Am.* F słucham?; **'~·a·ble** wybaczalny
pare [peə] *paznokcie* obcinać ⟨-ciąć⟩; *jabłko* obierać ⟨-brać⟩
par·ent ['peərənt] rodzic *m*; matka *f*, ojciec *m*; ***~s*** *pl.* rodzice *pl.*; **~·age** ['peərəntɪdʒ] rodzicielstwo *n*; **pa·rental** [pə'rentl] rodzicielski
pa·ren·the·ses [pə'renθɪsiːz] *pl.* nawiasy *pl.* (*zwł. okrągłe*)
'par·ents-in-law *pl.* teściowie *pl.*
par·ent-'teach·er meet·ing wywiadówka *f*
par·ings ['peərɪŋz] *pl.* obierki *pl.*
Pa·ris Paryż *m*
par·ish ['pærɪʃ] parafia *f*; **pa·rishio·ner** [pə'rɪʃənə] *rel.* parafianin *m* (-anka *f*)
park [pɑːk] **1.** park *m*; **2.** *mot.* ⟨za⟩parkować
par·ka ['pɑːkə] skafander *m*
'park·ing *mot.* parkowanie *n*; ***no ~*** zakaz *m* parkowania; **'~ disc** tarcza *f* czasu parkowania; **'~ fee** opłata *f* za parkowanie; **'~ ga·rage** *Am.* (*w budynku*) parking *m*; **'~ lot** *Am.* parking *m*; **'~ me·ter** parkometr *m*; **'~ space** miejsce *n* do (za)parkowania; **'~ tick·et** mandat *m* za nieprawidłowe parkowanie
par·ley ['pɑːlɪ] *zwł. mil. pokojowe* rokowania *pl.*
par·lia|·ment ['pɑːləmənt] parlament *m*; **~·men·tar·i·an** [pɑːləmen'teərɪən] parlamentarzysta *m*; **~·men·ta·ry** [pɑːlə'mentərɪ] parlamentarny
par·lo(u)r ['pɑːlə]: *zw. w złożeniach* ***beauty ~*** gabinet *m* kosmetyczny
pa·ro·chi·al [pə'rəʊkjəl] parafialny; zaściankowy
pa·role [pə'rəʊl] **1.** zwolnienie *n* warunkowe; ***he is out on ~*** jest na zwolnieniu warunkowym; **2.** ***~ s.o.*** zwolnić kogoś warunkowo
par·quet ['pɑːkeɪ] parkiet *m*; *Am. theat.* parter *m*; **'~ floor** parkiet *m*
par·rot ['pærət] **1.** *zo.* papuga *f* (*też fig.*); **2.** powtarzać (*jak papuga*)
par·ry ['pærɪ] ⟨od⟩parować, odbijać ⟨-bić⟩
par·si·mo·ni·ous [pɑːsɪ'məʊnjəs] skąpy
pars·ley ['pɑːslɪ] *bot.* pietruszka *f*
par·son ['pɑːsn] proboszcz *m*; **~·age** ['pɑːsnɪdʒ] probostwo *n*
part [pɑːt] **1.** część *f*; *tech.* element *m*, część *f*; udział *m*; strona *f*; *theat.*, *fig.* rola *f*; *mus.* głos *m*, partia *f*; odcinek *m* (*filmu*); *Am.* przedziałek *m*; ***for my ~*** z mojej strony; ***for the most ~*** w większości, przeważnie; ***in ~*** częściowo; ***on the ~ of*** ze strony (*G*); ***on my ~*** z mojej strony; ***take ~ in s.th.*** brać ⟨wziąć⟩ w czymś udział; ***take s.th. in good ~*** przyjmować ⟨-jąć⟩ coś w dobrej wierze;

P

2. *v/t.* ⟨po-, roz⟩dzielić; *włosy* ⟨u⟩czesać z przedziałkiem; ~ ***company*** rozstawać ⟨-tać⟩ się (***with*** z *I*); *v/i.* rozstawać ⟨-tać⟩ się (***with*** z *I*); **3.** *adj.* częściowy; **4.** *adv.* ~ ... ~ ... częściowo ... a częściowo ...

par|·tial ['pɑːʃl] częściowy; stronniczy, tendencyjny (***to*** wobec *G*); **~·ti·al·i·ty** [pɑːʃɪ'ælətɪ] stronniczość *f*, tendencyjność *f* (***for*** wobec *G*); **~·tial·ly** ['pɑːʃəlɪ] stronniczo, tendencyjnie

par·tic·i|·pant [pɑː'tɪsɪpənt] uczestnik *m* (-iczka *f*); **~·pate** [pɑː'tɪsɪpeɪt] uczestniczyć, brać ⟨wziąć⟩ udział (***in*** w *L*); **~·pa·tion** [pɑːtɪsɪ'peɪʃn] uczestnictwo *n*

par·ti·ci·ple ['pɑːtɪsɪpl] *gr.* imiesłów *m*

par·ti·cle ['pɑːtɪkl] cząstka *f*

par·tic·u·lar [pə'tɪkjʊlə] **1.** szczególny; indywidualny; wybredny, wymagający; dokładny, drobiazgowy; **2.** szczegół *m*, detal *m*; ***~s*** *pl.* dane *pl.* szczegółowe; dane *pl.* osobiste; ***in ~*** w szczególności; **~·ly** szczególnie

'part·ing **1.** rozstanie *n*, pożegnanie *n*; *zwł. Brt.* przedziałek *m*; **2.** pożegnalny

par·ti·san [pɑːtɪ'zæn] **1.** stronnik *m* (-iczka *f*); *mil.* partyzant *m*; **2.** stronniczy

par·ti·tion [pɑː'tɪʃn] **1.** podział *m*; rozbiór *m*; ścianka *f* działowa; przepierzenie *n*; **2.** ~ ***off*** oddzielać ⟨-lić⟩

'part·ly częściowo

part·ner ['pɑːtnə] partner(ka *f*) *m*; *econ.* wspólnik *m* (-iczka *f*); **'~·ship** partnerstwo *n*; *econ.* spółka *f*

part-'own·er współwłaściciel(ka *f*) *m*

par·tridge ['pɑːtrɪdʒ] *zo.* kuropatwa *f*

part|-'time **1.** *adj.* niepełnoetatowy; ~ ***worker*** → ***part-timer***; **2.** *adv.* na niepełny etat; na pół etatu; **~-'tim·er** pracownik *m* niepełnoetatowy *lub* na pół etatu

par·ty ['pɑːtɪ] partia *f*, stronnictwo *n*; grupa *f*, ekipa *f*; strona *f* (*umowy itp.*); *mil.* oddział *m*; uczestnik *m* (-iczka *f*); przyjęcie *n*, F impreza *f*; **'~ line** *pol.* linia *f* partyjna; ~ **'pol·i·tics** *sg. lub pl.* polityka *f* partyjna

pass [pɑːs] **1.** *v/i.* przechodzić ⟨-ejść⟩, przejeżdżać ⟨-jechać⟩ (***by*** koło *G*); przechodzić ⟨-ejść⟩ (***to*** do *G*); *ból, czas itp.*: przechodzić ⟨-ejść⟩, mijać ⟨minąć⟩; *egzamin itp.* zdawać ⟨-dać⟩ (*A*); (*w sporcie*) podawać ⟨-dać⟩ piłkę (***to*** do *G*); *parl.* uchwalać ⟨-lić⟩ ustawę; być uważanym (***as, for*** jako *A*); ***let s.o. ~*** przepuszczać ⟨-puścić⟩ kogoś; ***let s.th. ~*** puszczać ⟨puścić⟩ coś mimochodem; *v/t.* mijać ⟨minąć⟩; *czas* spędzać ⟨-dzić⟩; *egzamin itp.* zdawać ⟨-dać⟩; *pieprz, piłkę* podawać ⟨-dać⟩ (***to*** do *G*); sięgać ⟨-gnąć⟩ (***over*** do *G*); *parl.* uchwalać ⟨-lić⟩; *jur. wyrok* wydawać ⟨-dać⟩ (***on*** na *A*); *sąd* wygłaszać ⟨-łosić⟩; *fig.* przewyższać; ~ ***away*** umrzeć; ~ ***off*** zakończyć się (*dobrze itp.*); uchodzić (***as*** za *A*); ~ ***out*** ⟨ze⟩mdleć; **2.** przepustka *f*; zdanie *n* (*egzaminu*); (*w sporcie*) podanie *n*; przełęcz *f*; ***free ~*** bilet *m* bezpłatny; ***make a ~ at*** F dobierać się do (*G*); **'~·a·ble** znośny; *droga*: przejezdny

pas·sage ['pæsɪdʒ] korytarz *m*, przejście *n*; przejazd *m*, rejs *m*; pasaż *m* (*też mus.*); passus *m*; ***bird of ~*** ptak *m* wędrowny

'pass·book *zwł. Am.* książeczka *f* oszczędnościowa

pas·sen·ger ['pæsɪndʒə] pasażer(ka *f*) *m*

pass·er·by [pɑːsə'baɪ] (*pl.* ***passersby***) przechodzień *m*

pas·sion ['pæʃn] pasja *f*; namiętność *f*; zamiłowanie *n*; uczucie *n*; ♀ *rel.* pasja; **~·ate** ['pæʃənət] namiętny

pas·sive ['pæsɪv] bierny (*też gr.*), pasywny

pass·port ['pɑːspɔːt] paszport *m*

pass·word ['pɑːswɜːd] hasło *n*

past [pɑːst] **1.** *adj.* przeszły; wcześniejszy; *pred.* miniony, ubiegły; ***for some time ~*** od jakiegoś czasu; ~ ***tense*** *gr.* czas przeszły; **2.** *adv.* obok (*G*), mimo (*G*); **3.** *prp. czas*: po (*D*); *miejsce*: obok (*G*), mimo (*G*); za (*D*); ***half ~ two*** (w)pół do trzeciej; ***~ hope*** beznadziejny

pas·ta ['pæstə] *gastr.* makaron *m*; ⚠ *nie* ***pasta***

paste [peɪst] **1.** ciasto *n*; pasta *f*; klej *m*; klajster *m*; **2.** ⟨przy⟩kleić (***to*** do *G*, ***on*** na *A*); ~ ***up*** naklejać ⟨-leić⟩, przylepiać ⟨-pić⟩; **'~·board** karton *m*, tektura *f*

pas·tel [pæ'stel] **1.** pastel *m*; **2.** pastelowy

pas·teur·ize ['pɑːstʃəraɪz] pasteryzować

pas·time ['pɑːstaɪm] zajęcie *n* (*w wolnych chwilach*)

pas·tor ['pɑːstə] pastor *m*; **~·al** ['pɑːstərəl] *rel.* duszpasterski; idylliczny, bukoliczny
pas·try ['peɪstrɪ] ciasto *n*; ciastko *n*; **'~ cook** cukiernik *m*
pas·ture ['pɑːstʃə] **1.** pastwisko *n*; **2.** paść (się); wypasać
pas·ty[1] ['pæstɪ] *zwł. Brt.* pasztecik *m*
past·y[2] ['peɪstɪ] kredowobiały, blady
pat [pæt] **1.** klaps *m*, klepnięcie *n*; porcja *f* (*zwł. masła*); **2.** (**-tt-**) klepać ⟨-pnąć⟩, poklepywać ⟨-pać⟩
patch [pætʃ] **1.** plama *f*; miejsce *n*; łata *f*; działka *f*; przepaska *f* na oko; ***in ~es*** miejscami; **2.** ⟨za-, po⟩łatać; **'~·work** patchwork *m*
pa·tent ['peɪtənt] **1.** patentowy; opatentowany; oczywisty, ewidentny; **2.** patent *m*; **3.** *coś* ⟨o⟩patentować; **~·ee** [peɪtən'tiː] posiadacz(ka *f*) *m* patentu; **~ 'leath·er** skóra *f* lakierowana
pa·ter|·nal [pə'tɜːnl] ojcowski; **~·ni·ty** [pə'tɜːnətɪ] ojcostwo *n*
path [pɑːθ] (*pl.* ***paths*** [pɑːðz]) ścieżka *f*; trajektoria *f*, tor *m*
pa·thet·ic [pə'θetɪk] (***~ally***) patetyczny; żałosny, pożałowania godny
pa·thos ['peɪθɒs] żałosność *f*, współczucie *n*
pa·tience ['peɪʃns] cierpliwość *f*; *zwł. Brt.* pasjans *m*
pa·tient[1] ['peɪʃnt] cierpliwy
pa·tient[2] ['peɪʃnt] pacjent(ka *f*) *m*
pat·i·o ['pætɪəʊ] (*pl.* ***-os***) patio *n*, dziedziniec *m*
pat·ri·ot ['pætrɪət] patriota *m* (-tka *f*); **~·ic** [pætrɪ'ɒtɪk] (***-ally***) patriotyczny
pa·trol [pə'trəʊl] **1.** patrol *m*; ***on ~*** na patrolu; **2.** (***-ll-***) patrolować; **~ car** wóz *m* patrolowy; **~·man** (*pl.* ***-men***) *zwł. Am.* policjant(ka *f*) *m* na służbie patrolowej; *Brt.* (*osoba pomagająca zmotoryzowanym w razie awarii*)
pa·tron ['peɪtrən] mecenas *m*, sponsor *m*; patron(ka *f*) *m*; *stały* klient *m*, *stała* klientka *f* **pat·ron·age** ['pætrənɪdʒ] patronaż *m*; **pat·ron·ess** ['peɪtrənɪs] patronka *f*; *stała* klientka *f*; **pat·ron·ize** ['pætrənaɪz] ⟨po⟩traktować protekcjonalnie; być gościem (*G*); być patronem (*G*); **~ saint** [peɪtrən 'seɪnt] *rel.* patron(ka *f*) *m*
pat·ter ['pætə] *deszcz*: ⟨za⟩stukać; ⟨za⟩tupać
pat·tern ['pætən] **1.** wzór *m* (*też fig.*); **2.** wzorować się
paunch ['pɔːnʃ] brzuszysko *n*
pau·per ['pɔːpə] nędzarz *m* (-arka *f*)
pause [pɔːz] **1.** przerwa *f*; pauza *f*; **2.** zatrzymywać się; ⟨z⟩robić przerwę
pave [peɪv] ⟨wy⟩brukować; ***~ the way for*** *fig.* ⟨u⟩torować drogę do (*G*); **'~·ment** *Brt.* bruk *m*; *Am.* chodnik *m*
paw [pɔː] **1.** łapa *f* (*też fig.*); **2.** *v/t.* grzebać w (*ziemi itp*); ⟨za⟩skrobać do (*drzwi*); F macać, obmacywać ⟨-cać⟩; *v/i.* skrobać (***at*** po *L*)
pawn[1] [pɔːn] *szachowy* pionek *m* (*też fig.*)
pawn[2] [pɔːn] **1.** zastawiać ⟨-wić⟩; **2.** ***be in ~*** znajdować się w zastawie; **'~·broker** właściciel *m* lombardu; **'~·shop** lombard *m*
pay [peɪ] **1.** (***paid***) *v/t. coś* ⟨za⟩płacić (*też* za *A*); *komuś* ⟨za⟩płacić; *uwagę* poświęcać ⟨-cić⟩; *wizytę* składać ⟨złożyć⟩; *komplement* mówić ⟨powiedzieć⟩; ***~ attention*** zwracać ⟨-rócić⟩ uwagę (***to*** na *A*); ***~ cash*** ⟨za⟩płacić gotówką; *v/i.* ⟨za⟩płacić; *fig.* opłacać ⟨-cić⟩ się; ***~ for*** ⟨za⟩płacić za (*A*) (*też fig.*); ***~ in*** wpłacać ⟨-cić⟩; ***~ into*** wpłacać ⟨-cić⟩ na (*A*); ***~ off*** *coś* spłacać ⟨-cić⟩; opłacać ⟨-cić⟩ się; wypłacać ⟨-cić⟩ odprawę; **2.** zapłata *f*, wypłata *f*; płaca *f*, pobory *pl.*; **'~·a·ble** wypłacalny; **'~·day** dzień *m* wypłaty; **~·ee** [peɪ'iː] odbiorca *m* (*pieniędzy*); beneficjent *m*; **'~ en·ve·lope** *Am.* koperta *f* z wypłatą; **'~·ing** płatność *f*, wypłata *f*; **~·ing 'guest** gość *m* (*na kwaterze turystycznej*); podnajemca *m*, sublokator(ka *f*) *m*; **'~·ment** wypłata *f*; **'~ pack·et** *Brt.* koperta *f* z wypłatą; **'~ phone** *Brt.* automat *m* telefoniczny; **'~·roll** lista *f* płac; **'~·slip** odcinek *m* wypłaty
PC [piː 'siː] *skrót*: ***personal computer*** komputer osobisty *m*, F pecet *m*; ***~ user*** użytkownik *m* komputera osobistego
P.C., PC [piː 'siː] *Brt. skrót*: ***police constable*** policjant *m*
pd *skrót pisany*: ***paid*** zapł., zapłacony
pea [piː] *bot.* groszek *m*, groch *m*
peace [piːs] pokój *m jur.* spokój *m*; cisza *f*; ***at ~*** w spokoju; **'~·a·ble** pokojowy; **'~·ful** pokojowy; **'~·lov·ing** miłujący pokój; **'~ move·ment** ruch *m* obrony pokoju; **'~·time** pokój *m*
peach [piːtʃ] *bot.* brzoskwinia *f*

P

pea|·cock ['pi:kɒk] *zo.* paw *m*; **'~·hen** *zo.* pawica *f*

peak [pi:k] szczyt *m* (*też fig.*); wierzchołek *m*; daszek *m* (*czapki*); **~ed cap** [pi:kt 'kæp] czapka *f* z daszkiem; **'~ hours** *pl.* godziny *pl.* szczytu; *electr.* okres *m* szczytowego obciążenia; **'~ time** *też* ***peak viewing hours*** *pl. Brt. TV* okres *m* największej oglądalności

peal [pi:l] **1.** bicie *n* (*dzwonu lub dzwonów*); kurant *m*; grzmot *m* (*pioruna*); ***~ of laughter*** gromki śmiech *m*; **2.** *też* ***~ out*** rozbrzmiewać

pea·nut ['pi:nʌt] *bot.* orzeszek *m* ziemny, fistaszek *m*; ***~s*** *pl.* F śmieszna suma *f*

pear [peə] *bot.* gruszka *f*; grusza *f*

pearl [pɜ:l] perła *f*; *attr.* perłowy; **'~·y** (***-ier, -iest***) perłowy

peas·ant ['peznt] chłop *m*, wieśniak *m*

peat [pi:t] torf *m*; *attr.* torfowy

peb·ble ['pebl] kamień *m*, kamyk *m*, otoczak *m*

peck [pek] dziobać ⟨-bnąć⟩; cmokać ⟨-knąć⟩; ***~ at one's food*** przebierać ⟨-brać⟩ w jedzeniu

pe·cu·li·ar [pɪ'kju:ljə] szczególny, charakterystyczny; dziwny, osobliwy; **~·i·ty** [pɪkju:lɪ'ærətɪ] szczególność *f*; osobliwość *f*

pe·cu·ni·a·ry [pɪ'kju:njərɪ] pieniężny, finansowy

ped·a·go·gic [pedə'gɒdʒɪk] pedagogiczny

ped·al ['pedl] **1.** pedał *m*; **2.** (*zwł. Brt.* ***-ll-***, *Am.* ***-l-***) ⟨po⟩pedałować; ⟨po⟩jechać (*na rowerze*)

pe·dan·tic [pɪ'dæntɪk] (***~ally***) pedantyczny

ped·dle ['pedl] handlować (*I*); ***~ drugs*** handlować narkotykami; **'~r** → *Am.* ***pedlar***

ped·es·tal ['pedɪstl] piedestał *m* (*też fig.*)

pe·des·tri·an [pɪ'destrɪən] **1.** pieszy *m* (-sza *f*); **2.** pieszy; **~ 'cross·ing** przejście *n* dla pieszych; **~ 'mall** *Am.*, **~ 'pre·cinct** *zwł. Brt.* strefa *f* ruchu pieszego

ped·i·cure ['pedɪkjʊə] pedicure *m*

ped·i·gree ['pedɪgri:] rodowód *m*; *attr.* rodowodowy

ped·lar ['pedlə] handlarz *m* (-arka *f*)

pee [pi:] F **1.** siusiać; **2.** ***have*** (*lub* ***go for***) ***a ~*** wysiusiać się

peek [pi:k] **1.** zerkać ⟨-knąć⟩ (***at*** na *A*); **2.** ***have*** *lub* ***take a ~ at*** zerkać ⟨-knąć⟩ na (*A*)

peel [pi:l] **1.** *v/t.* obierać ⟨-brać⟩; *też* ***~ off*** *tapetę, ubranie itp.* zdzierać ⟨zedrzeć⟩; *v/i. też* ***~ off*** *tapeta*: odchodzić ⟨odejść⟩, *skóra, farba*: schodzić ⟨zejść⟩; **2.** skórka *f*

peep[1] [pi:p] **1.** zerkać ⟨-knąć⟩ (***at*** na *A*); **2.** ***take a ~ at*** zerkać ⟨-knąć⟩ na (*A*)

peep[2] [pi:p] **1.** pisk *m*, zabrzęczenie; **2.** ⟨za⟩piszczeć, ⟨za⟩brzęczeć

'peep·hole wizjer *m*, judasz *m*

peer [pɪə] **1.** przyglądać ⟨przyjrzeć⟩ się (***at*** *D*); **2.** równy *m* (-na *f*); *Brt.* par *m*, arystokrata *m*; **'~·less** niezrównany

peev·ish ['pi:vɪʃ] drażliwy, pobudliwy

peg [peg] **1.** kołek *m*; palik *m*; wieszak *m*; *Brt.* klamerka *f* do bielizny; śledź *m* (*do namiotu*)

Pe·king Pekin *m*

pel·i·can ['pelɪkən] *zo.* (*pl.* ***-can, -cans***) pelikan *m*; **~ 'cross·ing** *Brt.* przejście *n* dla pieszych (*na światłach*)

pel·let ['pelɪt] kulka *f* (*też śrutu*), grudka *f*

pelt[1] [pelt] *v/t.* obrzucać ⟨-cić⟩; *v/i.* ***it's ~ing*** (***down***), *zwł. Brt.* ***it's ~ing with rain*** leje jak z cebra

pelt[2] [pelt] skóra *f* (surowa)

pel·vis ['pelvɪs] *anat.* (*pl.* ***-vises, -ves*** [-vi:z]) miednica *f*

pen[1] [pen] pióro *n*, długopis *m*, pisak *m*

pen[2] [pen] **1.** zagroda; **2.** (***-nn-***): ***~in, ~up*** *zwierzęta, ludzi* zamykać ⟨-knąć⟩

pe·nal ['pi:nl] karny, karalny; **'~ code** kodeks *m* karny; **~·ize** ['pi:nəlaɪz] penalizować; ⟨u⟩karać

pen·al·ty ['penltɪ] kara *f*, grzywna *f*; (*w sporcie*) kara *f*, punkt *m* karny; (*w piłce nożnej*) rzut *m* karny; **'~ ar·e·a, '~ box** (*w piłce nożnej*) pole *n* karne; **'~ goal** (*w piłce nożnej*) bramka *f* z rzutu karnego; **'~ kick** (*w piłce nożnej*) rzut *m* karny; **~ 'shoot-out** (*w piłce nożnej*) strzały *pl.* z pola karnego (*dla rozstrzygnięcia meczu*); **'~ spot** (*w piłce nożnej*) punkt

pen·ance ['penəns] *rel.* pokuta *f*

pence [pens] (*skrót*: ***p***) *pl. od* ***penny***

pen·cil ['pensl] **1.** ołówek *m*; **2.** (*zwł. Brt.* ***-ll-***, *Am.* ***-l-***) zaznaczać ⟨-czyć⟩, zapisywać ⟨-sać⟩ (*ołówkiem*); **'~ case** piórnik *m*; **'~ sharp·en·er** temperówka *f*

P

pen·dant, pen·dent ['pendənt] wisiorek *m*
pend·ing ['pendıŋ] **1.** *prp.* w trakcie (*G*); **2.** *adj. zwł. jur. będący* w toku
pen·du·lum ['pendjʊləm] wahadło *n*
pen·e|·trate ['penıtreıt] przenikać ⟨-knąć⟩ do (*G*) *lub* przez (*A*), przenikać ⟨-knąć⟩ (***into*** do *G*, ***through*** przez *A*); **'~·trat·ing** przenikliwy; bystry; **~·tra·tion** [penı'treıʃn] przeniknięcie *n*, wniknięcie *n*; bystrość *f*
'pen friend (*osoba, z którą się koresponduje*)
pen·guin ['peŋgwın] *zo.* pingwin *m*
pe·nin·su·la [pə'nınsjʊlə] półwysep *m*
pe·nis ['pi:nıs] *anat.* penis *m*, członek *m*
pen·i|·tence ['penıtəns] skrucha *f*, żal *m* za grzechy; **'~·tent 1.** skruszony, żałujący za grzechy; **2.** *rel.* penitent *m*; **~·ten·tia·ry** [penı'tenʃərı] *Am.* zakład *m* karny
'pen|·knife (*pl.* ***-knives***) scyzoryk *m*; **'~ name** pseudonim *m* literacki
pen·nant ['penənt] wimpel *m*, proporczyk *m*
pen·ni·less ['penılıs] bez pieniędzy
pen·ny ['penı] (*skrót:* **p**) (*pl.* ***-nies***, *coll.* ***pence***) *też* ***new ~*** *Brt.* pens *m*
'pen pal *zwł. Am.* → ***pen friend***
pen·sion ['penʃn] **1.** renta *f*, emerytura *f*; ⚠ *nie* ***pensja*** ; **2. ~ *off*** przenosić ⟨-nieść⟩ w stan spoczynku; **~·er** ['penʃənə] rencista *m* (-tka *f*), emeryt(ka *f*) *m*
pen·sive ['pensıv] zadumany, zamyślony
pen·tath|·lete [pen'tæθli:t] (*w sporcie*) pięcioboista *m*; **~·lon** [pen'tæθlɒn] (*w sporcie*) pięciobój *m*
Pen·te·cost ['pentıkɒst] Zielone Świątki *pl.* Szawuot *m* (*w judaizmie*)
pent·house ['penthaʊs] penthouse *m* (*apartament na ostatnim piętrze wieżowca*)
pent-up [pent'ʌp] *uczucie itp.*: powstrzymywany
pe·o·ny ['pıənı] *bot.* piwonia *f*
peo·ple ['pi:pl] **1.** *pl.* ludzie *pl.*; ***the ~*** naród *m*; (*pl.* ***peoples***) lud *m*; **2.** zasiedlać ⟨-lić⟩; **~'s re'pub·lic** republika *f* ludowa
pep [pep] F **1.** ikra *f*, werwa *f*; **2.** (***-pp-***) uatrakcyjniać ⟨-nić⟩, pobudzać ⟨-dzić⟩
pep·per ['pepə] **1.** pieprz *m*; (*strąk*) papryka *f*; **2.** ⟨po⟩pieprzyć; **'~·mint** *bot.* mięta *f* (pieprzowa); miętus *m*; **~·y** ['pepərı] pieprzny; *fig.* drażliwy
'pep pill F środek *m* stymulujący
per [pɜ:] na (*A*); za (*A*); od (*A*); według (*A*)
per·am·bu·la·tor [pə'ræmbjʊleıtə] *zwł. Brt.* wózek *m* dziecięcy
per·ceive [pə'si:v] spostrzegać ⟨-ec⟩, dostrzegać ⟨-ec⟩
per cent, per·cent [pə'sent] procent *m*
per·cen·tage [pə'sentıdʒ] procent *m*; F zysk *m*, procenty *pl.*
per·cep|·ti·ble [pə'septəbl] dostrzegalny, zauważalny; **~·tion** [pə'sepʃn] percepcja *f*, dostrzeganie *n*
perch[1] [pɜ:tʃ] **1.** grzęda *f*; **2. ~ *o.s.*** (***on***) ⟨u⟩sadowić się (na *L*)
perch[2] [pɜ:tʃ] *zo.* (*pl.* ***perch, perches***) okoń *m*
per·co|·late ['pɜ:kəleıt] *kawę itp.* zaparzać ⟨-rzyć⟩ (się); **'~·la·tor** ekspres *m* do kawy
per·cus·sion [pə'kʌʃn] uderzenie *n*; *mus.* instrumenty *pl.* perkusyjne; **~ in·stru·ment** *mus.* instrument *m* perkusyjny
pe·remp·to·ry [pə'remptərı] władczy, kategoryczny
pe·ren·ni·al [pə'renjəl] wieczny; *bot.* wieloletni, trwały
per|·fect 1. ['pɜ:fıkt] doskonały; perfekcyjny; zupełny, całkowity; wykończony; **2.** [pə'fekt] udoskonalać ⟨-lić⟩, ulepszać ⟨-szyć⟩; **3.** ['pɜ:fıkt] *też* ***~fect tense*** *gr.* czas *m* dokonany; **~·fec·tion** [pə'fekʃn] doskonałość *f*; perfekcja *f*; udoskonalenie *n*
per·fo·rate ['pɜ:fəreıt] ⟨prze⟩dziurawić, ⟨prze⟩dziurkować; perforować
per·form [pə'fɔ:m] *v/t.* wykonywać ⟨-nać⟩ (*też mus., theat.*); dokonywać ⟨-ać⟩; *theat., mus.* grać; *v/i. theat. itp.* dawać ⟨dać⟩ przedstawienie, grać; *samochód*: sprawiać ⟨-wić⟩ się; **~·ance** wykonanie *n*; działanie *n*; osiągi *pl.*; *mus, theat.* występ *m*, przedstawienie *n*; **~·er** wykonawca *m* (-czyni *f*)
per·fume 1. ['pɜ:fju:m] perfumy *pl.*; **2.** [pə'fju:m] ⟨u⟩perfumować
per·haps [pə'hæps, præps] (być) może
per·il ['perəl] niebezpieczeństwo *n*; **'~·ous** niebezpieczny
pe·ri·od ['pıərıəd] okres *m*; lekcja *f*; *physiol.* okres *m* (*kobiety*); *gr. zwł. Am.*

P

kropka *f*; *attr.* stylowy, zabytkowy; **~·ic** [pɪərɪ'ɒdɪk] periodyczny, okresowy; **~·i·cal** [pɪərɪ'ɒdɪkl] **1.** periodyczny, okresowy; **2.** periodyk *m*

pe·riph·e·ral [pə'rɪfərəl] **1.** peryferyjny; **2.** *komp.* urządzenie *n* peryferyjne; **~ e'quip·ment** *komp.* urządzenia *pl.* peryferyjne

pe·riph·e·ry [pə'rɪfərɪ] obrzeże *n*, peryferia *pl.*

per·ish ['perɪʃ] ⟨z⟩ginąć; *Brt. gumę* rozłożyć; **'~·a·ble** *jedzenie itp.*: nietrwały; **'~·ing** *zwł. Brt.* F przenikliwy, przejmująco zimny

per|·jure ['pɜːdʒə]: **~*jure o.s.*** krzywoprzysięgać ⟨-gnąć⟩; **~·ju·ry** ['pɜːdʒərɪ] krzywoprzysięstwo *n*; ***commit ~jury*** popełniać ⟨-nić⟩ krzywoprzysięstwo *n*

perk [pɜːk]: **~ *up*** *v/i.* ożywiać ⟨-wić⟩ się; *v/t.* pobudzać ⟨-dzić⟩

perk·y ['pɜːkɪ] F (***-ier, -iest***) żywotny, rozradowany

perm [pɜːm] **1.** trwała *f*; **2.** ***get one's hair ~ed*** zrobić sobie trwałą

per·ma·nent ['pɜːmənənt] **1.** trwały; stały; **2.** *Am.* **~ 'wave** trwała *f*

per·me|·a·ble ['pɜːmjəbl] przepuszczalny (***to*** dla *G*); **~·ate** ['pɜːmɪeɪt] przenikać ⟨-knąć⟩ (***into*** do *A*, ***through*** przez *A*)

per·mis|·si·ble [pə'mɪsəbl] dozwolony, dopuszczalny; **~·sion** [pə'mɪʃn] pozwolenie *n*, zezwolenie *n*; **~·sive** [pə'mɪsɪv] przyzwalający, pobłażliwy; **~·sive so'ci·e·ty** społeczeństwo *n* przyzwalające

per·mit 1. [pə'mɪt] (***-tt-***) zezwalać ⟨-lić⟩, pozwalać ⟨-wolić⟩; **2.** ['pɜːmɪt] zezwolenie *n*; przepustka *f*

per·pen·dic·u·lar [pɜːpən'dɪkjʊlə] prostopadły

per·pet·u·al [pə'petʃʊəl] wieczny, trwały; dożywotni

per·plex [pə'pleks] ⟨za⟩kłopotać, ⟨z⟩mieszać, stropić; **~·i·ty** [pə'pleksətɪ] zakłopotanie *n*, stropienie *n*

per·se|·cute ['pɜːsɪkjuːt] prześladować, szykanować; ⟨u⟩karać; **~·cu·tion** [pɜːsɪ'kjuːʃn] prześladowanie *n*, szykanowanie *n*; **~·cu·tor** ['pɜːsɪkjuːtə] prześladowca *m*

per·se|·ver·ance [pɜːsɪ'vɪərəns] wytrwałość *f*; **~·vere** [pɜːsɪ'vɪə] wytrwać, nie poddawać się

per|·sist [pə'sɪst] trwać, utrzymywać się; **~*sist in doing s.th.*** nie zaprzestawać czegoś robić; **~'sis·tence** wytrzymałość *f*, uporczywość *f*; **~'sis·tent** uporczywy

per·son ['pɜːsn] osoba *f* (*też gr.*)

per·son·al ['pɜːsnl] osobisty, osobowy (*też gr.*); prywatny; **'~ col·umn** ogłoszenia *pl.* drobne; **~ com'pu·ter** (*skrót*: ***PC***) komputer *m* osobisty, F pecet *m*; **~ 'da·ta** *pl.* dane *pl.* osobiste

per·son·al·i·ty [pɜːsə'nælətɪ] osobowość *f*; ***personalities*** *pl.* uwagi *pl.* osobiste

per·son·al| 'or·ga·ni·zer (*notes, spis adresów*) kalendarz *m* biznesmena; **~ 'ster·e·o** walkman *m* (*TM*)

per·son·i·fy [pɜː'sɒnɪfaɪ] uosabiać ⟨-sobić⟩

per·son·nel [pɜːsə'nel] kadra *f*, personel *m*, załoga *f*; (*dział*) kadry *pl.*; **~ depart·ment** kadry *pl.*; **~ man·ag·er** dyrektor *m* do spraw osobowych

per·spec·tive [pə'spektɪv] perspektywa *f*; widok *m*; punkt *m* widzenia

per|·spi·ra·tion [pɜːspə'reɪʃn] pot *m*, pocenie *n* się; **~·spire** [pə'spaɪə] ⟨s⟩pocić się

per|·suade [pə'sweɪd] przekonywać ⟨-nać⟩; **~·sua·sion** [pə'sweɪʒn] przekonanie *n*; przekonywanie *n*, perswazja *f*; **~·sua·sive** [pə'sweɪsɪv] przekonujący

pert [pɜːt] *kapelusz*: szykowny; *dziewczyna*: czupurny

per·tain [pɜː'teɪn]: **~ *to s.th.*** odnosić się do czegoś

per·ti·nent ['pɜːtɪnənt] stosowny, właściwy

per·turb [pə'tɜːb] ⟨za⟩niepokoić

pe·ruse [pə'ruːz] przeglądać ⟨-dnąć⟩, ⟨z⟩badać

per·vade [pə'veɪd] przenikać ⟨-knąć⟩, wypełniać ⟨-nić⟩

per|·verse [pə'vɜːs] perwersyjny, zboczony; **~·ver·sion** [pə'vɜːʃn] perwersja *f*, zboczenie *n*; wypaczenie *n*, przekręcenie *n*; **~·ver·si·ty** [pə'vɜːsətɪ] perwersja *f*

per·vert 1. [pə'vɜːt] ⟨z⟩deprawować; przekręcać ⟨-cić⟩; **2.** ['pɜːvɜːt] zboczeniec *m*

pes·sa·ry ['pesərɪ] *med.* pesarium *n*, krążek *m* domaciczny

P

pes·si|·mis·m ['pesımızəm] pesymizm *m*; **~·mist** ['pesımıst] pesymista *m* (-tka *f*); **~'mist·ic** (**-*ally***) pesymistyczny

pest [pest] szkodnik *m*; utrapienie *n*

pes·ter ['pestə] F ⟨z⟩nękać, dręczyć

pes·ti·cide ['pestısaıd] pestycyd *m*

pet [pet] **1.** zwierzę *n* domowe; *często pej.* ulubieniec *m*; kochanie *n*; **2.** ulubiony, ukochany; pieszczotliwy; dla zwierząt domowych; **3.** (**-*tt*-**) pieścić (się)

pet·al ['petl] *bot.* płatek *m*

'pet food pokarm *m* dla zwierząt domowych

pe·ti·tion [pı'tıʃn] **1.** petycja *f*, prośba *f*; skarga *f*; **2.** składać ⟨złożyć⟩ petycję (***for*** o *A*); ⟨po⟩prosić (***for*** o *A*)

'pet name pieszczotliwe przezwisko *n*

pet·ri·fy ['petrıfaı] petryfikować, zmieniać w kamień; *fig.* ⟨s⟩paraliżować

pet·rol ['petrəl] etylina *f*, benzyna *f*

pe·tro·le·um [pə'trəʊljəm] ropa *f* naftowa

'pet·rol| pump dystrybutor *m* paliwa; pompa *f* paliwowa; **'~ sta·tion** stacja *f* benzynowa

'pet| shop; sklep *m* zoologiczny; **~ 'sub·ject** konik *m*

pet·ti·coat ['petıkəʊt] półhalka *f*; halka *f*

pet·ting ['petıŋ] F petting *m*

pet·tish ['petıʃ] rozdrażniony, rozhisteryzowany

pet·ty ['petı] (**-*ier*, -*iest***) drobny, mały; nieznaczny; małostkowy; **~ 'cash** drobne *pl.*, podręczna gotówka *f*; **~ 'lar·ce·ny** *jur.* drobna kradzież *f*

pet·u·lant ['petjʊlənt] uprzykrzony

pew [pjuː] ławka *f* (*w kościele*)

pew·ter ['pjuːtə] cyna *f*; *też* **~ *ware*** naczynia *pl.* cynowe

phan·tom ['fæntəm] fantom *m*, zjawa *f*

phar·ma|·cist ['fɑːməsıst] aptekarz *m* (-arka *f*); **~·cy** ['fɑːməsı] apteka *f*

phase [feız] faza *f*

PhD [piː eıtʃ 'diː] *skrót*: ***Doctor of Philosophy*** (*łacińskie* ***philosophiae doctor***) dr, doktor *m*; **~ 'the·sis** rozprawa *f* doktorska

pheas·ant ['feznt] *zo.* bażant *m*

phe·nom·e·non [fı'nɒmınən] (*pl.* **-*na*** [-nə]) zjawisko *n*

Phi·la·del·phia Filadelfia *f*

phi·lan·thro·pist [fı'lænθrəpıst] filantrop *m*

Phil·ip·pines *pl.* Filipiny *pl.*

phi·lol·o|·gist [fı'lɒlədʒıst] filolog *m*; **~·gy** [fı'lɒlədʒı] filologia *f*

phi·los·o|·pher [fı'lɒsəfə] filozof *m*; **~·phy** [fı'lɒsəfı] filozofia *f*

phlegm [flem] *med.* flegma *f* (*też fig.*); opanowanie *n*

phone [fəʊn] **1.** telefon *m*; ***answer the ~*** odbierać ⟨odebrać⟩ telefon; ***by ~*** telefonicznie, przez telefon; ***on the ~*** przy telefonie; ***be on the ~*** rozmawiać przez telefon; być przy telefonie; **2.** ⟨za⟩telefonować, ⟨za⟩dzwonić; **'~ book** książka telefoniczna *f*; **'~ booth** *Am.*, **'~ box** *Brt.* budka *f* telefoniczna; **'~ call** rozmowa *f* telefoniczna; **'~·card** karta *f* telefoniczna; **'~-in** *Brt.*: audycja (*radiowa lub telewizyjna*) *f* z telefonicznym udziałem odbiorców; **'~ num·ber** numer *m* telefoniczny

pho·net·ics [fə'netıks] *sg.* fonetyka *f*

pho·n(e)y ['fəʊnı] F **1.** krętactwo *n*; krętacz *m*; **2.** (**-*ier*, -*iest***) fałszywy, udawany

phos·pho·rus ['fɒsfərəs] *chem.* fosfor *m*

pho·to ['fəʊtəʊ] F (*pl.* **-*tos***) fotografia *f*, zdjęcie *n*; ***in the ~*** na fotografii; ***take a ~*** zrobić zdjęcie; **'~·cop·i·er** fotokopiarka *f*; **'~·cop·y** fotokopia *f*

pho|·to·graph ['fəʊtəgrɑːf] **1.** fotografia *f*, zdjęcie *n*; ⚠ *nie* ***fotograf***; **2.** ⟨s⟩fotografować; **~·tog·ra·pher** [fə'tɒgrəfə] fotograf *m*; **~·tog·ra·phy** [fə'tɒgrəfı] fotografia *f*

phras·al verb [freızl 'vɜːb] czasownik *m* złożony

phrase [freız] zwrot *m*, wyrażenie *n*, idiom *m*; fraza *f*; **2.** wyrażać ⟨-razić⟩; **'~·book** rozmówki *pl.*

phys·i·cal ['fızıkl] **1.** fizyczny; materialny; fizykalny; ***~ly handicapped*** upośledzony fizycznie; **2.** badanie *n* lekarskie; **~ ed·u'ca·tion** wychowanie *n* fizyczne; **~ ex·am·i'na·tion** badanie *n* lekarskie; **~ 'hand·i·cap** upośledzenie *n* fizyczne; **~ 'train·ing** wychowanie *n* fizyczne

phy·si·cian [fı'zıʃn] lekarz *m* (-arka *f*); ⚠ *nie* ***fizyk***

phys|·i·cist ['fızısıst] fizyk *m*; **~·ics** ['fızıks] *sg.* fizyka *f*

phy·sique [fı'ziːk] budowa *f* ciała

P

pi·a·nist ['pɪənɪst] pianista *f* (-tka *f*)
pi·an·o [pɪ'ænəʊ] (*pl.* **-os**) fortepian *m*, pianino *n*; *attr.* fortepianowy, na fortepian
pick [pɪk] **1.** wybierać ⟨-brać⟩; odrywać ⟨oderwać⟩, zrywać ⟨zerwać⟩; zbierać ⟨zebrać⟩; ⟨po⟩grzebać, ⟨po⟩dłubać; *zamek itp.* otwierać ⟨-worzyć⟩ wytrychem; *kłótnię itp.* ⟨s⟩prowokować; **~ one's nose** (**teeth**) ⟨po⟩dłubać w nosie (zębach); **~ s.o.'s pocket** okradać ⟨-raść⟩ kogoś; **have a bone to ~ with s.o.** mieć coś komuś do powiedzenia; **~ out** wybierać ⟨-brać⟩; dostrzegać ⟨-rzec⟩, odróżniać ⟨-nić⟩; **~ up** podnosić ⟨-nieść⟩ (się); zbierać ⟨zebrać⟩ (się); podejmować ⟨-djąć⟩; *kogoś, rzeczy itp.* odbierać ⟨-debrać⟩; *autostopowicza itp.* zabierać ⟨-brać⟩; F *dziewczynę itp.* poderwać ⟨-drywać⟩; *policja*: zatrzymywać ⟨-mać⟩; *sygnał itp.* odbierać ⟨-debrać⟩; *też* **~ up speed** *mot.* zwiększać ⟨-szyć⟩ (prędkość); *choremu* pomagać ⟨-móc⟩; **2.** kilof *m*, oskard *m*; wybór *m*; **take your ~** proszę sobie wybrać; **~-a-back** ['pɪkəbæk] na barana; **'~·axe** *Brt.*, **~·ax** *Am.* kilof *m*, oskard *m*
pick·et ['pɪkɪt] **1.** pikieta *f*; **2.** pikietować; **'~ fence** płot *m* ze sztachet; **'~ line** linia *f* pikietujących
pick·le ['pɪkl] **1.** zalewa *f* octowa; marynata *f*; *Am.* ogórki *pl.* konserwowe; *zw.* **~s** *pl. zwł. Brt.* pikle *pl.*; **be in a** (**pretty**) **~** F *fig.* narobić sobie bigosu; **2.** *gastr.* przyrządzać ⟨-dzić⟩ marynatę, ⟨za⟩marynować
'pick|·lock 1. włamywacz(ka *f*) *m*; **'~·pock·et** kieszonkowiec *m*; **'~-up** *mot.* pickup *m*, pikap *m*; F zdobycz *f* (*poderwanie*)
pic·nic ['pɪknɪk] **1.** piknik *m*; **2.** (**-ck-**) ⟨z⟩robić piknik, piknikować
pic·ture ['pɪktʃə] **1.** obraz *m*, obrazek *m*; *phot.* zdjęcie *n*; film *m*; **~s** *pl. zwł. Brt.* kino *n*; **2.** przedstawiać ⟨-wić⟩ (sobie); wyobrażać sobie; **'~ book** książka *f* z obrazkami; **~ 'post·card** widokówka *f*
pic·tur·esque [pɪktʃə'resk] malowniczy
pie [paɪ] pasztecik *m*; ciasto *n*
piece [piːs] **1.** sztuka *f*; kawałek *m*; część *f* (*maszyny, serwisu itp.*); figura *f* (*szachowa*; pionek *m* (*do gry*); (*w gazecie*) artykuł *m*, notatka *f*; **by the ~** na sztuki; **a ~ of advice** (**news**) rada *f*; **a ~ of news** informacja *f*, wiadomość *f*; **give s.o. a ~ of one's mind** nagadać komuś; **go to ~s** F załamywać ⟨-mać⟩ się; **take to ~s** rozbierać ⟨-zebrać⟩ na części; **2. ~ together** zestawiać ⟨-wić⟩ razem; ⟨po⟩składać; **'~·meal** kawałkami, po kawałku; **'~·work** praca *f* na akord; **do ~work** pracować na akord
pier [pɪə] pirs *m*, molo *n*
pierce [pɪəs] przedziurawić ⟨-wiać⟩, przebijać ⟨-bić⟩
pierc·ing ['pɪəsɪŋ] *zimno, ból, spojrzenie*: przenikliwy; *krzyk*: rozdzierający
pi·e·ty ['paɪətɪ] pobożność *f*
pig [pɪg] *zo.* świnia; *sl. pej.* gliniarz *m*
pi·geon ['pɪdʒɪn] (*pl.* **-geons, -geon**) gołąb *m*; **'~·hole 1.** przegródka *f*; **2.** odkładać ⟨odłożyć⟩; ⟨za⟩szufladkować
pig·gy ['pɪgɪ] F świnka *f* (*w języku dzieci*); **'~·back** na barana
pig|'head·ed durny; **~·let** ['pɪglɪt] prosiak *m*; **'~·sty** chlew *m* (*też fig.*); **'~·tail** warkoczyk *m*
pike[1] [paɪk] *zo.* (*pl.* **pikes, pike**) szczupak *m*
pike[2] [paɪk] → **turnpike**
pile[1] [paɪl] **1.** stos *m*, sterta *f*; F forsa *f*; **2. ~ up** układać ⟨ułożyć⟩ w stertę; ⟨na⟩gromadzić się; *mot.* F wpadać na siebie
pile[2] [paɪl] włos *n* (*dywanu*)
pile[3] [paɪl] pal *m*
piles [paɪlz] *med.* F *pl.* hemoroidy *pl.*
'pile·up *mot.* F masowy karambol *m*
pil·fer ['pɪlfə] ⟨u⟩kraść, F podwędzić
pil·grim ['pɪlgrɪm] pielgrzym *m*; **~·age** ['pɪlgrɪmɪdʒ] pielgrzymka *f*
pill [pɪl] pigułka *f*, tabletka *f*; **the ~** pigułka *f* antykoncepcyjna; **be on the ~** brać pigułkę antykoncepcyjną
pil·lar ['pɪlə] filar *m*, słup *m*; **'~ box** *Brt.* skrzynka *f* pocztowa
pil·li·on ['pɪljən] *mot.* siodełko *n* pasażera
pil·lo·ry ['pɪlərɪ] **1.** *hist.* pręgierz *m*; **2.** *fig.* stawiać pod pręgierzem
pil·low ['pɪləʊ] poduszka *f*; **'~·case, '~ slip** powłoczka *f* na poduszkę
pi·lot ['paɪlət] **1.** *aviat., naut.* pilot *m*; *attr.* pilotażowy; **2.** pilotować; sterować; **'~ film** *TV* zapowiedź *f* filmu (*serialu itp.*); **'~ scheme** projekt *m* pilotażowy

P

pimp [pɪmp] alfons *m*, sutener *m*
pim·ple ['pɪmpl] krosta *f*, pryszcz *m*
pin [pɪn] **1.** szpilka *f*; spinka *f* (*do krawata, włosów*); *Am.* broszka *f*; *tech.* bolec *m*, sworzeń *m*, kołek *m*; kręgiel *m*; *Am.* klamerka *f* (*do bielizny*); *Brt.* pinezka *f*; **2.** (**-nn-**) przyszpilać ⟨-lić⟩, przypinać ⟨-piąć⟩ (***to*** do *G*); unieruchamiać ⟨-chomić⟩ (***against, to*** do *G*)
PIN [pɪn] *też* **~ *number*** *skrót*: ***personal identification number*** PIN, numer *m* PIN, osobisty numer *m* użytkownika
pin·a·fore ['pɪnəfɔː] bezrękawnik *m*, kamizelka *f*
'pin·ball (*automat*) bilard *m*; **'~ machine** automat *m* do gry w bilard; F fliper *m*
pin·cers ['pɪnsəz] *pl.* (*też* ***a pair of***) **~** szczypce *pl.*
pinch [pɪntʃ] **1.** *v/t.* szczypać ⟨-pnąć⟩; ściskać ⟨-snąć⟩ (*boleśnie*); zaciskać ⟨-snąć⟩; F (*ukraść*) zwinąć; *v/i. buty itp.*: cisnąć, uciskać; **2.** szczypta *f*; uszczypnięcie *n*; F trudne położenie *n*
'pin·cush·ion poduszka *f* do szpilek
pine[1] [paɪn] *bot. też* **~ *tree*** sosna *f*
pine[2] [paɪn] (bardzo) tęsknić (***for*** za *D*)
'pine|·ap·ple *bot.* ananas *m*; **'~ cone** *bot.* szyszka *f* sosny
pin·ion ['pɪnjən] *zo.* koło *n* zębate trzpieniowe
pink [pɪŋk] **1.** różowy; **2.** róż *m*; *bot.* goździk *m*
pint [paɪnt] pół kwarty *m* (*Brt. 0,57 l, Am. 0,47 l*); *Brt.* F duże piwo *n*
pi·o·neer [paɪə'nɪə] **1.** pionier *m* (-ka *f*); **2.** przecierać ⟨-trzeć⟩ szlak
pi·ous ['paɪəs] pobożny, nabożny
pip[1] [pɪp] pestka *f* (*jabłka, pomarańczy*)
pip[3] [pɪp] (*w grze w karty*) oczko *n*; (*w grze w kości*) punkt *m*; *zwł. Brt. mil.* (*oznaka stopnia*) gwiazdka *f*
pipe [paɪp] **1.** rura *f*, przewód *m*; fajka *f*; *organowa* piszczałka *f*; fujarka *f*; **~*s*** *pl. Brt.* F dudy *pl.*; **2.** dostarczać ⟨-czyć⟩ przewodowo; ⟨za⟩grać na piszczałce; **'~·line** rurociąg *m*; **'~r** dudziarz *m*
pip·ing ['paɪpɪŋ] **1.** instalacja *f* rurowa *lub* przewodowa; **2.** **~ *hot*** wrzący, kipiący
pi·quant ['piːkənt] pikantny
pique [piːk] **1.** ***in a fit of*** **~** w przypływie urazy; **2.** urażać ⟨urazić⟩; ***be ~d*** *też* ⟨po⟩czuć się urażonym

pi·rate ['paɪərət] **1.** pirat *m*; **2.** ⟨s⟩kopiować po piracku; **~ 'ra·di·o** radio *n* pirackie
Pis·ces ['paɪsiːz] *sg.* Ryby *pl.*; ***he/she is*** (***a***) **~** on/ona jest spod znaku Ryb
piss [pɪs] V szczać; **~ *off!*** odpieprz się!
pis·tol ['pɪstl] pistolet *m*
pis·ton ['pɪstən] *tech.* tłok *m*; **'~ rod** drążek *m* tłoka; **'~ stroke** skok *m* tłoka
pit[1] [pɪt] **1.** dół *m*, zagłębienie *n*, wżer *m*; wgłębienie *n*; jama *f* (*też anat.*); kopalnia *f*; *zwł. Brt. theat.* parter *m*; *też* ***orchestra*** **~** *theat.* kanał *m*; **2.** (**-tt-**) ⟨z⟩robić zagłębienia
pit[2] [pɪt] *Am.* **1.** *bot.* pestka *f*; **2.** (**-tt-**) usuwać ⟨-unąć⟩ pestki
pitch[1] [pɪtʃ] **1.** *v/t. namiot, obóz itp.* rozbijać ⟨-bić⟩; rzucać ⟨-cić⟩, miotać ⟨-tnąć⟩; *mus.* ustawiać ⟨-wić⟩ wysokość (*dźwięku*); *v/i.* przewracać ⟨-rócić⟩ się; *naut. statek*: kołysać się; *dach itp.*: opadać; **~ *in*** F zabierać się do roboty *lub* jedzenia; **2.** *zwł. Brt.* boisko *n*; *mus.* strój *m*; *fig.* poziom *m*, stopień *m*; *zwł. Brt. miejsce n* na ulicy (*np. handlu*); *naut.* kołysanie *n*, kiwanie *n*; pochylenie *n* (*dachu itp.*); *mot.* kanał *m* (*sprawdzania pojazdów*)
pitch[2] [pɪtʃ] smoła *f*; **~-'black**, **~-'dark** czarny jak smoła, kruczoczarny
pitch·er[1] ['pɪtʃə] dzbanek *m*
pitch·er[2] ['pɪtʃə] (*w baseballu*) zawodnik *m* rzucający piłkę
'pitch·fork widły *pl.*
pit·e·ous ['pɪtɪəs] żałosny
'pit·fall pułapka *f*, zasadzka *f*
pith [pɪθ] *bot.* rdzeń *m*; biała część skórki (*pomarańczy itp.*); *fig.* sedno *n*, jądro *n*; **'~·y** (**-*ier*, -*iest***) treściwy, zwięzły
pit·i|·a·ble ['pɪtɪəbl] → ***pity***; **'~·ful** żałosny; **'~·less** bezlitosny
pits [pɪts] *pl.* (*w sportach motorowych*) miejsce *n* kontroli pojazdów
'pit stop (*w sportach motorowych*) kontrola *f* pojazdu
pit·tance ['pɪtəns] psi pieniądz *m*
pit·y ['pɪtɪ] **1.** litość *f*; współczucie *n* (***on*** do *G*); żal *m*; ***it is a*** (***great***) **~** *wielka* szkoda; ***what a ~!*** jaka szkoda!; **2.** współczuć, czuć litość
piv·ot ['pɪvət] **1.** *tech.* oś *f* (*przegubu*), czop *m*; *fig.* oś *f*, sedno *n*; **2.** obracać się; **~ *on*** *fig.* zależeć od (*G*)
pix·el ['pɪksəl] *komp.* piksel *m*

P

piz•za ['piːtsə] pizza *f*
plac•ard ['plækɑːd] **1.** plakat *m*; transparent *m*; **2.** ⟨o⟩plakatować
place [pleɪs] **1.** miejsce *n*; mieszkanie *n*, dom *m*; (*w pracy itp.*) pozycja *f*; posada *f*; okazja *f*; ***in the first ~*** przede wszystkim; ***in third ~*** (*w sporcie*) na trzecim miejscu; ***in ~ of*** na miejscu (*G*); zamiast (*G*); ***out of ~*** nie na swoim miejscu; ***take ~*** odbywać ⟨-być⟩ się; mieć miejsce; ⚠ *nie* ***zajmować miejsce***; ***take s.o.'s ~*** zajmować ⟨-jąć⟩ czyjeś miejsce; **2.** umieszczać ⟨umieścić⟩; *zamówienie itp.* składać ⟨złożyć⟩ (***with*** u *G*); stawiać ⟨-wić⟩ (*w sytuacji*); ***be ~ed*** (*w sporcie*) znaleźć się (***second*** na drugim miejscu)
pla•ce•bo [plə'siːbəʊ] *med.* (*pl.* ***-bos, -boes***) placebo *n*
'place| mat podkładka *f* pod naczynia; **'~•ment test** egzamin *m* wstępny; **'~ name** nazwa *f* miejscowości
plac•id ['plæsɪd] spokojny, cichy
pla•gia•rize ['pleɪdʒjəraɪz] popełniać ⟨-nić⟩ plagiat
plague [pleɪg] **1.** dżuma *f*; zaraza *f*; *fig.* plaga *f*; **2.** dręczyć
plaice [pleɪs] *zo.* (*pl.* ***plaice***) flądra *f*, płastuga *f*
plaid [plæd] pled *m*, koc *m*
plain [pleɪn] **1.** *adj.* zwykły; zwyczajny; nieozdobny, prosty; oczywisty, wyraźny; bezpośredni; szczery; **2.** *adv.* F po prostu; **3.** równina *f*; **~ 'choc•olate** czekolada *f* gorzka; **~-'clothes** w ubraniu cywilnym
plain|•tiff ['pleɪntɪf] powód *m*, strona *f* skarżąca; **~•tive** ['pleɪntɪv] żałosny
plait [plæt] *zwł. Brt.* **1.** warkocz *m*; **2.** zaplatać ⟨-leść⟩
plan [plæn] **1.** plan *m*; **2.** (***-nn-***) ⟨za⟩planować
plane¹ [pleɪn] samolot *m*; ***by ~*** samolotem; ***go by ~*** ⟨po⟩lecieć
plane² [pleɪn] **1.** równy, płaski; **2.** *math.* płaszczyzna *f*; *fig.* poziom *m*
plane³ [pleɪn] **1.** strug *m*, hebel *m*; **2.** ⟨ze⟩strugać, ⟨z⟩heblować
plan•et ['plænɪt] *astr.* planeta *f*
plank [plæŋk] deska *f*; listwa *f*; **'~•ing** deskowanie *n*, odeskowanie *n*; deski *pl.*, listwy *pl.*
plant [plɑːnt] **1.** *bot.* roślina; zakład *m*, fabryka *f*; elektrownia *f*; urządzenia *pl.* techniczne; *attr.* roślinny; **2.** ⟨ob-, po-, za⟩sadzić; *ogród* zakładać ⟨założyć⟩; umieszczać ⟨-mieścić⟩; wtykać ⟨wetknąć⟩; ***~ s.th. on s.o.*** F podkładać ⟨-dłożyć⟩ coś komuś;
plan•ta•tion [plæn'teɪʃn] plantacja *f*
plant•er ['plɑːntə] plantator *m*; sadzarka *f*
plaque [plɑːk] tablica *f* pamiątkowa, epitafium *n*; *med.* kamień *m* nazębny
plas•ter ['plɑːstə] **1.** zaprawa *f* tynkowa; tynk *m*; *med. plaster*; *med.* opatrunek *m* gipsowy; ***~ of Paris*** gips *m*; ***have one's leg in ~*** *med.* mieć nogę w gipsie; **2.** ⟨za-, o⟩tynkować; oklejać ⟨-eić⟩; **'~ cast** odlew *m* gipsowy; *med.* opatrunek *m* gipsowy
plas•tic ['plæstɪk] **1.** (***~ally***) plastyczny; plastikowy; **2.** plastik *m*, tworzywo *n* sztuczne; **~ 'mon•ey** F karty *pl.* kredytowe; **~ 'wrap** *Am.* samoprzylegająca folia *f* (*do żywności*)
plate [pleɪt] **1.** talerz *m*; płyta *f*; płytka *f* (*np. protezy*); tabliczka *f* (*z nazwiskiem*); tablica *f* (*rejestracyjna*); rycina *f*; (gruba) blacha *f*; (*w kościele*) taca *f*; *print.* klisza *f*; plater *m*; **2.** ***~d with gold, gold-~ed*** platerowany złotem
plat•form ['plætfɔːm] platforma *f*; *rail.* peron *m*; trybuna *f*, podium *n* (*mówcy*); *pol.* platforma *f*; ***party ~*** *pol.* program *m* partyjny; ***election ~*** *pol.* program *m* wyborczy
plat•i•num ['plætɪnəm] *chem.* platyna *f*
pla•toon [plə'tuːn] *mil.* pluton *m*
plat•ter ['plætə] taca *f*
plau•si•ble ['plɔːzəbl] wiarygodny, prawdopodobny
play [pleɪ] **1.** gra *f*; zabawa *f*; przedstawienie *n*, sztuka *f*; *tech.* luz *m*; *fig.* swoboda *f* działania; ***at ~*** przy zabawie; ***in ~*** żartem; w grze (*piłka*); ***out of ~*** na aucie; **2.** *v/i.* ⟨za⟩grać; ⟨po⟩bawić się; *v/t. sztukę itp.* ⟨za⟩grać; *rolę, itp.* odgrywać ⟨odegrać⟩; *w karty itp.* grać w (*A*); (*w sporcie*) *piłkę* ⟨s⟩kierować; ***~ s.o.*** (*w sporcie*) grać przeciwko komuś; ***~ the guitar*** ⟨za⟩grać na gitarze; ***~ a trick on s.o.*** ⟨z⟩robić komuś kawał; ***~ back*** *piłkę itp.* ⟨s⟩kierować z powrotem (***to*** do *G*); *kasetę* odtwarzać ⟨-worzyć⟩; ***~ off*** *fig.* wygrywać (***s.o. against*** kogoś przeciwko *D*); ***~ on*** *fig.* wykorzystywać ⟨-stać⟩; **'~•back** playback *m*; powtórka

f; '**~·boy** playboy *m*; '**~·er** (*w sporcie*) gracz *m*; *theat.* aktor(ka *f*) *m*; *mus.* instrumentalista *m* (-tka *f*); '**~·fel·low** *Brt.* → ***playmate***; '**~·ful** rozbawiony; żartobliwy; '**~·go·er** bywalec *m* teatralny; '**~·ground** plac *m* zabaw; podwórko *n* szkolne; '**~·group** *zwł. Brt.* (*rodzaj przedszkola*); '**~·house** *theat.* teatr *m*; domek *m* do zabawy

'play·ing| card karta *f* do gry; '**~ field** boisko *n*

'play|·mate towarzysz(ka *f*) *m* zabaw; '**~·pen** kojec *m* (*dla małych dzieci*); '**~·thing** zabawka *f* (*też fig.*); '**~·wright** dramaturg *m*

plc, PLC [piː el 'siː] *Brt. skrót*: ***public limited company*** S.A., spółka *f* akcyjna

plea [pliː] *jur.*: ***enter a ~ of*** (***not***) ***guilty*** (nie) przyznawać ⟨-nać⟩ się do winy

plead [pliːd] (***-ed***, *zwł. Szkoc., Am.* ***pled***) *v/i.* błagać (***for*** o *A*); **~** (***not***) ***guilty*** *jur.* (nie) przyznawać ⟨-nać⟩ się do winy; *v/t. jur. i ogóln.* odpowiadać ⟨-wiedzieć⟩ na zarzuty; **~ *s.o.'s case*** bronić czyjejś sprawy (*też jur.*)

pleas·ant ['pleznt] przyjemny; przyjazny

please [pliːz] **1.** zadowalać ⟨-wolić⟩; sprawiać ⟨-wić⟩ przyjemność; ⟨ze⟩chcieć (*coś robić*); ***only to ~ you*** tylko by ci sprawić przyjemność; **~ *o.s.*** robić co się chce; **~ *yourself!*** wolna wola!; **2.** *int.* proszę; (***yes,***) **~** proszę (tak), z przyjemnością; **~ *come in!*** proszę wejść!; **~d** zadowolony; ***be ~d about*** cieszyć się z (*G*); ***be ~d with*** być zadowolonym z (*G*); ***I am ~d with it*** to mi się podoba; ***be ~d to do s.th.*** z przyjemnością coś ⟨z⟩robić; ***~d to meet you!*** bardzo mi miło

pleas·ing ['pliːzɪŋ] przyjemny

plea·sure ['pleʒə] przyjemność *f*; ***at*** (***one's***) **~** według czyjejś woli

pleat [pliːt] fałda *f*; '**~·ed skirt** spódnica *f* plisowana

pled [pled] *pret. i p.p. od* ***plead***

pledge [pledʒ] **1.** przyrzeczenie *n*; zastaw *m*; *fig.* oznaka *f*; **2.** przyrzekać ⟨-rzec⟩; zastawiać ⟨-wić⟩

plen·ti·ful ['plentɪfl] obfity

plen·ty ['plentɪ] **1.** obfitość *f*; ***in ~*** w obfitości; **~ *of*** dużo; **2.** F zupełnie, całkowicie

pleu·ri·sy ['plʊərəsɪ] *med.* zapalenie *n* opłucnej, pleuritis *f*

pli|·a·ble ['plaɪəbl], **~·ant** ['plaɪənt] plastyczny, giętki; *fig.* podatny; ugodowy

pli·ers ['plaɪəz] *pl.* (***a pair of ~***) szczypce *pl.*, kombinerki *pl.*

plight [plaɪt] ciężkie położenie *n*, opresja *f*

plim·soll ['plɪmsəl] *Brt.* tenisówka *f*

plod [plɒd] (***-dd-***) *też* **~ *along*** wlec się; **~ *away*** ⟨po⟩pracować

plop [plɒp] F **1.** plusk *m*; plusnięcie *n*; **2.** (***-pp-***) plusnąć

plot [plɒt] **1.** działka *f*, parcela *f*; akcja *f*, fabuła *f* (*filmu itp.*); spisek *m*; intryga *f*; *tech.* wykres *m*; **2.** (***-tt-***) *v/i.* spiskować, ⟨u⟩knuć intrygę (***against*** przeciw *D*); *v/t.* ⟨za⟩planować; wykreślać ⟨-lić⟩; '**~·ter** ploter *m*

plough *Brt.*, **plow** *Am.* [plaʊ] **1.** pług *m*; **2.** ⟨za⟩orać; '**~·share** lemiesz *m*

pluck [plʌk] **1.** *v/t.* zbierać ⟨zebrać⟩; *mus. strunę* szarpać ⟨-pnąć⟩, uderzać ⟨-rzyć⟩ w (*A*); *ptaka* oskubywać ⟨-bać⟩; *zw.* **~ *out*** wyskubywać ⟨-bać⟩; **~ *up*** (***one's***) ***courage*** zebrać odwagę; *v/i.* szarpać ⟨-pnąć⟩ (***at*** za *A*); **2.** F odwaga *f*; '**~·y** F (***-ier, -iest***) odważny

plug [plʌg] **1.** korek *m*, zatyczka *f*; *electr.* wtyczka *f*; *electr.* wtyczka *f*; F *mot.* świeca *f* zapłonowa; **2.** (***-gg-***) *też* **~ *up*** zatykać ⟨-tknąć⟩; **~ *in*** *electr.* włączać ⟨-czyć⟩

plum [plʌm] *bot.* śliwka *f*; śliwa *f*

plum·age ['pluːmɪdʒ] upierzenie *n*

plumb [plʌm] **1.** ołowianka *f*, ciężarek *m* pionu; **2.** ⟨z⟩mierzyć głębokość; *fig.* zgłębiać ⟨-bić⟩; **~ *in*** *zwł. Brt. pralkę* podłączać ⟨-czyć⟩ do odpływu; **3.** *adj.* pionowy; **4.** *adv.* F prosto; '**~·er** hydraulik *m*; '**~·ing** instalacja *f* wodociągowa

plume [pluːm] pióro *n*; pióropusz *m* (*też fig.*)

plump [plʌmp] **1.** pulchny, krągły; **2.** **~ *down*** zwalić się

plum 'pud·ding pudding *m* śliwkowy

plun·der ['plʌndə] **1.** ⟨z⟩łupić, ⟨s⟩plądrować; **2.** łup *m*; łupienie *n*

plunge [plʌndʒ] **1.** zanurzać ⟨-rzyć⟩ (się); pogrążać ⟨-żyć⟩ (się) (***into*** w *L*); *ceny itp.*: spadać ⟨spaść⟩; **2.** (za)nurkowanie *n*; spadek *m* (*cen itp.*); ***take the ~*** *fig.* podejmować ⟨-djąć⟩ decydujący krok

P

plu·per·fect [pluː'pɜːfɪkt] *gr.* *też* ~ ***tense*** czas *m* zaprzeszły
plu·ral ['plʊərəl] *gr.* liczba *f* mnoga
plus [plʌs] **1.** *prp.* plus (*N*), i, oraz; *econ.* z dodatkiem (*G*); **2.** *adj.* plusowy, dodatni; ~ ***sign*** znak *m* plusa; **3.** plus *m*, znak *m* plusa; *fig.* F plus *m*, zaleta *f*
plush [plʌʃ] plusz *m*
ply[1] [plaɪ] kursować (***between*** między *I*);
ply[2] [plaɪ] *zw. w złoż.* warstwa *f*; ***three-~*** trójwarstwowy; **'~·wood** sklejka *f*
pm, PM [piː 'em] *skrót*: ***after noon*** (*łacińskie* ***post meridiem***) po poł., po południu
PM [piː 'em] *zwł. Brt.* F *skrót*: ***Prime Minister*** premier *m*
pneu·mat·ic [njuː'mætɪk] (***~ally***) pneumatyczny; ~ **'drill** młot *m* pneumatyczny
pneu·mo·ni·a [njuː'məʊnjə] *med.* zapalenie *n* płuc
PO [piː 'əʊ] *skrót*: ***post office*** urząd *m* pocztowy; ***postal order*** przekaz *m* pocztowy
poach[1] [pəʊtʃ] ⟨u⟩gotować *jajko* bez skorupki; ***~ed eggs*** *pl.* jajka *pl.* w koszulkach (*gotowane bez skorupki*)
poach[2] [pəʊtʃ] kłusować; **'~·er** kłusownik *m* (-iczka *f*)
POB [piː əʊ 'biː] *skrót*: ***post office box*** (***number***) skr. pocz., skrytka *f* pocztowa
PO Box [piː əʊ 'bɒks] skrytka *f* pocztowa
pock [pɒk] *med.* krosta *f*
pock·et ['pɒkɪt] **1.** kieszeń *f*; *aviat.* → ***air pocket***; **2.** *adj.* kieszonkowy; **3.** wkładać ⟨włożyć⟩ do kieszeni; *fig.* przywłaszczać ⟨-czyć⟩ sobie; **'~·book** notes *m*; *Am.* teczka *f*; ~ **'cal·cu·la·tor** kalkulator *m* kieszonkowy; **'~·knife** (*pl.* ***-knives***) scyzoryk *m*; **'~ mon·ey** drobne *pl.*
pod [pɒd] *bot.* strączek *m*
po·em ['pəʊɪm] wiersz *m*
po·et ['pəʊɪt] poeta *m*; **~·ic** [pəʊ'etɪk] (***-ally***) poetyczny; **~·i·cal** poetyczny; **~·ic 'jus·tice** *fig.* symbol *m* sprawiedliwości; **~·ry** ['pəʊɪtrɪ] poezja *f*
poi·gnant ['pɔɪnjənt] *wspomnienie*: bolesny; przejmujący
point [pɔɪnt] **1.** punkt *m* (*też sport, math., phys.*); szpic *m*, koniuszek *m*; *math.* przecinek *m*; miejsce *n*; stopień *m* (*skali, kompasu itp.*); cel *m*; kwestia *f*; sens *m*; sprawa *f*; *geogr.* przylądek *m*; *electr.* gniazdko *n*; ***two ~ five*** (***2.5***) dwa przecinek pięć (2,5); ***~ of view*** punkt *m* widzenia; ***be on the ~ of doing s.th.*** (mieć) właśnie coś zrobić; ***be to the ~*** należeć do rzeczy; ***be beside the ~*** nie należeć do rzeczy; ***come to the ~*** przystępować ⟨-tąpić⟩ do rzeczy; ***that's not the ~*** to nie należy do rzeczy; ***what's the ~?*** jaki w tym sens?; ***win on ~s*** wygrywać ⟨-rać⟩ na punkty; ***winner on ~s*** zwycięzca *m* na punkty; **2.** wskazywać ⟨-zać⟩; *broń itp.* ⟨s⟩kierować (***at*** w stronę *G*); ~ ***one's finger at s.o.*** wskazywać ⟨-zać⟩ (palcem) na kogoś; ~ ***out*** wskazywać ⟨-zać⟩; *fig.* wykazywać ⟨-zać⟩; ~ ***to*** wskazywać ⟨-zać⟩; *fig.* wskazywać ⟨-zać⟩ na (*A*); **'~·ed** zaostrzony; spiczasty; *fig.* uszczypliwy; *fig.* znaczący; **'~·er** wskaźnik *m*, wskazówka *f*; *zo.* pointer *m*; **'~·less** bezcelowy
points [pɔɪnts] *Brt. pl. rail.* zwrotnica *f*; *electr.* styki *pl.*
poise [pɔɪz] **1.** postawa *f*; *fig.* równowaga *f*; opanowanie *n*; **2.** stawiać ⟨postawić⟩ w równowadze; ***be ~d*** być w zawieszeniu; być gotowym
poi·son ['pɔɪzn] **1.** trucizna *f*; **2.** ⟨o⟩truć; **~·ous** ['pɔɪznəs] trujący (*też fig.*)
poke [pəʊk] **1.** *v/t.* szturchać ⟨-chnąć⟩; wtykać ⟨wetknąć⟩; *palenisko* przegarniać ⟨-nąć⟩; *v/i.* ~ ***about***, ~ ***around*** F ⟨po⟩szperać (***in*** w *L*); **2.** szturchaniec *m*; **'pok·er** pogrzebacz *m*
pok·y ['pəʊkɪ] F (***-ier, -iest***) przyciasny
Po·land ['pəʊlənd] Polska *f*
po·lar ['pəʊlə] polarny; ~ **'bear** *zo.* niedźwiedź *m* polarny
pole[1] [pəʊl] biegun *m*
pole[2] [pəʊl] drąg *m*, żerdź *f*; słup *m*; maszt *m*; (*w sporcie*) tyczka *f*
Pole [pəʊl] Polak *m* (-lka *f*)
'pole·cat *zo.* tchórz *m*; *Am.* skunks *m*
po·lem|·ic [pə'lemɪk], **~·i·cal** polemiczny
'pole star *astr.* gwiazda *f* polarna
'pole vault (*w sporcie*) skok *m* o tyczce
'pole-vault (*w sporcie*) skakać o tyczce; **'~·er** (*w sporcie*) tyczkarz *m*
po·lice [pə'liːs] **1.** policja *f*; **2.** patrolować, dozorować; ~ **car** wóz *m* policyjny; **~·man** (*pl.* ***-men***) policjant *m*; ~ **of·fi·cer** policjant *m*; ~ **sta·tion** komisa-

P

riat *m*; **~·wom·an** (*pl.* ***-women***) policjantka *f*

pol·i·cy ['pɒləsɪ] polityka *f*; taktyka *f*; polisa *f* ubezpieczeniowa

po·li·o ['pəʊlɪəʊ] *med.* polio *n*, paraliż *m* dziecięcy, choroba *f* Heinego-Medina

pol·ish ['pɒlɪʃ] **1.** ⟨wy⟩polerować, ⟨wy⟩glansować, ⟨wy⟩froterować; *buty* czyścić; **~ *up*** *fig.* podciągać ⟨-gnąć⟩; **2.** połysk *m*; środek *m* do nadawania połysku; pasta *f* (*do butów, podłogi*); *fig.* polor *m*

Pol·ish ['pəʊlɪʃ] **1.** polski; **2.** *ling.* język *m* polski

po·lite [pə'laɪt] (***-r, -st***) uprzejmy; **~·ness** uprzejmość

po·lit·i·cal [pə'lɪtɪkl] polityczny; **pol·i·ti·cian** [pɒlɪ'tɪʃn] polityk *m*; **pol·i·tics** ['pɒlɪtɪks] *zw. sg.* polityka *f*

pol·ka ['pɒlkə] *mus.* polka *f*; **'~-dot** *materiał*: nakrapiany, cętkowany

poll [pəʊl] **1.** sondaż *m* opinii publicznej; głosowanie *n*; liczba *f* głosów; *też* **~s** *pl.* wybory *pl.*; **2.** przeprowadzać ⟨-dzić⟩ sondaż; otrzymywać ⟨-mać⟩ liczbę głosów

pol·len ['pɒlən] *bot.* pyłek *m* kwiatowy

poll·ing ['pəʊlɪŋ] wybory *pl.*, głosowanie *n*; **'~ booth** *zwł. Brt.* kabina *f* dla głosujących; **'~ day** dzień *m* wyborów; **'~ place** *Am.*, **'~ sta·tion** *Brt.* lokal *m* wyborczy

polls [pəʊlz] *pl.* wybory *pl.*; *Am.* lokal *m* wyborczy

poll·ster ['pəʊlstə] ankieter(ka *f*) *m* opinii publicznej

pol|·lut·ant [pə'luːtənt] polutant *m*, środek *m* zanieczyszczający środowisko; **~·lute** [pə'luːt] zanieczyszczać ⟨-czyścić⟩ środowisko; **~·lut·er** [pə'luːtə] *też* ***environmental ~luter*** zakład *m* zanieczyszczający środowisko; **~·lu·tion** [pə'luːʃn] zanieczyszczenie *n* środowiska

po·lo ['pəʊləʊ] (*w sporcie*) polo *n*; **'~ neck** *zwł. Brt.* (*odzież*) golf *m*

pol·yp ['pɒlɪp] *zo., med.* polip *m*

pol·y·sty·rene [pɒlɪ'staɪriːn] polistyren *m*; *attr.* polistyrenowy

pom·mel ['pʌml] łęk *m* (*siodła*)

pomp [pɒmp] pompa *f*, przepych *m*; ⚠ *nie* ***pompa*** (*do pompowania*)

pom·pous ['pɒmpəs] pompatyczny

pond [pɒnd] staw *m*

pon·der ['pɒndə] *v/i.* medytować, rozmyślać (***on, over*** o *L*); *v/t.* roztrząsać; **~·ous** ['pɒndərəs] ociężały

pon·toon [pɒn'tuːn] ponton *m*; **~ bridge** most *m* pontonowy

po·ny ['pəʊnɪ] kucyk *m*; **'~·tail** *fryzura*: kucyk *m*

poo·dle ['puːdl] *zo.* pudel *m*

pool[1] [puːl] staw *m*, sadzawka *f*; kałuża *f*; basen *m*;

pool[2] [puːl] **1.** grupa *f*, zespół *m*; park *m* samochodowy; wspólny *m* fundusz; *zwł. Am. econ.* kartel *m*; (*w kartach*) pula *f*; *Am.* bilard *m*; **2.** *pieniądze, siły itp.* zbierać ⟨zebrać⟩; **'~ hall** *Am.*, **'~·room** sala *f* bilardowa; **~s** *pl. Brt też* ***football ~*** *jakby*: totalizator *m* piłkarski

poor [pʊə] **1.** biedny, ubogi; marny, lichy, słaby; **2.** ***the ~*** *pl.* biedni *pl.*; **'~·ly 1.** *adj. zwł. Brt.* F niezdrowy; **2.** *adv.* biednie, ubogo; marnie, licho, słabo

pop[1] [pɒp] **1.** (***-pp-***) *v/t.* otwierać ⟨-worzyć⟩ z hukiem; wtykać ⟨wetknąć⟩; *v/i.* strzelić ⟨-lać⟩; **~ *in*** wpadać ⟨wpaść⟩ na chwilę; **~ *off*** F wykorkować; **~ *up*** (*pojawiać się*) wyskoczyć; **2.** *dźwięk*: wystrzał *m*, trzask *m*; F oranżada *f*

pop[2] [pɒp] *mus.* pop *m*

pop[3] [pɒp] *zwł. Am.* tatuś *m*

pop[4] *skrót pisany*: ***population*** ludn., ludność *f*

'pop con·cert koncert *m* muzyki pop

'pop·corn popcorn *m*

pope [pəʊp] *rel.*: *zw.* ♀ papież *m*

pop-'eyed o wybałuszonych oczach

'pop group grupa *f* muzyki pop

pop·lar ['pɒplə] topola *f*

pop·py ['pɒpɪ] *bot.* mak *m*; *attr.* makowy; **'~·cock** F bzdury *pl.*

pop·u·lar ['pɒpjʊlə] popularny, ulubiony; powszechny; **~·i·ty** [pɒpjʊ'lærətɪ] popularność *f*; powszechność *f*

pop·u|·late ['pɒpjʊleɪt] zasiedlać ⟨-lić⟩; zaludniać ⟨-nić⟩; **~·la·tion** [pɒpjʊ'leɪʃn] ludność *f*, populacja *f*; **~·lous** ['pɒpjʊləs] ludny

porce·lain ['pɔːslɪn] porcelana *f*; *attr.* porcelanowy

porch [pɔːtʃ] ganek *m*; *Am.* weranda *f*

por·cu·pine ['pɔːkjʊpaɪn] *zo.* jeżozwierz *m*

pore[1] [pɔː] *anat.* por *f*

pore[2] [pɔː]: **~ *over*** ślęczeć nad (*I*)

P

pork [pɔːk] wieprzowina *f*
porn [pɔːn] F → ***porno*** F; **por•no** ['pɔːnəʊ] (*pl.* ***-nos***) porno *n*; pornos *m*;
por•nog•ra•phy [pɔː'nɒgrəfɪ] pornografia *f*
po•rous ['pɔːrəs] porowaty
por•poise ['pɔːpəs] *zo.* morświn *m*
por•ridge ['pɒrɪdʒ] owsianka *f*
port[1] [pɔːt] port *m*; miasto *n* portowe
port[2] [pɔːt] *naut., aviat.* lewa burta *f*
port[3] [pɔːt] *komp.* port *m*
port[4] [pɔːt] portwajn *m*
por•ta•ble ['pɔːtəbl] przenośny
por•ter ['pɔːtə] bagażowy *m*; *zwł. Brt.* portier *m*; *Am. rail.* konduktor *m* wagonu sypialnego
'port•hole iluminator *m*
por•tion ['pɔːʃn] **1.** porcja *f*; część *f*; **2.** ~ ***out*** ⟨po⟩dzielić (***among, between*** pomiędzy *A*)
port•ly ['pɔːtlɪ] (***-ier, -iest***) korpulentny
por•trait ['pɔːtrɪt] portret *m*
por•tray [pɔː'treɪ] ⟨s⟩portretować; przedstawiać ⟨-wić⟩; **~•al** [pɔː'treɪəl] sportretowanie *n*, przedstawienie *n*
Por•tu•gal ['pɔːtʃʊgl] Portugalia *f*; **Por•tu•guese** [pɔːtʃʊ'giːz] **1.** portugalski; **2.** Portugalczyk *m* (-lka *f*); język *m* portugalski; ***the*** ~ *pl.* Portugalczycy *pl.*
pose [pəʊz] **1.** *problem* przedstawiać ⟨-wić⟩; *pytanie* stawiać ⟨postawić⟩; pozować (*też jako model*); ~ ***as s.o.*** udawać kogoś; **2.** poza *f*
posh [pɒʃ] *zwł. Brt.* F wyszukany, wytworny
po•si•tion [pə'zɪʃn] **1.** pozycja *f*, miejsce *n* (*też fig.*); właściwe miejsce *n*; miejsce *n* pracy, etat *m*; opinia *f*; **2.** ustawiać ⟨-wić⟩, umieszczać ⟨-eścić⟩
pos•i•tive ['pɒzətɪv] **1.** pozytywny; dodatni (*też math., electr.*); przekonany, pewny; konkretny; **2.** *phot.* pozytyw *m*; *gr.* stopień *m* równy
pos|•sess [pə'zes] posiadać; *fig. uczucie, itp.*: owładnąć, opętać; **~•sessed** [pə'zest] opętany; **~•ses•sion** [pə'zeʃn] posiadanie *n*; *fig.* opętanie *n*; **~•ses•sive** [pə'zesɪv] zachłanny; *gr.* dzierżawczy
pos•si|•bil•i•ty [pɒsə'bɪlətɪ] możliwość *f*; **~•ble** ['pɒsəbl] możliwy; **~•bly** ['pɒsəblɪ] możliwie; ***if I ~bly can*** jeżeli tylko mogę; ***I can't ~bly do this*** zupełnie nie mogę tego zrobić

post[1] [pəʊst] **1.** słupek *m*, kołek *m*; **2.** *też* ~ ***up*** *plakat itp.* przyklejać ⟨-leić⟩, wywieszać ⟨-esić⟩; ***be ~ed missing*** *naut., aviat.* zostać ogłoszonym za zaginionego
post[2] [pəʊst] *zwł. Brt.* **1.** poczta *f*; ***by*** ~ pocztą; **2.** przesyłać ⟨-słać⟩ pocztą; *list* wrzucać ⟨-cić⟩
post[3] [pəʊst] **1.** miejsce *n*; praca *f*; placówka *f*, posterunek *m*; **2.** *posterunek itp.* wystawiać ⟨-wić⟩; *zwł. Brt.* ⟨od⟩delegować (***to*** do *G*); *mil.* odkomenderowywać ⟨-wać⟩
post... [pəʊst] po..., post...
post•age ['pəʊstɪdʒ] opłata *f* pocztowa, porto *n*; **'~ stamp** znaczek *m* pocztowy
post•al ['pəʊstl] pocztowy; **'~ or•der** *Brt.* przekaz *m* pocztowy; **'~ vote** *pol.* głos *m* oddany drogą pocztową
'post|•bag *zwł. Brt.* torba *f* listonosza; **'~•box** skrzynka *f* pocztowa; **'~•card** kartka *f* pocztowa; *też* ***picture ~card*** widokówka *f*; **'~•code** *Brt.* kod *m* pocztowy
post•er ['pəʊstə] plakat *m*
poste res•tante [pəʊst'restɑːnt] *Brt.* poste restante *n*
pos•te•ri•or [pɒ'stɪərɪə] *hum.* tyłek *m*, sempiterna *f*
pos•ter•i•ty [pɒ'sterətɪ] potomność *f*
post-'free *zwł. Brt.* wolny od opłaty pocztowej
post•grad•u•ate [pəʊst'grædjʊət] podyplomowy (*po licencjacie lub magisterium*)
post•hu•mous ['pɒstjʊməs] pośmiertny
'post|•man (*pl.* ***-men***) *zwł. Brt.* listonosz *m*; **'~•mark 1.** stempel *m* pocztowy; **2.** ⟨o⟩stemplować (*pieczęcią pocztową*); **'~•mas•ter** naczelnik *m* urzędu pocztowego; ***~master General*** *jakby*: Minister *m* Poczty; **'~ of•fice** urząd *m* pocztowy; **'~ of•fice box** → ***PO Box***; **~-'paid** *zwł. Am.* wolny od opłaty pocztowej
post•pone [pəʊst'pəʊn] odkładać ⟨odłożyć⟩; przekładać ⟨przełożyć⟩; **~•ment** odłożenie *n*
post•script ['pəʊsskrɪpt] dopisek *m*, postscriptum *n*, PS *n*
pos•ture ['pɒstʃə] **1.** postura *f*, postawa *f*; **2.** *fig.* pozować
post'war powojenny

P

'post·wom·an (*pl.* ***-women***) listonoszka *f*
po·sy ['pəʊzɪ] bukiecik *m*
pot [pɒt] **1.** garnek *m*; dzbanek *m*; słoik *m* (*dżemu*); doniczka *f*; nocnik *m*; *sport*: F puchar *m*; *sl.* (*marihuana*) trawka *f*; **2.** (***-tt-***) *rośliny* przesadzać ⟨-dzić⟩
po·ta·to [pə'teɪtəʊ] (*pl.* ***-toes***) ziemniak *m*, kartofel *m*; *attr.* ziemniaczany, kartoflany; → ***chips, crisps***
'pot·bel·ly duży brzuch *m*
po·ten|·cy ['pəʊtənsɪ] siła *f*, moc *f*; *physiol.* potencja *f*; **~t** ['pəʊtənt] silny, mocny; przekonujący; zdolny do życia płciowego; **~·tial** [pə'tenʃl] **1.** potencjalny; **2.** potencjał *m*, możliwości *pl.*
'pot·hole *mot.* wybój *m*
po·tion ['pəʊʃn] napój *m* (*leczniczy, trujący, magiczny*)
pot·ter[1] ['pɒtə]: **~ *about*** plątać się
pot·ter[2] ['pɒtə] garncarz *m*; **~·y** ['pɒtərɪ] garncarstwo *n*; wyroby *pl.* garncarskie
pouch [paʊtʃ] torba *f* (*też zo.*); *zo.* kieszeń *f*
poul·tice ['pəʊltɪs] *med.* kataplazm *m*
poul·try ['pəʊltrɪ] drób *m*, ptactwo *n*
pounce [paʊns] **1.** rzucać ⟨-cić⟩ się (***on*** na *A*); **2.** skok *m*
pound[1] [paʊnd] funt *m* (*453,59 g*); **~ (*sterling*)** funt *m* szterling
pound[2] [paʊnd] schronisko *n* dla zwierząt; (*miejsce odholowywania nieprawidłowo zaparkowanych samochodów*)
pound[3] [paʊnd] *v/t.* ⟨u⟩tłuc; walić o (*A*); walić w (*A*); *v/i. serce*: walić; ⟨po⟩biec ciężko
pour [pɔː] *v/t.* nasypywać ⟨-pać⟩; nalewać ⟨-lać⟩; **~ *out*** rozlewać ⟨-lać⟩; *v/i.* lać się; wylewać ⟨-lać⟩ się; *deszcz*: lać
pout [paʊt] **1.** *v/t. usta* odymać ⟨odąć⟩; *v/i.* wydymać usta; **2.** odęte usta *pl.*
pov·er·ty ['pɒvətɪ] ubóstwo *n*
POW [piː əʊ 'dʌbljuː] *skrót*: ***prisoner of war*** jeniec *m* wojenny
pow·der ['paʊdə] **1.** proszek *m*; puder *m*; **2.** ⟨s⟩proszkować; pudrować (się); **'~ puff** puszek *m* do pudru; **'~ room** toaleta *f* damska
pow·er ['paʊə] **1.** moc *f*, siła *f*; potęga *f*; władza *f*; zdolność *f*; *jur.* pełnomocnictwo *n*, uprawnienie *n*; *jur.* moc *f* prawna; *math.* potęga *f*, wykładnik *m* potęgi; *electr.* energia *f*, prąd *m*; ***in* ~** przy władzy; **2.** *tech.* zasilać ⟨-lić⟩; **'~ cut** *electr.* przerwa *f* w dostawie energii elektrycznej; **'~ fail·ure** *electr.* przerwa *f* w dostawie energii elektrycznej; **'~·ful** mocny, silny; potężny; **'~·less** bezsilny; **'~ plant** *zwł. Am.* → ***power station***; **'~ pol·i·tics** *często sg.* polityka *f* siły; **'~ sta·tion** elektrownia *f*
pp *skrót pisany*: ***pages*** str., strony *pl.*
PR [piː 'ɑː] *skrót*: ***public relations*** służba *f* informacyjna
prac·ti|·ca·ble ['præktɪkəbl] możliwy do wykonania; **~·cal** ['præktɪkl] praktyczny; **~·cal 'joke** psota *f*, psikus *m*; **'~·cal·ly** praktycznie
prac·tice ['præktɪs] **1.** praktyka *f*; ćwiczenie *n*; doświadczenie *n*, wprawa *f*; zwyczaj *m*; ***it's common* ~** w powszechnym zwyczaju jest; ***put into* ~** wprowadzić w życie; **2.** *Am.* → ***practise***
prac·tise, *Brt.*, **prac·tice** *Am.* ['præktɪs] *v/t.* ćwiczyć; praktykować; (*w sporcie*) trenować; *zawód* praktykować; **~ *law*** (***medicine***) prowadzić praktykę prawniczą (lekarską); *v/i.* ćwiczyć; praktykować; **'~d** wyćwiczony (***in*** w *L*)
prac·ti·tion·er [præk'tɪʃnə]: ***general* ~** lekarz *m* rejonowy, lekarz *m* domowy
Prague Praga *f*
prai·rie ['preərɪ] preria *f*; *attr.* preriowy
praise [preɪz] **1.** chwalić, wychwalać; **2.** pochwała *f*; **'~·wor·thy** godny pochwały
pram [præm] *zwł. Brt.* F wózek *m* dziecięcy
prance [prɑːns] *koń*: tańczyć; *ludzie*: paradować, pysznić się
prank [præŋk] psikus *m*, figiel *m*
prat·tle ['prætl] F paplać
prawn [prɔːn] *zo.* krewetka *f*
pray [preɪ] modlić się (***to*** do *G*, ***for*** o *A*)
prayer [preə] modlitwa *f*; **'~ book** modlitewnik *m*
preach [priːtʃ] wygłaszać ⟨wygłosić⟩ (kazanie) (*też fig.*); głosić (*też fig.*); **'~·er** kaznodzieja *m*
pre·am·ble [priː'æmbl] preambuła *f*
pre·ar·range [priːə'reɪndʒ] ustalać ⟨-lić⟩ wcześniej
pre·car·i·ous [prɪ'keərɪəs] niebezpieczny, ryzykowny; niepewny
pre·cau·tion [prɪ'kɔːʃn] środek *n* ostrożności; **~·a·ry** [prɪ'kɔːʃnərɪ] zapo-

P

biegawczy, zabezpieczający
pre·cede [priː'siːd] poprzedzać ⟨-dzić⟩
pre·ce|·dence ['presɪdəns] pierwszeństwo *n*; **~·dent** precedens *m*
pre·cept ['priːsept] zasada *f*
pre·cinct ['priːsɪŋkt] *zwł. Brt. handlowa* dzielnica *f*, rejon *m* (*ruchu pieszego*); *Am.* okręg *m* (*wyborczy*); *Am.* okręg *m* (*policyjny*); **~s** *pl.* teren *m*
pre·cious ['preʃəs] **1.** *adj.* cenny; drogocenny; *kamień*: szlachetny; **2.** *adv.*: **~ little** F bardzo mało
pre·ci·pice ['presɪpɪs] urwisko *n*
pre·cip·i|·tate **1.** [prɪ'sɪpɪteɪt] *v/t.* przyspieszać ⟨-szyć⟩; wywracać się; *chem.* wytrącać ⟨-cić⟩; *fig.* popychać ⟨-pchnąć⟩ (**into** do *G*); *v/i. chem.* wytrącać ⟨-cić⟩ się; **2.** [prɪ'sɪpɪtət] *adj.* pochopny; **3.** [prɪ'sɪpɪteɪt] *chem.* osad *m* wytrącony; **~·ta·tion** [prɪsɪpɪ'teɪʃn] *chem.* wytrącenie *n* (się); strącenie *n* (się); *meteor.* opad *m* atmosferyczny; *fig.* pośpiech *m*; **~·tous** [prɪ'sɪpɪtəs] stromy; *fig.* pochopny
pré·cis ['preɪsiː] (*pl.* **-cis** [-siːz]) streszczenie *n*
pre|·cise [prɪ'saɪs] dokładny; precyzyjny; **~·ci·sion** [prɪ'sɪʒn] dokładność *f*; precyzja *f*
pre·clude [prɪ'kluːd] wykluczać ⟨-czyć⟩
pre·co·cious [prɪ'kəʊʃəs] nad wiek rozwinięty, wcześnie dojrzały
pre·con|·ceived [priːkən'siːvd] uprzednio powzięty, z góry powzięty; **~·cep·tion** [priːkən'sepʃn] uprzedzenie *n*; pogląd *m* przyjęty z góry
pre·cur·sor [priː'kɜːsə] prekursor *m*, zwiastun *m*
pred·a·to·ry ['predətərɪ] drapieżny
pre·de·ces·sor ['priːdɪsesə] poprzednik *m* (-iczka *f*)
pre·des|·ti·na·tion [priːdestɪ'neɪʃn] predestynacja *f*, przeznaczenie *n*; **~·tined** [priː'destɪnd] przeznaczony, skazany (**to** na *A*)
pre·de·ter·mine [priːdɪ'tɜːmɪn] ustalać ⟨-lić⟩ z góry
pre·dic·a·ment [prɪ'dɪkəmənt] opresja *f*, trudne położenie *n*
pred·i·cate ['predɪkət] *gr.* predykat *m*, orzeczenie *n*; **pre·dic·a·tive** *gr.* [prɪ'dɪkətɪv] predykatywny
pre|·dict [prɪ'dɪkt] przewidywać ⟨-widzieć⟩, prognozować; **~·dic·tion** [prɪ'dɪkʃn] prognoza *f*, przewidywanie *n*
pre·dis|·pose [priːdɪ'spəʊz] usposabiać ⟨-sobić⟩; (**in favo(u)r of** pozytywnie wobec *G*), sprzyjać; *med.* predysponować (**to** do *G*); **~·po·si·tion** [priːdɪspə'zɪʃn]: **~position to** skłonność *f* do (*G*), dyspozycja *f* (*G*), predyspozycja *f* do (*G*)
pre·dom·i|·nant [prɪ'dɒmɪnənt] dominujący; **~·nate** [prɪ'dɒmɪneɪt] dominować
pre·em·i·nent [priː'emɪnənt] wyróżniający się
pre·emp·tive [priː'emptɪv] uprzedzający; *mil.* wyprzedzający
preen [priːn] czyścić (*pióra*) (*ptaki*); *fig.* stroić się
pre·fab ['priːfæb] F budynek *m* z prefabrykatów; **~·ri·cate** [priː'fæbrɪkeɪt] prefabrykować; **~ricated house** budynek *m* z prefabrykatów
pref·ace ['prefɪs] **1.** przedmowa *f* (**to** do *G*); **2.** *książkę itp.* poprzedzać ⟨-dzić⟩
pre·fect ['priːfekt] *Brt.* (*starszy uczeń odpowiedzialny za młodszych chłopców*)
pre·fer [prɪ'fɜː] (**-rr-**) (**to**) woleć od (*G*), przedkładać nad (*A*), preferować
pref·e|·ra·ble ['prefərəbl]: **be ~rable** (**to**) być lepszym (niż *N*); **'~·ra·bly** najlepiej, możliwie; **~·rence** ['prefərəns] preferencja *f*
pre·fix ['priːfɪks] *gr.* przedrostek *m*, prefiks *m*
preg·nan|·cy ['pregnənsɪ] ciąża *f*; **~t** ['pregnənt] ciężarna, w ciąży
pre·heat [priː'hiːt] *piekarnik itp.* wstępnie nagrzewać ⟨-rzać⟩
pre·judge [priː'dʒʌdʒ] osądzać ⟨-dzić⟩ z góry
prej·u·dice ['predʒʊdɪs] **1.** uprzedzenie *n*; *pozytywne* nastawienie *n*; **to the ~ of** ze szkodą dla (*G*); **2.** uprzedzać; **'~d** uprzedzony; **~d in favo(u)r** z góry przychylnie nastawiony
pre·lim·i·na·ry [prɪ'lɪmɪnərɪ] **1.** wstępny; **2.** **preliminaries** *pl.* wstęp *m*, wprowadzenie *n*
prel·ude ['preljuːd] *mus.* preludium *n*; *fig.* wstęp *m*, zapowiedź *f*
pre·mar·i·tal [priː'mærɪtl] przedmałżeński
pre·ma·ture ['premətjʊə] przedwczesny

P

pre·med·i|·tat·ed [priː'medɪteɪtɪd] rozmyślny, z premedytacją; **~·ta·tion** [priːmedɪ'teɪʃn]: ***with ~tation*** z premedytacją
prem·i·er ['premjə] głowa *f* państwa
prem·i·ere, prem·i·ère ['premɪeə] premiera *f*, prawykonanie *n*
prem·is·es ['premɪsɪz] *pl.* teren *m*, siedziba *f*; lokal *m*; ***on the ~*** na miejscu
pre·mi·um ['priːmjəm] premia *f*; składka *f* ubezpieczeniowa; **'~ (gas·o·line)** *Am. mot.* (benzyna *f*) super
pre·mo·ni·tion [priːmə'nɪʃn] złe przeczucie *n*
pre·oc·cu|·pa·tion [priːɒkjʊ'peɪʃn] zajęcie *n*, zaaferowanie *n*; **~·pied** [priː'ɒkjʊpaɪd] zajęty, zaaferowany; **~·py** [priː'ɒkjʊpaɪ] *bardzo* zajmować ⟨-jąć⟩
prep [prep] *Brt.* F zadanie *n* domowe
pre·packed [priː'pækt], **pre·pack·aged** [priː'pækɪdʒd] *pożywienie*: zapakowany
pre·paid [priː'peɪd] *poczta*: opłacony z góry; **~ envelope** ofrankowana koperta *f*, koperta *f* z opłaconym doręczeniem
prep·a·ra·tion [prepə'reɪʃn] przygotowanie (***for*** do *G*); *chem.*, *med.* preparat *m*
pre·par·a·to·ry [prɪ'pærətərɪ] przygotowawczy, przygotowujący; **~ school** prywatna szkoła podstawowa
pre·pare [prɪ'peə] *v/t.* przygotowywać ⟨-ować⟩; *jedzenie, etc.* przyrządzać ⟨-dzić⟩; *v/i.* **~ *for*** przygotowywać ⟨-ować⟩ się do (*G*) *lub* na (*A*), czynić przygotowania do (*G*); **~d** przygotowany
prep·o·si·tion [prepə'zɪʃn] *gr.* przyimek *m*
pre·pos·sess·ing [priːpə'zesɪŋ] pociągający, miły
pre·pos·ter·ous [prɪ'pɒstərəs] śmieszny, groteskowy
pre·pro·gram(me) [priː'prəʊgræm] wstępnie zaprogramowywać ⟨-ować⟩
'prep school F → ***preparatory school***
pre·req·ui·site [priː'rekwɪzɪt] warunek *m* wstępny
pre·rog·a·tive [prɪ'rɒgətɪv] prerogatywa *f*, przywilej *m*
pre·scribe [prɪ'skraɪb] *med.* przepisywać ⟨-sać⟩; zalecać
pre·scrip·tion [prɪ'skrɪpʃn] *med.* recepta *f*; zalecenie *n*; zarządzenie *n*
pres·ence ['prezns] obecność *f*; postawa *f*; **~ of 'mind** przytomność *f* umysłu
pres·ent[1] ['preznt] prezent *m*, podarunek *m*
pre·sent[2] [prɪ'zent] przedstawiać ⟨-wić⟩ (*też theat.*); ⟨za⟩prezentować; ⟨po⟩darować; wręczać ⟨-czyć⟩; *program* ⟨po⟩prowadzić
pres·ent[3] ['preznt] **1.** obecny; aktualny; *rok, etc.*: bieżący; teraźniejszy; **~ *tense*** czas *m* teraźniejszy; **2.** teraźniejszość *f*; *gr.* czas *m* teraźniejszy; ***at ~*** obecnie; ***for the ~*** na razie
pre·sen·ta·tion [prezən'teɪʃn] prezentacja *f*; wręczenie *n*; podarowanie *n*; przedstawienie *n*; wystąpienie *n*; prowadzenie *n* (*programu radiowego lub telewizyjnego*)
pres·ent-'day obecny, współczesny
pre·sent·er [prɪ'zentə] *radio, TV itp.*: prezenter(ka *f*) *m*
pre·sen·ti·ment [prɪ'zentɪmənt] (złe) przeczucie *n*
pres·ent·ly ['prezntlɪ] wkrótce; *zwł. Am.* obecnie
pres·er·va·tion [prezə'veɪʃn] zachowanie *n*; konserwacja *f*; zabezpieczenie *n*; ochrona *f*
pre·ser·va·tive [prɪ'zɜːvətɪv] środek *m* konserwujący; ⚠ *nie* ***prezerwatywa***
pre·serve [prɪ'zɜːv] **1.** zachowywać ⟨-ować⟩; ⟨o⟩chronić; ⟨za⟩konserwować; **2.** rezerwat *m*; teren *m* myśliwski; *fig.* dziedzina *f*; *zw.* **~*s*** *pl.* przetwory *pl.*
pre·side [prɪ'zaɪd] przewodniczyć
pres·i|·den·cy ['prezɪdənsɪ] *pol.* prezydentura *f*; **~·dent** ['prezɪdənt] prezydent *m*; przewodniczący *m* (-ca *f*)
press [pres] **1.** *v/t.* naciskać ⟨-snąć⟩; przyciskać ⟨-snąć⟩; wciskać ⟨-snąć⟩; ściskać ⟨-snąć⟩; *owoce* wyciskać ⟨-snąć⟩; ⟨u⟩prasować; naciskać na (*A*); wywierać ⟨wywrzeć⟩ presję na (*A*); *v/i.* naciskać ⟨-nąć⟩; *czas*: naglić; wywierać ⟨wywrzeć⟩ presję; **~ *for*** nalegać na (*A*); **~ *on*** *dalej* podążać; **2.** nacisk *m* (*też fig.*); prasa *f* (*gazety itp.*); prasa *f* (*drukarska, do wina*); ***printing ~*** prasa *f* drukarska; **'~ a·gen·cy** agencja *f* prasowa; **'~ box** trybuna *f* dla prasy; **'~·ing** pilny, naglący; **'~stud** *Brt.* (*zapięcie*) zatrzask *m*; **'~-up** *zwł. Brt.* pompka *f*; ***do ten ~-ups*** zrobić dziesięć pompek

P

pres•sure ['preʃə] *phys., tech. itp.* ciśnienie *n* (*też fig.*); nacisk *m*; presja *f*; napięcie *n*; '~ **cook•er** szybkowar *m*
pres•tige [pre'stiːʒ] prestiż *m*, powaga *f*
pre|•su•ma•bly [prɪ'zjuːməblɪ] przypuszczalnie; ~**•sume** [prɪ'zjuːm] *v/t.* mniemać, przypuszczać; *niewinność* domniemywać ⟨-mać⟩; *v/i.* ośmielać ⟨-lić⟩ się (***to do s.th.*** robić coś); ~***sume on*** wykorzystywać ⟨-tać⟩ niewłaściwie
pre•sump|•tion [prɪ'zʌmpʃn] przypuszczenie *n*, mniemanie *n*; domniemanie *n*; czelność *f*, arogancja *f*; ~**•tu•ous** [prɪ'zʌmptʃʊəs] czelny, arogancki
pre•sup|•pose [priːsə'pəʊz] zakładać; ~**•po•si•tion** [priːsʌpə'zɪʃn] założenie *n*
pre•tence *Brt.*, **pre•tense** *Am.* [prɪ'tens] pozór *m*, pretekst *m*; pretensja *f* (***to*** do *G*)
pre•tend [prɪ'tend] udawać ⟨udać⟩; rościć pretensje (***to*** do do *G*); ~**•ed** udawany
pre•ten•sion [prɪ'tenʃn] pretensja *f* (***to*** do *G*); pretensjonalność *f*
pre•ter•it(e) ['pretərɪt] *gr.* czas *m* przeszły
pre•text ['priːtekst] pretekst *m*
pret•ty ['prɪtɪ] **1.** (***-ier, -iest***) ładny; **2.** *adv.* F całkiem, dość
pret•zel ['pretsl] precel *m*
pre•vail [prɪ'veɪl] zwyciężać ⟨-żyć⟩ (***over, against*** nad *D*); zapanowywać ⟨-ować⟩; przeważać; ~**•ing** przeważający
pre|•vent [prɪ'vent] zapobiegać ⟨-biec⟩; uniemożliwiać ⟨-wić⟩; nie dawać możności; ~**•ven•tion** [prɪ'venʃn] zapobieganie *n*; uniemożliwienie *n*; ~**•ven•tive** [prɪ'ventɪv] zapobiegawczy; prewencyjny
pre•view ['priːvjuː] *film, TV*: pokaz *m* przedpremierowy
pre•vi•ous ['priːvjəs] poprzedni; uprzedni; ~ ***to*** przed (*I*); '~**•ly** uprzednio
pre-war [priː'wɔː] przedwojenny
prey [preɪ] **1.** zdobycz *f*, łup *m*; ofiara *f*; ***of*** ~ drapieżny; ***be easy*** ~ ***for*** *lub* ***to*** stanowić łatwy łup dla (*G*); **2.** ~ ***on*** *zo.* polować na (*A*); *fig.* dręczyć (*A*)
price [praɪs] **1.** cena *f*; **2.** ustalać ⟨-lić⟩ cenę (*G*), wyceniać ⟨-nić⟩ (***at*** na *L*); '~**•less** bezcenny; '~**tag** metka *f* (*z ceną*)
prick [prɪk] **1.** ukłucie *n*; V kutas *m*; ~***s*** *pl.* ***of conscience*** wyrzuty *pl.* sumienia; **2.** *v/t.* ⟨po-, na-, u⟩kłuć; ***her conscience*** ~***ed her*** ⟨po⟩czuła wyrzuty sumienia; ~ ***up one's ears*** nadstawiać ⟨-wić⟩ uszu
prick|•le ['prɪkl] kolec *m*; uczucie *n* kłucia; '~**•ly** (***-ier, -iest***) kolczasty, kłujący
pride [praɪd] **1.** duma *f*; pycha *f*; ***take*** (***a***) ~ ***in*** szczycić się (*I*); **2.** ~ ***o.s. on*** szczycić się (*I*)
priest [priːst] ksiądz *m*, duchowny *m*
prig [prɪg] bigot *m*, świętoszek *m*; pedant *m*; '~**•gish** świętoszkowaty
prim [prɪm] (***-mm-***) pruderyjny, sztywny
pri•mae•val *zwł. Brt.* [praɪ'miːvl] → ***primeval***
pri•ma•ri•ly ['praɪmərəlɪ] przede wszystkim
pri•ma•ry ['praɪmərɪ] **1.** podstawowy; główny; pierwotny; **2.** *Am. pol.* wybory *pl.* wstępne; '~ **school** *Brt.* szkoła *f* podstawowa
prime [praɪm] **1.** *math.* liczba *f* pierwsza; *fig.* rozkwit *m*; ***in the*** ~ ***of life*** w kwiecie wieku; ***be past one's*** ~ mieć już za sobą najlepsze lata; **2.** *adj.* pierwszy, początkowy; najważniejszy; główny; wyborowy, pierwszorzędny; **3.** *v/t.* *ścianę* ⟨za⟩gruntować; ⟨po⟩instruować, przygotowywać ⟨-ować⟩; ~ **'min•is•ter** premier *m*; ~ **'num•ber** *math.* liczba *f* pierwsza
prim•er ['praɪmə] elementarz *m*; środek *m* do gruntowania
'prime time *zwł. Am.* okres *m* największej oglądalności
pri•me•val [praɪ'miːvl] odwieczny; pierwotny; pradawny
prim•i•tive ['prɪmɪtɪv] prymitywny; pierwotny
prim•rose ['prɪmrəʊz] *bot.* pierwiosnek *m*, prymula *f*
prince [prɪns] książę *m*; **prin•cess** [prɪn'ses], (*przed nazwiskiem*) ['prɪnses] księżniczka *f*; księżna *f*
prin•ci•pal ['prɪnsəpl] **1.** główny; zasadniczy; ⚠ *nie* ***pryncypialny***; **2.** *Am. szkoła*: dyrektor(ka *f*) *m*, kierownik *m* (-iczka *f*); *theat.* odtwórca *m* (-czyni *f*) głównej roli; *mus.* solista *m* (-tka *f*); *econ.* suma *f* nominalna
prin•ci•pal•i•ty [prɪnsɪ'pælətɪ] księstwo *n*
prin•ci•ple ['prɪnsəpl] zasada *f*; ***on*** ~ z zasady

print [prɪnt] **1.** *print.* druk *m*; odcisk *m* (*palca*); *phot.* odbitka *f*; rycina *f*; tkanina *f* drukowana; ***in ~*** w druku; ***out of ~*** wyczerpany; **2.** *v/i.* drukować; *v/t.* ⟨wy-, za⟩drukować; odciskać ⟨-snąć⟩; ⟨na⟩pisać drukowanymi literami; *fig.* zapadać (***on*** w *A*); *też* ***~ off*** *phot.* odbijać ⟨-bić⟩; ***~ out*** *komp.* wydrukowywać ⟨-ować⟩; **'~ed mat·ter** druki *pl.* (*przesyłane pocztą*)

'print·er drukarz *m*; drukarka *f*; ***~'s error*** błąd *m* drukarski; ***~'s ink*** farba *f* drukarska

print·ing ['prɪntɪŋ] *print.* drukowanie *n*; **'~ ink** farba *f* drukarska; **'~ press** prasa *f* drukarska

'print·out *komp.* wydruk *m*

pri·or ['praɪə] wcześniejszy; uprzedni; priorytetowy; **~·i·ty** [praɪ'ɒrɪtɪ] priorytet *f*; *mot.* pierwszeństwo *n*

prise [praɪz] *zwł. Brt.* → ***prize²***

pris·m ['prɪzəm] pryzmat *m*; graniastosłup *m*

pris·on ['prɪzn] więzienie *n*; **'~·er** więzień *m* (-ęźniarka *f*); ***hold ~er, keep ~er*** więzić (*G*); ***take ~er*** uwięzić (*G*)

priv·a·cy ['prɪvəsɪ] prywatność *f*; sfera *f* osobista; odosobnienie *n*

pri·vate ['praɪvɪt] **1.** prywatny; odosobniony; *życie itp.*: osobisty; skryty, ukryty; ***~ parts*** *pl.* przyrodzenie *n*; **2.** *med.* szeregowy; ***in ~*** w cztery oczy, na osobności

pri·va·tion [praɪ'veɪʃn] prywacja *f*, wyrzeczenie *n*

priv·i·lege ['prɪvɪlɪdʒ] przywilej *m*; zaszczyt *m*; **'~d** uprzywilejowany

priv·y ['prɪvɪ] (***-ier, -iest***): ***be ~ to*** być wtajemniczonym w (*A*)

prize¹ [praɪz] **1.** nagroda *f*; premia *f*; wygrana *f*; **2.** nagrodzony; pierwszej jakości; **3.** wysoko cenić

prize² [praɪz]: ***~ open*** wyważać ⟨-żyć⟩

'prize·win·ner zdobywca *m* (-czyni *f*) pierwszej nagrody

pro¹ [prəʊ] F (*pl.* ***-s***) profesjonalista *m* (-tka *f*)

pro² [prəʊ] (*pl.* ***-s***): ***the ~s and cons*** *pl.* za i przeciw

prob|·a·bil·i·ty [prɒbə'bɪlətɪ] prawdopodobieństwo *n*; ***in all ~ability*** według wszelkiego prawdopodobieństwa; **~·a·ble** ['prɒbəbl] prawdopodobny; **'~·a·bly** prawdopodobnie

pro·ba·tion [prə'beɪʃn] próba *f*, okres *m* próbny, staż *m*; *jur.* dozór *m* kuratora sądowego; **~ of·fi·cer** *jur.* kurator *m* sądowy

probe [prəʊb] **1.** *med.*, *tech.* sonda *f*; *fig.* dochodzenie *n* (***into*** w *A*); ⚠ *nie* ***próba***; **2.** sondować; ⟨z⟩badać (*dokładnie*); ⚠ *nie* ***próbować***

prob·lem ['prɒbləm] problem *m*, zagadnienie *n*; *math. itp.* zadanie *n*; **~·at·ic** [prɒblə'mætɪk] (***-ally***); **~·at·i·cal** problematyczny

pro·ce·dure [prə'siːdʒə] procedura *f*

pro·ceed [prə'siːd] iść ⟨pójść⟩ dalej; podążać; postępować; przystępować ⟨-tąpić⟩ (***to*** do *G*); *fig.* kontynuować; ***~ from*** wynikać ⟨-knąć⟩, wypływać ⟨-łynąć⟩; ***~ to do s.th.*** przystępować ⟨-tąpić⟩ do robienia czegoś; **~·ing** *jur.* postępowanie *n* sądowe; **~·ings** *pl.* obrady *pl.*; sprawozdanie *n*; *jur.* proces *m* sądowy; ***start*** *lub* ***take*** (***legal***) ***~ings against*** *jur.* wszczynać ⟨-cząć⟩ postępowanie sądowe

pro·ceeds ['prəʊsiːdz] *pl.* wpływy *pl.*, przychód *m*

pro·cess ['prəʊses] **1.** proces *m*; tok *m*; *jur.* postępowanie *n* sądowe; ***in the ~*** w toku, w trakcie; ***be in ~*** toczyć się, zachodzić; ***in the ~ of construction*** w trakcie budowy, w budowie; **2.** *tech.* przetwarzać ⟨-worzyć⟩; *film* wywoływać ⟨-łać⟩

pro·ces·sion [prə'seʃn] procesja *f*; pochód *m*

pro·ces·sor ['prəʊsesə] *komp.* procesor *m*; procesor *m* tekstu; robot *m* kuchenny

pro·claim [prə'kleɪm] proklamować, ogłaszać ⟨-łosić⟩

proc·la·ma·tion [prɒklə'meɪʃn] proklamacja *f*, obwieszczenie *n*

pro·cure [prə'kjʊə] uzyskiwać ⟨-kać⟩, zdobywać ⟨-być⟩; stręczyć (*do nierządu*)

prod [prɒd] **1.** (***-dd-***) szturchać ⟨-chnąć⟩; dźgać ⟨-gnąć⟩, ⟨u⟩kłuć; pobudzać ⟨-dzić⟩ (***into*** do *G*); **2.** szturchnięcie *n*; dźgnięcie *n*

prod·i·gal ['prɒdɪgl] **1.** marnotrawny; **2.** F hulaka *m*

pro·di·gious [prə'dɪdʒəs] znakomity; monumentalny

prod·i·gy ['prɒdɪdʒɪ] cud *m*; ***child ~*** cudowne dziecko *n*

P

pro·duce[1] [prə'djuːs] tworzyć; *econ.* ⟨wy⟩produkować; wytwarzać ⟨-worzyć⟩; przedstawiać ⟨-wić⟩, okazywać ⟨-zać⟩ (***from*** z *G*); *econ. zysk itp.* przynosić ⟨-nieść⟩; być producentem (*filmu*); *sztukę* wystawiać ⟨-wić⟩; *fig.* dawać ⟨dać⟩

prod·uce[2] ['prɒdjuːs] *zwł. rolne* produkty *pl.*, płody *pl.*, wyroby *pl.*

pro·duc·er [prə'djuːsə] producent(ka *f*) *m*, wytwórca *m*; *film*, *TV*: producent *m*; *theat.* reżyser *m*

prod·uct ['prɒdʌkt] produkt *m*, wyrób *m*; iloczyn *m*

pro·duc|·tion [prə'dʌkʃn] *econ.* produkcja *f*; wytwórstwo *n*, wytwarzanie *n*; okazanie *n*; *theat.* wystawianie *n*, inscenizacja *f*; **~·tive** [prə'dʌktɪv] produktywny (*też fig.*); produkcyjny; owocny; *fig.* twórczy; **~·tiv·i·ty** [prɒdʌk'tɪvətɪ] produktywność *f*

prof [prɒf] F profesor *m*

pro|·fa·na·tion [prɒfə'neɪʃn] profanacja *f*, zbezczeszczenie *n*; **~·fane** [prə'feɪn] **1.** świecki; bluźnierczy; **2.** ⟨s⟩profanować; **~·fan·i·ty** [prə'fænətɪ]: ***profanities*** *pl.* bluźnierstwa *pl.*

pro·fess [prə'fes] wyrażać ⟨-razić⟩; utrzymywać; podawać się (***to be*** za); wyznawać; **~ed** [prə'fest] zdeklarowany, otwarty

pro·fes|·sion [prə'feʃn] zawód *m* (*zwł. lekarza, prawnika itp.*); ***the ~sions*** *pl.* wolne zawody *pl.*; **~·sion·al** [prə'feʃənl] **1.** profesjonalny, fachowy; zawodowy; **2.** profesjonalista *m* (-tka *f*); zawodowiec *m*; zawodowy sportowiec *m*; **~·sor** [prə'fesə] profesor *m*

pro·fi·cien|·cy [prə'fɪʃnsɪ] biegłość *f*; wprawa *f*; **~t** [prə'fɪʃnt] biegły; wprawny

pro·file ['prəʊfaɪl] profil *m*; zarys *m*; notka *f*, opis *m*

prof|·it ['prɒfɪt] **1.** zysk *m*, profit *m*; korzyść *f*; **2.** ***~it by, ~it from*** odnosić ⟨-nieść⟩ korzyść; **~·i·ta·ble** zyskowny, dochodowy; korzystny, pożyteczny; **~·i·teer** *pej.* [prɒfɪ'tɪə] spekulant *m*, paskarz *m*; **'~·it shar·ing** udział *m* w zyskach

prof·li·gate ['prɒflɪgət] marnotrawny, rozrzutny

pro·found [prə'faʊnd] głęboki

pro|·fuse [prə'fjuːs] obfity; *fig.* wylewny; **~·fu·sion** [prə'fjuːʒn] obfitość *f*; wylewność *f*; ***in ~fusion*** w obfitości

prog·e·ny ['prɒdʒənɪ] potomstwo *n*

prog·no·sis [prɒg'nəʊsɪs] *med.* (*pl.* ***-ses*** [-siːz]) prognoza *f*

pro·gram ['prəʊgræm] **1.** *komp.* program *m*; *Am.* → ***programme***; **2.** (***-mm-***) *komp.* ⟨za⟩programować; *Am.* → ***programme*** 2; **'~·er** → ***programmer***

pro·gramme *Brt.*; **pro·gram** *Am.* ['prəʊgræm] **1.** program *m*; transmisja *f* (*radiowa lub telewizyjna*); **2.** ⟨za⟩programować; ⟨za⟩planować; **'pro·gram·mer** *komp.* programista *m*

pro|·gress 1. ['prəʊgres] postęp *m*; ***make slow ~gress*** wolno się rozwijać; ***be in ~gress*** być w toku; **2.** [prəʊ'gres] iść ⟨pójść⟩ dalej; ⟨z⟩robić postępy; **~·gres·sive** [prəʊ'gresɪv] postępowy, progresywny

pro|·hib·it [prə'hɪbɪt] zabraniać ⟨-ronić⟩, zakazywać ⟨-zać⟩; **~·hi·bi·tion** [prəʊɪ'bɪʃn] zakaz *m*; prohibicja *f*; **~·hib·i·tive** [prə'hɪbətɪv] nadmierny, przesadny

proj·ect[1] ['prɒdʒekt] projekt *m*, plan *m*; przedsięwzięcie *n*

pro·ject[2] [prə'dʒekt] *v/i.* wystawać, sterczeć; *v/t.* ⟨za⟩projektować, ⟨za⟩planować, prognozować; wyrzucać ⟨-cić⟩, wysuwać ⟨-sunąć⟩; wyświetlać ⟨-lić⟩

pro·jec·tile [prə'dʒektaɪl] pocisk *m*

pro·jec|·tion [prə'dʒekʃn] prognoza *f*, szacowanie *n*; projekcja *f*; występ *m* (*skalny, budowlany*); **~·tor** [prə'dʒektə] projektor *m*

pro·le·tar·i·an [prəʊlɪ'teərɪən] **1.** proletariacki, robotniczy; **2.** proletariusz (ka *f*) *m*

pro·lif·ic [prə'lɪfɪk] (***~ally***) płodny

pro·logue *zwł. Brt.*, **pro·log** *Am.* ['prəʊlɒg] prolog *m*

pro·long [prəʊ'lɒŋ] przedłużać ⟨-żyć⟩

prom·e·nade [prɒmə'nɑːd] **1.** *nadmorska* promenada *f*; **2.** przechadzać się

prom·i·nent ['prɒmɪnənt] wybitny, znakomity; prominentny

pro·mis·cu·ous [prə'mɪskjʊəs] rozwiązły

prom|·ise ['prɒmɪs] **1.** obietnica *f*, przyrzeczenie *n*; *fig.* zapowiedź *f*; **2.** obiecywać ⟨-cać⟩; **'~·is·ing** obiecujący

P

prom·on·to·ry ['prɒməntrɪ] przylądek *m*, cypel *m*
pro|·mote [prə'məʊt] *też* (*w wojsku, szkole*) promować, awansować; *produkt itp.* ⟨wy⟩promować; popierać ⟨-rzeć⟩; sponsorować; **~·mot·er** [prə'məʊtə] sponsor *m*; rzecznik *m* (-niczka *f*); **~·motion** [prə'məʊʃn] promocja *f*; awans *m*
prompt [prɒmpt] **1.** wywoływać ⟨-łać⟩, prowadzić do (*G*); zachęcać ⟨-cić⟩ (***to do*** do zrobienia *G*); *theat.* podpowiadać ⟨-wiedzieć⟩, suflerować; **2.** bezzwłoczny, niezwłoczny; punktualny, terminowy; **'~·er** sufler(ka *f*) *m*
prone [prəʊn] (***-r, -st***) leżący na brzuchu *lub* twarzą w dół; ***be ~ to*** *fig.* być skłonnym do (*G*), być podatnym na (*A*)
prong [prɒŋ] ząb *m* (*widelca, wideł*)
pro·noun ['prəʊnaʊn] *gr.* zaimek *m*
pro·nounce [prə'naʊns] wymawiać ⟨-mówić⟩; wypowiadać ⟨-wiedzieć⟩ się (***on*** o *L*); *jur. wyrok itp.* ogłaszać ⟨-łosić⟩
pron·to ['prɒntəʊ] F szybko, rączo
pro·nun·ci·a·tion [prənʌnsɪ'eɪʃn] wymowa *f*
proof [pruːf] **1.** dowód *m*, dowody *pl.*; próba *f*, sprawdzenie *n*; *print.* korekta *f*; *print.*, *phot.* odbitka *f* próbna; stopień *m* zawartości alkoholu; **2.** *adj. w złoż.* odporny; → ***heatproof, soundproof, waterproof***; ***be ~ against*** być zabezpieczonym przed (*I*); **3.** ⟨za⟩impregnować; **~·read** ['pruːfriːd] (***-read*** [-red]) ⟨z⟩robić korektę; **'~·read·er** korektor(ka *f*) *m*
prop [prɒp] **1.** podpora *f* (*też fig.*); **2.** (***-pp-***) *też* ***~ up*** podpierać ⟨-deprzeć⟩; *się lub coś* opierać (***against*** o *A*)
prop·a|·gate ['prɒpəgeɪt] *biol.* rozmnażać ⟨-nożyć⟩ (się); propagować, rozprzestrzeniać ⟨-nić⟩; **~·ga·tion** [prɒpə'geɪʃn] rozmnażanie *n*, propagacja *f*; propagowanie *n*
pro·pel [prə'pel] (***-ll-***) napędzać ⟨-dzić⟩, wprawiać ⟨-wić⟩ w ruch; **~·lant**, **~·lent** gaz *m* pędny (*w aerozolu itp.*); paliwo *n* silnikowe, materiał *m* napędowy; **~·ler** *aviat.* śmigło *n*; *naut.* śruba *f* napędowa; **~·ling 'pen·cil** ołówek *m* automatyczny
pro·pen·si·ty [prə'pensətɪ] *fig.* skłonność *f*
prop·er ['prɒpə] właściwy, odpowiedni; stosowny; *zwł. Brt.* F straszny, całkowity; **~ 'name** imię *n* własne; **~ 'noun** rzeczownik *m* własny
prop·er·ty ['prɒpətɪ] własność *f*; nieruchomość *f*, posiadłość *f*; właściwość *f*, cecha *f*
proph|·e·cy ['prɒfɪsɪ] proroctwo *n*; **~·e·sy** ['prɒfɪsaɪ] ⟨wy⟩prorokować; **~·et** ['prɒfɪt] prorok *m*
pro·por·tion [prə'pɔːʃn] **1.** proporcja *f* (*też math.*); stosunek *m*; **~*s*** wielkość *f*, rozmiary *pl.*; udział *m*, część *f*, odsetek *m*; proporcjonalność *f*; ***in ~ to*** w proporcji do (*G*); **2.** (***to***) nadawać ⟨-dać⟩ *właściwe* proporcje (*D*); ⟨po⟩dzielić *właściwie*; **~·al** [prə'pɔːʃənl] stosunkowy; → **~·ate** [prə'pɔːʃnət] proporcjonalny (***to*** do *G*)
pro·pos|·al [prə'pəʊzl] propozycja *f*; oświadczyny *pl.*; **~e** [prə'pəʊz] *v/t.* ⟨za⟩proponować; przedstawiać ⟨-wić⟩; zamierzać (***to do s.th.*** coś zrobić); *toast itp.* wznosić ⟨-nieść⟩ (***to*** do *G*); ***~e s.o.'s health*** ⟨wy⟩pić za czyjeś zdrowie; *v/i.* ***~e to*** oświadczać ⟨-czyć⟩ się (*D*); **prop·o·si·tion** [prɒpə'zɪʃn] propozycja *f*; projekt *m*; *math.* twierdzenie *n*
pro·pri·e|·ta·ry [prə'praɪətərɪ] *econ.* prawnie zastrzeżony; opatentowany; *fig.* władczy; **~·tor** [prə'praɪətə] posiadacz *m*, właściciel *m*; **~·tress** [prə'praɪətrɪs] posiadaczka *f*, właścicielka *f*
pro·pri·e·ty [prə'praɪətɪ] stosowność *f*; właściwość *f*
pro·pul·sion [prə'pʌlʃn] *tech.* napęd *m*
pro·sa·ic [prəʊ'zeɪɪk] (***~ally***) prozaiczny; przyziemny
prose [prəʊz] proza *f*
pros·e|·cute ['prɒsɪkjuːt] *jur.* ścigać sądownie (***for*** za *A*), zaskarżać ⟨-żyć⟩; **~·cu·tion** *jur.* [prɒsɪ'kjuːʃn] dochodzenie *n* sądowe; ***the ~cution*** oskarżenie *n*, strona *f* oskarżająca; **~·cu·tor** *jur.* ['prɒsɪkjuːtə] *też* ***public ~cutor*** oskarżyciel *m* (*publiczny*)
pros·pect 1. ['prɒspekt] widok *m* (*też fig.*), perspektywa *f* (*też fig.*); *econ.* potencjalny klient *m*; ⚠ *nie* ***prospekt***; **2.** [prə'spekt]: ***~ for*** (*w górnictwie*) prowadzić poszukiwania
pro·spec·tive [prə'spektɪv] potencjalny, ewentualny
pro·spec·tus [prə'spektəs] (*pl.* ***-tuses***)

P

prospekt *m*, informator *m* (*o uczelni itp.*)
pros·per ['prɒspə] prosperować, pomyślnie się rozwijać; **~·i·ty** [prɒ'sperətɪ] dobra passa *f*, rozkwit *m*; dobra koniunktura *f*; **~·ous** ['prɒspərəs] rozkwitający, dobrze prosperujący
pros·ti·tute ['prɒstɪtjuːt] prostytutka *f*; ***male ~*** męska prostytutka *f*
pros|·trate 1. ['prɒstreɪt] leżący (*twarzą w dół*); *fig.* załamany; ***~trate with grief*** pogrążony w smutku; **2.** [prɒ'streɪt] padać ⟨paść⟩ na twarz (***before*** przed *I*); *fig.* załamywać ⟨-mać⟩się; **~·tra·tion** [prɒ'streɪʃn] padnięcie *n* na twarz; *fig.* załamanie *n* się
pros·y ['prəʊzɪ] (***-ier, -iest***) przegadany
pro·tag·o·nist [prəʊ'tægənɪst] bojownik *m* (***of*** o *A*); *theat.* bohater(ka *f*) *m*
pro·tect [prə'tekt] ochraniać ⟨ochronić⟩, chronić (***from, against*** przed *I*)
pro·tec·tion [prə'tekʃn] ochrona *f*; F opłata *f* za ochronę; ⚠ *nie* ***protekcja***; **~ mon·ey** opłata *f* za ochronę; **~ racket** F wyłudzanie *n* pieniędzy za ochronę
pro·tec·tive [prə'tektɪv] ochronny; dbały, troskliwy; **~ 'cloth·ing** ubranie *n* ochronne; **~ 'cus·to·dy** *jur.* areszt *m* zapobiegawczy; **~ 'du·ty, ~ 'tar·iff** *econ.* cła *pl.* ochronne
pro·tec·tor [prə'tektə] obrońca *m*; ochraniacz *m*; **~·ate** [prə'tektərət] protektorat *m*
pro·test 1. ['prəʊtest] protest *m*; sprzeciw *m*; **2.** [prə'test] *v/i.* ⟨za⟩protestować (***against*** przeciw *D*); *v/t. Am.* protestować przeciw (*D*); zapewniać o (*L*)
Prot·es·tant ['prɒtɪstənt] **1.** protestancki; **2.** protestant(ka *f*) *m*
prot·es·ta·tion [prɒte'steɪʃn] zapewnienie *n*; protest *m* (***against*** przeciw *D*)
pro·to·col ['prəʊtəkɒl] protokół *m*
pro·to·type ['prəʊtətaɪp] prototyp *m*
pro·tract [prə'trækt] przedłużać się, przewlekać się
pro|·trude [prə'truːd] wystawać, sterczeć (***from*** z *G*); **~'trud·ing** wystający, sterczący
proud [praʊd] dumny (***of*** z *G*)
prove [pruːv] (***proved, proved*** *lub zwł. Am.* ***proven***) *v/t.* udowadniać ⟨-wodnić⟩, wykazywać ⟨-zać⟩; *v/i.* **~** (***to be***) okazywać ⟨-zać⟩ się (*I*); **prov·en** ['pruːvən] **1.** *zwł. Am. p.p. od* ***prove***; **2.** udowodniony
prov·erb ['prɒvɜːb] przysłowie *n*
pro·vide [prə'vaɪd] *v/t.* dostarczać ⟨-czyć⟩ (***with*** *A*), zaopatrywać ⟨-trzyć⟩ (***with*** w *A*); postanawiać ⟨-nowić⟩ (***that*** że); *v/i.* **~ *against*** zabezpieczać ⟨-czyć⟩ się przeciwko (*I*); *prawo* zakazywać ⟨-zać⟩; **~ *for*** utrzymywać ⟨-mać⟩; przewidywać; uwzględniać ⟨-nić⟩; **pro'vid·ed**: **~*ed*** (***that***) pod warunkiem(, że), z zastrzeżeniem(, że)
prov·i·dent ['prɒvɪdənt] zapobiegliwy
pro·vid·er [prə'vaɪdə] dostawca *m*
prov·ince ['prɒvɪns] prowincja *f*; *fig.* kompetencja *f*; **pro·vin·cial** [prə'vɪnʃl] **1.** prowincjonalny; **2.** *pej.* prowincjusz(ka *f*) *m*
pro·vi·sion [prə'vɪʒn] zaopatrzenie *n* (***of*** w *A*); zabezpieczenie *n* się (***for*** na wypadek *G*, ***against*** przeciwko *D*); postanowienie *n*, klauzula *f*; ***with the ~ that*** pod warunkiem, że; ***~s*** *pl.* prowiant *m*, żywność *f*; ⚠ *nie* ***prowizja***; **~·al** [prə'vɪʒənl] tymczasowy, prowizoryczny
pro·vi·so [prə'vaɪzəʊ] (*pl.* ***-soes***) zastrzeżenie *n*, warunek *m*; ***with the ~ that*** pod warunkiem, że
prov·o·ca·tion [prɒvə'keɪʃn] prowokacja *f*; **pro·voc·a·tive** [prə'vɒkətɪv] prowokacyjny; wyzywający
pro·voke [prə'vəʊk] ⟨s⟩prowokować; wywoływać ⟨-łać⟩, ⟨s⟩powodować
prov·ost ['prɒvəst] rektor *m* (*w niektórych uczelniach*); *Szkoc.* burmistrz *m*
prowl [praʊl] **1.** *v/i. też* **~ *about***, **~ *around*** *banda*: grasować, buszować; *v/t.* grasować po (*L*), buszować po (*L*); **2.** grasowanie *n*, buszowanie *n*; **'~ car** *Am.* radiowóz *m*, wóz *m* patrolowy
prox·im·i·ty [prɒk'sɪmətɪ] bliskość *f*
prox·y ['prɒksɪ] pełnomocnictwo *n*, zastępstwo *n*; pełnomocnik *m*, zastępca *m*; ***by ~*** przez pełnomocnika
prude [pruːd]: ***be a ~*** być pruderyjnym
pru|·dence ['pruːdns] roztropność *f*, rozsądek *m*; **'~·dent** roztropny, rozsądny
'prud·ish pruderyjny
prune[1] [pruːn] *drzewa itp.* przycinać ⟨-ciąć⟩
prune[2] [pruːn] suszona śliwka *f*

P

pry[1] [praɪ] myszkować, wtrącać się; **~ *about*** węszyć wkoło; **~ *into*** wtykać nos w (*A*)

pry[2] [praɪ] *zwł. Am.* → ***prize***[2]

PS [piː 'es] *skrót*: ***postscript*** PS, postscriptum *n*, dopisek *m*

psalm [sɑːm] psalm *m*

pseu·do·nym ['sjuːdənɪm] pseudonim *m*, przydomek *m*

psy·chi·a|·trist [saɪ'kaɪətrɪst] psychiatra *m*; **~·try** [saɪ'kaɪətrɪ] psychiatria *f*

psy|·cho·log·i·cal [saɪkə'lɒdʒɪkl] psychologiczny; **~·chol·o·gist** [saɪ'kɒlədʒɪst] psycholog *m*; **~·chol·o·gy** [saɪ'kɒlədʒɪ] psychologia *f*; **~·cho·so·mat·ic** [saɪkəʊsəʊ'mætɪk] psychosomatyczny

pt *skrót pisany*: ***part*** cz., część *f*; ***pint*** kwarta *f* (*ok. 1/2 l*); *zw.* ***Pt***, *skrót*: ***port*** port *m*

PT [piː 'tiː] *zwł. Brt. skrót*: ***physical training*** wf., wychowanie *n* fizyczne

PTO, pto [piː tiː 'əʊ] *skrót*: ***please turn over*** verte

pub [pʌb] *Brt.* pub *m*

pu·ber·ty ['pjuːbətɪ] okres *m* dojrzewania, pokwitanie *n*

pu·bic ['pjuːbɪk] *anat.* łonowy; **~ 'bone** kość *f* łonowa; **~ 'hair** owłosienie *n* łonowe

pub·lic ['pʌblɪk] **1.** publiczny, ogólny, powszechny; *skandal*: jawny; **2.** ogół *m*; społeczeństwo *n*; publiczność *f*; ***in ~*** publicznie

pub·li·ca·tion [pʌblɪ'keɪʃn] publikacja *f*, wydanie *n*; opublikowanie *n*

pub·lic| con've·ni·ence *Brt.* toaleta *f* publiczna; **~ 'health** zdrowie *n* społeczeństwa; **~ 'hol·i·day** święto *n* państwowe; **~ 'house** *Brt.* → ***pub***

pub·lic·i·ty [pʌb'lɪsətɪ] reklama *f*; rozgłos *m*

pub·lic| 'li·bra·ry biblioteka *f* publiczna; **~ re'la·tions** (*skrót*: ***PR***) służba *f* informacyjna; **~ 'school** *Brt.* prywatna szkoła *f* (*dla zamożnych*); *Am.* szkoła *f* państwowa; **~ 'trans·port** *zwł. Brt. sg.*, **~ trans·por'ta·tion** *Am. sg.* komunikacja *f* publiczna

pub·lish ['pʌblɪʃ] ⟨o⟩publikować, wydawać ⟨-dać⟩; ogłaszać ⟨ogłosić⟩, ujawniać ⟨-nić⟩; **~·er** wydawca *m*; wydawnictwo *n*; **'~·er's**, **'~·ers** *pl.*, **'~·ing house** wydawnictwo *n*

puck·er ['pʌkə] *też* **~ *up*** *twarz, usta* krzywić, wykrzywiać ⟨-wić⟩; *czoło* ⟨z⟩marszczyć

pud·ding ['pʊdɪŋ] pudding *m*; *Brt.* deser *m*; *Am.* budyń *m*; ***black ~*** *Brt.* kaszanka *f*

pud·dle ['pʌdl] kałuża *f*

pu·er·ile ['pjʊəraɪl] dziecięcy, infantylny

puff [pʌf] **1.** *v/i.* sapać; *też* **~ *away*** *papieros itp.* pociągać (***at*** z *G*); *fajkę* pykać (***at*** z *G*); **~ *up*** nadymać (się), obrzęknąć ⟨-kać⟩; *v/t. dym* wydmuchiwać ⟨-chać⟩; **~ *out*** *świecę* zdmuchiwać ⟨-chnąć⟩; *policzki* wydymać ⟨-dąć⟩, *pierś* wypinać ⟨-piąć⟩; **2.** pociągnięcie *n*, zaciągnięcie się (*przy paleniu*); podmuch *m*, powiew *m* (*powietrza*); puszek *m* (*do pudru*); F dech *m*; **~ed 'sleeve** rękaw *m* z bufką; **~ 'pas·try** ciasto *n* francuskie; **'~ sleeve** rękaw *m* z bufką; **'~·y** (***-ier, -iest***) zasapany; obrzmiały

pug [pʌg] *zo. też* **~ *dog*** mops *m*

pug·na·cious [pʌg'neɪʃəs] bojowy, wojowniczy

puke [pjuːk] *sl.* rzygać ⟨-gnąć⟩, puszczać ⟨puścić⟩ pawia

pull [pʊl] **1.** ciągnięcie *n*, pociągnięcie *n*; przyciąganie *n*; podejście *n*; F wpływ *m*; **2.** ⟨po⟩ciągnąć; przyciągać ⟨-gnąć⟩ (*też fig.*); naciągać ⟨-gnąć⟩, wyciągać ⟨-gnąć⟩; rozciągać ⟨-gnąć⟩; *Brt. piwo* natoczyć, nalewać ⟨-lać⟩; **~ *ahead of*** wyprzedzać ⟨-dzić⟩; **~ *away*** odjeżdżać ⟨-jechać⟩; oddalać ⟨-lić⟩ się; **~ *down*** *budynek* ⟨z⟩burzyć; **~ *in*** *pociąg*: wjeżdżać ⟨-jechać⟩; podjeżdżać ⟨-jechać⟩; **~ *off*** F dokonywać ⟨-nać⟩; **~ *out*** wycofywać ⟨-fać⟩ się (***of*** z *G*), odjeżdżać ⟨-jechać⟩; oddalać ⟨-lić⟩ się; *stół* wyciągać ⟨-gnąć⟩; **~ *over*** zjeżdżać ⟨zjechać⟩ na bok; **~ *round*** ⟨wy⟩zdrowieć; **~ *through*** ⟨wy⟩zdrowieć; pokonywać ⟨-nać⟩ trudności; **~ *o.s. together*** brać ⟨wziąć⟩ się w garść; **~ *up*** zatrzymywać ⟨-mać⟩ się; wstrzymywać ⟨-mać⟩; **~ *up to*, ~ *up with*** (*w sporcie*) doganiać ⟨-gonić⟩ (*G*)

pul·ley ['pʊlɪ] *tech.* koło *n* pasowe

'pull|-in *Brt.* bar *m* przy szosie; **'~·o·ver** pulower *m*; **'~-up** *Brt.* (*na drążku*) podciągnięcie *n*; ***do a ~-up*** podciągać ⟨-gnąć⟩ się na drążku

P

pulp [pʌlp] miąższ *m* (*owocu*); miazga *f* (*też anat.*); lichota *f*; **~ *novel*** brukowa literatura *f*
pul·pit ['pʊlpɪt] ambona *f*
pulp·y ['pʌlpɪ] (***-ier, -iest***) miazgowaty
pul·sate [pʌl'seɪt] pulsować, tętnić
pulse [pʌls] puls *m*, tętno *n*
pul·ver·ize ['pʌlvəraɪz] rozdrabniać ⟨-drobnić⟩, ⟨s⟩proszkować
pu·ma ['pjuːmə] *zo.* puma *f*
pum·mel ['pʌml] (*zwł. Brt.* ***-ll-***, *Am.* ***-l-***) okładać kułakami
pump [pʌmp] **1.** pompa *f*, pompka *f*; dystrybutor *m* (*paliwa*); **2.** ⟨na⟩pompować; tłoczyć; *pieniądze itp.* wtłaczać ⟨-tłoczyć⟩; tryskać; F ciągnąć za język; **'~ at·tend·ant** operator *m* dystrybutora paliwa
pump·kin ['pʌmpkɪn] *bot.* dynia *f*
pun [pʌn] **1.** gra *f* słów; kalambur *m*; **2.** (***-nn-***) ⟨u⟩tworzyć kalambury
punch¹ [pʌntʃ] **1.** uderzać ⟨-rzyć⟩ (*pięścią*); **2.** uderzenie *n* (*pięścią*)
punch² [pʌntʃ] **1.** ⟨prze⟩dziurkować; *dziurkę* ⟨z⟩robić; *bilet* ⟨s⟩kasować; **~ *in*** *zwł. Am.* podbijać ⟨-bić⟩ kartę przy przyjściu do pracy; **~ *out*** *zwł. Am.* podbijać ⟨-bić⟩ kartę przy wychodzeniu z pracy; **2.** dziurkarka *f*; dziurkacz *m*; *tech.* przebijak *m*; stempel *m*
punch³ [pʌntʃ] poncz *m*
Punch [pʌntʃ] Punch *m* (*okrutna postać teatru kukiełkowego*); ***be as pleased*** *lub* ***proud as ~*** cieszyć się jak dziecko; **~ and Ju·dy show** [pʌntʃ ən 'dʒuːdɪ ʃəʊ] Punch i Judy (*postacie teatru kukiełkowego*)
'punch card, punched 'card karta *f* perforowana
punc·tu·al ['pʌŋktʃʊəl] punktualny
punc·tu|·ate ['pʌŋktʃʊeɪt] wstawiać ⟨-wić⟩ znaki przestankowe; **~·a·tion** [pʌŋktʃʊ'eɪʃn] interpunkcja *f*; **~'a·tion mark** znak *m* przestankowy
punc·ture ['pʌŋktʃə] **1.** dziura *f*; przedziurawienie *n*; *mot.* przebicie *n* dętki, F guma *f*; **2.** ⟨prze⟩dziurawić; ⟨prze⟩dziurawić dętkę; F ⟨z⟩łapać gumę
pun·gent ['pʌndʒənt] ostry (*też fig.*); dotkliwy
pun·ish ['pʌnɪʃ] ⟨u⟩karać; **'~a·ble** karalny, podlegający karze; **'~·ment** kara *f*; ukaranie *n*
punk [pʌŋk] punk *m*; *attr.* punkowy; **~ 'rock** punk-rock *m*
pu·ny ['pjuːnɪ] (***-ier, -iest***) wątły
pup [pʌp] *zo.* szczeniak *m*, szczenię *n*
pu·pa ['pjuːpə] *zo.* (*pl.* ***-pae*** [-piː], ***-pas***) poczwarka *f*; ⚠ *nie* ***pupa***
pu·pil¹ ['pjuːpl] uczeń *m* (uczennica); ⚠ *nie* ***pupil***
pu·pil² ['pjuːpl] *anat.* źrenica *f*
pup·pet ['pʌpɪt] lalka *f*; *fig.* marionetka *f*; *attr.* marionetkowy; **'~ show** teatr *m* lalek; **pup·pe·teer** [pʌpɪ'tɪə] lalkarz *m*
pup·py ['pʌpɪ] *zo.* szczeniak *m*, szczenię *n*
pur|·chase ['pɜːtʃəs] **1.** kupować⟨-pić⟩, nabywać ⟨-być⟩; **2.** nabytek *m*; ***make ~chases*** kupować; **'~·chas·er** kupujący *m* (-ca *f*), nabywca
pure [pjʊə] (***-r, -st***) czysty; **'~·bred** czystej krwi
pur·ga·tive ['pɜːgətɪv] *med.* **1.** przeczyszczający; **2.** środek *m* przeczyszczający
pur·ga·to·ry ['pɜːgətərɪ] *rel.* czyściec *m*
purge [pɜːdʒ] **1.** *w partii itp.* ⟨z⟩robić czystkę; oczyszczać ⟨-yścić⟩ (***of*** z *G*); **2.** czystka *f*
pu·ri·fy ['pjʊərɪfaɪ] oczyszczać ⟨-yścić⟩
pu·ri·tan ['pjʊərɪtən] **1.** purytanin *m* (-anka *f*); **2.** purytański
pu·ri·ty ['pjʊərətɪ] czystość *f*
purl [pɜːl] **1.** lewe oczko *n*; **2.** wyrabiać ⟨-robić⟩ lewe oczko
pur·loin [pɜː'lɔɪn] przywłaszczać ⟨-czyć⟩ sobie
pur·ple ['pɜːpl] fioletowy; purpurowy
pur·pose ['pɜːpəs] **1.** cel *m*; zdecydowanie *n*; ***on ~*** celowo; ***to no ~*** bezskutecznie, daremnie; **2.** zamierzać, mieć zamiar; **'~·ful** celowy, rozmyślny; **'~·less** bezcelowo, daremnie; **'~·ly** celowo
purr [pɜː] *kot, silnik*: ⟨za⟩mruczeć
purse¹ [pɜːs] portmonetka *f*; *Am.* torebka *f* (*damska*); pieniądze *pl.*, fundusz *m*
purse² [pɜːs]: **~ (*up*) *one's lips*** zaciskać ⟨-snąć⟩ usta
pur·su·ance [pə'sjuːəns]: ***in*** (***the***) ***~ of his duty*** w trakcie wykonywania swoich obowiązków
pur|·sue [pə'sjuː] ścigać; *studia itp.* kontynuować; *zawód* wykonywać; dążyć do (*G*) (*celu*); *fig.* prześladować;

P

~'su•er prześladowca *m* ścigający *m* (-ca *f*); **~•suit** [pə'sjuːt] pościg *m*; zajęcie *n*

pur•vey [pə'veɪ] *żywność* dostarczać ⟨-czyć⟩; **~•or** dostawca *m*

pus [pʌs] *med.* ropa *m*

push [pʊʃ] **1.** pchać, popychać ⟨-pchnąć⟩; *guzik itp.* naciskać ⟨-snąć⟩; ⟨za-, roz⟩reklamować; *narkotykami itp.* handlować; *fig.* naciskać ⟨-snąć⟩ (***to do s.th.*** aby coś zrobić); **~ *one's way*** przepychać ⟨-pchnąć⟩ się (***through*** przez *A*); **~ *ahead with*** zamierzenie kontynuować; **~ *along*** F jechać, iść; **~ *around*** F pomiatać (*I*); **~ *for*** domagać się (*G*); **~ *forward with*** → ***push ahead with***; **~ *o.s. forward*** *fig.* pchać się do przodu; **~ *in*** F wpychać ⟨wepchnąć⟩ się; **~ *off!*** F spływaj!; **~ *on with*** → ***push ahead with***; **~ *out*** *fig.* wyrzucać ⟨-cić⟩; **~ *through*** *fig.* przepychać ⟨-pchnąć⟩; **~ *up*** *cenę* ⟨wy⟩windować; **2.** pchnięcie *n*; popchnięcie *n*; naciśnięcie *n*; akcja *f* reklamowa; F energia *f*, zapał *m*; **'~ but•ton** guzik *m*, przycisk *m*, klawisz *m*; **'~-but•ton** *tech.* na guziki, na klawisze; ***~-button (tele)phone*** telefon *m* na klawisze; **'~•chair** *Brt.* wózek *m* spacerowy; **'~•er** *pej.* handlarz *m* narkotykami; **'~•o•ver** F dziecinna zabawka *f*, łatwizna *f*; **'~-up** *Am.* → ***press-up***

puss [pʊs] F kicia *f*

'pus•sy *też* **~ *cat*** kiciuś *m*; V cipa *f*; **'~•foot** F: ***~foot about/around*** postępować ⟨-tąpić⟩ ostrożnie

put [pʊt] (***-tt-***; ***put***) kłaść ⟨położyć⟩; umieszczać ⟨-mieścić⟩; odkładać ⟨odłożyć⟩; stosować; *na rynek, do obrotu itp.* wprowadzać ⟨-dzić⟩; *na miejsce* stawiać ⟨-wić⟩, kłaść ⟨położyć⟩; *porządek* zaprowadzać ⟨-dzić⟩; *uczucia* wkładać ⟨włożyć⟩; (*w sporcie*) *kulę* pchać; *słowami* wyrażać ⟨-razić⟩; *kłopoty* przysparzać ⟨-porzyć⟩; *pytania* przedstawiać ⟨-wić⟩; przekładać ⟨przełożyć⟩ (***into Polish*** na polski); *winę* składać ⟨złożyć⟩; **~ *right*** ⟨u⟩porządkować; **~ *s.th. before s.o.*** *fig.* przedstawiać ⟨-wić⟩ coś komuś; **~ *to bed*** kłaść ⟨położyć⟩ do łóżka; **~ *about*** *plotki* rozgłaszać; **~ *across*** przekazywać ⟨-zać⟩, ⟨u⟩czynić zrozumiałym; **~ *ahead*** wychodzić na prowadzenie; **~ *aside*** odkładać ⟨odłożyć⟩; nie zwracać uwagi na (*A*); **~ *away*** odkładać ⟨odłożyć⟩ (*z powrotem*); **~ *back*** (*na miejsce*) odkładać ⟨odłożyć⟩; przekładać ⟨przełożyć⟩; *wskazówki zegara* cofać ⟨-fnąć⟩ (***by*** o *A*); **~ *by*** *pieniądze* odkładać ⟨odłożyć⟩; **~ *down*** *v/t.* odkładać ⟨odłożyć⟩; kłaść ⟨położyć⟩; *kogoś* poniżać ⟨-żyć⟩; (*z samochodu*) wysadzać ⟨-dzić⟩; *bunt* ⟨s⟩tłumić, zdusić; zapisywać ⟨-sać⟩; *zwierzę* usypiać ⟨uśpić⟩; (*też v/i.*) *aviat.* ⟨wy⟩lądować; **~ *down to*** przypisywać ⟨-sać⟩; **~ *forward*** *plan itp.* przedstawiać ⟨-wić⟩; *wskazówki zegara* przesuwać ⟨-sunąć⟩ do przodu (***by*** o *A*); przesuwać ⟨-sunąć⟩ (***two days*** o dwa dni; ***to*** na *A*); **~ *in*** *v/t.* wkładać ⟨włożyć⟩, umieszczać ⟨-mieścić⟩ w (*L*); *rośliny* ⟨po⟩sadzić; *sprzęt* ⟨za⟩instalować; *żądanie, dokument, rachunek itp.* przedstawiać ⟨-wić⟩; *pieniądze* wpłacać ⟨-cić⟩; ⟨za⟩inwestować; *czas, pracę* wkładać ⟨włożyć⟩ (***on*** przy *L*); *v/i. naut.* wchodzić ⟨wejść⟩ do portu (***to*** do *G*); **~ *off*** odkładać ⟨odłożyć⟩ (***until*** do *G*); *kogoś* zwodzić ⟨zwieść⟩; ⟨z⟩deprymować; rozpraszać ⟨-roszyć⟩; **~ *on*** *ubranie, czapkę itp.* wkładać ⟨włożyć⟩ (na siebie), nakładać ⟨nałożyć⟩; *światło, radio* włączać ⟨-czyć⟩; *dodatkowy pociąg* podstawiać ⟨-wić⟩; *theat. sztukę* przedstawiać ⟨-wić⟩; F nabierać ⟨-brać⟩; *cenę* zwiększać ⟨-szyć⟩; **~ *on airs*** wywyższać się; **~ *on weight*** przybierać ⟨-brać⟩ na wadze; **~ *out*** *v/t.* wyjmować ⟨-jąć⟩; ⟨z⟩gasić; *przed dom* wystawiać ⟨-wić⟩; *kota* wypuszczać ⟨-puścić⟩; *rękę* wyciągać ⟨-gnąć⟩; *język* wystawiać ⟨-wić⟩; nadawać ⟨-dać⟩ (*program*); *oświadczenie* wydawać ⟨-dać⟩; *kogoś* ⟨z⟩denerwować; *komuś* sprawiać kłopot; *ramię* zwichnąć, naciągnąć; *v/i. naut.* wypływać ⟨-łynąć⟩; **~ *over*** → ***put across***; **~ *through*** *tel.* ⟨po⟩łączyć (***to*** z *I*); przeprowadzać ⟨-dzić⟩; **~ *together*** składać ⟨złożyć⟩; zestawiać ⟨-wić⟩; **~ *up*** *v/t. rękę, cenę* podnosić ⟨-nieść⟩; *namiot* stawiać ⟨postawić⟩; *budynek* wznosić ⟨wznieść⟩; *obraz* zawieszać ⟨-wiesić⟩; *plakat* wywieszać ⟨-wiesić⟩; *parasol* rozkładać ⟨-złożyć⟩; *na noc* ⟨u⟩lokować; *na sprzedaż* wystawiać ⟨-wić⟩; *pieniądze* zbierać ⟨zebrać⟩; *opór* stawiać ⟨-wić⟩; *obóz* rozkładać ⟨-złożyć⟩;

~ up with znosić ⟨znieść⟩
pu·tre·fy ['pjuːtrɪfaɪ] powodować gnicie
pu·trid ['pjuːtrɪd] gnijący; F okropny
put·ty ['pʌtɪ] **1.** kit *m*; **2.** ⟨za⟩kitować
'put-up job F ukartowana gra *f*
puz·zle ['pʌzl] **1.** zagadka *f*, łamigłówka *f*; → ***jigsaw*** (***puzzle***); **2.** *v/t.* stanowić zagadkę; ***be ~d*** być zaskoczonym; **~ *out*** rozwiązanie wymyślić, znaleźć; *v/i.* łamać sobie głowę (***about, over*** nad *I*)
PX [piː 'eks] *TM* (*pl.* ***-s*** [- 'eksɪz]) *skrót*: ***post exchange*** (*kasyno dla członków sił zbrojnych USA*)
pyg·my ['pɪgmɪ] Pigmej(ka *f*) *m*; karzeł *m*; *attr.* karłowaty
py·ja·mas [pə'dʒɑːməz] *Brt. pl.* (***a pair of ~***) piżama *f*
py·lon ['paɪlən] pylon *m*; słup *m* wysokiego napięcia
pyr·a·mid ['pɪrəmɪd] piramida *f*
pyre ['paɪə] stos *m* pogrzebowy
py·thon ['paɪθn] *zo.* (*pl.* ***-thons, -thon***) pyton *m*
pyx [pɪks] *rel.* puszka *f* na komunikanty

Q

Q, q [kjuː] Q, q *n*
qt *skrót pisany*: ***quart*** kwarta *f* (*Brt. 1,14 l, Am. 0,95 l*)
quack¹ [kwæk] **1.** ⟨za⟩kwakać, kwaknąć; **2.** kwaknięcie *n*
quack² [kwæk] *też* **~ *doctor*** szarlatan *m*; *Brt.* konował *m*; **~·er·y** ['kwækərɪ] szarlatańʹstwo *n*
quad·ran|·gle ['kwɒdræŋgl] czworokąt *m*; **~·gu·lar** [kwɒ'dræŋgjʊlə] czworokątny
quad·ra·phon·ic [kwɒdrə'fɒnɪk] (***~ally***) kwadrofoniczny
quad·ri·lat·er·al [kwɒdrɪ'lætərəl] **1.** czworobok *m*; **2.** czworoboczny
quad·ro·phon·ic [kwɒdrə'fɒnɪk] kwadrofoniczny
quad·ru·ped ['kwɒdrʊped] *zo.* czworonóg *m*
quad·ru|·ple ['kwɒdrʊpl] **1.** poczwórny; czterokrotny; **2.** zwiększać (się) czterokrotnie *lub* poczwórnie; **~·plets** ['kwɒdrʊplɪts] *pl.* czworaczki *pl.*
quads [kwɒdz] F *pl.* czworaczki *pl.*
quag·mire ['kwægmaɪə] bagno *n*, trzęsawisko *n* (*też fig.*)
quail [kweɪl] *zo.* (*pl.* ***quail, quails***) przepiórka *f*
quaint [kweɪnt] osobliwy, niespotykany
quake [kweɪk] **1.** trząść się (***with, for*** z *D*, ***at*** na *A*); **2.** F trzęsienie *n* ziemi
Quak·er ['kweɪkə] *rel.* kwakier(ka *f*) *m*
qual·i|·fi·ca·tion [kwɒlɪfɪ'keɪʃn] kwalifikacje *pl.*, predyspozycje *pl.* (***for*** do *G*); zastrzeżenie *n*; **~·fied** ['kwɒlɪfaɪd] wykwalifikowany; dyplomowany; ***be ~fied to*** mieć kwalifikacje do (*G*); z zastrzeżeniami; **~·fy** ['kwɒlɪfaɪ] *v/t.* ⟨za⟩kwalifikować (***for*** do *G*); nadawać ⟨-dać⟩ kwalifikacje (***to do*** do wykonywania); ⟨z⟩modyfikować; *v/i.* kwalifikować się (***for*** do *G*); nabywać ⟨-być⟩ kwalifikacji; nabywać prawa (***for*** do *G*); *sport*: ⟨za⟩kwalifikować się (***for*** do *G*); **~·ty** ['kwɒlətɪ] jakość *f*; właściwość *f*, cecha *f*
qualms [kwɑːmz] *pl.* skrupuły *pl.*, obiekcje *pl.*
quan·da·ry ['kwɒndərɪ]: ***be in a ~ about what to do*** nie wiedzieć, co robić
quan·ti·ty ['kwɒntətɪ] ilość *f*
quan·tum ['kwɒntəm] *phys.* (*pl.* ***-ta*** [-tə]) kwant *m*; *attr.* kwantowy
quar·an·tine ['kwɒrəntiːn] **1.** kwarantanna *f*; **2.** poddawać ⟨-dać⟩ kwarantannie
quar·rel ['kwɒrəl] **1.** kłótnia *f*, sprzeczka *f*; spór *m*; **2.** (*zwł. Brt.* ***-ll-*** , *Am.* ***-l-***) kłócić się; ⟨s⟩kłócić; **'~·some** kłótliwy
quar·ry¹ ['kwɒrɪ] kamieniołom *m*
quar·ry² ['kwɒrɪ] *hunt.* zdobycz *f*; *fig.* ofiara *f*
quart [kwɔːt] kwarta *f* (*skrót*: ***qt***) (*Brt. 1,14 l, Am. 0,95 l*)
quar·ter ['kwɔːtə] **1.** ćwierć *f*, ćwiartka *f*; kwartał *m*; kwadrans *m*; ćwierć *f* funta; ćwierć *f* dolara; (*w sporcie*) kwarta *f*; (*księżyca*) kwadra *f*; dzielnica *f*; strona *f* (*świata*); ćwierćtusza *f*; **~*s*** *pl.* za-

Q

kwaterowanie *n*; *mil.* kwatera *f*; ***a ~ of an hour*** kwadrans *m*; ***a ~ to*** (*Am.* ***of***) ***five*** za kwadrans piąta; ***a ~ past*** (*Am.* ***after***) ***five*** piętnaście po piątej; ***at close ~s*** z bliska; ***from official ~s*** ze strony urzędu; **2.** ⟨po⟩ćwiartować; *zwł. mil.* zakwaterować (***on*** u *A*); **'~·deck** achterdek *m*, pokład *m* rufowy; **~'fi·nals** *pl.* ćwierćfinały *pl.*; **'~·ly 1.** kwartalnie; **2.** kwartalnik *m*

quar·tet(te) [kwɔː'tet] *mus.* kwartet *m*

quartz [kwɔːts] *mins.* kwarc *m*; *attr.* kwarcowy; **'~ clock** zegar *m* kwarcowy; **'~ watch** naręczny zegarek *m* kwarcowy

qua·ver ['kweɪvə] **1.** *głos*: ⟨za⟩drżeć; mówić ⟨powiedzieć⟩ drżącym głosem; **2.** drżenie *n*; *mus.* ósemka *f*

quay [kiː] *naut.* nabrzeże *n*, keja *f*

quea·sy ['kwiːzɪ] (**-ier, -iest**): ***I feel ~*** niedobrze mi, mdli mnie

queen [kwiːn] królowa *f*; (*w kartach*) dama *f*; (*w grze w warcaby*) damka *f*; (*w szachach*) królowa *f*, hetman *m*; *sl.* pedał *m*, homo *m*; **~ 'bee** (*w ulu*) matka *f*; **'~·ly** królewski, jak królowa

queer [kwɪə] **1.** dziwaczny; F pedałowaty, pedalski; **2.** F pedał *m*

quench [kwentʃ] *pragnienie* ugasić

quer·u·lous ['kwerʊləs] marudny

que·ry ['kwɪərɪ] **1.** pytanie *n*, zapytanie *n*; wątpliwość *f*; **2.** zapytywać ⟨-tać⟩, dowiadywać się

quest [kwest] **1.** poszukiwanie *n*; ***in ~ of*** w poszukiwaniu (*G*); **2.** poszukiwać

ques·tion ['kwestʃən] **1.** pytanie *n*; problem *m*, zagadnienie *n*; kwestia *f*; wątpliwość *f*; ***only a ~ of time*** tylko kwestia czasu; ***this is not the point in ~*** to nie o to chodzi; ***there is no ~ that, it is beyond ~ that*** nie ulega kwestii, że; ***there is no ~ about this*** co do tego nie ma żadnych wątpliwości; ***be out of the ~*** być wykluczonym; **2.** ⟨za⟩pytać (***about*** o *A*); *jur.* pytać (***about*** o *A*); ⟨za⟩kwestionować; **'~·a·ble** wątpliwy, sporny; **'~·er** osoba *f* zadająca pytanie; **'~ mark** znak *m* zapytania; **'~ mas·ter** *zwł. Brt.* osoba *f* prowadząca kwiz

ques·tion·naire [kwestʃə'neə] kwestionariusz *m*

queue *zwł. Brt.* [kjuː] **1.** ogonek *m*, kolejka *f*; **2.** *zw.* ***~ up*** stawać ⟨stanąć⟩ do kolejki, ustawiać ⟨-wić⟩ się w kolejce

quib·ble ['kwɪbl] ⟨po⟩sprzeczać się (***with*** z *I*, ***about, over*** o *A*)

quick [kwɪk] **1.** *adj.* szybki, prędki; zapalczywy; ***be ~!*** pospiesz się!; **2.** *adv.* szybko, prędko; **3.** ***cut s.o. to the ~*** dotknąć kogoś do żywego; **'~·en** przyspieszać ⟨-szyć⟩; **'~-freeze** (**-froze, -frozen**) *żywność* szybko zamrażać ⟨-rozić⟩; **~·ie** ['kwɪkɪ] F (*coś krótkiego, naprędce, np.*) krótkie pytanie *n*; **'~·ly** szybko, prędko; **'~·sand** lotne piaski *pl.*, kurzawka *f*; **~-'tem·pered** zapalczywy; **~-'wit·ted** lotny

quid *Brt. sl.* [kwɪd] (*pl.* ***quid***) *pieniądze*: funt *m*

qui·et ['kwaɪət] **1.** cichy; spokojny; ***~, please*** proszę o ciszę; ***be ~!*** siedź cicho!; **2.** cisza *f*, spokój *m*; ***on the ~*** F cichaczem; **3.** *zwł. Am.* → **~·en** *zwł. Brt.* ['kwaɪətn] *też* ***~en down*** uciszać ⟨-szyć⟩ (się); uspokajać ⟨-koić⟩ (się); **'~·ness** cisza *f* spokój *m*

quill [kwɪl] *zo. długie* pióro *n*; kolec *m*; **~ ('pen)** gęsie pióro *n* (*do pisania*)

quilt [kwɪlt] kołdra *f*; narzuta *f*, kapa *f*; **'~·ed** pikowany

quince [kwɪns] *bot.* pigwa *f*

quin·ine [kwɪ'niːn] *pharm.* chinina *f*

quins [kwɪnz] *Brt.* F *pl.* pięcioraczki *pl.*

quin·tes·sence [kwɪn'tesns] kwintesencja *f*, esencja *f*

quin·tet(te) [kwɪn'tet] *mus.* kwintet *m*

quints [kwɪnts] *Am.* F *pl.* pięcioraczki *pl.*

quin·tu|·ple ['kwɪntjʊpl] **1.** pięciokrotny; **2.** zwiększać (się) pięciokrotnie; **~·plets** ['kwɪntjʊplɪts] pięcioraczki *pl.*

quip [kwɪp] **1.** dowcipna uwaga *f*; **2.** (**-pp-**) zrobić dowcipną uwagę

quirk [kwɜːk] osobliwość *f*; ***by some ~ of fate*** jakimś zrządzeniem losu

quit [kwɪt] F (**-tt-**; *Brt.* **~** *lub* **~ted**, *Am. zwł.* **~**) *v/t.* opuszczać; przestawać ⟨-tać⟩; ***~ one's job*** porzucać ⟨-cić⟩ pracę; *v/i.* odchodzić ⟨odejść⟩

quite [kwaɪt] całkiem, zupełnie; dość; ***~ a few*** dość dużo; ***~ nice*** całkiem przyjemny; ***~ (so)!*** *zwł. Brt.* ano właśnie!; ***be ~ right*** mieć zupełnie rację; ***she's ~ a beauty*** z niej jest całkiem piękna dziewczyna

quits [kwɪts] F kwita (***with*** z *I*); ***call it ~*** to kwita

Q

quit·ter ['kwɪtə] F: ***be a ~*** łatwo się poddawać ⟨-ddać⟩
quiv·er[1] ['kwɪvə] ⟨za⟩drżeć (***with*** z *G*; ***at*** na *A*)
quiv·er[2] ['kwɪvə] kołczan *m*
quiz [kwɪz] **1.** (*pl.* ***quizzes***) kwiz *m*, quiz *m*; *zwł. Am.* test *m*, sprawdzian *m*; **2.** (**-zz-**) wypytywać ⟨-tać⟩, rozpytywać ⟨-tać⟩ (***about*** o *L*); **'~·mas·ter** *zwł. Am.* prowadzący *m* (-ca *f*) kwiz; **~·zi·cal** ['kwɪzɪkl] *spojrzenie*: zagadkowy
quo·ta ['kwəʊtə] limit *m*, dopuszczalna ilość *f*; kontyngent *m*
quo·ta·tion [kwəʊ'teɪʃn] cytat *m*; *econ.* oferta *f*; *econ.* stawka *f*, *econ. giełdowe* notowanie *n*; **~ marks** *pl.* cudzysłów *m*
quote [kwəʊt] ⟨za⟩cytować, *przykład* przytaczać ⟨-toczyć⟩; *econ. cenę* podawać ⟨-dać⟩; ***be ~d at*** *econ.* być notowanym na (*L*); → ***unquote***
quo·tient ['kwəʊʃnt] *math.* iloraz *m*

R

R, r [ɑː] R, r *n*
rab·bi ['ræbaɪ] *rel.* rabin *m*; *tytuł*: rabbi *m*
rab·bit ['ræbɪt] *zo.* królik *m*
rab·ble ['ræbl] hołota *f*, motłoch *m*; **~-rous·ing** ['ræblraʊzɪŋ] podżegający, judzący
rab·id ['ræbɪd] *vet.* wściekły; *fig.* fanatyczny
ra·bies ['reɪbiːz] *vet.* wścieklizna *f*
rac·coon [rə'kuːn] *zo.* szop *m* pracz
race[1] [reɪs] rasa *f*
race[2] [reɪs] **1.** wyścig *m*; **2.** *v/i.* ścigać się; brać ⟨wziąć⟩ udział w wyścigu; ⟨po⟩pędzić, ⟨po⟩mknąć; *serce*: walić; *v/t.* ścigać się z (*I*); *konia* wystawiać ⟨-wić⟩ w wyścigach; *silnik*: pracować na przyspieszonych obrotach; **'~ car** *zwł. Am.* samochód *m* wyścigowy; **'~·course** *sport konny*: tor *m* wyścigowy; hipodrom *m*; **'~·horse** koń *m* wyścigowy; **'rac·er** koń *m* wyścigowy; rower *m* wyścigowy; samochód *m* wyścigowy; **'~·track** (*w sporcie*) tor *m* wyścigowy; bieżnia *f*
ra·cial ['reɪʃl] rasowy
rac·ing ['reɪsɪŋ] wyścigowy; **'~ car** *zwł. Brt.* samochód *m* wyścigowy
ra|·cis·m ['reɪsɪzəm] rasizm *m*; **~·cist** ['reɪsɪst] **1.** rasista *m* (-tka *f*); **2.** rasistowski
rack [ræk] **1.** stojak *m*; suszarka *f* (*na naczynia*); stelaż *m* (*na gazety*); *rail.* półka *f*; *mot.* bagażnik *m* (*dachowy*); **2.** ***be ~ed by*** *lub* ***with*** być dręczonym (*I*); ***~ one's brains*** łamać sobie głowę
rack·et[1] ['rækɪt] *tenisowa* rakieta *f*
rack|·et[2] ['rækɪt] harmider *m*, rejwach *m*; oszustwo *n*; wymuszenie *n*, szantaż *m*; **~·e·teer** [rækə'tɪə] szantażysta *m* (-tka *f*)
ra·coon [rə'kuːn] *zo.* → ***raccoon***
rac·y ['reɪsɪ] (***-ier, -iest***) *opowiadanie*: pikantny
ra·dar ['reɪdə] radar *m*; *attr.* radarowy; **'~ screen** ekran *m* radaru; **~ 'speed check** kontrola *f* radarowa; **'~ sta·tion** stacja *f* radarowa; **'~ trap** *mot.* kontrola *f* radarowa
ra·di·al ['reɪdjəl] **1.** radialny; promieniowy; **2.** opona *f* radialna; **~ 'tire** *Am.*, **~ 'tyre** *Brt.* → ***radial*** 2
ra·di·ant ['reɪdjənt] promienisty; *fig.* promienny, rozpromieniony (***with*** z powodu *G*)
ra·di|·ate ['reɪdɪeɪt] promieniować; rozchodzić się promieniowo (***from*** z *G*); **~·a·tion** [reɪdɪ'eɪʃn] radiacja *f*, promieniowanie *n*; **~·a·tor** ['reɪdɪeɪtə] grzejnik *m*, kaloryfer *m*; *mot.* chłodnica *f*
rad·i·cal ['rædɪkl] **1.** radykalny (*też pol.*); *math.* pierwiastkowy; **2.** radykał *m*; *math.* pierwiastek *m*, znak *m* pierwiastka
ra·di·o ['reɪdɪəʊ] **1.** (*pl.* ***-os***) radio *m*; radioodbiornik *m*; *attr.* radiowy; ***by ~*** radiem, drogą radiową; ***on the ~*** w radiu; **2.** przekazywać ⟨-zać⟩ drogą radiową; **~'ac·tive** radioaktywny, promieniotwórczy; ***~active waste*** odpady *pl.* promieniotwórcze; **~·ac'tiv·i·ty** radioaktywność *f*, promieniotwórczość *f*; **'~ ham** radioamator *m*; **'~ play** słuchowisko *m*; **'~ set** odbiornik *m* radiowy;

'~ **sta·tion** stacja *f* radiowa; ~'**ther·a·py** *med.* radioterapia *f*; ~ '**tow·er** wieża *f* radiowa
rad·ish ['rædɪʃ] *bot.* rzodkiew(ka) *f*
ra·di·us ['reɪdjəs] (*pl.* ***-dii*** [-dɪaɪ]) promień *m*
RAF [ɑːr eɪ 'ef, ræf] *skrót*: ***Royal Air Force*** RAF *m*
raf·fle ['ræfl] **1.** loteria *f* fantowa, tombola *f*; **2.** *też* ~ ***off*** dawać ⟨dać⟩ w nagrodę
raft [rɑːft] tratwa *f*
raf·ter ['rɑːftə] krokiew *f*
rag [ræg] szmata *f*; ścierka *f*; łach *m*; ***in ~s*** w łachmanach; ~**-and-'bone man** (*pl.* ***-men***) *zwł. Brt.* szmaciarz *m* (-ciarka *f*), handlarz *m* (-arka *f*) starzyzną
rage [reɪdʒ] **1.** wściekłość *f*, szał *m*; ***fly into a ~*** wpaść we wściekłość *f*; ***the latest ~*** F najnowsza moda *f*; ***be all the ~*** być ostatnim krzykiem *m* mody; **2.** wściekać się (***against, at*** na *A*); *choroba*: szaleć
rag·ged ['rægɪd] obszarpany; obdarty; *broda, linia*: nierówny
raid [reɪd] **1.** (***on***) napad (na *A*); *mil. też* nalot *m* (na *A*), wypad *m* (na *A*); obława *f* (na *A*); **2.** napadać ⟨-paść⟩, najeżdżać ⟨-jechać⟩; ⟨z⟩robić obławę
rail [reɪl] **1.** poręcz *f*; barierka *f*; wieszak *m* (*na ręczniki*); szyna *f*; *rail.* kolej *f*; ~***s*** *pl. też* tory *pl.*; ***by ~*** koleją, pociągiem; **2.** ~ ***off*** odgradzać ⟨-rodzić⟩; '~**·ing**, *często* ~***s*** *pl.* balustrada *f*, ogrodzenie *n*
'**rail·road** *Am.* → ***railway***
'**rail·way** *zwł. Brt.* kolej *f*; '~ **line** *Brt.* linia *f* kolejowa; '~**·man** (*pl.* ***-men***) kolejarz *m*; '~ **sta·tion** *Brt.* dworzec *m*, stacja *f* kolejowa
rain [reɪn] **1.** deszcz *m*; ~***s*** *pl.* opady *pl.* deszczu; ***the ~s*** pora *f* deszczowa; (***come***) ~ ***or shine*** bez względu na pogodę; **2.** *deszcz*: padać; ***it is ~ing*** (deszcz) pada; ***it is ~ing cats and dogs*** F leje jak z cebra; ***it never ~s but pours*** nieszczęścia chodzą parami; '~**·bow** tęcza *f*; '~**·coat** płaszcz *m* przeciwdeszczowy; '~**·fall** opady *pl.* deszczu; '~ **for·est** *bot.* wilgotny las równikowy, selwa *f*; '~**·proof** wodoodporny; '~**·y** (***-ier, -iest***) deszczowy; ***save s.th. for a ~y day*** odkładać ⟨odłożyć⟩ coś na czarną godzinę
raise [reɪz] **1.** podnosić ⟨-nieść⟩; *budynek* wznosić ⟨-nieść⟩; unosić ⟨unieść⟩; uprawiać, hodować; wychowywać ⟨-wać⟩; *pieniądze* zdobywać ⟨-być⟩; zbierać ⟨zebrać⟩; *zagadnienie* poruszać ⟨-szyć⟩; *blokadę, zakaz* znosić ⟨znieść⟩; **2.** *Am.* podwyżka *f* (*płacy*)
rai·sin ['reɪzn] rodzynka *f*, rodzynek *m*
rake [reɪk] **1.** grabie *pl.*; **2.** *v/t.*: ~ (***up***) grabić, zagrabiać ⟨-bić⟩, zgrabiać ⟨-bić⟩; *v/i.* ~ ***about***, ~ ***around*** przetrząsnąć
rak·ish ['reɪkɪʃ] hulaszczy; zawadiacki
ral·ly ['rælɪ] **1.** zbierać ⟨zebrać⟩ się; poprawiać ⟨-wić⟩ się, ożywiać ⟨-wić⟩ się (*też econ.*); ~ ***round*** skupiać ⟨-pić⟩ się wokół (*G*); **2.** wiec *m*, zgromadzenie *n*; *mot.* rajd *m*; (*w tenisie itp.*) wymiana *f* piłek
ram [ræm] **1.** *zo.* baran *m*, tryk *m*; *tech.* kafar *m*; bijak *m*; **2.** (***-mm-***) ⟨s⟩taranować; ubijać ⟨ubić⟩; wbijać ⟨wbić⟩, zasuwać ⟨-unąć⟩; ~ ***s.th. down s.o.'s throat*** wciskać coś komuś na siłę
RAM [ræm] *skrót*: ***random access memory*** *komp.* RAM *m*, pamięć *f* o swobodnym dostępie
ram|·ble ['ræmbl] **1.** wędrować, włóczyć się; ględzić (chaotycznie); płozić się, rozrastać ⟨-rosnąć⟩ się; **2.** wędrówka *f*; '~**·bler** wędrowiec *m*; *bot.* pnącze *n*; '~**·bling** chaotyczny, bez ładu i składu; chaotycznie zbudowany; *bot.* pnący
ram·i·fy ['ræmɪfaɪ] rozwidlać ⟨-lić⟩ się
ramp [ræmp] rampa *f*, pochylnia *f*; *Am.* → ***slip road***
ram·page [ræm'peɪdʒ] **1.** ~ ***through*** przejść tratując przez (*A*); **2.** ***go on the ~ through*** przejść niszcząc przez (*A*)
ram·pant ['ræmpənt]: ***be ~*** szerzyć się; rozrastać się
ram·shack·le ['ræmʃækl] rozklekotany; rozwalający się
ran [ræn] *pret. od* ***run***
ranch [rɑːntʃ, *Am.* ræntʃ] ranczo *n*, rancho *n*; *Am.* ferma *f* (*drobiu itp.*); '~**·er** ranczer *m*; farmer *m*, hodowca *m*
ran·cid ['rænsɪd] zjełczały
ran·co(u)r ['ræŋkə] nienawiść *f*, wrogość *f*
ran·dom ['rændəm] **1.** *adj.* przypadkowy; losowy; ~ ***sample*** próba *f* losowa; **2.** ***at ~*** przypadkowo, na oślep
rang [ræŋ] *pret. od* ***ring***[2]
range [reɪndʒ] **1.** zakres *m*; przedział *m* (cenowy), rozpiętość *f*; zasięg *m*; do-

R

nośność *f*; *econ.* asortyment *m*, wybór *m*; łańcuch *m* (*górski*); strzelnica *f*, poligon *m*; *Am.* kuchenka *f*; piec *m* (*kuchenny*); pastwisko *n*; ***at close ~*** z bliska; ***within ~ of vision*** w zasięgu wzroku; ***a wide ~ of ...***szeroki asortyment (*G*); **2.** *v/i.* ***~ ... to ..., ~ between ...and...*** *ceny*: wahać się od ... do ...; *v/t.* ⟨u⟩szeregować; **'~ find•er** *phot.* dalmierz *m*; **'rang•er** leśniczy *m*, strażnik *m* leśny; *Am.* komandos *m*

rank[1] [ræŋk] **1.** ranga *f* (*też mil.*), stanowisko *n*; *mil.* stopień *m*; pozycja *f*; rząd *m*, szereg *m*; postój *m* taksówek; ***of the first ~*** *fig.* pierwszorzędny; ***the ~ and file*** szeregowi członkowie *pl.*; doły *pl.* (*partyjne*); ***the ~s*** *pl. fig.* szeregi *pl.*, masy *pl.*; **2.** zaliczać (się) (***among*** pomiędzy *A*); zajmować miejsce (*G*); ⟨za⟩klasyfikować (się) (***as*** jako)

rank[2] [ræŋk] *trawa*: rozrosły; cuchnący, obrzydliwy; *nowicjusz*: zupełny, całkowity

ran•kle ['ræŋkl] *fig.* napełniać ⟨-nić⟩ goryczą, rozgoryczać

ran•sack ['rænsæk] przewrócić wszystko do góry nogami; ⟨s⟩plądrować

ran•som ['rænsəm] **1.** okup *m*; **2.** ⟨za⟩-płacić okup

rant [rænt]: ***~ (on) about, ~ and rave about*** rozprawiać o (*L*), perorować o (*L*)

rap [ræp] **1.** uderzenie *n*, stukanie *n*; *mus.* rap *m*; **2.** (***-pp-***) uderzać ⟨-rzyć⟩, stukać ⟨-knąć⟩

ra•pa•cious [rə'peɪʃəs] łapczywy, zachłanny

rape[1] [reɪp] **1.** ⟨z⟩gwałcić; **2.** gwałt *m*

rape[2] [reɪp] *bot.* rzepak *m*; *attr.* rzepakowy

rap•id ['ræpɪd] prędki, bystry; **ra•pid•i•ty** [rə'pɪdətɪ] prędkość *f*; **rap•ids** ['ræpɪdz] *pl.* progi *pl.* rzeczne

rapt [ræpt]: ***with ~ attention*** z niesłabnącą uwagą; **rap•ture** ['ræptʃə] zachwyt *m*; ***go into ~s*** unosić się z zachwytu

rare[1] [reə] (***-r, -st***) rzadki; *światło*: wątły

rare[2] [reə] *gastr.* (***-r, -st***) *befsztyk*: krwisty, niedosmażony

rare•bit ['reəbɪt] *gastr.* → ***Welsh rarebit***

rar•e•fied ['reərɪfaɪd] rozrzedzony

rar•i•ty ['reərətɪ] rzadkość *f*

ras•cal ['rɑːskəl] łajdak *m*; *hum.* łobuziak *m*

rash[1] [ræʃ] pochopny, nieprzemyślany

rash[2] [ræʃ] *med.* wysypka *f*

rash•er ['ræʃə] (cienki) plasterek *m* (*bekonu itp.*)

rasp [rɑːsp] **1.** ⟨wy⟩chrypieć; ⟨o⟩trzeć; **2.** tarnik *m*, raszpla *f*; chrypienie *n*, zgrzyt *m*, zgrzytanie *n*

rasp•ber•ry ['rɑːzbərɪ] *bot.* malina *m*; *attr.* malinowy

rat [ræt] *zo.* szczur *m* (*też pej.*); ***smell a ~*** *fig.* ⟨wy⟩czuć coś (niedobrego); ***~s!*** F cholera!

rate [reɪt] **1.** stopa *f*, stawka *f*; *econ.* cena *f*, kurs *m* (*walut itp.*); tempo *n*, szybkość *f*; ⚠ *nie* ***rata*** (***instal[l]ment***); ***at any ~*** w każdym bądź razie; **2.** ⟨o⟩szacować (***as*** jako *A*), oceniać ⟨-nić⟩; *na pochwałę* zasłużyć; ***be ~d as*** być uważanym za (*A*); ***~ of ex'change*** kurs *m* wymiany; ***~ of 'in•ter•est*** stopa *f* procentowa

ra•ther ['rɑːðə] raczej; dosyć, dość; ***I would*** *lub* ***had ~ go*** chciał(a)bym już pójść

rat•i•fy ['rætɪfaɪ] *pol.* ratyfikować

rat•ing ['reɪtɪŋ] oszacowanie *n*, ocena *f*; klasyfikacja filmu (*dla dzieci, dorosłych itp.*); ***~s*** *pl. radio, TV*: klasyfikacja *f*, lista *f* (*oglądalności*)

ra•ti•o ['reɪʃɪəʊ] *math.* (*pl.* ***-os***) stosunek *m*, proporcja *f*

ra•tion ['ræʃn] **1.** racja *f* (*żywności itp.*); **2.** racjonować; ***~ out*** wydzielać ⟨-lić⟩

ra•tion•al ['ræʃənl] racjonalny, rozsądny; **~•i•ty** [ræʃə'nælətɪ] racjonalność *f*, rozsądek *m*; **~•ize** ['ræʃnəlaɪz] ⟨z⟩racjonalizować; *econ. zwł. Brt.* usprawniać ⟨-nić⟩

'rat race F wyścig *m* szczurów (*niekończące się konkurowanie*)

rat•tle ['rætl] **1.** stukać (*I*); ⟨za⟩grzechotać (*I*); ⟨za⟩terkotać; ⟨za⟩turkotać; *pociąg*: łoskotać, stukotać; F zdeprymować (się), speszyć (się); ***~ at ~ off*** F odklepywać ⟨-pać⟩; ***~ on*** F trajkotać (***about*** o *L*); ***~ through*** F odbębnić (*A*); **2.** stukot *m*, grzechot *m*, terkotanie; grzechotka *f*; **'~•snake** *zo.* grzechotnik *m*

rau•cous ['rɔːkəs] jazgotliwy

rav•age ['rævɪdʒ] ⟨z⟩dewastować, ⟨s⟩pustoszyć; **'~s** *pl.* spustoszenia *pl.*

rave [reɪv] majaczyć, bredzić (***about*** o *L*); pomstować (***against*** przeciw *D*);

R

piać z zachwytu (***about*** nad *I*)

rav•el ['rævl] (*zwł. Brt.* ***-ll-***, *Am.* ***-l-***) rozplątywać ⟨-tać⟩ (się); plątać (się); → ***unravel***

ra•ven ['reɪvn] *zo.* kruk *m*

rav•e•nous ['rævənəs] wygłodniały; nienasycony

ra•vine [rə'viːn] wąwóz *m*

rav•ings ['reɪvɪŋz] *pl.* majaczenia *pl.*

rav•ish ['rævɪʃ] zniewalać ⟨-wolić⟩; **'~•ing** zniewalający

raw [rɔː] surowy (*też fig.*); *econ.*, *tech. też* nieprzetworzony; *skóra*: zaczerwieniony; *wiatr*: lodowaty; niedoświadczony; **~ *vegetables and fruit*** *pl.* surówka *f*; **~ *materials*** *pl.* surowce *pl.*; **'~•hide** skóra *f* surowa

ray [reɪ] promień *m*, *fig.* promyk *m*

ray•on ['reɪɒn] sztuczny jedwab *m*

ra•zor ['reɪzə] brzytwa *f*; maszynka *f* do golenia; golarka *f*; ***electric* ~** elektryczna maszynka *f* do golenia; **'~ blade** żyletka *f*; **~('s) 'edge**: ***be on a* ~ *edge*** *fig.* wisieć na włosku, stać na skraju przepaści

RC [ɑː 'siː] *skrót*: ***Roman Catholic*** rzym.-kat., rzymsko-katolicki

Rd *skrót pisany*: ***Road*** ul., ulica *f*

re [riː]: **~ *your letter of ...*** odnośnie Pańskiego listu z dnia ...

re... [riː] re..., ponownie, powtórnie

reach [riːtʃ] **1.** *v/t.* sięgać ⟨-gnąć⟩ (*G*); dosięgać ⟨-gnąć⟩ (*G*); osiągać ⟨-gnąć⟩; docierać ⟨dotrzeć⟩ do (*G*); dochodzić ⟨dojść⟩ do (*G*); **~ *down to*** dochodzić do (*G*); **~ *out*** sięgać ⟨-gnąć⟩ (***for*** po *A*); *ramię* wyciągać ⟨-gnąć⟩; **2.** zasięg *m*; zakres *m*; ***within* ~** w zasięgu, ***out of* ~** poza zasięgiem; ***within easy* ~** w pobliżu

re•act [rɪ'ækt] ⟨za⟩reagować (***to*** na *A*, *chem.* ***with*** z *I*); **~ *against*** występować przeciwko (*D*); **re•ac•tion** [rɪ'ækʃn] reakcja *f* (*też chem., pol.*)

re•ac•tor [rɪ'æktə] *phys.* reaktor *m*

read 1. [riːd] (***read*** [red]) ⟨prze⟩czytać; *termometr itp.*: odczytywać (-tać); *univ.* studiować (*też* ***for*** *A*); ⟨z⟩rozumieć (***as*** jako); czytać się dobrze; brzmieć; **~ (*s.th.*) *to s.o.*** komuś coś ⟨prze⟩czytać; **~ *medicine*** studiować medycynę; **2.** [red] *pret. i p.p. od* ***read*** 1; **'rea•da•ble** do czytania (*nadający się*); **'read•er** czytelnik *m* (-iczka *f*); lektor *m* (-ka *f*), starszy *m* wykładowca; czytanka *f*

read•i|•ly ['redɪlɪ] łatwo; bez przeszkód; **'~•ness** gotowość *f*

read•ing ['riːdɪŋ] czytanie *n* (*też parl.*); *tech.* wskazanie *n*; odczyt (*termometru*) *m*; rozumienie *n*

re•ad•just [riːə'dʒʌst] *tech.* dostrajać ⟨-roić⟩, ⟨s⟩korygować; **~ (*o.s.*) *to*** przystosowywać ⟨-ować⟩ się do (*G*)

read•y ['redɪ] (***-ier, -iest***) gotowy, gotów; zakończony; ***be* ~ *to do*** być bliskim zrobienia czegoś; **~ *for use*** gotowy do użycia; ***get* ~** przygotowywać ⟨-wać⟩ (się); **~ 'cash** → ***ready money***; **~-'made** konfekcyjny; **~*-made clothes*** *pl.* konfekcja *f*; **~ 'meal** wyrób *m* garmażeryjny; **~ 'mon•ey** F gotówka *f*

real [rɪəl] prawdziwy; rzeczywisty; ***for* ~** *zwł. Am.* F naprawdę; **'~ es•tate** nieruchomość *f*; **'~ es•tate a•gent** pośrednik *m* handlu nieruchomościami

re•a•lis|•m ['rɪəlɪzəm] realizm *m*; **~t** ['rɪəlɪst] realista *m* (-tka *f*); **~•tic** [rɪə'lɪstɪk] (***-ally***) realistyczny

re•al•i•ty [rɪ'ælətɪ] rzeczywistość *f*; **~ show, ~ TV** F reality show

re•a|•li•za•tion [rɪəlaɪ'zeɪʃn] realizacja *f*, urzeczywistnienie *n*; uprzytomnienie *n* sobie, zrozumienie *n*; *econ.* sprzedaż *f*; **~•lize** ['rɪəlaɪz] ⟨z⟩realizować, urzeczywistnić; zdawać ⟨zdać⟩ sobie sprawę, uświadamiać ⟨-domić⟩ sobie; sprzedawać ⟨-dać⟩, spieniężać ⟨-żyć⟩

real•ly ['rɪəlɪ] naprawdę, faktycznie, rzeczywiście

realm [relm] królestwo *n*; *fig.* domena *f*

real•tor ['rɪəltə] *Am.* pośrednik *m* handlu nieruchomościami

reap [riːp] *zboże* żąć, zżynać ⟨zżąć⟩; *plony* zbierać ⟨zebrać⟩ (*też fig.*)

re•ap•pear [riːə'pɪə] ponownie się pojawiać ⟨-wić⟩

rear [rɪə] **1.** *v/t. dziecko* wychowywać ⟨-wać⟩, *zwierzę* ⟨wy⟩hodować; *głowę* podnosić ⟨-nieść⟩; *v/i. koń*: stawać ⟨stanąć⟩ dęba; **2.** tył *m*; tyłek *m*; ***at*** (*Am.* ***in the***) **~** z tyłu, w tyle; ***bring up the* ~** zamykać ⟨-mknąć⟩ pochód; **3.** tylny; **'~•guard** *mil.* ariergarda *f*, straż *f* tylna; **'~ light** *mot.* światło *n* tylne

re•arm [riː'ɑːm] *mil.* ponownie uzbrajać ⟨-roić⟩; **re•ar•ma•ment** *mil.* [riː'ɑːməmənt] ponowne uzbrajanie *n* (się)

R

'rear·|most położony najdalej z tyłu; **~·view 'mir·ror** lusterko *n* wsteczne; **~·ward** ['rɪəwəd] **1.** *adj.* tylny; **2.** *adv.* *też* ***~wards*** do tyłu, w tył; **~-wheel 'drive** *mot.* napęd *m* na tylne koła; **'~ win·dow** *mot.* szyba *f* tylna

rea·son ['riːzn] **1.** powód *m*, przyczyna *f*; rozsądek *m*; rozum *m*; ***by ~ of*** z powodu (*G*); ***for this ~*** z tego powodu; ***listen to ~*** słuchać głosu rozsądku; ***it stands to ~ that*** jest to oczywiste, że; **2.** *v/i.* rozumować; przemawiać ⟨-mówić⟩ do rozsądku; *v/t.* ⟨wy⟩wnioskować (***that*** że); ***~ s.o. into/out of s.th.*** namówić kogoś, by coś zrobił, wyperswadować komuś, by czegoś nie robił; **'rea·so·na·ble** rozsądny; należyty; *cena itp.*: umiarkowany

re·as·sure [riːə'ʃɔː] uspokajać ⟨-koić⟩

re·bate ['riːbeɪt] *econ.* rabat *m*, bonifikata *f*; zapłata *f* zwrotna

reb·el[1] ['rebl] **1.** buntownik *m* (-iczka *f*), rebeliant *m*; **2.** rebeliancki, buntowniczy

re·bel[2] [rɪ'bel] ⟨z⟩buntować się, powstawać ⟨-tać⟩ (***against*** przeciwko *D*); **~·lion** [rɪ'beljən] bunt *m*, rebelia *f*; **~·lious** [rɪ'beljəs] buntowniczy, rebeliancki

re·birth [riː'bɜːθ] ponowne narodziny *pl.*

re·bound 1. [rɪ'baʊnd] odbijać ⟨-bić⟩ się (***from*** z/od *G*); *fig.* opadać ⟨-paść⟩ z powrotem; **2.** ['riːbaʊnd] (*w sporcie*) odbicie *n* się

re·buff [rɪ'bʌf] **1.** (ostra) odmowa *f*, odprawa *f*; **2.** odtrącać ⟨-cić⟩

re·build [riː'bɪld] (***-built***) odbudowywać ⟨-ować⟩ (*też fig.*)

re·buke [rɪ'bjuːk] **1.** upominać ⟨-mnieć⟩, strofować; **2.** upomnienie *n*, strofowanie *n*

re·call [rɪ'kɔːl] **1.** odwoływać ⟨-łać⟩, wycofywać ⟨-fać⟩; przypominać ⟨-mnieć⟩ (sobie); **2.** odwołanie *n*, wycofanie *n*; przypomnienie *n*

re·ca·pit·u·late [riːkə'pɪtjʊleɪt] ⟨z⟩rekapitulować, podsumowywać ⟨-ować⟩

re·cap·ture [riː'kæptʃə] ponownie ⟨s⟩chwytać; *mil.* odbijać ⟨-bić⟩; *fig.* oddawać ⟨oddać⟩, uchwycić

re·cast [riː'kɑːst] (***-cast***) *tech.* przetapiać ⟨-topić⟩; przerabiać ⟨-robić⟩; *theat.* obsadzać ⟨-dzić⟩ na nowo

re·cede [rɪ'siːd] cofać się, wycofywać ⟨-fać⟩ się; *fig.* zamierać ⟨zamrzeć⟩; ***receding*** *broda, czoło*: cofnięty

re·ceipt [rɪ'siːt] *zwł. econ.* przyjęcie *n*, odebranie *n*; rachunek *m*, pokwitowanie *n*; ***~s*** *pl.* wpływy *pl.*; ⚠ *nie* ***recepta***

re·ceive [rɪ'siːv] otrzymywać ⟨-mać⟩; przyjmować ⟨-jąć⟩ (*też* ***into*** do *G*); odbierać ⟨odebrać⟩ (*TV itp.*); **re'ceiv·er** odbiornik *m*; *tel.* słuchawka *f*; *też* ***official ~*** *Brt.* syndyk *m* masy upadłościowej

re·cent ['riːsnt] niedawny, ostatni; **'~·ly** niedawno, ostatnio

re·cep·tion [rɪ'sepʃn] odbiór *m* (*też radiowy lub telewizyjny*); przyjęcie *n* (***into*** do *G*); *też* ***~ desk*** (*hotelu*) recepcja *f*; **~·ist** [rɪ'sepʃənɪst] recepcjonista *m* (-tka *f*); *med.* rejestrator(ka *f*) *m*

re·cep·tive [rɪ'septɪv] *umysł*: chłonny; otwarty (***to*** na *A*)

re·cess [rɪ'ses] przerwa *f* (*Am. też między lekcjami*); *parl.* przerwa *f*; nisza *f*, wnęka *f*

re·ces·sion [rɪ'seʃn] *econ.* recesja *f*

re·ci·pe ['resɪpɪ] przepis *m* (*kulinarny*)

re·cip·i·ent [rɪ'sɪpɪənt] odbiorca *m* (-czyni *f*)

re·cip·ro|·cal [rɪ'sɪprəkl] wzajemny; **~·cate** [rɪ'sɪprəkeɪt] *v/i.* poruszać się ruchem postępowo-zwrotnym; odwzajemniać ⟨-nić⟩ się; *v/t. zaproszenie* odwzajemniać ⟨-nić⟩

re·cit·al [rɪ'saɪtl] recital *m*; **re·ci·ta·tion** [resɪ'teɪʃn] recytacja *f*; **re·cite** [rɪ'saɪt] ⟨za-, wy⟩recytować; wyliczać ⟨-czyć⟩, wymieniać ⟨-nić⟩

reck·less ['reklɪs] nieostrożny; lekkomyślny

reck·on ['rekən] *v/t.* obliczać ⟨-czyć⟩; ⟨o⟩szacować; sądzić; zaliczać (***among*** do *G*, ***as*** jako); *też* ***~ up*** wyliczać ⟨-czyć⟩; *v/i.* ***~ on*** liczyć na (*A*); ***~ with*** liczyć się z (*I*); ***~ without*** nie przewidywać ⟨-widzieć⟩ (*G*); **~·ing** ['reknɪŋ] obliczenie *n*, rachunek *m*; ***be out in one's ~ing*** pomylić się w liczeniu

re·claim [rɪ'kleɪm] odbierać ⟨odebrać⟩; ⟨z⟩rekultywować, ⟨z⟩meliorować; *tech.* odzyskiwać ⟨-skać⟩; *przestępcę* nawracać ⟨-wrócić⟩; ⚠ *nie* ***reklamować***

re·cline [rɪ'klaɪn] leżeć, w pół leżeć

re·cluse [rɪ'kluːs] odludek *m*

rec·og|·ni·tion [rekəg'nɪʃn] rozpoznanie *n*; uznanie *n*; **~·nize** ['rekəgnaɪz] rozpoznawać ⟨-nać⟩; uznawać ⟨-nać⟩

R

re·coil 1. [rɪ'kɔɪl] odskakiwać ⟨-koczyć⟩ (*z przestrachu*) (***from*** przed *I*); *fig.* uchylać ⟨-lić⟩ się (***from*** od *G*); **2.** ['riː-kɔɪl] odrzut *m*, odskok *m*

rec·ol|·lect [rekə'lekt] przypominać ⟨-mnieć⟩ (sobie); **~·lec·tion** [rekə'lekʃn] przypomnienie *n* sobie (***of*** *G*), wspomnienie *n*

rec·om|·mend [rekə'mend] ⟨za⟩rekomendować, polecać ⟨-cić⟩ (***as*** jako, ***for*** na *A*); **~·men·da·tion** [rekəmen'deɪʃn] rekomendacja *f*

rec·om·pense ['rekəmpens] **1.** ⟨z⟩rekompensować, wynagradzać ⟨-rodzić⟩ (***for*** za *A*); **2.** rekompensata *f*, wynagrodzenie *n*

rec·on|·cile ['rekənsaɪl] ⟨po⟩godzić; doprowadzać ⟨-dzić⟩ do zgody (***with*** z *I*); **~·cil·i·a·tion** [rekənsɪlɪ'eɪʃn] pogodzenie *n*; pojednanie *n* (***between*** pomiędzy *I*, ***with*** z *I*)

re·con·di·tion [riːkən'dɪʃn] przeprowadzać ⟨-dzić⟩ generalny remont, przywracać ⟨-rócić⟩ do stanu użytkowego

re·con|·nais·sance [rɪ'kɒnɪsəns] *mil.* rekonesans *m*, rozpoznanie *n*, zwiad *m*; **~·noi·tre** *Brt.*, **~·noi·ter** [rekə'nɔɪtə] *Am. mil.* przeprowadzać ⟨-dzić⟩ rekonesans

re·con·sid·er [riːkən'sɪdə] ponownie rozważyć

re·con|·struct [riːkən'strʌkt] ⟨z⟩rekonstruować, odbudowywać, ⟨-ować⟩ (*też fig.*); **~·struc·tion** [riːkən'strʌkʃn] rekonstrukcja *f*, odbudowa *f*

rec·ord[1] ['rekɔːd] zapis *m*; *jur.* protokół *m*; rejestr *m*; akta *pl.*; płyta *f* (*winylowa*); *sport*, *komp.* rekord *m*; ***off the ~*** F nie do protokołu, nieoficjalnie; ***have a criminal ~*** mieć kryminalną przeszłość; *attr.* rekordowy

re·cord[2] [rɪ'kɔːd] zapisywać ⟨-sać⟩; ⟨za⟩rejestrować; *jur.* ⟨za⟩protokołować; *na taśmie itp.* zapisywać ⟨-sać⟩, nagrywać ⟨-rać⟩; **~·er magnetofon** *m*; *mus.* flet *m* prosty; **~·ing** nagranie *n*

rec·ord play·er ['rekɔːd-] gramofon *m* (*do płyt winylowych*)

re·count [rɪ'kaʊnt] przeliczać ⟨-czyć⟩

re·cov·er [rɪ'kʌvə] *v/t.* odzyskiwać ⟨-kać⟩; **~ *o.s.*** odzyskiwać ⟨-kać⟩ równowagę (*też fig.*); ⟨z⟩rekompensować; wyciągać ⟨-gnąć⟩; *v/i.* dochodzić ⟨dojść⟩ do siebie (***from*** po *L*); **~·y** [rɪ'kʌvərɪ] wyzdrowienie *n*; powrót *m* do normy; odzyskanie *n*; rekompensata *f*

rec·re·a·tion [rekrɪ'eɪʃn] odpoczynek *m*; rekreacja *f*

re·cruit [rɪ'kruːt] **1.** *mil.* rekrut *m*; nowy członek *m*, nowy *m* (nowa *f*); **2.** *też mil.* rekrutować, ⟨z⟩werbować; zatrudniać ⟨-nić⟩

rec·tan|·gle ['rektæŋgl] *math.* prostokąt *m*; **~·gu·lar** [rek'tæŋgjʊlə] prostokątny

rec·ti·fy ['rektɪfaɪ] prostować (*też prąd*)

rec|·tor ['rektə] proboszcz *m*; (*na uniwersytecie*) rektor *m*; **~·to·ry** ['rektərɪ] probostwo *n*

re·cu·pe·rate [rɪ'kjuːpəreɪt] odzyskiwać ⟨-kać⟩ (*zdrowie*), *econ.* wyrównywać ⟨-nać⟩

re·cur [rɪ'kɜː] (**-*rr*-**) powracać ⟨-rócić⟩; wracać ⟨wrócić⟩; powtarzać ⟨-tórzyć⟩ się; **~·rence** [rɪ'kʌrəns] powrót *m*, nawrót *m* (*choroby*); powtarzanie *n* się; **~·rent** [rɪ'kʌrənt] powracający, nawracający

re·cy|·cle [riː'saɪkl] *odpadki* ⟨z⟩utylizować, przetwarzać ⟨-worzyć⟩; ***~cled paper*** papier z surowców wtórnych; **~·cla·ble** [riː'saɪkləbəl] nadający się do utylizacji; **~·cling** [riː'saɪklɪŋ] recykling *m*, utylizacja *f*

red [red] **1.** czerwony; **2.** czerwień *f*; ***be in the ~*** *econ.* mieć debet *m lub* deficyt *m*; **'~·breast** *zo.* → ***robin***; **♀ 'Crescent** Czerwony Półksiężyc *m*; **♀ 'Cross** Czerwony Krzyż *m*; **~'cur·rant** *bot.* czerwona porzeczka *f*; **~·den** ['redn] ⟨za⟩czerwienić (się), poczerwienieć; **~·dish** ['redɪʃ] czerwonawy

re·dec·o·rate [riː'dekəreɪt] *pokój* ⟨wy⟩remontować, odmalowywać ⟨-ować⟩

re·deem [rɪ'diːm] *zastaw itp.* wykupywać ⟨-kupić⟩; *rel.* odkupywać ⟨-pić⟩; **♀·er** *rel.* Odkupiciel *m*

re·demp·tion [rɪ'dempʃn] wykupienie *n*; *rel.* odkupienie *n*

re·de·vel·op [riːdɪ'veləp] ⟨z⟩modernizować

red|-'faced poczerwieniony, spąsowiały; **~-'hand·ed**: ***catch s.o. ~-handed*** ⟨s⟩chwytać kogoś na gorącym uczynku; **'~·head** F rudzielec *m*; **~-'head·ed** rudy; **~ 'her·ring** *fig.* fałszywy trop *m*; **~-'hot** rozgrzany do czerwoności; *fig.* rozpłomieniony; **♀ 'In·di·an** V czerwo-

R

noskóry *m*; **~-'let·ter day** święto *n*; **'~·ness** czerwień *f*
re·dou·ble [riːˈdʌbl] *zwł. aktywność* zdwajać ⟨-woić⟩
red 'tape biurokratyzm *f*, formalizm *m*
re·duce [rɪˈdjuːs] zmniejszać ⟨-szyć⟩, ⟨z⟩redukować; *cenę itp.* obniżać ⟨-żyć⟩; zmniejszyć ⟨-szać⟩ ilość; doprowadzać ⟨-dzić⟩ (***to*** do *G*), zmieniać ⟨-nić⟩ (***to*** w *A*), nakłaniać ⟨-łonić⟩; **re·duc·tion** [rɪˈdʌkʃn] zmniejszenie *n*; redukcja *f*; obniżka *f*
re·dun·dant [rɪˈdʌndənt] nadmierny; zbyteczny
reed [riːd] *bot.* trzcina *f*
re·ed·u|·cate [riːˈedʒʊkeɪt] reedukować; **~·ca·tion** [ˈriːedʒʊˈkeɪʃn] reedukacja *f*
reef [riːf] rafa *f*
reek [riːk] **1.** smród *m*, odór *m*; **2.** cuchnąć
reel[1] [riːl] **1.** szpula *f*, szpulka *f*, rolka *f*; (*skoczny taniec szkocki*); **2.** ***~ off*** odwijać ⟨-winąć⟩ ze szpul(k)i; *fig.* ⟨wy⟩recytować
reel[2] [riːl] zataczać ⟨-toczyć⟩ się; ⟨za⟩wirować; ***my head ~ed*** w głowie mi się kręciło
re-e·lect [riːɪˈlekt] ponownie wybierać ⟨-brać⟩
re-en|·ter [riːˈentə] ponownie wchodzić ⟨wejść⟩; (*w astronautyce*) wchodzić ⟨wejść⟩ (*w atmosferę*); **~·try** [riːˈentrɪ] ponowne wejście *n*; (*w astronautyce*) wejście *n* w atmosferę
ref[1] [ref] F (*w sporcie*) sędzia *f*
ref.[2] *skrót pisany*: ***reference*** odesłanie *n*
re·fer [rɪˈfɜː]: ***~ to*** odnosić się do (*G*); powoływać się na (*A*), wspominać ⟨-mnieć⟩ o (*L*); odsyłać ⟨odesłać⟩ do (*G*); ⟨s⟩kierować do (*G*); ⟨s⟩korzystać (z *notatek*)
ref·er·ee [refəˈriː] (*w sporcie*) sędzia *m*; osoba *f* polecająca
ref·er·ence [ˈrefrəns] odniesienie *n* (***to*** do *G*); odesłanie *n* (***to*** do *G*); powołanie *n* się (***to*** na *A*), wzmianka *f* (***to*** ***o*** *L*); referencje *pl.*; ***list of ~s*** bibliografia *f*; ***with ~ to*** w odniesieniu do (*G*); **'~ book** poradnik *m*, encyklopedia *f*, słownik *m*; **'~ li·bra·ry** biblioteka *f* podręczna; **'~ num·ber** numer *m* akt
ref·e·ren·dum [refəˈrendəm] (*pl.* ***-da*** [-də], ***-dums***) referendum *n*
re·fill **1.** [riːˈfɪl] ponownie napełniać ⟨-nić⟩; **2.** [ˈriːfɪl] wkład *m* (*do długopisu*), nabój *m* (*do pióra*); dolewka *f*
re·fine [rɪˈfaɪn] *tech.* rafinować, oczyszczać ⟨oczyścić⟩; *fig.* udoskonalać ⟨-lić⟩; **~d** rafinowany, oczyszczony; *fig.* wyrafinowany; **~·ment** *tech.* rafinacja *f*; wyrafinowanie *n*; **re·fin·e·ry** [rɪˈfaɪnərɪ] *tech.* rafineria *f*
re·flect [rɪˈflekt] *v/t.* odbijać ⟨-bić⟩; odzwierciedlać ⟨-lić⟩; ***be ~ed in*** odbijać się w (*L*); *v/i.* przemyśleć; ***~ (badly) on*** rzucać (złe) światło na (*A*); **re·flec·tion** [rɪˈflekʃn] odbicie *n*; odzwierciedlenie *n* (*też fig.*); refleksja *f*, namysł *m*; **re·flec·tive** [rɪˈflektɪv] refleksyjny; odblaskowy
re·flex [ˈriːfleks] refleks *m*; odruch *m*; **'~ ac·tion** odruch *m* bezwarunkowy; **'~ cam·e·ra** *phot.* lustrzanka *f*
re·flex·ive [rɪˈfleksɪv] *gr.* zwrotny
re·form [rɪˈfɔːm] **1.** ⟨z⟩reformować, ulepszać ⟨-szyć⟩; poprawiać ⟨-wić⟩ (się); **2.** reforma *f*; poprawa *f*; **ref·or·ma·tion** [refəˈmeɪʃn] poprawa *f*; ***the*** ♀ Reformacja *f*; **~·er** [rɪˈfɔːmə] reformator *m*
re·fract [rɪˈfrækt] *światło* załamywać ⟨-mać⟩ (się); **re·frac·tion** [rɪˈfrækʃn] załamanie *n*, refrakcja *f*
re·frain[1] [rɪˈfreɪn]: ***~ from*** powstrzymywać ⟨-mać⟩ się od (*G*)
re·frain[2] [rɪˈfreɪn] refren *m*
re·fresh [rɪˈfreʃ] (***o.s.*** się) odświeżać ⟨-żyć⟩ (*też pamięć*); **~·ing** odświeżający (*też fig.*); **~·ment** odświeżenie *n*, napój *m* odświeżający
re·fri·ge|·rate [rɪˈfrɪdʒəreɪt] ⟨s⟩chłodzić; **~·ra·tor** lodówka *f*
re·fu·el [riːˈfjʊəl] (*zwł. Brt.* ***-ll-***, *Am.* ***-l-***) ⟨za⟩tankować
ref·uge [ˈrefjuːdʒ] schronienie *n*; *Brt.* (*na jezdni*) wysepka *f*
ref·u·gee [refjʊˈdʒiː] uchodźca; **~ camp** obóz *m* dla uchodźców
re·fund **1.** [ˈriːfʌnd] spłata *f*, zwrot *m*; **2.** [riːˈfʌnd] spłacać ⟨-cić⟩, zwracać ⟨zwrócić⟩
re·fur·bish [riːˈfɜːbɪʃ] przeprowadzać ⟨-dzić⟩ renowację (*G*), *fig.* odświeżać ⟨-żyć⟩
re·fus·al [rɪˈfjuːzl] odmowa *f*
re·fuse[1] [rɪˈfjuːz] *v/t.* odmawiać ⟨-mówić⟩ (*też* ***to do s.th.*** zrobienia czegoś);

R

ofertę itp. odrzucać ⟨-cić⟩; *v/i.* odmawiać ⟨-mówić⟩
ref•use² ['refju:s] odpadki *pl.*, śmieci *pl.*; '**~ dump** wysypisko *n* śmieci
re•fute [rɪ'fju:t] obalać ⟨-lić⟩
re•gain [rɪ'geɪn] odzyskiwać ⟨-kać⟩
re•gale [rɪ'geɪl]: **~ *s.o. with s.th.*** zabawiać ⟨-wić⟩ kogoś czymś
re•gard [rɪ'gɑ:d] **1.** szacunek *m*, poważanie *n*; wzgląd *m*; ***in this ~*** w tym względzie; ***with ~ to*** w odniesieniu do (*G*); **~*s*** *pl.* (*w listach*) pozdrowienia *pl.*; **2.** uważać; patrzeć na (*A*); **~ *as*** uważać za (*A*); ***as ~s*** co się tyczy (*G*); **~•ing** odnośnie (*G*); **~•less**: **~*less of*** niezależnie od (*G*), bez względu na (*A*)
regd *skrót pisany*: ***registered*** *econ.* zarejestrowany; *przesyłka*: polecony
re•gen•e•rate [rɪ'dʒenəreɪt] ⟨z⟩regenerować (się); odradzać ⟨-rodzić⟩ (się)
re•gent ['ri:dʒənt] regent(ka *f*) *m*
re•gi•ment 1. ['redʒɪmənt] *mil.* pułk *m*; *fig.* zastępy *pl.*; **2.** ['redʒɪment] sprawować ścisłą kontrolę nad (*I*)
re•gion ['ri:dʒən] region *m*; rejon *m*; obszar *m*; '**~•al** regionalny
re•gis•ter ['redʒɪstə] **1.** rejestr *m*; spis *m*, lista *f*; dziennik *m* lekcyjny; **2.** *v/t.* ⟨za⟩rejestrować, zapisywać ⟨-sać⟩; *uczucia, wartość* pokazywać ⟨-zać⟩; *list itp.* nadawać ⟨-dać⟩ (*jako polecony*); *v/i.* wpisywać ⟨-sać⟩ się; **~ed 'let•ter** list *m* polecony
re•gis•tra•tion [redʒɪ'streɪʃn] rejestracja *f*, zarejestrowanie *n*; wpis *m*; **~ fee** opłata *f* rejstracyjna; wpisowe *n*; **~ num•ber** *mot.* numer *m* rejestracyjny
re•gis•try ['redʒɪstrɪ] miejsce *n* przechowywania akt stanu cywilnego; '**~ of•fice** *zwł. Brt.* urząd *m* stanu cywilnego
re•gret [rɪ'gret] **1.** (**-*tt-***) żałować; ⟨po⟩informować z przykrością; **2.** żal *m*; ubolewanie *n*; **~•ful•ly** z żalem, z ubolewaniem; **~•ta•ble** godny ubolewania
reg•u•lar ['regjʊlə] **1.** regularny; miarowy; stały; prawidłowy; *zwł. Am.* zwykły, normalny; *mil.* zawodowy; **2.** F stały (-a) klient(ka *f*), *m* stały bywalec; gość *m*; *mil.* żołnierz *m* zawodowy; *Am. mot.* zwykła benzyna *f*; **~•i•ty** [regjʊ'lærətɪ] regularność *f*
reg•u|•late ['regjʊleɪt] regulować, kontrolować; *tech.* ⟨wy-, na-, u⟩regulować; **~•la•tion** [regjʊ'leɪʃn] przepis *m*, zarządzenie *n*; kontrola *f*; regulacja *f*; **~•la•tor** ['regjʊleɪtə] *tech.* regulator *m*, stabilizator *m*
re•hears|•al [rɪ'hɜ:sl] *mus.*, *theat.* próba *f*; **~e** [rɪ'hɜ:s] *mus.*, *theat.* ⟨z⟩robić próbę
reign [reɪn] **1.** panowanie *n*, władanie *n* (*też fig.*); **2.** panować, władać
re•im•burse [ri:ɪm'bɜ:s] *wydatki* zwracać ⟨-rócić⟩
rein [reɪn] **1.** *zwł. pl.* cugle *pl.*; **2. ~ *in*** *konia itp.* wziąć ⟨brać⟩ w cugle (*też fig.*)
rein•deer ['reɪndɪə] *zo.* (*pl.* ***reindeer***) renifer *m*
re•in•force [ri:ɪn'fɔ:s] wzmacniać ⟨-mocnić⟩; **~•ment** wzmocnienie *n*; **~*ments*** *pl. mil.* posiłki *pl.*
re•in•state [ri:ɪn'steɪt] przywracać ⟨-rócić⟩ (***as*** jako, ***in*** na *A*)
re•in•sure [ri:ɪn'ʃɔ:] reasekurować
re•it•e•rate [ri:'ɪtəreɪt] powtarzać
re•ject [rɪ'dʒekt] odrzucać ⟨-cić⟩; nie przyjmować ⟨-jąć⟩; **re•jec•tion** [rɪ'dʒekʃn] odrzucenie *n*
re•joice [rɪ'dʒɔɪs] radować się (***at, over*** *I lub* z *G*); **re'joic•ing(s** *pl.*) radowanie *n* się
re•join¹ [ri:'dʒɔɪn] wstąpić ⟨wstępować⟩ powtórnie
re•join² [rɪ'dʒɔɪn] odpowiadać ⟨-wiedzieć⟩
re•ju•ve•nate [rɪ'dʒu:vɪneɪt] ożywiać ⟨-wić⟩
re•kin•dle [ri:'kɪndl] *ogień* rozpalać ⟨-lić⟩ ponownie
re•lapse [rɪ'læps] **1.** popaść ponownie (***into*** w *A*); *med.* mieć nawrót; **2.** nawrót *m*
re•late [rɪ'leɪt] *v/t.* ⟨z⟩relacjonować, zdawać ⟨zdać⟩ sprawę; ⟨po⟩wiązać, ⟨po⟩łączyć (***to*** z *G*); *v/i.* **~ *to*** odnosić się do (*G*); **re•lat•ed** powiązany (***to*** z *G*)
re•la•tion [rɪ'leɪʃn] krewny *m* (-na *f*); związek *m*, relacja *f* (***between*** (po)między *I*, ***to*** do *G*); ***in*** *lub* ***with ~ to*** w odniesieniu do (*G*); **~*s*** *pl. dyplomatyczne itp.* stosunki *pl.*; **~•ship** związek *m*; stosunek *m*; relacja *f*
rel•a•tive¹ ['relətɪv] krewny *m* (-na *f*)
rel•a•tive² ['relətɪv] relatywny, stosunkowy; odnoszący się (***to*** do *G*); *gr.* względny; **~ 'pro•noun** *gr.* zaimek *m* względny

R

re·lax [rɪ'læks] *v/t.* rozluźniać ⟨-nić⟩; *fig.* ⟨z⟩łagodzić; *v/i.* rozluźniać ⟨-nić⟩ się; odprężać ⟨-żyć⟩ się; ulegać ⟨-lec⟩ złagodzeniu; **~·a·tion** [riːlæk'seɪʃn] rozluźnienie *n*; odprężenie *n*; złagodzenie *n*; **~ed** rozluźniony; odprężony;

re·lay[1] **1.** ['riːleɪ] zmiana *f*; (*w sporcie*) sztafeta *f*; przekaźnik *m* (*radiowy lub telewizyjny*); [*też* riː'leɪ] **2.** [riː'leɪ] przekazywać ⟨-zać⟩, ⟨prze⟩transmitować

re·lay[2] [riː'leɪ] (**-laid**) *kabel, dywan* kłaść ⟨położyć⟩ na nowo

re·lay race ['riːleɪreɪs] (*w sporcie*) bieg *m* sztafetowy, sztafeta *f*

re·lease [rɪ'liːs] **1.** *ptaka, płytę, gaz itp.* wypuszczać ⟨-puścić⟩; *gaz* spuszczać ⟨spuścić⟩; *więźnia, hamulec* zwalniać ⟨zwolnić⟩; ⟨o⟩publikować; **2.** wypuszczenie *n*; spuszczenie *n*; zwolnienie *n*; *tech.*, zwalniacz *m*; *phot.* wyzwalacz *m*; udostępnienie *n*; wydanie *n*; film *m*

rel·e·gate ['relɪgeɪt] przenosić ⟨-nieść⟩ (*na gorsze miejsce*); (*w sporcie*) przesuwać ⟨-nąć⟩ (**to** do *G*)

re·lent [rɪ'lent] okazywać ⟨-zać⟩ litość; *fig.* ⟨z⟩łagodnieć; **~·less** bezlitosny, nieustępliwy

rel·e·vant ['reləvənt] istotny (**to** dla *G*), ważny; właściwy; **be ~ to** mieć znaczenie dla (*G*)

re·li|·a·bil·i·ty [rɪlaɪə'bɪlətɪ] wiarygodność *f*; niezawodność *f*; **~·a·ble** [rɪ'laɪəbl] wiarygodny; niezawodny; **~·ance** [rɪ'laɪəns] zaufanie *n*; uzależnienie *n*, zależność *f* (**on** od *G*)

rel·ic ['relɪk] relikt *m*; *rel.* relikwia *f*; *attr.* reliktowy

re·lief [rɪ'liːf] ulga *f*; ulżenie *n*; pomoc *f* (*materialna*); *Am.* zapomoga *f*; relief *m*; płaskorzeźba *f*

re·lieve [rɪ'liːv] *ból itp.* ⟨z⟩łagodzić; *wartownika itp.* zmieniać ⟨-nić⟩; *nudę itp.* zmniejszać ⟨-szyć⟩; **~ s.o. of s.th.** odejmować ⟨odjąć⟩ komuś czegoś

re·li|·gion [rɪ'lɪdʒən] religia *f*; **~·gious** religijny

rel·ish ['relɪʃ] **1.** *fig.* smak *m*, upodobanie *n* (**for** do *G*); *gastr.* przyprawa *f*; **with ~** z przyjemnością; **2.** delektować się (*I*), unosić się nad (*I*); znajdować ⟨znaleźć⟩ upodobanie w (*L*)

re·luc|·tance [rɪ'lʌktəns] niechęć *f*; **with ~tance** niechętnie; **~·tant** niechętny; **be ~tant to do s.th.** nie mieć chęci czegoś zrobić

re·ly [rɪ'laɪ]: **~ on** polegać na (*L*); zależeć od (*G*)

re·main [rɪ'meɪn] **1.** pozostawać ⟨-tać⟩, zostawać ⟨-tać⟩; **2. ~s** *pl.* resztki *pl.*, pozostałości *pl.*; **~·der** [rɪ'meɪndə] pozostałość *f*, reszta *f*

re·make **1.** [riː'meɪk] (**-made**) ⟨z⟩robić powtórnie *lub* ponownie; **2.** ['riːmeɪk] nowa wersja *f* filmu, remake *m*

re·mand [rɪ'mɑːnd] *jur.* **1. be ~ed in custody** być odesłanym do aresztu śledczego; **2. be on ~** pozostawać w areszcie śledczym

re·mark [rɪ'mɑːk] **1.** *v/t.* zauważać ⟨-żyć⟩; *v/i.* **~ on** ⟨s⟩komentować (*A*); **2.** uwaga *f*; **re'mar·ka·ble** godny uwagi

rem·e·dy ['remədɪ] **1.** środek *m* (*leczniczy, zapobiegawczy*); **2.** *szkodę* naprawiać ⟨-wić⟩; *złu* zaradzać ⟨-dzić⟩ (*D*)

re·mem|·ber [rɪ'membə] ⟨za⟩pamiętać; przypominać ⟨-mnieć⟩ sobie; **please ~ber me to her** proszę przekazać jej moje pozdrowienia; **~·brance** [rɪ'membrəns] pamiętanie *n*; pamięć *f*; **in ~brance of** ku pamięci (*G*)

re·mind [rɪ'maɪnd] przypominać ⟨-mnieć⟩ (**of** o *L*); **~·er** przypomnienie *n*; upomnienie *n*

rem·i·nis|·cences [remɪ'nɪsnsɪz] *pl.* wspomnienia *pl.* (**of** o *L*); **~·cent**: **be ~cent of** przypominać o (*L*)

re·mit [rɪ'mɪt] (**-tt-**) *grzechy* odpuszczać ⟨-puścić⟩, przebaczać ⟨-czyć⟩; *winy* darować; *pieniądze* przekazywać ⟨-zać⟩, przesyłać ⟨-słać⟩; **~·tance** przekaz *m* (*pieniężny*) (**to** dla *G*)

rem·nant ['remnənt] pozostałość *f*

re·mod·el [riː'mɒdl] (*zwł. Brt.* **-ll-**, *Am.* **-l-**) przemodelować, przekształcać ⟨-cić⟩

re·mon·strance [rɪ'mɒnstrəns] protest *m*; upomnienie *n*; **rem·on·strate** ['remənstreɪt] ⟨za⟩protestować (**against** przeciw *D*); czynić zarzuty (**with** *D*, **about** w sprawie *G*)

re·morse [rɪ'mɔːs] wyrzuty *pl.* sumienia; **~·less** niemiłosierny

re·mote [rɪ'məʊt] (**-r, -st**) odległy, oddalony; *ktoś* pełen rezerwy; *szansa*: niewielki; **~ con'trol** *tech.* zdalne sterowanie *n*; *radio, TV*: pilot *m*

re·mov·al [rɪ'muːvl] usuwanie *n*; usu-

R

nięcie *n*; przeprowadzka *f*; ~ **van** wóz *m* meblowy

re·move [rɪ'mu:v] *v/t.* usuwać ⟨usunąć⟩; zdejmować ⟨zdjąć⟩; *z drogi itp.* zabierać ⟨zabrać⟩; *v/i.* przenosić ⟨-nieść⟩ się (***from ... to ...*** z *G* ... do *G* ...); **re'mov·er** środek *m* do usuwania (plam)

Re·nais·sance [rə'neɪsəns] renesans *m lub* Renesans *m*

ren·der ['rendə] *możliwym, trudnym itp.* ⟨u⟩czynić; *przysługę* oddawać ⟨-dać⟩; *sprawozdanie* zdawać ⟨zdać⟩; *mus.* ⟨z⟩interpretować; przekładać ⟨-łożyć⟩ (***into*** na *A*); **~·ing** *zwł. Brt.* ['rendərɪŋ] → ***rendition***

ren·di·tion [ren'dɪʃn] interpretacja *f*; tłumaczenie *n*

re·new [rɪ'nju:] odnawiać ⟨-nowić⟩; *rozmowę itp.* wznawiać ⟨-nowić⟩; *atak* ponawiać ⟨-nowić⟩; przedłużać ⟨-żyć⟩; *siły* ⟨z⟩regenerować; **~·al** odnowienie *n*; wznowienie *n*; ponowienie *n*; przedłużenie *n*

re·nounce [rɪ'naʊns] wyrzekać ⟨-rzec⟩ się; zrzekać ⟨zrzec⟩ się (*G*); wypierać ⟨-przeć⟩ się

ren·o·vate ['renəʊveɪt] odnawiać ⟨-nowić⟩, ⟨wy⟩remontować

re·nown [rɪ'naʊn] sława *f*; **~ed** sławny, słynny (***as*** jako, ***for*** z *G*)

rent¹ [rent] **1.** czynsz *m*, komorne *n*; *zwł. Am.* opłata *f* za wypożyczenie; ***for ~*** *zwł. Am.* do wynajęcia; ⚠ *nie* ***renta***; **2.** wynajmować ⟨-jąć⟩ (***from*** od *G*, ***to*** *D*); ***~ out*** *zwł. Am.* wynajmować ⟨-jąć⟩

rent² [rent] rozdarcie *n*

'Rent-a-... wynajem (*G*)

rent|·al ['rentl] czynsz *m*; *zwł. Am.* opłata *f* za wynajęcie; *zwł. Am.* → **~·ed 'car** wynajęty samochód *m*

re·nun·ci·a·tion [rɪnʌnsɪ'eɪʃn] wyrzeczenie *n* się; zrzeczenie *n* się

re·pair [rɪ'peə] **1.** naprawiać ⟨-wić⟩, ⟨z⟩reperować, ⟨wy⟩remontować; *fig.* naprawiać ⟨-wić⟩, ⟨s⟩korygować; **2.** naprawianie *n*, reperowanie *n*, remontowanie *n*; ***~s*** *pl.* naprawa *f*, reperacja *f*, remont *m*; ***beyond ~*** nie do naprawienia; ***in good/bad ~*** w dobrym/złym stanie; ***be under ~*** być w naprawie

rep·a·ra·tion [repə'reɪʃn] odszkodowanie *n*; ***~s*** *pl.* odszkodowania *pl.* wojenne, reparacje *pl.*

rep·ar·tee [repɑ:'ti:] cięta odpowiedź *f*; błyskotliwość *f*

re·pay [ri:'peɪ] (***-paid***) zapłacić (***to*** *D*), spłacać ⟨-cić⟩; odpłacać ⟨-cić⟩ za (*A*); **~·ment** spłata *f*

re·peal [rɪ'pi:l] uchylać ⟨-lić⟩, unieważniać ⟨-nić⟩

re·peat [rɪ'pi:t] **1.** *v/t.* powtarzać ⟨-tórzyć⟩; *zamówienie* ponawiać ⟨-nowić⟩; ***~ o.s.*** powtarzać ⟨-tórzyć⟩ się; *v/i.* F *potrawa:* przypominać się, odbijać się (***on*** *D*); **2.** powtórka *f* (*programu*); *mus.* znak *m* powtórzenia; **~·ed** powtórzony, powtórny

re·pel [rɪ'pel] (***-ll-***) odpierać ⟨odeprzeć⟩; odpychać ⟨odepchnąć⟩ (*też fig.*); **~·lent** [rɪ'pelənt] **1.** *adj.* odpychający, odstręczający; **2.** środek *m* odstraszający owady

re·pent [rɪ'pent] żałować; **re'pent·ance** żal *m*, skrucha *f*; **re'pen·tant** żałujący; skruszony

re·per·cus·sion [ri:pə'kʌʃn]: *zw.* ***~s*** *pl.* reperkusje *pl.*

rep·er·toire ['repətwɑ:] *theat.* repertuar *m*

rep·er·to·ry thea·tre ['repətərɪ -] (*teatr, w którym grane są różne sztuki*)

rep·e·ti·tion [repɪ'tɪʃn] powtórzenie *n*

re·place [rɪ'pleɪs] zastępować ⟨-tąpić⟩; wymieniać ⟨-nić⟩; (*na miejsce*) odkładać ⟨odłożyć⟩; **~·ment** zastępstwo *n*; wymiana *f*; odłożenie *n* na miejsce

re·plant [ri:'plɑ:nt] przesadzać ⟨-dzić⟩

re·play 1. [ri:'pleɪ] (*w sporcie*) *mecz* powtarzać ⟨-tórzyć⟩; *kasetę* odtwarzać ⟨-worzyć⟩; **2.** ['ri:pleɪ] powtórny mecz *m*, *Brt.* ***action ~*** , *Am.* ***instant ~*** replay *m*

re·plen·ish [rɪ'plenɪʃ] dopełniać ⟨-nić⟩; uzupełniać ⟨-nić⟩

re·plete [rɪ'pli:t] nasycony; pełny; całkowicie wyposażony (***with*** w *A*)

rep·li·ca ['replɪkə] replika *f*; kopia *f*

re·ply [rɪ'plaɪ] **1.** odpowiadać ⟨-wiedzieć⟩ (***to*** na *A*); **2.** odpowiedź *f* (***to*** na *A*); replika *f*; ***in ~ to*** w odpowiedzi na (*A*); **~ 'cou·pon** (*kupon pokrywający koszt znaczka na odpowiedź*); **~-paid 'en·ve·lope** koperta *f* z opłaconą odpowiedzią

re·port [rɪ'pɔ:t] **1.** sprawozdanie *n*; relacja *f*; raport *m*; meldunek *m*; *Brt.* (*Am.* ***~ card***) świadectwo *n* szkolne; pogłos *m* (*strzału*); **2.** składać ⟨złożyć⟩ spra-

R

wozdanie; ⟨z⟩relacjonować, ⟨po⟩informować; donosić⟨-nieść⟩; zgłaszać⟨zgłosić⟩ (się), ⟨za⟩meldować (się); donosić ⟨-nieść⟩; na (*A*); ***it is ~ed that*** mówi się, że; ***~ed speech*** *gr.* mowa *f* zależna; **~·er** reporter(ka *f*) *m*, korespondent(ka *f*) *m*

re·pose [rɪ'pəʊz] spokój *m*; spoczynek *m*

re·pos·i·to·ry [rɪ'pɒzɪtərɪ] skład *m*, magazyn *m*; *fig.* źródło *n*, skarbnica *f*

rep·re|·sent [reprɪ'zent] reprezentować; przedstawiać ⟨-wić⟩ (*też* ***as, to be*** jako); stanowić; **~·sen·ta·tion** [reprɪzen'teɪʃn] reprezentacja *f*; przedstawienie *n*; *jur.* zastępstwo *n* prawne; **~·sen·ta·tive** [reprɪ'zentətɪv] **1.** reprezentatywny, typowy (***of*** dla *G*); **2.** przedstawiciel(ka *f*) *m* (*też handl.*, *pol.*); *parl.* deputowany *m* (-na *f*); ***House of ℞sentative*** *Am.* Izba *f* Reprezentantów

re·press [rɪ'pres] ⟨s⟩tłumić, zduszać ⟨zdusić⟩; *psych.* hamować; **re·pres·sion** [rɪ'preʃn] (s)tłumienie *n*; *psych.* (za)hamowanie *n*

re·prieve [rɪ'priːv] **1.** ***he was ~d*** odroczono *lub* zawieszono mu wykonywanie kary; **2.** (*kary*) odroczenie *n*; zawieszenie *n*

rep·ri·mand ['reprɪmɑːnd] **1.** udzielać ⟨-lić⟩ nagany (***for*** za *A*); **2.** nagana *f*, upomnienie *n*, reprymenda *f*

re·print 1. [riː'prɪnt] przedrukowywać ⟨-ować⟩; *książkę* wznawiać⟨wznowić⟩; **2.** ['riːprɪnt] przedruk *m*, wznowienie *n*; reprint *m*

re·pri·sal [rɪ'praɪzl] odwet *m*, środek odwetowy; *jur.* retorsja *f*

re·proach [rɪ'prəʊtʃ] **1.** wyrzut *m*; zarzut *m*; **2.** zarzucać ⟨-cić⟩ (***s.o. with s.th.*** coś komuś); ⟨z⟩robić wyrzuty (***for*** za *A*); **~·ful** pełny wyrzutu

rep·ro·bate ['reprəbeɪt] ladaco *m*; rozpustnik *m* (-nica *f*)

re·pro·cess [riː'prəʊses] *paliwo nuklearne* przetwarzać ⟨-worzyć⟩; **~·ing plant** zakład *m* przetwarzania paliwa nuklearnego

re·pro|·duce [riːprə'djuːs] *v/t.* powtórzyć; ⟨z⟩reprodukować; ⟨s⟩kopiować; ***~duce o.s.*** *v/i. biol.* rozmnażać ⟨-nożyć⟩ się; **~·duc·tion** [riːprə'dʌkʃn] *biol.* rozmnażanie *m* (się); reprodukcja *f*, reprodukowanie *n*; kopia *f*; **~·duc·tive** *biol.* [riːprə'dʌktɪv] rozrodczy

re·proof [rɪ'pruːf] wyrzut *m*, zarzut *m*

re·prove [rɪ'pruːv] zarzucać ⟨-cić⟩

rep·tile ['reptaɪl] *zo.* gad *m*

re·pub|·lic [rɪ'pʌblɪk] republika *f*; **~·li·can** [rɪ'pʌblɪkən] **1.** republikański; **2.** republikanin *m*

re·pu·di·ate [rɪ'pjuːdɪeɪt] odrzucać ⟨-cić⟩; *econ. zapłaty* odmawiać ⟨-mówić⟩

re·pug|·nance [rɪ'pʌgnəns]: ***in~nance, with ~nance*** z odrazą, ze wstrętem; **~·nant** odrażający, wstrętny

re·pulse [rɪ'pʌls] **1.** odpychać ⟨odepchnąć⟩; ⟨z⟩mierzić; *mil. atak* odpierać ⟨odeprzeć⟩; **2.** odepchnięcie *n*; odparcie *n*

re·pul|·sion [rɪ'pʌlʃn] wstręt *m*; niechęć *f*; *phys.* odpychanie *n*; **~·sive** [rɪ'pʌlsɪv] wstrętny; *phys.* odpychający

rep·u·ta|·ble ['repjʊtəbl] szanowany, szanowny; **~·tion** [repjʊ'teɪʃn] reputacja *f*

re·pute [rɪ'pjuːt] renoma *f*; **re'put·ed** renomowany

re·quest [rɪ'kwest] **1.** (***for***) prośba *f* (o *A*), życzenie *n*; ***at the ~ of s.o., at s.o.'s ~*** na czyjeś życzenie; ***on ~*** na życzenie; **2.** prosić o (*A*); ***be ~ed to do s.th.*** być proszonym o zrobienie czegoś; **~ stop** *Brt.* przystanek *m* na żądanie

re·quire [rɪ'kwaɪə] wymagać, potrzebować (*G*); **~·ment** wymóg *m*, potrzeba *f*; żądanie *n*

req·ui·site ['rekwɪzɪt] **1.** niezbędny, wymagany; **2.** *zw.* ***~s*** *pl.* artykuły *pl.*, przybory *pl.*; ***toilet ~s*** *pl.* przybory *pl.* toaletowe; ⚠ *nie* ***rekwizyt***

req·ui·si·tion [rekwɪ'zɪʃn] **1.** zapotrzebowanie *n*, zamówienie *n*; *mil.* rekwizycja *f*; ***make a ~*** coś zgłaszać ⟨zgłosić⟩ zapotrzebowanie na (*A*); **2.** zgłaszać ⟨zgłosić⟩ zapotrzebowanie na (*A*); *mil.* ⟨za⟩rekwirować

re·sale ['riːseɪl] odprzedaż *f*, odsprzedaż *f*

re·scind *jur.* [rɪ'sɪnd] unieważniać ⟨-nić⟩; anulować; odwoływać ⟨-łać⟩

res·cue ['reskjuː] **1.** ⟨wy-, u⟩ratować (***from*** z *G*, od *G*); **2.** ratunek *m*; pomoc *f*

re·search [rɪ'sɜːtʃ] **1.** badanie *n* naukowe; **2.** *v/i.* prowadzić badania naukowe;

R

v/t. ⟨z⟩badać; **~·er** naukowiec *m*, badacz(ka *f*) *m*
re·sem|·blance [rɪ'zembləns] podobieństwo *n* (***to*** do *G*, ***among*** między *I*); **~·ble** [rɪ'zembl] przypominać; być podobnym do (*G*)
re·sent [rɪ'zent] nie cierpieć (*G*), nie znosić (*G*); czuć urazę do (*G*); **~·ful** urażony, dotknięty; **~·ment** uraza *f* (***against, at*** wobec *G*); niechęć *f*
res·er·va·tion [rezə'veɪʃn] rezerwacja *f*; zastrzeżenie *n*; rezerwat *m* (*dla Indian, Am. przyrodniczy*); → ***central reservation***
re·serve [rɪ'zɜːv] **1.** przeznaczać ⟨-czyć⟩ (***for*** na *A*); zastrzegać ⟨-rzec⟩; ⟨za⟩rezerwować; **2.** rezerwa *f* (*też mil., fig.*); zapas *m*; powściągliwość *f*; rezerwat *m* (*przyrody*); (*w sporcie*) gracz *m* rezerwowy; **~d** zarezerwowany
res·er·voir ['rezəvwɑː] rezerwuar *m*, zbiornik *m*; *fig.* źródło *n*
re·set [riː'set] (***-tt-***; ***-set***) *zegar, miernik* przestawiać ⟨-wić⟩; *med. kość* zestawiać ⟨-wić⟩ na nowo; *komp.* ⟨z⟩resetować
re·set·tle [riː'setl] przesiedlać ⟨-lić⟩ się
re·side [rɪ'zaɪd] mieszkać, rezydować
res·i·dence ['rezɪdəns] miejsce *n* zamieszkania; zamieszkanie *n*; rezydencja *f*; siedziba *f*; **'~ per·mit** zezwolenie *n* na zamieszkanie
res·i·dent ['rezɪdənt] **1.** zamieszkały (na stałe); miejscowy; **2.** mieszkaniec *m* (-nka *f*); *hotelowy* gość *m*
res·i·den·tial [rezɪ'denʃl] *dzielnica*: mieszkaniowy; *konferencja*: poza miejscem zamieszkania; **~ 'ar·e·a** dzielnica *f* mieszkaniowa
re·sid·u·al [rɪ'zɪdjʊəl] szczątkowy; resztkowy; **~ pol'lu·tion** zanieczyszczenia *pl*; **res·i·due** ['rezɪdjuː] pozostałość *f*; *chem.* residuum *n*
re·sign [rɪ'zaɪn] *v/i.* ⟨z⟩rezygnować (***from*** z *G*); ustępować ⟨-tąpić⟩; *v/t.* ustępować ⟨-tąpić⟩ z (*G*) (*stanowiska*); zrzekać ⟨-rzec⟩ się (*G*); **~ *o.s. to*** pogodzić się z (*I*); **res·ig·na·tion** [rezɪg'neɪʃn] rezygnacja *f*; ustąpienie *n*; zrzeczenie się *n*; pogodzenie się *n*; **~ed** [rɪ'zaɪnd] zrezygnowany
re·sil·i|·ence [rɪ'zɪlɪəns] elastyczność *f*, sprężystość *f*; *fig.* odporność *f*; **~·ent** sprężysty, elastyczny; *fig.* odporny
res·in ['rezɪn] żywica *f*
re·sist [rɪ'zɪst] opierać ⟨oprzeć⟩ się (*D*); przeciwstawiać ⟨-wić⟩ się; **~·ance** opór *m*; odporność *f*; *electr.* rezystancja *f*; ***line of least ~ance*** droga *f* najmniejszego oporu; **re·sis·tant** oporny (***to*** na *A*)
res·o|·lute ['rezəluːt] zdecydowany, zdeterminowany; **~·lu·tion** [rezə'luːʃn] *pol.* rezolucja *f*; uchwała *f*, postanowienie *n*; zdecydowanie *n*; *komp.* rozdzielczość *f*
re·solve [rɪ'zɒlv] **1.** *problem itp.* rozwiązywać ⟨-zać⟩; postanawiać ⟨-nowić⟩; **~ *on doing s.th.*** ⟨z⟩decydować się coś zrobić; **2.** postanowienie *n*; zdecydowanie *n*
res·o|·nance ['rezənəns] pogłos *m*, rezonans *m*; **'~·nant** *pokój itp.*: o dużym pogłosie; *głos*: głęboki, dźwięczny
re·sort [rɪ'zɔːt] **1.** uzdrowisko *n*, kurort *m*, miejscowość *f* wypoczynkowa; → ***health*** (***seaside, summer***) ***resort***; **2. ~ *to*** uciekać ⟨-ciec⟩ się do (*G*)
re·sound [rɪ'zaʊnd] rozbrzmiewać ⟨-mieć⟩
re·source [rɪ'sɔːs] zasób *m*; rozwiązanie *n*; pociecha *f*, schronienie *n*; pomysłowość *f*; **~s** *pl.* środki *pl.*; zasoby *pl.*, bogactwa *pl.* naturalne; **~·ful** pomysłowy
re·spect [rɪ'spekt] **1.** szacunek *m*, poważanie *n*; respekt *m* (***for*** dla *G*); wzgląd (***for*** dla *G*); ***with ~ to*** odnośnie (*G*); ***in this ~*** pod tym względem; ***give my ~s to*** proszę przekazać pozdrowienia (*D*); **2.** *v/t.* szanować, poważać; respektować, przestrzegać (*G*); **re'spec·ta·ble** szanowny, szacowny; **~·ful** pełen szacunku
re·spect·ive [rɪ'spektɪv] odnośny, właściwy; ***we went to our ~ places*** każdy udał się na swoje miejsce; **~·ly** właściwie, odpowiednio
res·pi·ra|·tion [respə'reɪʃn] oddychanie *n*; **~·tor** ['respəreɪtə] respirator *m*
re·spite ['respaɪt] wytchnienie *n*, spoczynek *m*; ***without ~*** bez wytchnienia
re·splen·dent [rɪ'splendənt] olśniewający
re·spond [rɪ'spɒnd] odpowiadać ⟨-wiedzieć⟩ (***to*** na *A*, ***that*** że); ⟨za⟩reagować (***to*** na *A*)

R

re·sponse [rɪ'spɒns] odpowiedź *f*; odzew *m*, reakcja *f* (**to** na *A*)
re·spon|·si·bil·i·ty [rɪspɒnsə'bɪlətɪ] odpowiedzialność *f*; ***on one's own ~sibility*** na własną odpowiedzialność; ***sense of ~sibility*** poczucie *n* odpowiedzialności; ***take (full) ~ sibility for*** przyjmować ⟨-jąć⟩ *pełną* odpowiedzialność za (*A*); **~·si·ble** [rɪ'spɒnsəbl] odpowiedzialny
rest[1] [rest] **1.** odpoczynek *m*, spoczynek *m*; *tech.* oparcie *n*; *tel.* widełki *pl.*; ***have*** *lub* ***take a ~*** odpoczywać ⟨-cząć⟩; ***set s.o.'s mind at ~*** uspokoić kogoś; **2.** *v/i.* odpoczywać ⟨-cząć⟩; spoczywać ⟨-cząć⟩; opierać ⟨oprzeć⟩ się (***against, on*** o *A*); ***let s.th. ~*** zostawiać ⟨-wić⟩ coś w spokoju; ***~ on*** spoczywać ⟨-cząć⟩ na (*L*) (*też fig. spojrzenie*); *v/t.* opierać ⟨-przeć⟩ (***against, on*** o *A*); dawać ⟨dać⟩ odpocząć
rest[2] [rest] reszta *f*; ***all the ~ of them*** wszyscy pozostali; ***for the ~*** co do reszty
res·tau·rant ['restərɒnt, 'restərənt, 'restərɔ̃ːŋ] restauracja *f*
'rest|·ful spokojny; uspokajający; **'~ home** *jakby*: dom *m* spokojnej starość
res·ti·tu·tion [restɪ'tjuːʃn] przywrócenie *n*, restytucja *f*
res·tive ['restɪv] niespokojny, zaniepokojony
'rest·less niespokojny
res·to·ra·tion [restə'reɪʃn] przywrócenie *n*, zwrot *m*, restytucja *f*; odbudowa *f*, restauracja *f*;
re·store [rɪ'stɔː] przywracać ⟨-rócić⟩; zwracać ⟨-rócić⟩; ⟨od⟩restaurować, odbudowywać ⟨-ować⟩; ***be ~d to health*** wrócić do zdrowia
re·strain [rɪ'streɪn] (***from***) powstrzymywać ⟨-mać⟩ przed (*I*); ***I had to ~ myself*** musiałem się powstrzymywać (***from doing s.th.*** przed zrobieniem czegoś); **~ed** [rɪ'streɪnd] powściągliwy, opanowany; *kolor itp.*: stonowany; **~t** [rɪ'streɪnt] opanowanie *n*, powściągliwość *f*
re·strict [rɪ'strɪkt] ograniczać ⟨-czyć⟩ (***to*** do *G*); **re·stric·tion** [rɪ'strɪkʃn] ograniczenie *n*; ***without ~s*** bez ograniczeń
'rest room *Am.* (*w hotelu itp.*) toaleta *f*
re·sult [rɪ'zʌlt] **1.** wynik *m*, rezultat *m*; skutek *m*, efekt *m*; ***as a ~ of*** na skutek *G*, w wyniku *G*; ***without ~*** bez wyniku, bezskutecznie; **2.** wynikać ⟨-knąć⟩ (***from*** z *G*); ***~ in*** dawać ⟨dać⟩ w wyniku (*A*)
re·sume [rɪ'zjuːm] podejmować ⟨-djąć⟩, wznawiać ⟨wznowić⟩; *miejsce* zajmować ⟨-jąć⟩ ponownie; **re·sump·tion** [rɪ'zʌmpʃn] podjęcie *n* (*na nowo*); wznowienie *n*
Res·ur·rec·tion [rezə'rekʃn] Zmartwychwstanie *n*
re·sus·ci|·tate [rɪ'sʌsɪteɪt] *med.* reanimować; ocucić; **~·ta·tion** *med.* [rɪsʌsɪ'teɪʃn] reanimacja *f*
re·tail 1. ['riːteɪl] handel *m* detaliczny; detal *m*; ***by ~*** detalicznie; **2.** ['riːteɪl] *adv.* detalicznie; **3.** [riː'teɪl] *v/t.* sprzedawać ⟨-dać⟩ detalicznie (***at, for*** za *A*); *v/i.* być sprzedawanym detalicznie (***at, for*** za *A*); **~·er** [riː'teɪlə] detalista *m*
re·tain [rɪ'teɪn] zatrzymywać ⟨-mać⟩; zachowywać ⟨-ować⟩
re·tal·i|·ate [rɪ'tælɪeɪt] odwzajemniać ⟨-mnić⟩ się; ⟨za⟩stosować odwet; **~·a·tion** [rɪtælɪ'eɪʃn] odwet *m*, retorsja *f*
re·tard [rɪ'tɑːd] opóźniać ⟨-nić⟩; wstrzymywać ⟨-mać⟩; (***mentally***) **~ed** opóźniony umysłowo
retch [retʃ] *med.* mieć odruchy wymiotne
re·tell [riː'tel] (***-told***) opowiadać ⟨-wiedzieć⟩ na nowo
re·think [riː'θɪŋk] (***-thought***) przemyśleć
re·ti·cent ['retɪsənt] milczący, milkliwy
ret·i·nue ['retɪnjuː] świta *f*, orszak *m*
re·tire [rɪ'taɪə] *v/i.* przechodzić ⟨przejść⟩ na rentę *lub* emeryturę; wycofywać ⟨-fać⟩ się; *v/t.* przenosić ⟨przenieść⟩ na rentę *lub* emeryturę; **~d** emerytowany, w stanie spoczynku; ***be ~d*** być na rencie *lub* emeryturze; **~·ment** emerytura *f*, stan *m* spoczynku; **re·tir·ing** [rɪ'taɪərɪŋ] płochliwy
re·tort [rɪ'tɔːt] **1.** odpowiadać ⟨-wiedzieć⟩ ostro; **2.** ostra odpowiedź *f*
re·touch [riː'tʌtʃ] *phot.* ⟨wy⟩retuszować
re·trace [rɪ'treɪs] ⟨z⟩rekonstruować; ***~ one's steps*** wracać ⟨-rócić⟩ po własnych śladach

R

re•tract [rɪ'trækt] *v/t.* wycofywać ⟨-fać⟩, odwoływać ⟨-łać⟩; wciągać ⟨-gnąć⟩, ⟨s⟩chować
re•train [riː'treɪn] przeszkalać ⟨-kolić⟩; zmieniać ⟨-nić⟩ kwalifikacje
re•tread 1. [riː'tred] *oponę* bieżnikować; **2.** ['riːtred] bieżnikowana opona *f*
re•treat [rɪ'triːt] **1.** odwrót *m*; wycofanie *n* się; ***beat a (hasty) ~*** pospiesznie się wycofywać ⟨-fać⟩; **2.** wycofywać ⟨-fać⟩ się (***from*** z *G*)
ret•ri•bu•tion [retrɪ'bjuːʃn] odpłata *f*, odwet *m*
re•trieve [rɪ'triːv] odzyskiwać ⟨-skać⟩; *błąd* naprawiać ⟨-wić⟩; *komp.* uzyskiwać dostęp; *hunt.* aportować
ret•ro|•ac•tive [retrəʊ'æktɪv] *jur.* działający wstecz; **~•grade** ['retrəʊgreɪd] wsteczny, regresywny; **~•spect** ['retrəʊspekt]: ***in ~spect*** z perspektywy (*lat lub czasu*); **~•spec•tive** [retrəʊ'spektɪv] retrospektywny; *jur.* działający wstecz
re•try [riː'traɪ] *jur. przypadek* ponownie sądzić
re•turn [rɪ'tɜːn] **1.** *v/i.* wracać ⟨wrócić⟩, powracać ⟨-rócić⟩; ***~ to*** powracać ⟨-rócić⟩ do (*G*); *v/t.* oddawać ⟨-dać⟩; zwracać ⟨-rócić⟩; odsyłać ⟨odesłać⟩; *zysk* przynosić ⟨-nieść⟩, dawać ⟨dać⟩; odwzajemniać ⟨-nić⟩; (*w sprawozdaniu*) zgłaszać ⟨-łosić⟩; → ***verdict***; **2.** powrót *m*; zwrot *m*, zwrócenie *n*; odesłanie *n*; sprawozdanie *n*; *podatkowa* deklaracja *n*; (*w tenisie*) odbicie *n*; *też* ***~s*** zysk *m*, dochód *m*, wpływy *pl.*; ***many happy ~s (of the day)*** wszystkiego najlepszego z okazji urodzin; ***by ~ (of post)*** *Brt.* odwrotną pocztą; ***in ~ for*** (*w zamian*) za (*A*); **3.** *adj.* powrotny; zwrotny; **re'tur•na•ble** do zwrotu; ***~ bottle*** butelka *f* z kaucją
re•turn| 'key *komp.* klawisz *m* powrotu karetki; klawisz *m* Enter; **~ 'game, ~ 'match** *sport*: mecz *m* rewanżowy; **~ 'tick•et** *Brt.* bilet *m* powrotny
re•u•ni•fi•ca•tion [riːjuːnɪfɪ'keɪʃn] *pol.* zjednoczenie *n*
re•u•nion [riː'juːnjən] zjazd *m*; zejście *n* się
re•us•a•ble [riː'juːzəbl] zdatny do ponownego użytku
rev [rev] F *mot.* **1.** obroty *pl.*; ***~ counter*** obrotomierz *m*; **2.** (**-vv-**) *też.* ***~ up*** zwiększać ⟨-szyć⟩ obroty (*silnika*)
Rev *skrót pisany*: ***Reverend*** *rel.* wielebny (*tytuł i zwrot*)
re•val•ue [riː'væljuː] *econ.* przeszacować ⟨-wywać⟩
re•veal [rɪ'viːl] odsłaniać ⟨-łonić⟩; ujawniać ⟨-nić⟩; **~•ing** *sukienka itp.*: mało osłaniający; *fig. uwaga itp.*: dużo odkrywający
rev•el ['revl] (*zwł. Brt.* **-ll-** , *Am.* **-l-**): ***~ in*** lubować się (w *L*), rozkoszować się (*I*)
rev•e•la•tion [revə'leɪʃn] rewelacja *f*; ujawnienie *n*; *rel.* objawienie *n*
re•venge [rɪ'vendʒ] **1.** zemsta *f*; rewanż *m*; ***in ~ for*** z zemsty za (*A*); **2.** ⟨po⟩mścić; ***~ o.s. on*** mścić się na (*L*); **~•ful** mściwy
rev•e•nue ['revənjuː] *rel.* dochody *pl.*, wpływy *pl.*
re•ver•be•rate [rɪ'vɜːbəreɪt] rozlegać ⟨-lec⟩ się; rozbrzmiewać ⟨-mieć⟩
re•vere [rɪ'vɪə] czcić
rev•e|•rence ['revərəns] cześć *f*, szacunek *m* (***for*** dla *G*); **Ꝝ•rend** ['revərənd] *rel.* wielebny; **~•rent** ['revərənt] pełen atencji
rev•er•ie ['revərɪ] marzenia *pl.*
re•vers•al [rɪ'vɜːsl] odwrócenie *n*; anulowanie *n*, uchylenie *n*
re•verse [rɪ'vɜːs] **1.** *adj.* odwrotny, przeciwny; *bieg*: wsteczny; ***in ~ order*** w odwrotnym kierunku; **2.** *samochód*: cofać ⟨-fnąć⟩ (się); wycofywać ⟨-fać⟩; *porządek* odwracać ⟨-rócić⟩; *decyzję* uchylać ⟨-lić⟩; ***~ the charges*** *Brt. tel.* ⟨za⟩dzwonić na koszt odbiorcy; **3.** odwrotność *f*; odwrócenie *n*; *mot.* cofanie *n*; strona *f* odwrotna; rewers *m* (*monety*); **~ 'gear** *mot.* bieg *m* wsteczny; **~ 'side** lewa strona *f* (*materiału itp.*)
re•vers•i•ble [rɪ'vɜːsəbl] odwracalny; odwołalny
re•vert [rɪ'vɜːt]: ***~ to*** powracać ⟨-rócić⟩ do (*G*); cofać ⟨-nąć⟩ się (*w rozwoju*)
re•view [rɪ'vjuː] **1.** przegląd *m*; rewizja *f*, badanie *n*; krytyka *f*, recenzja *f*, omówienie *n*; *mil.* defilada *f*; *Am. ped.* powtórka *f* (*materiału*) (***for*** do *G*); **2.** dokonywać ⟨-nać⟩ przeglądu; poddawać ⟨-dać⟩ rewizji; ⟨z⟩badać; omawiać ⟨omówić⟩; ⟨z⟩recenzować; *Am. ped.* po-

R

wtarzać ⟨-tórzyć⟩ (*materiał*) (***for*** do *G*); **~·er** recenzent(ka *f*) *m*, krytyk *m*
re·vise [rɪ'vaɪz] ⟨z⟩rewidować; *opinię* ⟨s⟩korygować; *książkę* poprawiać ⟨-wić⟩, ⟨s⟩korygować; *Brt. ped.* powtarzać ⟨-tórzyć⟩ (*materiał*) (***for*** do *G*); **re·vi·sion** [rɪ'vɪʒn] rewizja *f*; korekta *f*; zmiana *f*; *Brt. ped.* powtórka *f* (*materiału*) (***for*** do *G*)
re·viv·al [rɪ'vaɪvl] odrodzenie *n*; ożywienie *n*; wznowienie *n* (*sztuki*); **revive** [rɪ'vaɪv] odradzać ⟨-rodzić⟩; ożywiać ⟨-wić⟩; wznawiać ⟨-nowić⟩
re·voke [rɪ'vəʊk] cofać ⟨-fnąć⟩; odwoływać ⟨-łać⟩; anulować
re·volt [rɪ'vəʊlt] **1.** *v/i.* ⟨z⟩buntować się, burzyć się (***against*** przeciwko *D*); wzbudzać ⟨-dzić⟩ odrazę (***against, at, from*** przeciwko *D*); *v/t.* napełniać ⟨-nić⟩ odrazą; **2.** bunt *m*, rewolta *f*; **~·ing** wzbudzający odrazę
rev·o·lu·tion [revə'luːʃn] rewolucja (*też pol.*), przewrót *m*; *astr.*, *tech.* obrót *m*; ***number of ~s*** *tech.* liczba *f* obrotów; ***~ counter*** *mot.* obrotomierz *m*; **~·ar·y** [revə'luːʃnərɪ] **1.** rewolucyjny; **2.** *pol.* rewolucjonista *m* (-tka *f*); **~·ize** *fig.* [revə'luːʃnaɪz] ⟨z⟩rewolucjonizować
re·volve [rɪ'vɒlv] obracać się (***on, round*** wokół *G*); ***~ around*** *fig.* obracać się wokół (*G*); **re'volv·er** rewolwer *m*; **re'volv·ing** obrotowy; ***~ door*(*s*** *pl.*) drzwi *pl.* obrotowe, turnikiet *m*
re·vue [rɪ'vjuː] *theat.* rewia *f*
re·vul·sion [rɪ'vʌlʃn] wstręt *m*, odraza *f*
re·ward [rɪ'wɔːd] **1.** nagroda *f*; **2.** nagradzać ⟨-rodzić⟩; **~·ing** zyskowny; dający satysfakcję, satysfakcjonujący
re·write [riː'raɪt] (***-wrote, -written***) *tekst* przerabiać ⟨-robić⟩; ⟨na⟩pisać na nowo

R

rhap·so·dy ['ræpsədɪ] *mus.* rapsodia *f*
rhe·to·ric ['retərɪk] retoryka *f*
rheu·ma·tism *med.* ['ruːmətɪzəm] reumatyzm *m*
Rhine Ren *m*
rhi·no ['raɪnəʊ] *zo.* F (*pl.* ***-nos***), **rhi·noce·ros** [raɪ'nɒsərəs] *zo.* (*pl.* ***-ros*** [-sɪz], ***-roses***) nosorożec *m*
rhu·barb ['ruːbɑːb] *bot.* rabarbar *m*; *attr.* rabarbarowy
rhyme [raɪm] **1.** rym *m*; wiersz *m*; ***without ~ or reason*** bez ładu i składu; **2.** rymować (się)
rhyth|·m ['rɪðəm] rytm *m*; **~·mic** ['rɪðmɪk] (***-ally***), **~·mi·cal** rytmiczny
rib [rɪb] *anat.* żebro *n*
rib·bon ['rɪbən] wstążka *f*; taśma *f* (*maszyny do pisania*)
'rib cage *anat.* klatka *f* piersiowa
rice [raɪs] *bot.* ryż *m*; *attr.* ryżowy; **~ 'pud·ding** pudding *m* ryżowy
rich [rɪtʃ] **1.** bogaty (*też* ***in*** w *A*); kosztowny, wystawny; *jedzenie*: ciężki, tłusty; *ziemia*: tłusty, żyzny; *ton*: pełny; *ton*: głęboki; ***~ (in calories)*** wysokokaloryczny; **2.** ***the ~*** *pl.* bogaci *pl.*
rick [rɪk] stóg *m*
rick·ets ['rɪkɪts] *med.* krzywica *f*
rick·et·y ['rɪkətɪ] F chwiejny, kiwający się
rid [rɪd] (***-dd-***; ***rid***) uwalniać ⟨uwolnić⟩ (***of*** od *G*); ***get ~ of*** pozbywać ⟨-być⟩ się (*G*)
rid·dance F ['rɪdəns]: ***good ~!*** krzyżyk na drogę!
rid·den ['rɪdn] **1.** *p.p. od* ***ride*** 1; **2.** *w złoż.* nękany
rid·dle[1] ['rɪdl] zagadka *f*
rid·dle[2] ['rɪdl] **1.** rzeszoto *n*; **2.** ⟨po⟩dziurawić (***with I***) (*jak rzeszoto*)
ride [raɪd] **1.** (***rode, ridden***) *v/i.* ⟨po⟩jechać (***on*** na *rowerze*, ***in*** *lub Am.* ***on*** w *autobusie itp.*); ⟨po⟩jechać (*konno*); *v/t.* jeździć na (*L*) (*koniu*, *rowerze*); ⟨po⟩jechać (*I*) (*samochodem itp.*); **2.** jazda *f*; przejażdżka *f*; **'rid·er** jeździec *m*; rowerzysta *m* (-tka *f*); motocyklista *m* (-tka *f*)
ridge [rɪdʒ] (*górski*) grzebień *m*; (*dachu*) kalenica *f*
rid·i·cule ['rɪdɪkjuːl] **1.** szyderstwo *n*, drwina *f*; **2.** drwić z (*G*); szydzić z (*G*), kpić z (*G*); **ri·dic·u·lous** [rɪ'dɪkjʊləs] śmieszny, groteskowy
rid·ing ['raɪdɪŋ] jeździecki
riff-raff ['rɪfræf] *pej.* motłoch *m*, hołota *f*
ri·fle[1] ['raɪfl] karabin *m*, strzelba *f*
ri·fle[2] ['raɪfl] ⟨s⟩plądrować
rift [rɪft] szczelina *f* (*też fig.*); pęknięcie *n*
rig [rɪg] **1.** (***-gg-***) *statek* ⟨o⟩taklować; ***~ out*** kogoś ⟨wy⟩stroić; ***~ up*** F ⟨s⟩klecić, ⟨z⟩montować (***from*** z *G*); **2.** *naut.* takielunek *m*; *tech.* urządzenie wiertnicze; F ciuchy *pl.*; **'~·ging** *naut.* takielunek *m*
right [raɪt] **1.** *adj.* prawy; dobry, popraw-

ny; właściwy, prawidłowy; *pol.* prawicowy; ***all ~!*** w porządku!, dobrze!; ***that's all ~!*** nie ma za co!, proszę!; ***that's ~!*** dobrze!, zgoda!; ***be ~*** mieć rację; ***put ~, set ~*** ⟨u⟩porządkować, naprawiać ⟨-wić⟩; **2.** *adv.* na prawo, w prawo; dobrze, poprawnie, właściwie, prawidłowo; bezpośrednio, wprost; ***~ away*** od razu; ***~ now*** obecnie; ***~ on*** prosto; ***turn ~*** skręcić w prawo; **3.** prawa strona *f*; *pol.* prawica *f*; ***on the ~*** z prawej; ***to the ~*** na prawo; ***keep to the ~*** trzymać się prawej; jechać z prawej strony; **4.** ⟨wy⟩prostować; *coś* ⟨s⟩prostować; ⟨s⟩korygować; **'~ an•gle** kąt *m* prosty; **'~-an•gled** *math.* pod kątem prostym; **~•eous** ['raɪtʃəs] *człowiek*: prawy; *oburzenie*: słuszny; **'~•ful** legalny; słuszny; **~-'hand** prawostronny; **~-hand 'drive** z prawostronnym układem kierowniczym; **~-'hand•ed** praworęczny; **'~•ly** słusznie; **~ of 'way** *mot.* pierwszeństwo przejazdu *n*; **~-'wing** *pol.* prawicowy

rig•id ['rɪdʒɪd] sztywny; *fig.* nieugięty

rig•ma•role ['rɪgmərəʊl] F ceregiele *pl.*

rig•or•ous ['rɪgərəs] rygorystyczny; surowy

rig•o(u)r ['rɪgə] surowość *f*; ostrość *f*; rygor *m*

rile [raɪl] F ⟨z⟩denerwować, ⟨z⟩irytować

rim [rɪm] brzeg *m*, krawędź *f*; obrzeże *n*; obwódka *f*; *tech.* obręcz *f*; **'~•less** *okulary*: bezobwódkowy; **'~med** z obwódką

rind [raɪnd] skórka *f* (*cytryny, sera itp.*)

ring[1] [rɪŋ] **1.** pierścień *m*; kółko *n*; obrączka *f*, pierścionek *m*; krążek *m*; (*w boksie*) ring *m*; arena *f*; *przestępcza* siatka *f*; **2.** otaczać ⟨-toczyć⟩; okrążać ⟨-żyć⟩; *ptaki* ⟨za⟩obrączkować

ring[2] [rɪŋ] **1.** (***rang, rung***) ⟨za⟩dzwonić; ⟨za⟩brzmieć, rozbrzmiewać ⟨-mieć⟩; *zwł. Brt. tel.* ⟨za⟩telefonować, ⟨za⟩dzwonić; ***the bell is ~ing*** dzwoni; ***~ the bell*** zadzwonić; ***~ back*** oddzwaniać ⟨-wonić⟩; ***~ for*** ⟨za⟩dzwonić po (*A*); ***~ off*** *zwł. Brt. tel.* odkładać ⟨odłożyć⟩ słuchawkę; ***~ s.o. (up)*** ⟨za⟩dzwonić do kogoś; **2.** dzwonienie *n*; dzwonek *m*; dźwięk *m*; brzmienie *n*; ***give s.o. a ~*** ⟨za⟩dzwonić do kogoś

'ring| bind•er kołonotatnik *m*; **'~•lead•er** przywódca *m* (*szajki itp.*); **'~•mas•ter** dyrektor *m* cyrku; **'~ road** *Brt.* obwodnica *f*; **'~•side**: ***at the ~side*** ***boks*** przy ringu

rink [rɪŋk] *sztuczne* lodowisko *n*; tor *m* wrotkarski

rinse [rɪns] *też* ***~ out*** ⟨wy⟩płukać

ri•ot ['raɪət] **1.** zamieszki *pl.*, rozruchy *pl.*; ***run ~*** rozszaleć się; ***~ police*** oddziały *pl.* prewencji; **2.** wszczynać ⟨-cząć⟩ rozruchy; **'~•er** uczestnik *m* zamieszek; **'~•ous** rozszalały, wzburzony

rip [rɪp] **1.** (***-pp-***) *też* ***~ up*** ⟨po⟩drzeć; ***~ open*** rozdzierać ⟨-zedrzeć⟩; **2.** rozdarcie *n*

ripe [raɪp] dojrzały; **rip•en** ['raɪpən] dojrzewać ⟨-jrzeć⟩

rip•ple ['rɪpl] **1.** ⟨z⟩marszczyć się; rozchodzić ⟨-zejść⟩ się falą; **2.** zmarszczka *f*; fala *f*

rise [raɪz] **1.** (***rose, risen***) wstawać ⟨-tać⟩ (*też rano*); podnosić ⟨-nieść⟩ się; *dym*: unosić ⟨unieść⟩ się; *ciasto*: ⟨u⟩rosnąć; *nastrój*: poprawiać ⟨-wić⟩ się; *temperatura itp.*: wzrastać ⟨-rosnąć⟩; *wiatr*: wzmagać ⟨wzmóc⟩ się; wschodzić ⟨wzejść⟩; *drzewa, góry itp.*: wznosić się; *fig.* ⟨z⟩rodzić się (***from, out of*** z *G*); *też* ***~ up*** powstawać ⟨-tać⟩ (***against*** przeciw *D*); ***~ to the occasion*** stawać ⟨stanąć⟩ na wysokości zadania; **2.** wzrost *m*; podniesienie *n* się; zwyżka *f*; podwyżka *f* (*Brt. też płacy*); rośnięcie *n*; *astr.* wschód *m*; wzniesienie *n* się; *fig.* rozrost *m*; ***give ~ to*** prowadzić do (*G*); **ris•en** ['rɪzn] *p.p. od* ***rise*** 1; **ris•er** ['raɪzə]: ***be an early riser*** wcześnie wstawać (*z łóżka*); **ris•ing** ['raɪzɪŋ] **1.** powstanie *n*; **2.** *fig.* wschodzący

risk [rɪsk] **1.** ryzyko *n*; ***at one's own ~*** na własną odpowiedzialność; ***at the ~ of*** (*ger.*) ryzykując, że; ***be at ~*** być zagrożonym; ***run the ~ of doing s.th.*** narażać ⟨-razić⟩ się na zrobienie czegoś; ***run a ~, take a ~*** podejmować ⟨-djąć⟩ ryzyko; **2.** ⟨za⟩ryzykować; **'~•y** (***-ier, -iest***) ryzykowny, niebezpieczny

rite [raɪt] obrządek *m*, obrzęd *m*, ceremoniał *m*; **rit•u•al** ['rɪtʃʊəl] **1.** rytualny; **2.** ryt *m*, rytuał *m*

ri•val ['raɪvl] **1.** rywal(ka *f*) *m*; konkurent(ka *f*) *m*; **2.** rywalizujący, konkurencyjny; **3.** (*zwł. Brt.* ***-ll-***, *Am.* ***-l-***) ry-

R

walizować z (*I*), konkurować z (*I*), współzawodniczyć z (*I*); **~·ry** ['raɪvlrɪ] rywalizacja *f*, współzawodnictwo *n*
riv·er ['rɪvə] rzeka *f*; *attr.* rzeczny; **'~·side** brzeg *m*; ***by the ~side*** nad rzeką
riv·et ['rɪvɪt] **1.** *tech.* nit *m*; **2.** *tech.* ⟨przy⟩nitować; spojrzenie utkwić (***on*** w *A*); *uwagę* przykuwać ⟨-kuć⟩ (***on*** do *G*)
RN [ɑːr 'en] *skrót*: ***Royal Navy*** *Brt.* Marynarka *f* Królewska
road [rəʊd] droga *f* (*też fig.*); szosa *f*; ***on the ~*** w drodze; na drodze (***to*** do *G*); na tourn(e); *attr.* drogowy; **'~ ac·ci·dent** wypadek *m* drogowy; **'~·block** korek *m* uliczny; **'~ map** mapa *f* drogowa; **~ 'safe·ty** bezpieczeństwo *n* drogowe; **'~·side** pobocze *n*; **'~ toll** myto *n*, opłata *f* za korzystanie z drogi; **'~·way** jezdnia *f*; **'~ works** *pl.* prace *pl.* na drodze; **'~·wor·thy** nadający się do poruszania po drogach
roam [rəʊm] *v/i.* błąkać się, wędrować; *v/t.* błąkać się po (*L*), wędrować po (*L*)
roar [rɔː] **1.** ryk *m*; ***~s*** *pl.* ***of laughter*** ryk *pl.* śmiechu; **2.** ryczeć ⟨ryknąć⟩, zaryczeć
roast [rəʊst] **1.** *v/t.* *mięso* ⟨u⟩piec; *kawę itp.* palić; **2.** pieczeń *f*; **3.** *adj.* pieczony; **~ 'beef** rostbef *m*, pieczeń *f* wołowa
rob [rɒb] (***-bb-***) okradać ⟨okraść⟩, obrabowywać ⟨-ować⟩; **~·ber** ['rɒbə] rabuś *m*; **~·ber·y** ['rɒbərɪ] rabunek *m*; obrabowanie *n*
robe [rəʊb] *też* ***~s*** *pl.* toga *f*; *zwł. Am.* szlafrok *m*
rob·in ['rɒbɪn] *zo.* (*w Europie*) rudzik *m*; (*w Ameryce*) drozd *m* wędrowny
ro·bot ['rəʊbɒt] robot *m*
ro·bust [rə'bʌst] czerstwy, kwitnący
rock[1] [rɒk] **1.** kołysać (się); ⟨za-, po⟩kiwać, ⟨po⟩bujać; wstrząsać ⟨-snąć⟩ (*I*) (*też fig.*)
rock[2] [rɒk] skała *f*; głaz *m*; *Am.* kamień *m*; *Brt. długi, twardy, jaskrawy* cukierek *m*; ***~s*** *pl.* rafy *pl.*; ***on the ~s*** *firma* w opałach; *małżeństwo*: w rozpadzie; *whisky*: z lodem
rock[3] [rɒk] *też* ***~ music*** rock *m*; → ***rock'n'roll***
'rock·er fotel *m* bujany; płoza *f*; ***off one's ~*** F zbzikowany
rock·et ['rɒkɪt] **1.** rakieta *f*; **2.** *też* ***~ up*** wystrzelić w górę; pędzić, przemykać ⟨-mknąć⟩
'rock·ing| **chair** fotel *m* bujany; **'~ horse** koń *m* na biegunach
rock 'n' roll [rɒkən'rəʊl] rock and roll *m*
'rock·y (***-ier, -iest***) skalisty, kamienisty; twardy jak kamień
Rock·y Moun·tains *pl.* Góry Skaliste *pl.*
rod [rɒd] *tech.* pręt *m*, drąg *m*
rode [rəʊd] *pret. od* ***ride*** 1
ro·dent ['rəʊdənt] *zo.* gryzoń *m*
ro·de·o [rəʊ'deɪəʊ, 'rəʊdɪəʊ] (*pl.* ***-os***) rodeo *n*
roe [rəʊ] *zo. też* ***hard ~*** ikra *f*; ***soft ~*** mlecz *m*
roe|·buck ['rəʊbʌk] *zo.* (*pl.* ***-bucks, -buck***) kozioł *m* (*sarny*); **'~ deer** sarna *f*
rogue [rəʊg] łobuz *m*; drań *m*; **ro·guish** ['rəʊgɪʃ] łobuzerski
role [rəʊl] *theat. itp.* rola *f* (*też fig.*)
roll [rəʊl] **1.** *v/i.* ⟨po⟩toczyć się; *naut.* przechylać ⟨-lić⟩ się; ⟨za⟩kołysać się; *grzmot*: przetaczać ⟨-toczyć⟩ się; *v/t.* ⟨po⟩toczyć; przetaczać ⟨-toczyć⟩; *papierosa* zwijać ⟨zwinąć⟩; ***~ down*** *rękaw* odwijać ⟨-winąć⟩; *mot. okno* otwierać ⟨-worzyć⟩ (*korbką*); ***~ out*** rozwijać ⟨-winąć⟩; ***~ up*** podwijać ⟨-winąć⟩; zwijać ⟨-zwinąć⟩; *mot. okno* zamykać ⟨-mknąć⟩ (*korbką*); **2.** rolka *f*, wałek *m*; zwój *m*, zwitek *m*; bułka *f*; lista *f* (*nazwisk*); pomruk *m* (*grzmotu*); werbel *m*; *naut.* kołysanie *n*; **'~ call** odczytanie *n* listy obecności
'roll·er *tech.* wałek *m*; krążek *m*; rolka *f*; walec *m*; lokówka *f*; **'~·blades** *pl.* łyżworolki *pl.*; **'~ coast·er** kolejka *f* górska (*w wesołym miasteczku*); **'~ skate** wrotka *f*; **'~-skate** jeździć na wrotkach; **'~-skat·ing** jazda *f* na wrotkach; **'~ tow·el** ręcznik *m* na wałku
'roll·ing pin wałek *m* (*do ciasta*)
'roll-on dezodorant *m* z kulką
ROM [rɒm] *skrót*: ***read only memory*** ROM *m*
Ro·man ['rəʊmən] **1.** rzymski; romański; **2.** Rzymianin *m* (-anka *f*)
ro·mance [rəʊ'mæns] romans *m*; przygoda *f*
Ro·mance [rəʊ'mæns] język romański
Ro·ma·ni·a [ruː'meɪnjə] Rumunia *f*;

R

Ro•ma•ni•an [ruːˈmeɪnjən] **1.** rumuński; **2.** Rumun(ka *f*) *m*; *ling.* język *m* rumuński

ro•man|•tic [rəʊˈmæntɪk] **1.** romantyczny; **2.** romantyk *m* (-yczka *f*); **~•ticism** [rəʊˈmæntɪsɪzəm] romantyzm *m*

Rome Rzym *m*

romp [rɒmp] *też* **~ *about,* ~ *around*** dokazywać; **ˈ~•ers** *pl.* śpiochy *pl.*

roof [ruːf] **1.** dach *m*; **2.** przykrywać ⟨-ryć⟩ dachem; **~ *in,* ~ *over*** zadaszać ⟨-szyć⟩; **ˈ~•ing felt** papa *f*; **ˈ~ rack** bagażnik *m* dachowy

rook[1] [rʊk] *zo.* gawron *m*

rook[2] [rʊk] (*w szachach*) wieża *f*

rook[3] [rʊk] F oszwabiać ⟨-bić⟩

room [ruːm, *w złoż.*rʊm] **1.** pokój *m*; pomieszczenie *n*, izba *f*; sala *f*; miejsce *n*; wolne miejsce *n*; **2.** *Am.* mieszkać; **ˈ~•er** *zwł. Am.* sublokator(ka *f*) *m*; **ˈ~•ing-house** *Am. mieszkalny* blok *m*; **ˈ~•mate** współlokator(ka *f*) *m*; **ˈ~ service** dostarczanie *n* posiłków do pokoju; **ˈ~•y (*-ier, -iest*)** przestronny

roost [ruːst] **1.** grzęda *f*; **2.** siedzieć *lub* spać na grzędzie; **ˈ~•er** *zwł. Am. zo.* kogut *m*

root [ruːt] **1.** korzeń *m*; *fig.* źródło *n*, przyczyna *f*; *math.* pierwiastek *m*; **2.** *v/i.* zakorzeniać ⟨-nić⟩ się; ryć (***for*** w poszukiwaniu *G*); **~ *about*** grzebać (***among*** wśród *G*); *v/t.* **~ *out*** *fig.* wykorzeniać ⟨-nić⟩; **~ *up*** wyrywać ⟨-rwać⟩ z korzeniami; **ˈ~•ed**: ***deeply ~ed*** *fig.* głęboko zakorzeniony; ***stand ~ed to the spot*** stać jak wryty w miejscu

rope [rəʊp] **1.** lina *f*, powróz *m*; *naut.* cuma *f*; sznur *m* (*pereł itp.*); ***give s.o. plenty of ~*** dawać ⟨dać⟩ komuś dużo swobody; ***know the ~s*** F dobrze się orientować; ***show s.o. the ~s*** F wprowadzać ⟨-dzić ⟩ kogoś; **2.** przywiązywać ⟨-zać⟩ (***to*** do *G*); **~ *off*** odgradzać ⟨-grodzić⟩ (*linami*); **ˈ~ lad•der** drabinka *f* sznurowa

ro•sa•ry [ˈrəʊzərɪ] *rel.* różaniec *m*

rose[1] [rəʊz] *pret. od* ***rise*** 1

rose[2] [rəʊz] **1.** *bot.* róża *f*; (*w konewce itp.*) sitko *n*; **2.** różowy

ros•trum [ˈrɒstrəm] (*pl.* ***-tra*** [-trə], ***-trums***) podium *n*

ros•y [ˈrəʊzɪ] (***-ier, -iest***) różowy (*też fig.*)

rot [rɒt] **1.** (***-tt-***) ⟨ze⟩psuć (*też fig.*); *v/i. też* **~ *away*** ⟨ze⟩psuć się, ⟨z⟩gnić, ⟨s⟩próchnieć, ⟨z⟩murszeć,⟨z⟩butwieć; **2.** gnicie *n*, butwienie *n*

ro•ta•ry [ˈrəʊtərɪ] obrotowy, rotacyjny

ro•tate [rəʊˈteɪt] obracać (się); wirować; **ro•ta•tion** [rəʊˈteɪʃn] ruch *m* obrotowy, obrót *m*; rotacja *f*

ro•tor [ˈrəʊtə] *tech., aviat.* wirnik *m*

rot•ten [ˈrɒtn] zgniły, zepsuty; *drewno*: zmurszały, spróchniały; zbutwiały; kiepski, podły; ***feel ~*** F czuć się okropnie

ro•tund [rəʊˈtʌnd] okrągły, korpulentny

rough [rʌf] **1.** *adj.* szorstki; chropowaty; *ulica itp.*: nierówny; *morze*: wzburzony; *pogoda*: burzliwy; obcesowy, grubiański; *pomiar*: niedokładny, przybliżony; *warunki, przejścia*: ciężki, męczący; *jedzenie*: prosty; *warunki*: prymitywny; **2.** *adv.* ***sleep ~*** spać pod gołym niebem; ***play ~*** (*w sporcie*) ⟨za⟩grać brutalnie; **3.** (*w golfie*) zarośla *pl.*, krzaki *pl.*; ***write it out in ~ first*** napisać najpierw na brudno; **4. ~ *it*** F żyć w prymitywnych warunkach; **~ *out*** ⟨na⟩szkicować; **~•age** [ˈrʌfɪdʒ] *biol.* nietrawiona część *f* pożywienia; **ˈ~•cast** *arch.* tynk *m* kamyczkowy; **~ ˈcop•y** brudnopis *m*; **~ ˈdraft** brudnopis *m*, szkic *m*; **~•en** [ˈrʌfn] czynić szorstkim; *skóra*: ⟨z⟩grubieć; **ˈ~•ly** szorstko; *fig.* w przybliżeniu, orientacyjnie; **ˈ~•neck** naftowiec *m*; *Am.* F grubianin *m*; **ˈ~•shod**: ***ride ~shod over*** ⟨z⟩ranić, dotykać ⟨-tknąć⟩

round [raʊnd] **1.** *adj.* okrągły; ***a ~ dozen*** okrągły tuzin; ***in ~ figures*** w zaokrągleniu; **2.** *adv.* wokoło, dookoła; ***turn ~*** obracać ⟨-rócić⟩ się dookoła; ***invite s.o. ~*** zapraszać ⟨-rosić⟩ kogoś do siebie; **~ *about*** F coś koło; ***all*** (***the***) ***year ~*** okrągły rok; ***the other way ~*** na odwrót; **3.** *prp.* wokół (*G*), dookoła (*G*); po (*L*); za (*I*); ***trip ~ the world*** podróż dookoła świata; **4.** runda *f* (*też sportowa*); tura *f*; obchód *m* (*też med.*); kolejka *f* (*piwa itp.*); ładunek *m*, nabój *m*; (*w sporcie*) partia *f* (*golfa*); *mus.* kanon *m*; **5.** okrążać ⟨-żyć⟩; zaokrąglać ⟨-lić⟩; *zakręt* brać ⟨wziąć⟩; **~ *down*** *liczbę* zaokrąglać ⟨-lić⟩ (***to*** do *G*); **~ *off*** *posiłek* zakończyć, ukoronować; *liczbę* zaokrąglać ⟨-lić⟩ (***to*** do *G*); **~ *up*** *bydło* zaganiać ⟨-gonić⟩; *ludzi* spędzać ⟨-dzić⟩; *liczbę* zaokrąglać ⟨-lić⟩ (***to*** do

R

G); **'~·a·bout 1.** *Brt.* skrzyżowanie *n* okrężne, rondo *n*; *Brt.* karuzela *f*; **2.** ***take a ~about route*** ⟨po⟩jechać okrężną drogą; ***in a ~about way*** *fig.* w zawoalowany sposób; **~ 'trip** podróż *f* tam i z powrotem; **~-trip 'tick·et** bilet *m* tam i z powrotem

rouse [raʊz] *kogoś* ⟨o⟩budzić; *fig. kogoś* pobudzać ⟨-dzić⟩

route [ruːt] droga *f*, trasa *f*; *autobusowa* linia *f*; szlak *m*

rou·tine [ruː'tiːn] **1.** procedura *f*, tok *m*; ***the same old*** (***daily***) **~** codzienne obowiązki *pl.*; rutyna *f*; **2.** rutynowy, utarty

rove [rəʊv] wędrować (*też* po *L*)

row¹ [rəʊ] rząd *m*, szereg *m*

row² [rəʊ] **1.** wiosłować; **2.** przejażdżka *f* (*łodzią*)

row³ [raʊ] *Brt.* F **1.** awantura *f*; rejwach *m*; **2.** kłócić się

row|·boat ['rəʊbəʊt] *Am.* łódź *f* wiosłowa; **'~·er** wioślarz *m* (-arka *f*)

row house ['rəʊhaʊs] *Am.* domek *m* szeregowy

row·ing boat ['rəʊɪŋ bəʊt] *zwł. Brt.* łódź *f* wiosłowa

roy·al ['rɔɪəl] królewski; **~·ty** ['rɔɪəltɪ] rodzina *f* królewska; tantiemy *pl.* (***on*** od *G*)

RSPCA [ɑːr es piː siː 'eɪ] *skrót*: ***Royal Society for the Prevention of Cruelty to Animals*** (*towarzystwo opieki nad zwierzętami*)

RSVP [ɑːr es viː 'piː] *skrót*: ***please reply*** (*francuskie* ***répondez s'il vous plaît***) proszę o odpowiedź

rub [rʌb] **1.** (***-bb-***) *v/t.* trzeć, nacierać ⟨natrzeć⟩; wcierać ⟨wetrzeć⟩; pocierać ⟨potrzeć⟩; **~ *dry*** wycierać ⟨wytrzeć⟩ do sucha; **~ *it in*** *fig.* F wytykać ⟨-tknąć⟩ coś, odgrzebywać bez przerwy coś; **~ *shoulders with*** F zadawać się z (*I*), stykać się z (*I*); *v/i.* trzeć; ocierać ⟨otrzeć⟩ (***against, on*** o *A*); **~ *down*** wycierać ⟨wytrzeć⟩; wygładzać ⟨-ładzić⟩; **~ *off*** ścierać ⟨zetrzeć⟩ się; *farba*: odchodzić ⟨odejść⟩; **~ *off on***(***to***) *fig.* przenosić ⟨-nieść⟩ się na (*A*); **~ *out*** *Brt.* wycierać ⟨wytrzeć⟩ (*gumką*); **2.** ***give s.o. a ~*** natrzeć coś, wytrzeć coś

rub·ber ['rʌbə] guma *f*; *zwł. Brt.* gumka *f* (*do wycierania*); gąbka *f* (*do tablicy*); F (*prezerwatywa*) kondom *m*; **~ 'band** gumka *f* (*aptekarska*), recepturka *f*; **~ 'din·ghy** dingi *n*; **'~·neck** *Am.* F **1.** gapić się; **2.** *też* ***rubbernecker*** ciekawski *m* (-ka *f*); **~·y** ['rʌbərɪ] gumowy; *mięso*: gumowaty, jak guma

rub·bish ['rʌbɪʃ] śmieci *pl.*, odpadki *pl.*; *fig.* bzdury *pl.*; barachło *n*; **'~ bin** *Brt.* kubeł *m* na śmieci; **'~ chute** zsyp *m* na śmieci

rub·ble ['rʌbl] gruz *m*, rumowisko *n*, gruzy *pl.*

ru·by ['ruːbɪ] rubin *m*; *attr.* rubinowy

ruck·sack ['rʌksæk] plecak *m*

rud·der ['rʌdə] *naut.*, *aviat.* ster *m*

rud·dy ['rʌdɪ] (***-ier, -iest***) czerstwy, rumiany; rdzawy

rude [ruːd] (***-r, -st***) niegrzeczny, nietaktowny; *dowcip*: brzydki; *szok*: silny

ru·di|·men·ta·ry [ruːdɪ'mentərɪ] rudymentarny, elementarny; **~·ments** ['ruːdɪmənts] *pl.* podstawy *pl.*

rue·ful ['ruːfʊl] zafrasowany

ruff [rʌf] kreza *f*; *zo.* pióra *pl.* (*wokół szyi*)

ruf·fle ['rʌfl] **1.** ⟨z⟩wichrzyć; *włosy* ⟨po⟩czochrać; **~ *s.o.'s composure*** zirytować kogoś; **2.** falbanka *f*

rug [rʌg] dywanik *m*; *zwł. Brt.* pled *m*

rug·by ['rʌgbɪ] *też* **~ *football*** (*w sporcie*) rugby *n*

rug·ged ['rʌgɪd] wytrzymały; *okolica*: surowy; *rysy*: gruby

ru·in ['rʊɪn] **1.** ruina *f*; *zw.* **~*s*** *pl.* ruiny *pl.*; **2.** ⟨z⟩rujnować, ⟨z⟩niszczyć; **'~·ous** zrujnowany

rule [ruːl] **1.** reguła *f*; zasada *f*; przepis *m*; panowanie *n*, rządy *pl.*; linijka *f*, przymiar *m*; ***against the ~s*** wbrew przepisom, niezgodnie z regułami; ***as a ~*** z reguły; ***as a ~ of thumb*** jako praktyczna zasada; ***work to ~*** pracować zgodnie z przepisami; **2.** *v/t.* panować (*I*), rządzić (*I*); *zwł. jur.* orzekać; *papier* ⟨po⟩liniować; *linię* ⟨po⟩ciągnąć; ***be ~d by*** *fig.* rządzić się (*I*); **~ *out*** coś wykluczać ⟨-czyć⟩; *v/i.* panować (***over*** nad *I*); *zwł. jur.* postanawiać ⟨-nowić⟩; **'rul·er** władca *m*; linijka *f*, przymiar *m*

rum [rʌm] rum *m*

rum·ble ['rʌmbl] ⟨za⟩łoskotać, ⟨za⟩dudnić; *żołądek*: ⟨za⟩burczeć

ru·mi|·nant ['ruːmɪnənt] *zo.* przeżuwacz *m*; **~·nate** ['ruːmɪneɪt] przeżuwać ⟨-żuć⟩

rum·mage ['rʌmɪdʒ] F **1.** *też* ~ **about** ⟨po⟩grzebać, ⟨po⟩gmerać (**among, in, through** w *L*); **2.** *zwł. Am.* rzeczy *pl.* używane; '~ **sale** *Am.* wyprzedaż *f* rzeczy używanych

ru·mo(u)r ['ru:mə] **1.** pogłoska *f*, plotka *f*; ~ **has it that** wieść niesie, że; **he is ~ed to be** mówi się, że on; ⚠ *nie* **rumor**

rump [rʌmp] zad *m*; *fig.* pozostałości *pl.*, niedobitki *pl.*

rum·ple ['rʌmpl] ⟨po⟩gnieść, ⟨z⟩gnieść

run [rʌn] **1.** (**-nn-**; **ran, run**) *v/i.* ⟨po⟩biec, ⟨po⟩biegnąć, (*w sporcie*) biegać; *pojazd*: ⟨po⟩jechać; *autobus, pociąg*: kursować; spływać ⟨-łynąć⟩; *kolory*: puszczać ⟨puścić⟩; *tech. silnik*: chodzić, pracować; być w ruchu; *ulica*: biec; *zwł. jur.* obowiązywać (**for one year** przez jeden rok); *theat. sztuka*: iść; *tekst, melodia*: brzmieć; *zwł. Am. pol.* kandydować; ~ **dry** wysychać ⟨-schnąć⟩; ~ **low** wyczerpywać ⟨-pać⟩ się; ~ **short** wyczerpywać ⟨-pać⟩ się; ~ **short of petrol** nie mieć już benzyny; *v/t. odległość* ⟨prze⟩biec, przebiegać ⟨-biec⟩; *pociągiem, autobusem* ⟨po⟩kierować; *tech. maszynę* uruchamiać ⟨-chomić⟩; *wodę* puszczać; *firmę, hotel* ⟨po⟩prowadzić; *artykuł* ⟨o⟩publikować, zamieszczać ⟨-mieścić⟩; ~ **s.o. home** F zawozić ⟨-wieźć⟩ kogoś do domu; **be ~ning a temperature** mieć temperaturę; → **errands**; ~ **across** *kogoś* spotykać ⟨-tkać⟩ przypadkiem; ~ **after** pogonić ⟨-gnać⟩ za (*I*); narzucać się (*D*); ~ **along!** F uciekaj!; ~ **away** uciekać ⟨uciec⟩; ~ **away with** uciekać ⟨uciec⟩ z (*I*); dawać ⟨dać⟩ się ponieść (*D*); ~ **down** *mot.* potrącać ⟨-ącić⟩; F obmawiać ⟨-mówić⟩; wyszukiwać ⟨-kać⟩; *czas*: upływać ⟨-łynąć⟩; *bateria*: wyczerpywać ⟨-pać⟩ się; ~ **in** *samochód itp.* docierać ⟨dotrzeć⟩; F ⟨s⟩chwytać; ~ **into** zderzać ⟨zderzyć⟩ się (*I*); *kogoś* spotykać ⟨-tkać⟩ przypadkiem; *fig.* wpadać ⟨wpaść⟩ w (*A*) (*kłopoty*); *fig.* wynosić ⟨-nieść⟩ (*A*); ~ **off with** → **run away with**; ~ **on** przeciągać ⟨-gnąć⟩ się (**until** do *G*); F ględzić (**about** o *L*); ~ **out** *jedzenie*: wyczerpywać ⟨-pać⟩ się; *czas*: uciekać; ~ **out of sugar** nie mieć już cukru; ~ **over** *mot.* przejechać; przelewać ⟨-lać⟩ się; ~ **through** powtarzać ⟨-tórzyć⟩; przelatywać ⟨-lecieć⟩ (wzrokiem); zużywać ⟨-żyć⟩; ~ **up** *flagę* podnosić ⟨-nieść⟩; *dług* zaciągnąć ⟨-gać⟩; ~ **up against** napotykać ⟨-tkać⟩; **2.** bieg *m*; kurs *m*; przejazd *m*, wycieczka *f*; tok *m*, przebieg *m*; okres *m*; *econ.* run *m*, popyt *m* (**on** na *A*); *theat. itp.* okres *m* wystawiania; *Am.* oczko *n* (*w rajstopach itp.*); zagroda *f*, kojec *m*; wybieg *m*; (*w sporcie*) tor *m*; ~ **of good** (**bad**) **luck** pasmo *n* (nie)powodzeń; **in the long** ~ na dłuższą metę; **in the short** ~ na krótszą metę; **on the** ~ uciekający

'**run**|**·a·bout** F *mot.* mały samochód *m*, samochód *m* miejski; '**~·a·way** zbieg *m*

rung[1] [rʌŋ] *p.p. od* **ring**[2]

rung[2] [rʌŋ] szczebel *m*

run·ner ['rʌnə] (*w sporcie*) biegacz(ka *f*) *m*; koń *m* wyścigowy; *zw. w złoż.* szmugler *m*; płoza *f*, prowadnica *f*; *bot.* pęd *m* rozłogowy; ~ **'bean** *Brt. bot.* fasolka *f* szparagowa; **~-up** [rʌnər'ʌp] (*pl.* **runners-up**) (*w sporcie*) drugi *m* (-ga *f*), zdobywca *m* (-czyni *f*) drugiego miejsca

run·ning ['rʌnɪŋ] **1.** bieganie *n*; prowadzenie *n*, kierowanie *n*; bieg *m*, praca *f*; **2.** *woda* bieżący; ciągły; (*w sporcie*) *buty*: do biegania; **two days** ~ dwa dni pod rząd; '~ **costs** *pl.* koszty *pl.* bieżące

run·ny ['rʌnɪ] F *nos* cieknący; *oczy* łzawiący

'**run·way** *aviat.* pas *m* startowy

rup·ture ['rʌptʃə] **1.** pęknięcie *n*, rozerwanie *n*; *med.* przepuklina *f*; **2.** pękać ⟨-knąć⟩, rozrywać ⟨-zerwać⟩; ~ **o.s.** dostawać ⟨-tać⟩ przepukliny

ru·ral ['rʊərəl] wiejski

ruse [ru:z] trik *m*, sztuczka *f*

rush[1] [rʌʃ] **1.** *v/i.* ⟨po⟩pędzić, ⟨po⟩gnać, ⟨po⟩biec, ⟨prze-, po⟩mknąć (**to** do *G*, **towards** w stronę *G*); spieszyć się; ~ **into** spieszyć się do (*G*); *v/t.* szybko przewozić ⟨-wieźć⟩; szybko przesyłać ⟨-słać⟩; spieszyć się z (*I*); popędzać, poganiać; **don't ~ it** nie spiesz się z tym; ⟨s⟩forsować; **2.** pośpiech *m*; gonitwa *f*, pogoń *f*; pęd *m*; gorączka *f* (*złota*); *econ.* ogromny popyt *m*; **what's all the ~?** po co ten pośpiech?

rush[2] [rʌʃ] *bot.* sit *m*

'**rush**| **hour** godzina *f* szczytu; **~-hour**

R

'traf•fic ruch *m* uliczny w godzinie szczytu
rusk [rʌsk] *zwł. Brt.* sucharek *m*
Rus•sia ['rʌʃə] Rosja *f*; **Rus•sian** ['rʌʃn] **1.** rosyjski; **2.** Rosjanin *m* (-anka *f*); *ling.* język *m* rosyjski
rust [rʌst] **1.** rdza *f*, korozja *f*; **2.** ⟨za⟩-rdzewieć, ⟨s⟩korodować
rus•tic ['rʌstɪk] (**~*ally***) chłopski, wieśniaczy; rustykalny
rus•tle ['rʌsl] **1.** szeleścić; *Am.* *bydło* ⟨u⟩kraść; **2.** szelest *m*
'rust|•proof nierdzewny; **'~•y** (**-*ier*, -*iest***) zardzewiały (*też fig.*), *fig.* mało używany
rut[1] [rʌt] **1.** koleina *f*; *fig.* sztampa *f*, rutyna *f*; ***the daily ~*** codzienna rutyna *f*
rut[2] *zo.* [rʌt] ruja *f*, okres *m* godowy
ruth•less ['ru:θlɪs] bezlitosny, nielitościwy, bez skrupułów
rye [raɪ] *bot.* żyto *m*; *attr.* żytni

S

S, s [es] S, s *n*
S *skrót pisany*: ***South*** płd., południe *n*, południowy; ***south*(*ern*)** południowy; ***small* (*size*)** mały, eska *f*
$ *skrót pisany*: ***dollar*(*s*** *pl.*) USD, $, dolar(y *pl.*) *m*
sa•ble ['seɪbl] *zo.* soból *m*; *futro*: sobole *pl.*
sab•o•tage ['sæbətɑ:ʒ] **1.** sabotaż *m*; **2.** ⟨za⟩sabotować
sa•bre *Brt.*, **sa•ber** *Am.* ['seɪbə] szabla *f*
sack [sæk] **1.** worek *m*; ***get the ~*** F (*być zwolnionym*) dostawać ⟨-tać⟩ kopa; ***give s.o. the ~*** F wywalić kogoś; ***hit the ~*** F walnąć się do wyra; **2.** ⟨za⟩pakować do worka; F wywalać ⟨-lić⟩ kogoś; **'~•cloth**, **'~•ing** tkanina *f* workowa
sac•ra•ment ['sækrəmənt] *rel.* sakrament *m*
sa•cred ['seɪkrɪd] sakralny; święty
sac•ri•fice ['sækrɪfaɪs] **1.** ofiara *f*; poświęcenie *n*; **2.** ofiarować; poświęcać ⟨-cić⟩
sac•ri•lege ['sækrɪlɪdʒ] świętokradztwo *n*
sad [sæd] smutny
sad•dle ['sædl] siodło *n*
sa•dis|•m ['seɪdɪzəm] sadyzm *m*; **~t** ['seɪdɪst] sadysta *m* (-tka *f*); **~•tic** [sə'dɪstɪk] sadystyczny
'sad•ness smutek *m*
sa•fa•ri [sə'fɑ:rɪ] safari *n*; **~ park** park *m* safari
safe [seɪf] **1.** (**-*r*, -*st***) bezpieczny; **2.** sejf *m*; skarbiec *m*; **~ 'con•duct** gwarancja *f* bezpieczeństwa, glejt *m*; **'~•guard** **1.** zabezpieczenie *n* (***against*** przeciw *D*); **2.** zabezpieczać ⟨-czyć⟩ (***against*** przeciw *D*); **~'keep•ing** ochrona *f*, bezpieczne przechowywanie *n*
safe•ty ['seɪftɪ] bezpieczeństwo *n*; *attr.* zabezpieczający; **'~ belt** → ***seat belt***; **'~ catch** bezpiecznik *m*; **'~ is•land** *Am.* (*na jezdni*) wysepka *f*; **'~ mea•sure** środek *m* bezpieczeństwa; **'~ pin** agrafka *f*; **'~ ra•zor** *nieelektryczna* maszynka *f* do golenia
sag [sæg] (**-*gg*-**) obwisać ⟨-snąć⟩; *policzki*: zapadać ⟨-paść⟩ się; *wartość*: spadać ⟨spaść⟩; *popyt*: zmniejszać ⟨-szyć⟩ się; *książka*: nużyć
sa•ga|•cious [sə'geɪʃəs] bystry, roztropny; **~•ci•ty** [sə'gæsətɪ] bystrość *f*, roztropność *f*
sage [seɪdʒ] *bot.* szałwia *f*
Sa•git•tar•i•us [sædʒɪ'teərɪəs] *znak Zodiaku*: Strzelec *m*; ***he/she is* (*a*) ~** on(a) jest spod znaku Strzelca
said [sed] *pret. i p.p. od* ***say***
sail [seɪl] **1.** żagiel *m*; przejażdżka *f* łodzią; śmigło *n* (*wiatraka*); ***set ~*** wypływać (***for*** do *G*); ***go for a ~*** iść ⟨pójść⟩ popływać łodzią; *attr.* żaglowy; **2.** *v/i. naut.* ⟨po⟩żeglować, pływać; przepłynąć przez (*A*); *naut.* wypływać ⟨-łynąć⟩ (***for*** do *G*); *ktoś*: wpływać ⟨-łynąć⟩, *coś*: szybować; ***go ~ing*** iść ⟨pójść⟩ na żagle; *v/t. naut.* przepływać ⟨-łynąć⟩; *łódką* żeglować; *statek* ⟨po⟩prowadzić; **'~•board** deska *f* surfingowa; **'~•boat** *Am.* żaglówka *f*, łódź *f* żaglowa
'sail•ing żeglarstwo *n*, rejs *m*; ***when is the next ~ to ?*** kiedy będzie następny

S

rejs do (*G*)?; **'~ boat** *zwł. Brt.* żaglówka *f*; łódź *f* żaglowa; **'~ ship** żaglowiec *m*
'sail·or żeglarz *m*; ***be a good*** (***bad***) **~** dobrze (źle) czuć się na morzu
saint [seɪnt] święty *m*; *przed imionami* 𝔖 [snt] (*skrót*: ***St***): ***St George*** święty Jerzy; **'~·ly** święty
sake [seɪk]: ***for the ~ of*** ze względu na (*A*); ***for my ~*** ze względu na mnie; ***for God's ~*** F na litość boską
sa·la·ble ['seɪləbl] pokupny; sprzedażny
sal·ad ['sæləd] sałatka *f*; ⚠ *nie* ***sałata*** (*zielona*); **'~ dress·ing** przybranie *n* do sałatki, sos *m*
sal·a·ried ['sælərɪd]: **~ *employee*** (*pracownik m* (*-nica f*) *otrzymujący* (*-a*) *pensję co miesiąc*)
sal·a·ry ['sælərɪ] pensja *f*
sale [seɪl] sprzedaż *f*; wyprzedaż *f*; aukcja *f*; ***for ~*** na sprzedaż; ***not for ~*** nie na sprzedaż; ***be on ~*** być na sprzedaż; **~*s*** *pl.* obroty *pl* **sale·a·ble** ['seɪləbl] → ***salable***
sales|·clerk ['seɪlzklɑːk] *Am.* sprzedawca *m* (-czyni *f*); **'~·girl** sprzedawczyni *f*; **'~·man** (*pl.* ***-men***) sprzedawca *m*; akwizytor *m*; **'~ rep·re·sen·ta·t·ive** przedstawiciel(ka *f*) *m* handlowy (-wa *f*); **'~·wom·an** (*pl.* ***-women***) sprzedawczyni *f*; akwizytorka *f*
sa·line ['seɪlaɪn] słony, zasolony
sa·li·va [sə'laɪvə] ślina *f*
sal·low ['sæləʊ] *skóra*: zżółkły, żółtawy
salm·on ['sæmən] *zo.* (*pl.* ***-on, -ons***) łosoś *m*
sal·on ['sælɔ̃ːŋ, 'sælɒn] *kosmetyczny itp.* salon *m*
sa·loon [sə'luːn] *Brt. mot.* sedan *m*; *Am. hist.* saloon *m*, bar *m*; *naut.* salon *m*; → **~ bar** *Brt.* (*elegancka część pubu*); **~ car** *Brt. mot.* sedan *m*
salt [sɔːlt] sól *f*; **2.** ⟨po⟩solić; zasalać ⟨-solić⟩ (*też* **~ *down***); *ulicę* posypywać ⟨-pać⟩ solą; **3.** słony; solny; solony; **'~·cel·lar** solniczka *f*; **~·pe·tre** *zwł. Brt.*, **~·pe·ter** *Am.* [sɔːlt'piːtə] *chem.* saletra *f* potasowa; **'~·wa·ter** solanka *f*; **'~·y** (***-ier, -iest***) słony
sal·u·ta·tion [sæljuː'teɪʃn] pozdrowienie *n*; początek *m* (*listu*)
sa·lute [sə'luːt] **1.** *mil.* ⟨za⟩salutować; oddawać ⟨-dać⟩ honory (*D*); pozdrawiać ⟨-rowić⟩; **2.** *mil.* oddanie *n* honorów; honory *pl.*; salut *m* (armatni); pozdrowienie *n*
sal·vage ['sælvɪdʒ] **1.** ratowanie *n* mienia; akcja *f* ratownicza; uratowane mienie *n*; **2.** ⟨u⟩ratować (***from*** od *G*)
sal·va·tion [sæl'veɪʃn] *rel.* zbawienie *n*; wybawienie *n*; 𝔖 ***Army*** Armia *f* Zbawienia
salve [sælv] maść *f*
same [seɪm]: ***the ~*** ten sam, ta sama, to samo; ***all the ~*** mimo wszystko; ***it is all the ~ to me*** wszystko mi jedno
sam·ple ['sɑːmpl] **1.** próbka *f*; **2.** pobierać ⟨-brać⟩ próbkę; ⟨s⟩próbować
san·a·to·ri·um [sænə'tɔːrɪəm] (*pl.* ***-riums, -ria*** [-rɪə]) sanatorium *n*
sanc·ti·fy ['sæŋktɪfaɪ] uświęcać ⟨-cić⟩
sanc·tion ['sæŋkʃn] **1.** aprobata *f*; *zw.* **~*s*** *pl.* sankcje *pl.*; **2.** ⟨za⟩aprobować, ⟨u⟩sankcjonować
sanc·ti·ty ['sæŋktətɪ] świętość *f*
sanc·tu·a·ry ['sæŋktʃʊərɪ] rezerwat *m*; azyl *m*, schronienie *n*
sand [sænd] **1.** piasek *m*; **~*s*** *pl.* piaski *pl.*; **2.** ⟨prze⟩szlifować papierem ściernym; posypywać ⟨-pać⟩ piaskiem
san·dal ['sændl] sandał *m*
'sand|·bag worek *m* z piaskiem; **'~·bank** piaszczysty brzeg *m*; **'~·box** *Am.* piaskownica *f*; **'~·cas·tle** zamek *m* z piasku; **'~·pa·per** papier *m* ścierny; **'~·pip·er** *zo.* siewka *f*, biegus *m*; **'~·pit** *Brt.* piaskownica *f*; **'~·stone** *geol.* piaskowiec *m*; **'~·storm** burza *f* piaskowa
sand·wich ['sænwɪdʒ] **1.** kanapka *f*; **2.** ***be ~ed between*** być wciśniętym pomiędzy (*A*); **~ *s.th. in between*** wciskać ⟨-snąć⟩ coś pomiędzy (*A*)
sand·y ['sændɪ] (***-ier, -iest***) piaszczysty; rudoblond
sane [seɪn] (***-r, -st***) zdrowy na umyśle; rozsądny, sensowny
sang [sæŋ] *pret. od* ***sing***
san·i·tar·i·um [sænɪ'teərɪəm] *Am.* → ***sanatorium***
san·i·ta·ry ['sænɪtərɪ] higieniczny; **'~ nap·kin** *Am.*, **'~ tow·el** *Brt.* podpaska *f*
san·i·ta·tion [sænɪ'teɪʃn] urządzenia *pl.* sanitarne; kanalizacja *f*
san·i·ty ['sænətɪ] zdrowie *n* psychiczne; rozsądek *m*
sank [sæŋk] *pret. od* ***sink*** 1

San·ta Claus ['sæntəklɔːz] Święty Mikołaj
sap[1] [sæp] *bot.* sok *m* (*np. brzozy*)
sap[2] [sæp] (**-*pp*-**) *zdrowie* nadwątlać ⟨-lić⟩
sap·phire ['sæfaɪə] szafir *m*; szafirowy
sar·cas|·m ['sɑːkæzəm] sarkazm *m*; **~·tic** [sɑː'kæstɪk] sarkastyczny
sar·dine [sɑː'diːn] *zo.* sardynka *f*
SASE [es eɪ es 'iː] *Am. skrót*: ***self-addressed, stamped envelope*** koperta *f* zwrotna ze znaczkiem
sash[1] [sæʃ] szarfa *f*
sash[2] [sæʃ] skrzydło *n* okienne; rama *f* okienna; **'~ win·dow** okno *n* otwierane pionowo (*z przesuwanymi do góry skrzydłami*)
sat [sæt] *pret. i p.p. od* ***sit***
Sat *skrót pisany*: ***Saturday*** sob., sobota *f*
Sa·tan ['seɪtən] *rel.* szatan *m*
satch·el ['sætʃəl] tornister *m*
sat·el·lite ['sætəlaɪt] satelita *m*; *attr.* satelitarny
sat·in ['sætɪn] satyna *f*; atłas *m*; *attr.* satynowy
sat|·ire ['sætaɪə] satyra *f*; **~·ir·ist** ['sætərɪst] satyryk *m*; **~·ir·ize** ['sætəraɪz] satyryzować, przedstawiać ⟨-wić⟩ satyrycznie
sat·is·fac|·tion [sætɪs'fækʃn] satysfakcja *f*, zadowolenie *n*; spełnienie *n*; zadośćuczynienie *n*; **~·to·ry** [sætɪs'fæktərɪ] zadowalający; dostateczny
sat·is·fy ['sætɪsfaɪ] zadowalać ⟨-lić⟩; zaspokajać ⟨-koić⟩, zadośćuczynić; ***be satisfied that*** być przekonanym, że
sat·u·rate ['sætʃəreɪt] nasycać ⟨-cić⟩; *chem.* wysycać ⟨-cić⟩
Sat·ur·day ['sætədɪ] sobota *f*; ***on ~*** w sobotę; ***on ~s*** sobotami, co sobotę
sauce [sɔːs] sos *m*; **'~·pan** rondel *m*
sau·cer ['sɔːsə] spodek *m*
sauc·y ['sɔːsɪ] F (**-*ier*, -*iest***) zadziorny, z tupetem
saun·ter ['sɔːntə] kroczyć, przechadzać się
saus·age ['sɒsɪdʒ] kiełbasa *f*; *też* ***small ~*** parówka *f*
sav|·age ['sævɪdʒ] **1.** dziki; niecywilizowany; bestialski; **2.** dzikus *m*; **~·ag·e·ry** ['sævɪdʒərɪ] bestialstwo *n*, okrucieństwo *n*
save [seɪv] **1.** ⟨u⟩ratować (***from*** z *G*); *życie* ocalać ⟨-lić⟩; *pieniądze itp.* oszczędzać ⟨-dzić⟩, zaoszczędzać ⟨-dzić⟩; *coś* zachowywać ⟨-wać⟩ (***for*** na *A*); *komp.* zapisywać ⟨-sać⟩; (*w sporcie*) *strzał* ⟨o⟩bronić; **2.** (*w sporcie*) parada *f*, obrona *f*
sav·er ['seɪvə] ratownik *m* (-niczka *f*); *Brt.* oszczędzający *m* (-ca *f*); ***it is a time-~*** to bardzo oszczędza czas
sav·ings ['seɪvɪŋz] *pl.* oszczędności *pl.*; **'~ ac·count** konto *n* oszczędności; **'~ bank** kasa *f* oszczędności; **'~ de·pos·it** wkład *m* oszczędnościowy
sa·vio(u)r ['seɪvjə] zbawca *m*; ***the ♀*** *rel.* Zbawiciel *m*
sa·vo(u)r ['seɪvə] ⟨z⟩jeść *lub* ⟨wy⟩pić ze smakiem, rozkoszować się; ***~ of*** *fig.* smakować (*I*); **~·y** ['seɪvərɪ] smakowity; pikantny, nie słodki
saw[1] [sɔː] *pret. od* ***see***[1]
saw[2] [sɔː] **1.** piła *f*; **2.** (***~ed, ~n*** *lub zwł. Am.* ***~ed***) ⟨s-, u⟩piłować; **'~·dust** trociny *pl.*; **'~·mill** tartak *m*; **~n** [sɔːn] *p.p. od* ***saw***[2]
Sax·on ['sæksn] **1.** Anglosas *m*; **2.** (anglo)saski
say [seɪ] **1.** (***said***) mówić ⟨powiedzieć⟩; *pacierz* odmawiać ⟨-mówić⟩; ***what does your watch ~?*** która godzina na twoim zegarku?; ***he is said to be ...*** podobno jest...; ***it ~s*** napisane jest; ***it ~s here*** tu jest napisane; ***it goes without ~ing*** to rozumie się samo przez siebie; ***no sooner said than done*** zostało wykonane od razu; ***that is to ~*** to znaczy; (***and***) ***that's ~ing s.th.*** a to coś mówi; ***you said it*** to ty tak powiedziałeś; ***you can ~ that again!*** szczera prawda!; ***you don't ~ (so)!*** niemożliwe!; nie mów!; ***I ~*** *Brt.* przepraszam; ***not to ~ no to*** nie odmawiać (*G*); **2.** prawo *n* głosu; głos *m* (***in*** w *L*); ***have one's ~*** wypowiadać ⟨-wiedzieć⟩ się; ***he always has to have his ~*** on zawsze musi coś powiedzieć; **'~·ing** porzekadło *n*, powiedzenie *n*; ***as the ~ing goes*** jak to mówią
scab [skæb] *med.* strup *m*; *vet.* świerzb *m*; *sl.* łamistrajk *m*
scaf·fold ['skæfəld] rusztowanie *n*; szafot *m*; **'~·ing** rusztowanie *n*
scald [skɔːld] **1.** oparzać ⟨-rzyć⟩, sparzyć; **2.** ***~ing hot*** gorący jak ukrop; **2.** sparzenie *n*; poparzenie *n*
scale[1] [skeɪl] **1.** *tech.*, *math.*, *też fig.* skala *f*; podziałka *f* (*math.*, *też mapy*); *zwł.*

S

Am. waga *f*; *mus.* gama *f*; ***to ~*** w skali; **2.** sporządzać ⟨-dzić⟩ w skali; ***~ down*** *fig.* ⟨z⟩redukować; ***~ up*** *fig.* zwiększać ⟨-szyć⟩; wspinać ⟨-piąć⟩ się

scale[2] [skeɪl] szala *f* wagi; (***a pair of***) ***~s*** *pl.* waga *f*

scale[3] [skeɪl] **1.** łuska *f*; kamień *m* (*w czajniku*); ***the ~s fell from my eyes*** łuski mi spadły z oczu; **2.** *rybę* ⟨o⟩-skrobać

scal·lop ['skɒləp] *zo.* (*małż*) przegrzebek *m*

scalp [skælp] **1.** skóra *f* głowy; skalp *m*; **2.** ⟨o⟩skalpować

scal·y ['skeɪlɪ] (***-ier, -iest***) łuskowaty

scamp [skæmp] F urwis *m*, huncwot *m*

scam·per ['skæmpə] pierzchać ⟨-chnąć⟩; smyknąć

scan [skæn] **1.** (***-nn-***) przeszukiwać ⟨-kać⟩; *gazetę* przeglądać ⟨-dnąć⟩; *komp.* ⟨ze⟩skanować; przeszukiwać zakres *radio*; *telewizyjny obraz* ⟨prze-, z⟩-analizować, składać ⟨złożyć⟩; **2.** *med. itp.* skaning *m*

scan·dal ['skændl] skandal *m*; słuchy *pl.*; **~·ize** ['skændəlaɪz]: ***be ~ized at s.th.*** ⟨z⟩gorszyć się czymś; **~·ous** ['skændələs] skandaliczny; ***it's ~ous that*** to skandal, że

Scan·di·na·vi·a [skændɪ'neɪvjə] Skandynawia *f*; **Scan·di·na·vi·an** [skændɪ'neɪvjən] skandynawski

scan·ner ['skænə] *tech.* skaner *m*

scant [skænt] skąpy, niewielki, mały; **'~·y** (***-ier, -iest***) skąpy, niewielki, mały

scape·goat ['skeɪpgəʊt] kozioł *m* ofiarny

scar [skɑː] **1.** blizna *f*; **2.** (***-rr-***) pokrywać ⟨-ryć⟩ bliznami; pozostawiać ⟨-wić⟩ uraz; ***~ over*** zabliźniać ⟨-nić⟩ się

scarce [skeəs] (***-r, -st***) rzadki, mało dostępny; **'~·ly** ledwo, ledwie; **scar·ci·ty** ['skeəsətɪ] skąpość *f*, mała dostępność *f*

scare [skeə] **1.** ⟨wy⟩straszyć; ***be ~d*** bać się; ***~ away, ~ off*** odstraszać ⟨-szyć⟩; **2.** strach *m*; panika *f*; ***bomb ~*** alarm *m* bombowy; **'~·crow** strach *m* na wróble

scarf [skɑːf] (*pl.* ***scarfs*** [skɑːfs], ***scarves*** [skɑːvz]) szal *m*, szalik *m*; chusta *f* (*na głowę, ramię itp.*)

scar·let ['skɑːlət] pąsowy; **~ 'fe·ver** *med.* szkarlatyna *f*, płonica *f*; **~ 'run·ner** *bot.* fasola *f* wielokwiatowa

scarred [skɑːd] pokryty bliznami, zbliznowaciały

scarves [skɑːvz] *pl. od* ***scarf***

scath·ing ['skeɪðɪŋ] *krytyka*: niszczący, zjadliwy

scat·ter ['skætə] rozpraszać ⟨-roszyć⟩ (się); rozbiegać ⟨-biec⟩ się; rozrzucać ⟨-cić⟩; **'~·brained** F roztrzepany, roztargniony; **'~ed** rozproszony

scav·enge ['skævɪndʒ]: ***~ on*** *zo.* żerować na (*L*); ***~ for*** wyszukiwać ⟨-kać⟩

sce·na·ri·o [sɪ'nɑːrɪəʊ] (*pl.* ***-os***) scenariusz *m* (*filmowy, telewizyjny, też fig.*)

scene [siːn] scena *f*; ***behind the ~s*** za kulisami; **sce·ne·ry** ['siːnərɪ] sceneria *f*; krajobraz *m*

scent [sent] **1.** zapach *m*, aromat *m*; *zwł. Brt.* perfumy *pl.*; *hunt.* wiatr *m*, zapach *m*; trop *m*, ślad *m*; **2.** ⟨z⟩wietrzyć, wyczuwać ⟨-czuć⟩ (*też fig.*); *zwł. Brt.* ⟨u⟩-perfumować; napełniać ⟨-nić⟩ aromatem; **'~·less** bezwonny, bezzapachowy

scep|·tic ['skeptɪk] *Brt.* sceptyk *m*; **'~·ti·cal** *Brt.* sceptyczny

scep·tre *Brt.*, **scep·ter** *Am.* ['septə] berło *n*

sched·ule ['ʃedjuːl, *Am.* 'skedʒʊl] **1.** harmonogram *m*, plan *m*; wykaz *m*, spis *m*; taryfa *f*; *zwł. Am.* rozkład *m* jazdy; ***ahead of ~*** przed terminem; ***be behind ~*** mieć opóźnienie, z opóźnieniem; ***on ~*** w terminie, zgodnie z planem; **2.** ⟨za⟩planować; wstawiać do rozkładu; ***the meeting is ~d for Monday*** spotkanie zostało zaplanowane na poniedziałek; ***it is ~d to take place tomorrow*** zostało zaplanowane na jutro; **~d de'par·ture** planowy odjazd *m*; **~d 'flight** rejsowy lot *m*

scheme [skiːm] **1.** *zwł. Brt.* program *m*, projekt *m*; schemat *m*; intryga *f*, spisek *m*; **2.** ⟨u⟩knuć intrygę; ⟨u⟩knuć

schnit·zel ['ʃnɪtsl] *gastr.* sznycel *m*

schol·ar ['skɒlə] uczony *m* (*-a f*); *univ.* stypendysta *m* (-tka *f*); **~·ly** uczony; naukowy; **'~·ship** uczoność *f*, (duża) wiedza *f*; *univ.* stypendium

school[1] [skuːl] **1.** szkoła (*też fig.*); *univ.* fakultet *m*; *Am.* uczelnia *f*, szkoła *f* wyższa; ***at ~*** w szkole; ***go to ~*** chodzić ⟨pójść⟩ do szkoły; *attr.* szkolny; **2.** ⟨wy⟩szkolić; *zwierzę* ⟨wy⟩tresować

school[2] [skuːl] *zo.* ławica *f* (*ryb*); stado *n* (*wielorybów*)

S

'school|·bag torba *f*; **'~·boy** uczeń *m*; **'~·child** (*pl.* ***-children***) uczeń *m*; **'~·fel·low** → ***schoolmate***; **'~·girl** uczennica *f*; **'~·ing** szkolenie *n*, nauka *f* szkolna; **'~·mate** kolega *m* (-leżanka *f*) szkolny (-na); **'~·teach·er** nauczyciel(ka *f*) *m*; **'~·yard** podwórko *n* szkolne
schoo·ner ['skuːnə] *naut.* szkuner *m*
sci·ence ['saɪəns] *przyrodnicza* nauka *f*; ***natural ~s*** *pl.* przyrodnicze nauki *pl.*; **~ 'fic·tion** (*skrót*: ***SF***) science-fiction *n*
sci·en·tif·ic [saɪən'tɪfɪk] (***~ally***) naukowy
sci·en·tist ['saɪəntɪst] naukowiec *m*, uczony *m* (-na *f*)
sci-fi [saɪ'faɪ] F science-fiction *n*
scin·til·lat·ing ['sɪntɪleɪtɪŋ] błyskotliwy, efektowny
scis·sors ['sɪzəz] *pl.* (***a pair of ~***) nożyce *pl.*, nożyczki *pl.*
scoff [skɒf] **1.** natrząsać się (***at*** z *G*); **2.** szyderstwo *n*, kpina *f*
scold [skəʊld] strofować
scol·lop ['skɒləp] *zo.* → ***scallop***
scone [skɒn] *zwł. Brt.* bułka *f* słodka (*jedzona z masłem*)
scoop [skuːp] **1.** szufla *f*, szufelka *f*; łopatka *f*; łyżka *f* (*koparki*, *do lodów*); gałka *f* (*lodów*); sensacyjna wiadomość *f*, scoop *m*; **2.** nabierać ⟨-brać⟩, czerpać ⟨zaczerpnąć⟩; **~ *down*** wybierać ⟨-brać⟩; **~ *up*** podnosić ⟨-nieść⟩
scoot·er ['skuːtə] hulajnoga *f*; skuter *m*
scope [skəʊp] zakres *m*, zasięg *m*; pole *n* widzenia; pole *n* działania;
scorch [skɔːtʃ] *v/t.* przypalać ⟨-lić⟩, przypiekać ⟨-piec⟩; *v/i. Brt.* (*jechać*) *mot.* grzać
score [skɔː] **1.** wynik *m* (*gry*); punkt *m*; *mus.* partytura *f*; muzyka *f* filmowa; dwudziestka *n*; *też* **~ *mark*** karb *m*, nacięcie *n*; ***what is the ~?*** jaki wynik?; ***the ~ stood at*** *lub* ***was 3-2*** w grze było 3-2; ***keep*** (***the***) **~** zapisywać ⟨-sać⟩ punkty; ***~s*** *pl.* ***of*** dziesiątki *pl.* (*G*); ***four ~ and ten*** dziewięćdziesiąt; ***on that ~*** pod tym względem; ***have a ~ to settle with s.o.*** mieć z kimś porachunki do załatwienia; **2.** *v/t.* (*w sporcie*) *punkty* zdobywać ⟨-być⟩, *bramkę* strzelać ⟨-lić⟩; *zwycięstwo* odnosić ⟨-nieść⟩; *mus.* ⟨z⟩instrumentować; ⟨na⟩pisać muzykę do (*G*); ⟨wy⟩karbować, nacinać ⟨-ciąć⟩; *v/i.* (*w sporcie*) zdobywać ⟨-być⟩ punkty, strzelać ⟨-lić⟩ bramkę; odnosić ⟨-nieść⟩ sukces; **'~·board** *v/i.* (*w sporcie*) tablica *f* wyników; **scor·er** ['skɔːrə] *v/i.* (*w sporcie*) strzelec *m*, zdobywca *m* (-czyni *f*) punktu; *v/i.* (*w sporcie*) (*osoba zapisująca punktację, wyniki*)
scorn [skɔːn] pogarda *f*; **'~·ful** pogardliwy
Scor·pi·o ['skɔːpɪəʊ] *znak Zodiaku*: Skorpion *m*; ***he/she is*** (***a***) **~** on(a) jest spod znaku Skorpiona
Scot [skɒt] Szkot(ka *f*) *m*
Scotch [skɒtʃ] **1.** *whisky itp.*: szkocki; **2.** *whisky*: szkocka *f*
scot-free [skɒt'friː] F: ***he got off ~*** uszło mu na sucho
Scot·land ['skɒtlənd] Szkocja *f*
Scots [skɒts] szkocki (*o osobach*); **'~·man** (*pl.* ***-men***) Szkot *m*; **'~·wom·an** (*pl.* ***-women***) Szkotka *f*
Scot·tish ['skɒtɪʃ] szkocki
scoun·drel ['skaʊndrəl] łajdak *m*
scour[1] ['skaʊə] ⟨wy⟩szorować, ⟨o⟩skrobać
scour[2] ['skaʊə] przeszukiwać ⟨-kać⟩
scourge [skɜːdʒ] **1.** plaga *f*; bicz *m* (*też fig.*); **2.** biczować; ⟨z⟩nękać
scout [skaʊt] **1.** *zwł. mil.* zwiadowca *m*; *Brt.* (*osoba pomagająca zmotoryzowanym w razie awarii*); *też* ***boy ~*** skaut ***m***; *też* ***girl ~*** skautka *f*; *też* ***talent ~*** poszukiwacz(ka *f*) *m* talentów; **2. ~ *about*, ~ *around*** rozglądać się (***for*** za *I*); *też* **~ *out*** *mil.* wynajdywać ⟨-naleźć⟩
scowl [skaʊl] **1.** ponura mina *f*; **2.** ⟨s⟩krzywić się (*też* ***at*** na *A*)
scram·ble ['skræmbl] **1.** wdrapywać ⟨-pać⟩ się; pchać się (***for*** do *G*); *tech.* ⟨za⟩kodować; **2.** wdrapywanie *n* się; przepychanka *f*, szarpanina *f*; **~d 'eggs** *gastr. pl.* jajecznica *f*
scrap[1] [skræp] **1.** strzęp *m*, skrawek *m*; złom *m*; ***~s*** *pl.* odpadki *pl.*, resztki *pl.* (*jedzenia*); **2.** (**-pp-**) *plan itp.* porzucać ⟨-cić⟩, odrzucać ⟨-cić⟩; ⟨ze⟩złomować
scrap[2] F [skræp] **1.** scysja *f*, zatarg *m*; **2.** ⟨po⟩kłócić się, wszczynać ⟨-cząć⟩ sprzeczkę
'scrap·book album *m* z wycinkami
scrape [skreɪp] **1.** skrobać, zeskrobywać ⟨-bać⟩; *kolano itp.* ocierać ⟨otrzeć⟩; *samochód* zarysowywać ⟨-ować⟩; trzeć,

S

pocierać ⟨potrzeć⟩ (***against*** o *A*); **2.** otarcie *n*, zarysowanie *n*
'scrap| heap kupa *f* złomu; **'~ met·al** złom *m*; **'~ pa·per** *zwł. Brt.* makulatura *f*; **'~ val·ue** wartość *f* złomowa; **'~·yard** złomowisko *n*
scratch [skrætʃ] **1.** ⟨po-, za-, wy⟩drapać; *plan* porzucać ⟨-cić⟩; ⟨po⟩drapać (się); **2.** zadrapanie *n*, rysa *f*; podrapanie *n*, zadraśnięcie *n*; ***from ~*** F od zera; **3.** prowizoryczny, zrobiony na łapu capu; **'~·pad** *zwł. Am.* notatnik *m*; **'~ pa·per** *Am.* papier *m* do pisania na brudno
scrawl [skrɔːl] **1.** ⟨na⟩bazgrać; **2.** bazgroły *pl.*
scraw·ny ['skrɔːnɪ] (***-ier, -iest***) kościsty
scream [skriːm] **1.** krzyczeć ⟨-yknąć⟩ (***with*** z *G*); *też* **~ *out*** wrzasnąć; **~ *with laughter*** zanosić się ze śmiechu; **2.** krzyk *m*; **~*s*** *pl.* ***of laughter*** rozgłośny śmiech *m*; ***he is a ~*** F przy nim można pęknąć ze śmiechu
screech [skriːtʃ] **1.** wydzierać ⟨-drzeć⟩ się (*piszcząco*); ⟨za⟩piszczeć; **2.** pisk *m*
screen [skriːn] **1.** ekran *m*; parawan *m*; zasłona *f*, szpaler *m* (*drzew*); **2.** osłaniać ⟨-łonić⟩ (*też fig.*), zasłaniać ⟨-łonić⟩; *kandydatów* przesiewać ⟨-siać⟩, odsiewać ⟨-siać⟩ (*G*); *film* wyświetlać ⟨-lić⟩, pokazywać ⟨-zać⟩; **~ *off*** przedzielać ⟨-lić⟩ (*parawanem*); **'~·play** scenariusz *m*; **'~ sav·er** *komp.* (*program oszczędzający ekran komputerowy*)
screw [skruː] **1.** *tech.* wkręt *m*, śruba *f*; ***he has a loose ~*** F szajba mu odbiła; **2.** wkręcać ⟨-cić⟩, przyśrubowywać ⟨-wać⟩; V ⟨wy⟩dupczyć; **~ *up*** *twarz* wykrzywiać ⟨-wić⟩; *oczy* ⟨z⟩mrużyć; **~ *up one's courage*** zdobyć się na odwagę; **'~·ball** *zwł. Am.* F szajbus *m*; **'~·driv·er** śrubokręt *m*, wkrętak *m*; **~ 'top** nakrętka *f*
scrib·ble ['skrɪbl] **1.** ⟨na⟩bazgrać, ⟨na⟩gryzmolić; ; **2.** bazgroły *pl.*, gryzmoły *pl.*
scrimp [skrɪmp]: **~ *and save*** liczyć każdy grosik
script [skrɪpt] manuskrypt *m*; tekst *m* (*też theat.*); scenariusz *m* (*filmowy lub telewizyjny*); pismo *n*; *Brt. univ.* test *m*
Scrip·ture ['skrɪptʃə] *też* ***the ~s*** *pl.* Pismo *n* Święte
scroll [skrəʊl] **1.** zwój *m*, rulon *m* (*per-gaminu itp.*); **2.** **~ *down*/*up*** *obraz na ekranie* przewijać ⟨-winąć⟩, przesuwać ⟨-sunąć⟩
scro·tum *anat.* ['skrəʊtəm] (*pl.* ***-ta*** [-tə], ***-tums***) moszna *f*
scrub[1] [skrʌb] **1.** (***-bb-***) ⟨wy⟩szorować; **2.** (wy)szorowanie *n*
scrub[2] [skrʌb] skrub *m*, busz *m* australijski
scru|·ple ['skruːpl] **1.** skrupuł *m*; wątpliwość *f*; **2.** mieć skrupuły; **~·pu·lous** ['skruːpjʊləs] skrupulatny
scru·ti|·nize ['skruːtɪnaɪz] dokładnie ⟨z⟩badać; **~·ny** ['skruːtɪnɪ] dokładne badanie *n*, analiza *f*
scu·ba ['skuːbə] akwalung *m*; **'~ div·ing** nurkowanie *n* swobodne
scud [skʌd] (***-dd-***) sunąć szybko, ⟨po⟩szybować
scuf·fle ['skʌfl] **1.** bójka *f*; **2.** wszczynać ⟨-szcząć⟩ bójkę
scull [skʌl] **1.** *jednopiórowe* krótkie wiosło *n*; skul *m*, jedynka *f*; **2.** wiosłować
scul·le·ry ['skʌlərɪ] zmywalnia *f*, pomywalnia *f*
sculp|·tor ['skʌlptə] rzeźbiarz *m* (-arka *f*); **~·ture** ['skʌlptʃə] **1.** rzeźba *f*; **2.** ⟨wy⟩rzeźbić; ⟨u⟩kształtować
scum [skʌm] piana *f*; szumowiny *pl.* (*też fig.*)
scurf [skɜːf] łupież *m*
scur·ri·lous ['skʌrɪləs] obelżywy, nie przebierający w słowach
scur·ry ['skʌrɪ] przemykać ⟨-mknąć⟩; ⟨po⟩tuptać
scur·vy ['skɜːvɪ] *med.* szkorbut *m*, gnilec *m*
scut·tle ['skʌtl]: **~ *away*, ~ *off*** uciekać ⟨-ciec⟩ drobnymi kroczkami
scythe [saɪð] kosa *f*
SE *skrót pisany*: ***southeast*** płd.-wsch., południowy wschód *m*; ***southeast*(*ern*)** płd.-wsch., południowo-wschodni
sea [siː] morze *n* (*też fig.*); ***at ~*** na morzu; ***be all*** *lub* ***completely at ~*** *fig.* F pogubić się; ***by ~*** morzem, drogą morską; ***by the ~*** nad morzem; *attr.* morski; nadmorski; **'~·food** owoce *pl.* morza; **'~·gull** *zo.* mewa *f*
seal[1] [siːl] *zo.* (*pl.* ***seals, seal***) foka *f*
seal[2] [siːl] **1.** pieczęć *f*; *tech.* uszczelka *f*; **2.** ⟨o-, za⟩pieczętować; zamykać

S

⟨-mknąć⟩, zaklejać ⟨-leić⟩; *tech.* uszczelniać ⟨-nić⟩; *fig.* przypieczętowywać ⟨-ować⟩; **~ed envelope** zamknięta koperta *f*; **~ off** *dostęp* zamykać ⟨-mknąć⟩

'sea lev•el: **above ~** nad poziomem morza; **below ~** poniżej poziomu morza

'seal•ing wax lak *m* (*do pieczętowania*)

seam [siːm] szew *m*; połączenie *n*; *geol.* pokład *m*

'sea•man (*pl.* **-men**) żeglarz *m*

seam•stress ['semstrɪs] krawcowa *f*

'sea|•plane wodnosamolot *m*, hydroplan *m*, wodnopłat *m*; **'~•port** port *m* morski; miasto *n* portowe; **'~ pow•er** potęga *f* morska

sear [sɪə] wypalać ⟨-lić⟩ (*też fig.*); palić, piec (w *A*); *mięso* obsmażać ⟨-żyć⟩

search [sɜːtʃ] **1.** *v/i.* szukać (**for** *G*), poszukiwać ⟨-kać⟩ (**for** *A*); **~ through** przeszukiwać ⟨-kać⟩; *v/t.* szukać; przeszukiwać ⟨-kać⟩; ⟨z⟩rewidować; **~ me!** F nie mam pojęcia!; **2.** poszukiwanie *n* (**for** *G*); szukanie *n*; rewizja *f*; **'~•ing** *spojrzenie*: badawczy; *przegląd*: wnikliwy; **'~•light** (*reflektor*) szperacz *m*; **'~ par•ty** wyprawa *f* poszukiwawcza; **'~ war•rant** nakaz *m* rewizji

'sea|•shore brzeg *m* morza; **'~•sick**: **be ~sick** cierpieć na chorobę morską; **'~•side**: **at** *lub* **by the ~side** nad morzem; **go to the ~side** ⟨po⟩jechać nad morze; **~•side re'sort** uzdrowisko *n* nadmorskie

sea•son¹ ['siːzn] pora *f* roku; sezon *m* (*też theat.*); *myśliwski, urlopowy* okres *m*; **in ~** w sezonie, **out of ~** poza sezonem; **cherries are now in ~** teraz jest sezon na czereśnie; **♀!** Wesołych Świąt (*Bożego Narodzenia*)!; **with the compliments of the ~** najlepsze życzenia z okazji świąt

sea•son² ['siːzn] przyprawiać ⟨-wić⟩, doprawiać ⟨-wić⟩; *drewno* sezonować

sea•son•al ['siːzənl] sezonowy; okresowy

sea•son•ing ['siːznɪŋ] przyprawa *f*

'sea•son tick•et *rail.* bilet *m* okresowy; *theat.* abonament *m*

seat [siːt] **1.** miejsce *n*; siedzenie *n*; siedziba *f*; **take one's/a ~** zajmować ⟨-jąć⟩ miejsce; **2.** *kogoś* sadzać ⟨posadzić⟩; *sala*: ⟨po⟩mieścić; *uszczelkę* osadzać ⟨-dzić⟩; **be ~ed** siedzieć; **please be ~ed** proszę usiąść; **remain ~ed** pozostawać na swoim miejscu; **'~ belt** *aviat.*, *mot.* pas *m* bezpieczeństwa; **fasten one's ~belt** zapinać ⟨-piąć⟩ pas bezpieczeństwa; **'...-seat•er**: **forty-seater** o 40 miejscach

sea| ur•chin ['siːɜːtʃɪn] *zo.* jeżowiec *m*; **~•ward(s)** ['siːwəd(z)] w stronę morza; **'~•weed** *bot.* wodorost *m* morski; **'~•wor•thy** zdatny do żeglugi

sec [sek] *zwł. Brt.* F *fig.* chwileczka *f*, sekunda *f*; **just a ~** sekundeczka *f*

se•cede [sɪ'siːd] odłączać ⟨-czyć⟩ się (**from** od *G*); **se•ces•sion** [sɪ'seʃn] secesja *f*, odłączenie *n* się

se•clud•ed [sɪ'kluːdɪd] *dom*: odosobniony; *życie*: samotniczy; **se•clu•sion** [sɪ'kluːʒn] odosobnienie *n*; samotnictwo *n*

sec•ond¹ ['sekənd] **1.** *adj.* drugi; **every ~ day** co drugi dzień; **~ to none** nie ustępujący nikomu; **but on ~ thoughts** (*Am.* **thought**) jednak po namyśle; **2.** *adv.* jako drugi; **3.** drugi *m*, druga *f*, drugie *n*; *mot.* drugi bieg *m*; sekundant *m*; **~s** *pl.* F *econ.* drugi wybór *m*, resztki *pl.*; **4.** *wniosek itp.* popierać ⟨poprzeć⟩

sec•ond² ['sekənd] sekunda *f*; *fig.* sekunda *f*, chwila *f*; **just a ~** (za) chwilkę

sec•ond•a•ry ['sekəndərɪ] drugorzędny, wtórny, uboczny; *ped. szkoła itp.* średni

sec•ond|-'best drugiej jakości; na drugim miejscu; **~ 'class** *rail.* druga klasa *f*; **~-'class** drugiej klasy; **~ 'floor** *Brt.* drugie piętro; *Am.* pierwsze piętro; **~-'hand** używany; antykwaryczny; **'~ hand** sekundnik *m*; **'~•ly** po drugie; **~-'rate** drugiego gatunku

se•cre•cy ['siːkrɪsɪ] tajemnica *f*, dyskrecja *f*

se•cret ['siːkrɪt] **1.** tajny, poufny; sekretny; **2.** sekret *m*; tajemnica *f*; **in ~** skrycie, w tajemnicy; **keep s.th. a ~** zachowywać ⟨-ować⟩ coś w sekrecie; **can you keep a ~?** umiesz dotrzymywać tajemnicy?; **~ 'a•gent** tajny (-a) agent(ka *f*) *m*

sec•re•ta•ry ['sekrətrɪ] sekretarz *m* (-arka *f*); **♀ of 'State** *Brt.* Minister *m*; *Am.* Sekretarz *m* Stanu

se•crete [sɪ'kriːt] *physiol.* wydzielać ⟨-lić⟩; **se•cre•tion** [sɪ'kriːʃn] *physiol.* wydzielina *f*

S

se•cre•tive ['siːkrətɪv] skryty
se•cret•ly ['siːkrɪtlɪ] potajemnie, w tajemnicy
se•cret 'ser•vice tajna służba *f*
sec•tion ['sekʃn] część *f*; sekcja *f*; *jur.* paragraf *m*; część *f*; *tech.* przekrój *m*; *math.* odcinek *m*
sec•u•lar ['sekjʊlə] świecki
se•cure [sɪ'kjʊə] **1.** bezpieczny; zabezpieczony (***against, from*** przed *I*); **2.** *drzwi itp.* umocowywać ⟨-ować⟩; zabezpieczać ⟨-czyć⟩ (***against, from*** przed *I*)
se•cu•ri•ty [sɪ'kjʊərətɪ] bezpieczeństwo *n*, zabezpieczenie *n*; ***securities*** *pl.* papiery *pl.* wartościowe; **~ check** kontrola *f* bezpieczeństwa; **~ mea•sure** środek *m* bezpieczeństwa; **~ risk** zagrożenie *n* bezpieczeństwa
se•dan [sɪ'dæn] *Am. mot.* sedan *m*
se•date [sɪ'deɪt] **1.** stateczny; **2.** podawać ⟨dać⟩ środki uspokajające
sed•a•tive ['sedətɪv] środek *m* uspokajający
sed•i•ment ['sedɪmənt] osad *m*
se•duce [sɪ'djuːs] uwodzić ⟨uwieść⟩; **se•duc•er** [sɪ'djuːsə] uwodziciel(ka *f*) *m*; **se•duc•tion** [sɪ'dʌkʃn] uwiedzenie *n*; **se•duc•tive** [sɪ'dʌktɪv] uwodzicielski
see[1] [siː] (***saw, seen***) *v/i.* widzieć; zobaczyć; ⟨z⟩rozumieć; ***I ~!*** rozumiem!; ach tak!; ***you ~*** widzisz; ***let me ~*** pozwól mi się zastanowić; ***we'll ~*** zobaczymy; *v/t.* widzieć; zauważać ⟨-żyć⟩; wybierać się ⟨-brać się⟩ do (*G*), ⟨s⟩konsultować się z (*I*); **~ *s.o. home*** odprowadzać ⟨-dzić⟩ kogoś do domu; **~ *you!*** cześć!; na razie!; **~ *about*** zajmować ⟨-jąć⟩ się; zobaczyć; **~ *off*** odprowadzać ⟨-dzić⟩ (***at*** na *L*); **~ *out*** towarzyszyć; odprowadzać ⟨-dzić⟩; **~ *through*** przejrzeć *kogoś* na wskroś; pomagać ⟨-móc⟩ *komuś* przetrwać; **~ *to it that*** dopilnować, że
see[2] [siː] biskupstwo *n*, diecezja *f*; ***Holy*** ♎ Stolica *f* Święta
seed [siːd] **1.** *bot.* nasienie *n*; ziarno *n* (*też fig.*); *Am.* (*jabłka itp.*) pestka *f*; (*w sporcie*) rozstawiony (-a) zawodnik *m* (-niczka *f*); ***go*** *lub* ***run to ~*** wydawać ⟨-dać⟩ nasiona; *fig.* F ⟨s⟩kapcanieć; **2.** *v/t.* wysiewać ⟨-siać⟩; siać, obsiewać ⟨-siać⟩; ⟨wy⟩drylować; (*w sporcie*) rozstawiać ⟨-wić⟩; *v/i. bot.* wysiewać⟨-siać⟩ się; **'~•less** bezpestkowy; **'~•y** F (***-ier, -iest***) zapuszczony, zaniedbany
seek [siːk] (***sought***) szukać, poszukiwać ⟨-kać⟩
seem [siːm] wydawać ⟨-dać⟩ się, zdawać ⟨zdać⟩ się; **'~•ing** pozorny
seen [siːn] *p.p. od* ***see***[1]
seep [siːp] przeciekać ⟨-ciec⟩, przesączać ⟨-czyć⟩ się
see•saw ['siːsɔː] huśtawka *f*
seethe [siːð] gotować się, kipieć (*też fig.*)
'see-through przezroczysty, przeświecający
seg•ment ['segmənt] *math.* odcinek *m*; segment *m*, cząstka *f*; przekrój *m*
seg•re|•gate ['segrɪgeɪt] ⟨po⟩segregować; rozdzielać ⟨-lić⟩; **~•ga•tion** [segrɪ'geɪʃn] segregacja *f*; rozdział *m*
Seine Sekwana *f*
seize [siːz] ⟨s⟩chwytać, ⟨z⟩łapać; *władzę itp.* przechwytywać ⟨-wycić⟩; *uczucia*: owładnąć; **sei•zure** ['siːʒə] przechwycenie *n* władzy; zajęcie *n* (*majątku*); *med.* atak *m*, napad *m*
sel•dom ['seldəm] *adv.* rzadko
se•lect [sɪ'lekt] **1.** wybierać ⟨-brać⟩; ⟨wy⟩selekcjonować; **2.** wyselekcjonowany; ekskluzywny; **se•lec•tion** [sɪ'lekʃn] wybór *m*; dobór *m*
self [self] (*pl.* ***selves*** [selvz]) ja *m*, ego *n*; **~-as'sured** pewny siebie; **~-'cen•tred** *Brt.*, **~-'cen•tered** *Am.* egocentryczny; **~-'col•o(u)red** jednobarwny, jednokolorowy; **~-'con•fi•dence** pewność *f* siebie; **~-'con•fi•dent** pewny siebie; **~-'con•scious** niepewny (*siebie*), skrępowany; **~-con'tained** samodzielny, odrębny; zamknięty w sobie; **~-con'trol** samoopanowanie *n*; **~-de'fence** *Brt.*, **~-de'fense** *Am.* samoobrona *f*; ***in ~-defence/-defense*** w obronie własnej; **~-de•ter•mi'na•tion** *pol.* samostanowienie *n*; **~-em'ployed** na własnym rozrachunku; **~-es'teem** poczucie *n* własnej wartości; **~-'ev•i•dent** oczywisty; **~-'gov•ern•ment** samorząd *m*; **~-'help** samopomoc *f*; **~-im'por•tant** zarozumiały; **~-in'dulgent** folgujący swoim zachciankom; **~-'in•terest** własny interes *m*; **'~•ish** egoistyczny, sobkowski; **~-made 'man** (*pl.* ***-men***) self-made man *m* (*człowiek wszystko zawdzięczający tylko sobie*); **~-'pit•y** roztkliwianie *n* się nad sobą; **~-pos'sessed**

S

opanowany; **~-pos'ses'sion** opanowanie *n*; **~-re•li•ant** [selfrɪ'laɪənt] niezależny, samodzielny; **~-re'spect** poważanie *m* dla siebie samego; **~-'right•eous**, faryzejski, świętoszkowaty; **~-'sat•is•fied** zadowolony z siebie; **~-'serv•ice 1.** samoobsługowy; **2.** samoobsługa *f*; **~-suf'ficient** samowystarczalny; **~-sup'porting** niezależny materialnie; **~-'willed** krnąbrny

sell [sel] (***sold***) sprzedawać ⟨-dać⟩; sprzedawać ⟨-dać⟩ się (***at, for*** za *A*); iść (dobrze); **~ *by...*** okres przydatności do ...; **~ *off*** wyprzedawać ⟨-dać⟩ (*zwł. tanio*); **~ *out*** wyprzedać; ***be sold out*** zostać wyprzedanym; **~ *up*** *zwł. Brt.* rozprzedawać ⟨-dać⟩ (*swój majątek*); **'~-by date** data *f* przydatności do spożycia; **'~•er** sprzedawca *m* (-czyni *f*), zbywający *m* (-ca *f*); ***good ~er*** artykuł dobrze się sprzedający

selves [selvz] *pl. od* ***self***

sem•blance ['sembləns] pozór *m*

se•men ['siːmen] *physiol.* nasienie *n*, sperma *f*

se•mes•ter [sɪ'mestə] *univ.* semestr *m*

sem•i... ['semɪ] pół..., semi...

'sem•i|•cir•cle półokrąg *m*; **~'co•lon** średnik *m*; **~•de'tached (house)** (*dom*) bliźniak *m*; **~'fi•nals** *pl.* (*w sporcie*) półfinały *pl.*

sem•i•nar•y ['semɪnərɪ] seminarium *n*

Sen → ***Snr***

sen|•ate ['senɪt] senat *m*; **~•a•tor** ['senətə] senator *m*

send [send] (***sent***) wysyłać ⟨-słać⟩, posyłać (***to*** do *G*); *pomoc* nadsyłać ⟨-desłać⟩ (***to*** do *G*); *pozdrowienia, towary itp.* przesyłać ⟨-słać⟩ (***to*** do *G*); *list, program itp.* nadawać ⟨-nadać⟩; *z adj. i p.pr.* czynić; **~ *s.o. mad*** *Brt.* doprowadzać kogoś do szaleństwa; **~ *word to s.o.*** przesyłać ⟨-łać⟩ komuś wiadomości; **~ *away*** odsyłać ⟨odesłać⟩; odprawiać ⟨-wić⟩; **~ *down*** *Brt.* relegować z uczelni; *fig. cenę* obniżać⟨-żyć⟩; **~ *for*** posyłać ⟨-słać⟩ po (*A*); wzywać ⟨wezwać⟩ (*G*); zamawiać ⟨-mówić⟩; **~ *in*** nadsyłać ⟨-desłać⟩; **~ *off*** odsyłać ⟨odesłać⟩; wysyłać ⟨-słać⟩; (*w sporcie*) usunąć z boiska; **~ *on*** przesyłać ⟨-słać⟩ (***to*** na *nowy adres*); *bagaże* przesyłać ⟨-słać⟩ wcześniej; **~ *out*** rozsyłać ⟨-zesłać⟩; wysyłać ⟨-słać⟩; **~ *up*** *fig. cenę itp.* podwyższać ⟨-szyć⟩; **'~•er** nadawca *m*

se•nile ['siːnaɪl] zniedołężniały (*ze starości*); **se•nil•i•ty** [sɪ'nɪlətɪ] zniedołężnienie *m* (*starcze*)

se•ni•or ['siːnjə] **1.** senior (*po nazwisku*); starszy (***to*** od *G*); starszy rangą; **2.** starszy *m* (-sza *f*); *Am.* student(ka *f*) *m* ostatniego roku; ***he is my ~ by a year*** jest ode mnie starszy o rok; **~ 'cit•i•zens** *pl.* emeryci *pl.*; **~•i•ty** [siːnɪ'ɒrətɪ] starszeństwo *n*; wysługa *f* lat, staż *m* pracy; **~ 'part•ner** *econ. główny* wspólnik *m*

sen•sa•tion [sen'seɪʃn] odczucie *n*; uczucie *n*; czucie *n*; sensacja *f*; **~•al** [sen'seɪʃənl] F sensacyjny; rewelacyjny

sense [sens] **1.** sens *m*; znaczenie *n*; rozsądek *m*; zmysł *m*; poczucie *n*, uczucie *n*; ***bring s.o. to his ~s*** przywrócić komuś poczucie rzeczywistości; ***come to one's ~s*** opamiętać się; ***in a ~*** w pewnym stopniu; ***make ~*** mieć sens; **~ *of duty*** poczucie *n* obowiązku; **~ *of security*** poczucie *n* bezpieczeństwa; **2.** odczuwać ⟨-czuć⟩; wyczuwać ⟨-czuć⟩; **'~•less** bezsensowny

sen•si•bil•i•ty [sensɪ'bɪlətɪ] wrażliwość *f*; *też* ***sensibilities*** uczucia *pl.*

sen•si•ble ['sensəbl] rozsądny; praktyczny;

sen•si•tive ['sensɪtɪv] wrażliwy; *aparat*: czuły

sen•sor ['sensə] *tech.* czujnik *m*; sensor *m*

sen•su•al ['sensjʊəl] zmysłowy

sen•su•ous ['sensjʊəs] zmysłowy

sent [sent] *pret. i p.p. od* ***send***

sen•tence ['sentəns] **1.** *gr.* zdanie *n*; *jur.* wyrok *m*; ***pass*** *lub* ***pronounce ~*** ogłaszać ⟨-łosić⟩ wyrok, skazywać ⟨-zać⟩; **2.** *jur.* skazywać ⟨-zać⟩ (***to*** na *A*)

sen•ti|•ment ['sentɪmənt] uczucie *n*; nastrój *m*; sentyment *m*; **~•ment•al** [sentɪ'mentl] sentymentalny; **~•men•tal•i•ty** [sentɪmen'tælətɪ] sentymentalność *f*, sentymentalizm *m*

sen•try ['sentrɪ] *mil.* wartownik *m*; warta *f*

Seoul Seul *m*

sep•a|•ra•ble ['sepərəbl] rozdzielny, rozłączny; **~•rate 1.** ['sepəreɪt] rozdzielać ⟨-lić⟩ (się); oddzielać ⟨-lić⟩ (się); ⟨po⟩dzielić (się) (***into*** na *A*); **2.** ['seprət] oddzielny; odrębny; osobny; **~•ra-**

S

tion [sepə'reɪʃn] oddzielenie *n*; rozłąka *f*; separacja *f*; rozdzielanie *n*
Sept *skrót pisany*: ***September*** wrzes., wrzesień *m*
Sep•tem•ber [sep'tembə] wrzesień *m*
sep•tic ['septɪk] *med.* (***~ally***) septyczny, zakaźny
se•quel ['siːkwəl] ciąg *m* dalszy; następstwo *n*
se•quence ['siːkwəns] kolejność *f*; następstwo *n*; ciąg *m*; sekwencja *f* (*w filmie, TV*); ***~ of tenses*** *gr.* następstwo *n* czasów
Ser•bi•a Serbia *f*
ser•e•nade [serə'neɪd] *mus.* **1.** serenada *f*; **2.** ⟨za⟩grać *lub* ⟨za⟩śpiewać serenadę
se•rene [sɪ'riːn] spokojny; jasny, bezchmurny
ser•geant ['sɑːdʒənt] sierżant *m*
se•ri•al ['sɪərɪəl] **1.** serial *m*; powieść *f* w odcinkach; **2.** seryjny; w odcinkach; *komp.* szeregowy
se•ries ['sɪəriːz] (*pl.* ***-ries***) seria *f*, szereg *m*; seria *f* (*wydawnicza*); ciąg *m*
se•ri•ous ['sɪərɪəs] poważny; ***be ~*** zachowywać się poważnie; **'~•ness** powaga
ser•mon ['sɜːmən] *rel.* kazanie *n* (*też fig.*)
ser•pen•tine ['sɜːpəntaɪn] powykręcany; *droga*: serpentynowy
se•rum ['sɪərəm] (*pl.* ***-rums, -ra*** [-rə]) serum *n*, surowica *f*
ser•vant ['sɜːvənt] służący *m* (-ca *f*) (*też fig.*); *fig.* sługa *m*; → ***civil servant***
serve [sɜːv] **1.** *v/t. komuś, krajowi, celowi itp.* służyć (*D*); *praktykę itp.* odbywać ⟨-być⟩; ⟨s⟩pełnić obowiązki; pracować dla (*G*); zaopatrywać ⟨-trzyć⟩ (***with*** w *A*); *jedzenie* podawać ⟨-dać⟩; *kogoś* obsługiwać ⟨-łużyć⟩; *jur. karę* odbywać ⟨-być⟩; *jur. wezwanie* doręczać ⟨-czyć⟩ (***on s.o.*** komuś); (*w tenisie*) ⟨za⟩serwować; ***are you being ~d?*** czy jest już Pan obsługiwany?; (***it***) ***~s him right*** F dobrze mu tak; *v/i. zwł. mil.* odbywać ⟨-być⟩ służbę; służyć (***as, for*** jako); ⟨s⟩pełnić funkcję; (*w tenisie*) ⟨za⟩-serwować; podawać ⟨-dać⟩; ***XY to ~*** (*w tenisie*) serw XY; ***~ on a committee*** być członkiem komitetu; **2.** (*w tenisie itp.*) serw *m*, serwis *m*; **'serv•er** (*w tenisie itp.*) serwujący *m* (-ca *f*); łyżka *f* (*do nakładania*); *komp.* serwer *m*

ser|•vice ['sɜːvɪs] **1.** służba *f* (***to*** dla *G*) (*też fig.*); służba *f* publiczna; *pocztowe, transportowe itp.* usługi *pl.*; połączenie *n, kolejowa itp.* komunikacja *f*; serwis *m*; obsługa *f*; *rel.* nabożeństwo *n*; usługa *f*, przysługa *f*; *jur.* doręczenie *n* (*wezwania*); (*w tenisie itp.*) serw *m*, serwis *m*; ***~vices*** *mil. pl.* siły *pl.* zbrojne; **2.** *tech.* obsługiwać ⟨-łużyć⟩; **~•vi•cea•ble** ['sɜːvɪsəbl] zdatny do użytku; przydatny; **'~vice ar•e•a** *Brt.* usługi *pl.* dla zmotoryzowanych (*przy autostradzie*); **'~vice charge** dodatek *m* za obsługę; **'~vice sta•tion** stacja *f* benzynowa; warsztat *m* naprawy samochodów
ser•vi•ette [sɜːvɪ'et] *zwł. Brt.* serwetka *f*
ser•vile ['sɜːvaɪl] służalczy; niewolniczy
serv•ing ['sɜːvɪŋ] porcja *f*
ser•vi•tude ['sɜːvɪtjuːd] służalczość *f*
ses•sion ['seʃn] sesja *f*, zebranie *n*; posiedzenie *n* (*sądu itp.*); ***be in ~*** *jur., parl.* odbywać ⟨-być⟩ sesję
set [set] **1.** (***-tt-***; ***set***) *v/t.* ustawiać ⟨-wić⟩, stawiać ⟨postawić⟩; umieszczać ⟨-mieścić⟩; przykładać ⟨-łożyć⟩; *zegar, urządzenie, kość itp.* nastawiać ⟨-wić⟩; *stół* nakrywać ⟨-ryć⟩; *cenę, termin* ustalać ⟨-lić⟩; *rekord* ustanawiać ⟨-nowić⟩; *klejnot* oprawiać ⟨-wić⟩ (***in*** *w A lub L*), osadzać ⟨-dzić⟩; *galaretę* zestalać ⟨-lić⟩; *włosy* układać ⟨ułożyć⟩; *mus. print.* składać ⟨złożyć⟩; *pytanie, zadanie* zadawać ⟨-dać⟩; *hunt.* wystawiać ⟨-wić⟩; ***~ s.o. at ease*** uspokajać ⟨-koić⟩ kogoś; ***~ an example*** ustanawiać ⟨-nowić⟩ przykład; ***~ s.o. free*** uwalniać ⟨-wolnić⟩ kogoś; ***~ s.th. going*** uruchamiać ⟨-mić⟩ coś; ***~ s.o. thinking*** dawać ⟨dać⟩ komuś do myślenia; ***~ one's hopes on s.th.*** wiązać z czymś nadzieję; ***~ s.o.'s mind at rest*** uspokajać ⟨-koić⟩ kogoś; ***~ s.th. to music*** napisać muzykę do czegoś; ***~ great*** (***little***) ***store by*** przykładać wielką (małą) wagę do czegoś; ***the novel is ~ in*** akcja powieści dzieje się w (*L*); *v/i. słońce*: zachodzić ⟨zajść⟩; *galareta*: ⟨za⟩stygnąć, zestalać ⟨-lić⟩ się; *hunt.* wystawiać ⟨-wić⟩ zwierzynę; ***~ about doing s.th.*** zabrać się do czegoś; ***~ about s.o.*** F rzucać ⟨-cić⟩ się na kogoś; ***~ aside*** odkładać ⟨odłożyć⟩; *jur. wyrok* uchylać ⟨-lić⟩; ***~ back*** opóźniać ⟨-nić⟩ (***by two months*** o dwa miesiące); ***be set back***

S

być cofniętym (***from*** od *G*); **~ *in*** *pogoda*: nastawać ⟨-tać⟩; **~ *off*** wyruszać ⟨-szyć⟩; ⟨z⟩detonować, odpalać ⟨-lić⟩; wywoływać ⟨-łać⟩; uwydatniać ⟨-nić⟩, podkreślać ⟨-lić⟩; **~ *out*** ustawiać ⟨-wić⟩; wyruszać ⟨-szyć⟩; wyjaśniać ⟨-nić⟩; **~ *out to do s.th.*** zabierać ⟨-brać⟩ się do zrobienia czegoś, podejmować ⟨-djąć⟩ się zrobienia czegoś; **~ *up*** wznosić ⟨-nieść⟩; *urządzenie itp.* ⟨z⟩montować; *komitet, firmę itp.* ⟨z⟩organizować; zaopatrywać (***with*** w *A*); *problemy itp.* stwarzać ⟨-worzyć⟩; **~ *o.s. up*** urządzać ⟨-dzić⟩ się (***as*** w charakterze *G*); **2.** *adj.* położony; osadzony; *godziny*: ustalony; *lektura*: obowiązkowy; gotowy; *miód*: zestalony; **~ *lunch*** *Brt.* obiad *m* firmowy; **~ *phrase*** utarty zwrot *m*, fraza *f*; ***be ~ on doing s.th.*** być zdecydowanym coś zrobić; ***be ~ against s.th.*** być nastawionym przeciw czemuś; ***be all ~*** F być gotowym; **3.** zestaw *m* (*narzędzi itp.*); komplet *m* (*narzędzi, mebli itp.*); aparat *m*, *telewizyjny, radiowy* odbiornik *m*; *theat.* scenografia *f*; plan *m* filmowy; (*w tenisie*) set *m*; grupa *f* (*ludzi*); modelowanie *n* (*włosów*); *math.* zbiór *m*; *poet.* zachód *m*; ***have a shampoo and ~*** umyć i ułożyć sobie włosy; **'~·back** porażka *f*, zahamowanie *n*; **'~·square** *Brt.* ekierka *f*

set·tee [se'tiː] sofa *f*

'set the·o·ry *math.* teoria *f* zbiorów

set·ting ['setɪŋ] zachód *m* (*słońca itp.*); *tech.* nastawienie *n*; oprawa *f* (*klejnotu*); usytuowanie *n* (*budynku*), miejsce *n*; **'~ lo·tion** lakier *m* do włosów

set·tle ['setl] *v/i.* osiadać ⟨osiąść⟩ (***on*** na *L*); osiadać, osiedlać ⟨-lić⟩ się (***in*** w *mieście*); usadawiać ⟨-dowić⟩ się; *płyn*: ⟨wy⟩klarować się; uspokajać ⟨-koić⟩ się; zabierać ⟨-brać⟩ się (***to*** do *G*) (*też* **~*down***); układać ⟨ułożyć⟩ się; *v/t. problem* załatwiać ⟨-wić⟩; *sprawy* ⟨u⟩regulować; *spór* rozstrzygać ⟨-gnąć⟩; *rachunek* ⟨u⟩regulować; *kogoś* usadawiać ⟨-dowić⟩; *teren* zasiedlać ⟨-lić⟩; **~ *o.s.*** ⟨u⟩sadowić się (***on*** na *L*); ***that ~s it*** to przesądza sprawę; ***that's ~d then*** wszystko więc jasne; **~ *down*** → *v/i.*; **~ *for*** zadowalać się (*D*); **~ *in*** przywyknąć (do *G*), wrosnąć w (*A*); **~ *on*** ugodzić się co do (*G*); **~ *up*** rozliczać ⟨-czyć⟩ się (***with*** z *I*); **'~d** ustalony (*też pogoda*); *życie* uregulowany; **'~·ment** osiedle *n*; uregulowanie *n*; ustalenie *n*; ułożenie *n* się; rozstrzygnięcie *n*; porozumienie *n*, ugoda *f*; zapłata *f*; rozliczenie *n*; ***reach a ~ment*** dochodzić ⟨dojść⟩ do porozumienia; **'~r** osadnik *m* (-iczka *f*)

sev·en ['sevn] **1.** siedem; **2.** siódemka *f*; **~·teen** [sevn'tiːn] **1.** siedemnaście; **2.** siedemnastka *f*; **~·teenth** [sevn'tiːnθ] **1.** siedemnasty; **2.** siedemnasta część *f*; **~th** ['sevnθ] **1.** siódmy; **2.** siódma część *f*; **'~th·ly** po siódme; **~·ti·eth** ['sevntɪɪθ] siedemdziesiąty; **~·ty** ['sevntɪ] **1.** siedemdziesiąt; **2.** siedemdziesiątka *f*

sev·er ['sevə] przerywać ⟨-rwać⟩; *znajomość itp.* zrywać ⟨zerwać⟩

sev·e·ral ['sevrəl] kilka; kilku; **'~·ly** osobno, pojedynczo

se·vere [sɪ'vɪə] (***-r, -st***) *zima, człowiek*: surowy; *choroba itp.*: poważny; *ból*: silny; *krytyka*: ostry; **se·ver·i·ty** [sɪ'verətɪ] surowość *f*; ostrość *f*; powaga *f*; duża siła *f*

sew [səʊ] (***sewed, sewn*** *lub* ***sewed***) szyć

sew·age ['suːɪdʒ] ścieki *pl.*; **'~ works** *sg.* oczyszczalnia *f* ścieków

sew·er [sʊə] ściek *m*; **~·age** ['sʊərɪdʒ] kanalizacja *f*

sew·ing ['səʊɪŋ] szycie *n*; **'~ ma·chine** maszyna *f* do szycia

sewn [səʊn] *p.p. od* ***sew***

sex [seks] płeć *f*; seksualność *f*; seks *m*; stosunek *m* płciowy

sex|·is·m ['seksɪzəm] seksizm *m*; **'~·ist** **1.** seksistowski; **2.** seksista *m*

sex·ton ['sekstən] zakrystian *m*, kościelny *m*

sex·u·al ['sekʃʊəl] płciowy; seksualny; **~ 'har·ass·ment** prześladowanie *n* na tle seksualnym; **~ 'in·ter·course** stosunek *m* płciowy; **~·i·ty** [sekʃʊ'ælətɪ] płciowość *f*

sex·y ['seksɪ] F sexy, seksowny

SF [es 'ef] *skrót*: ***science fiction*** science fiction *n*

shab·by ['ʃæbɪ] (***-ier, -iest***) niechlujny, zaniedbany

shack [ʃæk] buda *f*, szopa *f*

shack·les ['ʃæklz] *pl.* okowy *pl.* (*też fig.*), kajdany *pl.*

shade [ʃeɪd] **1.** cień *m* (*też fig.*); osłona *f*;

S

odcień *m* (*koloru, znaczenia*); *Am.* żaluzja *f*, roleta *f*; ***a ~*** *fig.* trochę, nieco; **2.** osłaniać ⟨-łonić⟩ (***from*** przed *I*); ocieniać ⟨-nić⟩; *kolory*: przechodzić ⟨przejść⟩ (***off/into*** w *A*); **~s** *pl.* F okulary *pl.* przeciwsłoneczne

shad·ow ['ʃædəʊ] **1.** cień *m* (*też fig.*); ***there's not a*** *lub* ***the ~ of a doubt*** nie ma nawet cienia wątpliwości; **2.** *kogoś* ocieniać ⟨-nić⟩; **'~·y** (***-ier, -iest***) zacieniony, ciemny; nieokreślony

shad·y ['ʃeɪdɪ] (***-ier, -iest***) zacieniony, ciemny; F ciemny, podejrzany

shaft [ʃɑːft] trzonek *m*; drzewce *n* (*strzały*); wał *m* (*samochodu*); szyb *m* (*kopalni*); promień *m* (*słońca*); dyszel *m*

shag·gy ['ʃægɪ] (***-ier, -iest***) *pies*: kudłaty; *broda*: nastroszony; *płaszcz*: kosmaty

shake [ʃeɪk] **1.** (***shook, shaken***) *v/t.* trząść (*I*), potrząsać ⟨-nąć⟩ (*I*); otrząsać ⟨-snąć⟩; *koktajl* ⟨z⟩robić (*mieszając*); ***~ hands*** ściskać ⟨ścisnąć⟩ *czyjąś* dłoń; *v/i.* trząść się (***with*** z *G*); otrząsać ⟨-snąć⟩ się; ***~ down*** *Brt.* przespać się; *Brt.* przywykać ⟨-knąć⟩; ***~ off*** strząsać ⟨-snąć⟩; *choroby* pozbywać ⟨-być⟩ się; ***~ up*** *poduszki* wzruszać ⟨-szyć⟩; *napój* wymieszać; *fig.* wstrząsać ⟨-snąć⟩; **2.** potrząśniecie *n*, wstrząśniecie *n*; otrząśnięcie *n* (się); *Am.* F koktajl *m* mleczny; **'~·down** F **1.** *Am.* szantaż *m*, wymuszenie *n*; *Am.* rewizja *f*, przeszukanie *n*; *tymczasowe* miejsce *n* noclegu; ostateczny test *m*; **2.** *adj. lot, podróż*: testowy; **shak·en** ['ʃeɪkən] **1.** *p.p. od* ***shake*** 1; **2.** *adj. też* ***~ up*** wstrząśnięty

shak·y ['ʃeɪkɪ] (***-ier, -iest***) trzęsący się; *fig.* słaby

shall *v/aux.* [ʃæl] (*pret.* ***should***) ***I ~ be*** będę; ***we ~ be*** będziemy; ***you ~ do it*** masz to zrobić, powinieneś to zrobić; *w pytaniach*: ***~ we go?*** może byśmy poszli?

shal·low ['ʃæləʊ] płytki (*też fig.*); *fig.* powierzchowny; **'~s** *pl.* mielizna *f*, płycizna *f*

sham [ʃæm] **1.** fikcja *f*; pozór *m*; **2.** fikcyjny, pozorny; fałszywy, udawany; **3.** (***-mm-***) *v/t. współczucie* pozorować; *chorobę* symulować; *v/i.* udawać ⟨-dać⟩, symulować

sham·bles ['ʃæmblz] *sg.* F bałagan *m*, chaos *m*

shame [ʃeɪm] **1.** wstyd *m*; hańba *f*; ***~ !*** hańba!; ***~ on you!*** ale wstyd!; ***put to ~*** *kogoś* zawstydzać ⟨-dzić⟩ **2.** zawstydzać ⟨-dzić⟩; przynosić ⟨-nieść⟩ *komuś* wstyd; przewyższać ⟨-szyć⟩; **~'faced** zawstydzony; **'~·ful** haniebny; **'~·less** bezwstydny

sham·poo [ʃæm'puː] **1.** (*pl.* ***-poos***) szampon; → ***set*** 3; **2.** *włosy* ⟨u⟩myć; *dywan* ⟨wy⟩prać

sham·rock ['ʃæmrɒk] koniczyna *f* drobnogłówkowa

shank [ʃæŋk] *tech.* trzon(ek) *m*; goleń *f*

shan't [ʃɑːnt] = ***shall not***

shan·ty[1] ['ʃæntɪ] buda *f*, szopa *f*

shan·ty[2] ['ʃæntɪ] szanta *f*

shape [ʃeɪp] **1.** kształt *m*; forma *f*; stan *m* (*budynku itp.*); **2.** *v/t.* ⟨u⟩kształtować; ⟨u⟩formować; *v/i.* ***~ up*** dawać ⟨dać⟩ sobie radę; brać ⟨wziąć⟩ się w garść; *zwł. Am.* ⟨u⟩formować się; **~d** uformowany; **'~·less** bezkształtny, bezforemny; **'~·ly** (***-ier, -iest***) kształtny

share [ʃeə] **1.** udział *m* (***in*** w *L*, ***of*** *G*); część *f*; *zwł. Brt. econ.* akcja *f*; ***go ~*** ⟨po⟩dzielić się (*kosztami itp.*); ***have a ~ in*** mieć w (*L*) udział; ***have no ~ in*** nie mieć w (*L*) udziału; **2.** *v/t.* ⟨po⟩dzielić się (***with*** z *I*); dzielić; *też* ***~ out*** rozdzielać ⟨-lić⟩ (***among, between*** (po)między *A*); *v/i.* dzielić się; ***~ in*** brać ⟨wziąć⟩ udział w (*L*); **~·hold·er** *zwł. Brt.* udziałowiec *m*, akcjonariusz *m*

shark [ʃɑːk] (*pl.* ***shark, sharks***) *zo.* rekin *m*; F *finansowy* rekin *m*

sharp [ʃɑːp] **1.** *adj.* ostry (*też fig.*); *umysł*: lotny; *mus.* (*o pół tonu*) podwyższony; ***C ~*** *mus.* Cis *lub* cis ; **2.** *adv.* ostro; nagle; *mus.* za wysoko; punktualnie, dokładnie; ***at eight o'clock ~*** punkt o ósmej; ***look ~*** F ⟨po⟩spieszyć się; ***look ~!*** F tempo!; uwaga!; **~·en** ['ʃɑːpən] ⟨na-, za⟩ostrzyć; *ołówek też* ⟨za⟩temperować; **~·en·er** ['ʃɑːpnə] ostrzałka *f*, przyrząd *m* do ostrzenia; temperówka *f*; **'~·ness** ostrość *f* (*też fig.*); **'~·shoot·er** snajper *m*, strzelec *m* wyborowy; **~-'sight·ed** o ostrym wzroku

shat·ter ['ʃætə] *v/t.* ⟨s⟩trzaskać; rozbijać ⟨-bić⟩; *nadzieje* rozwiewać ⟨-wiać⟩; *v/i.* roztrzaskać się, rozbijać ⟨-bić⟩ się

shave [ʃeɪv] **1.** ⟨o⟩golić (się); zgolić; zeskrobywać ⟨-bać⟩; **2.** ogolenie *n*, ostrzyżenie *n*; ***have a ~*** ⟨o⟩golić się; ***that***

S

was a close ~ niewiele brakowało; **shav·en** ['ʃeɪvn] ogolony; **shav·er** ['ʃeɪvə] *elektryczna* golarka *f*, maszynka *f* do golenia; **shav·ing** ['ʃeɪvɪŋ] **1.** golenie *n*; **~*s*** *pl.* wióry *pl.*; **2.** do golenia
shawl [ʃɔːl] chusta *m* (*na głowę itp.*)
she [ʃiː] **1.** *pron.* ona; **2.** *zo.* samica *m*; **3.** *adj. w złoż.* ***she-bear*** niedźwiedzica *f*
sheaf [ʃiːf] (*pl.* ***sheaves***) *agr.* snop *m*; plik *m* (*papierów*)
shear [ʃɪə] **1.** (***sheared, sheared*** *lub* ***shorn***) ⟨o⟩strzyc; **2.** (***a pair of***) **~*s*** *pl.* nożyce *pl.*
sheath [ʃiːθ] (*pl.* ***sheaths*** [ʃiːðz]) pochwa *f* (*na miecz itp.*); *Brt.* prezerwatywa *f*; *tech.* osłona *f*, pokrowiec *m*; **~*e*** [ʃiːð] ⟨s⟩chować do pochwy; *tech.* osłaniać ⟨-nić⟩
sheaves [ʃiːvz] *pl. od* ***sheaf***
shed¹ [ʃed] szopa *f*
shed² [ʃed] (***-dd-***; ***shed***) *łzy* wylewać ⟨-lać⟩; *liście, skórę* zrzucać ⟨-cić⟩; *krew* przelewać ⟨-lać⟩; *fig.* pozbywać ⟨-być⟩ się; ***~ a few pounds*** zrzucać ⟨-cić⟩ kilka funtów
sheen [ʃiːn] połysk *m*
sheep [ʃiːp] *zo.* (*pl.* ***sheep***) owca *f*; **'~·dog** owczarek *m*; **'~ farm·ing** owczarstwo *n*; **'~·fold** okólnik *m*, zagroda *f* dla owiec; **'~·ish** zbaraniały; głupkowaty; **~·skin** kożuch *m*
sheer [ʃɪə] czysty, sam; *brzeg*: pionowy; *materiał*: przejrzysty
sheet [ʃiːt] prześcieradło *n*; arkusz *m* (*papieru, blachy*); kartka *f*; płyta *f* (*szkła*); tafla *f* (*szkła, lodu itp.*); ***the rain was coming down in ~s*** lało strumieniami; **~ light·ning** błyskawica *f* (*rozświetlająca całe niebo*)
shelf [ʃelf] (*pl.* ***shelves***) półka *f* (*też skalna*); ***shelves*** *pl.* regał *m*
shell [ʃel] **1.** skorup(k)a *f* (*jaja, orzecha, ślimaka itp.*); łupina *f*; muszla *f*; *zo.* pancerz *m*; *mil.* pocisk *m* artyleryjski; szkielet *m* (*budynku, też fig.*); **2.** łuskać; obierać ⟨obrać⟩; *mil.* ostrzeliwać ⟨-lać⟩; **'~·fire** ostrzał *m* artyleryjski; **'~·fish** *zo.* (*pl.* ***-fish***) skorupiak *m*
shel·ter ['ʃeltə] **1.** schronienie *n*; *mil.* schron *m*, bunkier *m*; (*na przystanku*) wiata *f*; osłona *f*; ***run for ~*** ⟨po⟩szukać schronienia; ***take ~*** ⟨s⟩chronić się (***under*** pod *I*); **2.** *v/t.* osłaniać ⟨-łonić⟩ (***from*** przed *I*); *v/i.* ⟨s⟩chronić się
shelve [ʃelv] *v/t. książki* ustawiać ⟨-wić⟩; *fig. plan* odkładać ⟨odłożyć⟩na półkę, zaniechać; *v/i.* opadać ⟨opaść⟩
shelves [ʃelvz] *pl. od* ***shelf***
she·nan·i·gans [ʃɪ'nænɪgənz] F *pl.* nonsens *m*; manipulacje *pl.*
shep·herd ['ʃepəd] **1.** pasterz *m*; **2.** ⟨po⟩prowadzić
sher·iff ['ʃerɪf] *Am.* szeryf *m*
Shet·land Is·lands *pl.* Szetlandy *pl.*
shield [ʃiːld] **1.** tarcza *f*; osłona *f*; *tech.* ekran *m*; **2.** osłaniać ⟨-łonić⟩ (***from*** przed *I*); ekranować
shift [ʃɪft] **1.** *v/t. coś* przesuwać ⟨-sunąć⟩, przemieszczać⟨-mieścić⟩; *winę itp.* przerzucać ⟨-cić⟩ (***on***(***to***) na *A*); *koszt itp.* przenosić ⟨-nieść⟩; *plamy* usuwać ⟨usunąć⟩; **~ *gear*(*s*)** *zwł. Am. mot.* zmieniać ⟨-nić⟩ bieg(i); *v/i.* przesuwać ⟨-sunąć⟩ się; *wiatr*: zmieniać ⟨-nić⟩ się; *Am.* zmieniać ⟨-nić⟩ bieg(i) ((***in***)***to*** na *A*); ***~ from one foot to another*** przestępować z nogi na nogę; ***~ on one's chair*** kręcić się na krześle; **2.** *fig.* przesunięcie *n*, zmiana *f*; *econ.* zmiana *f* (*pracowników, czasu*); **'~ key** klawisz *m* "shift" (*zmieniający małe litery na duże*); **'~ work·er** pracownik *m* (-nica *f*) zmianowy (-wa); **'~·y** (***-ier, -iest***) F *oczy*: rozbiegany; kombinatorski
shil·ling ['ʃɪlɪŋ] *Brt. hist.* szyling *m*
shim·mer ['ʃɪmə] ⟨za⟩migotać; *powietrze*: drgać
shin [ʃɪn] **1.** *też* **~*bone*** *anat.* goleń *f*; **2.** (***-nn-***): ***~ up*** wspinać ⟨-piąć⟩ się na (*A*) (*drzewo*)
shine [ʃaɪn] **1.** *v/i.* (***shone***) błyszczeć ⟨błysnąć⟩; świecić (się); *v/t.* (***shined***) *buty* ⟨wy⟩polerować, ⟨wy⟩glansować; **2.** połysk *m*
shin·gle¹ ['ʃɪŋgl] otoczak *m*, kamień *m*
shin·gle² ['ʃɪŋgl] gont *m* (*na dachu*)
shin·gles ['ʃɪŋglz] *med. sg.* półpasiec *m*
shin·y ['ʃaɪnɪ] (***-ier, -iest***) błyszczący, wyglansowany
ship [ʃɪp] **1.** statek *m*, okręt *m*; **2.** (***-pp-***) przewozić ⟨-wieźć⟩ drogą morską; przesyłać ⟨-słać⟩; ⟨prze⟩transportować; **'~·board**: ***on ~board*** na pokładzie; **'~·ment** przesyłka *f*; **'~·own·er** właściciel(ka *f*) statku; **'~·ping** *handlowa* żegluga *f*; flota *f* (*danego kraju*); przesyłka *f*, ekspedycja *f*; **'~·wreck** rozbicie *n* statku; wrak *m* statku; **'~·wrecked 1.**

S

be ~wrecked przejść rozbicie statku; **2.** ocalały z katastrofy morskiej; **'~·yard** stocznia *f*

shire ['ʃaɪə, ʃə] *w złoż., przest.* hrabstwo *n*

shirk [ʃɜːk] uchylać ⟨-lić⟩ się przed (*I*); **'~·er** dekownik *m*, lawirant *m*

shirt [ʃɜːt] koszula *f*; **'~·sleeve 1.** rękaw *m* (*koszuli*); ***in (one's) ~s*** w samej koszuli; **2.** w (*samej*) koszuli

shit [ʃɪt] V **1.** gówno *n* (*też fig.*); **2.** (***-tt-***; ***shit*** *lub* ***shat***) srać

shiv·er ['ʃɪvə] **1.** ⟨za⟩drżeć (***with*** z *G*); **2.** drżenie *n*; ***~s*** *pl.* F dreszcze *pl.*

shoal[1] [ʃəʊl] mielizna *f*, płycizna *f*

shoal[2] [ʃəʊl] ławica *f*

shock[1] [ʃɒk] **1.** szok *m*; wstrząs *m*; uderzenie *n*; porażenie *n* (*prądem*); **2.** wstrząsać ⟨-snąć⟩; ⟨za⟩szokować; porażać ⟨-razić⟩ (*prądem*)

shock[2] [ʃɒk] (***~ of hair***) czupryna *f*, szopa *f* (*włosów*)

'shock| ab·sorb·er *tech.* amortyzator *m*; **'~·ing** szokujący

shod [ʃɒd] *pret. i p.p. od* ***shoe*** 2

shod·dy ['ʃɒdɪ] (***-ier, -iest***) niskiej jakości; podły

shoe [ʃuː] **1.** but *m*; podkowa *f*; **2.** (***shod***) *konia* podkuwać ⟨-kuć⟩; **'~·horn** łyżka *f* do butów; **'~·lace** sznurowadło *n*; **'~·mak·er** szewc *m*; **'~·shine** czyszczenie *n* butów; **'~·shine boy** czyścibut *m*; **'~·string** sznurowadło *n*

shone [ʃɒn, *Am.* ʃəʊn] *pret. i p.p. od* ***shine*** 1

shook [ʃʊk] *pret. od* ***shake*** 1

shoot [ʃuːt] **1.** (***shot***) *v/t.* zastrzelić; zabijać ⟨-bić⟩ (*strzelając*); rozstrzelać; postrzelić; wystrzelić; strzelać ⟨-lić⟩ z (*G*); *hunt.* polować na (*A*); *kogoś* ⟨s⟩fotografować; *film* ⟨na⟩kręcić; *pytanie, spojrzenie* miotać; *narkotyk* wstrzykiwać ⟨-knąć⟩; ***~ the lights*** przejechać na czerwonym świetle; *v/i.* strzelać ⟨-lić⟩ (***at*** do *G*); polować; przemykać ⟨-mknąć⟩; filmować; fotografować; *bot.* ⟨za-, wy⟩kiełkować; wyrastać ⟨-rosnąć⟩; **2.** *bot.* kiełek *m*; pęd *m*; polowanie *n*; teren *m* myśliwski; **'~·er** *zwł. Brt. sl.* (*broń*) gnat *m*

'shoot·ing 1. strzelanie *n*, strzelanina *f*; postrzelenie *n*; zastrzelenie *n*; polowanie *n*; kręcenie *n* (*filmu, programu*), filmowanie *n*; **2.** *ból* rwący; **'~ gal·le·ry** (*pomieszczenie*) strzelnica *f*; **'~ range** (*teren*) strzelnica *f*; **~ 'star** spadająca gwiazda *f*

shop [ʃɒp] **1.** sklep *m*; zakład *m*; warsztat *m*; ***talk ~*** rozmawiać na tematy zawodowe; **2.** (***-pp-***): *zw.* ***go ~ping*** chodzić ⟨iść⟩ na zakupy; **'~ as·sis·tant** ekspedient(ka *f*) *m*; **'~·keep·er** sklepikarz *m* (-rka *f*); **'~·lift·er** *sklepowy* (*-a*) złodziej(ka *f*) *m*; **'~·lift·ing** kradzież *f* w sklepie; **'~·per** klient(ka *f*) *m*, kupujący *m* (-ca *f*)

shop·ping ['ʃɒpɪŋ] **1.** kupowanie *n*; zakupy *pl.*; ***do one's ~*** robić zakupy; **2.** handlowy; na zakupy; **'~ bag** torba *f* na zakupy; **'~ cart** (*w sklepie*) wózek *m*; **'~ cen·tre** *Brt.*, (*Am.* ***center***) centrum *f* handlowe; **'~ list** lista *f* zakupów; **'~ mall** *Am.* centrum *f* handlowe; **'~ street** ulica *f* handlowa

shop| 'stew·ard mąż *m* zaufania; **'~·walk·er** *Brt.* osoba *f* oglądająca towary; **'~ win·dow** witryna *f*, wystawa *f*, okno *n* wystawowe

shore[1] [ʃɔː] brzeg *m*; wybrzeże *n*; ***on ~*** na lądzie; *attr.* brzegowy, przybrzeżny

shore[2] [ʃɔː]: ***~ up*** podeprzeć ⟨-dpierać⟩

shorn [ʃɔːn] *p.p. od* ***shear*** 1

short [ʃɔːt] **1.** *adj.* krótki; *ktoś*: niski; skrócony; opryskliwy (***with*** wobec *G*); *ciasto*: kruchy; ***be ~ for*** być skrótem (*G*); ***be ~ of ...*** nie mieć wystarczająco ...; **2.** *adv.* nagle; ***~ of*** z wyjątkiem (*G*); ***cut ~*** przerywać ⟨-rwać⟩ nagle; ***fall ~ of*** nie osiągać ⟨-gnąć⟩ (*G*); ***stop ~*** przerywać ⟨-rwać⟩ nagle; ***stop ~ of*** powstrzymywać się przed (*I*); → ***run*** 1; **3.** F krótkometrażówka *f*; *electr.* spięcie *n*; ***for ~*** w skrócie; ***in ~*** w skrócie; **~·age** ['ʃɔːtɪdʒ] niedostatek *m*, niedobór *m*, brak *m*; **'~·com·ings** *pl.* niedostatki *pl.*, braki *pl.*; **'~ cut** skrót *m*; ***take a ~ cut*** iść ⟨pójść⟩ na skróty; **~·en** ['ʃɔːtn] *v/t.* skracać ⟨skrócić⟩; *v/i.* ⟨s⟩kurczyć się

short·en·ing ['ʃɔːtnɪŋ] tłuszcz *m* do pieczenia

'short|·hand stenografia *f*; **~·hand 'typ·ist** stenografista *m* (-tka *f*); **'~·ly** niebawem, wkrótce; opryskliwie; lakonicznie; **~s** *pl. też* ***a pair of ~s*** szorty *pl.*; *zwł. Am.* *krótkie* kalesony; **~'sight·ed** krótkowzroczny; **~ 'sto·ry** opowiadanie *n*, nowela *f*; **~-'term** *econ.* krótkoterminowy; **~ 'time** *econ.* niepeł-

S

ny wymiar *m* (*pracy*); **~ 'wave** *zw.* fale *pl.* krótkie; **~-'wind•ed** łatwo tracący oddech

shot [ʃɒt] **1.** *pret. i p.p. od* ***shoot*** 1; **2.** strzał *m*, wystrzał *m*; śrut *m*; śrucina *f*; kula *f*; strzelec *m*; (*w tenisie, golfie*) uderzenie *n*; (*w fotografii, filmie, TV*) F zdjęcie *n*, ujęcie *n*; *med.* F zastrzyk *m*; *fig.* F próba *f*; ***~ in the dark*** strzał *m* na oślep; ***I'll have a ~ at it*** spróbuję jednak; ***not by a long ~*** *zwł. Am.* F wcale nie; → ***big shot***; **'~•gun** strzelba *f*; **~•gun 'wed•ding** F przyspieszone małżeństwo *n*; **'~ put** *sport*: pchnięcie *n* kulą; **'~ put•ter** *sport*: miotacz *m* kulą

should [ʃʊd] *pret. od* ***shall***

shoul•der ['ʃəʊldə] **1.** ramię *n* (*też fig.*), bark *m*; *Am. mot.* pobocze *n* utwardzone; **2.** brać ⟨wziąć⟩ na ramię; *koszty itp.* brać ⟨wziąć⟩ na *swoje* barki; **'~ bag** torba *f* na ramię; **'~ blade** *anat.* łopatka *f*; **'~ strap** ramiączko *n*; pasek *m* (*torby*)

shout [ʃaʊt] **1.** *v/i.* krzyczeć (***to*** do *G*, ***at*** na *A*); wołać (***for*** o *A*); **2.** *v/t.* krzyczeć, wykrzykiwać ⟨-rzyczeć⟩; **2.** krzyk *m*; wołanie *n*

shove [ʃʌv] **1.** pchać ⟨pchnąć⟩; *coś* wpychać ⟨wepchnąć⟩; **2.** pchnięcie *n*, popchnięcie *n*; wepchnięcie *n*

shov•el ['ʃʌvl] **1.** łopata *f*, szufla *f*; **2.** (*zwł. Brt.* ***-ll-***, *Am.* ***-l-***) zgarniać ⟨-nąć⟩; ⟨s⟩kopać

show [ʃəʊ] **1.** (***showed, shown*** *lub* ***showed***) *v/t.* pokazywać ⟨-zać⟩; ukazywać ⟨-zać⟩; okazywać ⟨-zać⟩; (*w galerii*) wystawiać ⟨-wić⟩; ⟨za⟩prowadzić (***to*** do *G*); *v/i.* być widocznym; ***be ~ing***: iść, być wyświetlanym; ***~ around*** oprowadzać ⟨-dzić⟩; ***~ in*** wprowadzać ⟨-dzić⟩; ***~ off*** popisywać ⟨-sać⟩ się (*I*); ⟨po⟩chwalić się (*I*); ***~ out*** wyprowadzać ⟨-dzić⟩; ***~ round*** oprowadzać ⟨-dzić⟩; ***~ up*** *v/t.* wykazywać ⟨-zać⟩; odsłaniać ⟨-łonić⟩; kłopotać, przynosić ⟨-nieść⟩ *komuś* wstyd; **2.** być widocznym; F zjawiać ⟨-wić⟩ się; **2.** *theat.* przedstawienie *n*, spektakl *m*; show *m*; seans *m*; pokaz *m*; wystawa *f*; pozór *m*, pretekst *m*; ***be on ~*** być pokazywanym; ***steal the ~*** przyćmić wszystkich; ***make a ~ of*** ⟨za⟩demonstrować (*A*); ***put up a poor ~*** F nie popisać się; ***be in charge of the ~*** F kierować interesem; **3.** wzorcowy; ***~ flat*** mieszkanie *n* wzorcowe; **'~•biz** F, **'~ busi•ness** show-biznes *m*; **'~•case** witryna *f*, okno *n* wystawowe; **'~•down** ostateczna rozgrywka *f*

show•er ['ʃaʊə] **1.** przelotny opad *m*; *fig.* grad *m*, deszcz *m*; prysznic *m*, natrysk *m*; ***have*** *lub* ***take a ~*** brać ⟨wziąć⟩ prysznic; **2.** *v/t. kogoś* zasypywać ⟨-pać⟩ (*I*); opryskiwać ⟨-kać⟩ (*I*); *v/i.* brać ⟨wziąć⟩ prysznic; padać; ***~ down*** opadać ⟨opaść⟩

'show| jump•er (*w sporcie*) jeździec *m*; **'~ jump•ing** (*w sporcie*) konkurs *m* hippiczny; **~n** [ʃəʊn] *p.p. od* ***show*** 1; **'~-off** F pokaz *m*; popis *m*; **~•room** salon *f* wystawowy; **'~•y** (***-ier, -iest***) krzykliwy, wyzywający

shrank [ʃræŋk] *pret. od* ***shrink*** 1

shred [ʃred] **1.** strzęp *m*; *fig.* odrobina *f*; **2.** (***-dd-***) ⟨po⟩drzeć (*na strzępy*); *gastr.* ⟨po⟩szatkować; *dokumenty* ⟨z⟩niszczyć; **'~•der** niszczarka *f*, szatkownica *f*

shrew [ʃruː] *zo.* ryjówka *f*; sekutnica *f*, jędza *f*

shrewd [ʃruːd] chytry, sprytny

shriek [ʃriːk] **1.** wykrzykiwać ⟨-knąć⟩, zakrzyczeć ⟨-knąć⟩; ***~ with laughter*** ⟨za⟩rechotać ze śmiechu; **2.** *przenikliwy* krzyk *m*

shrill [ʃrɪl] ostry (*też fig.*)

shrimp [ʃrɪmp] *zo.* krewetka *f*; F karzełek *m*

shrine [ʃraɪn] sanktuarium *n*, przybytek *m* święty

shrink [ʃrɪŋk] **1.** (***shrank, shrunk***) ⟨s⟩kurczyć się; *tkanina itp.*: zbiegać ⟨zbiec⟩ się; zmniejszać ⟨-szyć⟩ się; **2.** F (*psychiatra*) lekarz *m* od czubków; **~•age** ['ʃrɪŋkɪdʒ] (s)kurczenie *n* się, zbiegnięcie *n* się, zmniejszenie *n* się; ubytek *m*; **'~-wrap** (***-pp-***) pakować w folię

shriv•el ['ʃrɪvl] (*zwł. Brt.* ***-ll-*** , *Am.* ***-l-***) wysuszać ⟨-suszyć⟩; zsychać ⟨zeschnąć⟩ (się)

shroud [ʃraʊd] **1.** całun *m*; **2.** *fig.* okrywać ⟨-ryć⟩

Shrove Tues•day [ʃrəʊv 'tjuːzdɪ] ostatki *pl.*

shrub [ʃrʌb] krzew *m*; **~•be•ry** ['ʃrʌbərɪ] krzewy *pl.*

shrug [ʃrʌg] **1.** (***-gg-***) *też* ***~ one's shoulders*** wzruszać ⟨-szyć⟩ ramionami; **2.** wzruszenie *n* (*ramion*)

S

shrunk [ʃrʌŋk] *p.p. od* ***shrink*** 1

shuck *zwł. Am.* [ʃʌk] **1.** łuska *f*, łupina *f*; **2.** łuskać, obierać ⟨-brać⟩

shud·der ['ʃʌdə] **1.** wzdrygać ⟨-gnąć⟩ się, ⟨za⟩drżeć; **2.** wzdrygnięcie *n*, dreszcz *m*

shuf·fle ['ʃʌfl] **1.** *v/t. karty* ⟨po⟩tasować; *papiery* przekładać ⟨-łożyć⟩; ***~ one's feet*** powłóczyć nogami; *v/i.* przekładać ⟨-ełożyć⟩; **2.** tasowanie *n* (*kart*)

shun [ʃʌn] (***-nn-***) odrzucać ⟨-cić⟩, unikać ⟨-knąć⟩

shunt [ʃʌnt] *pociąg itp.* przetaczać ⟨-toczyć⟩, manewrować; *też* ***~ off*** F *kogoś* odstawiać ⟨-wić⟩ na bok

shut [ʃʌt] (***-tt-***; ***shut***) zamykać ⟨-mknąć⟩; ***~ down*** zamykać ⟨-mknąć⟩ *fabrykę itp.*; ***~ off*** *wodę, gaz itp.* odcinać ⟨-ciąć⟩; *maszynę* wyłączać ⟨-czyć⟩; ***~ up*** zamykać ⟨-mknąć⟩ się; zamykać ⟨-mknąć⟩ (*w pokoju, itp., zakład*); ***~ up!*** zamknij się!; **'~·ter** okiennica *f*; *phot.* migawka *f*; **'~·ter speed** *phot.* czas *m* naświetlania

shut·tle ['ʃʌtl] **1.** samolot *m*, autobus *m itp.*, wahadłowy; prom *m* kosmiczny, wahadłowiec *m*; *tech.* czółenko *n*; **2.** kursować tam i z powrotem; **'~·cock** (*w sporcie*) lotka *f*; **'~ di·plo·ma·cy** *pol.* dyplomacja *f* wahadłowa; **'~ ser·vice** połączenie *n* wahadłowe

shy [ʃaɪ] **1.** nieśmiały; lękliwy, płochliwy; **2.** ⟨s⟩płoszyć się (*zwł. koń*); ***~ away from*** *fig.* wycofywać ⟨-fać⟩ się; **'~·ness** nieśmałość *f*, płochliwość *f*

Si·be·ri·a Syberia *f*

Sic·i·ly Sycylia *f*

sick [sɪk] **1.** chory; ***be ~*** *zwł. Brt.* ⟨z⟩wymiotować; ***she was*** *lub* ***felt ~*** ⟨po⟩czuła się źle; ***fall ~*** zachorować; ***be off ~*** być na zwolnieniu, F być na chorobowym; ***report ~*** zgłaszać, że się jest chorym; ***be ~ of s.th.*** F mieć czegoś serdecznie dość; ***it makes me ~*** F niedobrze mi się od tego robi; **2.** ***the ~*** *pl.* chorzy *pl.*; **~·en** *v/t.* napełniać ⟨-nić⟩ obrzydzeniem, przyprawiać ⟨-wić⟩ kogoś o mdłości; *v/i.* ⟨za⟩chorować

sick·le ['sɪkl] sierp *m*

'sick| leave: ***be on ~ leave*** być na zwolnieniu, F być na chorobowym; **'~·ly** (***-ier, -iest***) chorobliwy; chorowity; *zapach*: mdlący; **'~·ness** choroba *f*; mdłości *pl.*; **'~·ness ben·e·fit** *Brt.* zasiłek *m* chorobowy

side [saɪd] **1.** strona *f*; bok *m*; *zwł. Brt.* zespół *m*; stok *m*; ***~ by ~*** obok siebie; ***take ~s with s.o.*** stawać ⟨stanąć⟩ po czyjejś stronie; **2.** boczny; *efekt*: uboczny; **3.** ***~ with s.o.*** stawać ⟨stanąć⟩ po czyjejś stronie; **'~·board** (*kredens*) pomocnik *m*; **'~·car** *mot. boczny* wózek *m* (*motocykla*); **'~ dish** *gastr.* przystawka *f*; **'~·long** z boku, boczny; **'~ street** ulica *f* boczna; **'~·stroke** (*w sporcie*) pływanie *n* na boku; **'~·track** zbaczać ⟨zboczyć⟩ z tematu; *Am. pociąg* przetaczać ⟨-toczyć⟩, manewrować; **'~·walk** *zwł. Am.* chodnik *m*; **'~·ways** z boku; bokiem; na bok

sid·ing ['saɪdɪŋ] *rail.* bocznica *f*

si·dle ['saɪdl]: ***~ up to s.o.*** przysuwać ⟨-unąć⟩ się do kogoś

siege [si:dʒ] oblężenie *n*; ***lay ~ to*** oblegać ⟨-ec⟩ (*A*)

sieve [sɪv] **1.** sito *n*; **2.** ⟨prze⟩siewać ⟨-siać⟩

sift [sɪft] ⟨prze⟩siewać ⟨-siać⟩; *też* ***~ through*** *fig.* ⟨prze⟩studiować, przeszukiwać ⟨-kać⟩

sigh [saɪ] **1.** wzdychać ⟨westchnąć⟩; **2.** westchnięcie *n*

sight [saɪt] **1.** wzrok *m*; widok *m*; ***~s*** *pl.* przyrząd *m* celowniczy; wizjer *m*; osobliwość *f*, *turystyczna* atrakcja *f*; ***at ~, on ~*** natychmiast; ***at ~*** *econ.* za okazaniem; ***at the ~ of*** na widok (*G*); ***at first ~*** na pierwszy rzut oka; ***catch ~ of*** ujrzeć (*A*); ***know by ~*** znać *kogoś* z widzenia; ***lose ~ of*** ⟨s⟩tracić *kogoś* z oczu; ***be*** (***with***)***in ~*** być w zasięgu wzroku (*też fig.*); **2.** dojrzeć, spostrzegać ⟨-rzec⟩; **'~·ed** widzący; **'~-read** *mus.* czytać a (prima) vista (*nuty*); **~·see·ing** zwiedzanie *n*; ***go ~seeing*** iść ⟨pójść⟩ na zwiedzanie; **'~·see·ing tour** wycieczka *f* (*na zwiedzanie*); **'~·se·er** turysta *m* (-tka *f*)

sign [saɪn] **1.** znak *m*; gest *m*; napis *m*, wywieszka *f*; *fig.* oznaka *f*, objaw *m*; **2.** podpisywać ⟨-sać⟩; ***~ in*** wpisywać ⟨-sać⟩ się; ***~ out*** wypisywać ⟨-sać⟩ się

sig·nal ['sɪgnl] **1.** sygnał *m* (*też fig.*); sygnalizator *m*; znak *m* (*też fig.*); **2.** (*zwł. Brt.* ***-ll-***, *Am.* ***-l-***) ⟨za⟩sygnalizować; dawać ⟨dać⟩ sygnał(y) (*D*)

sig·na·to·ry ['sɪgnətərɪ] sygnatariusz *m*

S

sig·na·ture ['sɪgnətʃə] podpis *m*; '**~ tune** *radio*, *TV*: sygnał (*muzyczny*) *m* audycji (*radiowej lub telewizyjnej*)
'**sign|·board** szyld *m*; '**~·er** niżej podpisany *m* (-na *f*)
sig·net ring ['sɪgnɪt] sygnet *m*
sig·nif·i|·cance [sɪg'nɪfɪkəns] znaczenie *n*; doniosłość *f*; **~·cant** znaczący, ważny, doniosły
sig·ni·fy ['sɪgnɪfaɪ] oznaczać, znaczyć
'**sign·post** drogowskaz *m*
si·lence ['saɪləns] **1.** cisza *f*; spokój *m*; **~!** spokój!; ***in ~*** w milczeniu; ***reduce to ~*** *kogoś* uciszać **2.** uciszać ⟨-szyć⟩; '**si·lenc·er** *tech.* tłumik *m*
si·lent ['saɪlənt] cichy; milczący; bezgłośny; *film*: niemy; **~ 'part·ner** cichy (-a) wspólnik *m* (-iczka *f*)
Si·le·sia Śląsk *m*
sil·i|·con ['sɪlɪkən] *chem.* krzem *m*; *attr.* krzemowy; **~·cone** ['sɪlɪkəʊn] *chem.* silikon *m*; *attr.* silikonowy
silk [sɪlk] jedwab *m*; *attr.* jedwabny; '**~·worm** *zo.* jedwabnik *m*; '**~·y** (***-ier, -iest***) jedwabny; jedwabisty
sill [sɪl] parapet *m* (*okienny*)
sil·ly ['sɪlɪ] (***-ier, -iest***) głupi; **2.** głuptas *m*
sil·ver ['sɪlvə] **1.** *chem.* srebro; **2.** srebrny; **3.** ⟨po⟩srebrzyć; **~-'plat·ed** posrebrzany; '**~·ware** naczynia *pl.* ze srebra; **~·y** ['sɪlvərɪ] *fig.* srebrzysty
sim·i·lar ['sɪmɪlə] podobny (***to*** do *G*); **~·i·ty** [sɪmɪ'lærətɪ] podobieństwo *n*
sim·i·le ['sɪmɪlɪ] porównanie *n*
sim·mer ['sɪmə] ⟨u⟩gotować (się) na wolnym ogniu; **~ *with*** *fig.* kipieć z (*złości itp.*); **~ *down*** F ochłonąć
sim·per ['sɪmpə] uśmiechać ⟨-chnąć⟩ się głupawo
sim·ple ['sɪmpl] (***-r, -st***) prosty, nieskomplikowany; naiwny; **~-'mind·ed** naiwny
sim·pli|·ci·ty [sɪm'plɪsətɪ] prostota *f*; naiwność *f*; **~·fi·ca·tion** [sɪmplɪfɪ'keɪʃn] uproszczenie *n*; **~·fy** ['sɪmplɪfaɪ] upraszczać ⟨-rościć⟩
sim·ply ['sɪmplɪ] po prostu; prosto
sim·u·late ['sɪmjʊleɪt] naśladować; *mil.*, *tech.* przeprowadzać ⟨-dzić⟩ symulację
sim·ul·ta·ne·ous [sɪməl'teɪnjəs] równoczesny, jednoczesny
sin [sɪn] **1.** grzech *m*; **2.** (***-nn-***) ⟨z⟩grzeszyć
since [sɪns] **1.** *adv.* *też* ***ever ~*** od tego czasu; **2.** *prp.* od (*G*); **3.** *cj.* ponieważ; odkąd
sin·cere [sɪn'sɪə] szczery; ***Yours ~ly, ≗ yours*** Z poważaniem (*w zakończeniu listu*); **sin·cer·i·ty** [sɪn'serətɪ] szczerość *f*
sin·ew ['sɪnju:] *anat.* ścięgno *n*; '**~·y** *mięso*: żylasty; *fig.* muskularny
'**sin·ful** grzeszny
sing [sɪŋ] (***sang, sung***) ⟨za⟩śpiewać; **~ *s.th. to s.o.*** zaśpiewać coś komuś
singe [sɪndʒ] przypalać ⟨-lić⟩ (się)
sing|·er ['sɪŋə] śpiewak *m* (-aczka *f*); pieśniarz *m* (-arka *f*); **~·ing** ['sɪŋɪŋ] śpiewanie *n*
sin·gle ['sɪŋgl] **1.** pojedynczy; jeden; ***in ~ file*** gęsiego; **2.** *Brt.* bilet *m* w jedną stronę (*też* **~ *ticket***); (*płyta*) singel *m*; osoba *f* stanu wolnego; **3. ~ *out*** wyróżniać ⟨-nić⟩, wybierać ⟨-brać⟩; **~-'breast·ed** *marynarka*: jednorzędowy; **~-'en·gined** *aviat.* jednosilnikowy; **~ entry** *econ.* pojedynczy zapis *m*; **~ fam·i·ly 'home** dom *m* jednorodzinny; **~ 'fa·ther** samotny ojciec *m*; **~-'hand·ed** samotnie, samodzielnie; **~-'lane** *mot.* jednopasmowy; **~-'mind·ed** silnie zdeterminowany; **~ 'moth·er** samotna matka *f*; **~ 'pa·rent** samotny rodzic *m*; **~ 'room** pojedynczy pokój *m*; '**~s** *sg.* (*zwł. w tenisie*) gra *f* pojedyncza, gra *f* singlowa
sin·glet ['sɪŋglɪt] *Brt.* podkoszulek *m*
'**sin·gle-track** jednotorowy, jednopasmowy
sin·gu·lar ['sɪŋgjʊlə] **1.** wyjątkowy, jedyny; **2.** *gr.* liczba *f* pojedyncza
sin·is·ter ['sɪnɪstə] złowieszczy; złowrogi
sink [sɪŋk] **1.** (***sank, sunk***) *v/i.* ⟨za-, u⟩tonąć; opadać ⟨-paść⟩; *wartość*: spadać ⟨spaść⟩; pogrążać ⟨-żyć⟩ się; **~ *in*** docierać ⟨dotrzeć⟩ do (*G*); *v/t.* ⟨za⟩topić; *studnię* ⟨wy⟩wiercić, ⟨wy⟩kopać; obniżać ⟨-żyć⟩; *pieniądze* ⟨w⟩pakować; *zęby* zatapiać ⟨-topić⟩ (***into*** w *A*); **2.** zlew *m*, zlewozmywak *m*; *Am.* umywalka *f*
sin·ner ['sɪnə] grzesznik *m* (-ica *f*)
Sioux [su:] (*pl.* ***Sioux*** [su:z]) Siuks *m*
sip [sɪp] **1.** łyk *m*; **2.** (***-pp-***) *napój itp.* sączyć, popijać
sir [sɜ:] pan (*przy zwracaniu się*); (*w li-*

S

ście) ***Dear*** ♀ Szanowny Panie; ♀ *Brt.* (*tytuł szlachecki)* sir *m*
sire ['saɪə] ojciec
si•ren ['saɪərən] syrena *f*
sir•loin ['sɜːlɔɪn] *gastr.*: ~ **'steak** pieczeń *f* z polędwicy
sis•sy ['sɪsɪ] F baba *f*, maminsynek *m*
sis•ter ['sɪstə] siostra *f* (*też rel.*); *Brt. med.* siostra *f*, pielęgniarka *f*; **~-in-law** ['sɪstərɪnlɔː] (*pl.* ***sisters-in-law***) szwagierka *f*; **'~•ly** siostrzany
sit [sɪt] (***-tt-***; sat) *v/i.* siedzieć ⟨siąść⟩; siadać ⟨usiąść⟩; *komisja itp.*: obradować; *książka, wioska, garnitur itp.*: leżeć; *v/t. kogoś* sadzać ⟨posadzić⟩; *zwł. Brt. egzamin* zdawać; ~ ***down*** siadać ⟨usiąść⟩; ~ ***for*** *Brt.* pozować do (*G*); *egzamin* zdawać; ~ ***in for*** zastępować ⟨-tąpić⟩; ~ ***in on*** uczestniczyć w (*L*); ~ ***on*** *w komisji* zasiadać⟨-siąść⟩; ~ ***out*** *taniec* przesiedzieć; dotrwać do końca; *kryzys* przeczekiwać ⟨-kać⟩; ~ ***up*** *prosto* siadać ⟨siąść⟩; (*w łóżku itp.*) sadzać ⟨posadzić⟩; nie kłaść się spać
sit•com ['sɪtkɒm] → ***situation comedy***
'sit-down *też* ~ ***strike*** strajk *m* okupacyjny; ~ ***demonstration*** blokada *f* (*przez siedzących ludzi*)
site [saɪt] miejsce *n*; teren *m* (*wykopalisk itp.*); plac *m* budowy
'sit-in strajk *m* okupacyjny
sit•ting ['sɪtɪŋ] sesja *f*; tura *f* (*przy stole*); ***in a single*** ~ nie wstając; **'~ room** *zwł. Brt.* pokój *m* dzienny
sit•u•at•ed ['sɪtjʊeɪtɪd]: ***be*** ~ być położonym
sit•u•a•tion [sɪtjʊ'eɪʃn] sytuacja *f*; położenie *n*; posada *f*, praca *f*; ~ **'come•dy** komedia *f* sytuacyjna, sitcom *m* (*seria odcinków komediowych o tych samych postaciach*)
six [sɪks] **1.** sześć; **2.** szóstka *f*; **~•teen** [sɪks'tiːn] **1.** szesnaście; **2.** szesnastka *f*; **~•teenth** [sɪks'tiːnθ] szesnasty; **~th** [sɪksθ] **1.** szósty; **2.** jedna *f* szósta; **'~th•ly** po szóste; **~•ti•eth** ['sɪkstɪɪθ] sześćdziesiąty; **~•ty** ['sɪkstɪ] **1.** sześćdziesiąt; **2.** sześćdziesiątka *f*
size [saɪz] **1.** rozmiar *m*; wielkość *f*; wymiar *m*, format *m*; **2.** ~ ***up*** F oceniać ⟨-nić⟩, ⟨z⟩mierzyć (*wzrokiem*)
siz(e)•a•ble ['saɪzəbl] duży
siz•zle ['sɪzl] ⟨za⟩skwierczeć
skate[1] [skeɪt] **1.** łyżwa *f*; łyżworolka *f*; wrotka *f*; **2.** ślizgać się (*na łyżwach*); jeździć na wrotkach; **'~•board** skateboard *m*; **'skat•er** łyżwiarz *m* (-arka *f*), wrotkarz *m* (-arka *f*)
skate[2] [skeɪt] *zo.* płaszczka *f*, raja *f*
skat•ing ['skeɪtɪŋ] łyżwiarstwo *n*; wrotkarstwo *n*; ***free*** ~ jazda *f* dowolna na łyżwach; **'~ rink** lodowisko *n*; tor *m* wrotkarski
skel•e•ton ['skelɪtn] szkielet *m* (*też konstrukcji*); szkic *m*, plan *m*; **'~ key** klucz *m* główny (*do wszystkich drzwi budynku*)
skep•tic ['skeptɪk] *itp. zwł. Am.* → ***sceptic***
sketch [sketʃ] **1.** szkic *m*; *theat. itp.* skecz *m*; **2.** ⟨na⟩szkicować
ski [skiː] **1.** narta *f*; *attr.* narciarski; **2.** jeździć na nartach
skid [skɪd] **1.** (***-dd-***) *mot.* wpadać ⟨wpaść⟩ w poślizg; **2.** *mot.* poślizg *m*; *aviat.* płoza *f*; **'~ mark(s** *pl.*) *mot.* ślady *pl.* poślizgu
ski|•er ['skiːə] narciarz *m* (-arka *f*); **'~•ing** narciarstwo *n*; **'~ jump** skocznia *f*; **'~ jump•er** (*w sporcie*) skoczek *m*; **'~ jump•ing** (*w sporcie*) skoki *pl.* narciarskie
skil•ful ['skɪlfl] zręczny, wprawny
'ski lift wyciąg *m* narciarski
skill [skɪl] umiejętność *f*, wprawa *f*, zręczność *f*; **~ed** wprawny; wykwalifikowany (***at, in*** w *L*); **~ed 'work•er** pracownik *m* wykwalifikowany
'skill•ful *Am.* → ***skilful***
skim [skɪm] (***-mm-***) *tłuszcz itp.* zbierać ⟨zebrać⟩ (*też* ~ ***off***); *mleko* odtłuszczać ⟨-łuścić⟩; *też* ~ ***over***, ~ ***through*** przebiegać ⟨-biec⟩ wzrokiem; ślizgać się nad (*I*); **~(med) 'milk** mleko *n* odtłuszczone
skimp [skɪmp] *też* ~ ***on*** skąpić (*G*); **'~•y** (***-ier, -iest***) skąpy
skin [skɪn] **1.** skóra *f*; łupina *f* (*owocu*); kożuch *m* (*na mleku itp.*); **2.** (***-nn-***) *zwierzę* oskórować, obdzierać ⟨obedrzeć⟩ ze skóry; *łupinę* zdejmować ⟨zdjąć⟩, obierać ⟨obrać⟩; *kolano itp.* otrzeć; **~-'deep** powierzchowny; **'~-dive** nurkować swobodnie; **'~ div•ing** *swobodne* nurkowanie *n*; **'~•flint** sknera *f/m*; **'~•ny** (***-ier, -iest***) kościsty, chudy; **'~•ny-dip** F ⟨wy⟩kąpać się nago
skip [skɪp] **1.** (***-pp-***) *v/i.* podskakiwać; skakać, przeskakiwać; uciekać ⟨-ciec⟩; skakać przez skakankę; *v/t.* opuszczać

S

⟨-uścić⟩, pomijać ⟨-minąć⟩; **2.** podskok *n*; **'~p·ing rope** *Brt.* skakanka *f*
skip·per ['skɪpə] *naut.*, kapitan *m* (*drużyny sportowej*)
skir·mish ['skɜːmɪʃ] potyczka *f*; scysja *f*
skirt [skɜːt] **1.** spódnica *f*, spódniczka *f*; **2.** *też* **~ (*a*)*round*** obchodzić ⟨-bejść⟩; *fig. problem itp.*: unikać; **'~·ing board** *Brt.* listwa *f* przypodłogowa
'ski| run nartostrada *f*; **'~ tow** wyciąg *m* orczykowy
skit·tle ['skɪtl] kręgiel *m*
skulk [skʌlk] ⟨s⟩kryć się
skull [skʌl] *anat.* czaszka *f*
skul(l)·dug·ge·ry [skʌl'dʌgərɪ] F kombinatorstwo *n*
skunk [skʌŋk] *zo.* skunks *m*
sky [skaɪ] *też* ***skies*** *pl.* niebo *n*; **'~·jack** *samolot* porywać ⟨-rwać⟩; **'~·jack·er** porywacz(ka *f*) *m*; **'~·lark** *zo.* skowronek *m*; **'~·light** (*okno*) świetlik *m*; **'~·line** sylwetka *f*; linia *f* (*horyzontu*); **'~·rock·et** F (*ceny itp.*) strzelać ⟨-lić⟩ w górę; **'~·scrap·er** drapacz *m* chmur
slab [slæb] *kamienna itp.* płyta *f*; kawał *m* (*ciasta itp.*)
slack [slæk] **1.** zwisający, obwisły; *dyscyplina*: luźny; *econ. popyt*: słaby; *sezon*: martwy; niestaranny; **2.** *też* **~ *off*** obijać się; **'~·en** *v/t.* zmniejszać ⟨-szyć⟩ (się); ⟨o⟩słabnąć; ⟨po⟩luzować; **~s** *pl. zwł. Am.* F spodnie *pl.*
slag [slæg] żużel *m*
slain [sleɪn] *p.p. od* ***slay***
sla·lom ['slɑːləm] (*w sporcie*) slalom *m*
slam [slæm] **1.** (***-mm-***) *też* **~ *shut*** zatrzaskiwać ⟨-snąć⟩; *też* **~ *down*** F zwalać ⟨-lić⟩; **~ *on the brakes*** *mot.* gwałtownie zahamować; **2.** trzaśnięcie *n*; zatrzaśnięcie *n*
slan·der ['slɑːndə] **1.** zniesławienie *n*; potwarz *f*; **2.** zniesławiać ⟨-wić⟩; spotwarzać ⟨-rzyć⟩; **~·ous** ['slɑːndərəs] oszczerczy, zniesławiający
slang [slæŋ] **1.** slang *m*; *gr.* gwara *f* środowiskowa; **2.** *zwł. Brt.* F przeklinać, kląć
slant [slɑːnt] **1.** nachylać ⟨-lić⟩ (się), pochylać ⟨-lić⟩ (się); być stronniczym; **2.** pochyłość *f*; nachylenie *n*; *fig.* perspektywa *f*; ***at*** *lub* ***on a*** **~** pod kątem, nachylony; **'~·ing** pochyły
slap [slæp] **1.** klaps *m*; **2.** (***-pp-***) klepać ⟨-nąć⟩; dawać ⟨dać⟩ klapsa; zwalić (***down on*** na *A*); pacnąć; **~·stick** *theat.* slapstick *m*, farsa *f*; **'~·stick com·e·dy** komedia *f* slapstickowa
slash [slæʃ] **1.** ciąć; przecinać ⟨-ciąć⟩; rozcinać ⟨-ciąć⟩; *deszcz*: zacinać (***against*** o *A*); *wydatki* obcinać ⟨-ciąć⟩; **2.** cięcie *n*; nacięcie *n*, rozcięcie *n*
slate [sleɪt] **1.** łupek *m*, *zw.* łupki *pl.*; łupek *m* dachówkowy; *Am. pol.* lista *f* kandydatów; **2.** ⟨po⟩kryć łupkiem; *Am.* wybierać ⟨-brać⟩; *Am.* ⟨za⟩planować
slaugh·ter ['slɔːtə] **1.** rzeź *f* (*też fig.*); masakra *f*; ubój *m*; **2.** ⟨za⟩szlachtować, ubić; urządzać ⟨-dzić⟩ masakrę *lub* rzeź; **'~·house** rzeźnia *f*
Slav [slɑːv] **1.** Słowianin *m* (-anka *f*); **2.** słowiański
slave [sleɪv] **1.** niewolnik *m* (-nica *f*) (*też fig.*); **2.** *też* **~ *away*** zaharowywać ⟨-ować⟩ się
slav·er ['slævə] ślinić się
sla·ve·ry ['sleɪvərɪ] niewolnictwo *n* (*też fig.*)
Slavic ['slævɪk] słowiański
slav·ish ['slævɪʃ] niewolniczy
Sla·von·ic [slə'vɒnɪk] słowiański
slay [sleɪ] (***slew, slain***) ⟨za⟩mordować, zabijać ⟨-bić⟩
sleaze [sliːz] flejtuch *m*; plugawość *f*; **slea·zy** ['sliːzɪ] odrażający; flejtuchowaty
sled [sled] *Am.* → ***sledge***
sledge [sledʒ] **1.** sanie *pl.*, sanki *pl.*; **2.** jeździć saniami, ⟨po⟩jechać saniami
'sledge·ham·mer młot *m* dwuręczny
sleek [sliːk] **1.** lśniący, błyszczący; *samochód itp.*: wytworny; **2.** nabłyszczać ⟨-czyć⟩
sleep [sliːp] **1.** sen *m*; ***I couldn't get to*** **~** nie mogłem zasnąć; ***go to*** **~** iść ⟨pójść⟩ spać; *ramię*: ⟨z⟩drętwieć; ***put to*** **~** *zwierzę* usypiać ⟨uśpić⟩; **2.** (***slept***) *v/i.* spać; **~ *late*** spać do późna; **~ *on*** *podjęcie decyzji* przeczekać przez noc; **~ *with s.o.*** spać z kimś; *v/t.* przenocowywać ⟨-ować⟩; **'~·er** śpiący *m* (-ca *f*); *Brt. rail.* podkład *m*; *rail.* wagon *m* sypialny
'sleep·ing| bag śpiwór *m*; ♀ **'Beau·ty** Śpiąca Królewna *f*; **'~ car** *rail.* wagon *m* sypialny; **~ 'part·ner** *Brt. econ.* cichy (-a) wspólnik *m* (-iczka *f*)
'sleep|·less bezsenny; **'~·walk·er** luna-

S

tyk *m* (-yczka *f*); **'~·y** (***-ier, -iest***) śpiący; senny
sleet [sliːt] **1.** śnieg *m* z deszczem, chlapawica *f*, **2.** ***it's ~ing*** pada deszcz ze śniegiem
sleeve [sliːv] rękaw *m*; *tech.* tuleja *f*; *zwł. Brt.* okładka *f* (*płyty*)
sleigh [sleɪ] sanie *pl.* (*zwł. konne*)
sleight of hand [slaɪt əv 'hænd] zręczny gest *m*; *fig.* trik *m*
slen·der ['slendə] smukły, wysmukły; szczupły; *fig.* niewielki, znikomy
slept [slept] *pret. i p.p. od* **sleep** 2
sleuth F [sluːθ] detektyw *m*
slew [sluː] *pret. od* ***slay***
slice [slaɪs] **1.** plasterek *m*; kromka *f*; kawałek *m* (*tortu*); łopatka *f* (*do nabierania*); *fig.* część *f*; **2.** *też* **~ up** ⟨po⟩kroić na plasterki *lub* kromki; **~ *off*** odcinać ⟨-ciąć⟩
slick [slɪk] **1.** gładki; *człowiek*: ulizany; dobrze zrobiony; *droga*: śliski; **2.** F plama *f* ropy naftowej; **3. *~down*** włosy nabłyszczać ⟨-czyć⟩; **'~·er** *Am.* płaszcz *m* przeciwdeszczowy; F cwaniak *m*
slid [slɪd] *pret. i p.p. od* **slide** 1
slide [slaɪd] **1.** (***slid***) ślizgać się; prześlizgiwać ⟨-gnąć⟩ się; przesuwać ⟨-sunąć⟩; wysuwać ⟨-sunąć⟩ się; spadać ⟨spaść⟩; ***let things ~*** machnąć na wszystko ręką; **2.** zsunięcie *n* się; poślizg *m*; ześlizg *m*; zjazd *m*; spadek *m*; zjeżdżalnia *f*; *phot.* przezrocze *n*, slajd *m*, diapozytyw *m*; preparat *m* mikroskopowy; *Brt.* spinka *f* (*do włosów*); *tech.* suwak *m*; **'~ rule** suwak *m* logarytmiczny; **'~ tack·le** *piłka nożna*: wślizg *m*
slid·ing door [slaɪdɪŋ 'dɔː] przesuwane drzwi *pl.*
slight [slaɪt] **1.** lekki; nieznaczny; drobny; **2.** ubliżać ⟨-żyć⟩, znieważać ⟨-żyć⟩; **2.** zniewaga *f*; ubliżenie *n*
slim [slɪm] (***-mm-***) **1.** szczupły; *fig.* mały, niewielki; **2.** *też* ***be ~ming, be on a ~ming diet*** odchudzać się
slime [slaɪm] śluz *m*
slim·y ['slaɪmɪ] (***-ier, -iest***) ośliz(g)ły, śliski (*też fig.*)
sling [slɪŋ] **1.** (***slung***) zawieszać ⟨-sić⟩; F rzucać ⟨-cić⟩, ciskać ⟨-snąć⟩; **2.** temblak *m*; proca *f*; pętla *f*; nosidełko *n* (*dla dziecka*)
slink [slɪŋk] (***slunk***) wycofywać ⟨-wać⟩ się
slip¹ [slɪp] **1.** (***-pp-***) *v/i.* pośliz(g)nąć się; wślizgiwać ⟨-z(g)nąć⟩ się, wyślizgiwać ⟨-z(g)nąć⟩ się; pomylić się; spadać ⟨spaść⟩; *v/t.* wsuwać ⟨wsunąć⟩; wysuwać ⟨-sunąć⟩ się z (*G*); **~ *s.th. into s.o.'s hand*** wsuwać ⟨wsunąć⟩ coś do czyjejś ręki; **~ *s.o.'s attention*** umykać ⟨-knąć⟩ czyjejś uwadze; **~ *s.o.'s mind*** nie przychodzić ⟨-yjść⟩ do głowy; ***she has ~ped a disc*** *med.* dysk jej wypadł; **~ *by*, ~ *past*** *czas*: przelatywać; **~ *off*** *ubranie* zrzucać ⟨-cić⟩; **~ *on*** *ubranie* narzucać ⟨-cić⟩; **2.** poślinięcie *n*; pomyłka *f*, błąd *m*; halka *f*; poszewka *f*; ***~ of the tongue*** lapsus *m*; ***give s.o. the ~*** F nawiać komuś
slip² [slɪp] *też* ***~ of paper*** kawałek *m* papieru
'slip|·case pudełko *n* (*na książkę*); **'~-on 1.** *adj.*: ***~-on shoe*** niesznurowany but **2.** but *m* niesznurowany; **~ped 'disc** *med.* wypadnięty dysk *m*; **'~·per** pantofel *m*, kapeć *m*; **~·per·y** ['slɪpərɪ] (***-ier, -iest***) śliski; **'~ road** *Brt.* wjazd *m* (*na autostradę*), zjazd *m* (*z autostrady*); **'~·shod** byle jaki
slit [slɪt] **1.** nacięcie *n*, rozcięcie *n*; szczelina *f*, szpara *f*; **2.** (***-tt-***; ***slit***) nacinać ⟨-ciąć⟩; **~ *open*** rozcinać ⟨-ciąć⟩
slith·er ['slɪðə] wić się, pełznąć; ślizgać się
sliv·er ['slɪvə] odłamek *m* (*szkła itp.*); drzazga *f*
slob·ber ['slɒbə] ślinić się
slo·gan ['sləʊgən] slogan *m*
sloop [sluːp] *naut.* szalupa *f*
slop [slɒp] **1.** (***-pp-***) *v/t.* rozlewać ⟨-lać⟩; *v/i.* wylewać ⟨-lać⟩ się, przelewać ⟨-lać⟩ się (***over*** nad *A*); **2.** *też* ***~s*** *pl.* pomyje *pl.*; fusy *pl.*, resztki *pl.*; *Brt.* F lura *f*, siki *pl.*
slope [sləʊp] **1.** zbocze *n*, stok *m*; nachylenie *n*, pochylenie *n*; **2.** opadać ⟨opaść⟩
slop·py ['slɒpɪ] (***-ier, -iest***) niechlujny; F *ubranie*: znoszony; F ckliwy
slot [slɒt] szczelina *f*, szpara *f*, otwór *m* (*podłużny*); *komp.* miejsce *n* (*na kartę itp.*); czas *m* emisji (*programu radiowego lub telewizyjnego*)
sloth [sləʊθ] *zo.* leniwiec *m*
'slot ma·chine automat *m* wrzutowy (*do biletów itp.*)
slouch [slaʊtʃ] **1.** przygarbienie *n*; skulona postawa *f*; F leniuch *m*; **2.** ⟨z⟩gar-

S

bić się, ⟨s⟩kulić się; ~ ***around*** łazić
slough[1] [slʌf]: ~ ***off*** *skórę* zrzucać ⟨-cić⟩
slough[2] [slaʊ] bagno *n*, trzęsawisko *n*
Slo•vak ['sləʊvæk] **1.** słowacki; **2.** Słowak *m* (-aczka *f*); *ling.* język *m* słowacki; **Slo•va•ki•a** [sləʊ'vækɪə] Słowacja *f*
Slo•ve•ni•a Słowenia *f*
slov•en•ly ['slʌvnlɪ] niechlujny, niestaranny
slow [sləʊ] **1.** *adj.* wolny, powolny; leniwy; opieszały (*też econ.*); ***be*** (***ten***) ***minutes*** ~ spóźniać się (10) minut; **2.** wolno, powoli; **3.** *v/t. często* ~ ***down,*** ~ ***up*** spowalniać ⟨-wolnić⟩, zwalniać ⟨zwolnić⟩; *v/i. często* ~ ***down,*** ~ ***up*** zwalniać ⟨zwolnić⟩; **'~•coach** *Brt.* guzdrała *f/m*; **'~•down** *Am. econ.* strajk *m* włoski; **'~ lane** *mot.* pasmo *n* wolnego ruchu; ~ **'mo•tion** *phot.* zwolnione tempo *n*; **'~-mov•ing** *samochód*: wolno poruszający się; **'~•poke** *Am.* → ***slowcoach***; **'~•worm** *zo.* padalec *m*
sludge [slʌdʒ] szlam *m*; osad *m* kanalizacyjny
slug[1] [slʌg] *zo.* ślimak *m* nagi
slug[2] [slʌg] *zwł. Am.* F kula *f*, pocisk *m*; łyczek *m* (*wódki itp.*)
slug[3] [slʌg] *zwł. Am.* F (***-gg-***) *komuś* przywalić
slug•gish ['slʌgɪʃ] leniwy, powolny; *econ.* w okresie zastoju
sluice [sluːs] *tech.* śluza *f*, upust *m*
slum [slʌm] *też* ~***s*** slumsy *pl.*
slum•ber ['slʌmbə] *lit.* **1.** spać; **2.** sen *m*
slump [slʌmp] **1.** *econ.* załamywać ⟨-mać⟩ się (*gwałtownie*); ***sit*** ~***ed over*** siedzieć bezwładnie nad (*I*); ~ ***into a chair*** opadać ⟨-paść⟩ na krzesło; **2.** *econ.* załamanie *n* się
slung [slʌŋ] *pret. i p.p. od* ***sling*** 1
slunk [slʌŋk] *pret. i p.p. od* ***slink***
slur[1] [slɜː] **1.** (***-rr-***) *mus.* ⟨za⟩grać legato; ~ ***one's speech*** ⟨za⟩bełkotać; **2.** bełkot *m*
slur[2] [slɜː] **1.** (***-rr-***) oczerniać ⟨-nić⟩; **2.** potwarz *f*
slurp [slɜːp] F siorbać ⟨-bnąć⟩
slush [slʌʃ] błoto *n* (*ze śniegu*)
slut [slʌt] V dziwka *f*
sly [slaɪ] (***-er, -est***) skryty; przebiegły, chytry; ***on the*** ~ skrycie, po kryjomu
smack[1] [smæk] **1.** klepać ⟨-pnąć⟩; dawać ⟨dać⟩ klapsa; ~ ***one's lips*** cmokać ⟨-knąć⟩; ~ ***down*** plaskać ⟨-snąć⟩ (*I*); **2.** klepnięcie *n*; (*całus*) cmoknięcie *n*; klaps *m*
smack[2] [smæk]: ~ ***of*** *fig.* trącić *lub* pachnieć (*I*), przypominać (*A*)
small [smɔːl] **1.** *adj.* mały, niewielki; drobny; ~ ***wonder*** (***that***) nic dziwnego(, że); ***feel*** ~ czuć się niepozornym; **2.** *adv.* mało; **3.** ~ ***of the back*** *anat.* krzyż *m*; **'~ ad** ogłoszenie drobne *n*; **'~ arms** *pl.* broń *f* palna ręczna; ~ **'change** *monety*: reszta *f*, drobne *pl.*; **'~ hours** *pl.*: ***in the*** ~ ***hours*** nad ranem; **~-'mind•ed** o ciasnych horyzontach; małostkowy; **~•pox** ['smɔːlpɒks] *med.* ospa *f*; **'~ print** *fig.* informacje *pl.* szczegółowe; **'~ talk** zdawkowa rozmowa *f*, rozmowa *f* towarzyska; **~-'time** F nieznaczący; ~ **'town** małe miasto *n*
smart [smɑːt] **1.** elegancki; *zwł. Brt.* wytworny; *zwł. Am.* bystry; szybki; *wzrok*: ostry; **2.** ⟨za⟩boleć, ⟨za⟩piec; cierpieć (***from, over*** z powodu *G*); **3.** piekący ból *m*; ~ **aleck** ['smɑːt ælɪk] F spryciarz *m*; **'~•ness** elegancja *f*; wytworność *f*
smash [smæʃ] **1.** *v/t.* rozbijać ⟨-bić⟩ (*też* ~ ***up***); *pięścią itp.* walić ⟨-lnąć⟩; *rekord* pobić; (*w tenisie*) ścinać ⟨ściąć⟩; *v/i.* roztrzaskiwać ⟨-kać⟩ się; ~ ***into*** zderzać ⟨-rzyć⟩ się z (*I*); **2.** cios *n*; trzask *m*; (*w tenisie*) smecz *m*, ścięcie *n*; → ~ ***hit,*** ~ ***up***; ~ **'hit** hit *m*; **'~•ing** *zwł. Brt.* F niesamowity, kapitalny; **'~-up** *mot.*, kraksa *f*; *rail.* katastrofa *f*
smat•ter•ing ['smætərɪŋ]: ***a*** ~ ***of English*** bardzo ograniczona znajomość *f* angielskiego
smear [smɪə] **1.** plama *f* (*też fig.*); *med.* wymaz *m*; **2.** ⟨po⟩mazać (się); ⟨za⟩smarować (się); *wydruk itp.*: zamazywać ⟨-zać⟩ (się); *fig.* obsmarować
smell [smel] **1.** (***smelt*** *lub* ***smelled***) *v/i.* czuć zapach; pachnieć, *zwł.* śmierdzieć; *v/t.* ⟨po⟩wąchać; ⟨po⟩czuć; *fig.* wyczuwać, przeczuwać; **2.** zapach *m*; woń *f*; smród *m*; węch *m*; **'~•y** (***-ier, -iest***) śmierdzący, cuchnący
smelt[1] [smelt] *pret. i p.p. od* ***smell*** 1
smelt[2] [smelt] *metal* wytapiać ⟨-topić⟩
smile [smaɪl] **1.** uśmiech *m*; **2.** uśmiechać ⟨-chnąć⟩ się; ~ ***at*** wyśmiewać się z (*G*)
smirk [smɜːk] uśmieszek *m*
smith [smɪθ] kowal *m*

S

smith•e•reens [smɪðə'riːnz] F *pl.*: ***smash s.th.*** **(*in*)*to* ~** rozbić ⟨-bijać⟩ coś w drobny mak
smith•y ['smɪðɪ] kuźnia *f*
smit•ten ['smɪtn] *zwł. humor.* rozmiłowany, rozkochany (***with, by*** w *L*)
smock [smɒk] bluzka *f* (*tunika, ciążowa*); fartuch *m*, kitel *m*
smog [smɒg] smog *m*
smoke [sməʊk] **1.** dym *m*; ***have a ~*** zapalić papierosa; **2.** dymić (się); ⟨za-, wy⟩palić; **'smok•er** palacz(ka *f*) *m*; *rail.* wagon *m* dla palących; **'smoke•stack** komin *m*
smok•ing ['sməʊkɪŋ] palenie *n*; ***no ~*** palenie *n* wzbronione; ⚠ *nie* ***smoking***; **~ com'part•ment** *rail.* przedział *m* dla palących
smok•y ['sməʊkɪ] (***-ier, -iest***) zadymiony; przydymiony; koloru dymu
smooth [smuːð] **1.** gładki (*też fig.*); *ciasto itp.*: jednolity; *ruch, smak itp.*: łagodny; uprzedzająco grzeczny; **2.** *też* ***~ out*** wygładzać ⟨-dzić⟩; ***~ away*** wygładzać; *trudności* usuwać ⟨usunąć⟩; ***~ down*** włosy przygładzać ⟨-dzić⟩
smoth•er ['smʌðə] ⟨s⟩tłumić; ⟨u⟩dusić
smo(u)l•der ['sməʊldə] żarzyć się, tlić się
smudge [smʌdʒ] **1.** plama *f* (*też fig.*); **2.** ⟨za⟩plamić; rozmazywać ⟨-zać⟩ (się)
smug [smʌg] (***-gg-***) zadowolony z siebie
smug•gle ['smʌgl] ⟨prze⟩szmuglować, przemycać ⟨-cić⟩ (***into*** do *G*); **'~r** szmugler *m*, przemytnik *m* (-niczka *f*)
smut [smʌt] płatek *m* sadzy; brud *m*; *fig.* plugastwo *n*; **'~•ty** (***-ier, -iest***) *fig.* plugawy
snack [snæk] przekąska *f*; ***have a ~*** ⟨z⟩jeść coś; **'~ bar** snack-bar *m*
snag [snæg] **1.** *fig.* problem *m*; zadzior *m*; **2.** (***-gg-***) *czymś* zaczepiać ⟨-pić⟩ (*o coś*), coś zadzierać ⟨-drzeć⟩
snail [sneɪl] *zo. skorupkowy* ślimak *m*
snake [sneɪk] *zo.* wąż *m*
snap [snæp] **1.** (***-pp-***) *v/i.* ⟨z⟩łamać się, trzasnąć; *też* ***~ shut*** zatrzaskiwać ⟨-snąć⟩ się; ***~ at*** warczeć ⟨-rknąć⟩ na (*A*), drzeć się na (*A*); *pies*: kłapać zębami na (*A*); ***~ out of it!*** F głowa do góry!; ***~ to it!*** F pospiesz się! *v/t.* ⟨z⟩łamać; *phot.* F zdjęcie pstrykać ⟨-knąć⟩; ***~ one's fingers*** strzelać ⟨-lić⟩ palcami; ***~ one's fingers at*** *fig.* lekceważyć (*A*); ***~ off*** odłamywać ⟨-mać⟩; ***~ up*** *coś* kupować ⟨-pić⟩; **2.** *phot.* zdjęcie *n*; *Am.* zatrzask *m*; *fig.* F (*energia*) ikra *f*; ***cold ~*** *krótkotrwałe* nagłe ochłodzenie *n*; **'~ fas•ten•er** *Am.* zatrzask *m*; **'~•pish** *fig.* wściekły; **'~•py** (***-ier, -iest***) szykowny; ***make it ~py!*** *Brt. też* ***look ~py!*** pospiesz się!; **'~•shot** *phot.* zdjęcie *n*
snare [sneə] **1.** sidła *pl.*; *fig.* pułapka *f*; **2.** ⟨s⟩chwytać w sidła; F ⟨s⟩chwytać w pułapkę
snarl [snɑːl] **1.** warczeć ⟨-rknąć⟩; ⟨za⟩burczeć (***at*** na *A*); **2.** warknięcie *n*, burknięcie *n*
snatch [snætʃ] **1.** *v/t. coś* ⟨s⟩chwytać, ⟨z⟩łapać (*też* ***~ at***); *kogoś, coś* porywać ⟨-rwać⟩; *ze sposobności* ⟨s⟩korzystać (*też* ***~ at***); ***~ s.o.'s handbag*** wyrywać ⟨-rwać⟩ komuś torebkę; ***~ an hour's sleep*** zdołać przespać się godzinę; **2.** ***make a ~*** ⟨s⟩chwytać (*A*); ***~ of conversation*** urywek *m* rozmowy
sneak [sniːk] **1.** *v/i.* przekradać ⟨-raść⟩ się, wkradać ⟨-raść⟩ się (***into*** do *G*); *Brt.* F donosić ⟨-nieść⟩; *v/t.* F podkradać ⟨-raść⟩; ***~ a look*** ukradkiem rzucić spojrzenie; **2.** *Brt.* F donosiciel(ka *f*) *m*; **'~•er** *Am.* adidas *m*, tenisówka *f*
sneer [snɪə] **1.** uśmiechać ⟨-chnąć⟩ się drwiąco; ⟨za⟩drwić (***at*** z *G*); **2.** drwiący uśmieszek *m*; drwiąca uwaga *f*, drwina *f*
sneeze [sniːz] **1.** kichać ⟨-chnąć⟩; **2.** kichnięcie *n*
snick•er ['snɪkə] *zwł. Am.* → ***snigger***
sniff [snɪf] **1.** *v/i.* pociągać ⟨-gnąć⟩ nosem; ⟨po⟩wąchać; ***~ at*** *fig.* krzywić nos na (*A*); *v/t. narkotyk* wdychać; **2.** pociągnięcie *n* nosem
snif•fle ['snɪfl] **1.** pociągać ⟨-gnąć⟩ nosem; **2.** pociągnięcie *n* nosem; ***she's got the ~s*** F ona ma zatkany nos
snig•ger *zwł. Brt.* ['snɪgə] podśmiewać się (***at*** z *G*)
snip [snɪp] **1.** cięcie *n*; **2.** (***-pp-***) przecinać ⟨-ciąć⟩; ***~ off*** odcinać ⟨-ciąć⟩
snipe[1] [snaɪp] *zo.* kszyk *m*
snipe[2] [snaɪp] strzelać ⟨-lić⟩ z ukrycia (***at*** do *G*); **'snip•er** snajper *m*, strzelec *m* wyborowy
sniv•el ['snɪvl] (*zwł. Brt.* ***-ll-*** , *Am.* ***-l-***) chlipać, labiedzić
snob [snɒb] snob *m*; **'~•bish** snobistyczny

S

snoop [snuːp]: **~ *about*, ~ *around*** F myszkować, węszyć; **'~·er** wścibski *m* (-ka *f*)
snooze [snuːz] F **1.** drzemka *f*; **2.** drzemać
snore [snɔː] **1.** chrapać; **2.** chrapanie *n*
snor·kel ['snɔːkl] **1.** fajka *f* (*do nurkowanie*); *naut.* chrapy *pl.* (*okrętu podwodnego*); **2.** nurkować z fajką
snort [snɔːt] **1.** parskać ⟨-knąć⟩; *narkotyk* wdychać; **2.** parsknięcie *n*
snout [snaʊt] pysk *m*
snow [snəʊ] **1.** śnieg *m*; F (*kokaina*) koka *f*; **2.** śnieżyć; *śnieg*: padać ⟨spaść⟩; ***be ~ed in** lub **up*** być przysypanym śniegiem; **'~·ball** kula *f* śniegowa; **~·ball 'fight** bitwa na kule śniegowe; **'~·bound** zaśnieżony, pokryty śniegiem; **'~·drift** zaspa *f* (*śniegu*); **'~·drop** *bot.* przebiśnieg *m*; **'~·fall** opady *pl.* śniegu; **'~·flake** płatek *m* śniegu; **'~·man** (*pl.* ***-men***) bałwan *m* śniegowy; **'~·plough** *Brt.*, **'~·plow** *Am.* pług *m* śnieżny; **'~·storm** burza *f* śniegowa, śnieżyca *f*; **~-'white** śnieżnobiały; **'S White** Królewna *f* Śnieżka; **'~·y** (***-ier, -iest***) zaśnieżony; śnieżny; ośnieżony
Snr *skrót pisany*: ***Senior*** sen., senior *m*
snub [snʌb] **1.** (***-bb-***) ⟨po⟩traktować lekceważąco; **2.** leceważenie *n*; **'~ nose** zadarty nos *m*; **~-'nosed** z zadartym nosem
snuff¹ [snʌf] tabaka *f*
snuff² [snʌf] *świecę* ⟨z⟩gasić; **~ *out*** *życie* przerwać
snuf·fle ['snʌfl] obwąchiwać ⟨-chać⟩
snug [snʌg] (***-gg-***) przytulny, zaciszny; *ubranie*: dobrze leżący; przyciasny
snug·gle ['snʌgl]: **~ *up to s.o.*** przytulać ⟨-lić⟩ się do kogoś; **~ *down in bed*** wtulać ⟨-lić⟩ się do łóżka
so [səʊ] **1.** *adv.* tak, w ten sposób; także; → ***hope*** 2, ***think***; ***is that ~?*** naprawdę?; ***an hour or ~*** coś koło godziny; ***she is tired – ~ am I*** ona jest zmęczona – ja też; **~ *far*** dotąd, dotychczas; **2.** *cj.* tak więc, więc; aby
soak [səʊk] *v/t.* ⟨za⟩moczyć (***in*** w *L*); **~ *up*** *gąbka, gałgan*: wchłaniać ⟨wchłonąć⟩; *v/i.* przemoczyć; ***leave the dirty clothes to ~*** namocz brudne rzeczy
soap [səʊp] **1.** mydło *n*; F → ***soap opera***; **2.** namydlać ⟨-lić⟩ (się); **'~ ope·ra** opera *f* mydlana (*radiowa lub telewizyjna*) **'~·y** (***-ier, -iest***) mydlany; *fig.* F wazeliniarski
soar [sɔː] ⟨po⟩szybować; wzbijać ⟨-bić⟩ się, wznosić ⟨-nieść⟩ się; iść ⟨pójść⟩ w górę
sob [sɒb] **1.** (***-bb-***) szlochać; **2.** szloch *m*
so·ber ['səʊbə] **1.** trzeźwy (*też fig.*); **2.** ⟨wy⟩trzeźwieć; **~ *up*** otrzeźwiać ⟨-wić⟩
so-'called tak zwany
soc·cer ['sɒkə] piłka *f* nożna; **'~ hoo·li·gan** pseudokibic *m*
so·cia·ble ['səʊʃəbl] towarzyski
so·cial ['səʊʃl] społeczny; socjalny; towarzyski; **~ 'dem·o·crat** socjaldemokrata *m* (-tka *f*); **~ in'sur·ance** ubezpieczenie *n* społeczne
so·cial|·is·m ['səʊʃəlɪzəm] socjalizm *m*; **'~·ist 1.** socjalista *m* (-tka *f*); **2.** socjalistyczny
so·cial·ize ['səʊʃəlaɪz] utrzymywać kontakty towarzyskie (***with*** z *I*)
so·cial| 'sci·ence nauka *f* społeczna; **~ se'cu·ri·ty** *Brt.* pomoc *f* społeczna; ***be on ~ security*** otrzymywać zasiłek z pomocy społecznej; **~ 'serv·i·ces** *pl. zwł. Brt.* opieka *f* społeczna; **'~ work** praca *f* społeczna; **'~ work·er** pracownik *m* (-nica *f*) opieki społecznej
so·ci·e·ty [sə'saɪətɪ] społeczeństwo *n*; towarzystwo *n*
so·ci·ol·o·gy [səʊsɪ'ɒlədʒɪ] socjologia *f*
sock [sɒk] skarpetka *f*
sock·et ['sɒkɪt] *electr.* gniazdko *n*; *electr.* oprawka *f* (*żarówki*); *anat.* oczodół *m*
sod [sɒd] *Brt.* V kutas *m*, ciul *m*
so·da ['səʊdə] woda *f* sodowa; *zwł. Am.* napój *m* gazowany *f*
sod·den ['sɒdn] przemoczony, nasiąknięty wodą
so·fa ['səʊfə] sofa *f*, kanapa *f*
soft [sɒft] miękki; delikatny; *głos*: cichy; *światło*: łagodny; *napój*: bezalkoholowy; *narkotyk*: nie powodujący uzależnienia; *też* **~ *in the head*** F przygłupiasty; ***a ~ job*** F łatwa (prosta, spokojna) praca; **'~ drink** napój *m* bezalkoholowy
soft·en ['sɒfn] *v/t.* zmiękczać ⟨-czyć⟩; *ton, światło* ⟨z⟩łagodzić; **~ *up*** F *kogoś* zmiękczać (-czyć); *v/i.* ⟨z⟩mięknąć; ⟨z⟩łagodnieć
soft|-'head·ed przygłupi; **~'heart·ed** dobroduszny, o miękkim sercu; **~'land-**

ing (*w astronautyce*) miękkie lądowanie *f*; **'~·ware** *komp.* software *n*, oprogramowanie *n*; **~·ware 'pack·age** *komp.* pakiet *m* oprogramowania; **'~·y** F (*osoba*) mięczak *m*

sog·gy ['sɒgɪ] (***-ier, -iest***) namiękły, rozmokły

soil[1] [sɔɪl] głeba *f*, ziemia *f*

soil[2] [sɔɪl] ⟨u-, za⟩brudzić

sol·ace ['sɒləs] pociecha *f*, pocieszenie *n*

so·lar ['səʊlə] słoneczny; **~ 'en·er·gy** energia *f* słoneczna; **~ 'pan·el** bateria *f* słoneczna; **'~ sys·tem** układ *m* słoneczny

sold [səʊld] *pret. i p.p. od* ***sell***

sol·der ['sɒldə] ⟨z-, przy⟩lutować

sol·dier ['səʊldʒə] żołnierz *m*

sole[1] [səʊl] **1.** podeszwa *f*; **2.** ⟨pod⟩zelować

sole[2] [səʊl] *zo.* (*pl.* ***sole, soles***) sola *f*

sole[3] [səʊl] jedyny; wyłączny; **'~·ly** jedynie; wyłącznie

sol·emn ['sɒləm] poważny; uroczysty

so·li·cit [sə'lɪsɪt] ⟨po⟩prosić

so·lic·i·tor [sə'lɪsɪtə] *Brt. jur.* adwokat *m* (*uprawniony do występowania w sądach niższej instancji*); doradca *m* prawny

so·lic·i·tous [sə'lɪsɪtəs] troskliwy; uczynny

sol·id ['sɒlɪd] **1.** stały; pełny, lity; solidny; *ściana itp.*: masywny; *math. geometria*: przestrzenny; *Brt. protest*: solidarny; *okres czasu*: bity; **2.** *math.* bryła; *phys.* ciało *n* stałe

sol·i·dar·i·ty [sɒlɪ'dærətɪ] solidarność *f*

so·lid·i·fy [sə'lɪdɪfaɪ] zestalać się; zastygać ⟨-gnąć⟩; ⟨s⟩krzepnąć

so·lil·o·quy [sə'lɪləkwɪ] *theat.* monolog *m*

sol·i·taire [sɒlɪ'teə] *Am.* pasjans *m*; (*gra*) samotnik *m*

sol·i·ta·ry ['sɒlɪtərɪ] samotny, pojedynczy; odludny, odosobniony; **~ con'fine·ment** *jur.* kara *f* izolatki

so·lo ['səʊləʊ] (*pl.* ***-los***) *mus.* solo *n*; *aviat.* samotny lot *m*; *attr.* solowy; samotny; **'~·ist** *mus.* solista *m* (-tka *f*)

sol·u·ble ['sɒljʊbl] rozpuszczalny; *fig.* do rozwiązania; **so·lu·tion** [sə'luːʃn] roztwór *m*; rozwiązanie *n*

solve [sɒlv] rozwiązywać ⟨-zać⟩; **sol·vent** ['sɒlvənt] **1.** *econ.* wypłacalny; **2.** *chem.* rozpuszczalnik *m*

som·bre *Brt.*, **som·ber** *Am.* ['sɒmbə] poważny, smutny; *fig.* ponury

some [sʌm] jakiś; *przed pl.*: trochę (*G*); kilka (*G*); nieco (*G*); niektórzy; ***~ 20 miles*** jakieś 20 mil; ***~ more cake*** jeszcze trochę ciasta; ***to ~ extent*** w pewnej mierze; **~·bod·y** ['sʌmbədɪ] ktoś; **'~·day** kiedyś; **'~·how** jakoś; **'~·one** ktoś; **'~·place** *zwł. Am.* → ***somewhere***

som·er·sault ['sʌməsɔːlt] **1.** salto *n*; przewrót *m* w przód; ***turn a ~*** ⟨z⟩robić przewrót *m* w przód; **2.** ⟨z⟩robić salto; wykonać przewrót w przód

'some|·thing coś; ***~thing like*** coś jakby; **'~·time** kiedyś; **'~·times** czasami; **'~·what** trochę (*G*), nieco (*G*); **'~·where** gdzieś

son [sʌn] syn *m*; ***~ of a bitch*** *zwł. Am.* V sukinsyn *m*

song [sɒŋ] pieśń *f*, piosenka *f*; ***for a ~*** F za Bóg zapłać; **'~·bird** ptak *m* śpiewający

son·ic ['sɒnɪk] dźwiękowy; **~ 'bang** *Brt.*, **~ 'boom** *aviat.* uderzenie *n* dźwiękowe (*przy przekraczaniu prędkości dźwięku*)

son-in-law ['sʌnɪnlɔː] (*pl.* ***sons-in--law***) zięć *m*

son·net ['sɒnɪt] sonet *m*

so·nor·ous [sə'nɔːrəs] donośny, dźwięczny

soon [suːn] wkrótce, niebawem; ***as ~ as*** skoro tylko; ***as ~ as possible*** jak najszybciej można; **'~·er** prędzej, wcześniej; ***~er or later*** wcześniej lub później; ***the ~er the better*** im szybciej, tym lepiej; ***no ~er... than*** nie szybciej niż ...; ***no ~er said than done*** od razu zrobione

soot [sʊt] sadza *f*

soothe [suːð] ⟨u⟩koić, uspokajać ⟨-koić⟩ (*też* ***down***); ⟨za-, u⟩łagodzić; *ból itp.* uśmierzać ⟨-rzyć⟩; **sooth·ing** ['suːðɪŋ] kojący, uśmierzający

soot·y ['sʊtɪ] (***-ier, -iest***) czarny (*od sadzy*)

sop[1] [sɒp] (*rzecz dana lub zrobiona na odczepnego*)

sop[2] [sɒp] (***-pp-***): ***~ up*** *ścierka, gałgan*: wchłaniać ⟨wchłonąć⟩ (*płyn*)

so·phis·ti·cat·ed [sə'fɪstɪkeɪtɪd] wyrafinowany; obyty; *tech.* wysoko rozwinięty

soph·o·more ['sɒfəmɔː] *Am.* student(ka *f*) *m* drugiego roku

sop•o•rif•ic [sɒpə'rɪfɪk] (**-ally**) usypiający; nasenny
sop•ping ['sɒpɪŋ]: ~ **wet** F ociekający wodą
sor•cer|•er ['sɔːsərə] czarownik *m*, czarodziej *m*, czarnoksiężnik *m*; ~**•ess** ['sɔːsərɪs] czarownica *f*, czarodziejka *f*; ~**•y** ['sɔːsərɪ] czarodziejstwo *n*
sor•did ['sɔːdɪd] nędzny, brudny; nikczemny
sore [sɔː] **1.** (**-r, -st**) obolały; bolący; *fig*. bolesny; punkt czuły; *zwł. Am.* F *fig*. wściekły (**at** na *A*); **I'm ~ all over** wszystko mnie boli; ~ **throat** zapalenie *n* gardła; **I have a ~ finger** palec mnie boli; **2.** rana *f*, owrzodzenie *n*
sor•rel[1] ['sɒrəl] *bot.* szczaw *m*; *attr.* szczawiowy
sor•rel[2] ['sɒrəl] *koń* kasztanowy
sor•row ['sɒrəʊ] smutek *m*, żal *m*; '~**•ful** smutny, przygnębiony
sor•ry ['sɒrɪ] **1.** *adj.* (**-ier, -iest**) smutny; przygnębiony; **be** *lub* **feel ~ for s.o.** współczuć komuś; **I'm ~ for her** żal mi jej; **I am ~ to say** z przykrością muszę powiedzieć **2.** *int.* przepraszam!; ~**?** *zwł. Brt.* słucham?
sort [sɔːt] **1.** rodzaj *m*, gatunek *m*; ~ **of** F jakby, jakoś; **of a ~, of ~s** F coś w rodzaju; **all ~s of things** najróżniejsze rzeczy; **nothing of the ~** nic podobnego; **what ~ of (a) man is he?** jaki on jest?; **be out of ~s** F być nie w sosie; **be completely out of ~s** (*w sporcie*) kompletnie nie mieć formy; **2.** ⟨po⟩sortować, ⟨po⟩układać; ~ **out** oddzielać ⟨-lić⟩; *problem itp.* rozwiązywać ⟨-zać⟩; '~**•er** sortownik *m*; klasyfikator(ka *f*) *m*
SOS [es əʊ 'es] SOS *n*; **send an ~** wysyłać ⟨-słać⟩ sygnał SOS; ~ **call** *lub* **message** wezwanie *n* SOS
sought [sɔːt] *pret. i p.p. od* **seek**
soul [səʊl] dusza *f* (*też fig.*); *mus.* soul *m*
sound[1] [saʊnd] **1.** dźwięk *m*; odgłos *m*; (*w głośniku radiowym lub telewizyjnym*) głos *m*, fonia *f*; *gr.* głoska *f*; *med.* szmer *m*, ton *m*; *attr.* dźwiękowy; **2.** *v/i.* ⟨za⟩brzmieć; ⟨za⟩dźwięczeć; *v/t. alarm* włączać ⟨-czyć⟩; ~ **the bell** bić w dzwon; *ling.* wypowiadać ⟨-wiedzieć⟩; *naut.* sondować; ~ **one's horn** *mot.* dawać ⟨dać⟩ sygnał (*klaksonem*), ⟨za⟩trąbić
sound[2] [saʊnd] zdrowy; w dobrym stanie; rozsądny; *przeszkolenie*: dogłębny; solidny; *sen*: głęboki
'**sound| bar•ri•er** bariera *f* dźwiękowa; '~ **film** film *m* dźwiękowy; '~**•less** bezgłośny; '~**•proof** dźwiękoszczelny; '~**•track** ścieżka *f* dźwiękowa; '~ **wave** fala *f* dźwiękowa
soup [suːp] **1.** zupa *f*; **2.** ~ **up** *mot.* F *silnik* podrasowywać ⟨-ować⟩
sour ['saʊə] **1.** kwaśny; skwaśniały; *mleko*: zsiadły; *fig.* cierpki; **2.** ⟨s⟩kwaśnieć, zsiadać ⟨zsiąść⟩ się
source [sɔːs] źródło *n* (*też fig.*)
south [saʊθ] **1.** południe *n*; **2.** *adj.* południowy; **3.** *adv.* na południe
South Af•ri•ca Republika *f* Południowej Afryki
south east [saʊθ iːst] **1.** południowy wschód *m*; **2.** *adj.* południowo-wschodni; **3.** *adv.* na południowy wschód; ~'**east•ern** południowo-wschodni
south|•er•ly ['sʌðəlɪ], ~**•ern** ['sʌðən] południowy; '~**•ern•most** wysunięty najbardziej na południe
South 'Pole biegun *m* południowy
south|•ward(s) ['saʊθwəd(z)] na południe; ~'**west 1.** południowy zachód *m*; **2.** *adj.* południowo-zachodni; **3.** *adv.* na południowy zachód; ~'**west•ern** południowo-zachodni
sou•ve•nir [suːvə'nɪə] pamiątka *f*
sove•reign ['sɒvrɪn] **1.** monarcha *m*, władca *m*; **2.** *państwo itp.*: suwerenny; ~**•ty** ['sɒvrəntɪ] suwerenność *f*
So•vi•et ['səʊvɪət] *hist.* radziecki, sowiecki
sow[1] [səʊ] (**sowed, sown** *lub* **sowed**) ⟨za⟩siać
sow[2] [saʊ] *zo.* maciora *f*
sown [səʊn] *p.p. od* **sow**[1]
spa [spɑː] uzdrowisko *n*, kurort *m*
space [speɪs] **1.** miejsce *n*; obszar *m*; przestrzeń *f*; kosmos *m*; **2.** *też* ~ **out** rozstawiać ⟨-wić⟩; *print.* rozstrzeliwać ⟨-lać⟩; '~ **age** era *f* kosmiczna; '~ **bar** klawisz *m* spacji; '~ **cap•sule** kapsuła *f*, kabina *f* (*statku kosmicznego*); '~ **cen•tre** centrum *n* lotów kosmicznych; '~**•craft** (*pl.* **-craft**) statek *m* kosmiczny; '~ **flight** lot *m* kosmiczny; '~**•lab** laboratorium *n* kosmiczne; '~**•man** (*pl.* **-men**) F astronauta *m*, kosmonauta *m*; '~ **probe** sonda *f* kosmiczna; '~ **research** badanie *n* przestrzeni

S

kosmicznej; '**~·ship** statek *m* kosmiczny; '**~ shut·tle** prom *m* kosmiczny; '**~ sta·tion** stacja *f* kosmiczna; '**~·suit** skafander *m* kosmiczny; '**~ walk** spacer *m* w przestrzeni kosmicznej; '**~·wom·an** (*pl.* ***-women***) astronautka *f*, kosmonautka *f*
spa·cious ['speɪʃəs] przestrzenny
spade [speɪd] szpadel *m*; (*w kartach*) pik *m*; ***king of ~s*** król *m* pik; ***call a ~*** nazywać rzeczy po imieniu
Spain [speɪn] Hiszpania *f*
span [spæn] **1.** rozpiętość *f*; okres *m* czasu; **2.** (***-nn-***) spinać ⟨spiąć⟩ brzegi; obejmować ⟨objąć⟩
span·gle ['spæŋgl] **1.** cekin *m*; **2.** naszywać ⟨-szyć⟩ cekiny
Span·iard ['spænjəd] Hiszpan *m* (-nka *f*)
span·iel ['spænjəl] *zo.* spaniel *m*
Span·ish ['spænɪʃ] **1.** hiszpański; **2.** *ling.* język *m* hiszpański; ***the ~*** *pl.* Hiszpanie *pl.*
spank [spæŋk] dawać ⟨dać⟩ klapsa (*D*); '**~·ing 1.** *adj.* szybki; prędki; **2.** *adv.* ***~ing clean*** czyściutki; ***~ing new*** nowiutki; **3.** lanie *n*
span·ner ['spænə] *zwł. Brt.* klucz *m* (maszynowy); ***put*** *lub* ***throw a ~ in the works*** F wsadzać kij między szprychy
spar [spɑː] (***-rr-***) (*w boksie*) odbywać ⟨-być⟩ sparing (***with*** z *I*); przeprowadzać ⟨-dzić⟩ pojedynek na słowa (***with*** z *I*)
spare [speə] **1.** przeznaczać ⟨-czyć⟩, *kogoś* wyznaczać ⟨-czyć⟩; *pieniądze, czas itp.* oszczędzać ⟨-dzić⟩; ***~ no expenses*** nie szczędzić wydatków; ***~ s.o. s.th.*** oszczędzać coś komuś; ***can you ~ me a minute?*** czy może mi pan poświęcić minutę?; ***to ~*** do dyspozycji; **2.** zapasowy; *czas*: wolny; **3.** część *f* zapasowa; opona *f* zapasowa; **~ 'part** *mot.* część *f* zapasowa; **~ 'room** pokój *m* gościnny; **~ 'time** wolny czas *m*
spar·ing ['speərɪŋ] oszczędny
spark [spɑːk] **1.** iskra *f* (*też fig.*); **2.** ⟨za⟩-iskrzyć; '**~ing plug** *Brt. mot.* → ***spark plug***
spar·kle ['spɑːkl] **1.** skrzyć się; błyszczeć ⟨błysnąć⟩ (***with*** od *G*); *napój*: musować; **2.** migotanie *n*; połysk *m*; **spark·ling** ['spɑːklɪŋ] migocący; *fig.* błyskotliwy; **~ *wine*** wino *n* musujące
'spark plug *mot.* świeca *f* zapłonowa
spar·row ['spærəʊ] *zo.* wróbel *m*; '**~·hawk** krogulec *m*
sparse [spɑːs] rzadki, przerzedzony
spas·m ['spæzəm] *med.* skurcz *m*, spazm *m*; *med.* atak *m*; **spas·mod·ic** [spæz'mɒdɪk] (***~ally***) *med.* spazmodyczny, spazmatyczny; *fig.* sporadyczny
spas·tic ['spæstɪk] *med.* **1.** (***~ally***) spastyczny, kurczowy; **2.** osoba *f* z porażeniem spastycznym
spat [spæt] *pret. i p.p. od* ***spit***[1]
spa·tial ['speɪʃl] przestrzenny
spat·ter ['spætə] obryzgiwać ⟨-gać⟩; opryskiwać ⟨-kać⟩; posypywać ⟨-pać⟩
spawn [spɔːn] **1.** *zo.* składać ⟨złożyć⟩ skrzek *lub* ikrę; *fig.* ⟨s⟩płodzić, ⟨z⟩rodzić; **2.** *zo.* skrzek *m*; ikra *f*
speak [spiːk] (***spoke, spoken***) *v/i.* mówić ⟨powiedzieć⟩; ⟨po⟩rozmawiać (***to, with*** do *G*, ***about*** o *L*); ***so to ~*** że tak powiem; ***~ing!*** *teleph.* przy aparacie!; ***~ up*** mówić głośniej; *v/t.* mówić; ***~ Polish*** mówić po polsku; '**~·er** mówca *m* (-czyni *f*); ♀ *parl. Brt.*, *Am.* speaker *m* (*w niższej izbie parlamentu*)
spear [spɪə] **1.** oszczep *m*; włócznia *f*; **2.** nabijać ⟨-bić⟩, przeszywać ⟨-szyć⟩ oszczepem; '**~·head** grot *m*; *mil.* szpica *f*, czołówka *f* (*też fig.*); '**~·mint** *bot.* mięta *f* zielona
spe·cial ['speʃl] **1.** specjalny; szczególny; nadzwyczajny; dodatkowy; **2.** pociąg *m lub* autobus *m* specjalny *lub* dodatkowy; audycja *f* specjalna (*radiowa lub telewizyjna*); *Am. econ.* okazja *f*; ***be on ~*** *Am. econ.* F być dostępnym po obniżonej cenie; **spe·cial·ist** ['speʃəlɪst] specjalista *m* (-tka *f*); *med.* lekarz *m* specjalista (***in*** w zakresie *G*); *attr.* specjalistyczny; **spe·ci·al·i·ty** [speʃɪ'ælətɪ] specjalność *f*; **spe·cial·ize** ['speʃəlaɪz] ⟨wy⟩specjalizować się; **spe·cial·ty** *Am.* ['speʃltɪ] → ***speciality***
spe·cies ['spiːʃiːz] (*pl.* ***-cies***) gatunek *m*
spe|·cif·ic [spɪ'sɪfɪk] (***-ally***) konkretny; szczegółowy; właściwy; specyficzny, swoisty (***to*** dla *G*); **~·ci·fy** ['spesɪfaɪ] określać ⟨-lić⟩; wyszczególniać ⟨-nić⟩
spe·ci·men ['spesɪmən] okaz *m*; próbka *f*
speck [spek] plamka *f*; cętka *f*; *fig.* kropka *f*;
speck·led ['spekld] plamiasty
spec·ta·cle ['spektəkl] przedstawienie

S

n (*też fig.*); spektakl *m*; (***a pair of***) **~s** *pl.* okulary *pl.*

spec·tac·u·lar [spek'tækjʊlə] **1.** spektakularny; widowiskowy; **2.** uroczystość *f*, gala *f*

spec·ta·tor [spek'teɪtə] widz *m*

spec|·tral ['spektrəl] widmowy (*też phys.*); *phys.* spektralny; **~·tre** *Brt.*, **~·ter** *Am.* ['spektə] widmo *n*, zjawa *f*; **~·trum** ['spektrəm] *phys.* widmo *n*, spektrum *n*

spec·u|·late ['spekjʊleɪt] rozważać ⟨-żyć⟩ (***about, on*** *A*), spekulować (***about, on*** nad *A*); *econ.* spekulować, dokonywać ⟨-nać⟩ spekulacji; **~·la·tion** [spekjʊ'leɪʃn] domysł *m*; *econ.* spekulacja *f*; **~·la·tive** ['spekjʊlətɪv] spekulatywny; *econ.* spekulacyjny; **~·la·tor** ['spekjʊleɪtə] *econ.* spekulator *m*

sped [sped] *pret. i p.p. od* ***speed*** 2

speech [spiːtʃ] mowa *f*; przemówienie *n*, przemowa *f*; ***make a ~*** przemawiać ⟨-mówić⟩; **'~ day** *Brt.* (*w szkole*) *m* rozdania nagród; **'~·less** oniemiały; ***be ~less with*** oniemieć od (*G*)

speed [spiːd] **1.** prędkość *f*, szybkość *f*; *phot.* czułość *f*; *sl.* (*narkotyk amfetamina*) speed *m*; bieg *m* (*roweru itp.*); ***five-~ gearbox*** pięciobiegowa skrzynia *f* biegów; ***at a ~ of*** z prędkością (*G*); ***at full*** *lub* ***top ~*** z pełną prędkością; **2.** (***sped***) *v/i.* ⟨po⟩pędzić, ⟨po⟩mknąć; ***be ~ing*** *mot.* przekraczać ⟨-roczyć⟩ dozwoloną prędkość; ***~ up*** (*pret. i p.p.* ***speeded***) przyspieszać ⟨-szyć⟩; **'~·boat** *naut.* ślizgacz *m*; **'~·ing** *mot.* przekraczanie *n* właściwej prędkości; **'~ lim·it** *mot.* ograniczenie *n* prędkości

spee·do ['spiːdəʊ] *Brt. mot.* F licznik *m*, prędkościomierz *m*

speed·om·e·ter [spɪ'dɒmɪtə] *mot.* licznik *m*, prędkościomierz *m*

'speed trap pułapka *f* radarowa (*miejsce kontroli prędkości*)

S

'speed·y (***-ier, -iest***) prędki

spell[1] [spel] (***spelt*** *lub zwł. Am.* ***spelled***) *też* ***~ out*** ⟨prze⟩literować; ⟨na⟩pisać ortograficznie

spell[2] [spel] okres *m*; atak *m*; ***a ~ of fine weather*** okres *m* pięknej pogody; ***hot~*** fala *f* upałów

spell[3] [spel] czar *m*, urok *m*; **'~·bound** zauroczony

'spell|·er *komp.* program *m* sprawdzania pisowni; ***be a good*** (***bad***) ***~er*** umieć (nie umieć) pisać ortograficznie; **'~·ing** pisownia *f*; **'~·ing mis·take** błąd *m* ortograficzny

spelt [spelt] *pret. i p.p. od* ***spell***[1]

spend [spend] (***spent***) *pieniądze* wydawać ⟨-dać⟩; *urlop itp.* spędzać ⟨-dzić⟩; **'~·ing** wydatki *pl.*; **'~·thrift** marnotrawca *m*

spent [spent] **1.** *pret. i p.p. od* ***spend***; **2.** *adj.* wyczerpany

sperm [spɜːm] sperma *f*, nasienie *n*; plemnik *m*

SPF [es piː 'ef] *skrót:* ***Sun Protection Factor*** faktor ochronny IP (*przed słońcem*)

sphere [sfɪə] kula *f*; *fig.* sfera *f*; **spher·i·cal** ['sferɪkl] kulisty, sferyczny

spice [spaɪs] **1.** przyprawa *f*; *fig.* pikanteria *f*; **2.** doprawiać ⟨-wić⟩, przyprawiać ⟨-wić⟩

spick-and-span [spɪkən'spæn] lśniący od czystości

spic·y ['spaɪsɪ] (***-ier, -iest***) doprawiony, przyprawiony; *fig.* pikantny

spi·der ['spaɪdə] *zo.* pająk *m*

spike [spaɪk] **1.** ostrze *n*; kolec *m*; szpic *m*; **~s** *pl.* (*w sporcie*) kolce *pl.*; **2.** wbijać ⟨wbić⟩ kolce

spill [spɪl] **1.** (***spilt*** *lub zwł. Am.* ***spilled***) *v/t.* rozlewać ⟨-lać⟩; ***~ the beans*** F wyśpiewać wszystko; → ***milk*** 1; *v/i.* rozlewać ⟨-lać⟩ się; *fig.* ogarniać ⟨-nąć⟩; **2.** F upadek *m*

spilt [spɪlt] *pret. i p.p. od* ***spill*** 1

spin [spɪn] **1.** (***-nn-***; spun) *v/t.* obracać ⟨-rócić⟩; *pranie* odwirowywać ⟨-ować⟩; *monetą* rzucać ⟨-cić⟩; *przędzę itp.* ⟨u⟩prząść; ***~ out*** *pracę* przeciągać ⟨-gnąć⟩; *pieniądze* oszczędzać ⟨-dzić⟩; *v/i.* obracać ⟨-rócić⟩ się; wirować; ⟨u⟩prząść; ***my head was ~ning*** kręciło mi się w głowie; ***~ along*** *mot.* F ⟨po⟩mknąć; ***~ round*** obracać ⟨-rócić⟩ się; **2.** wirowanie *n*; obrót *m*; (*w sporcie*) podkręcenie *n*; odwirowanie *n* (*prania*); *aviat.* korkociąg *m*; *mot.* F przejażdżka *f*; ***be in a*** (***flat***) ***~*** *zwł. Brt.* F wpadać ⟨wpaść⟩ w popłoch; ***go for a ~*** *mot.* F wyruszyć na przejażdżkę

spin·ach ['spɪnɪdʒ] *bot.* szpinak *m*; *attr.* szpinakowy

spin·al ['spaɪnl] *anat.* kręgowy; **~ 'col·umn** *anat.* kręgosłup *m*; **~ 'cord**, **~ 'mar·row** *anat.* rdzeń *m* kręgowy

spin·dle ['spɪndl] wrzeciono *n*
spin|-'dri·er wirówka *f*; **~-'dry** *pranie* ⟨od⟩wirować; **~-'dry·er** wirówka *f*
spine [spaɪn] *anat.* kręgosłup *m*; *zo.*, *bot.* kolec *m*; grzbiet *m* (*książki*)
'spin·ning| mill przędzalnia *f*; **'~ top** (*zabawka*) bąk *m*; **'~ wheel** kołowrotek *m*
spin·ster ['spɪnstə] stara panna *f*
spin·y ['spaɪnɪ] (***-ier, -iest***) *zo.*, *bot.* kolczasty
spi·ral ['spaɪərəl] **1.** spiralny; **2.** spirala *f*; **~ 'stair·case** schody *pl.* kręte
spire ['spaɪə] iglica *f*, stromy hełm *m* (*na wieży*)
spir·it ['spɪrɪt] dusza *f*; duch *m*; nastrój *m*, humor *m*; zaangażowanie *n*, determinacja *f*; *chem.* spirytus *m*; *zw.* ***~s*** *pl.* napoje *pl.* alkoholowe; ***Holy*** ♀ Duch *m* Święty; **'~·ed** energiczny; zaangażowany; dynamiczny; *koń* ognisty; **'~·less** bez temperamentu
spir·its ['spɪrɪts] *pl.* nastrój *m*; ***be in high*** (***low***) **~** być w znakomitym (podłym) nastroju
spir·i·tu·al ['spɪrɪtʃʊəl] **1.** duchowy; **2.** *mus.* spirituals *pl.*
spit[1] [spɪt] **1.** (***-tt-***; ***spat*** *lub zwł. Am.* ***spit***) pluć; spluwać ⟨-lunąć⟩; *ogień*: trzaskać ⟨-snąć⟩; *tłuszcz itp.*: ⟨za⟩skwierczeć; *też* **~ *out*** wypluwać ⟨-luć⟩; **~ *at s.o.*** opluwać ⟨-luć⟩ kogoś; ***it is ~ting*** (***with rain***) siąpi; **2.** plwocina *f*
spit[2] [spɪt] rożen *m*; *geogr.* cypel *m*
spite [spaɪt] **1.** złośliwość *f*; ***out of ~*** *lub* ***from pure ~*** z czystej złośliwości; ***in ~ of*** mimo, pomimo (*G*); **2.** *komuś* ⟨z⟩robić na złość; **'~·ful** złośliwy
spit·ting 'im·age: ***be the ~ of s.o.*** być kubek w kubek jak ktoś
spit·tle ['spɪtl] plwocina *f*, ślina *f*
splash [splæʃ] **1.** opryskiwać ⟨-kać⟩, ochlapywać ⟨-pać⟩; *dywan* zachlapać ⟨-pywać⟩; *wodę* rozbryzgiwać ⟨-gać⟩; chlapać się; **~ *down*** *statek kosmiczny* wodować; **2.** pochlapanie *n*, chlapnięcie *n*; plusk *m*, pluśnięcie *n*; plama *f*; rozbryzg *m* (*koloru*); *zwł. Brt.* dodatek *m* (*wody sodowej*); **'~·down** wodowanie *n* (*statku kosmicznego*)
splay [spleɪ] *też* **~ *out*** *palce itp.* rozpościerać ⟨-postrzeć⟩
spleen [spliːn] *anat.* śledziona *f*
splen|·did ['splendɪd] znakomity, wspaniały; doskonały; **'~·do(u)r** przepych *m*, świetność *f*
splice [splaɪs] *sznur* ⟨z-, po⟩łączyć, *taśmę fot. itp.* ⟨s⟩kleić
splint [splɪnt] *med.* szyna *f*, *zw.* łubki *pl.*; ***put in a ~, put in ~*** zakładać ⟨założyć⟩ szynę
splin·ter ['splɪntə] **1.** drzazga *f*, odprysk *m*, odłamek *m*; **2.** rozszczepiać ⟨-pić⟩; rozłupywać ⟨-pać⟩; **~ *off*** odseparowywać ⟨-ować⟩ się (***from*** od *G*)
split [splɪt] **1.** (***-tt-***; ***split***) *v/t.* rozszczepiać ⟨-pić⟩ (*też phys.*), rozłupywać ⟨-pać⟩; *też* **~ *up*** ⟨po⟩dzielić (***into*** na *A*); **~ *hairs*** dzielić włos na czworo; **~ *one's sides*** F zrywać boki ze śmiechu; *v/i.* pękać ⟨-knąć⟩; rozszczepiać ⟨-pić⟩ się; *też* **~ *up*** ⟨po⟩dzielić się (***into*** na *A*); *też* **~ *up*** (***with***) rozstawać ⟨-tać⟩ się z (*I*); **2.** pęknięcie *n*, szczelina *f*; podział *m*; *fig.* rozłam *m*; **'~·ting** *ból*: rozsadzający
splut·ter ['splʌtə] krztusić się (*też mot.*); *płomień*: syczeć
spoil [spɔɪl] **1.** (***spoilt*** *lub* ***spoiled***) *v/t.* ⟨ze-, po⟩psuć; ⟨z⟩niszczyć; ⟨ze⟩psuć, rozpieszczać ⟨-pieścić⟩ (*też dziecko*); *v/i.* ⟨ze-, po⟩psuć się; ⟨z⟩niszczyć się; **2.** *zw.* ***~s*** *pl.* łupy *pl.*
'spoil·er *mot.* spoiler *m*
'spoil·sport F (*osoba psująca innym zabawę*)
spoilt [spɔɪlt] *pret. i p.p. od* ***spoil*** 1
spoke[1] [spəʊk] *pret. od* ***speak***
spoke[2] [spəʊk] szprycha *f*
spok·en ['spəʊkən] *p.p. od* ***speak***
spokes|·man ['spəʊksmən] (*pl.* ***-men***) rzecznik *m*; **'~·person** rzecznik *m* (*-niczka f*); **'~·wom·an** (*pl.* ***-women***) rzeczniczka *f*
sponge [spʌndʒ] **1.** gąbka *f* (*też zo.*); *fig.* pasożyt *m*; *Brt.* → ***sponge cake***; **2.** *v/t.* *też* **~ *down***, obmywać ⟨-myć⟩ (*gąbką*); **~ *off*, ~ *down*** zmywać ⟨-myć⟩; **~*up*** płyn zbierać ⟨zebrać⟩; *fig.* F ciągnąć (***from, off, on*** z *G*) (*zyski itp.*); **'~ cake** biszkopt *m*; **'spong·er** *fig.* pasożyt *m*; **'spong·y** (***-ier, -iest***) gąbczasty
spon·sor ['spɒnsə] **1.** sponsor *m*; projektodawca *m* (*-czyni f*), inicjator(ka *f*) *m* (*ustawy itp.*); **2.** ⟨za⟩sponsorować, wspierać ⟨wesprzeć⟩ finansowo; *projekt itp.* ⟨za⟩inicjować
spon·ta·ne·ous [spɒn'teɪnjəs] spontaniczny; samoistny; samorzutny

S

spook [spuːk] F duch *m*, widmo *n*; '**~·y** (**-ier, -iest**) F niesamowity, widmowy
spool [spuːl] szpula *f*, rolka *f*
spoon [spuːn] **1.** łyżka *f*, łyżeczka *f*; **2.** nabierać ⟨-brać⟩ łyżką; '**~-feed** *dziecko* ⟨na⟩karmić łyżką *lub* łyżeczką; '**~·ful** (*ilość*) łyżka *f*, łyżeczka *f*
spo·rad·ic [spəˈrædɪk] (**-ally**) sporadyczny, jednostkowy
spore [spɔː] *bot.* spora *f*, zarodnik *m*
sport [spɔːt] **1.** sport *m*; F kumpel(ka *f*) *m*; **~s** *pl.* sport(y *pl.*) *m*; **2.** ⟨za⟩demonstrować, ⟨za⟩prezentować
sports [spɔːts] sportowy; '**~ car** samochód *m* sportowy; '**~ cen·tre** (*Am.* **center**) centrum *n* sportowe; '**~·man** (*pl.* **-men**) sportowiec *m*, zawodnik *m*; '**~·wear** odzież *f* sportowa; '**~·wom·an** (*pl.* **-women**) sportsmenka *f*; zawodniczka *f*
spot [spɒt] **1.** punkt *m*; plamka *f*, plama *f* (*też med., anat.*); cętka *f*, kropka *f*; skaza *f*, znamię *n*; miejsce *n*; spot *m* reklamowy; F reflektor *m* punktowy; **a ~ of** *Brt.* F trochę, nieco; **on the ~** na miejscu; od razu; w miejscu (*biec*); **be in a ~** F być w tarapatach; **soft ~** słabość *f* (**for** dla *G*); **tender ~** czułe miejsce *n*; **weak ~** słabe miejsce *n*; **2.** (**-tt-**) dostrzegać ⟨-rzec⟩, zauważać ⟨-żyć⟩; ⟨po-, s⟩plamić; **~ 'check** próba *f* losowa, kontrola *f* losowa; '**~·less** nieskazitelny (*też fig.*); '**~·light** reflektor *m* punktowy; '**~·ted** cętkowany, nakrapiany; plamiasty, nakrapiany; '**~·ter** obserwator *m*; '**~·ty** (**-ier, -iest**) krostowaty
spouse [spaʊz] małżonek *m*
spout [spaʊt] **1.** tryskać ⟨-snąć⟩ (**from** z *G*); *fig.* F chlustać ⟨-snąć⟩; **2.** dziobek *m*; struga *f* (*płynu*)
sprain [spreɪn] *med.* **1.** *nogę itp.* skręcić; **2.** skręcenie *n*
sprang [spræŋ] *pret. od* **spring** 1
sprat [spræt] *zo.* szprot *m*
sprawl [sprɔːl] rozciągać ⟨-gnąć⟩ się; (*też* **~ out**) rozwalać ⟨-lić⟩ się
spray [spreɪ] **1.** rozpylać ⟨-lić⟩, rozpryskiwać ⟨-kać⟩; opryskiwać ⟨-kać⟩; *włosy* ⟨s⟩pryskać (*lakierem*); **2.** pył *m* wodny; spray *m*; rozpylacz *m*; → **sprayer**; '**~ can** → '**~·er** pojemnik *m* ciśnieniowy, spray *m*, aerozol *m*
spread [spred] **1.** (**spread**) *v/t.* rozkładać ⟨-złożyć⟩; *ramiona itp.* rozpościerać ⟨-postrzeć⟩; *masło itp.* rozsmarowywać ⟨-ować⟩; *chleb itp.* ⟨po⟩smarować; *chorobę itp.* roznosić ⟨-nieść⟩; *wiadomość itp.* rozpowszechniać ⟨-nić⟩; *v/i.* rozciągać ⟨-gnąć⟩ się (*też* **~ out**); rozchodzić ⟨-zejść⟩ się; *wiadomość itp.* roznosić ⟨-nieść⟩ się; **2.** rozszerzanie *n* się; rozpiętość *f*; zasięg *m*; rozprzestrzenianie *n* się; pasta *f* (*do chleba*); *w gazecie* rozkładówka *f*; '**~·sheet** *komputer:* arkusz *m* kalkulacyjny
spree [spriː] F: **go** (**out**) **on a ~** wypuszczać ⟨-puścić⟩ się na balangę; **go on a buying** (*lub* **shopping, spending**) **~** kupować bez opamiętania
Spree Sprewa *f*
sprig [sprɪɡ] *bot.* gałązka *f*
spright·ly [ˈspraɪtlɪ] (**-ier, -iest**) *taniec:* skoczny; *starsza osoba:* żwawy, dziarski
spring [sprɪŋ] **1.** (**sprang** *lub Am.* **sprung, sprung**) *v/i.* skakać ⟨skoczyć⟩; **~ from** wynikać ⟨-knąć⟩ z (*G*); pojawiać ⟨-wić⟩ się; **~ up** *wiatr:* zrywać ⟨zerwać⟩ się; wyrastać ⟨-rosnąć⟩, zjawiać ⟨-wić⟩ się (*też fig.*); *v/t.* **~ a leak** zaczynać ⟨-cząć⟩ przeciekać; **~ a surprise on s.o.** zaskakiwać ⟨-skoczyć⟩ kogoś; **2.** wiosna *f*; źródło *n*; sprężyna *f*; sprężystość *f*; żwawość *f*; skok *m*; **in** (**the**) **~** na wiosnę, wiosną; '**~·board** trampolina *f*; odskocznia *f* (*też fig.*); **~-'clean** przeprowadzać ⟨-dzić⟩ gruntowne *lub* wiosenne porządki (w *L*); '**~-clean** *Brt.*, '**~-clean·ing** *Am.* gruntowne *lub* wiosenne porządki *pl.*; **~ 'tide**; '**~·time** wiosna *f*; **~·y** [ˈsprɪŋɪ] (**-ier, -iest**) elastyczny, sprężysty
sprin|·kle [ˈsprɪŋkl] **1.** *wodą* ⟨po⟩kropić, skrapiać ⟨-ropić⟩; *solą itp.* posypywać ⟨-pać⟩; **it is sprinkling** (*deszcz*) kropi; **2.** (*deszcz*) kapuśniaczek *m*; posypanie *n*; pokropienie *n*; '**~·kler** zraszacz *m*; *przeciwpożarowe* urządzenie *n* tryskaczowe; '**~·kling**: **a ~kling of** trochę (*G*), nieco (*G*)
sprint [sprɪnt] (*w sporcie*) **1.** ⟨po⟩biec sprintem; **2.** sprint *m*; '**~·er** (*w sporcie*) sprinter(ka *f*) *m*
sprite [spraɪt] duszek *m*; *fig.* chochlik *m*
sprout [spraʊt] **1.** ⟨wy⟩kiełkować; ⟨wy⟩rosnąć; **~ a beard** zapuszczać ⟨-puścić⟩ brodę; **2.** *bot.* kiełek *m*, pęd *m*; odrost *m*; (**Brussels**) **~s** *pl. bot.* brukselka *f*
spruce[1] [spruːs] *bot.* świerk *m*

spruce[2] [spruːs] wytworny
sprung [sprʌŋ] *pret. i p.p. od* **spring** 1
spry [spraɪ] *starsza osoba*: żwawy, dziarski
spun [spʌn] *pret. i p.p. od* **spin** 1
spur [spɜː] **1.** ostroga *f*; *fig.* bodziec *m*; ***on the ~ of the moment*** pod wpływem chwili; **2.** (**-rr-**) *konia* spinać ⟨spiąć⟩ ostrogami; *często* ~ **on** *fig.* zachęcać ⟨-cić⟩
spurt[1] [spɜːt] **1.** ⟨po⟩mknąć; **2.** zryw *m*, przypływ *m* energii
spurt[2] [spɜːt] **1.** tryskać ⟨-snąć⟩ (***from*** z *G*); **2.** struga *f*, strumień *m* (*pary*)
sput·ter ['spʌtə] krztusić się (*też mot.*); *płomień*: syczeć
spy [spaɪ] **1.** szpieg *m*; **2.** szpiegować; ~ ***into*** *fig.* wnikać ⟨-knąć⟩ w (*A*); **'~·hole** judasz *m*, wizjer *m*
Sq *skrót pisany*: ***Square*** pl., plac *m*
sq *skrót pisany*: ***square*** *kw.*, *kwadratowy*
squab·ble ['skwɒbl] ⟨po⟩spierać się
squad [skwɒd] grupa *f*; ekipa *f*; oddział *m* (*policji itp.*); **'~ car** *zwł. Am.* radiowóz *m*
squad·ron ['skwɒdrən] *mil.* szwadron *m*; *naut.* eskadra *f*; *aviat.* dywizjon *m*
squal·id ['skwɒlɪd] zapuszczony, zaniedbany; nędzny
squall [skwɔːl] szkwał *m*
squan·der ['skwɒndə] *pieniądze* ⟨z⟩marnotrawić; *szansę* zaprzepaszczać ⟨-paścić⟩
square [skweə] **1.** kwadrat *m*; czworokąt *m*; plac *m*, skwer *m*; *math.* kwadrat *m* (*liczby*); pole *n* (*szachownicy*); (*w krzyżówce*) kratka *f*; *tech.* kątownik *m*; **2.** kwadratowy; czworokątny; prostopadły; *math.* kwadratowy, do kwadratu; rzetelny; rozliczony; ***be*** (***all***) ~ być kwita; **3.** nadawać ⟨-dać⟩ kwadratowy kształt; ustawiać ⟨-wić⟩ pod kątem prostym (*też* ~ ***off, up***); ⟨po⟩kratkować (*też* ~ ***off***); *math.* podnosić ⟨-nieść⟩ do kwadratu; *należności* uregulowywać ⟨-ować⟩, wyrównywać ⟨-nać⟩; *rachunki* uzgadniać ⟨-godnić⟩; ~ ***with*** *fig.* pasować do (*G*), dopasowywać ⟨-ować⟩ do (*G*); wyjaśniać ⟨-nić⟩; ~ ***up*** *v/i.* F rozliczać ⟨-czyć⟩ się; ~ ***up to*** stawiać ⟨-wić⟩ czoło (*D*); **~d 'pa·per** kratkowany papier *m*; ~ **'root** *math.* pierwiastek *m* kwadratowy
squash[1] [skwɒʃ] **1.** ⟨z⟩miażdżyć, zgniatać ⟨zgnieść⟩; wtłaczać ⟨-łoczyć⟩ (się) (***into*** do *G*); ~ ***flat*** zgniatać ⟨zgnieść⟩ na miazgę; **2.** ścisk *m*; (*w sporcie*) squash *m*; ***lemon*** *lub* ***orange*** ~ sok *m* pitny cytrynowy *lub* pomarańczowy
squash[2] [skwɒʃ] *zwł. Am. bot.* kabaczek *m*
squat [skwɒt] **1.** (**-tt-**) kucać ⟨-cnąć⟩, przykucać ⟨-cnąć⟩ (*też* ~ ***down***); *mieszkanie* zamieszkiwać ⟨-kać⟩ nielegalnie; **2.** krępy; **'~·ter** dziki lokator(ka *f*) *m*
squaw [skwɔː] squaw *f*
squawk [skwɔːk] **1.** ⟨za⟩skrzeczeć; F ⟨za⟩protestować (***about*** w sprawie *G*)
squeak [skwiːk] **1.** *mysz itp.*: ⟨za⟩piszczeć; *drzwi*: ⟨za⟩skrzypieć; **2.** pisk *m*; skrzypienie *n*; **'~·y** (**-ier, -iest**) *głos*: piskliwy; *drzwi*: skrzypiący
squeal [skwiːl] **1.** ⟨za⟩piszczeć (***with*** z *G*); ~ ***on s.o.*** *sl.* donosić ⟨-nieść⟩ na kogoś; **2.** pisk *m*
squeam·ish ['skwiːmɪʃ] drażliwy, czuły
squeeze [skwiːz] **1.** ściskać ⟨-snąć⟩; wyciskać ⟨-snąć⟩; zgniatać ⟨-nieść⟩; wciskać ⟨-snąć⟩ (się) (***into*** do *G*); przepychać ⟨-pchnąć⟩ się; **2.** uścisk *m*, ściśnięcie *n*; odrobina *f* (*soku itp.*); ścisk *m*, tłok *m*; **'squeez·er** wyciskarka *f* do soku
squid [skwɪd] *zo.* (*pl.* ***squids, squid***) mątwa *f*, kałamarnica *f*, kalmar *m*
squint [skwɪnt] **1.** zezować; ⟨po⟩patrzeć przez zmrużone oczy; **2.** zez *m*
squirm [skwɜːm] wiercić się; zwijać się
squir·rel ['skwɪrəl] *zo.* wiewiórka *f*
squirt [skwɜːt] **1.** strzykać ⟨-knąć⟩; tryskać ⟨-snąć⟩; **2.** strzyknięcie *n*; tryśnięcie *n*
Sr → ***Snr***
SS ['es es] *skrót*: ***steamship*** SS, statek *m* parowy
St *skrót pisany*: ***Saint ...*** św. ..., święty ... *m* (-ta *f*); ***Street*** ul., ulica *f*
st *skrót pisany*: ***stone*** *Brt.* (*jednostka masy = 6,35 kg*)
Sta *skrót pisany*: ***Station*** st., stacja *f* (*zwł. na mapach*)
stab [stæb] **1.** (**-bb-**) *v/t.* pchnąć (*nożem itp.*); dźgać ⟨dźgnąć⟩; ***be ~bed in the arm*** otrzymać pchnięcie w ramię; *v/i.* dźgać ⟨dźgnąć⟩; **2.** pchnięcie *n*; dźgnięcie *n*
sta·bil|·i·ty [stə'bɪlətɪ] stabilizacja *f*;

S

ustabilizowanie *n*; **~·ize** ['steɪbəlaɪz] ⟨u⟩stabilizować (się)

sta·ble[1] ['steɪbl] ustabilizowany; stały

sta·ble[2] ['steɪbl] stajnia *f*

stack [stæk] **1.** stos *m*, sterta *f*; **~*s of, a ~ of*** F kupa (*roboty itp.*); → ***haystack***; **2.** układać ⟨ułożyć⟩ w stos; zastawiać ⟨-wić⟩; **~ *up*** *zwł. Am.* porównywać

sta·di·um ['steɪdjəm] (*w sporcie*) stadion *m*

staff [stɑːf] **1.** personel *m*, pracownicy *pl.*; (*w szkole*) grono *n* pedagogiczne, nauczyciele *pl.*; *mil.* sztab *m*; kij *m*, laska *f*; **2.** obsadzać ⟨-dzić⟩ (*personelem*); **'~ room** pokój *m* nauczycielski

stag [stæg] *zo.* (*pl.* ***stags, stag***) jeleń *m*

stage [steɪdʒ] **1.** *theat.* scena *f* (*też fig.*); podium *n*; stadium *n*; etap *m* (*też fig.*); odcinek *m* (*podróży*); *Brt. biletowa* strefa *f*; *tech.* człon *m* (*rakiety*); **2.** *theat.* ⟨za⟩inscenizować, wystawiać ⟨-wić⟩; ⟨z⟩organizować; **'~·coach** *hist.* dyliżans *m*; **'~ di·rec·tion**; **'~ fright** trema *f*; **'~ man·ag·er** inspicjent *m*

stag·ger ['stægə] **1.** *v/i.* zataczać ⟨-toczyć⟩ się (***towards*** w stronę *G*); iść ⟨pójść⟩ zataczając się; *v/t.* wstrząsać ⟨-snąć⟩; zamykać ⟨-mknąć⟩ usta; **~ *imagination*** przerastać ⟨-rosnąć⟩ wyobraźnię; *czas pracy* układać ⟨ułożyć⟩ przemiennie

stag|·nant ['stægnənt] *woda*: stojący; *zwł. econ.* (będący) w zastoju; **~·nate** *zwł. econ.* [stæg'neɪt] trwać w stagnacji

stain [steɪn] **1.** *v/t.* ⟨po⟩plamić; ⟨za⟩barwić, ⟨za⟩farbować; *drewno itp.* ⟨za⟩bejcować; *v/i.* ulegać ⟨-lec⟩ zaplamieniu; **2.** plama *f* (*też fig.*); zabarwienie *n*, zafarbowanie *n*; bejca *f*; **~ed 'glass** szkło *n* witrażowe; **~ed glass 'window** witraż *m*; **'~·less** nierdzewny

stair [steə] stopień *m*; **~*s*** *pl.* schody *pl.*; **'~·case**, **'~·way** klatka *f* schodowa

stake[1] [steɪk] **1.** pal *m*, słup *m*; *hist.* stos *m*, słup męczeński; **2. ~ *off*, ~ *out*** ogradzać ⟨-rodzić⟩

stake[2] [steɪk] **1.** udział *m* (***in*** w *L*) (*też econ.*); stawka *f*; ***be at ~*** *fig.* wchodzić w grę; **2.** *pieniądze itp.* stawiać ⟨postawić⟩ (***on*** na *A*); *pieniądze*, *reputację itp.* ⟨za⟩ryzykować

stale [steɪl] (***-r, -st***) *chleb*: czerstwy; *jedzenie*: nieświeży; *piwo*: zwietrzały; *powietrze*: stęchły

stalk[1] [stɔːk] *bot.* łodyga *f*

stalk[2] [stɔːk] *v/t.* ⟨wy⟩tropić, ⟨wy⟩śledzić; *v/i.* kroczyć, stąpać

stall[1] [stɔːl] **1.** stragan *m*, stoisko *n*; (*w stajni*) boks *m*; **~*s*** *rel. pl.* stalle *pl.*; *Brt. theat.* parter *m*; **2.** *v/t. silnik* ⟨s⟩powodować zgaśnięcie; *v/i.* zgasnąć

stall[2] [stɔːl] *v/i.* zwlekać ⟨-lec⟩; *v/t. kogoś* wstrzymywać ⟨-mać⟩; zwodzić ⟨zwieść⟩

stal·li·on ['stæljən] *zo.* ogier *m*

stal·wart ['stɔːlwət] wierny, oddany

stam·i·na ['stæmɪnə] wytrwałość *f*, hart *m*

stam·mer ['stæmə] **1.** jąkać się; **2.** jąkanie *n* się

stamp [stæmp] **1.** *v/i.* tupać; nadeptywać ⟨-pnąć⟩; *v/t.* ⟨o⟩stemplować, ⟨przy-, o⟩pieczętować; naklejać ⟨-leić⟩ znaczek na (*A*) (*list*); *fig. kogoś* określać ⟨-lić⟩ (***as*** jako *A*); **~ *out*** *ogień* ⟨s⟩tłumić; *tech.* ⟨wy⟩tłoczyć; **2.** znaczek *m* (*na list*); stempel *m*, pieczątka *f*; **~*ed (addressed) envelope*** zaadresowana koperta z naklejonym znaczkiem

stam·pede [stæm'piːd] **1.** popłoch *m*, panika *f*; paniczna ucieczka *f* (*zwierząt*); gonitwa *f*, pogoń *f* (***for*** za *I*); **2.** ⟨s⟩płoszyć (się)

stanch [stɑːntʃ] *Am.* → ***staunch***

stand [stænd] **1.** (***stood***) *v/i.* stać; wstawać ⟨wstać⟩; *wartość*: utrzymywać się; *fig.* pozostawać ⟨-stać⟩ w mocy *lub* ważnym; **~ *still*** stać bez ruchu; *v/t.* stawiać ⟨postawić⟩ (***on*** na *L*); znosić ⟨znieść⟩; *test* wytrzymywać ⟨-mać⟩; *szansę itp.* mieć; *drinka itp.* stawiać ⟨postawić⟩ (*D*); *sprawy*: wyglądać, przedstawiać się; ***I can't ~ him*** nie mogę go znieść; **~ *aside*** odchodzić ⟨odejść⟩ na bok; **~ *back*** cofać ⟨-fnąć⟩ się; **~ *by*** stać bezczynnie; *fig.* stać przy *kimś*; dotrzymywać ⟨-mać⟩ (*obietnicy itp.*); stać w pogotowiu; **~ *down*** ustępować ⟨-tąpić⟩ (*ze stanowiska*); **~ *for*** oznaczać; znosić ⟨znieść⟩; reprezentować; *zwł. Brt.* kandydować na (*A*); **~ *in*** zastępować ⟨-tąpić⟩; **~ *out*** rzucać się w oczy, odznaczać się; wyróżniać się (***against*** wśród *G*); **~ *over*** stać nad (*I*); **~ *together*** trzymać się razem; **~ *up*** wstawać ⟨-tać⟩, powstawać ⟨-tać⟩; **~ *up for*** ⟨o⟩bronić, popierać ⟨poprzeć⟩; **~ *up to*** przeciwstawiać ⟨-wić⟩ się; stawiać *komuś* czoło; **2.** stoisko *n*, stragan *m*; stojak *m*, podstawka *f*; (*w sporcie*) trybuna *f*; postój *m* (*taksówek*); *Am. jur.* miejsce *n* dla świadka; ***take a ~*** *fig.* zajmować ⟨-jąć⟩ stanowisko

stan·dard¹ ['stændəd] **1.** standard *m*; norma *f*; miara *f*; ***~ of living, living ~*** poziom *m* życia, stopa *f* życiowa; **2.** standardowy. normalny; typowy

stan·dard² ['stændəd] sztandar *m*

stan·dard·ize ['stændədaɪz] standaryzować, ujednolicać ⟨-cić⟩

'stan·dard lamp *Brt.* lampa *f* stojąca

'stand|·by 1. (*pl.* ***-bys***) rezerwa *f*; *aviat.* stand-by (*tańszy bilet tuż przed wyjazdem*); ***be on ~by*** być w pogotowiu; **2.** rezerwowy; awaryjny; *aviat.* stand-by; **'~-in** (*w filmie*, *telewizjii*) dubler(ka *f*) *m*; zastępca *m* (-czyni *f*)

stand·ing ['stændɪŋ] **1.** stojący; *fig.* stały; → ***ovation***; **2.** pozycja *f*, ranga *f*; ***of long ~*** znany od dawna; długotrwały; **~ 'or·der** *econ.* zamówienie *n* stałe; **'~ room**: ***~ room only*** brak miejsc siedzących

stand|·off·ish [stænd'ɒfɪʃ] F oficjalny, sztywny; **'~·point** *fig.* punkt *m* widzenia; **'~·still** bezruch *m*; ***be at a ~still*** nie ruszać się; *produkcja*: być w zastoju; ***bring to a ~still*** *auto* zatrzymywać; doprowadzać produkcję do zastoju; **'~-up** *posiłek*: na stojąco

stank [stæŋk] *pret. of* ***stink***

stan·za ['stænzə] strofa *f*, zwrotka *f*

sta·ple¹ ['steɪpl] **1.** główny typ pożywienia; główny produkt *m*; **2.** główny

sta·ple² ['steɪpl] **1.** zszywka *f*; **2.** zszywać⟨zszyć⟩; **'~r** zszywacz *m* (*do papieru*)

star [stɑː] **1.** gwiazda *f*; *print.* gwiazdka *f*; (*w filmie*, *telewizji*, *sporcie*) gwiazda *f*; **2.** (***-rr-***) *v/t.* oznaczać ⟨-czyć⟩ gwiazdką; ***~ring ...*** w roli głównej występuje ...; ***a film ~ring ...*** film z ... w roli głównej; *v/i.* grać rolę główną (***in*** w *L*)

star·board ['stɑːbəd] *naut.* (*prawa strona*) sterburta *f*

starch [stɑːtʃ] **1.** krochmal *m*; skrobia *f*; **2.** *pranie* ⟨na⟩krochmalić

stare [steə] **1.** wpatrywać ⟨-trzyć⟩ się (***at*** w *A*); gapić się (***at*** w *A*); **2.** *uporczywe* spojrzenie *n*

stark [stɑːk] **1.** *adj.* surowy; ponury; ***be in ~ contrast to*** różnić się krańcowo od (*G*); **2.** *adv.* F ***~ naked*** całkiem goły; ***~ raving mad*** zupełnie stuknięty

'star·light światło *n* gwiazd

star·ling ['stɑːlɪŋ] *zo.* szpak *m*

star·lit ['stɑːlɪt] rozświetlony gwiazdami

star·ry ['stɑːrɪ] (***-ier, -iest***) gwiaździsty, rozgwieżdżony; **~-'eyed** F naiwny

Stars and 'Stripes *flaga USA*

Star-Span·gled Ban·ner [stɑːspæŋgld 'bænə] (*hymn narodowy USA*)

start [stɑːt] **1.** *v/i.* zaczynać ⟨-cząć⟩ (też ***~ off***); rozpoczynać ⟨-cząć⟩; wyruszać ⟨-szyć⟩ (***for*** do *G*) (*też* ***~ off, ~ out***); *autobus itp.*: odjeżdżać ⟨-jechać⟩, *statek*: odpływać ⟨-łynąć⟩; *aviat.* ⟨wy⟩startować; *silnik*: zaskoczyć; *maszynę* uruchamiać ⟨-chomić⟩ się; (*w sporcie*) ⟨wy⟩startować; wzdrygać ⟨-gnąć⟩ się (***at*** z powodu *G*); ***to ~ with*** na początek; najpierw; ***~ from scratch*** zaczynać ⟨-cząć⟩ od zera; *v/t.* zaczynać ⟨-cząć⟩ (też ***~ off***); rozpoczynać ⟨-cząć⟩; *silnik*, *maszynę* uruchamiać ⟨-chomić⟩; *firmę* zakładać ⟨założyć⟩; *produkcję* uruchamiać ⟨-chomić⟩; **2.** początek *m*; (*zwł. sport*, *aviat.*) start *m*; odjazd *m*, odpłynięcie *n*; wzdrygnięcie *n* się; przewaga *f* (***on, over*** nad *I*); ***at the ~*** na początku; *sport*: na starcie; ***for a ~*** na początek, najpierw; ***from ~ to finish*** od początku do końca; **'~·er** (*w sporcie*) starter *m*; *mot.* rozrusznik *m*, starter *m*; zawodnik *m* (-niczka *f*); *zwł. Brt.* przystawka *f* (*do posiłku*); ***for ~s*** F na dobry początek

start·le ['stɑːtl] *kogoś* zaskakiwać ⟨-koczyć⟩, wystraszać ⟨-szyć⟩

starv|·a·tion [stɑː'veɪʃn] głód *n*; ***die of ~ation*** umrzeć z głodu; ***~ation diet*** F dieta *f* zerowa; **~e** [stɑːv] *v/i.* głodować; ***~e (to death)*** zagłodzić się; ***I'm starving!*** *Brt.*, ***I'm ~ed!*** umieram z głodu!; *v/t.* ⟨za⟩głodzić

state [steɪt] **1.** stan *m* (*też pol.*); państwo *n*; ***be in a ~*** być zdenerwowanym; **2.** państwowy; stanowy; **3.** określać ⟨-lić⟩; stwierdzać ⟨-dzić⟩; **'♀ De·part·ment** *Am. pol.* Departament *m* Stanu, Ministerstwo *n* Spraw Zagranicznych; **'~·ly** (***-ier, -iest***) uroczysty; majestatyczny, wyniosły; **'~·ment** stwierdzenie *n*; określenie *n*; *jur.* oświadczenie *n*; *econ.* wyciąg *m* (*z konta*); ***make a ~ment*** oświadczać ⟨-czyć⟩; **~-of-the-'art** *adj.* nowoczesny; **'~·room** *naut.* *luksusowa* kabina *f* jednoosobowa;

'~·side *Am.* F w Stanach, do Stanów; **~s·man** *pol.* ['steɪtsmən] (*pl.* ***-men***) mąż *m* stanu

stat·ic ['stætɪk] (***~ally***) statyczny

sta·tion ['steɪʃn] **1.** *badawcza, benzynowa* stacja *f*; *autobusowy* dworzec *m*; remiza *f* (*straży pożarnej*); komisariat *m*; *pol.* lokal *m* wyborczy; **2.** *wojsko*: stacjonować; *posterunki* ustawiać ⟨-wić⟩

sta·tion·a·ry ['steɪʃnərɪ] stacjonarny

sta·tion·er ['steɪʃnə] sprzedawca *m* (-czyni *f*) artykułów piśmiennych; **'~'s (shop)** sklep *m* z artykułami piśmiennymi; **~·y** ['steɪʃnərɪ] artykuły *pl.* piśmienne

'sta·tion|·mas·ter *rail.* naczelnik *m* stacji; **'~ wag·on** *Am. mot.* kombi *n*

sta·tis|ti·cal [stə'tɪstɪkəl] statystyczny; **~·tics** [stə'tɪstɪks] *pl. i sg.* statystyka *f*

stat·ue ['stætʃuː] pomnik *m*, posąg *m*

sta·tus ['steɪtəs] status *m*; pozycja *f*; stan *m*; stan *m* cywilny; **'~ line** *komp.* wiersz *m* stanu

stat·ute ['stætjuːt] ustawa *f*; ***~s*** *pl.* statut *m*

staunch¹ [stɔːntʃ] lojalny, oddany

staunch² [stɔːntʃ] *krwotok* ⟨za⟩tamować

stay [steɪ] **1.** pozostawać ⟨-tać⟩; przebywać (***at*** w *L*, ***with*** u *G*); ***~ away*** trzymać się z daleka (***from*** od *G*); ***~ put*** F pozostawać na miejscu; ***~ up*** nie kłaść się (*spać*); **2.** pobyt *m*; *jur.* odroczenie *n*

stead·fast ['stedfɑːst] *przyjaciel*: oddany; *wzrok*: nieruchomy

stead·y ['stedɪ] **1.** *adj.* (***-ier, -iest***) stały; niezmienny; regularny; solidny; *ręka*: pewny; *nerwy*: dobry; **2.** ⟨u⟩stabilizować (się); wyrównywać ⟨-nać⟩; *nerwy* uspokajać ⟨-koić⟩; **3.** *int.* *też* ***~ on!*** *Brt.* F uwaga!; **4.** *adv. Am.*: ***go ~ with s.o.*** chodzić z kimś na poważnie; **5.** *Am.* stały chłopak *m*, stała dziewczyna *f*

steak [steɪk] stek *m*, zraz *m*; filet *m*

steal [stiːl] (***stole, stolen***) ⟨u⟩kraść (*też fig.*); skradać się; wymykać ⟨-mknąć⟩ się (***out of*** z *G*)

stealth [stelθ]: ***by ~*** ukradkiem; **'~·y** (***-ier, -iest***) ukradkowy

steam [stiːm] **1.** para *f* (*wodna*); *attr.* parowy; ***let off ~*** spuszczać ⟨spuścić⟩ parę; *fig.* ulżyć sobie; **2.** *v/i.* parować; ***~ up*** *szkło*: zaparować się; *v/t. gastr.* ⟨u⟩gotować na parze; **'~·boat** *naut.* łódź *m* parowa; **'~·er** *naut.* parowiec *m*; szybkowar *m*; **'~·ship** *naut.* parowiec *m*

steel [stiːl] **1.** stal *f*; *attr.* stalowy; **2.** ***~ o.s. for*** przygotować się na (*A*); **'~·works** *sg.* stalownia *f*

steep¹ [stiːp] stromy; *wzrost*: ostry, gwałtowny; F *cena*: nadmierny

steep² [stiːp] *pranie* namaczać ⟨-moczyć⟩ (***in*** w *L*); zanurzać ⟨-rzyć⟩ (***in*** w *L*)

stee·ple ['stiːpl] wieża *f* kościelna; **'~·chase** (*w sportach konnych*) steeplechase *m* (*wyścig z przeszkodami*); (*w lekkiej atletyce*) steeplechase *m* (*bieg z przeszkodami*)

steer¹ [stɪə] *zo.* *młody* wół *m*

steer² [stɪə] ⟨po⟩sterować, ⟨po⟩kierować; **~·ing col·umn** *mot.* ['stɪərɪŋkɒləm] kolumna *f* kierownicy; **~·ing wheel** ['stɪərɪŋwiːl] *mot.* koło *n* kierownicy; *naut.* *też* koło *n* sterowe

stein [staɪn] kufel *m*

stem [stem] **1.** *bot.* łodyga *f*; ogonek *m*; nóżka *f* (*kieliszka*); *ling.* rdzeń *m*; **2.** (***-mm-***): ***~ from*** wynikać ⟨-knąć⟩ z (*G*)

stench [stentʃ] odór *m*, smród *m*

sten·cil ['stensl] szablon *m*; *print.* matryca *f*

ste·nog·ra·pher [ste'nɒgrəfə] *Am.* stenograf(ka *f*) *m*

step [step] **1.** krok *m* (*też fig.*); stopień *m*; (***a pair of***) ***~s*** *pl.* składana drabina *f*; ***mind the ~!*** uwaga na stopień!; ***~ by ~*** krok za krokiem; ***take ~s*** podejmować ⟨-djąć⟩ kroki; **2.** (***-pp-***) iść ⟨pójść⟩; następować ⟨-tąpić⟩ (***on*** na *A*); wdeptywać ⟨-pnąć ⟩ (***in*** w *A*); ***~ on it, ~ on the gas*** *mot.* F dodaj gazu!; ***~ aside*** odstępować ⟨-tąpić⟩; *fig.* ustępować ⟨-tąpić⟩ miejsca; ***~ down*** schodzić ⟨zejść⟩; *fig.* ustępować ⟨-tąpić⟩ miejsca; ***~ up*** *produkcję* zwiększać ⟨-szyć⟩

'step·broth·er brat *m* przyrodni

step-by-'step *fig.* stopniowo

'step·daugh·ter pasierbica *f*

'step·fa·ther ojczym *m*

'step·lad·der składana drabina *f*

'step·moth·er macocha *f*

'step·sis·ter siostra *f* przyrodnia

'step·son pasierb *m*

steppe [steps] *geogr.* step *m*

step·ping-stone *fig.* ['stepɪŋstəʊn] odskocznia *f*

ster·e·o ['sterɪəʊ] (*pl.* ***-os***) stereo *n*; zestaw *m* stereo; sprzęt *m* elektroniczny; *attr.* stereo; **'~ sys·tem** *Am. mus.* zestaw *m* stereo

ster·ile ['steraɪl] sterylny (*też fig.*); wyjałowiony; niepłodny, bezpłodny; *fig.* jałowy; **ste·ril·i·ty** [ste'rɪlətɪ] sterylność *f*; jałowość *f*; bezpłodność *f*; **ster·il·ize** ['sterəlaɪz] ⟨wy⟩sterylizować

ster·ling ['stɜːlɪŋ] funt *m* szterling

stern[1] [stɜːn] surowy

stern[2] [stɜːn] *naut.* rufa *f*

stew [stjuː] *gastr.* **1.** *mięso itp.* ⟨u⟩dusić, *owoce* ⟨u⟩gotować; ***~ed apples*** kompot *m* z jabłek; **2.** potrawka *f*; ***be in a ~*** być w tarapatach

stew·ard [stjʊəd] *naut.*, *aviat.* steward *m*; gospodarz *m* (*imprezy*); **~·ess** ['stjʊədɪs] *naut.*, *aviat.* stewardesa *f*

stick[1] [stɪk] patyk *m*; kij *m* (*też do hokeja itp.*); laska *f*; *aviat.* drążek *m* sterowy; laska *f* (*warzywa, dynamitu itp.*); kredka *f* (*do ust*)

stick[2] [stɪk] (***stuck***) *v/t.* wbijać ⟨wbić⟩ (***into*** w *A*); przebijać ⟨-bić⟩; przyklejać ⟨-kleić⟩ (***on*** do *G*); sklejać ⟨skleić⟩ (***with*** z *I*); F wtykać ⟨wetknąć⟩; ***I can't ~ him*** *zwł. Brt.* F nie mogę go znieść; *v/i.* przywierać ⟨-wrzeć⟩ (***to*** do *G*); przyklejać ⟨-leić⟩ się (***to*** do *G*); utykać ⟨utknąć⟩, ⟨u⟩więznąć; ***~ at nothing*** nie cofać ⟨-fnąć⟩ się przed niczym; ***~ by*** F trwać przy (*L*); stosować się do (*G*); ***~ out*** wystawać; *język itp.* wysuwać ⟨-nąć⟩; przetrwać *coś*; ***~ to*** trwać przy (*L*); **'~·er** naklejka *f*; **~·ing plas·ter** *Brt.* przylepiec *m*; **'~·y** (***-ier, -iest***) lepki; kleisty (***with*** od *G*); F *położenie itp.*: niezręczny

stiff [stɪf] **1.** *adj.* sztywny; F *alkohol, lekarstwo*: mocny; *zadanie*: trudny, ciężki; *konkurencja*: silny; *wyrok*: surowy; *opór*: twardy; F *cena*: wygórowany; ***keep a ~ upper lip*** *fig.* nie okazywać ⟨-zać⟩ emocji; **2.** *adv.* bardzo; ***be bored ~*** F być śmiertelnie znudzonym; ***frozen ~*** zamarznięty na kość; **3.** *sl.* truposz *m*; **~·en** ['stɪfn] *coś* usztywniać ⟨-nić⟩; ⟨ze⟩sztywnieć; *fig.* wzmacniać ⟨-mocnić⟩ (się)

sti·fle ['staɪfl] dusić (się); *fig.* ⟨s⟩tłumić

stile [staɪl] przełaz *m*

sti·let·to [stɪ'letəʊ] (*pl.* ***-tos***) sztylet *m*; **~ 'heels** *pl.* szpilki *pl.* (*buty, też obcasy*)

still[1] [stɪl] **1.** *adv.* wciąż, jeszcze; ***~ higher*** jeszcze wyższy; **2.** *cj.* jednak, mimo to

still[2] [stɪl] **1.** *adj.* spokojny; nieruchomy; cichy; *napój*: niegazowany; **2.** fotos *m*; **'~·born** *płód n*: martwo urodzony; **~ 'life** (*pl.* ***- lifes***) martwa natura *f*

stilt [stɪlt] szczudło *n*; pal *m*; **'~·ed** *styl*: zmanierowany

stim·u|·lant ['stɪmjʊlənt] *med.* środek *m* stymulujący *lub* pobudzający; używka *f*; impuls *m*, bodziec *m* (***to*** do *G*); **~·late** ['stɪmjʊleɪt] *med.* stymulować (*też fig.*); pobudzać ⟨-dzić⟩; **~·lus** ['stɪmjʊləs] (*pl.* ***-li*** [-laɪ]) bodziec *m* (*też fig.*); *fig.* zachęta *f* (***for*** do *G*)

sting [stɪŋ] **1.** (***stung***) *v/t.* ⟨u⟩ciąć, ⟨u⟩kłuć, ⟨u⟩kąsić; *pszczoła itp.*: ⟨u⟩żądlić; piec w (*A*); F oszukać, naciągnąć; *fig.* dotykać ⟨-tknąć⟩; *v/i.* ⟨za⟩piec, szczypać; *roślina itp.*: parzyć; **2.** żądło *n*; włosek *m* parzący (*rośliny*); oparzenie *n*; użądlenie *n*; ukąszenie *n*; pieczenie *n*, szczypanie *n*

stin·gy ['stɪndʒɪ] F (***-ier, -iest***) *osoba*: chciwy; *posiłek*: lichy, nędzny

stink [stɪŋk] **1.** (***stank*** *lub* ***stunk, stunk***) śmierdzieć, cuchnąć; **2.** smród *m*

stint [stɪnt]: ***~ o.s.*** (***of s.th.***) odmawiać sobie (*G*); **~** (***on***) ***s.th.*** skąpić (*G*)

stip·u|·late ['stɪpjʊleɪt] postanawiać ⟨-nowić⟩; przewidywać ⟨-dzieć⟩; **~·la·tion** [stɪpjʊ'leɪʃn] postanowienie *n*; warunek *m*

stir [stɜː] **1.** (***-rr-***) *v/t.* ⟨po-, za⟩mieszać; poruszać ⟨-szyć⟩ (*też fig.*); *fig.* wywoływać ⟨-łać⟩; ***~ up*** *kłopoty itp.* wywoływać ⟨-łać⟩; *kogoś* poruszać ⟨-szyć⟩; *v/i.* ruszać się (*z domu itp.*); ⟨po⟩ruszać się (*we śnie*); **2.** ***give s.th. a ~*** zamieszać coś; ***cause a ~, create a ~*** wywoływać ⟨-łać⟩ poruszenie

stir·rup ['stɪrəp] strzemię *n*

stitch [stɪtʃ] **1.** *szycie*: ścieg *m*; *wydziergane* oczko *n*; *med.* szew *m*; kolka *f* (*w boku*); **2.** zszywać ⟨-szyć⟩, przyszywać ⟨-szyć⟩ (***on*** do *G*); ***~ up*** *fig.* dopinać na ostatni guzik

stock [stɒk] **1.** zapas *m*; zasób *m*; *gastr.* bulion *m*, wywar *m*; *też* ***live ~*** inwentarz *m* żywy; kolba *f* (*karabinu*); *fig.* ród *m*; *zwł. Am. econ.* akcja *f*; ***~s*** *pl. econ.* papiery *pl.* wartościowe; ***have s.th. in ~*** *econ.* mieć coś na stanie; ***take ~*** *econ.* przeprowadzać ⟨-dzić⟩ spis *lub* inwentaryzację; ***take ~ of*** *fig.* oceniać ⟨-nić⟩ (*G*); **2.** *econ. towar* mieć

S

na składzie, prowadzić; ~ **up** zaopatrywać ⟨-trzyć⟩ się (**on, with** w *A*); **3.** *wyrażenie itp.*: oklepany, wyświechtany; seryjny; *rozmiar itp.*: standardowy; '**~·breed·er** hodowca *m* bydła; '**~·brok·er** *econ.* broker *m*, makler *m*; '**~ ex·change** *econ.* giełda *f* pieniężna; '**~·hold·er** *zwł. Am. econ.* akcjonariusz(ka *f*) *m*
Stock·holm Sztokholm *m*
stock·ing ['stɒkɪŋ] pończocha *f*
'**stock| mar·ket** *econ.* giełda *f* walorów; '**~·pile 1.** zapas *m*; **2.** ⟨z⟩gromadzić zapasy (*G*); **~-'still** bez ruchu; '**~·tak·ing** *econ.* inwentaryzacja *f*, spis *m*; *fig.* ocena *f*
stock·y ['stɒkɪ] (**-*ier, -iest***) przysadzisty
stole [stəʊl] *pret. od* ***steal***; **sto·len** ['stəʊlən] *p.p. od* ***steal***
stol·id ['stɒlɪd] bezwolny, bierny
stom·ach ['stʌmək] **1.** żołądek *m*; *fig.* apetyt *m* (**for** na *A*); **2.** ⟨s⟩trawić (*też fig.*); '**~·ache** ból *m* brzucha; '**~ up·set** rozstrój *m* żołądkowy
stone [stəʊn] **1.** kamień *m* (*też med.*); *bot.* pestka *f*; kulka *f* (*gradu*); (*pl.* ***stone(s)***; skrót: ***st***) *Brt.* jednostka wagi (= *6,35 kg*); **2.** ⟨u⟩kamienować; ⟨ob⟩rzucać kamieniami; usuwać ⟨usunąć⟩ pestki z (*G*); **~-'dead** martwy na amen; **~-'deaf** głuchy jak pień; '**~·ma·son** kamieniarz *m*; '**~·ware** naczynia *pl.* z kamionki
ston·y ['stəʊnɪ] (**-*ier, -iest***) kamienny (*też fig.*); *fig. spojrzenie itp.*: niewzruszony
stood [stʊd] *pret. i p.p. od* ***stand*** 1
stool [stu:l] stołek *m*, taboret *m*; *med.* stolec *m*; '**~·pi·geon** F szpicel *m*
stoop [stu:p] **1.** *v/i.* schylać ⟨-lić⟩ się (*też* ~ ***down***); ⟨z⟩garbić się; ~ ***to*** *fig.* posuwać ⟨-sunąć⟩ się do (*G*), nie cofać ⟨-fnąć⟩ się przed (*I*); **2.** garbienie *n* się
stop [stɒp] **1.** (**-*pp-***) *v/i.* zatrzymywać ⟨-mać⟩ się; stawać ⟨stanąć⟩ (*też zegar*); przerywać ⟨-rwać⟩; *Brt.* pozostawać ⟨-tać⟩; ~ ***dead*** zatrzymywać ⟨-mać⟩ się jak wryty; ~ ***at nothing*** nie cofać ⟨-fnąć⟩ się przed niczym; ~ ***short of doing***, ~ ***short at s.th.*** powstrzymywać ⟨-mać⟩ się przed (*I*); *v/t.* zatrzymywać ⟨-mać⟩; powstrzymywać ⟨-mać⟩ (***from*** przed *I*); przerywać ⟨-rwać⟩; *krwawienie* ⟨za⟩tamować; *rurę* zatykać ⟨-tknąć⟩ (*też* ~ **up**); *dziurę* wypełniać ⟨-nić⟩; *wypłatę itp.* wstrzymywać ⟨-mać⟩; ~ ***by*** wpadać ⟨wpaść⟩ (*z wizytą*); ~ ***in*** wpadać ⟨wpaść⟩ (***at*** do *G*) (*z wizytą*); ~ ***off*** F zatrzymywać ⟨-mać⟩ się; ~ ***over*** przerywać ⟨-rwać⟩ podróż; **2.** postój *m*; przystanek *m* (*autobusu*); *phot.* otwór *m* przesłony; *zw.* ***full*** ~ kropka *f*; '**~·gap** rozwiązanie *n* tymczasowe; *attr.* tymczasowy, prowizoryczny; '**~·light** *mot.* światło *n* stopu; *zwł. Am. zw.* **~*lights*** *pl.* światła *pl.* sygnalizacyjne; '**~·o·ver** przerwa *f* w podróży; *aviat.* lądowanie *n* pośrednie; **~·page** ['stɒpɪdʒ] zatrzymanie *n* (*pracy itp.*), wstrzymanie *n*; przerwa *f*, postój *m*; *zwł. Brt.* potrącenie *n* (*z pensji*); blokada *f*, zatkanie *n*; '**~·per** zatyczka *f*, korek *m*; '**~ sign** *mot.* znak *m* zatrzymania się; '**~·watch** stoper *m*
stor·age ['stɔ:rɪdʒ] składowanie *n*, magazynowanie *n*; skład *m*; *komp.* pamięć *f*
store [stɔ:] **1.** ⟨z⟩gromadzić (*też dane*); ⟨z⟩magazynować; *też* ~ **up** *fig.* zachowywać ⟨-ować⟩; **2.** zapas *m*, zasób *m*; magazyn *m*, skład *m*; *zwł. Brt.* dom *m* towarowy; *zwł. Am.* sklep *m*; ⚠ *nie* ***stora***; '**~·house** magazyn *m*, skład *m*; *fig.* kopalnia *f*, skarbnica *f*; '**~·keep·er** *zwł. Am.* sklepikarz *m* (-arka *f*), właściciel(ka *f*) *m* sklepu; '**~·room** schowek *m*
sto·rey *Brt.*, **sto·ry** *Am.* ['stɔ:rɪ] piętro *n*
...sto·reyed *Brt.*, **...sto·ried** *Am.* ['stɔ:rɪd] ...piętrowy, o ... piętrach
stork [stɔ:k] *zo.* bocian *m*
storm [stɔ:m] **1.** burza *f* (*też fig.*), sztorm *m*; **2.** *v/t. mil.* szturmować; *v/i.* wypadać ⟨-paść⟩ jak burza; '**~·y** (**-*ier, -iest***) burzliwy
sto·ry[1] ['stɔ:rɪ] opowiadanie *n*; historia *f*; fabuła *f*; *gazeta itp.* artykuł *m*, relacja *f* (**on** z *G*)
sto·ry[2] *Am.* ['stɔ:rɪ] → ***storey***
stout [staʊt] **1.** korpulentny, otyły; *fig.* zagorzały, zapalony; **2.** porter *m*
stove [stəʊv] piec *m*; kuchenka *f*
stow [stəʊ] *też* ~ ***away*** umieszczać ⟨-mieścić⟩, składać ⟨złożyć⟩; '**~·a·way** pasażer(ka *f*) *m* na gapę
strad·dle ['strædl] siedzieć ⟨usiąść⟩ okrakiem na (*I*)

S

strag|·gle ['strægl] słać się; *domy*: być rozrzuconym; *ludzie*: ⟨po⟩dzielić się na grupki; '**~·gler** maruder *m*; '**~·gly** (***-ier, -iest***) *włosy*: nastroszony; *bot.* płożący się
straight [streɪt] **1.** *adj.* prosty; *whisky*: czysty; porządny, uporządkowany; szczery; prosty; jasny; *koncert*: bez przerwy; *sl.* (*nie homoseksualny*) normalny; (*nie narkoman*) czysty; ***put ~*** uporządkowywać ⟨-ować⟩; **2.** *adv.* prosto; natychmiast, od razu; szczerze; porządnie; wyraźnie (*myśleć, widzieć*); ***~ ahead*** prosto; ***~ off*** F od razu; ***~ on*** prosto; ***~ out*** F wyraźnie; **3.** (*w sporcie*) prosta *f*; '**~·en** *v/t.* ⟨wy⟩prostować (się); poprawiać ⟨-wić⟩; ***~en out*** doprowadzać ⟨-dzić⟩ do porządku, uporządkowywać ⟨-ować⟩; *v/i. też* ***~en out*** *ulicę itp.* ⟨wy⟩prostować; ***~en up*** wyprostowywać ⟨-ować⟩ się; **~'for·ward** prosty; nieskomplikowany
strain [streɪn] **1.** *v/t. linę itp.* naprężać ⟨-żyć⟩; *oczy itp.* wytężać ⟨-żyć⟩; wytężać ⟨-żyć⟩ się; *mięsień* nadwerężać ⟨-żyć⟩; *herbatę itp.* cedzić, przecedzać ⟨-dzić⟩; *v/i.* wytężać ⟨-żyć⟩ się; ***~ at*** napinać ⟨-piąć⟩ (*A*); **2.** napięcie *n* (*też fig.*); nadwerężenie *n*; przeciążenie *n*; odmiana *f* (*zwierzęcia, rośliny*); ***~ed*** przeciążony; *śmiech*: wysilony; *relacje*: napięty; ***look ~ed*** wyglądać na spiętego; '**~·er** sitko *n*, sito *n*
strait [streɪt] (*w nazwach własnych* ***≈s*** *pl.*) cieśnina *f*; ***~s*** *pl.* tarapaty *pl.*; ***≈ of Dover*** Cieśnina *f* Kaletańska
strait|·ened ['streɪtnd]: ***live in ~ened circumstances*** żyć w trudnych warunkach (*finansowych*); '**~·jack·et** *med.* kaftan *m* bezpieczeństwa
strand [strænd] pasmo *n* (*włóczki, włosów; też fig.*); żyła *f* (*kabla*); plaża *f*, brzeg *m*
strand·ed ['strændɪd]: ***be ~*** *naut.* osiadać ⟨-siąść⟩ na mieliźnie; ***be*** (***left***) ***~*** *fig.* zostać osamotnionym (*w kłopotach*)
strange [streɪndʒ] (***-r, -st***) dziwny; obcy; nieznajomy; '**strang·er** obcy *m* (-ca *f*); nieznajomy (-ma *f*)
stran·gle ['stræŋgl] ⟨u⟩dusić; *fig.* zduszać ⟨zdusić⟩
strap [stræp] **1.** pasek *m*; ramiączko *n*; **2.** (***-pp-***) przypinać ⟨-piąć⟩
stra·te·gic [strə'tiːdʒɪk] (***-ally***) strategiczny; **strat·e·gy** ['strætɪdʒɪ] strategia *f*
stra·tum ['strɑːtəm] *geol.* (*pl.* ***-ta*** [-tə]) warstwa *f*
straw [strɔː] słoma *f*; słomka *f* (*do picia*); **~·ber·ry** ['strɔːbərɪ] *bot.* truskawka *f*
stray [streɪ] **1.** odchodzić ⟨odejść⟩; zabłądzić, zabłąkać się; *fig.* odbiegać ⟨-biec⟩ (***from*** od *G*); **2.** zabłąkane zwierzę *n*; **3.** zabłąkany; *przykład*: przypadkowy
streak [striːk] **1.** pasmo *n*; smuga *f* (*światła*); cecha *f*; ***a ~ of lightning*** błyskawica *f*; ***lucky ~*** dobra passa *f*; **2.** przemykać ⟨-mknąć⟩; pokrywać ⟨-ryć⟩ pasmami; '**~·y** (***-ier, -iest***) w pasmach; *bekon*: tłusty
stream [striːm] **1.** strumień *m*; potok *m*; *fig.* prąd *m*; **2.** ⟨po⟩płynąć strumieniami; wypływać ⟨-łynąć⟩; '**~·er** serpentyna *f*; proporzec *m*; *komp.* streamer *m*
street [striːt] **1.** ulica *f*; *attr.* uliczny; ***in*** (*zwł. Am.* ***on***) ***the ~*** na ulicy; '**~·car** *Am.* tramwaj *m*
strength [streŋθ] **1.** siła *f* (*też fig.*); silny punkt *m*; *tech.* wytrzymałość *f*; '**~·en** *v/t.* wzmacniać ⟨-mocnić⟩; *v/i.* umacniać ⟨-mocnić⟩ się
stren·u·ous ['strenjʊəs] wyczerpujący, forsowny
stress [stres] **1.** *fig.* stres *m*; *phys., tech.* naprężenie *n*, nacisk *m*; *ling.* przycisk *m*, akcent *m*; *fig.* nacisk *m*; **2.** ⟨za⟩akcentować; '**~·ful** stresujący
stretch [stretʃ] **1.** *v/t.* rozciągać ⟨-gnąć⟩; ***~ out*** wyciągać ⟨-gnąć⟩; *fig. fakty* naciągać; *v/i.* rozciągać ⟨-gnąć⟩ się; wyciągać ⟨-gnąć⟩ się; ciągnąć się; ***~ out*** *ktoś*: przeciągać ⟨-gnąć⟩ się; **2.** rozciągnięcie *n*; naprężenie *n*; elastyczność *f*; odcinek *m* (*też czasu*); okres *m*; ***have a ~*** przeciągnąć się; '**~·er** nosze *pl.*
strick·en ['strɪkən] udręczony, umęczony; ***~ with*** dotknięty (*I*)
strict [strɪkt] ścisły; surowy, srogi; ***~ly speaking*** dokładnie rzecz biorąc
strid·den ['strɪdn] *p.p.* ***stride*** 1
stride [straɪd] **1.** (***strode, stridden***) kroczyć (*dużymi krokami*); **2.** *duży* krok *m*
strife [straɪf] walka *f*
strike [straɪk] **1.** (***struck***) *v/t.* uderzać ⟨-rzyć⟩; ⟨z⟩bić; ⟨za⟩atakować; *zapałkę*

S

pocierać ⟨potrzeć⟩; natrafiać ⟨-fić⟩ na (*ropę, złoto*); *godzinę* wybijać ⟨-bić⟩; *monety* bić; *obóz* rozbijać ⟨-bić⟩; *flagę, żagiel* zwijać ⟨zwinąć⟩; *równowagę itp.* osiągać ⟨-gnąć⟩; *transakcję* zawierać ⟨-wrzeć⟩; wykreślać ⟨-lić⟩ (***from, off*** z *listy*); ~ ***out*** przekreślać ⟨-lić⟩; ~ ***up*** *melodię* rozpoczynać ⟨-cząć⟩; *przyjaźń itp.* zawierać ⟨-wrzeć⟩; *v/i. econ.* ⟨za⟩strajkować; wydarzać się; wybijać ⟨-bić⟩ godzinę; ⟨za⟩atakować; uderzać ⟨-rzyć⟩; ~ (***out***) ***at s.o.*** ⟨za⟩atakować kogoś; uderzać ⟨-rzyć⟩ na kogoś; **2.** *econ.* strajk *m*; odkrycie *n* (*ropy, złota*); *mil.* uderzenie *n*; ***be on*** ~ strajkować; ***go on*** ~ zastrajkować; ***a lucky*** ~ szczęśliwe odkrycie; **'strik•er** *econ.* strajkujący *m* (-ca *f*); (*w piłce nożnej*) napastnik *m* (-niczka *f*); **'strik•ing** uderzający; zachwycający

string [strɪŋ] **1.** sznurek *m*; sznur *m* (*też fig.*); nić *f*, drut *m* (*do marionetki*); struna *f* (*skrzypiec, rakiety tenisowej itp.*); cięciwa *f* (*łuku*); włókno *n*, łyko *n* (*fasoli itp.*); *komp.* ciąg *m*; ***the*** ~***s*** *pl. mus.* smyczki *pl.*, instrumenty *pl.* smyczkowe; ***pull*** ~***s*** *fig.* pociągać za sznurki; ***with no*** ~***s attached*** *fig.* bez dodatkowych warunków; **2.** (***strung***) *paciorki itp.* ⟨na⟩nizać na (*sznur*); zakładać ⟨założyć⟩ strunę; usuwać ⟨-sunąć⟩ łyko z (*fasoli itp.*); **3.** *mus.* smyczkowy; ~ **'bean** *zwł. Am.* fasolka *f* szparagowa

strin•gent ['strɪndʒənt] ostry

string•y ['strɪŋɪ] (***-ier, -iest***) łykowaty

strip [strɪp] **1.** (***-pp-***) *v/i. też* ~ ***off*** rozbierać ⟨-zebrać⟩ się (***to*** do *G*); *v/t. ubranie, farbę itp.*. ściągać ⟨-gnąć⟩; rozbierać ⟨-zebrać⟩; *tapetę* zrywać ⟨zerwać⟩ (***from, off*** z *G*); *też* ~ ***down*** *tech.* ⟨z⟩demontować, rozmontowywać ⟨-tować⟩; ~ ***s.o. of s.th.*** pozbawiać ⟨-wić⟩ kogoś czegoś; **2.** pasek *m*; pas *m* (*wody itp.*); striptiz *m*

stripe [straɪp] pasek *m*; prążek *m*; ~**d** prążkowany

strode [strəʊd] *pret. od* ***stride*** 1

stroke [strəʊk] **1.** ⟨po⟩głaskać; ⟨po⟩gładzić; **2.** uderzenie *n* (*zegara, batem, w grze itp.*); pociągnięcie *n* (*pędzlem*); *med.* udar *m*, porażenie *n*; (*w pływaniu*) ruch *m*; *tech.* suw *m*, skok *m*; ***four-***~ ***engine*** silnik *m* czterosuwowy; ~ ***of luck*** *fig.* szczęśliwy traf *m*

stroll [strəʊl] **1.** przechadzać się; spacerować; **2.** przechadzka *f*; spacer *m*; **'**~**•er** ['strəʊlə] spacerowicz(ka *f*) *m*; *Am.* wózek *m* spacerowy

strong [strɒŋ] silny, mocny; *kraj*: potężny; *wyrażenie*: dosadny; ***70*** ~ w liczbie 70; **'**~**•box** sejf *m*, kasa *f*; **'**~**•hold** twierdza *f*; warownia *f*; *fig.* bastion *m*; ~**-'mind•ed** przekonany; **'**~ **room** skarbiec *m*

struck [strʌk] *pret. i p.p. od* ***strike*** 1

struc•ture ['strʌktʃə] struktura *f*; budowa *f*; budowla *f*; konstrukcja *f*

strug•gle ['strʌgl] **1.** walczyć, zmagać się (***with*** z *I*, ***for*** za *A*); **2.** walka *f*, zmaganie *n* się

strum [strʌm] (***-mm-***) uderzać w (*struny*), brzdąkać ⟨-knąć⟩ na (*instrumencie*)

strung [strʌŋ] *pret. i p.p. od* ***string*** 2

strut[1] [strʌt] (***-tt-***) dumnie kroczyć

strut[2] [strʌt] *tech.* rozpórka *f*; zastrzał *m*

stub [stʌb] **1.** ogryzek *m* (*ołówka*); niedopałek *m* (*papierosa*); odcinek *m* kontrolny; **2.** (***-bb-***) uderzyć się w (*palec stopy*); ~ ***out*** *papierosa* ⟨z⟩gasić

stub•ble ['stʌbl] ściernisko *n*; (*broda*) szczecina *f*

stub•born ['stʌbən] uparty; zawzięty; *plama*: oporny

stuck [stʌk] *pret. i p.p. od* ***stick*** 2; ~**-'up** F wynoszący się, nadęty

stud[1] [stʌd] **1.** nit *m* (*na ubraniu*); zatrzask *m*; spinka *f* (*do kołnierzyka itp.*); korek *m* (*na bucie*); ~***s*** *pl. mot.* kolce *pl.*; **2.** ***be*** ~***ed with*** być nabijanym (*I*); być usianym (*I*); ~***ed tyres*** (*Am.* ***tires***) *pl.* opony *pl.* z kolcami

stud[2] [stʌd] stadnina *f*

stu•dent ['stjuːdnt] student(ka *f*) *m*; *zwł. Am. ogólnie* uczeń *m*; uczennica *f*

'stud| farm stadnina *f*; **'**~ **horse** ogier *m* rozpłodowy

stud•ied ['stʌdɪd] wystudiowany

stu•di•o ['stjuːdɪəʊ] (*pl.* ***-os***) studio *n*, atelier *n*; *też* ~ ***flat*** *Brt.*, ~ ***apartment*** *zwł. Am.* kawalerka *f*

stu•di•ous ['stjuːdjəs] staranny, obowiązkowy

stud•y ['stʌdɪ] **1.** studium *n*; nauka *f*; gabinet *m*; ***studies*** *pl.* studia *pl.*; **2.** studiować (***for*** do *G*); uczyć się (*G*)

stuff [stʌf] **1.** rzecz *f*; rzeczy *pl.*; coś; **2.** wypychać ⟨-pchać⟩; wpychać ⟨wepchnąć⟩ (***into*** do *G*); *gastr.* nadziewać ⟨-dziać⟩, ⟨na⟩faszerować; ~ ***o.s.*** F napychać ⟨-pchać⟩ się; **'~·ing** *gastr.* nadzienie *n*, farsz *m*; (*pierze itp.*) wypełnienie *n*; **'~·y** (***-ier, -iest***) duszny; staromodny

stum·ble ['stʌmbl] **1.** potykać ⟨-tknąć⟩ się (***on, over***, *fig.* ***at, over*** o *A*); ~ ***across***, ~ ***on*** natykać ⟨-tknąć⟩ się na (*A*); **2.** potknięcie *n* się

stump [stʌmp] **1.** kikut *m*; pieniek *m*; **2.** chodzić ⟨iść⟩ ciężkim krokiem; wprawiać w zakłopotanie; **'~·y** (***-ier, -iest***) F kikutowaty

stun [stʌn] (***-nn-***) ogłuszać ⟨-szyć⟩; oszałamiać ⟨-szołomić⟩

stung [stʌŋ] *pret. i p.p. od* ***sting*** 1

stunk [stʌŋk] *pret. i p.p. od* ***stink*** 1

stun·ning ['stʌnɪŋ] fantastyczny; oszałamiający

stunt[1] [stʌnt] ⟨za⟩hamować; ~***ed*** skarlały

stunt[2] [stʌnt] wyczyn *m* (*akrobatyczny*); wyczyn *m* kaskaderski; *reklamowa* akcja *f*; **'~ man** (*pl.* ***-men***) kaskader *m*; **'~ wom·an** (*pl.* ***-women***) kaskaderka *f*

stu·pid ['stjuːpɪd] głupi, durny; **~·i·ty** [stjuː'pɪdətɪ] głupota *f*, durnota *f*

stu·por ['stjuːpə] stupor *m*; osłupienie *n*; ***in a drunken*** ~ w otępieniu pijackim

stur·dy ['stɜːdɪ] (***-ier, -iest***) krzepki; wytrzymały; *fig.* zacięty

stut·ter ['stʌtə] **1.** ⟨za⟩krztusić się; jąkać się; **2.** jąkanie *n* się

sty[1] [staɪ] → ***pigsty***

sty[2], **stye** [staɪ] *med.* jęczmień *m*

style [staɪl] **1.** styl *m*; rodzaj *m*; moda *f*; *bot.* słupek *m*; **2.** stylizować; ⟨u⟩kształtować

styl|·ish ['staɪlɪʃ] elegancki; pełen stylu; **'~·ist** fryzjer(ka *f*) *m*; stylista *m*

sty·lus ['staɪləs] *gramofonowa* igła *f*

sty·ro·foam ['staɪərəfəʊm] *TM zwł. Am.* styropian *m*

suave [swɑːv] naskakujący

sub·di·vi·sion ['sʌbdɪvɪʒn] podział *m* wtórny

sub·due [səb'djuː] opanowywać ⟨-nować⟩; **~d** *ktoś, coś*: przygaszony; *głos*: przytłumiony

sub|·ject 1. ['sʌbdʒɪkt] temat *m*; *ped.*, *univ.* przedmiot *m*; *gr.* podmiot *m*; poddany *m* (-na *f*); **2.** ['sʌbdʒɪkt] *adj.* ***~ject to*** podlegający (*D*), za zastrzeżeniem (*G*); ***be ~ject to*** podlegać (*D*); być podatnym na (*A*); ***prices ~ject to change*** ceny mogą ulec zmianie; **3.** [səb'dʒekt] poddawać ⟨-ddać⟩ (*D*); **~·jec·tion** [səb'dʒekʃn] poddanie *n*, podporządkowanie *n*

sub·ju·gate ['sʌbdʒʊgeɪt] podporządkowywać ⟨-ować⟩

sub·junc·tive [səb'dʒʌŋktɪv] *gr. też* ~ ***mood*** tryb *m* łączący, koniunktyw *m*

sub|·lease [sʌb'liːs], **~'let** (***-tt-. -let***) podwynajmować ⟨-jąć⟩

sub·lime wzniosły

sub·ma·chine gun [sʌbmə'ʃiːn -] pistolet *m* maszynowy

sub·ma·rine [sʌbmə'riːn] **1.** podwodny; **2.** okręt *m* podwodny

sub·merge [səb'mɜːdʒ] zanurzać ⟨-rzyć⟩ się (***in*** w *I*)

sub·mis|·sion [səb'mɪʃn] poddanie *n* się, podporządkowanie *n* się; składanie *n*, złożenie *n*; zgłoszenie *n*; **~·sive** [səb'mɪsɪv] uległy, podporządkowany

sub·mit [səb'mɪt] (***-tt-***) przedstawiać ⟨-wić⟩; poddawać ⟨-ddać⟩ się; (*D*)

sub·or·di·nate 1. [sə'bɔːdnət] podporządkowany, podległy; **2.** [sə'bɔːdnət] podwładny *m* (-na *f*); **3.** [sə'bɔːdɪneɪt]: ~ ***to*** podporządkowywać ⟨-ować⟩ (*D*); ~ **'clause** *gr.* zdanie *n* podrzędne

sub|·scribe [səb'skraɪb] *v/t. pieniądze* ofiarowywać ⟨-ować⟩; *v/i.* ***~scribe to*** prenumerować (*A*); składać ⟨złożyć⟩ pieniądze na (*A*); *idee itp.* popierać ⟨-przeć⟩ (*A*); **~'scrib·er** prenumerator(ka *f*) *m*; *tel.* abonent *m*

sub·scrip·tion [səb'skrɪpʃn] prenumerata *f*, subskrypcja *f*; abonament *m*

sub·se·quent ['sʌbsɪkwənt] następujący, późniejszy

sub·side [səb'saɪd] *ulica, budynek*: zapadać ⟨-paść⟩ się; *wiatr itp.*: uspokajać ⟨-koić⟩ się

sub·sid·i·a·ry [səb'sɪdjərɪ] **1.** pomocniczy; ~ ***question*** pytanie *n* dodatkowe; **2.** *econ.* przedsiębiorstwo *n* zależne, filia *f*

sub·si|·dize ['sʌbsɪdaɪz] subsydiować; **~·dy** ['sʌbsɪdɪ] subsydium *n*, subwencja *f*

sub|·sist [səb'sɪst] utrzymywać się, żyć (***on*** z *G*); **~'sis·tence** egzystencja *f*

sub·stance ['sʌbstəns] substancja *f* (*też fig.*); *fig.* istota *f*

S

sub·stan·dard [sʌb'stændəd] gorszego gatunku
sub·stan·tial [səb'stænʃl] *mebel*: solidny; *ilość*: znaczny; *zmiany*: poważny
sub·stan·ti·ate [səb'stænʃıeıt] popierać ⟨poprzeć⟩, udowadniać ⟨-wodnić⟩
sub·stan·tive ['sʌbstəntıv] *gr.* rzeczownik *m*
sub·sti|·tute ['sʌbstıtjuːt] **1.** substytut *m*; surogat *m*, namiastka *f*; zastępca *m* (-czyni *f*); (*w sporcie*) zmiennik *m* (-niczka *f*); *attr.* zastępczy; rezerwowy; **2. ~tute s.th. for s.th.** zastępować ⟨-tąpić⟩ coś czymś; **~·tu·tion** [sʌbstı'tjuːʃn] zamiana *f*; (*w sporcie*) zmiana *f*
sub·ter·fuge ['sʌbtəfjuːdʒ] podstęp *m*, wybieg *m*
sub·ter·ra·ne·an [sʌbtə'reınjən] podziemny
sub·ti·tle ['sʌbtaıtl] (*na filmie*) napis *m*
sub·tle ['sʌtl] (**-r, -st**) subtelny; delikatny; zmyślny
sub|·tract [səb'trækt] *math.* odejmować ⟨-djąć⟩ (**from** od *G*); **~·trac·tion** [səb'trækʃn] *math.* odejmowanie *n*
sub·trop·i·cal [sʌb'trɒpıkl] subtropikalny, podzwrotnikowy
sub|·urb ['sʌbɜːb] przedmieście *n*; **~·ur·ban** [sə'bɜːbən] podmiejski
sub·ver·sive [səb'vɜːsıv] wywrotowy
sub·way ['sʌbweı] *Brt.* przejście *n* podziemne; *Am.* metro *n*
suc·ceed [sək'siːd] *v/i.* odnosić ⟨-nieść⟩ sukces (*in* w *L*); powodzić ⟨-wieść⟩ się; **~ to** *urząd itp.* przejmować ⟨-jąć⟩; **~ to the throne** ⟨o⟩dziedziczyć tron; *v/t.* **~ s.o. as** być czyimś następcą w (*L*)
suc·cess [sək'ses] sukces *m*, powodzenie *n*; **~·ful** udany, pomyślny
suc·ces|·sion [sək'seʃn] następstwo *n*; szereg *m*; dziedziczenie *n*, sukcesja *f*; **five times in ~sion** pięć razy pod rząd; **in quick ~sion** szybko jeden za drugim; **~·sive** [sək'sesıv] sukcesywny, kolejny, stopniowy; **~·sor** [sək'sesə] następca *f* (-czyni *f*)
suc·cu·lent ['sʌkjʊlənt] *mięso itp.*: soczysty
such [sʌtʃ] taki *m*, taka *m*
suck [sʌk] **1.** ssać ((**at**) **s.th.** coś); wysysać ⟨wessać⟩, zasysać ⟨zassać⟩; **2. have** *lub* **take a ~ at** possać (*A*); **'~·er** *zo.* ssawka *f*; *tech.*, *zo.* przyssawka *f*; *bot.* odrost *m*; F frajer *m*, jeleń *m*; *Am.* lizak *m*; **~·le** ['sʌkl] *pierś* ssać; karmić piersią
suc·tion ['sʌkʃn] ssanie *n*, zasysanie *n*; **'~ pump** *tech.* pompa *f* ssąca
sud·den ['sʌdn] nagły; ***all of a ~*** F nagle, znienacka; **'~·ly** nagle
suds [sʌdz] *pl.* mydliny *pl.*
sue [suː] *jur. kogoś* pozywać ⟨-zwać⟩, zaskarżać ⟨-żyć⟩ (*do sądu*) (**for** za *A*); wnosić (**for** o *A*)
suede, **suède** [sweıd] zamsz *m*; *attr.* zamszowy
su·et ['sʊıt] sadło *n*
suf·fer ['sʌfə] *v/i.* ⟨u-, wy⟩cierpieć (**for** za *A*); doznawać ⟨-nać⟩ uszczerbku; **~ from** cierpieć na (*A*); *v/t. konsekwencje, straty* ponosić ⟨-nieść⟩; doznawać ⟨-nać⟩; doświadczać ⟨-czyć⟩ (*upokorzenia*); **~·er** ['sʌfərə] cierpiący *m* (-ca *f*); poszkodowany *m* (-na *f*); **~·ing** ['sʌfərıŋ] cierpienie *n*
suf·fice [sə'faıs] wystarczać ⟨-czyć⟩ (**for** na *A*)
suf·fi·cient [sə'fıʃnt] wystarczający, dostateczny; ***be ~*** wystarczać ⟨-czyć⟩
suf·fix ['sʌfıks] *gr.* przyrostek *m*, sufiks *m*
suf·fo·cate ['sʌfəkeıt] ⟨u⟩dusić się
suf·frage ['sʌfrıdʒ] *pol.* prawo *n* głosowania
suf·fuse [sə'fjuːz] zalewać ⟨-lać⟩ (*światłem*)
sug·ar ['ʃʊgə] **1.** cukier *m*; *attr.* cukrowy; **2.** ⟨po⟩słodzić; **'~ bowl** cukiernica *f*; **'~·cane** trzcina *f* cukrowa; **~·y** ['ʃʊgərı] cukrowy; słodki; *fig.* przesłodzony, ckliwy
sug|·gest [sə'dʒest] ⟨za⟩proponować; ⟨za⟩sugerować; wskazywać; podsuwać ⟨-sunąć⟩ (*myśl*); **~·ges·tion** [sə'dʒestʃən] sugestia *f*; wskazówka *f*; propozycja *f*; **~·ges·tive** [sə'dʒestıv] niedwuznaczny; *spojrzenie itp.*: wiele mówiący
su·i·cide ['sjʊısaıd] samobójstwo *n*; ***commit ~*** popełnić samobójstwo
suit [suːt] **1.** garnitur *m*; *kąpielowy* kostium *m*; (*w kartach*) kolor *m*; *jur.* proces *m*; ***follow ~*** *fig.* iść ⟨pójść⟩ za przykładem; **2.** *v/t. komuś* odpowiadać (*termin itp.*); pasować do (*G*); ***~ s.th., be ~ed to s.th.*** pasować do czegoś, nadawać się do czegoś; ***~ yourself!*** rób jak chcesz!; **'sui·ta·ble** odpowiedni, właś-

S

ciwy, stosowny (***for, to*** do *G*); **'~·case** walizka *f*
suite [swiːt] komplet *m* (*mebli*); zestaw *m*; apartament *m*; świta *f*; *mus.* suita *f*
sul·fur ['sʌlfə] *Am.* → ***sulphur***
sulk [sʌlk] ⟨na⟩dąsać się, boczyć się; **~s** *pl.*: ***have the ~s*** dąsać się
sulk·y[1] ['sʌlkɪ] (***-ier, -iest***) dąsający się; nadąsany
sulk·y[2] ['sʌlkɪ] (*w wyścigach konnych*) sulki *pl.*
sul·len ['sʌlən] ponury
sul|·phur ['sʌlfə] *chem.* siarka *f*; **~·phu·ric ac·id** [sʌlfjʊərɪk 'æsɪd] *chem.* kwas *m* siarkowy
sul·try ['sʌltrɪ] (***-ier, -iest***) duszny; *głos, spojrzenie*: zmysłowy
sum [sʌm] **1.** suma *f*; kwota *f*; ***do ~s*** ⟨wy⟩liczyć; **2.** (***-mm-***): ***~ up*** podsumowywać ⟨-mować⟩; dokonywać ⟨-nać⟩ podsumowania; *fig.* oceniać ⟨-nić⟩
sum|·mar·ize ['sʌməraɪz] streszczać ⟨-reścić⟩; **~·ma·ry** ['sʌmərɪ] streszczenie *n*
sum·mer ['sʌmə] lato; ***in (the) ~*** latem, w lecie; **'~ camp** kolonia *f* (*dla dzieci*); **~ 'hol·i·days** *pl.* wakacje *pl.* letnie; **~ re'sort** (*miejscowość*) letnisko *n*; **'~ school** szkoła *f* letnia; **'~·time** lato *n*; ***in (the) ~time*** latem, w lecie; **'~ time** *zwł. Brt.* czas *m* letni; **~ va'ca·tion** *zwł. Am.* wakacje *pl.* letnie; **~·y** ['sʌmərɪ] letni
sum·mit ['sʌmɪt] wierzchołek *m*; szczyt *m* (*też econ., pol., fig.*); **'~ (con·fe·rence)** konferencja *f* na szczycie; **'~ (meet·ing)** spotkanie *n* na szczycie
sum·mon ['sʌmən] wzywać ⟨wezwać⟩, zwoływać ⟨-łać⟩; *jur.* pozywać ⟨-zwać⟩; ***~ up*** *siłę, męstwo itp.* zbierać ⟨zebrać⟩; **~s** ['sʌmənz] *jur.* wezwanie *n*
sump·tu·ous ['sʌmptʃʊəs] wystawny, okazały
sun [sʌn] **1.** słońce *n*; *attr.* słoneczny; **2.** (***-nn-***): ***~ o.s.*** opalać się
Sun *skrót pisany*: ***Sunday*** niedz., niedziela *f*
'sun|·bathe brać ⟨wziąć⟩ kąpiele słoneczne; **'~·beam** promień *m* słońca; **'~·bed** (*urządzenie*) solarium *n*; **'~·burn** oparzenie *n* słoneczne
sun·dae ['sʌndeɪ] puchar *m* lodowy
Sun·day ['sʌndɪ] (*skrót*: ***Sun***) niedziela *f*; ***on ~*** w niedzielę; ***on ~s*** co niedzielę
'sun|·dial ['sʌndaɪəl] zegar *m* słoneczny; **'~·down** → ***sunset***
sun|·dries ['sʌndrɪz] *pl.* różności *pl.*; **~·dry** ['sʌndrɪ] różny, rozmaity
sung [sʌŋ] *p.p. od* ***sing***
'sun·glass·es (***a pair of ~***) *pl.* okulary *pl.* słoneczne
sunk [sʌŋk] *pret. i p.p. od* ***sink*** 1
sunk·en ['sʌŋkən] *policzki*: zapadnięty; *statek itp.*: zatopiony; *ogród itp.*: wgłębiony
'sun|·light światło *n* słoneczne; **'~·lit** oświetlony słońcem
sun·ny ['sʌnɪ] (***-ier, -iest***) słoneczny
'sun|·rise wschód *m* słońca; **'~·roof** taras *m*; *mot.* (*dachowe okno uchylne*) szyberdach *m*; **'~·set** zachód *m* słońca; **'~·shade** parasol *m* przeciwsłoneczny; parasolka *f* przeciwsłoneczna; osłona *f* od słońca; **'~·shine** światło *n* słońca; **'~·stroke** porażenie *n* słoneczne; **'~·tan** opalenizna *f*
su·per ['suːpə] F super
su·per... ['suːpə] nad...
su·per|·a·bun·dance [suːpərə'bʌndəns] nadmiar *m*; **~·an·nu·at·ed** [suːpə'rænjʊeɪtɪd] emerytowany, w stanie spoczynku
su·perb [suː'pɜːb] znakomity
'su·per|·charg·er *mot.* sprężarka *f* doładowująca; **~·cil·i·ous** [suːpə'sɪlɪəs] wyniosły; **~·fi·cial** [suːpə'fɪʃl] powierzchowny; **~·flu·ous** [suː'pɜːfluəs] nadmierny; zbyteczny; **~'hu·man** nadludzki; **~·im·pose** [suːpərɪm'pəʊz] nakładać ⟨nałożyć⟩; **~·in·tend** [suːpərɪn'tend] nadzorować; ⟨s⟩kontrolować; **~·in·tend·ent** [suːpərɪn'tendənt] nadzorca *m* (-rczyni *f*); *Brt.* inspektor *m*
su·pe·ri·or [suː'pɪərɪə] **1.** zwierzchni, przełożony; starszy (*rangą*); lepszy; ***Father*** ♀ Ojciec Przełożony; ***Mother*** ♀ Matka Przełożona; **2.** zwierzchnik *m* (-niczka *f*), przełożony *m* (-na *f*); **~·i·ty** [suːpɪərɪ'ɒrətɪ] starszeństwo *n*, wyższość *f*, przewaga *f* (***over*** nad *I*)
su·per·la·tive [suː'pɜːlətɪv] **1.** doskonały, znakomity; **2.** *też* ***~ degree*** *gr.* stopień *m* najwyższy
'su·per|·mar·ket supermarket *m*; **~'nat·u·ral** nadprzyrodzony; **~·nu·me·ra·ry** [suːpə'njuːmərərɪ] nadliczbowy; **~·sede** [suːpə'siːd] zastępować ⟨-tąpić⟩; **~'son·ic** *aviat., phys.* nad-

dźwiękowy; **~·sti·tion** [suːpə'stɪʃn] zabobon *m*; **~·sti·tious** [suːpə'stɪʃəs] zabobonny; **'~·store** megasam *m*; **~·vene** [suːpə'viːn] zachodzić ⟨-zajść⟩; **~·vise** ['suːpəvaɪz] nadzorować; **~·vi·sion** [suːpə'vɪʒn] nadzór *m*, dozór *m*; ***under s.o.'s ~vision*** pod czyimś nadzorem *lub* kierownictwem; **~·vi·sor** ['suːpəvaɪzə] nadzorca *m* (-czyni *f*), kontroler(ka *f*) *m*

sup·per ['sʌpə] kolacja *f*; ***have ~*** ⟨z⟩jeść kolację; → ***lord***

sup·plant [sə'plɑːnt] zastępować ⟨-tąpić⟩; wypierać ⟨-przeć⟩

sup·ple ['sʌpl] (***-er, -est***) giętki, elastyczny

sup·ple|·ment 1. ['sʌplɪmənt] dodatek *m*; uzupełnienie *n*; suplement *m*; **2.** ['sʌplɪment] dodawać ⟨-dać⟩, uzupełniać ⟨-nić⟩; **~·men·ta·ry** [sʌplɪ'mentərɪ] uzupełniający, dodatkowy

sup·pli·er [sə'plaɪə] dostawca *m*; *też* ***~s*** *pl*. firma *f* dostawcza, dostawcy *pl*.

sup·ply [sə'plaɪ] **1.** dostarczać ⟨-czyć⟩; *econ*. zaopatrywać ⟨-trzyć⟩ (***with*** w *A*); *potrzebę* zaspokajać ⟨-koić⟩; **2.** dostawa *f*; dostarczenie *n*; *econ*. zaopatrzenie *n*; *zw*. ***supplies*** *pl*. rezerwy *pl*., zapasy *pl*.; prowiant *m*, ***school ~*** *pl*. materiały *pl*. szkolne; ***~ and demand*** podaż i popyt

sup·port [sə'pɔːt] **1.** podpierać ⟨-deprzeć⟩; podtrzymywać ⟨-mać⟩; *ciężar* wytrzymywać ⟨-mać⟩; wspierać ⟨wesprzeć⟩ (*finansowo*); *żądania itp*. popierać ⟨-przeć⟩; *rodzinę itp*. utrzymywać ⟨-mać⟩; **2.** podpora *f* (*też fig*.); oparcie *n*; wsparcie *n*; utrzymanie *n*; **~·er** poplecznik *m*, stronnik *m*; *sportowy* kibic *m*

sup|·pose [sə'pəʊz] **1.** sądzić; przypuszczać; ***be ~posed to ...*** mieć *inf*.; ***what is that ~posed to mean?*** co to ma znaczyć?; ***I ~pose so*** tak mi się wydaje; **2.** *cj*. przypuśćmy że; jeżeli; a może; **~'posed** domniemany; **~'pos·ing** → ***suppose*** 2; **~·po·si·tion** [sʌpə'zɪʃn] przypuszczenie *n*

sup|·press [sə'pres] ⟨s⟩tłumić; ⟨po⟩hamować; skrywać ⟨-ryć⟩; zakazywać ⟨-zać⟩ publikacji (*G*); **~·pres·sion** [sə'preʃn] stłumienie *n*; pohamowanie *n*; skrycie *n*; zakaz *m* publikacji

sup·pu·rate ['sʌpjʊəreɪt] *med*. ⟨z⟩ropieć

su·prem·a·cy [sʊ'preməsɪ] wyższość *f*; supremacja *f*; dominacja *f*

su·preme [suː'priːm] naczelny; najwyższy; krańcowy

sur·charge 1. [sɜː'tʃɑːdʒ] obciążać ⟨-żyć⟩ dodatkową opłatą; **2.** ['sɜːtʃɑːdʒ] dopłata *f*

sure [ʃɔː] **1.** *adj*. (***-r, -st***) pewny; ***~ of s.o.*** pewny czegoś; ***~ of winning*** przekonany o swej wygranej; ***~ thing!*** *zwł. Am*. F oczywiście!; ***be*** *lub* ***feel ~*** czuć się pewnie; ***be ~ to ....*** nie zapomnieć ...; ***for ~*** na pewno, z pewnością; ***make ~ that*** upewniać ⟨-nić⟩ się, że; ***to be ~*** dla pewności; **2.** *adv*. F z pewnością, na pewno; ***~ enough*** oczywiście; faktycznie; **'~·ly** z pewnością; pewnie; zapewne; **sur·e·ty** ['ʃɔːrətɪ] przekonanie *n*, pewność *f*; poręka *f*; ***stand ~ for s.o.*** poręczyć za kogoś

surf [sɜːf] **1.** przybój *m*; **2.** uprawiać surfing

sur·face ['sɜːfɪs] **1.** powierzchnia *f*; nawierzchnia *f* (*ulicy itp*.); tafla *f* (*jeziora itp*.); **2.** wychodzić ⟨wyjść⟩ na powierzchnię; wynurzać ⟨-rzyć⟩ się; *ulicę* pokrywać ⟨-ryć⟩ nawierzchnią; **3.** powierzchniowy; **'~ mail** poczta *f* naziemna

'surf|·board *sport*: deska *f* surfingowa; **'~·er** (*osoba uprawiająca surfing*); **'~·ing** surfing *m*

surge [sɜːdʒ] **1.** *fig*. fala *f*, napływ *m* (*uczuć*); przypływ *m*; **2.** napływać ⟨-łynąć⟩; przepływać ⟨-łynąć⟩; *też* ***~ up*** wzbierać ⟨wezbrać⟩

sur·geon ['sɜːdʒən] *med*. chirurg *m*

sur·ge·ry ['sɜːdʒərɪ] *med*. chirurgia *f*; operacja *f*; *Brt*. gabinet *m* lekarski; *Brt*. godziny *pl*. przyjęć; *też* ***doctor's ~*** praktyka *f* lekarska; **'~ hours** *pl*. *Brt*. godziny *pl*. przyjęć

sur·gi·cal ['sɜːdʒɪkl] *med*. chirurgiczny

sur·ly ['sɜːlɪ] (***-ier, -iest***) gburowaty, mrukliwy

sur·name ['sɜːneɪm] nazwisko *n*

sur·pass [sə'pɑːs] *oczekiwania itp*. przewyższać ⟨-szyć⟩

sur·plus ['sɜːpləs] **1.** nadwyżka *f*; **2.** dodatkowy

sur·prise [sə'praɪz] **1.** niespodzianka *f*; ***take s.o. by ~*** brać ⟨wziąć⟩ kogoś przez zaskoczenie; **2.** zaskakiwać ⟨-ko-

S

czyć〉; ***be ~d at*** *lub* ***by*** być zaskoczonym (*I*)
sur·ren·der [sə'rendə] **1.** ~ ***to*** *mil.*, *też fig.* poddawać 〈-dać〉 (się) (*D*), kapitulować przed (*I*); ~ **(*o.s.*)** ***to the police*** oddawać 〈-dać〉 się w ręce policji; zrzekać 〈zrzec〉 się (*G*); **2.** *mil.* kapitulacja *f* (*też fig.*); poddanie *n* się; zrzeczenie *n* się
sur·ro·gate ['sʌrəgeɪt] surogat *m*, substytut *m*; ~ **'moth·er** zastępcza matka *f*
sur·round [sə'raʊnd] otaczać 〈otoczyć〉; **~·ing** otaczający; **~·ings** *pl.* otoczenie *n*
sur·vey 1. [sə'veɪ] oglądać 〈-dnąć〉, poddawać 〈-dać〉 oględzinom; dokonywać 〈-nać〉 przeglądu (*budynku*); *ziemię* 〈z〉mierzyć; *opinię* 〈z〉badać; **2.** ['sɜːveɪ] badanie *n* (*opinii itp.*); przegląd *m*; zbadanie *n*, oględziny *pl.*; **~·or** [sə'veɪə] geodeta *m*, mierniczy *m*
sur·viv·al [sə'vaɪvl] przeżycie *n*; przetrwanie *n*; ~ **kit** zestaw *m* ratunkowy; ~ **train·ing** szkoła *f* przetrwania
sur|·vive [sə'vaɪv] przetrwać; przeżyć; **~'vi·vor** ocalały *m* (-ła *f*) (***from***, *od* z *G*)
sus·cep·ti·ble [sə'septəbl] podatny (***to*** na *A*)
sus·pect 1. [sə'spekt] podejrzewać (***of*** o *A*); nie dowierzać (*D*); obawiać się; **2.** ['sʌspekt] podejrzany *m* (-na *f*); **3.** ['sʌspekt] podejrzany; niepewny
sus·pend [sə'spend] zawieszać 〈-wiesić〉; *coś* wstrzymywać 〈-mać〉; wykluczać 〈-czyć〉 (***from*** z *G*); **~·er** *Brt.* podwiązka *f*; (*też* ***a pair of***) **~*ers*** *pl. Am.* szelki *pl.*
sus·pense [sə'spens] napięcie *n*
sus·pen·sion [sə'spenʃn] zawieszenie *n* (*też mot.*); wykluczenie *n*; wstrzymanie *n*; zawiesina *f*; ~ **bridge** most *m* wiszący
sus·pi|·cion [sə'spɪʃn] podejrzenie *n*; podejrzliwość *f*; **~·cious** podejrzliwy; podejrzany
sus·tain [sə'steɪn] utrzymywać 〈-mać〉; utrzymywać *kogoś* na siłach; *zainteresowanie itp.* podtrzymywać 〈-mać〉; *obrażenia itp.* ponosić 〈-nieść〉; *uszkodzenia itp.* doznawać 〈-nać〉
SW *skrót pisany*: ***southwest*** płd.-zach.; południowy zachód *m*; ***southwest(ern)*** południowo-zachodni

swab *med.* [swɒb] **1.** wacik *m*, gazik *m*; wymaz *m*; **2.** (***-bb-***) oczyszczać 〈-yścić〉 wacikiem
swad·dle ['swɒdl] *niemowlę* opatulać 〈-lić〉
swag·ger ['swægə] chodzić 〈iść〉 kołyszącym się krokiem
swal·low¹ ['swɒləʊ] **1.** łykać; połykać 〈-łknąć〉 (*tez fig.*); przełykać 〈-łknąć〉; *fig.* pochłonąć; ~ ***one's pride*** 〈s〉chować dumę do kieszeni; **2.** łyk *m*
swal·low² ['swɒləʊ] *zo.* jaskółka *f*
swam [swæm] *pret. od* ***swim*** 1
swamp [swɒmp] **1.** bagnisko *n*; **2.** zalewać 〈-lać〉 (*też fig.*); ***be ~ed with*** *fig.* być zasypanym (*I*); **'~·y** (***-ier, -iest***) bagnisty
swan [swɒn] *zo.* łabędź *m*
swank [swæŋk] F *zwł. Brt.* **1.** przechwalać się; **2.** przechwałki *pl.*; chwalipięta *m*; **'~·y** (***-ier, -iest***) F chełpliwy
swap [swɒp] F **1.** (***-pp-***) wymieniać 〈-nić〉 (się), zamieniać 〈-nić〉 (się); **2.** wymiana *f*, zamiana *f*
swarm [swɔːm] **1.** chmara *f* (*owadów, turystów*); rój *m* (*pszczół*); **2.** *pszczoły, ludzie*: 〈wy〉roić się
swar·thy ['swɔːðɪ] (***-ier, -iest***) *cera*: śniady, smagły
swat [swɒt] (***-tt-***) *muchę* pacnąć
sway [sweɪ] **1.** *v/i.* kołysać się, chwiać się; ~ ***between*** *fig.* wahać się między (*I*); *v/t.* kołysać; wpływać 〈-łynąć〉; **2.** kołysanie *n*, kiwanie *n*
swear [sweə] (***swore, sworn***) przysięgać 〈-siąc〉; przeklinać 〈-ląć〉; 〈za〉kląć; ~ ***at s.o.*** kląć na kogoś; ~ ***by*** *fig.* F kląć się na (*A*); ~ ***s.o. in*** zaprzysięgać 〈-siąc〉 kogoś
sweat [swet] **1.** (***sweated***, *Am. też* ***sweat***) 〈s〉pocić się (***with*** od *G lub* z *G*); *v/t.* ~ ***out*** wypacać 〈-pocić〉 (*w chorobie*); ~ ***blood*** F naharować się jak wół; **2.** pot *m*; ***get into a ~ about*** F podniecać 〈-cić〉 się (*I*); **'~·er** sweter *m*; **'~·shirt** bluza *f*; **'~·y** (***-ier, -iest***) spocony; przepocony
Swede [swiːd] Szwed(ka *f*) *m*; **Swe·den** ['swiːdn] Szwecja *f*; **Swe·dish** ['swiːdɪʃ] **1.** szwedzki; **2.** *ling.* język *m* szwedzki
sweep [swiːp] **1.** (***swept***) zamiatać 〈-mieść〉; zmiatać 〈-mieść〉; *horyzont* omiatać 〈-mieść〉 (***for*** w poszukiwaniu

S

G); *v/i.* przelatywać ⟨-lecieć⟩; przemykać ⟨-mknąć⟩; rozciągać ⟨-gnąć⟩ się; **2.** zamiecenie *n*; półkolisty ruch *m*; półkolista linia *f*; cios *m*; ***give the floor a good*** ~ zamieść dobrze podłogę; ***make a clean*** ~ dokonać daleko idących zmian *f*; (*w sporcie*) osiągnąć całkowite zwycięstwo; **'~·er** zamiatacz *m*; (*maszyna*) zamiatarka *f*; (*w sporcie*) libero *m*; **'~·ing** zamaszysty; daleko idący; **'~·ings** *pl.* zmiotki *pl.*

sweet [swiːt] **1.** słodki (*też fig.*); ~ ***nothings*** *pl.* czułości *pl.*; ***have a*** ~ ***tooth*** lubić słodycze; **2.** *Brt.* słodycze *pl.*, cukierek *m*; *Brt.* deser *m*; **'~ corn** *zwł. Brt. bot.* kukurydza *f* cukrowa; **'~·en** ⟨po⟩słodzić; **'~·heart** (*ktoś*) skarb *m*; ~ **'pea** *bot.* groszek *m* pachnący; **'~ shop** *zwł. Brt.* sklep *m* ze słodyczami

swell [swel] **1.** (***swelled, swollen*** *lub* ***swelled***) *v/i. też* ~ ***up*** *med.* ⟨s⟩puchnąć; *też* ~ ***out*** wydymać ⟨-dąć⟩ się, nadymać ⟨-dąć⟩ się; *v/t. fig. liczba itp.*: rozdymać ⟨-dąć⟩; *też* ~ ***out*** *żagiel* wydymać ⟨-dąć⟩; **2.** *naut.* fala *f* martwa; **'~·ing** spuchnięcie *n*

swel·ter ['sweltə] *człowiek*: prażyć się

swept [swept] *pret. i p.p. od* ***sweep*** 1

swerve [swɜːv] **1.** skręcać ⟨-cić⟩ ostro (***to the left*** na lewo); *fig.* odchodzić ⟨odejść⟩ (***from*** od *G*); **2.** skręcenie *n*, skręt *m*; odchylenie *n* się

swift [swɪft] **1.** szybki, prędki; **2.** *zo.* jerzyk *m*

swim [swɪm] **1.** (***-mm-***; ***swam, swum***) *v/i.* pływać; płynąć; *fig.* kręcić się; ***my head was*** ~***ming*** kręciło mi się w głowie; *v/t.* przepływać ⟨-łynąć⟩; *kraulem* pływać; **2.** kąpiel *f*; **'~·mer** pływak *m* (-waczka *f*)

'swim·ming pływanie *n*; **'~ bath(s** *pl.*) *Brt.* pływalnia *f*; **'~ cap** czepek *m* kąpielowy; **'~ cos·tume** kostium *m* kąpielowy; **'~ pool** basen *m* kąpielowy; **'~ trunks** *pl.* kąpielówki *pl.*

'swim·suit kostium *m* kąpielowy

swin·dle ['swɪndl] **1.** wyłudzać ⟨-dzić⟩ (***s.o. out of s.th.*** coś od kogoś); **2.** wyłudzenie *n*

swine [swaɪn] (*pl. zo.* ***swine***, *sl. pej. też* ***swines***) świnia *f*

swing [swɪŋ] **1.** (***swung***) *v/i.* ⟨po-, za⟩huśtać się; ⟨za⟩kołysać się; wjeżdżać ⟨wjechać⟩ łukiem (***into*** do *G*); *mus.* swingować; ~ ***round*** obrócić się; ~ ***shut*** zatrzasnąć się; *v/t.* machać (*ramionami itp.*); **2.** huśtawka *f* (*też fig.*); zamachnięcie *n*; zmiana *f*; *mus.* swing *m*; ***in full*** ~ w pełni, na cały gaz; ~ **'door** drzwi *pl.* wahadłowe

swin·ish ['swaɪnɪʃ] świński

swipe [swaɪp] **1.** uderzenie *n*; **2.** uderzać ⟨-rzyć⟩ (***at*** w *A*)

swirl [swɜːl] **1.** ⟨za⟩wirować; **2.** wir *m*

swish¹ [swɪʃ] **1.** *v/i. bat, ogon*: świstać ⟨-snąć⟩; *jedwab*: ⟨za⟩szeleścić; *v/t.* machać ⟨-chnąć⟩ ze świstem; **2.** świst *m*; szelest *m*; machnięcie *n*

swish² [swɪʃ] F szykowny

Swiss [swɪs] **1.** szwajcarski; **2.** Szwajcar(ka *f*) *m*; ***the*** ~ *pl.* Szwajcarzy *pl.*

switch [swɪtʃ] **1.** *electr.*, *tech.* przełącznik *m* , wyłącznik *m*; *Am. rail.* zwrotnica *f*; gałązka *f*; *fig.* diametralna zmiana *f*; **2.** *electr.*, *tech.* przełączać ⟨-czyć⟩ (*też* ~ ***over***) (***to*** na *A*); *Am. rail.* manewrować, przetaczać ⟨-toczyć⟩; zmieniać ⟨-nić⟩ (***to*** na *A*); ~ ***off*** wyłączać ⟨-czyć⟩; ~ ***on*** włączać ⟨-czyć⟩; **'~·board** *electr.* tablica *f* rozdzielcza; *tel.* centralka *f*

Swit·zer·land ['swɪtsələnd] Szwajcaria *f*

swiv·el ['swɪvl] (*zwł. Brt.* ***-ll-*** , *Am.* ***-l-***) obracać (się); **'~ chair** krzesło *n* obrotowe

swol·len ['swəʊlən] *p.p. od* ***swell*** 1

swoon [swuːn] ⟨ze-, o⟩mdleć

swoop [swuːp] **1.** *fig.* F *policja*: ⟨z⟩robić nalot; *też* ~ ***down*** *ptak drapieżny*: spadać ⟨-paść⟩ (***on*** na *A*); **2.** nalot *m*

swop [swɒp] F → ***swap***

sword [sɔːd] miecz *m*

swore [swɔː] *pret. od* ***swear***

sworn [swɔːn] *p.p. od* ***swear***

swum [swʌm] *p.p. od* ***swim*** 1

swung [swʌŋ] *pret. i p.p. od* ***swing*** 1

syc·a·more ['sɪkəmɔː] *bot.* jawor *m*; *Am.* platan *m*; sykomora *f*

syl·la·ble ['sɪləbl] *gr.* sylaba *f*

syl·la·bus *pred. univ.* ['sɪləbəs] (*pl.* ***-buses, -bi*** [-baɪ]) program *m* nauczania

sym·bol ['sɪmbl] symbol *m*; **~·ic** [sɪm'bɒlɪk] symboliczny; **~·ism** ['sɪmbəlɪzəm] symbolizm *m*; **~·ize** ['sɪmbəlaɪz] symbolizować

S

sym|·met·ri·cal [sɪ'metrɪkl] symetryczny; **~·me·try** ['sɪmɪtrɪ] symetria *f*
sym·pa|·thet·ic [sɪmpə'θetɪk] (**-*ally***) współczujący; rozumiejący; życzliwy; **~·thize** ['sɪmpəθaɪz] współczuć; **~·thy** ['sɪmpəθɪ] współczucie *n*
sym·pho·ny ['sɪmfənɪ] *mus.* symfonia *f*; *attr.* symfoniczny
symp·tom ['sɪmptəm] symptom *m*, oznaka *f*
syn·chro|·nize ['sɪŋkrənaɪz] *v/t.* ⟨z⟩synchronizować; *zegarki itp.* uzgadniać ⟨-godnić⟩; *v/i.* być zsynchronizowanym
syn·o·nym ['sɪnənɪm] synonim *m*;
sy·non·y·mous [sɪ'nɒnɪməs] synonimiczny
syn·tax ['sɪntæks] *gr.* składnia *f*
syn·the·sis ['sɪnθəsɪs] (*pl.* **-*ses*** [-siːz]) synteza *f*
syn·thet·ic [sɪn'θetɪk] (**~*ally***) syntetyczny; **~ 'fi·bre** *Brt.*, (*Am.*; **fi·ber**) włókno *n* syntetyczne
sy·ringe ['sɪrɪndʒ] *med.* strzykawka *f*
syr·up ['sɪrəp] syrop *m*
sys·tem ['sɪstəm] system *m*; *uliczna* sieć *f*; organizm *m*
sys·te·mat·ic [sɪstə'mætɪk] (**~*ally***) systematyczny
'sys·tem er·ror *komp.* błąd *m* systemu

T

T, t [tiː] T, t
t *skrót pisany*: ***ton*(*s*)** tona *f* (-ny *pl.*) (*Brt. =1016 kg, Am. = 907,18 kg*)
ta *Brt. int.* F [tɑː] dzięki
tab [tæb] etykietka *f*; wieszak *m*; konik *m*, (*w kartotece*) nalepka *f*; F rachunek *m*
ta·ble ['teɪbl] **1.** stół *m*, stolik *m*; tabela *f*; zestawienie *n*; *math.* tablica *f*; *attr.* stołowy; ***at ~*** przy stole; ***be on the ~*** *fig.* być na tapecie; ***turn the ~s* (*on s.o.*)** *fig.* odwracać ⟨-rócić⟩ role; **2.** *fig.* przedstawiać ⟨-wić⟩ (*do rozpatrzenia*); *zwł. Am. fig.* odkładać ⟨odłożyć⟩; **'~·cloth** obrus *m*; **'~·land** plateau *n*, płaskowyż *m*; **'~ lin·en** bielizna *f* stołowa; **'~·mat** podkładka *f* (*pod talerz*); **'~·spoon** duża łyżka *f* stołowa (*do nabierania potraw*)
tab·let ['tæblɪt] tabletka *f*; *kamienna* tablica *f*; kostka *f* (*mydła*)
'table| ten·nis (*w sporcie*) tenis *m* stołowy; **'~ ·top** blat *m*; **'~·ware** naczynia *pl.* stołowe
tab·loid ['tæblɔɪd] gazeta *f* bulwarowa; **'~ press** prasa *f* bulwarowa
ta·boo [tə'buː] **1.** tabu; **2.** (*pl.* **-*boos***) tabu *n*
tab·u|·lar ['tæbjʊlə] tabelaryczny; **~·late** ['tæbjʊleɪt] układać ⟨ułożyć⟩ tabelarycznie; **'~·la·tor** tabulator *m*
tach·o·graph ['tækəʊgrɑːf] *mot.* tachograf *m*, tachometr *m* piszący
ta·chom·e·ter [tæ'kɒmɪtə] *mot.* obrotomierz *m*, tachometr *m*
ta·cit ['tæsɪt] milczący; **ta·ci·turn** ['tæsɪtɜːn] małomówny
tack [tæk] **1.** gwóźdź *m* (*tapicerski*); pinezka *f*; fastryga *f*; *naut.* hals *m*; **2.** ⟨przy⟩fastrygować (***to do*** *G*); **~ *on*** doklejać ⟨-kleić⟩, doczepiać ⟨-czepić⟩ (***to*** do *G*)
tack·le ['tækl] **1.** *problem itp.* zabierać ⟨-brać⟩ się do (*G*); (*w piłce nożnej*) przeciwnika ⟨za⟩atakować; dawać ⟨dać⟩ znać (*D*); **2.** *tech.* wielokrążek *m*; sprzęt *m* (*wędkarski itp.*)
tack·y ['tækɪ] (**-*ier, -iest***) kleisty, lepki; *zwł. Am.* F tandetny
tact [tækt] takt *m*; **'~·ful** taktowny
tac·tics ['tæktɪks] *pl. i sg.* taktyka *f*
'tact·less nietaktowny
tad·pole ['tædpəʊl] *zo.* kijanka *f*
taf·fe·ta ['tæfɪtə] tafta *m*
taf·fy ['tæfɪ] *Am.* → ***toffee***
tag [tæg] **1.** etykieta *f*; metka *f*; plakietka *f* (*z nazwiskiem*); skuwka *f* (*na sznurowadł itp.*); *też* ***question ~*** pytanie *n* ucięte; **2.** (**-*gg-***) etykietować, przyczepiać ⟨-pić⟩ etykietę do (*G*); ***~ along*** F przyklejać ⟨-leić⟩ się; ***~ along behind s.o.*** ciągnąć się za kimś
tail [teɪl] **1.** ogon *m* (*też aviat.*); tylna część *f*; F (*osoba śledząca*) ogon *m*; ***put a ~ on*** śledzić (*A*); ***turn ~*** *fig.* dawać ⟨-dać⟩ nogę; ***with one's ~ between***

T

one's legs *fig.* z podkulonym ogonem; **~*s*** *pl.* odwrotna strona *f* (*monety*); frak *m*; **2.** F *kogoś* śledzić; **~ *back*** *zwł. Brt. mot.* ciągnąć się (***to*** do *G*); **~ *off*** zmniejszać ⟨-szyć⟩ się; **'~•back** *zwł. Brt. mot.* korek *m*; **~'coat** frak *m*; **~ 'end** koniec *m*, tył *m*; **'~•light** *mot.* światło *n* tylne
tai•lor ['teɪlə] **1.** krawiec *m* (*męski*); **2.** ⟨u⟩szyć, ⟨s⟩kroić; *fig.* dopasowywać ⟨-sować⟩; **~-'made** szyte na miarę
'tail| pipe *Am. tech.* rura *f* wydechowa; **'~•wind** tylny wiatr *m*
taint•ed ['teɪntɪd] *zwł. Am. mięso*: zepsuty; *fig.* splamiony
take [teɪk] **1.** (***took, taken***) *v/t.* brać ⟨wziąć⟩ (*też mil. itp.*); przyjmować ⟨-jąć⟩; (*w szachach*) *figurę* zbijać ⟨zbić⟩; *egzamin* zdawać ⟨-dać⟩; *univ. specjalność* studiować; *nagrodę itp.* zdobywać ⟨-być⟩; *czek, odpowiedzialność itp.* przyjmować ⟨-jąć⟩; *miejsce itp.* zajmować ⟨-jąć⟩; *phot.* ⟨z⟩robić; *temperaturę itp.* ⟨z⟩mierzyć; *kąpiel* brać ⟨wziąć⟩; *autobusem itp.* jeździć, pojechać; *drogą itp.* ⟨po⟩jechać; *samolotem* polecieć; korzystać z(e) (*G*) (*sposobności itp.*); *odwagę* zbierać ⟨zebrać⟩; *czas* zabierać ⟨-brać⟩; *gazety* ⟨za⟩prenumerować; *kroki* podejmować ⟨-djąć⟩; ***it took him four hours*** zajęło mu to cztery godziny; ***I ~ it that*** sądzę, że; ***~ it or leave*** F rób co chcesz; ***be ~n*** *miejsce*: być zajętym; ***be ~n by*** *lub* ***with*** zachwycony (*D*); ***be ~n ill*** *lub* ***sick*** zachorować; ***~ to bits*** *lub* ***pieces*** rozbierać ⟨-zebrać⟩; ***~ the blame*** przyjmować ⟨-jąć⟩ winę; ***~ care*** ⟨za⟩opiekować się, ⟨za⟩troszczyć się; ***~ care!*** F trzymaj się!; → ***care*** 1; ***~ hold of*** ⟨s⟩chwytać; ***~ part*** brać ⟨wziąć⟩ udział; → ***part*** 1; ***~ pity on*** żałować (*G*); ***~ a walk*** iść ⟨pójść⟩ na spacer; ***~ my word for it*** daję ci słowo; → ***advice, bath, break, lead***[1]; ***message, oath, place, prisoner, risk, seat, step, trouble*** *itp.*; *v/i. med.* ⟨po⟩działać; ***~ after*** być podobnym do (*G*); ***~ along*** brać ⟨wziąć⟩ ze sobą (*A*); ***~ apart*** rozbierać ⟨-zebrać⟩ (*na części*); ***~ away*** umniejszać ⟨-szyć⟩; ***...to ~ away*** *Brt.* ...na wynos; ***~ back*** odbierać ⟨-debrać⟩; *słowa* cofać ⟨-fnąć⟩; przywracać ⟨-rócić⟩ (*do łas itp.*); ⟨o⟩budzić *czyjeś* wspomnienia; ***~ down*** ⟨za⟩notować; rozbierać ⟨-zebrać⟩; *ubranie itp.* ściągać ⟨-gnąć⟩ do dołu; ***~ for*** brać ⟨wziąć⟩ za (*A*); ***~ from*** przejmować ⟨-jąć⟩ *coś* od *kogoś*; *math.* odejmować ⟨-djąć⟩ (od *G*); ***~ in*** przyjmować ⟨-jąć⟩ (*u siebie*); *fig.* obejmować ⟨-bjąć⟩; *ubranie* zwężać ⟨zwęzić⟩; *coś* ⟨z⟩rozumieć; *kogoś* oszukiwać ⟨-kać⟩; ***~ off*** zdejmować ⟨zdjąć⟩; *aviat.*, (*w sporcie*) ⟨wy⟩startować (*też fig.*); F odjeżdżać ⟨odjechać⟩; ***~ a day off*** brać ⟨wziąć⟩ dzień wolnego; ***~ on*** przyjąć *kogoś* (do pracy); *odpowiedzialność* brać ⟨wziąć⟩; *kolor* przybierać ⟨-brać⟩; podejmować ⟨-djąć⟩ się (*pracy*); przeciwstawiać ⟨-wić⟩ się; ***~ out*** wyjmować ⟨-jąć⟩; wychodzić ⟨wyjść⟩ z (*I*) (***to*** *do* (*kina itp.*); *ząb* usuwać ⟨-sunąć⟩; *polisę itp.* uzyskiwać ⟨-kać⟩; ***~ out on*** wyżywać ⟨-żyć⟩ się na (*I*); ***~ over*** *władzę itp.* przejmować ⟨-jąć⟩; przyjmować ⟨-jąć⟩ obowiązki; ***~ to*** polubić (od razu); ***~ to doing s.th.*** zaczynać ⟨-cząć⟩ coś robić; ***~ up*** zainteresować się (*I*); *kwestię* podejmować ⟨-djąć⟩; zajmować ⟨-jąć⟩; *opowieść* kontynuować; ***~ up doing s.th.*** zabierać ⟨-brać⟩ się do (robienia) czegoś; podnosić; ***~ up with*** zajmować się (*I*); **2.** *film, TV*: ujęcie *n*; F wpływ *m*
'take•a•way *Brt.* posiłki *pl.* na wynos; restauracja *f* z posiłkami na wynos
tak•en ['teɪkən] *p.p. od* **take** 1
'take•off start *m* (*samolotu*)
tak•ings ['teɪkɪŋz] *pl.* wpływy *pl.*, dochód *m*
tale [teɪl] opowieść *f*; baśń *f*; ***tell ~s*** puszczać ⟨puścić⟩ plotki
tal•ent ['tælənt] talent *m*; powołanie *n*; **'~•ed** utalentowany
tal•is•man ['tælɪzmən] talizman *m*
talk [tɔːk] **1.** *v/i.* mówić; rozmawiać (***to, with*** do *G*, ***about*** o *L*); ***s.o. to ~ to*** osoba, z którą można porozmawiać; *v/t. bzdury* mówić, wygadywać; mówić o (*L*) (*interesach itp.*); ***~ s.o. into s.th.*** namawiać ⟨-mówić⟩ kogoś do czegoś; ***~ s.o. out of s.th.*** wyperswadować komuś coś; ***~ s.th. over*** *problem itp.* omawiać ⟨-mówić⟩ (***with*** z *I*); ***~ round*** *kogoś* namówić (***to*** do *G*); **2.** rozmowa *f* (***with*** z *I*, ***about*** o *L*); pogadanka *f*, prelekcja *f*; mowa *f* (*dziecka itp.*); gadanina *f*; ***give a ~*** wygłaszać ⟨-łosić⟩ pogadan-

T

kę (***to*** *D*, ***about, on*** o *L*); ***be the ~ of the town*** być na językach wszystkich; ***baby ~*** mowa *f* dziecka; → ***small talk***

talk|·a·tive ['tɔːkətɪv] gadatliwy; **'~·er**: ***be a good ~er*** umieć dobrze mówić; **'~·ing-to** (*pl.* ***-tos***) F bura *f*; ***give s.o. a good ~ing-to*** nagadać komuś; **'~ show** *zwł. Am.* talkshow *m*; **~-show 'host** *zwł. Am.* prowadzący *m* (-ca *f*) talkshow

tall [tɔːl] wysoki; ***be 5 feet ~*** mieć 5 stóp wzrostu

tal·low ['tæləʊ] łój *m*

tal·ly[1] ['tælɪ] *econ.*, (*w sporcie*) wynik *m*; liczenie *n*; ***keep a ~ of*** prowadzić rejestr (*G*)

tal·ly[2] ['tælɪ] zgadzać ⟨zgodzić⟩ się (***with*** z *I*); *też* ***~ up*** podliczać ⟨-czyć⟩

tal·on ['tælən] *zo.* szpon *m*

tame [teɪm] **1.** (***-r, -st***) *zo.* oswojony; łagodny; **2.** *zwierzę* oswajać ⟨-woić⟩

tam·per ['tæmpə]: ***~ with*** manipulować (*I*), dokonywać manipulacji z (*I*)

tam·pon ['tæmpən] tampon *m*

tan [tæn] **1.** (***-nn-***) opalać ⟨-lić⟩ się; *skórę* ⟨wy⟩garbować; **2.** opalenizna *f*; jasny brąz *m*; **3.** jasnobrązowy

tang [tæŋ] ostry smak *m lub* zapach *m*

tan·gent ['tændʒənt] *math.* tangens *m*; ***fly*** *lub* ***go off at a ~*** zbaczać ⟨zboczyć⟩ z tematu

tan·ge·rine [tændʒə'riːn] *bot.* mandarynka *f*

tan·gi·ble ['tændʒəbl] dotykalny; *fig.* namacalny

tan·gle ['tæŋgl] **1.** ⟨za⟩plątać się; *włosy* ⟨z⟩mierzwić; **2.** plątanina *f*; bałagan *m*

tank [tæŋk] *mot. itp.* zbiornik *m*; *mil.* czołg *m*

tank·ard ['tæŋkəd] kufel *m* (*do piwa*)

tank·er ['tæŋkə] *naut.* zbiornikowiec *m*; *aviat.* samolot *m* cysterna; *mot.* (*samochód*) cysterna *f*

tan|·ner ['tænə] garbarz *m*; **~·ne·ry** ['tænərɪ] garbarnia *f*

tan·ta|·lize ['tæntəlaɪz] dręczyć (*I*); **'~·liz·ing** dręczący

tan·ta·mount ['tæntəmaʊnt]: ***be ~ to*** być równoznacznym z (*I*)

tan·trum ['tæntrəm] *fig.* histeria *f*

tap[1] [tæp] **1.** kran *m*; *tech.* kurek *m*; zawór *m*; ***beer on ~*** piwo *n* z beczki; **2.** (***-pp-***) *zasoby* wykorzystywać ⟨-tać⟩, eksploatować; zakładać ⟨założyć⟩ podsłuch; podsłuchiwać ⟨-chać⟩; ⟨na⟩czerpać (*z beczki*)

tap[2] [tæp] **1.** (***-pp-***) *palcami* pukać, stukać (***on*** o *A*); ***~ s.o. on the shoulder*** ⟨po⟩klepać kogoś po ramieniu; ***~ on*** ⟨za⟩stukać w (*A*); **2.** (lekkie) uderzenie *n*; klaps *m*; **'~ dance** stepowanie *n*

tape [teɪp] **1.** taśma *f*; tasiemka *f*; taśma *f* klejąca; *TV, video, magnetofonowa itp.* kaseta *f*; → ***red tape***; *TV* zapis *m*; **2.** zapisywać ⟨-sać⟩ na taśmie; *też* ***~ up*** zaklejać ⟨-leić⟩ taśmą; **'~ deck** deck *m* magnetofonowy; **'~ meas·ure** taśma *f* krawiecka, przymiar *m*

ta·per ['teɪpə] *też* ***~ off*** zwężać się (*do dołu*); *fig.* zmniejszać ⟨-szyć⟩ się

'tape| re·cord·er magnetofon *m*; **'~ re·cord·ing** nagranie *n* magnetofonowe

ta·pes·try ['tæpɪstrɪ] gobelin *m*

'tape·worm *zo.* tasiemiec *m*

taps [tæps] *zwł. Am. pl.* (*sygnał*) capstrzyk *m*

'tap water woda *f* bieżąca

tar [tɑː] **1.** smoła *f*; (*w papierosie*) substancja *f* smolista; **2.** (***-rr-***) ⟨na⟩smołować

tare [teə] *econ.* tara *f*

tar·get ['tɑːgɪt] cel *m* (*też mil., fig.*); *mil.* zadanie *n*; tarcza *f* strzelnicza; *attr.* docelowy; **'~ ar·e·a** *mil.* rejon *m* celu; **'~ group** *reklamy*: grupa *f* odbiorców; **'~ lan·guage** język *m* docelowy; **'~ prac·tice** ćwiczenia *pl.* w strzelaniu do tarczy

tar·iff ['tærɪf] taryfa *f*; taryfa *f* celna; *zwł. Brt.* stawki *pl.*

tar·mac ['tɑːmæk] asfalt *m*; *aviat.* pas *m* startowy

tar·nish ['tɑːnɪʃ] ⟨z⟩matowieć, ⟨s⟩tracić połysk; *fig. reputację* ⟨s⟩plamić

tart[1] [tɑːt] *zwł. Brt.* placek *m lub* ciastko *n* z owocami; F dziwka *f*, puszczalska *f*

tart[2] [tɑːt] ostry; cierpki (*też fig.*)

tar·tan ['tɑːtn] tartan *m*

tar·tar ['tɑːtə] osad *m* nazębny; *chem.* kamień *m* winny

task [tɑːsk] zadanie *n*; ***take s.o. to ~*** *fig.* udzielać ⟨-lić⟩ komuś reprymendy (***for*** za *A*); **'~ force** *mil.* oddział *m* specjalny (*wojska, policji*)

tas·sel ['tæsl] frędzel *m*

taste [teɪst] **1.** smak *m* (*też fig.*); gust *m*; posmak *m*; zamiłowanie (***for*** do *G*);

T

2. *v/i.* ⟨s⟩próbować, ⟨s⟩kosztować; *v/t.* smakować (***of*** *I*), mieć smak; **'~·ful** gustowny; **'~·less** niesmaczny (*też fig.*); niegustowny

tast·y ['teɪstɪ] (***-ier, -iest***) smaczny

ta-ta [tæ'tɑː] *int. Brt.* F cześć!

Tatra Mountains *pl.* Tatry *pl.*

tat·tered ['tætəd] obszarpany

tat·tle ['tætl] plotkować

tat·too¹ [tə'tuː] **1.** (*pl.* ***-toos***) tatuaż *m*; **2.** ⟨wy⟩tatuować

tat·too² [tə'tuː] *mil.* (*pl.* ***-toos***) capstrzyk *m*

taught [tɔːt] *pret. i p.p. od* ***teach***

taunt [tɔːnt] **1.** ⟨za⟩drwić z (*I*); **2.** drwina *f*

Tau·rus ['tɔːrəs] *znak Zodiaku*: Byk *m*; (***s***)***he is*** (***a***) ~ on(a) jest spod znaku Byka

taut [tɔːt] napięty (*też fig.*), naprężony

taw·dry ['tɔːdrɪ] (***-ier, -iest***) (tani i) tandetny

taw·ny ['tɔːnɪ] (***-ier, -iest***) płowy

tax [tæks] **1.** podatek *m* (***on*** od *G*); **2.** opodatkowywać ⟨-ować⟩; *cierpliwość* wystawiać ⟨-wić⟩ na ciężką próbę; **~·a·tion** [tæk'seɪʃn] opodatkowanie *n*

tax·i ['tæksɪ] **1.** taksówka *f*; **2.** *aviat.* kołować; **'~ driv·er** taksówkarz *m*; **'~ rank**, **'~ stand** postój *m* taksówek

'tax|·pay·er podatnik *m*; **'~ re·turn** deklaracja *f* podatkowa

T-bar ['tiːbɑː] teownik *m*; *też* ~ ***lift*** wyciąg *m*

tea [tiː] herbata *f*; ***have a cup of*** ~ wypić filiżankę herbaty; ***make some*** ~ zaparzyć herbatę; → ***high tea***; **'~·bag** herbata *f* ekspresowa

teach [tiːtʃ] (***taught***) uczyć, nauczać ⟨-czyć⟩ (*G*); **'~·er** nauczyciel(ka *f*) *m*

'tea| co·sy kapturek *m* (*na naczynie z herbatą*); **'~·cup** filiżanka *f* do herbaty

team [tiːm] zespół *m*; (*w sporcie*) drużyna *f*; zespół *m*; **~·ster** *Am.* ['tiːmstə] kierowca *m* ciężarówki; **'~·work** praca *f* zespołowa

'tea·pot czajniczek *m*

tear¹ [tɪə] łza *f*; ***in ~s*** we łzach;

tear² [teə] **1.** (***tore, torn***) *v/t.* rozdzierać ⟨-zedrzeć⟩; *też* ~ ***up*** ⟨po⟩drzeć (***into*** na *A*); wydzierać ⟨-drzeć⟩; odrywać ⟨oderwać⟩ (***from*** od *G*); *drzewo, kartkę itp.* wyrywać ⟨-rwać⟩ (***from, out of*** z *G*); *dach itp.* zrywać ⟨zerwać⟩; *v/i.* ⟨po⟩rwać się; F ⟨po⟩gnać, ⟨po⟩mknąć; ~ ***down*** *plakat itp.* zrywać ⟨zerwać⟩; *dom* ⟨z⟩burzyć; ~ ***off*** *ubranie* zrywać z siebie; **2.** rozdarcie *n*

'tear|·drop łza *f*; **'~·ful** łzawy; zapłakany

'tea·room herbaciarnia *f*

tease [tiːz] dokuczać ⟨-czyć⟩; dręczyć

'tea·spoon łyżeczka *f* do herbaty

teat [tiːt] *zo.* cycek *m*, sutek *m*; *Brt.* smoczek *m* (*na butelkę*)

tech·ni·cal ['teknɪkl] techniczny; fachowy; *jur.* formalny; **~·i·ty** [teknɪ'kælətɪ] szczegół *m* techniczny; *jur.* kwestia *f* formalna

tech·ni·cian [tek'nɪʃn] technik *m*

tech·nique [tek'niːk] technika *f* (*sposób wykonywania*); ⚠ *nie* ***technika*** (*przemysłowa*)

tech·nol·o·gy [tek'nɒlədʒɪ] technologia *f*

ted·dy bear ['tedɪ -] miś *m* pluszowy

te·di·ous ['tiːdjəs] nużący

teem [tiːm]: ~ ***with*** roić się od (*G*), mrowić się od (*G*)

teen|-age(d) ['tiːneɪdʒ(d)] nastoletni; **'~·ag·er** nastolatek *m* (-tka *f*)

teens [tiːnz] *pl.*: ***be in one's*** ~ mieć kilkanaście lat

tee·ny ['tiːnɪ], **~-wee·ny** [tiːnɪ'wiːnɪ] (***-ier, -iest***) malutki, maluśki

tee shirt ['tiːʃɜːt] → ***T-shirt***

teeth [tiːθ] *pl. od* ***tooth***

teethe [tiːð] ząbkować

tee·to·tal·(l)er [tiː'təʊtlə] abstynent(ka *f*) *m*

tel·e·cast ['telɪkɑːst] transmisja *f* telewizyjna

tel·e·com·mu·ni·ca·tions [telɪkəmjuːnɪ'keɪʃnz] *pl.* telekomunikacja *f*

tel·e·gram ['telɪgræm] telegram *m*

tel·e·graph ['telɪgrɑːf] **1.** telegraf *m*; ***by*** ~ telegraficznie; **2.** ⟨za⟩telegrafować; **~·ic** [telɪ'græfɪk] (***-ally***) telegraficzny

te·leg·ra·phy [tɪ'legrəfɪ] telegrafia *f*

tel·e·phone ['telɪfəʊn] (*też* ***phone*** 1, 2) **1.** telefon *m*; **2.** ⟨za⟩telefonować; **'~ booth** *zwł. Am.*, **'~ box** *Brt.* budka *f* telefoniczna; **'~ call** rozmowa *f* telefoniczna; **'~ di·rec·to·ry** → ***phone book***; **'~ ex·change** centrala *f* telefoniczna; **'~ num·ber** numer *m* telefoniczny

T

te·leph·o·nist [tɪ'lefənɪst] *zwł. Brt.* telefonista *m* (-tka *f*)
tel·e·pho·to lens [telɪfəʊtəʊ 'lenz] *phot.* teleobiektyw *m*
tel·e·print·er ['telɪprɪntə] dalekopis *m*
tel·e·scope ['telɪskəʊp] teleskop *m*
tel·e·text ['telɪtekst] teletekst *m*, telegazeta *f*
tel·e·type·writ·er [telɪ'taɪpraɪtə] *zwł. Am.* dalekopis *m*
tel·e·vise ['telɪvaɪz] *TV* transmitować
tel·e·vi·sion ['telɪvɪʒn] telewizja *f*; *attr.* telewizyjny; ***on ~*** w telewizji; ***watch ~*** oglądać telewizję; *też* ***~ set*** telewizor *m*
tel·ex ['teleks] **1.** teleks *m*, dalekopis *m*; **2.** ⟨za⟩teleksować (***to*** do *G*)
tell [tel] (***told***) *v/t.* mówić ⟨powiedzieć⟩; opowiadać ⟨-wiedzieć⟩ (***about, of*** o *L*); *wskaźnik*: wskazywać ⟨-zać⟩; polecać ⟨-cić⟩ (***to do*** zrobić); odróżniać ⟨-nić⟩ (***from*** od *G*); ***I can't ~ them apart*** nie mogę ich odróżnić; *v/i.* dawać znać (***on*** po *L*); ***who can ~?*** kto wie?; ***you can never ~, you never can ~*** nigdy nie wiadomo; ***~ against*** świadczyć przeciwko (*D*); *v/t.* ***~ off*** F ⟨z⟩rugać (*A*); *v/i.* ***~ on s.o.*** ⟨na⟩skarżyć na kogoś; **'~·er** *zwł. Am.* (*w banku*) kasjer(ka *f*) *m*; **'~·ing** znaczący, wymowny; **'~·tale 1.** niedwuznaczny, wymowny; **2.** F skarżypyta *m*, *f*
tel·ly ['telɪ] *Brt.* F telewizor *m*
te·mer·i·ty [tɪ'merətɪ] czelność *f*
tem·per ['tempə] **1.** temperament *m*; humor *m*, nastrój *m*; *tech.* stopień *m* twardości (*stali*); ***keep one's ~*** nie dawać ⟨dać⟩ się ponieść; ***lose one's ~*** ⟨s⟩tracić panowanie nad sobą; **2.** *stal* ⟨za⟩hartować
tem·pe|·ra·ment ['tempərəmənt] temperament *m*; usposobienie *n*; **~·ra·men·tal** [tempərə'mentl] porywczy, o żywym temperamencie; kapryśny
tem·pe·rate ['tempərət] *klimat itp.*: umiarkowany
tem·pe·ra·ture ['temprətʃə] temperatura *f*; ***have*** lub ***be running a ~*** mieć podwyższoną temperaturę
tem·pest ['tempɪst] *poet.* burza *f*
tem·ple¹ ['templ] świątynia *f*
tem·ple² ['templ] *anat.* skroń *f*
tem·po|·ral ['tempərəl] doczesny; *gr.* (*dotyczący czasów*), czasowy; **~·ra·ry** ['tempərərɪ] prowizoryczny, tymczasowy
tempt [tempt] ⟨s⟩kusić (*też rel.*); ⟨z⟩wabić (***to*** do *G*); **temp·ta·tion** [temp'teɪʃn] kuszenie *n* (*też rel.*); wabienie *n*; **'~·ing** kuszący
ten [ten] **1.** dziesięć; **2.** dziesiątka *f*
ten·a·ble ['tenəbl] (*argument dający się obronić*)
te·na·cious [tɪ'neɪʃəs] uporczywy, wytrwały
ten·ant ['tenənt] lokator(ka *f*) *m*
tend [tend] mieć tendencję (***to*** do *G*); skłaniać się (***towards*** w stronę *G*); ***~ to do s.th.*** zwykle coś robić; ***~ upwards*** mieć tendencje zwyżkowe; **ten·den·cy** ['tendənsɪ] tendencja *f*
ten·der¹ ['tendə] czuły; tkliwy, bolesny; *pieczeń itp.*: miękki
ten·der² ['tendə] *rail., naut.* tender *m*
ten·der³ ['tendə] *econ.* **1.** oferta *f*; ***legal ~*** prawny środek *m* płatniczy; **2.** przedstawiać ⟨-wić⟩ ofertę (***for*** na *A*)
'ten·der|·foot (*pl.* ***-foots, -feet***) *Am.* F nowicjusz(ka *f*) *m*; **'~·loin** polędwica *f*; **'~·ness** czułość *f*; tkliwość *f*, obolałość *f*
ten·don ['tendən] *anat.* ścięgno *n*
ten·dril ['tendrɪl] *bot.* wąs *m* pnącza
ten·e·ment ['tenɪmənt] dom *m* czynszowy
ten·nis ['tenɪs] (*w sporcie*) tenis *m*; **'~ court** kort *m* tenisowy; **'~ play·er** tenisista *m* (-tka *f*)
ten·or ['tenə] *mus.* tenor *m*; wydźwięk *m*, brzmienie *n*
tense¹ [tens] *gr.* czas *m*
tense² [tens] (***-r, -st***) *ktoś, coś* napięty; *ktoś* spięty; *żagiel* naprężony; **ten·sion** ['tenʃn] napięcie *n*
tent [tent] namiot *m*
ten·ta·cle ['tentəkl] *zo.* macka *f*; czułek *m*
ten·ta·tive ['tentətɪv] próbny; nie ostateczny
ten·ter·hooks ['tentəhʊks]: ***be on ~*** siedzieć jak na szpilkach
tenth [tenθ] **1.** dziesiąty; **2.** dziesiątka *f*; **'~·ly** po dziesiąte
ten·u·ous ['tenjʊəs] *fig.* nieznaczny, niepozorny
ten·ure ['tenjʊə] posiadanie *n*; okres *m* posiadania; ***~ of office*** piastowanie *n* urzędu

T

tep·id ['tepɪd] letni
term [tɜːm] **1.** termin *m*, okres *m*; kadencja *f*; *zwł. Brt. ped., univ.* trymestr *m*, *Am.* semestr *m*; określenie *n*, wyrażenie *n*; **~ *of office*** kadencja *f*; **~*s*** *pl.* warunki *pl.*; ***be on good (bad) ~ with*** być z *kimś* w dobrych (złych) stosunkach; ***they are not on speaking ~s*** nie rozmawiają ze sobą; ***come to ~s with*** ⟨po⟩godzić się z (*I*); **2.** nazywać ⟨-zwać⟩, określać ⟨-lić⟩
ter·mi|·nal ['tɜːmɪnl] **1.** końcowy; *med.* terminalny; krańcowy; **~*ally ill*** śmiertelnie chory; **2.** *rail. itp.* stacja *f* końcowa; terminal *m*; → ***air terminal***; *electr.* zacisk *m*, przyłącze *n*; *komp.* terminal *m*; **~·nate** ['tɜːmɪneɪt] *v/t.* ⟨za⟩kończyć; *umowę* rozwiązywać ⟨-zać⟩; *ciążę* przerywać ⟨-rwać⟩; *v/i.* ⟨za⟩kończyć się; wygasać ⟨-snąć⟩; **~·na·tion** [tɜːmɪ'neɪʃn] zakończenie *n*; rozwiązanie *n*; przerwanie *n*; upłynięcie *n*
ter·mi·nus ['tɜːmɪnəs] (*pl.* ***-ni*** [-naɪ], ***-nuses***) *rail. itp.* stacja *f* końcowa
ter·race ['terəs] taras *m*; szereg *m* domów; *zw.* **~*s*** *pl. zwł. Brt.* (*na trybunie sportowej*) miejsca *pl.* stojące; **~d 'house** dom *m* szeregowy
ter·res·tri·al [tə'restrɪəl] ziemski; *zwł. zo., bot.* lądowy
ter·ri·ble ['terəbl] straszny
ter·rif·ic [tə'rɪfɪk] (**~*ally***) fantastyczny, wspaniały; *prędkość* straszny
ter·ri·fy ['terɪfaɪ] przerażać ⟨-razić⟩
ter·ri·to|·ri·al [terə'tɔːrɪəl] terytorialny; **~·ry** ['terətərɪ] terytorium *n*, obszar *m*
ter·ror ['terə] terror *m*; przerażenie *n*; **~·is·m** ['terərɪzm] terroryzm *m*; **~·ist** ['terərɪst] terrorysta *m* (-tka *f*); **~·ize** ['terəraɪz] ⟨s⟩terroryzować
terse [tɜːs] (***-r, -st***) zwięzły
test [test] **1.** test *m*, sprawdzian *m*; egzamin *m*; badanie *n*; próba *f*; **2.** ⟨prze⟩testować; sprawdzać ⟨-dzić⟩; ⟨z⟩badać; poddawać ⟨-ddać⟩ próbie
tes·ta·ment ['testəmənt] testament *m* (*też rel.*); ***last will and ~*** ostatnia wola *f*
'test| card *TV* obraz *m* kontrolny; **'~ drive** *mot.* jazda *f* próbna
tes·ti·cle ['testɪkl] *anat.* jądro *n*
tes·ti·fy ['testɪfaɪ] *jur.* świadczyć, zeznawać ⟨-nać⟩
tes·ti·mo|·ni·al [testɪ'məʊnjəl] referencja *f*; **~·ny** ['testɪmənɪ] *jur.* świadectwo *n*, zaświadczenie *n*
'test| pi·lot *aviat.* oblatywacz *m*; **'~ tube** probówka *f*; **'~-tube ba·by** *med.* dziecko *n* z probówki
tes·ty ['testɪ] (***-ier, -iest***) drażliwy
tet·a·nus ['tetənəs] *med.* tężec *m*
teth·er ['teðə] **1.** *zw.* więzy *pl.*; ***at the end of one's ~*** u kresu wytrzymałości; **2.** *zwierzę* przywiązywać ⟨-zać⟩
Texas Teksas *m*
text [tekst] tekst *m*; **'~·book** podręcznik *m*
tex·tile ['tekstaɪl] tekstylny; **~*s*** *pl.* artykuły *pl.* tekstylne
tex·ture ['tekstʃə] faktura *f*; budowa *f*, struktura *f*
Thames Tamiza *f*
than [ðæn, ðən] niż
thank [θæŋk] **1.** *komuś* ⟨po⟩dziękować (***for*** za *A*); **~ *you (very much)*** dziękuję (bardzo); ***no, ~ you*** nie, dziękuję; (***yes,***) **~ *you*** tak, proszę; **2. ~*s*** *pl.* podziękowania *pl.*; **~*s!*** dzięki!; ***no, ~s*** nie, dziękuję; **~*s to*** dzięki (*D*); **'~·ful** wdzięczny; **'~·less** niewdzięczny
'Thanks·giv·ing (Day) *Am.* Dzień *m* Dziękczynienia
that [ðæt, ðət] **1.** *pron. i adj.* (*pl.* ***those*** [ðəʊz]) ten *m*; tamten *m*; to, tamto; **2.** *relative pron.* (*pl.* ***that***) kiedy; gdy; **3.** *cj.* że; **4.** *adv.* F tak; ***it's ~ simple*** to takie proste
thatch [θætʃ] **1.** ⟨po⟩kryć strzechą; **2.** strzecha *f*
thaw [θɔː] **1.** ⟨od⟩tajać; **2.** odwilż *f* (*też fig.*)
the [ðə, *przed samogłoskami* ðɪ, *akcentowane* ðiː] **1.** *rodzajnik określony*: (*najczęściej nie tłumaczony*); **~ *horse*** koń *m*; **2.** *adv.* **~ ... ~ ...** im ..., tym ...; **~ *sooner* ~ *better*** im szybciej, tym lepiej
the·a·tre *Brt.*, **the·a·ter** *Am.* ['θɪətə] teatr *m*; sala *f* wykładowa; *Brt. med.* sala *f* operacyjna; *mil.* teatr *m* działań wojennych; **'~·go·er** teatroman(ka *f*) *m*; **the·at·ri·cal** [θɪ'ætrɪkl] teatralny; *fig.* kabotyński
theft [θeft] kradzież *f*
their [ðeə] *pl.* ich; **~s** [ðeəz] ich
them [ðem, ðəm] ich (*G*, *A*) *pl.*; im (*D*) *pl.*

T

theme [θiːm] temat *m*

them·selves [ðəm'selvz] się; sobie; sami; ***by ~*** przez siebie, bez pomocy

then [ðen] **1.** *adv.* wtedy; wówczas; ***by ~*** do tego czasu; ***from ~ on*** od tego czasu; → ***every, now*** 1, ***there***; **2.** *adj. zwł.* ***the ~*** ówczesny

the·o·lo·gian [θɪə'ləʊdʒən] teolog *m*; **the·ol·o·gy** [θɪ'ɒlədʒɪ] teologia *f*

the·o|·ret·i·cal [θɪə'retɪkl] teoretyczny; **~·ry** ['θɪərɪ] teoria *f*

ther·a|·peu·tic [θerə'pjuːtɪk] terapeutyczny; **~·pist** ['θerəpɪst] terapeuta *m* (-tka *f*); **~·py** ['θerəpɪ] terapia *f*

there [ðeə] **1.** tam; ***~ is*** jest; ***~ are*** *pl.* są; ***~ isn't, aren't*** nie ma; ***~ and then*** na miejscu; ***~ you are*** proszę; ano właśnie!; **2.** *int.* no; ***~, ~*** no już dobrze; **~·a·bout(s)** ['ðeərəbaʊt(s)] coś koło tego; **~·aft·er** [ðeər'ɑːftə] następnie, później; **~·by** [ðeə'baɪ] poprzez to; **~·fore** ['ðeəfɔː] dlatego; **~·up·on** [ðeərə'pɒn] następnie

ther·mal ['θɜːml] **1.** termiczny; cieplny; *odzież*: ocieplany; termo...; **2.** prąd *m* termiczny

ther·mom·e·ter [θə'mɒmɪtə] termometr *m*

ther·mos ['θɜːmɒs] *TM* termos *m*

these [ðiːz] *pl. od* ***this***

the·sis ['θiːsɪs] (*pl.* ***-ses*** [-siːz]) teza *f*; *univ.* rozprawa *f*, praca *f* doktorska

they [ðeɪ] oni *pl.*, one *pl.*

thick [θɪk] **1.** *adj.* gruby; *mgła, zupa itp.*: gęsty; F głupi; *akcent*: ciężki; *głos*: ochrypły; ***be ~ with*** roić się od (*G*); ***that's a bit ~!*** *zwł. Brt.* F tego już za dużo; **2.** *adv.* grubo; gęsto; ***lay it on ~*** F przesadzać (***about*** z *I*); **3.** ***in the ~ of*** w środku (*G*); ***through ~ and thin*** na dobre i na złe; **'~·en** zagęszczać ⟨-ęścić⟩; ⟨z⟩gęstnieć; **~·et** ['θɪkɪt] gąszcz *m*; **~'head·ed** F tępy; **'~·ness** grubość *f*; **~'set** krępy; **~-'skinned** *fig.* gruboskóry

thief [θiːf] (*pl.* ***thieves*** [θiːvz]) złodziej(ka *f*) *m*

thigh [θaɪ] *anat.* udo *m*

thim·ble ['θɪmbl] naparstek *m*

thin [θɪn] **1.** *adj.* (***-nn-***) cienki; chudy; rzadki; rozrzedzony; *głos, wymówka itp.*: słaby; **2.** *adv.* cienko; **3.** (***-nn-***) rozrzedzać ⟨-dzić⟩ (się); *rośliny*: przerzedzać ⟨-dzić⟩; rzednąć

thing [θɪŋ] rzecz *f*; przedmiot *m*, obiekt *m*; coś *n*; ***I couldn't see a ~*** nie widziałem niczego; ***another ~*** coś innego; ***the right ~*** właściwa rzecz *f*; ***~s*** *pl.* rzeczy *pl.*; sprawy *pl.*

thing·a·ma·jig F ['θɪŋəmɪdʒɪg] wihajster *m*, dings *m*

think [θɪŋk] *v/i.* (***thought***) ⟨po⟩myśleć (***about*** o *L*); zastanawiać ⟨-nowić⟩ się (***of*** nad *I*); rozważać ⟨-żyć⟩; sądzić, przypuszczać (***that*** że); ***I ~ so*** tak sądzę; ***I'll ~ about it*** zastanowię się nad tym; ***~ of*** przypominać ⟨-mnieć⟩ sobie o (*L*); ***~ of doing s.th.*** zastanawiać się nad zrobieniem czegoś; ***what do you ~ of...*** *lub* ***about...?*** co myślisz o ...?; *v/t.* ⟨po⟩myśleć; rozważać ⟨-żyć⟩; uważać (się) za (*A*); ***~ over*** zastanowić się nad (*I*), przemyśleć; ***~ up*** wymyślać ⟨-lić⟩; **'~ tank** grupa *lub* komisja *f* ekspertów

third [θɜːd] **1.** trzeci; **2.** trzecia część *f*; **'~·ly** po trzecie; **~-'rate** trzeciorzędny; **♀ 'World** Trzeci Świat *m*

thirst [θɜːst] pragnienie *n*; **'~·y** (***-ier, -iest***) spragniony; ***he's ~y*** pić mu się chce

thir|·teen [θɜː'tiːn] **1.** trzynaście; **2.** trzynastka *f*; **~·teenth** [θɜː'tiːnθ] trzynasty; **~·ti·eth** ['θɜːtɪɪθ] trzydziesty; **~·ty** ['θɜːtɪ] **1.** trzydzieści; **2.** trzydziestka *f*

this [ðɪs] (*pl.* ***these*** [ðiːz]) to, ten; ***~ morning*** dzisiejszego ranka; ***~ is John speaking*** John przy telefonie

this·tle ['θɪsl] *bot.* oset *m*

thong [θɒŋ] rzemień *m*, rzemyk *m*

thorn [θɔːn] cierń *m*, kolec *m*; **'~·y** (***-ier, -iest***) ciernisty, kolczasty; *fig.* trudny

thor·ough ['θʌrə] dokładny, gruntowny; całkowity; drobiazgowy; **'~·bred** *zo.* koń *m* pełnej krwi; **'~·fare** magistrala *f*, arteria *f*

those [ðəʊz] *pl. od* ***that*** 1

though [ðəʊ] **1.** *cj.* chociaż, choć; ***as ~*** jakby; **2.** *adv.* jednak

thought [θɔːt] **1.** *pret. i p.p. od* ***think***; **2.** myśl *f*; zastanowienie *n* się; ***on second ~s*** po zastanowieniu się; **'~·ful** zamyślony; troskliwy; **'~·less** bezmyślny

thou·sand ['θaʊznd] **1.** tysiąc; **2.** tysiąc *m*; **~th** ['θaʊzntθ] **1.** tysięczny; **2.** tysięczna część *f*

thrash [θræʃ] *kogoś* ⟨wy⟩młócić; (*w grze*) pobić; ***~ about, ~ around*** rzucać ⟨-cić⟩ się; ~ ***out*** *problem* przedyskutować; '~·**ing** młócka *f*; lanie *n*

thread [θred] **1.** nić *f* (*też fig.*); wątek *m* (*też fig.*); *tech.* gwint *m*; **2.** *igłę* nawlekać ⟨-leć⟩; ⟨na⟩gwintować; '~·**bare** wytarty; *fig.* oklepany

threat [θret] groźba *f*; zagrożenie *n* (***to*** dla *G*); ~·**en** ['θretn] zagrażać ⟨-rozić⟩; '~·**en·ing** zagrażający

three [θriː] **1.** trzy; **2.** trójka *f*; '~·**fold** trzykrotny, potrójny; '~-**ply** → ***ply***[4]; '~·**score** sześćdziesiąt; '~-**stage** trójstopniowy

thresh [θreʃ] *agr.* ⟨wy⟩młócić; '~·**ing ma·chine** młockarnia *f*

thresh·old ['θreʃhəʊld] próg *m* (*też fig.*)

threw [θruː] *pret. od* ***throw*** 1

thrift [θrɪft] oszczędność *f*; gospodarność *f*; '~·**y** (-***ier***, -***iest***) oszczędny; gospodarny

thrill [θrɪl] **1.** dreszcz *m* (*zwł. emocji*); przeżycie *n*; **2.** *v/t.* ***be*** ~***ed*** być podekscytowanym (***at, about*** z powodu *G*); '~·**er** dreszczowiec *m*, kryminał *m*; '~·**ing** ekscytujący

thrive [θraɪv] (***thrived*** *lub* ***throve***) dobrze się rozwijać; *fig.* rozkwitać ⟨-tnąć⟩

throat [θrəʊt] gardło *n*; ***clear one's*** ~ odchrząkiwać ⟨-knąć⟩; → ***sore*** 1

throb [θrɒb] **1.** (-***bb***-) *puls*: tętnić; *ból*: pulsować; *serce*: walić; *silnik*: dudnić; **2.** tętnienie *n*; pulsowanie *n*; walenie *n*

throm·bo·sis [θrɒm'bəʊsɪs] *med.* (*pl.* -***ses*** [-siːz]) zakrzepica *f*

throne [θrəʊn] tron *m* (*też fig.*)

throng [θrɒŋ] **1.** tłum *m*, ciżba *f*; **2.** tłoczyć się; cisnąć się; zatłaczać

throt·tle ['θrɒtl] **1.** ⟨z-, za⟩dusić; ~ ***down*** ⟨z⟩dławić; *mot.*, *tech.* ⟨z⟩dławić; **2.** *tech.* przepustnica *f*

through [θruː] **1.** *prp.* przez (*A*), poprzez (*A*); *Am.* do (*G*) (*włącznie*); ***Monday*** ~ ***Friday*** *Am.* od poniedziału do piątku (włącznie); **2.** *adv.* całkiem, zupełnie; prosto; ~ ***and*** ~ całkowicie; ***put s.o.*** ~ ***to*** *tel.* połączyć kogoś z (*I*); ***wet*** ~ całkiem mokry; **3.** *adj. pociąg*: przelotowy; ~'**out** **1.** *prp.* przez (*A*); ~ ***the night*** przez (całą) noc; **2.** *adv.* całkowicie; zupełnie; '~ **traf·fic** ruch *m* przelotowy; '~·**way** *Am.* → ***thruway***

throve [θrəʊv] *pret. od* ***thrive***

throw [θrəʊ] **1.** (***threw***, ***thrown***) rzucać ⟨-cić⟩, ciskać ⟨-snąć⟩; *przełącznik* przerzucać ⟨-cić⟩; F *imprezę* urządzać ⟨-dzić⟩; ~ ***a four*** wyrzucić cztery punkty; ~ ***off*** *ubranie* zrzucać ⟨-cić⟩; pozbywać ⟨-być⟩ się (*choroby*, *prześladowców*); ~ ***out*** *kogoś* wyrzucać ⟨-cić⟩; ~ ***up*** *v/t.* podrzucać ⟨-cić⟩; F *pracę* porzucać ⟨-cić⟩; F zwracać ⟨-rócić⟩; *v/i.* F ⟨z⟩wymiotować; **2.** rzucenie *n*; '~·**a·way** jednorazowy; *uwaga*: rzucony niedbale; '~·**a·way pack** opakowanie *n* jednorazowe; '~-**in** (*w piłce nożnej*) wrzut *m* z autu; ~**n** [θrəʊn] *p.p. od* ***throw*** 1

thru [θruː] *Am.* → ***through***; '~·**way** *Am.* droga *f* przelotowa

thrum [θrʌm] (-***mm***-) → ***strum***

thrush [θrʌʃ] *zo.* drozd *m*

thrust [θrʌst] **1.** (***thrust***) wpychać ⟨wepchnąć⟩ (***into*** w *A*); wbijać ⟨wbić⟩ (***into*** w *A*); ~ ***at*** pchnąć (*A*); ~ ***upon s.o.*** narzucać ⟨-cić⟩ komuś; **2.** pchnięcie *n*; *tech.* ciąg *m*, siła *f* ciągu; *mil.* wypad *m*

thud [θʌd] **1.** głuche uderzenie *n*; **2.** (-***dd***-) uderzyć głucho

thug [θʌg] kryminalista *m*

thumb [θʌm] **1.** *anat.* kciuk *m*; **2.** ~ ***a lift*** *lub* ***ride*** zatrzymywać ⟨-mać⟩ samochody na (auto)stopie (***to*** w kierunku *G*); ~ ***through a book*** przekartkowywać ⟨-wać⟩ książkę; ***well***-~***ed*** zaczytany; '~·**tack** *Am.* pinezka *f* *lub* pineska *f*

thump [θʌmp] **1.** *v/t.* *kogoś* palnąć, walnąć; ~ ***out*** *melodię* ⟨wy⟩bębnić (***on the piano*** na fortepianie); *v/i.* walić, łomotać; **2.** walnięcie *n*; walenie *n*, łomot *m*

thun·der ['θʌndə] **1.** grzmot *m*; piorun *m*; **2.** ⟨za⟩grzmieć (*też fig.*); '~·**bolt** błyskawica *f*; '~·**clap** uderzenie *n* pioruna; '~·**cloud** chmura *f* burzowa; ~·**ous** ['θʌndərəs] *oklaski*: burzliwy; '~·**storm** burza *f* z piorunami; '~·**struck** (jak) rażony piorunem

Thur(s) *skrót pisany*: ***Thursday*** czw., czwartek *m*

Thurs·day ['θɜːzdɪ] (*skrót*: ***Thur, Thurs***) czwartek *m*; ***on*** ~ w czwartek; ***on*** ~***s*** w czwartki

thus [ðʌs] tak; w ten sposób; ~ ***far*** jak dotąd

thwart [θwɔːt] udaremniać ⟨-nić⟩, ⟨po⟩krzyżować

T

thyme [taɪm] *bot.* tymianek *m*
thy•roid (gland) ['θaɪrɔɪd (-)] *anat.* tarczyca *f*
tick[1] [tɪk] **1.** tykanie *n*; znaczek *m*, ptaszek *m*; **2.** *v/i.* tykać; *v/t. zw.* **~ off** odfajkowywać ⟨-ować⟩, odhaczać ⟨-czyć⟩
tick[2] [tɪk] *zo.* kleszcz *m*
tick[3] [tɪk]: **on ~** *Brt.* F na kredyt
tick•er•tape ['tɪkəteɪp] taśma *f* perforowana; *jakby*: serpentyna *f*; **~ pa'rade** ceremonia *f* (*z rzucaniem serpentyn*)
tick•et ['tɪkɪt] **1.** bilet *m*; (*w sklepie*) metka *f*; mandat *m*; kwit *m* (*do przechowalni itp.*); etykietka *f*; paragon *m*; *Am. pol.* mandat *m*; **'~-can•cel•(l)ing ma•chine** kasownik *m*; **'~ col•lec•tor** konduktor(ka *f*) *m*; **'~ ma•chine** automat *m* do biletów; **'~ of•fice** *rail.* kasa *f* biletowa
tick•ing ['tɪkɪŋ] płótno *n* pościelowe
tick|•le ['tɪkl] ⟨po⟩łaskotać; **~•lish** ['tɪklɪʃ] łaskotliwy
tid•al ['taɪdl]: **~ wave** fala *f* pływu
tid•bit ['tɪdbɪt] *Am.* → **titbit**
tide [taɪd] **1.** pływ *m*, odpływ *m* morza; *fig.* napływ *m*; **high ~** przypływ *m*; **low ~** odpływ *m*; **2. ~ over** *fig.* pomagać ⟨-móc⟩ przetrwać
ti•dy ['taɪdɪ] **1.** (**-ier, -iest**) schludny; porządny (*też fig.*); F *suma*: niezły; **2.** *też* **~ up** uporządkowywać ⟨-ować⟩; doprowadzać ⟨-dzić⟩ do porządku; ⟨po⟩sprzątać; **~ away** uprzątać, ⟨-tnąć⟩
tie [taɪ] **1.** krawat *m*; sznur *m*; (*w sporcie*) remis *m*; (*w sporcie*) mecz *m* (*w rozgrywkach pucharowych*); *Am. rail.* podkład *m*; *zw.* **~s** *pl.* więzy *pl.*; **2.** *v/t.* ⟨za⟩wiązać, zawiązać ⟨-zywać⟩; powiązać; (**to** z *I*); **the game was ~d** (*w sporcie*) mecz zakończył się wynikiem remisowym; *v/i.* **they ~d for second place** (*w sporcie*) zdobyli ex aequo drugie miejsce; **~ down** *fig.* ⟨z⟩wiązać ręce; wiązać ⟨związywać⟩ terminem (**to** do *G*); **~ in with** odpowiadać (*D*), zgadzać się z (*I*), korelować z (*I*); **~ up** *pieniądze* związywać ⟨-zać⟩, unieruchamiać ⟨-chomić⟩; powiązywać ⟨-zać⟩; *ruch* unieruchamiać ⟨-chomić⟩; **'~•break(•er)** (*w tenisie*) tie-break *m*; **'~-in** powiązanie *n*; *econ.* sprzedaż *f* wiązana; **a ~-in with his latest movie** *jakby*: książka *f* oparta na fabule jego najnowszego filmu; **'~-on** przywiązywany
tier [tɪə] rząd *m*; poziom *m* (*też fig.*); warstwa *f*
'tie-up powiązanie *n*; związek *m*; *econ.* fuzja *f*
ti•ger ['taɪgə] *zo.* tygrys *m*
tight [taɪt] **1.** *adj.* szczelny; *żagiel itp.*: napięty; (za) ciasny, *ubranie itp.*: opięty; *econ. pieniądz*: ograniczony; F (*pijany*) wstawiony; *w złoż.* ...szczelny; **be in a ~ corner** F być w trudnej sytuacji; **2.** *adv.* mocno; F dobrze; **sleep ~!** F śpij dobrze; **~•en** ['taɪtn] zaciskać ⟨-snąć⟩; napinać ⟨-piąć⟩; **~en one's belt** *fig.* zaciskać ⟨-snąć⟩ pasa; **~en up (on)** *prawa* zaostrzać ⟨-rzyć⟩; **~'fist•ed** F skąpy; **~s** *pl.* trykot *m*; *zwł. Brt.* rajstopy *pl.*
ti•gress ['taɪgrɪs] *zo.* tygrysica *f*
tile [taɪl] **1.** dachówka *f*; kafel(ek) *m*; **2.** pokrywać ⟨-ryć⟩ dachówka; wykładać ⟨wyłożyć⟩ kaflami; **'til•er** dekarz *m*; kafelkarz *m*
till[1] [tɪl] → **until**
till[2] [tɪl] kasa *f*
tilt [tɪlt] **1.** przechylać ⟨-lić⟩ (się); nachylać ⟨-lić⟩ (się); **2.** nachylenie *n*; pochylenie *n*; **at a ~** przechylony; **(at) full ~** F na całego (*jechać itp.*)
tim•ber ['tɪmbə] *Brt.* drewno *n* budowlane; budulec *m*; belka *f*
time [taɪm] **1.** czas *m*; godzina *f*; pora *m*; raz *m*; *mus.* takt *m*; **~ after ~, ~ and again** ciągle; **every ~ he** ...za każdym razem, gdy on; **how many ~s?** ile razy?; **next ~** następnym razem; **this ~** tym razem; **three ~s** trzy razy; **three ~s four equals** *lub* **is twelve** trzy razy cztery równa się dwanaście; **what's the ~?** która godzina?; **all the ~** cały czas; **at all ~s, at any ~** za każdym razem; **at the same ~** w tym samym czasie; **at ~s** czasami; **by the ~** do czasu gdy; **for a ~** na jakiś czas; **for the ~ being** na razie; **from ~ to ~** od czasu do czasu; **have a good ~** dobrze się bawić; **in ~** punktualnie, na czas; **in no ~ (at all)** szybko; wkrótce; **on ~** punktualnie; **some ~ ago** jakiś czas temu; **take one's ~** nie spieszyć się (**to do s.th.** ze zrobieniem czegoś); **2.** mierzyć czas (*G*) (*też w sporcie*); ustalać ⟨-lić⟩ czas (*G*); wyliczyć ⟨-czać⟩ czas; **'~ card** *Am.* karta *f* kontrolna; **'~ clock** zegar *m* kontrolny; **'~ lag** różnica *f* czasowa; **'~-lapse**: **~ photography** (*w fil-*

T

mie) zdjęcia *pl.* poklatkowe; '**~·less** bezczasowy; wieczny; '**~ lim·it** limit *m*; '**~·ly** (**-*ier, -iest***) terminowy, planowy; **~ sheet** karta *f* kontrolna; '**~ sig·nal** *radiowy* sygnał *m* czasu; '**~·ta·ble** rozkład *m* jazdy *lub* lotów; program *m*; *szkolny* rozkład *m* zajęć
tim·id ['tɪmɪd] nieśmiały, płochliwy
tim·ing ['taɪmɪŋ] timing *m*; wybór *m* najwłaściwszego momentu
tin [tɪn] **1.** cyna *f*; *Brt. blaszana, konserwowa* puszka *f*; **2.** (**-*nn-***) ⟨po⟩cynować; *Brt.* ⟨za⟩konserwować, ⟨za⟩puszkować
tinc·ture ['tɪŋktʃə] tynktura *f*
'**tin·foil** folia *f* aluminiowa, staniol *m*
tinge [tɪndʒ] **1.** nadawać odcień; ***be ~d with*** być zabarwionym (*I*); **2.** odcień *m*; *fig.* odrobina *f*
tin·gle ['tɪŋgl] mrowić, szczypać, kłuć
tink·er ['tɪŋkə] grzebać się (***with*** przy *L*)
tin·kle ['tɪŋkl] ⟨za⟩dźwięczeć; ⟨za⟩-dzwonić
tinned [tɪnd] *Brt.* puszkowany; konserwowy; **~ 'fruit** owoce *pl.* w puszkach
'**tin o·pen·er** *Brt.* otwieracz *m* do konserw
tin·sel ['tɪnsl] lameta *f*
tint [tɪnt] **1.** barwa *f*; zabarwienie *n*; **2.** zabarwiać ⟨-wić⟩
ti·ny ['taɪnɪ] (**-*ier, -iest***) malutki, drobny
tip¹ [tɪp] **1.** szpic *m*, koniuszek *m*, wierzchołek *m*; filtr *m* (*papierosa*); ***it's on the ~ of my tongue*** mam to na końcu języka; **2.** (**-*pp-***) zakańczać ⟨-kończyć⟩ szpicem
tip² [tɪp] **1.** (**-*pp-***) *zwł. Brt.* wysypywać ⟨-pać⟩; przechylać ⟨-lić⟩; **~ *over*** przewracać ⟨-rócić⟩; **2.** *zwł. Brt.* wysypisko *n*; *Brt. fig.* F chlew *m*
tip³ [tɪp] **1.** napiwek *m*; **2.** (**-*pp-***) dawać ⟨dać⟩ napiwek (*D*)
tip⁴ [tɪp] **1.** porada *f*, rada *f*; **2.** (**-*pp-***) ⟨po⟩radzić; ⟨po⟩stawiać (***for*** na *A*); typować (***as*** jako *A*); **~ *off*** dawać ⟨dać⟩ znać (*D*)
tip·sy ['tɪpsɪ] (**-*ier, -iest***) wstawiony, podpity
'**tip·toe 1.** ***on ~*** na palcach; **2.** iść na końcach palców
tire¹ ['taɪə] *Am.* → ***tyre***
tire² ['taɪə] ⟨z⟩męczyć (się); '**~d** zmęczony; ***be ~d of*** być zmęczonym (*I*); '**~·less** niestrudzony, niezmordowany; '**~·some** męczący; uciążliwy

Ti·rol [tɪ'rəʊl, 'tɪrəl] Tyrol *m*
tis·sue ['tɪʃuː] *biol.* tkanka *f*; chusteczka *f* higieniczna; '**~ pa·per** bibułka *f*
tit¹ [tɪt] *sl.* cycek *m*
tit² [tɪt] *zo.* sikor(k)a *f*
tit·bit ['tɪtbɪt] *zwł. Brt.* smakołyk *m*
tit·il·late ['tɪtɪleɪt] *kogoś (seksualnie)* podniecać ⟨-cić⟩
ti·tle ['taɪtl] tytuł *m*; nagłówek *m*; *jur.* tytuł *m* prawny (***to*** do *G*); '**~ page** strona *f* tytułowa
tit·mouse ['tɪtmaʊs] *zo.* (*pl.* **-*mice***) sikor(k)a *f*
tit·ter ['tɪtə] **1.** ⟨za⟩chichotać; **2.** chichot *m*
TM *skrót pisany*: ***trademark*** znak *m* towarowy
tn *Am.* → ***t***
to [tuː, tʊ, tə] **1.** *prp.* do (*G*); na (*A*); przy (*I*); dla (*G*); w relacji do, w stosunku do (*G*); ku (*D*) (*zdumieniu itp.*); *w określeniach czasu* za (*A*); **~ *me*** mnie *lub* mi *itp.*; ***from Monday ~ Friday*** od poniedziału do piątku; ***a quarter to ~ one*** za kwadrans pierwsza; ***go ~ Poland*** jechać do Polski; ***go ~ school*** chodzić do szkoły; ***have you ever been ~ London?*** czy byłeś kiedyś w Londynie?; ***here's ~ you!*** za twoje zdrowie!; **~ *the left*** na lewo; **~ *my regret*** ku mojemu żalowi; **2.** *adv.* ***pull ~*** zamykać ⟨-mknąć⟩; ***come ~*** przyjść do siebie; **~ *and fro*** tam i z powrotem; **3.** *z bezokolicznikiem*: **~ *go*** iść ⟨pójść⟩; *cel*: w celu, żeby; ***easy ~ learn*** łatwy do nauczenia się; ***... ~ earn money*** ... aby zarabiać pieniądze
toad [təʊd] *zo.* ropucha *f*; **~·stool** *bot.* ['təʊdstuːl] muchomor *m*
toad·y ['təʊdɪ] **1.** pochlebca *m*; **2.** przypochlebiać się
toast¹ [təʊst] **1.** tost *m*, grzanka *f*; **2.** przypiekać ⟨-piec⟩; ⟨z⟩robić grzanki
toast² [təʊst] **1.** toast *m*; **2.** wznosić ⟨-nieść⟩ toast
toast·er ['təʊstə] opiekacz *m* do grzanek, toster *m*
to·bac·co [tə'bækəʊ] (*pl.* **-*cos***) tytoń *m*; *attr.* tytoniowy; ⚠ *nie* ***tabaka***; **~·nist** [tə'bækənɪst] właściciel(ka *f*) *m* sklepu z wyrobami tytoniowymi
to·bog·gan [tə'bɒgən] **1.** sanki *pl.*; tobogan *m*; **2.** zjeżdżać ⟨zjechać⟩ na sankach

T

to·day ['tə'deɪ] **1.** *adv.* dzisiaj; dziś; ***a week ~, ~ week*** od dzisiaj za tydzień; **2.** dzisiejszy; ***of ~, ~'s*** z dnia dzisiejszego, dzisiejszy

tod·dle ['tɒdl] ⟨po⟩dreptać (*zwł. małe dziecko*)

tod·dy ['tɒdɪ] grog *m* (*z whisky*)

to-do [tə'duː] F *fig.* (*pl.* ***-dos***) zamieszanie *n*, rejwach *m*

toe [təʊ] *anat.* palec *m* nogi; czubek *m* (*buta*); **'~·nail** paznokieć *m* palc u nogi

tof |·fee, ~·fy ['tɒfɪ] toffi *n*

to·geth·er [tə'geðə] razem; wspólnie; ***~ with*** wraz z (*I*)

toi·let ['tɔɪlɪt] toaleta *f*; **'~ pa·per** papier *m* toaletowy; **'~ roll** *zwł. Brt.* rolka *f* papieru toaletowego

to·ken ['təʊkən] **1.** znak *m*; żeton *m*; ***as a ~, in ~ of*** na znak (*G*); ***by the same ~*** tym samym; **2.** *adj.* zdawkowy; symboliczny

told [təʊld] *pret. i p.p. od* ***tell***

tol·e|·ra·ble ['tɒlərəbl] znośny; **~·rance** ['tɒlərəns] tolerancja *f*; **~·rant** ['tɒlərənt] tolerancyjny (***of, towards*** względem *G*); **~·rate** ['tɒləreɪt] tolerować, znosić ⟨-nieść⟩

toll[1] [təʊl] opłata *f* (*portowa, za przejazd itp.*); cło *n*; ***heavy death ~*** duża liczba ofiar śmiertelnych; ***take its ~*** (***on***) *fig.* wyciskać swoje piętno (na *I*)

toll[2] [təʊl] *dzwony*: ⟨za⟩dzwonić

toll|-'free *Am. tel.* wolny od opłaty drogowej; **'~ road** droga *f* płatna

to·ma·to [tə'mɑːtəʊ, tə'meɪtəʊ] *bot.* (*pl.* ***-toes***) pomidor *m*

tomb [tuːm] grobowiec *m*

tom·boy ['tɒmbɔɪ] chłopczyca *f*

'tomb·stone nagrobek *m*, kamień *m* nagrobny

tom·cat ['tɒmkæt] *zo. też* F kocur *m*

tom·fool·e·ry [tɒm'fuːlərɪ] błazenada *f*

to·mor·row [tə'mɒrəʊ] **1.** *adv.* jutro; ***a week ~, ~ week*** od jutra za tydzień; ***~ morning*** jutro rano; ***~ night*** jutro wieczorem; **2.** ***the day after ~*** pojutrze; ***of ~, ~'s*** jutrzejszy

ton [tʌn] (*skrót*: ***t, tn***) (*waga*) tona; ⚠ *nie* ***ton***

tone [təʊn] **1.** ton *m*, dźwięk *m*; brzmienie *n*; *Am. mus.* nuta *f*; *med.* tonus *m*; *fig.* poziom *m*; **2.** ***~ down*** osłabiać ⟨-bić⟩; ***~ up*** wzmacniać ⟨-mocnić⟩

tongs [tɒŋz] *pl.* (***a pair of ~***) szczypce *pl.*

tongue [tʌŋ] *anat.* język *m* (*też w bucie*); ozór *m* (*zwierzęcia*); *gastr.* ozorek *m*; mowa *f*, język *m*; ***hold one's ~*** trzymać język za zębami

ton·ic ['tɒnɪk] tonik *m*; *med.* lek *m* tonizujący; *mus.* tonika *f*

to·night [tə'naɪt] dzisiaj w nocy, dzisiejszej nocy

ton·sil ['tɒnsl] *anat.* migdał *m*; **~·li·tis** *med.* [tɒnsɪ'laɪtɪs] zapalenie *n* migdałków; angina *f*

too [tuː] też, także; zbyt, zbytnio

took [tʊk] *pret. od* ***take*** 1

tool [tuːl] narzędzie *n*; **'~ bag** torba *f* na narzędzia; **'~ box** skrzynka *f* na narzędzia; **'~ kit** zestaw *m* narzędzi; **'~·shed** szopa *f* na narzędzia

toot [tuːt] ⟨za⟩trąbić

tooth [tuːθ] (*pl.* ***teeth***) ząb *m*; **'~·ache** ból *m* zęba; **'~·brush** szczotka *f* do zębów; **'~·less** bezzębny; **'~·paste** pasta *f* do zębów; **'~·pick** wykałaczka *f*

top[1] [tɒp] **1.** góra *f*; wierzch *m*; szczyt *m* (*góry*); wierzchołek *m*; czubek *m*; korona *f* (*drzewa*); zakrętka *f* (*butelki, tubki itp.*); *mot.* (*składany*) dach *m*; *mot.* najwyższy bieg *m*; ***at the ~ of the page*** na górze strony; ***at the ~ of one's voice*** na całe gardło; ***on ~*** na wierzchu; ***on ~ of*** na (*L*); **2.** górny; szczytowy; maksymalny; **3.** (***-pp-***) przykrywać ⟨-ryć⟩; *fig.* przewyższać ⟨-szyć⟩, przekraczać, ⟨-roczyć⟩; ***~ up*** *zbiornik* dopełniać ⟨-nić⟩; F uzupełniać ⟨-nić⟩

top[2] [tɒp] (*zabawka*) bąk *m*

top| 'hat cylinder *m*; **~-'heav·y** przeładowany u góry; *fig.* o zbyt dużej górze

top·ic ['tɒpɪk] temat *m*; **'~·al** aktualny

top·ple ['tɒpl]: *zw.* ***~ over*** przewracać ⟨-rócić⟩ się; *fig. rząd itp.* obalać ⟨-lić⟩

top·sy-tur·vy [tɒpsɪ'tɜːvɪ] postawiony do góry nogami

torch [tɔːtʃ] *Brt.* latarka *f*; pochodnia *f*; **'~·light** światło *n* pochodni

tore [tɔː] *pret. od* ***tear***[2]

tor·ment **1.** ['tɔːment] męczarnia *f*; **2.** [tɔː'ment] dręczyć; znęcać się nad (*I*)

torn [tɔːn] *p.p. od* ***tear***[2]

tor·na·do [tɔː'neɪdəʊ] (*pl.* ***-does, -dos***) tornado *n*

tor·pe·do [tɔː'piːdəʊ] (*pl.* ***-does***) torpeda *f*

T

tor|·rent ['tɒrənt] *wartki* strumień *m*, potok *m* (*też fig.*); **~·ren·tial** [tə'renʃl]: ***~rential rain*** ulewny deszcz *m*

tor·toise ['tɔːtəs] *zo.* żółw *m*

tor·tu·ous ['tɔːtʃʊəs] kręty; zawikłany

tor·ture ['tɔːtʃə] **1.** tortura *f* (*też fig.*); **2.** torturować

toss [tɒs] **1.** *v/t.* rzucać ⟨-cić⟩ (*też monetą*); *naleśnik* przewracać ⟨-rócić⟩; *v/i. też* ***~ about, ~ and turn*** rzucać się (*we śnie*); ***~ for s.th.*** rzucać ⟨-cić⟩ monetą o coś; ***~ off*** *drinka* strzelić sobie; *szkic itp.* machnąć; **2.** rzut *m* (*też monetą*); podrzucenie *n*; szarpnięcie *n* (*głową*)

tot [tɒt] F berbeć *m*

to·tal ['təʊtl] **1.** całkowity; ogólny; całkowity; totalny; **2.** suma *f* (*całkowita*); liczba *f* całkowita *lub* ogólna; **3.** (*zwł. Brt.* ***-ll-***, *Am.* ***-l-***) wynosić ⟨-nieść⟩ ogółem; ***~ up*** podsumowywać ⟨-ować⟩

tot·ter ['tɒtə] chwiać się; iść ⟨pójść⟩ chwiejnie

touch [tʌtʃ] **1.** dotykać ⟨-tknąć⟩ (się); zbliżać ⟨-żyć⟩ się do (*G*) (*standardu itp.*); wzruszać ⟨-szyć⟩ (się); ***~ wood!*** odpukaj w niemalowane!; ***~ down*** *aviat.* ⟨wy⟩lądować; ***~ up*** ulepszać ⟨-szyć⟩; *phot.* ⟨z⟩retuszować; **2.** dotyk *m*; dotknięcie *n*; ślad *m* (*pędzla itp.*); kontakt *m*; ***a ~ of flu*** lekka grypa *f*; ***get in ~ with s.o.*** wchodzić ⟨wejść⟩ z kimś w kontakt; ***a personal ~*** akcent *m* osobisty; **~-and-go** [tʌtʃən'gəʊ] *sytuacja*: niepewny; ***it was ~-and-go whether*** wcale nie było pewne, czy; **'~·down** *aviat.* lądowanie *n*; **~ed** wzruszony; **'~·ing** wzruszający; **'~·line** (*w piłce nożnej*) linia *f* autowa; **'~·stone** probierz *m*; **'~·y** (***-ier, -iest***) drażliwy

tough [tʌf] wytrzymały; twardy; *negocjacje*: nieustępliwy; ciężki; *problem*: trudny; *okolica*: niebezpieczny; **~·en** ['tʌfn] *też* ***~en up*** ⟨s⟩twardnieć; utwardzać ⟨-dzić⟩

tour [tʊə] **1.** podróż *f* ((***a***)***round*** wokół *G*); wycieczka *f*; zwiedzanie *n*; obchód *m*; *theat.* tourn(e) *n* (***of*** po *L*); → ***conduct***; **2.** objeżdżać ⟨-jechać⟩; zwiedzać ⟨-dzić⟩

tour·is·m ['tʊərɪzəm] turystyka *f*, ruch *m* turystyczny

tour·ist ['tʊərɪst] turysta *m* (-tka *f*); *attr.* turystyczny; **'~ class** *aviat.*, *naut.* klasa *f* turystyczna; **'~ in·dus·try** przemysł *m* turystyczny; **~ in·for'ma·tion of·fice**, **'~ of·fice** biuro *n* turystyczne; **'~ season** sezon *m* turystyczny

tour·na·ment ['tʊənəmənt] turniej *m*

tou·sled ['taʊzld] *włosy*: zmierzwiony

tow [təʊ] **1.** *łódź, samochód* holować; **2.** hol *m*; ***give s.o. a ~*** poholować kogoś; ***take in ~*** brać ⟨wziąć⟩ na hol

to·ward *zwł. Am.*, **to·wards** *zwł. Brt.* [tə'wɔːd(z)] do (*G*), w stronę (*G*); w kierunku (*G*); *czas*: pod (*A*); w odniesieniu do (*G*); na (*A*)

tow·el ['taʊəl] **1.** ręcznik *m*; **2.** (*zwł. Brt.* ***-ll-***, *Am.* ***-l-***) wycierać ⟨wytrzeć⟩ (się) (*ręcznikiem*)

tow·er ['taʊə] **1.** wieża *f*; **2.** ***~ above, ~ over*** górować nad (*I*); **'~ block** *Brt.* wieżowiec *m*; **~·ing** ['taʊərɪŋ] wyniosły; *fig.* niebotyczny

town [taʊn] miasto *n*; **~ 'cen·tre** *Brt.* centrum *n* miasta; **~ 'coun·cil** rada *f* miejska; **~ 'coun·ci(l)·lor** radny *m* (-dna *f*); **~ 'hall** ratusz *m*; **~s·peo·ple** ['taʊnzpiːpl] *pl.* mieszkańcy *pl.* miasta

'tow·rope *mot.* lina *f* holownicza

tox·ic ['tɒksɪk] (***~ally***) toksyczny; **~'waste** odpadki *pl.* toksyczne; **~waste 'dump** składowisko *n* odpadków toksycznych

tox·in ['tɒksɪn] *biol.* toksyna *f*

toy [tɔɪ] **1.** zabawka *f*; **~s** *pl.* zabawki *pl.*, *econ.* wyroby *pl.* zabawkarskie; **2.** zabawkowy; miniaturowy; mały; **3.** ***~ with*** bawić się (*I*); *fig.* igrać z (*I*)

trace [treɪs] **1.** ⟨prze-, wy⟩śledzić; odnajdować ⟨-naleźć⟩; *też* ***~ back*** wywodzić się (***to*** od *G*); ***~ s.th. to*** odnajdować ⟨-naleźć⟩ źródło (*G*); odkalkowywać ⟨-kować⟩

track [træk] **1.** ślad *m* (*też fig.*); trop *m*; szlak *m*, droga *f*; tor *m*, bieżnia *f*; *rail.* tor *m*; *dźwiękowa* ścieżka *f*; *tech.* gąsienica *f*; **2.** ⟨wy⟩tropić; ***~ down*** ⟨wy⟩śledzić; **~ and 'field** *zwł. Am.* (*w sporcie*) lekkoatletyczny; **'~ e·vent** (*w sporcie*) bieg *m* lekkoatletyczny; **'~·ing sta·tion** (*w astronautyce*) stacja *f* naziemna; **'~·suit** dres *m*

tract [trækt] przestrzeń *f*, obszar *m*; *anat.* przewód *m*; traktat *m*, rozprawa *f*

tra·c·tion ['trækʃn] trakcja *f*; **'~ engine** lokomobila *f*

trac·tor ['træktə] traktor *m*

trade [treɪd] **1.** handel *m*; branża *f*, gałąź *f*; zawód *m*, fach *m*; **2.** handlować (*I*), prowadzić handel (*I*); **~ *on*** żerować na (*L*); **'~·mark** (*skrót*: ***TM***) znak *m* towarowy; **'~ name** nazwa *f* handlowa, marka *f*; **'~ price** cena *f* hurtowa; **'trad·er** hurtownik *m*; **~s·man** ['treɪdzmən] (*pl.* ***-men***) detalista *m*; właściciel(ka *f*) sklepu; **~(s) 'un·i·on** związek *m* zawodowy; **~(s) 'un·i·on·ist** działacz(ka *f*) *m* związkowy (-a)

tra·di·tion [trə'dɪʃn] tradycja *f*; **~·al** [trə'dɪʃənl] tradycyjny

traf·fic ['træfɪk] **1.** ruch *m*; (*zwł. nielegalny*) handel *m*; **2.** (***-ck-***) (*zwł. nielegalnie*) handlować; **'~ cir·cle** *Am.* rondo *n*; **'~ is·land** wysepka *f* drogowa; **'~ jam** zator *m lub* korek *m* drogowy; **'~ lights** *pl.* światła *pl.* drogowe; **'~ offence** (*Am.* ***offense***) *jur.* wykroczenie *n* drogowe; **'~ of·fend·er** *jur.* osoba *f* popełniająca wykroczenie drogowe; **'~ reg·u·la·tions** *pl.* przepisy *pl.* ruchu drogowego; **'~ sign** znak *m* drogowy; **'~ sig·nal** → ***traffic lights***; **'~ war·den** *Brt.* (*kontroler prawidłowości parkowania pojazdów*)

tra|·ge·dy ['trædʒɪdɪ] tragedia *f*; **~·gic** ['trædʒɪk] (***-ally***) tragiczny

trail [treɪl] **1.** *v/t.* ⟨po⟩ciągnąć; ⟨po⟩wlec; (*w sporcie*) przegrywać ⟨rać⟩ z (*I*) (***by*** *I*); *v/i. też* **~ *along*** (***behind***) ciągnąć się; wlec się; (*w sporcie*) przegrywać; **2.** trop *m*, ślad *m*; szlak *m*; smuga *f*; **~ *of blood*** ślad *m* krwi; **~ *of dust*** pióropusz *m* pyłu; **'~·er** *mot.* przyczepa *f*; *Am. mot.* przyczepa *f* kempingowa; *TV* zwiastun *m* (*filmu*); **'~·er park** parking *m* dla przyczep

train [treɪn] **1.** *rail.* pociąg *m*; kolumna *f*, szereg *m*; tren *m*; *fig.* ciąg *m*; ***by* ~** pociągiem, koleją; **~ *of thought*** bieg *m* myśli; **2.** *v/t. kogoś* ⟨wy⟩szkolić (***as*** jako *G*); (*w sporcie*) ⟨wy⟩trenować; *zwierzę* ⟨wy⟩tresować; *kamerę* ⟨s⟩kierować (***on*** na *A*); *v/i.* ⟨wy⟩szkolić się (***as*** na *A*); *sport*: trenować (***for*** do); **~·ee** [treɪ'niː] praktykant(ka *f*) *m*; **'~·er** trener(ka *f*) *m*; treser(ka *f*) *m*; **'~·ing** szkolenie *n*; *sport*: trening *n*; tresura *f*

trait [treɪ, treɪt] cecha *f* (*charakterystyczna*)

trai·tor ['treɪtə] zdrajca *m* (-czyni *f*)

tram [træm] *Brt.* tramwaj *m*; **'~·car** *Brt.* wóz *m* tramwajowy

tramp [træmp] **1.** stąpać; ⟨z⟩deptać; **2.** włóczęga *m*, tramp *m*; wędrówka *f*; *zwł. Am.* dziwka *f*

tram·ple ['træmpl] ⟨z-, po⟩deptać

trance [trɑːns] trans *m*

tran·quil ['træŋkwɪl] spokojny, cichy; **~·(l)i·ty** [træŋ'kwɪlətɪ] spokój *m*, cisza *f*; **~·(l)ize** ['træŋkwɪlaɪz] uspokajać ⟨-koić⟩; **~·(l)iz·er** *med.* ['træŋkwɪlaɪzə] środek *m* uspokajający, trankwilizator *m*

trans|·act [træn'zækt] *interesy, handel* ⟨po⟩prowadzić; **~·ac·tion** [træn'zækʃn] transakcja *f*, interes *m*

trans·at·lan·tic [trænzət'læntɪk] transatlantycki

tran·scribe [træn'skraɪb] ⟨prze⟩transkrybować; *mus.* dokonywać ⟨-nać⟩ transkrypcji

tran|·script ['trænskrɪpt] zapis *m*; **~·scrip·tion** [træn'skrɪpʃn] transkrypcja *f*

trans·fer 1. [træns'fɜː] (***-rr-***) *v/t.* (***to***) *pracownika, produkcję* przenosić ⟨-nieść⟩ (do *G*); (*w sporcie*) *zawodnika* dokonywać ⟨-nać⟩ transferu (do *G*); *pieniądze* przekazywać ⟨-zać⟩, przelewać ⟨-lać⟩ (na *A*); *jur. prawo* ⟨s⟩cedować (na *A*), odstępować ⟨-tąpić⟩ (*D*); *v/i.* (*w sporcie*) *zawodnik*: przechodzić ⟨-ejść⟩ (***to*** do *G*); przesiadać ⟨-siąść⟩ się (***from ... to ...*** z ... na ...); **2.** ['trænsfɜː] przeniesienie *n*; (*w sporcie*) transfer *m*; przelew *m*; przekazanie *n*; *jur.* cesja *f*; *zwł. Am.* bilet *m* na połączenie z przesiadkami; **~·a·ble** [træns'fɜːrəbl] dający się przekazać *lub* odstąpić innej osobie

trans·fixed [træns'fɪkst] *fig.* sparaliżowany

trans|·form [træns'fɔːm] przekształcać ⟨-cić⟩, ⟨prze⟩transformować; **~·for·ma·tion** [trænsfə'meɪʃn] przekształcenie *n*; transformacja *f*

trans·fu·sion [træns'fjuːʒn] *med.* transfuzja *f*, przetoczenie *n* krwi

trans·gress [træns'gres] *termin* przekraczać ⟨-roczyć⟩; *prawo* naruszać ⟨-szyć⟩

tran·sient ['trænzɪənt] ulotny, przelotny

tran·sis·tor [træn'sɪstə] tranzystor *m*

tran·sit ['trænsɪt] tranzyt *m*; *econ.* przewóz *m*, transport *m*; *attr.* tranzytowy;

in ~ w trakcie tranzytu, w tranzycie
tran·si·tion [træn'sɪʒn] przejście *n*
tran·si·tive ['trænsɪtɪv] *gr. czasownik*: przechodni
tran·si·to·ry ['trænsɪtərɪ] → ***transient***
trans|·late [træns'leɪt] ⟨prze⟩tłumaczyć, przekładać ⟨-ełożyć⟩ (***from English into Polish*** z angielskiego na polski); **~·la·tion** [træns'leɪʃn] tłumaczenie *n*, przekład *m*; **~·la·tor** [træns'leɪtə] tłumacz(ka *f*) *m*
trans·lu·cent [trænz'lu:snt] półprzezroczysty
trans·mis·sion [trænz'mɪʃn] przenoszenie *n* (*choroby*); transmisja *f*; *mot.* przekładnia *f*, napęd *m*
trans·mit [trænz'mɪt] (***-tt-***) *sygnał* wysyłać ⟨-słać⟩; transmitować, nadawać ⟨-dać⟩; *chorobę* przenosić ⟨-nieść⟩; *światło* przepuszczać ⟨-puścić⟩; **~·ter** transmiter *m*, nadajnik *m*
trans·par|·en·cy [træns'pærənsɪ] przezroczystość *f* (*też fig.*); przezrocze *n*, slajd *m*; folia *f* (*do wyświetlania*); **~·ent** przezroczysty; *fig.* ewidentny
tran·spire [træn'spaɪə] ⟨s⟩pocić się; *fig.* okazywać ⟨-zać⟩ się; F zdarzać ⟨-rzyć⟩ się
trans·plant 1. [træns'plɑ:nt] przesadzać ⟨-dzić⟩; przenosić ⟨-nieść⟩; *med.* przeszczepiać ⟨-pić⟩; **2.** ['trænsplɑ:nt] *med.* przeszczep *m*
trans|·port 1. ['trænspɔ:t] transport *m*, przewóz *m*; środek *m* transportu; *mil.* transportowiec *m*; **2.** [træns'pɔ:t] przewozić ⟨-wieźć⟩, ⟨prze⟩transportować; **~·por·ta·tion** [trænspɔ:'teɪʃn] transport *m*, przewóz *m*
trap [træp] **1.** pułapka *f* (*też fig.*); ***set a ~ for s.o.*** zastawiać ⟨-wić⟩ pułapkę na kogoś; ***shut one's ~, keep one's ~ shut*** *sl.* zamknąć japę; **2.** (***-pp-***) ⟨z⟩łapać w pułapkę (*też fig.*); ***be ~ped*** być uwięzionym (*jak w pułapce*); **'~·door** klapa *f* w podłodze; *theat.* zapadnia *f*
tra·peze [trə'pi:z] trapez *m* (*w cyrku*)
trap·per ['træpə] traper *m*
trap·pings ['træpɪŋz] *pl.* atrybuty *pl.*, *fig.* insygnia *pl.*
trash [træʃ] szmira *f*; bzdura *f*; *Am.* śmieci *pl.*; *zwł. Am.* hołota *f*; **'~·can** *Am.* kosz *m* na śmieci; kubeł *m* na śmieci; **'~·y** (***-ier, -iest***) kiczowaty
trav·el ['trævl] **1.** (*zwł. Brt.* ***-ll-***, *Am.* ***-l-***) *v/i.* jeździć, podróżować; *tech.* przesuwać ⟨-sunąć⟩ się; *światło itp.*: poruszać się; *dźwięk*: rozchodzić ⟨-zejść⟩ się; *fig.* ⟨po⟩wędrować; *v/t.* objeżdżać ⟨-jechać⟩; *drogę* przejeżdzać ⟨-jechać⟩; **2.** podróż *f*; *attr.* podróżny; **'~ a·gen·cy** biuro *n* podróży; **'~ a·gent** właściciel(ka *f*) *m* biura podróży; **'~ a·gent's**, **'~ bu·reau** (*pl.* ***-reaux*** [-rəʊz], ***-reaus***) biuro *n* podróży; **'~·(l)er** podróżnik *m* (-niczka *f*), podróżny *m* (-na *f*); **'~·(l)er's cheque** (*Am.* ***check***) czek *m* podróżny; **'~·sick** chory *m* (-na *f*) na chorobę lokomocyjną; **'~·sick·ness** choroba *f* lokomocyjna
trav·es·ty ['trævɪstɪ] trawestacja *f*
trawl [trɔ:l] **1.** niewód *m*; **2.** ⟨z⟩łowić niewodem, ⟨wy⟩trałować; **'~·er** *naut.* trawler *m*
tray [treɪ] taca *f*; *tech.* paleta *f*
treach·er|·ous ['tretʃərəs] zdradziecki; **~·y** ['tretʃərɪ] zdrada *f*
trea·cle ['tri:kl] *zwł. Brt.* syrop *m*
tread [tred] **1.** (***trod, trodden*** *lub* ***trod***) deptać; nadeptywać ⟨-pnąć⟩ (***on*** na *A*); *ścieżkę* wydeptywać ⟨-ptać⟩; **2.** stąpanie *n*; *mot.* bieżnik *m*; stopień *m* (*na schodach*); **'~·mill** kierat *m* (*też fig.*)
trea·son ['tri:zn] zdrada *f* stanu
trea|·sure ['treʒə] **1.** skarb *m*; **2.** cenić; **~·sur·er** ['treʒərə] skarbnik *m* (-niczka *f*)
trea·sure trove [treʒə 'trəʊv] ukryty skarb *m*
Trea·su·ry ['treʒərɪ] *Brt.*, **'~ De·part·ment** *Am.* Ministerstwo *n* Skarbu, Skarb *m* Państwa
treat [tri:t] **1.** ⟨po⟩traktować (***as*** jako *A*); obchodzić się z (*I*); traktować; *med.* ⟨wy⟩leczyć (***for*** z *G*), leczyć (***for*** na *A*); *komuś* ⟨za⟩fundować; ***~ s.o. to s.th.*** *też* stawiać ⟨postawić⟩ komuś coś; ***~ o.s. to s.th.*** ⟨po⟩częstować się czymś; ***be ~ed for*** być leczonym na (*A*); **2.** uczta *f*; poczęstunek *m*; ***this is my ~*** ja stawiam
trea·tise ['tri:tɪz] rozprawa *f*
treat·ment ['tri:tmənt] traktowanie *n*
treat·y ['tri:tɪ] układ *m*
tre·ble[1] ['trebl] **1.** potrójny; **2.** ⟨po⟩troić (się)
tre·ble[2] ['trebl] *mus.* dyszkant *m*; wysokie dźwięki *pl.* (*radiowe*)
tree [tri:] drzewo *n*

T

tre•foil ['trefɔɪl] *bot.* koniczyna *f*
trel•lis ['trelɪs] ażurowa krata *f*, treliaż *m*
trem•ble ['trembl] trząść się (***with*** od *G*)
tre•men•dous [trɪ'mendəs] ogromny; F wspaniały
trem•or ['tremə] drżenie *n*, dreszcz *m*
trench [trentʃ] rów *m*; *mil.* okop *m*
trend [trend] trend *m*, tendencja *f*; moda *f*; **'~•y** F **1.** (***-ier, -iest***) modny; ***be ~y*** być szykownym; **2.** *zwł. Brt. pej.* modniś *m* (-nisia *f*)
tres•pass ['trespəs] **1.** ***~ on*** *ląd* wkraczać ⟨-roczyć⟩ *nielegalnie* na (*A*); *prawa* naruszać ⟨-szyć⟩ (*A*); *hojność* nadużywać ⟨-żyć⟩; ***no ~ing*** wstęp wzbroniony!; **2.** przekroczenie *n*; naruszenie *n*; nadużycie *n*; **'~•er**: ***~ers will be prosecuted*** Wstęp pod karą wzbroniony!
tres•tle ['tresl] stojak *m*, kozioł *m*
tri•al ['traɪəl] *jur.* rozprawa *f* sądowa, proces *m*; próba *f*; test *m*; *fig.* utrapienie *n*; *attr.* próbny; ***on ~*** na próbę, na okres próbny; wypróbowywany; ***be on ~, stand ~*** *jur.* stawać ⟨stanąć⟩ przed sądem
tri•an|•gle ['traɪæŋgl] trójkąt *m*; *Am.* ekierka *f*; *mus.* triangel *m*, trójkąt *m*; **~•gu•lar** [traɪ'æŋgjʊlə] trójkątny
tri•ath•lon [traɪ'æθlɒn] (*w sporcie*) trójbój *m*
trib|•al ['traɪbl] szczepowy; **~e** [traɪb] szczep *m*
tri•bu•nal [traɪ'bjuːnl] *jur.* trybunał *m*, sąd *m*
trib•u•ta•ry ['trɪbjʊtərɪ] dopływ *m*
trib•ute ['trɪbjuːt] danina *f*; ***be a ~ to*** dawać ⟨dać⟩ dowód (*D*); ***to pay ~ to*** składać ⟨złożyć⟩ hołd (*D*)
trice [traɪs] *zwł. Brt.*: ***in a ~*** w mig
trick [trɪk] **1.** sztuczka *f*; trick *m*; podstęp *m*; figiel *m*; (*w grze w karty*) lewa *f*; zwyczaj *m*; ***play a ~ on s.o.*** ⟨s⟩płatać komuś psikusa; **2.** podstępny; ***~ question*** podstępne pytanie *n*; **3.** *kogoś* podchodzić ⟨-dejść⟩, oszukiwać ⟨-kać⟩; **~•e•ry** ['trɪkərɪ] podstęp *m*, oszustwo *n*
trick•le ['trɪkl] **1.** sączyć się, kapać; przeciekać ⟨-ciec⟩; **2.** strużka *f*
trick|•ster ['trɪkstə] oszust(ka *f*) *m*; **~•y** ['trɪkɪ] (***-ier, -iest***) podstępny; trudny, skomplikowany
tri•cy•cle ['traɪsɪkl] rowe(ek) *m* trójkołowy
tri•dent ['traɪdənt] trójząb *m*
tri|•fle ['traɪfl] **1.** drobiazg *m*; błahostka *f*; ***a ~fle*** trochę, nieco; **2.** ***~fle with*** *fig.* zabawiać ⟨-wić⟩ się; ***he is not to be ~fled with*** z nim nie ma żartów; **~•fling** ['traɪflɪŋ] błahy, drobny
trig•ger ['trɪgə] **1.** język *m* spustowy, cyngiel *m*; ***pull the ~*** pociągać za cyngiel; **2.** ***~ off*** wywoływać ⟨-łać⟩; **'~-hap•py** z lubością sięgający po broń
trill [trɪl] **1.** (*śpiew*) tryl *m*, trele *pl.* (*ptaków*); **2.** używać ⟨-żyć⟩ trylu; *ptaki*: wywodzić ⟨-wieść⟩ trele
trim [trɪm] **1.** (***-mm-***) przycinać ⟨-ciąć⟩; *ubranie* ozdabiać ⟨-dobić⟩; ***~med with fur*** podbity futrem; ***~ off*** odcinać ⟨-ciąć⟩; **2.** przycięcie *n*; ***give s.th. a ~*** przycinać ⟨-ciąć⟩ coś; ***in ~*** F w dobrej formie; **3.** (***-mm-***) schludny; **'~•ming**: ***~s*** *pl.* ścinki *pl.*; *gastr.* dodatki *pl.*
Trin•i•ty ['trɪnɪtɪ] *rel.* Trójca *f*
trin•ket ['trɪŋkɪt] ozdóbka *f* (*zwł. tania*)
trip [trɪp] **1.** (***-pp-***) *v/i.* potykać ⟨-tknąć⟩ się (***over*** o *A*); *v/t. też* ***~ up*** podstawiać ⟨-wić⟩ nogę (*D*); ⟨z⟩mieszać; **2.** wycieczka *f*, *krótka* podróż *f*; potknięcie *n* się; *sl.* trip *m*, odlot *m*
tripe [traɪp] *gastr.* flaki *pl.*
trip•le ['trɪpl] potrójny; **'~ jump** (*w sporcie*) trójskok *m*
trip•lets ['trɪplɪts] *pl.* trojaczki *pl.*
trip•li•cate ['trɪplɪkɪt] **1.** potrójny; **2.** ***in ~*** w trzech egzemplarzach
tri•pod ['traɪpɒd] *phot.* statyw *m*
trip•per ['trɪpə] *zwł. Brt.* (*zwł. na jedne dzień*) podróżny *m* (-na *f*)
trite [traɪt] banalny, trywialny
tri|•umph ['traɪəmf] **1.** triumf *m*; *fig.* zwycięstwo *n* (***over*** nad *I*); **2.** ⟨za⟩triumfować (***over*** nad *I*); **~•um•phal** [traɪ'ʌmfl] triumfalny; **~•um•phant** [traɪ'ʌmfənt] triumfujący
triv•i•al ['trɪvɪəl] trywialny; błahy
trod [trɒd] *pret. i p.p. od* ***tread*** 1; **~•den** ['trɒdn] *p.p. od* ***tread*** 1
trol•ley ['trɒlɪ] *zwł. Brt.* wózek *m* (*na zakupy itp.*); stolik *m* na kółkach; **'~•bus** trolejbus *m*
trom•bone [trɒm'bəʊn] *mus.* puzon *m*
troop [truːp] **1.** gromada *f*; oddział *m*; ***~s*** *mil.* wojska *pl.*, oddziały *pl.*; **2.** iść ⟨pójść⟩ gromadą; ***~ out*** wychodzić ⟨wyjść⟩ gromadą; **'~•er** *mil.* kawalerzysta *m*; (*w kawalerii*) szeregowy *m*; *Am.* *federalny* policjant *m*

T

tro·phy ['trəʊfɪ] trofeum *n*
trop·ic ['trɒpɪk] *astr.*, *geogr.* zwrotnik *m*; ***the ~ of Cancer*** Zwrotnik *m* Raka; ***the ~ of Capricorn*** Zwrotnik *m* Koziorożca
trop·i·cal ['trɒpɪkl] tropikalny; (pod)zwrotnikowy
trop·ics ['trɒpɪks] *pl.* tropiki *pl.*
trot [trɒt] **1.** kłus *m* (*konia*); trucht *m*; **2.** ⟨po⟩kłusować; ⟨po⟩truchtać
trou·ble ['trʌbl] **1.** kłopot *m*, zmartwienie *n*; niedogodność *f*; zagrożenie *n*; *med.* dolegliwość *f*; ***~s*** *pl.* zamieszki *pl.*, niepokoje *pl.*; ***be in ~*** mieć kłopoty; ***get into ~*** napytać *sobie lub komuś* kłopotów; ***get** lub **run into ~*** mieć kłopoty *lub* problemy; ***put s.o. to ~*** narobić komuś kłopotów; ***take the ~ to do s.th.*** podejmować ⟨-djąć⟩ fatygę zrobienia czegoś; **2.** *v/t.* kłopotać; ⟨z⟩martwić; niepokoić; prosić (***for*** o *A*, ***to do s.th.*** o zrobienie czegoś); ***s.o. is ~d by s.th.*** coś dokucza komuś; *v/i.* zadawać ⟨-dać⟩ sobie trud (***to do s.th.*** zrobienia czegoś); **'~·mak·er** wichrzyciel(ka *f*) *m*; **'~·some** dokuczliwy
trough [trɒf] koryto *n*
trounce [traʊns] (*w sporcie*) sprawić lanie (*D*)
troupe [truːp] *theat.* trupa *f*, zespół *m* teatralny
trou·ser ['traʊzə]: (***a pair of***) ***~s*** *pl.* spodnie *pl.*; ***~ leg*** nogawka *f* spodni; **'~ suit** *Brt.* spodnium *n*
trous·seau ['truːsəʊ] (*pl.* ***-seaux*** [-səʊz], ***-seaus***) *ślubna* wyprawa *f*
trout [traʊt] *zo.* (*pl.* ***trout, trouts***) pstrąg *m*
trow·el ['traʊəl] kielnia *f*
tru·ant ['truːənt] *Brt.* wagarowicz *m*; ***play ~*** iść na wagary
truce [truːs] zawieszenie *n* broni
truck[1] [trʌk] **1.** *mot.* ciężarówka *f*; *Brt. rail. towarowa* platforma *f*; **2.** *zwł. Am.* ⟨prze⟩transportować samochodami ciężarowymi
truck[2] [trʌk] *Am.* warzywa *pl.*, owoce *pl.* (*na sprzedaż*)
'truck| driv·er, '~·er *zwł. Am.* kierowca *m* ciężarówki
'truck farm *Am. econ.* gospodarstwo *n* warzywnicze *lub* owocowe
trudge [trʌdʒ] stąpać ciężko
true [truː] (***-r, -st***) prawdziwy; rzeczywisty; *przyjaciel*: wierny; wierny; ***be ~*** mieć rację; ***come ~*** spełniać ⟨-nić⟩ się; ***~ to life*** wiernie oddający rzeczywistość
tru·ly ['truːlɪ] faktycznie; rzeczywiście; szczerze; ***Yours ~*** *zwł. Am.* Z poważaniem (*na zakończenie listu*)
trump [trʌmp] **1.** atut *m* (*też fig.*); karta *f* atutowa; **2.** bić atutem
trum·pet ['trʌmpɪt] **1.** *mus.* trąbka *f*; **2.** ⟨za⟩trąbić; *fig.* roztrąbiać ⟨-bić⟩
trun·cheon ['trʌntʃən] *policyjna* pałka *f*
trun·dle ['trʌndl] *wózek* popychać ⟨-pchać⟩
trunk [trʌŋk] pień *m*; *anat.* tułów *m*; waliza *f*, skrzynia *f*; *zo.* trąba *f* (*słonia*); *Am. mot.* bagażnik *m*; **'~ road** *Brt.* droga *f* główna, szosa *f*
trunks [trʌŋks] *pl.* (***a pair of ~***) kąpielówki *pl.*; szorty *pl.*, spodenki *pl.*
truss [trʌs] **1.** *też* ***~ up*** ⟨z⟩wiązać; *gastr. kurczaka* związywać ⟨-zać⟩; **2.** *med.* pas *m* przepuklinowy
trust [trʌst] **1.** zaufanie *n* (***in*** do *G*); *jur.* powiernictwo *n*; *econ.* trust *m*; ***hold s.th. in ~*** mieć coś w zarządzie powierniczym (***for*** dla *G*); ***place s.th. in s.o.'s ~*** powierzać ⟨-rzyć⟩ coś komuś; **2.** *v/t.* ⟨za⟩ufać (*D*); **~·ee** [trʌs'tiː] powiernik *m*; zarządca *m*; **'~·ful, '~·ing** ufny; **'~·wor·thy** godny zaufania, solidny
truth [truːθ] (*pl.* ***-s*** [truːðz, truːθs]) prawda *f*; **'~·ful** prawdziwy
try [traɪ] **1.** *v/t.* ⟨s⟩próbować; ⟨po⟩próbować; *jur.* sądzić; *jur.* ubiegać się (***for*** o *A*); *cierpliwość* wystawiać ⟨-wić⟩ na próbę; ***~ s.th. on*** przymierzać ⟨-rzyć⟩; ***~ s.th. out*** wypróbowywać ⟨-ować⟩; ***~ for*** *Brt.*, ***~ out for*** *Am.* starać się o (*A*); **2.** próba *f*; **'~·ing** dokuczliwy, męczący
tsar [zɑː] *hist.* car *m*
T-shirt ['tiːʃɜːt] koszulka *f lub* podkoszulek *m* (*z krótkim rękawem*), T-shirt *m*
TU [tiː 'juː] *skrót*: ***trade union*** związek *m* zawodowy
tub [tʌb] kadź *f*; F wanna *f*
tube [tjuːb] rura *f*, przewód *m*; tubka *f* (*pasty*, *etc.*); *anat.* ***bronchial ~s*** *pl.* oskrzela *pl.*; *Brt.* F metro *n* (*w Londynie*); dętka *f*; *Am.* F telewizja *f*; **'~·less** bezdętkowy *m*
tu·ber ['tjuːbə] *bot.* bulwa *f*
tu·ber·cu·lo·sis [tjuːbɜːkjʊ'ləʊsɪs] *med.* gruźlica *f*

T

tu·bu·lar ['tjuːbjʊlə] cylindryczny; rurowy
TUC [tiː juː 'siː] *Brt. skrót*: ***Trades Union Congress*** TUC *m*, Kongres Związków Zawodowych (*w Wielkiej Brytanii*)
tuck [tʌk] **1.** zakładać ⟨założyć⟩; ***~ away*** F odkładać ⟨odłożyć⟩; ***~ in*** *zwł. Brt.* F *jedzenie*: wcinać; ***~ up*** (***in bed***) *dziecko* otulać ⟨-lić⟩ (w łóżku); **2.** zakładka *f*, fałda *f*
Tue(s) *skrót pisany*: wt., wtorek *m*
Tues·day ['tjuːzdɪ] (*skrót*: ***Tue***) wtorek *m*; ***on ~*** we wtorek; ***on ~s*** we wtorki
tuft [tʌft] kępka *f* (*włosów, trawy*)
tug [tʌg] **1.** (***-gg-***) ⟨po⟩ciągnąć; szarpać ⟨-pnąć⟩ (***at*** za *A*); **2.** ***give s.th. a ~*** pociągnąć coś; **~-of-'war** przeciąganie *n* liny
tu·i·tion [tjuː'ɪʃn] nauka *f*; nauczanie *n*; opłata *f* za naukę, czesne *n*
tu·lip ['tjuːlɪp] *bot.* tulipan *m*
tum·ble ['tʌmbl] **1.** spadać ⟨spaść⟩ (*też ceny*); upadać ⟨upaść⟩; staczać ⟨stoczyć⟩ się; **2.** spadek *m*, upadek *m*; **'~·down** walący się
tum·bler ['tʌmblə] szklanka *f*
tu·mid ['tjuːmɪd] *med.* obrzmiały
tum·my ['tʌmɪ] F brzuszek *m*, brzusio *n*
tu·mo(u)r ['tjuːmə] *med.* nowotwór *m*
tu·mult ['tjuːmʌlt] zgiełk *m*, hałas *m*; **tu·mul·tu·ous** [tjuː'mʌltjʊəs] zgiełkliwy, hałaśliwy
tu·na ['tuːnə] *zo.* (*pl.* ***-na, -nas***) tuńczyk *m*
tune [tjuːn] **1.** melodia *f*; ***be out of ~*** *mus.* fałszować; *fortepian itp.*: nie być nastrojonym; **2.** *v/t.*: *zw.* ***~ in*** *radio* dostrajać ⟨-roić⟩ (***to*** do *G*); *też* ***~ up*** *mus.* ⟨na⟩stroić; *mot. silnik* ⟨wy⟩regulować; *v/i.* ***~ in*** dostrajać ⟨-roić⟩ radio; ***~ up*** brzmieć prawidłowo; **'~·ful** melodyjny; **'~·less** niemelodyjny
tun·er ['tjuːnə] *TV* tuner *m*
tun·nel ['tʌnl] **1.** tunel *m*; **2.** (*zwł. Brt.* ***-ll-***, *Am.* ***-l-***) ⟨wy⟩drążyć tunel; *górę* przebijać ⟨-ebić⟩ tunelem
tun·ny ['tʌnɪ] *zo.* (*pl.* ***-ny, -nies***) tuńczyk *m*
tur·ban ['tɜːbən] turban *m*
tur·bid ['tɜːbɪd] *płyn itp.*: mętny (*też fig.*); *dym itp.*: gęsty
tur·bine ['tɜːbaɪn] *tech.* turbina *f*
tur·bo ['tɜːbəʊ] F *mot.* (*pl.* ***-bos***), **~·charg·er** ['tɜːbəʊtʃɑːdʒə] turbosprężarka *f* doładowująca
tur·bot ['tɜːbət] *zo.* (*pl.* ***-bot, -bots***) turbot *m*
tur·bu·lent ['tɜːbjʊlənt] wzburzony, burzliwy
tu·reen [tə'riːn] waza *f*
turf [tɜːf] **1.** (*pl.* ***turfs, turves*** [tɜːvz]) darń *f*; bryła *f* (*ziemi*), gruda *f*; ***the ~*** tor *m* wyścigów konnych; **2.** pokrywać ⟨-ryć⟩ darnią
tur·gid ['tɜːdʒɪd] *med.* obrzmiały, nabrzmiały
Turk [tɜːk] Turek *m* (-rczynka *f*)
Tur·key ['tɜːkɪ] Turcja *f*
tur·key ['tɜːkɪ] *zo.* indyk *m* (-dyczka *f*); ***talk ~*** *zwł. Am.* F wykładać ⟨wyłożyć⟩ kawę na ławę
Turk·ish ['tɜːkɪʃ] **1.** turecki; **2.** *ling.* język *m* turecki
tur·moil ['tɜːmɔɪl] wzburzenie *n*, zamieszanie *n*
turn [tɜːn] **1.** *v/t.* obracać ⟨-rócić⟩; *klucz itp.* ⟨prze⟩kręcić; *stronę, naleśnik* przewracać ⟨-rócić⟩, ⟨s⟩kierować (***on*** na *A*, ***towards*** w stronę *A*); zwracać ⟨-rócić⟩ się (***to*** do *G*); zmieniać ⟨-nić⟩ (***into*** w *A*); *liście* ⟨za⟩barwić; *mleko* ⟨z⟩warzyć; *tech.* ⟨wy⟩toczyć (*na obrabiarce itp.*); ***~ the corner*** zakręcać ⟨-cić⟩ na rogu; ***~ loose*** zwalniać ⟨-wolnić⟩, wypuszczać ⟨-puścić⟩; ***s.th. ~s s.o.'s stomach*** od czegoś wywraca się komuś w żołądku; → ***inside, upside down, somersault***; *v/i.* obracać ⟨-rócić⟩ się; ⟨prze⟩kręcić się, skręcać ⟨-cić⟩ (***into, onto*** w *A*); odwracać ⟨-rócić⟩ się; *kwaśnym, siwym* stawać ⟨stać⟩ się, ⟨z⟩robić się; *fig.* zmieniać się (***into*** w *A*); → ***left***[2], ***right***[2]; ***~ against*** zwracać ⟨-rócić⟩ się przeciw(ko) (*D*); ***~ away*** odwracać ⟨-rócić⟩ się (***from*** od *G*); *kogoś* odsyłać ⟨odesłać⟩ (*G*) z niczym; ***~ back*** zawracać ⟨-rócić⟩; cofać ⟨-fnąć⟩; ***~ down*** *radio* ściszać ⟨-szyć⟩; *gaz itp.* przykręcać ⟨-cić⟩; *ogrzewanie* zmniejszać ⟨-szyć⟩; *prośbę itp.* odrzucać ⟨-cić⟩; *kołdrę* zawijać ⟨-winąć⟩; *kołnierzyk itp.* odwijać ⟨-winąć⟩; ***~ in*** *v/t.* zwracać ⟨-rócić⟩; *zyski* uzyskiwać ⟨-skać⟩; *zwł. Am. pracę* przedstawiać ⟨-wić⟩, oddawać ⟨-dać⟩; *w ręce policji* oddawać ⟨-dać⟩ (***o.s.*** się); *v/t.* F iść ⟨pójść⟩ spać; ***~ off*** *v/t. gas, wodę itp.*

T

zakręcać ⟨-cić⟩; *światło*, ⟨z⟩gasić; *silnik* wyłączać ⟨-czyć⟩; F wzbudzać ⟨-dzić⟩ obrzydzenie; *v/i.* skręcać ⟨-cić⟩; **~ on** odkręcać ⟨-cić⟩; włączać ⟨-czyć⟩; F podniecać ⟨-cić⟩; **~ out** *v/t. światło* ⟨z⟩gasić; *kogoś* wyrzucać ⟨-cić⟩ (**of** z *G*); *econ.* F ⟨wy⟩produkować; *kieszeń* wywracać ⟨-rócić⟩; opróżniać ⟨-nić⟩; *v/i.* przychodzić ⟨-yjść⟩ (**for** na *A*); okazywać ⟨-zać⟩ się; układać ⟨ułożyć⟩ się; **~ over** *v/i.* obracać ⟨-rócić⟩ się; odwracać ⟨-rócić⟩ się; *v/t.* przewracać ⟨-rócić⟩; odwracać ⟨-rócić⟩ na drugą stronę; rozważać, przemyśliwać; zwracać ⟨-rócić⟩; przekazywać ⟨-zać⟩; *econ.* mieć obroty (rzędu *G*); **~ round** obracać (się); odwracać (się); **~ one's car round** zawracać ⟨-rócić⟩; **~ to** zwracać ⟨-rócić⟩ się do (*G*); przechodzić ⟨-ejść⟩ na (*stronę itp.*); **~ up** *v/t.* podnosić ⟨-nieść⟩; *radio* ⟨z⟩robić głośniej; *natężenie* zwiększać ⟨-szyć⟩; podwijać ⟨-winąć⟩; odkrywać ⟨-ryć⟩; *v/i.* przybywać ⟨-być⟩, zjawiać ⟨-wić⟩ się; zdarzać ⟨-rzyć⟩ się; **2.** obrót *m*; zakręt *m*, skręt *m*; kolej *f*, kolejność *f*; skłonność *f*, zdolność *f*; *fig.* zwrot *m*, zmiana *f*; **at every ~** na każdym kroku; **by ~s** na zmianę; **in ~** kolejno; **out of ~** poza kolejnością; **it's my ~** to moja kolej; **make a left ~** skręcać ⟨-cić⟩ w lewo; **take ~s** zmieniać ⟨-nić⟩ się (**at** przy *L*); **take a ~ for the better/worse** zmieniać ⟨-nić⟩ się na lepsze/gorsze; **do s.o. a good/bad ~** wyrządzać ⟨-dzić⟩ komuś dobrą/złą przysługę; **at the ~ of the 20th century** na przełomie XX i XXI wieku; **'~·coat** zdrajca *m* (-czyni *f*); **'~·er** tokarz *m*

'turn·ing *zwł. Brt.* zakręt *m*; **'~ cir·cle** *mot.* promień *m* skrętu; **'~ point** *fig.* punkt *m* zwrotny

tur·nip ['tɜːnɪp] *bot.* rzepa *f*

'turn|-off zakręt *m*; **'~·out** frekwencja *f*; wydajność *f*; F ubiór *m*; **'~·o·ver** *econ.* obrót *m*; zmiana *f*; fluktuacja *f*; **'~·pike** *Am.*, **~·pike 'road** *Am.* płatna autostrada *f*; **'~·stile** kołowrót *m*; **'~·ta·ble** talerz *m* (*gramofonu itp.*); **'~-up** *Brt.* mankiet *m* (*spodni*)

tur·pen·tine ['tɜːpəntaɪn] *chem.* terpentyna

tur·quoise ['tɜːkwɔɪz] *min.* turkus *m*; *attr.* turkusowy

tur·ret ['tʌrɪt] *mil.*, *arch.* wieżyczka *f*; *naut.* kiosk *m* (*okrętu podwodnego*)

tur·tle ['tɜːtl] *zo.* żółw *m*; *attr.* żółwiowy; **'~·dove** *zo.* sierpówka *f*, synogarlica *f*; **'~·neck** *zwł. Am.* golf *m*

Tus·ca·ny Toskania *f*

tusk [tʌsk] kieł *m* (*słonia, morsa*)

tus·sle ['tʌsl] F bójka *f*

tus·sock ['tʌsək] kępa *f* trawy

tu·te·lage ['tjuːtɪlɪdʒ] prowadzenie *n*, kierownictwo *n*; *jur.* kuratela *f*, opieka *f*

tu·tor ['tjuːtə] korepetytor(ka *f*) *m*; *Brt. univ.* tutor *m*, prowadzący *m* (-ca *f*) (*grupę studentów*)

tu·to·ri·al [tjuː'tɔːrɪəl] *Brt. univ.* zajęcia *pl.* pod opieką tutora

tux·e·do [tʌk'siːdəʊ] *Am.* (*pl.* **-dos**) smoking *m*

TV [tiː'viː] TV *f*, telewizja *f*; *attr.* telewizyjny; **on ~** w telewizji; **watch ~** oglądać telewizję

twang [twæŋ] **1.** brzęk *m*, brzęknięcie *n*; *zw.* **nasal ~** wymowa *f* nosowa; **2.** brzęczeć ⟨brzęknąć⟩

tweak [twiːk] F ⟨po⟩ciągnąć za (*A*)

tweet [twiːt] ⟨za⟩ćwierkać

tweez·ers ['twiːzəz] *pl.* (**a pair of ~**) pinceta *f*

twelfth [twelfθ] **1.** dwunasty; **2.** jedna *f* dwunasta

twelve [twelv] **1.** dwanaście; **2.** dwunastka *f*

twen|·ti·eth ['twentɪɪθ] **1.** dwudziesty; **2.** jedna *f* dwudziesta; **~·ty** ['twentɪ] **1.** dwudziesty; **2.** dwudziestka *f*

twice [twaɪs] dwa razy

twid·dle ['twɪdl] bawić się; **~ one's thumbs** *fig.* marnować czas

twig [twɪg] gałązka *f*

twi·light ['twaɪlaɪt] zmrok *m*, zmierzch *m*; półmrok *m*

twin [twɪn] **1.** bliźniak *m* (-niaczka *f*); **~s** *pl.* bliźniaki *pl.*; **2.** bliźniaczy; podwójny; **3.** (**-nn-**): **be ~ned with** mieć partnerstwo z (*I*); **~·bed·ded 'room** pokój *m* z dwoma łóżkami; **~ 'beds** *pl.* dwa pojedyncze łóżka *pl.*; **~ 'broth·er** bliźniak *m*

twine [twaɪn] **1.** sznurek *m*, szpagat *m*; **2.** owijać ⟨owinąć⟩ (się) (**round** wokół *G*); *też* **~ together** splatać ⟨spleść⟩

twin-'en·gined *aviat.* dwusilnikowy

twinge [twɪndʒ] ukłucie *n* (*bólu*); **a ~ of conscience** wyrzut *m* sumienia

twin·kle ['twɪŋkl] **1.** ⟨za⟩migotać; błyszczeć ⟨-łysnąć⟩ (***with*** od *G*); **2.** migotanie *n*; błysk *m* (*też oka*)
twin| 'sis·ter bliźniaczka *f*; **~ 'town** miasto *n* siostrzane
twirl [twɜːl] **1.** kręcić (***round*** wokół); ⟨za⟩wirować; **2.** (za)kręcenie *n*; wirowanie *n*
twist [twɪst] **1.** *v/t.* skręcać ⟨-cić⟩; okręcać ⟨-cić⟩ (***round*** wokół *G*); obracać ⟨-rócić⟩; *kostkę itp.* wykręcać ⟨-cić⟩; *pranie* wyżymać ⟨-żąć⟩; *słowa* przekręcać ⟨-cić⟩; **~ *off*** odkręcać ⟨-cić⟩; **~ *on*** zakręcać ⟨-cić⟩; ***her face was ~ed with pain*** twarz miała wykrzywioną z bólu; *v/i.* wić się; skręcać ⟨-cić⟩ się (*z bólu itp.*); **2.** skręt *m*; skręcenie *n*; zakręt *m*; wykręcenie *n*; *fig.* zwrot *m*; *mus.* twist *m*
twitch [twɪtʃ] **1.** *v/i.* drgać; ⟨s⟩krzywić się (***with*** od *G*); *v/t.* szarpać ⟨-pnąć⟩; **2.** drgnięcie *n*; drganie *n*; szarpnięcie *n*, tik *m*
twit·ter ['twɪtə] **1.** ćwierkać ⟨-knąć⟩; **2.** ćwierkanie *n*; świergot *m*; ***be all of a ~*** F być rozgorączkowanym
two [tuː] **1.** dwa; ***the ~ cars*** oba samochody; ***the ~ of us*** my obaj *m lub* obie *f lub* oboje; ***in ~s*** dwójkami; ***cut in ~*** przecinać ⟨-ciąć⟩ na dwoje; ***put ~ and ~ together*** ⟨s⟩kojarzyć fakty; **2.** dwójka *f*; **~-'edged** obosieczny (*też fig.*); **~-'faced** dwulicowy; **'~·fold** dwojaki; **~·pence** ['tʌpəns] *Brt.* dwa pensy *pl.*; **~·pen·ny** ['tʌpnɪ] *Brt.* F za dwa pensy; **~-'piece** dwuczęściowy; **~-'seat·er** *mot.* samochód *m* dwumiejscowy; *aviat.* samolot *m* dwumiejscowy; **'~-stroke** *tech.* **1.** dwutaktowy; **2.** *też* ***~-stroke engine*** silnik *m* dwutaktowy; **~-'way** dwustronny; **~-way 'traf·fic** ruch *m* dwukierunkowy
ty·coon [taɪ'kuːn] *przemysłowy* magnat *m*
type [taɪp] **1.** typ *m*; rodzaj *m*; *print.* czcionka *f*, druk *m*, rodzaj *m* druku; **2.** *v/t. coś* ⟨na⟩pisać na maszynie, ⟨na⟩pisać (przy użyciu klawiatury); *v/i.* ⟨na⟩pisać na maszynie, ⟨na⟩pisać (*przy użyciu klawiatury*); **'~·writ·er** maszyna *f* do pisania; **'~·writ·ten** napisany na maszynie
ty·phoid ['taɪfɔɪd] *med.*, **~ 'fe·ver** dur *m lub* tyfus *m* brzuszny
ty·phoon [taɪ'fuːn] tajfun *m*
ty·phus ['taɪfəs] *med.* dur *m lub* tyfus *m* plamisty
typ·i|·cal ['tɪpɪkl] typowy (***of*** dla *G*); **~·fy** ['tɪpɪfaɪ] być typowym dla (*G*)
typ·ing| er·ror ['taɪpɪŋ -] błąd *m* maszynowy; **'~ pool** hala *m* maszyn
typ·ist ['taɪpɪst] maszynistka *f*
ty·ran·ni·cal [tɪ'rænɪkl] tyrański
tyr·an|·nize ['tɪrənaɪz] ⟨s⟩tyranizować; **~·ny** ['tɪrənɪ] tyrania *f*
ty·rant ['taɪərənt] tyran *m*
tyre ['taɪə] *Brt.* opona *f*
tzar [zɑː] *hist.* → ***tsar***

U

U, u [juː] U, u *n*
ud·der ['ʌdə] *zo.* wymię *n*
UEFA [juː'iːfə] *skrót*: ***Union of European Football Associations*** UEFA *n*
UFO ['juːfəʊ, juː ef 'əʊ] (*pl.* ***-os***) *skrót*: ***unidentified flying object*** UFO *n*
ug·ly ['ʌglɪ] (***-ier, -iest***) brzydki (*też fig.*); *rana*: paskudny
UHF [juː eɪtʃ 'ef] *skrót*: ***ultrahigh frequency*** UHF *n*, fale *pl.* ultrakrótkie
UK [juː 'keɪ] *skrót*: ***United Kingdom*** Zjednoczone Królestwo *n* (*Wielkiej Brytanii i płn. Irlandii*)
U·kraine Ukraina *f*
ul·cer ['ʌlsə] *med.* wrzód *m*
ul·te·ri·or [ʌl'tɪərɪə]: **~ *motive*** ukryty motyw *lub* pobudka *f*
ul·ti·mate ['ʌltɪmət] ostateczny; końcowy; krańcowy; **'~·ly** ostatecznie; w końcu
ul·ti·ma·tum [ʌltɪ'meɪtəm] (*pl.* ***-tums, -ta*** [-tə]) ultimatum *n*
ul·tra|·high fre·quen·cy [ʌltrəhaɪ 'friːkwənsɪ] fale *pl.* ultrakrótkie; **~·ma'rine** ultramaryna *f*; **~'son·ic** ponaddźwiękowy; **'~·sound** ultradźwięk *m*; **~'vi·o·let** ultrafioletowy, nadfioletowy

U

um·bil·i·cal cord [ʌmbɪlɪkl 'kɔːd] *anat.* pępowina *f*
um·brel·la [ʌm'brelə] parasol *m* (*przeciwdeszczowy*); *fig.* osłona *f*
um·pire ['ʌmpaɪə] (*w sporcie*) **1.** sędzia *m*; **2.** sędziować
UN [juː 'en] *skrót*: ***United Nations*** *pl.* ONZ *m*, Narody *pl.* Zjednoczone
un·a·bashed [ʌnə'bæʃt] nie zbity z tropu
un·a·bat·ed [ʌnə'beɪtɪd] nie zmniejszony, nie obniżony
un·a·ble [ʌn'eɪbl]: ***be ~ to do s.th.*** nie być w stanie czegoś zrobić
un·ac·coun·ta·ble [ʌnə'kaʊntəbl] niewytłumaczalny
un·ac·cus·tomed [ʌnə'kʌstəmd] nieprzyzwyczajony
un·ac·quaint·ed [ʌnə'kweɪntɪd]: ***be ~ with s.th.*** nie być zaznajomionym z czymś
un·ad·vised [ʌnəd'vaɪzd] nierozsądny; niecelowy
un·af·fect·ed [ʌnə'fektɪd] naturalny, niewymuszony; ***be ~ by s.th.*** nie ulegać ⟨ulec⟩ wpływowi czegoś
un·aid·ed [ʌn'eɪdɪd] samodzielnie, bez pomocy
un·al·ter·a·ble [ʌn'ɔːltərəbl] niezmienny
u·nan·i·mous [juː'nænɪməs] jednogłośny
un·an·nounced [ʌnə'naʊnst] niezapowiedziany
un·an·swer·a·ble [ʌn'ɑːnsərəbl] niepodważalny, nie do obalenia
un·ap·proach·a·ble [ʌnə'prəʊtʃəbl] niedostępny; nieprzystępny
un·armed [ʌn'ɑːmd] nieuzbrojony
un·asked [ʌn'ɑːskt] *ktoś*: nie pytany; *pytanie*: nie zadany
un·as·sist·ed [ʌnə'sɪstɪd] bez pomocy, samodzielnie, nie wspomagany
un·as·sum·ing [ʌnə'sjuːmɪŋ] bezpretensjonalny
un·at·tached [ʌnə'tætʃt] niezwiązany, wolny
un·at·tend·ed [ʌnə'tendɪd] działający *lub* pozostawiony bez opieki
un·at·trac·tive [ʌnə'træktɪv] nieatrakcyjny
un·au·thor·ized [ʌn'ɔːθəraɪzd] nieupoważniony; nie uprawniony; nie autoryzowany
un·a·void·a·ble [ʌnə'vɔɪdəbl] nieunikniony
un·a·ware [ʌnə'weə]: ***be ~ of s.th.*** nie zdawać ⟨-zdać⟩ sobie sprawy z czegoś; **~s** [ʌnə'weəz] niespodzianie, niespodziewanie; ***catch*** *lub* ***take s.o. ~*** zaskoczyć kogoś
un·bal·ance [ʌn'bæləns] wyprowadzać ⟨-dzić⟩ z równowagi; **~d** niezrównoważony
un·bar [ʌn'bɑː] otwierać ⟨-worzyć⟩
un·bear·a·ble [ʌn'beərəbl] nie do zniesienia
un·beat·a·ble [ʌn'biːtəbl] bezkonkurencyjny; **un·beat·en** [ʌn'biːtn] niepokonany; nie przetarty
un·be·known(st) [ʌnbɪ'nəʊn(st)]: ***~ to s.o.*** bez czyjejś wiedzy
un·be·lie·va·ble [ʌnbɪ'liːvəbl] nie do uwierzenia
un·bend [ʌn'bend] (***-bent***) rozluźniać ⟨-nić⟩ się; odprężać ⟨-żyć⟩ się, ⟨wy⟩prostować; **~·ing** nieugięty
un·bi·as(s)ed [ʌn'baɪəst] nieuprzedzony, bezstronny
un·bind [ʌn'baɪnd] (***-bound***) rozwiązywać ⟨-zać⟩
un·blem·ished [ʌn'blemɪʃt] niesplamiony, nieskalany
un·born [ʌn'bɔːn] nienarodzony
un·break·a·ble [ʌn'breɪkəbl] nietłukący (się)
un·bri·dled [ʌn'braɪdld] nieokiełznany; rozpasany
un·bro·ken [ʌn'brəʊkən] nie zbity, nie uszkodzony; *rekord itp.*: nie pobity; *koń*: nieujeżdżony
un·buck·le [ʌn'bʌkl] rozpinać ⟨-piąć⟩
un·bur·den [ʌn'bɜːdn]: ***~ o.s. to s.o.*** zwierzać ⟨-rzyć⟩ się komuś
un·but·ton [ʌn'bʌtn] *guziki* rozpinać ⟨-piąć⟩
un·called-for [ʌn'kɔːldfɔː] nie na miejscu; niepożądany
un·can·ny [ʌn'kænɪ] (***-ier, -iest***) niesamowity
un·cared-for [ʌn'keədfɔː] zaniedbany, zapuszczony
un·ceas·ing [ʌn'siːsɪŋ] nieustanny
un·ce·re·mo·ni·ous [ʌnserɪ'məʊnjəs] bezceremonialny
un·cer·tain [ʌn'sɜːtn] niepewny; wątpliwy; ***be ~ of*** nie być pewnym (*G*); **~·ty** [ʌn'sɜːtntɪ] niepewność *f*; wątpliwość *f*

U

un·chain [ʌn'tʃeɪn] rozkuwać ⟨-kuć⟩

un·changed [ʌn'tʃeɪndʒd] nie zmieniony; **un·chang·ing** [ʌn'tʃeɪndʒɪŋ] niezmienny, nie zmieniający się

un·char·i·ta·ble [ʌn'tʃærɪtəbl] nieżyczliwy

un·checked [ʌn'tʃekt] nie sprawdzony; nie kontrolowany

un·chris·tian [ʌn'krɪstʃən] niechrześcijański

un·civ·il [ʌn'sɪvl] niegrzeczny, nieuprzejmy; **un·civ·i·lized** [ʌn'sɪvlaɪzd] niecywilizowany; barbarzyński

un·cle ['ʌŋkl] wuj(ek) *m*, stryj(ek) *m*

un·com·for·ta·ble [ʌn'kʌmfətəbl] niewygodny; ***feel ~*** ⟨po⟩czuć się niezręcznie

un·com·mon [ʌn'kɒmən] niepowszedni, rzadki

un·com·mu·ni·ca·tive [ʌnkə'mju:nɪkətɪv] mało komunikatywny, niekomunikatywny

un·com·pro·mis·ing [ʌn'kɒmprəmaɪzɪŋ] bezkompromisowy

un·con·cerned [ʌnkən'sɜ:nd]: ***be ~ about*** nie przejmować się (*I*); ***be ~ with*** nie być zainteresowanym (*I*)

un·con·di·tion·al [ʌnkən'dɪʃənl] bezwarunkowy

un·con·firmed [ʌnkən'fɜ:md] nie potwierdzony

un·con·scious [ʌn'kɒnʃəs] *med.* nieprzytomny; nieświadomy (*też* ***of*** *G*); ***be ~ of s.th.*** nie zdawać sobie sprawy z czegoś; **~·ness** nieprzytomność *f*; nieświadomość *f*

un·con·sti·tu·tion·al [ʌnkɒnstɪ'tju:ʃənl] niekonstytucjonalny

un·con·trol·la·ble [ʌnkən'trəʊləbl] nie do opanowania; nieopanowany; rozjuszony; **un·con·trolled** [ʌnkən'trəʊld] niekontrolowany

un·con·ven·tion·al [ʌnkən'venʃənl] niekonwencjonalny

un·con·vinced [ʌnkən'vɪnst]: ***be ~ about*** nie być przekonanym o (*L*); **un·con'vinc·ing** nieprzekonujący

un·cooked [ʌn'kʊkt] nie gotowany, surowy

un·cork [ʌn'kɔ:k] odkorkowywać ⟨-ować⟩

un·count·a·ble [ʌn'kaʊntəbl] niepoliczalny

un·coup·le [ʌn'kʌpl] *wagony* rozłączać ⟨-czyć⟩

un·couth [ʌn'ku:θ] nieokrzesany

un·cov·er [ʌn'kʌvə] odsłaniać ⟨-łonić⟩; odkrywać ⟨-ryć⟩

un·crit·i·cal [ʌn'krɪtɪkl] bezkrytyczny; ***be ~ of s.th.*** nie być krytycznym względem czegoś

unc|·tion ['ʌŋkʃn] *rel.* namaszczenie *n*; **~·tu·ous** ['ʌŋktjʊəs] obłudny

un·cut [ʌn'kʌt] *film, powieść*: nieokrojony; *diament*: nieoszlifowany

un·dam·aged [ʌn'dæmɪdʒd] nieuszkodzony

un·dat·ed [ʌn'deɪtɪd] nie datowany, bez daty

un·daunt·ed [ʌn'dɔ:ntɪd] nieustraszony

un·de·cid·ed [ʌndɪ'saɪdɪd] niezdecydowany

un·de·mon·stra·tive [ʌndɪ'mɒnstrətɪv] opanowany, powściągliwy

un·de·ni·a·ble [ʌndɪ'naɪəbl] niezaprzeczalny

un·der ['ʌndə] **1.** *prp.* pod (*I, A*); pod kierownictwem *lub* rozkazami (*G*); zgodnie z (*I*); **2.** *adv.* pod spodem; **~·age** [ʌndər'eɪdʒ] niepełnoletni; **~'bid** (***-dd-***; ***-bid***) ⟨za⟩oferować lepsze warunki; przelicytowywać ⟨-ować⟩; **'~·brush** *zwł. Am.* → ***undergrowth***; **'~·car·riage** *aviat.* podwozie *n*; **~'charge** ⟨po⟩liczyć za mało; **~·clo·thes** ['ʌndəkləʊðz] *pl.*, **~·cloth·ing** ['ʌndəkləʊðɪŋ] → ***undewear***; **'~·coat** podkład *m*; **~'cov·er**: ***~cover agent*** tajny agent *m*; **~'cut** (***-tt-***; ***-cut***) konkurować ceną z (*I*); **~·de'vel·oped** zacofany, nierozwinięty; **'~·dog** strona *f* słabsza; słabszy człowiek *m*; **~'done** niedosmażony, niedogotowany; **~·es·ti·mate** [ʌndər'estɪmeɪt] nie doceniać ⟨-nić⟩ (*też fig.*); **~·ex·pose** [ʌndərɪk'spəʊz] niedoświetlać ⟨-lić⟩; **~'fed** niedożywiony; **~'go** (***-went, -gone***) przechodzić ⟨przejść⟩; ulegać ⟨-lec⟩; **~·grad** F ['ʌndəgræd], **~·grad·u·ate** [ʌndə'grædʒʊət] student(ka *f*) *m* (*niższych lat*); **~·ground 1.** *adv.* [ʌndə'graʊnd] pod ziemią; **2.** *adj.* ['ʌndəgraʊnd] podziemny; *fig.* undergroundowy, niekomercyjny; **3.** ['ʌndəgraʊnd] *zwł. Brt.* metro *n*; ***by ~ground*** metrem; **'~·growth** poszycie *n*; **~'hand**, **~'hand·ed** za-

U

kulisowy; **~'lie** (**-lay, -lain**) znajdować się u podstaw (*G*); **~'line** podkreślać ⟨-lić⟩; **'~·ling** *pej.* podwładny *m* (-na *f*); **~'ly·ing** leżący u podstaw; **~'mine** podminowywać ⟨-ować⟩; *fig.* podkopywać ⟨-pać⟩; **~·neath** [ʌndə'niːθ] **1.** *prp.* pod (*I*); **2.** *adv.* pod spodem; **~'nour·ished** niedożywiony; **'~·pants** *pl.* kalesony *pl.*; **'~·pass** *Brt.* przejście *n* podziemne; przejazd *m* podziemny; **~'pay** (**-paid**) niedopłacać ⟨-cić⟩; **~'priv·i·leged** upośledzony (*pod względem statusu społecznego*); biedny; **~'rate** niedoceniać⟨-nić⟩; **~'sec·re·ta·ry** *pol.* podsekretarz *m*; **~'sell** (**-sold**) *econ.* sprzedawać⟨-dać⟩ poniżej wartości; ***~sell o.s.*** *fig.* źle się sprzedać; **'~·shirt** *Am.* podkoszulek *m*; **'~·side** spód *m*; **'~·signed 1.** podpisany; **2.** ***the ~signed*** niżej podpisany *m* (-na *f*) *lub* podpisani *pl. m* (-ne *pl. f*); **~'size(d)** za mały; **~'staffed** o niedostatecznej ilości personelu; **~'stand** (**-stood**) ⟨z⟩rozumieć; pojmować ⟨-jąć⟩; ***make o.s. ~stood*** dogadywać ⟨-dać⟩ się; ***am I to ~stand that*** czy mam to zrozumieć, że; **~'stand·able** zrozumiały; **~'stand·ing 1.** rozumienie *n*; zrozumienie *n*; porozumienie *n*; ***come to an ~standing*** dochodzić ⟨dojść⟩ do porozumienia (***with*** z *I*); ***on the ~standing that*** pod warunkiem, że; **2.** zrozumiały; **~'state** umniejszać ⟨-szyć⟩, pomniejszać ⟨-szyć⟩; **~'state·ment** pomniejszanie *n*, umniejszanie *n*; niedopowiedzenie *n*; **~'take** (**-took, -taken**) podejmować ⟨-djąć⟩ się (*G*) (***to do s.th.*** zrobienia); przedsiębrać ⟨-wziąć⟩; zobowiązywać ⟨-zać⟩ się; **'~·tak·er** przedsiębiorca *m* pogrzebowy; **~'tak·ing** przedsięwzięcie *n*; zobowiązanie *n*; **'~·tone** *fig.* zabarwienie *n* (*głosu*); **~'val·ue** nie doceniać ⟨-nić⟩; **~'wa·ter 1.** *adj.* podwodny; **2.** *adv.* pod wodą; **'~·wear** bielizna *f*; **~·weight 1.** ['ʌndəweɪt] niedowaga *f*; **2.** [ʌndə'weɪt] z niedowagą; zbyt lekki (***by*** o *G*); ***be five pounds ~weight*** mieć pięć funtów niedowagi; **'~·world** środowisko *n* przestępcze, świat *m* przestępczy

un·de·served [ʌndɪ'zɜːvd] niezasłużony

un·de·si·ra·ble [ʌndɪ'zaɪərəbl] niepożądany

un·de·vel·oped [ʌndɪ'veləpt] nierozwinięty

un·dies ['ʌndɪz] F *pl.* bielizna *f* damska

un·dig·ni·fied [ʌn'dɪgnɪfaɪd] mało dystyngowany

un·dis·ci·plined [ʌn'dɪsɪplɪnd] niezdyscyplinowany

un·dis·cov·ered [ʌndɪ'skʌvəd] nie odkryty

un·dis·put·ed [ʌndɪ'spjuːtɪd] bezdyskusyjny

un·dis·turbed [ʌndɪ'stɜːbd] niezakłócony

un·di·vid·ed [ʌndɪ'vaɪdɪd] niepodzielony

un·do [ʌn'duː] (**-did, -done**) rozpinać ⟨-piąć⟩; rozwiązywać ⟨-zać⟩; *fig.* ⟨z⟩niweczyć; **un'do·ing**: ***be s.o.'s ~*** stawać się czyjąć ruiną; **un'done** rozwiązany, rozpięty; ***come ~*** rozwiązywać ⟨-zać⟩ się, rozpinać ⟨-piąć⟩ się

un·doubt·ed [ʌn'daʊtɪd] niewątpliwy; **~·ly** niewątpliwie

un·dreamed-of [ʌn'driːmdɒv], **un·dreamt-of** [ʌn'dremtɒv] niesłychany

un·dress [ʌn'dres] rozbierać ⟨-zebrać⟩ (się)

un·due [ʌn'djuː] nadmierny, przesadny

un·du·lat·ing ['ʌndjʊleɪtɪŋ] falujący

un·dy·ing [ʌn'daɪɪŋ] nieśmiertelny; dozgonny

un·earned [ʌn'ɜːnd] *fig.* niezasłużony

un·earth [ʌn'ɜːθ] wykopywać ⟨-pać⟩; *fig.* wygrzebywać ⟨-bać⟩, wydobywać ⟨-być ⟩na światło dzienne; **~·ly** niesamowity; ***at an ~ly hour*** o nieludzkiej porze

un·eas|·i·ness [ʌn'iːzɪnɪs] niepokój *m*; zaniepokojenie *n*; **~·y** [ʌn'iːzɪ] (**-ier, -iest**) *sen*: niespokojny; niepewny; niepokojący; zaniepokojony; ***feel ~y*** czuć się nieswojo; ***I'm ~y about*** jestem niespokojny co do (*G*)

un·e·co·nom·ic ['ʌniːkə'nɒmɪk] nieekonomiczny, niepopłatny

un·ed·u·cat·ed [ʌn'edjʊkeɪtɪd] niewykształcony

un·e·mo·tion·al [ʌnɪ'məʊʃənl] beznamiętny, chłodny; racjonalny

un·em·ployed [ʌnɪm'plɔɪd] **1.** niezatrudniony, bezrobotny; **2.** ***the ~*** *pl.* bezrobotni *pl.*

un·em·ploy·ment [ʌnɪm'plɔɪmənt] bezrobocie *n*; **~ ben·e·fit** *Brt.*, **~ com-**

U

pen·sa·tion *Am.* zasiłek *m* dla bezrobotnych
un·end·ing [ʌn'endıŋ] niekończący się
un·en·dur·a·ble [ʌnın'djʊərəbl] nie do wytrzymania
un·en·vi·a·ble [ʌn'envıəbl] nie do pozazdroszczenia
un·e·qual [ʌn'iːkwəl] nierówny; ***be ~ to*** nie potrafić sprostać (*D*); **~(l)ed** niezrównany
un·er·ring [ʌn'ɜːrıŋ] nieomylny
UNESCO [juː'neskəʊ] *skrót*: ***United Nations Educational, Scientific and Cultural Organization*** UNESCO *n*, Organizacja Narodów Zjednoczonych do Spraw Oświaty, Nauki i Kultury
un·e·ven [ʌn'iːvn] nierówny; *liczba*: nieparzysty
un·e·vent·ful [ʌnı'ventfl] bez zakłóceń, spokojny
un·ex·am·pled [ʌnıg'zɑːmpld] bezprzykładny
un·ex·pec·ted [ʌnık'spektıd] niespodziewany
un·ex·posed [ʌnık'spəʊzd] *phot.* niewywołany
un·fail·ing [ʌn'feılıŋ] niezawodny, pewny
un·fair [ʌn'feə] nie fair, nieprzepisowy; niesprawidliwy, nieuczciwy
un·faith·ful [ʌn'feıθfl] niewierny (***to*** wobec *G*)
un·fa·mil·i·ar [ʌnfə'mılјə] nieznany; nie obeznany (***with*** z *I*)
un·fas·ten [ʌn'fɑːsn] rozpinać ⟨-piąć⟩, otwierać ⟨-worzyć⟩
un·fa·vo(u)·ra·ble [ʌn'feıvərəbl] nieprzychylny (***to*** wobec *G*); niesprzyjający; niepomyślny
un·feel·ing [ʌn'fiːlıŋ] nieczuły, nieludzki
un·fin·ished [ʌn'fınıʃt] niezakończony, nieukończony
un·fit [ʌn'fıt] nie w formie; nieodpowiedni, niezdatny; niezdolny (***for*** do *G*, ***to do*** do zrobienia)
un·flag·ging [ʌn'flægıŋ] nie słabnący
un·flap·pa·ble [ʌn'flæpəbl] F niewzruszony
un·fold [ʌn'fəʊld] rozwijać ⟨-winąć⟩ (się)
un·fore·seen [ʌnfɔː'siːn] nieprzewidziany
un·for·get·ta·ble [ʌnfə'getəbl] niezapomniany, pamiętny
un·for·got·ten [ʌnfə'gɒtn] nie zapomniany, pamiętany
un·for·mat·ted [ʌn'fɔmæıd] *komp.* niesformatowany
un·for·tu·nate [ʌn'fɔːtʃnət] nieszczęsny; niefortunny; pechowy; **~·ly** niestety
un·found·ed [ʌn'faʊndıd] nieuzasadniony, bezpodstawny
un·friend·ly [ʌn'frendlı] (***-ier, -iest***) nieprzyjazny (***to, towards*** wobec *G*)
un·furl [ʌn'fɜːl] *sztandar* rozpościerać ⟨-postrzeć⟩; *żagiel* rozwijać ⟨-winąć⟩
un·fur·nished [ʌn'fɜːnıʃt] nie umeblowany
un·gain·ly [ʌn'geınlı] niezgrabny, niezdarny
un·god·ly [ʌn'gɒdlı] bezbożny; ***at an ~ hour*** o nieprzyzwoitej godzinie
un·gra·cious [ʌn'greıʃəs] niewdzięczny
un·grate·ful [ʌn'greıtfl] niewdzięczny
un·guard·ed [ʌn'gɑːdıd] niebaczny, nieostrożny
un·hap·pi·ly [ʌn'hæpılı] nieszczęśliwie, pechowo; **un·hap·py** [ʌn'hæpı] (***-ier, -iest***) nieszczęśliwy, pechowy
un·harmed [ʌn'hɑːmd] nietknięty, cały
un·health·y [ʌn'helθı] niezdrowy; *pej.* chorobliwy
un·heard [ʌn'hɜːd]: ***go ~*** nie znajdować ⟨-naleźć⟩ posłuchu; **~-of** [ʌn'hɜːdɒv] niesłychany, bezprzykładny
un·hinge [ʌn'hındʒ]: **~ *s.o.*(*'s mind*)** pozbawiać ⟨-wić⟩ rozumu
un·ho·ly [ʌn'həʊlı] F (***-ier, -iest***) nieprawdopodobny, nieslychany
un·hoped-for [ʌn'həʊptfɔː] nieoczekiwany
un·hurt [ʌn'hɜːt] cało, bez szwanku
UNICEF ['juːnısef] *skrót*: ***United Nations International Children's Fund*** UNICEF *m*, Fundusz Narodów Zjednoczonych Pomocy Dzieciom
u·ni·corn ['juːnıkɔːn] jednorożec *m*
un·i·den·ti·fied [ʌnaı'dentıfaıd] niezidentyfikowany
u·ni·fi·ca·tion [juːnıfı'keıʃn] zjednoczenie *n*
u·ni·form ['juːnıfɔːm] **1.** uniform *m*; mundur *m*; **2.** jednolity; jednaki; **~·i·ty** [juːnı'fɔːmətı] jednorodność *f*; jednolitość *f*

U

u•ni•fy ['ju:nɪfaɪ] ⟨z⟩jednoczyć; ⟨z⟩unifikować; ⟨s⟩konsolidować
u•ni•lat•e•ral [ju:nɪ'lætərəl] *fig.* jednostronny
un•i•ma•gi•na•ble [ʌnɪ'mædʒɪnəbl] niewyobrażalny; **un•i•ma•gi•na•tive** [ʌnɪ'mædʒɪnətɪv] bez wyobraźni, pozbawiony wyobraźni
un•im•por•tant [ʌnɪm'pɔ:tənt] nieważny
un•im•pressed [ʌnɪm'prest] nieporuszony (***by*** przez *A*)
un•in•formed [ʌnɪn'fɔ:md] nie poinformowany, nieświadomy
un•in•hab•i•ta•ble [ʌnɪn'hæbɪtəbl] niezdatny do zamieszkania; **un•in•hab•it•ed** [ʌnɪn'hæbɪtɪd] niezamieszkały, bezludny
un•in•jured [ʌn'ɪndʒəd] cały, bez szwanku
un•in•tel•li•gi•ble [ʌnɪn'telɪdʒəbl] niezrozumiały
un•in•ten•tion•al [ʌnɪn'tenʃənl] nieumyślny
un•in•terest•ed [ʌn'ɪntrɪstɪd] nie zainteresowany; ***be ~ in*** *też* nie interesować się (*I*); **un•in•te•rest•ing** [ʌn'ɪntrɪstɪŋ] nieinteresujący
un•in•ter•rupt•ed ['ʌnɪntə'rʌptɪd] nieprzerwany
u•nion ['ju:njən] unia *f*; połączenie *n*; związek *m*; **~•ist** ['ju:njənɪst] związkowiec *m*; **~•ize** ['ju:njənaɪz] zrzeszać się (*w związek*), przyłączać ⟨-czyć⟩ się do związku; **≈ 'Jack** (*brytyjska flaga narodowa*) Union Jack *m*
u•nique [ju:'ni:k] unikalny, unikatowy; wyjątkowy; niespotykany
u•ni•son ['ju:nɪzn]: ***in ~*** zgodnie; *mus.* unisono
u•nit ['ju:nɪt] jednostka *f*; *ped.* godzina *f* nauczania; *math.* jednostka *f*, jedność *f*; *tech.* element *m*, moduł *m*; ***sink ~*** szafka *f* pod zlewozmywak
u•nite [ju:'naɪt] ⟨z⟩jednoczyć (się), ⟨z⟩łączyć (się); **u'nit•ed** zjednoczony
U•nit•ed 'King•dom (*skrót*: ***UK***) Zjednoczone Królestwo *n* (*Anglia, Szkocja i płn. Irlandia*)
U•nit•ed 'Na•tions *pl.* (*skrót*: ***UN***) Narody *pl.* Zjednoczone, ONZ *m*
U•nit•ed States of A'mer•i•ca *pl.* (*skrót*: ***USA***) Stany *pl.* Zjednoczone Ameryki, USA *pl.*

U

u•ni•ty ['ju:nətɪ] jedność *f*
u•ni•ver•sal [ju:nɪ'vɜ:sl] uniwersalny, powszechny; ogólny
u•ni•verse ['ju:nɪvɜ:s] wszechświat *m*
u•ni•ver•si•ty [ju:nɪ'vɜ:sətɪ] uniwersytet *m*, wyższa uczelnia *f*; **~ 'grad•u•ate** absolwent *m* szkoły wyższej
un•just [ʌn'dʒʌst] niesprawiedliwy
un•kempt [ʌn'kempt] *włosy*: rozczochrany; *ubranie*: zaniedbany
un•kind [ʌn'kaɪnd] nieprzyjazny, nieżyczliwy
un•known [ʌn'nəʊn] **1.** nieznany (***to*** *D*); niewiadomy; **2.** niewiadoma *f* (*też math.*); **~ 'quan•ti•ty** wielkość *f* nieznana
un•law•ful [ʌn'lɔ:fl] bezprawny, nielegalny
un•lead•ed [ʌn'ledɪd] *benzyna*: bezołowiowy
un•learn [ʌn'lɜ:n] (***-ed*** *lub* ***-learnt***) oduczać ⟨-czyć⟩ się
un•less [ən'les] jeżeli nie, o ile nie
un•like [ʌn'laɪk] *prp.* niepodobny do (*G*), mało podobny do (*G*); ***he is very ~ his father*** jest bardzo niepodobny do swego ojca; ***that is very ~ him*** to do niego zupełnie niepodobne; **~•ly** mało prawdopodobny; ***she's ~ly to be there*** mało prawdopodobne, by tam była
un•lim•it•ed [ʌn'lɪmɪtɪd] nieograniczony
un•list•ed [ʌn'lɪstɪd] *Am. tel. numer*: zastrzeżony; **~ 'num•ber** numer *m* zastrzeżony
un•load [ʌn'ləʊd] wyładowywać ⟨-ować⟩, rozładowywać ⟨-ować⟩
un•lock [ʌn'lɒk] otwierać ⟨-worzyć⟩
un•loos•en [ʌn'lu:sn] rozwiązywać ⟨-zać⟩; rozluźniać ⟨-nić⟩
un•loved [ʌn'lʌvd] niekochany
un•luck•y [ʌn'lʌkɪ] (***-ier, -iest***) nieszczęśliwy, pechowy; ***be ~*** mieć pecha
un•made [ʌn'meɪd] nie pościelony
un•manned [ʌn'mænd] bezzałogowy
un•marked nie oznaczony; bez skazy; *sport*: nie kryty
un•mar•ried [ʌn'mærɪd] *kobieta*: niezamężny; *mężczyzna*: nieżonaty
un•mask [ʌn'mɑ:sk] *fig.* ⟨z⟩demaskować
un•matched [ʌn'mætʃt] niezrównany
un•men•tio•na•ble [ʌn'menʃnəbl] tabu; ***be ~*** być tabu

un·mis·ta·ka·ble [ʌnmɪ'steɪkəbl] niewątpliwy, jednoznaczny
un·moved [ʌn'muːvd] nieporuszony; ***she remained ~ by it*** nie poruszyło jej to
un·mu·si·cal [ʌn'mjuːzɪkl] mało muzykalny, niemuzykalny
un·named [ʌn'neɪmd] nienazwany
un·nat·u·ral [ʌn'nætʃrəl] nienaturalny, wbrew naturze
un·ne·ces·sa·ry [ʌn'nesəsərɪ] niepotrzebny
un·nerve [ʌn'nɜːv] wytrącać 〈-cić〉 z równowagi
un·no·ticed [ʌn'nəʊtɪst] niezauważony
un·num·bered [ʌn'nʌmbəd] nienumerowany
UNO ['juːnəʊ] *skrót*: ***United Nations Organization*** ONZ *n*
un·ob·tru·sive [ʌnəb'truːsɪv] nie rzucający się w oczy
un·oc·cu·pied [ʌn'ɒkjʊpaɪd] nie zajęty; niezamieszkały
un·of·fi·cial [ʌnə'fɪʃl] nieoficjalny
un·pack [ʌn'pæk] rozpakowywać 〈-ować〉 (się)
un·paid [ʌn'peɪd] nie zapłacony; nie opłacany, nie wynagradzany
un·par·al·leled [ʌn'pærəleld] niezrównany, bezprzykładny
un·par·don·a·ble [ʌn'pɑːdnəbl] niewybaczalny
un·per·turbed [ʌnpə'tɜːbd] niewzruszony
un·pick [ʌn'pɪk] rozpruwać 〈-ruć〉
un·placed [ʌn'pleɪst]: ***be ~*** (*w sporcie*) nie zająć miejsca medalowego
un·play·a·ble [ʌn'pleɪəbl] (*w sporcie*) nie nadający się do rozgrywek
un·pleas·ant [ʌn'pleznt] nieprzyjemny, przykry
un·plug [ʌn'plʌg] odłączać 〈-czyć〉 od sieci
un·pol·ished [ʌn'pɒlɪʃt] nie oszlifowany; nie polerowany *fig.* bez polotu
un·pol·lut·ed [ʌnpə'luːtɪd] nie zanieczyszczony
un·pop·u·lar [ʌn'pɒpjʊlə] mało popularny, niepopularny; **~·i·ty** ['ʌnpɒpjʊ'lærətɪ] niepopularność *f*
un·prac·ti·cal [ʌn'præktɪkl] niepraktyczny, mało praktyczny
un·prac·tised *Brt.*, **un·prac·ticed** *Am.* [ʌn'præktɪst] nie przećwiczony
un·pre·ce·dent·ed [ʌn'presɪdentɪd] bezprecedensowy
un·pre·dict·a·ble [ʌnprɪ'dɪktəbl] nieprzewidywalny; nie dający się przewidzieć
un·prej·u·diced [ʌn'predʒʊdɪst] nie uprzedzony, bezstronny
un·pre·med·i·tat·ed [ʌnpriː'medɪteɪtɪd] nieumyślny, nierozmyślny
un·pre·pared [ʌnprɪ'peəd] nie przygotowany
un·pre·ten·tious [ʌnprɪ'tenʃəs] bezpretensjonalny
un·prin·ci·pled [ʌn'prɪnsəpld] bez skrupułów, pozbawiony skrupułów
un·prin·ta·ble [un'prɪntəbl] nie nadający się do druku
un·pro·duc·tive [ʌnprə'dʌktɪv] nieproduktywny, mało produktywny
un·pro·fes·sion·al [ʌnprə'feʃənl] nieprofesjonalny, mało profesjonalny
un·prof·i·ta·ble [ʌn'prɒfɪtəbl] nierentowny
un·pro·nounce·a·ble [ʌnprə'naʊnsəbl] nie do wymówienia
un·pro·tect·ed [ʌnprə'tektɪd] nieosłonięty
un·proved [ʌn'pruːvd], **un·prov·en** [ʌn'pruːvn] nie udowodniony
un·pro·voked [ʌnprə'vəʊkt] nie sprowokowany
un·pun·ished [ʌn'pʌnɪʃt] bezkarny, nie karany
un·qual·i·fied [ʌn'kwɒlɪfaɪd] niewykwalifikowany, bez kwalifikacji; nie nadający się (***for*** do *G*); *odmowa*: kategoryczny
un·ques·tio·na·ble [ʌn'kwestʃənəbl] bezsporny, bezsprzeczny; **un·ques·tion·ing** [ʌn'kwestʃənɪŋ] zupełny, absolutny
un·quote [ʌn'kwəʊt]: ***quote ... ~*** cytuję ... koniec cytatu
un·rav·el [ʌn'rævl] (*zwł. Brt.* ***-ll-***, *Am.* ***-l-***) rozplątywać 〈-tać〉; *sweter itp.*: 〈s〉pruć (się); *zagadkę* rozwiązać
un·rea·da·ble [ʌn'riːdəbl] nieczytelny, nie do przeczytania
un·re·al [ʌn'rɪəl] nierzeczywisty; **un·re·a·lis·tic** [ʌnrɪə'lɪstɪk] (***~ally***) nierealistyczny
un·rea·so·na·ble [ʌn'riːznəbl] nierozsądny; nadmierny; *cena*: wygórowany

U

un·rec·og·niz·a·ble [ʌn'rekəgnaɪzəbl] nie do rozpoznania
un·re·lat·ed [ʌnrɪ'leɪtɪd]: ***be ~ to*** nie mieć odniesienia do (*G*)
un·re·lent·ing [ʌnrɪ'lentɪŋ] nie słabnący; bezlitosny
un·rel·i·a·ble [ʌnrɪ'laɪəbl] niepewny; nierzetelny
un·re·lieved [ʌnrɪ'li:vd] nieprzerwany, nieustający
un·re·mit·ting [ʌnrɪ'mɪtɪŋ] nieustanny
un·re·quit·ed [ʌnrɪ'kwaɪtɪd] nie wynagrodzony
un·re·served [ʌnrɪ'zɜ:vd] bezwarunkowy; *miejsce*: nie zarezerwowany
un·rest [ʌn'rest] *pol. itp.* niepokój *m*
un·re·strained [ʌnrɪ'streɪnd] nieskrępowany
un·re·strict·ed [ʌnrɪ'strɪktɪd] nieograniczony
un·ripe [ʌn'raɪp] niedojrzały
un·ri·val(l)ed [ʌn'raɪvld] niezrównany, niedościgniony
un·roll [ʌn'rəʊl] rozwijać ⟨-winąć⟩
un·ruf·fled [ʌn'rʌfld] spokojny; nieporuszony
un·ru·ly [ʌn'ru:lɪ] (***-ier, -iest***) niesforny, krnąbrny
un·sad·dle [ʌn'sædl] *konia* rozsiodływać ⟨-łać⟩; zsiadać ⟨zsiąść⟩ z (*G*)
un·safe [ʌn'seɪf] niebezpieczny; niepewny, ryzykowny
un·said [ʌn'sed] niewypowiedziany
un·sal(e)·a·ble [ʌn'seɪləbl] niepokupny
un·salt·ed [ʌn'sɔ:ltɪd] nie solony, niesłony
un·san·i·tar·y [ʌn'sænɪtərɪ] niehigieniczny
un·sat·is·fac·to·ry ['ʌnsætɪs'fæktərɪ] niezadowalający
un·sat·u·rat·ed [ʌn'sætʃəreɪtɪd] *chem.* nienasycony
un·sa·vo(u)r·y [ʌn'seɪvərɪ] podejrzany, mętny
un·scathed [ʌn'skeɪðd] nietknięty
un·screw [ʌn'skru:] odkręcać ⟨-cić⟩
un·scru·pu·lous [ʌn'skru:pjʊləs] bez skrupułów
un·seat [ʌn'si:t] *jeźdźca* wysadzać ⟨-dzić⟩ z siodła; usuwać ⟨-nąć⟩ (*ze stanowiska*)
un·seem·ly [ʌn'si:mlɪ] niewłaściwy, niestosowny
un·self·ish [ʌn'selfɪʃ] bezinteresowny; **~·ness** bezinteresowność *f*
un·set·tle [ʌn'setl] zaburzać ⟨-rzyć⟩ spokój, pozbawiać ⟨-wić⟩ spokoju; **~d** niespokojny; nierozstrzygnięty; *pogoda*: zmienny
un·sha·k(e)a·ble [ʌn'ʃeɪkəbl] niewzruszony, niezachwiany
un·shav·en [ʌn'ʃeɪvn] nieogolony
un·shrink·a·ble [ʌn'ʃrɪŋkəbl] niekurczliwy
un·sight·ly [ʌn'saɪtlɪ] okropny, paskudny
un·skilled [ʌn'skɪld] niewykwalifikowany
un·so·cia·ble [ʌn'səʊʃəbl] mało towarzyski, nietowarzyski
un·so·cial [ʌn'səʊʃl]: ***work ~ hours*** pracować poza normalnymi godzinami pracy
un·so·lic·it·ed [ʌnsə'lɪsɪtɪd] nie zamawiany; nieproszony
un·solved [ʌn'sɒlvd] nie rozwiązany
un·so·phis·ti·cat·ed [ʌnsə'fɪstɪkeɪtɪd] mało wyrafinowany
un·sound [ʌn'saʊnd] niezdrowy; *budynek*: zagrożony; *towar*: wadliwy; *argument*: mało rozsądny; ***of ~ mind*** *jur.* o zaburzonych władzach umysłowych
un·spar·ing [ʌn'speərɪŋ] hojny, szczodry
un·spea·ka·ble [ʌn'spi:kəbl] niewypowiedziany; okropny
un·spoiled [ʌn'spɔɪld], **un·spoilt** [ʌn'spɔɪlt] nie zepsuty; nietknięty
un·sta·ble [ʌn'steɪbl] chwiejny; niepewny; *człowiek*: niezrównoważony
un·stead·y [ʌn'stedɪ] (***-ier, -iest***) niestały, chwiejny; niepewny
un·stop [ʌn'stɒp] (***-pp-***) *butelkę* odkorkowywać ⟨-ować⟩; odblokowywać ⟨-kować⟩
un·stressed [ʌn'strest] *ling.* nieakcentowany
un·stuck [ʌn'stʌk]: ***come ~*** odchodzić ⟨-dejść⟩, odklejać ⟨-kleić⟩ się; *fig.* zawodzić ⟨-wieść⟩
un·stud·ied [ʌn'stʌdɪd] niewymuszony
un·suc·cess·ful [ʌnsək'sesfl] nieudany; nie mający szczęścia; nie mający powodzenia
un·suit·a·ble [ʌn'sju:təbl] nieodpowiedni (***for*** do *G*)
un·sure [ʌn'ʃɔ:] (***-r, -st***) niepewny; ***be ~***

U

of o.s. nie być pewnym siebie
un·sur·passed [ʌnsə'pɑːst] nieprześcigniony
un·sus·pect|·ed [ʌnsə'spektɪd] nie podejrzewany; **~·ing** niczego nie podejrzewający
un·sus·pi·cious [ʌnsə'spɪʃəs] niczego nie podejrzewający
un·sweet·ened [ʌn'swiːtnd] niesłodzony
un·swerv·ing [ʌn'swɜːvɪŋ] niezachwiany
un·tan·gle [ʌn'tæŋgl] rozplątywać ⟨-tać⟩ (*też fig.*)
un·tapped [ʌn'tæpt] *surowce itp.*: nie wykorzystany
un·teach·a·ble [ʌn'tiːtʃəbl] niewyuczalny
un·ten·a·ble [ʌn'tenəbl] *teoria itp.*: nie do utrzymania
un·think|·a·ble [ʌn'θɪŋkəbl] nie do pomyślenia; **~·ing** bezmyślny
un·ti·dy [ʌn'taɪdɪ] (**-ier, -iest**) nieporządny
un·tie [ʌn'taɪ] rozwiązywać ⟨-zać⟩; odwiązywać ⟨-zać⟩
un·til [ən'tɪl] *prp., cj.* aż do (*G*), do (*G*); **not ~** dopóki nie
un·time·ly [ʌn'taɪmlɪ] przedwczesny; nie w porę; niewczesny
un·tir·ing [ʌn'taɪərɪŋ] niezmordowany
un·told [ʌn'təʊld] niewypowiedziany, nieopisany; przemilczany
un·touched [ʌn'tʌtʃt] nietknięty
un·true [ʌn'truː] nieprawdziwy
un·trust·wor·thy [ʌn'trʌstwɜːðɪ] niegodny zaufania; wątpliwy
un·used[1] [ʌn'juːzd] nie używany; nie wykorzystany
un·used[2] [ʌn'juːst]: ***be ~ to (doing) s.th.*** nie być przyzwyczajonym do (robienia) czegoś
un·u·su·al [ʌn'juːʒʊəl] niezwykły
un·var·nished [ʌn'vɑːnɪʃt] nie ozdobiony; nie upiększony; *prawda*: nagi
un·var·y·ing [ʌn'veərɪɪŋ] niezmienny
un·veil [ʌn'veɪl] *pomnik itp.* odsłaniać ⟨-łonić⟩
un·versed [ʌn'vɜːst] nie zaznajomiony (***in*** z *I*)
un·voiced [ʌn'vɔɪst] niewypowiedziany
un·want·ed [ʌn'wɒntɪd] niechciany
un·war·rant·ed [ʌn'wɒrəntɪd] nie zagwarantowany; bezpodstawny
un·washed [ʌn'wɒʃt] nie umyty
un·wel·come [ʌn'welkəm] niechciany
un·well [ʌn'wel]: ***be** lub **feel ~*** źle się czuć
un·whole·some [ʌn'həʊlsəm] niezdrowy; niedobry
un·wield·y [ʌn'wiːldɪ] nieporęczny
un·will·ing [ʌn'wɪlɪŋ] niechętny; ***be ~ to do s.th.*** nie chcieć czegoś robić
un·wind [ʌn'waɪnd] (***-wound***) odwijać ⟨-winąć⟩, rozwijać ⟨-winąć⟩
un·wise [ʌn'waɪz] niemądry
un·wit·ting [ʌn'wɪtɪŋ] nieświadomy, niezamierzony
un·wor·thy [ʌn'wɜːðɪ] niegodny; ***he is ~ of it*** on nie jest godzien tego
un·wrap [ʌn'ræp] rozwijać ⟨-winąć⟩
un·writ·ten [ʌn'rɪtn] niepisany; **~ 'law** *jur* prawo *n* niepisane
un·yield·ing [ʌn'jiːldɪŋ] nieugięty, nieustępliwy
un·zip [ʌn'zɪp] rozpinać ⟨-piąć⟩ (*zamek błyskawiczny*)
up [ʌp] *adv.* w górę, do góry; w górze; ***~ there*** tam w górze; ***jump ~ and down*** skakać w górę i w dół; ***walk ~ and down*** chodzić tam i z powrotem; ***~ to*** aż do (*G*); ***be ~ to s.th.*** F kombinować coś; ***not to be ~ to s.th.*** nie spełniać ⟨-nić⟩ czegoś; ***it's ~ to you*** to zależy od ciebie; **2.** *prp.* w górę (*G*); ***~ the river*** w górę rzeki; **3.** *adj.* idący *lub* skierowany w górę; *okres czasu*: zakończony; ***the ~ train*** pociąg do *Londynu* (*do stolicy itp.*); ***be ~ and about*** ruszać się (już); ***what's ~?*** co się dzieje?; ***road ~*** *mot.* roboty *pl.* drogowe; **4.** (**-pp-**) F *v/t. cenę itp.* podwyższać ⟨-szyć⟩; **5. *the ~s and downs*** *pl.* wzloty i upadki *pl.*
up-and-com·ing [ʌpən'kʌmɪŋ] dobrze się zapowiadający
up·bring·ing ['ʌpbrɪŋɪŋ] wychowanie *n*
up·com·ing ['ʌpkʌmɪŋ] nadchodzący
up·coun·try [ʌp'kʌntrɪ] **1.** *adv.* w głąb kraju; **2.** *adj.* w głębi kraju
up·date [ʌp'deɪt] ⟨z⟩aktualizować, ⟨z⟩modernizować
up·end [ʌp'end] stawiać ⟨postawić⟩ pionowo
up·grade [ʌp'greɪd] **1.** przenosić ⟨-nieść⟩ do wyższej grupy; ulepszyć ⟨-szać⟩; ⟨z⟩aktualizować; **2.** *komp.* nowa wersja *f* programu, upgrade *m*

up·heav·al *fig.* [ʌp'hiːvl] wstrząs *m*
up·hill [ʌp'hɪl] pod górę; *fig.* mozolny
up·hold [ʌp'həʊld] (***-held***) podtrzymywać ⟨-ymać⟩; *jur.* utrzymywać ⟨-mać⟩ w mocy
up|·hol·ster [ʌp'həʊlstə] *meble* pokrywać ⟨-ryć⟩; **~·hol·ster·er** [ʌp'həʊlstərə] tapicer *m*; **~·hol·ster·y** [ʌp'həʊlstərɪ] tapicerka *f*, obicie *n*
UPI [juː piː 'aɪ] *skrót*: ***United Press International*** UPI *n*
up·keep ['ʌpkiːp] utrzymanie *n*
up·land ['ʌplənd]: *zw.* ***~s*** *pl.* pogórze *n*
up·lift 1. [ʌp'lɪft] podnosić ⟨-nieść⟩ na duchu; **2.** ['ʌplɪft] podniesienie *n* na duchu
up·on [ə'pɒn] → ***on***; ***once ~ a time*** pewnego razu
up·per ['ʌpə] górny; wierzchni; **'~·most 1.** *adj.* najwyższy; najważniejszy; ***be ~most*** być na górze; stać na pierwszym miejscu; **2.** *adv.* najwyżej
up·right ['ʌpraɪt] **1.** *adj.* pionowy, prosty; *fig.* uczciwy, prawy; **2.** *adv.* pionowo, prosto
up·ris·ing ['ʌpraɪzɪŋ] powstanie *n*, insurekcja *f*
up·roar ['ʌprɔː] hałas *m*, zamieszanie *n*; **~·i·ous** [ʌp'rɔːrɪəs] *śmiech*: grzmiący
up·root [ʌp'ruːt] wyrywać z korzeniami; *fig.* przenosić ⟨-nieść⟩
UPS [juː piː 'es] *Am. skrót*: ***United Parcel Service*** (*firma przesyłająca paczki*)
up·set [ʌp'set] (***-set***) przewracać ⟨-rócić⟩, wywracać ⟨-rócić⟩; *fig. plany itp.* ⟨po⟩krzyżować; *fig.* ⟨z⟩denerwować, ***the fish has ~ me*** *lub* ***my stomach*** po tej rybie dostałem rozstroju żołądka; ***be ~*** być zdenerwowanym
up·shot ['ʌpʃɒt] rezultat *m*, wynik *m*
up·side down [ʌpsaɪd'daʊn] do góry nogami
up·stairs [ʌp'steəz] **1.** na górze (*domu itp.*); na górę; w górę; **2.** *adj.* górny, na górze
up·start ['ʌpstɑːt] karierowicz(ka *f*) *m*
up·state [ʌp'steɪt] *Am.* na północy (*stanu*)
up·stream [ʌp'striːm] pod prąd
up·take ['ʌpteɪk] F: ***be quick on the ~*** pojmować w lot, ***be slow on the ~*** mieć ciężki pomyślunek
up-to-date [ʌptə'deɪt] aktualny; nowoczesny
up·town [ʌp'taʊn] *Am.* w dzielnicach mieszkaniowych, do dzielnic mieszkaniowych (*poza centrum miasta*)
up·turn ['ʌptɜːn] poprawa *f*
up·ward(s) ['ʌpwəd(z)] w górę
u·ra·ni·um [jʊ'reɪnɪəm] *chem.* uran *m*
ur·ban ['ɜːbən] miejski
ur·chin ['ɜːtʃɪn] łobuz *m*
urge [ɜːdʒ] **1.** nastawać, nalegać (***to do s.th.*** na zrobienie czegoś); *też* ***~ on*** zalecać ⟨-cić⟩; popędzać ⟨-dzić⟩; **2.** pragnienie *n*, chęć *f*; **ur·gen·cy** ['ɜːdʒənsɪ] nagła potrzeba *f*; **ur·gent** ['ɜːdʒənt] pilny, naglący
u·ri|·nal ['jʊərɪnl] pisuar *m*; **~·nate** ['jʊərɪneɪt] oddawać ⟨-ddać⟩ mocz; **u·rine** ['jʊərɪn] mocz *m*, uryna *f*
urn [ɜːn] urna *f*; duży termos *m*
us [ʌs, əs] nas, nam, nami; ***all of ~*** my wszyscy; ***both of ~*** my obaj
US [juː 'es] *skrót*: ***United States*** USA *pl.*, Stany *pl.* Zjednoczone
USA [juː es 'eɪ] *skrót*: ***United States of America*** USA *pl.*, Stany *pl.* Zjednoczone Ameryki
USAF [juː es eɪ 'ef] *skrót*: ***United States Air Force*** lotnictwo *n* USA
us·age ['juːzɪdʒ] użycie *n*; zwyczaj *m*; stosowana praktyka *f*; *gr.* uzus *m*, użycie *n* języka
use 1. [juːz] *v/t.* używać ⟨użyć⟩; ⟨wy⟩korzystać; ***~ up*** zużywać ⟨-żyć⟩; **2.** [juːs] użycie *n*; wykorzystanie *n*; użytek *m*; korzyść *f*; pożytek *f*; ***be of ~*** być przydatnym (***to*** do *G*); ***it's no ~ ...*** nie ma sensu ...; → ***milk*** 1
used[1] [juːst]: ***I ~ to live here*** kiedyś tu mieszkałem; ***be ~ to do*** (***doing***) ***s.th.*** być przyzwyczajonym do (robienia) czegoś
used[2] [juːzd] użyty, zużyty; używany; ***~ 'car*** używany samochód *m*; ***~ car 'deal·er*** sprzedawca *m* (-wczyni *f*) używanych samochodów
use|·ful ['juːsfl] użyteczny; **'~·less** bezużyteczny
us·er ['juːzə] użytkownik *m* (-niczka *f*); posługujący *m* (-ca *f*) się; **~-'friend·ly** przyjazny dla użytkownika; **~ 'in·ter·face** *komp.* interfejs *m* użytkownika
ush·er ['ʌʃə] **1.** bileter *m*; *jur.* woźny *m* sądowy; **2.** wprowadzać ⟨-dzić⟩ (***into*** do *G*), ⟨za⟩prowadzić (***into*** do *G*); **~·ette** [ʌʃə'ret] bileterka *f*

U

USN [juː es 'en] *skrót*: ***United States Navy*** marynarka *f* Stanów Zjednoczonych
USS [juː es 'es] *skrót*: ***United States Ship*** okręt Stanów Zjednoczonych
USSR [juː es es 'ɑː] *hist. skrót*: ***Union of Socialist Soviet Republics*** ZSRR *n*, Związek *m* Socjalistycznych Republik Radzieckich
u·su·al ['juːʒl] zwykły; ***as ~*** jak zwykle; **~·ly** ['juːʒəlɪ] zwykle
u·sur·er ['juːʒərə] lichwiarz *m* (-rka *f*)
u·su·ry ['juːʒʊrɪ] lichwiarstwo *n*
u·ten·sil [juː'tensl] przybór *m*, urządzenie *n*
u·te·rus ['juːtərəs] (*pl.* ***-ri*** [-raɪ], ***-ruses***) *anat.* macica *f*
u·til·i·ty [juː'tɪlətɪ] użyteczność *f*; ***utilities*** *pl.* usługi *pl.* komunalne
u·til·ize ['juːtɪlaɪz] używać ⟨-żyć⟩, ⟨s⟩pożytkować, wykorzystywać ⟨-tać⟩
ut·most ['ʌtməʊst] najwyższy
U·to·pi·an [juː'təʊpjən] utopijny
ut·ter[1] ['ʌtə] całkowity, zupełny
ut·ter[2] ['ʌtə] wypowiadać ⟨-wiedzieć⟩; *dźwięki* wydawać ⟨-dać⟩ (z siebie)
U-turn ['juːtɜːn] *mot.* zawrócenie *n*; *fig.* zwrot *m* o 180 stopni
UV [juː 'viː] *skrót*: ***ultraviolet*** nadfiolet *m*
u·vu·la ['juːvjʊlə] *anat.* (*pl.* ***-las, -lae*** [-liː]) języczek *m*

V

V, v [viː] V, v *n*
v. *Brt. skrót pisany*: ***against*** (*łacińskie* ***versus***) *zwł. sport, jur.*: przeciw
va|·can·cy ['veɪkənsɪ] wolne miejsce *n*; wakat *m*; ***vacancies*** wolne miejsca; ***no vacancies*** brak wolnych miejsc; **'~·cant** próżny, pusty; wolny; *miejsce*: wakujący; *fig. wyraz twarzy*: nieobecny
va·cate [və'keɪt] *pokój, etat itp.* zwalniać ⟨zwolnić⟩; *miejsce* opuszczać ⟨opuścić⟩
va·ca·tion [və'keɪʃn] **1.** *zwł. Am.* wakacje *pl.*; urlop *m*; *zwł. Brt. univ.* ferie *pl.*; *jur.* wakacje *pl.* sądowe; ***be on ~*** *zwł. Am.* być na urlopie, mieć urlop; **2.** *zwł. Am.* urlopować; odbywać wakacje *lub* urlop; **~·er** [və'keɪʃnə], **~·ist** [və'keɪʃənɪst] *zwł. Am.* urlopowicz(ka *f*) *m*; wczasowicz(ka *f*) *m*
vac|·cin·ate ['væksɪneɪt] zaszczepiać ⟨-pić⟩; **~·cin·a·tion** [væksɪ'neɪʃn] szczepienie *n*; **~·cine** ['væksiːn] szczepionka *f*
vac·il·late ['væsɪleɪt] *fig.* wahać się
vac·u·um ['vækjʊəm] **1.** *phys.* próżnia *f*; **2.** F *dywan, pokój itp.* odkurzać ⟨-rzyć⟩; **'~ bot·tle** *Am.* termos *m*; **'~ clean·er** odkurzacz *m*; **'~ flask** *Brt.* termos *m*; **'~-packed** (za)pakowane próżniowo
vag·a·bond ['vægəbɒnd] włóczęga *m*, wagabunda *m*
va·ga·ry ['veɪgərɪ]: *zw.* ***vagaries*** *pl.* fanaberie *pl.*
va·gi|·na [və'dʒaɪnə] *anat.* pochwa *f*; **~·nal** [və'dʒaɪnl] *anat.* pochwowy; dopochwowy
va·grant ['veɪgrənt] włóczęga *m*
vague [veɪg] (***-r, -st***) niewyraźny; *fig.* mglisty; *fig.* mętny
vain [veɪn] próżny; bezskuteczny; *pogróżka itp.*: czczy; ***in ~*** na próżno
vale [veɪl] *poet. lub w nazwach*: dolina *f*
val·en·tine ['væləntaɪn] walentynka *f*; (*osoba, do której wysyła się walentynkę*)
va·le·ri·an. [və'lɪərɪən] *bot., pharm.* waleriana *f*
val·et ['vælɪt] kamerdyner *m*; **'~ service** (*w hotelu*) czyszczenie *n* odzieży
val·id ['vælɪd] ważny (***for two weeks*** na dwa tygodnie); uzasadniony; przekonujący; ***be ~*** *też* być ważny; **va·lid·i·ty** [və'lɪdətɪ] ważność *f*; *jur.* legalność *f*
va·lise [və'liːz] walizka *f*
val·ley ['vælɪ] dolina *f*
val·u·a·ble ['væljʊəbl] **1.** wartościowy; **2.** ***~s*** *pl.* przedmioty *pl.* wartościowe
val·u·a·tion [væljʊ'eɪʃn] ocena *f*, oszacowanie *n*
val·ue ['væljuː] **1.** wartość *f*; ***be of ~*** mieć wartość (***to*** dla *G*); ***get ~ for money*** nie przepłacić; **2.** *dom itp.* ⟨o⟩sza-

V

cować, wyceniać ⟨-nić⟩; *radę itp.* doceniać ⟨-nić⟩; **~-ad·ded 'tax** *Brt. econ.* (*skrót*: ***VAT***) podatek *m* od wartości dodanej, VAT *m*; **'~·less** bezwartościowy
valve [vælv] *tech.* zawór *m*; *anat.* zastawka *f*; *mus.* wentyl *m*
vam·pire ['væmpaɪə] wampir *m*
van [væn] furgonetka *f*; *Brt. rail. zamknięty* wagon *m* towarowy
van·dal ['vændl] wandal *m*; **~·is·m** ['vændəlɪzəm] wandalizm *m*; **~·ize** ['vændəlaɪz] ⟨z⟩demolować
vane [veɪn] łopata *f* (*śmigła*); chorągiewka *f* kierunkowa
van·guard ['vængɑːd] *mil.* straż *f* przednia
va·nil·la [və'nɪlə] wanilia *f*; *attr.* waniliowy
van·ish ['vænɪʃ] znikać ⟨-knąć⟩
van·i·ty ['vænətɪ] próżność *f*; **'~ bag**, **'~ case** kosmetyczka *f*
van·tage·point ['vɑːntɪdʒpɔɪnt] punkt *m* widzenia
va·por·ize ['veɪpəraɪz] odparowywać ⟨-ować⟩; parować
va·po(u)r ['veɪpə] para *f* (*wodna*); **'~ trail** *aviat.* smuga *f* kondensacyjna
var·i|·a·ble ['veərɪəbl] **1.** zmienny; *fig.* nierówny; **2.** *math.*, *phys.* zmienna *f* (*też fig.*); **~·ance** ['veərɪəns]: ***be at ~ance with*** znajdować się w sprzeczności; **~·ant** ['veərɪənt] **1.** odmienny; zmienny; **2.** wariant *m*; **~·a·tion** [veərɪ'eɪʃn] zmiana *f*; zmienność *f*, wahania *pl.*; *mus.* wariacja *f*
var·i·cose veins [værɪkəʊs 'veɪnz] *med. pl.* żylaki *pl.*
var·ied ['veərɪd] zróżnicowany
va·ri·e·ty [və'raɪətɪ] różnorodność *f*; *bot.* odmiana *f*; *econ.* wybór *m*; ***for a ~ of reasons*** dla licznych powodów; **~ show** przedstawienie *n* teatru rozmaitości; vari(t)s *n*; **~ thea·tre** teatr *m* rozmaitości; vari(t)s *n*
var·i·ous ['veərɪəs] różny
var·nish ['vɑːnɪʃ] **1.** lakier *m*; **2.** ⟨po⟩lakierować
var·si·ty team ['vɑːsətɪ -] *Am.* (*w sporcie*) drużyna *f* uniwersytecka *lub* szkolna
var·y ['veərɪ] *v/i.* różnić się; zmieniać ⟨-nić⟩ się; ***~ in size*** różnić się wielkością; *v/t.* zmieniać ⟨-nić⟩; ⟨z⟩różnicować
vase [vɑːz, *Am.* veɪs, veɪz] wazon *m*
vast [vɑːst] ogromny; rozległy; **'~·ly** niezmiernie
vat [væt] kadź *f*
VAT [viː eɪ 'tiː, væt] *skrót*: ***value-added tax*** VAT *m*, podatek *m* od wartości dodanej
Vat·i·can Cit·y Watykan *m*
vau·de·ville ['vɔːdəvɪl] *Am.* wodewil *m*; *attr.* wodewilowy
vault[1] [vɔːlt] *arch.* sklepienie *n*; *też* **~s** *pl.* skarbiec *m*; krypta *f*; piwnica *f* (*na wino*)
vault[2] [vɔːlt] **1.** **~** (***over***) przeskakiwać ⟨-skoczyć⟩ nad (*I*); **2.** *zwł.* (*w sporcie*) skok *m*; **'~·ing horse** koń *m* (*do skoków*); **'~·ing pole** tyczka *f* (*do skoku o tyczce*)
VCR [viː siː 'ɑː] *skrót*: ***video cassette recorder*** magnetowid *m*
VDU [viː diː 'juː] *skrót*: ***visual display unit*** *komp.* monitor *m*, wyświetlacz *m*
veal [viːl] cielęcina *f*; *attr.* cielęcy; ***~ chop*** kotlet *m* cielęcy; ***roast ~*** pieczona cielęcina *f*
veer [vɪə] skręcać ⟨-cić⟩ nagle
vege·ta·ble ['vedʒtəbl] **1.** *zw.* **~s** *pl.* warzywo *n*, jarzyna *f*; **2.** warzywny; jarzynowy; roślinny
ve·ge·tar·i·an [vedʒɪ'teərɪən] **1.** wegetarianin *m* (-anka *f*), jarosz *m*; **2.** wegetariański; jarski
ve·ge|·tate ['vedʒɪteɪt] wegetować; **~·ta·tion** [vedʒɪ'teɪʃn] wegetacja *f*
ve·he|·mence ['viːɪməns] zawziętość *f*; gwałtowność *f*; **'~·ment** zawzięty, gwałtowny
ve·hi·cle ['viːɪkl] pojazd *m*; *fig.* medium *n*
veil [veɪl] **1.** welon *m*; woalka *f*; *fig.* zasłona *f*; **2.** skrywać ⟨-ryć⟩
vein [veɪn] *anat.*, *geol.* żyła *f*; *bot.* żyłka *f*; *fig.* ton *m*
ve·loc·i·ty [vɪ'lɒsətɪ] prędkość *f*, szybkość *f*
ve·lour(s) [və'lʊə] welur *m*
vel·vet ['velvɪt] aksamit; **~·y** aksamitny
vend|·er ['vendə] → ***vendor***; **'~·ing machine** automat *m* (*do sprzedaży*); **'~·or** sprzedawca *m* (-wczyni *f*) uliczny (-na)
ve·neer [və'nɪə] **1.** fornir *m*; *fig.* fasada *f*; **2.** fornirować
ven·e|·ra·ble ['venərəbl] czcigodny; **~·rate** ['venəreɪt] poważać; **~·ra·tion** [venə'reɪʃn] cześć *f*, poważanie *n*, głęboki szacunek *m*

V

ve·ne·re·al dis·ease [vɪnɪərɪəl dɪ'zi:z] *med.* choroba *f* weneryczna
Ve·ne·tian [vɪ'ni:ʃn] **1.** wenecjanin *m* (-janka *f*); **2.** wenecki; ≈ **'blind** żaluzja *f*
ven·geance ['vendʒəns] zemsta *f*; ***take ~ on*** ⟨ze⟩mścić się na (*L*); ***with a ~*** F zajadle
ve·ni·al ['vi:njəl] *grzech itp.*: lekki
Ven·ice Wenecja *f*
ven·i·son ['venɪzn] dziczyzna *f*
ven·om ['venəm] *zo.* jad *m* (*też fig.*); **'~·ous** jadowity (*też fig.*)
ve·nous *med.* ['vi:nəs] żylny
vent [vent] **1.** *v/t. fig. gniew itp.* wyładowywać ⟨-ować⟩ (***on*** na *L*); **2.** otwór *m* wentylacyjny; (*w ubraniu*) rozcięcie *n*; ***give ~ to*** gniew wyładowywać ⟨-ować⟩ (*A*)
ven·ti|·late ['ventɪleɪt] wentylować; przewietrzać ⟨-rzyć⟩; **~·la·tion** [ventɪ'leɪʃn] wentylacja *f*; **~·la·tor** ['ventɪleɪtə] wywietrznik *m*
ven·tri·cle ['ventrɪkl] *anat.* komora *f* serca
ven·tril·o·quist [ven'trɪləkwɪst] brzuchomówca *m*
ven·ture ['ventʃə] **1.** *zwł. econ.* przedsięwzięcie *n*; *econ.* ryzyko *n*; → ***joint venture***; **2.** przedsiębrać ⟨-ęwziąć⟩; ⟨za⟩ryzykować
verb [vɜ:b] *gr.* czasownik *m*; **~·al** ['vɜ:bl] czasownikowy; werbalny
ver·dict ['vɜ:dɪkt] *jur.* werdykt *m*, wyrok *m*; *fig.* sąd *m*; ***bring in*** *lub* ***return a ~ of*** (***not***) ***guilty*** wydawać ⟨-dać⟩ werdykt o winie (niewinności)
ver·di·gris ['vɜ:dɪgrɪs] grynszpan *m*
verge [vɜ:dʒ] **1.** brzeg *m*, krawędź *f* (*też fig.*); ***be on the ~ of*** być prawie gotowym na (*A*); ***be on the ~ of despair*** (***tears***) być na krawędzi rozpaczy (łez); **2.** ***~ on*** *fig.* graniczyć z (*I*)
ver·i·fy ['verɪfaɪ] ⟨z⟩weryfikować; sprawdzać ⟨-dzić⟩, ⟨s⟩kontrolować
ver·i·ta·ble ['verɪtəbl] *święto, triumf itp.*: prawdziwy
ver·mi·cel·li [vɜ:mɪ'selɪ] makaron *m* nitki
ver·mi·form ap·pen·dix [vɜ:mɪfɔ:m ə'pendɪks] *anat.* wyrostek *m* robaczkowy
ver·mil·i·on [və'mɪljən] **1.** cynobrowy; **2.** cynober *m*
ver·min ['vɜ:mɪn] robactwo *n*; szkodniki *pl.*; **'~·ous** rojący się od robactwa
ver·nac·u·lar [və'nækjʊlə] język *m* miejscowy
ver·sa·tile ['vɜ:sətaɪl] wszechstronny; uniwersalny
verse [vɜ:s] wiersz *m*; wers *m*; strofa *f*
versed [vɜ:st]: ***be*** (***well***) ***~ in*** być dobrze zaznajomionym z (*I*)
ver·sion ['vɜ:ʃn] wersja *f*
ver·sus ['vɜ:səs] (*skrót*: **v., vs.**) *sport, jur.*: (na)przeciw (*G*)
ver·te|·bra ['vɜ:tɪbrə] *anat.* (*pl.* ***-brae*** [-ri:]) krąg *m*; **~·brate** ['vɜ:tɪbreɪt] *zo.* kręgowiec *m*
ver·ti·cal ['vɜ:tɪkl] pionowy, wertykalny
ver·ti·go ['vɜ:tɪgəʊ] *med.* zawroty *pl.* głowy; ***suffer from ~*** cierpieć na zawroty głowy
verve [vɜ:v] werwa *f*
ver·y ['verɪ] **1.** *adv.* bardzo; ***I ~ much hope that*** mam wielką nadzieję, że; ***the ~ best things*** same najlepsze rzeczy; **2.** *adj.* ***the ~*** właśnie ten; sam; ***the ~ opposite*** dokładne przeciwieństwo; ***the ~ thing*** właśnie to; ***the ~ thought of*** sama myśl o (*L*)
ves·i·cle ['vesɪkl] *med.* pęcherzyk *m*
ves·sel ['vesl] *anat., bot.* naczynie *n*; statek *m*
vest [vest] *Brt.* podkoszulka *f*, podkoszulek *m*; kamizelka *f* kuloodporna; *Am.* kamizelka *f*
ves·ti·bule ['vestɪbju:l] westybul *m*, kruchta *f*
ves·tige ['vestɪdʒ] *fig.* ślad *m*
vest·ment ['vestmənt] ornat *m*
ves·try ['vestrɪ] *rel.* zakrystia *f*
vet[1] [vet] F weterynarz *m*
vet[2] [vet] *zwł. Brt.* F ⟨z⟩badać
vet[3] [vet] *Am. mil.* kombatant *m*
vet·e·ran ['vetərən] **1.** *mil.* kombatant(ka *f*) *m*; weteran(ka *f*) *m*; **2.** zaprawiony; doświadczony; **'~ car** *Brt. mot.* stary samochód *m* (*sprzed 1919 roku*)
vet·e·ri·nar·i·an [vetərɪ'neərɪən] *Am.* weterynarz *m*
vet·e·ri·na·ry ['vetərɪnərɪ] weterynaryjny; **~ 'sur·geon** *Brt.* weterynarz *m*
ve·to ['vi:təʊ] **1.** (*pl.* ***-toes***) weto *n*; **2.** ⟨za⟩wetować
vexed ques·tion [vekst 'kwestʃən] pytanie *n* pozostające bez odpowiedzi

V

VHF [viː eɪtʃ 'ef] *skrót*: ***very high frequency*** UKF *m*, fale *pl.* ultrakrótkie
vi·a ['vaɪə] poprzez (*A*)
vi·a·duct ['vaɪədʌkt] wiadukt *m*
vi·al ['vaɪəl] próbówka *f*
vibes [vaɪbz] F *pl.* wibracje *pl.*, atmosfera *f* (*miejsca*)
vi·brant ['vaɪbrənt] *barwa*: żywy; energiczny; *głos*: donośny; rozedrgany (***with*** od *G*)
vi·brate [vaɪ'breɪt] *v/i.* wibrować; *powietrze*: drżeć; *fig.* tętnić; *v/t.* wprawiać ⟨-wić⟩ w drganie; **vi·bra·tion** [vaɪ'breɪʃn] wibracja *f*; drganie *n*; ***~s*** *pl.* F atmosfera *f* (*miejsca*)
vic·ar ['vɪkə] *rel.* (*w kościele protestanckim*) pastor *m*; (*w kościele protestanckim*) wikariusz *m*; **~·age** ['vɪkərɪdʒ] plebania *f*
vice[1] [vaɪs] przywara *f*, wada *f*
vice[2] [vaɪs] *zwł. Brt. tech.* imadło *n*
vi·ce... [vaɪs] wice..., zastępca (*G*)
'vice squad wydział *m* obyczajowy (*policji*); wydział *m* służb antynarkotykowych
vi·ce ver·sa [vaɪsɪ'vɜːsə]: ***and ~*** i vice versa; i na odwrót
vi·cin·i·ty [vɪ'sɪnətɪ] bliskość *f*; pobliże *n*
vi·cious ['vɪʃəs] brutalny; zły
vi·cis·si·tudes [vɪ'sɪsɪtjuːdz] *pl.* koleje *pl.* losu
vic·tim ['vɪktɪm] ofiara *f*; **~·ize** ['vɪktɪmaɪz] dyskryminować
vic·to|·ri·ous [vɪk'tɔːrɪəs] zwycięski; **~·ry** ['vɪktərɪ] zwycięstwo *n*
vid·e·o ['vɪdɪəʊ] **1.** (*pl.* ***-os***) wideo *n*; kaseta *f* wideo; F taśma *f* wideo; *zwł. Brt.* wideo *n*, magnetowid *m*; ***on ~*** na wideo; **2.** *zwł. Brt.* nakręcać ⟨-cić⟩ na wideo; **'~ cam·e·ra** kamera *f* wideo; **~ cas'sette** kaseta *f* wideo; **~ cas'sette re·cor·der** → ***video recorder***; **'~ clip** wideoklip *m*, teledysk *m*; **~·disc** płyta *f* wizyjna; **'~ game** gra *f* wideo; **'~ li·bra·ry** wideoteka *f*; **'~ re·cord·er** magnetowid *m*, wideo *n*; **'~ re·cord·ing** nagranie *n* wideo; **'~ shop** *Brt.*; **'~ store** *Am.* sklep z kasetami wideo; **~·tape 1.** kaseta *f* wideo; taśma *f* wideo; **2.** nagrywać ⟨-rać⟩ na wideo; **'~·text** *Am.* teletekst *m*
vie [vaɪ] rywalizować (***with*** z *I*)
Vi·en·na Wiedeń *m*
Vi·en·nese [vɪə'niːz] **1.** wiedeńczyk *m* (-denka *f*); **2.** wiedeński
view [vjuː] **1.** widok *m*; spojrzenie *n* (***of*** na *A*); pogląd *m* (***about, on*** w sprawie *G*); *fig.* orientacja *f*; ***a room with a ~*** pokój z (*dobrym*) widokiem; ***be on ~*** być wystawionym na pokaz; ***be hidden from ~*** nie być widocznym; ***come into ~*** stać się widocznym; ***in full ~ of*** *fig.* na oczach *G*; ***in ~ of*** *fig.* ze względu na (*A*); ***in my ~*** moim zdaniem; ***keep in ~*** *coś* mieć na uwadze; ***with a ~ to*** *fig.* z zamiarem (*G*); **2.** *v/t. dom itp.* oglądać ⟨obejrzeć⟩; *fig.* oceniać ⟨-nić⟩ (***as*** jako); zapatrywać się na (*A*) (***with*** z *I*); *v/i.* oglądać telewizję; **'~ da·ta** *pl.* teletekst *m*, telegazeta *f*; **'~·er** widz *m*; **'~·find·er** dalmierz *m*; **'~·point** punkt *m* widzenia
vig|·il ['vɪdʒɪl] *nocne* czuwanie *n*; **~·i·lance** ['vɪdʒɪləns] czujność *f*; **'~·i·lant** czujny
vig|·or·ous ['vɪgərəs] energiczny; pełen wigoru; **~·o(u)r** ['vɪgə] wigor *m*; sprawność *f*
Vi·king ['vaɪkɪŋ] wiking *m*
vile [vaɪl] nikczemny, niegodziwy; F okropny
vil|·lage ['vɪlɪdʒ] wieś *m*, wioska *f*; *attr.* wiejski; **~ 'lage green** *Brt.* łąka *f* (*wspólna dla całej wioski*); **'~·lag·er** mieszkaniec *m* (-nka *f*) wsi
vil·lain ['vɪlən] łotr *m*, niegodziwiec *m*; czarny charakter *m*; *Brt.* F złoczyńca *m*
vin·di·cate ['vɪndɪkeɪt] ⟨z⟩rehabilitować
vin·dic·tive [vɪn'dɪktɪv] mściwy
vine [vaɪn] *bot.* winorośl *f*; △ *nie* ***wino***
vin·e·gar ['vɪnɪgə] ocet *m*
'vine|·grow·er hodowca *m* winorośli; **~·yard** ['vɪnjəd] winnica *f*
vin·tage ['vɪntɪdʒ] **1.** rocznik *m* (*wina*); winobranie *n*; **2.** *wino*: z dobrego rocznika; *film*: klasyczny; *okres*: znakomity; ***a 1994 ~*** rocznik 1994; **'~ car** *zwł. Brt. mot.* stary samochód *m* (*produkcja 1919-1930*)
vi·o·la [vɪ'əʊlə] *mus.* altówka *f*
vi·o|·late ['vaɪəleɪt] *umowę itp.* pogwałcić, ⟨z⟩łamać; *grób* ⟨z⟩bezcześcić; *ciszę* zakłócać ⟨-cić⟩; *granice itp.* naruszać ⟨-szyć⟩; **~·la·tion** [vaɪə'leɪʃn] naruszenie *n*; pogwałcenie *n*; zbezczeszczenie *n*

vi•o|•lence ['vaɪələns] gwałtowność *f*; przemoc *f*, gwałt *m*; **'~•lent** gwałtowny
vi•o•let ['vaɪələt] **1.** *bot.* fiołek *m*; **2.** fioletowy
vi•o•lin [vaɪə'lɪn] *mus.* skrzypce *pl.*; **~•ist** [vaɪə'lɪnɪst] *mus.* skrzypek *m* (-paczka *f*)
VIP [viː aɪ 'piː] *skrót*: ***very important person*** VIP *m*, *ważna* osobistość *f*; **~ lounge** pomieszczenie *n* dla ważnych osobistości
vi•per ['vaɪpə] *zo.* żmija *f*
vir•gin ['vɜːdʒɪn] **1.** dziewica *f*; **2.** dziewiczy; **~•i•ty** [və'dʒɪnətɪ] dziewictwo *n*
Vir•go ['vɜːgəʊ] (*pl.* ***-gos***) *znak Zodiaku*: Panna *f*; ***he/she is*** (***a***) **~** on(a) jest spod znaku Panny
vir•ile ['vɪraɪl] męski; **vi•ril•i•ty** [vɪ'rɪlətɪ] męskość *f*
vir•tu•al ['vɜːtʃʊəl] faktyczny; *komp.* wirtualny; **'~•ly** faktycznie, praktycznie; **~ re'al•i•ty** rzeczywistość *f* wirtualna
vir|•tue ['vɜːtʃuː] cnota *f*; zaleta; ***by*** *lub* ***in ~tue of*** z mocy (*G*), z tytułu (*G*); ***make a ~tue of necessity*** robić cnotę z konieczności; **~•tu•ous** ['vɜːtʃʊəs] cnotliwy
vir•u•lent ['vɪrʊlənt] *med.* zjadliwy (*też fig.*)
vi•rus ['vaɪərəs] wirus *m*; *attr.* wirusowy
vi•sa ['viːzə] wiza *f*; **~ed** ['viːzəd] opatrzony wizą
vis•cose ['vɪskəʊz, 'vɪskəʊs] wiskoza *f*; *attr.* wiskozowy
vis•cous ['vɪskəs] lepki
vise [vaɪs] *Am. tech.* imadło *n*
vis•i|•bil•i•ty [vɪzɪ'bɪlətɪ] widoczność *f*; **~•ble** ['vɪzəbl] widoczny; wyraźny
vi•sion ['vɪʒn] wizja *f*; wzrok *m*; widzenie *n*; **~•a•ry** ['vɪʒnrɪ] **1.** wizjonerski; **2.** wizjoner(ka *f*) *m*
vis•it ['vɪzɪt] **1.** *v/t.* odwiedzać ⟨-dzić⟩; *zabytek* zwiedzać ⟨-dzić⟩; wizytować; *v/i.* ***be ~ing*** być z wizytą (*Am.*: ***with*** u *G*); **~ *with*** *Am.* ucinać ⟨-ciąć⟩ pogawędkę; **2.** odwiedziny *pl.*, wizyta *f* (***to*** w *L*); *Am.* pogawędka *f*; ***for*** *lub* ***on a ~*** z wizytą; ***have a ~ from*** mieć wizytę ze strony (*G*); ***pay a ~ to*** składać ⟨złożyć⟩ wizytę (*D*); ⚠ *nie* ***odwiedziny w szpitalu***
vis•i•ta•tion [vɪzɪ'teɪʃn] wizytacja *f*; inspekcja *f*
'vis•it•ing hours *pl.* godziny *pl.* odwiedzin
'vis•it•or gość *m*, odwiedzający *m* (-ca *f*)
vi•sor ['vaɪzə] osłona *f* (*hełmu*); *mot.* osłona *f* przeciwsłoneczna; przyłbica *f*
vis•u•al ['vɪʒʊəl] wizualny; wzrokowy; **~ 'aids** *pl.*: wizualne pomoce *pl.* naukowe; **~ dis'play u•nit** *komp.* monitor *m*; **~ in'struc•tion** (*nauka z wykorzystaniem wizualnych pomocy naukowych*); **~•ize** ['vɪʒʊəlaɪz] przedstawiać sobie, wyobrażać ⟨-zić⟩ sobie
vi•tal ['vaɪtl] istotny, zasadniczy; życiowy; *organ*: ważny dla życia; *ktoś*: żywotny, pełen życia; ***of ~ importance*** o zasadniczym znaczeniu; **~•i•ty** [vaɪ'tælətɪ] witalność *f*
vit•a•min ['vɪtəmɪn] witamina *f*; *attr.* witaminowy; **~ de'fi•cien•cy** niedobór *m* witamin
vit•re•ous ['vɪtrɪəs] szklisty
vi•va•cious [vɪ'veɪʃəs] pełen temperamentu, żywiołowy
viv•id ['vɪvɪd] *światło, kolor*: jaskrawy; *opis*: żywy; *wyobraźnia*: bujny
vix•en ['vɪksn] *zo.* lisica *f*
viz. [vɪz] *skrót*: ***namely*** (*łacińskie* ***videlicet***) mianowicie
V-neck ['viːnek] (*wycięcie ubrania*) szpic *m*; **'V-necked** wycięty w szpic
vo•cab•u•la•ry [və'kæbjʊlərɪ] słownictwo *n*
vo•cal ['vəʊkl] *mus.* wokalny; głosowy; F donośny; **'~ cords** *anat. pl.* struny *pl.* głosowe; **~•ist** ['vəʊkəlɪst] wokalista *m* (-tka *f*); **'~s**: **~ *XY*** śpiew XY
vo•ca•tion [vəʊ'keɪʃn] powołanie *n* (***for*** do *G*)
vo•ca•tion•al [vəʊ'keɪʃənl] zawodowy; **~ ed•u'ca•tion** wykształcenie *n* zawodowe; **~ 'guid•ance** poradnictwo *n* zawodowe; **~ 'train•ing** szkolenie *n* zawodowe
vogue [vəʊg] moda *f*; ***be in ~*** być modnym, być w modzie
voice [vɔɪs] **1.** głos *m*; ***active ~*** *gr.* strona *f* czynna; ***passive ~*** *gr.* strona *f* bierna; **2.** wygłaszać ⟨-łosić⟩, wyrażać ⟨-razić⟩; **~d** *ling.* dźwięczny; **'~•less** *ling.* bezdźwięczny
void [vɔɪd] **1.** pusty; pozbawiony; *jur.* nieważny; **2.** pustka *f*
vol [vɒl] (*pl.* ***vols***) *skrót*: ***volume*** vol., wolumin *m*, tom *m*

V

vol·a·tile ['vɒlətaɪl] pobudliwy, choleryczny; *chem.* ulotny
vol·ca·no [vɒl'keɪnəʊ] (*pl.* ***-noes, -nos***) wulkan *n*
Vol·ga Wołga *f*
vol·ley ['vɒlɪ] **1.** salwa *f*; *fig.* (*wyzwisk*) grad *m*; (*w tenisie, piłce nożnej*) wolej *m*; **2.** *piłkę* odbijać ⟨-bić⟩ wolejem *lub* z woleja (***into the net*** w siatkę); **'~·ball** (*w sporcie*) siatkówka *f*
volt [vəʊlt] *electr.* wolt *m*; **~·age** ['vəʊltɪdʒ] *electr.* napięcie *n*
vol·u·ble ['vɒljʊbl] gadatliwy; *wymówka itp.*: przegadany
vol·ume ['vɒljuːm] objętość *f*; wolumen *m* (*handlu itp.*); wolumin *m*, tom *m*; głośność *f*, głos *m*; **vo·lu·mi·nous** [və'luːmɪnəs] *ubranie*: obszerny; *walizka*: pakowny; *pisarz*: płodny
vol·un·ta·ry ['vɒləntərɪ] ochotniczy
vol·un·teer [vɒlən'tɪə] **1.** *v/i.* zgłaszać ⟨-łosić⟩ się na ochotnika (***for*** do *G*); *v/t. pomoc itp.* zgłaszać ⟨-łosić⟩ dobrowolnie; **2.** ochotnik *m* (-niczka *f*)
vo·lup·tu·ous [və'lʌptʃʊəs] *usta*: zmysłowy; *kształt*: pełny, krągły
vom·it ['vɒmɪt] **1.** ⟨z⟩wymiotować; **2.** wymiociny *pl.*
vo·ra·cious [və'reɪʃəs] *apetyt*: nienasycony
vote [vəʊt] **1.** głosowanie *n* (***about, on*** na *A*); głos *m*; *też* **~s** prawo *n* głosowania; **~ *of no confidence*** wotum *n* nieufności; ***take a ~ on s.th.*** poddawać ⟨-ddać⟩ coś głosowaniu; **2.** *v/i.* głosować (***for*** na *A*, ***against*** przeciw *D*); **~ *on*** poddawać ⟨-ddać⟩ coś głosowaniu; *v/t.* wybierać ⟨-brać⟩; **~ *out of office*** pozbawiać ⟨-wić⟩ urzędu przez głosowanie; **'vot·er** wyborca *m*; **'vot·ing booth** kabina *f* wyborcza
vouch [vaʊtʃ]: **~ *for*** ⟨za⟩ręczyć za (*A*); **'~·er** kupon *m*, talon *m*; kwit *m*, rachunek *m*
vow [vaʊ] **1.** przyrzeczenie *n*; ***take a ~, make a ~*** przyrzekać ⟨-rzec⟩; **2.** przyrzekać ⟨-rzec⟩ (***to do s.th.*** zrobić coś)
vow·el ['vaʊəl] *gr.* samogłoska *f*
voy·age ['vɔɪɪdʒ] podróż *f*, rejs *m*
vs. *Am. skrót pisany*: ***against*** (*łacińskie* ***versus***) *zwł. sport, jur.*: przeciw(ko)
vul·gar ['vʌlgə] wulgarny; ordynarny; pospolity
vul·ne·ra·ble ['vʌlnərəbl] *fig.* łatwy do zranienia; wrażliwy; nieodporny (***to*** na *A*)
vul·ture ['vʌltʃə] *zo.* sęp *m*
vy·ing ['vaɪɪŋ] → ***vie***

W

W, w ['dʌbljuː] W, w *n*
W *skrót pisany*: ***west*** zach., zachód *m*, zachodni; ***west(ern)*** zachodni; ***watt(s)*** W, wat(y *pl.*) *m*
wad [wɒd] tampon *m* (*waty*); zwitek *m* (*banknotów*); zwój *m* (*papieru*); **~·ding** ['wɒdɪŋ] wyściółka *f*; *med.* podściółka *f*
wad·dle ['wɒdl] człapać
wade [weɪd] *v/i.* brodzić; **~ *through*** przechodzić ⟨-ejść⟩ w bród; F ⟨prze⟩brnąć; *v/t.* przechodzić ⟨-ejść⟩ w bród
wa·fer ['weɪfə] wafel *m* (*zwł. do lodów*); *rel.* opłatek *m*
waf·fle[1] ['wɒfl] wafel *m*
waf·fle[2] ['wɒfl] *Brt.* F nudzić
waft [wɑːft] *v/i.* unosić się; *v/t.* unosić ⟨unieść⟩
wag [wæg] **1.** (***-gg-***) ⟨po⟩machać; ⟨za⟩merdać; **2.** ***with a ~ of its tail*** machnięciem ogona
wage[1] [weɪdʒ]: *zw.* **~s** *pl.* pensja *f*, wypłata *f* (*zwł. robotnika*)
wage[2] [weɪdʒ]: **~ (*a*) *war against*** *lub* ***on*** *mil.* toczyć wojnę przeciw (*D*) *lub* wobec (*G*) (*też fig.*)
'wage| earn·er żywiciel(ka *f*) rodziny; **'~ freeze** zamrożenie *n* płac; **'~ ne·go·ti·a·tions** *pl.* negocjacje *pl.* płacowe; **'~ pack·et** wypłata *f*; **'~ rise** podwyżka *f* pensji
wa·ger ['weɪdʒə] zakład *m*
wag·gle ['wægl] F ruszać (się)
wag·gon *Brt.*, **wag·on** *Am.* ['wægən] wóz *m*; *Brt. rail.* otwarty wagon *m* towarowy; *Am.* wózek *m* (*z napojami*

itp.); ⚠ *nie* ***wagon***

wag·tail ['wægteɪl] *zo.* pliszka *f*

wail [weɪl] **1.** *ktoś, wiatr*: zawodzić; *syrena*: ⟨za⟩wyć; **2.** zawodzenie *n*; wycie *n*

wain·scot ['weɪnskət] boazeria *f*

waist [weɪst] talia *f*, kibić *f*; **~·coat** *zwł. Brt.* ['weɪskəʊt] kamizelka *f*; **'~·line** talia *f*

wait [weɪt] **1.** *v/i.* ⟨po⟩czekać (***for*** na *A*), oczekiwać (***for*** *G lub* na *A*); ***keep s.o. ~ing*** kazać komuś czekać; ***~ and see!*** tylko poczekaj!; ***~ at*** (*Am.* ***on***) ***table*** podawać ⟨-dać⟩ do stołu; ***~ on s.o.*** obsługiwać ⟨-łużyć⟩ kogoś; ***~ up*** F nie kłaść ⟨położyć⟩ się spać; *v/t.* ***~ one's chance*** czekać na swoją szansę (***to do s.th.*** zrobienia czegoś); ***~ one's turn*** czekać na swoją kolej; **2.** oczekiwanie *n*; ***have a long ~*** musieć długo czekać; ***lie in ~ for s.o.*** czekać w zasadzce na kogoś; **'~·er** kelner *m*; ***~er, the bill*** (*Am.* ***check***)***!*** proszę o rachunek!

'wait·ing oczekiwanie *n*; ***no ~*** (*na znaku*) zakaz postoju; **'~ list** lista *f* oczekujących; **'~ room** poczekalnia *f*

wait·ress ['weɪtrɪs] kelnerka *f*; ***~, the bill*** (*Am.* ***check***)***!*** proszę o rachunek!

wake¹ [weɪk] (***woke*** *lub* ***waked, woken*** *lub* ***waked***) *v/i. też* ***~ up*** ⟨o⟩budzić się; *v/t.* ***~ up*** ⟨o⟩budzić

wake² [weɪk] *naut.* kilwater *m*; ***follow in the ~ of*** *fig.* podążać ⟨-żyć⟩ czyimś śladem

wake·ful ['weɪkfl] bezsenny; mało śpiący

wak·en ['weɪkən] *v/i. też* ***~ up*** ⟨o⟩budzić się; *v/t.* ***~ up*** ⟨o⟩budzić

Wales Walia *f*

walk [wɔːk] **1.** *v/i.* iść; chodzić ⟨pójść⟩; spacerować; *v/t.* chodzić po (*L*) (*ulicach*); przechodzić ⟨przejść⟩ piechotą; odprowadzać ⟨-dzić⟩ (***to*** do *G*, ***home*** do domu); *psa* wyprowadzać ⟨-dzić⟩ (*na spacer*); ***~ away*** → ***~ off***; ***~ off*** odchodzić ⟨odejść⟩; ***~ off with*** F buchnąć; F *nagrodę* łatwo zdobywać ⟨-być⟩; ***~ out*** wychodzić ⟨wyjść⟩; opuszczać ⟨opuścić⟩ salę (*na znak protestu*); *econ.* ⟨za⟩strajkować; ***~ out on s.o.*** F porzucać ⟨-cić⟩ kogoś; ***~ up*** podchodzić ⟨-dejść⟩; **2.** chód *m*; spacer *m*; przechadzka *f*; trasa *f* spacerowa; ścieżka *f*; przejście *n*; ***go for a ~, take a ~*** iść ⟨pójść⟩ na spacer; ***it's half an hour's ~ from here*** stąd jest pół godziny spacerem; ***from all ~s*** (*lub* ***every ~***) ***of life*** *ludzie*: z wszystkich grup społecznych; **'~·er** spacerowicz *m*; (*w sporcie*) chodziarz *m*; ***be a good ~er*** być dobrym piechurem

walk·ie-talk·ie [wɔːkɪ'tɔːkɪ] walkie-talkie *n*, krótkofalówka *f*

'walk·ing chodzenie *n*; spacery *pl.*; wycieczki *pl.*; **'~ pa·pers** *pl.*: ***give s.o. his/her ~ papers*** *Am.* F posłać kogoś na zieloną trawkę; **'~ shoes** *pl.* buty *pl.* turystyczne; **'~ stick** laska *f*; **'~ tour** wycieczka *f* piesza

'Walk·man *TM* (*pl.* ***-mans***) walkman *m TM*

'walk|·out demonstracyjne opuszczenie *n* konferencji; *econ.* strajk *m*; **'~·over** *sport*: walkower *m*; F łatwe zwycięstwo *n*; **'~-up** *Am.* F budynek *m* bez windy

wall [wɔːl] **1.** ściana *f*; mur *m*; **2.** *też* ***~ in*** otaczać ⟨-toczyć⟩ murem; ***~ up*** zamurowywać ⟨-ować⟩; **'~·chart** plansza *f* ścienna

wal·let ['wɒlɪt] portfel *m*

'wall·flow·er *fig.* F osoba *f* nie uczestnicząca w tańcach

wal·lop ['wɒləp] F ⟨przy⟩lać; (*w sporcie*) położyć na obie łopatki, pobić (***at*** w *L*)

wal·low ['wɒləʊ] ⟨wy⟩tarzać się; *fig.* pogrążać ⟨-żyć⟩ się (***in*** w *L*)

'wall|·pa·per 1. tapeta *f*; **2.** ⟨wy⟩tapetować; **~-to-'~**: ***~to-wall carpet***(***ing***) wykładzina *f* podłogowa

wal·nut ['wɔːlnʌt] *bot.* orzech *m* włoski

wal·rus ['wɔːlrəs] *zo.* (*pl.* ***-ruses, -rus***) mors *m*

waltz [wɔːls] **1.** walc *m*; **2.** ⟨za⟩tańczyć walca, walcować

wand [wɒnd] pałeczka *f* czarodzicjska, różdżka *f*

wan·der ['wɒndə] wędrować, ⟨za⟩błąkać się; zbaczać ⟨-boczyć⟩; *fig.* fantazjować

wane [weɪn] **1.** ⟨z⟩maleć, zmniejszać się; zanikać ⟨-knąć⟩; ubywać (*o księżycu*); **2.** ***be on the ~*** maleć

wan·gle ['wæŋgl] F wydostawać ⟨-tać⟩; ***~ s.th. out of s.o.*** wycisnąć coś z kogoś; ***~ one's way out of*** wykręcać ⟨-cić⟩ się z (*G*)

want [wɒnt] **1.** *v/t.* chcieć (*G*); potrzebować; F wymagać; ***be ~ed*** być poszukiwanym (***for*** za *A*) (*przez policję*); *v/i.*

W

he does not ~ for anything nie brak mu niczego; **2.** brak *m*; potrzeba *f*; niedostatek *m*; ***be in ~ of*** wymagać (*G*); **'~ ad** *zwł. Am.* drobne ogłoszenie *n*; **'~·ed** poszukiwany
wan·ton ['wɒntən] lubieżny, rozpustny
war [wɔː] wojna *f* (*też fig.*); *fig.* walka *f* (***against*** przeciwko *D*)
war·ble ['wɔːbl] ⟨za⟩ćwierkać
ward [wɔːd] **1.** *med.* oddział *m*; *Brt. pol.* okręg *m* policyjny; *jur.* podopieczny *m* (-na *f*) (*pod kuratelą*); **2.** **~ off** *uderzenie* odpierać ⟨-deprzeć⟩; *chorobie itp.* zapobiegać ⟨-biec⟩; *duchy itp.* odganiać ⟨-gonić⟩; **war·den** ['wɔːdn] opiekun(ka *f*) *m*; nadzorca *f*; kustosz *m*; kurator *m*; *Am.* naczelnik *m* więzienia; **~·er** *Brt.* ['wɔːdə] strażnik *m* (-niczka *f*) więzienny (-na)
war·drobe ['wɔːdrəʊb] szafa *f*; garderoba *f*
ware [weə] *w złożeniach* naczynia *pl.*, wyroby *pl.*
'ware·house skład *m* (*hurtowy*)
war|·fare ['wɔːfeə] wojna *f*, działania *pl.* wojenne; **'~·head** *mil.* głowica *f* bojowa; **'~·like** bojowy
warm [wɔːm] **1.** *adj.* ciepły (*też fig. barwy, głos, przyjęcie*); ***I am ~, I feel ~*** ciepło mi; **2.** *też* **~ up** ogrzewać ⟨-rzać⟩ (się); **3.** ***come into the ~!*** *zwł. Brt.* chodź do ciepła!; **~th** [wɔːmθ] ciepło *n*; **'~-up** (*w sporcie*) rozgrzewka *f*
warn [wɔːn] ostrzegać ⟨-rzec⟩ (***against, of*** przeciwko *D*); **'~·ing** ostrzeżenie *n* (***of*** o *L*); **'~·ing sig·nal** sygnał *m* ostrzegawczy
warp [wɔːp] ⟨wy-, s⟩paczyć się
war·rant ['wɒrənt] **1.** *jur. sądowy* nakaz *m* (*rewizji itp.*); → ***death ~***; **2.** uzasadniać ⟨-nić⟩, usprawiedliwiać; **~ of ar'rest** *jur.* nakaz *m* aresztowania
war·ran·ty ['wɒrəntɪ] *econ.* gwarancja *f*; ***it's still under ~*** nadal jest na gwarancji
war·ri·or ['wɒrɪə] wojownik *m* (-niczka *f*)
War·saw Warszawa *f*
'war·ship okręt *m*
wart [wɔːt] brodawka *f*
war·y ['weərɪ] (***-ier, -iest***) nieufny
was [wɒz, wəz] *ja* byłem, *ja* byłam, *on* był, *ona* była, *ono* było
wash [wɒʃɪ] **1.** *v/t.* ⟨u⟩myć; ⟨wy⟩prać; *v/i.* ⟨u⟩myć się; **~ up** *v/i. Brt.* zmywać ⟨-myć⟩ naczynia; *v/t.* wyrzucać ⟨-cić⟩ *coś* na brzeg; **2.** umycie *n*; pranie *n*; ***be in the ~*** być w praniu; ***give s.th. a ~*** wyprać coś, umyć coś; ***have a ~*** ⟨u⟩myć się; **'~·a·ble** mogący być prany; zmywalny; **~-and-'wear** nie wymagający prasowania; **'~·ba·sin**, **'~·bowl** *Am.* umywalka *f*; **'~·cloth** *Am.* myjka *f*; **'~·er** *Am.* pralka *f*; → ***dishwasher***; *tech.* podkładka *f*; *tech.* uszczelka *f*; **'~·ing** pranie *n*; mycie *n*; **'~·ing machine** pralka *f*; **'~·ing pow·der** proszek *m* do prania
Wash·ing·ton Waszyngton *m*
wash·ing-'up [wɒʃɪŋʌp] *Brt.* zmywanie *n* naczyń; ***do the ~*** zmywać naczynia; **'~·rag** *Am.* ścierka *f* do zmywania; **'~·room** *Am.* toaleta *f*
wasp [wɒsp] *zo.* osa *f*
WASP [wɒsp] *skrót*: ***White Anglo-Saxon Protestant*** (*biały Amerykanin, protestant, pochodzenia anglosaskiego*)
waste [weɪst] **1.** marnotrawstwo *n*; marnowanie *n*; strata *f*; odpady *pl.*, odpadki *pl.*; **~ *of time*** strata *f* czasu; ***hazardous ~*** niebezpieczne odpady *pl.*; **2.** *v/t.* ⟨z⟩marnować, ⟨s⟩tracić; *ciało itp.* wyniszczać ⟨-czyć⟩; *v/i.* **~ *away*** ⟨z⟩marnieć; **3.** *produkt*: odpadowy; *ziemia*: jałowy, leżący odłogiem; ***lay ~*** ⟨s⟩pustoszyć; **'~ dis·pos·al** usuwanie *n* odpadków; **~ dis·pos·al 'site** składowisko *n* śmieci; **'~·ful** marnotrawny; rozrzutny; **'~ gas** *zw.* gazy *pl.* odlotowe; **~ 'pa·per** makulatura *f*; **~'pa·per bas·ket** kosz *m* na śmieci; **'~ pipe** rura *f* ściekowa
watch [wɒtʃ] **1.** *v/i.* patrzeć, przyglądać się, obserwować; **~ *for*** oczekiwać (*G*); **~ *out!*** uwaga!; **~ *out for*** uważać na (*A*); wyglądać (*G*); *v/t.* oglądać ⟨obejrzeć⟩; przyglądać się; → ***television***; **2.** zegarek *m* (*naręczny*); wachta *f*; ***be on the ~ for*** mieć się na baczności przed (*I*); ***keep*** (***a***) ***careful*** *lub* ***close ~ on*** obserwować bacznie (*A*); **'~·dog** pies *m* podwórzowy; **'~·ful** baczny; **'~·mak·er** zegarmistrz *m*; **'~·man** (*pl.* ***-men***) dozorca *m* (-czyni *f*)
wa·ter ['wɔːtə] **1.** woda *f*; **2.** *v/t. kwiaty* podlewać ⟨-lać⟩; *bydło* ⟨na⟩poić; **~ *down*** rozwadniać ⟨-wodnić⟩ (*też fig.*); ***make s.o.'s mouth ~*** sprawiać, że

W

komuś ślinka cieknie; **'~ bird** *zo.* ptak *m* wodny; **'~·col·o(u)r** akwarela *f*; **'~·course** tor *m* wodny; **'~·cress** *bot.* rzeżucha *f*; **'~·fall** wodospad *m*; **'~·front** nabrzeże *n*; **'~·hole** wodopój *m*

wa·ter·ing can ['wɔːtərɪŋ -] konewka *f*

'wa·ter| jump (*w sporcie*) przeszkoda *f* wodna; **'~ lev·el** poziom *m* wody; **'~ lil·y** *bot.* lilia *f* wodna; **'~·mark** znak *m* wodny; **'~·mel·on** *bot.* arbuz *m*; **'~ pol·lu·tion** zanieczyszczenie *n* wody; **'~ po·lo** (*w sporcie*) piłka *f* wodna; **'~·proof 1.** wodoszczelny; **2.** *Brt.* płaszcz *m* przeciwdeszczowy; **3.** ⟨za⟩-impregnować; **'~s** *pl.* wody *pl.*; woda *f*; **'~·shed** *geogr.* dział *m* wodny; *fig.* punkt *m* zwrotny; **'~·side** nabrzeże *n*; **'~ ski·ing** *sport*: narciarstwo *n* wodne; **'~·tight** wodoszczelny; *fig.* niepodważalny; **'~·way** magistrala *f* wodna; **'~·works** *często sg.* wodociąg *m*; **~·y** ['wɔːtərɪ] wodnisty, rozwodniony

watt [wɒt] *electr.* (*skrót*: ***W***) wat *m*

wave [weɪv] **1.** *v/t.* ⟨po⟩machać (*I*); *flagą* powiewać (*I*); *włosy* ⟨za⟩kręcić; ***~ one's hand*** pomachać ręką; ***~ s.o. goodbye*** pomachać na pożegnanie; *v/i.* falować; *włosy*: kręcić się; ***~ at s.o., ~ to s.o.*** ⟨po⟩machać do kogoś; **2.** fala *f* (*też fig.*); pomachanie *n*; **'~·length** *phys.* długość *f* fali

wa·ver ['weɪvə] ⟨za⟩wahać się; *płomień*: ⟨za⟩migotać; *głos*: ⟨za⟩drżeć

wav·y ['weɪvɪ] (***-ier, -iest***) falisty, pofalowany

wax¹ [wæks] **1.** wosk *m*; woskowina *f*; **2.** ⟨na⟩woskować; ⟨wy⟩pastować

wax² [wæks] *księżyc*: przybywać

wax|·en ['wæksən] woskowy; nawoskowany; biały, blady; **'~·works** *sg.* gabinet *m* figur woskowych; **~·y** ['wæksɪ] (***-ier, -iest***) blady, biały

way [weɪ] **1.** droga *f*; trasa *f*; kierunek *m*; przejście *n*; przejazd *m*; sposób *m*; zwyczaj *m*; ***~s and means*** *pl.* środki *pl.*, sposoby *pl.*; ***~ back*** droga *f* powrotna; ***~ home*** droga *f* do domu; ***~ in*** wejście *n*; ***~ out*** wyjście *n*; ***be on the ~ to, be on one's ~ to*** być w drodze do (*G*); ***by ~ of*** przez (*A*); *Brt.* zamiast (*G*); ***by the ~*** przy sposobności; ***give ~*** ustępować ⟨-tąpić⟩ drogi; ***in a ~*** w jakiś sposób; ***in no ~*** w żaden sposób; ***lead the ~*** prowadzić; ***let s.o. have his/her (own) ~*** dawać komuś postępować według jego woli; ***lose one's ~*** ⟨z⟩gubić się; ***make ~*** ustępować ⟨-tąpić⟩ miejsca; ***no ~*** F ależ skąd; w ogóle nie; ***out of the ~*** niezwykły, niespotykany; ***this ~*** tędy; **2.** *adv.* daleko; **'~·bill** list *m* przewozowy; **~'lay** (***-laid***) zasadzać się ⟨-dzić⟩ się (***s.o.*** na kogoś); **~·ward** ['weɪwəd] samowolny

we [wiː, wɪ] my *pl.*

weak [wiːk] słaby (*też* ***at, in*** w *L*); **'~·en** *v/t.* osłabiać ⟨-bić⟩ (*też fig.*); *v/i.* ⟨o⟩słabnąć; ustępować ⟨-tąpić⟩; **'~·ling** słabeusz *m*; **'~·ness** słabość *f*

weal [wiːl] ślad *m* (*jak po uderzeniu batem*)

wealth [welθ] bogactwo *n*, majątek *m*; *fig.* obfitość *f*; **'~·y** (***-ier, -iest***) bogaty, majętny

wean [wiːn] *dziecko* odstawiać ⟨-wić⟩ od piersi; ***~ s.o. from*** *lub* ***off s.th.*** odzwyczajać ⟨-czaić⟩ kogoś od czegoś

weap·on ['wepən] broń *f*

wear [weə] **1.** (***wore, worn***) *v/t.* nosić; mieć na sobie; ubierać się w (*A*); wycierać ⟨wytrzeć⟩; ***~ the trousers*** (*Am.* ***pants***) F być głową rodziny; ***~ an angry expression*** przybrać gniewny wyraz twarzy; *v/i.* wycierać ⟨wytrzeć⟩ się; zużywać ⟨zużyć⟩ się; trzymać się (*dobrze itp.*); ***s.th. to ~*** coś do ubrania; ***~ away*** wycierać ⟨wytrzeć⟩ się; ***~ down*** ścierać ⟨zetrzeć⟩; *opór itp.* ⟨z⟩łamać; ***~ off*** ⟨ze⟩lżeć; ***~ on*** ciągnąć się (***all day*** cały dzień); ***~ out*** zużywać ⟨-żyć⟩ się; wyczerpywać ⟨-pać⟩; **2.** *często w złożeniach* ubranie *n*, strój *m*; ***~ and tear*** zużycie *n*; ***the worse for ~*** zużyty; F *osoba*: wyczerpany

wear|·i·some ['wɪərɪsəm] męczący; **~·y** ['wɪərɪ] (***-ier, -iest***) zmęczony, znużony; F męczący

wea·sel ['wiːzl] *zo.* łasica *f*

weath·er ['weðə] **1.** pogoda *f*; **2.** *v/t.* poddawać ⟨-ddać⟩ działaniu czynników atmosferycznych; *kryzys* przetrwać; *v/i.* ⟨z⟩wietrzeć; **'~-beat·en** osmagany wiatrem, ogorzały; **'~ chart** mapa *f* pogody; **'~ fore·cast** prognoza *f* pogody; **'~·man** (*pl.* ***-men***) synoptyk *m* dyżurny (*radiowy lub telewizyjny*); **'~·proof 1.** odporny na działanie czynników atmosferycznych; nieprzemakalny; **2.** ⟨za⟩-impregnować; **'~ re·port** komunikat *m* meteorologiczny; **'~ sta·tion** stacja *f* meteorologiczna; **'~ vane** kurek *m* na dachu

weave [wiːv] (***wove, woven***) ⟨u⟩tkać; *sieć* pleść, zaplatać ⟨-pleść⟩; *kosz* wyplatać ⟨-pleść⟩; (*pret. i pp.* ***weaved***): ***~one's way through*** prześliz(g)nąć się przez (*A*); **'weav·er** tkacz(ka *f*) *m*

web [web] pajęczyna *f* (*też fig.*); sieć *f* (*też komp.*); *zo.* błona *f* pławna; **'~·bing** gurt *m*, taśma *f* tapicerska

wed [wed] (***-dd-***; ***wedded*** *lub rzadko* ***wed***) poślubiać ⟨-bić⟩

Wed(s) *skrót pisany*: ***Wednesday*** śr., środa *f*

wed·ding ['wedɪŋ] ślub *m*; wesele *f*; *attr.* weselny; **'~ ring** obrączka *f* ślubna

wedge [wedʒ] **1.** klin *m*; kawałek *m* (*klinowaty*); **2.** ⟨za⟩klinować

wed·lock ['wedlɒk]: ***born in*** (***out of***) ***~*** (nie)ślubny

Wednes·day ['wenzdɪ] środa *f*

wee[1] [wiː] F maluśki; ***a ~ bit*** malusieńki kawałek

wee[2] [wiː] F **1.** siusiać; **2.** ***do*** *lub* ***have a ~*** wysiusiać się

weed [wiːd] **1.** chwast *m*; **2.** ⟨wy⟩pielić; ***~ out*** *fig.* wykluczać ⟨-czyć⟩ (***from*** z *G*); **'~·kill·er** środek *m* chwastobójczy; **'~·y** (***-ier, -iest***) zachwaszczony; F słabowity; F słaby

week [wiːk] tydzień; ***~ after ~*** tydzień za tygodniem; ***a ~ today, today ~*** od dzisiaj za tydzień; ***every other ~*** co drugi tydzień; ***for ~s*** przez całe tygodnie; ***four times a ~*** cztery razy na tydzień; ***in a ~('s time)*** za tydzień; **'~·day** dzień *m* tygodnia; **~·end** [wiːk'end] koniec *m* tygodnia; weekend *m*; ***at*** (*Am.* ***on***) ***the ~end*** w ciągu weekendu; **~'end·er** (*osoba udająca się poza miasto na weekend*); **'~·ly** **1.** tygodniowy; **2.** tygodnik *m*

weep [wiːp] (***wept***) płakać (***for*** za *I*, ***over*** nad *I*); ***the wound is ~ing*** sączy się z rany; **~·ing 'wil·low** *bot.* wierzba *f* płacząca; **'~·y** (***-ier, -iest***) F płaczliwy; rzewny, ckliwy

wee-wee ['wiːwiː] F → ***wee***[2]

weigh [weɪ] *v/t.* ważyć; *fig.* rozważać ⟨-żyć⟩; ***~ anchor*** *naut.* *podnosić* ⟨-nieść⟩ kotwicę; ***be ~ed down with*** *fig.* być przybitym (*I*); ***~ on*** *fig.* ciążyć (*D*)

weight [weɪt] **1.** waga *f* (*też fig.*); ciężar *m* (*tech., fig.*); ***gain ~, put on ~*** przybierać ⟨-brać⟩ na wadze; ***lose ~*** ⟨s⟩tracić na wadze; **2.** obciążać ⟨-żyć⟩; **'~·less** nieważki; **'~·less·ness** nieważkość; **'~ lift·er** (*w sporcie*) ciężarowiec *m*; **'~ lift·ing** (*w sporcie*) podnoszenie *n* ciężarów; **'~·y** (***-ier, -iest***) ciężki; *fig.* doniosły, ważki

weir [wɪə] jaz *m*

weird [wɪəd] niesamowity; F nie z tej ziemi

wel·come ['welkəm] **1.** *int.* ***~ back!, ~ home!*** witaj w domu!; ***~ to England!*** witamy w Anglii!; **2.** *v/t.* ⟨po⟩witać; ⟨za⟩akceptować; **3.** *adj.* mile widziany; ***you are ~ to do it*** oczywiście możesz to zrobić; ***you're ~!*** *Am.* nie ma za co!; **4.** powitanie *n*; ***outstay*** *lub* ***overstay one's ~*** zbyt długo u kogoś gościć

weld *tech.* [weld] ⟨ze⟩spawać

wel·fare ['welfeə] dobro *n*, interes *m*; *Am.* opieka *f* społeczna; ***be on ~*** być na zasiłku z opieki społecznej; **~ 'state** państwo *n* opiekuńcze; **~ 'work** praca *f* w opiece społecznej; **~ 'work·er** pracownik *m* (-nica *f*) opieki społecznej

well[1] [wel] **1.** *adv.* (***better, best***) dobrze; ***as ~*** również, też; ***... as ~ as ...*** tak ... jak ..., zarówno ... jak i ...; ***very ~*** bardzo dobrze; ***~ done!*** brawo!; → ***off*** 1; **2.** *int.* no; więc; ***~, ~!*** no, no!; **3.** *adj.* zdrowy; ***feel ~*** dobrze się czuć

well[2] [wel] **1.** studnia *f*; szyb *m*; **2.** *też* ***~ out*** tryskać ⟨trysnąć⟩; ***tears ~ed*** (***up***) ***in their eyes*** ich oczy wezbrały łzami

well|-'bal·anced zrównoważony; **~'be·ing** dobre samopoczucie *n*; **~-'done** dobrze wysmażony; **~-'earned** należny; **~-'found·ed** *w pełni* uzasadniony; **~-in'formed** dobrze poinformowany; **~-'known** dobrze znany; **~-'mean·ing** w dobrej wierze; mający dobre intencje; **~-'meant** w dobrej wierze; **~-'off** **1.** (***better-off, best-off***) zamożny; **2.** ***the ~-off*** *pl.* bogaci *pl.*, zamożni *pl.*; **~-'read** oczytany; **~-'timed** w porę (*zrobiony*); **~-to-'do** F → ***well-odd***; **~-'worn** zużyty, wytarty

Welsh [welʃ] **1.** walijski; **2.** *ling.* język *m* walijski; ***the ~*** *pl.* Walijczycy *pl.*; **~man** (***-men***) Walijczyk *m*; **~ 'rab·bit, ~ 'rare·bit** *gastr. jakby*: grzanka *f* z serem

welt [welt] wypustka *f*, lamówka *f*

wel·ter ['weltə] stos *m*, góra *f*

went [went] *pret. od* ***go*** 1

wept [wept] *pret. i p.p. od* ***weep***

W

were [wɜː, wə] *ty* byłeś *lub* byłaś, *my* byliśmy *lub* byłyśmy, *oni* byli, *one* były, *wy* byliście *lub* byłyście

west [west] **1.** zachód *m*; **the** ♀ *pol.* Zachód *m*; *Am.* Zachód *m*; **2.** *adj.* zachodni; **3.** *adv.* na zachód, ku zachodowi; **~·er·ly** ['westəlı] zachodni; **~·ern** ['westən] **1.** zachodni; **2.** western *m*; **~·ward(s)** ['westwəd(z)] na zachód, zachodni

wet [wet] **1.** mokry; wilgotny; **2.** wilgoć *f*; **3.** (**-tt-**; **wet** *lub* **wetted**) zwilżać ⟨-żyć⟩; ⟨z⟩moczyć (się)

weth·er ['weðə] *zo.* skop *m*, kastrowany baran *m*

'wet nurse mamka *f*

whack [wæk] *głośne* uderzenie *n*; F udział *m*, dola *f*; ***have a ~ at*** spróbować (*G*); **~ed** F wykończony; **'~·ing 1.** F kobylasty; **2.** lanie *n*

whale [weıl] *zo.* wieloryb *m*

wharf [wɔːf] (*pl.* ***-wharfs, wharves*** [wɔːvz]) nabrzeże *n*

what [wɒt] **1.** *pron.* co; ***~ about...?*** a co z ...?; ***~ for*** po co?; ***so ~?*** to co?; ***know ~'s ~*** F wiedzieć, co jest co; **2.** *adj.* jaki *m*, jaka *m*, jakie *n*; **~·cha·ma·call·it** F ['wɒtʃəməkɔːlıt] → ***whatsit***; **~'ev·er 1.** *pron.* cokolwiek; jakikolwiek; cóż; **2.** *adj.* ***no ... ~ever*** w ogóle ...

whats·it ['wɒtsıt] F wihajster *m*, dings *m*

what·so'ev·er → ***whatever***

wheat [wiːt] *bot.* pszenica *f*; *attr.* pszeniczny, z pszenicy

whee·dle ['wiːdl] skłaniać; ***~ s.o. out of s.th.*** wyłudzać ⟨-dzić⟩ coś od kogoś

wheel [wiːl] **1.** koło *n*; *mot.*, kierownica *f*; *naut.* koło *n* sterowe; **2.** *wózek* pchać; *ptaki*: krążyć; ***~ about,*** (***a***)***round*** odwracać ⟨-rócić⟩ się; **'~·bar·row** taczka *f*; **'~·chair** wózek *m* inwalidzki; **'~ clamp** *mot.* blokada *f* koła; **'~ed** kołowy

wheeze [wiːz] *ktoś*: sapać; *silnik*: rzęzić

whelp [welp] *zo.* szczeniak *m*, młode *n*

when [wen] kiedy; gdy; ***since ~?*** od kiedy?

when'ev·er kiedykolwiek

where [weə] gdzie; dokąd; **~ ...** (***from***)***?*** skąd ...; **~ ...** (***to***)***?*** dokąd?; **~·a·bouts 1.** *adv.* [weərə'baʊts] gdzie; **2.** *sg.*, *pl.* ['weərəbaʊts] miejsce *n* przebywania; **~·as** [weər'æz] podczas gdy; **~·by** [weə'baı] dzięki któremu; **~·u·pon** [weərə'pɒn] na co; po czym

wher·ev·er [weər'evə] gdziekolwiek; skądżeż

whet [wet] (**-tt-**) *noże itp.* ⟨na⟩ostrzyć; *apetyt fig.* zaostrzać ⟨-rzyć⟩

wheth·er ['weðə] czy

whey [weı] serwatka *f*

which [wıtʃ] który; *w odniesieniu do poprzedzającego zdania* co; ***~ of you?*** który z was?; **~'ev·er** którykolwiek; jakikolwiek

whiff [wıf] zapaszek *m* (*też fig.* ***of*** *G*); haust *m* (*powietrza itp.*)

while [waıl] **1.** chwila *f*; ***for a ~*** na chwilę; **2.** *cj.* podczas, w czasie; **3.** *zw.* ***~ away*** skracać ⟨-rócić⟩ *sobie* czas (***by doing s.th.*** robiąc coś)

whim [wım] zachcianka *f*

whim·per ['wımpə] **1.** ⟨za⟩jęczeć, ⟨za⟩chlipać; *pies*: ⟨za⟩skomleć; **2.** jęczenie *n*, chlipanie *n*; skomlenie *n*

whim|·si·cal ['wımzıkl] chimeryczny; kapryśny; **~·sy** ['wımzı] kaprys *m*

whine [waın] **1.** *pies*: ⟨za⟩skomleć; ⟨za⟩jęczeć; **2.** skomlenie *n*; jęczenie *n*

whin·ny ['wını] **1.** ⟨za⟩rżeć; **2.** rżenie *n*

whip [wıp] **1.** bicz *m*, pejcz *m*; *gastr.* krem *m*; **2.** (**-pp-**) *v/t.* ⟨wy⟩chłostać, ⟨o⟩bić; *jajka, śmietanę* ubijać ⟨-bić⟩; *v/i. wiatr*: zacinać; ***~ s.th. out*** wyciągać ⟨-gnąć⟩ coś (*nagle*); **'~ped cream** bita śmietana *f*; **'~ped eggs** *pl.* piana *f* z białek

whip·ping ['wıpıŋ] bicie *n*; chłosta *f*; **'~ boy** chłopiec *m* do bicia; **'~ cream** bita śmietana *f*

whir [wɜː] *zwł. Am.* → ***whirr***

whirl [wɜːl] **1.** ⟨za⟩wirować; kręcić się; ***my head is ~ing*** w głowie mi wiruje; **2.** wirowanie *n* (*też fig.*); kręcenie *n* się; ***my head's in a ~*** w głowie mi wiruje; **'~·pool** wir *m* (*w rzece itp.*); **'~·wind** trąba *f* powietrzna

whirr [wɜː] (**-rr-**) ⟨za⟩warczeć

whisk [wısk] **1.** machnięcie *n*; *gastr.* trzepaczka *f* do piany; **2.** *pianę* ubijać ⟨ubić⟩; ***~ one's tail*** *koń*: machnąć ogonem; ***~ away*** *muchy* odganiać ⟨-gonić⟩; szybko *kogoś* zabierać ⟨-brać⟩

whis·kers ['wıskəz] baczki *pl.*; wąsy (*kota itp.*)

whis·key ['wıskı] (*amerykańska lub irlandzka*) whisky *f*

whis·ky ['wɪskɪ] *zwł. szkocka*: whisky *f*
whis·per ['wɪspə] **1.** ⟨za⟩szeptać; **2.** szept *m*; ***to say s.th. in a ~*** wyszeptać coś
whis·tle ['wɪsl] **1.** gwizdek *m*; gwizd *m*; **2.** ⟨za⟩gwizdać
white [waɪt] **1.** (***-r, -st***) biały; **2.** biel *f*; biały kolor *m*; *człowiek*: biały *m* (-ła *f*); białko *n* (*jajka, oka*); **~ 'bread** biały chleb *m*; **~ 'cof·fee** kawa *f* z mlekiem, kawa *f* mleczna; **~-'col·lar work·er** pracownik *m* biurowy; **~ 'lie** niewinne kłamstwo *n*, kłamstewko *n*; **whit·en** ['waɪtn] ⟨z⟩bieleć; pobielić; **'~·wash** **1.** wapno *n* (*do malowania*); *tech.* mleko *n* wapienne; **2.** ⟨po⟩bielić (*wapnem*)
whit·ish ['waɪtɪʃ] białawy
Whit·sun ['wɪtsn] Zielone Świątki *pl.*; **Whit Sunday** [wɪt 'sʌndɪ] niedziela *f* Zielonych Świątek; **'Whit·sun·tide** okres *m* Zielonych Świątek
whit·tle ['wɪtl] ⟨po⟩rąbać; *też* ***~ away, ~ down*** zmniejszać ⟨-szyć⟩
whiz(z) [wɪz] F **1.** (***-zz-***): ***~ by*** *lub* ***past*** przelatywać ⟨-lecieć⟩ obok (*G*), przemykać ⟨-mknąć⟩ obok (*G*); **2.** wizg *m*; geniusz *m* (***at s.th.*** w czymś); **'~ kid** F mały geniusz *m*
who [huː] kto; który
WHO [dʌbljuː eɪtʃ 'əʊ] *skrót*: ***World Health Organization*** WHO *n*, Światowa Organizacja *f* Zdrowia
who·dun·(n)it [huː'dʌnɪt] F (*książka*) kryminał *m*
who'ev·er ktokolwiek; którykolwiek
whole [həʊl] **1.** *adj.* cały; **2.** całość *f*; ***the ~ of London*** cały Londyn; ***on the ~*** w ogóle; **~-'heart·ed** stuprocentowy, zupełny; **~-'heart·ed·ly** stuprocentowo, całkowicie; **'~·meal** pełne ziarno *n*; ***~meal bread*** chleb *m* z pełnego ziarna
'whole·sale *econ.* **1.** handel *m* hurtowy; **2.** hurtowy; **'~ mar·ket** *econ.* rynek *m* hurtowy; **'whole·sal·er** *econ.* hurtownik *m*
'whole|·some zdrowy; **'~ wheat** → ***wholemeal***
whol·ly ['həʊllɪ] *adv.* całkowicie, zupełnie
whom [huːm] *formy zależne od* ***who***
whoop [huːp] **1.** wrzeszczeć ⟨wrzasnąć⟩ (*z radości*); ***~ it up*** F cieszyć się; **2.** okrzyk *m*
whoop·ing cough ['huːpɪŋkɒf] *med.* koklusz *m*
whore [hɔː] kurwa *f*
whose [huːz] *G od* ***who***
why [waɪ] dlaczego; ***that's ~*** dlatego
wick [wɪk] knot *m*
wick·ed ['wɪkɪd] nikczemny; haniebny
wick·er ['wɪkə] wiklinowy; **'~ bas·ket** kosz *m* wiklinowy; **'~·work** wyroby *pl.* wiklinowe
wick·et ['wɪkɪt] (*w grze w krykieta*) bramka *f*
wide [waɪd] **1.** *adj.* szeroki; *oczy*: szeroko otwarty; *fig. zainteresowania*: rozległy; **2.** *adv.* szeroko; ***go ~*** (***of the goal***) (*w sporcie*) przechodzić ⟨przejść⟩ (z daleka od celu); **~-a'wake** rozbudzony (*też fig.*); **~-'eyed** o wielkich *lub* szeroko otwartych oczach; *fig.* naiwny
wid·en ['waɪdn] poszerzać ⟨-szyć⟩, rozszerzać ⟨-rzyć⟩
wide|-'o·pen *oczy*: szeroko otwarty; **'~·spread** rozpowszechniony, powszechny
wid·ow ['wɪdəʊ] wdowa *f*; **'~ed** owdowiały; **'~·er** wdowiec *m*
width [wɪdθ] szerokość *f*
wield [wiːld] *władzę* dzierżyć; *głosy, wpływy* posiadać; władać (*mieczem*)
wife [waɪf] (*pl.* ***wives*** [waɪvz]) żona *f*
wig [wɪg] peruka *f*
wild [waɪld] **1.** *adj.* dziki; *aplauz, pogoda*: burzliwy; oszalały (***with*** z *gniewu*); *pomysł*: szalony; ***make a ~ guess*** zgadywać w ciemno; ***be ~ about*** przepadać za (*I*); **2.** *adv.* ***go ~*** oszaleć; wściec się; ***let one's children run ~*** pozwolić dzieciom robić, co chcą; **3.** ***in the ~*** na wolności; ***the ~s*** *pl.* pustkowie *n*; **'~·cat** *zo.* żbik *m*; **~·cat 'strike** dziki strajk *m*
wil·der·ness ['wɪldənɪs] pustkowie *n*
'wild|·fire: ***spread like a ~fire*** rozchodzić się błyskawicznie; **'~·life** przyroda *f* w stanie naturalnym
wil·ful ['wɪlfl] krnąbrny, uparty, samowolny; *zwł. jur.* rozmyślny, z premedytacją
will[1] [wɪl] *v/aux.* (*pret.* ***would***; *przeczenie* ***~ not, won't***): ***~ be*** *ja* będę, *ty* będziesz, *on, ona, ono* będzie, *my* będziemy, *wy* będziecie, *oni* będą
will[2] [wɪl] wola *f*; testament *m*; ***of one's own free ~*** z własnej nieprzymuszonej woli

W

will[3] [wɪl] ⟨ze⟩chcieć; *jur.* pozostawiać ⟨-wić⟩ w testamencie
'will·ful → ***wilful***
'will·ing chętny (***to do s.th.*** do zrobienia czegoś); chcący
will-o'-the-wisp [wɪləðə'wɪsp] błędny ognik *m*
wil·low ['wɪləʊ] *bot.* wierzba *f*; **'~·y** *fig.* wysmukły
'will·pow·er siła *f* woli
wil·ly-nil·ly [wɪlɪ'nɪlɪ] chcąc niechcąc
wilt [wɪlt] usychać ⟨-schnąć⟩, ⟨z⟩więdnąć
wi·ly ['waɪlɪ] (***-ier, -iest***) zmyślny, przebiegły
win [wɪn] **1.** (***-nn-***; ***won***) *v/t.* zwyciężać ⟨-żyć⟩, wygrywać ⟨-rać⟩; ***~ s.o. over*** *lub* ***round to*** zdobywać ⟨-być⟩ czyjeś poparcie co do (*G*); ***OK, you ~*** dobra, wygrałeś; **2.** (*zwł. w sporcie*) wygrana *f*, zwycięstwo *n*
wince [wɪns] ⟨s⟩krzywić się
winch [wɪntʃ] *tech.* wyciąg *m*, wciągarka *f*
wind[1] [wɪnd] **1.** wiatr *m*; dech *m*; *med.* wzdęcie, wiatry *pl.*; ***the ~s*** *sg. lub pl. mus.* instrumenty *pl.* dęte; **2.** pozbawiać ⟨-wić⟩ tchu
wind[2] [waɪnd] **1.** (***wound***) *v/t. zegarek itp.* nakręcać ⟨-cić⟩; nawijać ⟨-winąć⟩, zwijać ⟨zwinąć⟩; owijać ⟨owinąć⟩ (***round*** wokół *G*); *v/i. ścieżka itp.*: wić się; ***~ back*** *film itp.* przewijać ⟨-winąć⟩ do tyłu; ***~ down*** *okno w samochodzie* otwierać ⟨-worzyć⟩; *produkcję* zwijać ⟨zwinąć⟩; ***~ forward*** *film itp.* przewijać ⟨-winąć⟩ do przodu; ***~ up*** *v/t. okno w samochodzie* zamykać ⟨-knąć⟩; *zegarek itp.* nakręcać ⟨-cić⟩; *zebranie* ⟨za⟩kończyć (*też* ***with*** *I*); *firmę* zamykać ⟨-knąć⟩; *v/i.* F ⟨za⟩kończyć (***by saying*** mówiąc); **2.** obrót *m*
'wind|·bag F gaduła *m/f*; **'~·fall** (*owoc*) spad *m*; szczęśliwa gratka *f*
wind·ing ['waɪndɪŋ] kręty, wijący się; **'~ stairs** *pl.* schody *pl.* kręte
wind in·stru·ment ['wɪnd ɪnstrʊmənt] *mus.* instrument *m* dęty
wind·lass ['wɪndləs] *tech.* kołowrót *m*
wind·mill ['wɪnmɪl] wiatrak *m*
win·dow ['wɪndəʊ] okno *n*; okno *n* wystawowe; okienko *n* (*w instytucji itp.*); **'~ clean·er** osoba *f* myjąca okna; **'~ dres·ser** dekorator *m* wystaw; **'~ dress·ing** dekoracja *f* wystawy; F mamienie *n* oczu; **'~·pane** szyba *f*; **'~ seat** siedzenie *n* przy oknie; **'~ shade** *Am.* roleta *f*; **'~-shop** (***-pp-***): ***go ~-shopping*** iść ⟨pójść⟩ pooglądać wystawy sklepowe; **'~·sill** parapet *m*
wind|·pipe ['wɪndpaɪp] *anat.* tchawica *f*; **'~·screen** *Brt. mot.* szyba *f* przednia; **'~·screen wip·er** *mot.* wycieraczka *f*; **'~·shield** *Am.* → ***windscreen***; **'~·shield wip·er** → ***windscreen wiper***; **'~·surf·ing** windsurfing *m*
wind·y ['wɪndɪ] (***-ier, -iest***) wietrzny; *med.* wywołujący wzdęcia, cierpiący na wzdęcia
wine [waɪn] wino *n*
wing [wɪŋ] skrzydło *n*; *Brt. mot.* błotnik *m*; *theat.* ***~s*** *pl.* kulisy *pl.* (*też fig.*); **'~·er** (*w sporcie*) skrzydłowy *m* (-wa *f*)
wink [wɪŋk] **1.** mrugać ⟨-gnąć⟩ (***at*** do *G*); ***~ one's lights*** *Brt. mot.* ⟨za⟩mrugać światłami; **2.** mrugnięcie *n*; ***I didn't get a ~ of sleep last night*** zeszłej nocy nawet nie zmrużyłem oka
win|·ner ['wɪnə] zwycięzca *m* (-zczyni *f*); **'~·ning 1.** zwycięski; **2. *~nings*** *pl.* wygrana *f*
win·ter ['wɪntə] **1.** zima *f*; ***in*** (***the***) ***~*** w zimie, zimą; **2.** ⟨prze⟩zimować; ***~ 'sports*** *pl.* sporty *pl.* zimowe; **'~·time** zima *f*, okres *m* zimowy; ***in*** (***the***) ***~time*** w zimie, zimą
win·try ['wɪntrɪ] zimowy; *fig.* lodowaty
wipe [waɪp] wycierać ⟨wytrzeć⟩, ***~ off*** ścierać ⟨zetrzeć⟩; ***~ out*** wymazywać ⟨-zać⟩ z powierzchni ziemi; ***~ up*** wycierać ⟨wytrzeć⟩, **'wip·er** *mot.* wycieraczka *f* (*do szyby*)
wire ['waɪə] **1.** drut *m*; *electr.* przewód *m*; *Am.* telegram *m*; **2.** podłączać ⟨-czyć⟩ (*też* ***~ up***); *Am.* ⟨za⟩telegrafować do (*G*); przesyłać ⟨-słać⟩ telegraficznie; **'~·less** bezprzewodowy; **~ net·ting** [waɪə 'netɪŋ] siatka *f* metalowa; **'~-tap** (***-pp-***) *rozmowy telefoniczne* podsłuchiwać ⟨-chać⟩
wir·y ['waɪərɪ] (***-ier, -iest***) *postać*: żylasty
wis·dom ['wɪzdəm] mądrość *f*; **'~ tooth** (*pl.* ***teeth***) ząb *m* mądrości
wise[1] [waɪz] (***-r, -st***) mądry
wise[2] [waɪz] *przest.* sposób *m*
'wise|·crack F **1.** wic *m*, dowcipna uwaga *f*; **2.** dowcipkować; **'~guy** F mądrala *m*

W

wish [wɪʃ] **1.** życzyć (sobie), chcieć; **~ s.o. well** życzyć komuś wszystkiego dobrego; **if you ~ (to)** jeżeli sobie tak życzysz; **~ for s.th.** pragnąć czegoś; **2.** życzenie *n*, pragnienie *n*; **(with) best ~es** (*zakończenie listu*) serdeczne pozdrowienia; **~·ful 'think·ing** pobożne życzenia *pl.*

wish·y-wash·y ['wɪʃɪwɒʃɪ] *zupa itp.*: rozwodniony; *osoba*, *poglądy*: bezbarwny

wisp [wɪsp] kosmyk *m* (*włosów itp.*)

wist·ful ['wɪstfl] nostalgiczny

wit [wɪt] dowcip *m*; inteligencja *f*; kpiarz *m*; *też* **~s** *pl.* rozsądek *m*; **be at one's ~s' end** nie wiedzieć, co ⟨z⟩robić; **keep one's ~s about one** zachowywać ⟨-ować⟩ rozsądek

witch [wɪtʃ] czarownica *f*; **'~·craft** czary *pl.*; **'~-hunt** *pol.* polowanie *n* na czarownice

with [wɪð] z (*I*); u (*G*) (**stay**); z (*G*)

with·draw [wɪð'drɔː] (**-drew**, **-drawn**) *v/t.* cofać ⟨-fnąć⟩; *pieniądze* podejmować ⟨-djąć⟩ (**from** z *G*); *mil. oddziały* wycofywać ⟨-fać⟩; *v/i.* cofać ⟨-fnąć⟩ się; wycofywać ⟨-fać⟩ się (**from** z *G*)

with·draw·al [wɪð'drɔːəl] wycofanie *n* (się) (*też mil.*); cofanie *n* (się); odwołanie *n*; *mil.* odwrót *m*; *med.* wycofanie *n* (leku); **make a ~** wycofać się (**from** z *G*); **~ cure** *med.* leczenie *n* objawów abstynencji; **~ symp·toms** *pl. med.* (*przykre objawy towarzyszące kuracji odwywkowej*)

with·er ['wɪðə] usychać ⟨uschnąć⟩, ⟨z⟩więdnąć

with'hold (**-held**) wstrzymywać ⟨-mać⟩; **~ s.th. from s.o.** powstrzymywać ⟨-mać⟩ kogoś przed zrobieniem czegoś

with|·in [wɪ'ðɪn] wewnątrz (*G*), w środku (*G*); w zakresie (*G*); w przedziale (*G*); w ciągu (*G*); **~·out** [wɪ'ðaʊt] bez (*G*)

with'stand (**-stood**) wytrzymywać ⟨-mać⟩; powstrzymywać ⟨-mać⟩

wit·ness ['wɪtnɪs] **1.** świadek *m*; **~ for the defence** (*Am.* **defense**) *jur.* świadek *m* obrony; **~ for the prosecution** *jur.* świadek *m* oskarżenia; **2.** być świadkiem (*G*); świadczyć o (*L*); **'~ box** *Brt.*, **'~ stand** *Am.* miejsce *n* dla świadka (*do składania zeznań w sądzie*)

wit|·ti·cis·m ['wɪtɪsɪzəm] żart *m*, dowcipne powiedzenie *n*; **~·ty** ['wɪtɪ] (**-ier, -iest**) dowcipny

wives [waɪvz] *pl. od* **wife**

wiz·ard ['wɪzəd] czarodziej *m*, czarnoksiężnik *m*; *fig.* geniusz *m* (**at** w *L*)

wiz·ened ['wɪznd] pomarszczony

wob·ble ['wɔbl] *v/i. stół*: chwiać się; *głos*: drgać ⟨drżeć⟩; *galareta*: ⟨za⟩trząść się; *mot. koła*: bić; *v/t.* chwiać; trząść

woe [wəʊ] żal *m*, żałość *f*; **'~·ful** żałosny

woke [wəʊk] *pret. od* **wake**[1]; **wok·en** ['wəʊkən] *p.p. od* **wake**[1]

wold [wəʊld] pogórze *n*

wolf [wʊlf] **1.** *zo.* wilk *m*; **lone ~** *fig.* samotnik *m*; **2.** *też* **~ down** F *fig.* pochłaniać ⟨-chłonąć⟩

wolves [wʊlvz] *pl. od* **wolf** 1

wom·an ['wʊmən] (*pl.* **women** ['wɪmɪn]) kobieta *f*; **~ 'doc·tor** lekarka *f*; **~ 'driv·er** kobieta *f* kierowca; **~·ish** kobiecy; zniewieściały; **'~·ly** kobiecy

womb [wuːm] *anat.*macica *f*; *fig.* łono *n*

wom·en ['wɪmɪn] *pl. od* **woman**

women's| lib [wɪmɪnz 'lɪb] F ruch *m* feministyczny; **~ 'lib·ber** F feministka *f*; **'~ move·ment** ruch *m* feministyczny; **'~ ref·uge** *Brt.*, **'~ shel·ter** *Am.* dom *m* kobiet

won [wʌn] *pret. i p.p. od* **win** 1

won·der ['wʌndə] **1.** dziwić się; zastanawiać się (**about** nad *I*, **if, whether** czy); **I ~ if you could help me** czy mógłbyś mi może pomóc?; **2.** podziw *m*, zadziwienie *n*; cud *m*; **do** *lub* **work ~s** czynić cuda; **no ~ that** nic dziwnego, że; **it's a ~ that** to zadziwiające, że; **'~·ful** cudowny

wont [wəʊnt] **1. s.o. is ~ to do s.th.** ktoś zwykł coś robić; **2. as was his ~** jak to było w jego zwyczaju

won't [wəʊnt] *zamiast* **will not → will**[1]

woo [wuː] zalecać się do (*G*); starać się o (*A*) (*też fig.*); ubiegać się o (*A*)

wood [wʊd] drewno *n*; *też* **~s** *pl.* las(y *pl.*) *m*; **touch ~** odpukaj w niemalowane!; **he can't see the ~ for the trees** im dalej w las, tym więcej drzew; **'~·cut** drzeworyt *m*; **'~·cut·ter** drzeworytnik *m*; **'~·ed** zalesiony; **'~·en** drewniany (*też fig.*), z drewna; **~·peck·er** *zo.* ['wʊdpekə] dzięcioł *m*; **~·wind** *mus.* ['wʊdwɪnd] **1. the ~** *sg. lub pl.* instrumenty *m* dęte drewniane; **2.** *adj.* dęty

W

drewniany; '**~·work** stolarka *f*; '**~·y** (*-ier, -iest*) lesisty

wool [wʊl] wełna *f*; **~·(l)en** ['wʊlən] **1.** wełniany; **2. ~(*l*)*ens*** *pl.* odzież *f* wełniana; '**~·(l)y 1.** (*-ier, -iest*) wełniany; *fig.* mętny; **2. *wool*(*l*)*ies*** *pl.* F odzież *f* wełniana

Worces·ter sauce [wʊstə 'sɔːs] sos *m* Worcester

word [wɜːd] **1.** wyraz *m*, słowo *n*; wieść *f*; *też* **~*s*** *pl.* słówko *n*, rozmowa *f*; **~*s*** *pl.* słowa *f* (*piosenki itp.*); ***have a ~*** *lub* ***a few ~s with*** odbyć z kimś rozmowę; **2.** wyrażać ⟨-razić⟩, ⟨s⟩formułować; '**~·ing** sformułowanie *n*; '**~ or·der** *gr.* szyk *m* wyrazów; '**~ pro·cess·ing** *komp.* przetwarzanie *n* tekstów; '**~ pro·ces·sor** *komp.* procesor *m* tekstów, edytor *m*

'**word·y** (*-ier, -iest*) przegadany, wielosłowny

wore [wɔː] *pret. od* **wear** 1

work [wɜːk] **1.** praca *f*; dzieło *n*; **~*s*** *pl.* *tech.* zakład *m*, fabryka *f*; ***at ~*** przy pracy; ***be in ~*** mieć pracę; ***be out of ~*** nie mieć pracy; ***set to ~*** wziąć się do pracy; **2.** *v/i.* pracować (***at, on*** nad *I*); działać, funkcjonować; ***~ to rule*** pracować (wyłącznie) zgodnie z przepisami; *v/t.* obciążać ⟨-żyć⟩ pracą; *maszynę itp.* obsługiwać ⟨-łużyć⟩; *materiał itp.* obrabiać; *kopalnię itp.* eksploatować; *cuda itp.* sprawiać ⟨-wić⟩; przepracować, zapracować; sprawiać ⟨-wić⟩, ⟨s⟩powodować; ***~ one's way*** ⟨u⟩torować sobie drogę; ***~ off*** *długi* odpracowywać ⟨-ować⟩; *gniew* odreagowywać⟨-ować⟩; ***~ out*** *v/t.* wypracowywać ⟨-ować⟩; *plan itp.* opracowywać ⟨-ować⟩; *wynik* znajdować ⟨znaleźć⟩; stwierdzać ⟨-dzić⟩; *problem* rozwiązywać ⟨-ować⟩; *v/i.* układać ⟨ułożyć⟩ się; *liczenie*: wychodzić ⟨wyjść⟩; F (*w sporcie*) trenować; ***~ up*** *słuchaczy itp.* pobudzać ⟨-dzić⟩; wprawiać ⟨-wić⟩ się (***into*** w *A*); opracowywać ⟨-ować⟩; ***be ~ed up*** być podekscytowanym (***about*** w sprawie *G*)

work|·a·ble ['wɜːkəbl] plastyczny; *fig.* wykonalny; **~·a·day** ['wɜːkədeɪ] powszedni; **~·a·hol·ic** [wɜːkə'hɒlɪk] pracoholik *m* (-liczka *f*); '**~·bench** *tech.* stół *m* warsztatowy; '**~·book** zeszyt *m* do ćwiczeń; '**~·day** dzień *m* roboczy; ***on ~days*** w dnie robocze; '**~·er** robotnik *m* (-nica *f*), pracownik *m* (-nica *f*); '**~ ex·pe·ri·ence** uprzednie doświadczenie *n*

'**work·ing** roboczy; praktyczny; pracujący; ***~ knowledge*** znajomość *f* praktyczna; ***in ~ order*** działający; **~ 'class-** (**·es** *pl.*) klasa *f* pracująca; **~ 'day** → ***workday***; **~ 'hours** *pl.* godziny *pl.* pracy; ***reduced ~ hours*** *pl.* skrócony dzień *m* pracy; '**~s** *pl.* działanie *n*

'**work·man** (*pl.* ***-men***) robotnik *m*; '**~·like**; '**~·ship** fachowość *f*

work| of 'art (*pl.* ***works of art***) dzieło *n* sztuki; '**~·out** F (*w sporcie*) trening *m*; '**~·place** miejsce *n* pracy, stanowisko *n* robocze; '**~s coun·cil** *zwł. Brt.* rada *f* pracownicza *lub* zakładowa; '**~·sheet** arkusz *m* roboczy; '**~·shop** warsztat *m*; '**~·shy** stroniący od pracy; '**~·sta·tion** *komp.* stacja *f* robocza; **~-to-'rule** *Brt.* praca *f* (*wyłącznie*) zgodnie z przepisamu

world [wɜːld] **1.** świat *m*; ***all over the ~*** na całym świecie; ***bring into the ~*** wydawać ⟨-dać⟩ na świat; ***do s.o. a*** *lub* ***the ~ of good*** bardzo dobrze komuś zrobić; ***mean all the ~ to s.o.*** wszystko znaczyć dla kogoś; ***they are ~s apart*** są diametralnie różni; ***think the ~ of s.o.*** mieć o kimś dobre mniemanie; ***what in the ~... ?*** co u licha ...?; **2.** światowy; ♀ **'Cup** Puchar *m* Świata

'**world·ly** (*-ier, -iest*) światowy, bywały; doczesny, ziemski; **~-'wise** światowo

world| 'pow·er *pol.* mocarstwo *n* światowe; **~·'wide** ogólnoświatowy

worm [wɜːm] **1.** *zo.* robak *m*; **2.** *psa itp.* odrobaczać ⟨-czyć⟩; ***~ one's way through*** przeciskać ⟨-cisnąć⟩ się przez (*G*); ***~ o.s. into s.o.'s confidence*** wkradać ⟨-raść⟩ się w czyjeś zaufanie; ***~ s.th. out of s.o.*** wyciągać ⟨-ciągnąć⟩ coś z czegoś; '**~-eat·en** zżarty prze korniki; **~'s-eye 'view** perspektywa *f* żabia

worn [wɔːn] *p.p. od* **wear** 1; **~-'out** zużyty; wyczerpany

wor·ried ['wʌrɪd] zmartwiony

wor·ry ['wʌrɪ] **1.** *v/t.* ⟨z⟩martwić; ⟨za⟩niepokoić; *v/i.* ⟨z⟩martwić się, ⟨za⟩niepokoić się; ***don't ~!*** nie przejmuj się!; **2.** zmartwienie *n*, niepokój *m*

worse [wɜːs] (*comp. od* **bad**) gorszy; ***~ still*** co gorsze; ***to make matters ~*** na domiar złego; **wors·en** ['wɜːsn] po-

W

garszać ⟨-gorszyć⟩ (się)
wor•ship ['wɜːʃɪp] **1.** cześć *f* (*religijna*); nabożeństwo *n*; **2.** (*zwł. Brt.* **-pp-**, *Am.* **-p-**) *v/t.* czcić; *v/i.* oddawać ⟨-dać⟩ cześć; uczęszczać na nabożeństwa; **'~•(p)er** czciciel(ka *f*) *m*, wyznawca (-wczyni *f*) *m*
worst [wɜːst] **1.** *adj.* (*sup. od* **bad**) najgorszy; **2.** *adv.* (*sup. od* **badly**) najgorzej; **3.** najgorsze *n*; ***at*** (***the***) **~** w najgorszym razie
wor•sted ['wʊstɪd] wełna *f* czesankowa
worth [wɜːθ] **1.** warty; **~ *reading*** wart przeczytania; **2.** wartość *f*; ***20 pounds' ~ of groceries*** artykuły spożywcze o wartości 20 funtów; **'~•less** bezwartościowy; **~'while** opłacający się, wart zachodu; ***be ~while*** opłacać się; **~•y** ['wɜːðɪ] (***-ier, -iest***) godny, godzien; szanowany
would [wʊd] *pret. od* **will**[1]; ***would you like ...?*** czy chciał(a)byś ...?; **'~-be** niedoszły
wound[1] [waʊnd] *pret. i p.p. od* **wind**[2]
wound[2] [wuːnd] **1.** rana *f*; **2.** ⟨z⟩ranić
wove [wəʊv] *pret. od* **weave**; **wov•en** ['wəʊvən] *p.p. od* **weave**
wow [waʊ] *int.* F no, no!
WP [dʌbljuː 'piː] *skrót*: ***word processing*** *komp.* przetwarzanie *n* tekstów; ***word processor*** *komp.* procesor *m* tekstów, edytor *m*
wran•gle ['ræŋgl] **1.** kłócić się; **2.** kłótnia *f*
wrap [ræp] **1.** (**-pp-**) *v/t. też* **~ *up*** ⟨za⟩pakować, opakowywać ⟨-ować⟩ (***in*** w *A*); owijać ⟨owinąć⟩ ([***a***]***round*** wokół *G*); *v/i.* **~ *up*** ubierać ⟨-brać⟩ się ciepło; **2.** *zwł. Am.* szal *m*; **'~•per** obwoluta *f*; **'~•ping** opakowanie *n*; **'~•ping paper** papier *m* pakowy
wrath [rɒθ] *lit.* gniew *m*
wreath [riːθ] (*pl.* ***wreaths*** [riːðz]) wieniec *m*
wreck [rek] **1.** *naut.* wrak *m* (*też człowieka*); **2.** *plany* unicestwiać ⟨-wić⟩; ***be ~ed*** *naut.* rozbić się; **~•age** ['rekɪdʒ] szczątki *pl.*; **'~•er** *Am. mot.* samochód *m* pomocy drogowej; **'~•ing com•pa•ny** *Am.* (*firma*) pomoc *f* drogowa; **'~•ing ser•vice** *Am. mot.* pomoc *f* drogowa
wren *zo.* [ren] strzyżyk *m*
wrench [rentʃ] **1.** *med. ramię itp.* skręcić; **~ *s.th. from*** *lub* ***out of s.o.'s hands*** wyrwać *lub* wyszarpnąć coś komuś z rąk; **~ *off*** coś oderwać; **~ *open*** szarpnięciem *coś* otworzyć; **2.** szarpnięcie *n*; *med.* skręcenie *n*; *Brt. tech.* klucz *m* nastawny *lub* francuski; *Am. tech. nienastawny* klucz *m*
wrest [rest]: **~ *s.th. from*** *lub* ***out of s.o.'s hands*** wyszarpnąć coś komuś
wres|•tle ['resl] *v/t.* mocować się (***with*** z *I*); *fig.* zmagać się (***with*** z *I*); *v/t.* (*w sporcie*) uprawiać zapasy; **'~•tler** (*w sporcie*) zapaśnik *m* (-niczka *f*); **'~•tling** (*w sporcie*) zapasy *pl.*
wretch [retʃ] *często humor.* szelma *m/f*; *też* ***poor ~*** biedak *m* (-aczka *f*), nieborak *m* (-aczka *f*); **'~•ed** [retʃɪd] *pogoda, ból*: paskudny; przeklęty
wrig•gle ['rɪgl] *v/i.* wiercić się; **~ *out of*** *fig.* F wywinąć się z (*G*); *v/t.* ⟨po⟩machać (*I*)
wring [rɪŋ] (***wrung***) ukręcać ⟨-cić⟩; *rękę* ściskać ⟨-snąć⟩; **~ *hands*** załamywać ręce (*ze smutku*); **~ *out*** *pranie* wykręcać ⟨-cić⟩, wyżymać ⟨-żąć⟩; **~ *s.o.'s heart*** złamać komuś serce
wrin•kle ['rɪŋkl] **1.** zmarszczka *f*; **2.** *v/i.* pomarszczyć się; *v/t. nos* zmarszczyć
wrist [rɪst] nadgarstek *m*, przegub *m*; **'~•band** pasek *m*, bransoleta *f* (*do zegarka itp.*); mankiet *m* (*koszuli*); **'~•watch** zegarek *m* (*naręczny*)
writ [rɪt] *jur.* pismo *n* urzędowe; nakaz *m*
write [raɪt] **1.** (***wrote, written***) ⟨na⟩pisać; **~ *down*** zapisywać ⟨-sać⟩; **~ *off*** *econ.* odpisywać ⟨-sać⟩; **~ *out*** *nazwiska itp.* wypisywać ⟨-sać⟩; *rachunek itp.* wystawiać ⟨-wić⟩; **'~ pro•tec•tion** *komp.* zabezpieczenie *n* przed zapisaniem; **'writ•er** pisarz *m* (-rka *f*); autor(ka *f*) *m*
writhe [raɪð] wić się
writ•ing ['raɪtɪŋ] pisanie *n*; pismo *n*; *attr.* pisemny, piśmienny; ***in ~*** na piśmie; **~s** *pl.* dzieła *pl.*; **'~ case** teczka *f*; **'~ desk** biurko *m*; **'~ pad** notes *m*, blok *m* papieru; **'~ pa•per** papier *m* listowy
writ•ten ['rɪtn] **1.** *p.p. od* **write**; **2.** *adj.* napisany
wrong [rɒŋ] **1.** *adj.* zły; nieprawidłowy; ***be ~*** nie mieć racji; *zegar*: źle chodzić; ***be on the ~ side of forty*** przekroczyć czterdziestkę; ***is anything ~?*** czy coś nie w porządku?; ***what's ~ with her?*** co się z nią dzieje?; **2.** *adv.* źle; niepra-

W

widłowo; ***get*** ~ źle zrozumieć; ***go*** ~ popełnić błąd; iść źle; zepsuć się; **3.** zło *n*; ***be in the*** ~ nie mieć racji; **4.** ⟨s⟩krzywdzić; ~**'do·er** sprawca *m* (-czyni *f*) szkody; ~**'do·ing** przestępstwo *n*; bezprawie *n*; **'~·ful** zły; krzywdzący; bezprawny

wrote [rəʊt] *pret. od* ***write***

wrought| 'i·ron kute żelazo *n*; ~**-'i·ron** z kutego żelaza

wrung [rʌŋ] *pret. i p.p. od* ***wring***

wry [raɪ] (***-ier, -iest***) *uśmiech, humor*: cierpki

wt *skrót pisany*: ***weight*** waga *f*

WTO [dʌblju: ti: 'əʊ] *skrót*: ***World Trade Organization*** WTO *n/f*, Światowa Organizacja *f* Handlu

WWF [dʌblju: dʌblju: 'ef] *skrót*: ***World Wide Fund for Nature*** (*towarzystwo ochrony przyrody*)

wwoofer ['wu:fə]

WYSIWYG ['wɪzɪwɪg] *skrót*: ***what you see is what you get*** WYSIWYG *m*, to się ma, co się widzi (*identyczność graficznej reprezentacji tekstu na ekranie i wydruku*)

X

X, x [eks] X, x *n*

xen·o·pho·bi·a [zenə'fəʊbjə] ksenofobia *f*

XL [eks 'el] *skrót*: ***extra large*** (***size***) bardzo duży (rozmiar)

X·mas ['krɪsməs, 'eksməs] → ***Christmas***

X-ray ['eksreɪ] **1.** prześwietlać ⟨-lić⟩ (*aparatem rentgenowskim*); **2.** promień *m* rentgenowski; zdjęcie *n* rentgenowskie; badanie *n* rentgenowskie

Y

xy·lo·phone ['zaɪləfəʊn] *mus.* ksylofon *m*

Y, y [waɪ] Y, y *n*

yacht [jɒt] **1.** (*w sporcie*) jacht *m*; **2.** ⟨po⟩żeglować; ***go*** ~***ing*** iść na żagle; **'~ club** klub *m* jachtowy; **'~·ing** żeglarstwo *n*

Yan·kee ['jæŋkɪ] F **1.** Jankes *m*; **2.** jankeski

yap [jæp] (***-pp-***) ujadać

yard¹ [jɑ:d] (*skrót*: ***yd***) jard *m* (*=91,44 cm*)

yard² [jɑ:d] podwórko *n*; plac *m* (*budowy itp.*); *Am.* ogród *m*

'yard·stick *fig.* miara *f*

yarn [jɑ:n] przędza *f*; ***spin s.o. a*** ~ ***about*** komuś sprzedawać dzikie opowieści o (*I*)

yawn [jɔ:n] **1.** ziewać ⟨-wnąć⟩; **2.** ziewnięcie *n*

yd *skrót pisany*: ***yard***(***s***) jard(y *pl.*) *m*

yeah [jeə] F tak

year [jɪə, jɜ:] rok *m*; ***all the*** ~ ***round*** (*przez*) okrągły rok; ~ ***after*** ~ rok po roku; ~ ***in,*** ~ ***out*** z roku na rok; ***this*** ~ tego roku, w tym roku; ***this*** ~***'s*** tegoroczny; **'~·ly** coroczny, doroczny

yearn [jɜ:n] tęsknić (***for*** za *I*), ***to do*** do tego, by *coś* zrobić; **'~·ing** tęsknota *f*

yeast [ji:st] drożdże *pl.*

yell [jel] **1.** wrzeszczeć (***with*** od *G*, ~ ***at*** na *A*); ~ (***out***) wykrzykiwać ⟨-knąć⟩; **2.** wrzask *m*

yel·low ['jeləʊ] **1.** żółty; F tchórzliwy; **2.** żółć *f*; ***at*** ~ *Am. mot.* na żółtym świetle; **3.** ⟨z⟩żółknąć; ~ **'fe·ver** *med.* żółta febra *f*; **'~·ish** żółtawy; ♀ **'Pag·es** *pl. TM tel.* (*spis instytucji*) żółte strony *pl.*; ~ **'press** prasa *f* brukowa

yelp [jelp] **1.** *pies*: skowyczeć ⟨zaskowytać⟩; ⟨wy⟩krzyknąć; **2.** skowyt *m*; krzyk *m*

yes [jes] tak

yes·ter·day ['jestədɪ] wczoraj; ~ ***afternoon/morning*** wczoraj wieczorem/rano; ***the day before*** ~ przedwczoraj

yet [jet] **1.** *adv.* jeszcze; już; ***as*** ~ jak dotąd; ***not*** ~ jeszcze nie; **2.** *cj.* ale, mimo to

yew [juː] *bot.* cis *m*
yield [jiːld] **1.** *v/t. owoce, zysk* dawać ⟨dać⟩; *korzyści* przynosić ⟨-nieść⟩; *v/i.* ustępować ⟨-tąpić⟩; ⟨z⟩rezygnować; **~ *to*** *Am. mot.* ustępować ⟨-tąpić⟩ pierwszeństwa przejazdu; **2.** wydajność *f*; plon *m*; dochód *m*
yip·pee [jɪ'piː] *int.* F hurra!
YMCA [waɪ em siː 'eɪ] *skrót*: ***Young Men's Christian Association*** YMCA *f*, Chrześcijańskie Stowarzyszenie *n* Młodzieży Męskiej
yo·del ['jəʊdl] **1.** (*zwł. Brt.* **-ll-**, *Am.* **-l-**) ⟨za⟩jodlować; **2.** jodlowanie *n*
yo·ga ['jəʊgə] joga *f*
yog·h(o)urt, yog·urt ['jɒgət] jogurt *m*
yoke [jəʊk] jarzmo *n* (*też fig.*)
yolk [jəʊk] żółtko *n*
you [juː, jʊ] ty; wy; pan(i); państwo; (*G*) ciebie, was *pl.*; (*D*) tobie, ci, wam *pl.*; (*A*) ciebie, cię, was *pl.*; (*I*) tobą, wami *pl.*; (*L*) tobie, was *pl.*; **~ *cannot buy it in Poland*** tego nie da się kupić w Polsce
young [jʌŋ] **1.** młody; **2.** *zo.* młode *pl.*; ***the* ~** *pl.* młodzi *pl.*, młodzież *f*; **~·ster** ['jʌŋstə] młodzieniec *m*; dziewczyna *f*, chłopak *m*
your [jɔː] twój, wasz *pl.*; państwa *pl.*; **~s** [jɔːz] twój, wasz *pl.*; państwa *pl.*; ***a friend of ~s*** twój przyjaciel; ♀, ***Bill*** (*zakończenie listu*) Twój Bill; **~·self** [jɔː'self] (*pl.* **yourselves** [jɔː'selvz]) się, sobie, siebie; sam; ***by ~self*** samodzielnie, bez pomocy
youth [juːθ] (*pl.* **-s** [juːðz]) młodość *f*; młodzieniec *m*; **'~ club** klub *m* młodzieżowy; **'~·ful** młodzieńczy; **'~ hos·tel** schronisko *n* młodzieżowe
yuck·y ['jʌkɪ] F *cont.* (**-ier, -iest**) paskudny
Yu·go·slav [juːgəʊ'slɑːv] **1.** jugosłowiański; **2.** Jugosłowianin *m* (*-anka*) *f*; **Yu·go·sla·vi·a** [juːgəʊ'slɑːvjə] Jugosławia *f*
yule·tide ['juːltaɪd] *zwł. poet.* Boże Narodzenie *n*
yup·pie, yup·py ['jʌpɪ] (*ze skrótu*) ***young upwardly-mobile*** *lub* ***urban professional*** (*młody wielkomiejski przedstawiciel wolnego zawodu),* yuppie *m*; F japiszon *m*
YWCA [waɪ dʌbljuː siː 'eɪ] *skrót*: ***Young Women's Christian Association*** YWCA *f*, Chrześcijańskie Stowarzyszenie *n* Młodzieży Żeńskiej

Z

Z, z [zed, *Am.* ziː] Z, z *n*
Zagreb Zagrzeb *m*
zap [zæp] F (**-pp-**) *zwł. komp.* wykańczać ⟨-kończyć⟩; usuwać ⟨-sunąć⟩; *samochód* rozpędzać ⟨-dzić⟩; przełączać ⟨-czyć⟩ (*kanały pilotem*); **'~·per** *Am.* F *TV* pilot *m*
zap·py ['zæpɪ] (**-ier, -iest**) energiczny
zeal [ziːl] zapał *m*; **~·ot** ['zelət] fanatyk *m* (-tyczka *f*), gorliwiec *m*; **~·ous** ['zeləs] gorliwy, pełen zapału
ze·bra ['zebrə, 'ziːbrə] *zo.* (*pl.* **-bra, -bras**) zebra *f*; **~ 'cross·ing** *Brt.* zebra *f lub* przejście *n* dla pieszych
zen·ith ['zenɪθ] zenit *m* (*też fig.*)
ze·ro ['zɪərəʊ] (*pl.* **-ros, -roes**) zero *n*; *attr.* zerowy; ***20 degrees below ~*** 20 stopni poniżej zera; **~ 'growth** wzrost *m* zerowy; **~ 'in·terest**: ***have ~ interest in s.th.*** wykazywać zero zainteresowania czymś; **~ 'op·tion** *pol.* opcja *f* zerowa
zest [zest] *fig.* zapał *m*, entuzjazm *m*; **~ *for life*** radość *f* z życia
zig·zag ['zɪgzæg] **1.** zygzak *m*; *attr.* zygzakowy; **2.** (**-gg-**) ⟨po⟩jechać zygzakiem; *droga*: iść zygzakami
zinc [zɪŋk] *chem.* cynk *m*; *attr.* cynkowy
zip¹ [zɪp] **1.** zamek *m* błyskawiczny; **2.** (**-pp-**): **~ *the bag open/shut*** otworzyć/zamknąć zamek błyskawiczny w torbie; **~ *s.o. up*** zapinać ⟨-piąć⟩ komuś zamek błyskawiczny (*w ubraniu*)
zip² [zɪp] **1.** świst *m*; F energia *f*; **2.** świsnąć; **~ *by*, ~ *past*** przemykać ⟨-knąć⟩ ze świstem obok (*G*)
'zip| code *Am.* kod *m* pocztowy;

~ **'fas·ten·er** *Brt.* **'~·per** *Am.* zamek *m* błyskawiczny

zo·di·ac ['zəʊdɪæk] *astr.* zodiak *m*; ***signs*** *pl.* ***of the ~*** znaki *pl.* zodiaku

zone [zəʊn] strefa *f*

zoo [zuː] (*pl.* ***zoos***) zoo *n*; ogród *m* zoologiczny

zo·o·log·i·cal [zəʊə'lɒdʒɪkl] zoologiczny; ~ **gar·dens** [zʊlɒdʒɪkl 'gɑːdnz] *pl.* ogród *m* zoologiczny

zo·ol·o|·gist [zəʊ'ɒlədʒɪst] zoolog *m*; **~·gy** [zəʊ'ɒlədʒɪ] zoologia *f*

zoom [zuːm] **1.** przemykać ⟨-mknąć⟩; F ⟨po⟩szybować w górę; ***~ by, ~ past*** przemykać ⟨-mknąć⟩ obok; ***~ in on*** *phot.* najeżdżać na (*A*); **2.** warkot *m* (*samochodu itp.*); *też* ***~ lens*** *phot.* obiektyw *m* z zoomem *lub* transfokatorem

Zu·rich Zurych *m*

Najważniejsze miary i wagi

Miary długości

1 inch (in) *cal* = 2,54 cm
1 foot (ft) *stopa* = 12 cali = 30,48 cm
1 yard (yd) *jard* = 3 stopy = 91,44 cm
1 (statute) mile *mila* = 1760 jardów = 1,609 km

Lotnictwo i marynarka:

1 nautical mile *mila morska* = 1,852 km

Miary powierzchni

1 square inch (sq in) *cal kwadratowy* = 6,452 cm^2
1 square foot (sq ft) *stopa kwadratowa* = 144 cale kw. = 929,029 cm^2
1 square yard (sq yd) *jard kwadratowy* = 9 stóp kw. = 8361,26 cm^2
1 square mile *mila kwadratowa* = 259 ha = 2,59 km^2

Miary objetości

1 cubic inch (cu in) *cal sześcienny* = 16,387 cm^3
1 cubic foot (cu ft) *stopa sześcienna* = 1728 cali sześciennych = 0,02832 m^3
1 cubic yard *jard sześcienny* = 27 stóp sześciennych = 0,7646 m^3

Brytyjskie miary objętości płynów

1 pint (pt) *pół kwarty* = 0,568 l
1 quart (qt) *kwarta* = 1,136 l
1 gallon (gall) *galon* = 4 kwarty = 4,546 l

Amerykańskie miary objętości płynów

1 pint (pt) *pół kwarty* = 0,4732 l
1 quart (qt) *kwarta* = 0,9464 l
1 gallon (gall) *galon* = 4 kwarty = 3,7853 l
1 barrel petroleum *baryłka* = 42 galony = 158,97 l

Jednostki wagi stosowane w handlu

1 ounce (oz) *uncja* = 28,35 g
1 pound (lb) *funt* = 16 uncji = 453,59 g
1 stone (st) *kamień* = 14 funtów = 6,356 kg
1 hundredweight (cwt) *cetnar*:
BE = 112 funtów = 50,802 kg,
AE = 100 funtów = 45,359 kg
1 long ton *tona angielska* = 20 cetnarów (*BE*) = 1016,05 kg
1 short ton *tona amerykańska* = 20 cetnarów (*AE*) = 907,185 kg
1 metric ton *tona metryczna* = 1000 kg

1 października 1995 r. Wielka Brytania przeszła na system metryczny.
W użyciu pozostaną jednak, przynajmniej przez jakiś czas, pół kwarty (**pint**) w odniesieniu do piwa i mleka oraz mile przy podawaniu odległości na tablicach drogowych.

Wykaz angielskich czasowników nieregularnych

Poniższe zestawienie zawiera listę najważniejszych czasowników nieregularnych. W pierwszej kolumnie podano bezokolicznik (infinitive), w drugiej znaczenie (meaning), w trzeciej formę czasu przeszłego (past tense) a w czwartej imiesłów bierny (past participle).

Infinitive	Meaning	Past tense	Past participle
arise	*powstawać*	arose	arisen
awake	*budzić (się)*	awoke	awoken
be	*być*	was *albo* were	been
bear	*nosić/rodzić*	bore	borne/born
beat	*bić*	beat beaten	
become	*stawać się*	became	become
beget	*począć*	begot	begotten
begin	*zaczynać*	began	begun
bend	*zginać (się)*	bent	bent
bet	*zakładać się*	bet *lub* betted	bet *lub* betted
bid[1]	*oferować*	bid	bid
bid[2]	*mówić*	bade *lub* bid	bidden
bind	*wiązać*	bound	bound
bite	*gryźć*	bit	bitten
bleed	*krwawić*	bled	bled
blow	*wiać/dmuchać*	blew	blown
break	*łamać*	broke	broken
breed	*hodować*	bred	bred
bring	*przynosić*	brought	brought
broadcast	*radio i TV: nadawać*	broadcast	broadcast
build	*budować*	built	built
burn	*palić (się)/oparzyć (się)*	burnt *lub* burned	burnt *lub* burned
burst	*pękać*	burst	burst
buy	*kupować*	bought	bought
can	*móc, umieć*	could	–
cast	*rzucać*	cast	cast
catch	*łapać*	caught	caught
choose	*wybierać*	chose	chosen
cling	*przywierać*	clung	clung
come	*przychodzić*	came	come
cost	*kosztować*	cost	cost
creep	*skradać się/pełzać*	crept	crept
cut	*ciąć*	cut	cut
deal	*handlować/zajmować się*	dealt	dealt
dig	*kopać*	dug	dug
dive	*skakać/nurkować*	dived, *AE* dove	dived
do	*robić*	did	done
draw	*ciągnąć/rysować*	drew	drawn
dream	*śnić/marzyć*	dreamt *lub* dreamed	dreamt *lub* dreamed
drink	*pić*	drank	drunk
drive	*prowadzić (pojazd)*	drove	driven
dwell	*mieszkać*	dwelt *lub* dwelled	dwelt *lub* dwelled
eat	*jeść*	ate	eaten
fall	*padać*	fell	fallen
feed	*karmić*	fed	fed
feel	*czuć*	felt	felt
fight	*walczyć*	fought	fought
find	*znajdować*	found	found

fit	*pasować*	fitted, *AE też* fit	fitted, *AE też* fit
flee	*uciekać*	fled	fled
fling	*rzucać*	flung	flung
fly	*latać*	flew	flown
forbid	*zakazywać*	forbade *lub* forbad	forbidden
forecast	*prognozować*	forecast	forecast
foresee	*przewidywać*	foresaw	foreseen
forget	*zapominać*	forgot	forgotten
forgive	*wybaczać*	forgave	forgiven
freeze	*zamarzać/zamrażać*	froze	frozen
get	*dostawać*	got	got, *AE też* gotten
give	*dać/dawać*	gave	given
go	*iść/jechać*	went	gone
grind	*mielić/ostrzyć*	ground	ground
grow	*rosnąć/uprawiać*	grew	grown
hang[1]	*wisieć/wieszać*	hung	hung
hang[1]	*powiesić (człowieka)*	hanged	hanged
have	*mieć*	had	had
hear	*słyszeć*	heard	heard
hide	*ukrywać (się)*	hid	hidden
hit	*uderzać/trafić*	hit	hit
hold	*trzymać*	held	held
hurt	*boleć/ranić*	hurt	hurt
keep	*trzymać*	kept	kept
kneel	*klęczeć*	knelt, *AM* kneeled	knelt, *AM* kneeled
knit	*robić na drutach*	knitted, knit	knitted, knit
know	*wiedzieć/znać*	knew	known
lay	*kłaść/znosić (jajka)*	laid	laid
lead	*prowadzić*	led	led
lean	*opierać (się)*	leaned, leant	leaned, leant
leap	*skakać*	leapt, *AM* leaped	leapt, *AM* leaped
learn	*uczyć się*	learned, learnt	learned, learnt
leave	*wyjeżdżać/zostawiać*	left	left
lend	*pożyczać (komuś)*	lent	lent
let	*pozwalać*	let	let
lie	*leżeć*	lay	lain
light	*oświetlić/zapalić (się)*	lit, lighted	lit, lighted
lose	*zgubić/przegrać*	lost	lost
make	*robić*	made	made
mean	*znaczyć*	meant	meant
meet	*spotykać (się)*	met	met
mislead	*wprowadzać w błąd*	misled	misled
mistake	*pomylić*	mistook	mistaken
misunder-stand	*źle zrozumieć*	misunderstood	misunderstood
mow	*kosić*	mowed	mown, mowed
outdo	*przewyższać*	outdid	outdone
outgrow	*wyrastać*	outgrew	outgrown
overcome	*pokonać*	overcame	overcome
overdo	*przesadzać (z czymś)*	overdid	overdone
overhear	*przypadkowo usłyszeć*	overheard	overheard
oversleep	*zaspać*	overslept	overslept
overtake	*wyprzedzać*	overtook	overtaken
pay	*płacić*	paid	paid
plead	*błagać*	pleaded, *AM* pled	pleaded, *AM* pled
prove	*udowodnić*	proved	proved, *AM* proven
put	*kłaść/stawiać*	put	put
read	*czytać*	read	read

resit	*ponownie zdawać*	resat	resat
rewind	*przewijać*	rewound	rewound
ride	*jeździć/jechać*	rode	ridden
ring	*dzwonić/telefonować*	rang	rung
rise	*wzrastać/wschodzić*	rose	risen
run	*biec*	ran	run
saw	*piłować*	sawed	sawn, sawed
say	*powiedzieć/mówić*	said	said
see	*widzieć/zobaczyć*	saw	seen
seek	*szukać*	sought	sought
sell	*sprzedawać (się)*	sold	sold
send	*wysyłać*	sent	sent
set	*umieścić/nastawić*	set	set
sew	*szyć/przyszyć*	sewed	sewn, sewed
shake	*trząść (się)*	shook	shaken
shine	*świecić/polerować*	shone, shined	shone, shined
shoot	*strzelać*	shot	shot
show	*pokazywać*	showed	shown
shrink	*kurczyć się*	shrank, shrunk	shrunk
shut	*zamykać (się)*	shut	shut
sing	*śpiewać*	sang	sung
sink	*tonąć/zatopić*	sank	sunk
sit	*siedzieć*	sat	sat
sleep	*spać*	slept	slept
slide	*ślizgać się/przesuwać*	slid	slid
smell	*pachnieć/wąchać*	smelt, *AM* smelled	smelt, *AM* smelled
sow	*siać*	sowed	sown, sowed
speak	*mówić/rozmawiać*	spoke	spoken
spell	*pisać/literować*	spelt, spelled	spelt, spelled
spill	*rozlać (się)*	spilt, *AM* spilled	spilt, *AM* spilled
spin	*wirować/obracać*	spun, span	spun
spit	*pluć*	spat, *AM* spit	spat, *AM* spit
split	*rozczepiać (się)*	split	split
spoil	*psuć/niszczyć/ rozpieszczać*	spoilt, *AM* spoiled	spoilt, *AM* spoiled
spread	*rozkładać/rozpościerać*	spread	spread
spring	*skoczyć*	sprang, *AM* sprung	sprung
stand	*stać/stawiać*	stood	stood
steal	*kraść*	stole	stolen
stick	*wbijać/przyklejać (się)*	stuck	stuck
sting	*żądlić*	stung	stung
stink	*śmierdzieć*	stank, stunk	stunk
strike	*atakować/uderzać*	struck	struck
strive	*dokładać starań*	strove, strived	striven, strived
swear	*kląć/przysięgać*	swore	sworn
sweep	*zamiatać/zgarniać*	swept	swept
swell	*powiększać (się)/puchnąć*	swelled	swollen, swelled
swim	*płynąć*	swam	swum
swing	*hustać się/kołysać się*	swung	swung
take	*brać/przyjmować*	took	taken
teach	*uczyć/nauczać*	taught	taught
tear	*rwać/odrywać*	tore	torn
tell	*powiedzieć/opowiadać*	told	told
think	*myśleć*	thought	thought
throw	*rzucać*	threw	thrown
tread	*kroczyć*	trod	trodden, trod
understand	*rozumieć*	understood	understood
undertake	*podejmować się*	undertook	undertaken

undo	*rozpinać*	undid	undone
upset	*sprawić przykrość*	upset	upset
wake	*budzić (się)*	woke, waked	woken, waked
wear	*nosić (ubranie)*	wore	worn
weave	*tkać/wyplatać*	wove	woven
wed	*poślubić*	wedded, wed	wedded, wed
weep	*płakać/łkać*	wept	wept
win	*wygrać/zwyciężyć*	won	won
wind	*nawijać/wić się*	wound	wound
withdraw	*wycofać się*	withdrew	withdrawn
wring	*wykręcać*	wrung	wrung
write	*pisać*	wrote	written

GRAMATYKA
języka angielskiego

GRAMATYKA

1 Rodzajnik

1.1 Rodzajnik określony

W języku angielskim rodzajnik określony **the** odnosi się do wszystkich rzeczowników, niezależnie od tego, czy dany rzeczownik jest rodzaju męskiego, żeńskiego czy nijakiego, czy też występuje w liczbie mnogiej:

the woman	*kobieta*	**the** child	*dziecko*
the boy	*chłopiec*	**the** cars	*samochody*

- **The** znajdujące się przed wyrazem, na początku którego wymawiamy spółgłoskę (**d, f, s, v** itp.), wymawiane jest [*ðə*].
- **The** znajdujące się przed wyrazem, na początku którego wymawiamy samogłoskę (**a, e, i, o, u**), wymawiamy [*ði:*].

1.1.1 Użycie rodzajnika określonego

Pojęcia abstrakcyjne w ogólnym znaczeniu występują bez **the**:

Love is the strongest of all feelings.	*Miłość jest najsilniejszym z uczuć.*
What's the secret of true **happiness**?	*Jaka jest tajemnica prawdziwego szczęścia?*

peace	*pokój*	**luck**	*szczęście*
fear	*strach*	**man**	*człowiek*
happiness	*szczęście*	**politics**	*polityka*
hate	*nienawiść*	**society**	*społeczeństwo*
love	*miłość*	**work**	*praca*

Jeśli jednak takie pojęcia, jak **hate, luck** itp. są dokładniej określone w dalszej części zdania, stosujemy **the**:

His book is about **the love of music**.	*Jego książka jest o miłości do muzyki.*
I can't describe **the happiness I felt**.	*Nie umiem opisać szczęścia, które odczuwałem.*

Następujące słowa używane są bez **the**, jeśli mamy na myśli instytucje, które one nazywają, lub funkcje, jakie te instytucje spełniają. Natomiast jeśli mówimy o konkretnym budynku lub przedmiocie, wówczas używamy **the**:

school	*szkoła*	**hospital**	*szpital*
college	*college*	**court**	*sąd*

university	*uniwersytet*	**prison**	*więzienie*
church	*kościół*	**bed**	*łóżko*

He's been in **hospital** for a week. — *On jest w szpitalu od tygodnia.*

They are redecorating **the hospital**. — *Odnawiają szpital.*

- Przy imionach i nazwiskach osób oraz określeniach pokrewieństwa nie używamy **the**, również wtedy, gdy przed tymi wyrazami występuje przymiotnik lub tytuł:

  Dad, Grandma, Peter, Dr Brown, poor Sally itp.

W liczbie mnogiej natomiast używamy rodzajnika określonego:

the Smedleys, the Johnsons itp.

- Nazwy państw, ulic, budynków, gór i jezior występują na ogół bez **the**:

Turkey	*Turcja*	**Windsor Castle**	*Zamek Windsor*
Switzerland	*Szwajcaria*	**Lake Geneva**	*Jezioro Genewskie*
Mount Fuji	*Góra Fudżi*	**Dunstan Road**	*Dunstan Road (ulica)*
K2	*K2*	**Times Square**	*Times Square*

- W liczbie mnogiej używamy **the**:

  the Alps *Alpy* **the Balearics** *Baleary*

- Miesiące, dni tygodnia i dni świąteczne – jeśli są ogólnymi określeniami czasu – występują bez **the**:

  on Monday *w poniedziałek* **in September** *we wrześniu*

i **Przy bliższym określeniu używamy the:**

on the Saturday of the wedding — *w tę sobotę, kiedy odbył się ślub*

the Easter that we spent in London — *te Święta Wielkanocne, które spędziliśmy w Londynie*

- Nazwy posiłków używane są bez **the**, chyba że później następuje dokładniejsze określenie:

  Dinner is at eight. — *Obiad jest o ósmej.*

ale:

The dinner he served was great. *Obiad, który podał, był wspaniały.*

- **The** nie występuje przy połączeniach **by** + środek transportu:

by car, by bus, by train	*samochodem, autobusem, pociągiem*
by bike / bicycle, by motorbike	*na rowerze, na motorze*

1.1.2 Miejsce występowania rodzajnika określonego

The występuje po **half, double, twice** i **all**:

half the time	*połowa czasu*
double the price	*podwójna cena*
twice the distance	*podwójna odległość*
all the time	*cały czas*

Czasami **the** występuje po **both**, ale nigdy przed:

both boys lub **both the boys** *obaj chłopcy*

W ogólnych wypowiedziach **most** występuje bez **the**:

Most people don't know about it. *Większość ludzi o tym nie wie.*

Połączenie: **Most of the** + rzeczownik oznacza, że chodzi o większą część określonej grupy:

Most of the apples were ripe. *Większość jabłek była dojrzała.*

1.2 Rodzajnik nieokreślony

- Rodzajnik nieokreślony **a** występuje przed wyrazami, na początku których wymawiamy spółgłoskę (**g, m, p, s** itd.). Dotyczy to także takich wyrazów, jak **union** [*'ju:njən*], **university** [*ˌju:ni'vɜ:səti*] itd.

- Przed wyrazami, na początku których wymawiamy samogłoskę (**a, e, i, o, u**), występuje rodzajnik nieokreślony **an**. Dotyczy to także głoski **h**, której nie wymawiamy, np. w słowie **hour** [*'aʊə*].

a baby	*niemowlę*	**an a**irport	*lotnisko*
a policeman	*policjant*	**an e**lephant	*słoń*
a useful tip	*przydatna wskazówka*	**an h**our	*godzina*

1.2.1 Użycie rodzajnika nieokreślonego

Rodzajnika nieokreślonego **a** / **an** używamy, podając czyjś **zawód, narodowość, wyznanie** i ogólnie **przynależność do jakiejś grupy:**

I'm **a** Methodist.	*Jestem metodystą.*
She's **an** opera singer.	*Ona jest śpiewaczką operową.*
He's **a** Canadian.	*On jest Kanadyjczykiem.*

Przy podawaniu **ceny, prędkości, częstotliwości występowania czegoś** itp., **a** / **an** oznacza to samo, co w języku polskim przyimek „na" lub „za":

Calls cost 8 pence **a** minute.	*Rozmowy telefoniczne kosztują 8 pensów* ***za*** *minutę.*
I have to take this medicine five times **a** day.	*Muszę brać to lekarstwo pięć razy dziennie (****na*** *dzień).*

Przed wyrazami **hundred** i **thousand** występuje **a** lub – jeśli chcemy podkreślić, że chodzi o jeden – **one**.

Only **a hundred** and twenty days to go.	*Zostało jeszcze sto dwadzieścia dni.*
A millennium is **a thousand** years.	*Milenium to tysiąc lat.*

Nie używamy a / an przed takimi słowami, jak information (*informacja, informacje*), advice (*rada, rady*), news (*wiadomość, wiadomości*), czy hand luggage (*bagaż ręczny*).

Przed tymi słowami możemy użyć **some** lub **any** (w pytaniach i przeczeniach) albo możemy ich nie poprzedzać żadnym z nich. Jeżeli chcemy podkreślić, że chodzi np. o jedną informację, możemy użyć **a** / **one piece of**:

He's got **news** for us.	*On ma dla nas wiadomość.*
I've just got **one piece of hand luggage.**	*Mam tylko jedną sztukę bagażu ręcznego.*
Have you got **any advice?**	*Czy masz jakąś radę?*

Przed podanymi niżej słowami nie występuje **a** / **an**, natomiast może je poprzedzać **some** / **any, a pair of**, albo też może nie występować przed nimi żadne określenie.

(a pair of) trousers	*spodnie*
(a pair of) jeans	*dżinsy*
(a pair of) shorts	*szorty*
(a pair of) pyjamas	*piżama*
(a pair of) pants	*majtki (Am. spodnie)*

(a pair of) swimming trunks	*kąpielówki*
(a pair of) glasses	*okulary*
(a pair of) binoculars	*lornetka*
(a pair of) scissors	*nożyczki*
(a pair of) scales	*waga*

Rodzajnik **a** występuje po **half** i **quite** oraz przed lub po **rather:**

It weighs **half a kilo.**	*To waży pół kilo.*
They made **quite a noise.**	*Narobili dość dużo hałasu.*
She's **rather a nice / a rather nice** teacher.	*Ona jest dość miłą nauczycielką.*

2 Rzeczownik

2.1 Pisownia wielką literą

Rzeczowniki w języku angielskim piszemy przeważnie małą literą, ale istnieją następujące wyjątki:

● Nazwy własne, formy grzecznościowe, tytuły	**Fred, Mrs Tandy, Inspector Morse**
● Narodowości, nazwy narodów i ich języków	**the Chinese, the Irish, the Germans; French, Thai, Greek**
● Nazwy miejscowości i krajów	**Moscow, Florida, Spain**
● Dni tygodnia i miesiące	**Thursday; April**
● Święta, dni świąteczne	**Christmas, New Year's Eve, Thanksgiving Day**
● Nazwy religii i wyznań	**Buddhism, Christianity, Judaism; Hindu, Muslim, Protestant**
● Nazwy wydarzeń historycznych	**the Boer War, the Maastricht Treaty**
● Nazwy organizacji i instytucji	**the Wine Society, the Royal Air Force**
● Tytuły książek, filmów, utworów muzycznych, dzieł sztuki itp.	**The Little Prince, The Haydn's Clock Symphony, The Laughing Cavalier**
● Nazwy przedmiotów szkolnych i akademickich (czasami pisane są małą literą)	**Maths, Geography, History, Biology, Medicine, Medical Studies**
● Zaimek osobowy „ja"	**I**

2.2 Rodzaj gramatyczny rzeczowników

Rzeczowniki nieożywione są na ogół rodzaju nijakiego.

Przy określeniach zawodów wykonywanych przez kobiety – niekiedy w celu podkreślenia lub uniknięcia nieporozumień – nazwę zawodu poprzedza **woman, female** lub **lady**, przy czym użycie **woman** i **female** jest raczej rzeczowe, natomiast **lady** jest formą bardziej uprzejmą.

(female) politician	*(kobieta) polityk*	**(female/lady) doctor**	*lekarka*
(female) student	*studentka*	**(woman/female) teacher**	*nauczycielka*

W wypadku zawodów, które kiedyś wykonywane były tylko przez kobiety, w celu podkreślenia formy męskiej, dodajemy przed nazwą zawodu słowo **male**, aby uniknąć nieporozumień:

model	*modelka*	**(male) model**	*model*
nurse	*pielęgniarka*	**(male) nurse**	*pielęgniarz*
midwife	*położna*	**(male) midwife**	*położny*

W niektórych rzeczownikach różnica między formą męską a żeńską jest bardzo wyraźna:

boyfriend	*chłopak, przyjaciel*	**girlfriend**	*dziewczyna, przyjaciółka*
prince	*książę*	**princess**	*księżniczka*

W innych rzeczownikach istnieją wprawdzie obie formy: męska i żeńska, ale coraz częściej forma „neutralna" (męska) jest stosowana również wobec kobiet:

actor	*aktor(ka)*	**actress**	*aktorka*
waiter	*kelner(ka)*	**waitress**	*kelnerka*
host	*gospodarz / gospodyni*	**hostess**	*gospodyni*
manager	*menadżer / (kobieta) menadżer*	**manageress**	*(kobieta) menadżer*

2.3 Liczba mnoga

2.3.1 Tworzenie liczby mnogiej

Liczbę mnogą tworzymy na ogół przez dodanie **-s** do liczby pojedynczej:

letter	*list*	**letters**	*listy*
house	*dom*	**houses**	*domy*

W wypadku rzeczowników zakończonych na **-s, -ss, -sh, -ch** lub **-x**, liczbę mnogą tworzymy dodając **-es** do formy liczby pojedynczej:

bus	*autobus*	**buses**	*autobusy*
boss	*szef*	**bosses**	*szefowie*
dish	*naczynie*	**dishes**	*naczynia*
witch	*czarownica*	**witches**	*czarownice*
fax	*faks*	**faxes**	*faksy*

W wypadku rzeczowników zakończonych na **-y** po spółgłosce (**d, g, s** itd.), przy tworzeniu liczby mnogiej **-y** zastępuje się **-ies**:

baby	*niemowlę*	**babies**	*niemowlęta*
fly	*mucha*	**flies**	*muchy*

Jeśli końcowe **-y** występuje po samogłosce (**a, e, i, o, u**), dodajemy tylko **-s**:

boy	*chłopiec*	**boys**	*chłopcy*
day	*dzień*	**days**	*dni*

2.3.2 Nieregularne formy liczby mnogiej

- W wypadku rzeczowników zakończonych na **-f** lub **-fe** liczbę mnogą tworzymy, zamieniając **-f** / **-fe** na **-ves**:
  wife – wives, knife – knives, loaf – loaves, life – lives itp.

Wyjątki: **roof – roofs, handkerchief – handkerchiefs**

- Niektóre z tych wyrazów mogą mieć w liczbie mnogiej obie formy (mogą kończyć się zarówno na **-ves**, jak i na **-s**):

  scraf – scraves / scrafs, dwarf – dwarves / dwarfs, hoof – hooves / hoofs

- Niektóre rzeczowniki zakończone na **-o** przybierają w liczbie mnogiej końcówkę **-oes**:

  tomato – tomatoes, potato – potatoes, hero – heroes

- W następujących przypadkach liczbę mnogą takich rzeczowników tworzymy przez dodanie **-s**:

  Formy skrócone, np. **photo – photos, kilo – kilos**
  Nazwy narodów, np. **Eskimo – Eskimos, Navajo – Navajos, Filipino – Filipinos**
  Wyrazy obce, np. **macho – machos, piano – pianos, fiasco – fiascos**
  Wyrazy zakończone na **-eo** lub **-io**, np. **video – videos, studio – studios**

- Niektóre rzeczowniki zakończone na **-o** mogą mieć w liczbie mnogiej zarówno końcówkę **-oes**, jak i **-os**:

  mango, mosquito, tornado, volcano, zero, motto, buffalo, yoyo

- Rzeczownik **man** w liczbie mnogiej przybiera formę **men**, również w złożeniach:

  Dutchman – Dutchmen, Scotsman – Scotsmen, chairman – chairmen

- Ta sama zasada dotyczy rzeczownika **woman**, który w liczbie mnogiej przybiera formę **women** [*'wimin*].

Wyjątki: **Norman - Normans, Roman - Romans**

- Następujące wyrazy mają nieregularną liczbę mnogą:

child - children, foot - feet, goose - geese, tooth - teeth, mouse - mice, louse - lice

- Następujące wyrazy mają liczbę mnogą taką samą jak liczbę pojedynczą:

sheep - sheep, deer - deer, fish - fish, salmon - salmon, trout - trout (jak również inne gatunki ryb)

Istnieje również forma liczby mnogiej **fishes**, stosowana zwłaszcza wtedy, gdy chodzi o różne gatunki ryb.

- To samo dotyczy określeń narodowości, kończących się na **-ese** lub **-ss**:

  Swiss - Swiss, Chinese - Chinese, Japanese - Japanese

- W niektórych złożeniach, szczególnie w połączeniach rzeczownika z przyimkiem, końcówkę liczby mnogiej dodajemy do pierwszego członu złożenia, np.:

  mother-in-law - mothers-in-law, passer-by - passers-by

- W niektórych wypadkach oba elementy przyjmują końcówkę liczby mnogiej:

  woman driver - women drivers, woman priest - women priests

2.3.3 Użycie liczby mnogiej

Przedmioty, które składają się z dwóch identycznych części, występują zawsze w liczbie mnogiej:

trousers	*spodnie*	**glasses**	*okulary*
jeans	*dżinsy*	**spectacles**	*okulary*
pyjamas	*piżama*	**binoculars**	*lornetka*
pants	*majtki (Am. spodnie)*	**dentures**	*sztuczna szczęka*
briefs	*majtki*	**scissors**	*nożyczki*
swimming trunks	*kąpielówki*	**pliers**	*kombinerki*
tights	*rajstopy*		

To samo dotyczy następujących wyrazów:

clothes	*ubranie*	**headquarters**	kwatera główna
thanks	*podziękowania*	**outskirts**	przedmieścia
congratulations	*gratulacje*	**goods**	dobra, towary
Middle Ages	*Średniowiecze*	**looks**	wygląd

Wszystkie te wyrazy występują z liczbą mnogą czasownika. Czasami wyraz **headquarters** stosowany jest z liczbą pojedynczą czasownika.

Wyraz **police** (*policja*) jest traktowany jak rzeczownik w liczbie mnogiej.

Następujące wyrazy nigdy nie występują w liczbie mnogiej, również związany z nimi czasownik występuje w liczbie pojedynczej:

information	*informacja, informacje*	**news**	*wiadomość, wiadomości*
advice	*rada, rady*	**progress**	*postęp, postępy*
knowledge	*wiedza*	**furniture**	*meble*

Niektóre wyrazy, które są określeniami pewnych grup, uważane są za występujące w liczbie pojedynczej lub mnogiej, w zależności od tego, czy mówimy o danej grupie jako o pewnej całości (liczba pojedyncza), czy też mamy na myśli jej poszczególnych członków (liczba mnoga):

class	*klasa*	**crowd**	*tłum*
company	*firma*	**army**	*armia*
crew	*załoga*	**public**	*ogół*
team	*drużyna*	**staff**	*personel*
party	*partia*	**family**	*rodzina*
audience	*publiczność*	**orchestra**	*orkiestra*

Rzeczowniki kończące się na **-ics** są traktowane jako forma liczby pojedynczej, jeśli są określeniami **przedmiotów szkolnych lub akademickich albo nazwami dziedzin nauki:**

acoustics	*akustyka*	**maths, mathematics**	matematyka
statistics	*statystyka*		
linguistics	*lingwistyka*	**physics**	fizyka
economics	*ekonomia*	**athletics**	atletyka
politics	*polityka*	**gymnastics**	gimnastyka

Niektóre z nich, np. **economics, politics, acoustics, statistics,** są uważane za formę liczby mnogiej, jeśli nie są nazwami specjalistycznymi:

The acoustics in this church **are** not very good.	*Akustyka w tym kościele nie jest zbyt dobra.*

2.4 Dopełniacz

Sposoby tworzenia dopełniacza:

- Do nazw osób i zwierząt w liczbie pojedynczej dodajemy **-'s**:

  the man's car, our dog's puppies, Simon's room

- Jeśli jakiś wyraz kończy się na **-s**, dodajemy jeszcze jedno **-'s** albo sam apostrof **(-')**:

  Mr Aldiss's house / Mr Aldiss' house

- Do nazw osób i zwierząt w liczbie mnogiej (tworzonej regularnie) dodajemy apostrof:

  the boys' socks, my parents' records

- W wypadku rzeczowników w liczbie mnogiej tworzonej nieregularnie dodajemy **-'s**:

  the children's pets, women's clothes, the mice's diet

- W przypadku przedmiotów na ogół dodajemy przed wyrazem **of the**:

  the end of the journey, at the top of the cupboard

2.4.1 Użycie dopełniacza

Dla nazw niektórych przedmiotów oprócz dopełniacza z **of** jest też możliwe utworzenie formy z **-s.** Są to na ogół **nazwy miejscowości i państw,** a także **określenia czasu,** takie jak **today, yesterday, tomorrow, last week** itp.:

Bordeaux's wine estates are world famous.	*Wina z Bordeaux są znane na całym świecie.*
Tomorrow's match is going to be very exciting.	*Jutrzejszy mecz będzie bardzo ekscytujący.*
Teachers' pay is not very high.	*Płace nauczycieli nie są zbyt wysokie.*

Formę dopełniacza z **-s** stosujemy przy określeniach czasu, gdy po nich występuje rzeczownik:

in a week's time	*za tydzień*
an hour's delay	*godzinne opóźnienie*
a minute's silence	*minuta ciszy*
a day's work	*całodzienna praca*

2.4.2 Pomocnicze słowo *one*

Jeśli nie chcemy powtarzać rzeczownika policzalnego, możemy go zastąpić słowem **one** (liczba pojedyncza) lub **ones** (liczba mnoga):

This sweater is a bit thin. Have you got a thicker **one?**	*Ten sweter jest za cienki. Czy masz grubszy?*
Would you like an olive?	*Może poczęstujesz się oliwką?*
No thanks, I only eat black **ones.**	*Nie, dziękuję, jem tylko czarne.*

3 Zaimek

3.1 Zaimki osobowe

Zaimki osobowe w języku angielskim mogą być używane jako podmiot lub dopełnienie:

podmiot		dopełnienie	
I	*ja*	**me**	*mnie*
you	*ty, Pan, Pani*	**you**	*ciebie / tobie, Pana / Panu, Panią / Pani*
he	*on*	**him**	*jego / jemu*
she	*ona*	**her**	*jej / ją*
it	*ono*	**it**	*jego/ jemu*
we	*my*	**us**	*nas / nam*
you	*wy, Państwo*	**you**	*was / wam, Państwa / Państwu*
they	*oni*	**them**	*ich / im*

- Jeśli mówimy o zwierzętach domowych lub o innych zwierzętach, do których mamy stosunek emocjonalny, wówczas używamy formy **he** / **she**.

- Jeśli mówimy o zwierzętach ogólnie i nie jest ważne, jakiej są płci, wówczas używamy formy **it.**

- Mówiąc o **przedmiotach i pojęciach**, używamy formy **it**. W stosunku do samochodów, łodzi i statków niekiedy używa się formy **she**.

– What's your rabbit's name?	*Jak się nazywa twój królik?*
– **She**'s called Fluffy.	*Nazywa się Fluffy.*
Look at that dog: **it**'s very nice!	*Spójrz na tego psa: jest bardzo ładny!*

Jeśli używamy przyimków **to** i **for** z zaimkiem osobowym, to w połączeniu z niektórymi czasownikami przyimek może nie być potrzebny. Wówczas zaimek występuje bezpośrednio po czasowniku.

W takim przypadku w połączeniu z **to** mogą występować następujące czasowniki:

bring, give, hand, lend, offer, owe, pass, promise, sell, send, show, teach, tell, write

W połączeniu z **for** występują np.:

buy, cook, fetch, find, get, leave, make, save

We gave the plant **to them.** We gave **them** the plant.	*Daliśmy im tę roślinę.*
She saved a few bottles **for me**. She saved **me** a few bottles.	*Zachowała dla mnie kilka butelek.*

Jeśli oba dopełnienia są zaimkami, poprawne są również obie formy (z **for** lub **to** albo bez tych przyimków); wówczas istnieją następujące możliwości szyku wyrazów w zdaniu:

We gave **it to them.** We gave **them it.**	*Daliśmy to im.*
She saved **them for me.** She saved **me them.**	*Zachowała je dla mnie.*

3.2 Zaimki dzierżawcze

3.2.1 Zaimki dzierżawcze przymiotnikowe

Zaimki dzierżawcze przymiotnikowe w języku angielskim nie zmieniają swojej formy:

my	*mój (moja, moje)*
your	*twój (twoja, twoje), Pana, Pani*
his	*jego*
her	*jej*
its	*jego*
our	*nasze*
your	*wasze, Państwa*
their	*ich*

3.2.2 *one's*

Zaimek dzierżawczy od **one** ma formę **one's**:

One has to look after **one's** health in old age.	*Trzeba dbać o swoje zdrowie w starszym wieku.*

3.2.3 Zaimki dzierżawcze rzeczownikowe

Zaimki dzierżawcze rzeczownikowe zastępują zaimek dzierżawczy + rzeczownik (np. **his wife**). Tworzymy je przez dodanie **-s** do formy zaimka dzierżawczego przymiotnikowego; wyjątek stanowią zaimki **mine** i **his**:

mine	*mój (moja, moje)*
yours	*twój (twoja, twoje), Pana, Pani*
his	*jego*
hers	*jej*
its	*jego*
ours	*nasz, nasze*
yours	*wasz, wasze, Państwa*
theirs	*ich*

That's her house, this is **ours.** *To jest jej dom, ten jest **nasz**.*

3.3 Zaimki zwrotne

Zaimek zwrotny w języku angielskim odpowiada polskiemu „się":

I comb **myself.**	*Ja czeszę się.*
You comb **yourself.**	*Ty czeszesz / Pan czesze się.*
He combs **himself.**	*On czesze się.*
She combs **herself.**	*Ona czesze się.*
It combs **itself.**	*Ono czesze się.*
We comb **ourselves.**	*My czeszemy się.*
You comb **yourselves.**	*Wy czeszecie się / Państwo czeszą się.*
They comb **themselves.**	*Oni czeszą się.*

3.3.1 Użycie zaimków zwrotnych

Niektóre czasowniki w języku angielskim nie łączą się z zaimkiem zwrotnym, w przeciwieństwie do języka polskiego. Należą do nich:

concentrate	*koncentrować się*
meet	*spotykać się*
move	*ruszać się*
remember	*przypominać sobie*
hurry (up)	*spieszyć się*
dress / get dressed	*ubierać się*
change / get changed	*przebierać się*

wash / get washed	*myć się*
get ready	*szykować się*
be interested in	*interesować się czymś*
look forward to	*cieszyć się na coś*

3.3.2 *each other / one another*

Each other i **one another** oznaczają: „wzajemnie", „siebie / sobie nawzajem". **Each other** używamy, mówiąc o dwóch osobach, **one another**, gdy mówimy o wielu osobach:

Why do they have to shout at **each other?**	*Dlaczego oni muszą na siebie krzyczeć?*
All the villagers helped **one another** during the floods.	*Wszyscy mieszkańcy wioski pomagali sobie nawzajem w czasie powodzi.*

3.3.3 *me, him, us* itd. w znaczeniu „sobie, sobą"

Po przyimkach określających miejsce z reguły występują zaimki osobowe **me, her, them** itd.

He hasn't got any money **on him.**	*On nie ma przy sobie pieniędzy.*
She hid the briefcase **behind her.**	*Ukryła teczkę za sobą.*

3.4 Zaimki wskazujące

- **This** (liczba pojedyncza) i **these** (liczba mnoga) wskazują na coś blisko położonego, również w czasie.

- **That** (liczba pojedyncza) i **those** (liczba mnoga) wskazują na coś dalej położonego, również w czasie.

Jednak wybór między **this** / **these** a **that** / **those** jest niekiedy bardzo subiektywny:

Is **this** his desk?	*Czy to jest jego biurko?*
What are **these** glasses doing here?	*Co robią tu te szklanki?*
That's my school.	*To moja szkoła.*
Did you water **those** plants on the window-ledge?	*Czy podlałeś tamte kwiaty na parapecie?*

That i **those** mogą też być stosowane, aby wzmocnić emocjonalne zabarwienie wypowiedzi:

I hate **those** jeans!	*Nie cierpię tych dżinsów!*
You should be much stricter with **that** boy!	*Powinieneś postępować z tym chłopcem bardziej surowo!*

4 Przymiotnik

4.1 Forma przymiotnika

W języku angielskim forma przymiotnika pozostaje zawsze taka sama, niezależnie od tego, czy odnosi się do rzeczownika rodzaju męskiego czy żeńskiego, w liczbie pojedynczej czy mnogiej:

a **nice** boy	*miły chłopiec*
a **nice** girl	*miła dziewczyna*
a **nice** family	*miła rodzina*
nice children	*miłe dzieci*

4.2 Stopniowanie przymiotników

Przymiotniki jednosylabowe stopniujemy przez dodanie **-er** / **-est**:

Stopień równy	Stopień wyższy	Stopień najwyższy
long *długi, -a, -e*	long**er** *dłuższy, -a, -e*	long**est** *najdłuższy, -a, -e*
clean	clean**er**	clean**est**

- Pojedyncza spółgłoska na końcu wyrazu, występująca po krótkiej samogłosce, jest podwajana:

big	*duży*	big**ger**	big**gest**
fat	*gruby*	fat**ter**	fat**test**

- Do niemego końcowego **-e** dodajemy **-r** / **-st**:

close	*bliski*	close**r**	close**st**

Przymiotniki dwusylabowe kończące się na **-er, -le, -ow** lub **-y** również stopniujemy, dodając **-er** / **-est**. W tym ostatnim wypadku **-y** zamienia się w **-i-**:

Stopień równy		Stopień wyższy	Stopień najwyższy
clever	*mądry, sprytny*	clever**er**	clever**est**
simple	*prosty*	simple**r**	simple**st**
hollow	*pusty, wydrążony*	hollow**er**	hollow**est**
funny	*śmieszny*	funn**ier**	funn**iest**

Wyjątek: eager *pełen zapału* **more** *eager* **most** *eager*

Wielosylabowe przymiotniki stopniujemy przez dodanie słowa posiłkowego **more** / **most**:

Stopień równy		Stopień wyższy	Stopień najwyższy
helpful	*pomocny*	**more** helpful	**most** helpful
impatient	*niecierpliwy*	**more** impatient	**most** impatient
incredible	*niewiarygodny*	**more** incredible	**most** incredible

Przymiotniki (także jednosylabowe) kończące się na **-ing** lub **-ed** również stopniujemy, dodając słowo posiłkowe **more** / **most**:

charming	*czarujący*	**more** charming	**most** charming
bored	*znudzony*	**more** bored	**most** bored

Niektóre przymiotniki mogą przybierać obie formy. Należą do nich:

handsome – *przystojny*
stupid – *głupi*
wicked – *zły*
polite – *uprzejmy*
quiet – *cichy, spokojny*

He's **politer** / **more polite** than you. — *On jest bardziej uprzejmy niż ty.*

Następujące przymiotniki tworzą stopień wyższy i najwyższy w sposób nieregularny:

Stopień równy			Stopień wyższy	Stopień najwyższy
bad	*zły*		**worse**	**worst**
good	*dobry*		**better**	**best**
many	*wiele*		**more**	**most**
little	*mały*		**smaller**	**smallest**
far	*daleki*		**further**	**furthest**
		lub	**farther**	**farthest**

4.3 Porównanie

tak ... jak = **as ... as**

You're **as** clever **as** your father. — *Jesteś tak mądry jak twój ojciec.*

stopień wyższy + „niż” = **than**

She's taller **than** her mother. — *Ona jest wyższa niż jej matka.*

„im ... tym” = **the + stopień wyższy ... the + stopień wyższy**

The fatter he gets, **the more greedy** he gets. — *Im bardziej tyje, tym bardziej staje się łakomy.*

„coraz ...” = **-er and -er / more and more...**

His beard is growing **longer and longer.** — *Jego broda jest coraz dłuższa.*

The story is becoming **more and more exciting.** — *Ta opowieść staje się coraz bardziej ekscytująca.*

„mniej” + przymiotnik = less + przymiotnik

The exam was **less difficult** than I had expected. — *Egzamin był mniej trudny niż się spodziewałem.*

4.4 Przymiotniki pełniące funkcję rzeczowników

Niektóre przymiotniki mogą być stosowane jako rzeczowniki. Występują wtedy w liczbie mnogiej, z **the** na początku, bez **-s** na końcu.

the rich	*bogaci*
the poor	*biedni*
the unemployed	*bezrobotni*
the disabled	*niepełnosprawni*

Do tej grupy zaliczamy też określenia narodowości:

the Swiss	*Szwajcarzy*
the British	*Brytyjczycy*
the Chinese	*Chińczycy*
the Dutch	*Holendrzy*
the French	*Francuzi*

Niektóre przymiotniki przekształciły się w „normalne" rzeczowniki (mające **-s** w liczbie mnogiej):

a conservative	*konserwatysta*
a vegetarian	*wegetarianin*
a black	*czarnoskóry*
a white	*biały (człowiek)*

Należą tu też nazwy narodowości i mieszkańców miast:

a German	*Niemiec / Niemka*
an Austrian	*Austriak / Austriaczka*
a Norwegian	*Norweg/ Norweżka*
a Scot	*Szkot / Szkotka*
an Italian	*Włoch / Włoszka*
a Venetian	*Wenecjanin / Wenecjanka*
a Glaswegian	*mieszkaniec / mieszkanka Glasgow*

5 Przysłówek

Przysłówek określa bliżej czasownik, przymiotnik, inny przysłówek lub całe zdanie:

He **writes quickly.**	*On pisze szybko.*
She hurt herself **quite badly.**	*Zraniła się dość poważnie.*
Luckily he's a doctor.	*Na szczęście on jest lekarzem.*

Istnieją dwa rodzaje przysłówków: pierwsze pochodzą od przymiotników i są zakończone na **-ly** (np. **quickly**, **easily**); drugą grupę tworzą te, które od początku były przysłówkami, np. **always, soon, how, last week** itd.

5.1 Tworzenie przysłówków zakończonych na *-ly*

Większość przysłówków pochodzących od przymiotników tworzymy przez dodanie **-ly**, przy czym należy uwzględnić następujące warianty:

- **-le** zamienia się w **-ly** — simp**le** – simp**ly**
- **-y** zamienia się w **-ily** — eas**y** – eas**ily**
- **-ic** zamienia się w **-ically** — automat**ic** – automat**ically**
  Wyjątek: — publ**ic** – publ**icly**
- Nieme **-e** znika w przysłówkach utworzonych od następujących przymiotników:
  tru**e** – tru**ly**
  du**e** – du**ly**
  whol**e** – whol**ly**
- **-ful** zamienia się w **-fully**

Określenia czasu zakończone na -**ly** (**daily, weekly, monthly, yearly, hourly** itd.) i pełniące funkcję przysłówka mają tę samą formę:

This is my **daily** ration of beer.	To jest moja dzienna porcja piwa.
The nurse visits him **daily.**	Pielęgniarka odwiedza go codziennie.

Następujące przymiotniki i przysłówki mają tę samą formę i na ogół to samo znaczenie:

Przymiotnik		Przysłówek	
deep	*głęboki*	**deep**	*głęboko*
early	*wczesny*	**early**	*wcześnie*
far	*daleki*	**far**	*daleko*
fast	*szybki*	**fast**	*szybko*
hard	*twardy, trudny, ciężki*	**hard**	*mocno, trudno, ciężko*
high	*wysoki*	**high**	*wysoko*
late	*późny*	**late**	*późno*
long	*długi*	**long**	*długo*
low	*niski*	**low**	*nisko*
straight	*prosty, bezpośredni*	**straight**	*prosto, bezpośrednio*
near	*bliski*	**near**	*blisko*

Niektóre z tych przysłówków występują z końcówką **-ly,** przy czym mają wówczas inne znaczenie:

deeply	*bardzo, głęboko*	**lately**	*ostatnio*
hardly	*prawie wcale*	**nearly**	*prawie*
highly	*bardzo, niezmiernie*		

Również znaczenie następujących przysłówków różni się od znaczenia przymiotników:

barely	*prawie nie, prawie wcale*	**mostly**	*w większości*
fairly	*dość*	**scarcely**	*prawie wcale*
justly	*sprawiedliwie*	**shortly**	*wkrótce*

Niektóre przymiotniki kończące się na **-ly** nie mogą tworzyć przysłówków. Trzeba wówczas użyć odpowiedniego wyrażenia:

She gave me a friendly smile.	*Uśmiechnęła się do mnie przyjaźnie.*
He gave me a silly look.	*Popatrzył na mnie głupio.*

i Koniecznie zapamiętaj!
Przysłówek od **good** to **well**.

Niektóre wyrazy mają różne znaczenia, w zależności od tego, czy używamy ich jako przymiotnika czy jako przysłówka:

Przymiotnik		**Przysłówek**	
just	*sprawiedliwy*	**just**	*właśnie, tylko, po prostu*
only	*jedyny*	**only**	*tylko*
pretty	*ładny*	**pretty**	*dość*
well	*zdrowy*	**well**	*dobrze*

5.2 Stopniowanie przysłówków

- Wszystkie **przysłówki jednosylabowe** oraz przysłówek **early** stopniujemy, dodając końcówki **-er** / **-est.**
- Tak jak w wypadku przymiotników, do niemego **-e** na końcu wyrazu dodajemy **-r** / **-st**, a końcowe **-y** zamienia się w **-i-:**

Stopień równy		**Stopień wyższy**	**Stopień najwyższy**
fast	*szybko*	fast**er**	faste**st**
late	*późno*	late**r**	late**st**
early	*wcześnie*	earl**ier**	earl**iest**

Przysłówki wielosylabowe (oprócz **early**) stopniujemy przez dodanie słowa posiłkowego **more** / **most:**

Stopień równy		**Stopień wyższy**	**Stopień najwyższy**
happily	*szczęśliwie*	**more** happily	**most** happily
regularly	*regularnie*	**more** regularly	**most** regularly
often	*często*	**more** often	**most** often

Następujące przysłówki tworzą stopień wyższy i najwyższy w sposób nieregularny:

Stopień równy		**Stopień wyższy**	**Stopień najwyższy**
well	*dobrze*	**better**	**best**
badly	*źle*	**worse**	**worst**
much	*dużo*	**more**	**most**
little	*mało*	**less**	**least**
far	*daleko*	**further/farther**	**furthest/farthest**

5.3 Porównanie

- **Than** tłumaczymy jako **niż**:

  She's smaller **than** me.

- **As ... as** tłumaczymy jako **tak ... jak**:

  He's **as** rich **as** his brother.

- Jeśli po **than** lub **as** występuje zaimek osobowy, to ma on formę dopełnienia:

  He's faster **than me** / **her** itd. / She's as slow **as me** / **him** itd.

- Zaimek osobowy może również przyjąć formę podmiotu, po którym następuje czasownik lub czasownik pomocniczy:

  She eats more **than I do.** / I was **as** frightened **as he was.**

- Po **czasownikach oznaczających postrzeganie za pomocą zmysłów** występuje na ogół przymiotnik, a nie przysłówek (nie ma formy **-ly**), jeśli czasowniki te wyrażają jakiś stan lub właściwość:

feel	*czuć (dotykiem)*	**sound**	*brzmieć*
look	*wyglądać*	**taste**	*smakować*
smell	*pachnieć*		

6 Szyk wyrazów w zdaniu

Zazwyczaj w języku angielskim występuje następujący szyk wyrazów w zdaniu:

Podmiot	Orzeczenie	Dopełnienie
Peter *Peter*	is peeling *obiera*	potatoes. *kartofle.*

6.1 Miejsce występowania przysłówków

Przysłówki wyrażające **sposób robienia czegoś** (odpowiadające na pytanie: *jak?*) występują na ogół:

- w wypadku czasowników przechodnich – przed czasownikiem lub po dopełnieniu
- w wypadku czasowników nieprzechodnich – po czasowniku

He **hurriedly** finished his tea.	*Pospiesznie dopił herbatę.*
She had **hardly** said a word.	*Prawie nic nie powiedziała.*
They shouted her name **loudly.**	*Głośno wykrzyczeli jej imię.*
Everyone sat there **quietly.**	*Wszyscy siedzieli cicho.*

Przysłówki określające **miejsce** (odpowiadające na pytania: *gdzie? dokąd?*) i **czas** (odpowiadające na pytanie: *kiedy?*) występują:

- na końcu zdania
- na początku zdania (jeśli chcemy szczególnie zaakcentować przysłówek, z wyjątkiem tych, które odpowiadają na pytanie: *dokąd?*, ponieważ one nie występują na początku zdania)

I'm going **to town.**	*Idę do miasta.*
He's coming **at half past four.**	*On przyjdzie o wpół do piątej.*
In Spain, people eat quite late.	*W Hiszpanii jada się dość późno.*
On Monday we fly to Cannes.	*W poniedziałek lecimy do Cannes.*

Przysłówki pochodzące od przymiotników (przymiotnik + **-ly**) oraz wyrażające **częstotliwość (always, usually, never** itd.) występują na ogół:

- przed czasownikiem zwykłym
- po czasowniku **be** lub po pierwszym czasowniku pomocniczym

W celu podkreślenia przysłówki te mogą niekiedy występować na początku zdania:

He **usually sleeps** until ten.	*Zazwyczaj śpi do dziesiątej.*
I'**m always** tired.	*Jestem zawsze zmęczony.*
They **had never seen** their father.	*Nigdy nie widzieli swojego ojca.*
Sometimes he stays indoors all day long.	*Czasami siedzi w domu cały dzień.*

Jeśli w zdaniu pojawiają się przysłówki różnych kategorii, to kolejność jest następująca:

- przysłówek sposobu przed przysłówkiem miejsca
- przysłówek miejsca przed przysłówkiem czasu
- dokładniejsze określenia czasu przed bardziej ogólnymi

She **slowly** lifted the teapot **out of the box.**	*Powoli wyjęła dzbanek z pudełka.*
I'll be **in the bar at nine.**	*Będę w barze o dziewiątej.*
They're getting married **at 10 o'clock on Saturday.**	*Biorą ślub w sobotę o dziesiątej.*

Przysłówki wyrażające stopień (np. **very, quite, too, extremely, a bit**) mają to samo miejsce występowania co w języku polskim, jeśli odnoszą się do przymiotników lub innych przysłówków.

Jeżeli przysłówki wyrażające stopień, takie jak **almost, hardly, nearly, just** itd., odnoszą się do czasownika, występują przed czasownikiem:

I **almost fell** off the ladder.	*Prawie spadłam z drabiny.*
The match **hardly started** when there was a heavy shower.	*Mecz ledwo się zaczął, kiedy spadł ulewny deszcz.*

6.2 Szyk przestawny (inwersja)

W następujących wypadkach zamieniamy miejscami podmiot z orzeczeniem:

- po **so** i **neither** / **nor**, tłumaczonych jako *też, również* lub *również nie*
- po niektórych przysłówkach występujących na początku zdania, np.:

never	*nigdy*
not only	*nie tylko*
only then	*dopiero wtedy*
no sooner + przestawienie: orzeczenie, podmiot ... **than**	*dopiero ..., gdy*
scarcely + przestawienie: orzeczenie, podmiot ... **when**	*ledwo ..., gdy / kiedy*
rarely, seldom	*rzadko*

I like it. – **So do I.**	*Podoba mi się. – Mnie też.*
I can't read. – **Neither can I.**	*Nie umiem czytać. – Ja też nie.*
No sooner had I put the phone down **than** the doorbell rang.	*Ledwo odłożyłam słuchawkę, gdy zadzwonił dzwonek u drzwi.*
Rarely had he seen such a fine specimen.	*Rzadko widywał taki ładny egzemplarz.*

7 Pytanie i przeczenie

7.1 Pytanie

Pytania z czasownikiem **be** oraz z czasownikami pomocniczymi **have, will, can, could, may, might, must, should, need** i **ought (to)** tworzymy, zamieniając miejscami podmiot i orzeczenie.

Is he there?	*Czy on tam jest?*
Can you help me?	*Czy możesz mi pomóc?*
Have you seen Michael?	*Czy widziałaś Michael'a?*

W wypadku innych czasowników pytania tworzymy za pomocą **do** / **does** (czas teraźniejszy) lub **did** (czas przeszły) + **bezokolicznik** bez **to**. Kolejność pozostałych wyrazów pozostaje taka sama jak w zdaniu oznajmującym :

		Podmiot	+	Orzeczenie	+	Dopełnienie
		He		hates		fish.

do / does / did	+	Podmiot	+	Orzeczenie	+	Dopełnienie
Does		he		hate		fish?

Pytania rozpoczynające się od **why, when, which** itp. tworzymy również za pomocą **do + bezokolicznik** bez **to**:

Why do they live there?	*Dlaczego tam mieszkają?*
Where does she work?	*Gdzie ona pracuje?*
When did you find out?	*Kiedy się dowiedziałeś?*

Wyjątek stanowią słowa rozpoczynające pytania, będące podmiotem lub jego częścią. Odpowiadają wówczas na pytania: *kto? co?* i występuje po nich czasownik bez **do**.

Who told you that?	*Kto ci to powiedział?*
Which room is ours?	*Który pokój jest nasz?*

7.2 Przeczenie

- Zdania przeczące z takimi czasownikami jak **be** oraz **have, will, can, could, must, should, need** i **dare** tworzymy, dodając do czasownika **not** lub skróconą formę **-n't.**

- W wypadku czasowników **may, might i ought (to)** dodajemy **not;** rzadko spotykaną formą jest **mightn't** i **oughtn't**.

- **I am (I'm)** zamienia się w **I'm not** lub **I am not**.
- **I can** zamienia się w **I can't** lub **I cannot**.
- **I will (I'll)** zamienia się w **I won't** lub **I will not**.

He **isn't** in. / He'**s not** in.	*Nie ma go.*
You **shouldn't** say that.	*Nie powinieneś tego mówić.*
She **won't** open the door.	*Ona nie otworzy drzwi.*
They **might not** come.	*Być może nie przyjdą.*

- W wypadku innych czasowników tworzymy przeczenie za pomocą **don't / doesn't / didn't + bezokolicznik bez to**. Dotyczy to również czasownika **have**.

They **don't** eat pork.	*Nie jedzą wieprzowiny.*
We **didn't** have any change.	*Nie mieliśmy drobnych.*

- Jeśli chcemy podkreślić przeczenie oraz w języku oficjalnym (mówionym i pisanym), stosujemy **not** (zamiast skróconej formy **-n't**).

Dla czasownika **have** w znaczeniu „mieć, posiadać" istnieją dwie możliwości tworzenia przeczenia:

I **haven't got** / **don't have** any money.	*Nie mam pieniędzy.*

7.3 Pytanie z formą przeczącą

- W pytaniach zawierających formę przeczącą do pierwszego czasownika dodajemy **-n't**.
- **Am I** zamienia się wówczas w **aren't I**:

Doesn't he speak English?	*Czy on nie mówi po angielsku?*
Haven't you got a handkerchief?	*Czy nie masz chusteczki?*
Aren't I generous?	*Czyż nie jestem wspaniałomyślny?*

7.4 Krótkie odpowiedzi

W krótkich odpowiedziach powtarzamy pierwszy czasownik, który wystąpił w pytaniu:

– **Can** I eat now?	*Czy mogę teraz jeść?*
– Yes, **you can.**	*Tak, możesz.*
– **Do** you like Chopin?	*Czy lubisz Chopina?*
– Yes, **I do.**	*Tak, lubię.*

7.5 Question tags

W pytaniach, na które spodziewamy się odpowiedzi twierdzącej, powtarzamy na końcu czasownik **be, have** i czasowniki modalne (**will, must, can, should** itd.). Odpowiadają one polskiemu „prawda?”.

You can swim, **can't you**?	*Umiesz pływać, prawda?*

- W zdaniu twierdzącym **question tag** (dodany czasownik na końcu) występuje w formie przeczącej, w zdaniu przeczącym – w formie twierdzącej:

You're a physicist, **aren't you?**	*Pan jest fizykiem, prawda?*
He can't speak Japanese, **can he?**	*On nie umie mówić po japońsku, prawda?*

- Na końcu zdań z pozostałymi czasownikami (poza **be**, **have** i modalnymi) występuje odpowiednia forma **do:**

You like apples, **don't you**?	*Lubisz jabłka, prawda?*
He lives here, **doesn't he**?	*On tu mieszka, prawda?*

- Również w tych zdaniach obowiązuje reguła:
w zdaniu twierdzącym **question tag** występuje w formie przeczącej, w zdaniu przeczącym – w formie twierdzącej.

Najłatwiej jest najpierw utworzyć „normalne” pytanie, a później zdanie z **question tag**:

Do you remember me?	*Pamiętasz mnie?*
You remember me, **don't you?**	*Pamiętasz mnie, prawda?*

8 Czasownik

8.1 Czasy teraźniejsze: *Present Simple* (czas teraźniejszy prosty) i *Present Continuous* (czas teraźniejszy ciągły)

8.1.1 Tworzenie czasu *Present Simple*

Przy odmianie czasownika w czasie Present Simple inną od pozostałych formę ma tylko 3. osoba liczby pojedynczej (**he, she, it, the dog, my brother** itd.).

Na ogół dodajemy **-s** do formy podstawowej czasownika:

talk – he talk**s** run – she run**s** kick – the horse kick**s**

W wypadku czasowników, które kończą się na **-s, -sh, -ch** lub **-x**, dodajemy **-es** do formy podstawowej:

miss – she miss**es** push – it push**es**
catch – it catch**es** fax – he fax**es**

W wypadku czasowników zakończonych na spółgłoskę (**m, p, s, v** itd.) + **-y**, tworzymy końcówkę **-ies**:

carry – it carr**ies** try – she tr**ies** deny – he den**ies**

Jeśli **-y** występuje po samogłosce (**a, e, i, o, u**), to pozostaje bez zmian + końcówka **-s**:

buy – he buy**s** say – she say**s** employ – it employ**s**

Inne wyjątki:

go – he go**es** be – I **am**
do – it do**es** you **are**
have – she **has** he, she, it **is**
we, they **are**

8.1.2 Tworzenie czasu *Present Continuous*

Formę **-ing** tworzymy, dodając do **formy podstawowej czasownika** końcówkę **-ing:**

talk + -ing = talking	dream + -ing = dreaming

Wyjątki:

- Likwidujemy końcowe nieme **-e**:

  pace – pac**ing** ride – rid**ing**

- Podwajamy spółgłoskę (**d, m, r** itp.) występującą po krótkiej akcentowanej samogłosce (**a, e, i, o, u**).

  run – run**ning** slam – slam**ming**
  permit – permit**ting** grab – grab**bing**

- Jeśli końcowa samogłoska nie jest akcentowana, nie podwajamy spółgłoski:

  enter – enter**ing** profit – profit**ing**

- Końcowe **-ie** zamieniamy na **-ying:**

  lie – l**ying** tie – t**ying**

- Podwajamy **-r** występujące na końcu po akcentowanej, pojedynczej samogłosce:

  prefer – prefer**ring**

- Podwajamy **-l** występujące na końcu po pojedynczej samogłosce:

  travel – travel**ling** libel – libel**ling**

- Występujące na końcu **-c** zamieniamy na **-ck-:**

  picnic – picni**cking**

Czas Present Continuous tworzymy w następujący sposób:

am / **are** / **is** + **forma -ing** lub formy skrócone **'m** / **'re** / **'s** + **forma -ing**

I'm coming – we're eating – Jack is crying – my parents are gardening

8.1.3 Użycie czasu *Present Simple*

Czasu teraźniejszego prostego Present Simple używamy, gdy mówimy o czynnościach, które regularnie się powtarzają, o nawykach lub zwyczajach.

I **eat** five pieces of fruit a day.	*Zjadam dziennie pięć owoców.*
She **writes** to all her friends.	*Ona pisuje do wszystkich swoich przyjaciół.*

Czasu tego używamy też, mówiąc o zawodach lub długotrwałych zajęciach lub zadaniach:

My brother **sings** in a rock band.	*Mój brat śpiewa w zespole rockowym.*
Laura **writes** computer programs.	*Laura pisze programy komputerowe.*

W czasie Present Simple wyrażamy też ogólne prawdy i prawa natury:

Water **consists of** hydrogen and oxygen.	*Woda składa się z wodoru i tlenu.*
Spring **starts** in March.	*Wiosna zaczyna się w marcu.*

8.1.4 Użycie czasu teraźniejszego ciągłego *Present Continuous*

Czasu tego używamy, gdy mówimy o czynnościach lub procesach, które właśnie trwają:

He'**s sleeping**.	*On śpi.*
They'**re lying** in the sun.	*Oni leżą w słońcu.*

W czasie Present Continuous opisujemy też czynności, które nie zostały jeszcze zakończone i trwają dłuższy czas.
Jeżeli do danego zdania pasuje określenie „w tej chwili" (at the moment), oznacza to, że powinniśmy użyć czasu Present Continuous:

Mary **is living** with her sister.	*Mary mieszka ze swoją siostrą (u swojej siostry).*
The tomatoes **are growing** really well this year.	*Pomidory rosną naprawdę dobrze w tym roku.*

Czasu Present Continuous używamy też, gdy mówimy o zachodzących zmianach:

Young John **is getting** bigger every day.	*Mały John rośnie z dnia na dzień.*

8.1.5 Czasowniki, które z reguły nie występują w formie *-ing*

Niektóre czasowniki rzadko występują z końcówką **-ing** w czasie teraźniejszym, ponieważ opisują pewne stany, nie procesy. Należą do nich m.in. następujące czasowniki w podanym tu znaczeniu:

believe	*wierzyć*	**think**	*myśleć*
hope	*mieć nadzieję*	**understand**	*rozumieć*
feel	*czuć*	**know**	*wiedzieć*
like	*lubić*	**mean**	*znaczyć*
hate	*nienawidzić*	**remember**	*pamiętać*
want	*chcieć*	**cost**	*kosztować*
wish	*życzyć*	**contain**	*zawierać*
sound	*brzmieć*	**belong**	*należeć*
look	*patrzeć, wyglądać*	**own**	*posiadać*
seem	*wydawać się*	**need**	*potrzebować*
see	*widzieć*		
it **depends**	*to zależy*		
she **smells** lovely	*ona pięknie pachnie*		
it **sounds** great	*to brzmi wspaniale*		
this **tastes** strange	*to smakuje dziwnie*		

Wymienione czasowniki, jeśli występują w formie **-ing**, to mają wówczas inne znaczenie:

He'**s seeing** the doctor tomorrow. — *On jutro idzie do lekarza.*

8.1.6 Czasowniki *to have* i *to be* w *Present Continuous*

Czasownik **to have** w znaczeniu *mieć* nie występuje w formie **-ing**. Jednak może mieć inne znaczenia i wtedy ta forma jest możliwa:

Jamie **has** a new computer. — *Jamie ma nowy komputer.*
We'**re having** our tea. — *Pijemy herbatę.*

Czasownik **to be** może występować w formie **-ing** w następujących sytuacjach:

- w stronie biernej
- w połączeniu z przymiotnikiem określającym pewien sposób zachowania

The house **is being** painted now. — *Dom jest teraz malowany.*
The dogs **are being** very quiet at the moment. — *Psy są w tej chwili bardzo spokojne.*

8.2 Czasy przeszłe: *Past Simple* (czas przeszły prosty) i *Past Continuous* (czas przeszły ciągły)

8.2.1 Tworzenie czasu *Past Simple*

(Formy tego czasu czasowników nieregularnych są podane w tabeli na stronie 204).

- W wypadku czasowników regularnych dodajemy do formy podstawowej końcówkę **-ed**:

talk – talk**ed** play – play**ed** kick – kick**ed**

- Podwajamy pojedynczą spółgłoskę (**b, m, p** itd.) występującą po krótkiej samogłosce (**a, e, i, o, u**):

bug – bug**ged** pot – pot**ted** pad – pad**ded**

- Podwajamy pojedynczą spółgłoskę występującą po akcentowanej pojedynczej samogłosce w wyrazach dwusylabowych:

refer – refer**red** occur – occur**red**

- Nie podwajamy pojedynczej spółgłoski występującej po nie akcentowanej pojedynczej samogłosce:

suffer – suffer**ed** target – target**ed** credit – credit**ed**

- Wyjątek stanowi pojedyncze **-l**, które w brytyjskim angielskim jest podwajane (a w amerykańskim angielskim nie):

travel – travel**led** label – label**led**

- W czasownikach regularnych **-y** występujące po spółgłosce zamieniamy na **-ie-:**

try – tr**ied** hurry – hurr**ied** comply – compl**ied**

- Powyższa zasada nie obowiązuje, jeśli przed **-y** występuje samogłoska:

play – play**ed** obey – obey**ed**

8.2.2 Użycie czasu *Past Simple*

Czasu Past Simple używamy, gdy mówimy o czynnościach, które wielokrotnie lub regularnie powtarzały się w przeszłości:

He **sometimes** called me up in the middle of the night.	*Czasami dzwonił do mnie w środku nocy.*
She **visited** us every summer.	*Odwiedzała nas każdego lata.*

Czasu Past Simple używamy też, mówiąc o pojedynczych czynnościach, które zostały zakończone w przeszłości. Często w zdaniu pojawia się dokładne określenie czasu, np. **last month**, lub mniej dokładne, np.: **during our holidays**:

We **went** to Malta in May.	*W maju pojechaliśmy na Maltę.*
He **wrote** his autobiography during the school holidays.	*Napisał swoją autobiografię podczas wakacji szkolnych.*

Czasu tego używamy również, gdy zdarzenia lub czynności następują kolejno po sobie:

He **searched** all over the house, **looked** under the beds, even **emptied** the dustbin, but **couldn't** find the letter.	*Przeszukał cały dom, zajrzał pod łóżka, nawet opróżnił kosz, ale nie mógł znaleźć listu.*

8.2.3 Tworzenie czasu *Past Continuous*

Czas ten tworzymy w sposób następujący: **was / were + forma -ing.**

He **was mowing** the lawn.	*Kosił trawę.*

8.2.4 Użycie czasu *Past Continuous*

Czasu tego używamy, gdy mówimy o czymś, co się działo w pewnym momencie w przeszłości. Jeżeli w danym zdaniu możemy dodać „w tym momencie" (mówiąc o przeszłości), to znaczy, że należy użyć czasu Past Continuous.

– What **was** she **doing** on the roof?	*Co ona robiła na dachu?*
– She **was adjusting** the aerial.	*Poprawiała antenę.*
On Friday afternoon we **were playing** tennis in the park.	*W piątek po południu graliśmy w tenisa w parku.*

Czasu tego używamy też, mówiąc o stopniowo zachodzących zmianach lub czynnościach, które nie zostały zakończone:

He **was getting** more and more irritable.	*Stawał się coraz bardziej poirytowany.*
Last year they **were training** for the Olympics.	*W zeszłym roku trenowali przed igrzyskami olimpijskimi.*

Czasu Past Continuous używamy również, mówiąc o czynnościach, które przebiegały równocześnie:

Last night Ron **was watching** TV, the children **were playing** in the garden, Rita **was clearing up** in the kitchen and I **was walking** the dogs.	*Wczoraj wieczorem Ron oglądał telewizję, dzieci bawiły się w ogrodzie, Rita sprzątała w kuchni, a ja spacerowałam z psami.*

8.2.5 Porównanie czasów: *Past Simple* i *Past Continuous*

Jeśli oba te czasy pojawiają się w zdaniu, często oznacza to, że jedna czynność właśnie się odbywała (Past Continuous), gdy nastąpiła druga czynność (Past Simple):

He **was playing** the piano when the phone **rang**.	*On grał na pianinie, gdy zadzwonił telefon.*

8.3 *Past Simple a Present Perfect*

8.3.1 Tworzenie czasu *Present Perfect*

- Czas Present Perfect tworzymy w sposób następujący: **have / has + Past Participle (tzw. 3. forma czasownika).**

- Często spotykamy **skrócone formy have w czasie Present Perfect:**

  I've, you've, we've, they've; he's, she's, it's

- Formę przeczącą tworzymy na ogół za pomocą **haven't / hasn't + Past Participle.**

- Past Participle, czyli tak zwana 3. forma czasownika, w przypadku czasowników regularnych jest identyczna z drugą formą, czyli formą czasu Past Simple. Składa się ona z formy podstawowej czasownika + **-(e)d**:

  want – wanted **visit – visited** **care – cared**

  Dla czasowników nieregularnych Past Participle ma różne formy (zob. tabela czasowników nieregularnych na stronie 204).

8.3.2 Użycie czasu *Past Simple* i czasu *Present Perfect*

Czas Past Simple opisuje zdarzenia i procesy, które miały miejsce w przeszłości, są zakończone i nie mają bezpośredniego związku z teraźniejszością:

As a racing driver he **won** 16 car races.	*Jako kierowca rajdowy wygrał 16 wyścigów. (Oznacza to, że już nie jest kierowcą rajdowym.)*

Czasu Present Perfect używamy, gdy istnieje związek między przeszłością a teraźniejszością. Możemy tu użyć takich zwrotów, jak „dotychczas", „do tej pory" (**until now, so far**):

As a racing driver he **has won** 16 car races.	*Jako kierowca rajdowy wygrał 16 wyścigów. (Oznacza to, że nadal jest kierowcą rajdowym i możliwe jest, że jeszcze wygra następne wyścigi.)*

Istnieją słowa, które są charakterystyczne dla czasu Past Simple i takie, które są charakterystyczne dla Present Perfect:

Past Simple		**Present Perfect**	
yesterday	*wczoraj*	**up to now, until / till now**	*dotychczas, do tej pory*
last night	*wczoraj wieczorem, wczoraj w nocy*	**so far**	*jak dotąd*
last week	*w ubiegłym tygodniu*	**yet** (*w zdaniach przeczących*)	*jeszcze nie*
last summer *itd.*	*w lecie ubiegłego roku*	**yet** (*w pytaniach*)	*już*
in 1982	*w 1982 roku*	**lately**	*ostatnio*
in April	*w kwietniu*		
in the evening *itd.*	*wieczorem*		
at midday	*w południe*	———	
at Easter	*w Święta Wielkanocne*	———	
at 3 o'clock *itd.*	*o trzeciej (godzinie)*	———	
on August 3rd	*trzeciego sierpnia*	———	
on Monday *itd.*	*w poniedziałek*	———	

Past Simple		Present Perfect
a year **ago** two days **ago** *itd.*	*rok temu* *dwa dni temu*	__________ __________
just (then), **when**	*wtedy właśnie* *gdy, kiedy (również w pytaniach)*	__________ __________

Jeśli w zdaniu nie występują słowa charakterystyczne dla danego czasu, to należy stosować następujące reguły:

Jeśli mówimy o zdarzeniach, które miały miejsce w odległej przeszłości, to używamy czasu **Past Simple**:

*Dickens **wrote** a lot of novels.* — *Dickens napisał dużo powieści.*

Również gdy mówimy o zdarzeniach, które miały miejsce niedawno, ale są zakończone, używamy czasu **Past Simple:**

They **ordered** us to go home. — *Kazali nam iść do domu.*
He **went out**. — *Wyszedł.*

Jeśli coś miało miejsce w przeszłości i ma wpływ na teraźniejszość, istnieje powiązanie z teraźniejszością, wówczas używamy czasu **Present Perfect**:

They **have ordered** us to go home. — *Kazali nam iść do domu.*

(Oznacza to, że jeszcze nie poszliśmy, dopiero zamierzamy, czyli ten nakaz ma wpływ na teraźniejszość.)

He **has gone out**. — *Wyszedł.*

(Oznacza to, że wyszedł i nie ma go teraz w domu – jest powiązanie z teraźniejszością.)

Jeżeli jednak pojawia się słowo charakterystyczne dla **Past Simple**, wówczas nie możemy użyć **Present Perfect**:

He **went out** in the evening. — *Wyszedł wieczorem.*

Jeśli nie jest istotne, **kiedy** coś się wydarzyło w przeszłości, stosujemy Present Perfect (możemy wówczas dodać: *kiedyś*, *wcześniej*):

I've seen that film before. — *Już widziałam ten film (wcześniej).*

Czasu **Present Perfect** używamy, gdy mówimy o czynnościach, procesach lub stanach, które rozpoczęły się w przeszłości i nadal trwają w teraźniejszości. Wówczas stosujemy czas **Present Perfect Continuous**:

She**'s been** with this company for five years. — *Jest w tej firmie od pięciu lat.*

I**'ve been sitting** in this room for two hours. — *Siedzę w tym pokoju od dwóch godzin.*

Słowo *od* można w języku angielskim wyrazić jako:

- **for** – gdy chodzi o pewien „ciąg" w czasie
- **since** – gdy chodzi o „punkt" w czasie

We**'ve** only **been** married **for two weeks.** — *Jesteśmy małżeństwem dopiero od dwóch tygodni.*

Our friends **have been** married **since July.** — *Nasi przyjaciele są małżeństwem od lipca.*

Oto kilka przykładów na użycie **for** i **since**:

for **„ciąg" w czasie** Na ogół podajemy długość trwania czegoś, używając wyrażeń z **a** / **an** lub liczby mnogiej:	**since** **„punkt" w czasie** Dokładnie podajemy „punkt", w którym coś nastąpiło:
for **a** month for **an** hour for some time for several week**s** for year**s**	since midnight since 5 o'clock since January since we last met since he left school

8.4 Czasy przyszłe

8.4.1 Wyrażanie przyszłości

Istnieją następujące możliwości wyrażania przyszłości:

1. forma will	She'**ll tell** you.	**will** / **shall** (często **'ll**)
2. be going to	I'**m going to** look for a new job.	**am** / **are** / **is going to** + forma podstawowa czasownika

3. Czas Present Continuous	They**'re leaving** tomorrow.	**am / are / is + -ing**
4. Czas Present Simple	We **fly** to Goa on Friday.	**forma podstawowa czasownika**; przy **he, she, it + -(e)s**
5. Czas Future Continuous	I**'ll be seeing** him on Monday.	**will / shall** (często 'll) **+ be + -ing**

Oto kilka innych ważnych informacji:

- Na ogół stosujemy (w języku mówionym) skróconą formę **will**, czyli **'ll**
- Skrócona forma przecząca od **will** brzmi **won't.**
- **Shall** jest rzadko używane, przecząca forma brzmi **shan't**.

Nasze wypowiedzi na temat przyszłości możemy podzielić następująco:

- **Przewidywanie tego, co się stanie**
- **Plany, zamiary**

8.4.2 Przewidywanie przyszłości

Czas **Future Simple** stosujemy w ogólnych stwierdzeniach:

It**'ll be** all right.	*Wszystko będzie dobrze.*

Zwrotu **going to** używamy, gdy dana osoba jest pewna, że coś nastąpi. Czasami widać, że coś się stanie:

He**'s going to fall**!	*On zaraz upadnie!*
Look at these clouds! It**'s going to rain**!	*Spójrz na te chmury! Będzie padać!*

Również czasu **Future Continuous** używamy niekiedy, mówiąc o wydarzeniach, co do których przewidujemy, że nastąpią:

They**'ll be arriving** in an hour.	*Przyjadą za godzinę.*

8.4.3 Zamiary, plany, uzgodnienia

Jeśli spontanicznie podejmujemy decyzję o tym, co zrobimy, wówczas stosujemy czas **Future Simple**:

I'**ll make** us something to eat.	*Zrobię dla nas coś do jedzenia.*
We'**ll order** a taxi to take us to the opera.	*Zamówimy taksówkę, żeby nas zawiozła do opery.*

Jeśli nasza decyzja jest wcześniej przemyślana, stosujemy **going to**:

I'**m going to learn** Japanese.	*Zamierzam uczyć się japońskiego.*
We'**re going to have** a party and **invite** all our friends.	*Urządzimy przyjęcie i zaprosimy wszystkich naszych przyjaciół.*

Czasu **Present Continuous** używamy również, mówiąc o wcześniej zaplanowanych sprawach i ustaleniach. Podajemy wówczas określenie czasu, w celu zaznaczenia, że chodzi nam o przyszłość, nie o teraźniejszość:

On Sunday I'**m helping** my grandma in the garden, then I'**m going out** with Sarah.	*W niedzielę pomagam babci w ogródku, później wychodzę z Sarah.*

Często formy: **going to** oraz **Present Continuous** mogą być stosowane wymiennie, przy czym **going to** podkreśla zamiar konkretnej osoby, natomiast **Present Continuous** podkreśla samo ustalenie, plan:

When **are you going to see** your parents? When **are you seeing** your parents?	*Kiedy zamierzasz odwiedzić rodziców?*

W sytuacjach ogólnie ustalonych świąt, godzin otwarcia (np. sklepów), rozkładów jazdy itp., stosuje się **Present Simple**:

The next train to Brighton **leaves** at ten past two.	*Następny pociąg do Brighton odjeżdża dziesięć po drugiej.*
The bar **closes** at midnight.	*Bar zamykają o północy.*

8.4.4 *Future Perfect*

Czasu **Future Perfect (will / 'll have + Past Participle)** używamy, aby powiedzieć, że do określonego momentu w przyszłości coś już będzie zrobione:

By the end of March, I **will have written** 15 essays.	*Do końca marca napiszę 15 wypracowań.*

Czasu **Future Perfect Continuous (will / 'll have been + -ing)** używamy, gdy mówimy o czymś, co w danym momencie w przyszłości jeszcze będzie trwało, nie będzie zakończone:

On May 21st, we'**ll have been living** here for twelve years. — *Dwudziestego pierwszego maja minie dwanaście lat, od kiedy tu mieszkamy.*

8.5 *The Passive Voice* (strona bierna)

Strony biernej używamy m. in. po to, żeby powiedzieć o pewnej czynności, bez wymieniania osoby, która tę czynność wykonuje. Koncentrujemy się wówczas na tym, co się dzieje z jakąś osobą lub rzeczą.

Very good coffee **is served** in this restaurant. — *W tej restauracji podawana jest bardzo dobra kawa.*

8.5.1 Tworzenie strony biernej

Stronę bierną tworzymy w sposób następujący:

Podmiot + **to be** w odpowiednim czasie + **Past Participle**		
They	were	invited.
Oni	*byli*	*zaproszeni.*

She'**s** always **invited** to parties. — *Ona jest zawsze zapraszana na przyjęcia.*

We **were welcomed** by the Prince. — *Zostaliśmy powitani przez księcia.*

I'**ve** never **been examined** by her. — *Nigdy nie byłam egzaminowana przez nią.*

Angielskie słowo **by** (someone) oznacza **przez** (*kogoś*). W pytaniach **by** występuje na końcu:

He was visited **by** a neighbour. — *Został odwiedzony przez sąsiada.*

Who was he visited **by**? — *Przez kogo został odwiedzony?*

8.5.2 Strona bierna „osobowa"

W języku angielskim możliwa jest konstrukcja, która nie istnieje w języku polskim:

I **was given** a present. — *Dano mi prezent.*

Oto kilka czasowników, które występują w tej konstrukcji:

advise	*radzić*	**sell**	*sprzedać*
tell	*powiedzieć*	**show**	*pokazać*

promise	*obiecać*	**send**	*przysłać*
order	*kazać*	**bring**	*przynieść*
prescribe	*przepisać (receptę)*	**lend**	*pożyczyć*
expect	*oczekiwać*	**help**	*pomóc*
offer	*oferować*	**give**	*dać*
allow	*pozwalać*	**teach**	*nauczyć*

I was advised to see a dentist. — *Poradzono mi, żebym poszedł do dentysty.*

Ten typ strony biernej czasami tłumaczymy na język polski za pomocą formy bezosobowej z *się*:

He **is told** to be rich. — *Mówi się, że jest bogaty.*

8.5.3 *-ing* w stronie biernej

Strony biernej z **-ing** używamy najczęściej, mówiąc o:

- teraźniejszości **(podmiot + am / are / is being + Past Participle)**
- przeszłości **(podmiot + was / were being + Past Participle)**

I think we**'re being watched.** — *Myślę, że jesteśmy obserwowani.*
He **was being questioned** by the police. — *Był przesłuchiwany przez policję.*

8.5.4 Inne konstrukcje w stronie biernej

Strony biernej używamy również:

- z formą **-ing** jako **Gerund** (**being + Past Participle**); np. **being done**
- z **to be + Past Participle**; np. **to be done**
- z czasownikami modalnymi (**czasownik modalny + be + Past Participle**); np. **can be done**

He loves **being tickled.** — *Uwielbia, kiedy go się łaskocze.*
You're too heavy **to be carried** up the stairs. — *Jesteś za ciężki, żeby cię nieść po schodach.*
The earthquake **could be felt** fifty miles away. — *Trzęsienie ziemi było odczuwalne w odległości 50 mil.*

Następujące konstrukcje w stronie biernej tworzymy, używając czasowników wyrażających opinie, zapewnienia, wypowiedzi:

podmiot	+	**strona bierna czasownika**	+	**konstrukcja z bezokolicznikiem**
She		is known		to have contacts with many famous people.
there	+	**strona bierna czasownika**	+	**konstrukcja z bezokolicznikiem**
There		are believed		to have been heavy snowfalls.
it	+	**strona bierna czasownika**	+	**konstrukcja z that**
It		is feared		that 20 people may have died.

Oto niektóre czasowniki występujące w tej konstrukcji (nie wszystkie można przetłumaczyć na język polski w stronie biernej):

it is said	*mówi się*
it is known	*wiadomo*
it is thought	*myśli się*
it is believed	*wierzy się*
it is felt	*odczuwa się*
it is supposed	*podejrzewa się*
it is feared	*istnieją obawy*
it is claimed	*twierdzi się*
it is reported	*zawiadamia się / donosi się*
it is understood	*rozumie się*
it is recognized	*uznaje się*
it is acknowledged	*uznaje się*

8.6 Imiesłów

8.6.1 Tworzenie różnych form imiesłowu

Oto formy imiesłowu w języku angielskim:

	forma czynna	forma bierna
Present Participle	**asking**	**being asked**
Past Participle	**asked**	
Perfect Participle	**having asked**	**having been aksed**

Tworzymy je w sposób następujący:

- **Present Participle** w stronie czynnej – to czasownik z końcówką **-ing**
- **Past Participle** (czyli tzw. 3. forma czasownika, np. done, given, opened, visited) w stronie czynnej i biernej tworzymy, dodając do czasowników regularnych końcówkę **-(e)d**
- **Perfect Participle** w stronie czynnej składa się z **having + Past Participle**
- **Present Participle** w stronie biernej składa się z **being + Past Participle**
- **Perfect Participle** w stronie biernej składa się z **having been + Past Participle**

8.6.2 Użycie imiesłowu

Present Participle i **Past Participle** używane są podobnie jak przymiotniki:

the **falling** rain	*padający deszcz*
a **roasted** chicken	*pieczony kurczak*

Nie zawsze jednak jest możliwe, aby imiesłów był umieszczony przed rzeczownikiem:

I heard a **child laughing**.	*Słyszałem, jak dziecko się śmieje.*

Present Participle może występować po następujących czasownikach:

catch	*łapać*	**keep**	*trzymać*
find	*znaleźć*	**leave**	*opuszczać, zostawiać*

oraz po czasownikach oznaczających postrzeganie zmysłowe:

see	*widzieć*	**notice**	*zauważyć*
hear	*słyszeć*	**watch**	*obserwować, oglądać*
smell	*wąchać*	**observe**	*obserwować*
feel	*czuć*		

Struktura zdania wygląda wówczas następująco:

	Orzeczenie +	Dopełnienie +	Present Participle	
I	**could hear**	**you**	**snoring**	last night.
Ubiegłej nocy słyszałam, jak chrapiesz.				
They	**found**	**her**	**sitting**	in the park.
Znaleźli ją siedzącą w parku.				

Jeśli dana czynność trwała krótko, wówczas po czasownikach **feel, hear, see, smell** i **watch** możemy użyć bezokolicznika bez **to** zamiast imiesłowu **Present Participle**:

I **saw** you **run** when your father turned up.	*Widziałam, jak biegłaś, kiedy zjawił się twój tata.*

Imiesłów **Present Participle** może występować bezpośrednio po czasownikach **come** i **go**:

They **came slithering** along the pavement.	*Przyszli, ślizgając się po chodniku.*
The tyre **went bouncing** down the hill.	*Opona potoczyła się w dół wzgórza, podskakując.*

Po następujących „statycznych" czasownikach może występować **Present Participle** lub **Past Participle**:

lie	*leżeć*	**sit**	*siedzieć*
remain	*pozostać*	**stand**	*stać*

W języku polskim używamy w tym miejscu imiesłowu lub zdania podrzędnego:

He **lay** there **smoking**.	*Leżał, paląc.*
We were asked to **remain seated.**	*Poproszono nas, byśmy nie wstawali.*

8.6.3 Imiesłów stosowany zamiast zdania podrzędnego

Imiesłowy **Present Participle** i **Past Participle** mogą zastąpić zdanie podrzędne, jeśli w obu zdaniach jest ten sam podmiot:

Turning the corner, I came face to face with my ex-husband.	*Skręcając za róg, spotkałam się twarzą w twarz z moim byłym mężem.*
Completely **surprised,** he sat there without saying a word.	*Siedział zupełnie zaskoczony, nie mówiąc ani słowa.*

Konstrukcję **having + Past Participle** tłumaczymy „po (zrobieniu czegoś)" lub „po tym, jak". W stronie biernej konstrukcja ta brzmi **having been + Past Participle**:

Having finished his work, he went to the cinema.	*Po skończeniu pracy poszedł do kina.*
Having been offered two jobs, he didn't know, which to choose.	*Po tym, jak złożono mu dwie oferty pracy, nie wiedział, którą wybrać.*

8.6.4 Imiesłów zamiast zdania względnego

Oba imiesłowy **Present Participle** i **Past Participle** mogą zastępować zdanie względne; występują wówczas po rzeczowniku lub przysłówku, do którego się odnoszą:

I asked **the policeman** (who was) **standing** on the corner.	Zapytałam policjanta stojącego (*lub*: który stał) na rogu ulicy.
The **statue** (that was) **found** at this spot is now in the museum.	Figura znaleziona (*lub*: która została znaleziona) w tym miejscu, jest teraz w muzeum.

8.6.5 *being*

Zdanie zaczynające się od **being** tłumaczymy na język polski „ponieważ ...":

Being a perfectionist, he won't send that letter out.	*Ponieważ jest perfekcjonistą, nie wyśle tego listu.*

8.7 *Reported Speech* – Mowa zależna

Zdanie w mowie zależnej składa się ze zdania nadrzędnego (**he said, they told** itd.) i podrzędnego, które wcześniej było wypowiedziane „w oryginale" (wypowiedź dosłowna). Jeśli zdanie nadrzędne, wprowadzające, jest w czasie przeszłym, wówczas zmieniamy czasy w sposób następujący:

wypowiedź dosłowna		**mowa zależna**
"I'**m** tired," said Mary.	→	Mary said (that) she **was** tired.
Present Simple	→	**Past Simple**
"He'**s doing** his homework," said Mrs Brown.		Mrs Brown said (that) he **was doing** his homework.
Present Continuous	→	**Past Continuous**
"I **met** him on the bus," said Jeffrey.		Jeffrey said (that) he **had met** him on the bus.
Past Simple	→	**Past Perfect (had + Past Participle)**
"They **were swimming** when it happened," said Mr Parr.		Mr Parr said (that) they **had been swimming** when it (had) happened.
Past Continuous	→	**Past Perfect Continuous**
"Mike'**s** just **gone** shopping," said Frank.		Frank said that Mike **had** just **gone** shopping.

Present Perfect	→	**Past Perfect**
"We**'ve been running** in the gym," the boys told him.		The boys told him (that) they **had been running** in the gym.
Present Perfect Continuous	→	**Past Perfect Continuous**
"We **had** never **eaten** horse meat before," they admitted.		They admitted (that) they **had** never **eaten** horse meat before.
Past Perfect	pozostaje	**Past Perfect**
"I **had been hoping** you would be here," she said.		She said (that) she **had been hoping** he would be there.
Past Perfect Continuous	pozostaje	**Past Perfect Continuous**
"We**'ll be** in touch," said the Millers.		The Millers said (that) they **would be** in touch.
will (Future Simple)	→	**would**
"I**'ll be visiting** China," said Dr Chen.		Dr Chen said (that) he **would be visiting** China.
will be + -ing (Future Continuous)	→	**would be + -ing**
"They**'ll have gone** fishing," said Clare.		Clare said (that) they **would have gone** fishing.
(Future Perfect) will / shall have + Past Participle	→	**would have + Past Participle**
"Gran **will have been drinking** with her friends," said mum.		Mum said (that) Gran **would have been drinking** with her friends.
will have been + -ing (Future Perfect Continuous)	→	**would have been + -ing**

- Wypowiedzi w mowie zależnej przytaczamy, stosując czasowniki: **say, tell, admit** lub **think**, możemy (ale nie musimy) użyć **that**. Po czasownikach i przed **that** nie stawiamy przecinka.
- Po **tell** musi wystąpić dopełnienie (np. **tell me, tell him**).
- Po czasownikach **answer, reply, explain, remark, add** i **state** prawie zawsze występuje **that** (również bez przecinka).

W wypadku czasowników modalnych w mowie zależnej następuje wymiana czasów:

dosłowna wypowiedź	→	mowa zależna
can **may** (wyrażające możliwość) **will / shall** **shall** (w pytaniach)		**could** **might** **would** **should**

i **Następujące czasowniki pozostają w mowie zależnej bez zmian: could, had better, might, needn't, ought to, should, used to, would.**

Must zamienia się w **had to**, chyba że mówimy o sytuacji w przyszłości – wówczas nie zmienia się lub zmienia się w **would have to**:

"I **must** show you what I bought," said Philip.	→	Philip said (that) he **had to** show me what he had bought.
"We **must** have a chat," said Sue.	→	Sue said (that) we **must / would have to** have a chat.

Needn't pozostaje bez zmian, lub zmienia się w **didn't need** albo **didn't have to:**

"You **needn't** come," said Peter.	→	Peter said (that) I **needn't / didn't need to / didn't have to** come.

Used to pozostaje bez zmian lub zmienia się w **had previously been**:

"Dan **used to be** a karate expert," Simon told me.	→	Simon told me (that) Dan **used to be / had previously been** a karate expert.

8.7.1 Wyjątki od reguły

W wypowiedziach ogólnych nie jest konieczna zmiana czasu w mowie zależnej:

"It **gets** very cold in winter," said Martha.	→	Martha said (that) it **gets** very cold in winter.

Jeśli to, co jest zawarte w wypowiedzi dosłownej, dzieje się w teraźniejszości, wówczas czas teraźniejszy może być zachowany, żeby uniknąć nieporozumień:

"I **live** in Cambridge," he said.
"Pardon?"
"I said I **live** in Cambridge."

8.7.2 Pytania w mowie zależnej

Jeśli w pytaniu pojawiają się pytajniki takie, jak **why, what, how** itp., to kolejność wyrazów w zdaniu w mowie zależnej jest taka, jak w zdaniu oznajmującym. Pamiętajmy też o zmianie czasu:

"How will you pay for it?" she asked us.	→	She asked us **how we would pay** for it.

Jeśli wyżej wymienione pytajniki nie występują, to używamy **if** lub **whether** (*czy*):

"**Does** he **drink** wine?" Mother asked me.	→	Mother asked me **if** / **whether** he drinks (*lub*: drank) wine.

8.7.3 Nakazy i polecenia

Oto jak brzmią **polecenia** w mowie zależnej:

Podmiot +	Orzeczenie +	Dopełnienie +	Bezokolicznik z to
		"Come in."	
Samantha	asked	us	to come in.
		"Go to bed."	
The doctor	told	me	to go to bed.
		"Leave me alone."	
Roger	begged	them	to leave him alone.

8.7.4 Zmiany w określeniach czasu i miejsca

Jeśli przytaczamy czyjąś wypowiedź z pewnej perspektywy czasu i miejsca, wówczas musimy zmienić określenia czasu i miejsca. Oto najczęściej występujące zmiany:

today	→	**that (same) day**
tonight		**that night**
this morning		**that morning**
yesterday		**the previous day, the day before**

now	**then, at that point, straightaway**
next week	**the following week**
last night	**the previous night, the night before**
a month ago	**the month before**
here	**there, in that place**
in this house	**in that house**
this, that, these, those	(na ogół) **the**

8.8 *Conditionals* – zdania z *if*

Istnieją trzy podstawowe typy zdań warunkowych z **if:**

Conditional I	
If you **give** it to him *Jeśli mu to dasz,*	he **will break** it. *on to zepsuje.*
Present Simple	**Future Simple**
Conditional II	
If you **gave** it to him *Gdybyś mu to dał,*	he **would break** it. *on by to zepsuł.*
Past Simple	**would + bezokolicznik bez to**
Conditional III	
If you **had given** it to him *Gdybyś mu to dał,*	he **would have broken** it. *on by to zepsuł. (w przeszłości)*
Past Perfect (had + Past Participle)	**would have + Past Participle**

Możemy zmienić kolejność – **if** może być w drugiej części zdania:

He will break it if you give it to him.

8.8.1 *would* w zdaniach z *if*

Zdania rozpoczynające się od **if** na ogół nie zawierają **will** ani **would**, wyrazy te występują w drugiej części zdania:

It would help if you **left** these papers on my desk.	*Pomogłoby mi to, gdybyś zostawił te papiery na moim biurku.*

Wyjątek stanowi zwrot **if only**, wyrażający życzenie („gdyby tylko..."). Jednak nie dotyczy to czasowników „statycznych", podanych na stronie 51:

If only you **would** listen to me.	*Gdybyś tylko mnie słuchał.*

Również w uprzejmych prośbach stosujemy **would** z **if** (nie dotyczy to czasowników „statycznych").

We would appreciate it **if** you **would** enclose your cheque.	*Bylibyśmy wdzięczni, gdyby dołączył Pan czek.*

8.8.2 Informacje ogólne

W krótkich zdaniach z **if** na ogół nie stawiamy przecinka, natomiast w zdaniach dłuższych stawiamy go przed zdaniem głównym:

If you're ready we can go.	*Jeżeli jesteś gotów, możemy iść.*
If he's waiting for me to bath the children and put them to bed, he's in for a surprise.	*Jeżeli on czeka, żebym wykąpała dzieci i położyła je do łóżka, to spotka go niespodzianka.*

Jeśli zdanie z **if** następuje po zdaniu głównym, to nie stawiamy przecinka między zdaniem głównym a zdaniem z **if**. Wyjątek stanowi sytuacja, gdy następuje dłuższa przerwa między tymi zdaniami w danej wypowiedzi.

I'll show you the house if you come with me.	*Pokażę ci dom, jeśli ze mną pójdziesz.*
We'd like to have dinner at eight, if that's all right with you.	*Chcielibyśmy zjeść kolację o ósmej, jeśli to Panu odpowiada.*

8.8.3 Możliwości zmian w zdaniach z *if*

W każdym z trzech podstawowych typów zdań warunkowych z **if** możliwe są pewne zmiany.

Możliwe zmiany w zdaniach typu **Conditional I**:

- Oprócz czasu **Future Simple** może w nich występować każdy inny czas przyszły.
- W zdaniu z **if** zamiast **Present Simple** może wystąpić **Present Continuous** lub **Present Perfect**.

- W zdaniu głównym zamiast **Future Simple** może pojawić się czasownik modalny, który może łączyć się z czasem **Present Continuous** lub **Present Perfect.**

Możliwe zmiany w zdaniach typu **Conditional II**:

- Po podmiocie zamiast **was** może występować **were** (jest to bardziej oficjalna forma).
- W zdaniu głównym zamiast **would** mogą występować **czasowniki modalne**, które również mogą łączyć się z czasem **Present Continuous** lub **Present Perfect**. (He **could be studying**...; They **might have forgotten**...).
- Po podmiocie może występować konstrukcja **was** / **were to + forma podstawowa czasownika** (np. If I **were to decide**...).

Możliwe zmiany w zdaniach typu **Conditional III**:

- W zdaniu głównym zamiast **would have** mogą występować **czasowniki modalne** (**may have, could have, ought to have, should have**).
- Te czasowniki mogą łączyć się z czasem **Present Perfect Continuous** (They **may have been eating**).

8.8.4 *unless*

Unless oznacza „chyba że" i jest stosowane, jeśli np. stawiamy ultimatum:

I won't tell you **unless** you promise to keep it a secret. (= I won't tell you **if** you do**n't** promise to keep it a secret.)	*Nie powiem ci, chyba że przyrzekniesz, że dotrzymasz tajemnicy.*
Unless she is stricter with them, they'll never behave. (= **if** she is**n't** stricter with them, they'll never behave).	*Nie będą nigdy grzeczni, chyba że będzie wobec nich surowsza.*

W zdaniach takich jak poniższe **if ... not** nie można zastąpić słowem **unless**, ponieważ tu nie występuje ono w znaczeniu „chyba że":

You would be able to hear me **if** the TV was**n't** on so loud.	*Słyszałbyś mnie, gdyby telewizor nie grał tak głośno.*

8.9 Czasowniki modalne

Oto cechy charakterystyczne czasowników modalnych:

- W 3. osobie liczby pojedynczej nie mają końcówki **-s** w czasie Present Simple (he **can**, he **must**, she **should)**.

- W pytaniach i przeczeniach nie wymagają dodania **do** / **does**. W przeczeniach często używamy krótkich form:

  can't zamiast **cannot, couldn't** zamiast **could not, shouldn't** zamiast **should not** i **mustn't** zamiast **must not**.

- Łączymy je z innymi czasownikami, które nie są czasownikami modalnymi:

  He can write well.

- Występują nie we wszystkich czasach, niekiedy trzeba użyć innych sformułowań o podobnym znaczeniu, np. **be able to, be allowed to, have to** itd.

Could, must, may i might łączymy z **have + Past Participle**, żeby wyrazić przeszłość:

She **should have gone** to the doctor.	*Powinna była pójść do lekarza (kiedyś, wcześniej).*

Czasowniki modalne występują same tylko w **question tags** i krótkich odpowiedziach:

"You can cook, **can't** you?" "No, I **can't.**"	*Umiesz gotować, prawda?* *Nie, nie umiem.*

8.9.1 Móc, umieć, być w stanie coś zrobić – *can* i *may*

Słowa „móc, umieć" w znaczeniu „być w stanie coś zrobić" wyrażamy następująco:

- w czasie teraźniejszym za pomocą **can**, w czasie przeszłym – **could**

- w innych czasach za pomocą odpowiedniej formy **be able to**

He **could** swim when he was two. Would you **be able to** help me?	*Umiał pływać, gdy miał dwa lata.* *Czy byłbyś w stanie mi pomóc?*

Jeśli pytamy o pozwolenie, również możemy użyć **can**:

Can we have some chocolate?	*Czy możemy zjeść trochę czekolady?*

- Jeśli chcemy powiedzieć, że coś jest możliwe, w znaczeniu „prawdopodobne", wówczas używamy **may** lub **might**. Jeśli mówimy o prawdopodobieństwie wystąpienia czegoś w przeszłości, używamy **may have** lub **might have**.

- **May** lub **might** tłumaczymy na polski jako „być może":

We **might** come on Sunday.	*Być może przyjedziemy w niedzielę.*
They **may** be on holiday.	*Być może oni są na wakacjach.*

8.9.2 Sposoby wyrażania pozwolenia i zakazu – *can*, *may*, *be allowed to*

- Pozwolenie może być wyrażone za pomocą **can** lub **may** (w szczególnie uprzejmych prośbach stosujemy **may).**

- Zakazy wypowiadamy za pomocą formy **can't**.

- W ogólnych zakazach i pozwoleniach stosujemy zwrot **(not) be allowed to** w odpowiednim czasie. Zwrot ten jest również używany wtedy, gdy nie można użyć **can** lub **may**.

Can / **May** I come too?	*Czy ja też mogę iść?*
No, you **can't** borrow my car.	*Nie, nie możesz pożyczyć mojego samochodu.*
I'**m not allowed to** eat nuts.	*Nie wolno mi jeść orzechów.*

- Jeśli dajemy komuś radę, mówimy, że nie powinien lub nawet nie wolno mu czegoś robić, używamy **shouldn't** lub **mustn't**.

- Jeśli nasza rada dotyczy sytuacji, która wydarzyła się w przeszłości, wówczas stosujemy **shouldn't have.**

Uwaga: mustn't oznacza „nie wolno" (a nie „nie musisz")!

You **mustn't** be late.	*Nie wolno ci się spóźnić.*
We **shouldn't have** told him.	*Nie powinieneś był mu mówić (kiedyś, w przeszłości).*

8.9.3 musieć – *must, have to*

Jeśli mówimy o prawdopodobieństwie wydarzenia się czegoś, wówczas w czasie teraźniejszym używamy słowa **must**, a jeśli mówimy o przeszłości – **must have** + trzecia forma czasownika (**must have been, must have done**).

It **must** be here somewhere – I had it in my hand just now.	*To musi gdzieś tu być, dopiero co miałem to w ręce.*
They **must have** forgotten it.	*Musieli o tym zapomnieć.*

- Mówiąc o konieczności, o zobowiązaniach jakiejś osoby, w czasie teraźniejszym używamy **must**, zwłaszcza, gdy osoba mówiąca jest przekonana, że musi coś zrobić.
- Mówiąc o zobowiązaniach ogólnie, używamy **have (got) to**.
- We wszystkich innych czasach – oprócz teraźniejszego – nie używamy **must**, lecz **have to** w odpowiedniej formie.

I **must** do some weeding in the garden.	*Muszę powyrywać chwasty w ogrodzie.*
You **don't have to** ring me up every day.	*Nie musisz do mnie dzwonić codziennie.*
He **had to** hand in his driving licence.	*Musiał oddać swoje prawo jazdy.*

Najczęściej używaną formą oznaczającą „nie musieć" jest **not have to**.

Można również użyć **needn't**.

They **don't have to** / **needn't** bring any food.	*Nie muszą przynosić jedzenia.*
I **don't have to** go to work today.	*Nie muszę iść dzisiaj do pracy.*

Formy czasu przeszłego od **not have to** i **needn't** brzmią **didn't have to** lub **didn't need to**. Jeśli używamy **didn't need to**, oznacza to, że ktoś nie musiał czegoś robić, ale nie wiemy, czy to zrobił, czy nie.

She **didn't have to** play with the children.	*Nie musiała bawić się z dziećmi.*
I **didn't need to** show my passport.	*Nie musiałem pokazywać paszportu.*

Needn't have + Past Participle oznacza, że ktoś nie musiał czegoś robić, ale mimo to zrobił.

He **needn't have prepared** dinner.	*Nie musiał przygotowywać obiadu (ale przygotował).*

Jeśli chcemy powiedzieć, że ktoś powinien coś zrobić, używamy **should** lub – jeśli mówimy o przeszłości – **should have**:

He **should** know – he wrote the book!	*Powinien to wiedzieć – napisał tę książkę!*
They **should have** been more careful.	*Powinni byli bardziej uważać.*

8.9.4 Wyrażanie powinności – *should, ought to*

Jeśli coś proponujemy, doradzamy, apelujemy – wówczas używamy **ought to** w czasie teraźniejszym, lub jeśli mówimy o przeszłości – **should have / ought to have + Past Participle (been, done, opened, said** itd.).

We **should** / **ought to** write a thank-you letter.	*Powinniśmy napisać list z podziękowaniem.*
I **should have** said something.	*Powinnam była coś powiedzieć.*

Jeśli mówimy, że ktoś powinien coś zrobić, że „ma" coś zrobić (np. dlatego, że tak zostało wcześniej ustalone), wówczas używamy **be supposed to** lub **be to**:

You'**re supposed to** / You'**re to** be home by six.	*Masz być w domu najpóźniej o szóstej.*

8.10 Forma *-ing* jako Gerund a bezokolicznik

8.10.1 Tworzenie formy Gerund

Gerund ma identyczną formę jak forma **-ing** używana w czasie **Present Continuous**: **running, sleeping, shopping**.

Występuje w stronie biernej i czynnej:

Strona czynna, czas teraźniejszy:	**finding** *znajdowanie*
Strona bierna, czas teraźniejszy:	**being found** **(being + Past Participle)** *„bycie znajdowanym"*
Strona czynna, czas przeszły dokonany:	**having found** **(having + Past Participle)** *„znalezienie"*
Strona bierna, czas przeszły dokonany:	**having been found** **(having been + Past Participle)** *„bycie znalezionym"*

8.10.2 Użycie formy *-ing* jako Gerund

Forma **Gerund** nie jest czasownikiem, ale rzeczownikiem utworzonym od pewnej formy czasownika:

Swimming will get you fit.	*Pływanie poprawi twoją kondycję.*
I can't stand her **boasting.**	*Nie mogę znieść jej przechwalania się.*

8.10.3 Forma *-ing* jako Gerund, występująca po czasownikach

Oto najważniejsze czasowniki, po których występuje forma **Gerund**, a nie bezokolicznik:

enjoy doing sth	*lubić coś robić; dobrze się bawić*
feel like doing sth	*mieć ochotę coś zrobić*
fancy doing sth	*mieć ochotę coś zrobić*
dislike doing sth	*nie lubić czegoś robić*
mind doing sth	*mieć coś przeciwko zrobieniu czegoś*
miss doing sth	*tęsknić za robieniem czegoś*
suggest doing sth	*zaproponować zrobienie czegoś*
practise doing sth	*ćwiczyć robienie czegoś*
risk doing sth	*ryzykować zrobienie czegoś*
admit doing sth	*przyznać się do zrobienia czegoś*
deny doing sth	*zaprzeczyć zrobieniu czegoś*
consider doing sth	*rozważyć zrobienie czegoś*
think of doing sth	*myśleć o zrobieniu czegoś*
carry on doing sth	*kontynuować robienie czegoś*
keep (on) doing sth	*kontynuować robienie czegoś*
finish doing sth	*skończyć robienie czegoś*
delay doing sth	*opóźnić zrobienie czegoś*
postpone doing sth	*odłożyć na później zrobienie czegoś*
avoid doing sth	*uniknąć zrobienia czegoś*
prevent sb from doing sth	*powstrzymać kogoś od zrobienia czegoś*
imagine doing sth	*wyobrażać sobie robienie czegoś*
appreciate sb doing sth	*doceniać, że ktoś coś robi*
it involves doing sth	*to wymaga zrobienia czegoś*
it means doing sth	*to oznacza zrobienie czegoś*
excuse sb doing sth	*wybaczyć komuś (usprawiedliwić kogoś za) zrobienie czegoś*
I can't help doing sth	*nie mogę nic poradzić na to, że (coś robię)*
sth needs doing	*coś wymaga zrobienia*

8.10.4 Forma *-ing* jako Gerund, występująca po spójnikach

Po następujących spójnikach występuje forma **-ing:**

before	*przed*	**instead of**	*zamiast*
after	*po*	**in spite of / despite**	*mimo*
by	*przez*		
besides	*oprócz*	**while**	*kiedy, podczas*
		without	*bez*

He had a shower **before jumping** into the pool. — *Wziął prysznic, zanim wskoczył do basenu (dosł. przed wskoczeniem do basenu).*

Despite walking for a long time, they weren't tired. — *Mimo, że spacerowali przez długi czas, nie byli zmęczeni (dosł. mimo spacerowania przez długi czas).*

8.10.5 Forma *-ing* jako Gerund, występująca po przyimkach

Po przyimkach występuje forma **-ing:**

There's no chance **of finding** him. — Nie ma możliwości znalezienia go.
He has difficulty **in understanding** you. — On ma trudności ze zrozumieniem ciebie.

Taka konstrukcja występuje m.in. w następujących wyrażeniach:

przymiotnik + przyimek	
be good / bad at doing sth	*być dobrym/ słabym w czymś*
be (in)capable of doing sth	*być w stanie coś zrobić (nie być w stanie czegoś zrobić)*
be interested in doing sth	*być zainteresowanym czymś, interesować się czymś*
be tired of doing sth	*być zmęczonym robieniem czegoś*
czasownik + przyimek	
believe in doing sth	*wierzyć w coś*
think of doing sth	*myśleć o zrobieniu czegoś*
dream of doing sth	*marzyć o zrobieniu czegoś*
succeed in doing sth	*odnieść sukces w robieniu czegoś*
insist on doing sth	*nalegać na zrobienie czegoś*
talk about doing sth	*mówić o zrobieniu czegoś*
worry about doing sth	*martwić się tym, że trzeba coś zrobić*

rzeczownik + przyimek	
in the hope of doing sth	*w nadziei na zrobienie czegoś*
be in danger of doing sth	*być w niebezpieczeństwie*
have difficulty in doing sth	*mieć trudności z czymś*
run the risk of doing sth	*podejmować ryzyko czegoś*
live in fear of doing sth	*żyć w obawie przed czymś*

8.10.6 Forma Gerund po przyimku *to*

Po niektórych wyrażeniach z **to** występuje forma **-ing**. Należą do nich:

be used to doing sth, be accustomed to doing sth	*być przyzwyczajonym do robienia czegoś*
get used to doing sth, get accustomed to doing sth	*przyzwyczaić się do robienia czegoś*
look forward to doing sth	*cieszyć się na coś*
object to doing sth	*sprzeciwiać się robieniu czegoś*

8.10.7 *used to*

Wyrażenie **used to** może mieć różne znaczenia:

used to + bezokolicznik = (mieć zwyczaj) coś robić w przeszłości

I **used to work** every day. — *(Kiedyś) pracowałam codziennie.*

- Wyrażenie **used to + bezokolicznik** dotyczy tylko przeszłości.
- Dotyczy wydarzeń, które się powtarzały, były nawykami lub długo trwającymi stanami.
- Forma przecząca brzmi:

I **didn't use to work.** — *(Kiedyś) nie pracowałam.*
lub
I **never used to** work.

be used to + forma -ing = być przyzwyczajonym do czegoś

get used to + forma -ing = przyzwyczaić się do czegoś

We **were used to eating** fish. — *Byliśmy przyzwyczajeni do jedzenia ryb.*
I'**ll get used to living** on my own. — *Przyzwyczaję się do mieszkania samemu.*

- Wyrażenia **be used to** i **get used to** mogą występować w każdym czasie.

8.10.8 Czasowniki, które łączą się z formą *-ing* (*Gerund*) i bezokolicznikiem

Są czasowniki, które łączą się zarówno z formą **-ing,** jak i z bezokolicznikiem, przy czym mają wówczas różne znaczenia. Do najważniejszych z nich należą:

Forma -ing	Bezokolicznik
go on doing sth *kontynuować coś*	**go on to do sth** *przejść do robienia czegoś nowego (po skończeniu poprzedniej czynności)*
remember doing sth *pamiętać, że coś się (z)robiło (w przeszłości)*	**remember to do sth** *pamiętać, żeby coś zrobić*
never forget doing sth *nie zapomnieć, że coś się (z)robiło (w przeszłości)*	**forget to do sth** *zapomnieć, że ma się coś zrobić*
stop doing sth *przestać coś robić*	**stop to do sth** *zatrzymać się, żeby coś zrobić*
try doing sth *spróbować coś zrobić (wypróbować różne możliwości w poszukiwaniu rozwiązania problemu)*	**try to do sth** *próbować coś zrobić*

8.10.9 Forma *-ing* jako Gerund w zwrotach

Po niektórych zwrotach językowych występuje forma **-ing**. Należą do nich m.in.:

it's no use / good -ing, there's no point in -ing	*nie ma sensu (robić coś)*
it's (good) fun -ing	*(robienie czegoś) sprawia radość*
it's bad enough -ing	*nie dość, że trzeba (coś robić) ...*
I can't help -ing	*nic nie poradzę na to, że (coś robię)*
I can't stand -ing	*nie znoszę (robienia czegoś)*
I don't mind -ing	*nie mam nic przeciwko (robieniu czegoś)*
be busy -ing	*być zajętym (robieniem czegoś)*
it's worth -ing	*warto jest (robić coś)*
spend one's time -ing	*spędzać czas (robiąc coś)*
thanks / thank you for -ing	*dziękować za (zrobienie czegoś)*

9 Zaimki względne, nieokreślone i pytające

9.1 Zaimki względne

9.1.1 Tworzenie zaimków względnych
Zaimki względne są następujące:

dotyczące osób	dotyczące przedmiotów
who, that	**that, which**
who, whom, that	**that, which**
whose	**whose**

9.1.2 Użycie zaimków względnych

- Jeśli rzeczownik odpowiada na pytania: *kto? co?*, czyli jest w mianowniku, to mówiąc o osobach używamy zaimków **who** lub **that**, a o przedmiotach – **which** lub **that**.

- Mówiąc o zwierzętach stosujemy **which** lub **that**, a jeśli mamy do nich stosunek emocjonalny – **who**.

The man **who** / **that** rang up was my father.	*Mężczyzna, który do nas zadzwonił, to mój ojciec.*
The computer **that** / **which** you ordered has arrived.	*Ten komputer, który zamówiłeś, już przysłano.*

- Jeśli rzeczownik odpowiada na pytania: *kogo? co?*, wówczas mówiąc o osobach używamy zaimków **who** / **that** (lub **whom**), o rzeczach **which** / **that**.

- W wypadku zwierząt stosujemy zaimki **which** / **that**, a jeśli mamy do nich stosunek emocjonalny – **who**.

The teacher **that** / **who** / **whom** you like is my wife.	*Ta nauczycielka, którą lubisz, to moja żona.*
The perfume **that** / **which** you're wearing is very strong.	*Perfumy, których używasz, są bardzo mocne.*

- Jeśli rzeczownik odpowiada na pytania: *kogo? czego? czyj?*, to we wszystkich sytuacjach – mówiąc o osobach, rzeczach i zwierzętach – używamy zaimka **whose.**

The house **whose** roof is being repaired belongs to my sister.	*Dom, którego dach naprawiają, należy do mojej siostry.*

- Jeśli rzeczownik odpowiada na pytania: *komu? czemu?*, to wyrażamy to, dodając przyimki **to, for, with** itp.

The boy **who** I gave the book **to** was very happy.	*Chłopiec, któremu dałam książkę, był bardzo szczęśliwy.*

- Jeśli przed zaimkiem względnym występuje przyimek, wówczas nie używamy **that**, lecz dla osób – **whom** (**for whom, with whom, by whom** itd.), a dla rzeczy – **which (under which, on which, through which** itd.)

9.1.3 *Relative Clauses* (zdania względne)

Relative Clauses, zawierające dodatkowe informacje, oddzielamy przecinkami. To zdania, które moglibyśmy usunąć, a zdanie główne nadal miałoby sens. Są to tzw. **non-defining Relative Clauses:**

His brother, **who** is a millionaire, works for Microsoft.	*Jego brat, który jest milionerem, pracuje w firmie Microsoft.*

Bez dodatkowej informacji – czyli zdania wtrąconego, między przecinkami – zdanie to brzmiałoby:

His brother works for Microsoft.	*Jego brat pracuje w firmie Microsoft.*

Zdanie główne pozostaje więc bez zmian.

Relative Clauses zawierające istotne informacje, bez których zdanie główne nie ma sensu, to tzw. **defining Relative Clauses**; w tych zdaniach nie stawiamy przecinków.

Jeśli po polsku mówimy: „ten, który...", to precyzujemy, definiujemy dokładnie daną osobę lub rzecz:

People **who live here** are very nice.	*Ludzie, którzy tu mieszkają, są bardzo mili.*

Gdybyśmy usunęli zdanie względne (**defining Relative Clause**, czyli: **who live here),** pozostałoby zdanie:

People are very nice.	*Ludzie są bardzo mili.*

Nastąpiłaby zmiana sensu zdania.

W **defining Relative Clauses** możemy opuścić **who, which i that**, jeśli rzeczownik, do którego się odnoszą, nie jest w mianowniku:

The shop (that / which) I'm talking about is in a side road. — *Sklep, o którym mówię, znajduje się na bocznej ulicy.*
The girl (that / who) you just saw is an actress. — *Dziewczyna, którą przed chwilą widziałeś, jest aktorką.*

9.1.4 Zdania względne z *which*

Czasami **which** dotyczy całego zdania; w języku polskim stosuje się w tym miejscu zaimek **co**:

He brought me flowers, **which** was very nice. — *Przyniósł mi kwiaty, **co** było bardzo miłe.*

W miejscu, gdzie w języku polskim mówimy: „to, co...", w języku angielskim występuje **what**:

Is this **what** you mean? — *Czy to jest to, o co ci chodzi?*
It's **what** you asked for. — *To jest to, o co prosiłeś.*

Zaimka **that** używa się w zdaniach następującego typu (często jest opuszczany):

There's something (that) you ought to know. — *Jest coś, co powinieneś wiedzieć.*
Is this all (that) you bought? — *Czy to jest wszystko, co kupiłeś?*
There's nothing (that) he can eat at the moment. — *Nie ma nic, co mógłby w tej chwili zjeść.*

9.2 Zaimki nieokreślone (*some, any, much, many*)

9.2.1 *some / any*

Some używamy:

- w zdaniach oznajmujących
- w pytaniach, na które spodziewamy się pozytywnej odpowiedzi
- w uprzejmych pytaniach
- w znaczeniu: „jakiś, jakaś", „kilka, kilkoro", „trochę"

He's got **some** relatives staying. — *Jest u niego kilkoro krewnych z wizytą.*
Have you got **some** time? — *Czy masz trochę czasu?*
Take **some** strawberries with you. — *Weź ze sobą kilka truskawek.*
There must be **some** reason for it. — *Musi być jakiś powód.*

Any używamy:

- w zdaniach przeczących, również w połączeniu z **never, hardly, rarely, without** itp.

- w pytaniach, na które nie znamy odpowiedzi, lub spodziewamy się, że będzie negatywna

- w znaczeniu: „jakikolwiek, jakakolwiek"

He hasn't got **any** money.	*On nie ma (żadnych) pieniędzy.*
I've **never** tried **any** Japanese food.	*Nigdy nie próbowałem japońskiego jedzenia.*
Has she got **any** friends?	*Czy ona ma jakichś (dosł. jakichkolwiek) przyjaciół?*

Złożenia zawierające **some** i **any (somebody / anybody, someone / anyone; something / anything; somewhere / anywhere)** stosują się do tych samych reguł, co **some** i **any**:

I need **something** to wear to the wedding – **anything.**	*Potrzebuję czegoś, co bym mogła założyć na ślub – czegokolwiek.*

9.2.2 *a lot of / lots of, much, many*

- **A lot of** lub **lots of** (*wiele, dużo*) stosujemy w zdaniach oznajmujących, przeczących oraz w pytaniach, ale nigdy po wyrazach: **very, so, that, too, as** i **how.**

- Likwidujemy **of**, jeżeli po nim nie występuje rzeczownik.

There are **lots of books** for you to read.	*Masz do przeczytania dużo książek.*
I eat **a lot of ice cream.**	*Jem dużo lodów.*
He walks **a lot.**	*On dużo spaceruje.*

Much (*dużo*) używamy:

- w zdaniach oznajmujących

- w pytaniach

- w zdaniach przeczących

- po **very, so, that, too, as** i **how**

- z rzeczownikami niepoliczalnymi (np. **much water**)

There isn't **much** to do.	*Nie ma dużo do zrobienia.*
Do you travel **much?**	*Czy dużo podróżujesz?*
He eats **too much**.	*On za dużo je.*

Many (*wiele*) używamy tylko z rzeczownikami policzalnymi:

- w zdaniach oznajmujących
- w zdaniach przeczących
- w pytaniach
- po **so, that, too, as** i **how.**

She hasn't got **many** clothes.	*Ona nie ma dużo ubrań.*
Are there **many** shops in your area?	*Czy w twojej okolicy jest wiele sklepów?*
I've been to **so many** concerts this week.	*W ubiegłym tygodniu byłem na tak wielu koncertach.*

W mowie potocznej, w codziennym użyciu języka angielskiego, w zdaniach oznajmujących **many** jest najczęściej zastępowane przez **a lot of / lots of**.

9.2.3 *a few / a little / a bit of; few / little*

- **a few** (*kilka*) używamy z rzeczownikami policzalnymi (**a few people, a few cars**)
- **a bit of / a little** (*trochę*) używamy z rzeczownikami niepoliczalnymi, przy czym **a bit of** jest bardziej potoczne
- samo **a bit** lub z następującym po nim przymiotnikiem oznacza *trochę* (**a bit tired** = *trochę zmęczony*)

They've got **a few** trees in their garden.	*Mają kilka drzew w ogrodzie.*
Just **a little** sauce, thanks.	*Poproszę tylko trochę sosu, dzięki.*
Would you like **a bit?**	*Chcesz trochę?*
I'm **a bit tired.**	*Jestem trochę zmęczony.*

- **few** (*mało, niewielu, niewiele*) używamy z rzeczownikami policzalnymi (**few people** = *mało ludzi*)

- **little** (*mało*) używamy z rzeczownikami niepoliczalnymi

Few athletes have managed that.	*Niewielu sportowcom to się udało.*
There's **little chance** of getting tickets.	*Są małe szanse na zdobycie biletów.*

9.3 Zaimki pytające

9.3.1 Formy występowania zaimków pytających

how ...?	*jak ...?*	**who ...?**	*kto ...?*
what ...?	*co ...?*	**who(m) ...?**	*kogo ...? komu ...?*
when ...?	*kiedy ...?*	**whose ...?**	*czyje ...?*
where ...?	*gdzie ...?*	**why ...?**	*dlaczego ...?*
which ...?	*który ...?*		

9.3.2 *who / whom*

Who może oznaczać: „kto?", ale również: „kogo?" i „komu?". Nieco rzadziej używana forma **whom** jest stosowana:

- w wyrażeniach formalnych, oficjalnych
- jeśli wcześniej występuje przyimek (**to, with, for** itp.): **to whom, with whom, for whom** itp.

Who did you see?	*Kogo widziałeś?*
Who does he send them **to**?	*Do kogo (komu) on je wysyła?*
Whom shall I address?	*Do kogo mam się zwrócić?*

9.3.3 *what / which* + rzeczownik

- **What** + **rzeczownik** występuje na początku pytania ogólnego.
- **Which** + **rzeczownik** oznacza, że pytamy o coś w zakresie określonej grupy, w pewnej sytuacji.

What bus do you take?	*Jakim autobusem jedziesz?*
Which bus was he in?	*W którym autobusie on był?*

10 Liczebniki i liczby

10.1 Liczebniki główne

1	one	30	thirty
2	two	40	forty
3	three	50	fifty
4	four	60	sixty
5	five	70	seventy
6	six	80	eighty
7	seven	90	ninety
8	eight	100	a / one hundred
9	nine	101	a / one hundred and one
10	ten	143	a / one hundred and forty-three
11	eleven	200	two hundred
12	twelve	1 000	a / one thousand
13	thirteen	1 310	one thousand three hundred and ten
14	fourteen		
15	fifteen	2 000	two thousand
16	sixteen	100 000	a / one hundred thousand
17	seventeen	1 000 000	a / one million
18	eighteen	1 000 000 000	a / one billion
19	nineteen		
20	twenty		
21	twenty-one		
22	twenty-two		
23	twenty-three		
24	twenty-four itd.		

W języku polskim „zero" ma tylko jedno określenie, natomiast w angielskim kilka:

0 przy liczeniu **nought** [*nɔ:t*], **zero** [*'ziərə*, Am. *'zi:rəu*]

0 w sporcie: **nil,** Am. **zero;** w tenisie: **love**

0 w numerach telefonów: **0** [*əu*], Am. **zero**

10.2 Przecinki i kropki w zapisie liczb

W liczbach od 1000 (tysiąca) w górę, w miejscu, gdzie my stawiamy kropkę – w języku angielskim stawiany jest przecinek:

5,643; 10,253,459

W ułamkach dziesiętnych jest odwrotnie – stawiamy kropkę tam, gdzie w języku polskim jest przecinek:

8.4 (eight point four = *osiem i cztery dziesiąte*)

0.71 (nought point seven one = *siedemdziesiąt jeden setnych*)

- Cyfra **1** pisana jest bez poprzecznej kreseczki u góry
- **7** nie ma poprzecznej kreski
- **4** i **14** mają inną pisownię niż **40** : **four, fourteen; forty**.

10.3 Liczebniki porządkowe

1st	first	21st	twenty-first
2nd	second	22nd	twenty-second
3rd	third	23rd	twenty-third
4th	fourth	24th	twenty-fourth *itd.*
5th	fifth	30th	thirtieth
6th	sixth	40th	fortieth
7th	seventh	50th	fiftieth
8th	eighth	60th	sixtieth
9th	ninth	70th	seventieth
10th	tenth	80th	eightieth
11th	eleventh	90th	ninetieth
12th	twelfth	100th	(one) hundredth
13th	thirteenth	101st	(one) hundred and first
14th	fourteenth	102nd	(one) hundred and second
15th	fifteenth	157th	(one) hundred and fifty-seventh
16th	sixteenth	200th	two hundredth
17th	seventeenth	1000th	(one) thousandth
18th	eighteenth	2461st	two thousand four hundred and sixty-first
19th	nineteenth		
20th	twentieth	1 000 000th	(one) millionth

SŁOWNIK TEMATYCZNY
angielsko-polski
z przykładami

1 CZŁOWIEK

1.1 CIAŁO

«1–2000»

body ['bɒdɪ] *n* Swimming is good for the whole **body.**	**ciało** Pływanie dobrze robi na całe ciało.
head [hed] *n* Instead of saying no he just shook his **head.**	**głowa** Zamiast powiedzieć „nie", pokręcił głową.
face [feɪs] *n* He was so ashamed that he couldn't look me in the **face.**	**twarz** Tak bardzo się wstydził, że nie mógł spojrzeć mi w twarz.
hair [heə] *n* My **hair** (ⓘ *nie: **hairs***) is too long. The dog left black **hairs** all over the carpet.	**włos, włosy** Moje włosy są za długie. Pies zostawia czarne włosy na całym dywanie.

☺ **A hair** to jeden, pojedynczy włos, **hair** to włosy (ogólnie; długie, krótkie, jasne, ciemne itd.), **hairs** to pojedyncze włosy w l. mn.

skin [skɪn] *n* It's important to protect fair **skin** from the sun.	**skóra** Jasną skórę należy chronić przed słońcem.
nose [nəʊz] *n* My **nose** is running.	**nos** Cieknie mi z nosa.
eye [ai] *n* She has blue **eyes.**	**oko** Ona ma niebieskie oczy.
ear [ɪə] *n* She put her hands over her **ears.**	**ucho** Zatkała sobie uszy.

mouth [maʊθ] *n* She opened her **mouth.**	**usta** Otworzyła usta.
tooth [tuːθ] *n pl* **teeth** [tiːθ] It's important to brush your **teeth** after every meal.	**ząb, zęby** Po każdym posiłku należy myć zęby.
tongue [tʌŋ] *n* The soup was so hot that I burned my **tongue.**	**język** Zupa była taka gorąca, że poparzyłem sobie język.
neck [nek] *n* He put his arms round her **neck** and kissed her.	**szyja, kark** Objął ją za szyję i pocałował.
chest [tʃest] *n* He had sharp pains in the **chest.**	**pierś, klatka piersiowa** Poczuł silne bóle w klatce piersiowej.
back [bæk] *n* Sitting on a chair all day is bad for your **back.**	**plecy** Długie siedzenie na krześle jest niezdrowe dla pleców.
arm [ɑːm] *n* She held the baby in her **arms.**	**ramię** Trzymała dziecko w ramionach.
hand [hænd] *n* He cut his **hand.**	**ręka** Skaleczył się w rękę.
finger ['fɪŋgə] *n* I cut my **finger.**	**palec** Skaleczyłam się w palec.
leg [leg] *n* She's got beautiful long **legs.**	**noga** Ona ma piękne długie nogi.
foot [fʊt] *n pl* **feet** [fiːt] I dropped a hammer on my right **foot.**	**stopa** Upuściłem sobie młotek na prawą stopę.
blood [blʌd] *n* It was a deep wound, and he lost a lot of **blood.**	**krew** Była to głęboka rana i stracił dużo krwi.
heart [hɑːt] *n* Dr Christian Barnard performed the first successful **heart** transplant in 1967.	**serce** Dr Christian Barnard przeprowadził w 1967 r. pierwszą udaną transplantację serca.

stomach ['stʌmək] *n*	**żołądek, brzuch**
Never swim on a full **stomach.**	Nie pływaj z pełnym żołądkiem.
Babies like to lie on their **stomachs.**	Dzieci lubią leżeć na brzuchu.

«2001–4000»

muscle [mʌsl] *n* You can develop your arm **muscles** by lifting weights.	**mięsień** Można rozwinąć mięśnie ramion, podnosząc ciężary.
nerve [nɜːv] *n* That noise gets on my **nerves.**	**nerw, nerwy** Ten hałas działa mi na nerwy.
bone [bəʊn] *n* He's just skin and **bone(s).**	**kość** Została z niego skóra i kości.
limb [lɪm] *n* The jogger stopped and stretched his **limbs.**	**kończyna;** *pl* **członki** Biegacz zatrzymał się i przeciągnął, prostując wszystkie kończyny.
joint [dʒɔɪnt] *n* Lots of old people live with an artificial hip **joint.**	**staw** Wiele starszych osób ma sztuczny staw biodrowy.
brain [breɪn] *n* The **brain** is the centre of the nervous system.	**mózg** Mózg jest głównym ośrodkiem systemu nerwowego.
forehead ['fɒrɪd] *n* He wiped the sweat from his **forehead.**	**czoło** Otarł pot z czoła.
eyelid ['aɪlɪd] *n* Eyeliner and eye shadow on the **eyelids** make the eyes look larger and more attractive.	**powieka** Kreski i cienie na powiekach sprawiają, że oczy wydają się większe i ładniejsze.
chin [tʃɪn] *n* I landed a straight right to his **chin** and knocked him out.	**podbródek** Walnąłem go w podbródek i znokautowałem.
cheek [tʃiːk] *n* She kissed her guests on both **cheeks.** The baby's got plump rosy **cheeks.**	**policzek** Pocałowała gości w oba policzki. Dziecko ma pulchne, różowe policzki.

lip [lɪp] *n* Humphrey Bogart usually had a cigarette between his **lips.**	**usta, warga** Humphrey Bogart zwykle miał papierosa w ustach.
breast [brest] *n* A woman's **breasts** are able to produce milk.	**pierś** Kobiece piersi wytwarzają mleko.
lung [lʌŋ] *n* Smoking can cause **lung** cancer.	**płuco** Palenie może spowodować raka płuc.
breath [breθ] *n* How long can you hold your **breath** underwater? I was out of **breath** after climbing eight flights of stairs.	**oddech** Jak długo możesz wstrzymać oddech pod wodą? Straciłem oddech, gdy wszedłem na czwarte piętro.
breathe [briːð] *vi, vt* The air was so full of smoke that we could hardly **breathe.**	**oddychać** Powietrze było tak pełne dymu, że nie mogliśmy oddychać.
sweat [swet] *n, vi* I was dripping with **sweat** after the run. We were **sweating** with fear.	**pot, pocić się** Po biegu byłam mokra od potu. Pociliśmy się ze strachu.
shoulder ['ʃəʊldə] *n* It's safer to wear your handbag on a strap over your **shoulder.**	**ramię, bark** Bezpieczniej jest nosić torebkę na pasku przez ramię.
elbow ['elbəʊ] *n* The **elbow** is the joint where the arm bends.	**łokieć** Łokieć to staw w miejscu, gdzie ręka się zgina.
wrist [rɪst] *n* He wore an expensive watch on his left **wrist.**	**nadgarstek, przegub** Na lewym nadgarstku miał drogi zegarek.
fist [fɪst] *n* He shook his **fist** at us.	**pięść** Pogroził nam pięścią.
thumb [θʌm] *n* I hit my left **thumb** with the hammer.	**kciuk** Uderzyłem się młotkiem w lewy kciuk.
waist [weɪst] *n* She has a slim **waist.**	**talia** Ona ma wąską talię.

knee [niː] *n* — **kolano**
A miniskirt ends far above the **knee.** — Spódniczka mini kończy się wysoko nad kolanem.

ankle ['æŋkl] *n* — **kostka**
She slipped on the wet floor and broke her **ankle.** — Poślizgnęła się na śliskiej podłodze i złamała nogę w kostce.

heel [hiːl] *n* — **pięta**
My new boots have given me blisters on my **heels.** — Od nowych butów mam pęcherze na piętach.

toe [təʊ] *n* — **duży palec u nogi**
He broke his big **toe.** — Złamał sobie duży palec u nogi.

1.2 WYGLĄD

«1–2000»

look [lʊk] *n, vi* — **wygląd; wyglądać**
His sickly **look** worried me. — Jego chorobliwy wygląd zmartwił mnie.
You **look** great in that swimsuit. — Świetnie wyglądasz w tym kostiumie kąpielowym.

looks [lʊks] *pl* — **wygląd**
She's got her father's (good) **looks** but not his talent. — Ma po ojcu dobry wygląd, ale nie talent.

pretty ['prɪtɪ] *adj* — **ładny, -a, -e**
syn: attractive, *opp:* ugly
Her face is **pretty** but not beautiful. — Jej twarz jest ładna, ale nie piękna.

beautiful ['bjuːtəfəl] *adj* — **piękny, -a, -e**
syn: lovely, *opp:* ugly
She's not just pretty, she's **beautiful**! — Nie jest po prostu ładna, jest piękna!

beauty ['bjuːtɪ] *n* — **piękno; piękność**
In the Lake District you can admire nature in all its **beauty.** — W Lake District można podziwiać piękno natury w pełnej krasie.
She's a real **beauty!** — To prawdziwa piękność!

tall [tɔːl] *adj opp:* short At 14 he's already as **tall** as his father.	**wysok-i, -a, -ie** W wieku czternastu lat jest już równie wysoki, jak jego ojciec.
big [bɪg] *adj opp:* small Heavyweight boxers are **big** men.	**duży, -a, -e; silny, -a, -e, potężny, -a, -e; masywny, -a, -e** Bokserzy wagi ciężkiej to duzi, silni mężczyźni.

☺ **Tall** dotyczy wyłącznie wzrostu; **big** oznacza „duży, potężny, masywny".

short [ʃɔːt] *adj opp:* tall Alfred Hitchcock was **short** and fat.	**mały, -a, -e; nisk-i, -a, -ie** Alfred Hitchcock był mały i gruby.
small [smɔːl] *adj opp:* big Jockeys are usually **small** men.	**mały, -a, -e; lekk-i, -a, -ie** Dżokeje są zazwyczaj mali i lekcy.

«2001–4000»

appearance [ə'pɪərəns] *n syn:* look(s) Judging by her **appearance** she must be ill.	**wygląd** Sądząc po jej wyglądzie, jest chora.
handsome ['hænsəm] *adj syn:* good-looking, *opp:* ugly He's very **handsome,** and his girlfriend is pretty, too.	**przystojny, -a, -e** On jest bardzo przystojny, jego dziewczyna też jest ładna.
good-looking [,gʊd'lʊkɪŋ] *adj syn:* attractive, handsome, pretty, *opp:* ugly An actor needn't be **good-looking** but should have an expressive face.	**atrakcyjny, -a, -e; przystojny, -a, -e; ładny, -a, -e** Aktor nie musi być atrakcyjny, powinien jednak mieć twarz pełną wyrazu.
attractive [ə'træktɪv] *adj syn:* good-looking, *opp:* ugly She's got everything a woman needs – she's **attractive,** intelligent and successful.	**atrakcyjny, -a, -e; pociągający, -a, -e** Ma wszystko, czego potrzebuje kobieta – jest atrakcyjna, inteligentna i odnosi sukcesy.

ugly ['ʌglɪ] *adj opp:* beautiful, handsome He is unfortunately very **ugly.**	**brzydk-i, -a, -ie** Niestety, jest bardzo brzydki.
figure ['fɪgə, *am* 'fɪgjər] *n* She's over forty but has an excellent **figure.**	**figura** Jest po czterdziestce, ale ma świetną figurę.
fat [fæt] *adj opp:* slim You'll get even **fatter** if you go on eating so much.	**gruby, -a, -e** Będziesz jeszcze grubszy, jeśli nadal będziesz tyle jadł.
slim [slɪm] *adj opp:* fat He doesn't eat much because he wants to stay **slim.**	**szczupły, -a, -e** On je mało, bo chce zostać szczupły.
pale [peɪl] *adj* He grew **pale** with fear.	**blady, -a, -e** Był blady ze strachu.
blond [blɒnd] *adj syn:* fair, *opp:* dark She has dark hair but all her children are **blond.**	**blond; jasnowłosy, -a, -e** Ona ma ciemne włosy, a jej dzieci są jasnowłose.
curl [kɜːl] *n* She used to have **curls** as a child, now she has straight hair.	**lok** Jako dziecko miała loki, a teraz ma proste włosy.
beard [bɪəd] *n* My **beard** grows fast – I have to shave twice a day. He grew a long beard.	**broda, zarost** Mam silny zarost – muszę się golić dwa razy dziennie. Zapuścił długą brodę.

1.3 UMYSŁ I ROZUM

«1–2000»

mind [maɪnd] *n opp:* body He must be out of his **mind.** She has a very critical **mind.** I can't get that song out of my **mind.** It's an illness of the **mind** rather than of the body.	**umysł, rozum, głowa** Chyba postradał rozum. Ona ma bardzo krytyczny umysł. Ta piosenka ciągle chodzi mi po głowie. To choroba umysłu, nie ciała.

idea [aɪ'dɪə] *n syn:* thought — **pomysł, pojęcie, idea**

Let's have a picnic. – What a good **idea**! — Urządźmy piknik! – Świetny pomysł!

Where's Tom? – I have no **idea.** — Gdzie Tom? – Nie mam pojęcia.

---

think [θɪŋk] *vi, vt* ⓘ **thought** [θɔːt], **thought** [θɔːt] — **myśleć, uważać, być zdania**

What do you **think** of when you see a nuclear reactor? — O czym myślisz, gdy widzisz reaktor jądrowy?

We must **think** hard before coming to a decision. — Musimy się poważnie zastanowić, zanim podejmiemy decyzję.

Shall we buy it? What do you **think**? – I don't **think** so. — Mamy to kupić? Jak myślisz? – Nie sądzę.

---

understand [ˌʌndə'stænd] *vi, vt,* ⓘ **understood** [ˌʌndə'stʊd], **understood** [ʌndə stʊd] — **rozumieć, pojmować**

I don't **understand** why there can't be peace. — Nie pojmuję, czemu na świecie nie ma pokoju.

I **understand** Spanish but I don't speak it. — Rozumiem po hiszpańsku, ale nie mówię.

---

remember [rɪ'membə] *vi, vt* — **pamiętać, przypominać sobie**

I **remember** being in the same class with her, but I can't **remember** her name. — Pamiętam, że chodziłam z nią do jednej klasy, ale nie przypominam sobie jej imienia.

Please **remember** to lock the front door. — Pamiętaj, żeby zamknąć drzwi.

---

be interested in [bɪ 'ɪntrəstɪd ɪn] — **interesować się czymś, być zainteresowanym**

I'm **interested in** classical music, but I also like jazz. — Interesuję się muzyką klasyczną, ale lubię także jazz.

«2001–4000»

intelligence [ɪn'telɪdʒəns] *n* — **inteligencja**

The IQ (**intelligence** quotient) is a measure of human **intelligence** based on an average of 100. — Iloraz inteligencji to wskaźnik ludzkiej inteligencji w oparciu o średnią 100.

---

intelligent [ɪn'telɪdʒənt] *adj syn:* clever, *opp:* stupid — **inteligentny, -a, -e**

He may be **intelligent** but he lacks willpower. — Może jest inteligentny, ale brak mu siły woli.

clever ['klevə] *adj*
syn: intelligent, *opp:* stupid
She's always been the **cleverest** girl in class.

inteligentny, -a, -e; mądry, -a, -e; sprytny, -a, -e
Zawsze była najmądrzejszą dziewczynką w klasie.

---

wise [waɪz] *adj syn:* sensible
It wouldn't be **wise** to take the dirt road after the rain.

mądry, -a, -e; rozsądny, -a, -e
Po deszczu nierozsądnie jest jechać wiejską drogą.

---

wisdom ['wɪzdəm] *n*
There's a lot of **wisdom** in the old legends of the Hopi Indians.

mądrość
W starych legendach Indian Hopi jest wiele mądrości.

---

sense [sens] *n*
What's the **sense** in separating waste if it all ends up in the same dump?
I get lost easily because I have a bad **sense** of direction.

zmysł, sens
Jaki jest sens segregowania śmieci, skoro wszystkie odpadki lądują w jednym pojemniku?
Łatwo błądzę, bo mam słaby zmysł orientacji.

---

sensible ['sensəbl] *adj*
syn: reasonable
It would be **sensible** to take a sweater for cool evenings.

rozsądny, -a, -e
Rozsądnie byłoby zabrać sweter na chłodne wieczory.

☺ **Sensible** to „rozsądny", a **sensitive** – „wrażliwy". Polacy bardzo często mylą te dwa słowa.

---

reason ['riːzn] *n*
It's nearly impossible to bring those fanatics to **reason.**

rozsądek
Chyba nie sposób sprawić, by ci fanatycy odzyskali zdrowy rozsądek.

---

reasonable ['riːznəbl] *adj*
syn: sensible, *opp:* unreasonable
It's the only **reasonable** solution.

rozsądny, -a, -e
To jedyne rozsądne rozwiązanie.

---

thought [θɔːt] *n syn:* idea
That's what I wanted to say – can you read my **thoughts**?
I'll give the offer plenty of **thought** before I accept it.

myśl, pomysł
Właśnie to chciałam powiedzieć – czytasz w moich myślach?
Zgodzę się na tę propozycję po gruntownym przemyśleniu.

---

impression [ɪm'preʃn] *n*
My first **impression** of New York was terrible.

wrażenie
Pierwsze wrażenie z Nowego Jorku było okropne.

memory ['memərɪ] *n* I have a good **memory** for faces but a bad one for names.	**pamięć** Mam dobrą pamięć do osób, ale nie do nazwisk.
spirit ['spɪrɪt] *n syn:* mind, soul I can't come to your wedding, but I'll be with you in **spirit.**	**duch** Nie mogę przyjść na wasz ślub, ale duchem będę z wami.
interest ['ɪntrəst] *n* She has lots of **interests.**	**zainteresowanie** Ona ma wiele zainteresowań.
keen (on) ['kiːn(ɒn)] He's a **keen** student, but not too **keen** on homework.	**pilny, -a, -e; zaangażowany, -a, -e; zainteresowany, -a, -e** (czymś) Jest pilnym uczniem, ale niezbyt zainteresowanym pracą domową.
imagine [ɪ'mædʒɪn] *vt* I find it hard to **imagine** living in a place without electric light and running water.	**wyobrażać sobie** Nie wyobrażam sobie życia w domu bez elektryczności i bieżącej wody.
imagination [ˌɪmædʒɪ'neɪʃn] *n* Too much TV kills children's **imagination.** Was it really a UFO or pure **imagination**?	**fantazja, wyobraźnia** Zbyt wiele telewizji niszczy fantazję u dzieci. To naprawdę było UFO czy tylko wyobraźnia?
consider [kən'sɪdə] *vi ,vt* My salary is so bad that I've **considered** changing my job.	**zastanawiać się, rozważać, brać pod uwagę** Moja pensja jest tak zła, że biorę pod uwagę zmianę pracy.
see [siː] *vi, vt* ⓘ **saw** [sɔː], **seen** [siːn] *syn:* realize, understand Do you **see** what I mean?	**rozumieć, dostrzegać** Rozumiesz, o co mi chodzi?
realize ['rɪəlaɪz] *vt syn:* see, understand When the police stopped him, he **realized** he had been driving too fast.	**dostrzec, uświadomić sobie, zdać sobie sprawę** Kiedy zatrzymała go policja, zdał sobie sprawę, że jechał za szybko.

skill [skɪl] *n syn:* ability A pianist needs musical talent and great technical **skill.** In the future everyone will need basic computer **skills.**	**talent, zdolność, umiejętność** Pianista musi mieć talent muzyczny i duże umiejętności techniczne. W przyszłości każdy będzie musiał posiadać podstawową znajomość komputerów.
skilful, *Am* **skillful** ['skɪlfʊl] *adj* For portrait drawing you need a good eye and a **skilful** hand.	**zdolny, -a, -e; sprawny, -a, -e; zręczny, -a, -e** Do rysowania portretów potrzebne jest dobre oko i zręczna ręka.
stupid ['stjuːpɪd] *adj* *opp:* intelligent, clever He's **stupid.**	**głupi, -a, -e** On jest głupi.
mad [mæd] *adj syn:* crazy That noise is driving me **mad**!	**szalony, -a, -e; zwariowany, -a, -e** Hałas doprowadza mnie do szału!
fool [fuːl] *n syn:* idiot What **fool** let the cat in when the bird cage was open?	**idiota, kretyn** Co za idiota wpuścił kota, kiedy klatka ptaka była otwarta?

1.4 CHARAKTER

«1–2000»

good [gʊd] *adj opp:* bad He may be difficult but he's always been **good** to me. I hope the kids will be **good** when they visit their aunt.	**dobry, -a, -e; grzeczny, -a, -e** Może ma trudny charakter, ale zawsze był dla mnie dobry. Mam nadzieję, że dzieci będą grzeczne podczas wizyty u cioci.
bad [bæd] *adj opp:* good That boy isn't **bad** – he just got mixed up with the wrong crowd.	**zły, -a, -e; niedobry, -a, -e** Ten chłopak nie jest zły, po prostu wpadł w złe towarzystwo.

nice [naɪs] *adj syn:* kind, friendly Thank you, that was very **nice** of you.	**miły, -a, -e; sympatyczny, -a, -e** Dziękuję, to bardzo miło z Pani strony.
friendly ['frendlɪ] *adj* *syn:* nice, kind She's always **friendly** and tries to help others.	**sympatyczny, -a, -e;** **miły, -a, -e; uprzejmy, -a, -e** Jest zawsze uprzejma i stara się pomagać innym.
dear [dɪə] *adj* When Bob died, I lost one of my **dearest** friends.	**drog-i, -a, -ie; blisk-i , -a, -ie** Kiedy Bob umarł, straciłam jednego z najbliższych przyjaciół.
proud [praʊd] *adj* She's poor but too **proud** to accept social security.	**dumny, -a, -e** Jest biedna, ale zbyt dumna, by przyjąć pomoc socjalną.
lazy ['leɪzɪ] *adj* *opp:* hard-working Let's just be **lazy** and do nothing.	**leniwy, -a, -e** Nie róbmy nic, bądźmy leniwi.
patient ['peɪʃnt] *adj* *opp:* impatient After waiting **patiently** for two hours they were getting nervous.	**cierpliwy, -a, -e** Po tym, jak cierpliwie czekali dwie godziny, zdenerwowali się.
patience ['peɪʃns] *n* *opp:* impatience A teacher must have **patience** with the slower students.	**cierpliwość** Nauczyciel powinien przejawiać cierpliwość wobec powolniejszych uczniów.
careful ['keəfʊl] *adj* *opp:* careless Be **careful** when you cross that busy road. The operation had been **carefully** planned.	**ostrożny, -a, -e;** **staranny, -a, -e** Bądźcie ostrożni, przechodząc przez ruchliwą ulicę. Akcja została starannie zaplanowana.

«2001–4000»

character ['kærəktə] *n* She looks like her mother but has a very different **character.**	**charakter** Wygląda jak jej matka, ale ma zupełnie inny charakter.

quality ['kwɒlətɪ] *n* He may appear rude but he has many good **qualities.**	**cecha** Może wydaje się niegrzeczny, ale ma wiele pozytywnych cech.
honest ['ɒnɪst] *adj* *opp:* dishonest He has an **honest** face but you can't trust him.	**uczciwy, -a, -e** Ma uczciwą twarz, ale nie można mu ufać.
fair [feə] *adj opp:* unfair A teacher should be **fair** and not have any favourites.	**sprawiedliwy, -a, -e; przyzwoity, -a, -e** Nauczyciel powinien być sprawiedliwy i nikogo nie faworyzować.
faithful ['feɪθfʊl] *adj* *opp:* unfaithful Her husband isn't always **faithful.**	**wierny, -a, -e** Mąż nie zawsze jest jej wierny.
generous ['dʒenərəs] *adj opp:* stingy You're too **generous** – you give him too much money.	**hojny, -a, -e; wielkoduszny, -a, -e** Jesteś zbyt hojna, dajesz mu za dużo pieniędzy.
polite [pə'laɪt] *adj opp:* impolite, rude The English are very **polite** – they say „please" and „thank you" all the time.	**uprzejmy, -a, -e** Anglicy są bardzo uprzejmi – ciągle mówią „proszę" i „dziękuję".
charming ['tʃɑːmɪŋ] *adj* He's so **charming** – no wonder she fell in love with him.	**czarujący, -a, -e; uroczy, -a, -e; pełen (pełna, pełne) wdzięku** Jest tak czarujący, że nic dziwnego, iż się w nim zakochała.
shy [ʃaɪ] *adj* At parties he's always a bit **shy** at first.	**nieśmiały, -a, -e** Na przyjęciach zawsze początkowo jest trochę nieśmiały.
humour, *Am* **humor** ['hjuːmə] *n* I have a good sense of **humo(u)r.**	**humor** Mam duże poczucie humoru.
funny ['fʌnɪ] *adj opp:* serious He's so **funny** that he makes everybody laugh.	**zabawny, -a, -e; śmieszny, -a, -e; dowcipny, -a, -e (także: dziwny)** Jest taki zabawny, że doprowadza wszystkich do śmiechu.

serious ['sɪərɪəs] *adj opp:* funny She doesn't laugh much, she's a very **serious** person.	**poważny, -a, -e** Nie śmieje się dużo, jest bardzo poważna.
curious ['kjʊərɪəs] *adj syn:* nosy We have very **curious** neighbours who are always asking questions.	**ciekawy, -a, -e; ciekawsk-i, -a, -ie** Mamy bardzo ciekawskich sąsiadów, którzy ciągle zadają nam pytania.
pride [praɪd] *n* You hurt his **pride** when you laugh at his English.	**duma** Ranisz jego dumę, gdy kpisz z jego angielszczyzny.
courage ['kʌrɪdʒ] *n* I don't have the **courage** to tell her that her husband is dead.	**odwaga, dzielność** Nie mam odwagi jej powiedzieć, że jej mąż nie żyje.
brave [breɪv] *adj syn:* courageous Be **brave** – it'll only hurt for a moment.	**odważny, -a, -e; dzielny, -a, -e; śmiały, -a, -e** Bądź dzielny, zaboli tylko przez chwilę.
coward ['kaʊəd] *n* Most hooligans feel strong in a group but are **cowards** when alone.	**tchórz** Chuligani czują się pewnie w grupie, ale w pojedynkę są tchórzami.
careless ['keələs] *adj opp:* careful He's a very **careless** driver.	**nierozsądny, -a, -e; nieuważny, -a, -e; beztrosk-i, -a, -ie** Jest bardzo nierozważnym kierowcą.
rude [ruːd] *adj opp: polite* It was very **rude** of you to tell her she's getting fat.	**niegrzeczny, -a, -e; chamsk-i, -a, -ie** To było bardzo niegrzeczne z twojej strony, że powiedziałaś jej, że jest gruba.
cruel ['kruːəl] *adj opp:* gentle It would be **cruel** to tell him that he has only one month to live.	**okrutny, -a, -e** Okrutne byłoby powiedzieć mu, że został mu jeszcze miesiąc życia.

1.5 UCZUCIA I EMOCJE

«1–2000»

feel [fiːl] *vi, vt* ⓘ **felt** [felt], **felt** [felt]	**czuć, odczuwać**
After the accident I couldn't **feel** anything in my left hand. You'll **feel** better after a good night's sleep.	Po wypadku straciłem czucie w lewej ręce. Kiedy się wyśpisz, poczujesz się lepiej.
like [laɪk] *vt opp:* dislike	**lubić**
She's nice – everyone **likes** her. I **like** watching TV but I hate commercials.	Jest miła – wszyscy ją lubią. Lubię oglądać telewizję, ale nienawidzę reklam.
love [lʌv] *n, vt opp:* hate	**miłość; kochać**
It was **love** at first sight when we met. After 30 years of marriage we still **love** each other very much. I don't care for pop but I **love** jazz.	Kiedy się poznaliśmy, była to miłość od pierwszego wejrzenia. Po trzydziestu latach małżeństwa nadal bardzo się kochamy. Nie przepadam za muzyką pop, ale kocham jazz.
glad [glæd] *adj* *syn:* happy, pleased	**zadowolony, -a, -e; rad, -a, -e**
I'm **glad** (to hear) you arrived safely.	Cieszę się, że dojechałeś cało.
happy ['hæpɪ] *adj* *syn:* glad, *opp:* unhappy, sad	**szczęśliwy, -a, -e; zadowolony, -a, -e**
We wish you a long and **happy** life.	Życzymy wam długiego, szczęśliwego życia.
joy [dʒɔɪ] *n syn:* happiness	**radość**
His supporters jumped for **joy** when they heard about his victory.	Jego zwolennicy skakali z radości, gdy usłyszeli o jego zwycięstwie.
fun [fʌn] *n syn:* pleasure	**przyjemność, zabawa**
Watching TV would be much more **fun** without commercials.	Oglądanie telewizji sprawiałoby o wiele więcej przyjemności, gdyby nie reklamy.

English	Polski
pleasant ['pleznt] *adj* *opp:* unpleasant These roses have a very **pleasant** smell.	**przyjemny, -a, -e** Róże mają bardzo przyjemny zapach.
pleasure ['pleʒə] *n syn:* fun Are you here for business or **pleasure**?	**przyjemność** Przyjechał pan w interesach czy dla przyjemności?
hope [həʊp] *n, vi opp:* despair Is there any **hope** that he'll get well again? I **hope** she'll pass the exam.	**nadzieja, mieć nadzieję** Czy jest jakaś nadzieja, że on wyzdrowieje? Mam nadzieję, że zda egzamin.
surprise [sə'praɪz] *n, vt* We're planning a **surprise** party for his 18th birthday. He'll really be **surprised** because he doesn't expect anything.	**niespodzianka, zaskoczenie, zaskoczyć** Planujemy przyjęcie – niespodziankę na jego osiemnaste urodziny. Będzie zaskoczony, bo niczego się nie spodziewa.
wonder ['wʌndə] *vi* I **wonder** what they'll do next.	**zastanawiać się** Zastanawiam się, co teraz zrobią.
sad [sæd] *adj syn:* unhappy, *opp:* happy, pleased I was **sad** (to hear) that her mother had died.	**smutny, -a, -e, nieszczęśliwy, -a, -e** Było mi smutno, kiedy się dowiedziałem, że jej mama umarła.
be sorry [bɪ 'sɒrɪ] I'**m sorry** I can't come to your party. I'**m sorry** for him but I can't help him. I'**m** not **sorry** about it.	**być (komuś) smutno / żal / przykro; żałować czegoś; przepraszać za coś** Przykro mi, że nie przyjdę na twoje przyjęcie. Żal mi go, ale nie mogę mu pomóc. Wcale tego nie żałuję.
worry ['wʌrɪ], *Am* ['wɜːrɪ] *vi, vt* Don't **worry.** Everything will be all right.	**martwić (się)** Nie martw się. Wszystko będzie dobrze.
worried ['wʌrɪd], *Am* ['wɜːrɪd] *adj* The steelworkers are **worried** – they might lose their jobs.	**zmartwiony, -a, -e** Hutnicy są zmartwieni – mogą stracić pracę.

be afraid (of) [bɪ əˈfreɪd (əv)] *syn:* fear Don't **be afraid,** I won't hurt you!	**bać się, obawiać się** Nie bój się, nie zrobię ci krzywdy!
trouble [ˈtrʌbl] *n* *syn:* problem(s) They have a lot of **trouble** with their handicapped child.	**kłopoty, problemy** Mieli wiele kłopotów ze swoim niepełnosprawnym dzieckiem.
hate [heɪt] *n, vt opp:* love How can there be peace when there is so much **hate** among the religions? I don't **hate** operas – they just bore me.	**nienawiść, nienawidzić** Jak może zapanować pokój, skoro jest tyle nienawiści między religiami? Nieprawda, że nienawidzę opery – po prostu mnie nudzi.

«2001–4000»

feeling [ˈfiːlɪŋ] *n* I can't explain it but I have a **feeling** we're being watched.	**uczucie, wrażenie** Nie potrafię tego wyjaśnić, ale mam uczucie, że jesteśmy obserwowani.
mood [muːd] *n syn:* temper I'm always in a bad **mood** when I have to get up early.	**nastrój, humor** Kiedy muszę wcześnie wstać, zawsze jestem w złym humorze.
tend to [ˈtend tə] *vi* Most people **tend to** put on weight when they stop smoking.	**mieć tendencję do czegoś** Większość ludzi ma tendencję do tycia po rzuceniu palenia.
ready [ˈredɪ] *adj syn:* willing, *opp:* unwilling After the speech the workers were **ready** to fight for their interests.	**gotowy, -a, -e; chętny, -a, -e** Po przemówieniu robotnicy byli gotowi walczyć o swoje prawa.
willing [ˈwɪlɪŋ] *adj syn:* ready, *opp:* unwilling People wanting to work for us must be **willing** to accept responsibility.	**chętny, -a, -e; gotowy -a, -e** Ludzie, którzy chcą dla nas pracować, muszą być gotowi wziąć na siebie odpowiedzialność.

experience [ɪk'spɪərɪəns] *n* That was an **experience** I will never forget.	**doświadczenie, przeżycie** Było to doświadczenie, którego nigdy nie zapomnę.
sensitive ['sensətɪv] *adj* Don't be rude to her – she's a very **sensitive** (ⓘ *nie:* ***sensible***) child.	**wrażliwy, -a, -e** Nie bądź wobec niej niegrzeczny – to bardzo wrażliwe dziecko.
nervous ['nɜːvəs] *adj* *opp:* calm, cool I'm always **nervous** when I have to make a speech.	**nerwowy, -a, -e; zdenerwowany, -a, -e** Zawsze jestem zdenerwowany, ilekroć mam wygłosić przemówienie.
anxious ['æŋkʃəs] *adj* She's **anxious** about her daughter's health. She's always **anxious** to please (everyone).	**1) zmartwiony, -a, -e; niespokojny, -a, -e, 2) chętny, -a, -e; gotowy, -a, -e** Martwi się zdrowiem swojej córki. Zawsze chce wszystkich zadowolić.
fear [fɪə] *n* She has a great **fear** of spiders.	**strach, obawa** Ona bardzo boi się pająków.
frighten ['fraɪtn] *vt syn:* scare Someone rang the doorbell at 3 a.m. and **frightened** me to death.	**przerazić, straszyć** Ktoś zadzwonił do drzwi o trzeciej nad ranem i przeraził mnie śmiertelnie.
lonely ['ləʊnlɪ] *adj* She's been very **lonely** since her children left home.	**samotny, -a, -e** Odkąd dzieci wyprowadziły się z domu, jest bardzo samotna.
unhappy [ʌn'hæpɪ] *adj* *syn:* sad, *opp:* happy The children were very **unhappy** when our dog died.	**nieszczęśliwy, -a, -e** Dzieci były bardzo nieszczęśliwe, kiedy nasz pies zdechł.
tear [tɪə] *n* There were **tears** in their eyes when they said goodbye.	**łza** Kiedy się żegnali, mieli łzy w oczach.
despair [dɪ'speə] *n opp:* hope Failure after failure drove him to **despair.**	**desperacja, rozpacz** Kolejne porażki doprowadziły go do rozpaczy.

desperate ['despərət] *adj* *syn:* hopeless In a last **desperate** attempt to save his life he jumped overboard.	**desperack-i, -a, -ie** W ostatniej desperackiej próbie ocalenia życia skoczył za burtę.
hopeless ['həʊpləs] *adj* *syn:* desperate The situation is **hopeless.** I see no way out.	**beznadziejny, -a, -e; desperack-i, -a, -ie** Sytuacja jest beznadziejna, nie widzę żadnego wyjścia.
disappoint ['dɪsə'pɔɪnt] *vt* *opp:* satisfy We were very **disappointed.**	**rozczarować** Byliśmy bardzo rozczarowani.
be tired of [bɪ 'taɪəd əv] I'**m tired of** watching TV – let's do something useful!	**być zmęczonym (czymś), mieć czegoś dosyć** Mam dosyć oglądania telewizji – zróbmy coś pożytecznego!
angry ['æŋgrɪ] *adj syn:* mad My teacher will be very **angry** if I'm late again.	**zdenerwowany, -a, -e; zły, -a, -e** Jeśli się spóźnię, nauczyciel znowu będzie zły.
anger ['æŋgə] *n* The workers were filled with **anger** at the closing of the factory.	**gniew, złość** Robotnicy byli pełni gniewu z po-wodu zamknięcia fabryki.
mad [mæd] *adj syn:* angry My boss gets **mad** at me every time I'm late.	**wściekły, -a, -e** Szef jest wściekły, ilekroć się spóźniam.
shock [ʃɒk] *n* Her sudden death was a great **shock** to us all.	**szok** Jej nagła śmierć była szokiem dla nas wszystkich.
shock [ʃɒk] *vt* The viewers were **shocked** to see the pictures of the disaster on TV.	**szokować** Widzowie byli zaszokowani, widząc w telewizji zdjęcia tragedii.
upset [ʌp'set] *vt* ⓘ **upset** [ʌp'set], **upset** [ʌp'set] She's very **upset** that you forgot her birthday.	**denerwować, martwić** Jest bardzo zmartwiona, że zapomniałeś o jej urodzinach.

jealous ['dʒeləs] *adj* Her boyfriend gets **jealous** every time she talks to another man.	**zazdrosny, -a, -e** Jej chłopak jest zazdrosny, ilekroć ona rozmawia z innym mężczyzną.
satisfied ['sætɪsfaɪd] *adj* *opp:* dissatisfied He owns half of the town but still isn't **satisfied.**	**zadowolony, -a, -e; usatysfakcjonowany, -a, -e** Jest właścicielem połowy miasta, a nadal nie jest zadowolony.
satisfaction [ˌsætɪs'fækʃn] *n* Working with handicapped children gives her great **satisfaction.**	**zadowolenie, satysfakcja** Praca z upośledzonymi dziećmi daje jej ogromną satysfakcję.
excited [ɪk'saɪtəd] *adj* *opp:* calm, cool We were all very **excited.**	**podniecony, -a, -e; podekscytowany, -a, -e** Wszyscy byliśmy bardzo podnieceni.
exciting [ɪk'saɪtɪŋ] *adj* *opp:* boring The first flight to the moon was an **exciting** event.	**podniecający, -a, -e; ekscytujący, -a, -e** Pierwszy lot na Księżyc był ekscytującym wydarzeniem.
delighted [dɪ'laɪtəd] *adj* *syn:* pleased Thanks for your invitation – we'd be **delighted** to come.	**zachwycony, -a, -e** Dzięki za zaproszenie – przyjdziemy z wielką przyjemnością.
astonish [ə'stɒnɪʃ] *vt* *syn:* surprise The fall of the Berlin wall **astonished** the world.	**zaskoczyć (kogoś)** Upadek muru berlińskiego zaskoczył cały świat.
be ashamed (of) [bɪ ə'ʃeɪmd (əv)] *opp:* be proud (of) You ought to **be ashamed of** your rudeness.	**wstydzić się (czegoś)** Powinieneś się wstydzić swojego chamstwa.
pity ['pɪtɪ] *n, vt* She doesn't love him – she does it out of **pity** for him. Don't **pity** me – it's all my own fault.	**litość, litować się** Nie kocha go – robi to z litości. Nie lituj się nade mną – to wszystko moja wina.

sympathy ['sɪmpəθɪ] *n* The President expressed his **sympathy** to the victims' families.	**współczucie** Prezydent wyraził współczucie dla rodzin ofiar.
☺ **Sympathy** to „współczucie".	
fall in love (with) [ˌfɔːl ɪn 'lʌv (wɪð)] Young girls sometimes **fall in love with** their teachers.	**zakochać się (w)** Młode dziewczyny często zakochują się w nauczycielach.
be in love [bɪ ɪn 'lʌv] Romeo and Juliet **were** very much **in love.**	**być zakochanym** Romeo i Julia byli bardzo zakochani.
long for ['lɒŋ fə] After three months on an oil rig the men **long for** their homes.	**pragnąć, tęsknić, pożądać** Po trzech miesiącach spędzonych na platformie wiertniczej mężczyźni tęsknią za domem.
make love (to) [meɪk 'lʌv (tə)] They had never **made love** before they were married.	**kochać się (z kimś), uprawiać miłość** Przed ślubem nigdy się nie kochali.
tender ['tendə] *adj* *syn:* gentle, *opp:* rough, tough She's a **tender** mother and wife.	**delikatny, -a, -e; czuły, -a, -e** Jest czułą matką i żoną.
gay [geɪ] *adj, n syn:* homosexual Many **gay** Americans live in San Francisco.	**homoseksualny; gej, homoseksualista** Wielu amerykańskich gejów mieszka w San Francisco.

1.6 ZDROWIE I CHOROBA

«1–2000»

health [helθ] *n opp:* disease Smoking is dangerous for your **health.**	**zdrowie** Palenie jest niebezpieczne dla zdrowia.
well [wel] *adj opp:* unwell, ill He was in bed with flu for a week, but now he's **well** again.	**zdrowy, -a, -e** Przez tydzień leżał z grypą, ale teraz jest już zdrów.

strong [strɔŋ] *adj opp:* weak A motorcyclist must be **strong** enough to lift up his machine.	**silny, -a, -e** Motocyklista musi być na tyle silny, żeby zdołał podnieść swój motocykl.
weak [wiːk] *adj opp:* strong She's still **weak** after her long illness.	**słaby, -a, -e; osłabiony, -a, -e** Nadal jest osłabiona po długiej chorobie.
ill [ɪl] *adj syn:* sick, *opp:* well The boy's **ill** and has to stay in bed.	**chory, -a, -e** Chłopiec jest chory i musi zostać w łóżku.
sick [sɪk] *adj syn:* ill, *opp:* well He has AIDS and is a very **sick** (ⓘ *nie: **ill***) man. I get **sick** every time I ride on a bus.	**chory, -a, -e; (jest komuś) niedobrze** Ma AIDS i jest bardzo chorym człowiekiem. Robi mi się niedobrze, ilekroć jadę autobusem.

☺ **Sick** to chory, natomiast **to be sick** oznacza także „odczuwać mdłości".

hurt [hɜːt] *vi, vt* ⓘ **hurt** [hɜːt], **hurt** [hɜːt] My feet **hurt** from standing all day. He fell off the ladder and **hurt** his back.	**boleć; (z)ranić** Po całym dniu stania bolą mnie nogi. Spadł z drabiny i zranił się w plecy.
pain [peɪn] *n* I felt a sudden **pain** in my back when I lifted the heavy bag.	**ból** Kiedy podniosłem ciężką walizkę, poczułem nagły ból w plecach.
suffer ['sʌfə] *vi, vt* He died very quickly and didn't **suffer** much. I often **suffer** from headaches in this kind of weather.	**cierpieć** Umarł szybko, nie cierpiał długo. Przy takiej pogodzie często cierpię na bóle głowy.
cold [kəʊld] *n* I've got a bad **cold** – my nose is running and I cough a lot.	**przeziębienie** Złapałam przeziębienie – cieknie mi z nosa i dużo kaszlę.
cough [kof] *n, vi* If your cough doesn't get better you should stop smoking. The smoke-filled room made us cough.	**kaszel; kasłać** Jeśli twój kaszel nie ustąpi, powinieneś rzucić palenie. Zadymiony pokój sprawił, że zaczęliśmy kasłać.

headache ['hedeɪk] *n* Sweet wine gives me a **headache.**	**ból głowy** Po słodkim winie mam bóle głowy.
temperature ['temprətʃə] *n* *syn:* fever You've got a (!) **temperature** and should stay in bed. I took his **temperature** every hour.	**temperatura, gorączka** Masz gorączkę i powinnaś zostać w łóżku. Mierzyłam mu temperaturę co godzinę.
fever ['fiːvə] *n syn:* temperature Flu usually causes **fever,** coughing and headaches.	**gorączka** Grypa najczęściej powoduje gorączkę, kaszel i bóle głowy.
accident ['æksɪdənt] *n* Fewer people would be killed in **accidents** if they wore seatbelts.	**wypadek (drogowy)** Mniej osób ginęłoby w wypadkach, gdyby zapinali pasy bezpieczeństwa.
wound [wuːnd] *n, vt* It is only a flesh **wound.** Two soldiers were killed and six seriously **wounded.**	**rana, ranić** To tylko rana ciała. Dwaj żołnierze zostali zabici, a sześciu jest ciężko rannych.

«2001–4000»

disease [dɪ'ziːz] *n syn:* illness Angina is a serious heart **disease.**	**choroba, zaraza** *Angina pectoris* to poważna choroba serca.
illness ['ɪlnəs] *n syn:* disease He died after a long **illness.**	**choroba** Umarł po długiej chorobie.
mental [mentl] *adj* *opp:* physical Her health problems are **mental,** not physical.	**psychiczny, -a, -e;** **umysłowy, -a, -e** Jej problemy zdrowotne są natury psychicznej, nie fizycznej.
physical ['fɪzɪkl] *adj opp:* mental I don't get enough **physical** exercise.	**fizyczny, -a, -e; cielesny, -a, -e** Wykonuję za mało ćwiczeń fizycznych.
infectious [ɪn'fekʃəs] *adj* Flu is a highly **infectious** disease.	**zaraźliwy, -a, -e; zakaźny, -a, -e** Grypa to bardzo zakaźna choroba.

infection [ɪn'fekʃn] *n* The AIDS virus weakens the body's natural defences against **infections.**	**infekcja, zarażenie** Wirus AIDS osłabia naturalne siły obronne organizmu przeciwko infekcjom.
healthy ['helθɪ] *adj* *syn:* well, fit, *opp:* ill, sick She looks extremely **healthy.**	**zdrowy, -a, -e** Wydaje się bardzo zdrowa.
fit [fɪt] *adj syn:* healthy, well I keep **fit** by jogging every day.	**w dobrej formie; zdrowy, -a, -e** Jestem w formie dzięki temu, że codziennie biegam.
strength [streŋθ] *n* She does body-building to build up her (physical) **strength.**	**siła, moc** Chodzi na siłownię, żeby zwiększyć swoją siłę fizyczną.
recover [rɪ'kʌvə] *vi* She was ill yesterday but **recovered** very quickly.	**wyzdrowieć, ozdrowieć, dojść do siebie** Wczoraj była chora, ale szybko wyzdrowiała.
heal [hiːl] *vi* The wound is not **healed** (up) yet.	**zdrowieć, zasklepić się** Rana jeszcze się nie zabliźniła.
blind [blaɪnd] *adj* Without that eye operation she would be **blind** now.	**ślepy, -a, -e; niewidomy, -a, -e** Gdyby nie tamta operacja oczu, byłaby dzisiaj ślepa.
deaf [def] *adj* My grandpa is **deaf.**	**głuchy, -a, -e; niesłyszący, -a, -e** Mój dziadek jest głuchy.
tremble ['trembl] *vi syn:* shake It began to snow and soon we were **trembling** with cold.	**drżeć, dygotać, trząść się** Zaczął padać śnieg i wkrótce trzęśliśmy się z zimna.
break down [,breɪk 'daʊn] *vi* She **broke down** when she heard the news.	**załamać się** Załamała się, gdy usłyszała tę wiadomość.
faint [feɪnt] *vi* The young soldier **fainted.**	**zemdleć, stracić przytomność** Młody żołnierz zemdlał.
injure ['ɪndʒə] *vt syn:* hurt, wound Six people died and ten were **injured** in the plane crash.	**zranić** W katastrofie samolotu zginęło sześć osób, a dziesięć zostało rannych.

injury ['ɪndʒərɪ] *n* The driver suffered serious head **injuries.**	**rana** Kierowca odniósł ciężkie rany głowy.
bleed [bliːd] *vi* ⓘ **bled** [bled], **bled** [bled] His trousers were torn and his knees were **bleeding** from the fall.	**krwawić** Miał podarte spodnie, a jego kolana krwawiły po upadku.
swell [swel] *vi* ⓘ **swelled** [sweld], **swollen** ['swəʊlən] My ankle hurt and **swelled** (up) after the fall.	**(na)puchnąć** Po upadku moja kostka spuchła.
painful ['peɪnfl] *adj* He had some **painful** cuts.	**bolesny, -a, -e; bolący, -a, -e** Miał bolesne skaleczenia.
ache [eɪk] *vi syn:* hurt After that long hike my body was **aching** all over.	**boleć** Po długiej wędrówce bolało mnie całe ciało.
toothache ['tuːθeɪk] *n* My **toothache** (*sg!*) got so bad that I had to see my dentist. → *headache*	**ból zęba** Ból zęba dokuczał mi tak bardzo, że musiałem iść do dentysty.
upset stomach [ˌʌpset 'stʌmək] *n* He has an **upset stomach.**	**kłopoty żołądkowe** Ma kłopoty żołądkowe.
sore throat [ˌsɔː 'θrəʊt] *n* Hot milk with honey is good for(!) a **sore throat.**	**ból gardła, zapalenie gardła** Gorące mleko z miodem pomaga na ból gardła.
flu [fluː], **influenza** [ˌɪnflu'enzə] *n* **Flu** is an infectious disease like a cold.	**grypa** Grypa to choroba zakaźna, podobna do przeziębienia.

1.7 ŻYCIE I ŚMIERĆ

«1–2000»

live [lɪv] *vi opp:* be dead He won't **live** much longer if he keeps taking drugs.	**żyć** Nie pożyje długo, jeśli nadal będzie zażywał narkotyki.
life [laɪf] *n opp:* death *pl* **lives** [lalvz] There is no **life** on the moon.	**życie** Nie istnieje życie na Księżycu.
be alive [bɪ ə'laɪv] Both my parents **are** still **alive.**	**żyć** Oboje moi rodzice jeszcze żyją.
exist [ɪg'zɪst] *vi* Dinosaurs **existed** 150 million years ago.	**egzystować, żyć, istnieć, być** Dinozaury żyły przed 150 milionami lat.
existence [ɪg'zɪstəns] *n* Do you believe in the **existence** of intelligent life beyond the earth?	**egzystencja, istnienie** Wierzysz w istnienie inteligentnych form życia poza Ziemią?
born [bɔːn] *adj* Elvis Presley, **born** on 08.01.1935, was a famous rock singer.	**urodzony, -a, -e** Elvis Presley, urodzony 08.01.1935 r., był znanym piosenkarzem rockowym.
birthday ['bɜːθdeɪ] *n* It's my **birthday** today.	**urodziny** Dzisiaj są moje urodziny.
young [jʌŋ] *adj opp:* old He may be 65 years old but he's **young** at heart.	**młody, -a, -e** Może i ma 65 lat, ale w głębi ducha jest nadal młody.
old [əʊld] *adj opp:* young Does being 65 years **old** really mean you're old?	**stary, -a, -e** Czy ktoś, kto ma 65 lat, naprawdę jest już stary?
dead [ded] *adj opp:* alive Don't touch this cat, it's dead.	**martwy, -a, -e** Nie dotykaj tego kota, jest martwy.
be dead Is your grandpa still alive? – No, he's been **dead** since 1989.	**nie żyć** Twój dziadek żyje? – Nie, nie żyje od 1989 r.

die [daɪ] *vi opp:* live Freddy Mercury of Queen **died** of AIDS in 1991.	**umrzeć, umierać** Freddy Mercury z grupy Queen umarł na AIDS w 1991 r.
death [deθ] *n opp:* life J. F. Kennedy was U.S. President from 1961 until his **death** in 1963.	**śmierć** J. F. Kennedy był prezydentem Stanów Zjednoczonych od 1961 r. do swojej śmierci w 1963 r.

«2001–4000»

birth [bɜːθ] *n opp:* death The baby weighed eight pounds at **birth.**	**narodziny** Po narodzinach dziecko ważyło osiem funtów [ok. 3,5 kg].
childhood ['tʃaɪldhʊd] *n opp:* old age He spent his **childhood** in India.	**dzieciństwo** Dzieciństwo spędził w Indiach.
youth [juːθ] *n* It was mainly the American **youth** who protested against the Vietnam war.	**młodzież** Przeciwko wojnie w Wietnamie protestowała głównie amerykańska młodzież.
grow up [ˌgrəʊ'ʌp] *vi* Bruce Lee **grew up** in Hong Kong but was born in San Francisco.	**dorastać, dorosnąć** Bruce Lee dorastał w Hongkongu, ale urodził się w San Francisco.
bring up [ˌbrɪŋ'ʌp] *syn:* raise John Lennon was **brought up** in Liverpool by his Aunt Mimi.	**wychować, wychowywać** Johna Lennona wychowywała w Liverpoolu jego ciotka Mimi.
adult ['ædʌlt] *n opp:* child Tickets cost Ł3 (three pounds) for **adults.**	**dorosły, -a, -e** Bilety dla dorosłych kosztują trzy funty.
old age [ˌəʊld'eɪdʒ] *n opp:* childhood, youth Illness, isolation and dependence on others are typical problems of **old age.**	**starość** Choroby, izolacja i zależność od innych to typowe problemy starości.
kill [kɪl] *vt* James Dean was **killed** in a car accident.	**zabić, zamordować** James Dean zginął w wypadku samochodowym.

fatal ['feɪtl] *adj syn:* deadly Oil spills have **fatal** consequences for fish and seabirds.	**śmiertelny, -a, -e** Wycieki ropy naftowej mają śmiertelne skutki dla ryb i ptaków morskich.
(dead) body [ˌded'bɒdɪ] *n* *syn:* corpse The murderer had buried the **body** of his victim.	**zwłoki** Morderca zakopał zwłoki ofiary.
bury ['berɪ] *vt opp:* dig up Shakespeare lies **buried** in Holy Trinity Church in Stratford.	**pogrzebać, pochować** Szekspir jest pochowany w kościele Świętej Trójcy w Stratford.
funeral ['fjuːnərəl] *n syn:* burial He died on Monday – the **funeral** will be held on Thursday.	**pogrzeb** Umarł w poniedziałek – pogrzeb odbędzie się w czwartek.
survive [sə'vaɪv] *vi, vt opp:* die Will he **survive** the accident?	**przeżyć, przetrwać** Czy on przeżyje wypadek?

2 CZYNNOŚCI

2.1 CZUWANIE I SEN

«1–2000»

tired ['taɪəd] *adj* She was so **tired** she couldn't keep her eyes open.	**zmęczony, -a, -e** Była tak zmęczona, że oczy się jej zamykały.
go to bed [ˌgəʊ tə 'bed] *opp:* get up We never **go to bed** before midnight.	**iść / kłaść się do łóżka** Nigdy nie idziemy do łóżka przed północą.
sleep [sliːp] *vi* ⓘ **slept** [slept], **slept** [slept] You can **sleep** in the bed – I brought my air bed.	**spać** Możesz spać w łóżku, przyniosłem sobie materac.

be asleep [bɪ ə'sliːp] *opp:* be awake He goes jogging early in the morning when everybody's still fast **asleep.**	**spać** Biega wczesnym rankiem, kiedy wszyscy jeszcze śpią.
sleep [sliːp] *n* Sleep helps you stay beautiful.	**sen** Sen pomaga zachować urodę.
dream [driːm] *n* Fortunately it was just a bad **dream** and not reality.	**sen** Na szczęście to był tylko zły sen, nie jawa.
dream [driːm] *vi* ⓘ **dreamed** [driːmd], **dreamt** [dremt]; **dreamed, dreamt** Was it real or did I **dream** it?	**śnić, marzyć** To było naprawdę, czy tylko mi się śniło?
wake up [ˌweɪk 'ʌp] *vi, vt* *opp:* go to sleep, fall asleep I don't **wake up** till the alarm rings. Could you **wake** me **up** at seven, please?	**obudzić (się)** Nie budzę się, póki nie zadzwoni budzik. Obudź mnie o siódmej, dobrze?
get up [ˌget 'ʌp] *vi* *opp:* go to bed I usually **get up** at seven and start work at eight.	**wstać, wstawać** Zazwyczaj wstaję o siódmej i zaczynam pracę o ósmej.

«2001–4000»

awake [ə'weɪk] *adj opp:* asleep The kids can't get to sleep – they're still wide **awake.**	**obudzony, -a, -e** Dzieci nie mogą zasnąć, są całkiem rozbudzone.
fall asleep [ˌfɔːl ə'sliːp] *syn:* go to sleep, *opp:* wake up The kids had **fallen asleep** in front of the TV set.	**zasnąć** Dzieci zasnęły przed telewizorem.
go to sleep [ˌgəʊx tə 'sliːp] *syn:* fall asleep, *opp:* wake up I usually **go to sleep** around midnight.	**iść / kłaść się spać** Zazwyczaj idę spać koło północy.

☺ **To go to bed** oznacza „iść spać", **to go to sleep** – „zasnąć", np.: „The kids go to bed at 8 but don't go to sleep until 9".

2.2 ZMYSŁY

«1–2000»

look [lʊk] *vi* We **looked** everywhere but couldn't find it.	**patrzeć** Patrzyliśmy wszędzie, ale nigdzie nie mogliśmy tego znaleźć.
look [lʊk] *n* Could I have a **look** at your map?	**spojrzenie, rzut okiem** Czy mogę rzucić okiem na twoją mapę?
look at ['lʊk ət] *vi* They **looked at** the photographs. → *watch*	**patrzeć na, oglądać** Oglądali zdjęcia.
see [siː] *vt* ⓘ **saw** [sɔː], **seen** [siːn] It was so dark that we couldn't **see** anything.	**widzieć** Było tak ciemno, że niczego nie widzieliśmy.
watch [wɒtʃ] *vi, vt* Millions of people will **watch** this year's Wimbledon final. The kids **watch** (ⓘ *nie: **look, see***) too much TV.	**oglądać** Miliony ludzi będą oglądać tegoroczny finał turnieju na Wimbledonie. Dzieci oglądają za dużo telewizji.
look [lʊk] *vi* She **looked** nervous (ⓘ *nie: **nervously***) when I last saw her.	**wyglądać, wydawać się** Wyglądała na zdenerwowaną, kiedy ją ostatnio widziałam.
sight [saɪt] *n* The inner city slums are a sad **sight.** Do you believe in love at first **sight**? I only know her by **sight.**	**widok, wzrok, wejrzenie, widzenie** Slumsy w centrum miasta to żałosny widok. Wierzysz w miłość od pierwszego wejrzenia? Znam ją tylko z widzenia.

hear [hɪə] *vt* ⓘ **heard** [hɜːd], **heard** [hɜːd]	**słyszeć**
There was so much noise that I couldn't **hear** anything.	Było tak głośno, że niczego nie słyszałem.
listen (to) ['lɪsn (tə)]	**słuchać**
I always **listen to** the radio (ⓘ *nie: **hear*** radio) when I'm having breakfast.	Zawsze przy śniadaniu słucham radia.
Listen! There's someone at the door.	Posłuchaj! Ktoś jest przy drzwiach.
sound [saʊnd] *n, vi*	**dźwięk, hałas; dźwięczeć, brzmieć**
I heard a **sound** but I didn't see anything.	Słyszałam jakiś dźwięk, ale nic nie widziałam.
Your voice **sounds** strange – are you ill?	Twój głos dziwnie brzmi – czy jesteś chory?
quiet ['kwaɪət] *adj*	**spokojny, -a, -e; cichy, -a, -e**
Be **quiet** – I'm trying to concentrate.	Bądź cicho, staram się skoncentrować.

☺ **Quite** wymawiamy i piszemy inaczej niż **quiet**.

loud [laʊd] *adj, adv*	**głośny, -a, -e**
Turn the TV down – it's too **loud.**	Ścisz telewizor – jest za głośno.
feel [fiːl] *vi* (!) **felt** [felt], **felt** [felt]	**czuć**
This smooth leather **feels** nice (ⓘ *nie: **nicely***).	Ta gładka skóra jest miła w dotyku.
touch [tʌtʃ] *vt, vi*	**dotykać**
Do not **touch** anything before the police arrive.	Nie dotykajcie niczego przed przyjazdem policji.
smell [smel] *n, vi, vt*	**zapach; pachnieć, śmierdzieć; wąchać**
I love the **smell** of roses.	Uwielbiam zapach róż.
When fish **smells** bad, it isn't fresh.	Kiedy ryba śmierdzi, jest nieświeża.
taste [teɪst] *n, vi, vt*	**smak; smakować, kosztować**
Ketchup has a sweet-and-sour **taste.**	Keczup ma słodko-kwaśny smak.
It smells good but it **tastes** terrible.	Pachnie dobrze, ale smakuje okropnie.

This cake is delicious – would you like to **taste** it? — To ciasto jest pyszne – chcesz skosztować?

«2001–4000»

sense [sens] *n* — **zmysł**
Dogs have an excellent **sense** of smell. — Psy mają doskonały zmysł węchu.

---

sight [saɪt] *n syn:* vision — **wzrok**
He's blind – he lost his **sight** in an accident. — On jest niewidomy – stracił wzrok w wypadku.

---

recognize ['rekəgnaɪz] *vt* — **poznać, rozpoznać**
I didn't **recognize** him at first. — Początkowo go nie poznałam.

---

touch [tʌtʃ] *n* — **dotyk, dotknięcie**
That bomb might go off at the slightest **touch** of one's hand. — Bomba mogła wybuchnąć przy najlżejszym dotknięciu.

2.3 PIELĘGNACJA CIAŁA

«1–2000»

wash [wɒʃ] *vt, vi* — **myć (się)**
Always **wash** your hands before you eat. — Zawsze myj ręce przed jedzeniem.
The Japanese **wash** before they take a bath. — Japończycy myją się przed kąpielą.

---

bath [bɑːθ], *Am* [bæθ] *n* — **kąpiel**
She had/took a hot **bath** before going to bed. — Wzięła gorącą kąpiel, zanim poszła do łóżka.

---

shower ['ʃaʊə] *n* — **prysznic**
I always have/take a **shower** when I come home from jogging. — Zawsze po bieganiu biorę prysznic.

---

soap [səʊp] *n* — **mydło**
The **soap** smells good. — Mydło ładnie pachnie.

---

towel ['taʊəl] *n* — **ręcznik**
He dried himself with a **towel.** — Wytarł się ręcznikiem.

brush [brʌʃ] *n, vt*	**szczotka; szczotkować, szorować**
I style my hair with a hairdryer and a **brush.**	Układam włosy szczotką i suszarką.
You should **brush** your teeth for about five minutes.	Powinno się szorować zęby przez około pięć minut.
comb [kəʊm] *n, vt*	**grzebień; czesać grzebieniem**
All a good hairdresser needs for a haircut is a **comb** and a pair of scissors.	Dobremu fryzjerowi do strzyżenia wystarczy grzebień i nożyczki.
His hair is so thick you can hardly **comb** it.	Ma takie grube włosy, że nie może czesać ich grzebieniem.
powder ['paʊdə] *n*	**puder**
Without **powder** a baby's sensitive skin would get sore.	Gdyby nie puder, na wrażliwej skórze dziecka zrobiłyby się odparzenia.

«2001–4000»

make-up ['meɪkʌp] *n*	**makijaż**
Apart from some lipstick she wears no **make-up.**	Ona nie ma innego makijażu oprócz szminki.
shave [ʃeɪv] *vi, vt*	**golić (się)**
I cut myself while I was **shaving** this morning.	Zaciąłem się dzisiaj przy goleniu.
razor ['reɪzə] *n*	**maszynka do golenia, brzytwa**
I shave with an electric **razor.**	Golę się elektryczną maszynką do golenia.
haircut ['heəkʌt] *n syn:* hairdo	**strzyżenie, fryzura**
Boris used to wear his hair long – I like his new short **haircut** much better.	Boris kiedyś nosił długie włosy; znacznie bardziej podoba mi się jego nowa fryzura.
shampoo and set [ʃæm'puː ən 'set]	**mycie i modelowanie**
I'd like a **shampoo and set,** please.	Proszę mycie i modelowanie.
hairdo ['heəduː] *n syn:* hairstyle	**fryzura**
She needs a new **hairdo** – she's too old for a ponytail.	Potrzebna jej nowa fryzura, jest za stara na koński ogon.

toothpaste ['tu:θpeɪst] *n* — **pasta do zębów**

Fluoride in the **toothpaste** helps protect the teeth against decay. — Fluor w paście do zębów przyczynia się do ochrony zębów przed próchnicą.

---

toothbrush ['tu:θbrʌʃ] *n* — **szczoteczka do zębów**

A dentist explained to the children how to clean their teeth with a **toothbrush.** — Dentysta wyjaśnił dzieciom, jak szorować zęby szczoteczką do zębów.

2.4 DZIAŁANIA

«1–2000»

act [ækt] *vi* — **działać, zachowywać się**

We must **act** quickly before somebody gets hurt. — Musimy działać szybko, zanim komuś stanie się krzywda.

---

act [ækt] *n syn:* action — **czyn, akcja, dzieło; akt**

This horrible murder is the **act** of a madman. — To straszne morderstwo to czyn psychopaty.

---

action ['ækʃn] *n syn:* — **działanie, akcja**

It's no use talking – the time has come for **action**. — Nie ma sensu gadać – nadszedł czas działania.

☺ **Action** to nie „akcja ratunkowa" – w takim kontekście mówimy o **operation**.

---

do [du:] *vt* ⓘ **did** [dɪd], **done** [dʌn] — **robić**

I've got lots of things to **do** this morning. — Mam dzisiaj rano dużo do zrobienia.

What are you **doing**? – I'm making breakfast. — Co robisz? – Robię śniadanie.

---

make [meɪk] *vt* **made** [meld], **made** [meld] — **robić, produkować**

Did you **make** that dress yourself? — Sama zrobiłaś tę sukienkę?

The kids are **making** a lot of noise again. — Dzieci znowu robią dużo hałasu.

☺ Nie ma reguły, kiedy używamy **do,** a kiedy **make**. **Make** wiąże się najczęściej z jakąś czynnością twórczą, wskutek której coś powstaje; **do** to rzeczy mało twórcze i często nieprzyjemne, nużące, ale to tylko podpowiedź. Związków z **do** i **make** najlepiej po prostu nauczyć się na pamięć.

work [wɜːk] *vi* — **pracować**
She **works** as a school bus driver. — Ona pracuje jako kierowca szkolnego autobusu.

work [wɜːk] *n* — **praca, dzieło**
I go to **work** by bike. — Jeżdżę do pracy rowerem.
The work of a stuntman is pretty dangerous. — Praca kaskadera jest bardzo niebezpieczna.
This volume contains the complete **works** of Shakespeare. — Ten tom zawiera dzieła zebrane Szekspira.

job [dʒɒb] *n syn:* occupation — **praca**
I'm looking for a new **job** because my factory is closing. — Szukam nowej pracy, bo zamykają moją fabrykę.
You did an excellent **job**! — Wykonałaś kawał dobrej roboty.

try [traɪ] *vi, vt syn:* attempt — **próbować**
I don't think you'll make it, but you can **try.** — Nie wierzę, żeby ci się udało, ale możesz spróbować.

plan [plæn] *n* — **plan**
We have no definite holiday **plans** yet but we may go to Spain again. — Nie mamy jeszcze sprecyzowanych planów na wakacje, może znowu pojedziemy do Hiszpanii.

prepare [prɪ'peə] *vi, vt* — **przygotować (się)**
This book will **prepare** you for your English exams. — Ta książka przygotuje cię do egzaminów z angielskiego.

trouble [trʌbl] *n* — **kłopot, trud**
He's no help but he could at least take the **trouble** to come. — Nic nam nie pomoże, ale mógłby chociaż zadać sobie tyle trudu, żeby tu przyjść.

«2001–4000»

occupation [ɒkjʊ'peɪʃn] *n* — **zajęcie**
My favourite **occupations** are reading and travelling. — Moje ulubione zajęcia to czytanie i podróżowanie.

used to ['juːst tə]	**robić coś w przeszłości, dawniej**
I **used to** smoke cigarettes but I gave it up.	Dawniej paliłem papierosy, ale to rzuciłem.

☺ **Used to (+ bezokolicznik)** dotyczy wyłącznie przeszłości i tłumaczy się na polski jako „dawniej, kiedyś", np.: **I used to live there** (Dawniej tam mieszkałam). Inaczej ma się sprawa z **to be used to** (+ Gerund) – to znaczy „mieć zwyczaj, być przyzwyczajonym do czegoś", np.: **I'm used to getting up early** (Jestem przyzwyczajona do rannego wstawania).

plan [plæn] *vt syn:* intend	**planować**
We're **planning** to spend our holidays in the USA this year.	W tym roku planujemy spędzić urlop w USA.
intend [ɪn'tend] *vt* *syn:* mean, plan	**planować, zamierzać**
He is a star though he never **intended** to be one.	Jest gwiazdą, choć nigdy tego nie planował.
purpose ['pɜːpəs] *n syn:* aim	**cel, zamiar**
Animal experiments should be banned except for medical **purposes.**	Eksperymenty na zwierzętach powinny być zakazane za wyjątkiem celów medycznych.
It wasn't an accident – he did it on **purpose.**	To nie był wypadek – zrobił to celowo.
preparation [ˌprepə'reɪʃn] *n*	**przygotowanie**
School should be a **preparation** for life.	Szkoła powinna stanowić przygotowanie do życia.
decide [dɪ'saɪd] *vt*	**decydować (się), postanowić**
As a boy Lincoln **decided** to become a politician.	Jako młody chłopiec Lincoln postanowił zostać prezydentem.
attempt [ə'tempt] *n, vt syn:* try	**próba, próbować**
He managed to climb the mountain at the third **attempt.**	Udało mu się wspiąć na szczyt przy trzeciej próbie.
The mathematical problem was so difficult that I didn't even **attempt** to solve it.	To zadanie z matematyki było takie trudne, że nawet nie próbowałem go rozwiązać.
practise, *Am* **practice** ['præktɪs] *vt, vi syn:* train	**ćwiczyć, trenować**
You'll never win if you don't **practise** harder.	Nigdy nie wygrasz, jeśli nie będziesz więcej trenować.

practice ['præktɪs] *n* *syn:* training I haven't played for years – I'm really out of **practice.**	**ćwiczenie, praktyka, trening** Nie grałam od lat – zupełnie wyszłam z wprawy.
manage ['mænɪdʒ] *vi, vt* *syn:* succeed How did Madonna **manage** to become a superstar?	**udać się** Jakim sposobem Madonnie udało się zostać supergwiazdą?
measure ['meʒə] *n* We must use stronger **measures** to reduce air pollution.	**krok, działanie** Musimy przedsięwziąć bardziej zdecydowane kroki, żeby ograniczyć zanieczyszczenie powietrza.

2.5 POSŁUGIWANIE SIĘ PRZEDMIOTAMI

«1–2000»

need [ni:d] *vt* To paint the house you **need** paint, a brush and a ladder.	**potrzebować; trzeba** Żeby pomalować dom, potrzebujesz pędzla, farby i drabiny.
look for ['lʊk fə] *opp:* find I **looked for** a phone booth but didn't find one.	**szukać** Szukałem budki telefonicznej, ale nie znalazłem.
find [faɪnd] *vt opp:* lose ⓘ **found** [faʊnd], **found** [faʊnd] Someone **found** the watch you lost.	**znaleźć** Ktoś znalazł zegarek, który zgubiłeś.
catch [kætʃ] *vt opp:* miss ⓘ **caught** [kɔ:t], **caught** [kɔ:t] The rules of volleyball do not allow **catching** or throwing the ball. If we hurry we'll **catch** the inter-city train.	**złapać** Reguły gry w siatkówkę nie pozwalają rzucać ani łapać piłki. Jeśli się pospieszymy, złapiemy pociąg Intercity.
form [fɔ:m] *vt* He can't **form** a correct sentence.	**tworzyć, formować** On nie potrafi utworzyć poprawnego zdania.

use [juːz] *vt* She **uses** a computer to do all her correspondence.	**używać, stosować, korzystać** Ona używa komputera do załatwiania korespondencji.
use [juːs] *n* The rent includes the **use** of the kitchen.	**użycie, zastosowanie, korzystanie** Czynsz obejmuje także korzystanie z kuchni.
collect [kə'lekt] *vt, vi* She **collects** old teddy bears. Could two of you **collect** the dictionaries and take them to the library?	**zbierać, kolekcjonować** Ona zbiera stare pluszowe misie. Czy możecie zebrać słowniki i zanieść je do biblioteki?
collection [kə'lekʃn] *n* She's got a huge **collection** of old wine glasses.	**zbiór, kolekcja** Ona ma ogromną kolekcję starych kieliszków do wina.
hold [həʊld] *vt* ⓘ **held** [held], **held** [held] Hold my bag, please.	**trzymać, potrzymać, przytrzymać** Potrzymaj moją torebkę, proszę.
add [æd] *vt* **Add** some more salt and it will be perfect.	**dodać, dorzucić** Dodaj odrobinę soli i będzie doskonałe.
change [tʃeɪndʒ] *vi, vt* At this hotel they **change** the linen and towels every day.	**zmienić, zmieniać** W tym hotelu codziennie zmieniają pościel i ręczniki.
open ['əʊpən] *vt* *opp:* close, shut You need no key to **open** or close a combination lock.	**otwierać, otworzyć** Nie potrzeba klucza, żeby otworzyć lub zamknąć zamek szyfrowy.
close [kləʊz] *vt syn:* shut, *opp:* open **Close** the doors so the dog can't get out.	**zamknąć, zamykać** Zamknij drzwi, żeby pies nie mógł wyjść.
shut [ʃʌt] *vt syn:* close, *opp:* open ⓘ **shut** [ʃʌt], **shut** [ʃʌt] **Shut** the windows – it's going to rain.	**zamknąć, zamykać** Zamknij okna, zaraz będzie padać.

fill [fɪl] *vt opp:* empty Please **fill** the tank before you return the car.	**napełnić, wypełnić** Napełnij bak, zanim oddasz samochód.
shake [ʃeɪk] *vt* ⓘ **shook** [ʃʊk], **shaken** [ʃeɪkən] The medicine must be well **shaken** before use.	**trząść, potrząsać, potrząsnąć** Przed użyciem lekarstwo należy wstrząsnąć.
cut [kʌt] *vt* ⓘ **cut** [kʌt], **cut** [kʌt] We ordered a large pizza and **cut** it into four pieces.	**ciąć, pociąć, rozciąć, przeciąć, pokroić** Zamówiliśmy dużą pizzę i pokroiliśmy ją na cztery kawałki.
burn [bɜːn] *vt* ⓘ **burnt** [bɜːnt] **burnt** [bɜːnt] Three quarters of Britain's coal is **burnt** in power stations to produce electricity.	**spalić** Trzy czwarte angielskiego węgla spala się w elektrowniach, żeby wyprodukować energię elektryczną.

«2001–4000»

keep [kiːp] *vt* ⓘ **kept** [kept], **kept** [kept] We always **keep** the eggs in the fridge.	**trzymać, przechowywać** Zawsze przechowujemy jajka w lodówce.
miss [mɪs] *vt opp:* hit, catch The police shot at the tyres and barely **missed** them. I **missed** the bus and was late for school.	**nie trafić, chybić, przegapić** Policjanci strzelali w opony, ale nie trafili. Przegapiłam autobus i spóźniłam się do szkoły.
waste [weɪst] *vt opp:* save, conserve We are **wasting** energy by burning oil.	**marnować** Marnujemy energię, paląc ropą.
spoil [spɔɪl] *vt syn:* ruin **spoilt** [spɔɪlt], **spoilt** [spɔɪlt] Too much salt can **spoil** any meal.	**psuć, zepsuć** Nadmiar soli zepsuje każdy posiłek.
exchange [ɪks'tʃeɪndʒ] *vt* The sweater I bought is too small. Can I **exchange** it for a larger one?	**wymienić, zamienić** Sweter, który kupiłam, jest za mały. Czy mogę go wymienić na większy?

get rid of [ˌget'rɪd əv] One of today's worst problems is how to **get rid of** all the waste we're producing.	**pozbyć się** Jednym z najgorszych problemów jest kwestia, jak się pozbyć śmieci, które produkujemy.
turn on [ˌtɜːn'ɒn] *opp:* turn off He **turned on** the radio to listen to the news.	**włączyć** Włączył radio, żeby posłuchać wiadomości.
turn off [ˌtɜːn 'ɒf] *opp:* turn on **Turn off** the lights before you leave the house.	**wyłączyć, zgasić** Wyłącz światła, zanim wyjdziesz z domu.
connect [kə'nekt] *vt* *opp:* separate This cable **connects** the video to the TV set.	**połączyć, łączyć** Ten kabel łączy magnetowid z telewizorem.
fix [fɪks] *vt syn:* fasten He's **fixed** a large no-smoking sign to the door of his room.	**przymocować, zainstalować** Przymocował duży szyld „Zakaz palenia" na drzwiach swojego pokoju.
support [sə'pɔːt] *vt* Modern skyscrapers are **supported** by a steel frame construction.	**podtrzymywać, podpierać, wspierać** Nowoczesne wieżowce opierają się na konstrukcji stalowej.
cover ['kʌvə] *vt* The furniture is **covered** with dust.	**kryć, pokryć, pokrywać** Meble są pokryte kurzem.
hang [hæŋ] *vt* ⓘ **hung** [hʌŋ], **hung** [hʌŋ] Could you help me **hang** the washing on the line?	**wieszać, rozwieszać, powiesić** Czy pomożesz mi rozwiesić bieliznę?
shape [ʃeɪp] *vt* The birthday cake was **shaped** like a heart.	**kształtować, formować** Tort uformowano w kształcie serca.
paint [peɪnt] *vt* What colour do you want me to **paint** the window frames?	**malować, pomalować** Na jaki kolor mam pomalować ramy okienne?

decorate ['dekəreɪt] *vt*	**dekorować, ozdabiać, ozdobić, zdobić**
The English **decorate** their Christmas trees on Christmas Eve but don't light them until Christmas Day.	Anglicy ubierają choinkę w Wigilię, ale zapalają ją dopiero w pierwszy dzień Świąt.
fold [fəʊld] *vt opp:* unfold	**składać, złożyć**
Please **fold** this letter twice and put it into the envelope.	Proszę, złóż ten list na pół i włóż go do koperty.
wrap [ræp] *vt opp:* unwrap	**zapakować, owinąć**
I **wrapped** the book in brown paper and took it to the post office.	Zapakowałam książkę w brązowy papier i zaniosłam na pocztę.
wind [waɪnd] *vt syn:* twist ⓘ **wound** [waʊnd], **wound** [waʊnd]	**owijać, nakręcać**
She **wound** a bandage around his bleeding finger.	Owinęła mu krwawiący palec bandażem.
Our grandfather clock has to be **wound** every week.	Nasz stojący zegar trzeba nakręcać co tydzień.
twist [twɪst] *vt*	**skręcać, zwijać, wić, uwić**
They **twisted** the bed sheets into a rope and escaped through the window.	Ukręcili linę z prześcieradeł i uciekli przez okno.
bend [bend] *vt, vi opp:* straighten **bent** [bent], **bent** [bent]	**zginać (się)**
He managed to open the lock with a piece of **bent** wire.	Udało mu się otworzyć drzwi kawałkiem zakrzywionego drutu.
stretch [stretʃ] *vt*	**rozciągać, powiększać**
If the shoes fit too tight, we can **stretch** them a bit.	Jeśli buty są za ciasne, możemy je rozciągnąć.
press [pres] *vt*	**wciskać, naciskać, ściskać, wyciskać**
You **press** the red button to stop it.	Żeby zatrzymać, wciskasz czerwony guzik.
To make wine the grapes are **pressed** first.	Przy produkcji wina najpierw wyciska się winogrona.
rub [rʌb] *vt*	**trzeć, pocierać**
To get a nice shine **rub** it with a soft cloth.	Chcąc uzyskać połysk, potrzyj miękką szmatką.

dig [dɪg] *vt* ⓘ **dug** [dʌg], **dug** [dʌg] — **kopać**

In 1849 thousands of people began to **dig** for gold in California. — W 1849 r. tysiące ludzi kopało w Kalifornii w poszukiwaniu złota.

---

knock [nɒk] *vi, vt* — **pukać, stukać**

Please **knock** (at the door) before entering. — Proszę pukać.

---

tear [teə] *vt* ⓘ **tore** [tɔː], **torn** [tɔːn] — **drzeć, podrzeć**

Since I had no scissors, I **tore** the ad out of the newspaper. — Ponieważ nie miałam nożyczek, wydarłam artykuł z gazety.

---

saw [sɔː] *vt* ⓘ **sawed** [sɔːd], **sawn** [sɔːn] — **piłować**

He was busy **sawing** logs for the fire. — Pochłonęło go piłowanie drew do kominka.

---

light [laɪt] *vt* ⓘ **lit** [lɪt], **lit** [lɪt] — **zapalić, podpalić, rozpalić**

He took a match and **lit** his cigar. — Wziął zapałkę i zapalił papierosa.

2.6 PRZEMIESZCZANIE PRZEDMIOTÓW

«1–2000»

put [pʊt] *vt* ⓘ **put** [pʊt], **put** [pʊt] — **kłaść, stawiać, odkładać, odstawiać**

Put the books back in the bookcase. — Odstaw książki na półkę.

He **put** his scarf round his neck and his fur hat on his head. — Nałożył szalik na szyję i naciągnął futrzaną czapę.

---

lay [leɪ] *vt* ⓘ **laid** [leɪd], **laid** [leɪd] — **kłaść**

She **laid** the blanket over the sleeping child. — Położyła koc na śpiące dziecko.

We're going to **lay** a new carpet in the bedroom. — Położymy nowy dywan w sypialni.

set [set] *vt* ⓘ **set** [set], **set** [set]	**stawiać, ustawiać, nastawiać**
If you **set** your chair back a bit, you'll get a better view.	Jeśli inaczej ustawisz krzesło, będziesz miał lepszy widok.
What time shall I **set** the alarm clock for?	Na którą mam nastawić budzik?
take [teɪk] *vt* ⓘ **took** [tʊk], **taken** ['teɪkən]	**brać, zabrać, wziąć**
I have to **take** this letter to the post office.	Muszę zanieść ten list na pocztę.
Don't forget to **take** your umbrella.	Nie zapomnij zabrać parasola.
bring [brɪŋ] *vt* ⓘ **brought** [brɔːt], **brought** [brɔːt]	**przynieść**
The postman **brought** this parcel today.	Listonosz przyniósł dzisiaj tę paczkę.
Can we **bring** something for the party?	Czy możemy coś przynieść na przyjęcie?
send [send] *vt opp:* receive ⓘ **sent** [sent], **sent** [sent]	**wysłać, przesłać**
When will the parcel get there if I **send** it by airmail?	Kiedy dojdzie paczka, jeśli wyślę ją pocztą lotniczą?
carry ['kærɪ] *vt*	**nieść, dźwigać**
You have to **carry** your luggage to the customs.	Musi pani zanieść bagaż do odprawy celnej.
draw [drɔː] *vt syn:* pull ⓘ **drew** [druː], **drawn** [drɔːn]	**ciągnąć**
The Queen's coach is **drawn** by six white horses.	Powóz królowej ciągnie szóstka białych koni.
He **drew** a revolver and shot.	Wyciągnął rewolwer i strzelił.
pull [pʊl] *vt syn:* draw, *opp:* push	**ciągnąć**
This suitcase has wheels so you can **pull** it.	Ta walizka ma kółeczka, żeby można ją było ciągnąć.
push [pʊʃ] *vi, vt opp:* pull	**pchać, naciskać**
The car broke down and we had to get out and **push** (it).	Samochód się zepsuł i musieliśmy go pchać.
He **pushed** the door open with his shoulder.	Pchnął drzwi ramieniem.
pick up [ˌpɪk'ʌp] *opp:* drop	**podnieść, zbierać**
Pick up all the litter after the picnic and take it with you.	Po pikniku pozbierajcie wszystkie śmiecie i zabierzcie je ze sobą.

lift [lɪft] *vt* I can't **lift** this bag – it's too heavy.	**podnieść** Nie podniosę tej walizki – jest za ciężka.
drop [drɒp] *vt* Careful! It will break if you **drop** it.	**upuścić** Uwaga! Jeśli to upuścisz, popsuje się!
turn [tɜːn] *vt* To lock the door firmly, **turn** the key twice. **Turn** the potatoes several times while frying them.	**odwrócić, przekręcić.** Żeby mocno zamknąć drzwi, dwukrotnie przekręć klucz w zamku. Podczas smażenia często obracaj ziemniaki.

«2001–4000»

load [ləʊd] *vt opp:* unload We **loaded** the furniture into the removal van.	**załadować** Załadowaliśmy meble do wozu meblowego.
load [ləʊd] *n* The truck brought another **load** of sand to the building site.	**ładunek, obciążenie** Ciężarówka przywiozła kolejny ładunek piasku na plac budowy.
portable ['pɔːtəbl] *adj* More and more businessmen use **portable** computers.	**przenośny, -a, -e** Coraz więcej ludzi biznesu ma przenośne komputery.
transport ['trænspɔːt] *n* The **transport** of goods by air and road is harmful to the environment.	**transport** Lotniczy i naziemny transport towarowy jest szkodliwy dla środowiska.
remove [rɪ'muːv] *vt* It isn't easy to **remove** graffiti from the walls.	**usuwać, usunąć** Nie jest łatwo usunąć graffiti ze ścian.
drag [dræg] *vt* After the storm the fallen trees had to be **dragged** from the roads.	**ciągnąć** Po burzy trzeba było ściągnąć z jezdni powalone drzewa.
raise [reɪz] *vt syn:* lift, *opp:* lower Please **raise** your hands if you have questions. He **raised** the blinds to let some sunlight in.	**podnieść, wznieść** Proszę podnieść ręce, jeśli macie jakieś pytania. Podniósł żaluzje i wpuścił trochę światła słonecznego.

lower ['ləʊə] *vt opp:* raise — **obniżyć, spuścić**
Please **lower** the blinds to keep the sunlight out. — Proszę, opuść żaluzje, żeby słońce tak nie świeciło.

2.7 DAWANIE I BRANIE

«1–2000»

have (got) [hæv('gɒt)] *vt* — **mieć**
He'**s got** lots of money but no manners. — Ma dużo pieniędzy, ale brak mu kultury.
I always **have** hay fever in May. — W maju zawsze mam katar sienny.

---

give [gɪv] *vt opp:* get, take ⓘ **gave** [geɪv], **given** ['gɪvən] — **dawać, darować**
I **gave** him four pounds for mowing the lawn. — Dałam mu cztery funty za skoszenie trawnika.
What are you **giving** Dad for his birthday? — Co dasz tacie na urodziny?

---

leave [liːv] *vt* ⓘ **left** [left], **left** [left] — **zostawić, pozostawić**
I often **leave** my car in the garage and take my bike. — Często zostawiam samochód w garażu i biorę rower.
Can I **leave** the kids with you while I do the shopping? — Czy mogę zostawić u ciebie dzieci, kiedy pójdę po zakupy?
My aunt died and **left** me £ 3,000. — Ciotka umarła i zostawiła mi w spadku 3000 £.

---

take [teɪk] *vt* ⓘ **took** [tʊk], **taken** ['teɪkən] — **wziąć, brać, zabrać**
We **took** a taxi to the airport. — Wzięliśmy taksówkę na lotnisko.
I always **take** my Swiss Army knife when I go hiking. — Kiedy idę na wędrówkę, zawsze zabieram scyzoryk.

---

get [get] *vt opp:* give ⓘ **got** [gɒt], **got** [gɒt], *Am* **gotten** ['gɑːtn] — **dostać, otrzymać**
I **got** this letter this morning – it was sent by fax. — Dostałam ten list dzisiaj rano – przysłano go faksem.

receive [rɪ'siːv] *vt syn:* get, *opp:* give, send	**otrzymać, przyjąć**
I sent the letter on Monday and he **received** it on Wednesday.	Wysłałam list w poniedziałek, a on dostał go w środę.
accept [ək'sept] *vt opp:* refuse	**przyjąć, zaakceptować**
I gladly **accept** your invitation.	Chętnie przyjmę twoje zaproszenie.
keep [kiːp] *vt* ⓘ **kept** [kept], **kept** [kept]	**zatrzymać**
You can **keep** the book – I don't need it.	Możesz zatrzymać tę książkę – nie potrzebuję jej.

«2001–4000»

reserve [rɪ'zɜːv] *vt syn:* book	**rezerwować, zamawiać**
I'd like to **reserve** a table for four at your restaurant.	Chciałabym zarezerwować w pańskiej restauracji stolik na cztery osoby.
borrow ['bɒrəʊ] *vt opp:* lend	**pożyczać**
Here's the £100 (hundred pounds) I borrowed (ⓘ *nie:* ***lent***) from you yesterday.	Oto 100 funtów, które wczoraj od ciebie pożyczyłam.

☺ Zarówno **lend**, jak i **borrow** oznaczają „pożyczać", ale **lend** używamy z pozycji osoby dającej „pożyczyć komuś" **(he lent me his bike), borrow** z pozycji osoby biorącej „pożyczyć od kogoś" **(I borrowed his bike).**

lend [lend] *vt opp:* borrow ⓘ **lent** [lent], **lent** [lent]	**pożyczyć (komuś)**
Can you **lend** (ⓘ *nie:* ***borrow***) me £100 (hundred pounds) until tomorrow?	Czy możesz mi pożyczyć 100 funtów do jutra?
pass [pɑːs] *vt*	**podać**
Pass me the sugar please – I can't quite reach it.	Czy możesz mi podać cukier – nie mogę go dosięgnąć.
distribute [dɪ'strɪbjuːt] *vt*	**rozprowadzać, rozdzielać**
The demonstrators **distributed** leaflets to the crowd.	Demonstranci rozprowadzali ulotki wśród tłumu.

share [ʃeə] *vt syn:* split	**dzielić (się) z kimś, wspólnie użytkować**
Let's take a taxi and **share** the cost.	Weźmy jedną taksówkę i podzielmy się kosztami.
share [ʃeə] *n*	**udział, część**
Each of us will pay their **share** of the bill.	Każdy zapłaci swoją część rachunku.
split [splɪt] *vt syn:* share	**dzielić**
ⓘ **split** [splɪt], **split** [splɪt]	
Let's **split** the cost between the three of us.	Podzielmy koszty na nas troje.
reach for ['riːtʃ fə]	**sięgać**
The gangster was shot when he reached for his gun.	Gangstera zastrzelono, gdy sięgał po broń.
seize [siːz] *vt syn:* grab	**chwytać, łapać**
The thief **seized** the bag and ran away.	Złodziej chwycił torebkę i uciekł.
occupy ['ɒkjəpaɪ] *vt*	**zajmować**
The striking workers **occupied** the factory buildings.	Strajkujący robotnicy zajęli budynki fabryki.
return [rɪ'tɜːn] *vt*	**zwracać, oddawać**
I have to **return** these books to the library by Friday.	Do piątku muszę oddać te książki do biblioteki.

2.8 NAUKA I WIEDZA

«1–2000»

learn [lɜːn] *vi, vt* ⓘ	**uczyć się, nauczyć się**
learnt [lɜːnt], **learnt** [lɜːnt]	
The best way to **learn** a language is to speak it.	Najlepszym sposobem, żeby nauczyć się języka obcego, jest mówienie.

know [nəʊ] *vi, vt* ⓘ **knew** [njuː], **known** [nəʊn]	**wiedzieć, znać, umieć**
Tom **knows** all about it.	Tom wie o tym wszystko.
Anne **knows** all of Shakespeare's sonnets by heart.	Anna zna na pamięć wszystkie sonety Szekspira.
I don't speak Spanish but I **know** a little Italian and French.	Nie mówię po hiszpańsku, ale trochę znam włoski i francuski.
read [riːd] *vi, vt opp:* write ⓘ **read** [red], **read** [red]	**czytać, odczytać**
I don't know the film but I've **read** the book.	Nie znam filmu, ale czytałam książkę.
If you go to bed now, I'll **read** you a bedtime story.	Jeśli pójdziesz teraz do łóżka, poczytam ci na dobranoc.
write [raɪt] *vi, vt* ⓘ **wrote** [rəʊt], **written** ['rɪtn]	**pisać, napisać**
For your homework please **write** an essay of about 500 words.	Jako pracę domową proszę napisać esej na około 500 słów.
type [taɪp] *vt*	**pisać na maszynie**
He **types** with only two fingers but he's surprisingly fast.	Pisze na maszynie tylko dwoma palcami, ale jest zadziwiająco szybki.
copy ['kɒpɪ] *vt*	**kopiować, spisywać**
Please **copy** the words from the blackboard.	Proszę przepisać słowa z tablicy.
copy ['kɒpɪ] *n opp:* original	**kopia, odpis**
Keep the original and send them a **copy.**	Proszę zachować oryginał i wysłać im kopię.
example [ɪg'zɑːmpl] *n*	**przykład**
The short story "The Killers" is an excellent **example** of Hemingway's style.	Nowela „Zabójcy" to doskonały przykład stylu Hemingwaya.
exercise ['eksəsaɪz] *n*	**ćwiczenie**
Please do **exercise** 3 on page 45 as homework.	W domu proszę zrobić ćwiczenie 3. ze strony 45.
test [test] *n*	**egzamin, test**
You have to pass a driving **test** before you get your driving licence.	Zanim się otrzyma prawo jazdy, trzeba zdać egzamin.
story ['stɔːrɪ] *n*	**opowiadanie, historia**
They liked the **story.**	Opowiadanie im się podobało.

book [bʊk] *n*
I liked the **book** much better than the film.
książka
Książka podobała mi się o wiele bardziej niż film.

writer ['raɪtə] *n syn:* author
Rudyard Kipling is one of my favourite **writers.**
pisarz, autor
Rudyard Kipling jest jednym z moich ulubionych pisarzy.

library ['laɪbrərɪ] *n*
He has quite a large **library** for a private person.
biblioteka, biblioteczka
Jak na osobę prywatną, ma całkiem sporą bibliotekę.

sign [saɪn] *n syn:* mark
The **signs** + and – mean plus and minus.
znak
Znaki + i – oznaczają plus i minus.

letter ['letə] *n*
In words like „come" and „bomb" the last **letter** is silent.
tu: **litera**
W słowach „come" i „bomb" nie wymawia się ostatniej litery.

line [laɪn] *n*
A limerick is a funny poem with five **lines.**
wers, linia
Limeryk to dowcipny wiersz składający się z pięciu wersów.

page [peɪdʒ] *n*
Please open your books at **page** 48.
strona
Proszę otworzyć książki na stronie 48.

sheet [ʃiːt] *n*
Please write your answers on a **sheet** of paper.
arkusz, kartka
Proszę napisać odpowiedzi na kartce papieru.

«2001–4000»

study ['stʌdɪ] *vi, vt*
Please don't disturb him – he's got to study for his exams.
uczyć się, studiować
Nie przeszkadzaj mu – musi się uczyć do egzaminów.

☺ **Study** to nie tylko „studiować", także „uczyć się". Dlatego powiemy: „a room where children can study quietly".

find out [ˌfaɪnd 'aʊt]
It's easy once you've **found out** how to do it.
dowiedzieć się, zrozumieć
To proste, kiedy zrozumiesz, jak to się robi.

subject ['sʌbdʒɪkt] *n syn:* topic
The **subject** of today's lesson is reported speech.
temat
Tematem dzisiejszej lekcji jest mowa zależna.

knowledge ['nɒlɪdʒ] *n* He has a very good **knowledge** of the subject but little practical experience.	**wiedza, znajomość** Posiada ogromną wiedzę teoretyczną, ale ma bardzo małe doświadczenie praktyczne.
by heart [baɪ'hɑːt] I know all the Beatles' songs **by heart.**	**na pamięć** Znam na pamięć wszystkie piosenki zespołu „The Beatles".
ability [ə'bɪlətɪ] *n syn:* skill Man has the **ability** to think.	**umiejętność, zdolność** Człowiek posiada zdolność myślenia.
expert ['ekspɜːt] *n syn:* specialist It will take you hours for what an **expert** can do in minutes.	**ekspert, fachowiec** Potrzebujesz wielu godzin na coś, co fachowiec zrobi w kilka minut.
experiment [ɪk'sperɪmənt] *n* They still do **experiments** on animals for the cosmetics industry.	**eksperyment** W przemyśle kosmetycznym nadal przeprowadza się eksperymenty na zwierzętach.
test [test] *vt syn:* examine You can **test** your knowledge in a workbook especially developed for this book.	**egzaminować, sprawdzać** Możesz sprawdzić swoją wiedzę w zeszycie ćwiczeń, przygotowanym specjalnie do tego podręcznika.
experience [ɪk'spɪərɪəns] *n* We need someone with several years' **experience** of teaching.	**doświadczenie** Potrzebny nam ktoś z wieloletnim doświadczeniem w nauczaniu.
practice ['præktɪs] *n, opp:* theory It's a good idea but will be difficult to put into **practice**.	**praktyka** To dobry pomysł, ale trudno będzie zastosować go w praktyce.
science ['saɪəns] *n* She's interested in physics and other **sciences.** He wants to study social **sciences.**	**nauka, nauka ścisła** Interesuje ją fizyka i inne nauki ścisłe. On chce studiować nauki społeczne.
handwriting ['hændˌraɪtɪŋ] *n* Is this a „u" or an „n"? I can't read your **handwriting.**	**pismo ręczne** Czy to „u", czy „n"? Nie mogę odczytać twojego pisma.

ink [ɪŋk] *n* Your homework has to be written in **ink** and not in pencil.	**atrament, tusz** Prace domowe mają być napisane atramentem, nie ołówkiem.
note [nəʊt] *n* The journalists were busy taking **notes** during the President's speech. He made a **note** in the book.	**notatka, uwaga** Dziennikarze sporządzali notatki podczas przemówienia prezydenta. Zapisał uwagę w książce.
notebook ['nəʊtbʊk] *n* The reporter took down in his **notebook** everything she said.	**notes, notatnik** Reporter zapisał w notesie wszystko, co powiedziała.
text [tekst] *n* Popular newspapers often have lots of pictures and little **text.**	**tekst** W brukowcach jest więcej zdjęć niż tekstu.
table [teɪbl] *n* There is a pronunciation **table** on the last page of this book.	**tabela, wykres** Na ostatniej stronie tej książki znajduje się tabela znaków fonetycznych.
literature ['lɪtərətʃə] *n* Edgar Allen Poe's detective stories are great **literature.**	**literatura** Opowiadania detektywistyczne Edgara Allana Poego to wspaniała literatura.
author ['ɔːθə] *n* Hemingway is the **author** of „The Old Man and the Sea".	**autor** Hemingway jest autorem opowiadania „Stary człowiek i morze".
poet ['pəʊɪt] *n* Shakespeare was one of the greatest dramatists and **poets.**	**poeta** Szekspir był jednym z największych dramatopisarzy i poetów.
novel ['nɒvl] *n* "Gone with the Wind" is one of the most successful **novels** and films.	**powieść** „Przeminęło z wiatrem" to jedna z najbardziej znanych powieści (nie: nowel) i filmów.
poem ['pəʊɪm] *n* Andrew Lloyd Webber turned T. S. Eliot's **poems** into his musical „Cats".	**poemat, wiersz** Andrew Lloyd Webber stworzył musical „Cats" na podstawie wierszy T. S. Eliota.

volume ['vɒljuːm] *n* — **tom**
Volume 1 of the dictionary contains the letters A to M.
W tomie 1. słownika znajdują się słowa na litery od A do M.

reader ['riːdə] *n* — **czytelnik**
The Sherlock Holmes stories have fascinated four generations of **readers.**
Opowiadania o Sherlocku Holmesie przykuwają uwagę już czwartego pokolenia czytelników.

discover [dɪ'skʌvə] *vt* — **odkryć**
Columbus **discovered** America in 1492.
Kolumb odkrył Amerykę w 1492 r.

discovery [dɪ'skʌvərɪ] *n* — **odkrycie**
The **discovery** of oil in the North Sea made Britain independent of oil imports.
Odkrycie ropy naftowej w Morzu Północnym uniezależniło Wielką Brytanię od importu ropy.

invent [ɪn'vent] *vt* — **wynaleźć**
Alexander Graham Bell **invented** the telephone.
Alexander Graham Bell wynalazł telefon.

invention [ɪn'venʃn] *n* — **wynalazek**
The computer is often called the greatest **invention** since the steam engine.
Komputery często określa się mianem najważniejszego wynalazku od czasu maszyny parowej.

create [krɪ'eɪt] *vt opp:* destroy — **stworzyć**
The universe was **created** by a massive explosion.
Wszechświat został stworzony wskutek wielkiego wybuchu.

culture ['kʌltʃə] *n* — **kultura**
New York offers visitors a good mixture of **culture** and entertainment.
Nowy Jork oferuje turystom odpowiednią mieszankę kultury i rozrywki.

2.9 ZACHOWANIA OGÓLNE

«1–2000»

business ['bɪznɪs] *n syn:* matter	**sprawa, interes**
My private life is none of your **business.**	Moje życie prywatne to nie twój interes.
Sharing a flat can be a risky **business.**	Wspólne mieszkanie to ryzykowna sprawa.
matter ['mætə] *n syn:* business, affair	**sprawa, interes, kwestia**
It's a very urgent **matter** and can't wait.	To bardzo pilna sprawa i nie może czekać.
duty ['djuːtɪ] *n*	**obowiązek, zadanie**
It's a doctor's **duty** to preserve life.	Ochrona życia to obowiązek lekarza.
be able to [bɪ'eɪbl tʊ] *syn:* can	**móc, być zdolnym do, umieć**
He's injured his knee and **won't be able to** play tomorrow.	Zranił się w kolano i nie może jutro grać.
be used to [bɪ'juːst tʊ]	**przywyknąć, być przyzwyczajonym; mieć nawyk**
She never feels cold because she'**s used to** the climate.	Nigdy nie czuje zimna, bo przywykła do tego klimatu.
I'**m** not **used to** taking orders.	Nie jestem przyzwyczajona do przyjmowania rozkazów.
depend on [dɪ'pend ɒn] *syn:* need	**zależeć od, być zależnym, uzależnionym od**
Most students **depend on** their parents because they don't earn money.	Większość studentów jest zależna od rodziców, gdyż sami jeszcze nie zarabiają pieniędzy.
wait [weɪt] *vi*	**czekać**
We **waited** and **waited** but nobody came.	Czekaliśmy i czekaliśmy, ale nikt nie przyszedł.
expect [ɪk'spekt] *vt*	**oczekiwać, spodziewać się**
They arrived much earlier than we had **expected.**	Przybyli o wiele wcześniej, niż się spodziewaliśmy.

notice ['nəʊtɪs] *vt opp:* overlook He didn't **notice** that the lights had changed.	**zauważyć** Nie zauważył, że światła się zmieniły.
attention [ə'tenʃn] *n* I waved my hand to attract his **attention.**	**uwaga** Pomachałam, żeby zwrócić jego uwagę.
pay attention (to) [ˌpeɪ ə'tenʃn (tʊ)] Please **pay attention** to what I'm saying now.	**uważać, zwracać uwagę (na coś), słuchać uważnie** Proszę, posłuchajcie uważnie tego, co teraz powiem.
care [keə] *n* She hardly makes any mistakes – she does her work with great **care.**	**uwaga, troskliwość** Nie popełnia prawie żadnych błędów – wykonuje swoją pracę bardzo uważnie.
take care of [ˌteɪk'keər əv] *syn:* look after Please **take care of** the baby while I do the shopping.	**troszczyć się, dbać, zajmować się** Proszę, zajmij się dzieckiem, kiedy ja pójdę po zakupy.
protect [prə'tekt] *vt* *syn:* guard, *opp:* attack It is important to **protect** your skin from the sun's rays.	**chronić** Ważne jest, aby chronić skórę od słońca.
protection [prə'tekʃn] *n* After the threat on his life he now carries a pistol for his own **protection.**	**ochrona** Po groźbach nosi pistolet do ochrony własnej.
hide [haɪd] *vi, vt opp:* find ⓘ **hid** [hɪd], **hidden** ['hɪdn] The police will find him wherever he may **hide.** Grandma **hides** her money in the kitchen cupboard.	**chować (się), ukrywać (się)** Policja go znajdzie bez względu na to, gdzie się ukrywa. Babcia chowa pieniądze w kredensie kuchennym.
forget [fə'get] *vt opp:* remember ⓘ **forgot** [fə'gɒt], **forgotten** [fə'gɒtn] She was angry because he'd **forgotten** their wedding anniversary.	**zapomnieć** Była zła, bo zapomniał o rocznicy ich ślubu.

leave [liːv] *vt* ⓘ **left** [left], **left** [left]	**zostawić, opuścić, wyjechać z**
They **left** Europe to make a new home in America.	Wyjechali z Europy, żeby znaleźć nową ojczyznę w Ameryce.
smile [smaɪl] *n, vi opp:* frown	**uśmiech; uśmiechać się, uśmiechnąć się**
The landlady welcomed us with a friendly **smile.**	Gospodyni powitała nas przyjaznym uśmiechem.
She **smiled** at the baby, and it **smiled** back.	Uśmiechnęła się do dziecka, a ono odpowiedziało jej uśmiechem.
laugh [lɑːf] *vi opp:* cry	**śmiać się**
It was so funny that we had to **laugh.**	To było takie śmieszne, że musieliśmy się roześmiać.
cry [kraɪ] *vi opp:* laugh	**płakać**
She **cried** when she got the news of her husband's death.	Rozpłakała się, gdy otrzymała wiadomość o śmierci męża.

«2001–4000»

affair [əˈfeə] *n* *syn:* matter, business	**sprawa, interes**
Stop poking your nose into my private **affairs**!	Przestań wtykać nos w moje prywatne sprawy!
way [weɪ] *n*	**sposób, metoda**
I don't like the **way** people treat foreigners in this country.	Nie podoba mi się sposób, w jaki w tym kraju traktuje się cudzoziemców.
Eating less is the only **way** to lose weight.	Ograniczenie jedzenia to jedyny sposób, żeby schudnąć.
behave [bɪˈheɪv] *vi, v refl syn:* act	**zachowywać się**
She **behaved** as if she had never seen me before.	Zachowywała się, jakby nigdy przedtem go nie widziała.
Children, please **behave** (yourselves)!	Dzieci, proszę, zachowujcie się!
behaviour, *Am* **behavior** [bɪˈheɪvjə] *n*	**zachowanie**
You ought to apologize for your rude **behaviour.**	Powinieneś przeprosić za niegrzeczne zachowanie.

manners ['mænəz] *pl* — **zachowanie, maniery**
It's very bad **manners** to smoke while you eat. — Palenie przy jedzeniu to bardzo złe zachowanie.

---

habit ['hæbɪt] *n* — **nawyk, zwyczaj, nałóg**
Cigarette-smoking is a dangerous **habit.** — Palenie papierosów to bardzo niebezpieczny nawyk.

---

look after ['lʊk, ɑːftə] *syn:* take care of — **opiekować się, troszczyć się**
Could you **look after** the cats while I'm away? — Czy możesz zaopiekować się kotami podczas mojej nieobecności?

---

be in charge (of) [,bɪ ɪn 'tʃɑːdʒ (əv)] *syn:* manage, run — **kierować; być odpowiedzialnym za**
In the USA a sheriff **is in charge of** the police in a county. — W Stanach Zjednoczonych szeryf jest odpowiedzialny za policję w danym okręgu.

---

dare [deə] vi — **odważyć się, zdobyć się**
After the two sex murders no woman **dared** to go out in the dark. — Po dwóch morderstwach na tle seksualnym żadna kobieta nie odważyłaby się wyjść z domu po zmroku.

---

stand [stænd] *vt syn:* bear ⓘ **stood** [stʊd], **stood** [stʊd] — **znosić, wytrzymać**
Please close the window – I can't **stand** the noise of that lawnmower! — Proszę, zamknij okno, nie wytrzymuję hałasu kosiarki!

---

effort ['efət] *n* — **wysiłek, trud**
I will make every **effort** to get you there on time. — Zrobię, co w mojej mocy, żeby dowieźć panią na czas.

---

watch [wɒtʃ] *vt* — **patrzeć, obserwować**
We **watched** the pavement artist draw(ing) his picture. — Patrzyliśmy, jak uliczny malarz kończy swoje dzieło.
Watch that boy carefully – I think he's a shoplifter. — Obserwuj tamtego chłopca – wydaje mi się, że kradnie w sklepie.

---

neglect [nɪ'glekt] *vt* *opp:* take care of — **zaniedbać**
He was away most of the time, **neglecting** his wife and children. — Przez większość czasu nie było go w domu, zaniedbał żonę i dzieci.

miss [mɪs] *vt* My daughter has gone to Canada, and I **miss** her very much.	**tęsknić** Moja córka wyjechała do Kanady i bardzo za nią tęsknię.
memory ['memərɪ] *n* Looking at these toys brings back **memories** of my childhood.	**pamięć, wspomnienie** Widok tych zabawek przywołuje wspomnienia z dzieciństwa.
laughter ['lɑːftə] *n* The clowns were so funny that the audience roared with laughter.	**śmiech** Klowni byli tak zabawni, że widzowie skręcali się ze śmiechu.

2.10 ZACHOWANIA WOBEC LUDZI

«1–2000»

power ['paʊə] *n* I'll do everything in my **power** to help him.	**siła, moc, władza** Zrobię, co w mojej mocy, żeby mu pomóc.
kind [kaɪnd] *adj syn:* good, *opp:* unkind She is very **kind** to old people.	**uprzejmy, -a, -e; przyjazny, -a, -e; miły, -a, -e** Jest miła dla starszych ludzi.
help [help] *n* *syn:* assistance, aid We need your **help.**	**pomoc** Potrzebujemy waszej pomocy.
help [help] *vt, vi syn:* assist Lots of young people **help** old people who live alone.	**pomóc, pomagać** Wielu młodych ludzi pomaga samotnym starszym osobom.
remind of [rɪ'maɪnd (əv)]; **remind to** [rɪ'maɪnd (tə)] Please remind me to phone him.	**przypomnieć o, żeby** Przypomnij mi, żebym do niego zadzwoniła.

☺ **Remember** to „pamiętać, wspominać", a **remind** – „pamiętać o/żeby przypomnieć (coś komuś)",

promise ['prɒmɪs] *n, vt* — **obietnica; obiecać, obiecywać**

Politicians are always making **promises** and then breaking them. — Politycy zawsze składają obietnice i nigdy ich nie dotrzymują.

His parents have **promised** him a car if he passes the exam. — Rodzice obiecali mu samochód, jeśli zda egzamin.

---

excuse [ɪk'skjuːz] *vt opp:* blame — **wybaczyć, wybaczać**

I wrote this in a hurry, please **excuse** the mistakes. — Napisałam to w pośpiechu, proszę wybaczyć błędy.

---

excuse [ɪk'skjuːs] *n opp:* blame — **wytłumaczenie, usprawiedliwienie**

There is no **excuse** for hurting a helpless person. — Nie ma usprawiedliwienia dla kogoś, kto krzywdzi bezbronnego.

---

follow ['fɒləʊ] *vt* — **iść / jechać za, ścigać**

We **followed** the waiter to our table. — Poszliśmy za kelnerem do naszego stolika.

I think a car is **following** us. — Chyba jedzie za nami samochód.

---

disturb [dɪ'stɜːb] *vt syn:* bother — **przeszkadzać**

Don't **disturb** her when she's working. — Nie przeszkadzaj jej, kiedy pracuje.

---

silent ['saɪlənt] *adj syn:* quiet, *opp:* noisy — **cichy, -a, -e; milczący, -a, -e**

You have a right to remain **silent** when you are arrested. — Ma pan prawo zachować milczenie w wypadku aresztowania.

---

silence ['saɪləns] *n syn:* quiet, *opp:* noise — **milczenie, cisza**

The corrupt politician offered her £10,000 for her **silence.** — Skorumpowany polityk zaproponował jej 10 000 funtów za milczenie.

After a moment of absolute **silence** there was enthusiastic applause. — Po chwili absolutnej ciszy rozległy się entuzjastyczne oklaski.

«2001–4000»

influence ['ɪnflʊəns] *n, vt*	**wpływ; wpływać, wpłynąć**
Young people can easily come under the **influence** of religious sects.	Młodzi ludzi mogą łatwo ulec wpływom sekt religijnych.
There are hardly any pop groups that weren't **influenced** by the Beatles.	Niewiele jest grup rockowych, na które nie wpłynął zespół „The Beatles".
impress [ɪm'pres] *vt*	**robić wrażenie, imponować**
I was **impressed** by her nearly perfect pronunciation.	Jej niemal doskonała wymowa zrobiła na mnie wrażenie.
confuse [kən'fjuːz] *vt*	**zmieszać, (z)mylić, zbić z tropu**
Waking up in strange surroundings really **confused** me.	Ilekroć budzę się w nowym miejscu, jestem zbita z tropu.
The twins look so much alike that I'm always **confusing** them.	Bliźnięta są do siebie tak podobne, że zawsze je mylę.
persuade [pə'sweɪd] *vt* *syn:* convince	**przekonać, namówić**
He couldn't **persuade** her to go climbing – she was too afraid.	Nie zdołał przekonać jej do wspinaczki – za bardzo się bała.
control [kən'trəʊl] *n*	**kontrola**
When football fans start drinking, things often get out of **control**.	Kiedy kibice piłkarscy zaczynają pić, sytuacja często wymyka się spod kontroli.
represent [ˌreprɪ'zent] *vt*	**reprezentować**
She will **represent** our school at the conference.	Będzie reprezentowała naszą szkołę na konferencji.
lead [liːd] *vi, vt* ⓘ **led** [led], **led** [led]	**prowadzić, kierować, przewodzić**
Two women were **leading** the demonstrators.	Demonstrantów prowadziły dwie kobiety.
guide [gaɪd] *vt syn:* lead	**prowadzić**
The dog **guided** the blind man across the street.	Pies przeprowadził niewidomego przez ulicę.
imitate ['ɪmɪteɪt] *vt syn:* copy	**naśladować, przedrzeźniać**
He can **imitate** Marlon Brando's mumbling speech perfectly.	Doskonale naśladuje bełkotliwy sposób mówienia Marlona Brando.

favour, *Am* **favor** ['feɪvə] *n* Would you do me a **favour** and lend me your bike?	**przysługa** Czy zrobisz mi przysługę i pożyczysz mi rower?
reward [rɪ'wɔːd] *n* His parents gave him a new car as a **reward** for passing his exams.	**nagroda** Rodzice podarowali mu nowy samochód w nagrodę za zdane egzaminy.
spoil [spɔɪl] *vt* ⓘ **spoilt** [spɔɪlt], **spoilt** [spɔɪlt] Grandparents tend to **spoil** their grandchildren.	**zepsuć, rozpuścić** Dziadkowie często rozpuszczają wnuki.
encourage [ɪn'kʌrɪdʒ] *vt* *opp:* discourage I thought I had no chance but she **encouraged** me to apply for the job.	**zachęcać, namawiać** Myślałam, że nie mam szans, ale namówił mnie, żebym ubiegała się o tę pracę.
trust [trʌst] *n syn:* confidence His daughter would do anything he says – she has perfect **trust** in him.	**zaufanie** Jego córka zrobi wszystko, o co on poprosi – ma do niego absolutne zaufanie.
trust [trʌst] *vt* I didn't lend him any money because I don't **trust** him.	**ufać, zaufać** Nie pożyczyłam mu pieniędzy, bo mu nie ufam.
confidence ['kɒnfɪdəns] *n* *syn:* trust The people lost **confidence** in the President and voted him out of office.	**wiara, zaufanie** Ludzie stracili zaufanie do prezydenta i pozbawili go urzędu.
rely on [rɪ'laɪ ɒn] *vt* You can **rely on** her when you need help.	**polegać na kimś, zdać się na kogoś** Jeśli potrzebujesz pomocy, możesz na niej polegać.
respect [rɪ'spekt] *n, vt* American Indians have great **respect** for the old. He has hardly any friends, but he's much **respected** as an expert.	**szacunek, respekt; szanować, respektować** Indianie darzą starych ludzi wielkim szacunkiem. Ma niewielu przyjaciół, ale jako fachowiec jest bardzo szanowany.

example [ɪg'zɑːmpl] *n* A teacher should be punctual to set an **example** to his students.	**przykład, wzór** Nauczyciel powinien być punktualny, żeby dawać przykład uczniom.
honour, *Am* **honor** ['ɒnə] *n* It's a great **honour** to have the Queen with us today.	**zaszczyt** To wielki zaszczyt gościć wśród nas królową.
worship ['wɜːʃɪp] *vt* She **worships** her son and doesn't see his faults.	**czcić, ubóstwiać** Ubóstwia swojego syna i nie widzi jego wad.
shame [ʃeɪm] *n* He has no **shame** and never feels guilty.	**wstyd, hańba** Nie ma wstydu i nigdy nie czuje się winny.
apologize [ə'pɒlədʒaɪz] *vi* She's still angry although he's **apologized** for his behaviour.	**przepraszać** Nadal jest zła, chociaż przeprosił za swoje zachowanie.
forgive [fə'gɪv] *vt* ⓘ **forgave** [fə'geɪv], **forgiven** [fə'gɪvən] She'll never **forgive** you (for) your rude remarks.	**wybaczyć, wybaczać** Ona nigdy nie wybaczy ci złośliwych uwag.
blame [bleɪm] *vt opp:* excuse Don't **blame** me – it's not my fault that we lost.	**obwiniać** Nie obwiniaj mnie – to nie moja wina, że przegraliśmy.
gossip ['gɒsɪp] *n* The papers are full of **gossip** about the royal family.	**plotka, plotki** Gazety są pełne plotek o rodzinie królewskiej.
boast [bəʊst] *vi syn:* brag She's always **boasting** about how clever her children are.	**chwalić się, przechwalać się, szpanować** Wiecznie przechwala się, że jej dzieci są bardzo mądre.
secret ['siːkrɪt] *n, adj* Don't tell anybody – these plans must be kept **secret**.	**tajemnica, sekret; tajemny, -a, -e; sekretny, -a, -e** Nie mów nikomu: te plany muszą pozostać tajemnicą.
lie [laɪ] *n opp:* truth She said she was busy, and I knew that was a **lie.**	**kłamstwo** Powiedziała, iż jest zajęta, ale wiedziałem, że to kłamstwo.

lie [laɪ] *vi opp:* tell the truth	**kłamać**
She's **lying** – there isn't a grain of truth in what she says.	Ona kłamie – w tym, co mówi, nie ma ani odrobiny prawdy.

☺ „Kłamać" to czasownik regularny **(lie, lied, lied),** nie mylić z „leżeć" **(lie, lay, lain)!!!**

swear [sweə] *vi syn:* curse ⓘ **swore** [swɔː], **sworn** [swɔːn]	**kląć, przeklinać**
He **swore** loudly when his car broke down for the third time.	Zaklął głośno, kiedy jego samochód zepsuł się po raz trzeci.
curse [kɜːs] *vt*	**przeklinać, skląć**
He **cursed** the second-hand car dealer for his dishonesty.	On sklął sprzedawcę używanych samochodów za jego nieuczciwość.
damn(ed) [dæm(d)] *adj*	**przeklęty, -a, -e**
Some **damn** fool left the door open and the dog got out!	Jakiś przeklęty idiota zostawił drzwi otwarte i pies wyszedł!
offend [ə'fend] *vt* *syn:* hurt, upset, insult	**urazić, obrazić, zranić**
She was very **offended** that you didn't invite her.	Była urażona, że jej nie zaprosiłeś.
insult [ɪn'sʌlt] *vt syn:* offend	**obrazić**
Your refusal to shake hands with him **insulted** him.	To, że odmówiłeś podania mu ręki, obraziło go.
insult ['ɪnsʌlt] *n*	**obraza**
Calling an American Indian a redskin is an **insult**.	Nazwanie Indianina czerwonoskórym to obraza.
trick [trɪk] *n*	**sztuczka**
She got the money from an old woman by a **trick.**	Odebrała pieniądze staruszce, uciekając się do sztuczki.
cheat [tʃiːt] *vi*	**oszukać, oszukiwać**
He always wins at cards – he must be **cheating**!	On zawsze wygrywa w karty – na pewno oszukuje!
threat [θret] *n*	**groźba, zagrożenie**
Violent racism is a **threat** to the peace of the whole nation.	Przemoc na tle rasowym stanowi zagrożenie dla pokoju w całym kraju.
threaten ['θretn] *vi, vt*	**grozić**
The terrorists **threatened** to blow up the building.	Terroryści zagrozili, że wysadzą budynek w powietrze.

quarrel ['kwɒrəl] *n, vi syn:* fight — **kłótnia; kłócić się**
When they have a **quarrel** they don't speak to each other. — Kiedy się pokłócą, nie rozmawiają ze sobą.
They're **quarrelling** about what programme to watch on TV. — Kłócili się, co oglądać w telewizji.

---

struggle ['strʌgl] *n, vi syn:* fight — **walka; walczyć**
The black civil rights movement in the USA has been a long **struggle.** — Ruch na rzecz praw obywatelskich Murzynów w USA ma za sobą długą walkę.
After the war they had to **struggle** hard to survive. — Po wojnie walczyli o przeżycie.

---

give in [ˌgɪv 'ɪn] *vi* — **ustąpić, poddać się, zrezygnować**
They can't stop fighting because neither of them wants to **give in.** — Ciągle się kłócą, bo żadne z nich nie chce ustąpić.

3 JĘZYK I INTENCJE MÓWIĄCEGO

3.1 JĘZYK

«1–2000»

speak [spiːk] *vi, vt syn:* talk ⓘ**spoke** [spəʊk], **spoken** ['spəʊkən] — **mówić, rozmawiać**
I'd like to **speak** to the manager. — Chciałabym rozmawiać z kierownikiem.
I understand Greek but don't **speak** it. — Rozumiem po grecku, ale nie mówię w tym języku.

---

talk [tɔːk] *vi syn:* speak — **mówić**
He's always **talking** about paying me back but he never does. — Ciągle mówi, że odda mi dług, ale nigdy tego nie robi.

---

talk [tɔːk] *n syn:* conversation — **rozmowa**
Mother and I had a long **talk**. — Miałam długą rozmowę z mamą.

---

say [seɪ] *vt* ⓘ **said** [sed], **said** [sed] — **powiedzieć, mówić**
How do you **say** „Smacznego" in English? → *tell* — Jak się mówi „smacznego" po angielsku?

tell [tel] *vt* ⓘ **told** [təʊld], **told** [təʊld] I can't **tell** you how glad I am to see you. She always **tells** the children a story before they go to bed.	**mówić, powiedzieć, opowiadać** Nie potrafię ci powiedzieć, jak bardzo się cieszę, że tu jesteś. Zawsze opowiada dzieciom bajkę, zanim zasną.
call [kɔːl] *n, vi, vt syn*: shout, cry We heard a **call** for help but didn't see anybody. I **called** his name but he didn't hear me.	**wołanie; wołać** Słyszeliśmy wołanie o pomoc, ale nikogo nie widzieliśmy. Zawołałam go po imieniu, ale mnie nie słyszał.
cry [kraɪ] *n, vi, vt syn*: shout She gave a **cry** of joy when she won the match. Babies **cry** when they are hungry.	**krzyk; krzyczeć** Wydała okrzyk radości, kiedy wygrała mecz. Małe dzieci płaczą, kiedy są głodne.
word [wɜːd] *n* I couldn't think of the French **word** for it.	**słowo, słówko** Nie mogłam sobie przypomnieć francuskiego słówka.
spell [spel] *vi, vt* ⓘ **spelt** [spelt], **spelt** [spelt] Could you please **spell** your name? – Yes, it's K-o-w-a-l-s-k-i.	**literować** Czy mógłby pan przeliterować swoje nazwisko? – K-o-w-a-l-s-k-i.

«2001–4000»

speech [spiːtʃ] *n* **Speech** therapists help people with speech defects.	**mowa, wymowa** Logopedzi pomagają ludziom z wadą wymowy
express [ɪk'spres] *vt* Don't copy from the text – try to **express** it in your own words.	**wyrazić, wyrażać** Nie ściągaj z tekstu, postaraj się wyrazić to własnymi słowami.
expression [ɪk'spreʃn] *n* *syn*: phrase, word The **expression** "in a fix" means "in a difficult situation".	**wyrażenie, zwrot** Zwrot „in a fix" oznacza „w trudnej sytuacji".
mention ['menʃn] *vt* The boss owes him so much but doesn't even **mention** him in his report.	**wspomnieć, napomknąć** Szef tyle mu zawdzięcza, ale nawet o nim nie wspomni w swoim raporcie.

declare [dɪ'kleə] *vt* He was **declared** the winner.	**uznać, określić** Uznano go za zwycięzcę.
conversation [ˌkɒnvə'seɪʃn] *n* *syn*: talk The conference should allow enough time for private **conversations**.	**rozmowa, konwersacja** Podczas konferencji powinno się uwzględnić wystarczająco dużo czasu na rozmowy prywatne.
discuss [dɪ'skʌs] *vt* In tonight's talk show the guests will **discuss** (ⓘ *nie*: ***about***) the problems of drug addiction.	**dyskutować, omawiać** W dzisiejszym programie goście będą dyskutowali na temat uzależnienia od narkotyków.
discussion [dɪ'skʌʃn] *n* I watched an interesting **discussion** about new immigration laws.	**dyskusja** Oglądałam ciekawą dyskusję na temat nowego prawa dotyczącego imigrantów.
argue ['ɑːgjuː] *vi* *syn*: quarrel, fight The kids are **arguing** over which TV programme they should watch.	**kłócić się** Dzieci się kłócą, który program oglądać.
argument ['ɑːgjəmənt] *n* *syn*: quarrel, fight The football coach got into an **argument** with the referee about his decision.	**kłótnia** Trener piłkarski wdał się w kłótnię z sędzią na temat jego decyzji.
sound [saʊnd] *n* The English th is a **sound** that many Polish can't pronounce.	**dźwięk** Wielu Polaków nie potrafi wymówić angielskiego dźwięku „th".
voice [vɔɪs] *n* I love listening to her – she's got a beautiful **voice**.	**głos** Uwielbiam jej słuchać, ma piękny głos.
whisper ['wɪspə] *vt* She **whispered** in my ear so that the others couldn't hear her.	**szeptać** Szeptała mi do ucha, żeby nikt inny tego nie słyszał.
shout [ʃaʊt] *n, vi, vt syn*: call, cry He gave a loud **shout** of joy. There's no need to **shout** at the boy.	**krzyk, okrzyk; krzyczeć** Wydał głośny okrzyk radości. Nie trzeba krzyczeć na chłopca.
pronounce [prə'naʊns] *vt* "Our" and "hour" are spelt differently but **pronounced** the same.	**wymawiać** „Our" i „hour" pisze się inaczej, ale wymawia tak samo.

pronunciation [prəˌnʌnsɪ eɪʃn] *n* The **pronunciation** of "Gary" is different from that of "Gerry".	**wymowa** Wymowa imienia „Gary" jest inna niż „Gerry".
spelling ['spelɪŋ] *n* *syn*: orthography He writes in an excellent style but his **spelling** is terrible.	**pisownia, ortografia** Pisze w świetnym stylu, ale jego ortografia jest okropna.
sentence ['sentəns] *n* Please answer the questions using complete **sentences**.	**zdanie** Proszę odpowiadać na pytania całymi zdaniami.

3.2 ZDOBYWANIE I UDZIELANIE INFORMACJI

«1–2000»

ask [ɑːsk] *vt* *opp*: answer, reply If you order a beer in the USA, the barman will **ask** you how old you are.	**pytać, zapytać** Jeśli w USA zamówisz piwo, barman zapyta, ile masz lat.
question ['kwestʃn] *n* *opp*: answer, reply I asked him but he didn't answer my **question**.	**pytanie** Zapytałam go o coś, ale nie odpowiedział na moje pytanie.
answer ['ɑːnsə] *vi, vt syn*: reply, *opp*: ask He's going to **answer** all the questions you ask him.	**odpowiedzieć, odpowiadać** Odpowie na wszystkie pytania, które mu zadacie.
answer ['ɑːnsə] *n syn*: reply, *opp*: question If you're asking me, the **answer** is yes.	**odpowiedź** Moja odpowiedź brzmi „tak".
show *vt* [ʃəʊ] ⓘ **showed** [ʃəʊd], **shown** [ʃəʊn] You must **show** your passport before you board the plane.	**pokazać, pokazywać** Zanim się wsiądzie do samolotu, trzeba pokazać paszport.

information [ˌɪnfə'meɪʃn] *n* I'd like some **information** (ⓘ *nie: **informations***) about rafting on the Colorado River	**informacja** Szukam informacji na temat spływów tratwą po rzece Kolorado.
news [njuːz, *Am* nuːz] *n* This is (*nie: **are***) the **news**.	**wiadomości** Oto wiadomości.
report [rɪ'pɔːt] *vi, vt* As the US correspondent of "The Guardian" he **reported** on the San Francisco earthquake.	**zdawać relację, relacjonować** Jako amerykański korespondent gazety „The Guardian" relacjonował trzęsienie ziemi w San Francisco.
report [rɪ'pɔːt] *n* *syn*: account I watched the TV **report** of the bombing of the World Trade Center.	**sprawozdanie, relacja, reportaż** Widziałam telewizyjny reportaż na temat zamachu bombowego w World Trade Center.
explain [ɪk'spleɪn] *vt* Can you **explain** to me (ⓘ *nie: **explain me***) what this word means?	**wyjaśnić, wytłumaczyć** Czy możesz mi wyjaśnić, co oznacza to słowo?
mean [miːn] *vt* ⓘ **meant** [ment], **meant** [ment] The three stars in the guide **mean** that it's a very fine restaurant. → *mean*	**znaczyć, oznaczać** Trzy gwiazdki w przewodniku oznaczają, że to bardzo dobra restauracja.
meaning ['miːnɪŋ] *n syn*: sense Most words have several **meanings.**	**znaczenie** Większość słów ma wiele znaczeń.
tip [tɪp] *n* This travel guide is full of useful **tips**.	**wskazówka, rada** W tym przewodniku jest wiele przydatnych wskazówek.
advice [əd'vaɪs] *n* Her took his doctor's **advice** and gave up smoking. Let me give you a piece of **advice.** (ⓘ *nie: **an advice***)	**rada** Posłuchał rady lekarza i rzucił palenie. Pozwól, że udzielę ci rady.

☺ **Advice, information** i **news** są niepoliczalne i występują tylko w liczbie pojedynczej! Mówiąc o szczegółowej radzie lub informacji, mówimy **a piece of information / advice / news.**

inquiry [ɪn'kwaɪərɪ] *n* The police are making **inquiries** about the murdered woman's life.	**dochodzenie** Policja prowadzi dochodzenie na temat życia zamordowanej kobiety.
inquire [ɪn'kwaɪə] *vi syn*: ask I'd like to **inquire** about cheap flights to Florida.	**dowiedzieć się** Chciałabym się dowiedzieć o tanie loty na Florydę.
statement ['steɪtmənt] *n* The politicians made a **statement**.	**deklaracja, stwierdzenie** Politycy wygłosili deklarację.
remark [rɪ'mɑːk] *n* He can't stop making nasty **remarks**.	**uwaga, komentarz** On nie może się powstrzymać od złośliwych uwag.
message ['mesɪdʒ] *n* Send him a **message** by fax.	**wiadomość** Prześlij mu wiadomość faksem.
inform [ɪn'fɔːm] *vt syn*: tell She told her boss about the missing money but didn't **inform** the police.	**informować, poinformować** Powiedziała szefowi o brakujących pieniądzach, ale nie zawiadomiła policji.
explanation [,eksplə'neɪʃn] *n* The police know the murderer but have no **explanation** for his motives.	**wyjaśnienie, wytłumaczenie** Policjanci wiedzą, kto jest mordercą, ale nie potradfią wyjaśnić jego motywów.
point [pɔɪnt] *vi* A compass needle **points** north.	**wskazać, wskazywać** Igła kompasu wskazuje północ.
refer to [rɪ'fɜː tʊ] When we speak of the greenhouse effect, we **refer to** the global warming caused by pollution.	**mieć na myśli** Kiedy mówimy o efekcie cieplarnianym, mamy na myśli globalne ocieplenie spowodowane przez zanieczyszczenie.
advice [əd'vaɪz] *vt* The doctor **advised** him to stop smoking.	**radzić, poradzić** Lekarz mu poradził, żeby rzucił palenie.
recommend [,rekə'mend] *vt* Can you **recommend** a good restaurant (to me)?	**polecić** Czy możesz mi polecić jakąś dobrą restaurację?

3.3 WYRAŻANIE ZGODY I ODMOWY

«1–2000»

opinion [ə'pɪnjən] *n syn:* view Everybody thinks she's great, but in my **opinion** her books are boring.	**opinia, zdanie** Wszyscy uważają, że jest wspaniała, ale moim zdaniem jej książki są nudne.
mean [miːn] *vt* ⓘ **meant** [ment], **meant** [ment] I don't understand what you **mean** by that. Do you **mean** me? – Yes, I **mean** you. I **mean** what I say.	**mieć na myśli, mówić poważnie, serio** Nie rozumiem, co masz na myśli. Masz na myśli mnie? – Tak, ciebie. Mówię poważnie.
for [fɔː] *prp syn*: in favour of, *opp*: against Are you **for** nuclear energy or against it?	**za** Jesteś za czy przeciw energii nuklearnej?
against [ə'genst] *prp* *opp*: for, in favour of Pacifists are *against* violence of any kind.	**przeciw** Pacyfiści są przeciwko przemocy w jakiejkolwiek formie.
yes [jes] *adv opp*: no Are you Polish? – **Yes**, I am. →*no*	**tak** Jesteś Polką? – Tak.
of course [əv kɔːs] *adv* *syn*: certainly May I borrow this book? – Yes, **of course**.	**oczywiście** Czy mogę pożyczyć tę książkę? – Oczywiście.
no [nəʊ] *adv opp*: yes Do you live here? **No**, I don't.	**nie** Mieszkasz tu? – Nie.

☺ Jeśli nie chcemy wydać się niegrzeczni, nie odpowiadamy na pytania samym **No** lub **Yes**. Przy propozycjach reagujemy : **No, thank you** albo **Yes, please**. Przy innych pytaniach posługujemy się odpowiednim czasownikiem posiłkowym, np.: **Are you enjoying your visit? – Yes, we are.**

not [nɒt] *adv*	**nie** (*jako przeczenie przy innych częściach mowy*)
You are **not** old enough to drink.	Nie jesteś pełnoletni, więc nie możesz pić alkoholu.
right [raɪt] *adj syn*: correct, true, *opp*: wrong, false	**właściwy, -a, -e; odpowiedni, -a, -e**
A successful politician always says the **right** things and knows the right people.	Dobry polityk zawsze mówi właściwe słowa i zna odpowiednich ludzi.
correct [kə'rekt] *adj syn*: right, *opp*: wrong, false	**poprawny, -a, -e; słuszny, -a, -e**
You did a good job – 9 out of 10 answers are **correct**.	Dobrze ci poszło – na 10 pytań 9 odpowiedzi jest poprawnych.
true [truː] *adj syn*: real, right, correct, *opp*: false, wrong	**prawdziwy, -a, -e**
It sounds strange but it is a **true** story.	To dziwne, ale ta historia jest prawdziwa.
truth [truːθ] *n opp*: lie	**prawda**
They didn't believe her although she was telling the **truth**.	Nie uwierzyli jej, chociaż mówiła prawdę.
be right [bɪ 'raɪt] *opp*: be wrong	**mieć rację, słuszność**
I think you'**re right**.	Uważam, że masz rację.

☺ Po angielsku mówimy **be right**, a nie **have right**!!!

admit [əd'mɪt] *vt syn*: confess, *opp*: deny	**przyznać**
He had to **admit** that his opponent was better than he was.	Musiał przyznać, że przeciwnik był lepszy od niego.
wrong [rɒŋ] *adj syn*: false, *opp*: right, correct	**błędny, -a, -e; niewłaściwy, -a, -e; zły, -a, -e**
Turn round, we're going in the **wrong** direction.	Zawracaj, idziemy w złym kierunku.
mistake [mɪ'steɪk] *n syn*: error, fault	**błąd, pomyłka, omyłka**
Except for a few spelling **mistakes** it's an excellent piece of work.	Oprócz kilku błędów w pisowni praca jest doskonała.
be wrong [bɪ 'rɒŋ] *opp*: be right	**mylić się, nie mieć racji**
I **was wrong** when I thought I could do it without any help.	Myliłam się, kiedy myślałam, że zdołam to zrobić bez niczyjej pomocy.

«2001–4000»

view [vjuː] *n syn*: idea, opinion, belief In a democracy everybody has a right to his own political **views**.	**zdanie, pogląd, opinia** W demokracji każdy ma prawo do własnych poglądów politycznych.
argument ['ɑːgjəmənt] *n* What **arguments** are there for and against nuclear power?	**argument** Jakie są argumenty za, a jakie przeciwko energii nuklearnej?
reply [rɪ'plaɪ] *n vt, vi* *syn*: answer I wrote to the British Tourist Authority and got an immediate **reply**. We sent them a letter and they **replied** by fax.	**odpowiedź; odpowiedzieć** Napisałam do Brytyjskiego Urzędu Turystycznego i otrzymałam natychmiastową odpowiedź. Wysłaliśmy im list. Odpowiedzieli faksem.
in favour (of) [ɪn 'feɪvə(rəv)] *syn*: for, *opp*: against Will those **in favour** (**of** the proposal) please raise their hands.	**za, na korzyść** Ci, którzy są za propozycją, proszę podnieść ręce.
agree [ə'griː] *vi opp*: disagree You said the film was boring – I **agree** with you.	**zgadzać się** Mówiłeś, że film był nudny – zgadzam się z tobą.
agreement [ə'griːmənt] *n* It's difficult to reach an **agreement** on protecting the whales.	**porozumienie** Trudno osiągnąć porozumienie w kwestii ochrony wielorybów.
approve (of) [ə'pruːv (əv)] *vi, vt* *opp*: object (to) I don't **approve** of elitist private schools. The plans must be **approved** by the city council.	**pochwalać, być za, aprobować** Nie pochwalam elitarnych szkół prywatnych. Plany musi zaakceptować rada miasta.
praise [preɪz] *vt opp*: criticize The press **praised** the firefighters' prompt action.	**chwalić, wychwalać** Prasa wychwalała szybką akcję strażaków.
praise [preɪz] *n opp*: critcism Webber's new musical received a lot of **praise**.	**pochwała, uznanie** Nowy musical Webbera otrzymał wiele pochwał.

admire [əd'maɪə] *vt* *opp*: despise Many people **admire** Greenpeace.	**podziwiać** Wielu ludzi podziwia Greenpeace.
admiration [ˌædmə'reɪʃn] *n* *opp*: contempt His work has always filled me with **admiration**.	**podziw** Jego dzieła zawsze wypełniały mnie podziwem.
correct [kə'rekt] *vt* Please **correct** me if I make a mistake.	**poprawiać** Proszę, popraw mnie, jeśli się pomylę.
mind [maɪnd] *vt syn*: object to It's so hot – would you **mind** opening the window?	**mieć coś przeciwko** Jest bardzo gorąco, czy miałbyś coś przeciwko temu, żeby otworzyć okno?

☺ Na pytanie **Do you mind...?** odpowiadamy przecząco, jeśli nie mamy nic przeciwko temu, odpowiedź twierdząca oznacza, że się na coś nie zgadzamy albo nam przeszkadza. Np.: **Do you mind if I smoke in here? – No, not at all.**

complain [kəm'pleɪn] *vi* Our neighbours are often very noisy but we don't **complain** (about it).	**skarżyć się, narzekać** Nasi sąsiedzi często bardzo hałasują, ale nie narzekamy.
complaint [kəm'pleɪnt] *n* The police received lots of **complaints** about the noise.	**skarga, zażalenie** Policja otrzymała wiele skarg w związku z hałasem.
deny [dɪ'naɪ] *vt opp*: admit He **denies** ever having been there.	**zaprzeczać** Zaprzecza, że kiedykolwiek tam był.
object (to) [əb'dʒekt (tə)] *vi* *opp*: approve (of) I'd like to close the meeting if no one **objects** (to that)	**sprzeciwiać się** Chciałabym zakończyć spotkanie, jeśli nikt się nie sprzeciwia.
protest [prə'test] *vi* Greenpeace organized a march to **protest** against dumping in the North Sea.	**protestować** Greenpeace zorganizował marsz, żeby zaprotestować przeciwko wrzucaniu odpadów do Morza Północnego.

protest ['prəʊtest] *n* It was mainly the **protest** of young people that ended the war in Vietnam.	**protest** To głównie protesty młodych ludzi położyły kres wojnie w Wietnamie.
refuse [rɪ'fjuːz] *vi, vt* When the demonstrators **refused** to leave, the police carried them off.	**odmówić, odmawiać** Kiedy demonstranci odmówili rozejścia się, policjanci wyprowadzili ich siłą.
refusal [rɪ'fjuːzl] *n* His **refusal** annoyed her.	**odmowa** Jego odmowa zdenerwowała ją.

3.4 PEWNOŚĆ I WĄTPLIWOŚCI

«1–2000»

proof [pruːf] *n syn*: evidence Do you have any good **proof** that you weren't at the scene of the crime?	**dowód** Czy masz przekonujące dowody na to, że nie było cię na miejscu zbrodni?
sure [ʃʊə] *adj syn*: certain, *opp*: uncertain I think he'll come, but I'm not **sure**.	**pewny, -a, -e** Chyba przyjdzie, ale nie jestem pewna.
certain ['sɜːtn] *adj syn*: sure, *opp*: uncertain I think they're open, but I'm not absolutely **certain**.	**pewny, -a, -e** Chyba sklep jest jeszcze otwarty, ale nie jestem pewien.
certainly ['sɜːtnlɪ] *adv syn:* of course It's **certainly** a good car, but it's far too expensive.	**na pewno, z pewnością** Z pewnością to dobry samochód, ale o wiele za drogi.
suppose [sə'pəʊz] *vt syn*: think, believe Since she's not there, I **suppose** she's ill.	**uważać, przypuszczać** Skoro jej tu nie ma, przypuszczam, że jest chora.
seem [siːm] *vi syn*: appear She's not as cool as she **seems** to be.	**wydawać się** Nie jest tak opanowana, jak się wydaje.

probable ['prɒbəbl] *adj* *syn*: likely, *opp*: improbable It's possible he will win but not very **probable**.	**prawdopodobny, -a, -e** Możliwe, że wygra, ale to mało prawdopodobne.
probably ['prɒbəblɪ] *adv* I'm not sure yet, but we'll **probably** leave on Friady.	**prawdopodobnie** Jeszcze nie jestem pewna, ale prawdopodobnie wyjeżdżamy w piątek.
possible ['pɒsəbl] *adj* *opp*: impossible Further showers are **possible** but not probable.	**możliwy, -a, -e** Dalsze opady są możliwe, ale mało prawdopodobne.
perhaps [pə'hæps] *adv* *syn*: maybe I haven't seen Bob today – **perhaps** he's ill.	**może, być może** Nie widziałam dzisiaj Boba – może jest chory.
impossible [ɪm'pɒsəbl] *adj* *opp*: possible Experts thought it was **impossible** to run a mile under four minutes.	**niemożliwy, -a, -e** Fachowcy sądzili, że niemożliwe jest przebiec pięć mil w mniej niż cztery minuty.

«2001–4000»

obvious ['ɒbvɪəs] *adj syn*: clear It's **obvious** that they are in love with each other.	**oczywisty, -a, -e** To oczywiste, że oni się kochają.
clear [klɪə] *adj syn*: obvious It's becoming **clear** that our climate is changing.	**jasne, oczywiste** Staje się jasne, że nasz klimat się zmienia.
prove [pruːv] *vt* His fingerprints **prove** that he was at the scene of the crime.	**dowieść, udowodnić** Odciski palców dowodzą, że był na miejscu zbrodni.
fact [fækt] *n* It's a novel but it's based on **fact**.	**fakt** To powieść, ale oparta na faktach.
reality [rɪ'ælətɪ] *n opp*: fiction What used to be science fiction is now **reality**.	**rzeczywistość, jawa** To, co kiedyś było fantazją, dzisiaj jest rzeczywistością.

decide [dɪ'saɪd] *vt* A goal in the last minute **decided** the match.	**zdecydować** Gol w ostatniej minucie zdecydował o wyniku meczu.
decision [dɪ'sɪʒn] *n* Let's come to a **decision** now.	**decyzja** Podejmijmy wreszcie decyzję.
determined [dɪ'tɜːmɪnd] *adj* When he's **determined** to win, no one can stop him.	**zdeterminowany, -a, -e** Kiedy jest zdeterminowany, żeby wygrać, nikt go nie powstrzyma.
actual ['æktʃʊəl] *adj syn*: real In the election there was a big difference between the predicted results and the **actual** results.	**właściwy, -a, -e; faktyczny, -a, -e; rzeczywisty, -a, -e** Podczas wyborów była duża różnica między wynikami przewidywanymi a rzeczywistymi.

☺ **Actual** nie znaczy „aktualny", tylko „faktyczny, rzeczywisty"!!!

actually ['æktʃʊəlɪ] *adv* *syn*: really The Queen's official birthday is in June, although **actually** her birthday is in April.	**właściwie, w rzeczywistości** Oficjalne urodziny królowej są w czerwcu, chociaż w rzeczywistości urodziła się w kwietniu.
convince [kən'vɪns] *vt* *syn*: persuade He failed to **convince** the management that he was the right man for the job.	**przekonać** Nie udało mu się przekonać zarządu, że jest odpowiednim człowiekiem do tej pracy.
claim [kleɪm] *vi, vt syn*: maintain Several scientists **claim** to have been the first to find the AIDS virus.	**twierdzić** Wielu naukowców twierdzi, że to oni pierwsi odkryli wirus wywołujący AIDS.
appear [ə'pɪə] *vi syn*: seem He **appeared** (to be) quite calm, but actually he was nervous.	**wydawać się** Wydawał się dosyć spokojny, ale w rzeczywistości się denerwował.
estimate ['estɪmeɪt] *vt* The population of Mexico City is **estimated** at 20 million or higher.	**szacować, oceniać** Populację Mexico City szacuje się na 20 milionów.
maybe ['meɪbɪ] *adv* *syn*: perhaps I don't think so, but **maybe** you're right.	**może** Nie uważam tak, ale może masz rację.

possibility [,pɒsə'bɪlətɪ] *n* The weather will be fine but there's a **possibility** of some rain in the evenings.	**możliwość** Pogoda będzie dobra, ale istnieje możliwość opadów wieczorem.
guess [ges] *vi, vt* Do you know how old London is? – I can only **guess** – about 2000 years? – You've guessed it!	**zgadnąć, zgadywać** Wiesz, ile lat ma Londyn? – Mogę tylko zgadywać. Koło 2000? – Zgadłeś!
hesitate ['hezɪteɪt] *vi* If you have any questions, don't **hesitate** to ask.	**wahać się** Jeśli chcecie państwo o coś zapytać, proszę się nie wahać.
doubt [daʊt] *n, vt* Everybody says that he'll win but I have my **doubts** (about it). She may get the job but I **doubt** it.	**wątpliwość; wątpić** Wszyscy twierdzą, że jest winny, ale ja mam wątpliwości. Może dostanie tę pracę, ale wątpię w to.

3.5 WARTOŚCIOWANIE I OSĄDZANIE

«1–2000»

choose [tʃuːz] *vi, vt* *syn*: select, pick ⓘ **chose** [tʃəʊz], **chosen** [tʃəʊzən] You can **choose** between soup and a salad.	**wybrać, wybierać** Możesz wybierać: zupa czy sałatka?
prefer [prɪ'fɜː] *vt* I'm not a vegetarian, but I **prefer** vegetables to meat.	**preferować, woleć** Nie jestem wegetarianinem, ale wolę warzywa od mięsa.
good [gʊd] *adj opp*: bad He's a **good** golfer but a bad tennis player.	**dobry, -a, -e** Jest dobrym golfistą, ale kiepskim tenisistą.
well [wel] *adv opp*: badly She's a good dancer and she sings very **well** too.	**dobrze** Jest dobrą tancerką i bardzo dobrze śpiewa.

better ['betə] *adj, adv* *opp*: worse	**lepszy, -a, -e; lepiej**
She's a much better driver than he is, and plays **better** tennis, too.	Jest lepszym kierowcą niż on, także w tenisa gra lepiej.
best [best] *adj, adv opp*: worst	**najlepszy, -a, -e; najlepiej**
Jesse Owens, the **best** athlete of his time, set six world records in 45 minutes.	Jesse Owens, najlepszy lekkoatleta swoich czasów, ustanowił sześć rekordów świata w 45 minut.
nice [naɪs] *adj*	**miły, -a, -e; sympatyczny, -a, -e; ładny, -a, -e; przyjemny, -a, -e**
Thank you for the photograph – that's a very **nice** present.	Dziękuję za zdjęcie, to bardzo miły prezent.
fine [faɪn] *adj syn*: excellent, beautiful	**dobry, -a, -e**
The Guggenheim in New York is one of the **finest** museums of its kind.	Guggenheim w Nowym Jorku to jedno z najlepszych muzeów w swojej kategorii.
great [greɪt] *adj syn*: excellent, wonderful	**wspaniały, -a, -e**
Shakespeare was the **greatest** dramatist of all time.	Szekspir był najwspanialszym dramaturgiem wszechczasów.
The new film is really **great**.	Nowy film jest naprawdę wspaniały.
wonderful ['wʌndəfʊl] *adj* *syn*: lovely, *opp:* awful	**cudowny, -a, -e**
It's a **wonderful** book – I could read it over and over again.	To cudowna książka – mogłabym czytać ją w kółko.
bad [bæd] *adj opp*: good	**zły, -a, -e**
The hotel was good but the food was **bad**.	Hotel był dobry, ale jedzenie złe.
worse [wɜːs] *adj, adv opp*: better	**gorszy, -a, -e; gorzej**
Last year the economy was bad, but this year it is even **worse**.	W zeszłym roku gospodarka była w złym stanie, ale w tym roku jest w gorszym.
worst [wɜːst] *adj, adv opp*: best	**najgorszy, -a, -e; nagorzej**
The earthquake and fire of 1906 was the **worst** disaster in San Francisco's history.	Trzęsienie ziemi i pożar w 1906 r. to najgorsze katastrofy w historii San Francisco.

awful ['ɔːfʊl] *adj syn*: terrible New York has an **awful** climate – it's either too hot or too cold.	**okropny, -a, -e** Nowy Jork ma okropny klimat – jest albo za zimno, albo za gorąco.
interesting ['ɪntrɪstɪŋ] *adj opp*: boring, dull He travels a lot, he's got a very **interesting** job.	**ciekawy, -a, -e; interesujący, -a, -e** Dużo podróżuje, ma bardzo ciekawą pracę.
important [ɪm'pɔːtnt] *adj opp*: unimportant A large vocabulary is more **important** than perfect pronunciation.	**ważny, -a, -e** Bogate słownictwo jest ważniejsze niż idealna wymowa.
valuable ['væljəbl] *adj syn*: precious, *opp*: worthless The delay will cost us **valuable** time.	**cenny, -a, -e; wartościowy, -a, -e** Przez opóźnienie stracimy cenny czas.
useful ['juːsfəl] *adj* syn: valuable, *opp*: useless Phonecards can be quite **useful** when you're out of change.	**przydatny, -a, -e** Kiedy nie masz drobnych, karty telefoniczne okazują się bardzo przydatne.
use [juːs] *n* Nothing is of as much **use** in an office as a computer.	**pożytek, korzyść** W biurze z niczego nie ma tyle pożytku co z komputera.
easy ['iːzɪ] *adj syn*: simple, *opp*: difficult, hard Polish find it **easier** to learn English than French.	**łatwy, -a, -e** Polacy uważają, że angielski jest łatwiejszy od francuskiego.
simple ['sɪmpl] *adj syn*: plain, easy, *opp*: difficult, complicated I thought it was **simple** but I couldn't do it.	**prosty, -a, -e** Myślałam, że to proste, ale nie mogłam tego zrobić.
difficult ['dɪfɪkəlt] *adj syn*: hard, *opp*: easy Let's begin with some easy questions before we turn to the **difficult** ones.	**trudny, -a, -e** Zacznijmy od łatwych pytań, zanim przejdziemy do tych trudnych.

strange [streɪndʒ] *adj*
syn: funny, odd, *opp*: normal
I can't explain his **strange** behaviour – He's never done that before.

dziwny, -a, -e
Nie potrafię wytłumaczyć jego dziwnego zachowania – nigdy dotąd tak nie postąpił.

---

too [tuː] *adv*
The radio's **too** loud – turn it down, please.

za
Radio gra za głośno – ścisz je, proszę.

«2001–4000»

choice [tʃɔɪs] *n*
I think we made the right **choice** in buying this car.

wybór
Chyba dokonaliśmy właściwego wyboru, kupując ten samochód.

---

purpose ['pɜːpəs] *n*
My car is small and slow but it serves its **purpose**.

cel
Mój samochód jest mały, ale spełnia swój cel.

---

prove [pruːv] *vi syn*: turn out
I hope this book will **prove** to be useful for your English.

okazać się
Mam nadzieję, że ta książka okaże się przydatna w nauce angielskiego.

---

deserve [dɪ'zɜːv] *vt*
You've been working hard all day – you really **deserve** a rest.

zasłużyć
Ciężko pracowałaś przez cały dzień – naprawdę zasługujesz na odpoczynek.

---

check [tʃek] *vt*
Airport security **checked** (ⓘ*nie: **controlled***) our luggage.
Fill her up, please, and **check** (ⓘ *nie*: ***control***) the oil.

sprawdzić, sprawdzać
Na lotnisku strażnicy sprawdzili nasze bagaże.
Poproszę bak do pełna i sprawdzić poziom oleju.

---

critcize ['krɪtɪsaɪz] *vt opp*: praise
In a democracy everybody has the right to **criticize** the government.

krytykować
W demokracji każdy ma prawo krytykować rząd.

---

criticism ['krɪtɪsɪzm] *n*
opp: praise
A politician must be open to **criticism** (ⓘ *nie*: ***critic***).

krytyka
Polityk musi być otwarty na krytykę.

☺ **Criticism** to „krytyka", a „krytyk" to **critic.**

critic ['krɪtɪk] *n* „Schindler's List" was a success with the public as well as the **critics**.	**krytyk** Film „Lista Schindlera" odniósł sukces zarówno wśród widzów, jak i krytyków.
satisfactory [ˌsætɪs'fæktərɪ] *adj opp*: unsatisfactory The results aren't sensational but **satisfactory**.	**satysfakcjonujący, -a, -e; zadowalający, -a, -e** Wyniki nie są rewelacyjne, ale zadowalające.
satisfied [sætɪsfaɪd] *adj syn*: content, pleased, *opp*: dissatisfied He gets everything he wants, but he never seems to be **satisfied**.	**zadowolony, -a, -e** Ma wszystko czego zapragnie, ale nigdy nie jest zadowolony.
improve [ɪm'pruːv] *vi, vt* This book will help you to **improve** your English.	**poprawić, usprawnić** Ta książka pomoże ci udoskonalić twój angielski.
excellent ['eksələnt] *adj syn*: outstanding Congratulations! Your exam results are **excellent**.	**doskonały, -a, -e** Gratulacje! Wyniki egzaminu są doskonałe!
first-class [ˌfɜːst 'klɒːs] *adj syn*: excellent Her work is **first-class** – she's my best student.	**doskonały, -a, -e; pierwsza klasa** To doskonała praca – ona jest moją najlepszą uczennicą.
perfect ['pɜːfɪkt] *adj* Her English is excellent but not **perfect**.	**doskonały, -a, -e; perfekcyjny, -a, -e; idealny, -a, -e** Jej angielszczyzna jest świetna, ale nie idealna.
ideal [aɪ'dɪəl] *adj syn:* perfect This is an **ideal** place for a holiday.	**idealny, -a, -e** To idealne miejsce na wakacje.
amazing [ə'meɪzɪŋ] *adj* The Intercity Express train goes at an **amazing** speed.	**zaskakujący, -a, -e** Pociąg ekspresowy Intercity jedzie z zaskakującą prędkością.
extraordinary [ɪk'strɔːdənərɪ] *adj syn*: unusual, *opp*: ordinary Snow in May – what **extraordinary** weather!	**wyjątkowy, -a, -e; nietypowy, -a, -e** Śnieg w maju – jaka nietypowa pogoda!

delightful [dɪ'laɪtfəl] *adj*	**zachwycający, -a, -e; cudowny, -a, -e**
She's such a **delightful** little girl.	To taka cudowna dziewczynka.
lovely ['lʌvlɪ] *adj syn*: beautiful, *opp:* ugly	**śliczny, -a, -e; uroczy, -a, -e**
Thank you for a **lovely** evening.	Dziękuję za uroczy wieczór.
boring ['bɔːrɪŋ] *adj syn*: dull, *opp*: exciting, interesting	**nudny, -a, -e**
Nothing much happens in this town – it's so **boring**.	W tym miasteczku niewiele się dzieje – jest tak nudno.
dull [dʌl] *adj syn*: boring, *opp*: interesting, exciting	**nudny, -a, -e; nieciekawy, -a, -e**
Everybody talks about her new book, but I found it rather **dull**.	Wszyscy mówią o jej nowej książce, a ja uważam, że jest raczej nieciekawa.
terrible ['terəbl] *adj syn*: awful	**okropny, -a, -e**
The starving children were a **terrible** sight.	Głodujące dzieci stanowiły okropny widok.
practical ['præktɪkl] *adj opp*: theoretical	**praktyczny, -a, -e**
He knows a lot, but he lacks **practical** experience.	Ma dużą wiedzę, ale brak mu doświadczenia praktycznego.
proper ['prɒpə] *adj syn*: right, suitable	**właściwy, -a, -e; odpowiedni, -a, -e**
Putting it in your mouth is not a **proper** way to eat with a knife.	Wkładanie noża do buzi to nie jest odpowiedni sposób jedzenia.
suitable ['suːtəbl] *adj syn*: proper, *opp*: unsuitable	**odpowiedni, -a, -e; właściwy, -a, -e**
One-room studios aren't **suitable** flats for families with children.	Mieszkania jednopokojowe nie są odpowiednie dla rodzin z dziećmi.
suit [suːt] *vt*	**pasować, odpowiadać**
Friday will **suit** me fine. I have red hair, and pink doesn't **suit** me.	Piątek mi odpowiada. Jestem ruda i czerwony mi nie pasuje.
convenient [kən'viːnjənt] *adj syn*: suitable, *opp*: inconvenient	**odpowiedni, -a, -e**
You didn't pick a very **convenient** moment to talk to him.	Wybrałeś niezbyt odpowiedni moment, żeby z nim rozmawiać.

importance [ɪm'pɔːtns] *n* Before the gold rush San Francisco was a town of little **importance**.	**znaczenie, waga** Przed gorączką złota San Francisco było miasteczkiem bez znaczenia.
precious ['preʃəs] *adj* *syn*: valuable, *opp*: worthless Oil is too **precious** to be burned.	**cenny, -a, -e;** **wartościowy, -a, -e** Ropa jest zbyt cenna, by ją palić.
slight [slaɪt] *adj* His Polish is excellent, but he has a **slight** American accent.	**słaby, -a, -e; lekk-i, -a, -ie** Świetnie mówi po polsku, ale ma lekki amerykański akcent.
considerable [kən'sɪdərəbl] *adj* No one got hurt, but the storm caused **considerable** damage to the building.	**poważny, -a, -e; spory, -a, -e** Nikt nie został ranny, ale burza spowodowała poważne uszkodzenie budynku.
false [fɔːls] *adj syn*: wrong, *opp*: true, correct A dolphin is a whale – true or **false**?	**fałszywy, -a, -e** Delfin to wieloryb – to zdanie jest prawdziwe czy fałszywe?
fault [fɔːlt] *n syn*: mistake Don't blame yourself – it isn't your **fault**.	**wina** Nie obwiniaj się, to nie twoja wina.
mistake for [mɪ'steɪk fə] ⓘ **mistook** [mɪ'stʊk], **mistaken** [mɪ'steɪkən] She look so young that people often **mistake** her **for** her daughter.	**błędnie wziąć za, pomylić z** Wygląda tak młodo, że ludzie często mylą ją z jej córką.
useless ['juːslɪs] *adj* *opp*: useful We won't take the radio – it's **useless** without the batteries.	**bezużyteczny, -a, -e;** **nieprzydatny, -a, -e** Nie weźmiemy radia – jest bezużyteczne bez baterii.
failure ['feɪljə] *n opp*: success After several **failures** he found the right method.	**niepowodzenie, klęska** Po wielu niepowodzeniach odkrył właściwą metodę.
nonsense ['nɒnsəns] *n* To say that higher taxes will help the economy is **nonsense**.	**nonsens, bzdura** Twierdzenie, że wyższe podatki uzdrowią gospodarkę to bzdura.

3.6 NAKAZY I ZAKAZY

«1–2000»

let [let] *v/aux* ⓘ **let** [let], **let** [let]	**pozwolić, wypuścić**
Please, **let** me go home. Don't **let** the dog out.	Pozwól mi iść do domu, proszę. Nie wypuszczaj psa!
allow [ə'laʊ] *vt syn*: permit, *opp*: forbid, prohibit	**pozwalać, zezwalać**
The landlord doesn't **allow** pets in the house.	Właściciel nie pozwala trzymać zwierząt w tym domu.
be allowed to [bɪ ə'laʊd tə] *syn*: be permitted to	**mieć pozwolenie na, wolno**
You'**re** not **allowed to** smoke in here.	Tutaj nie wolno palić.
tell [tel] *vt syn*: order, *opp*: ask ⓘ **told** [təʊld], **told** [təʊld]	**kazać, rozkazać**
I **told** you to stay here.	Kazałem ci tu zostać.
order ['ɔːdə] *n, vt syn*: command	**rozkaz; rozkazać**
The chief of police gave the **order** to storm the plane.	Szef policji wydał rozkaz zaatakowania samolotu.

«2001–4000»

permit [pə'mɪt] *vt syn*: allow, *opp*: forbid, prohibit	**pozwalać, zezwalać**
Dogs are not **permitted** in the house.	Nie wolno wprowadzać psów do tego budynku.
permission [pə'mɪʃn] *n* *opp*: prohibition	**zezwolenie, pozwolenie**
Before landing a pilot has to ask for **permission**.	Przed lądowaniem pilot musi prosić o pozwolenie.
have something done ['hæv ˌsʌmθɪŋ 'dʌn]	**kazać komuś coś zrobić, ktoś wykonuje coś za nas**
We used to **have the house painted**, but now we do it ourselves.	Kiedyś kazaliśmy sobie malować dom, teraz robimy to sami.

command [kə'mɑːnd] *n, vt* *syn*: order Prince Phillip **commanded** a British warship in World War II.	**rozkaz; dowodzić, rozkazywać** Podczas II wojny światowej książę Filip dowodził brytyjskim okrętem wojennym.
obey [ə'beɪ] *vt syn*: follow, *opp*: order, command Soldiers have to **obey** their orders without question.	**słuchać, być posłusznym, wykonywać rozkazy** Żołnierze muszą wykonywać rozkazy bez pytania.
make [meɪk] *vt syn*: force, cause ⓘ **made** [meɪd], **made** [meɪd] Don't **make** me punish you. Being in a crowd **makes** young people feel much stronger.	**zmuszać, sprawiać, że** Nie zmuszaj mnie do tego, żebym cię ukarała. Przebywanie w tłumie sprawia, że młodzi czują się o wiele silniejsi.
force [fɔːs] *vt syn*: make The hijackers **forced** the pilot to change the plane's route.	**zmuszać** Porywacze zmusili pilota do zmiany trasy.
insist on [ɪn'sɪst ɒn] He thanked me for my help and **insisted on** paying for my dinner.	**nalegać** Podziękował mi za pomoc i nalegał, że zapłaci za obiad.
warn [wɔːn] *vt* They **warned** me not to touch the wire.	**ostrzegać** Ostrzegali, żeby nie dotykać kabla.
prevent [prɪ'vent] *vt* *opp*: allow, cause Crash helmets must be worn to **prevent** head injuries.	**zapobiec** Aby zapobiec urazom głowy, należy nosić kaski.
forbid [fə'bɪd] *vt syn*: prohibit, *opp*: allow, permit It is **forbidden** to carry guns.	**zabronić** Posiadanie broni jest zabronione.

3.7 ŻYCZENIE I PROŚBA

«1–2000»

want [wɒnt] *vt*	**chcieć, pragnąć**
I **wanted** to leave but they asked me to stay.	Chciałam wyjść, ale prosili, żebym została.
What do you **want** for Christmas?	Co chcesz na Gwiazdkę?
ask [ɑːsk] *vt opp*: tell	**prosić, poprosić**
I **asked** her to help with the dishes, but she said she had no time.	Prosiłam, żeby mi pomogła przy zmywaniu, ale powiedziała, że nie ma czasu.
Oliver **asked** for more.	Oliver poprosił o dokładkę.

«2001–4000»

will [wɪl] *n*	**wola**
She married a foreigner against her parents' **will**.	Wyszła za cudzoziemca wbrew woli rodziców.
wish [wɪʃ] *n syn*: desire	**pragnienie, marzenie, życzenie**
To visit the Grand Canyon has been my greatest **wish** for years.	Wizyta w Wielkim Kanionie była moim marzeniem od lat.
wish [wɪʃ] *vt syn*: want, desire	**żałować**
Moscow was terrible and I **wish** I had never gone there.	Moskwa to okropne miasto, żałuję, że tam pojechałam.
aim [eɪm] *n syn*: goal	**cel**
The **aim** of the project is to help unemployed young people.	Celem tego projektu jest pomoc młodym bezrobotnym.
suggest [sə'dʒest] *vt*	**zaproponować**
As it was a sunny day, Tom **suggested** going to the beach.	Ponieważ był to pogodny dzień, Tom zaproponował pójście na plażę.
suggestion [sə'dʒestʃən] *n syn*: proposal	**sugestia, propozycja**
We don't know what to give him for Christmas – do you have any **suggestions**?	Nie wiemy, co mu dać na Gwiazdkę – czy masz jakieś propozycje?

request [rɪ'kwest] *n* We will send you more details on **request.**	**żądanie** Prześlemy więcej szczegółów na żądanie.
demand [dɪ'mɑːnd] *n, vt,* *syn*: claim The employers refused the workers' **demand** for higher wages.	**żądanie, postulat;** **żądać, postulować** Pracodawcy odmówili spełnienia żądań robotników co do wyższych płac

3.8 POWITANIE I POŻEGNANIE

«1–2000»

Hello! [hə'ləʊ]	**Cześć!**
Hi! [haɪ]	**Cześć!**
Good Morning! [gʊd'mɔːnɪŋ]	**Dzień dobry!** *(przed południem)*
Good afternoon! [gʊd,aːftə'nuːn]	**Dzień dobry!** *(po południu)*
Good evening! [gʊd'iːvnɪŋ]	**Dobry wieczór!**
Good night! [gʊd'naɪt]	**Dobranoc!**
Goodbye! [gʊd'baɪ]	**Do widzenia!**
Bye! Bye, bye! [baɪ, ,baɪ 'baɪ]	**Cześć!** *(na pożegnanie)*
Miss [mɪs] I had **Miss** Phillips for art and Mrs Hicks for English.	**pani** *(panna, niezamężna)* Miałam plastykę z panną Phillips, a angielski z panią Hicks.
Mrs, Mrs. ['mɪsɪz] **Mrs** Young wants to see you.	**pani** *(mężatka)* Pani Young chce się z panem spotkać.

☺ W brytyjskim angielskim piszemy najczęściej **Mr, Mrs, Ms** bez kropki.

Mr, Mr. ['mɪstə] Thank you, **Mr** Coolidge! Welcome, **Mr** President!	**pan** Dziękuję, panie Coolidge! Witamy, panie prezydencie!
madam ['mædəm] Are you being waited on, **madam**?	**pani** *(forma bardzo oficjalna, grzecznościowa)* Czy już panią obsłużono?

sir [sɜː]	**pan** *(forma bardzo oficjalna, grzecznościowa)*
Can I help you, **sir**?	Czym mogę służyć?

«2001–4000»

How do you do? [ˌhaʊ də jʊ ˈdʊ]	**Jak się masz?**
Ms, Ms. [mɪz]	**pani** *(nieokreślony stan cywilny – nie wiemy czy to mężatka, czy panna)*
Please sign here, **Ms** Usher. → *Mr*	Proszę tu podpisać, pani Usher.

3.9 CZĘSTO UŻYWANE ZWROTY

«1–2000»

How are you?	**Jak się masz?**
I'm fine, thanks.	**Dobrze, dziękuję.**
And how are you?	**A ty/ pan?**
Excuse me!	**Przepraszam!**
(I'm) sorry.	**Przykro mi.**
Sorry?	**Słucham?**
Pardon?	**Proszę?**
Thank you.	**Dziękuję.**
Thank you very much.	**Dziękuję bardzo.**
Thanks (a lot).	**(Wielkie) dzięki.**
Not at all (*nie*: **please**).	**Proszę / Nie ma za co.**
You're welcome.	**Proszę** *(odpowiedź na „dziękuję")*
That's right.	**Tak jest.**
Come in!	**Wejdź!**
Have a seat.	**Siadaj / Proszę usiąść.**
I'd like (to)...	**Chciałbym... / Poproszę...**

Could I please... ?	**Czy mogę... ?**
Would you please...?	**Czy mógłby pan/pani... ?**
How much is / are...?	**Ile kosztuje... ?**
Help yourself!	**Proszę bardzo!** *(przy częstowaniu)*
Would you like (to)...?	**Czy chciałbyś... ?**
Yes, please.	**Tak, proszę.**
No, thank you.	**Nie, dziękuję.**
I think so.	**Tak sądzę.**
I hope so.	**Mam taką nadzieję.**
What's the matter?	**O co chodzi? / W czym rzecz?**
Well!	**Cóż!**
Never mind.	**Nie przejmuj się.**
All right! / O.k!	**W porządku! / OK!**

«2001–4000»

Can I help you?	**Czy mogę pomóc?** **Czym mogę służyć?**
What can I do for you?	**Co mogę dla pana/pani zrobić?**
Here you are!	**Proszę bardzo!**
That will do.	**To wystarczy.**
Me too/ So do I.	**Ja także.**
Nor am I / Neither am I.	**Ja też nie.**
Have a good time!	**Miłej zabawy!**
Have a nice day!	**Miłego dnia!**
(To) your health!	**Na zdrowie!**
Here's to (Gordon) / **to your future!**	**Za (Gordona) /** **waszą przyszłość!**
Oh dear!	**Ojej!**
Oh (my) God!	**O (mój) Boże!**
For heaven's sake!	**Na rany boskie!**
Leave me alone!	**Daj mi spokój!**
Get out!	**Wynoś się!**
Beat it! / Get lost!	**Spadaj!**

4 CZŁOWIEK I SPOŁECZEŃSTWO

4.1 TOŻSAMOŚĆ

«1–2000»

call [kɔːl] *vt* They'**ve called** their cat Billy.	**nazwać, nazywać** Nazwali swojego kota Billy.
be called [bɪ 'kɔːld] He's **called** Mario; all his brothers have Italian names.	**mieć na imię** Ma na imię Mario; wszyscy jego bracia mają włoskie imiona.
name [neɪm] *n* What's his **name**? – It's John but everybody calls him Jack.	**imię** Jak ma na imię? – John, ale wszyscy nazywają go Jack.
family name [ˌfæməlɪ neɪm] *syn:* surname My **family name** is Callahan – it's Irish.	**nazwisko** Nazywam się Callahan – to irlandzkie nazwisko.
age [eɪdʒ] *n* In England children start school at the **age** of five.	**wiek** W Anglii dzieci idą do szkoły w wieku pięciu lat.
baby [ˌbeɪbɪ] *n* He's nervous – his wife's expecting her first **baby**.	**dziecko, niemowlę** On się denerwuje – jego żona oczekuje ich pierwszego dziecka.
child [tʃaɪld] *n* *opp:* adult *pl* **children** They have two **children** – a boy and a girl.	**dziecko** Mają dwoje dzieci – chłopca i dziewczynkę.
girl [gɜːl] *n opp:* boy Do boys and **girls** always have to be in the same class?	**dziewczynka, dziewczyna** Czy chłopcy i dziewczynki muszą być w tej samej klasie?
boy [bɔɪ] *n opp:* girl They have three children: two girls and one **boy**.	**chłopiec, chłopak** Mają troje dzieci: dwie dziewczynki i chłopca.
youth [juːθ] *n opp:* old age He spent his childhood and his **youth** in India.	**młodzież; młodość** Spędził w Indiach dzieciństwo i młodość.

woman ['wʊmən] *n*	**kobieta**
opp: man ⓘ *pl* **women** ['wɪmɪn]	
He's a good-looking man and she's a very attractive **woman**. → wife	On jest przystojnym mężczyzną, a ona atrakcyjną kobietą.
man [mæn] *n opp:* woman	**mężczyzna**
ⓘ *pl* **men** [men]	
He was a boy when I last saw him, and he's a **man** now. → husband	Kiedy go ostatnio widziałam, był chłopcem, teraz jest mężczyzną.
lady ['leɪdɪ] *n opp:* gentleman	**dama, pani**
Two old **ladies** were sitting on a park bench.	Dwie starsze panie siedziały na ławce w parku.
gentleman ['dʒentlmən] *n*	**pan, dżentelmen**
opp: lady	
ⓘ *pl* **gentlemen** ['dʒentlmən]	
I will wait – this **gentleman** was here before me.	Poczekam, ten pan był przede mną.

«2001–4000»

man [mæn] *n syn:* human being	**człowiek**
ⓘ *pl* **men** [men]	
Neil Armstrong was the first **man** on the moon.	Neil Armstrong był pierwszym człowiekiem na Księżycu.
human ['hjuːmən] *adj*	**ludzk-i, -a, -ie**
The disaster was caused by **human** error.	Katastrofę spowodował błąd człowieka.
race [reɪs] *n*	**rasa**
The law forbids discrimination on the basis of colour or **race**.	Prawo zabrania dyskryminacji ze względu na rasę lub kolor skóry.
sex [seks] *n*	**płeć**
Nowadays parents can find out the **sex** of a child long before it's born.	W dzisiejszych czasach rodzice mogą poznać płeć dziecka na długo przed jego urodzeniem.
person ['pɜːsn] *n*	**osoba**
ⓘ *pl* najczęściej **people** ['piːpl]	
The portions in this restaurant are too big for one **person**.	Porcje w tej restauracji są za duże na jedną osobę.

personal ['pɜːsnəl] *adj* *syn:* private I'd like to speak to you about a **personal** matter.	**osobisty, -a, -e; prywatny, -a, -e** Chciałbym porozmawiać w sprawie osobistej.
first name ['fɜːst neɪm] *n* *syn:* forename, *opp:* family name, surname Lindbergh's **first name** was Charles.	**imię** Lindbergh miał na imię Charles.
surname ['sɜːneɪm] *n* *syn:* family name, *opp:* first name His first name – David – is English, and his **surname** – Tan – is Chinese.	**nazwisko** Jego imię – David – jest angielskie, a nazwisko – Tan – chińskie.
female ['fiːmeɪl] *adj opp:* male "Sarah" is a commom **female** name. "Sam" is both a male and a **female** name.	**kobiecy, żeński** „Sarah" to popularne imię kobiece. „Sam" to zarówno imię męskie, jak i żeńskie.

4.2 RODZINA

«1–2000»

family ['fæməlɪ] *n* The whole **family** is / are coming to visit us at Christmas.	**rodzina** Cała rodzina odwiedza nas w święta Bożego Narodzenia.
parents ['peərənts] *pl* *opp:* children His **parents** were from Russia.	**rodzice** Jego rodzice pochodzili z Rosji.
mother ['mʌðə] *n opp:* father Her father was an actor and her **mother** an opera singer.	**matka** Jej ojciec był aktorem, a matka śpiewaczką operową.
father ['fɑːðə] *n opp:* mother Her **father** died when she was five.	**ojciec** Jej ojciec umarł, gdy miała pięć lat.
daughter ['dɔːtə] *n opp:* son They have two children, a son and a **daughter**.	**córka** Mają dwoje dzieci, syna i córkę.

son [sʌn] *n opp:* daughter Prince Charles is Queen Elizabeth's oldest **son**.	**syn** Książę Karol jest najstarszym synem królowej Elżbiety.
brother ['brʌðə] *n opp:* sister She has two sisters and one **brother**.	**brat** Ma dwie siostry i brata.
sister ['sɪstə] *n opp:* brother Jane Fonda is Peter Fonda's **sister**.	**siostra** Jane Fonda jest siostrą Petera Fondy.

☺ **Brothers and sisters** to „rodzeństwo", np.: Do you have any brothers or sisters? – Czy masz rodzeństwo?

aunt [ɑːnt] *n opp:* uncle John Lennon was brought up by his **aunt** Mimi, his mother's sister.	**ciotka** Johna Lennona wychowała ciotka Mimi, siostra jego matki.
uncle ['ʌŋkl] *n opp:* aunt My **uncle** Scott is my mother's younger brother.	**wuj** Mój wuj Scott jest młodszym bratem mamy.
cousin ['kʌzn] *n* I have three **cousins**: my uncle's son and my aunt's twin daughters.	**kuzyn, kuzynka** Mam troje kuzynów: syna wujka i bliźniaczki ciotki.
grandparents ['græn,peərənts] *n pl opp:* grandchildren **Grandparents** often spoil their grandchildren.	**dziadkowie** Dziadkowie często psują wnuki.
grandfather ['græn,faːðə] *n*	**dziadek**
grandpa ['grænpaː] *n*	**dziadzio**
grandmother ['græn,mʌðə] *n*	**babka**
grandma ['grænmaː] *n*	**babcia**
grandchild ['græntʃaɪld] *n*	**wnuk**
grandson ['grænsʌn] *n*	**wnuczek**
granddaughter ['græn,dɔːtə] *n*	**wnuczka**
engaged [ɪn'geɪdʒd] *adj* They aren't married yet, but they've been **engaged** for one year.	**zaręczony, -a** Jeszcze się nie pobrali, ale od roku są zaręczeni.

married ['mærɪd] *adj* *opp:* unmarried, single "Mrs" is used to address a **married** woman.	**żonaty; zamężna** „Mrs" zwracamy się do kobiety zamężnej.
wife [waɪf] *n opp:* husband *pl* ⓘ wives He's a teacher and his **wife** is a successful architect.	**żona** On jest nauczycielem, a jego żona znanym architektem.
husband ['hʌzbənd] *n opp:* wife He would make an ideal husband for her.	**mąż** Byłby dla niej idealnym mężem.

«2001–4000»

relative ['relətɪv] *n* They invited all their **relatives** to their golden wedding anniversary.	**krewny, krewna** Zaprosili wszystkich krewnych na złote gody.
related [rɪ'leɪtɪd] *adj* He has the same family name as I, but we aren't **related**.	**spokrewniony, -a, -e** Ma to samo nazwisko co ja, ale nie jesteśmy spokrewnieni.
nephew ['nefjuː] *n opp:* niece His sister's youngest son is his favourite **nephew**.	**siostrzeniec** Najmłodszy syn jego siostry jest jego ulubionym siostrzeńcem.
niece [niːs] *n opp:* nephew Lindy has only one **niece**, her sister's daughter.	**siostrzenica** Lindy ma tylko jedną siostrzenicę, córkę swojej siostry.
single ['sɪŋgl] *adj* *syn:* unmarried, *opp:* married All his brothers and sisters are married but he's still **single**.	**wolny, wolna** Jego bracia już się pożenili, tylko on jest nadal wolny.
couple ['kʌpl] *n* In America lots of newly-wed **couples** go to Niagara Falls for their honeymoon.	**para, małżeństwo** W Stanach wiele młodych par jeździ w podróż poślubną nad wodospad Niagara.
bride [braɪd] *n opp:* (bride) groom The **bride** was wearing a white dress.	**panna młoda** Panna młoda miała na sobie białą suknię.

(bride)groom [('braɪd)gruːm] *n* **pan młody**
opp: bride
The wedding ring is put on the bride's finger by the **bridegroom**. Pan młody włożył obrączkę na palec panny młodej.

father-in-law ['fɑːðərɪn lɔː] *n* **teść**
My **father-in-law** is a well-known painter. Mój teść jest znanym malarzem.

mother-in-law ['mʌðərɪn,lɔː] *n* **teściowa**

parents-in-law ['peərəntsɪn,lɔː] *n* **teściowie**

daughter-in-law ['dɔːtərɪn,lɔː] *n* **synowa**

son-in-law ['sʌnɪn,lɔː] *n* **zięć**

brother-in-law ['brʌðərɪn,lɔː] *n* **szwagier**

sister-in-law ['sɪstərɪn,lɔː] *n* **szwagierka**

widow ['wɪdəʊ] *n* **wdowa**
Her husband died very young and she's been a **widow** most of her life. Jej mąż umarł bardzo młodo i przez prawie całe życie była wdową.

heir [eə] *n* **dziedzic, dziedziczka**
He is **heir** to a large fortune. Jest dziedzicem znacznego majątku.

4.3 WIĘZI SPOŁECZNE

«1–2000»

private ['praɪvɪt] *adj* **prywatny, -a, -e**
syn: personal, *opp:* public
I don't like the way newspapers gossip about people's **private** lives. Nie podoba mi się, że gazety plotkują o życiu prywatnym znanych ludzi.

public ['pʌblɪk] *adj opp:* private **publiczny, -a, -e; jawny, -a, -e**
I'm sorry, this is a private and not a **public** meeting. Przykro mi, to spotkanie prywatne, nie publiczne.

public ['pʌblɪk] *n* **publiczność, zwiedzający**
Buckingham Palace is now open to the **public**. Pałac Buckingham jest otwarty dla zwiedzających.

people ['piːpl] *pl* — **ludzie, mieszkańcy**
There are very few rich and very many poor **people** (ⓘ *nie: **peoples***) in the Third World. — W krajach Trzeciego Świata jest bardzo mało bogatych i bardzo dużo biednych ludzi.

☺ **Peoples** w l. mn. to „narody"; jako „ludzie" używamy zawsze bez "-s".

---

society [sə'saɪətɪ] *n* — **społeczeństwo**
Britain is now a multicultural **society**. — Społeczeństwo Wielkiej Brytanii jest wielokulturowe.

---

common ['kɒmən] *adj* *opp:* different — **wspólny, -a, -e; powszechny, -a, -e**
In spiter of some differences the British and the Americans share a **common** language. — Mimo pewnych różnic Anglicy i Amerykanie mają wspólny język.

---

company ['kʌmpənɪ] *n* — **towarzystwo**
Grandpa is young at heart and prefers the **company** of young people. — Dziadek jest młody duchem i preferuje towarzystwo młodych ludzi.

---

member ['membə] *n* — **członek**
I can't let you in if you aren't a **member** of the club. — Nie wpuszczę pana, jeśli nie jest pan członkiem klubu.

---

fellow ['feləʊ] *n syn:* guy — **facet, gość**
I like him – he's a nice **fellow**. — Lubię go – to fajny gość.

---

neighbour ['neɪbə] *n* — **sąsiad, sąsiadka**
We've got new **neighbours**. — Mamy nowych sąsiadów.

---

friend [frend] *n opp:* enemy — **przyjaciel, znajomy; przyjaciółka, znajoma**
At first we didn't like each other but now she's my best **friend**. — Początkowo się nie lubiłyśmy, a teraz jest moją najlepszą przyjaciółką.

☺ **Friend** to także „znajomy"; słowa **acquaintance** używamy o wiele rzadziej.

---

stranger ['streɪndʒə] *n* — **nieznajomy, obcy**
Teach your children never to get into a **stranger's** car. — Naucz dzieci, żeby nigdy nie wsiadały do samochodu z nieznajomym.

---

enemy ['enəmɪ] *n opp:* friend — **wróg**
We're not exactly **enemies** but we aren't friends either. — Nie jesteśmy może wrogami, ale i nie przyjaciółmi.

«2001–4000»

community [kə'mjuːnətɪ] *n* Politicians should work for the good of the **community**.	**społeczność** Politycy powinni pracować dla dobra społeczności.
club [klʌb] *n* The tennis court may be used by members of the **club** only.	**klub, związek** Z kortu tenisowego mogą korzystać wyłącznie członkowie klubu.
guy [gaɪ] *n syn:* fellow You'll like Pete – he's a nice **guy**.	**facet, gość** Polubisz Pete'a – to fajny facet.
colleague ['kɒliːg] *n* One of my **colleagues** will help you while I'm away.	**kolega, znajomy z pracy** Jeden z kolegów pomoże ci podczas mojej nieobecności.
companion [kəm'pænjən] *n* He's always been the President's most faithful **companion**.	**towarzysz, kompan** Zawsze był wiernym towarzyszem prezydenta.
partner [pɑːtnə] *n* You are invited, and bring your **partner**.	**partner** Jest pan zaproszony razem z partnerką.
boyfriend ['bɔɪfrend] *n* *opp:* girlfriend At weekends she goes to a disco with her **boyfriend**.	**chłopak (ukochany)** W weekendy chodzi na dyskotekę ze swoim chłopakiem.
girlfriend ['gɜːlfrend] *n* *opp:* boyfriend Patty was his **girlfriend** at school and is now his wife.	**dziewczyna (ukochana)** Patty była jego dziewczyną w szkole, a teraz jest jego żoną.
rival ['raɪvl] *n syn:* competitor, opponent, *opp:* partner They are **rivals** in sports but friends in private life.	**rywal** Są rywalami w sporcie, ale przyjaciółmi w życiu prywatnym.

4.4 ZAWODY

«1–2000»

☺ Kiedy mówimy o zawodach, zawsze używamy rodzajnika nieokreślonego **a/an**, np.: My aunt is a doctor, I want to be an engineer (Moja ciotka jest lekarką, Chciałbym zostać inżynierem).

---

worker ['wɜːkə] *n* — **robotnik**
The steel**workers** are demanding higher wages. — Robotnicy domagają się wyższego wynagrodzenia.

---

farmer ['fɑːmə] *n* — **rolnik**
On this market the **farmers** sell their own fruit and vegetables. — Na tym bazarze rolnicy sprzedają swoje owoce i warzywa.

---

baker ['beɪkə] *n* — **piekarz; piekarnia**
I bought rolls at the **baker's**. — Kupiłam bułeczki w piekarni.

---

butcher ['bʊtʃə] *n* — **rzeźnik**
I bought some lamb chops at the **butcher's**. — Kupiłam kotlety jagnięce u rzeźnika.

---

cook [kʊk] *n syn:* chef — **kucharz, kucharka**
They have a very good **cook** at this restaurant. — W tej restauracji mają doskonałego kucharza.

«2001–4000»

occupation [ˌɒkjə'peɪʃn] *n syn:* job — **zawód, zajęcie**
What's your **occupation**? – I'm a computer programmer. — Jaki jest pana zawód? – Jestem programistą komputerowym.

---

profession [prə'feʃn] *n syn:* job, career — **zawód**
The legal and medical **professions**. — Zawód lekarza i prawnika.

---

professional [prə'feʃənəl] *n, adj opp:* amateur — **zawodowiec, profesjonalista; zawodowy, -a, -e; profesjonalny, -a, -e**
Professional footballers make a lot of money. — Zawodowi piłkarze zarabiają bardzo dużo pieniędzy.

apprentice [ə'prentɪs] *n* *syn:* trainee My firm takes on a new **apprentice** every year.	**uczeń, praktykant, terminator** Moja firma co roku przyjmuje nowego praktykanta.
trainee [treɪ'niː] *n* *syn:* apprentice She's a **trainee** and will be a nurse in two years.	**praktykant, uczeń;** **praktykantka, uczennica** Jest praktykantką, a za dwa lata będzie pielęgniarką.
businessman ['bɪznɪsmən] *n* ⓘ *pl* **businessmen** A typical **businessman** in Manhattan wears a dark suit and a tie.	**biznesmen** Typowy biznesmen na Manhattanie nosi ciemny garnitur i krawat.
businesswoman ['bɪznɪswʊmən] *n* ⓘ *pl* **businesswomen** She's a successful **businesswoman**.	**bizneswoman** Jest bizneswoman odnoszącą sukcesy.
housewife ['haʊswaɪf] *n* ⓘ *pl* housewives A **housewife** should earn a fixed salary.	**gospodyni domowa** Gospodyni domowa powinna zarabiać określoną kwotę.
sales representative ['seɪlz ˌreprə'zentətɪv] *n* Please contact our London **sales representative**.	**przedstawiciel handlowy** Proszę skontaktować się z naszym londyńskim przedstawicielem handlowym.
Brit **shop assistant** ['ʃɒp əˌsɪstənt] *n* *syn:* salesclerk (*Am*) She started as a **shop assistant** and now is the manager.	**sprzedawca, sprzedawczyni** Zaczęła jako sprzedawczyni, a teraz prowadzi sklep.
secretary ['sekrətrɪ] *n* Call his **secretary** and make an appointment.	**sekretarz, sekretarka** Zadzwoń do jego sekretarki i umów się na spotkanie.
typist ['taɪpɪst] *n* **Typists** use computers rather than typewriters nowadays.	**maszynistka** W dzisiejszych czasach maszynistki piszą raczej na komputerze, a nie na maszynie do pisania.

mechanic [mɪ'kænɪk] *n* He works as a **mechanic** in a car repair shop. → *mechanical*	**mechanik** Pracował jako mechanik w warsztacie.
engineer ['endʒɪ'nɪə] *n* My grandfather was an **engineer** who built bridges in China.	**inżynier** Mój dziadek był inżynierem, budował mosty w Chinach.
electrician [ɪ,lek'trɪʃn] *n* An electric cooker must be installed by a qualified **electrician**.	**elektryk** Kuchenkę elektryczną musi podłączyć wykwalifikowany elektryk.
plumber ['plʌmə] *n* We have a burst pipe and need a **plumber** quickly.	**hydraulik** Pękła nam rura, potrzebujemy hydraulika.
grocer ['grəʊsə] *n* Before there were supermarkets, most people did their shopping at the **grocer's**.	**sprzedawca w sklepie spożywczym, właściciel zieleniaka** Zanim pojawiły się supermarkety, większość ludzi robiła zakupy w sklepach spożywczych.
hairdresser ['heə,dresə] *n* *syn:* hairstylist I have an appointment at the **hairdresser's** before the party.	**fryzjer, fryzjerka** Przed przyjęciem mam wizytę u fryzjera.
dressmaker ['dres,meɪkə] *n* She works as a **dressmaker**.	**krawiec, krawcowa (damska)** Ona pracuje jako krawcowa.
tailor ['teɪlə] *n* I had this suit made by a **tailor** in Hong Kong.	**krawiec, krawcowa (męski)** Ten garnitur uszył mi krawiec w Hongkongu.
photographer [fə'tɒgrəfə] *n* Did a professional **photographer** (ⓘ *nie: **photograph***) take this picture of you? → *photograph*	**fotograf** Czy to zdjęcie robił ci zawodowy fotograf?
chemist ['kemɪst] *n* Only a **chemist** is allowed to sell medicine prescribed by a doctor. → *pharmacist*	**aptekarz; chemik** Tylko aptekarz może sprzedawać lekarstwa z przepisu lekarza.

☺ **Chemist** to i „chemik", i „aptekarz". W angielskim amerykańskim **chemist** to „chemik", „aptekarz" to **pharmacist** albo **druggist**.

pharmacist ['fɑːməsɪst] *n* *syn:* chemist (Br), druggist (Am) **Pharmacists** still make up some medicines themselves.	**aptekarz, farmaceuta** Aptekarze nadal sporządzają niektóre leki własnoręcznie.
interpreter [ɪn'tɜːprɪtə] *n* She works for the European Parliament as an **interpreter** for Italian and Spanish.	**tłumacz, tłumaczka** Pracuje w Parlamencie Europejskim jako tłumaczka z włoskiego i hiszpańskiego.

4.5 SYTUACJE SPOŁECZNE

«1–2000»

poor [pʊə] *adj* *opp:* rich, wealthy They are too **poor** to buy food for their children.	**biedny, -a, -e; ubog-i, -a, -ie** Są za biedni, żeby kupić jedzenie dla dzieci.
rich [rɪtʃ] *adj* *syn:* wealthy, *opp:* poor My uncle was a millionaire – he got **rich** as a film producer.	**bogaty, -a, -e** Mój wujek był milionerem, stał się bogaty dzięki produkcji filmów.
serve [sɜːv] *vt* He **served** his country as an MP for 30 years.	**służyć** Przez trzydzieści lat służył krajowi jako poseł.
service ['sɜːvɪs] *n* He received a medal for his **service** to the government.	**służba** Otrzymał medal za służbę dla kraju.
living ['lɪvɪŋ] *n* He doesn't earn enough to make a **living**.	**życie** Nie zarabia tyle, by mu starczało na życie.
own [əʊn] *adj, pron* I've always wanted a room of my **own** (ⓘ *nie:* ***an own room***). She bakes her **own** bread.	**własny, na własność** Zawsze chciałam mieć własny pokój. Piecze własny chleb.
master ['mɑːstə] *n* I prefer to work on my own because I like to be my own **master**.	**pan, władca** Wolę pracować na własny rachunek, ponieważ lubię samemu być sobie panem.

«2001–4000»

civil ['sɪvl] *adj*	**cywilny, -a, -e; obywatelsk-i, -a, -ie**
Martin Luther King fought for the **civil** rights of the Blacks.	Martin Luther King walczył o prawa obywatelskie dla Murzynów.
citizen ['sɪtɪzn] *n*	**obywatel, obywatelka**
All people born in the USA can become American **citizens**.	Wszyscy ludzie urodzeni w USA mogą zostać obywatelami amerykańskimi.
rank [ræŋk] *n*	**ranga**
A captain is above a lieutenant in **rank**.	Kapitan przewyższa rangą porucznika.
servant ['sɜːvənt] *n opp:* master	**służący, sługa**
Rich families still have a butler and other **servants**.	Bogate rodziny nadal mają lokaja i innych służących.
slave [sleɪv] *n opp:* master	**niewolnik, niewolnica**
To bring 15 million African **slaves** to America, 100 million were killed on the way.	Żeby do Ameryki dotarło 15 milionów niewolników, 100 milionów zmarło w drodze.
beg [beg] *vi*	**błagać, żebrać**
Everywhere in the Third World poor people live by **begging**.	We wszystkich krajach Trzeciego Świata biedacy utrzymują się z żebrania.
beggar ['begə] *n*	**żebrak, żebraczka**
Nowadays every big city has **beggars** asking for money.	W dzisiejszych czasach w każdym wielkim mieście są żebracy proszący o pieniądze.
wealthy ['welθɪ] *adj* *syn:* rich, *opp:* poor	**bogaty, dobrze sytuowany**
It's run-down now but it used to be a **wealthy** neighbourhood.	Teraz ta dzielnica podupadła, ale kiedyś była to bogata okolica.
boss [bɒs] *n*	**szef, szefowa**
She started her own business because she wanted to be her own **boss** (ⓘ *nie: **chef***).	Założyła własną firmę, bo chciała być sama sobie szefem.

☺ **Chef** to „szef kuchni", nie „dyrektor/szef".

leader ['liːdə] *n syn:* head Martin Luther King also was one of the **leaders** of the Anti-Vietnam War movement.	**przywódca, lider** Martin Luther King był także jednym z przywódców ruchu przeciwko wojnie w Wietnamie.
chairman ['tʃeəmən], **chairwoman** ['tʃeə wʊmən] *n* The club chose a **chairman**, secretary and treasurer.	**przewodniczący, przewodnicząca; prezes** Klub wybrał przewodniczącego, sekretarza i skarbnika.

4.6 ZACHOWANIA SPOŁECZNE

«1–2000»

social ['səʊʃl] *adj* **Social** problems, such as unemployment and homelessness, are increasing.	**społeczny, -a, -e; socjalny, -a, -e** Problemy społeczne, takie jak bezrobocie i bezdomność, narastają.
custom ['kʌstəm] *n syn:* tradition Putting up a Christmas tree is a **custom** about 500 years old.	**zwyczaj** Ustawianie choinki to zwyczaj liczący około 500 lat.
neighbourhood ['neɪbəhʊd] *n, Am* neighborhood We live in a quiet **neighbourhood** with lots of green spaces.	**sąsiedztwo, okolica** Mieszkamy w spokojnej okolicy z dużą ilością zieleni.
meet [miːt] *vt, vi* ⓘ **met** [met], **met** [met] I **met** an old friend I hadn't seen for 10 years. At parties you can **meet** a lot of interesting people.	**spotkać, spotykać, poznać, poznawać** Spotkałam starego znajomego, którego nie widziałam od 10 lat. Na przyjęciach można poznać wiele ciekawych osób.
meeting ['miːtɪŋ] *n* The next **meeting** of the board will be on May 26.	**spotkanie** Następne spotkanie zarządu odbędzie się 26 maja.
date [deɪt] *n* I must go – I have a **date** with my girlfriend at eight.	**randka** Muszę iść – mam randkę z moją dziewczyną o ósmej.

invite [ɪn'vaɪt] *vt* They **invited** all their relatives to the wedding.	**zaprosić, zapraszać** Zaprosili wszystkich swoich krewnych na ślub.
go and see [ˌgəʊ ən'siː] *syn:* visit Grandma's ill – we must **go and see** her soon.	**odwiedzić** Babcia jest chora – musimy ją wkrótce odwiedzić.
visit ['vɪzɪt] *n, vt* She's coming for a **visit** but she won't stay long. We **visit** her in hospital every other day. → *attend*	**wizyta, odwiedziny; odwiedzić, odwiedzać** Przyjeżdża z wizytą, ale nie zabawi długo. Codziennie odwiedzamy ją w szpitalu.
guest [gest] *n syn:* visitor, *opp:* host We use this as an extra bedroom when we have **guests**.	**gość** Używamy tego pokoju jako dodatkowej sypialni, kiedy mamy gości.
show [ʃəʊ] *vt* ⓘ **showed** [ʃəʊd], **shown** [ʃəʊn] First they **showed** us around the building – then they **showed** us to our rooms.	**pokazać, oprowadzić, oprowadzać, zaprowadzić** Najpierw oprowadzili nas po budynku, a potem zaprowadzili do naszych pokoi.
party ['pɑːtɪ] *n* We arranged a surprise **party** for her birthday.	**przyjęcie** Na jej urodziny zorganizowaliśmy przyjęcie-niespodziankę.
congratulations [kənˌgrætʃʊ'leɪʃnz] *pl* **Congratulations**! You won the competition!	**gratulacje** Gratulacje! Wygrałeś konkurs!
present ['preznt] *n syn:* gift In English-speaking countries children get their **presents** on Christmas day.	**prezent, upominek** W krajach anglojęzycznych dzieci dostają prezenty w dzień Bożego Narodzenia.
gift [gɪft] *n syn:* present At the end of the holidays we bought some **gifts** for our friends.	**upominek, prezent** Pod koniec wakacji kupiliśmy upominki dla przyjaciół.

«2001–4000»

contact ['kɒntækt] *n* *syn:* connection Wer used to be good friends but I lost **contact** with him.	**kontakt** Byliśmy kiedyś dobrymi przyjaciółmi, ale straciłem z nim kontakt.
join [dʒɔɪn] *vt* He **joined** the party as a young man and has been a member for 20 years.	**wstąpić, dołączyć, przyłączyć się do** Jako młody mężczyzna wstąpił do partii i jest jej członkiem od 20 lat.
take part (in) ['teɪk 'pɑːt (ɪn)] *syn:* participate (in) Five very interesting guests will **take part in** the discussion.	**brać udział, uczestniczyć** W dyskusji weźmie udział pięcioro ciekawych gości.
accompany [ə'kʌmpənɪ] *vt* The gentlemen **accompany** the ladies to their seats.	**towarzyszyć** Panowie towarzyszą damom na miejsce.
appointment [ə'pɔɪntmənt] *n* I have an **appointment** with my dentist at 3 p.m.	**spotkanie, termin, wizyta** Mam wizytę u dentysty o 15.00.
invitation [ˌɪnvɪ'teɪʃn] *n* I thanked her for the **invitation** to her birthday party.	**zaproszenie** Podziękowałam za zaproszenie na jej przyjęcie urodzinowe.
visitor ['vɪzɪtə] *n syn:* guest The Grand Canyon gets millions of **visitors** every year.	**zwiedzający, gość** Co roku miliony zwiedzających oglądają Wielki Kanion.
host [həʊst] *n opp:* guest We thanked our **host** at the end of the party.	**gospodarz, pan domu** Po przyjęciu podziękowaliśmy gospodarzowi.
hostess ['həʊstɪs] *n opp:* guest The **hostess** welcomed each of her guests individually.	**gospodyni, pani domu** Gospodyni witała się z każdym z gości z osobna.
welcome ['welkəm] *n, adj, vt* They gave us a warm **welcome**. The President **welcomed** his guests at the airport.	**powitanie; powitalny; powitać, przywitać, witać** Spotkało nas ciepłe powitanie. Prezydent przywitał swoich gości na lotnisku.

☺ **Welcome to ...** oznacza „Witamy w ...!"

greet [griːt] *vt syn:* welcome He **greeted** all his guests with a handshake.	**pozdrowić, powitać** Powitał wszystkich gości uściskiem dłoni.
introduce [ɪntrə'djuːs] *vt* May I **introduce** myself? My name is Dennis Young.	**przedstawić, przedstawiać** Czy mogę się przedstawić? Nazywam się Dennis Young.
formal ['fɔːml] *adj* *opp:* casual, colloquial It's rather **formal** to say "How do you do?".	**formalny, -a, -e; oficjalny, -a, -e** „How do you do?" to raczej oficjalne wyrażenie.
wave [weɪv] *vi, vt* They **waved** goodbye to us from the steps of the front door.	**machać, pomachać** Na pożegnanie pomachali nam ze schodów przy drzwiach wejściowych.
bow [baʊ] *vi, vt* The musicians **bowed** as the audience applauded.	**skłonić się, ukłonić się** Muzycy ukłonili się, kiedy publiczność biła brawo.
congratulate [kən'grætʃʊleɪt] *vt* We **congratulated** her on passing her exams.	**gratulować** Pogratulowaliśmy jej zdanych egzaminów.
celebrate ['seləbreɪt] *vi, vt* The Queen **celebrates** her birthday in summer, although actually it is in April.	**świętować, obchodzić** Królowa obchodzi urodziny w lecie, choć naprawdę są one w kwietniu.
get along (with) [ˌget ə'lɒŋ (wɪð)] At first I didn't like her, but now we're **getting along** dine (**with** each other).	**dogadać się, rozumieć się z kimś** Początkowo jej nie lubiłam, ale teraz się dogadujemy.
friendship ['frendʃɪp] *n* There is no real **friendship** without trust.	**przyjaźń** Bez zaufania nie ma prawdziwej przyjaźni.
kiss [kɪs] *n, vt* She gave the children a good-night **kiss**.	**pocałunek, całus; całować, pocałować** Dała dzieciom całusa na dobranoc.

marry ['mærɪ] *vi, vt*	**poślubić, wyjść za mąż, ożenić się; być małżeństwem**
We got married last summer, so we've been **married** for one year.	Pobraliśmy się zeszłego lata, więc jesteśmy małżeństwem od roku.
marriage ['mærɪdʒ] *n*	**małżeństwo**
It's her second **marriage** – her first husband died.	To jej drugie małżeństwo – jej pierwszy mąż zmarł.
wedding ['wedɪŋ] *n* *syn:* marriage	**ślub**
She's going to wear a white dress for the **wedding**.	Do ślubu założy białą suknię.
separate ['sepəreɪt] *vi*	**rozstać się, być w separacji**
They are **separated** and are getting divorced.	Są w separacji i się rozwodzą.
get divorced [ˌget dɪ'vɔːst]	**rozwieść się**
They **got divorced** after 10 years of marriage.	Rozwiedli się po dziesięciu latach małżeństwa.

4.7 PRZEZNACZENIE I PRZYPADEK

«1–2000»

happen ['hæpən] *vi syn*: occur	**wydarzyć się, stać się**
He pushed the button but nothing **happened**.	Nacisnął guzik, ale nic się nie stało.
safe [seɪf] *adj opp*: dangerous	**bezpieczny, -a, -e**
Flying is much **safer** than driving.	Latanie samolotem jest o wiele bezpieczniejsze niż jazda samochodem.
safety ['seɪftɪ] *n opp*: danger	**bezpieczeństwo**
Motorcyclists should wear crash helmets for their own **safety.**	Ze względów bezpieczeństwa motocykliści powinni nosić kaski.
luck [lʌk] *n opp*: bad luck	**szczęście, szczęśliwy los**
With a little bit of **luck** you'll make it.	Uda ci się przy odrobinie szczęścia.

be lucky [biː'lʌkɪ] *syn:* be fortunate, *opp:* be unlucky	**mieć szczęście**
She **was lucky** to survive the accident.	Miała szczęście, że przeżyła ten wypadek.

☺ **Luck** to szczęśliwy los, przeciwieństwo pecha; **happiness** to szczęście jako błogość i raj na ziemi.

save [seɪv] *vt*	**uratować, ocalić**
The seat belt **saved** my life.	Pas bezpieczeństwa uratował mi życie.
success [sək'ses] *n opp*: failure	**sukces, powodzenie**
The film „Jurassic Park" was a great **success**.	Film „Park Jurajski" cieszył się ogromnym powodzeniem.
successful [sək'sesfl] *adj*	**odnoszący sukcesy**
Steven Spielberg is one of the most **successful** film directors and producer.	Steven Spielberg to jeden z reżyserów i producentów, którzy odnieśli ogromny sukces.
succeed [sək'siːd] *vi opp*: fail	**udać się** (coś komuś)
The first time she didn't pass the test, but the second time she **succeeded**.	Za pierwszym razem nie zdała egzaminu, ale za drugim jej się udało.
famous ['feɪməs] *adj*	**słynny, -a, -e; sławny, -a, -e**
Henry Ford, the **famous** car maker, was the son of a farmer.	Henry Ford, słynny producent samochodów, był synem rolnika.
trouble ['trʌbl] *n syn*: difficulty, problems	**kłopot**
In winter I often have **trouble** getting my car started.	W zimie często mam kłopoty z uruchomieniem samochodu.
danger ['deɪndʒə] *n syn:* risk, *opp*: safety	**niebezpieczeństwo**
Cigarette smoking is a **danger** to health.	Palenie tytoniu stanowi niebezpieczeństwo dla zdrowia.
dangerous ['deɪndʒərəs] *adj syn*: risky, *opp*: safe	**niebezpieczny, -a, -e**
Bull terriers can become **dangerous** weapons.	Bulteriery mogą się okazać niebezpieczną bronią.
lose [luːz] *vi, vt opp:* find, win ⓘ **lost** [lɒst], **lost** [lɒst]	**zgubić, stracić**
I found the ring Mother **lost**.	Znalazłam pierścionek, który zgubiła mama.

fire [faɪə] *n* Terrible **fires** destroyed parts of Yellowstone National Park in 1988.	**pożar** Straszne pożary zniszczyły część Parku Narodowego Yellowstone w 1988 r.

«2001–4000»

fate [feɪt] *n* The **fate** of the hostages is in the hands of the hijackers.	**los** Los zakładników jest w rękach porywaczy.
mystery ['mɪstərɪ] *n* *syn*: puzzle, secret Marylin's death will always remain a **mystery**.	**tajemnica** Śmierć Marylin na zawsze pozostanie tajemnicą.
situation [ˌsɪtʃʊ'eɪʃn] *n* *syn*: position, state High unemployment is putting the economy in a very difficult **situation**.	**sytuacja** Wysokie bezrobocie stawia gospodarkę w trudnej sytuacji.
condition [kən'dɪʃn] *n* I wouldn't buy a house in such a poor **condition**. I'll agree under one **condition**.	**stan, warunek** Nie kupiłbym domu w tak złym stanie. Zgodzę się pod jednym warunkiem.
state [steɪt] *n syn*: condition I'm worried about her **state** of health.	**stan** Martwi mnie stan jej zdrowia.
chance [tʃɑːns] *n* *syn*: opportunity There's no **chance** of getting a taxi in Manhattan on a rainy evening.	**szansa** W deszczowy wieczór nie ma szans, żeby złapać taksówkę na Manhattanie.
opportunity [ˌɒpə'tjuːnətɪ] *n* *syn*: chance, occasion You must take (or seize) this **opportunity**.	**szansa, okazja** Musisz skorzystać z tej okazji.
occasion [ə'keɪʒn] *n* *syn*: chance, opportunity This is no **occasion** for joking.	**okazja** To nie jest okazja do żartów.

case [keɪs] *n* The oil spill was a typical **case** of human error. Take an umbrella in **case** it rains.	**przypadek, wypadek** Wyciek ropy to typowy przypadek błędu człowieka. Weź parasol na wypadek deszczu.
event [ɪ'vent] *n syn*: happening The fall of the Berlin Wall was the most important **event** in 1989.	**zdarzenie** Upadek muru berlińskiego był najważniejszym wydarzeniem w 1989 r.
on purpose [ɒn'pɜːpəs] *opp*: by chance I'm sure he did it **on purpose**.	**celowo, naumyślnie** Jestem pewna, że zrobił to celowo.
by chance [baɪ'tʃɑːns] *syn*: by accident, *opp*: on purpose I'd never planned it – it happened quite **by chance**.	**przez przypadek, nienaumyślnie** Nie planowałam tego, to się stało przypadkiem.
adventure [əd'ventʃə] *n* River rafting on the Colorado is a real **adventure**.	**przygoda** Spływ rzeką Kolorado to prawdziwa przygoda.
win [wɪn] *vi, vt opp*: lose ⓘ **won** [wɒn], **won** [wɒn] Mark Spitz **won** seven Olympic gold medals in 1972.	**wygrać, zwyciężyć** Mark Spitz zdobył siedem złotych medali olimpijskich w 1972 r.
rescue ['reskjuː] *n, vt* A **rescue** team found the missing mountain climbers.	**ratunek; uratować, ocalić** Zespól ratowników odnalazł zaginionych turystów.
advantage [əd'vɑːntɪdʒ] *n* *opp*: disadvantage Among the **advantages** of my job are the flexible working hours.	**korzyść, zaleta** Do zalet mojej pracy należą ruchome godziny pracy.
fortunately ['fɔːtʃnətlɪ] *adv* *opp*: unfortunately The car was badly damaged, but **fortunately** no one was hurt.	**na szczęście** Samochód był poważnie uszkodzony, ale na szczęście nikt nie był ranny.
difficulty ['dɪfɪkltɪ] *n* *syn*: problem They got into **difficulties** and had to sell their house.	**trudność, kłopot** Mieli kłopoty i musieli sprzedać dom.

need [niːd] *n* The basic **needs** of man include food and shelter.	**potrzeba** Podstawowe potrzeby ludzkie to jedzenie i schronienie.
lack [læk] *n* For **lack** of opportunity, he never learnt to swim.	**brak** Nie nauczył się pływać z braku okazji.
risk [rɪsk] *n, vt* You can't insure yourself against all **risks**. You **risk** losing your job if you criticize the boss.	**ryzyko; ryzykować** Nie możesz się ubezpieczyć od wszelkiego ryzyka. Krytykując szefa, ryzykujesz utratę pracy.
emergency [ɪ'mɜːdʒnsɪ] *n* This door is an **emergency** exit only.	**niebezpieczeństwo, sytuacja awaryjna** To wyjście awaryjne.
bad luck [ˌbæd'lʌk] *n opp*: luck Losing the match by a goal in the last minute was really **bad luck**.	**pech** Przegrać mecz w wyniku straty bramki w ostatniej minucie to prawdziwy pech.
blow [bləʊ] *n* Losing her job was a terrible **blow** to her.	**cios** Utrata pracy była dla niej strasznym ciosem.
harm [hɑːm] *n, vt syn*: hurt Most prisons do more **harm** than good. It won't **harm** you to work a bit harder.	**krzywda; szkodzić, krzywdzić** Większość więzień wyrządza więcej krzywdy niż pożytku. Nie zaszkodzi ci, jeśli pilniej popracujesz.
damage ['dæmɪdʒ] *n, vt* The fire caused great **damage** to the forest.	**szkoda; szkodzić** Pożar wyrządził wielkie szkody w lesie.
destroy [dɪ'strɔɪ] *vt* *syn*: ruin, *opp*: create The explosion **destroyed** most of the building.	**zniszczyć** Wybuch zniszczył większą część budynku.
destruction [dɪ'strʌkʃn] *n* *opp*: creation Acid rain causes the **destruction** of forests.	**zniszczenie** Kwaśne deszcze powodują zniszczenie lasów.

ruin ['ruːɪn] *n, vt*	**ruina, upadek; rujnować**
Gambling was his **ruin**.	Hazard przywiódł go do ruiny.
explode [ɪk'spləʊd] *vi* *syn:* blow up	**wybuchać, eksplodować**
A bomb **exploded** and killed three people.	Bomba wybuchła i zabiła troje ludzi.
explosion [ɪk'spləʊʒn] *n*	**wybuch**
A gas pipe **explosion** destroyed two houses.	Wybuch gazociągu zniszczył dwa domy.

5 ŻYCIE CODZIENNE

5.1 DOM I MIESZKANIE

«1–2000»

house [haʊs] *n syn:* home	**dom**
Most people in Britain live in their own **house.**	W Anglii większość ludzi mieszka we własnym domu.
build [bɪld] *vt* ⓘ **built** [bɪlt], **built** [bɪlt]	**budować**
The house was **built** in ten months.	Ten dom zbudowano w dziesięć miesięcy.
home [həʊm] *n syn:* house	**dom, ognisko domowe, dom rodzinny**
They've just moved into their new **home** and are giving a house-warming party.	Właśnie się wprowadzili do nowego domu i niedługo zorganizują parapetówę.
live [lɪv] *vi*	**mieszkać**
At 28 he'**s** still **living** with his parents.	W wieku 28 lat nadal mieszka z rodzicami.

at home [ət 'həʊm] Most Polish families celebrate Christmas **at home.**	**w domu** Większość polskich rodzin obchodzi święta Bożego Narodzenia w domu.
flat [flæt] *n syn:* apartment *(Am)* We used to live in a rented **flat** but now we have our own house.	**mieszkanie** Kiedyś mieszkaliśmy w wynajętym mieszkaniu, ale teraz mamy własny dom.
Am **apartment** [ə'pɑːtmənt] *n syn:* flat *(Brit)* In New York we had to stay at a hotel until we found an **apartment.**	**mieszkanie** W Nowym Jorku mieszkaliśmy w hotelu, póki nie znaleźliśmy mieszkania.

☺ **Apartment** to „mieszkanie", a nie „apartament"

floor [flɔː] *n syn:* storey, *Am* story The living room is on the ground **floor** and the bedrooms are on the first (*Am* second) **floor.**	**piętro** Salon jest na parterze, a sypialnie na pierwszym piętrze.

☺ W brytyjskim angielskim **first floor** to „pierwsze piętro", natomiast w amerykańskim angielskim „parter". „Pierwsze piętro" to w amerykańskim angielskim **second floor**.

room [ruːm] *n* We have three **rooms** downstairs and two upstairs.	**pokój** Mamy trzy pokoje na dole i dwa na piętrze.
living room ['lɪvɪŋ ruːm] *n syn:* sitting room *(Brit),* lounge *(Brit)* They're in the **living room** watching TV.	**salon, duży pokój, pokój dzienny** Są w dużym pokoju, oglądają telewizję.
bedroom ['bedruːm] *n* The house has three **bedrooms** and two bathrooms.	**sypialnia** W domu są trzy sypialnie i dwie łazienki.
kitchen ['kɪtʃn] *n* They're in the **kitchen** preparing dinner.	**kuchnia** Są w kuchni, szykują kolację.
bathroom ['bɑːθruːm] *n* Each of our hotel rooms has its own **bathroom.**	**łazienka** Każdy z naszych pokoi hotelowych ma własną łazienkę.

toilet ['tɔɪlɪt] *n syn:* bathroom *(Am),* restroom *(Am)*	**toaleta, ubikacja**
There's a **toilet** on each floor.	Na każdym piętrze jest toaleta.

☺ W amerykańskim angielskim unika się słowa **toilet.** Najczęściej mówi się o **bathroom,** a w budynkach publicznych o **restroom(s).**

hall [hɔːl] *n*	**hol, przedpokój**
The guests can hang up their coats in the **hall.**	Goście mogą powiesić palta w holu.
cellar ['selə] *n syn:* basement	**piwnica**
Wine should be stored in a cool, dark **cellar.**	Wino powinno się przechowywać w chłodnej, ciemnej piwnicy.
roof [ruːf] *n*	**dach**
We must have the **roof** repaired – the rain's coming in.	Musimy załatać dach – podczas deszczu przecieka.
wall [wɔːl] *n*	**ściana, mur**
The **walls** of his room are full of posters of basketball stars.	Na ścianach jego pokoju jest mnóstwo plakatów gwiazd koszykówki.
There is a high stone **wall** around the park.	Dokoła parku jest wysoki mur.
floor [flɔː] *n opp:* ceiling	**podłoga**
The **floor** gets slippery when it's wet.	Podłoga staje się śliska, kiedy się ją zmoczy.
window ['wɪndəʊ] *n*	**okno**
Open the **window** and let in some fresh air.	Otwórz okno i wpuść trochę świeżego powietrza.
door [dɔː] *n*	**drzwi**
Always lock the front **door** when you leave.	Wychodząc, zawsze zamykaj drzwi.
gate [geɪt] *n*	**brama, furtka**
Someone has left the **gate** open.	Ktoś zostawił otwartą bramę.
entrance ['entrəns] *n opp:* exit	**wejście**
Let's meet at the main **entrance** of the station.	Spotkajmy się przy głównym wejściu na stację.
exit ['eksɪt] *n opp:* entrance	**wyjście**
This door may be used as an emergency **exit** only.	Tych drzwi można używać jedynie jako wyjścia awaryjnego.

stairs [steəz] *pl* — **schody**
He ran down the **stairs** to answer the phone. — Zbiegł po schodach, żeby odebrać telefon.

step [step] *n* — **stopień, schodek**
Mind the **step**! — Uwaga na stopień!

Brit **lift** [lɪft] *n syn:* elevator *(Am)* — **winda**
We took the **lift** to the restaurant on the top floor. — Windą pojechaliśmy do restauracji na najwyższym piętrze.

light [laɪt] *n* — **światło**
She turned off the **light(s)** and got into bed. — Zgasiła światło i poszła do łóżka.

heating ['hiːtɪŋ] *n* — **ogrzewanie**
It's getting cold – please turn the **heating** up. — Robi się zimno – proszę, włącz ogrzewanie.

garden ['gɑːdn] *n* — **ogród**
He brought us a bunch of roses from his own **garden.** — Przyniósł nam bukiet róż z własnego ogrodu.

garage ['gærɑːʒ, *Am* gə rɑːʒ] *n* — **garaż**
At weekends we usually leave the car in the **garage.** — W weekendy zazwyczaj zostawiamy samochód w garażu.

☺ **Garage** oznacza również warsztat samochodowy, a w Anglii także stację benzynową!

«2001–4000»

indoors [ɪn'dɔːz] *adv* *syn:* inside, *opp:* outdoors — **wewnątrz, w środku, w domu**
The kids play **indoors** when it's raining. — Kiedy pada, dzieci bawią się w domu.

outdoors [aʊt'dɔːz] *adv* *syn:* outside, *opp:* indoors — **na dworze, na zewnątrz, na świeżym powietrzu**
You can't play **outdoors** when it's raining. — Kiedy pada, nie można bawić się na dworze.

block [blɒk] *n* — **blok**
The council is building a new **block** of flats for large families. — Władze lokalne budują nowy blok mieszkalny dla rodzin wielodzietnych.

front [frʌnt] *n* The hotel has a magnificent **front** but is pretty shabby inside.	**fasada** Ten hotel ma imponującą fasadę, ale obskurne wnętrze.
storey, *Am* **story** ['stɔːrɪ] *n* *syn:* floor ⓘ *pl Am* stories The Sears Tower in Chicago has 110 **storeys/stories.**	**piętro** Sears Tower w Chicago ma 110 pięter.
downstairs [ˌdaʊn'steəz] *adv* *opp:* upstairs Let's meet **downstairs** for breakfast.	**na dole, na dole schodów, na parterze** Spotkajmy się na dole na śniadanie.
upstairs [ˌʌp'steəz] *adv* *opp:* downstairs The living room is downstairs and the bedrooms are **upstairs.**	**na górze, na górze schodów, na piętrze** Salon jest na dole, a sypialnie na górze.
dining room ['daɪnɪŋ ruːm] *n* She laid (*Am* set) the table for dinner in the **dining room.**	**jadalnia** Nakryła do obiadu w jadalni.
basement ['beɪsmənt] *n* *syn:* cellar We have a hobby room in the **basement.**	**piwnica** W piwnicy mamy pokój do majsterkowania.
ceiling ['siːlɪŋ] *n opp:* floor Careful – don't bump your head on the low **ceiling**!	**sufit** Uważaj, nie uderz głową w niski sufit!
chimney ['tʃɪmnɪ] *n* *syn:* smokestack There was thick smoke coming out of the factory **chimneys.**	**komin** Z kominów fabrycznych unosił się gęsty dym.
yard [jɑːd] *n* The children were playing in the school**yard.**	**podwórko, podwórze** Dzieci bawiły się na podwórku szkolnym.
household ['haʊshəʊld] *n* She works full-time and runs the **household** – I wonder how she does it.	**gospodarstwo (domowe), dom** Ona pracuje na pełnym etacie i do tego prowadzi dom – zastanawiam się, jak ona to robi.

move [muːv] *vi*	**przeprowadzadzić się, wprowadzić się, wyprowadzić się**
She doesn't live here any more – she's **moved** to Florida.	Ona już tu nie mieszka – wyprowadziła się na Florydę.
Our new house isn't finished – we can't **move in** yet.	Nasz nowy dom nie jest jeszcze ukończony, więc nie możemy się wprowadzić.
They couldn't pay the rent and had to **move out.**	Nie było ich stać na czynsz i musieli się wyprowadzić.
furnish ['fɜːnɪʃ] *vt*	**umeblować**
They had their new flat **furnished** by an interior designer.	Ich nowe mieszkanie umeblował architekt wnętrz.
At first I stayed at a hotel but then I rented a **furnished** room.	Najpierw mieszkałam w hotelu, potem wynajęłam umeblowany pokój.
paint [peɪnt] *n*	**farba**
I need a brush and a tin of **paint** (ⓘ *nie: **colour***).	Potrzebny mi pędzel i puszka farby.
Careful, wet **paint**!	Uwaga, mokra farba! (Napis odpowiadający naszemu „Świeżo malowane!")
lock [lɒk] *vt opp:* unlock	**zamykać na klucz**
Close the windows and **lock** the doors before you leave.	Zamknij drzwi na klucz przed wyjściem!
lock [lɒk] *n*	**zamek**
He lost his keys and had all the **locks** changed.	Zgubił klucze i musiał wymienić wszystkie zamki.
crack [kræk] *n*	**rysa**
The windows were broken and there were **cracks** in the walls.	Okna są popękane, a ściany mają rysy.

5.2 WYPOSAŻENIE WNĘTRZA

«1–2000»

furniture ['fɜːnɪtʃə] *n*	**meble, umeblowanie**
Except for a bed and a chair there's no **furniture** in the room.	Oprócz łóżka i krzesła w pokoju nie ma innych mebli.

table ['teɪbl] *n* I reserved a **table** for two.	**stół, stolik** Zarezerwowałam stolik dla dwojga.
desk [desk] *n* My back hurts from sitting at my **desk** all day.	**biurko** Plecy mnie bolą po całym dniu za biurkiem.
chair [tʃeə] *n* She bought a table and six matching **chairs.**	**krzesło** Kupiła stół i sześć krzeseł do kompletu.
bench [bentʃ] *n* Two old ladies were sitting on a **bench** in the park.	**ławka** Na ławce w parku siedziały dwie starsze panie.
bed [bed] *n* I need a double room with two **beds.**	**łóżko** Poproszę pokój dwuosobowy z dwoma łóżkami.
cupboard ['kʌbəd] *n* You'll find coffee and sugar in the kitchen **cupboard.**	**szafka, kredens** Kawa i cukier są w szafce w kuchni.
leg [leg] *n* Stools with three **legs** aren't safe.	**noga** Stołki na trzech nogach nie są zbyt bezpieczne.
comfortable ['kʌmfətəbl] *adj* *opp:* uncomfortable The rooms are small but **comfortable.**	**wygodny, -a, -e** Pokoje są małe, ale wygodne.

«2001–4000»

seat [siːt] *n* Our new car has airbags for both front **seats.** I've reserved **seats** for the front row.	**siedzenie, miejsce** W naszym nowym samochodzie są poduszki powietrzne przy obu przednich siedzeniach. Zarezerwowałem miejsca w pierwszym rzędzie.
armchair ['ɑːmtʃeə] *n* I like to sit in a comfortable **armchair** by the fireside.	**fotel** Lubię siedzieć w wygodnym fotelu przy kominku.
sofa ['səʊfə] *n syn:* couch This **sofa** seats three to four people.	**sofa, kanapa** Na tej kanapie usiądą trzy-cztery osoby.

couch [kaʊtʃ] *n syn:* sofa I usually lie down on the **couch** after lunch.	**kanapa, sofa** Po jedzeniu zazwyczaj kładę się na kanapie.
blanket ['blæŋkɪt] *n* I've put another **blanket** on the bed in case it gets cold.	**koc** Położyłam na łóżku jeszcze jeden koc na wypadek, gdyby było zimno.
pillow ['pɪləʊ] *n* I like to sleep with two **pillows** under my head.	**poduszka** Najchętniej śpię na dwóch poduszkach.
cushion ['kʊʃn] *n* Sitting on soft **cushions** is bad for my back.	**poduszka pod plecy, poduszka na kanapę** Siedzenie na miękkich poduszkach szkodzi mi na kręgosłup.
wardrobe ['wɔːdrəʊb] *n* I've got a **wardrobe** full of clothes, and nothing to wear!	**szafa** Mam szafę pełną ubrań i nie mam co na siebie włożyć!
Am **closet** ['klɑːzət] *n* *syn:* built-in cupboard *(Brit)* You can hang your clothes in the **closet.**	**szafa ścienna, szafa wnękowa** Możesz powiesić ubrania w szafie.
shelf [ʃelf] *n* ⓘ *pl* **shelves** [ʃelvz] Please return all books to their **shelves.**	**półka** Proszę odstawiać wszystkie książki na półki.
chest of drawers [tʃest əv 'drɔːz] *n* She keeps her jewellery in a **chest of drawers.**	**komoda** Trzyma biżuterię w komodzie.
drawer [drɔː] *n* I keep my documents in one of my desk **drawers.**	**szuflada** Trzymam dokumenty w szufladzie biurka.
lamp [læmp] *n syn:* light I like to read in bed by the light of my bedside **lamp.**	**światło** Lubię czytać w łóżku, przy świetle nocnej lampki.
Brit **cooker** ['kʊkə] *n* *syn:* stove *(Am)* You can heat up the soup on the **cooker** or in the microwave.	**kuchenka** Podgrzej zupę na kuchence albo w mikrofalówce!

stove [stəʊv] *n* *syn:* cooker *(Brit)*	**piec, kuchenka**
Professional cooks prefer gas **stoves.**	Zawodowi kucharze preferują kuchnie gazowe.
We heat the cabin with a wood-burning **stove.**	Ogrzewamy domek piecem na drewno.
oven ['ʌvn] *n*	**piekarnik**
It's time to take the cake out of the **oven.**	Pora wyjąć ciasto z piekarnika.
fridge [frɪdʒ], **refrigerator** [rɪ'frɪdʒəreɪtə] *n*	**lodówka**
I like my coke cold, so I always keep it in the **fridge/refrigerator.**	Najbardziej lubię zimną colę, więc zawsze trzymam ją w lodówce.
freezer ['friːzə] *n* *syn:* deep freeze	**zamrażarka**
I've got some home-made ice cream in the **freezer.**	Mam w zamrażarce lody własnej roboty.
carpet ['kɑːpɪt] *n*	**dywan**
We bought a beautiful Persian **carpet** for our living room.	Kupiliśmy piękny perski dywan do salonu.
curtain ['kɜːtn] *n*	**zasłona**
Pull back the **curtains** to let the sunshine in.	Odsłoń zasłony i wpuść trochę światła.
frame [freɪm] *n*	**rama, framuga**
The doors are made of glass and have wooden **frames.**	Drzwi są szklane i mają drewniane framugi.

5.3 PRZEDMIOTY I SPRZĘTY

«1–2000»

thing [θɪŋ] *n*	**rzecz, przedmiot**
I entered the store to buy a few **things** I needed.	Weszłam do sklepu po kilka rzeczy, które były mi potrzebne.
You can leave your **things** here until you leave.	Do wyjazdu możesz zostawić tutaj swoje rzeczy.

☺ Bardzo często nie tłumaczymy słowa **thing** na polski, na przykład w wyrażeniach typu **the good thing about it** (*najlepsze w tym*).

box [bɒks] *n* I've eaten a whole **box** of chocolates. I need a cardboard **box** for the parcel.	**pudełko, pudło, opakowanie** Zjadłam całe pudełko czekoladek. Potrzebne mi kartonowe pudło na tę paczkę.
bag [bæg] *n* Let me carry that heavy shopping **bag** for you.	**torba, siatka** Daj, poniosę ci siatkę z zakupami.
basket ['bɑːskɪt] *n* I use a shopping **basket** instead of a bag.	**koszyk** Na zakupy chodzę z koszykiem, nie z siatką.
handbag ['hændbæg] *n* *syn:* purse *(Am)* A thief stole my **handbag.**	**torebka** Złodziej ukradł mi torebkę.
key [kiː] *n* Only the manager has a **key** to the safe.	**klucz** Tylko kierownik ma klucz do sejfu.
pen [pen] *n* I need a **pen** and some paper.	**pióro** Potrzebne mi pióro i papier.
pencil ['pensl] *n* He always makes a **pencil** sketch before he paints in oils.	**ołówek** On zawsze najpierw robi szkic ołówkiem, dopiero potem maluje farbami olejnymi.
card [kɑːd] *n* The English send and receive lots of **cards** at Christmas. I like to play **cards** but I never play for money.	**karta, pocztówka** Anglicy wysyłają i otrzymują dużo kartek na Boże Narodzenie. Lubię grać w karty, ale nigdy nie gram na pieniądze.
handkerchief ['hæŋkətʃɪf] *n* She took a **handkerchief** and wiped the baby's nose.	**chusteczka do nosa** Wzięła chusteczkę i wytarła dziecku nos.
match [mætʃ] *n* He uses **matches** to light his pipe.	**zapałka** Zapala fajkę zapałkami.
string [strɪŋ] *n* I need a piece of **string** to tie up this parcel.	**sznurek** Potrzebny mi sznurek, muszę związać tę paczkę.
chain [tʃeɪn] *n* I put the **chain** on the door when I lock it.	**łańcuch** Kiedy zamykam drzwi, zakładam łańcuch.

pin [pɪn] *n* She fastens the pieces of cloth together with **pins.**	**szpilka** Ona spina kawałki płótna szpilkami.
scissors ['sɪzəz] *pl* A comb and **scissors** is all a good hairdresser needs.	**nożyczki** Nożyczki i grzebień to wszystko, czego potrzebuje dobry fryzjer.
mirror ['mɪrə] *n* I looked into the **mirror** and saw a car following us.	**lustro** Zerknęłam w lusterko i zobaczyłam, że jakiś samochód nas śledzi.
bell [bel] *n* The **bell** rings at the beginning and the end of a lesson.	**dzwonek, dzwon** Dzwonek dzwoni na początku i na końcu lekcji.
clock [klɒk] *n* They have a beautiful old grandfather **clock** in their living room.	**zegar** W salonie mają piękny stary zegar stojący.
hand [hænd] *n* The hour **hand** is always shorter than the minute **hand.**	**wskazówka** Wskazówka godzinowa jest zawsze krótsza od wskazówki minutowej.
toy [tɔɪ] *n* **Toys** are still popular Christmas gifts.	**zabawka** Zabawki to ciągle popularne prezenty gwiazdkowe.

«2001–4000»

object ['ɒbdʒɪkt] *n syn:* thing Most of the **objects** that are missing are worthless.	**przedmiot** Większość zaginionych przedmiotów nie ma żadnej wartości.
container [kən'teɪnə] *n* The firm produces boxes, bottles and other **containers.**	**pojemnik** Firma produkuje pudełka, butelki i inne pojemniki.
bucket ['bʌkɪt] *n syn:* pail He filled a **bucket** with water.	**wiadro, kubeł** Nalał wody do wiadra.
wastepaper basket [weɪst'peɪpə ˌbɑːskɪt] *n* *syn:* wastebasket *(Am)* She threw the old letters into the **wastepaper basket.**	**kosz na śmieci** Wyrzuciła stare listy do kosza.

ashtray ['æʃtreɪ] *n* Here's an **ashtray** if you want to smoke.	**popielniczka** Jeśli chcesz palić, tutaj jest popielniczka.
purse [pɜːs] *n* I always keep change in my **purse.**	**portmonetka** Zawsze trzymam drobne w portmonetce.
wallet ['wɒlɪt] *n* I keep my ID card, driving licence, and paper money in my **wallet.**	**portfel** Przechowuję dowód osobisty, prawo jazdy i banknoty w portfelu.
glasses ['glɑːsɪz] *pl* *syn:* spectacles I need my **glasses** for reading only.	**okulary** Używam okularów tylko do czytania.
ballpoint ['bɔːlpɔɪnt] *n* Use a **ballpoint** to sign the cheques.	**długopis** Podpisuj czeki długopisem.
umbrella [ʌm'brelə] *n* Don't forget your **umbrella** – it's going to rain.	**parasol, parasolka** Nie zapomnij parasola – będzie padać.
candle ['kændl] *n* The English don't light the **candles** on the Christmas tree before Christmas Day.	**świeca, świeczka** Anglicy zapalają świeczki na choince dopiero w Boże Narodzenie.
lighter ['laɪtə] *n* He lit his cigar with an expensive gold **lighter.**	**zapalniczka** Zapalił cygaro drogą złotą zapalniczką.
(light) bulb [('laɪt) bʌlb] *n* The **light bulb** in my desk lamp is burnt out – do you have a 60-watt **bulb**?	**żarówka** Przepaliła mi się żarówka w lampie na biurku – masz żarówkę 60-watową?
thread [θred] *n* A button's come off – I need a needle and some **thread.**	**nić** Urwał mi się guzik – potrzebna mi igła z nitką.
rope [rəʊp] *n* Mountain climbing without a **rope** is very dangerous.	**lina** Wspinaczka bez liny jest bardzo niebezpieczna.
cord [kɔːd] *n syn:* cable I ran over the **cord** of the electric lawnmower and cut it.	**kabel** Przejechałem kosiarką po kablu i go przeciąłem.

net [net] *n*
Most fish are caught with **nets.**

sieć
Ryby łapie się w sieci.

---

ladder ['lædə] *n*
He fell off the **ladder** when he was picking apples.

drabina
Spadł z drabiny, kiedy zrywał jabłka.

---

hammer ['hæmə] *n*
I need a **hammer** and nails to hang up the pictures.

młotek
Potrzebny mi młotek i gwoździe, żeby powiesić te obrazki.

---

nail [neɪl] *n*
I took the hammer and hit my thumb instead of the **nail.**

gwóźdź
Wzięłam młotek i zamiast w gwóźdź, uderzyłam się w kciuk.

---

screw [skruː] *n*
Loosen the **screws** and remove them.

śruba
Poluzuj śruby i je wyjmij.

---

screwdriver ['skruːˌdraɪvə] *n*
Put the screws in by hand, then tighten them with a **screwdriver.**

śrubokręt
Wkręć śruby ręką, a potem dokręć śrubokrętem.

---

needle ['niːdl] *n*
Give me a **needle** and thread, and I'll sew on the button.

igła
Daj mi igłę z nitką, przyszyję guzik.

---

hook [hʊk] *n*
You can hang your coats on the **hooks** by the door.

hak, haczyk
Możecie powiesić płaszcze na haczykach przy drzwiach.

---

saw [sɔː] *n*
Woodcutters now use power **saws** for felling trees.

piła
W dzisiejszych czasach drwale ścinają drzewa piłami elektrycznymi.

---

tap [tæp] *n syn: Am* faucet
I left the **taps** running and flooded the bathroom.

kran
Zostawiłam odkręcony kran i zalałam całą łazienkę.

---

hose [həʊz] *n*
He took the garden **hose** and watered the flower beds.

szlauch
Wziął szlauch i podlał rabatki.

---

scales [skeɪlz] *pl*
The butcher put the meat on the **scales** and weighed it.

waga
Rzeźnik położył mięso na wadze i je zważył.

alarm clock [ə'lɑːm klɒk] *n* *syn:* alarm	**budzik**
My **alarm clock** rings at seven every morning.	Mój budzik dzwoni codziennie o siódmej rano.
key [kiː] *n*	**klawisz**
Pianos, typewriters and computers all have **keys.**	Pianina, maszyny do pisania i komputery mają klawisze.

5.4 PORZĄDKI

«1–2000»

clean [kliːn] *adj, vt opp:* dirty	**czysty, -a, -e; czyścić, myć, szorować**
A surgeon's hands must be absolutely **clean.** The windows are dirty – we've got to **clean** them.	Ręce chirurga muszą być nieskazitelnie czyste. Okna są brudne – musimy je umyć.
dirty ['dɜːtɪ] *adj opp:* clean	**brudny, -a, -e**
My hands are **dirty** – I've got to wash them.	Mam brudne ręce – muszę je umyć.
spot [spɒt] *n syn:* stain	**plama**
I spilled some cola and now there are brown **spots** all over the carpet.	Rozlałam colę i teraz na całym dywanie są brązowe plamy.
wash [wɒʃ] *vt*	**myć**
Wash your hands before every meal.	Myj ręce przed każdym posiłkiem.

«2001–4000»

tidy ['taɪdɪ] *adj syn:* neat, *opp:* untidy	**czysty, -a, -e**
The kitchen was a mess but now it's **tidy** again.	W kuchni był straszny bałagan, ale teraz znowu jest czysto.

dirt [dɜːt] *n*
Use hot water and soap to get the **dirt** off your hands.

brud
Zmyjesz brud z rąk gorącą wodą i mydłem.

---

stain [steɪn] *n syn:* spot
The tomato sauce left **stains** on the tablecloth.

plama
Po sosie pomidorowym zostały plamy na obrusie.

---

dust [dʌst] *n, vi, vt*
There's a thick layer of **dust** on the books.
I **dust** the furniture before I clean the floor.

kurz; ścierać kurze
Na książkach jest gruba warstwa kurzu.
Zanim umyję podłogę, ścieram kurze.

---

mess [mes] *n*
My room's (in) a terrible **mess.**

bałagan
W moim pokoju jest straszny bałagan.

---

sweep [swiːp] *vt* ⓘ **swept** [swept], **swept** [swept]
He **swept** the dead leaves off the terrace.

zamiatać
Zmiótł suche liście z tarasu.

---

wipe [waɪp] *vt*
Please **wipe** the blackboard before the lesson begins.

wycierać, ścierać
Przed lekcją proszę zetrzeć tablicę.

---

polish ['pɒlɪʃ] *vt*
You **polish** copper with a soft cloth.

polerować
Miedź poleruje się miękką szmatką.

---

broom [bruːm] *n syn:* brush
I sweep the floor with a **broom** before I mop it.

miotła, szczotka do zamiatania
Zanim zetrę podłogę na mokro, zamiatam ją szczotką.

---

laundry ['lɔːndrɪ] *n*
He doesn't do any washing, he sends all his clothes to the **laundry.**
I must do the washing – there's so much **laundry** in the basket.

pralnia; brudna bielizna
Sam nie pierze, zanosi wszystko do pralni.
Muszę zrobić pranie – w koszu jest dużo brudnej bielizny.

---

washing machine ['wɒʃɪŋ məˌʃiːn] *n*
We have a **washing machine.**

pralka
Mamy pralkę.

---

dishwasher ['dɪʃˌwɒʃə] *n*
I rinse the plates before I put them in the **dishwasher.**

zmywarka do naczyń
Płuczę talerze, zanim wstawię je do zmywarki.

5.5 UBRANIA I BIŻUTERIA

«1–2000»

clothes [kləʊz] *pl* They sell jeans, sweaters, jackets and other **clothes.**	**ubrania** Sprzedają tam dżinsy, swetry, marynarki i inne ubrania.
fashion ['fæʃn] *n* Long hair is in **fashion** again.	**moda** Długie włosy znów są w modzie.
wear [weə] *vt syn:* have on ⓘ **wore** [wɔː], **worn** [wɔːn] You should **wear** a hat and sunglasses on the beach.	**nosić, mieć na sobie** Na plaży powinno się nosić okulary i kapelusz słoneczny.
dress [dres] *vi* Wait a moment – I'm just **dressing.** He isn't good-looking but he **dresses** very well.	**ubierać się** Poczekaj chwilę, ubieram się. Jest przystojny, ale źle się ubiera.
put on [ˌpʊt 'ɒn] *vt opp:* take off **Put on** your hat and coat – it's getting cold.	**zakładać** Załóż czapkę i płaszcz, robi się zimno.
take off [ˌteɪk 'ɒf] *opp:* put on It's hot in here. Do you mind if I **take off** my jacket?	**zdejmować** Gorąco tu. Czy mogę zdjąć marynarkę?
fit [fɪt] *vt* The shirt doesn't **fit** – it's too tight.	**pasować** Ta koszula nie pasuje, jest za mała.
dress [dres] *n* The bride was wearing a white wedding **dress.**	**sukienka** Panna młoda miała na sobie białą suknię ślubną.
coat [kəʊt] *n* It's getting cold – don't go out without a **coat.**	**płaszcz** Robi się zimno – nie wychodź bez płaszcza.
suit [suːt] *n* At the office I always wear a **suit** and a tie. My secretary wears a dress or a **suit** (ⓘ *nie:* ***costume***).	**garnitur, kostium** W biurze zawsze noszę garnitur z krawatem. Moja sekretarka nosi sukienki albo kostiumy.

jacket ['dʒækɪt] *n syn:* coat For cool evenings you should take a **jacket** or light sweater.	**marynarka, kurtka** Na chłodne wieczory zabierz marynarkę albo cienki sweter.
trousers ['traʊzəz] *pl* *syn: pants (Am)* Waiters often wear white jackets and black **trousers.**	**spodnie** Kelnerzy często noszą białe marynarki i czarne spodnie.
pants *Am* [pænts] *pl* *syn:* trousers The dog went at me and tore my **pants.**	**spodnie** Pies rzucił się na mnie i podarł mi spodnie.
skirt [skɜːt] *n* A lady's suit consists of a jacket and a matching **skirt.**	**spódnica** Damski kostium składa się z marynarki i pasującej do niej spódnicy.
shirt [ʃɜːt] *n* A banker usually wears a dark suit, a white **shirt** and a tie.	**koszula** Bankier zazwyczaj nosi ciemny garnitur i białą koszulę z krawatem.
pocket ['pɒkɪt] *n* He had his hands in his **pockets.**	**kieszeń** Trzymał ręce w kieszeniach.
button ['bʌtn] *n* A **button**'s come off my shirt.	**guzik** Urwał mi się guzik od koszuli.
hole [həʊl] *n* Could you mend the **hole** in my coat pocket?	**dziura** Czy możesz zaszyć mi dziurę w kieszeni marynarki?
shoe [ʃuː] *n* You should wear sturdy **shoes** on the hike.	**but** Na wędrówkę powinno się zakładać solidne buty.
sock [sɒk] *n* I put on shorts, cotton **socks** and jogging shoes.	**skarpeta** Włożyłam szorty, bawełniane skarpety i buty do biegania.
hat [hæt] *n* Never go out in the midday heat without a **hat.**	**kapelusz** W południowy upał nie wolno wychodzić bez kapelusza.
cap [kæp] *n* He was wearing jeans, a T-shirt and a baseball **cap.**	**czapka** Miał na sobie dżinsy, koszulkę i czapkę baseballową.

glove [glʌv] *n* — **rękawiczka**
It's very cold – don't go out without a coat, hat and **gloves.** — Jest bardzo zimno, nie wychodź bez płaszcza, kapelusza i rękawiczek.

watch [wɒtʃ] *n* — **zegarek**
What's the time by your **watch**? — Która godzina jest na twoim zegarku?

☺ **Watch** to „zegarek na rękę"; inne zegarki nazywamy **clock.**

ring [rɪŋ] *n* — **pierścionek**
He gave her a gold **ring**. — Dał jej złoty pierścionek.

«2001–4000»

try on [ˌtraɪ 'ɒn] *vt* — **przymierzyć**
I don't know my size, I have to **try** it **on.** — Nie znam mojego rozmiaru, muszę to przymierzyć.

change [tʃeɪndʒ] *vi* — **przebrać się**
I wear a suit at work and **change** the moment I get home. — W pracy noszę garnitur, przebieram się zaraz po powrocie do domu.

tight [taɪt] *adj* — **ciasny, -a, -e; obcisły, -a, -e**
This skirt is too **tight** – I need a larger size. — Spódnica jest za ciasna, poproszę większy rozmiar.

jeans [dʒiːnz] *pl* — **dżinsy**
Cowboys wear **jeans** and western boots. — Kowboje noszą dżinsy i buty „kowbojki".

☺ **Jeans** to spodnie, natomiast materiał, z którego są uszyte, to **denim.** Tak więc „dżinsowa kurtka" to **a denim jacket.**

sweater ['swetə] *n syn:* pullover — **sweter**
Nothing is as nice to wear as a cashmere **sweater.** — Niczego nie nosi się równie przyjemnie jak swetrów z kaszmiru.

blouse [blaʊz, *Am* blaʊs] *n* — **bluzka**
The pianist wore a black velvet skirt and a white silk **blouse.** — Pianistka miała na sobie czarną aksamitną spódnicę i białą bluzkę.

uniform ['juːnɪfɔːm] *n* In Britain the police wear dark blue **uniforms.**	**uniform, mundur** W Anglii policjanci noszą granatowe mundury.
collar ['kɒlə] *n* I can't button this shirt – the **collar** is too tight.	**kołnierz, kołnierzyk** Nie mogę zapiąć tej koszuli, kołnierzyk jest za ciasny.
sleeve [sliːv] *n* In summer I only wear shirts with short **sleeves.**	**rękaw** Latem noszę tylko koszule z krótkim rękawem.
zip [zɪp], *Am* **zipper** ['zɪpər] *n* Jeans with buttons instead of **zip(per)s** are popular again.	**zamek błyskawiczny, suwak** Dżinsy na guziki, a nie na suwak, są znowu modne.
bow [bəʊ] *n* Shoelaces are usually tied in a **bow.**	**kokarda, kokardka** Sznurowadła zazwyczaj wiąże się na kokardkę.
boot [buːt] *n* Fishermen wear rubber **boots.**	**but z cholewą, but za kostkę** Rybacy noszą wysokie gumowe buty.
heel [hiːl] *n* These boots need new soles and **heels.**	**obcas** W tych butach trzeba dać nowe podeszwy i obcasy.
tie [taɪ] *n* He wore a navy blue blazer, a light blue shirt and a striped **tie.**	**krawat** Miał na sobie granatową marynarkę, jasnoniebieską koszulę i krawat w paski.
scarf [skɑːf] *n* ⓘ *pl* **scarves** [skɑːvz], **scarfs** [skɑːfs] Put a **scarf** round your neck so you don't catch cold.	**szalik, chustka** Załóż szalik, żebyś nie zmarzł.
briefs [briːfs] *pl* *syn:* panties, underpants He was only wearing **briefs** and socks when the doctor examined him.	**slipy** Podczas badania przez lekarza miał na sobie tylko slipy i skarpety.
tights [taɪts] *pl* There's a ladder (*Am* run) in my only pair of **tights**!	**rajstopy** Poszło mi oczko w jedynej parze rajstop!

belt [belt] *n* The policeman wore a white leather **belt.**	**pasek** Policjant miał na sobie biały skórzany pasek.
stick [stɪk] *n* Since my accident I've had to walk with a **stick.**	**laska** Od wypadku chodzę o lasce.
jewellery, *Am* **jewelry** ['dʒuːəlrɪ] *n* I think she wears too much **jewellery.**	**biżuteria** Moim zdaniem ona nosi za dużo biżuterii.
diamond ['daɪəmənd] *n* My engagement ring is a **diamond.**	**brylant, diament** Mam pierścionek zaręczynowy z brylantem.
pearl [pɜːl] *n* Her **pearl** necklace is the only jewellery she wears.	**perła** Nie nosi innej biżuterii oprócz naszyjnika z pereł.
pattern ['pætən] *n* I like the **pattern,** but the colours are too loud.	**wzór** Wzór mi się podoba, ale kolor jest za jaskrawy.
knit [nɪt] *vi, vt* ⓘ **knit(ted)** ['nɪt(əd)], **knit(ted)** ['nɪt(əd)] She's **knitting** a sweater for her grandson.	**robić na drutach** Ona robi na drutach sweter dla wnuka.
sew [səʊ] *vi, vt* ⓘ **sewed** [səʊd], **sewn** [səʊn] Could you **sew** this button onto my jacket?	**szyć** Czy możesz przyszyć mi guzik do marynarki?

5.6 FABRYKA I WARSZTAT

«1–2000»

factory ['fæktərɪ] *n syn:* plant
The **factory** produces batteries for cars.

fabryka
W tej fabryce produkuje się akumulatory.

---

tool [tuːl] *n*
I need some **tools** to repair my bike.

narzędzie
Żeby zreperować rower, potrzebuję narzędzi.

---

repair [rɪ'peə] *n, vt*
opp: damage
The **repair** was expensive.
We must have the tap **repaired.**

naprawa, reperacja; reperować, naprawiać
Naprawa była droga.
Musimy sprowadzić kogoś, żeby naprawił kran.

«2001–4000»

industry ['ɪndəstrɪ] *n*
Japan is leading in the car and computer **industries.**

przemysł
Japonia jest liderem w przemyśle samochodowym i komputerowym.

---

industrial [ɪn'dʌstrɪəl] *adj*
The steam engine started the first **industrial** revolution.

przemysłowy, -a, -e
Rewolucja przemysłowa zaczęła się od maszyny parowej.

---

workshop ['wɜːkʃɒp] *n*
He has a small **workshop** where he repairs old clocks.

warsztat
Ma mały warsztat, w którym naprawia stare zegary.

---

fix [fɪks] *vt syn:* repair, mend
Can you **fix** the lock in the car door?

naprawiać
Naprawisz zamek w drzwiczkach samochodu?

---

mend [mend] *vt syn:* repair, fix
We must have that hole in the roof **mended.**

naprawiać
Musimy wezwać kogoś, żeby naprawił dziurawy dach.

---

spare part [speə 'pɑːt] *n*
It's difficult to get **spare parts** for antique cars.

część zamienna
Trudno o części zamienne do starych samochodów.

service ['sɜːvɪs] *n* — **obsługa**
This computer shop isn't cheap but provides excellent **service.** — Ten sklep ze sprzętem komputerowym nie jest tani, ale jest tam doskonała obsługa.

5.7 ŻYCIE GOSPODARCZE

«1–2000»

business ['bɪznɪs] *n* — **interes;** *pl* **interesy**
Business is very quiet after Christmas. — Po świętach Bożego Narodzenia w interesach niewiele się dzieje.
She wants to start her own **business.** — Chciałaby otworzyć własny interes.

---

firm [fɜːm] *n syn:* company — **firma**
He's worked 30 years for the same **firm.** — Przez 30 lat pracował w tej samej firmie.

---

company ['kʌmpənɪ] *n syn:* firm — **firma**
You must report the accident to your insurance **company.** — Musi pan zgłosić wypadek w swojej firmie ubezpieczeniowej.

---

job [dʒɒb] *n* — **praca**
She's out of work and looking for a **job.** — Jest bezrobotna i szuka pracy.

---

unemployed [ˌʌnɪm'plɔɪd] *adj syn:* jobless, out of work — **bezrobotny, -a, -e**
He found a job after being **unemployed** for six months. — Był bezrobotny przez pół roku, ale w końcu znalazł pracę.

---

unemployment [ˌʌnɪm'plɔɪmənt] *n* — **bezrobocie**
Unemployment is a serious problem. — Bezrobocie to poważny problem.

---

pay [peɪ] *n syn:* wages, salary — **zarobek**
I like my work although the pay (ⓘ *nie:* ***payment***) is bad. — Lubię moją pracę, chociaż zarobek jest nieduży.

☺ **Payment** to regulowanie rachunków. Wynagrodzenie za pracę to **pay. Salary** to pensja wypłacana miesięcznie, a **wages** – tygodniowo. **Income** to regularne wpływy wszelkiego rodzaju.

wages ['weɪdʒɪz] *pl* — **płaca tygodniowa, tygodniówka**

Most clothes are manufactured in Asia because **wages** there are much lower. — Większość ubrań szyje się w Azji, bo płace są tam niższe.

busy ['bɪzɪ] *adj* — **zajęty, -a, -e**

I'm very **busy** and can't see you tonight. — Jestem dzisiaj bardzo zajęta i nie mogę się z tobą spotkać.

offer ['ɒfə] *n, vt* — **propozycja; proponować**

They made me an **offer** that I couldn't refuse. — Złożyli mi propozycję, której nie mogłam odrzucić.

He **offered** me £1,000 and I accepted. — Zaproponował mi 1000 funtów i się zgodziłam.

order ['ɔːdə] *n, vt* — **zamówienie; zamówić**

The firm got fewer **orders** and dismissed ten workers. — Firma miała mniej zamówień i zwolniła 10 pracowników.

sale [seɪl] *n* — **sprzedaż, wyprzedaż**

The **sale** of alcohol to people under 18 is illegal. — Sprzedaż alkoholu osobom poniżej 18 roku życia jest nielegalna.

Everything's half price in our summer **sale.** — Podczas letniej wyprzedaży wszystko jest tańsze o połowę.

☺ „Na sprzedaż" to w brytyjskim angielskim **for sale** albo **on sale.** W amerykańskim angielskim **on sale** oznacza „przecenione".

goods [gʊdz] *pl* — **dobra, towary**

In America **goods** are transported by truck rather than by train. — W Stanach Zjednoczonych towary przewozi się raczej ciężarówkami, a nie pociągami.

«2001–4000»

economy [ɪ'kɒnəmɪ] *n* — **ekonomia, gospodarka**

High interest rates are bad for a country's **economy.** — Wysokie oprocentowanie jest złe dla gospodarki danego kraju.

economic [ˌiːkə'nɒmɪk] *adj* — **ekonomiczny, -a, -e; gospodarczy, -a, -e**

A recession is a serious **economic** (ⓘ *nie:* ***economical***) crisis. — Recesja to poważny kryzys ekonomiczny.

☺ **Economical** to „ekonomiczny", ale w znaczeniu „oszczędny", np. **an economical little car** „mały ekonomiczny samochód".

trade [treɪd] *n, vt* — **handel, fach, zawód; handlować**

The value of the dollar is important for **trade** between the USA and Europe. — Wartość dolara jest ważna dla handlu między Stanami Zjednoczonymi i Europą.

He'd like to learn a **trade** after school. — Po szkole chciałby się nauczyć zawodu.

England needed a large fleet to **trade** with other countries. — Anglia musiała utrzymywać dużą flotę, żeby handlować z innymi krajami.

---

commercial [kə'mɜːʃl] *adj* — **komercyjny, -a, -e; handlowy, -a, -e**

The film is no good, but a huge **commercial** success. — Film jest nic nie wart, ale odniósł sukces komercyjny.

---

establish [ɪ'stæblɪʃ] *vt* — **założyć, stworzyć**
syn: found, create

The London police force was **established** in 1828 by Sir Robert Peel. — Londyńską policję założył w 1828 r. sir Robert Peel.

---

head [hed] *n syn:* boss, manager — **szef, kierownik**

He hopes to become the **head** of the sales department. — Liczy, że zostanie kierownikiem działu sprzedaży.

---

owner ['əʊnə] *n syn:* proprietor — **właściciel**

He runs the business but the actual **owner** is his wife. — On prowadzi firmę, ale właścicielką jest jego żona.

---

possession [pə'zeʃn] *n* — **posiadanie**

The **possession** of hard drugs is illegal. — Posiadanie twardych narkotyków jest nielegalne.

---

property ['prɒpətɪ] *n* — **własność**
syn: possession

As long as you lease a car it isn't your **property.** — Dopóki dzierżawi pan samochód, nie jest on pana własnością.

---

manage ['mænɪdʒ] *vi, vt syn:* run — **kierować, prowadzić**

She **manages** the business when her husband is away. — Podczas nieobecności męża to ona kieruje firmą.

manager ['mænɪdʒə] *n* *syn:* head, director Waiter! I'd like to speak to the **manager.**	**kierownik, dyrektor, szef, menedżer** Kelner! Chciałabym pomówić z kierownikiem!
management ['mænɪdʒmənt] *n* There must be more talks between the workers and the **management.**	**zarząd** Konieczne są częstsze rozmowy robotników i zarządu.
labour, *Am* **labor** ['leɪbə] *n* *syn:* work It took ten days of hard physical **labo(u)r** to build that wall. They're looking for cheap **labo(u)r** in Asia.	**praca, siła robocza** Zbudowanie tego muru zajęło 10 dni ciężkiej pracy fizycznej. Oni szukają taniej siły roboczej w Azji.
employ [ɪm'plɔɪ] *vt opp:* dismiss This firm **employs** more women than men.	**zatrudnić** Firma zatrudnia więcej kobiet niż mężczyzn.
employer [ɪm'plɔɪə] *n* *opp:* employee, worker The film industry is one of America's biggest **employers.**	**pracodawca** Przemysł filmowy to jeden z największych amerykańskich pracodawców.
employee [,emplɔɪ'iː] *n* *opp:* employer In a period of recession **employees** worry about their jobs.	**pracownik, pracobiorca** Podczas recesji pracownicy boją się o swoje posady.
employment [ɪm'plɔɪmənt] *n* *syn:* work, *opp:* unemployment Women and older people find it more difficult to find **employment.**	**zatrudnienie, praca, zajęcie** Kobietom i ludziom starszym trudniej jest znaleźć zatrudnienie.
retire [rɪ'taɪə] *vi* Most working people **retire** between the ages of 60 and 65.	**iść na emeryturę** Większość ludzi pracujących idzie na emeryturę w wieku 60-65 lat.
notice ['nəʊtɪs] *n* I'll be out of work soon – they've given me **notice.** I'm fed up with my job – I'm going to give in my **notice.**	**wypowiedzenie** Niedługo będę bez pracy – dali mi wypowiedzenie. Mam dosyć mojej pracy – złożę wymówienie.

(trade) union [(ˌtreɪd) 'juːnjən], *Am* **(labor) union** [(ˌleɪbə) 'juːnjən] *n*	**związek zawodowy**
There will be talks between **unions** and employers.	Odbędą się rozmowy między związkami a pracodawcami.
strike [straɪk] *n syn:* walkout	**strajk**
The steelworkers' union has called a **strike** for better pay.	Związek zawodowy hutników ogłosił strajk, żeby wywalczyć wyższe pensje.
produce [prə'djuːs] *vt syn:* make	**produkować**
Henry Ford **produced** his Model T from 1909 to 1927.	Henry Ford produkował model T w latach 1909–1927.
product ['prɒdʌkt] *n*	**produkt**
New Zealand's main **products** are wool and meat.	Główne produkty Nowej Zelandii to wełna i mięso.
production [prə'dʌkʃn] *n*	**produkcja**
Production of steel has decreased in the last few years.	W ostatnich latach spadła produkcja stali.
article ['ɑːtɪkl] *n*	**artykuł**
You'll find household **articles** on the ground floor.	Artykuły gospodarstwa domowego znajdą państwo na parterze.
available [ə'veɪləbl] *adj*	**dostępny, -a, -e; do nabycia**
These sweaters are **available** in all sizes and five different colours.	Te swetry są dostępne we wszystkich rozmiarach, w pięciu kolorach.
demand [dɪ'mɑːnd] *n*	**popyt**
There's not much **demand** for black and white TV sets.	Popyt na czarno-białe telewizory jest nieduży.
It's all a question of supply and **demand.**	To wszystko kwestia podaży i popytu.
scarce [skeəs] *adj*	**mało, brak**
Petrol was **scarce** during the oil crisis.	W czasie kryzysu paliwowego było mało benzyny.
provide [prə'vaɪd] *vt syn:* supply	**zapewnić, dostarczyć**
The company **provides** tools and work clothes.	Firma zapewnia narzędzia i ubrania robocze.
supply [sə'plaɪ] *vt syn:* provide	**dostarczać**
Scandinavia **supplies** the furniture industry with wood.	Skandynawia dostarcza drewno dla przemysłu meblowego.

supply [sə'plaɪ] *n*	**dostawa, zapas**
The water **supply** is threatened by the long dry period.	Długa susza zagraża dostawom wody.
The snowed-in village has run out of **supplies.**	We wsi zasypanej śniegiem skończyły się zapasy.
store [stɔː] *n, vt syn:* stock	**zapas; przechować**
They keep a huge **store** of food for fear of shortages.	Ze strachu przed brakami mają duże zapasy żywności.
stock [stɒk] *n syn:* store	**zapas**
If we don't save, our **stocks** won't last much longer.	Jeśli nie będziemy oszczędzać, zapasy nie wystarczą nam na długo.
import [ɪm'pɔːt] *vt opp:* export	**importować**
Germany **imports** natural gas from Russia.	Niemcy importują z Rosji gaz ziemny.
export [ɪk'spɔːt] *vt opp:* import	**eksportować**
Japan **exports** more than it imports.	Japonia eksportuje więcej niż importuje.
deal [diːl] *n syn:* bargain	**interes, umowa**
That was an excellent **deal** – we made a profit of 200%.	To był doskonały interes – nasz zysk wyniósł 200%.
Let's make a **deal**.	Zawrzyjmy umowę.
bargain ['bɑːgɪn] *n*	**okazja**
This car is a real **bargain** at such a low price.	Przy tak niskiej cenie ten samochód to prawdziwa okazja.
compete [kəm'piːt] *vi*	**konkurować**
Several private parcel services **compete** with the postal service.	Wiele prywatnych firm przewozowych konkuruje z pocztą.
competitor [kəm'petɪtə] *n syn:* rival	**konkurent, rywal**
The U.S. car industry lost much of the market to its Japanese **competitors.**	Amerykański przemysł samochodowy stracił dużą część rynku na rzecz konkurentów japońskich.
competition [ˌkɒmpə'tɪʃn] *n*	**konkurencja, rywalizacja**
There is tough **competition** in the computer business.	W przemyśle komputerowym panuje ostra konkurencja.
season ['siːzn] *n*	**sezon**
Summer is the main **season** for tourism.	Lato to najlepszy sezon dla przemysłu turystycznego.

Sklepy

«1–2000»

shop [ʃɒp] *n syn:* store *(Am)* — **sklep**
In England most **shops** are open from 9 a.m. to 5.30 p.m. — W Anglii większość sklepów jest otwarta od 9.00 do 17.30.

☺ Chociaż Amerykanie znają słowo **shop,** używają go głównie do określania małych sklepików; w innych przypadkach stosują najczęściej słowo **store.** W Anglii natomiast **store** to przede wszystkim „duży sklep", jako skrót od **department store**.

---

department store [dɪ'pɑːtmənt stɔː] *n* — **dom towarowy**
Harrods is England's most famous **department store.** — Harrods to najsłynniejszy angielski dom towarowy.

---

shopping ['ʃɒpɪŋ] *n* — **zakupy**
I'll do the cooking if you do the **shopping.** — Ja zajmę się gotowaniem, jeśli ty zrobisz zakupy.

---

buy [baɪ] *vt opp:* sell — **kupować**
ⓘ **bought** [bɔːt], **bought** [bɔːt]
I **bought** this car second-hand. — Kupiłem ten samochód z drugiej ręki.

---

sell [sel] *vt opp:* buy ⓘ **sold** [səʊld], **sold** [səʊld] — **sprzedawać**
She **sold** her old car and bought a new one. — Sprzedała stary samochód i kupiła nowy.

«2001–4000»

dealer ['diːlə] *n syn:* merchant — **handlarz, sprzedawca**
Contact your local car **dealer** for a test drive. — Proszę umówić się ze sprzedawcą samochodów na jazdę próbną.

☺ **Dealer** to sprzedawca różnych artykułów, nie tylko narkotyków.

---

deal in ['diːl ɪn] *vi* ⓘ **dealt** [delt], **dealt** [delt] — **handlować czymś**
This shop **deals in** old and new books. — Ten sklep handluje starymi i nowymi książkami.

supermarket ['suːpəmɑːkɪt] *n*	**supermarket, sklep samoobsługowy**
I do my shopping at the **supermarket.**	Robię zakupy w supermarkecie.
drugstore ['drʌgstɔː] *n* *syn:* pharmacy, chemist's	**drogeria, apteka**
A **drugstore** sells not only medicine but also cosmetics, soft drinks, magazines, etc.	W „drugstore" sprzedaje się nie tylko lekarstwa, ale także kosmetyki, napoje, gazety itp.
department [dɪ'pɑːtmənt] *n*	**dział**
You'll find picture books in both the book and toy **departments.**	Książki z obrazkami znajdzie pan w działach z zabawkami i książkami
customer ['kʌstəmə] *n* *syn:* client	**klient**
Most of the small grocery's **customers** are children and elderly people.	Większość klientów małych sklepików spożywczych stanowią dzieci i ludzie starsi.
advertising ['ædvətaɪzɪŋ] *n*	**reklama**
Cigarette **advertising** shouldn't be allowed in this country.	Reklama papierosów powinna być zakazana w tym kraju.
advertise ['ædvətaɪz] *vi, vt*	**reklamować**
The new car model is **advertised** in all the media.	We wszystkich środkach masowego przekazu reklamują nowy model samochodu.
advertisement [əd'vɜːtɪsmənt, *Am* ˌædvər'taɪzmənt] *n* *syn:* advert *(Brit),* ad	**ogłoszenie, reklama**
There's an **advertisement** in the paper – they're selling everything at half price.	Jest ogłoszenie w gazecie – sprzedają wszystko za pół ceny.

5.8 PIENIĄDZE

«1–2000»

money ['mʌnɪ] *n*	**pieniądze**
A college education costs a lot of **money** in the USA.	Wykształcenie uniwersyteckie kosztuje w Stanach dużo pieniędzy.
cash [kæʃ] *n*	**gotówka**
We take no cheques – please pay in **cash.**	Nie przyjmujemy czeków – proszę zapłacić gotówką.
pay [peɪ] *vi, vt* ⓘ **paid** [peɪd], **paid** [peɪd]	**płacić, zapłacić, uregulować**
This car was cheap – I **paid** £ 2,000 for it.	Samochód był tani, zapłaciłem za niego 2000 funtów.
We had our electricity cut off because we didn't **pay** the bill.	Odcięli nam elektryczność, bo nie uregulowaliśmy rachunku za prąd.
price [praɪs] *n*	**cena**
Petrol **prices** are going up again.	Ceny benzyny znowu idą w górę.
expensive [ɪk'spensɪv] *adj opp:* cheap	**drog-i, -a, -ie**
In the USA traveling by train is usually more **expensive** than flying.	W USA podróże pociągiem są zazwyczaj droższe niż samolotem.
cheap [tʃiːp] *adj opp:* expensive	**tani, -a, -e**
Petrol is **cheaper** in the USA; it's 50% less than in Europe.	Benzyna jest w USA tania, kosztuje o połowę mniej niż w Europie.
earn [ɜːn] *vt syn:* make *opp:* spend	**zarabiać**
We'll get into debt if we spend more than we **earn.**	Jeśli wydajemy więcej, niż zarabiamy, popadamy w długi.
spend [spend] *vt, vi* ⓘ **spent** [spent], **spent** [spent]	**wydawać**
Car companies **spend** a lot of money on advertising.	Firmy samochodowe wydają mnóstwo pieniędzy na reklamę.
save [seɪv] *vi, vt opp:* spend	**oszczędzać**
Going by bike **saves** money and fuel.	Jazda rowerem pozwala oszczędzać pieniądze i paliwo.

cost [kɒst] *n* German firms manufacture in Ireland because labour **costs** are low.	**koszt** Firmy niemieckie produkują w Irlandii, bo koszty pracy są niskie.
cost [kɒst] *vt* ⓘ **cost** [kɒst], **cost** [kɒst] How much does a taxi **cost** from here to the airport?	**kosztować** Ile kosztuje taksówka stąd na lotnisko?
rent [rent] *n, vt* The nice shops are disappearing from the centres because of the high **rents.**	**czynsz; płacić czynsz** Przytulne sklepiki znikają z centrum miasta, bo czynsz jest za wysoki.

☺ **Rent** to nie „renta", tylko „czynsz"! „Renta" to po angielsku **old age pension.**

tax [tæks] *n* In America restaurant prices don't include **tax** and service.	**podatek** W Ameryce ceny w restauracjach nie zawierają podatku i obsługi.
bill [bɪl] *n* They had their phone cut off because they didn't pay the **bill.**	**rachunek** Odcięto im telefon, bo nie zapłacili rachunku.
debt [det] *n* They had to sell their house to pay their **debts.**	**dług** Musieli sprzedać dom, żeby spłacić długi.
bank [bæŋk] *n* She's got loads of money in the **bank.**	**bank** Ona ma mnóstwo pieniędzy w banku.
(bank) note [(bæŋk) nəʊt] *n, syn:* bill *(Am)* Please give me £100 in £ 5 **notes.**	**banknot** Poproszę 100 funtów w banknotach 5-funtowych.
pound [paʊnd] *n* A paperback costs between two and ten **pounds.**	**funt** Książka kieszonkowa kosztuje od dwóch do dziesięciu funtów.

☺ Liczba mnoga od **pound** to **pounds,** z wyjątkiem złożeń, np.: **a five-pound note.**

penny ['penɪ] *n* ⓘ *pl* **pennies** ['penɪz], **pence** [pens] A **penny** is one hundredth of a pound.	**pens** Pens to jedna setna funta.

dollar ['dɒlə] *n*
The Canadian **dollar** is worth less than the US **dollar.**
dolar
Dolar kanadyjski jest wart mniej niż dolar amerykański.

---

cent [sent] *n*
A nickel is 5 **cents,** a dime 10 **cents,** and a quarter 25 **cents.**
cent
„Nickel" to 5 centów, „dime" to 10 centów, a „quarter" – 25 centów.

«2001–4000»

income ['ɪnkʌm] *n*
They have two **incomes** – they both work full-time.
dochód
Mają podwójny dochód – oboje pracują na pełnym etacie.

---

savings ['seɪvɪŋz] *pl*
He's unemployed and has used up all his **savings.**
oszczędności
On jest bezrobotny i wydał już wszystkie swoje oszczędności.

---

can afford [kən ə'fɔːd] *vt*
My car is old but I **can't afford** a new one.
stać (kogoś) na coś, pozwolić sobie na coś
Mój samochód jest już stary, ale nie stać mnie na nowy.

---

amount [ə'maʊnt] *n syn:* sum
The bank spends large **amounts** of money on security.
suma, ilość
Bank wydaje znaczne sumy pieniędzy na środki bezpieczeństwa.

---

value ['vælјuː] *n*
The painting has a **value** of at least £ 5,000.
wartość
Ten obraz ma wartość co najmniej 5000 funtów.

---

wealth [welθ] *n*
Saudi Arabia's **wealth** comes from its oil.
bogactwo
Bogactwo Arabii Saudyjskiej pochodzi z ropy naftowej.

---

treasure ['treʒə] *n*
They were hoping to find **treasures** in the wreck of the Titanic.
skarb
Liczyli, że znajdą skarby we wraku „Titanica".

---

insure [ɪn'ʃʊə] *vt*
In most western countries cars have to be **insured.**
ubezpieczyć
W większości krajów zachodnich samochody muszą być ubezpieczone.

insurance [ɪn'ʃʊərəns] *n* The upkeep of a car includes fuel, repairs, tax and **insurance.**	**ubezpieczenie** Koszty utrzymania samochodu to koszty paliwa, reperacji, podatków i ubezpieczenia.
hire ['haɪə] *vt syn:* rent Let's fly to Malta and **hire** a car for a week.	**wynająć** Polećmy na Maltę i wynajmijmy samochód na tydzień.
charge [tʃɑːdʒ] *n, vt* There is a $10 **charge** for an extra bed.	**opłata; liczyć, żądać** Za dodatkowe łóżko płaci się 10 dolarów ekstra.
reduce [rɪ'djuːs] *vt* We've been selling more since we **reduced** our prices.	**obniżać, zmniejszać** Sprzedajemy więcej, odkąd obniżyliśmy ceny.
profit ['prɒfɪt] *n opp:* loss They sold the land and made a **profit** of £10,000 on the deal.	**zysk** Sprzedali ziemię; ich zysk z tej transakcji wynosi 10 000 funtów.
credit ['kredɪt] *n* If you buy on **credit** you have to pay interest.	**kredyt** Kiedy kupujesz na kredyt, musisz płacić odsetki.
loan [ləʊn] *n* A mortgage is a **loan** you take out to buy a house.	**pożyczka** Hipoteka to pożyczka, którą bierzesz na zakup domu.
interest ['ɪntrɪst] *n* If you borrow money, you must pay **interest.**	**odsetek** Kiedy pożyczasz pieniądze, musisz płacić odsetki.
rate [reɪt] *n* Interest **rates** have dropped, and the inflation **rate** has gone up.	**rata, kurs, stopa (procentowa)** Stopa procentowa spadła, a inflacja znowu wzrosła.
per [pɜː] *prp* We pay them $ 6 **per** hour.	**na, za** Płacimy im 6 dolarów za godzinę.
per cent [pə 'sent] *n* We're paying about ten **per cent** interest on the money we borrowed.	**procent** Płacimy mniej więcej dziesięć procent odsetek od sumy, którą pożyczyliśmy.
owe [əʊ] *vt* I still **owe** you the £20 you lent me last week.	**być winnym, być dłużnym** Nadal jestem ci winna 20 funtów, które mi pożyczyłeś w zeszłym tygodniu.

loss [lɒs] *n opp:* profit During the recession most firms made big **losses.**	**strata** Podczas recesji nasza firma poniosła spore straty.
safe [seɪf] *n* Please leave your valuables in the hotel **safe.**	**sejf** Proszę zostawić kosztowności w sejfie hotelowym.
cheque, *Am* **check** [tʃek] *n* Do you want cash, or may I give you a **cheque**?	**czek** Wolą państwo gotówkę, czy mogę zapłacić czekiem?
account [ə'kaʊnt] *n* To pay you, we need the number of your bank **account.**	**konto** Żeby wypłacić wynagrodzenie, musimy znać numer pańskiego konta.
currency ['kʌrənsɪ] *n* The Swiss franc is the strongest **currency** in Europe.	**waluta** Frank szwajcarski jest najsilniejszą walutą w Europie.
change [tʃeɪndʒ] *n* You need **change** to use the buses in New York. Modern ticket machines will give you your ticket and your **change.**	**drobne, reszta** Żeby korzystać z autobusów w Nowym Jorku, trzeba mieć drobne. Nowoczesne automaty biletowe wydają bilet i resztę.
coin [kɔɪn] *n* Penny, nickel, dime and quarter are the most common **coins** in America.	**moneta** Najpopularniejszymi monetami w Stanach są 1-, 5-, 10- i 25-centówki.

5.9 WŁADZE I URZĘDY

«1–2000»

office ['ɒfɪs] *n*	**biuro**
The mayor's **office** is on the top floor.	Biuro burmistrza jest na najwyższym piętrze.
staff [stɑːf] *n syn:* personnel	**personel**
The need to save has led to **staff** reductions.	Konieczność oszczędności doprowadziła do redukcji personelu.
sign [saɪn] *vi, vt*	**podpisać, podpisywać**
Please fill in the form and **sign** it.	Proszę wypełnić i podpisać ten dokument.

«2001–4000»

office ['ɒfɪs] *n*	**urząd**
The Chief Justice of the Supreme Court is the highest **office** in the USA.	Sędzia Sądu Najwyższego to najwyższy urząd w Stanach Zjednoczonych.
organization [ˌɔːgənaɪ'zeɪʃn] *n*	**organizacja**
A large airport depends on perfect **organization.**	Na dużym lotnisku wszystko zależy od doskonałej organizacji.
department [dɪ'pɑːtmənt] *n*	**oddział, dział, departament, ministerstwo**
He's the head of the sales **department.**	On jest szefem działu sprzedaży.
She's a doctor and works for the health **department.**	Ona jest lekarzem i pracuje w Ministerstwie Zdrowia.
official [ə'fɪʃl] *adj opp:* unofficial	**oficjalny, -a, -e**
It isn't **official** yet, but I've got the job.	To jeszcze nieoficjalna wiadomość, ale dostałam tę pracę.
official [ə'fɪʃl] *n*	**urzędnik**
The company's future was discussed by government **officials.**	Urzędnicy rządowi dyskutowali o przyszłości firmy.
appoint [ə'pɔɪnt] *vt*	**mianować**
She was **appointed** principal of the school.	Mianowano ją dyrektorką szkoły.

responsible [rɪ'spɒnsɪbl] *adj* Parents are **responsible** for their children.	**odpowiedzialny, -a, -e** Rodzice są odpowiedzialni za swoje dzieci.
register ['redʒɪstə] *vi, vt* Many Americans think that all guns ought to be **registered.**	**zgłosić (się), zarejestrować (się)** Wielu Amerykanów uważa, że powinno się zgłaszać posiadanie broni palnej.
list [lɪst] *n* If you're interested, put your name and address on this **list.**	**lista** Jeśli jest pan zainteresowany, proszę wpisać swoje nazwisko na listę.
document ['dɒkjʊmənt] *n* A birth certificate is a person's most important **document.**	**dokument** Akt urodzenia to najważniejszy dokument.
form [fɔːm] *n* Please use this **form** if you have goods to declare.	**formularz** Proszę wypełnić ten formularz, jeśli macie państwo coś do oclenia.
fill in [ˌfɪl 'ɪn], *Am* **fill out** [ˌfɪl 'aʊt] *vt* If you want to apply, please **fill in/out** this form.	**wypełnić** Jeśli chce się pan ubiegać, proszę wypełnić ten formularz.
signature ['sɪgnətʃə] *n* We can't accept this cheque without a **signature.**	**podpis** Nie możemy przyjąć tego czeku bez podpisu.
stamp [stæmp] *n, vt* The **stamp** in his passport shows that he entered the country yesterday.	**stempel; stemplować** Ze stempla w jego paszporcie wynika, że wczoraj przyjechał do kraju.
apply (for) [ə'plaɪ (fə)] He's **applied for** five jobs but has had no luck.	**ubiegać się o** Ubiegał się o pracę w pięciu firmach, ale nie miał szczęścia.
application [ˌæplɪ'keɪʃn] *n* If you're interested in working for us, send in your **application.**	**zgłoszenie** Jeśli są państwo zainteresowani pracą u nas, proszę przesłać zgłoszenie.
line [laɪn] *n syn:* queue *(Brit)* The passengers had to wait in **line** at passport control.	**kolejka** Pasażerowie musieli stać w kolejce do odprawy paszportowej.

Brit **queue** [kjuː] *n, vi* Before the flight passengers **queue** up at the check-in counter.	**kolejka; stać w kolejce** Przed odlotem pasażerowie stoją w kolejce do odprawy biletowej.

5.10 POCZTA I TELEFON

Poczta

«1–2000»

post [pəʊst] *n syn:* mail I can send you the letter by **post** or I can fax it.	**poczta** Wyślę ci ten list pocztą albo go przefaksuję.
mail [meɪl] *n syn:* post This letter came in the **mail** this morning.	**poczta** Ten list przyszedł pocztą dzisiaj rano.

☺ **Post** to słowo najczęściej używane w angielskim brytyjskim; w angielskim amerykańskim usłyszymy **mail**.

post office ['pəʊst,ɒfɪs] *n* I have to take this parcel to the **post office.**	**poczta, urząd pocztowy** Muszę zanieść tę paczkę na pocztę.
post [pəʊst] *vt syn:* mail *(Am)* Make sure you **post** all your Christmas cards a week in advance.	**wysłać** Pamiętaj, żeby wysłać wszystkie karty świąteczne tydzień wcześniej.
postman ['pəʊstmən] *n* *syn:* mailman *(Am)* The **postman** brings us hundreds of Christmas cards.	**listonosz** Listonosz przynosi nam setki kart świątecznych.
letter ['letə] *n* An airmail **letter** to the USA costs four zlotys.	**list** List lotniczy do USA kosztuje 4 złote.
envelope ['envələʊp] *n* I have writing paper but I ran out of **envelopes.**	**koperta** Mam papier listowy, ale skończyły mi się koperty.

postcard ['pəʊstkɑːd] *n*
We send lots of **postcards** when we are on holiday.

pocztówka
Kiedy jesteśmy na wakacjach, wysyłamy mnóstwo pocztówek.

---

address [ə'dres] *n*
I need your name and **address.**

adres
Potrzebne mi twoje nazwisko i adres.

---

stamp [stæmp] *n*
I need **stamps** for three airmail letters to the USA.

znaczek
Poproszę znaczki na trzy listy lotnicze do USA.

---

telegram ['telɪgræm] *n*
If you can't reach them on the phone, send them a **telegram.**

telegram
Jeśli nie możesz się do nich dodzwonić, wyślij telegram.

---

parcel ['pɑːsl] *n*
The postman brought a **parcel** and several letters this morning.

paczka
Dzisiaj rano listonosz przyniósł paczkę i kilka listów.

«2001–4000»

postage ['pəʊstɪdʒ] *n*
What's the **postage** for an airmail letter to Australia?

opłata
Jaka jest opłata za list lotniczy do Australii?

---

airmail ['eəmeɪl] *adj*
You'd better send a fax – an **airmail** letter to the US takes a week.

lotniczy, -a, -e
Lepiej wyślij faks, list lotniczy idzie do Stanów Zjednoczonych tydzień.

---

stamp [stæmp] *vt*
For a free brochure enclose a **stamped** addressed envelope.

przykleić znaczek,
z przyklejonym znaczkiem
Żeby otrzymać darmową broszurkę, proszę przysłać kopertę ze znaczkiem i swoim adresem.

---

sender ['sendə] *n*
opp: addressee
Return to **sender.**

nadawca
Zwrot do nadawcy.

Brit **letterbox** ['letəbɒks] *n*
syn: mailbox *(Am)*
If you want to post those letters – there's a **letterbox** across the street.

skrzynka pocztowa
Jeśli chcesz wysłać te listy, to po drugiej stronie ulicy jest skrzynka pocztowa.

Telefon

«1–2000»

(tele)phone [('telə)fəʊn] *n, vi, vt*	**telefon; telefonować, dzwonić**
May I use your **phone**? **Phone** before you come.	Czy mogę skorzystać z telefonu? Zadzwoń, zanim przyjedziesz.
call [kɔːl] *n, vt*	**telefon (rozmowa telefoniczna); telefonować**
Where's Tom? There's a **call** for him from Vienna.	Gdzie Tom? Jest do niego telefon z Wiednia.
dial ['daɪəl] *vt*	**wybierać**
First **dial** 1 and then the number.	Najpierw proszę wybrać 1, potem cały numer.

«2001–4000»

Brit **phone box** ['fəʊn bɒks] *n syn:* phone booth	**budka telefoniczna**
I have to call my office – is there a **phone box** near here?	Muszę zadzwonić do biura – czy jest tu w pobliżu budka telefoniczna?
phone book ['fəʊn bʊk] *n syn:* telephone directory	**książka telefoniczna**
The number is in the **phone book.**	Numer jest w książce telefonicznej.
local call ['ləʊkl kɔːl] *n opp:* long-distance call	**rozmowa lokalna (miejscowa)**
US phone companies don't charge anything for **local calls.**	Amerykańskie firmy telekomunikacyjne nie żądają opłat za rozmowy miejscowe.
long-distance call [,lɒŋ dɪstns 'kɔːl] *n opp:* local call	**rozmowa zamiejscowa**
Long-distance calls are much cheaper in the evening.	Rozmowy zamiejscowe są dużo tańsze wieczorem.
Brit **engaged** [ɪn'geɪdʒd] *adj syn:* busy *(Am)*	**zajęty, -a, -e**
The number is always **engaged.**	Ten numer jest wiecznie zajęty.

answer ['ɑːnsə] *vi, vt* Nobody **answered** the phone.	**odpowiadać, odebrać telefon** Nikt nie odbierał telefonu.
hang up [ˌhæŋ 'ʌp] *vi* Don't **hang up** – I'll put you through.	**odłożyć słuchawkę** Proszę nie odkładać słuchawki, już łączę.
operator ['ɒpəreɪtə] *n* To make a long-distance call, ask the **operator** to connect you.	**centrala** Żeby przeprowadzić rozmowę zamiejscową, trzeba poprosić centralę o połączenie.
phonecard ['fəʊnkɑːd] *n* Card phones can only be used with **phonecards.**	**karta telefoniczna** Kart telefonicznych można używać tylko w telefonach na karty.
fax [fæks] *n, vt* I'll **fax** you the report.	**faks; przesyłać faksem** Prześlę panu ten raport faksem.
mobile phone ['məʊbaɪl 'fəʊn] *n* *syn:* cellular phone, cellphone You can always reach me over my **mobile phone.**	**telefon komórkowy, komórka** Zawsze złapiesz mnie pod komórką.
answering machine ['ɑːnsərɪŋ məʃiːn] *n* *syn:* answerphone *(Brit)* If I'm not at home, leave a message on the **answering machine.**	**automatyczna sekretarka** Jeśli nie ma mnie w domu, zostaw wiadomość na automatycznej sekretarce.

5.11 PRAWO

Przestrzeganie prawa

«1–2000»

law [lɔː] *n* It is against the **law** to drink and drive.	**prawo** Prowadzenie samochodu po spożyciu alkoholu jest wbrew prawu.
police [pəˈliːs] *pl* The **police** have (ⓘ *nie:* ***has***) caught the murderer.	**policja** Policja złapała mordercę.
policeman [pəˈliːsmən] *n* ⓘ *pl* **policemen** [pəˈliːsmən] A **policeman** checked the car registration.	**policjant** Policjant sprawdzał dokumenty samochodu.

«2001–4000»

justice [ˈdʒʌstɪs] *n opp:* injustice Martin Luther King fought for freedom and **justice.**	**sprawiedliwość** Martin Luther King walczył o wolność i sprawiedliwość.
just [dʒʌst] *adj opp:* unjust Sending him to prison for drunk driving was a **just** decision.	**sprawiedliwy, -a, -e; słuszny, -a, -e** Decyzja, żeby poszedł do więzienia za jazdę po pijanemu, była słuszna.
legal [ˈliːgəl] *adj opp:* illegal In the USA it is **legal** for nearly everyone to own a gun.	**legalny, -a, -e** W Stanach Zjednoczonych legalne jest posiadanie broni przez niemal każdego
claim [kleɪm] *n, vt* I think his **claims** are too high, but a judge will decide.	**żądanie; żądać, domagać się** Wydaje mi się, że jego wymagania są za wysokie, ale zdecyduje o tym sędzia.
will [wɪl] *n* His father died and did not leave a **will.**	**testament** Jego ojciec umarł i nie zostawił testamentu.

☺ Słowa **testament** używamy w tym znaczeniu tylko w języku bardzo formalnym, w zwrocie **last will and testament**.

case [keɪs] *n* A child has disappeared – police are working on the **case.**	**sprawa, przypadek** Zaginęło dziecko – policjanci już pracują nad tą sprawą.
search [sɜːtʃ] *vt* The police **searched** the man but found no weapon on him.	**szukać, przeszukać, obszukać** Policjanci obszukali mężczyznę, ale nie znaleźli przy nim żadnej broni.
trace [treɪs] *n* The police lost all **trace** of the suspect.	**ślad** Policjanci stracili wszelki ślad podejrzanego.
arrest [ə'rest] *n, vt* Several **arrests** were made by the police during the riots.	**aresztowanie, areszt; aresztować** Podczas zamieszek policja dokonała wielu aresztowań.
police station [pə'liːs ˌsteɪʃn] *n* They took the drunk driver to the **police station.**	**posterunek policji, komisariat** Zabrali pijanego kierowcę na komisariat.
accuse of [ə'kjuːz əv] *syn:* charge with Two men were arrested and **accused of** selling drugs.	**oskarżać o** Dwóch mężczyzn aresztowano i oskarżono o handel narkotykami.
judge [dʒʌdʒ] *n* The **judge** sent him to prison for 10 months.	**sędzia** Sędzia skazał go na 10 miesięcy więzienia.
lawyer ['lɔːjə] *n* If you're in trouble with the police, you need a **lawyer.**	**prawnik** Jeśli masz kłopoty z policją, potrzebny ci prawnik.
court [kɔːt] *n* She has to appear before the **court** as a witness.	**sąd** Musi stawić się w sądzie jako świadek.
trial ['traɪəl] *n* She's a witness in a murder **trial.**	**proces** Ona jest świadkiem w procesie o morderstwo.
witness ['wɪtnəs] *n* A little boy saw the crime – he is the only **witness.**	**świadek** Zbrodnię widział mały chłopiec – jest jedynym świadkiem.

swear [sweə] *vt* ⓘ **swore** [swɔː], **sworn** [swɔːn]	**przysięgać**
A witness must **swear** to tell the truth.	Świadek musi przysiąc, że będzie mówił prawdę.
confess [kən'fes] *vt syn:* admit, *opp:* deny	**wyznać, przyznać się**
He was punished although he had never **confessed** his crime.	Został ukarany, chociaż nigdy nie przyznał się do popełnienia zbrodni.
judgment ['dʒʌdʒmənt] *n* *syn:* decision, verdict	**wyrok**
The court has not passed **judgment** in this case.	Sąd jeszcze nie ogłosił wyroku w tej sprawie.
punish ['pʌnɪʃ] *vt*	**ukarać**
Motorists should be severely **punished** for reckless driving.	Za nieostrożną jazdę powinno się surowo karać kierowców.
punishment ['pʌnɪʃmənt] *n*	**kara**
The terrorists will not escape **punishment.**	Terroryści nie unikną surowej kary.
sentence ['sentəns] *n* *syn:* judgment, punishment	**wyrok, kara**
The **sentence** was two years in prison.	Wyrok brzmiał: dwa lata pozbawienia wolności.
prison ['prɪzn] *n syn:* jail	**więzienie**
Drunk drivers who hurt people should be sent to **prison.**	Pijanych kierowców, którzy krzywdzą innych, powinno się wsadzać do więzienia.
prisoner ['prɪzənə] *n syn:* convict	**więzień**
Nelson Mandela was a **prisoner** for 25 years.	Nelson Mandela był więźniem przez 25 lat.

Zachowania karalne

«1–2000»

wrong [rɒŋ] *adj* Leave my son alone – he hasn't done anything **wrong**!	**zły, -a, -e** Zostawcie mojego syna w spokoju – nie zrobił nic złego!
criminal ['krɪmənəl] *n, adj* Prisons ought to reform rather than punish **criminals.** Dumping at sea must become a **criminal** offence.	**kryminalista; kryminalny, -a, -e; przestępczy, -a, -e** Więzienia powinny socjalizować kryminalistów, a nie karać ich. Wyrzucanie odpadków do morza należy uznać za działalność przestępczą.
steal [stiːl] *vi, vt* ⓘ **stole** [stəʊl], **stolen** ['stəʊlən] My car was **stolen** while I was shopping.	**kraść** Kiedy byłam na zakupach, ukradziono mi samochód.
thief [θiːf] *n* ⓘ *pl* **thieves** [θiːvz] I saw the **thief** who stole your car.	**złodziej** Widziałem złodzieja, który ukradł twój samochód.
shoot [ʃuːt] *vi, vt* ⓘ **shot** [ʃɒt], **shot** [ʃɒt] The police **shot** at the getaway car but missed it.	**strzelać** Policja strzelała do uciekającego samochodu, ale spudłowała.
shot [ʃɒt] *n* She called the police because she'd heard **shots** from the house next door.	**strzał** Wezwała policję, bo słyszała strzały w sąsiednim domu.
kill [kɪl] *vi, vt syn:* murder A bomb **killed** two and wounded four this morning.	**zabić** Dzisiaj rano wybuch bomby zabił dwie i zranił cztery osoby.
murder ['mɜːdə] *n, vt* The terrorists are wanted for **murder.**	**morderstwo; zamordować** Terrorystów poszukuje się w związku z morderstwem.

«2001–4000»

illegal [ɪ'liːgəl] *adj opp:* legal In many US states it is **illegal** for people under 21 to drink alcohol.	**nielegalny, -a, -e** W wielu stanach USA nielegalne jest picie alkoholu przez osoby poniżej 21 roku życia.
offence, *Am* **offense** [ə'fens] *n syn:* crime Drunk driving is a serious **offence.**	**wykroczenie** Jazda po pijanemu to poważne wykroczenie.
crime [kraɪm] *n* The job of the police is to prevent **crime.**	**przestępstwo, przestępczość** Zadaniem policji jest zapobiegać przestępstwom.
victim ['vɪktɪm] *n* Jack the Ripper killed all his **victims** with a knife.	**ofiara** Kuba Rozpruwacz zamordował wszystkie ofiary nożem.
suspect [sə'spekt] *vt* They **suspect** him of murder because his wife has disappeared.	**podejrzewać** Podejrzewają go o morderstwo, bo jego żona zaginęła.
suspect ['sʌspekt] *n* The police haven't solved the murder case but they have two **suspects.**	**podejrzany, -a, -e** Policja jeszcze nie wyjaśniła tego morderstwa, ale ma dwóch podejrzanych.
guilty ['gɪltɪ] *adj opp:* innocent He was found **guilty.**	**winny, -a, -e** Uznano go za winnego.
force [fɔːs] *vt* The mugger **forced** me to give him all my money.	**zmusić** Napastnik zmusił mnie, żebym oddała mu wszystkie pieniądze.
force [fɔːs] *n* The police had to use **force** to get the drunk out of his car.	**siła** Policjanci musieli użyć siły, żeby wyciągnąć pijaka z samochodu.
violent ['vaɪələnt] *adj opp:* nonviolent Football fans often become **violent.**	**agresywny, -a, -e; gwałtowny, -a, -e; posługujący się siłą, używający przemocy** Fani piłkarscy często stają się agresywni.

violence ['vaɪələns] *n syn:* force Martin Luther King fought without **violence** for equal rights.	**przemoc** Martin Luther King walczył o równe prawa, nie uciekając się do przemocy.
swindle ['swɪndl] *vt* *syn:* cheat, trick She **swindled** the old man out of all his savings.	**oszukać, nabrać** Oszukała staruszka i stracił wszystkie oszczędności.
burglar ['bɜːglə] *n* We had **burglars** last night – they stole all my jewellery.	**włamywacz** Wczoraj w nocy byli u nas włamywacze i zabrali całą moją biżuterię.
rob [rɒb] *vt* The famous outlaw Jesse James **robbed** banks and trains.	**rabować, obrabować** Słynny bandyta Jesse James rabował banki i pociągi.
robber ['rɒbə] *n* The bank **robbers** escaped with 200,000 pounds.	**bandyta, złodziej** Złodzieje, którzy okradli bank, uciekli z 200 000 funtów.
robbery ['rɒbərɪ] *n* He was sent to prison for armed **robbery.**	**napad** Trafił do więzienia za napad z bronią w ręku.

5.12 LEKARZE I SZPITAL

«1–2000»

doctor ['dɒktə] *n* Is she better, or shall I call a **doctor**?	**lekarz** Już jej lepiej, czy mam wezwać lekarza?
dentist ['dentɪst] *n* I've got toothache – I have to go to the **dentist.**	**dentysta** Boli mnie ząb, muszę iść do dentysty.
nurse [nɜːs] *n* Two doctors and three **nurses** performed the operation.	**pielęgniarka** W operacji uczestniczyło dwóch lekarzy i trzy pielęgniarki.

patient ['peɪʃnt] *n*	**pacjent**
In this hospital **patients** may only be visited between 4 and 6 p.m.	W tym szpitalu pacjentów odwiedza się tylko między 16 a 18.
hospital ['hɒspɪtl] *n*	**szpital**
She had an accident and had to be taken to (a) **hospital.**	Miała wypadek i zabrali ją do szpitala.
medicine ['medsn, *Am* 'medəsən] *n syn:* drug	**lekarstwo**
Aspirin is the best **medicine** for ⓘ my headache.	Aspiryna jest dla mnie najlepszym lekarstwem na ból głowy.

«2001–4000»

medical ['medɪkl] *adj*	**lekarsk-i, -a, -ie; medyczny, -a, -e**
The people in the disaster area need **medical** care.	Mieszkańcy obszaru dotkniętego katastrofą potrzebują pomocy medycznej.
specialist ['speʃəlɪst] *n*	**specjalista**
The family doctor sent her to a lung **specialist** because of her cough.	Lekarz rodzinny wysłał ją do specjalisty od chorób płuc ze względu na jej kaszel.
surgeon ['sɜːdʒən] *n*	**chirurg**
Dr. Barnard was the first heart **surgeon** to transplant a human heart.	Dr Barnard był pierwszym kardiochirurgiem, który dokonał przeszczepu serca.
male nurse [ˌmeɪl 'nɜːs] *n*	**pielęgniarz**
Male nurses often care for men in mental hospitals.	Pielęgniarze często opiekują się pacjentami w szpitalach dla psychicznie chorych.
treatment ['triːtmənt] *n*	**kuracja, leczenie**
Mary is undergoing treatment for her allergy.	Mary przechodzi kurację na alergię.
drug [drʌg] *n*	**lekarstwo, narkotyk**
Interferon is a **drug** used to treat cancer.	Interferon to lekarstwo stosowane w leczeniu raka.
Heroin and cocaine are so-called hard **drugs.**	Heroina i kokaina to tak zwane twarde narkotyki.

pill [pɪl] *n syn:* tablet I took a **pill** – so I didn't get seasick.	**tabletka, pigułka** Zażyłam tabletkę i nie cierpiałam na chorobę morską.
cure [kjʊə] *n, vt* There is still no **cure** for AIDS. Don't leave hospital before you're completely **cured.**	**lekarstwo; leczyć** Nadal nie ma lekarstwa na AIDS. Nie wychodź ze szpitala, póki nie będziesz całkowicie wyleczona.
operation [ˌɒpəˈreɪʃn] *n syn:* surgery She's going to hospital to have an eye **operation.**	**operacja** Idzie do szpitala na operację oczu.
ambulance [ˈæmbjələns] *n* An **ambulance** took the injured boy to hospital.	**ambulans, karetka** Karetka zabrała rannego chłopca do szpitala.
waiting room [ˈweɪtɪŋ ruːm] *n* Please sit down in the **waiting room** until the doctor is ready to see you.	**poczekalnia** Proszę usiąść w poczekalni i poczekać, aż lekarz panią poprosi.
poison [ˈpɔɪzn] *n* Some mushrooms contain a deadly **poison.**	**trucizna** Niektóre grzyby zawierają śmiertelną truciznę.
poisonous [ˈpɔɪzənəs] *adj syn:* toxic The scorpion is an insect with a **poisonous** sting.	**trujący, -a, -e** Skorpion to owad z trującym żądłem.

5.13 SZKOŁA I UNIWERSYTET

«1–2000»

school [skuːl] *n* They were at **school.**	**szkoła** Byli w szkole.
university [ˌjuːnɪ'vɜːsətɪ] *n* Oxford and Cambridge are England's most famous **universities.**	**uniwersytet** Oxford i Cambridge to najbardziej znane brytyjskie uniwersytety.
teacher ['tiːtʃə] *n syn:* instructor His wife's a **teacher,** too.	**nauczyciel, nauczycielka** Jego żona także jest nauczycielką.
pupil ['pjuːpl] *n syn:* student More than 22 **pupils** in a class is too many.	**uczeń** Więcej niż 22 uczniów w klasie to za dużo.

☺ **Pupil** występuje najczęściej w brytyjskim angielskim, Amerykanie zazwyczaj na wszystkich mówią **student.**

student ['stjuːdnt] *n opp:* teacher She's a law **student** in her third year. → *pupil*	**student, studentka** Jest studentką trzeciego roku prawa.
teach [tiːtʃ] *vi, vt* ⓘ **taught** [tɔːt], **taught** [tɔːt] She **teaches** English at an American high school.	**uczyć** Ona uczy angielskiego w amerykańskiej szkole średniej.

☺ **Teach** to uczyć kogoś, **learn** to uczyć się.

study ['stʌdɪ] *vi, vt* I **studied** German and English and became a teacher.	**studiować** Studiowałam angielski i niemiecki i zostałam nauczycielką.
class [klɑːs], *Am* [klæs] *syn:* form (*Brit*) We were in the same **class** at school.	**klasa** Byliśmy w szkole w tej samej klasie.
subject ['sʌbdʒɪkt] *n* My favourite **subjects** at school were Biology and Art.	**przedmiot** Moimi ulubionymi przedmiotami w szkole były biologia i plastyka.

timetable ['taɪm,teɪbl] *n* — **plan lekcji**
syn: schedule *(Am)*
Geography is the first lesson on our **timetable.**
Geografia to pierwsza lekcja w naszym planie lekcji.

---

lesson ['lesn] *n* — **lekcja**
A school **lesson** in the USA lasts 55 minutes.
W USA lekcja trwa 55 minut.

---

course [kɔːs] *n* — **kurs**
You should take a conversation **course** to improve your English.
Powinieneś zapisać się na kurs konwersacyjny, żeby poprawić swój angielski.

---

holidays ['hɒlədeɪz] *pl* — **wakacje**
syn: vacation *(Am)*
We always go to Spain during the summer **holidays.**
W czasie letnich wakacji zawsze jeździmy do Hiszpanii.

---

language ['læŋgwɪdʒ] *n* — **język**
Every European should learn at least two foreign **languages.**
Każdy Europejczyk powinien znać co najmniej dwa języki obce.

---

translate [træns'leɪt] *vt* — **tłumaczyć**
I got this letter from a friend in France – can you **translate** it for me?
Dostałam ten list od przyjaciela z Francji – czy możesz mi go przetłumaczyć?

---

translation [træns'leɪʃn] *n* — **tłumaczenie**
The book's a very bad **translation** of the English original.
Ta książka to okropne tłumaczenie z angielskiego.

«2001–4000»

education [,edjʊ'keɪʃn] *n* — **edukacja, kształcenie**
In Britain and America parents spend a lot of money on their children's **education.**
W Wielkiej Brytanii i Stanach Zjednoczonych rodzice wydają mnóstwo pieniędzy na kształcenie swoich dzieci.

---

training ['treɪnɪŋ] *n* — **szkolenie**
They get **training** in several skills including computer programming.
Ich szkolenie obejmuje wiele dziedzin, między innymi obsługę komputera.

train [treɪn] *vt* I was **trained** as a teacher but I work as a translator.	**szkolić, kształcić** Wykształciłam się na nauczycielkę, ale pracuję jako tłumaczka.
attend [ə'tend] *vt* Most young Americans **attend** high school.	**uczęszczać, chodzić do** Większość młodych Amerykanów chodzi do szkoły średniej.
high school ['haɪ skuːl] *n* After **high school** you can get a job or go to college.	**szkoła średnia** Po szkole średniej można iść do pracy albo na studia.
college ['kɒlɪdʒ] *n* After finishing high school she wants to go to **college.**	**kolegium, szkoła wyższa** Po szkole średniej chce iść do szkoły wyższej.

☺ **College** oznacza niemal każdy typ szkoły wyższej.

headmaster [ˌhed'mɑːstə], **headmistress** [ˌhed'mɪstrəs] *n* *syn:* principal *(Am)* The **headmistress** welcomed the new classes.	**dyrektor, dyrektorka szkoły** Dyrektorka przywitała nowe klasy.
principal ['prɪnsəpəl] *n* *syn:* headmaster, headmistress The **principal** of a big school has a lot of responsibility.	**dyrektor, dyrektorka szkoły** Dyrektor dużej szkoły ponosi wielką odpowiedzialność.
term [tɜːm] *n* The school year in Britain has three **terms.**	**okres, semestr** Angielski rok szkolny dzieli się na trzy okresy.
vacation [və'keɪʃn] *n* *syn:* holiday(s) *(Brit)* The beaches are overcrowded – all the schoolchildren are on **vacation** now.	**wakacje** Plaże są zatłoczone – uczniowie mają teraz wakacje.
topic ['tɒpɪk] *n syn:* subject The **topic** of today's biology lesson is bacteria.	**temat** Tematem dzisiejszej lekcji biologii są bakterie.
research [rɪ'sɜːtʃ] *n* They are doing a lot of **research** on a cure for AIDS.	**badania** Prowadzi się wiele badań nad lekarstwem na AIDS.

history ['hɪstərɪ] *n* The **history** of the English language is fascinating.	**historia** Historia języka angielskiego jest fascynująca.
geography [dʒɪ'ɒgrəfɪ] *n* Our **geography** teacher told us about the hole in the ozone layer.	**geografia** Nasz nauczyciel geografii opowiadał nam o dziurze ozonowej.
biology [baɪ'ɒlədʒɪ] *n* **Biology** deals with the life of plants and animals.	**biologia** Biologia zajmuje się życiem roślin i zwierząt.
chemistry ['kemɪstrɪ] *n* I like **chemistry** because we do lots of experiments.	**chemia** Lubię chemię, bo robimy wiele doświadczeń.
mathematics [ˌmæθə'mætɪks] *n* *syn:* maths *(Brit),* math *(Am)* **Mathematics** includes algebra, geometry and arithmetic.	**matematyka** Matematyka obejmuje algebrę, geometrię i arytmetykę.
physics ['fɪzɪks] *n* Nuclear **physics** led to radiotherapy as well as to the atom bomb.	**fizyka** Fizyka jądrowa doprowadziła do powstania radioterapii, ale i bomby atomowej.
blackboard ['blækbɔːd] *n* Please write the words on the **blackboard.**	**tablica** Proszę zapisać słowa na tablicy.
ruler ['ruːlə] *n* You can't draw a straight line without a **ruler.**	**linijka** Bez linijki nie narysujesz linii prostej.
textbook ['tekstbʊk] *n* At a private school you must buy your own **textbooks.**	**podręcznik** W szkole prywatnej uczeń musi sam sobie kupić podręczniki.
dictionary ['dɪkʃənərɪ] *n* Look up the unknown words in your **dictionaries.**	**słownik** Sprawdźcie nowe słowa w słownikach.
dictation [dɪk'teɪʃn] *n* Writing **dictations** is the best way to improve your spelling.	**dyktando** Pisanie dyktand to najlepszy sposób na poprawę ortografii.
homework ['həʊmwɜːk] *n* Adam never does any **homework** but is the top of his class.	**praca domowa** Adam nigdy nie odrabia pracy domowej, ale jest najlepszy w klasie.

correction [kə'rekʃn] *n* Most teachers use red ink for their **corrections.**	**poprawa, uwaga, poprawka** Większość nauczycieli nanosi poprawki czerwonym atramentem.
report [rɪ'pɔːt], *Am* **report card** [rɪ'pɔːt kɑːd] *n* Did you see her **report (card)**? She got all A's!	**świadectwo** Widziałeś jej świadectwo? Ma same szóstki!
exam [ɪg'zæm] *n* She passed her **exams** and can now go to college.	**egzamin** Zdała egzaminy i może iść na studia.
pass [pɑːs] *vi, vt opp:* fail I'm so glad I've **passed** that exam!	**zdać** Tak się cieszę, że zdałam ten egzamin!
fail [feɪl] *vi, vt opp:* pass If you **fail** this exam twice you can't take it again.	**nie zdać, oblać** Jeśli dwukrotnie oblejesz ten egzamin, nie będziesz mógł zdawać go jeszcze raz.

6 ZAINTERESOWANIA

6.1 SZTUKI PIĘKNE

«1–2000»

art [ɑːt] *n* This picture is a work of **art.**	**sztuka** Ten obraz to dzieło sztuki.
picture ['pɪktʃə] *n syn:* painting This **picture** was painted by Andy Warhol.	**obraz** Ten obraz namalował Andy Warhol.
paint [peɪnt] *vi, vt* Picasso sometimes **painted** several pictures a day.	**malować** Picasso czasami malował kilkanaście obrazów dziennie.

draw [drɔː] *vi, vt* ⓘ **drew** [druː], **drawn** [drɔːn] He can **draw** anybody's portrait within 10 minutes.	**rysować** On potrafi narysować portret w 10 minut.

«2001–4000»

museum [mjuːˈzɪəm] *n* The largest **museum** in the world is the Museum of Natural History in New York.	**muzeum** Największe muzeum na świecie to Muzeum Historii Naturalnej w Nowym Jorku.
gallery [ˈgælərɪ] *n* New York has more art **galleries** than any other city.	**galeria** W Nowym Jorku jest więcej galerii niż w jakimkolwiek innym mieście.
exhibition [ˌeksɪˈbɪʃn] *n* *syn:* show Millions of people saw the Tutankhamun **exhibition.**	**wystawa** Miliony ludzi widziały wystawę skarbów z grobowca Tutanchamona.
style [staɪl] *n* The **style** of this painting reminds me of that of Van Gogh.	**styl** Styl, w jakim namalowany jest ten obraz, przywodzi na myśl Van Gogha.
artist [ˈɑːtɪst] *n syn:* painter J. M. W. Turner was one of the greatest English **artists.**	**artysta malarz** J.M.W. Turner to jeden z największych malarzy angielskich.
painter [ˈpeɪntə] *n syn:* artist To me Van Gogh is the greatest **painter** who ever lived.	**malarz** Według mnie Van Gogh jest najwspanialszym malarzem wszechczasów.
painting [ˈpeɪntɪŋ] *n syn:* picture The Mona Lisa is probably the most famous **painting** in the world.	**obraz** Mona Lisa to prawdopodobnie najbardziej znany obraz na świecie.
sculptor [ˈskʌlptə] *n* Henry Moore was the greatest English **sculptor.**	**rzeźbiarz** Henry Moore to najsłynniejszy angielski rzeźbiarz.

sculpture ['skʌlptʃə] *n* Picasso made **sculptures** from all kinds of objects and materials.	**rzeźba** Picasso tworzył rzeźby z różnych przedmiotów i surowców.
drawing ['drɔːɪŋ] *n* She makes several **drawings** before she begins to paint.	**rysunek** Zanim zacznie malować, robi wiele rysunków.
print [prɪnt] *n* This picture is not an original but only a **print.**	**reprodukcja** Ten obraz to nie oryginał, tylko reprodukcja.

6.2 TEATR, FILM I TELEWIZJA

«1–2000»

theatre, *Am* **theater** ['θɪətə] *n* In London do not miss seeing a play at one of the many **theatres.**	**teatr** W Londynie trzeba koniecznie zobaczyć sztukę w jednym z licznych teatrów.
stage [steɪdʒ] *n* There was applause when the star came on the **stage.**	**scena** Rozległy się brawa, gdy na scenę weszła gwiazda.
Brit **cinema** ['sɪnəmə] *n syn:* movie theater *(Am)* Films are more impressive at the **cinema** than on video.	**kino** Filmy w kinie robią większe wrażenie niż na wideo.
show [ʃəʊ] *n syn:* play, program(me) Do not miss one of the great **shows** in Las Vegas.	**show, spektakl, rewia** Koniecznie obejrzyjcie jedną ze słynnych rewii w Las Vegas.
play [pleɪ] *n syn:* drama "My Fair Lady" was based on a **play** by Bernard Shaw.	**sztuka** „My Fair Lady" jest oparty na sztuce G.B. Shawa.
play [pleɪ] *vi, vt* Tom Cruise **played** a pilot in "Top Gun".	**grać** Tom Cruise grał pilota w „Top Gun".

ticket ['tɪkɪt] *n*
It's often difficult to get **tickets** for popular plays.

bilet
Często trudno jest zdobyć bilety na popularne przedstawienia.

«2001–4000»

performance [pə'fɔːməns] *n*
In England a matinee is a **performance** in the afternoon, not in the morning.

przedstawienie, spektakl
W Anglii „poranek" to spektakl wystawiany po południu, a nie rano.

---

perform [pə'fɔːm] *vt*
Our amateur theatre group **performs** a play every year.

wystawiać, przedstawiać
Nasza amatorska trupa teatralna wystawia jedną sztukę na rok.

---

screen [skriːn] *n*
To me a real cinema must have a large **screen.**

ekran
Dla mnie prawdziwe kino musi mieć duży ekran.

Am **movies** ['muːvɪz] *pl*
syn: cinema
We often go to the **movies** on Saturday night.

kino
W sobotnie wieczory często chodzimy do kina.

Am **movie** ['muːvɪ] *n syn:* film
"Gone with the Wind" is one of the most successful **movies** of all time.

film
„Przeminęło z wiatrem" to jeden z najsłynniejszych filmów wszechczasów.

---

comedy ['kɒmədɪ] *n opp:* tragedy
Shakespeare wrote **comedies,** tragedies and historic plays.

komedia
Szekspir pisał komedie, tragedie i sztuki historyczne.

---

act [ækt] *n*
Most of Shakespeare's plays have five **acts.**

akt
Większość sztuk Szekspira dzieli się na pięć aktów.

---

scene [siːn] *n*
This is one of the funniest **scenes** from "Some Like It Hot".

scena
To jedna z najśmieszniejszych scen z filmu „Pół żartem, pół serio".

---

actor ['æktə] *n*
Dustin Hoffman and Robert de Niro are my favourite **actors.**

aktor
Moi ulubieni aktorzy to Dustin Hoffman i Robert de Niro.

actress ['æktrɪs] *n* Marilyn Monroe played the dumb blonde but was a good **actress.**	**aktorka** Marylin Monroe grała głupią blondynkę, ale byłą dobrą aktorką.
role [rəʊl] *n syn:* part His **role** in "The Silence of the Lambs" won Anthony Hopkins an Oscar.	**rola** Rola w „Milczeniu owiec" przyniosła Anthony'emu Hopkinsowi Oskara.
direct [dɪ'rekt] *vt* Steven Spielberg produced and **directed** "Schindler's List".	**reżyserować** Steven Spielberg wyprodukował i wyreżyserował „Listę Schindlera".
audience ['ɔːdjəns] *n* At the end of the show there was enthusiastic applause from the **audience.**	**publiczność** Po zakończeniu spektaklu rozległy się entuzjastyczne brawa publiczności.
popular ['pɒpjʊlə] *adj* *opp:* unpopular Talk shows on TV are very **popular.**	**lubiany, -a, -e** Telewizyjne talk-shows są bardzo lubiane.

6.3 MUZYKA

«1–2000»

music ['mjuːzɪk] *n* I listen to **music** on my Walkman when I go jogging.	**muzyka** Kiedy biegam, słucham muzyki z walkmana.
concert ['kɒnsət] *n* The Beatles gave their last **concert** in 1969.	**koncert** Beatlesi zagrali ostatni koncert w 1969 r.
band [bænd] *n* Music is his hobby and he plays in a **band.**	**zespół** Muzyka to jego hobby, gra w zespole.
play [pleɪ] *vi, vt* Mozart started **playing** the piano as a little boy.	**grać** Mozart zaczął grać na pianinie jako mały chłopiec.

song [sɒŋ] *n* "Yesterday" is my favourite **song.**	**piosenka** Moja ulubiona piosenka to „Yesterday".
sing [sɪŋ] *vi, vt* ⓘ **sang** [sæŋ], **sung** [sʌŋ] She **sings** in the church choir.	**śpiewać** Ona śpiewa w chórze kościelnym.

«2001–4000»

musical ['mjuːzɪkl] *adj* My favourite **musical** instrument is the harp.	**muzyczny, -a, -e** Mój ulubiony instrument muzyczny to harfa.
orchestra ['ɔːkəstrə] *n syn:* band She plays the violin in a symphony **orchestra.**	**orkiestra** Ona gra na skrzypcach w orkiestrze symfonicznej.
choir ['kwaɪə] *n* We sing in the church **choir.**	**chór** Śpiewamy w chórze kościelnym.
tune [tjuːn] *n syn:* melody "Yesterday" – I can't get that **tune** out of my mind!	**melodia** Ciągle mam w głowie melodię „Yesterday".
rhythm ['rɪðm] *n syn:* beat Rock 'n' roll has a strong **rhythm.**	**rytm** Rock'n'roll ma silny rytm.
musician [mjuː'zɪʃn] *n* This symphony orchestra consists of over 80 **musicians.**	**muzyk** Ta orkiestra symfoniczna liczy ponad 80 muzyków.
singer ['sɪŋə] *n* Many of the best opera **singers** are black.	**piosenkarz, śpiewak** Wielu doskonałych śpiewaków operowych to Murzyni.
conductor [kən'dʌktə] *n* Leonard Bernstein was a great composer and **conductor.**	**dyrygent** Leonard Bernstein był wielkim kompozytorem i dyrygentem.
composer [kəm'pəʊzə] *n* George Gershwin was one of America's greatest **composers.**	**kompozytor** George Gershwin to jeden z największych amerykańskich kompozytorów.

instrument ['ɪnstrʊmənt] *n* I like to sing but I don't play any **instrument.**	**instrument** Lubię śpiewać, ale nie gram na żadnym instrumencie.
piano [pɪ'ænəʊ] *n* Why do you take **piano** lessons if you never practise?	**pianino** Po co bierzesz lekcje gry na pianinie, skoro nigdy nie ćwiczysz?
violin [,vaɪə'lɪn] *n* A string quartet is for two **violins,** viola and cello.	**skrzypce** Kwartet smyczkowy stanowią: altówka, wiolonczela i dwoje skrzypiec.
guitar [gɪ'tɑː] *n* Spanish music is unthinkable without the **guitar.**	**gitara** Muzyka hiszpańska jest nie do pomyślenia bez gitary.
string [strɪŋ] *n* One of the **strings** on my guitar has broken.	**struna** Pękła jedna struna w mojej gitarze.

6.4 MEDIA

«1–2000»

newspaper ['njuːs,peɪpə, *Am* nuːz peɪpər] *n syn:* paper "The Times" is England's most famous **newspaper.**	**gazeta, dziennik** „The Times" to najpopularniejsza angielska gazeta.
paper ['peɪpə] *n syn:* newspaper He's a reporter for the local **paper.**	**gazeta, dziennik** Jest reporterem w lokalnej gazecie.
print [prɪnt] *vt* Most papers are **printed** at night and sold in the morning.	**drukować** Większość gazet drukuje się w nocy i sprzedaje rano.
television ['telə,vɪʒən] *n syn:* TV We saw the cup final on **television.**	**telewizja** Oglądaliśmy finał rozgrywek pucharowych w telewizji.

programme, *Am* **program** ['prəʊgræm] *n*	**program**
"Sesame Street" is my children's favourite TV **program(me).**	„Ulica Sezamkowa" to ulubiony program moich dzieci.

«2001–4000»

media ['miːdɪə] *pl*	**media, środki masowego przekazu**
The most important **media** are the press, TV and radio.	Najważniejsze środki masowego przekazu to prasa, telewizja i radio.
press [pres] *n*	**prasa**
She works as a journalist for the **press** and TV.	Pracuje jako dziennikarka w prasie i telewizji.
publish ['pʌblɪʃ] *vt*	**publikować**
She wrote her memoirs but never **published** them.	Spisała swoje wspomnienia, ale nigdy ich nie opublikowała.
magazine [ˌmægə'ziːn] *n*	**magazyn**
To keep up-to-date I read **magazines** like "Time" and "Newsweek".	Żeby być na bieżąco, czytam takie magazyny jak „Time" i „Newsweek".
issue ['ɪʃuː] *n*	**wydanie, numer**
Where's the latest **issue** of the paper?	Gdzie ostatni numer gazety?
headline ['hedlaɪn] *n*	**nagłówek**
The royal family is in the **headlines** again.	Rodzina królewska znowu jest w nagłówkach gazet.
radio ['reɪdɪəʊ] *n*	**radio**
We turned on the **radio** to listen to the news.	Włączyliśmy radio, żeby posłuchać wiadomości.
channel ['tʃænl] *n*	**kanał, program**
Some people receive up to 100 **channels** on TV.	Niektórzy mają ponad 100 kanałów telewizyjnych.
broadcast ['brɔːdkɑːst] *n* *syn:* programme	**transmisja**
We saw a live **broadcast** of the car race in Indianapolis.	Widzieliśmy transmisję na żywo z wyścigów samochodowych w Indianapolis.

broadcast ['brɔːdkɑːst] *vi, vt* ⓘ **broadcast** ['brɔːdkɑːst], **broadcast** ['brɔːdkɑːst]	**nadawać, transmitować**
The football world cup will be **broadcast** live to all parts of the world.	Piłkarski puchar świata będzie transmitowany na żywo na całym świecie.
live [laɪv] *adj, adv opp:* recorded	**na żywo**
This talk show is not **live,** but recorded.	Ten program nie idzie na żywo, jest nagrany.
announce [ə'naʊns] *vt*	**ogłosić, zaanonsować**
The host of the talk show **announced** his next guest.	Gospodarz programu zaanonsował następnego gościa.
interview ['ɪntəvjuː] *n, vt*	**wywiad; przeprowadzać wywiad**
The coach gave an **interview** right after the match.	Trener udzielił wywiadu zaraz po meczu.
poster ['pəʊstə] *n*	**plakat**
Before elections you see **posters** with pictures of the heads of politicians everywhere.	Przed wyborami wszędzie widać plakaty z twarzami polityków.

6.5 WYPOCZYNEK

«1–2000»

holiday ['hɒlədeɪ] *n* *syn:* vacation *(Am)*	**urlop, wakacje**
In August most British workers are on **holiday.**	W sierpniu większość brytyjskich pracowników jest na urlopach.
rest [rest] *n, vi opp:* work	**odpoczynek; odpoczywać**
You've worked too much – you need some **rest.**	Za dużo pracujesz – potrzebny ci odpoczynek.
I **rest** for an hour when I get home from work.	Po powrocie z pracy odpoczywam przez godzinkę.

break [breɪk] *n* We worked 12 hours without a **break.**	**przerwa** Pracowaliśmy przez 12 godzin bez przerwy.
walk [wɔːk] *n* The sun's shining – let's go for a **walk.**	**spacer** Słońce świeci – chodźmy na spacer.

«2001–4000»

leisure ['leʒə, *Am* 'liːʒər] *n* *opp:* work She works hard and doesn't get much **leisure.**	**czas wolny** Ona ciężko pracuje i ma mało czasu wolnego.
relax [rɪ'læks] *vi* On Sundays I just **relax** and do nothing.	**odpoczywać, relaksować się** W niedziele nic nie robię, tylko odpoczywam.

6.6 HOBBY

«1–2000»

play [pleɪ] *vi, vt* Children like to **play** outdoors. Let's **play** chess.	**bawić się, grać** Dzieci lubią bawić się na dworze. Zagrajmy w szachy.
game [geɪm] *n* The kids played "Monopoly" and other **games.** They're showing the baseball **game** on TV match.	**gra, mecz** Dzieci grały w „Monopol" i inne gry. Transmitują mecz baseballu w TV.
dance [dɑːns, *Am* dæns] *n, vi, vt* Cha-cha is my favourite **dance.**	**taniec; tańczyć** Cha-cha to mój ulubiony taniec.
camera ['kæmərə] *n* My **camera** is old but takes excellent pictures.	**aparat fotograficzny** Mój aparat jest stary, ale robi doskonałe zdjęcia.

photograph ['fəʊtəgrɑːf] *n, vt*	**fotografia; fotografować**
This **photograph** won first prize in a photo competition.	Ta fotografia zdobyła pierwsze miejsce w konkursie fotograficznym.
He **photographed** her in her new swimsuit.	Sfotografował ją w nowym kostiumie kąpielowym.
picture ['pɪktʃə] *n* *syn:* photo(graph)	**zdjęcie**
He took a **picture** of her.	Zrobił jej zdjęcie.
film [fɪlm] *n*	**film, klisza**
I need a new **film** for my camera.	Potrzebny mi nowy film do aparatu.
TV (set) [ˌtiː'viː set] *n*	**telewizor**
We bought a new colour **TV (set).**	Kupiliśmy nowy kolorowy telewizor.
record ['rekɔːd, *Am* 'rekərd] *n*	**płyta**
Most new **records** come out as CD's.	Większość nowych płyt ukazuje się na CD.

«2001–4000»

hobby ['hɒbɪ] *n syn:* pastime	**hobby**
Repairing old cars is his **hobby.**	Jego hobby to naprawa starych samochodów.
doll [dɒl] *n*	**lalka**
There's nothing wrong with girls who don't play with **dolls.**	Nie ma nic złego w tym, że niektóre dziewczynki nie bawią się lalkami.
puzzle ['pʌzl] *n*	**zagadka**
Grandma does all the **puzzles** she can get hold of.	Babcia rozwiązuje wszystkie zagadki, jakie trafią jej w ręce.

☺ **Puzzle** oznacza zagadki, układanki, rebusy, np.: „krzyżówka" to **crossword puzzle.** „Puzzle" w naszym rozumieniu – układanka z małych klocków – to **jigsaw (puzzle).**

hike [haɪk] *vi*	**wędrować**
I like **hiking** in the Tatra Mountains.	Chętnie wędruję po Tatrach.

climb [klaɪm] *vt* He's **climbed** several 3,000--metre peaks in the Alps.	**wspinać się** Wspiął się na kilka trzytysięczników w Alpach.
camp [kæmp] *n* Many American children go to holiday **camps** in summer.	**obóz** Wiele amerykańskich dzieci jeździ na obozy letnie.
hunt [hʌnt] *vi, vt syn:* shoot It is illegal to **hunt** elephants.	**polować** Prawo zabrania polować na słonie.
hunter ['hʌntə] *n* White **hunters** killed about 50 million American buffaloes.	**myśliwy** Biali myśliwi zabili około 50 milionów amerykańskich bizonów.
photography [fə'tɒgrəfɪ] *n* My hobbies are travelling and **photography.**	**fotografia** Moje hobby to podróżowanie i fotografia.
slide [slaɪd] *n* I'll show you some **slides** from our last holiday.	**slajd** Pokażę ci slajdy z naszych ostatnich wakacji.
print [prɪnt] *n* I need the negatives of the film to order some extra **prints.**	**odbitka** Muszę mieć negatyw, żeby zamówić odbitki.
record player ['rekɔːd ˌpleɪə] *n* People want CD players – there's not much demand for conventional **record players.**	**adapter** Ludzie wolą odtwarzacze CD – jest małe zapotrzebowanie na tradycyjne adaptery.
cassette recorder [kə'set rɪˌkɔːdə] *n* A ghetto blaster is a large portable **cassette recorder.**	**magnetofon kasetowy** „Ghetto blaster" to duży przenośny magnetofon kasetowy.
stereo (set) ['sterɪəʊ (set)] *n* I like the sound of your new **stereo (set).**	**wieża stereo** Podoba mi się brzmienie twojej nowej wieży.
speaker ['spiːkə] *n* *syn:* loudspeaker These **speakers** have a super sound.	**głośnik** Te głośniki mają świetne brzmienie.

video ['vɪdɪəʊ] *n* The kids are watching a **video** of "The Jungle Book".	**kaseta wideo** Dzieci oglądają „Księgę Dżungli" na wideo.
tape [təɪp] *n, vt* You missed the match on TV? I've got it all on **tape.** I **taped** the talk show for you.	**taśma; nagrać** Przegapiłeś mecz w telewizji? Mam go na taśmie. Nagrałam dla ciebie talk-show.
record [rɪ'kɔːd] *vt syn:* tape This talk show is **recorded,** not live.	**nagrać** Ten program jest nagrany, nie idzie na żywo.
bet [bet] *n* The English are mad about gambling – they make **bets** on nearly everything.	**zakład** Anglicy mają bzika na punkcie hazardu – robią zakłady o niemal wszystko.
bet [bet] *vi, vt* ⓘ **bet** [bet], **bet** [bet] I **bet** you ten pounds Glasgow will win.	**zakładać się** Założę się o dziesięć funtów, że Glasgow wygra.
prize [praɪz] *n syn:* award She won first **prize** in a beauty contest.	**nagroda** Zdobyła pierwszą nagrodę w konkursie piękności.

6.7 PRZYJEMNOŚCI I UŻYWKI

«1–2000»

enjoy [ɪn'dʒɔɪ] *vt* The weather was great – we really **enjoyed** our holidays.	**cieszyć się, rozkoszować się** Pogoda była super – mogliśmy naprawdę cieszyć się wakacjami.
smoker ['sməʊkə] *n* **Smokers** risk dying of lung cancer.	**palacz** Palacze ryzykują, że umrą na raka płuc.
cigarette [ˌsɪgə'ret] *n* I used to smoke 30 **cigarettes** a day but I quit.	**papieros** Dawniej paliłam 30 papierosów dziennie, ale rzuciłam.

pipe [paɪp] *n* Smoking a **pipe** is less dangerous to your health.	**fajka** Palenie fajki nie jest tak szkodliwe dla zdrowia.
cigar [sɪ'gɑː] *n* Winston Churchill always smoked a **cigar.**	**cygaro** Winston Churchill zawsze palił cygara.
tobacco [tə'bækəʊ] *n* Dunhill is famous for its **tobacco** and its pipes.	**tytoń** Firma Dunhill słynie z tytoniu i fajek.

«2001–4000»

entertainment [,entə'teɪnmənt] *n* Most TV viewers are looking for **entertainment.**	**rozrywka** Większość telewidzów oczekuje rozrywki.
amusement [ə'mjuːzmənt] *n* *syn:* entertainment Television is many old people's only **amusement.**	**rozrywka** Telewizja jest jedyną rozrywką dla wielu starych ludzi.
entertaining [,entə'teɪnɪŋ] *adj* *syn:* amusing It isn't great literature but very **entertaining.**	**zabawny, -a, -e; rozrywkowy, -a, -e** To nie jest wielka literatura, ale bardzo zabawna lektura.
enjoy oneself [ɪn'dʒɔɪ wʌn,self] I really **enjoyed myself** at your party.	**dobrze się bawić** Naprawdę świetnie się bawiłam na twoim przyjęciu.
pleased [pliːzd] *adj* *syn:* satisfied, glad He was very **pleased** that his team had won.	**zadowolony, -a, -e** Był bardzo zadowolony, że jego drużyna wygrała.
joke [dʒəʊk] *n, vi* He makes the kids laugh by telling **jokes.** Don't be angry – I was only **joking.**	**kawał, żart; żartować** Bawi dzieci, opowiadając im kawały. Nie złość się, tylko żartowałam.

6.8 SPORT

«1–2000»

sport [spɔːt] *n* He does a lot of **sport** to keep fit.	**sport** Uprawia wiele sportów, żeby utrzymać się w formie.
team [tiːm] *n* A football **team** consists of 11 players.	**drużyna** Drużyna piłki nożnej liczy 11 zawodników.
football ['fʊtbɔːl] *n syn:* soccer **Football** is the most popular sport in Europe and South America.	**piłka nożna, futbol** Piłka nożna to najpopularniejszy sport w Europie i Ameryce Południowej.
player ['pleɪə] *n* In rugby there are 13 or 15 **players** on a team.	**gracz, zawodnik** Drużyna rugby liczy 13 albo 15 zawodników.
ball [bɔːl] *n* In American football you can pick up the **ball** and throw it.	**piłka** W futbolu amerykańskim piłkę można podnosić i rzucać.
train [treɪn] *vi syn:* practise Top athletes **train** several hours a day.	**trenować, ćwiczyć** Najlepsi sportowcy ćwiczą kilkanaście godzin dziennie.
match [mætʃ] *n syn:* game I saw the **match** between Manchester United and Arsenal London.	**mecz** Widziałam mecz między Manchester United a Arsenal London.

☺ W amerykańskim angielskim używamy słowa **game**, gdy mowa o sportach zespołowych, np.: “baseball game”.

race [reɪs] *n* Jockey Lester Piggott won over 4,000 **races.**	**wyścig, gonitwa** Dżokej Lester Piggott wygrał ponad 4000 wyścigów.
start [stɑːt] *n, vi* The American sprinter took the lead right after the **start.**	**start; startować** Amerykański sprinter objął prowadzenie tuż po starcie.
record ['rekɔːd, *Am* 'rekərd] *n* That is a new world **record.**	**rekord** To jest nowy rekord świata.

run [rʌn] *vi, vt* ⓘ **ran** [ræn], **run** [rʌn]	**biec, biegać**
A horse can **run** at about 35 m.p.h.	Koń może biec z prędkością około 55 km/godz.
swim [swɪm] *vi, vt* ⓘ **swam** [swæm], **swum** [swʌm]	**pływać**
It takes at least nine hours to **swim** across the English Channel.	Potrzeba co najmniej dziewięciu godzin, żeby przepłynąć kanał La Manche.
ski [skiː] *n, vi*	**narta; jeździć na nartach**
Skis were first used in Norway.	Na początku narty były używane w Norwegii.
We always go **skiing** at Easter.	Na Wielkanoc zawsze wybieramy się na narty.
ride [raɪd] *vi, vt* ⓘ **rode** [rəʊd], **ridden** ['rɪdn]	**jeździć konno, dosiadać**
In the Derby, the jockeys **ride** three-year-old horses.	Podczas Derby dżokeje dosiadają koni trzyletnich.
row [rəʊ] *vi, vt*	**wiosłować**
She likes rowing.	Ona lubi wiosłować.

«2001–4000»

athlete ['æθliːt] *n*	**sportowiec, atleta**
Stuntmen must be good **athletes.**	Kaskaderzy muszą być dobrymi sportowcami.
captain ['kæptɪn] *n*	**kapitan**
Bobby Moore was England's **captain** when they won the 1966 World Cup.	Bobby Moore był kapitanem drużyny angielskiej, gdy zdobyli Puchar Świata w 1966 r.
coach [kəʊtʃ] *n syn:* trainer	**trener**
She's the **coach** of the women's volleyball team.	Jest trenerką żeńskiej drużyny siatkówki.
training ['treɪnɪŋ] *n*	**trening**
He won the fight after weeks of hard **training.**	Zwyciężył po wielu tygodniach ciężkich treningów.
competition [ˌkɒmpə'tɪʃn] *n*	**konkurs, turniej**
Jack Nicklaus has won more **competitions** than any other living golfer.	Jack Nicklaus wygrał więcej turniejów niż jakikolwiek inny żyjący golfista.

champion ['tʃæmpɪən] *n* At 21 Floyd Patterson was the youngest world heavyweight **champion.**	**zwycięzca, czempion** W wieku 21 lat Floyd Patterson był najmłodszym mistrzem świata wagi ciężkiej.
round [raʊnd] *n* The champion was knocked out in the 1st **round.**	**runda** Mistrz został znokautowany w pierwszej rundzie.
final(s) ['faɪnl(z)] *n (pl)* This year's Wimbledon **final** wasn't as exciting as last year's.	**finał** Tegoroczny finał w Wimbledonie nie był tak ekscytujący jak zeszłoroczny.
medal ['medl] *n* Princess Anne won a gold **medal** for horse-riding in 1972.	**medal** Księżniczka Anna zdobyła złoty medal w jeździe konnej w 1972 r.
spectator [spek'teɪtə, *Am* 'spekteɪtər] *n* This car race attracts more than one million **spectators.**	**widz** Ten wyścig samochodowy przyciąga ponad milion widzów.
referee [ˌrefə'riː] *n* The **referee** can stop the match at any time.	**sędzia** Sędzia może w każdej chwili przerwać mecz.
whistle ['wɪsl] *n, vi* The referee's **whistle** interrupted the match.	**gwizdek; gwizdać** Gwizdek sędziego przerwał mecz.
score [skɔː] *n* The **score** was 1:1 at half time.	**wynik** Do przerwy wynik wynosił 1:1.
score [skɔː] *vi, vt* Celtic **scored** in the 90th minute and won.	**zdobyć punkt, strzelić gola** Celtic strzelił gola w 90 minucie i wygrał.
goal [gəʊl] *n* Our team won the football match by 3 **goals** to 1.	**bramka, gol** Nasza drużyna wygrała 3 bramkami do jednej.
target ['tɑːgɪt] *n* He aimed and fired but missed the **target.**	**cel** Wycelował, wystrzelił, ale nie trafił w cel.
stadium ['steɪdɪəm] *n* The football cup final takes place in Wembley **Stadium.**	**stadion** Finał rozgrywek pucharowych odbędzie się na stadionie Wembley.

field [fiːld] *n* The two teams are already on the **field.**	**boisko** Obie drużyny są już na boisku.
pool [puːl] *n* Let's go for a swim in the **pool.**	**basen** Chodźmy popływać w basenie.
saddle ['sædl] *n* Indians rode their horses without a **saddle.**	**siodło** Indianie jeździli konno bez siodeł.
whip [wɪp] *n* Jockeys sometimes use their **whips** to drive their horses.	**pejcz, bat** Dżokeje czasami poganiają konie batem.
racket ['rækɪt] *n* Different **rackets** are used for tennis, squash and badminton.	**rakieta** Do tenisa, squasha i badmintona używa się różnych rakiet.
throw [θrəʊ] *vi, vt* ⓘ **threw** [θruː], **thrown** [θrəʊn] In football the goalkeeper is allowed to **throw** the ball.	**rzucać** W piłce nożnej bramkarz może rzucać piłkę.
kick [kɪk] *n, vt* In Thai boxing both punches and **kicks** are allowed.	**kopnięcie; kopać** W boksie tajskim można nie tylko uderzać pięściami, lecz także kopać.
dive [daɪv] *vi* ⓘ **dived** [daɪvd], *Am* **dove** [dəʊv], **dived** [daɪvd] Wet suits are worn for surfing and **diving.**	**nurkować, skakać do wody** Do surfingu i nurkowania zakłada się piankę.
sail [seɪl] *vi* You want to go **sailing** in my new yacht?	**żeglować** Chcecie pożeglować moim nowym jachtem?

7 ŻYCIE PUBLICZNE

7.1 PAŃSTWO I POLITYKA

«1–2000»

politics ['pɒlɪtɪks] *n* People who are interested in **politics** read "The Guardian".	**polityka** Zainteresowani polityką czytają „The Guardian".
political [pə'lɪtɪkl] *adj* The Queen has little **political** power.	**polityczny, -a, -e** Królowa ma niewielką władzę polityczną.
country ['kʌntrɪ] *n* *syn:* state, nation More and more **countries** are becoming members of the European Union.	**kraj, państwo** Coraz więcej państw wchodzi w skład Unii Europejskiej.
government ['gʌvənmənt] *n* Does Britain have a Labour or Conservative **government**?	**rząd** W Anglii jest rząd konserwatystów czy labourzystów?
govern ['gʌvən] *vt syn:* rule The Queen is the head of state but the country is **governed** by politicians.	**rządzić** Królowa jest głową państwa, ale krajem rządzą politycy.
party ['pɑːtɪ] *n* The two big political **parties** in the USA are the Republicans and the Democrats.	**partia** Dwie największe partie w USA to republikanie i demokraci.
king [kɪŋ] *n* Queen Elizabeth's father was **King** George VI.	**król** Ojcem królowej Elżbiety był król Jerzy VI.
queen [kwiːn] *n* Elizabeth II became **Queen** of England in 1952.	**królowa** Elżbieta II została królową Anglii w 1952 r.
prince [prɪns] *n* A **prince** is either a son of a queen or king, or the ruler of a small state.	**książę** Książę to albo syn króla lub królowej, albo władca niewielkiego państewka.

president ['prezɪdənt] *n*
J. F. Kennedy became **President** in 1961.

prezydent
J.F. Kennedy został prezydentem w 1961 r.

---

minister ['mɪnɪstə] *n*
The cabinet consists of the **Ministers** of the government.

minister
Gabinet składa się z ministrów rządu.

---

border ['bɔːdə] *n*
San Diego is on the **border** between the US and Mexico.

granica
San Diego leży na granicy między USA a Meksykiem.

---

foreign ['fɒrən] *adj*
opp: native, domestic
Every European should learn at least two **foreign** languages.

obcy, -a, -e;
cudzoziemsk-i, -a, -ie
Każdy Europejczyk powinien znać przynajmniej dwa języki obce.

---

foreigner ['fɒrənə] *n syn:* stranger
In summer there are more **foreigners** in London than Londoners.

cudzoziemiec
Latem w Londynie jest więcej cudzoziemców niż Londyńczyków.

---

home [həʊm] *n*
For many young Pakistanis, Britain is their **home.**

dom; ojczyzna
Dla wielu młodych Pakistańczyków Wielka Brytania jest ojczyzną.

«2001–4000»

people ['piːpl] *n syn:* nation
The Japanese are a hard-working **people.**

naród, lud
Japończycy to bardzo pracowity naród.

---

state [steɪt] *n*
The USA consists of 50 (federated) **states.**

stan
USA to konfederacja 50 stanów.

---

nation ['neɪʃn] *n*
syn: country, state
The industrialized **nations** must help the poor **nations.**

naród; państwo, kraj
Kraje uprzemysłowione powinny pomagać krajom ubogim.

---

national ['næʃənl] *adj*
opp: international
The Bank of England is Britain's **national** bank.

narodowy, -a, -e;
państwowy, -a, -e
Bank of England to bank państwowy.

nationality [ˌnæʃəˈnælətɪ] *n* In London you can see people of many different **nationalities.**	**narodowość** W Londynie widzi się ludzi wielu narodowości.
flag [flæg] *n* The "Stars and Stripes" is the **flag** of the USA.	**flaga** Flaga amerykańska to „Gwiazdy i Pasy".
Kingdom [ˈkɪŋdəm] *n* The United **Kingdom** consists of Great Britain and Northern Ireland.	**królestwo** Zjednoczone Królestwo składa się z Wielkiej Brytanii i Irlandii Północnej.
royal [ˈrɔɪəl] *adj* The English like to read about the Queen and members of the **royal** family.	**królewsk-i, -a, -ie** Anglicy chętnie czytają o królowej i członkach rodziny królewskiej.
crown [kraʊn] *n, vt* The **Crown** Jewels include the **crowns** and swords of the kings of England.	**korona; koronować** Klejnoty Korony to między innymi korony i miecze królów Anglii.
rule [ruːl] *n, vi, vt* The Republic of Ireland is no longer under British **rule.** Ireland had been **ruled** by England for over 300 years.	**władza, rządy; władać, rządzić** Republika Irlandii nie jest już pod rządami Anglików. Anglicy rządzili Irlandią przez ponad 300 lat.
colony [ˈkɒlənɪ] *n* Commonwealth countries are former British **colonies.**	**kolonia** Kraje Wspólnoty Brytyjskiej to byłe kolonie brytyjskie.
republic [rɪˈpʌblɪk] *n* Ireland became an independent **republic** in 1921.	**republika** Irlandia stała się niepodległą republiką w 1921 r.
parliament [ˈpɑːləmənt] *n* Most **parliaments** have a Lower and an Upper House.	**parlament** Większość parlamentów dzieli się na izbę wyższą i niższą.
freedom [ˈfriːdəm] *n syn:* liberty The American Civil War brought **freedom** for the slaves.	**wolność** Amerykańska Wojna Secesyjna dała niewolnikom wolność.

independent [ˌɪndɪ'pendənt] *adj* *opp:* dependent The USA became **independent** in 1776.	**niepodległy, -a, -e** Stany Zjednoczone stały się niepodległym państwem w 1776 r.
democracy [dɪ'mɒkrəsɪ] *n* There is no **democracy** without free elections.	**demokracja** Bez wolnych wyborów nie ma demokracji.
union ['juːnjən] *n* These states used to belong to the Soviet **Union.**	**unia, związek** Te kraje należały kiedyś do Związku Radzieckiego.
unite [juː'naɪt] *vi,vt opp:* divide More and more European countries are **uniting** in the European Union.	**jednoczyć** Coraz więcej krajów europejskich jednoczy się w Unii Europejskiej.
politician [ˌpɒlɪ'tɪʃn] *n* Margaret Thatcher was the best-known British **politician** after the war.	**polityk** Margaret Thatcher była najbardziej znanym brytyjskim politykiem po II wojnie światowej.
council ['kaʊnsl] *n* The crisis will be discussed by the Security **Council** of the United Nations.	**rada** Ten problem omówi Rada Bezpieczeństwa Narodów Zjednoczonych.
speech [spiːtʃ] *n* "I Have a Dream" is the famous **speech** made by Martin Luther King in 1963.	**mowa, przemówienie** „I Have A Dream" to słynna mowa Martina Luthera Kinga z 1963 r.
speaker ['spiːkə] *n* The chairman introduced the first **speaker.**	**mówca** Przewodniczący przedstawił pierwszego mówcę.
succeed [sək'siːd] *vi, vt* Clinton **succeeded** Bush as U.S. President.	**być następcą** Clinton był następcą George'a Busha na stanowisku prezydenta USA.
supporter [sə'pɔːtə] *n* *syn:* follower, *opp:* opponent She is a **supporter** of green politics.	**zwolennik** Ona jest zwolenniczką polityki zielonych.

election [ɪ'lekʃn] *n* At a general **election** the voters decide who will govern the country.	**wybory** Podczas wyborów powszechnych wyborcy decydują, kto będzie rządził krajem.
elect [ɪ'lekt] *vt* Kennedy was **elected** President in 1960. → *vote*	**wybierać** Kennedy został wybrany na prezydenta w 1961 r.
vote [vəʊt] *n, vi* At the next election I'll give my **vote** to the Greens. The **vote** was 6 to 3 against the motion. Which party are you going to **vote** for?	**głos, głosowanie; głosować** W następnych wyborach oddam głos na Zielonych. Wynik głosowania był 6 do 3 przeciwko. Na którą partię będziesz głosować?
voter ['vəʊtə] *n* The majority of black **voters** in the U.S. vote Democrat.	**wyborca** W USA większość czarnych wyborców głosuje na demokratów.
majority [mə'dʒɒrɪtɪ] *n* *opp:* minority The **majority** of South Africans voted for black politicians.	**większość** Większość mieszkańców RPA głosowało na czarnych polityków.
minority [maɪ'nɒrɪtɪ] *n* *opp:* majority African-Americans are the largest **minority** in the USA.	**mniejszość** Afroamerykanie to najliczniejsza mniejszość w USA.
native ['neɪtɪv] *n, adj* A **native** of Austria, Arnold Schwarzenegger became a star in Hollywood.	**rodowity, -a, -e; rdzenny, -a, -e; z pochodzenia** Arnold Schwarzenegger, rodowity Austriak, został gwiazdorem w Hollywood.
home [həʊm] *adj syn:* domestic, *opp:* foreign Car models for export are different from those for the **home** market.	**krajowy, -a, -e** Modele samochodów na eksport różnią się od tych na rynek krajowy.
foreign ['fɒrən] *adj* *opp:* domestic, home Europe's **foreign** ministers met to discuss immigration problems.	**zagraniczny, -a, -e** Europejscy ministrowie spraw zagranicznych spotkali się, żeby omówić problem imigracji.

international [ˌɪntəˈnæʃənl] *adj* *opp:* national — **międzynarodowy, -a, -e**
Interpol is an **international** organization. — Interpol to organizacja międzynarodowa.

immigrant [ˈɪmɪgrənt] *n* *opp:* emigrant — **imigrant**
In the 19th century most **immigrants** came from Europe to America. — W XIX w. większość imigrantów w Ameryce pochodziła z Europy.

immigration [ˌɪmɪˈgreɪʃn] *n* *opp:* emigration — **imigracja**
Illegal **immigration** is a great problem in many western countries. — Nielegalna imigracja to poważny problem w wielu krajach europejskich.

security [sɪˈkjʊərɪtɪ] *n* — **bezpieczeństwo**
There will be strict **security** measures during the President's visit. — Podczas wizyty prezydenta będą obowiązywały surowe środki bezpieczeństwa.

spy [spaɪ] *n, vi* — **szpieg; szpiegować**
During the Cold War there were lots of **spies** on both sides. — Podczas zimnej wojny po obu stronach działało wielu szpiegów.

crisis [ˈkraɪsɪs] *n* ⓘ *pl* **crises** [ˈkraɪsiːz] — **kryzys**
An embargo of the OPEC countries led to the oil **crisis.** — Embargo wobec krajów OPEC doprowadziło do kryzysu naftowego.

revolution [ˌrevəˈluːʃn] *n* — **rewolucja**
The French **Revolution** began in 1789. — Rewolucja Francuska wybuchła w 1789 r.

7.2 WOJNA I POKÓJ

«1–2000»

war [wɔː] *n* *opp:* peace — **wojna**
The **war** in Vietnam lasted from 1954 to 1975. — Wojna w Wietnamie trwała od 1954 do 1975 r.

peace [piːs] *n opp:* war Most of Europe has enjoyed **peace** since 1945.	**pokój** W niemal całej Europie od 1945 r. panuje pokój.
enemy ['enəmɪ] *n opp:* friend The USA and Japan were **enemies** in World War II.	**wróg** Podczas II wojny światowej USA i Japonia były wrogami.
soldier ['səʊldʒə] *n opp:* civilian The **soldiers** in the US Army are called GI's.	**żołnierz** Żołnierzy armii amerykańskiej nazywa się GI.
battle ['bætl] *n* In the **Battle** of Hastings the Normans defeated the Anglo-Saxons.	**bitwa** W bitwie o Hastings Normanowie pokonali Saksonów.

«2001–4000»

military ['mɪlɪtərɪ] *adj* The **military** police deal with soldiers who do something wrong.	**wojskowy, -a, -e; militarny, -a, -e** Żandarmeria wojskowa zajmuje się żołnierzami, którzy postąpili niezgodnie z prawem.
troops [truːps] *pl* The government sent in **troops** to stop the riots.	**oddziały, wojsko** Rząd wysłał wojsko, żeby powstrzymać zamieszki.
army ['ɑːmɪ] *n* The **army,** navy and air force make up a nation's armed forces.	**armia** Armia, marynarka wojenna i lotnictwo tworzą siły zbrojne danego państwa.
navy ['neɪvɪ] *n* The **navy** is that branch of the military forces that fights at sea.	**marynarka wojenna** Marynarka wojenna to ta część wojska, która walczy na morzu.
officer ['ɒfɪsə] *n* A major is an **officer,** a sergeant a noncommissioned **officer.**	**oficer** Major to oficer, a sierżant – podoficer.
general ['dʒenərəl] *n* Washington and Eisenhower were **generals** who became US Presidents.	**generał** Waszyngton i Eisenhower to generałowie, którzy zostali prezydentami USA.

arm [ɑːm] *vi, vt opp:* disarm They were **armed** with the most modern weapons.	**uzbroić** Byli uzbrojeni w najnowocześniejszą broń.
weapon ['wepən] *n* There must be a ban on nuclear, biological and chemical **weapons.**	**broń** Należy zakazać broni atomowej, biologicznej i chemicznej.
arms [ɑːmz] *pl syn:* weapons The Indians were brave but the white soldiers had better **arms.**	**broń** Indianie byli dzielni, ale biali żołnierze mieli lepszą broń.
bomb [bɒm] *n, vt* A **bomb** exploded and killed three people. All major cities in Germany were **bombed** by British and American planes.	**bomba; bombardować** Wybuch bomby zabił trzy osoby. Amerykańskie i angielskie samoloty bombardowały wszystkie ważne miasta w Niemczech.
gun [gʌn] *n* The whites defeated the Indians because they had better **guns.**	**broń palna, strzelba** Biali pokonali Indian, bo mieli lepszą broń palną.
nuclear ['njuːklɪə, *Am* 'nuːklɪər] *adj syn:* atomic Who would want to survive a **nuclear** war?	**nuklearny, -a, -e; atomowy, -a, -e** Kto chciałby przeżyć wojnę nuklearną?
sword [sɔːd] *n* A samurai's weapon is the **sword.**	**miecz** Bronią samuraja jest miecz.
march [mɑːtʃ] *n, vi* It was a three-hour **march** from the barracks to the camp.	**marsz; maszerować** Był to trzygodzinny marsz z baraków do obozu.
fight [faɪt] *vi* ⓘ **fought** [fɔːt], **fought** [fɔːt] In the War of Independence the USA **fought** against England.	**walczyć** W wojnie o niepodległość Amerykanie walczyli z Anglią.
fight [faɪt] *n syn:* battle It was a long hard **fight** before Ireland gained her independence.	**walka** Zanim Irlandia uzyskała niepodległość, stoczyła długą ciężką walkę.

front [frʌnt] *n syn:* front line There were terrible losses among the troops fighting at the **front.**	**front** Oddziały walczące na froncie ponosiły ogromne straty.
attack [ə'tæk] *n, vi, vt* The **attack** on Pearl Harbor began on Dec. 7, 1941, early in the morning.	**atak; atakować** Atak na Pearl Harbor zaczął się 7 grudnia 1941 r. wczesnym rankiem.
defend [dɪ'fend] *vt opp:* attack You can't **defend** a country against a nuclear attack.	**bronić, obronić** Nie da się obronić kraju przed atakiem nuklearnym.
defence, *Am* **defense** [dɪ'fens] *n opp:* attack Soldiers should be for a country's **defence** only.	**obrona** Żołnierze powinni służyć tylko w obronie kraju.
victory ['vɪktərɪ] *n opp:* defeat The Indians won their last major **victory** at the Little Bighorn.	**zwycięstwo** Indianie odnieśli ostatnie znaczące zwycięstwo pod Little Big Horn.
defeat [dɪ'fiːt] *n, vt* Hiroshima meant the final **defeat** of Japan.	**klęska; pokonać** Hiroszima oznaczała ostateczną klęskę Japonii.
occupy ['ɒkjəpaɪ] *vt* Allied troops **occupied** Berlin in 1945.	**zajmować** Alianci zajęli Berlin w 1945 r.
occupation [ˌɒkjə'peɪʃn] *n* Spain was under Moorish **occupation** for about 700 years.	**okupacja** Hiszpania znajdowała się pod okupacją Maurów przez mniej więcej 700 lat.
resistance [rɪ'zɪstəns] *n* Gandhi practised passive **resistance** to gain Indian independence.	**opór** Ghandi stosował bierny opór, żeby wywalczyć niepodległość Indii.
flee [fliː] *vi syn:* escape ⓘ **fled** [fled], **fled** [fled] The civilian population is **fleeing** from the war zones.	**uciekać** Ludność cywilna ucieka ze stref działań wojennych.

flight [flaɪt] *n*
Lots of people die during the **flight** from war zones.
ucieczka
Wiele osób umiera podczas ucieczki ze strefy działań wojennych.

escape [ɪ'skeɪp] *vi syn:* flee
The people were trying to **escape** from the burning village.
uciekać
Ludzie starali się uciec z płonącej wioski.

refugee [ˌrefjʊ'dʒiː] *n*
The **refugees** lost everything and need help badly.
uchodźca
Uchodźcy stracili wszystko i pilnie potrzebują pomocy.

hero ['hɪərəʊ] *n*
ⓘ *pl* **heroes** ['hɪərəʊz]
The real **heroes** of war are those who save other people's lives.
bohater
Prawdziwi bohaterowie wojenni to ci, którzy ratują innym życie.

knight [naɪt] *n*
Knights rode on horseback and fought with lances and swords.
rycerz
Rycerze jeździli konno i walczyli mieczem i lancą.

treaty ['triːtɪ] *n*
The whites and Indians signed many **treaties.**
traktat, układ
Biali i Indianie podpisywali wiele traktatów.

7.3 KOŚCIÓŁ I RELIGIA

«1–2000»

church [tʃɜːtʃ] *n*
Many Christians go to **church** on Sunday.
kościół
Wielu chrześcijan chodzi w niedzielę do kościoła.

God, god [gɒd] *n*
Churches are places where people pray to **God.**
Mars was the Roman **god** of war.
Bóg, bóg
Kościoły to miejsca, w których ludzie modlą się do Boga.
Mars był rzymskim bogiem wojny.

Christmas ['krɪsməs] *n*
English-speaking peoples celebrate **Christmas** on the 25th of December and not on **Christmas** Eve.
Boże Narodzenie
W krajach anglojęzycznych obchodzi się Boże Narodzenie 25 grudnia, a nie w Wigilię.

Easter ['iːstə] *n* — **Wielkanoc**
School holidays are at **Easter,** in the summer and at Christmas.
Ferie szkolne są na Wielkanoc, w lecie i na Boże Narodzenie.

---

religion [rɪ'lɪdʒn] *n* — **religia**
Christianity, Islam and Buddhism are some of the great **religions.**
Chrześcijaństwo, islam i buddyzm to największe religie.

---

religious [rɪ'lɪdʒəs] *adj* — **religijny, -a, -e; pobożny, -a, -e**
The Puritans emigrated to America for **religious** reasons.
Purytanie wyemigrowali do Ameryki z przyczyn religijnych.
I'm not very **religious** – I rarely go to church.
Nie jestem zbyt pobożna, rzadko chodzę do kościoła.

«2001–4000»

Bible ['baɪbl] *n* — **Biblia**
The **Bible** consists of the Old and the New Testament.
Biblia składa się ze Starego i Nowego Testamentu.

---

holy ['həʊlɪ] *adj* — **święty, -a, -e**
The Bible is the **holy** book of the Christians.
Biblia jest świętą księgą chrześcijan.

Christian ['krɪstʃən] *n, adj* — **chrześcijanin, chrześcijanka; chrześcijańsk-i, -a, -ie**
I'm not a **Christian** but I believe in God.
Nie jestem chrześcijanką, ale wierzę w Boga.
The **Christian** religion is divided into the Protestant, Roman Catholic and Orthodox churches.
Religia chrześcijańska dzieli się na Kościoły: rzymskokatolicki, protestancki i prawosławny.

---

faith [feɪθ] *n syn:* belief — **wiara**
Martin Luther King never lost his **faith** in nonviolence.
Martin Luther King nigdy nie stracił wiary w walkę bez przemocy.

---

belief [bɪ'liːf] *n syn:* faith — **wyznanie, wiara, przekonanie**
They had to emigrate because of their religious **beliefs.**
Musieli emigrować ze względu na swoje wyznanie.

---

believe [bɪ'liːv] *vi, vt* — **wierzyć**
Many religions **believe** in life after death.
Wiele religii wierzy w życie po śmierci.

conscience ['kɒnʃəns] *n* — **sumienie**
I have a bad **conscience** because I lied to her. — Mam wyrzuty sumienia, bo ją oszukałem.

sin [sɪn] *n, vi* — **grzech; grzeszyć**
In all major religions murder is a **sin.** — We wszystkich wielkich religiach morderstwo jest grzechem.

heaven ['hevn] *n opp:* hell — **niebo, niebiosa**
Good people are believed to go to **heaven** (ⓘ *nie:* ***the***) when they die. — Dobrzy ludzie powinni po śmierci iść do nieba.

☺ **Heaven** to „niebo" w przenośni; naprawdę mówi się na nie **sky.**

hell [hel] *n opp:* heaven — **piekło**
War is **hell** (ⓘ *nie:* ***the***) on earth. — Wojna to piekło na ziemi.

angel ['eɪndʒəl] *n* — **anioł**
Many altarpieces show Jesus and the Virgin Mary surrounded by **angels.** — Na wielu ołtarzach widać Jezusa i Najświętszą Marię Pannę w otoczeniu aniołów.

devil ['devl] *n syn:* Satan *opp:* God — **diabeł**
Faust sold his soul to the **devil.** — Faust sprzedał duszę diabłu.

ghost [gəʊst] *n* — **duch**
He looked as if he'd seen a **ghost.** — Wyglądał, jakby zobaczył ducha.

priest [priːst] *n* — **ksiądz, kapłan**
Cardinals are the highest **priests** in the Catholic Church. — Kardynałowie to najwyżsi rangą kapłani w kościele katolickim.

minister ['mɪnɪstə] *m* — **pastor**
Martin Luther King was a **minister** in the Baptist Church. — Martin Luther King był pastorem Kościoła batystów.

☺ **Minister** to duchowny protestancki, a **priest** – katolicki.

monk [mʌnk] *n* — **mnich**
Buddhist **monks** shave their heads and wear yellow clothes. — Buddyjscy mnisi golą głowy i noszą żółte szaty.

nun [nʌn] *n* Many **nuns** work in hospitals, schools and kindergartens.	**zakonnica** Wiele zakonnic pracuje w szpitalach, szkołach i przedszkolach.
service ['sɜːvɪs] *n* In Christian churches most **services** are on Sundays.	**msza** W kościołach chrześcijańskich msza zazwyczaj odbywa się w niedzielę.
bell [bel] *n* Church **bells** ring on Sundays to announce the service.	**dzwon** W niedzielę dzwony kościelne zwołują na nabożeństwo.
pray [preɪ] *vi* Jews go to the synagogue to **pray.**	**modlić się** Żydzi chodzą do synagogi, żeby się modlić.
prayer ['preə] *n* Muslims kneel on rugs when they say their **prayers.**	**modlitwa** Muzułmanie klękają na dywanikach, kiedy odmawiają modlitwy.
kneel [niːl] *vi* ⓘ **knelt** [nelt], **knelt** [nelt] Muslims **kneel** down when the muezzin calls them to prayer.	**klęczeć** Muzułmanie klękają, kiedy muezin wzywa ich do modlitwy.
bless [bles] *vt* The Pope **blessed** the crowd that had gathered on St. Peter's Square.	**błogosławić** Papież pobłogosławił tłum zebrany na placu Świętego Piotra.

8 ŚRODOWISKO

8.1 MIASTO I WIEŚ

«1–2000»

place [pleɪs] *n* Is this the **place** where it happened?	**miejsce** Czy to się stało w tym miejscu?
town [taʊn] *n syn:* city This **town** is famous.	**miasto, miasteczko** To miasto jest znane.
city ['sɪtɪ] *n syn:* town, *opp:* village, country Would you rather live in the **city** or in the country?	**miasto** Wolałbyś mieszkać w mieście czy na wsi?

☺ **City** to „duże miasto", **town** to „miasteczko".

country ['kʌntrɪ] *n* *opp:* city, town I like living in the **country** – city life is too hectic.	**wieś** Podoba mi się życie na wsi – życie w mieście jest zbyt nerwowe.
village ['vɪlɪdʒ] *n* Charles Dickens was born in a small **village.**	**wieś, wioska** Karol Dickens urodził się w małej wiosce.
centre, *Am* **center** ['sentə] *n* Trafalgar Square is in the **centre** of London.	**centrum** Trafalgar Square to centrum Londynu.
building ['bɪldɪŋ] *n* The Sears Tower in Chicago is one of the tallest buildings in the world.	**budynek** Sears Tower w Chicago to jeden z najwyższych budynków na świecie.
castle ['kɑːsl] *n* Is Dover **Castle** the oldest **castle** in Britain?	**zamek** Czy Dover Castle to najstarszy zamek w Wielkiej Brytanii?
tower ['taʊə] *n* In 1889 the Eiffel **Tower** was the tallest **tower** in the world.	**wieża** W 1889 r. wieża Eiffla była najwyższą wieżą na świecie.

square [skweə] *n* The candidate made a speech in the market **square.**	**plac** Kandydat wygłosił mowę na placu targowym.
hall [hɔːl] *n* Carnegie **Hall** is the most famous concert **hall** in the USA.	**hala, sala** Carnegie Hall to najbardziej znana amerykańska sala koncertowa.
road [rəʊd] *n* The old **road** along the coast is dangerous.	**droga, szosa** Ta stara droga wzdłuż wybrzeża jest niebezpieczna.

☺ **Streat** to ulica w mieście, między budynkami; **road** łączy całe miejscowości i dzielnice.

street [striːt] *n* We strolled through the narrow **streets** of the old town.	**ulica, uliczka** Spacerowaliśmy wąskimi uliczkami starego miasta.
bridge [brɪdʒ] *n* They stood on the **bridge.**	**most** Stanęli na moście.
farm [fɑːm] *n* We live on a **farm** and breed cattle.	**farma** Mieszkamy na farmie i hodujemy bydło.
fence [fens] *n* Most of our neighbours have a **fence** or hedge round their garden.	**płot** Większość naszych sąsiadów ma płot lub żywopłot dokoła ogrodu.

«2001–4000»

area ['eərɪə] *n syn:* region People in this **area** used to be poor.	**okolica, teren** Dawniej ludzie w tej okolicy byli biedni.
local ['ləʊkl] *adj opp:* regional, national I found a flat through an ad in the **local** paper.	**lokalny, -a, -e; miejscowy, -a, -e** Znalazłam mieszkanie dzięki ogłoszeniu w lokalnej gazecie.
capital ['kæpɪtl] *n* Canberra, not Sydney, is the **capital** of Australia.	**stolica** Stolicą Australii jest Canberra, a nie Sydney.

population [ˌpɒpjə'leɪʃn] *n* The USA has a **population** of about 230 million.	**populacja, ludność** Ludność USA wynosi około 230 milionów.
suburb ['sʌbɜːb] *n opp:* centre Most Londoners live in the **suburbs.**	**przedmieście** Większość londyńczyków mieszka na przedmieściach.
surroundings [sə'raʊndɪŋz] *pl* *syn:* environment I'm looking for a house in quiet **surroundings.**	**otoczenie** Szukam domu w spokojnym otoczeniu.
surround [sə'raʊnd] *vt* The farm is **surrounded** by fields and meadows.	**otaczać** Farmę otaczają pola i łąki.
monument ['mɒnjəmənt] *n* Nelson's Column is one of London's best-known **monuments.**	**pomnik** Kolumna Nelsona to jeden z najbardziej znanych pomników Londynu.
cathedral [kə'θiːdrəl] *n* We visited Cologne **Cathedral** (ⓘ *nie:* ***dome***).	**katedra** Zwiedziliśmy katedrę w Kolonii.
town hall [ˌtaʊn 'hɔːl], *Am* **city hall** [ˌsɪtɪ 'hɔːl] *n* The mayor welcomed his guests in the **town/city hall.**	**ratusz** Burmistrz powitał gości w ratuszu.
ruins ['ruːɪnz] *pl* In Malta you can see many **ruins.**	**ruiny** Na Malcie można oglądać wiele ruin.
fountain ['faʊntn] *n* If you throw a coin in the **fountain,** you'll return.	**fontanna** Jeśli wrzucisz monetę do fontanny, wrócisz tu.
mill [mɪl] *n* **Mills** were used to grind grain into flour.	**młyn** W młynach mielono zboże na mąkę.
hut [hʌt] *n* The refugees had to live in small wooden **huts.**	**chatka** Uchodźcy musieli mieszkać w małych drewnianych chatkach.
grave [greɪv] *n* At the end of a funeral the coffin is lowered into the **grave.**	**grób** Na zakończenie pogrzebu trumnę opuszcza się do grobu.

cemetery ['semətrɪ] *n* *syn:* graveyard They are buried in the **cemetery.**	**cmentarz** Pochowano ich na cmentarzu.
zoo [zuː] *n* Many animals live in **zoos.**	**zoo** W zoo żyje wiele zwierząt.

8.2 KRAJOBRAZ

«1–2000»

view [vjuː] *n* Our hotel room has a wonderful **view** of the coast.	**widok** Z naszego pokoju hotelowego jest wspaniały widok na wybrzeże.
ground [graʊnd] *n* *syn:* soil, earth In arctic regions the **ground** is frozen all year.	**ziemia, grunt** Na terenach polarnych ziemia jest zamarznięta przez cały rok.
hill [hɪl] *n* Except for a few **hills,** the country is flat.	**wzgórze** Jeśli nie liczyć kilku wzgórz, kraj jest płaski.
mountain ['maʊntɪn] *n* *opp:* valley Mount Everest is the highest **mountain** in the world.	**góra** Mount Everest to najwyższa góra świata.
top [tɒp] *n syn:* summit, peak You have a fantastic view from the **top** of the mountain.	**szczyt** Ze szczytu góry rozciąga się wspaniały widok.
valley ['vælɪ] *n opp:* mountain We skied downhill into the **valley.**	**dolina** Zjechaliśmy na nartach do doliny.
coast [kəʊst] *n* Brighton is on the south **coast** of England.	**wybrzeże** Brighton leży na południowym wybrzeżu Anglii.

beach [biːtʃ] *n* We went to the **beach** to sunbathe.	**plaża** Poszliśmy na plażę, żeby się opalać.
river ['rɪvə] *n* Some lakes and **rivers** are so polluted that you can't swim there.	**rzeka** Niektóre rzeki są tak zanieczyszczone, że nie można w nich pływać.
lake [leɪk] *n* After school we often go swimming in a small **lake**.	**jezioro** Po szkole często chodzimy popływać w małym jeziorku.
spring [sprɪŋ] *n* The hikers filled their water bottles at a mountain **spring.**	**źródło, źródełko** Wędrowcy napełnili bidony w górskim źródełku.
forest ['fɒrɪst] *n syn:* woods Canada is a country of lakes and **forests.**	**las** Kanada to kraj jezior i lasów.
field [fiːld] *n* Tractors have made working in the **fields** much easier.	**pole** Traktory bardzo ułatwiły pracę w polu.
park [pɑːk] *n* The **parks** are full of joggers early in the morning.	**park** Wczesnym rankiem parki są pełne biegaczy.
path [pɑːθ] *n* There's a **path** leading up the hill.	**ścieżka** Ścieżka prowadzi na wzgórze.

«2001–4000»

scenery ['siːnərɪ] *n* You see fantastic **scenery** in the Lake District.	**krajobraz, okolica** W Lake District (obszar jezior na północy Anglii – *red.*) można zobaczyć fantastyczne krajobrazy.
region ['riːdʒən] *n* There is a lot of sunshine in the southern **regions** of England.	**region** W południowych regionach Anglii jest dużo słońca.
soil [sɔɪl] *n syn:* ground, earth The rich **soil** of Kent is excellent for farming.	**gleba, ziemia, grunt** Żyzna gleba hrabstwa Kent jest doskonała do uprawy roli.

sand [sænd] *n*
Like many other beaches, Brighton has no **sand,** but pebbles.

piasek
Podobnie jak na wielu innych plażach, w Brighton nie ma piasku, tylko żwir.

---

rock [rɒk] *n syn:* stone
To find oil they had to drill through solid **rock.**

skała, kamień
Żeby znaleźć ropę, musieli wiercić w litej skale.

---

plain [pleɪn] *n*
The American West consists of high mountains and extensive **plains.**

równina
Amerykański zachód to wysokie góry i rozległe równiny.

---

slope [sləʊp] *n*
We skied down a very steep **slope.**

zbocze
Zjechaliśmy na nartach po bardzo stromym zboczu.

---

steep [stiːp] *adj*
The mountain road is too **steep** to drive up in a normal car.

stromy, -a, -e
Górska droga jest zbyt stroma, by wjechał po niej zwykły samochód.

---

cliff [klɪf] *n*
Returning to England, many people are happy to see the white **cliffs** of Dover.

klif, skała
Wiele osób cieszy się, widząc białe skały Dover przy powrocie do Anglii.

---

cave [keɪv] *n*
In the Stone Age, man lived in **caves.**

jaskinia
W epoce kamienia łupanego ludzie mieszkali w jaskiniach.

---

source [sɔːs] *n opp:* mouth
The **source** of the Colorado River is in Utah.

źródło
•ródło rzeki Kolorado jest w Utah.

---

stream [striːm] *n syn:* brook, creek
The hikers cooled their feet in a mountain **stream.**
We had to row against the **stream.**

strumień, prąd, bieg
Wędrowcy ochłodzili stopy w strumieniu.
Musieliśmy wiosłować pod prąd.

---

pond [pɒnd] *n*
In the park there is a **pond** with ducks.

staw
W parku jest staw z kaczkami.

bay [beɪ] *n* We sailed into a little **bay** to be safe from the storm.	**zatoka** Wpłynęliśmy do małej zatoczki, żeby schronić się przed sztormem.
current ['kʌrənt] *n* No swimming – the **current** is too strong.	**prąd** Pływanie zabronione – prąd jest zbyt silny.
bank [bæŋk] Thousands watch the boat race from the **banks** of the River Thames.	**brzeg rzeki** Tysiące ludzi obserwowały wyścigi łodzi z brzegu Tamizy.
island ['aɪlənd] *n* The West Indies are a group of **islands** in the Caribbean.	**wyspa** Indie Zachodnie to grupa wysp na Karaibach.
desert ['dezət] *n* Las Vegas is in the middle of the **desert.**	**pustynia** Las Vegas leży w środku pustyni.
jungle ['dʒʌŋgl] *n* Tarzan was brought up in the **jungle** by apes.	**dżungla** Tarzan wychował się w dżungli, wśród małp.
meadow ['medəʊ] *n* We had a picnic in a **meadow** by the river.	**łąka** Urządziliśmy sobie piknik na łące, nad rzeką.
canal [kə'næl] *n* Birmingham has more **canals** (ⓘ *nie:* ***channels***) than Venice.	**kanał** Birmingham ma więcej kanałów niż Wenecja.
ditch [dɪtʃ] *n* The car skidded on the icy road and landed in a **ditch.**	**rów** Samochód wpadł w poślizg na oblodzonej szosie i wylądował w rowie.

8.3 NATURA

«1–2000»

nature ['neɪtʃə] *n* In the Lake District you can admire **nature** in all its beauty.	**natura, przyroda** W Lake District można podziwiać naturę w pełnej krasie.
natural ['nætʃrəl] *adj* *opp:* artificial, man-made Wool, cotton and leather are **natural** materials.	**naturalny, -a, -e** Wełna, bawełna i drewno to materiały naturalne.
light [laɪt] *n opp:* dark(ness) There isn't enough **light** to take a photograph.	**światło** Jest za mało światła, żeby robić zdjęcia.
air [eə] *n* You can't breathe without **air.**	**powietrze** Bez powietrza nie można oddychać.
water ['wɔːtə] *n* You should boil the **water** before drinking it.	**woda** Przed wypiciem wodę powinno się zagotować.
wave [weɪv] *n* Swimming is dangerous when the **waves** are so high.	**fala** Pływanie jest niebezpieczne, kiedy fale są zbyt duże.
heat [hiːt] *n opp:* cold They leave Florida in the summer because of the **heat.**	**upał** W lecie wyjeżdżają z Florydy ze względu na upał.
fire ['faɪə] *n* Much of Yellowstone was destroyed by **fire** in 1988.	**ogień, pożar** Duża część parku Yellowstone spłonęła w pożarze w 1988 r.
cold [kəʊld] *adj, n* New York is too hot in summer and too **cold** in winter.	**zimny, -a, -e; zimno** W Nowym Jorku latem jest za gorąco, a zimą za zimno.
cool [kuːl] *adj opp:* warm Even in August San Francisco is pleasantly **cool.**	**chłodny, -a, -e** Nawet w sierpniu w San Francisco jest przyjemnie chłodno.

ice [aɪs] *n* The **ice** on the lake is still too thin to walk on.	**lód** Lód na jeziorze jest za cienki, żeby po nim chodzić.

«2001–4000»

growth [grəʊθ] *n* Plants need water and light for **growth.**	**wzrost, rośnięcie** Rośliny potrzebują światła i wody do rośnięcia.
gas [gæs] *n* ⓘ *pl* **gases** ['gæsɪz] Ozone is a **gas** which protects the earth from UV rays.	**gaz** Ozon to gaz, który chroni ziemię przed promieniowaniem ultrafioletowym.
steam [stiːm] *n* Water becomes **steam** when heated.	**para** Po podgrzaniu woda zamienia się w parę.
flood [flʌd] *n opp:* drought There are **floods** in India during the rainy season.	**powódź** Podczas pory deszczowej w Indiach występują powodzie.
mud [mʌd] *n* Lots of cars got stuck in the **mud.**	**błoto** Wiele samochodów utkwiło w błocie.
flame [fleɪm] *n* We saw **flames** coming out of the windows.	**płomień** Widzieliśmy płomienie buchające z okien.
melt [melt] *vi, vt opp:* freeze Snow **melts** in the sun.	**topić się, topnieć** Śnieg topi się w słońcu.
shadow ['ʃædəʊ] *n* In autumn the **shadows** get longer.	**cień** Na jesieni cienie stają się coraz dłuższe.
shade [ʃeɪd] *n opp:* sun It's too hot in the sun – let's get into the **shade**.	**cień; zacienione miejsce (obszar)** Na słońcu jest za gorąco, usiądźmy w cieniu.

8.4 ZWIERZĘTA

«1–2000»

animal ['ænıml] *n*	**zwierzę**
I'd rather watch **animals** in the wild than in a zoo.	Wolę obserwować zwierzęta na wolności niż w zoo.
wild [waıld] *adj opp:* tame	**dzik-i, -a, -ie**
On a safari you can see lots of **wild** animals.	Na safari można zobaczyć wiele dzikich zwierząt.
bird [bɜːd] *n*	**ptak**
Penguins are **birds** that cannot fly.	Pingwiny to ptaki, które nie potrafią latać.
fly [flaı] *vi* ⓘ **flew** [fluː], **flown** [fləʊn]	**latać**
A lot of birds **fly** south for the winter.	Wiele ptaków leci na zimę na południe.
fish [fıʃ] *n* ⓘ *pl* **fish** [fıʃ], **fishes** ['fiʃiz]	**ryba**
We went fishing and caught a lot of **fish.**	Poszliśmy na ryby i złowiliśmy dużo ryb.
dog [dɒg] *n*	**pies**
We keep a **dog** to guard our home.	Mamy psa, żeby pilnował domu.
cat [kæt] *n*	**kot**
Tigers and lions are big **cats.**	Tygrysy i lwy to wielkie koty.
chicken ['tʃıkın] *n*	**kura, kurczak**
We only eat eggs from our own **chickens.**	Jadamy wyłącznie jaja od własnych kur.
pig [pıg] *n*	**świnia**
Bacon is salted or smoked meat from a **pig.**	Bekon to solone lub wędzone mięso świni.
horse [hɔːs] *n*	**koń**
A cowboy can't do his job without a **horse.**	Kowboj nie może wykonywać swojej pracy bez konia.
cow [kaʊ] *n opp:* bull	**krowa**
The meat from a **cow** or bull is called beef.	Mięso z krowy lub byka to wołowina.

cattle ['kætl] *pl* The **cattle** were (ⓘ *nie:* ***was***) grazing in the field.	**bydło** Bydło pasło się na pastwisku.
sheep [ʃiːp] *n* ⓘ *pl* **sheep** [ʃiːp] **Sheep** are kept for their wool and meat.	**owca** Owce hoduje się na wełnę i na mięso.
mouse [maʊs] *n* ⓘ *pl* **mice** [maɪs] Cats catch **mice.**	**mysz** Koty łowią myszy.
tail [teɪl] *n* A rat has a very long **tail.**	**ogon** Szczur ma długi ogon.

«2001–4000»

creature ['kriːtʃə] *n syn:* being The chameleon is a strange **creature.**	**stworzenie** Kameleon to dziwne stworzenie.
pet [pet] *n* No dogs or other **pets** are allowed in this hotel.	**zwierzątko domowe** W tym hotelu nie wolno trzymać żadnych zwierząt domowych.
tame [teɪm] *adj* "Flipper" was a popular TV series about a **tame** dolphin.	**oswojony, -a, -e** „Flipper" to popularny serial telewizyjny o oswojonym delfinie.
feed [fiːd] *vt, vi* ⓘ **fed** [fed], **fed** [fed] Swallows **feed** their young on insects. Cows **feed** on grass.	**karmić, odżywiać się** Jaskółki karmią młode owadami. Krowy odżywiają się trawą.
breed [briːd] *vt* ⓘ **bred** [bred], **bred** [bred] Many Indian tribes **bred** their own horses.	**hodować** Wiele plemion indiańskich hodowało własne konie.
bark [bɑːk] *vi* Our dog **barks** every time someone is at the door.	**szczekać** Nasz pies szczeka, ilekroć ktoś jest przy drzwiach.
bite [baɪt] *vi, vt* ⓘ **bit** [bɪt], **bitten** ['bɪtn] Postmen are often **bitten** by dogs.	**gryźć** Psy często gryzą listonoszy.

bull [bʊl] *n opp:* cow In a Portuguese bullfight the **bull** is not killed.	**byk, buhaj** Na portugalskiej corridzie nie zabija się byka.
horn [hɔːn] *n* A buffalo's **horns** are dangerous weapons.	**róg** Rogi byka to niebezpieczna broń.
calf ['kɑːf] *n* ⓘ *pl* **calves** [kɑːvz] Have you seen that cow with her calf?	**cielak, cielę** Widziałaś tamtą krowę z cielaczkiem?
lamb [læm] *n* A **lamb** is a young sheep.	**jagnię** Jagnię to młoda owieczka.
goat [gəʊt] *n* A **goat** is smaller than a sheep and is mainly kept for its milk.	**koza** Koza jest mniejsza od owcy, hoduje się ją głównie ze względu na mleko.
donkey ['dɒŋkɪ] *n syn:* ass A **donkey** is smaller than a horse and has longer ears.	**osioł** Osioł jest mniejszy od konia i ma dłuższe uszy.
hen [hen] *n opp:* cock **Hens** lay eggs.	**nioska, kwoka** Kwoki znoszą jaja.
cock [kɒk] *n syn:* rooster *(Am)* Our neighbour's **cock** crows every morning at dawn.	**kogut** Kogut naszego sąsiada pieje codziennie o świcie.
duck [dʌk] *n* We could hear the **ducks** quacking on the pond.	**kaczka** Słyszeliśmy, jak kaczki kwaczą na stawie.
goose [guːs] *n* ⓘ *pl* **geese** [giːs] Roast **goose** is the traditional German Christmas dinner.	**gęś** Pieczona gęś to tradycyjne niemieckie danie na Boże Narodzenie.
pigeon ['pɪdʒɪn] *n* In the past **pigeons** were used to deliver messages.	**gołąb** W przeszłości gołębi używano do przekazywania wiadomości.
turkey ['tɜːkɪ] *n* **Turkey** is the traditional English Christmas dinner.	**indyk** Indyk to tradycyjna brytyjska potrawa na Boże Narodzenie.

feather ['feðə] *n* Indians used to wear **feathers** in their hair.	**pióro** Dawniej Indianie nosili pióra we włosach.
wing [wɪŋ] *n* The albatross can spread its **wings** up to more than 11 feet.	**skrzydło** Albatros może rozłożyć skrzydła nawet na 3,5 metra.
nest [nest] *n* Eagles build their **nests** on mountain tops.	**gniazdo** Orły zakładają gniazda na górskich szczytach.
game [geɪm] *n* Elephant guns are used in killing elephants or other big **game.**	**dzika zwierzyna, dzikie zwierzęta** Strzelb na słonie używa się w czasie polowań na słonie i inne duże dzikie zwierzęta.
track [træk] *n* The hunters followed the animals' **tracks** in the snow.	**trop** Myśliwi szli tropem zwierzęcia po śniegu.
fur [fɜː] *n* Trappers catch wild animals for their **fur.**	**futro** Traperzy łapią dzikie zwierzęta ze względu na ich futro.
rabbit ['ræbɪt] *n* **Rabbits** like carrots.	**królik** Króliki lubią marchewkę.
deer [dɪə] *n* ⓘ *pl* **deer** [dɪə] "Bambi" is a famous film about a young **deer.**	**jeleń** „Bambi" to znany film o jelonku.
rat [ræt] *n* **Rats** are used a lot in animal experiments.	**szczur** Często wykonuje się eksperymenty na szczurach.
fox [fɒks] *n* **Foxes** hunt alone.	**lis** Lisy polują w pojedynkę.
wolf [wʊlf] *n* ⓘ *pl* **wolves** [wʊlvz] **Wolves** hunt in packs.	**wilk** Wilki polują w stadach.
lion ['laɪən] *n* The **lion** is called the king of the animals.	**lew** Lew jest nazywany królem zwierząt.

elephant ['elɪfənt] *n* The African **elephant** is the largest living land animal.	**słoń** Słoń afrykański to największe żyjące zwierzę lądowe.
monkey ['mʌŋkɪ] *n* Chimpanzees are thought to be the most intelligent **monkeys.**	**małpa** Szympansy uważa się za najinteligentniejsze małpy.
whale [weɪl] *n* Blue **whales** are the largest and heaviest animals in the world.	**wieloryb** Wieloryby błękitne to największe i najcięższe zwierzęta świata.
shark [ʃɑːk] *n* **Sharks** are dangerous fish that sometimes kill swimmers.	**rekin** Rekiny to niebezpieczne ryby, czasami zabijają pływaków.
insect ['ɪnsekt] *n* All **insects,** such as flies and mosquitoes, have six legs.	**owad** Wszystkie owady, jak muchy i komary, mają po sześć odnóży.
mosquito [mə'skiːtəʊ] *n* Malaria is passed on to humans by **mosquitoes.**	**komar, moskit** Moskity zarażają ludzi malarią.
spider ['spaɪdə] *n* A **spider** catches insects with a web.	**pająk** Pająk łapie owady w sieć.
beetle ['biːtl] *n syn:* bug A ladybird is a little red **beetle** with black spots.	**żuk** Biedronka to mały czerwony żuk w czarne kropki.
butterfly ['bʌtəflaɪ] *n* **Butterflies** are beautiful.	**motyl** Motyle są piękne.
bee [biː] *n* This honey comes from our own **bees.**	**pszczoła** Ten miód pochodzi od naszych pszczół.
wasp [wɒsp] *n* Lots of people get stung by **wasps.**	**osa** Osy żądlą wiele osób.
sting [stɪŋ] *vi, vt* ⓘ **stung** [stʌŋ], **stung** [stʌŋ] Some insects, such as bees and wasps, **sting.**	**żądlić, użądlić** Niektóre owady, jak pszczoły i osy, mogą użądlić.

snake [sneɪk] *n* — **wąż**
A big **snake** can swallow a mouse in one piece. — Duży wąż może połknąć całą mysz.

worm [wɜːm] *n* — **robak**
Birds feed their young on **worms** and insects. — Ptaki karmią pisklęta robakami i owadami.

8.5 ROŚLINY

«1–2000»

plant [plɑːnt] *n* — **roślina**
Coffee is made from the fruits of the coffee **plant.** — Kawę robi się z nasion rośliny – kawowca.

tree [triː] *n* — **drzewo**
Air pollution is killing our **trees.** — Zanieczyszczenie powietrza zabija drzewa.

bush [bʊʃ] *n* — **krzew**
They have beautiful rose **bushes** in their garden. — Oni mają piękne krzewy różane w swoim ogrodzie.

grass [grɑːs] *n* — **trawa**
Cattle feed on **grass.** — Bydło żywi się trawą.

leaf [liːf] *n* ⓘ *pl* **leaves** [liːvz] — **liść**
In autumn most trees shed their **leaves.** — Na jesieni większość drzew gubi liście.

fruit [fruːt] *n* — **owoc**
This is made from several tropical **fruits.** → *fruit* — To zostało zrobione z owoców tropikalnych.

flower ['flaʊə] *n* — **kwiat**
Roses are my favourite **flowers.** — Róże to moje ulubione kwiaty.

«2001–4000»

grow [grəʊ] *vt* ⓘ **grew** [gruː], **grown** [grəʊn] — **rosnąć, uprawiać**
Cotton is **grown** in the American South. — Na amerykańskim południu uprawia się bawełnę.

sow [səʊ] *vt* ⓘ **sowed** [səʊd], **sown** [səʊn] Wheat is **sown** several times a year.	**siać** Pszenicę sieje się kilka razy do roku.
seed [siːd] *n* You can buy grass and flower **seed** in paper bags.	**ziarno, nasionko** Można kupić nasiona trawy i kwiatów w papierowych torebkach.
blossom ['blɒsəm] *n* The cherry trees are in full **blossom** in May.	**kwitnienie** Wiśnie kwitną w maju.
harvest ['hɑːvɪst] *n* On a small farm, all help with the **harvest.**	**żniwa** Na małej farmie wszyscy pomagają przy żniwach.
crop [krɒp] *n* America's farmers have the biggest wheat **crops** in the world.	**zbiory** Amerykańscy farmerzy mają największe zbiory pszenicy na świecie.
weed [wiːd] *n* I have to do more garden work – there are so many **weeds.**	**chwast** Muszę więcej pracować w ogrodzie – jest tyle chwastów.
hedge [hedʒ] *n* There is a low **hedge** around our front garden.	**żywopłot** Nasz ogródek od frontu otacza niski żywopłot.
hay [heɪ] *n* In winter farmers feed their cattle with **hay.**	**siano** W zimie farmerzy karmią bydło sianem.
grain [greɪn] *n* The US exports most of its **grain,** mainly wheat.	**ziarno** USA eksportują większość swojego ziarna, głównie pszenicę.
corn [kɔːn] *n* The US is the world's greatest producer of **corn.**	**kukurydza** USA są największym światowym producentem kukurydzy.

☺ **Corn** to w amerykańskim angielskim wyłącznie „kukurydza", a w brytyjskim – ogólnie „zboże". W Anglii na kukurydzę mówi się **maize** [meɪz], a dmuchana kukurydza wszędzie nazywa się **popcorn**!

wheat [wiːt] *n* White bread is made from **wheat.**	**pszenica** Białe pieczywo robi się z pszenicy.

trunk [trʌŋk] *n* In rainforests there are lots of fallen tree **trunks.**	**pień** W lasach deszczowych leży wiele zwalonych pni.
branch [brɑːntʃ] *n* The **branches** of the apple trees are heavy with fruit.	**gałąź** Gałęzie jabłoni uginają się pod ciężarem owoców.
root [ruːt] *n* You must pull out the weeds by the **roots.**	**korzeń** Musisz wyrwać chwasty z korzeniami.
mushroom ['mʌʃruːm] *n* Some **mushrooms** are edible, but others are poisonous.	**grzyb** Niektóre grzyby są jadalne, inne trujące.

8.6 NIEBO I ZIEMIA

«1–2000»

world [wɜːld] *n* It is a creature from another **world.**	**świat** To stworzenie nie z tego świata.
moon [muːn] *n* There's no life on the **moon.**	**księżyc** Na Księżycu nie istnieje życie.
earth [ɜːθ] *n* The distance between the moon and the **earth** is about 240,000 miles.	**ziemia** Odległość od Ziemi do Księżyca wynosi około 240 000 mil (400 000 km).
star [stɑː] *n* It was a clear sky and the **stars** were shining.	**gwiazda** Była bezchmurna noc, gwiazdy lśniły na niebie.
sun [sʌn] *n* Children shouldn't stay in the **sun** too long.	**słońce** Dzieci nie powinny zbyt długo przebywać na słońcu.
shine [ʃaɪn] *vi* ⓘ **shone** [ʃɒn], **shone** [ʃɒn] The sun **shines** 189 days per year in Phoenix, Arizona.	**świecić** W Phoenix w Arizonie słońce świeci 189 dni w roku.

sky [skaɪ] *n* The **sky** was blue and the sun was shining. → *heaven*	**niebo** Niebo było błękitne i świeciło słońce.
north [nɔːθ] *n, adj, adv* *opp:* south Liverpool is in the **north** of England. Canada is **north** of the USA.	**północ; północny, -a, -e** Liverpool leży na północy Anglii. Kanada leży na północ od USA.
south [saʊθ] *n, adj, adv* *opp:* north Miami is in the **south** of Florida.	**południe; południowy, -a, -e** Miami leży na południu Florydy.
east [iːst] *n, adj, adv opp:* west Detroit is **east** of Chicago.	**wschód; wschodni, -a, -e** Detroit znajduje się na wschód od Chicago.
west [west] *n, adj, adv opp:* east The sun sets in the **west.**	**zachód; zachodni, -a, -e** Słońce zachodzi na zachodzie.
sea [siː] *n syn:* ocean Oil spills pollute the **sea** and beaches. → *lake*	**morze** Wycieki ropy zanieczyszczają morza i plaże.
ocean ['əʊʃn] *n syn:* sea Lindbergh flew alone across the **ocean** from New York to Paris in 1927.	**ocean** Lindbergh samotnie przeleciał nad oceanem, z Nowego Jorku do Paryża, w 1927 r.
map [mæp] *n* I'll show you on this **map** where we are now.	**mapa** Pokażę ci na mapie, gdzie teraz jesteśmy.

«2001–4000»

space [speɪs] *n* Yuri Gagarin was the first man in **space** (ⓘ *nie:* ***the space***).	**kosmos, przestrzeń kosmiczna** Jurij Gagarin był pierwszym człowiekiem w kosmosie.
universe ['juːnɪvɜːs] *n* We are part of the **universe.**	**wszechświat** Jesteśmy częścią wszechświata.
planet ['plænɪt] *n* The earth is called the "blue **planet**".	**planeta** Ziemię nazywa się „Błękitną planetą".

ıse [raɪz] *vi opp:* set ⓘ **rose** [rəʊz], **risen** ['rɪzn] The sun **rises** in the east and sets in the west.	**wschodzić, podnosić się** Słońce wschodzi na wschodzie i zachodzi na zachodzie.
set [set] *vi opp:* rise ⓘ **set** [set], **set** [set] In winter the sun **sets** in the afternoon.	**zachodzić** Zimą słońce zachodzi po południu.
sunrise ['sʌnraɪz] *n opp:* sunset Vampires have to be back in their coffins by **sunrise.**	**wschód słońca** Wampiry muszą wracać do swoich trumien przed wschodem słońca.
sunset ['sʌnset] *n opp:* sunrise I must be home before **sunset.**	**zachód słońca** Muszę być w domu przed zachodem słońca.
ray [reɪ] *n syn:* beam It's dangerous to expose fair skin to the sun's **rays.**	**promień** Niebezpiecznie jest eksponować skórę na promienie słońca.
pole [pəʊl] *n* The earth has two **poles,** the North **Pole** and the South **Pole.**	**biegun** Ziemia ma dwa bieguny, północny i południowy.
continent ['kɒntɪnənt] *n* Australia was the last **continent** to be discovered.	**kontynent** Australia była ostatnim odkrytym kontynentem.
land [lænd] *n* Columbus' crew sighted **land** on October 12, 1492.	**ziemia, ląd** Załoga Kolumba zobaczyła ziemię 12 października 1492 r.
northern ['nɔːðən] *adj* *opp:* southern There are few people in the **northern** regions of Canada.	**północny, -a, -e** W północnych regionach Kanady mieszka niewiele ludzi.
southern ['sʌðən] *adj* *opp:* northern Most seaside resorts are found in the **southern** regions of England.	**południowy, -a, -e** Większość nadmorskich kurortów znajduje się w południowej Anglii.

eastern ['iːstən] *adj* *opp:* western There is more rain in the **eastern** regions of the US.	**wschodni, -a, -e** We wschodniej części USA je więcej opadów.
western ['westən] *adj* *opp:* eastern Some of the **western** states of the US are nearly all desert.	**zachodni, -a, -e** Niektóre zachodnie stany to niemal wyłącznie pustynia.
tide [taɪd] *n* Swimmers must be careful because of the **tides.**	**pływ, przypływ i odpływ** Pływacy powinni zachować ostrożność ze względu na przypływy i odpływy.
low tide [ˌləʊ 'taɪd] *n* *opp:* high tide Swimming can be dangerous at **low tide.**	**odpływ** Podczas odpływu pływanie może być niebezpieczne.
high tide [ˌhaɪ 'taɪd] *n* *opp:* low tide **High tide** is at 9 a.m. tomorrow.	**przypływ** Przypływ będzie jutro o 9.00.

8.7 POGODA I KLIMAT

«1–2000»

weather ['weðə] *n* The **weather's** too mild for snow.	**pogoda** Pogoda jest za ciepła na śnieg.
temperature ['temprətʃə] *n* You must drink a lot when the **temperatures** are so high.	**temperatura** W tak wysokiej temperaturze trzeba dużo pić.
snow [snəʊ] *n, vi* We had hardly any **snow** last winter – it was too mild.	**śnieg; padać (o śniegu)** Zeszłej zimy prawie nie było śniegu.

ze [friːz] *vi, vt* — **zamarzać**
froze [frəʊz], **frozen** ['frəʊzn]
Water begins to **freeze** at 0° Celsius. — W temperaturze 0° Celsjusza woda zaczyna zamarzać.

---

wind [wɪnd] *n* — **wiatr**
I'd like to go sailing but there isn't enough **wind.** — Chętnie poszłabym na żagle, ale jest za słaby wiatr.

---

storm [stɔːm] *n* — **burza, sztorm**
The boat got into a **storm** and sank. — Łódź dostała się w obszar sztormu i zatonęła.

---

blow [bləʊ] *vi, vt* — **wiać, dmuchać**
ⓘ **blew** [bluː], **blown** [bləʊn]
The strong wind **blew** the rain-clouds away. — Silny wiatr rozwiał chmury deszczowe.

---

cloud [klaʊd] *n* — **chmura, obłok**
The sky was blue and there were no **clouds.** — Niebo było błękitne, bez żadnych chmur.

---

fog [fɒg] *n* — **mgła**
The plane could not take off due to **fog.** — Samolot nie mógł wystartować z powodu mgły.

---

rain [reɪn] *n, vi* — **deszcz; padać (o deszczu)**
It's been so hot and dry – we need some **rain.** — Jest sucho i gorąco – przydałoby się trochę deszczu.
You can't go to the beach – it's still **raining.** — Nie możecie iść na plażę – ciągle pada.

---

shower ['ʃaʊə] *n* — **deszcz, mżawka**
The weather was fine except for a few **showers.** — Pogoda była dobra, jeśli nie liczyć drobnego deszczu.

«2001–4000»

climate ['klaɪmɪt] *n* — **klimat**
The ozone hole is expected to cause major changes in the **climate.** — Przypuszcza się, że dziura ozonowa spowoduje wielkie zmiany w klimacie.

---

sunshine ['sʌnʃaɪn] *n opp:* rain — **słońce, światło słoneczne**
We had a lot of **sunshine** and very little rain. — Mieliśmy dużo słońca i mało deszczu.

sunny ['sʌnɪ] *adj opp:* rainy
It will be mostly **sunny** with a few showers.

słoneczny, -a, -e
Dzień będzie słoneczny, z ni wielkimi opadami.

---

mist [mɪst] *n*
The sun came out and the **mist** disappeared.

mgła
Pojawiło się słońce i mgła znikła.

---

rainy ['reɪnɪ] *adj opp:* sunny
The weather was great – we didn't have a single **rainy** day.

deszczowy, -a, -e
Pogoda dopisała, nie mieliśmy nawet jednego deszczowego dnia.

---

frost [frɒst] *n*
There was a hard **frost** that killed several young trees.

mróz
Silny mróz zniszczył wiele młodych drzew.

---

thunderstorm ['θʌndəstɔːm] *n*
The plane got into a **thunderstorm** and was struck by lightning.

burza
Samolot wleciał w burzę i trafił go piorun.

---

thunder ['θʌndə] *n, vi*
The hot day ended with **thunder** and lightning.

grzmot; grzmieć
Upalny dzień skończył się grzmotami i piorunami.

---

lightning ['laɪtnɪŋ] *n*
The farmhouse was struck by **lightning** and burnt down.

piorun
Piorun uderzył w zagrodę i spalił ją doszczętnie.

---

flash [flæʃ] *n*
I saw a **flash** of lightning and heard thunder at the same time.

błyskawica
Widziałam błyskawicę i jednocześnie usłyszałam grzmot.

8.8 PROBLEMY ZWIĄZANE ZE ŚRODOWISKIEM NATURALNYM

«1–2000»

environment [ɪn'vaɪərənmənt] *n*
Oil pollutes the **environment** more than anything else.

środowisko
Nic tak bardzo nie zanieczyszcza środowiska jak ropa.

…llution [pə'luːʃn] *n* …Fewer cars mean less **pollution** of the air.	**zanieczyszczenie** Mniej samochodów oznacza mniejsze zanieczyszczenie powietrza.
pollute [pə'luːt] *vt* Oil tanker accidents **pollute** the sea and beaches.	**zanieczyszczać** Tankowce zanieczyszczają morza i plaże.
smoke [sməʊk] *n* Coal-fired power stations give off a lot of **smoke.**	**dym** Elektrownie spalające węgiel emitują dużo dymu.
waste [weɪst] *n* *syn:* rubbish, garbage To avoid **waste,** more materials must be recycled and reused.	**odpady, śmiecie** Jeśli chcemy uniknąć odpadów, trzeba więcej materiałów wykorzystywać powtórnie.

«2001–4000»

smog [smɒg] *n* To fight **smog,** cars should be banned from the city centres.	**smog** Żeby zwalczyć smog, trzeba zabronić korzystania z samochodów w centrum miasta.
acid rain [ˌæsɪd 'reɪn] *n* **Acid rain** is killing our forests.	**kwaśny deszcz** Kwaśne deszcze zabijają lasy.
dump [dʌmp] *n, vt* No chemical waste is allowed at the city **dump.** Waste paper ought to be recycled rather than **dumped.**	**wysypisko śmieci; wyrzucać** Odpadów chemicznych nie wolno wyrzucać na miejskim wysypisku śmieci. Papier powinno się ponownie wykorzystywać, a nie wyrzucać.
recycle [ˌriː'saɪkl] *vt* This book is made from **recycled** paper only.	**ponownie wykorzystać** Tę książkę wyprodukowano z papieru z surowców wtórnych.
alternative [ɔːl'tɜːnətɪv] *adj* We must use more **alternative** forms of energy.	**alternatywny, -a, -e** Musimy znaleźć więcej alternatywnych źródeł energii.
catalytic converter [ˌkætə'lɪtɪk kən'vɜːtə] *n* A car with a **catalytic converter** causes less air pollution.	**katalizator** Samochód z katalizatorem mniej zanieczyszcza środowisko.

unleaded [ˌʌn'ledɪd] *adj* — **bezołowiowy, -a, -e**
syn: lead-free, *opp:* leaded
Unleaded fuel is less harmful to the environment. — Benzyna bezołowiowa jest mniej szkodliwa dla środowiska.

9 TECHNIKA

9.1 ENERGIA I TECHNIKA

«1–2000»

energy ['enədʒɪ] *n syn:* power — **energia**
A quarter of the world's population uses 85% of the world's **energy** supply. — Jedna czwarta ludności ziemi zużywa 85% energii.

---

power ['paʊə] *n* — **energia, elektryczność, siła**
syn: energy, electricity
Switzerland gets most of its energy from water **power.** — Szwajcaria uzyskuje większość energii elektrycznej z elektrowni wodnych.

---

electricity [ɪˌlek'trɪsətɪ] *n* — **elektryczność**
syn: power
Electricity is produced by a battery or a generator. — Elektryczność powstaje w akumulatorze lub generatorze.

---

machine [mə'ʃiːn] *n* — **maszyna, automat**
Huge **machines** are used in modern road building. — W nowoczesnej budowie dróg używa się ogromnych maszyn.
How much is coffee in this vending **machine**? — Ile kosztuje kawa z automatu?

---

engine ['endʒɪn] *n* — **silnik, motor**
The diesel **engine** was invented in the late 19th century. — Silnik diesla wynaleziono pod koniec XIX wieku.

---

motor ['məʊtə] *n* — **motor, silnik**
Electric **motors** are technically simpler than petrol engines and cause less pollution. — Motory elektryczne są pod względem technicznym prostsze od silników spalinowych i powodują mniejsze zanieczyszczenie.

---

line [laɪn] *n* — **linia**
The storm disconnected all the telephone **lines.** — Burza zerwała linie telefoniczne.

mp [pʌmp] *n, vt* The first working steam engine drove a **pump** which **pumped** water out of a coal mine.	**pompa; pompować** Pierwsza działająca maszyna parowa napędzała pompę, która wypompowywała wodę z kopalni.
pipe [paɪp] *n syn:* tube The latest cold spell caused lots of burst **pipes.**	**rura** Ostatnia fala mrozów spowodowała pękanie rur.
spring [sprɪŋ] *n* A quartz watch does not need **spring** (ⓘ *nie: **feather***).	**sprężyna** Zegarek kwarcowy nie musi mieć sprężyny.
work [wɜːk] *vi* If it doesn't **work,** first check the battery.	**działać** Jeśli nie zadziała, sprawdź baterię.

«2001–4000»

technology [tek'nɒlədʒɪ] *n* **Technology** is applied science.	**technologia** Technologia to nauka stosowana.
technique [tek'niːk] *n* *syn:* method They are working on a new **technique** for preserving food.	**technika; metoda** Pracują nad nową metodą przechowywania żywności.
technical ['teknɪkl] *adj* The start was delayed for **technical** reasons.	**techniczny, -a, -e** Start opóźnił się z przyczyn technicznych.
technological [ˌteknə'lɒdʒɪkl] *adj* A lot of people think that the computer is the greatest **technological** advance since the steam engine.	**technologiczny, -a, -e** Wiele osób uważa, że komputer jest największym wynalazkiem technologicznym od czasów maszyny parowej.
engineering [ˌendʒɪ'nɪərɪŋ] *n* Genetic **engineering** still is a controversial subject.	**inżynieria** Inżynieria genetyczna to ciągle kontrowersyjny temat.
mechanical [mɪ'kænɪkl] *adj* A **mechanical** watch must be wound regularly.	**mechaniczny, -a, -e** Zegarek mechaniczny trzeba regularnie nakręcać.

electric(al) [ɪ'lektrɪk(l)] *adj* I got an **electric** shock when I touched the wire. Power stations supply **electrical** energy.	**elektryczny, -a, -e** Poraził mnie prąd elektryczny, kiedy dotknąłem kabla. Elektrociepłownie dostarczają energię elektryczną.
current ['kʌrənt] *n* The red button switches the **current** on.	**prąd** Czerwonym przyciskiem włączamy prąd.
electronic [ɪ'lek trɒnɪk] *adj* All our accounting is done by **electronic** data processing.	**elektroniczny, -a, -e** Naszą księgowość prowadzimy wyłącznie poprzez elektroniczne przetwarzanie danych.
nuclear ['nju:klɪə] *adj* *syn:* atomic **Nuclear** power is produced by the splitting of the atom.	**nuklearny, -a, -e;** **atomowy, -a, -e** Energia atomowa powstaje poprzez rozszczepienie atomu.
power station ['paʊə,steɪʃn] *n syn:* reactor Coal-fired **power stations** cause a lot of air pollution.	**elektrownia** Elektrownie spalające węgiel powodują duże zanieczyszczenie powietrza.
solar ['səʊlə] *adj* **Solar** power is free and practically unlimited.	**słoneczny, -a, -e** Energia słoneczna jest za darmo i praktycznie niewyczerpana.
wire ['waɪə] *n* If you touch this **wire,** you'll get a shock!	**drut, kabel** Jeśli dotkniesz tego kabla, porazi cię prąd!
cable ['keɪbl] *n* This **cable** connects the printer to the computer.	**kabel** Ten kabel łączy komputer z drukarką.
bar [bɑ:] *n* We fitted iron **bars** to our basement windows.	**sztaba, krata, pręt** Zamocowaliśmy w oknach w piwnicy żelazne kraty.
scale [skeɪl] *n* This thermometer has one **scale** in Celsius and one in Fahrenheit.	**skala** Na tym termometrze jest skala Celsjusza i skala Fahrenheita.

pressure ['preʃə] *n* — **ciśnienie**
The **pressure** of the natural gas or water presses the crude oil to the surface. — Ciśnienie gazu ziemnego i wody wypycha ropę na powierzchnię.

---

switch [swɪtʃ] *n, vt* — **włącznik; włączyć**
This is the on/off **switch.** You use it to **switch** the computer on or off. — To jest włącznik i wyłącznik. Tym przyciskiem włączasz lub wyłączasz komputer.

---

control [kən'trəʊl] *vt* — **kontrolować, regulować**
syn: regulate
In an automated production line computers **control** the machine, and robots check the products. — Przy zautomatyzowanej linii produkcyjnej komputery kontrolują maszyny, a roboty sprawdzają produkty.

---

regulate ['regjəleɪt] *vt* — **regulować**
syn: control
A thermostat automatically **regulates** the temperature. — Termostat automatycznie reguluje temperaturę.

---

operate ['ɒpəreɪt] *vt syn:* work — **obsługiwać**
This huge machine is **operated** by only one man. — Tę wielką maszynę obsługuje jeden człowiek.

---

rust [rʌst] *n, vi* — **rdza; rdzewieć**
Rust will eat away the paint and then the metal. — Rdza najpierw zniszczy farbę, potem metal.

9.2 INFORMATYKA

«1–2000»

computer [kəm'pju:tə] *n* — **komputer**
An office without a **computer** is almost unthinkable now. — W dzisiejszych czasach biuro bez komputera jest niemal nie do pomyślenia.

---

hardware ['hɑ:dweə] *n* — **sprzęt komputerowy**
opp: software
Computer **hardware,** such as monitors and printers, has become cheaper. — Sprzęt komputerowy, na przykład monitory i drukarki, potaniał.

software ['sɒftweə] *n* — **oprogramowanie**
opp: hardware
They offer excellent **software** – for example a new word processing program. — Proponują doskonałe oprogramowanie, na przykład nowy edytor tekstu.

---

data ['deɪtə] *n* — **dane**
The keyboard is used to enter **data** into the computer. — Klawiatury używamy, żeby wprowadzić dane do komputera.

---

menu ['menjuː] *n* — **menu**
The **menu** shows you which operations you can choose from. — Menu pokazuje, wśród jakich funkcji możemy wybierać.

---

printer ['prɪntə] *n* — **drukarka**
The **printer** is usually connected to a computer by a cable. — Drukarka jest zwykle połączona z komputerem kablem.

«2001–4000»

personal computer [ˌpɜːsənəl kəm'pjuːtə], **PC** [ˌpiː siː] *n* — **komputer osobisty, pecet**
A workstation usually consists of a desk with a **personal computer** for a single person. — Stanowisko komputerowe to zwykle biurko z komputerem dla jednej osoby.

---

keyboard ['kiːbɔːd] *n* — **klawiatura**
This is an American **keyboard.** — To jest amerykańska klawiatura.

---

floppy disk [ˌflɒpɪ 'dɪsk] *n* — **dyskietka**
syn: diskette, *opp:* hard disk
Floppy disks can store data. — Na dyskietkach można przechowywać dane.

---

hard disk [ˌhɑːd 'dɪsk] *n* — **twardy dysk**
opp: floppy disk
A **hard disk** can store more data than a floppy disk. — Na twardym dysku można przechować więcej danych niż na dyskietce.

---

word processing ['wɜːdˌprəʊsesɪŋ] *n* — **edytor tekstu**
You use **word processing** programs for typing letters. — Edytora tekstu używamy do pisania listów.

e-mail ['iːmeɪl] *n, vi, vt* *syn:* email, E-mail You can also send me an **e-mail.** You can also **e-mail** me.	**e-mail; e-mailować** Możesz też wysłać mi e-maila. Możesz do mnie e-mailować.
modem ['məʊdəm] *n* You need a **modem** to get into the Internet.	**modem** Żeby połączyć się z Internetem, potrzebny jest modem.
file [faɪl] *n* Copy all **files** from the hard disk onto a diskette.	**plik** Skopiuj wszystkie pliki z twardego dysku na dyskietkę.